KB128533

〈명주보월빙〉연작 3부작 중 제1부작

낙 선 재 본 과 박 순 호 본 을 교 감 주 석 한

교감본

明珠寶月聘

교감본

明珠寶月聘

1

교주 최길용

學古房

이 저서는 2010년도 정부재원(교육부 인문사회연구역량강화사업비)으로 한국연구재단의 지원을 받아 연구되었음(NRF-2010-327-A00283)

This work was supported by the National Research Foundation of Korea Grant funded by the Korean Government(NRF-2010-327-A00283)

서 문

〈명주보월빙〉은 100권 100책으로 된 거질의 대장편소설로, 105권 105책의 〈윤하정삼문취록〉과 30권 30책의 〈엄씨효문청행록〉을 그 속편으로 거느리고 있어, 이들 두 작품과 함께 《명주보월빙 연작》을 구성하고 있으면서, 연작 전체를 하나의 예술적 총체 곧 하나의 작품으로 묶는 중심작의 기능을 하고 있다. 그런데 이 연작은 그 3부작을 합하면 원문 글자 수가 도합 332만3천여 자(〈보월빙〉1,475,000, 〈삼문취록〉1,455,000, 〈청행록〉393,000)에 이를 만큼 방대하여, 세계문학사에서도 그 유례를 찾아볼 수 없는 대장편서사체인 동시에, 1700년대 말 내지 1800년대 초의 조선조 소설문단의 창작적 역량을 한눈에 보여주는 대작이자, 한국고소설사상 최장편소설로 꼽히고 있다.

양식 면에서, 《명주보월빙 연작》은 중국 송나라를 무대로 하여 윤·하·정 3가문의 인물들이 대를 이어 펼쳐가는 삶을 다룬 〈보월빙〉·〈삼문취록〉과, 윤문과 연혼가인 엄문의 인물들이 펼쳐가는 삶을 다룬 〈청행록〉으로 이루어져, 그 외적양식 면에서는 〈보월빙〉-〈삼문취록〉-〈청행록〉으로 이어지는 3부 연작소설이며, 내적양식 면에서는 윤·하·정·엄문이라는 네 가문의 가문사가 축이 되어 전개되는 가문소설이다.

내용면에서 보면, 이 연작에는 모두 787명(〈보월빙〉275, 〈삼문취록〉399, 〈청행록〉113)에 이르는 엄청난 수의 인물들이 등장하여, 군신·부자·부부·처첩·형제·친구 등 다양한 인간관계에서 벌어지는 수많은 사건들을 펼쳐가면서, 충·효·열·화목·우애·신의 등의 주제를 내세워, 인륜의 수호와 이상적인 인간 공동체의 유지, 발전을 위한 善的 價値들을 권장하고 있다. 아울러 주동인물군의 삶을 통해 고귀한 혈통·입신양명·전지전능한 인간·일부다처·오복향수·이상향의 건설 등과 같은 사대부귀족계급의 현세적 이상을 시현해놓고 있다.

이 책 『교감본 명주보월빙』은 〈명주보월빙〉의 두 이본, 곧 100권100책으로 필사된 '낙선재본'과 36권36책으로 필사된 '박순호본'을 原文內校와 異本對校의 2단계 원문교정 과정을 거쳐 각 텍스트의 필사과정에서 생긴 원문의 오자·탈자·오기·연문·결락들을 교정하고, 여기에 띄어쓰기와 한자병기 및 광범한 주석을 가해 편찬한 것이다.

그 목적은, 첫째로는 필사본 텍스트들이 갖고 있는 태생적 오류, 곧 작품의 창작 또는 전사가 手記로 이루어질 수밖에 없었던 한계 때문에, 마땅한 퇴고나 교정 수단이 없음으로 해서 불가피하게 방치해버린, 잘못 쓰고(誤字), 빠뜨리고(脫字), 거듭 쓴(衍字)글자들과, 또 거듭쓰고(衍文) 빠뜨린(缺落) 문장들, 그리고 문법이나 맞춤법·표준어 규정 같은 어문규범이 없었던 시대에, 글쓰기가 전적으로 필사자의 작문능력에 따라 달라질 수밖에 없음으로 해서 생겨난 무수한 비문들과 오기들, 이러한 것들을 텍스트의 이본대교와, 전후 문장이나 문맥, 필사자의 문투나 글씨체, 그리고 고사・성어・속담・격언・관용구・인용구 등을 비교・대조하여 바로잡음으로써, 정확한 원문을 구축하는 데 있다. 또 이러한 교정과정을 일정한 기호를 사용하여 원문에 병기함으로써, 원문을 원표기 그대로 보존하여 보여주는 한편으로, 독자가 그 교정・교주의 타당성을 판단할 수 있게 하는데 있다. 그 이유는, 이렇게 함으로써 텍스트의 불완전성을 극복할 수 있을 뿐만 아니라, 원문의 표기법을 원문 그대로 재현해 놓음으로써 원본이 갖고 있는 문학적・어학적 가치는 물론 그 밖의 여러 인문・사회학적 가치를 훼손함이 없이 보존하고 전승해 갈 수 있다고 믿기 때문이다.

둘째로는 한 작품의 이본들을 교감・주석하여 竝置시켜 보여줌으로써, 그 교정과 주석의 타당성은 물론, 각 이본이 갖고 있는 표현과 서사의 차이를 한눈에 볼 수 있게 하여, 적층문학적 성격을 갖고 있는 한국 필사본 고소설들에[1] 대한 해석학적 지평을 확장하는 데 있다. 나아가 이 연구의 수행을 통해 '原文校訂'이라는 한・중의 오랜 학문적 전통의 하나인 텍스트 교감학[2]의 유용성을 실증하여, 앞으로의 필사본 고소설들의 정리작업[데이터베이스(data base)구축과 출판]의 한 모델을 수립하는데 있다.

셋째로는 정확한 원문구축과 광범한 주석으로 작품의 可讀性을 높이고 해석적 불완전성을 제거하여, 일반 독자들이나 연구자들이 쉽게 원문 자료에 접근할 수 있게 하는데 있다.

넷째로는 이렇게 정리 구축한 교감본을 현대어본 편찬의 저본(底本)으로 활용하기 위함이다. 현대어본 편찬의 선결과제는 정확한 원문텍스트의 구축과 원문에 대한 정확한 주석이다. 이 책은 처음부터 이 현대어본의 저본 구축을 목표로 편찬된 것이기 때문에 이점 곧 정확한 원문텍스트의 구축과 원문에 대한 정확한 주석에 각별한 정성을 쏟았다.

컴퓨터 문서통계 프로그램이 계산해준 이 책의 파라텍스트(para-text)를 제외한 본문 총글자수는 5,389,773자다. 원문 289만5천자(낙본 145만9천자, 박본143만6천자)를 입력하고, 여기에 15,360곳(낙본2,736곳, 박본12,624곳)의 오자・탈자・오기・연문・결락 등에 대한 원문교정과 31만4천자(낙본16만6천자, 박본14만8천자)의 한자병기, 그리고 15,701개(낙본8,240개, 박본7,461개)의 주석이 더해지고, 또 116만 4천 곳(낙본60만2천 곳, 박본56만2천 곳)의 띄어쓰기가 가해져서 이루어진 결과다. 앞서 언급한 것처럼 이 책은 현대어본 출판까지를 계획하고 편찬한 것이다. 따라서 두 이본 중 선본인 '낙선재본'을 현대어로 옮겨 현재 출판 작업이 진행 중이다. 그 분량도 273만자에 이른다. 전자 교감본은 전문 연구자와 국문학도에게 바치는 학술도서로, 후자 현대어본은 일반 독자들에게 드리는 교

1) 여러 이본들을 갖고 있는 한국 필사본 고소설들은 필사자들이 이를 轉寫하는 과정에서 원작의 표현과 서사에 임의적으로 첨삭과 변개를 가한다는 점에서 원작자의 생각에 필사자들의 생각이 보태져서 유통되는 적층문학적 성격을 갖는다.

2) 고증학의 한 분파로, 경전이나 일반서적을 서로 다른 판본 또는 관련 있는 자료와 대조하여 내용이나 문자・문장의 異同을 밝히고 誤記・誤傳 따위를 찾아 바로잡는 학문이다. 중국 前漢 시대의 학자 劉向에 의해 창시되었으며, 청나라 때 가장 성하였다. 우리나라에서도 고려 때 한림원에 종 9품 校勘을 두었고, 조선시대에는 승문원에 종4품 校勘을 두어 경서 및 외교 문서를 조사하고 교정하는 일을 맡아보게 하였다.

양도서로, 전자는 국배판(A4규격) 3600쪽 5책1질로, 후자는 국판(A5규격) 3400쪽 10책1질로 간행될 예정이다.

그러나 필자의 편찬 작업은 이것으로 끝나는 것이 아니다. 필자는 2010년에 〈명주보월빙〉을, 2011년에는 〈윤하정삼문취록〉을, 그리고 2012년에는 〈엄씨효문청행록〉을 각각 한국연구재단의 연구지원 사업 과제에 지원하여 3회 연속 선정되는 결과를 안았다. 그리하여 지금껏 4년 동안을 필자는 두문불출, 주야불철하며 이 《명주보월빙 연작》의 원문입력과 교정, 주석에 골몰하면서 답답하고 지리한 일상을 보내고 있다. 현재 〈삼문취록〉의 교감본과 현대어본 편찬 작업은 초벌 작업만 마쳐, 출판사에 원고를 넘기기 전의 마지막 교정을 남겨두고 있는 상태다. 〈청행록〉은 교감본 편찬 작업 중 지난해 11월부터 일단 작업을 제쳐둔 채로, 지금 이 책 〈보월빙〉의 교감본과 현대어본의 출판을 위한 마지막 교정에 여념이 없다. 그 교감본은 이제 서문을 넘기게 되니 이달, 곧 2014년 2월 10일자로 간행이 될 것이다. 현대어본은 또 하루에 원문 두 권 분량을 목표로 교정작업을 진행하고 있지만, 그 분량이 100권이나 되니 오는 4월 결과물제출 마감시한을 꼬박 채워서야 발간이 될 것 같다. 〈삼문취록〉은 또 내년인 2015년4월이 제출 마감시한이고, 〈청행록〉은 2016년 4월까지 제출해야 한다. 지금까지의 작업결과로 보아 〈삼문취록〉의 분량은 교감본이 292만2천자, 현대어본이 281만자가 되고, 〈청행록〉은 아직 초벌작업도 마치지 못한 상태이지만 어림잡아 그 분량이 교감본 136만6천자(낙선재본 74만6천자, 고려대본62만자), 현대어본이 74만자(낙선재본)가 되어, 이들을 〈보월빙〉과 같은 형태로 출판을 한다면, 〈삼문취록〉은 교감본 5책, 현대어본 10책, 또 〈청행록〉은 교감본 2책, 현대어본 3책이 될 것이다.

이 3부작을 모두 합하면 교감본 12책, 현대어본 23책이 되어, 23책1질의 현대어본을 단순히 책 수로만 비교한다면 우리 현대소설사상 최장편 소설로 평가되는 20책1질로 출판된 박경리 선생의 〈토지〉를 훌쩍 넘어서는 분량이다. 등장인물 수도 〈토지〉 인물사전에는 600여명이 등장하는 것으로 소개되어 있는데 《명주보월빙 연작》에는 이보다 더 많은 인물이 등장한다. 필자가 작성하여 2007년에 〈한·중 고전소설 인명지명대사전〉 편찬사업팀에 제출한, A4용지 224쪽 분량의《명주보월빙 연작》 인명사전 원고에는 앞에서 잠깐 언급한 것처럼 787명의 인물이 등장하여 각각 작가가 부여한 작품 속 삶을 펼쳐가고 있다. 필자는 이 등장인물 사전을 현대어본 마지막 권(24권)으로 독자에게 제공할 계획이다.

"인내는 쓰고 열매는 달다"고 하였던가! 과정은 힘들었지만 결과를 이렇게 큰 출판물로, 또 DB화된 기록물로 세상에 내놓게 되니, 한국문학의 위대함을 한 자락 열어 보인 것 같아 여간 기쁘지 않다. 또 하나 이 책의 성과를 든다면, 이본 대교 작업을 통해 낙선재본 결권 '卷之七十八'을 박순호본 가운데서 찾아 복원하였다는 점이다. 이로써 이제 '낙본'은 그간 낙질 상태에 있던 자료적 불완전성을 해소하고 완전한 텍스트로 거듭나게 되어, 완질본으로서의 새로운 지위와 가치를 부여받게 된 것이다.

아무쪼록 이 책의 출판을 계기로 이 연작이 더 많은 독자들과 연구자, 문화계 인사들의 사랑과 관심을 받게 되고, 영화나 TV드라마 등으로 제작되어 민족의 삶과 문화가 더 널리 전파되어 갈 수 있기를 기대한다. 이 작품들 속에 등장하는 앵혈・개용단・도봉잠・회면단・도술・부적・신몽・천경 등의 다양한 상상력을 장착한 소설적 도구들은 민족을 넘어 세계인들의 사랑과 흥미를 이끌어내기에 충분할 것이다. 또 세계문학사적 대작이자 한국고소설사상 최장편소설로 평가되는 이 작품이 국민들의 더 높은 사랑과 관심을 받을 수 있도록 국가 보물로 지정되는 날이 쉬이 오기를 기대해 마지않는다.

이 책이 결과물제출 마감시한 전에 출판될 수 있게 된 데에는 박순호본 17권부터 36권까지의 원문입력을 해 준 김영숙 박사의 도움이 컸다. 또 어려운 출판 여건 속에서도 인문학의 위기를 걱정하며 이 책의 출판을 흔쾌히 맡아주신 도서출판 학고방의 하운근 대표님과 편집과 출판을 맡아 애써주신 직원 여러분의 후의를 잊을 수가 없다. 도움을 주신 분들께 이 자리를 빌어 깊은 감사를 드린다.

2014년 설날 아침
최 길 용
(전북대학교 겸임교수)

＊ 일러두기 ＊

이 책『교감본 명주보월빙』은 〈명주보월빙〉의 두 이본, 곧 100권100책으로 필사된 '낙선재본'과 36권 36책으로 필사된 '박순호본'의 입력원문을 서사진행순서에 따라 같은 내용을 같은 지면에다 단락단위로 竝置시켜, 이를 각본의 '원문 내 교정'과 '이본 간 상호대조를 통한 교정'의 2단계 원문교정 과정을 거쳐, 각 텍스트의 필사과정에서 생긴 원문의 誤字·脫字·誤記·衍文·缺落·落張·錯寫들을 교정하고, 여기에 띄어쓰기와 한자병기 및 광범한 주석을 가해 편찬한 것이다.

이 때문에 이 책은 불가피하게 원문에 대한 많은 교정과 보완이 가해졌다. 따라서 이 책은 이처럼 원문에 가해진 많은 교정·보완 사항들을 일관성 있게 보여주고, 누구나 이를 원문과 쉽게 구별할 수 있게 하기 위해 다음 부호들을 사용하였다.

( ) : 한자병기를 나타내는 부호. ( )의 앞에 한글을 적고 속에 한자를 적는다.
예) 붕성지통(崩城之痛)

[ ] : 원문의 잘못 쓴 글자를 바로잡거나 빠진 글자를 보충해 넣은 부호. 오자·탈자·결락·낙장·마멸자 등의 교정에서 바로잡거나 빠진 글자를 보충해 넣을 때 사용한다.
예) 번셩ᄒᆞ믄[믈], 번셩○[ᄒᆞ]믈, 번□□[셩ᄒᆞ]믈,

○ : 원문의 필사 과정에서 생긴 탈자를 표시하는 부호. 3어절 이내, 또는 8자 이내의 글자를 실수로 빠트리고 쓴 것을 교정하는 경우로, 빠진 글자 수만큼 '○'를 삽입하고 그 뒤에 '[ ]'를 붙여, '[ ]' 안에 빠진 글자를 보완해 넣어 교정한다.
예) 넉넉ᄒᆞ○○○[미 이시]니

{ } : 중복된 글자나 불필요하게 들어간 말을 표시하는 부호. 衍字나 衍文을 교정하는 경우로, 중복해서 쓴 글자나 불필요한 말의 앞·뒤에 '{' 과 '}'를 삽입하여 연자나 연문을 '{ }'로 묶어 중복된 글자이거나 불필요한 말임을 표시한다.
예) 공이 쳥파의 희연히{희연히} 쇼왈

《‖》 : 원문의 필사 과정에서 두 글자 이상의 단어나 구·절 등을 잘못 쓴 오기를 교정하는 부호. 이때 '‖'의 앞은 원문이고 뒤는 바로잡은 글자를 나타낸다.
예) 《잠비‖잠미》 를 거ᄉᆞ리고

○…결락○자…○ : 원문에 3어절 이상의 말을 빠뜨리고 쓴 것을 보완하여 교정할 때 사용하는 부호. '○…결락○자…○' 뒤에 '[ ]'를 붙여 보완할 말을 넣고, 빠진 글자 수를 헤아려 결락 뒤의 '○'를

지우고 결락된 글자 수를 밝힌다.

예) ○…결락9자…○[졔손의 혼인을 셔돌ᄉᆡ]

○…낙장○자…○ : 원문에 본디 낙장이 있거나, 원본의 책장이 손상되어 떨어져 나간 것을 보완할 때 사용하는 부호. '○…낙장○자…○' 뒤에 '[ ]'를 붙여 보완할 말을 넣고, 빠진 글자 수를 헤아려 낙장 뒤의 '○'를 지우고 빠진 글자 수를 밝힌다.

예) ○…결락9자…○[졔손의 혼인을 셔돌ᄉᆡ]

□ : 원본의 글자가 마멸되거나 汚損으로 인해 판독이 불가능한 글자를 표시하는 부호. 오손된 글자 수만큼 '□'를 삽입하고 그 뒤에 '[ ]'를 붙여, 오손된 글자를 보완해 넣는다.

예) 예) 번□□[셩ᄒᆡ]믈,

▌①❨ ❩▐ : 원문에 필사자가 책장을 잘 못 넘기거나 착오로 쓰던 쪽이나 행을 잘못 인식하여 글의 순서가 뒤바뀐 착사(錯寫; 필사 착오)를 교정하는 부호. 필사착오가 일어난 처음과 끝에 '▌'를 넣어 착오가 일어난 경계를 표시한 후, 순서가 뒤바뀐 부분들을 '❨ ❩'로 묶어 순서에 맞게 옮긴 뒤, 각 부분들 곧 '❨ ❩'의 앞에 원문에 놓여 있던 순서를 밝혀 두어, 교정 전 원문의 순서를 알 수 있게 한다.

예) 원문의 글이 ▌①❨ ❩②❨ ❩③❨ ❩▐의 순서로 쓰여 있는 것이 ②❨ ❩-①❨ ❩-③❨ ❩의 순서로 써야 옳다면, 이를 옳은 순서대로 옮기고, 각 부분들의 앞에는 본래 순서에 해당하는 번호를 붙여 ▌②❨ ❩①❨ ❩③❨ ❩▐으로 교정한다.

목 차

낙선재본과 박순호본의 권차(券次) 대조표

낙선재본		박순본		낙선재본		박순호본	
권차	쪽수	쪽수	권차	권차	쪽수	쪽수	권차
권디 일	1-68	1-41	권지 일 (103쪽)	권디이십일	1-73	40-71	권지 팔 (82〃)
권디 이	1-74	41-80		권디이십이 (75쪽)	1-30	71-82	
권디 삼 (70쪽)	1-46	80-103			30-75	1-19	권지 구 (76〃)
	46-70	1-16	권지 이 (89〃)	권디이십삼	1-75	19-43	
권디 ᄉᆞ	1-75	16-68		권디이십ᄉᆞ	1-75	43-72	
권디 오 (75〃)	1-33	68-89		권디이십오 (75〃)	1-14	72-76	
	33-75	1-22	권지 ᄉᆞᆷ (106〃)		14-75	1-38	권지 십 (106〃)
권디 뉵	1-75	23-60		권디이십뉵	1-73	38-77	
권디 칠	1-75	60-106		권디이십칠 (72〃)	1-55	77-106	
권디 팔	1-75	1-35	권지 ᄉᆞ (100〃)		55-72	1-7	권지 십일 (65〃)
				권디이십팔	1-75	7-31	
권디 구	1-75	35-64		권디이십구	1-71	31-58	
				권디 삼십 (73〃)	1-20	58-65	
권디 십	1-73	64-98			20-73	1-22	권지 십이 (71〃)
				권디삼십일	1-75	22-52	
권디 십일 (75〃)	1- 5	98-100		권디삼십이 (73〃)	1-46	52-71	
	5-75	1-24	권지 오 (93〃)		46-73	1-12	권지 십삼 (68〃)
권디 십이	1-73	24-51		권디삼십삼	1-71	12-46	
				권디삼십ᄉᆞ (74〃)	1-44	46-68	
권디 십삼	1-73	51-83			44-74	1-13	권지 십ᄉᆞ (60〃)
				권디삼십오	1-75	13-41	
권디 십ᄉᆞ (76〃)	1-27	83-93		권디삼십뉵 (75〃)	1-46	41-60	
	27-76	1-29	권지 뉵 (103〃)		46-75	1-15	권지 십오 (122〃)
권디 십오	1-71	29-65		권디삼십칠	1-74	15-54	
권디 십뉵	1-71	65-99		권디삼십팔	1-73	54-86	
권디 십칠 (73〃)	1-12	99-103		권디삼십구	1-73	86-115	
	12-73	1-34	권지 칠 (95〃)	권디ᄉᆞ십 (74〃)	1-15	115-122	
권디 십팔	1-69	34-69			15-74	1-43	권지 십육 (152〃)
권디 십구 (70〃)	1-55	69-95		권디ᄉᆞ십일	1-74	43-99	
	55-70	1-7	권지 팔				
권디 이십	1-74	7-40		권디ᄉᆞ십이	1-73	99-152	

낙선재본		박순호본	
권차	쪽수	쪽수	권차
권디ᄉᆞ십삼	1-73	1-51	권지십칠 (152쪽)
권디ᄉᆞ십ᄉᆞ	1-73	51-103	
권디ᄉᆞ십오	1-72	103-152	
권디ᄉᆞ십뉵	1-75	1-49	권지십팔 (157〃)
권디ᄉᆞ십칠	1-75	49-104	
권디ᄉᆞ십팔	1-73	104-157	
권디ᄉᆞ십구	1-73	1-61	권지십구 (184〃)
권디오십	1-73	61-122	
권디오십일 (74쪽)	1-72	122-184	
	72-74	1-2	권지이십 (176〃)
권디오십이	1-74	2-59	
권디오십삼	1-70	59-112	
권디오십ᄉᆞ	1-72	112-176	
권디오십오	1-75	1-67	권지이십일 (207〃)
권디오십뉵	1-73	67-137	
권디오십칠	1-72	137-207	
권디오십팔	1-73	1-64	권지이십이 (196〃)
권디오십구	1-73	64-131	
권디뉵십	1-72	131-196	
권디뉵십일	1-73	1-63	권지이십ᄉᆞᆷ (188〃)
권디뉵십이	1-73	63-124	
권디뉵십삼	1-73	124-188	
권디뉵십ᄉᆞ	1-74	1-64	권지이십ᄉᆞ (189〃)
권디뉵십오	1-73	64-124	
권디뉵십뉵	1-74	124-189	
권디뉵십칠	1-71	1-66	권지이십오 (185〃)
권디뉵십팔	1-69	66-126	
권디뉵십구	1-76	126-175	
권디칠십 (74〃)	1-2	175-185	
	2-74	1-63	권지이십육 (167〃)
권디칠십일	1-71	63-114	
권디칠십이	1-71	114-167	

낙선재1-본		박순호본	
권차	쪽수	쪽수	권차
권디칠십삼	1-71	1-78	권지이십칠 (187〃)
권디칠십ᄉᆞ	1-70	79-140	
권디칠십오	1-70	141-187	
권디칠십뉵	1-72	1-55	권지이십팔 (163〃)
권디칠십칠	1-71	55-108	
권디칠십팔	'박본'복원	108-163	
권디칠십구	1-71	1-40	권지이십구 (128〃)
권디팔십	1-73	40-71	
권디팔십일	1-69	71-114	
권디팔십이 (71〃)	1-19	114-128	
	19-71	1-32	권지삼십 (160〃)
권디팔십삼	1-69	32-78	
권디팔십ᄉᆞ	1-69	78-135	
권디팔십오 (69〃)	1-36	135-160	
	36-69	1-22	권지삼십일 (137〃)
권디팔십뉵	1-71	22-66	
권디팔십칠	1-71	66-105	
권디팔십팔	1-73	105-137	
권디팔십구	1-73	1-50	권지삼십이 (97〃)
권디구십 (71〃)	1-70	50-97	
	70-71	1-2	권지삼십삼 (119〃)
권디구십일	1-69	2-49	
권디구십이	1-70	49-94	
권디구십삼 (75〃)	1-46	94-119	
	46-75	1-19	권지삼십ᄉᆞ (177〃)
권디구십ᄉᆞ	1-76	19-96	
권디구십오	1-75	96-172	
권디구십뉵 (70〃)	1-6	172-177	
	6-70	1-63	권지삼십오 (174〃)
권디구십칠	1-74	63-128	
권디구십팔 (76〃)	1-54	128-174	
	54-76	1-21	권지삼십육 (131〃)
권디구십구	1-71	21-79	
권디일빅	1-68	79-131	

〈명주보월빙〉의 이야기 줄거리

1. 송(宋)나라 진종조(眞宗朝), 이부상서 윤현의 가계소개로부터 이야기가 시작된다. 윤현은 전부인(前夫人) 황씨 소생이고 아우 윤수는 후부인(後夫人) 위씨소생이다. 부(父) 윤노공과 전부인 황씨는 기세하고, 형제가 우애하며 위태부인을 지효(至孝)로써 섬기나, 위태부인은 악격(惡格이며 황씨소생 윤현과 그 처자를 해하려 한다. 윤현의 부인조씨는 선격(善格)이고 그들 사이에는 일녀 명아를 두고 있다. 윤수의 부인 유씨는 악격이고, 그들 사이에는 경아・현아 2녀를 두었는데 경아는 악격이다. (1)
2. 윤현부부, 꿈에 선관(仙官)이 나타나 쌍태득남할 것과 윤현이 명년 만리타국에서 요절하리라는 것, 세 자녀의 초년곡경이 비상하리라는 것, 쌍아의 천정숙연, 3일후에 쌍아의 빙물이 될 명주를 얻게 될 것 등을 계시해 줌. (1)
3. 윤현・하진・정연, 삼공이 함께 남강에서 선유하던 중 적룡이 출현, 윤공에게 명주(明珠) 4개, 하・정 양공에게 보월패(寶月佩) 한줄 씩을 주고 사라지매, 삼공이 이를 빙물(聘物)로 서로 자녀들의 혼사를 이룰 것을 약속, 정천흥을 윤명아와, 하원광을 윤현아와 각각 정혼함. (1)
4. 윤현, 금국(金國) 호삼개가 반란하자 천사(天使)를 자원, 정연을 부사로 하여 금국 향발(向發), 가족과 영결.(1)
5. 화천 도사, 고우 윤현을 영결하고 화상을 그려 간직함. (2)
6. 윤현, 금국에서 자결하여 호삼개를 회과 투항케 함. 정연, 시신을 운구하여 환경. 황제, 윤현에게 충무공을 추증하고 정연에게 금평후를 봉함.(2)
7. 조부인, 쌍남(광천・희천)출산. 정부에서도 같은 날에 여아(정혜주)를 분만. 하부에서는 1개월 후에 여아(하영주) 출산. (2)
8. 윤경아, 석준과 결혼. 석준의 박대를 받음. (3)
9. 위태부인, 윤문 종통을 찬탈하여 종통을 자신의 친자손으로 잇게 할 흉심으로 조부인과 그 소생 삼남매를 살해할 흉계를 꾸밈. 유부인과 경아가 이에 적극 가담. (3)
10. 윤수・정연・하진, 정의심밀(情誼深密). 윤광천을 정혜주와, 윤희천을 하영주와 각각 정혼함. (3)
11. 하진의 3자 원경・원보・원상, 과거급제, 벼슬길에 나감. (3)
12. 하진, 하남 순무사를 자원 향발. 김탁・초왕 등 간당(奸黨)이 전일 하공의 직간에 원한을 품고 하진 부자를 역모죄(逆謀罪)로 무고. 이로 인해 원경 등 3형제 옥중원사(獄中冤死). 원경 부인 임씨 자결. 하진 촉지(蜀地)로 유배됨. (3-4)
13. 윤수, 희천을 양자로 계후(繼後)함. 유부인, 은악양선(隱惡佯善)하며 희천을 남몰래 난타(亂打). (4)
14. 하진부부, 촉지 배소에서 꿈에 죽은 원상 등 3형제가 옥황상제의 배려로 다시 하부에 환생한다는 현몽을 얻음. (4)
15. 정연・윤수, 정천흥과 윤명아의 혼사 길일을 택하고 혼사 추진. (4)
16. 위・유 양흉(兩凶), 명아의 혼사를 훼방. 조부인과 명아를 제거하기 위하여 강정으로 유인, 위방

으로 하여금 조부인을 죽이고 명아를 겁탈하게 함. (5)

17. 윤명아, 시비 주영을 자신으로 가장(假裝)시키고 남장(男裝)을 하고 도피, 도로에서 방황하다가 혜원니고(尼姑)에게 구제되어 취월암에 은신. (5)

18. 정천흥, 문무 양과에 장원급제. 선영소분(先塋掃墳)후 돌아오는 길에 취월암에서 정혼녀 명아를 만남. 운명아 귀가 (5-6)

19. 위·유 양흉, 구몽숙을 시켜 천흥과 명아의 혼사를 작희(作戱)하고 명아를 취하도록 계교(計巧)함. 천흥이 몽숙의 음비(淫鄙)한 흉계를 취신(取信)하지 않아 흉계 실패. 천흥과 명아 성혼(成婚). (6)

20. 윤수, 은주 순무사로 떠남. 이틈을 타 위·유 양흉이 조부인과 광천·희천 등을 무수히 즐욕난타. 조부인 삼모자의 고난이 극심함. (7)

21. 정천흥, 5창(娼)을 유정하고 또 양난염을 제 2부인으로 취함. (7)

22. 유흉(凶), 현아가 어려서 정혼한 대로 서촉 수졸(戍卒)이 된 하원광과 혼인하게 된 것에 불만, 부귀를 탐하여 권신(權臣) 김후의 장자 김중광과 혼사를 추진. 중광이 시녀로 변복하고 현아를 친견(親見)하려 하자 희천이 현아로 변복, 중광을 응징. 유흉, 중광과 공모, 김귀비를 통해 사혼전지를 얻어 혼인을 강요. 현아, 광천형제의 도움으로 강정에 은신. (8)

23. 광천형제, 험한 천역(賤役)과 굶주림과 무수히 난타를 당해 빈사지경에 이름. (8)

24. 정천흥, 위·유·경아 3흉이 철편으로 광천형제를 참혹히 난타하여 살해하려는 악행 현장을 목격, 돌을 던져 응징, 위기에서 구함. 3흉은 귀신의 응징으로 믿음. 광천형제, 중상한 3흉을 지성으로 구호. (8)

25. 윤수, 은주 선치 후 환경(還京). 위·유 양흉은 현아의 잠적과 광천형제와 조부인에 가한 악행 등을 변명할 길이 없어 전전긍긍. 광천형제, 숙부에게 3흉의 악행을 감추기 위해 현아를 귀가하게 하고 양광(佯狂) 등으로 출천의 효행을 다함. (9)

26. 하진, 윤수에게 서간을 보내 원광과 현아의 성례를 청함. 윤수, 현아를 데리고 촉지 하부로 향발. 구몽숙, 현아에게 음식을 품고 동행. (9-10)

27. 윤명아, 친정에 귀령(歸寧). 위·유·경아 3흉, 이때를 이용해 조부인과 명아에게 을 독약을 먹임. 조부인은 벙어리가 되고 명아는 독약을 먹지 않자 칼로 찔러 피육이 문드러진 육괴(肉塊)를 만들어 피농(皮籠)에 넣어 노복 형봉으로 하여금 매장토록 함. 정천흥, 명아를 구출하고 도술로 귀졸(鬼卒)을 부려 3흉을 응징. (10)

28. 3흉, 천흥의 응징을 천벌로 알고 이를 두려 조부인에게 회생단(回生丹)을 먹여 회복시키고 비자(婢子) 춘월에게 개용단(改容丹)을 먹여 명아로 둔갑시켜 정부로 보냄. 정천흥, 조심경(照心鏡) 안광(眼光)으로 가(假) 명아 임을 알아내고 문초 끝에 사건 전모를 밝혀냄. 그러나 부명(父命)으로 이를 불출구외(不出口外)함. (10)

29. 하진부부. 비명 원사한 문창성(文昌星)과 무곡성(武曲星)이 환도인세(還道人世)한다는 현몽을 얻고 쌍태형제[원상·원창]을 분만. (11)

30. 윤수, 현아를 데리고 서촉 당도, 혼사를 진행. (11)

31. 구몽숙, 현아와 원광의 혼사를 희지음, 요술로 둔갑 변신하고 밤중에 원광을 습격, 현아의 간부(姦夫) 행세를 하고 도주. (11)

32. 하원광, 윤현아와 성혼, 현아를 음녀로 오해, 냉대 극심. (11)

33. 구몽숙, 현아 겁탈에 실패하자 하영주에게 음심을 품음. 삼천년 묵은 여우의 변신인 요승(妖僧) 신묘랑을 만나게 되어 하영주를 납치해 줄 것을 청함. (11)

34. 신묘랑, 호표(虎豹)로 변신하여 하영주를 구몽숙의 처소로 납치해 옴. 하영주, 탈출. 강물에 투신, 널조각에 실려 쏜살같이 떠내려감. (11)

35. 정천흥, 태주 선묘(先墓)에 성묘하고 오는 길에 강에서 선유(仙遊)하다 이를 보고 구출. 양인, 결약남매(結約男妹). 하부에 생존함을 알리고, 하영주 정부에 은신. (11-12)

36. 정천흥, 박색녀(薄色女) 이수빙과, 정인흥[정천흥의 동생], 이연빙[이수빙의 쌍태동생]과 동시결혼. (12)

37. 윤수, 환가(還家). 구몽숙, 신묘랑과 함께 상경. 신묘랑, 위·유 양흉과 결탁, 재물을 탐하여 조부인 3모자를 살해하려는 흉계에 가담. (12)

38. 하부 조부인, 생남(죽은 3자 원상의 환생, 후에 이름을 원필이라 함). (12)

39. 구몽숙, 과거 급제 환로(宦路)에 오름. 양씨[善格]와 결혼. 간당 규합. (12)

40. 정인흥, 과거에 장원급제, 금문직사가 됨. (12)

41. 정연, 치사하고 집에서 한가하게 지냄. (12)

42. 운남왕 목진평, 반란. 정천흥, 자원출정. (12)

43. 윤명아, 생남. (12)

44. 위·유 양흉, 신묘랑과 공모, 요예지물(妖穢之物)을 광천형제와 조부인 침소에 매설. 광천형제, 요예지물을 색출 제거. (13)

45. 구몽숙, 유흉의 청탁으로 역사(力士)로 변신하여 광천·희천의 침소를 습격. 광천형제는 간데없고 침상에 청·백 두 용이 누워있음. 두 용 다시 광천형제로 변신, 구몽숙을 생포, 유흉의 흉계를 실토 받은 후 방면. (13)

46. 유흉, 광천의 정혼녀 정혜주를 황태자 후궁으로 천거. 정혜주, 입궐, 죽기로써 훼절을 거부, 후비간택을 뿌리치고 귀가. 황제, 그 열절을 칭찬, 명성숙렬정씨지문(明聖淑烈鄭氏之門)이라는 정문(旌門)을 포장(褒奬). (13)

47. 윤광천, 장원급제. 정혜주와 결혼. 정혜주, 출천지효로 구고(舅姑)를 섬기나, 위·유 양흉의 핍박으로 헐벗고 굶주리며 날로 고난이 극심해짐. 조부인, 식부를 위한 염려가 지극. 고식(姑息) 사이의 정이 모녀 사이의 정에 못지않음. (14)

48. 정천흥, 운남 출정 도중 부작으로 전당강 야차퇴치, 하강천신(下降天神)임을 입증. 운남왕과의 대결에서 진법(陣法)·창검술(槍劍術)·도술 겨룸으로 승전, 운남왕의 항복을 받고 운남 선치 후, 입공반사(立功班師). (14)

49. 정천흥, 회군 도중 절강 경참정 부중을 방문, 경숙혜를 보고 청혼. 경참정, 선관의 현몽으로 천정숙연임을 깨닫고 허혼. 천흥, 경숙혜를 불고이취(不告而娶)하고 또 4창을 취(娶)함. (15)

50. 정천흥, 개선 입경. 황제, 평남후를 봉함. (15)

51. 문양공주, 전천흥의 개선하는 위의를 보고 매혹되어 상사(相思) 성병(成病). (15)

52. 윤수, 정부에서 하영주의 생존내력을 듣고 희천과 영주의 혼사를 은밀히 추진. (16)

53. 윤희천, 하영주와 결혼. 위・유 양흉, 신묘랑을 청해 하영주까지 살해할 흉계를 꾸밈. (16-17)

54. 신묘랑, 영주의 생존함을 보고 놀람. 자신의 도술로 정인 군자숙녀들을 해할 수 없음을 알면서도 재물을 탐하여 위・유의 악사에 가담. (17)

55. 황상, 김귀비의 간청으로 정천흥을 부마도위로 결정. 정연・정천흥 부자의 반대에도 불구하고 일방적으로 혼사를 결정하고 문양궁 창건. (17)

56. 윤광천, 진성염을 그린 미인도를 보고 진소저를 오매사복(寤寐思服), 정천흥의 중매로 진성염과 결혼[재취(再娶)]. (16-17)

57. 정천흥, 문양공주와 결혼. 황명으로 천흥의 윤・양・이 3부인은 별원(別苑)에 은신. 천흥, 조심경 안광으로 문양공주의 불인 요악함을 알고 공주를 박대. (18)

58. 윤광천, 정부 대월루 연희에서 10창과 유정(有情). (18)

59. 정천흥, 칭병하고 문양공주와 이성지친(二姓之親)을 맺지 않음. 문양공주, 은악양선하며 윤・양・이 3부인을 해할 흉계를 꾸밈. (18)

60. 윤희천, 장원급제. 위・유 양흉, 기쁨보다는 죽이지 못해 더욱 착급 초조, 희천, 선영 소분시(掃墳時) 비읍(悲泣)하다 혼절. (18)

61. 신묘랑, 무수한 요약(妖藥)을 가져와 위・유 양흉에게 주어, 윤수에게는 익봉잠을, 구파에게는 현혼단을 먹이도록 시킴. 구파는 인사불성의 어림장이가 되고 윤수는 변심하여 유흉 침소에 틀어박혀서 유흉과 경아를 총애하고 조부인 삼모자(三母子)를 혐오함. (18)

62. 위・유 양흉, 광천형제의 부부동실지락(夫婦同室之樂)을 엄금. 정・진 양부인을 주야 위흉의 침실을 떠나지 못하게 하고 핍박. 맥죽(麥粥)과 더러운 재강(滓糠)으로 연명시킴. 광천, 의식지절(衣食之節)의 고초를 고하다 위흉에게 가혹한 장형(杖刑)을 받음. (19)

63. 윤희천, 사마(司馬) 장협의 청으로 그의 딸 장설을 재취. 장설, 존당 구고를 출천성효로 섬기나, 위・유 양흉은 정・진・하 부인들에게 가한 것처럼 장설에게 고통을 가함. (19)

64. 신묘랑과 3흉, 조부인 살해흉계를 꾸밈. 정혜주, 사기를 알고 초인과 부작을 사용, 조부인의 위기를 모면케 함. 조부인, 피화(被禍) 후 광천형제의 권유로 친정 옥화산 조부에 은신. 신묘랑, 초인(草人)[가(假) 조부인, 부작을 붙여 산사람처럼 꾸밈]을 납치하여 강물에 투척하고 위・유 양흉에게 거재(巨財)를 징색. (19-20)

65. 경참정, 정천흥의 진언으로 황명을 받아 가족을 이끌고 환경(還京). 문양공주의 작해를 두려 정천흥에게 경숙혜를 숨김. 정천흥, 경숙혜 은신처를 탐지, 부부상봉. 경부 방문을 자제. (20)

66. 묘랑과 3흉, 조부인 제거 후, 정・진・하・장 4부인 제거를 모의, 먼저 정혜주를 금은을 받고 위방에게 넘겨주려고 묘랑과 납치를 모의. 묘랑, 호표로 변신, 정혜주 침실에 침범했다가 정혜주의 정광(正光)과 제요술(制妖術)에 걸려 생포됨. 여우 본형 탄로. 위・유 양흉의 방면조처로 탈신도주. (20)

67. 위・유 양흉, 위방과 공모, 정혜주를 위방에게 넘겨주려 재차 용계(用計). 정혜주, 이를 사전 탐지, 군관 이곽을 대신 교중(轎中)에 태워 보내 위방을 징치. 위방은 천신의 징계로 앓. (21)

68. 유흉의 질녀 유교아, 윤광천의 용화를 보고 음심을 품음. 광천, 유흉에 의해 유교아와 강제 결혼.

혼인 후 교아를 박대. 교아, 음정(淫情)을 참지 못해 광천의 음식에 익봉잠[변심케 하는 약]을 타서 먹게 하나, 광천, 이를 잘 모면함. (21)

69. 유교아, 간부 서간을 만들어 정・진 두 부인을 모해. 광천, 이를 소화(消火)하고 경동(輕動)하지 않음. (21)

70. 위흉 일당, 위흉 침소에 요예지물(妖穢之物)을 매설. 위흉, 칭병, 매설된 요예지물을 파내게 하고 이를 정・진 두부인의 작사(作事)로 무고. 이들을 강상대죄로 얽음. (22)

71. 정・진 양부인, 후원 연원정에 갇혀, 기아와 갈증으로 빈사지경에 이름. 정혜주, 상제께 생도(生道)를 묵축(默祝). 암석 사이에서 물이 솟아나 기갈을 해소. (22)

72. 정천흥, 광천형제가 위・유 양흉에게 타살되기 직전에 있는 처참한 현장을 목격, 돌을 던져 양흉을 혼절케 하고 이들을 구함. (23)

73. 문양공주, 자객을 별원에 투입, 윤・양・이 3부인 암살기도, 윤명아, 주역을 보고 액화(厄禍)가 임박함을 알고 허방을 파 방비, 자객 생포. 정연, 공주의 흉악한 악사(惡事)임을 알고 자객을 독살하고, 이를 불출구외(不出口外)하게 함. (24)

74. 윤・양・이 3부인, 옛 처소로 귀환, 문양공주와 삼부인 상견례, 문양공주, 최상궁과 더불어 삼부인과 그 소생 자녀들을 제거할 흉계를 주사야탁(晝思夜度). (25)

75. 운남공주 목운영, 정천흥의 운남 정벌시 천흥을 보고 흠모하여 뒤따라 상경. 신묘랑의 주선으로 경선공주의 양녀가 되어 천흥과 혼인을 획책. 천흥이 자신을 겁탈했다는 간계를 꾸며 천흥과 성친을 도모. 간계 패루. 황제, 운영의 정상을 측은히 여겨 천흥의 첩으로 정부에 들어가게 함. (25)

76. 문양공주, 입궐. 김귀비, 공주의 비홍을 보고 부마의 박정을 황제께 주달. 황상, 정연을 명초. 교자(教子)를 당부. (26)

77. 정연, 천흥을 엄책(嚴責). 천흥, 마지못해 문양공주와 합궁을 이루고 공주의 비홍(臂紅)을 없앰. (26)

78. 광천형제, 요약(妖藥)으로 어림장이가 된 구파를 옥화산 조부로 옮겨 병을 조리케 함. (27)

79. 유교아, 비자 금계에게 개용단을 먹여 자기 용모로 둔갑시켜 놓고 도주. 장사 왕에게 개가(改嫁). (27)

80. 진성염, 유흉의 흉계로 위흉과 윤수의 독살을 기도했다 하여 강상대죄(綱常大罪)에 얽힘. 윤광천, 위흉의 발악에 못 이겨 진성염을 장살(杖殺), 시신을 강정으로 옮겨 회생시킴. 진성염, 회복 후 친정으로 귀가 은신. (28)

81. 황제, 황손 탄생을 경축 대사면을 행함. 정천흥, 이때를 타 하진의 원억한 죄를 신설(伸雪). 황제, 하진을 해배(解配)하고 참지정사 정국공을 봉하여 상경케 함. (28-29)

82. 문양공주, 낙태 사산(死産). 요예지물(妖穢之物)을 자기 침소에 묻어놓고 3부인을 저주지사(咀呪之事)로 무고. 또 윤・양 부인의 시비들을 매수하여 공주를 치독(置毒)케 하고 죄를 3부인에게 씌움. 황제, 3부인을 정천흥과 절혼(絶婚)하여 친가로 출거토록 명함. 3부인, 시집에서 쫓겨나 각각 친가로 돌아감. (29-30)

83. 위・유 양흉, 구몽숙・김귀비와 결탁, 친가로 축출되는 윤명아를 도중에서 납치하여 김귀비에게

넘겨줌. 김귀비, 윤명아를 후원에 가둠. (30)

84. 신묘랑, 날개 달린 호표로 변신, 친가에 있는 양부인을 납치하여 김귀비에게 넘겨줌. 양부인, 북궁 석혈(石穴)에 윤명아와 함께 갇힘. 북궁 궁비 태섬이 몰래 음식을 넣어주어 아사(餓死)를 면함. (30-31)

85. 정혜주, 옥중 생남. 광천이 은밀히 구호. (31)

86. 위・유 양흉, 용계차(用計次) 정혜주를 사(赦)하여 옛 침소로 보냄. 신묘랑, 정혜주로 둔갑하여 위흉과 윤수가 보는 앞에서 가(假) 유교아[금계]를 살해. 정혜주, 동렬(同列)을 살인한 누명을 쓰게 됨. 황명으로 정문포장(旌門褒奬)을 삭탈 당하고 장사국으로 유배됨. 구가 및 친가 제인과 작별, 적소로 향발. (31-32)

87. 하진, 사명(赦命)을 받고 가족을 이끌고 환경, 취운산 정부에 주거를 정함. 황상께 조현하고 참지정사 정국공의 작직(爵職)을 환수할 것을 간청. 정국공의 봉함을 받고 치사(致仕). (33)

88. 하원광, 과거에 장원급제. 정세흥도 급제. (34)

89. 윤현아・하영주, 각각 남편과 부부금슬이 불합(不合)하여 비홍(臂紅)이 완전함. 하진・윤수, 각각 원광과 희천을 엄히 경계하여 부부 동실지락(同室之樂)을 이루게 함. 원광부부, 쌍둥이를 얻을 태몽을 꾸고 윤현아 잉태. 하영주도 잉태. (35)

90. 문양공주・김귀비, 석혈에 갇혀 있는 윤・양 2부인을 북궁 추경지 못에 빠뜨려 죽임. (35)

91. 벽화산 취월암 혜원니고, 관음대사의 현몽으로 윤・양 2부인 구출. 윤・양 2부인, 벽화산 활인사에 몸을 의탁. (35)

92. 신묘랑, 정부 현기 등 윤・양・이 3부인 소생 3자녀와 윤부 정혜주 소생 유아(乳兒)를 문양공주궁으로 납치해 옴. (35-36)

93. 문양공주, 정부 자녀 3아에게 암약(瘖藥)을 먹여 벙어리를 만든 후 강물에 버리게 함. 입직 군관 한충이 구하여 3아를 집에 데려다 보호 양육. (36)

94. 신묘랑, 정혜주 소생 유아(乳兒)를 서문 밖 옥석교 아래 물속에 버림. 명환(名宦) 소문환, 선관의 현몽으로 딸 봉란과 천정연분을 맺게 될 유아를 구출. 유아를 몽룡이라 이름 함. (36)

95. 초왕, 모반(謀叛). 하원광, 정초대원수(征楚大元帥)로 출정. (37)

96. 정혜주, 장사 유배 노중(路中)에 황능묘 배현. 주역을 보고 친・구(親・舅) 양가 유아들의 실리지사(失離之事)를 앎. 꿈속에 황영이비(皇英二妃)가 현형(現形)하여 3년 후면 윤부 가란이 진정될 것과, 유교아의 전・후 작변을 알려줌. 이비(二妃)가 준 선다과(仙茶果)로 원기회복. 장사국 적소에 도달. (37)

97. 유교아, 정혜주를 죽일 흉계로 왕에게 정혜주를 빈희로 맞도록 천거. 장사왕, 정혜주 납치 기도. (38)

98. 정혜주, 운수를 추점, 적환(賊患)을 예견, 초인(草人)을 만들어 방비. 신병(神兵)과 부적으로 적병(賊兵)을 퇴치. 적(賊)이 재차 납치를 기도하자 목인(木人)을 만들어 자신으로 위장시켜서 강물에 빠뜨리고 익사(溺死)를 가장해 피화(避禍). 남의(男衣)를 개착(改着)하고 도주. 이곽 등은 정혜주 서간을 가지고 귀경. (38-39)

99. 정혜주, 장사 해월촌 명환(名宦) 남숙의 여(女) 희주를 구함. 남숙에게는 강씨・위씨 2부인이 있

었는데, 원비 강씨가 쌍둥이 창징과 희주를 남기고 죽자, 위씨가 희주를 황금 3천냥을 받고 재종 표질인 남주추관 오세웅의 재취로 보내려고 희주를 핍박. 남희주, 죽기로써 이를 거부하다, 계모에게 타살되기 직전 정혜주에 의해 구출 됨. 남장을 하고 정부인과 동행. 결약자매(結約姊妹)함. (39)

100. 정혜주, 소년 도인으로부터 "장자를 십삼년 간 실리(失離)하였다가 상봉하리라는 것, 권도로 화씨를 취하였다가 광천의 제4부인으로 천거할 것, 남씨를 또 천거하여 안항(雁行)을 빛내도록 할 것"등이 쓰여 있는 도서(圖書)를 받음.

101. 정혜주, 화평장사를 만나 의탁. 화공의 청으로 화소저와 권도(權道)로 본성을 숨기고 혼인함. (40)

102. 정세홍, 양필광의 차녀와 혼인. (40-41)

103. 윤수, 정천흥의 건의로, 병 치료를 위해 교지참정으로 떠남. 윤희천, 호행. (41)

104. 신묘랑, 정천흥의 경숙혜 불고이취(不告而娶) 사실을 탐지, 문양공주의 지시를 받아 경부인 소생 유아를 납치해 옴. 공주, 유아를 강물에 던져 죽이게 함. 한충, 유아를 구출, 현기・운기 등 삼아(三兒)와 함께 양육. (42)

105. 경참정, 서간으로 유아를 실리함을 정천흥에게 알림. 정연, 경참정의 서간을 보고 천흥의 불고이취 남사(濫事)를 통완(痛惋), 천흥을 축출, 부자윤의(父子倫義)를 폐절. 천흥, 취벽산 별유정에서 두문불출(杜門不出)하며 자책고행(自責苦行)으로 빈사지경에 이름. (42-43)

106. 평초대원수 하원광, 풍백(風伯)과 우사(雨師)를 호령, 제요술(制妖術)로 적장 신법화와 도술겨룸에서 승리. 친히 초왕의 목을 베어 효수하고 염통과 간을 씹어 죽은 3형의 원수를 갚고 설제(設祭), 원혼(冤魂)을 위로함. 초국교화, 회군. (44-45)

107. 윤수, 병심(病心) 쾌차, 예전의 총명 회복, 가변(家變)을 차탄(嗟歎). 교지국을 선치 교화. (45)

108. 김중관, 신묘랑과 결탁, 옥에 갇혀있는 김 국구(國舅)와 부(父) 김후를 탈옥시킴. (45)

109. 정연, 황제의 권유를 받고 천흥을 사(赦)함. 천흥, 별유정에서 본부로 귀환. 영웅호걸의 기상이 변하여 도학군자의 기풍을 가진 인물로 인격적 성숙을 이룸. 행공찰직(行公察職), 밀린 공사(公事) 처결. (46)

110. 위・유 양흉, 명천공 윤현의 후사(後嗣)를 멸절시키려는 흉계에 가산을 모두 탕진. 조선제향(祖先祭享)과 삭망다례(朔望茶禮)를 철폐하기에 이름. (46)

111. 윤현아, 모친 유흉에게 회과천선(悔過遷善)할 것을 읍소(泣訴)하다 맞아 중상을 입음. (47)

112. 유흉, 하영주를 난자(亂刺), 협실에 가두고 철편으로 타살. 시신을 큰 궤에 넣어 강물에 버리게 함. 정천흥, 시신이 든 궤를 빼앗아 하영주를 구출. (47)

113. 하원광, 입공반사(立功班師). 박색추녀 연군주, 하원수의 위의를 구경하다 하원수에게 금령을 던짐. 황상, 원광에게 초평후를 봉함. (48)

114. 유흉, 비자(婢子) 세월을 개용단을 먹여 하영주로 둔갑시켜 하부로 보냄. 가(假) 하영주, 야반(夜半) 도주, 윤부로 돌아와 외면회단으로 본형 환원. (48-49)

115. 윤희천, 교지국에서 돌아옴. (49)

116. 정연, 하영주의 참화(慘禍)와 피화(避禍) 곡절(曲切)을 하부에 알림. 하원광, 하영주의 병소에 가

그 참혹한 경상을 보고 유흥을 절치분노(切齒忿怒)함. 부인 윤현아를 대하여 광패한 언사로 일장을 질욕(叱辱)하고 하영주를 구병(救病)케 함. (49-50)

117. 위・유 양흉, 장설(희천의 재실)을 거부(巨富) 설억에게 오백금을 받고 팔 흉계를 꾸밈. 장설, 이를 탐지. 직언으로 양흉(兩凶)의 실덕(失德)을 간하다가 위흉에게 살해됨. (50)

118. 장사마, 윤부 방문. 위흉, 장사마에게 희천의 구박으로 장설이 칼로 자결(自決)하였다고 무고. 희천은 자기소행으로 덮어 씀. (50)

119. 장사마, 장설의 시신을 본부로 운구, 화도사, 求生丹을 주어 장설를 회생케 하고 사라짐. 장사마, 장설을 허장(虛葬)하고 본부에 깊이 은신시킴. (50)

120. 3흉, 광천형제 제거흉계. 신묘랑과 노복(奴僕) 태복, 각각 개용단을 먹고 광천과 희천으로 둔갑. 위흉 침실에 돌입하여 위흉을 칼로 찌르는 흉내를 내고 도주. 위흉, 가슴을 자해. 윤수의 재종형 상서 윤단이 마침 윤부에 머물다 이 광경을 목도. 위•유 양흉, 광천형제를 강상죄인으로 형부에 고장(告狀). (51)

121. 황제, 조손(祖孫)을 어전에서 대면질정(對面質正)케 함. 위흉, 흉측한 걸인 복색으로 어전에 나와 광패한 언행으로 광천형제를 무고. 광천, 양광(佯狂)으로 위흉을 두호. 정천흥의 진언(進言)으로 광천을 남주, 희천은 양주로 각각 정배함. (51)

122. 위・유 양흉, 귀가하여 청죄하는 광천형제에게 참혹한 장형을 加함. 광천형제, 적소를 향해 발행. 위・유 양흉, 공차(公差) 김석두에게 희천 암살을 종용. 또 자객 임성각을 보내 광천을 살해하게 함. (51)

123. 하영주, 조병(調病) 월여(月餘)에 쾌차, 정부 산정(山亭) 별춘정으로 옮겨 깊이 은신. (52)

124. 경숙혜, 정부 입문, 현구고례(見舅姑禮)를 올리고 문양공주와 상견례를 행함, 효봉구고(孝奉舅姑)하며 부도(婦道)를 다함. (53)

125. 하원광, 황명에 의해 마지못해 경안공주의 딸 연군주와 혼인. 연군주, 용모는 천하추물(天下醜物)이고 행동은 추악광패(醜惡狂悖)함. 윤현아, 연군주를 교화, 서로 화목하게 지냄. (53)

126. 문양공주, 신묘랑을 시켜 경숙혜를 북궁으로 납치해 타살. 궁녀 태섬, 시신을 자신의 침소로 옮겨와 회생단으로 구호하여 회생시킴. 경참정, 태섬의 연락을 받고 숙혜를 본부로 데려와 은신케 함. (54)

127. 문양공주, 신묘랑을 시켜 목운영을 문양궁으로 납치해 타살한 후 군관 한충에게 주어 강물에 버리게 함. 한충, 운영의 시신을 자기 집으로 데려가 회생단(回生丹)으로 살려내고 현기・운기・자염・경숙혜 유아 등 천흥의 4자녀를 돌보며 함께 지내게 함. (54)

128. 문양공주, 9창의 처소에 방화. 9창, 피화, 하부 소당(小堂)에 장신(藏身). (54)

129. 정천흥, 북적(北狄)이 모반하자 자원출정. (55)

130. 구몽숙, 황숙 형왕과 결탁, 묘랑과 더불어 정・진 양부를 역모죄에 몰아넣을 흉계를 꾸밈. (55)

131. 윤명아의 비자 주영, 혜원니고의 지시로 형왕의 처 박부인과 사귀어 형왕과 구몽숙의 정・진 양부 제거 밀계(密計)를 엿들어 이를 기록해 둠. (56)

132. 문양공주, 여아 출산, 정부마의 총애를 얻고 정부 종통을 자기 소생으로 잇게 할 흉심으로, 여아를 최상궁 오라비의 첩이 낳은 아들과 바꿔, 생남한 것으로 정부와 궁중에 알림. 여아의 팔에 앵

혈로 생년월일시와 정아(鄭兒) 두자를 써둠. (56)

133. 위・유 양흥, 가산을 탕진, 생활이 극히 곤고해져 가옥까지 헐어 팔아 없앰. 노복들, 배반, 양흥에게 행패를 부리고 재산을 편취. (56)

134. 경아, 신묘랑으로 하여금 석준(경아의 남편)의 재실 오부인을 납치 살해케 함. 혜원니고, 오부인을 구원, 활인사에서 윤・양 2부인과 함께 지내게 함. (56)

135. 신묘랑, 석준에게 요약을 먹여 변심케 함. 석준, 경아에게 침혹(沈惑), 석부로 경아를 데려옴. 얼마 되지 않아 광동참정으로 떠남. (56)

136. 경아, 오부인 소생 자녀 독약을 먹여 죽이려다 발각되어 옥에 갇힘. (56)

137. 정천흥, 북적을 토평(討平). 북왕의 항복을 받고 개선. (56)

138. 구몽숙 일당, 황상을 요약(妖藥)으로 변심시킨 후, 천흥의 반서(返書)를 각지에 돌리고, 정기진조곡(鄭起陳助曲)이라는 동요를 만들어 유포시키는 등, 정진 양부를 멸절(滅絶)시킬 대란(大亂)을 치밀하게 준비. (56)

139. 장사왕, 왕비 유교아의 권고를 따라 반란을 일으킴. 구몽숙, 윤광천을 죽일 흉계로 손확을 대원수로, 배소(配所)에 있는 광천을 참모사로 천거, 출정케 함. (56)

140. 황제, 구몽숙 일당의 치밀한 흉계에 빠져 정・진 양부의 반역을 확신. 정・진 양가의 형제족당과 개선 회군중인 정천흥을 나래(拿來)토록 명함. 정・진 양부, 멸문지화를 당할 위기에 처함. (57)

141. 국구(國舅) 김탁 일당, 모반(謀叛), 황상의 어가를 침범. 하원광, 황상을 위기에서 구하고 역도(逆徒)를 토벌. (58)

142. 혜원니고, 신묘랑을 생포. 윤・양・오 3부인 앞에서 모든 악사(惡事)를 실토하게 함. 윤명아, 묘랑을 끌고 입경(入京), 제요술(制妖術)로 묘랑을 도망치지 못하게 함. (58)

143. 황상, 정・진 양가족당(兩家族黨)을 친국. 하진부자, 정・진 양가를 옹호하여 역간(力諫)하다 하옥됨. 정・진 양가의 형제, 구몽숙과 치열하게 언전쟁힐(言戰爭詰)하며 황상의 실덕불명(失德不明)을 간함. 황상, 진노하여 정세흥・진영수를 참형(斬刑)케 함. 정・진 양부의 위기 급박. (58-59)

144. 윤명아, 친국 도중 등문고를 울리고 황상께 혈소(血疏)를 올려 정부의 멸문지화를 구함. 잡혀온 신묘랑의 초사(招辭)로 구몽숙 일당과 위・유・문양공주 등의 악사(惡事)가 백일하에 드러남. 윤명아, 위・유・공주 등을 변호하고 패도(佩刀)로 자문(自刎). 황상, 태의로 구호하게 함. (59-60)

145. 황상, 묘랑의 초사와 연루된 모든 죄인을 친국(親鞫). 그 죄상을 밝혀 형을 선고. 김중광・구몽숙・신묘랑・세월・비영・최상궁 참수(斬首), 유흥 사사(賜死), 위흥 양주 3년 정배(定配), 김귀비 은신궁 연금, 문양공주 사사(賜死)를 각각 명함. *묘랑을 행형(行刑)할 때, 한 덩이 핏빛 살덩이가 서북간으로 날아가는 괴변이 일어나는데, 이것이 또 후래에 윤세린의 재실 여씨로 환생하여, 윤부에 온갖 변란을 일으키는 이야기로, 후편 〈윤하정삼문취록〉에 이어짐을 예고. (60-61)

146. 황상, 정연・하원광 등의 주청(奏請)을 받아들여 윤수・윤광천・윤희천의 성효(誠孝)를 참작, 위흥을 사(赦)하고, 유흥은 치병(治病) 후 정배(定配)케 함. (61)

147. 황상, 정천흥의 진언으로 구몽숙을 사(赦)하여 형주 안무사를 제수. 구몽숙, 천흥의 우정에 감복, 개과천선. (61-62)

148. 황상, 윤명아에게 정려문(旌閭門)을 내려 정부에 절효의열현비문(節孝義烈賢妃門)을 세우게 함.

또 윤희천을 해배(解配), 태자태부를 제수하여 역마로 부르고. 윤광천을 평남 대원수로 삼아 장사를 平定케 함. 또 혜원니고에게 명성대사의 법호를 내림. (61)

149. 목운영과 현기등 4남매, 한충의 집에서 본부로 귀환. 윤・양・이・경 4부인, 정부 단취(團聚). 9창, 정부 입문(入門). 문양공주 소생 여아만 실리(失離)한 채 정부 대단취(大團聚)를 이룸. (62)

150. 위・유 양흉, 강정 별처에 연금 됨. 천형(天刑)으로 신상괴질(身上怪疾)이 일어 위중(危重)해짐, 위흉은 두 눈이 폐맹(廢盲)하고, 유흉은 귀머거리가 됨. (62)

151. 하영주, 양흉을 시봉(侍奉)코자 강정에 갔다가 유흉의 칼에 살해되어 하원광이 구출해 감. (62)

152. 윤광천, 구몽숙이 보낸 자객 임성각을 교화, 함께 적소(謫所)에 무사히 득달. 적거 중 사명(赦命)을 받고 장사 정벌군 대원수 손확의 참모사가 되어 종군(從軍). 임성각, 동행. (63)

153. 윤광천, 손확의 凶計로 패전(敗戰). 손확, 패전의 책임을 물어 광천을 참수형에 처함. 참수될 위기에서 정혜주의 구출로 임성각과 함께 탈신도주. 손확 군 대패. 손확은 생포되고 부원수 장운이 패잔병을 지휘, 남영관에 머물며 안병부동(安兵不動). (63)

154. 정혜주, 화부에서 건상성수(乾象星數)를 보고 광천의 대액(大厄)이 임박함을 지기(知機), 신인(神人)의 현몽(現夢)으로 남편 구출차 발행. 태운도사(화천도사)의 지시를 따라 광천을 위기에서 구출. 부부 상봉. 남희주, 정혜주와 전장에 동행하였다가, 도중에 남경태수로 부임하는 외숙 강참정을 만나 남경으로 떠남. (64)

155. 윤광천, 다시 출전. 피난민을 모아 운봉관 월산성 등을 빼앗고 승승장구 장사왕군과 접전, 유교아와 대적(對敵)케 됨. (65)

156. 윤희천, 적소에서 득병하여 빈사지경에 이름. (65)

157. 장설, 희천이 중병으로 사경에 있다는 소식을 듣고 남장을 하고, 천리마를 타고 양주에 도착, 남편의 병을 구호. 향운대의 성현화상(聖賢畵像)과 불상(佛像)에 도축(禱祝), 화천도사로부터 환약을 얻어 희천을 회생시킴. 적소에서 함께 머물며 병을 간호. (65-66)

158. 한희린, 부친 상례비용을 마련하기 위해 자신의 몸을 팔려고 하다가 적객(謫客) 희천의 도움을 받음. 희천의 제자가 되어 학문에 힘씀. (66)

159. 한희주, 한희린의 누이, 최추관이 금은으로 모친 곽씨를 매수하고 재취로 겁탈하려 하자 도피. 혜원니고의 제자 월청의 구원으로 취월암에 의탁. 월청에게 수학. (66)

160. 윤희천, 사명(赦命)과 태자태부(太子太傅)의 부름을 받고 환경. 한희린 모자, 동행 상경. (66)

161. 윤광천, 유교아를 참살하고 승전, 손확 구출. 장사왕, 윤광천군과 접전 중, 교아가 광천을 배반하고 자신에게 개적(改籍)한 음녀인 것을 알고 교아의 난륜(亂倫)을 꾸짖다가 도리어 교아에게 참살됨. 윤광천, 황제로부터 대원수 금인(金印)을 받고 장사국을 선치교화(善治敎化)한 후, 회군. (67)

162. 화천도사, 월출산에서 광천에게 윤현의 화상을 전달, 윤부 액운이 다 지났음과 정혜주가 권도로 화소저를 취(娶)한 사실 등을 알려주고, 남소저를 3娶, 화소저를 4娶 할 것을 지시. 남해를 향해 떠나 잠적. (68)

163. 정혜주, 화부와 작별, 황제의 교지를 받아 영화로히 상경. 임성각이 호행(護行). (68-69)

164. 윤광천, 동주자사 원복이 두씨(우섭의 弟嫂, 우연아의 올케)와 결탁, 우섭을 죽이고 우연아를 자

신의 며느리로 삼고자하는 흉계에 빠져, 위기에 처해있는 이들 남매를 구출. 우소저와 결약남매. 회군 시 우섭 남매를 데리고 상경. (69)

165. 윤광천, 회군 도중 선친 기일을 당해 화상을 봉안(奉安)하고 설제(設祭) 통곡. 꿈에 선친 현형(現形), 가란(家亂)이 멎고 길운을 맞게 되리라는 것과 실리(失離)한 아들을 13세가 되면 찾게 되리라는 것을 예언, 허다 설화로 위로한 후 승천. (69)

166. 윤광천, 개선 입경. 황상, 출영(出迎) 환대(歡待). 광천, 황상께 위・유 양흉의 면죄를 청원. (69)

167. 윤광천, 환가. 본부의 폐허 참경(慘景)을 보고 실성통곡. 강정에 연금되어 있는 위・유양흉 배알. 그 흉참한 괴질과 병상(病狀)의 참경을 목도하고, 실성비읍 후 성효로 간병(看病). (69-70)

168. 정혜주, 환가. 위・유 양흉 배알, 간병. 우소저, 윤부에 머무름. (70)

169. 윤희천, 장설과 함께 상경. 유흉의 면죄를 상소. 황상, 그 출천지효에 감동, 유흉의 죄를 사면함. (70)

170. 황상, 윤광천을 남창후에 봉함. 정혜주에게는 정려문(旌閭門) 명현효의숙렬정씨지문(明賢孝義淑烈鄭氏之門)을 하사. (71)

171. 광천형제, 옥화산 조부에 은신 중인 모친 조부인 배알. (71)

172. 광천・희천・정혜주・장설, 양흉을 극진히 간병, 효양(孝養). (71)

173. 윤수, 교지국에서 조보(朝報)로 모친과 유흉의 흉참한 죄악을 알고 유흉의 악행을 통분함. 환경하여 황상을 배알하고 유흉의 사사(賜死)를 주청. 황상, 불윤(不允)하고 교지국 선치를 치하, 호람후를 봉함. (72)

174. 윤수, 귀가, 모친의 개과천선을 혈성으로 간함. 유흉과 부부윤의를 폐절하고 독약으로 유흉을 사사(賜死)하려하다, 광천・희천 형제와 모친의 한사만류(恨死挽留)로 뜻을 이루지 못함. (72)

175. 위흉, 윤수・광천・희천 등의 성효에 감동, 개과천선. 괴질(怪疾) 쾌차(快差). (72)

176. 유흉, 죄과를 위흉에게 전가하고 더욱 광패한 행동으로 광천・희천 등을 증오. 괴질이 더욱 성해져 빈사지경에 이름. (72-73)

177. 희천, 칼로 팔을 찔러 양모에게 수혈. 혈서로 천지신명께 배축(拜祝). (73)

178. 유흉, 신몽(神夢)으로 천궁에가 천경(天鏡)의 신이(神異)를 보고, 자신의 모든 악사와 광천・희천 등의 성효를 깨닫고 개과천선. (73)

179. 조부인과 구파, 윤부로 귀환. 윤부, 정혜주 소생 1자만 실리(失離)한 채 일대단취(一大團聚)를 이룸. 이후 윤부의 화란(禍亂)이 종식(終熄)되고, 정혜주가 부중(府中)의 내사(內事)를, 광천・희천 형제가 외사(外事)를 각각 총찰함. (73-74)

180. 윤수, 광천・희천 형제를 대동, 정・진・하부 순방. 윤・하・정 삼문이 붕우의 정과 인친(姻親)의 정을 흠뻑 즐김. (74)

181. 정유흥(정연의 제4자), 과거급제. 임성각, 무과 장원급제. (75)

182. 정천흥, 구몽숙을 두호(斗護), 유배 중 그 가족을 보살핌. 몽숙, 천흥의 대덕에 감은. (75)

183. 정세흥, 부인 양소저의 초강(超强)함을 제어(制御)코자 양소저를 궁극히 괴롭힘. 양소저를 붙잡아 놓고 그 앞에서 시녀 월앵과 정사를 벌리고, 4창과 희롱하는 등의 작태를 연출하는가 하면, 생트

집을 잡아 즐욕난타(叱辱亂打)하고, 칼이나 집기 등을 닥치는 대로 던져 중상을 입히는 등, 극심한 고통을 줌. (75)

184. 정연, 양소저의 유질(有疾)함을 듣고 진맥하다가 그 병근(病根)을 수상히 여겨, 양소저 시비들을 문초하여 세흥의 패행을 세세히 듣고, 세흥을 중장(重杖)을 가해, 4창과 함께 선채로 한데 묶어 옥에 가둠. 양소저, 존고 진부인 침소로 옮겨 병을 조리함. (75-76)

185. 순태부인, 정연에게 세흥을 사(赦)할 것을 명함. 정연, 세흥을 사하고, 4창을 원방(遠方)으로 내침. (76)

186. 성난화, 여람백 성흠의 딸로, 취운산 산경을 유람하다, 마침 산상을 유완(遊玩)하던 정세흥의 용화를 보고 혹해 금령(金鈴)을 던져 구애. 정세흥, 금령을 거둬 간직함. (76)

187. 성난화, 모친 노씨를 졸라 모친의 동생 노귀비를 움직여 세흥과의 사혼(賜婚)을 획책. 황제, 성・정 양부에 사혼전지를 내려 성난화를 정세흥의 재실로 혼인케 함. (76)

188, 정세흥, 모친이 없는 틈을 타 양소저 침소에 들어가 양소저와 힐난하다가, 잘못하여 칼로 가슴을 찔러 목숨을 위태롭게 만들고, 구호하던 중, 부인이 임신한 것을 알고 물러나옴.(76)

189. 정세흥, 황상의 사혼(賜婚)으로 성난화를 재취. 성난화, 은악양선하며 양소저 제거흉계를 꾸밈. (76-77)

190. 남희주, 태상경으로 승직 환조한 부친의 부름을 받고 남경에서 상경, 부녀상봉. 화빙화, 부친이 추밀부사(樞密副使)에 복직되어 가족과 함께 상경. 정천흥, 매제(妹弟) 정혜주의 청을 받고 남희주와 화빙화를 윤광천의 제3・제4 부인으로 중매, 혼사를 정함. (77)

191. 석준, 임기를 마치고 상경하여 상태우 영능후에 봉작됨, 경아가 오씨의 3자녀를 독살하려다가 발각돼 비실(鄙室)에 갇혀있음을 듣고, 경아를 출거(黜去)하려다가, 악장(岳丈) 윤수의 덕을 공경하여, 후당에 안치(安置)해 개과천선케 함.(77)

192. 윤희천, 부모가 화락하지 않는데 자식이 처실을 가까이 할 수 없다며, 부부가 각거하여 서로 얼굴도 마주 대하지 않으며, 부모의 화락을 간청. 윤수, 희천의 성효에 감동하여 마침내 유부인을 용서. 부부가 서로 화해함. (78)

193. 윤희천, 하영주에 대한 유감을 풀고 부부화락. (78)

194. 위태부인, 광천의 길일이 다가오자, 친가에 머물고 있는 진성염을 혼례에 참석케 하기위해 거교(車轎)를 보내 돌아오도록 명함. 진영수(진성염의 오빠), 위태부인의 명을 성염에게 알리지 않고, 과거 윤부에서 성염에게 가한 혹형을 들추며 보내지 못한다는 서간과 함께 가마를 돌려보냄. 윤광천, 진영수의 무례를 대로(大怒)하여, 뒤늦게 사실을 알고 돌아오는 진성염의 가마를, 하리(下吏)들을 보내, 도로 쫓아 보내도록 명함. (78)

195. 윤희천, 관부에서 돌아오는 길에 본부 하리들이 형수 진부인의 가마를 부수고 시녀들에게 행패를 부리고 있는 것을 보고, 하리들을 꾸짖어 돌려보내고, 가마를 새로 구해 진부인을 호행하여 본부로 돌아옴. 진성념, 윤부 복귀.(78)

196. 윤수, 광천의 패행을 알고 질책(叱責)하여 내침. 광천, 대설(大雪) 가운데 석고대죄. 윤수, 딸 성염의 병을 보기 위해 방문한 낙양후 진광의 청을 받고 광천을 사함. 윤광천, 진성염과 화해, 부부화락. (79)

197. 윤광천, 남희주와 화빙화를 각각 제3, 제4 부인으로 맞아 같은 날 혼례를 올림. 또 정천흥의 주

선으로, 전에 유정하였던 옥비 등 10창(娼)을 첩으로 맞아들여, 4부인 10첩으로 더불어 행복을 누림.(79-80)

198. 성난화, 요승(妖僧) 묘화와 결탁, 요약으로 정세흥을 변심케 함. 세흥, 양소저를 증오, 성난화에게 침혹(沈惑). (80)

199. 정세흥, 난화의 간계에 빠져 양소저를 칼로 찔러 죽임. 정천흥, 양소저를 구호하여 회생시킴. (80)

200. 정천흥・윤광천, 평해왕과 위왕이 반란을 일으키자 자원출정, 천흥은 평해 대원수, 광천은 평위 대원수로 각각 출정. (80)

201. 정세흥, 전당태수 소계임의 실리녀(失離女) 소염난을 유모 설유랑의 처소에서 보고 유정, 취(娶)할 뜻을 품음. (80)

202. 정세흥, 요약에 실성. 성난화의 교사(教唆)로 잉태만삭(孕胎滿朔)인 양소저를 채화석(彩畵席)에 말아서 물속에 던져 죽임. 시녀 월앵, 양소저가 수장(水葬)되는 꿈을 꾸고 시냇가에 나와 양소저를 구출. 진부로 옮겨 회생시킴. (81)

203. 성난화, 소염난을 타살(打殺). 정세흥, 성난화의 악행 현장을 목격, 소염난을 구출하여 대(大)양부인 (정천흥의 둘째부인)에게 보내 구호케 함. 그러나 성난화 요약을 마셔 사건 전말을 밝히지 못함. (81)

204. 정연, 간비(姦婢) 춘교를 엄형 추문하여 성난화의 모든 악사와 세흥의 패행을 밝혀냄. 성난화를 출거하고 세흥에게 참혹한 장형(杖刑)을 가함. 양소저, 세흥이 장사(杖死) 직전에 엄구(嚴舅)께 간구해 남편을 구함. (82)

205. 소염난, 외가인 양부로 옮겨 병을 조리. 소계임, 경사로 돌아옴, 10여년 만에 부녀천륜을 단원. (82)

206. 성난화, 묘화와 결탁, 자문(自刎)한 것으로 위장해 놓고 친가를 탈신(脫身), 절도사 조흠의 재실이 됨. 조흠이 병사(病死)하자 다시 묘화의 주선으로 황자(皇子) 오왕의 양녀(養女)가 됨. (83)

207. 정세흥, 임종 직전에 양소저의 기도로 회생. 혼침(昏沈)한 가운데 넋이 몽중상천(夢中上天), 상제로부터 한권 책을 받아 양・소・한부인과 천정연분(天定緣分)임을 깨달음. 또한 천경(天鏡)을 보고 양소저의 화액(禍厄)과 성난화의 악사를 목도(目睹), 개과천선. 양소저와 재합. (83)

208. 윤희천・정세흥, 동창왕이 반란을 일으키자 자원출정. 희천 평동 대원수, 세흥 부원수로 출정. (84)

209. 운광천, 위국을 평정하고 승전반사(勝戰班師), 위국공이 됨. (84)

210. 문양공주, 배종(背腫)이 극중한 가운데 부마에 대한 사모지심(思慕之心)이 간절하여 병세가 위극(危極)함. 윤명아등 4부인의 지극한 우애지심(友愛之心)에 감복, 개과천선. (84-85)

211. 정천흥, 적과 진법・사재(射才)・검술・용력을 겨뤄 승리. 부작(符作)으로 신병(神兵을 부리고 호풍환우(呼風喚雨)하여 적장의 요술을 제압, 제국평정. 승전반사. (85)

212. 정천흥, 개선도중 소주에 적거중(謫居中)인 구몽숙과 상면(相面). 부작을 써 귀매(鬼魅)의 작난을 퇴치. (85-86)

213. 윤희천・정세흥, 제요술(制妖術)로 요정(妖精)과 염귀(炎鬼)・요얼(妖孼) 등을 물리치고 동창국을

평정. 승전반사. (86)

214. 정천흥・윤희천, 동시 개선입경(凱旋入京). 황상, 정천흥을 평제왕에, 윤희천을 동평후에, 정세흥을 동월후에 각각 봉(封)함. (86-87)

215. 정세흥, 소염난을 재취. (87)

216. 정필흥(정연의 제 5자), 외모 평상하고 질둔(質鈍)한 두소저와 결혼. 과거에 장원급제. 화소저를 재취. (87)

217. 정세흥, 취월암에서 혜원니고의 주선으로 한희주(한희린의 누이)를 만남. 한희주, 모친 곽부인・동생 한희린과 단취. 한소저 선친(先親), 정연과 세흥에게 현몽(現夢), 한소저와 혼인을 당부. (88)

218. 정천흥, 평제궁 창건으로 솔가(率家) 입궁(入宮). (88)

219. 문양공주, 윤명아 등의 노력으로 천흥과 재합. 평제국 왕비 직첩을 받음. (88-89)

220. 정세흥, 한희주와 결혼. (89)

221. 황상, 순태부인 탄일을 기해 정부에 사연(賜宴). 윤・하・정 삼부 제인과 문무고관이 모여 희소단란(喜笑團欒). 정부의 영화가 극치에 이름. (89-91)

222. 윤경아, 윤희천의 지극한 우애에 감복, 개과천선. 석준과 재합. (91)

223. 한희린, 장원급제. 황상, 취운산에 장원각을 지어 하사(下賜). 희린, 모친을 모셔 장원각으로 이사, 우소저와 결혼. (91)

224. 하원광, 윤희천의 중매로 경소저를 삼취. (91)

225. 하원상 (하원경의 환생), 임참정의 딸 임몽옥(하원경이 寃死하자 따라서 自刎했던 임성옥의 환생)과 정혼. (92)

226. 임참정의 계모 목태부인, 임참정을 핍박, 만고(萬古) 박색추물(薄色醜物) 주애랑(목씨의 외손녀)을 임몽옥 대신 하원상과 혼인시킬 것을 강요. 애랑을 몽옥으로 가장시켜 원상과 성친케 함. 가(假) 임소저[목애랑], 행동거지가 난잡하고 광패함. 원상, 가(假) 임소저를 박대. (92-93)

227. 하원창 (하원보의 환생), 정부에서 정아주 (정연의 필녀)를 보고 침혹. (93)

228. 오왕, 하원창의 풍채를 보고 설빈군주 (오왕의 양녀가 된 성난화)와 혼인을 간청. 하진 허혼. (93)

229. 하원상, 가(假) 임몽옥[목애랑]을 출거, 비자(婢子)의 실토로 목씨의 악사와 애랑의 정체를 밝혀냄. (93)

230. 임몽옥, 쫓겨온 애랑의 무고로 목씨에게 참혹히 난타를 당함. 목씨가 그 질자(姪子) 목표에게 자신을 재취로 보내려 하자, 목씨를 속이고 탈신, 외가 강태우 집에 은신. 임부, 몽옥의 혼사를 하부와 비밀리에 추진. (93-94)

231. 하원창, 정아주를 상사성병(相思成病), 빈사지경에 이름. 정연, 아주와 원창의 혼인을 허락. 원창, 병세쾌차. (94)

232. 하원상・원창 형제, 과거에 응시, 정세흥이 시관(試官)이 되어 원창을 고의적으로 낙방시킴. 원상은 장원급제. (95)

220. 하원상과 임몽옥 · 하원창과 설빈군주, 동시결혼. 원창, 신혼 첫날밤부터 설빈군주를 박대. (95)

221. 하원창, 과거에 장원급제. 정아주를 재취. 정아주와 설빈군주 상견례. 설빈군주, 정아주를 살해할 흉심을 품음. 정아주, 설빈군주가 세홍의 출거녀(黜去女)임을 알고 모른척 함. (96)

222. 설빈, 요약으로 원창의 변심을 기도. 요예지물과 저주축사(詛呪祝辭)로 정아주 죽기를 축원. 하원창 · 정아주, 여신(如神)한 총명으로 이를 잘 모면. (96)

223. 윤광천 · 정세흥, 진왕 울금서의 반역으로 윤광천이 대원수, 정세흥이 부원수가 되어 출정. (96)

224. 구몽숙, 남양 선치. 정천흥의 천거로 공부상서에 승품되어 귀경. 취운산에 이주. (96)

225. 설빈, 묘화와 결탁, 정아주 제거 흉계. 독살기도 실패. 묘화, 정아주 죽기를 설제발원(設祭發願)하다가 관음대사의 엄책을 받음. (96-97)

226. 하원필 (하원상의 환생), 진애화와 혼인. (97)

227. 하진, 황상이 오왕의 청을 받아 원창과 설빈의 부부화락을 권하자, 귀가하여 원창을 엄책. 원창이 한사코 불복하여 역명(逆命)하자 80여 장을 중타. (97)

228. 설빈, 묘화로 하여금 정아주를 오왕궁으로 납치해오게 하여 냉옥(冷屋)에 가두고, 음식을 주지 못하게 하여 아사(餓死)케 함. 궁녀 태섬이 구호. (98)

229. 진종황제 붕어, 인종황제 즉위. (98)

230. 윤광천, 진왕 울금서의 반란을 평정하고 승전반사, 평진왕에 책봉됨. 취운산에 진궁창건. 윤부, 진궁으로 이사. (98)

231. 묘화, 설빈의 청으로 원창의 은애(恩愛)가 설빈에게 돌아오도록 설제도축(設祭禱祝)하다, 지장보살(地藏菩薩)의 엄책을 당함. (98)

232. 설빈, 하원상에게 음심을 품고 밤에 원상의 처소에 돌입했다가 망신을 당함. 개용단을 먹고 원상 · 원창으로 둔갑, 개용단을 먹여 자신의 모습으로 변신시킨 시비 제앵과 오왕세자를 차례로 죽여 원상과 원창을 살인죄수로 만듬. (98)

233. 원상 · 원창, 황명으로 대리사에 수감됨. (99)

234. 정아주, 냉옥탈출. 등문고를 울리고 혈서(血書)로 황제께 설빈의 정체와 악사를 아뢰고. 원상 · 원창의 무죄함을 밝힘. 원창의 원비가 되어 부부 재합. (99)

235. 皇上, 성난화를 참수효시(斬首梟示). 정아주에게 정려문(旌閭門)을 내리고 하부에 인렬숙성비문(仁烈淑聖妃門)을 세우게 함. (99)

236. 하원창, 태학사 양유의 딸과 시중 위박의 딸을 각각 재취와 삼취(三娶)로 맞아 혼인하고, 또 7창을 娶妾하여 화락함. (100)

237. 황제, 윤부에 사연(賜宴), 윤 · 하 · 정 삼부 제인과 공경대신(公卿大臣이 모여 음주단란(飮酒團欒, 삼부의 영화(榮華)가 극치(極致)에 이름. (100)

238. 속편인 삼문자녀별전(三門子女別傳)[윤하정삼문취록(尹河鄭三門聚錄)]에 나올 이야기를 예고. (100)

〈끝〉

【낙선재본】

명듀보월빙 권디일

대숑(大宋) 진종됴(眞宗朝)[1]의 홍문관 태ᄒᆞᆨᄉᆞ 니부상셔 금ᄌᆞ광녹태우(弘文館 太學士 吏部尙書 金紫光祿大夫)[2] 명쳔션ᄉᆡᆼ 윤공의 명은 현이오 ᄌᆞᄂᆞᆫ 문경이니, ᄃᆡᄃᆡ잠영(代代簪纓)[3]이오 교목셰개(喬木世家)[4]라. 공의 위인이 겸공ᄌᆞ인(謙恭慈仁)ᄒᆞ고 튱회과인(忠孝過人)ᄒᆞ며 문당은 니두(李杜)[5] ᄀᆞᆺ고 슈신제가(修身齊家)의 금옥 ᄀᆞᆺᄒᆞ니 닌니친쳑(隣里親戚)과 일시ᄉᆞ유(一時士類)의 경앙(敬仰)ᄒᆞᄂᆞᆫ ᄇᆡ러라.

일즉 농닌(龍鱗)[6]을 밧들고 봉익(鳳翼)[7]을 븟좃ᄎᆞ 농뎐(龍殿)의 어향(御香)을 ᄲᅩ이고 셤궁(蟾宮)[8]의 월계(月桂)를 쎗거 쳥운ᄌᆞ맥(靑雲紫陌)[9]의 늉듕호걸(隆重豪傑)노 일셰를 경동(驚動)ᄒᆞ더라.

일즉 안항(雁行)이 번셩치 못ᄒᆞ여 오직 일뎨(一弟) 이시니 명은 슈오 ᄌᆞᄂᆞᆫ 명강이니 벼【1】ᄉᆞᆯ이 태듕태위(太中大夫)라. 위인이 튱후쇄락(忠厚灑落)ᄒᆞ여 명칭일셰(名稱一世)라. 형뎨 냥인이 ᄒᆞᆫ 가지로 태부인(太夫人)을 지효(至孝)로 셤기며 형우뎨공(兄友弟恭)이 고인을 효측(效則)ᄒᆞ더라.

---

1)진종됴(眞宗朝) : 중국 송(宋)나라의 제3대 황제진종의 재위기간(998-1022)

2)금ᄌᆞ광녹태우(金紫光祿大夫) : 중국과 고려에 있었던 문관 품계의 하나, 태우는 '대부(大夫)'의 옛말.

3)ᄃᆡᄃᆡ잠영(代代簪纓) : 대대로 높은 벼슬아치가 나옴. 잠영(簪纓)은 예전에 관원이 쓰던 비녀와 갓끈으로, 양반이나 지위가 높은 벼슬아치 또는 그 지위를 비유적으로 이르는 말.

4)교목셰개(喬木世家) : 여러 대에 걸쳐 중요한 벼슬을 지내 나라와 운명을 같이하는 집안.

5)니두(李杜) : 당나라 때 시인 이백(李白: 701-762)과 두보(杜甫: 712~ 770)

6)농닌(龍鱗) : 용의 비늘. 천자나 영웅의 위엄을 비유적으로 이르는 말.

7)봉익(鳳翼) : 봉황의 날개. 임금을 보좌하는 사람을 이르는 말.

8)셤궁(蟾宮) : 달. 섬(蟾)은 달 또는 달빛을 말한다.

9)쳥운ᄌᆞ맥(靑雲紫陌) : 청운은 벼슬을, 자맥은 도성의 큰길을 뜻하는 말로, 벼슬 길 곧 환로(宦路)를 비유적으로 이르는 말.

【박순호본】

명쥬보월빙 권지일

ᄃᆡ송(大宋) 진죵됴(眞宗朝)[1]의 니부샹셔 홍문관 ᄐᆡᄒᆞᆨᄉᆞ 금ᄌᆞ광녹ᄐᆡ우(吏部尙書 弘文館 太學士 金紫光祿大夫)[2] 명쳔션ᄉᆡᆼ 윤공의 명은 현이오 ᄌᆞᄂᆞᆫ 문경이니 ᄃᆡᄃᆡ잠영(代代簪纓)[3]이오 교목셰가(喬木世家)[4]라. 공의 위인이 엄[겸]공인ᄌᆞ(謙恭仁慈)ᄒᆞ고 튱효과인(忠孝過人)ᄒᆞ여 문장은 니두(李杜)[5] 갓고 슈신제가(修身齊家)의 금옥 갓트여 인리친쳑(隣里親戚)과 일시ᄉᆞ류(一時士類)의 경앙(敬仰)ᄒᆞᄂᆞᆫ ᄇᆡ라.

일즉 농인(龍鱗)[6]을 밧들고 봉익(鳳翼)[7]을 븟좃ᄎᆞ 용젼(龍殿)의 어향(御香)을 쏘이고 셩[셤]궁(蟾宮)의 월계(月桂)를 썩거 ᄐᆡ평보각(太平寶閣)[8]의 근시(近侍)ᄒᆞᄆᆡ 튱효직절(忠孝直節)이 명슉(明肅)더라.

오직 일뎨(一弟) 잇스니 명은 슈요 ᄌᆞᄂᆞᆫ 명강이니 벼ᄉᆞᆯ이 ᄐᆡ즁ᄐᆡ우(太中大夫)라. 위인이 튱효[후]쇄락(忠厚灑落)[9]ᄒᆞ여 명칭일셰(名稱一世)라. 형뎨 양인이 ᄒᆞᆫ가지로 ᄐᆡ부인(太夫人)을 지효(至孝)로 셤기며 형우뎨공(兄友弟恭)이 고인을 효측ᄒᆞ더라.

---

1)진종됴(眞宗朝) : 중국 송(宋)나라의 제3대 황제진종의 재위기간(998-1022)

2)금ᄌᆞ광녹ᄐᆡ우(金紫光祿大夫) : 중국과 고려에 있었던 문관 품계의 하나, ᄐᆡ우는 '대부(大夫)'의 옛말.

3)ᄃᆡᄃᆡ잠영(代代簪纓) : 대대로 높은 벼슬아치가 나옴. 잠영(簪纓)은 예전에 관원이 쓰던 비녀와 갓끈으로, 양반이나 지위가 높은 벼슬아치 또는 그 지위를 비유적으로 이르는 말.

4)교목셰가(喬木世家) : 여러 대에 걸쳐 중요한 벼슬을 지내 나라와 운명을 같이하는 집안.

5)니두(李杜) : 당나라 때 시인 이백(李白: 701-762)과 두보(杜甫: 712~ 770)

6)농닌(龍鱗) : 용의 비늘. 천자나 영웅의 위엄을 비유적으로 이르는 말.

7)봉익(鳳翼) : 봉황의 날개. 임금을 보좌하는 사람을 이르는 말.

8)ᄐᆡ평보각(太平寶閣) : 태평한 시절 임금의 전각

9)튱후쇄락(忠厚灑落) : 성품이 충성스럽고 너그럽고 상쾌하고 깨끗함.

상셔ᄂᆞᆫ 젼 부인 황시 소ᄉᆡᆼ이오, 태우ᄂᆞᆫ 후 부인 위시 소ᄉᆡᆼ이니, 윤노공과 황부인은 기셰(棄世)ᄒᆞ고 위부인은 ᄌᆡ셰(在世)ᄒᆞ니 상셔부인 조시ᄂᆞᆫ 개국공신(開國功臣) 조빈(曹彬)[10]의 녜오, 태우부인 뉴시ᄂᆞᆫ 니부상셔 뉴환의 녜라. 조부인의 용안덕셩(容顔德性)은 곤산미옥(崑山美玉)[11] ᄀᆞᆺ고, 뉴시ᄂᆞᆫ 애용(愛容)이 졀셰(絶世)ᄒᆞ나 셩되(性度) 초강(超强)ᄒᆞ고 은악양션(隱惡佯善)[12]ᄒᆞ며 투현질능(妬賢嫉能)ᄒᆞ고, 위태부인은 싀험패악(猜險悖惡)ᄒᆞ여 상셔를 긔츌(己出)이 아니라 ᄒᆞ여 일호(一毫) ᄌᆞᄋᆡ(慈愛) 업고 뉴시 그ᄋᆞᆨ이 아요[유]쳠녕(阿諛諂佞)[13]【2】ᄒᆞ여 포댱니검(包藏利劍)[14]ᄒᆞ고 존고(尊姑)의 악ᄉᆞ와 패ᄒᆡᆼ(悖行)을 ᄀᆞ마니 도으며 획계(劃計)를 찬조ᄒᆞᄃᆡ 두리고 어려이 넉이ᄂᆞᆫ 배 태위라.

태위 범ᄉᆞ의 형을 공경ᄒᆞ고 우러러 바라미 태부인으로 다르미 업고 효우지심(孝友之心)이 곳치며 《변ᄒᆞᆯ 길∥변ᄒᆞ미》업ᄉᆞ니, 혹ᄌᆞ(或者) 모친의 일편(一偏)되믈 보면 울고 간(諫)ᄒᆞ여 식음(食飮)을 폐ᄒᆞ고 진졍으로 슬허ᄒᆞ니, 위시 태우를 괴로와 하고 뉴시 악ᄒᆡᆼ을 ○[발]뵈지[15] 못ᄒᆞ니 여러 셰월을 보ᄂᆡ여 화긔(和氣)를 일치 아녓ᄂᆞᆫ지라.

상셔ᄂᆞᆫ 조부인으로 동낙(同樂) 십여 년의 은졍(恩情)이 흡연(洽然)ᄒᆞ여 관져지낙(關雎之樂)[16]을 극진이 ᄒᆞᄃᆡ, 슬하의 댱옥(璋

10)조빈(曹彬) : 후주(後周)·송초(宋初)의 무장(武將)·정치가. 송나라 때 태사(太師)를 지냈고 노국공(魯國公)에 봉해졌다. 시호(諡號)는 무혜(武惠), 제양군왕(濟陽郡王)에 추봉(追封)되었다.
11)곤산미옥(崑山美玉) : 곤산에서 나는 아름다운 옥. 곤산은 곤륜산(崑崙山)으로 중국 전설상의 산. 중국 서쪽에 있으며, 옥(玉)이 난다고 한다. 서왕모(西王母)가 살며 불사(不死)의 물이 흐른다고 함.
12)은악양션(隱惡佯善) : 악을 숨기고 선을 가장함.
13)아유쳠녕(阿諛諂佞) : 아첨함.
14)포댱니검(包藏利劍) : 마음속에 날카로운 칼을 품고 있음
15)발뵈다 : '발보이다'의 준말. 무슨 일을 극히 적은 부분만 잠깐 드러내 보이다.
16)관져지낙(關雎之樂) : 남녀 또는 부부 사이의 사랑. 관저(關雎)는 『시경(詩經)』 '주남(周南)'편에 실

샹셔ᄂᆞᆫ 젼 부이[인] 황시 소ᄉᆡᆼ이오, ᄐᆡ우ᄂᆞᆫ 후 부인 위시 소ᄉᆡᆼ이니, 윤노공과 황부인은 기셰(棄世)ᄒᆞ고 위부인은 ᄌᆡ셰러니, 샹셔부인 조시ᄂᆞᆫ ᄀᆡ국공신(開國功臣) 조빈(曹彬)[10]의 녀요, ᄐᆡ우 부인 뉴시ᄂᆞᆫ 니부샹셔 뉴한의 녀라. 조부인은 셩ᄒᆡᆼ슉덕(聖行淑德)이 가ᄌᆞᆨᄒᆞ고[11], 뉴부인은 졀셰ᄒᆞ나 셩되(性度) 초강(超强)ᄒᆞ고 은【1】악(隱惡)[12]ᄒᆞ며 투현질능(妬賢嫉能)ᄒᆞ고, ᄐᆡ부인[은] 싀험ᄑᆡ악(猜險悖惡)ᄒᆞ고 용심부뎡(用心不正)[13]ᄒᆞ여 샹셔을 긔츌(己出)이 아니라 ᄒᆞ여 일호(一毫)도 ᄌᆞᄋᆡ(慈愛)ᄒᆞᄂᆞᆫ ᄯᅳᆺ지 업고 뉴시ᄂᆞᆫ 그ᄋᆞᆨ이 아유쳠녕(阿諛諂佞)[14]ᄒᆞ여 포장니검(包藏利劍)[15]ᄒᆞ고 존고(尊姑)의 악ᄉᆞ와 ᄑᆡᄒᆡᆼ(悖行)을 가마니 도으며 획계(劃計)을 찬조ᄒᆞᄃᆡ 두리고 어려이 넉이ᄂᆞᆫ 바ᄂᆞᆫ ᄐᆡ우라.

ᄐᆡ우 범ᄉᆞ의 형을 공경ᄒᆞ고 우러러 바라미 《ᄐᆡ부와∥ᄐᆡ부인과》다라지 아냐 지극ᄒᆞᆫ 효우지심(孝友之心)이 곳치며 변ᄒᆞ미 업셔, 혹ᄌᆞ(或者) 모친이 일편(一偏)되믈 보면 울며 간(諫)ᄒᆞ여 식음(食飮)을 폐ᄒᆞ고 진졍으로 슬허ᄒᆞ니, 위ᄐᆡ부인이 ᄐᆡ우을 괴로와ᄒᆞ고 뉴시{의} ᄑᆡᄒᆡᆼ(悖行)을 발뵈지[16] 못ᄒᆞ고[니], 시러금[17] 여러 셰월을 보ᄂᆡ여 화긔(和氣)을 일치 아니ᄒᆞ엿ᄂᆞᆫ지라.

상셔ᄂᆞᆫ 조부인으로 동낙(同樂) 십여 년의 은졍(恩情)이 흡연(洽然)ᄒᆞ여 관져지낙(關雎之樂)[18]을 극진이 ᄒᆞᄃᆡ, 슬하의 장옥(璋)[19]

10)조빈(曹彬) : 후주(後周)·송초(宋初)의 무장(武將)·정치가. 송나라 때 태사(太師)를 지냈고 노국공(魯國公)에 봉해졌다. 시호(諡號)는 무혜(武惠), 제양군왕(濟陽郡王)에 추봉(追封)되었다.
11)가ᄌᆞᆨᄒᆞ다 : 가지런하다.
12)은악(隱惡) : 드러나지 않게 악을 행함.
13)용심부뎡(用心不正) : 마음 씀이 바르지 못함.
14)아유쳠녕(阿諛諂佞) : 아첨함.
15)포장니검(包藏利劍) : 마음속에 날카로운 칼을 품고 있음
16)발뵈다 : '발보이다'의 준말. 무슨 일을 극히 적은 부분만 잠깐 드러내 보이다.
17)시러금 : 능히.
18)관져지낙(關雎之樂) : 남녀 또는 부부 사이의 사랑. 관저(關雎)는 『시경(詩經)』 '주남(周南)'편에 실

玉)[17]이 션션(詵詵)[18]ᄒᆞ믈 보디 못ᄒᆞ고 슈년 젼의 일녀를 ᄉᆡᆼᄒᆞ고 태우ᄂᆞᆫ 뉴부인으로 더브러 【3】 결발십ᄌᆡ(結髮十載)[19]의 냥녀를 두어시ᄃᆡ 태우의 셩졍이 엄슉ᄒᆞ기로 부인으로 더브러 상합(相合)지 못ᄒᆞ여 부부뉸의(夫婦倫義)를 폐치 못ᄒᆞ나 금슬(琴瑟)의 듕(重)ᄒᆞᆫ 바ᄂᆞᆫ 업셔, 형뎨 ᄆᆡ양 셔당 ᄇᆡᆨ화헌의 쳐ᄒᆞ여 광금댱침(廣衾長枕)의 즐기믈 다ᄒᆞ니, 태부인이 태우의 ᄒᆡᆼᄉᆞ를 골돌이 애둘나 모ᄌᆞ부부의 ᄆᆞ음이 다 각각이로ᄃᆡ, 다만 태위 셰셰지ᄉᆞ(細細之事)를 알녀 아니ᄒᆞ고 소활(疎豁)ᄒᆞ여 ᄂᆡᄉᆞ(內事)를 ᄉᆞᆯ피디 아니ᄒᆞ니, 그 모친과 부인의 ᄉᆞ오나오믈 아디 못ᄒᆞ고 형뎨 보호ᄒᆞ미 디극ᄒᆞᆫ디라.

위시 것츠로 ᄌᆞ모(慈母)의 도를 일치 아니나 조부인의[은] 을[일]이 일사(一事)도 편치 못ᄒᆞ나 츌텬디효(出天之孝)로 동동쵹쵹(洞洞屬屬)[20]ᄒᆞ여 위태부인의 인졍 【4】 밧 거조(擧措)를 당ᄒᆞ나 조금도 원심(怨心)이 업셔 ᄒᆞᆫ갈ᄀᆞᆺ치 졍셩을 다ᄒᆞ여 감지(甘旨)의 온ᄂᆡᆼ(溫冷)과 의복의 한셔(寒暑)를 못밋출 ᄃᆞ시 밧드니 위시 그 어질믈 아쳐ᄒᆞ여[21] 뉴시로 동심ᄒᆞ여 종통(宗統)을 앗고져 ᄒᆞᄂᆞᆫ지라.

뉴시 냥녀를 두고 다시 ᄉᆡᆼ산이 묘연(杳然)ᄒᆞ니 쥬야 ᄉᆡᆼ남ᄒᆞ기를 착급(着急)히 바라ᄂᆞᆫ 고로 산쳔(山川)악[의] 두로 튝원ᄒᆞ여 긔도ᄒᆞ니 악인이 텬의를 아디 못ᄒᆞ미 이러ᄐᆞᆺ ᄒᆞ

린 노래 이름. 문왕(文王)과 태사(太姒)의 사랑을 주제로 한 노래.

17)댱옥(璋玉) : 아들. 농장지경(弄璋之慶: 아들을 낳은 경사)에서 유래한 말.

18)션션(詵詵) : 수가 많은 모양

19)결발십지(結髮十載) : 결혼한 지 10년이 됨. 결발(結髮)은 예전에 관례를 할 때 상투를 틀거나 쪽을 찌던 일로, 성년(成年) 또는 본처(本妻)를 달리 이르는 말로 쓰인다.

20)동동쵹쵹(洞洞屬屬) : 공경하고 조심함. 부모를 섬기고 공경하는 마음이 지극함. 『예기(禮記)』 <제의(祭義)>편의 "洞洞乎屬屬乎如弗勝 如將失之. 其孝敬之心至也與(공경하고 조심하는 태도가 마치 이기지 못하는 것 같고 잃지 않을까 조심하는 것 같아, 그 효경하는 마음이 지극하기 그지없다.)"에서 온 말.

21)아쳐ᄒᆞ다 : 싫어하다. 미워하다.

이 션션(詵詵)[20]ᄒᆞ믈 보지 못ᄒᆞ고 슈년 젼의 일녀을 ᄉᆡᆼᄒᆞ고, ᄐᆡ우ᄂᆞᆫ 뉴부인으로 결발십ᄌᆡ(結髮十載)[21]의 양녀을 두어시ᄃᆡ ᄐᆡ우의 셩졍이 엄슉ᄒᆞ기로 부인으로 더부러 상합(相合)지 못ᄒᆞ여 부부윤의(夫婦倫義)을 폐치 못ᄒᆞᄂᆞ 금슬의 즁ᄒᆞᆫ ᄇᆡ 업셔, 형졔 ᄆᆡ양 셔당 ᄇᆡᆨ화헌의 쳐ᄒᆞ여 광금쟝침(廣衾長枕)의 질기 【2】 믈 다ᄒᆞ니, ᄐᆡ부인이 ᄐᆡ우의 ᄒᆡᆼᄉᆞ을 골돌이 ᄋᆡ달아 모ᄌᆞ부부의 ᄆᆞ음이 다 각각이로ᄃᆡ, 다만 ᄐᆡ위 셰셰지ᄉᆞ(細細之事)을 알녀 ○○[아니]ᄒᆞ고 소활(疎豁)ᄒᆞ여 ᄂᆡ당(內堂) 일을 ᄉᆞᆯ피지 아니ᄒᆞ니, 그 모친과 부인의 ᄉᆞ오나오믈 아지 못ᄒᆞ고 형졔 보호ᄒᆞ기[미] 지극ᄒᆞᆫ지라.

위시 것ᄎᆞ로 ᄌᆞ모의 도을 일치 아니ᄒᆞ나 조부인긔ᄂᆞᆫ 고ᄉᆡᆼ이 만아 일시도 편치 못ᄒᆞ나 츌쳔지효(出天之孝)로 동동쵹쵹(洞洞屬屬)[22]ᄒᆞ여 위ᄐᆡ부인의 인졍 박긔 도(道)을 당ᄒᆞᄂᆞ 조곰도 원(怨)ᄒᆞ난 ᄯᅳᆺ지 업셔 ᄒᆞᆫ갈갓치 졍셩을 다ᄒᆞ며 감지(甘旨)의 온ᄂᆡᆼ(溫冷)과 의복한셔(衣服寒暑)을 못밋촐 다시 밧드니 위시 그 어질믈 아쳐ᄒᆞ여[23] 뉴시로 동심ᄒᆞ여 죵통(宗統)을 앗고져 ᄒᆞᄂᆞᆫ지라.

유시 양녀을 두고 다시 ᄉᆡᆼ각건ᄃᆡ ᄉᆡᆼ산이 요원(遼遠)ᄒᆞ니 쥬야 일심 ᄉᆡᆼ남ᄒᆞ기을 착급(着急)히 ᄇᆞ라ᄂᆞᆫ 고로 산쳔의 두로 츅원ᄒᆞ며 긔도ᄒᆞ니 악인이 쳔의을 아지 못ᄒᆞ미 이

린 노래 이름. 문왕(文王)과 태사(太姒)의 사랑을 주제로 한 노래.

19)댱옥(璋玉) : 아들. 농장지경(弄璋之慶: 아들을 낳은 경사)에서 유래한 말.

20)션션(詵詵)ᄒᆞ다 : 수가 많은 모양

21)결발십지(結髮十載) : 결혼한 지 10년이 됨. 결발(結髮)은 예전에 관례를 할 때 상투를 틀거나 쪽을 찌던 일로, 성년(成年) 또는 본처(本妻)를 달리 이르는 말로 쓰인다.

22)동동쵹쵹(洞洞屬屬) : 공경하고 조심함. 부모를 섬기고 공경하는 마음이 지극함. 『예기(禮記)』 <제의(祭義)>편의 "洞洞乎屬屬乎如弗勝 如將失之. 其孝敬之心至也與(공경하고 조심하는 태도가 마치 이기지 못하는 것 같고 잃지 않을까 조심하는 것 같아, 그 효경하는 마음이 지극하기 그지없다.)"에서 온 말.

23)아쳐ᄒᆞ다 : 싫어하다. 미워하다.

더라.

상셔의 셔모 구파(寇婆)ᄂᆞᆫ 승상 구쥰(寇準)[22]의 셔ᄆᆡ(庶妹)[23]라. 위인이 쾌활ᄒᆞ고 일단현심(一丹賢心)[24]이 녀듕군ᄌᆡ(女中君子)라. 나히 삼오(三五)의 윤노공을 셤겨 통ᄒᆡᆼ(寵幸)ᄒᆞᄃᆡ 명되(命途) 긔박(奇薄)ᄒᆞ여 남녀간 긔츌(己出)이 업시 붕셩지통(崩城之痛)을 당ᄒᆞ니 뎍ᄌᆞ(嫡子) 형뎨를 바라미 태산(泰山) ᄀᆞᆺᄐᆞ니 상셰 ᄯᅩᄒᆞᆫ 정셩우ᄃᆡ(精誠優待)ᄒᆞ믈 태부인 버금으로 ᄒᆞ니, 구패 더욱 감격ᄒᆞ고 조부인 셩덕【5】을 흠복(欽服)ᄒᆞ여 각별ᄒᆞᆫ 정셩이 이시니 뉴시 그윽이 깃거 아니ᄒᆞ더라.

위시ᄂᆞᆫ 상셔의 무ᄌᆞ(無子)ᄒᆞ믈 깃거ᄒᆞᄃᆡ 것ᄎᆞ로 념녀ᄒᆞ여 왈,

"너의 형뎨 부뷔동ᄌᆔ(夫婦同住) 오ᄅᆡᄃᆡ 형은 일녀를 두고 아은 이녀를 두어시나 ᄉᆡᆼ남(生男)이 느져시니 민망ᄒᆞ도다."

상셔 형뎨 ᄃᆡ왈,

"불초 ᄋᆞ등(我等)이 아딕 삼십이 못ᄒᆞ엿ᄉᆞ오니 ᄉᆡᆼ남이 늣지 아니ᄒᆞ온지라. 조·뉴 이인이 ᄉᆡᆼ산 길흘 여러시니 ᄉᆡᆼ남ᄒᆞ오미 잇ᄉᆞ올지라. ᄌᆞ위(慈闈)[25]ᄂᆞᆫ 물우(勿憂)ᄒᆞ소셔."

여[이]러틋 모친을 위로ᄒᆞ나 ᄯᅩᄒᆞᆫ ᄋᆞᄃᆞᆯ이 느ᄌᆞ믈 우려ᄒᆞ더라.

태위 ᄆᆡ양 언ᄂᆡ(言內)의 탄왈,

"형뎨 다 목금(目今)의 ᄋᆞᄃᆞᆯ을 두지 못ᄒᆞ니 형댱(兄丈)과 슈슈(嫂嫂)의 후덕셩심(厚德誠心)이 텬심을 감동ᄒᆞ리니, 반드시 무후지탄(無後之嘆)[26]이 업셔 불구(不久)의 긔

22)구준(寇準) : 961-1023. 송(宋) 태종-진종조의 정치가. 시인. 참지정사·평장사(재상) 등을 역임하고 내국공(萊國公)에 봉해짐. 시호 충민(忠愍).

23) 박순호본은 구준의 '서녀'로 되어 있는데, 구준이 인종 원년(1023) 62세로 사망한 점과 작중인물 윤현이 진종조에 상서 벼슬을 하고 있는 것으로 설정되어 있는 점으로 볼 때, 구준을 윤현보다 1세대 이상 앞선 인물이라 하기는 어렵다. 따라서 '서매'가 더 합리적이다.

24)일단현심(一丹賢心) : 한결같이 성실하고 어진 마음

25)ᄌᆞ위(慈闈) : 어머니를 높여 이르는 말.

26)무후지탄(無後之嘆) : 대(代)를 이어갈 자손이 없음

러틋 ᄒᆞ더라.

상셔의 서모 구파(寇婆)ᄂᆞᆫ 승상 구쥰(寇準)[24]의 셔녀(庶女)[25]라. 위인이 쾌활ᄒᆞ여 일단현심(一丹賢心)[26]이 녀즁군ᄌᆞ(女中君子)라. 나히 ᄉᆞᆷ오(三五)의 윤노공을 셤겨 총ᄋᆡ(寵愛)ᄒᆞᄃᆡ 명되(命途) 긔박(奇薄)ᄒᆞ여 남녀간 긔츌(己出)이 업시 붕셩지통(崩城之痛)을 당ᄒᆞ【3】여 젹ᄌᆞ(嫡子) 형졔만 ᄇᆞ라미 ᄐᆡ산(泰山) 갓트니 상셔 ᄯᅩᄒᆞᆫ 정셩것 ᄃᆡ졉ᄒᆞ믈 ᄐᆡ부인 버금으로 ᄒᆞ니, 구파 더욱 감격ᄒᆞ고 조부인 성덕을 흠복(欽服)ᄒᆞ여 각별ᄒᆞᆫ 정셩이 잇스니 뉴시 그윽이 깃거 아니ᄒᆞ더라.

위시ᄂᆞᆫ 샹셔의 무ᄌᆞ(無子)ᄒᆞ믈 깃거ᄒᆞ되 것ᄎᆞ로 염녀 왈,

"너희 형졔 ○○[부부]동쥬(夫婦同住) 오ᄅᆡ되 형은 일녀을 두고 아은 이녀을 두엇스나 ᄉᆡᆼ남(生男)○[이] 느져시니 민망ᄒᆞ도다."

상셔 형졔 ᄃᆡ왈,

"불쵸 아등(我等)이 아즉 ᄉᆞᆷ십이 못되엿시니 ᄉᆡᆼ남ᄒᆞ옴이 늣지 아니ᄒᆞ올지라. 죠·뉴 이인○[이] ᄉᆡᆼ산 길을 열어시니 ᄉᆡᆼ남ᄒᆞ미 이실지라. ᄌᆞ위[27]ᄂᆞᆫ 물위소려(勿憂掃慮)ᄒᆞ소셔."

이러틋 모친을 위로ᄒᆞᄂᆞ ᄯᅩᄒᆞᆫ 아들이 느지믈 우려ᄒᆞ더라.

ᄐᆡ위 ᄆᆡ양 언ᄂᆡ(言內)의 탄왈,

"형뎨 다 목금(目今)의 아들을 엇지 못ᄒᆞ나 형장(兄丈)과 슈슈(嫂嫂)의 후덕선심(厚德善心)○[이]○○[텬심]을 감동ᄒᆞ리니,

○…결락 83자…○[반드시 무후지탄(無後之嘆)[28]이

24)구준(寇準) : 961 - 1023. 송(宋) 태종-진종조의 정치가. 시인. 참지정사·평장사(宰相) 등을 역임하고 내국공(萊國公)에 봉해짐. 시호 충민(忠愍).

25) 낙선재본은 구준의 '서매'로 되어 있는데, 구준이 인종 원년(1023) 62세로 사망한 점과 작중인물 윤현이 진종조에 상서 벼슬을 하고 있는 것으로 설정되어 있는 점으로 볼 때, 구준을 윤현보다 1세대 이상 앞선 인물이라 하기는 어렵다. 따라서 '서매'가 더 합리적이다.

26)일단현심(一丹賢心) : 한결같이 성실하고 어진 마음

27)ᄌᆞ위(慈闈) : 어머니를 높여 이르는 말.

28)무후지탄(無後之嘆) : 대(代)를 이어갈 자손이 없음

ᄌᆞ(奇子)를 ᄉᆡᆼᄒᆞ샤 문호를 흥긔ᄒᆞ리니 형댱의 ᄉᆡᆼᄌᆞ 느ᄌᆞ믈 근심치 아니나, 다【6】만 쇼뎨의 박덕(薄德)으로ᄡᅧ 신후(身後)를 니을 ᄌᆞ식 두믈 긔약디 못ᄒᆞ니 형댱이 년(連)ᄒᆞ여 ᄉᆡᆼᄌᆞᄒᆞ실딘ᄃᆡ 쇼뎨 ᄒᆞ나흘 계후(繼後)[27]코져 ᄒᆞᄂᆞ니 물우ᄒᆞ쇼셔."

상셰 소 왈,

"우형(愚兄)이 만일 ᄋᆞᄃᆞᆯ을 나흘진ᄃᆡ 엇디 현뎨 미리 낫치 못ᄒᆞᆯ 줄 아라 계후를 의논ᄒᆞ리오?"

이러틋 형뎨 담화ᄒᆞ다가 ᄎᆞ야(此夜)의 혼뎡(昏定)을 파ᄒᆞ고 상셰 희월누의 니르ᄆᆡ, 부인이 쵹하(燭下)의셔 침션(針線)을 다ᄉᆞ리다아[가] 공경긔영(恭敬起迎)ᄒᆞ여 동셔뎡좌(東西定坐)[28]ᄒᆞ매 상셰 녀ᄋᆞ를 슬샹(膝上)의 교무(嬌撫)ᄒᆞ여 ᄉᆞ랑이 탐혹(耽惑)ᄒᆞ더니, 홀연 탄왈,

"녀ᄋᆞ의 특츌ᄒᆞ믈 볼젹마다 ᄋᆞᄃᆞᆯ이 되디 못ᄒᆞ미 한이로다. 우리 부뷔 삼십이 거의로ᄃᆡ ᄉᆡᆼ남ᄒᆞ믈 엇디 못ᄒᆞ니 복(僕)이 죵댱(宗長)의 듕ᄒᆞ므로 엇디 근심이 적으며 더옥 자졍(慈庭)의 우려ᄒᆞᄉᆞ미 민박(憫迫)티 아니리오."

부인【7】이 탄식 왈,

"쳡의 여앙(餘殃)으로 군ᄌᆞ의 종ᄉᆞ(宗嗣) 션션(詵詵)치 못ᄒᆞᆫ가 ᄒᆞᄂᆞ니 군ᄌᆞᄂᆞᆫ 댱년(壯年)이 져무지 아녀셔 현문(賢門)의 슉녀를 취ᄒᆞ샤 댱옥(璋玉)이 변셩ᄒᆞ믈 구ᄒᆞ쇼셔."

상셰 탄왈,

"만ᄉᆞ 다 명(命)이니 ᄉᆡᆼ이 본ᄃᆡ 번ᄉᆞ(繁事)를 구치 아닛ᄂᆞᆫ디라. 비록 션ᄋᆞ(仙娥) ᄀᆞᆺ흔 슉녀 이신들 남ᄌᆞ의 쳔구[수](天數)를 엇디 변ᄒᆞ리오."

을 안타까워 하는 탄식

27)계후(繼後) : 양자를 들여 대를 잇게 함. 또는 그 양자.

28)동셔뎡좌(東西定坐) : 남자는 동쪽 여자는 서쪽으로 앉음(男東女西). 『예기』【상대기(喪大記) : 大夫之喪 主人坐于東方 主婦坐于西方(대부의 상례를 행할 때 상주(男)는 동쪽에 앉고 부인은 서쪽에 앉는다.)

업셔 불구(不久)의 긔ᄌᆞ(奇子)를 ᄉᆡᆼᄒᆞ샤 문호를 흥긔ᄒᆞ리니 형댱의 ᄉᆡᆼᄌᆞ 느ᄌᆞ믈 근심치 아니나, 다만 쇼뎨의 박덕(薄德)으로ᄡᅧ 신후(身後)를 니을 ᄌᆞ식 두믈 긔약디 못ᄒᆞ니 형댱이 년(連)ᄒᆞ여 ᄉᆡᆼᄌᆞᄒᆞ실딘ᄃᆡ 쇼뎨 ᄒᆞ나흘 계후(繼後)[29]코져 ᄒᆞᄂᆞ니]
우려치 마르소셔."

○…결락 33자…○[상셰 소 왈,
"우형(愚兄)이 만일 ᄋᆞᄃᆞᆯ을 나흘진ᄃᆡ 엇디 현뎨 미리 낫치 못ᄒᆞᆯ 줄 아라 계후를 의논ᄒᆞ리오?"
ᄒᆞ더라.

○…결락자…○이러틋 형뎨 담화ᄒᆞ다가 ᄎᆞ야(此夜)의 혼뎡(昏定)을 파ᄒᆞ고 상셰 희월누의 니르ᄆᆡ, 부인이 쵹하(燭下)의셔 침션(針線)을 다ᄉᆞ리다가 공경긔영(恭敬起迎)ᄒᆞ여 동셔뎡좌(東西定坐)[30]ᄒᆞ매 상셰 녀ᄋᆞ를 슬샹(膝上)의 교무(嬌撫)ᄒᆞ여 ᄉᆞ랑이 탐혹(耽惑)ᄒᆞ더니, 홀연 탄왈,
"녀ᄋᆞ의 특츌ᄒᆞ믈 볼젹마다 ᄋᆞᄃᆞᆯ이 되디 못ᄒᆞ미 한이로다. 우리 부뷔 삼십이 거의로ᄃᆡ ᄉᆡᆼ남ᄒᆞ믈 엇디 못ᄒᆞ니 복(僕)이 죵댱(宗長)의 듕ᄒᆞ므로 엇디 근심이 적으며 더옥 자졍(慈庭)의 우려ᄒᆞᄉᆞ미 민박(憫迫)티 아니리오."

죠부인 왈,
"쳡이 여앙이 잇셔 이러틋 무ᄌᆞᄒᆞ미니 슈원슈구리잇고.
○…결락 32자…○[군ᄌᆞᄂᆞᆫ 댱년(壯年)이 져무지 아녀셔 현문(賢門)의 슉녀를 취ᄒᆞ샤 댱옥(璋玉)이 변셩ᄒᆞ믈 구ᄒᆞ쇼셔."]

상셔 탄왈,
"만ᄉᆡ 다 명(命)이니 ᄌᆞ녀의 번셩ᄒᆞ미 신후(身後)[31]의 달녀 관녀(關與)치 안을지라. ᄉᆡᆼ의 ᄆᆞ음이 본ᄃᆡ 번ᄉᆞ을 구치 아니헐 분이니, 비록 션아(仙娥) 갓튼 슉녀 잇슨들

을 안타까워 하는 탄식

29)계후(繼後) : 양자를 들여 대를 잇게 함. 또는 그 양자.

30)동셔뎡좌(東西定坐) : 남자는 동쪽 여자는 서쪽으로 앉음(男東女西). 『예기』【상대기(喪大記) : 大夫之喪 主人坐于東方 主婦坐于西方(대부의 상례를 행할 때 상주(男)는 동쪽에 앉고 부인은 서쪽에 앉는다.)

31)신후(身後) : 사후(死後)

하더라.

일일의 상셔 부뷔 ᄒᆞᆫ 꿈을 어드니 동남간(東南間)으로 좃ᄎᆞ 오ᄉᆡᆨᄎᆡ운(五色彩雲)이 집을 두루고 셔긔반공듕(瑞氣蟠空中)의 일위 션관(仙官)이 ᄒᆞᆨ을 ᄐᆞ고 나려와 상셔 부부를 향ᄒᆞ여 닐너 왈,

“그ᄃᆡ ᄉᆞ친셩효(事親誠孝)와 셩심인덕(誠心人德)이 신명(神明)을 감동ᄒᆞ샤 귀ᄌᆞ를 주어 태허진군(太虛眞君)과 녕허도군(靈虛道君)[29]을 쌍으로 윤가의 ᄂᆞ리샤 문호(門戶)를 흥긔케 ᄒᆞᆯ ᄲᅮᆫ 아니라 송요[됴]공훈(宋朝功勳)[30]이 되리니, 일셰의 희한(稀罕)ᄒᆞ려니와 군ᄌᆞ의 쉬(數) 단(短)ᄒᆞ여 명년이면 텬궁(天宮)의 【8】 도라올 거시오, 몸이 만리타국(萬里他國)의 졀명(絶命)ᄒᆞ리니 쌍개옥동(雙個玉童)의 얼굴도 모를디라. 엇디 츄연치 아니리오.”

조부인은 져두무언(低頭無言)이요, 상셰 샤례 왈,

“인ᄉᆡᆼ이 ᄉᆞᆯ기ᄂᆞᆫ 손 ᄀᆞᆺ고 죽기ᄂᆞᆫ 도라감 ᄀᆞᆺ흐니 비록 단명ᄒᆞ다 므어시 슬프리오마ᄂᆞᆫ 당의 편뫼 계시니 블효를 탄ᄒᆞ거니와 ᄋᆞ돌이 이실진ᄃᆡ ᄉᆞ이블ᄉᆞ(死而不死)라. 텬슈의 뎡(定)ᄒᆞ믈 면ᄒᆞ리오.”

션관이 웃고 우션(羽扇)을 드러 ᄎᆡ운을 헷치더니 믄득 쌍개댱뇽(雙個長龍)이 빗치 각각이라. ᄒᆞ나흔 금빗 ᄀᆞᆺᄐᆞ여 기릐[31] 만여댱(萬餘丈)이나 ᄒᆞ고 ᄒᆞ나흔 옥빗 ᄀᆞᆺᄐᆞ여 여의쥬(如意珠)[32]를 씨고 산악(山岳) ᄀᆞᆺᄐᆞᆫ 긔셰를 발ᄒᆞ여 황뇽(黃龍)은 알플[33] 당ᄒᆞ고 ᄇᆡᆨ뇽(白龍)은 뒤흘 당ᄒᆞ여 일시의 조부인 품ᄉᆞ이로 들 ᄉᆡ, 여러 셩신(星辰)이 쌍뇽을 젼후로 옹후[호](擁護)ᄒᆞ엿더라.

29) 태허진군(太虛眞君)·영허도군(靈虛道君): 둘 다 작가가 설정한 천상 선관(仙官)의 하나.
30)송됴공훈(宋朝功勳) : 송조훈신(宋朝勳臣)
31)기릐 : 길이가
32)여의쥬(如意珠) : 용의 턱 아래에 있다는 신령한 구슬. 이것을 얻으면 무엇이든 뜻하는 대로 만들어 낼 수 있다고 한다.
33)알플 : 앞을

【4】 남ᄌᆞ의 쳔슈(天數)을 엇지 면ᄒᆞ리오.” 하더라.

일일은 상셔 부부 ᄒᆞᆫ 꿈을 어드니 동남간(東南間)으로 죠차 오ᄉᆡᆨᄎᆡ운(五色彩雲)이 집을 두루고 셔긔반공(瑞氣蟠空)의 일위 션관(仙官)이 학을 타고 나려와 상셔 부부을 향ᄒᆞ여 일너 왈,

“그 ᄃᆡ 사친셩효(事親誠孝)며 현심인덕(賢心人德)이 신명(神明)을 감동ᄒᆞᄉᆞ 귀ᄌᆞ을 두어 ᄐᆡ허진군(太虛眞君)과 연[영]허도군(靈虛道君)을 쌍으로 윤가의 ○○○[ᄂᆞ리샤] 문호(門戶)을 흥긔케 할 ᄲᅮᆫ 아니라 송죠공훈(宋朝功勳)이 되리니, 일셰의 희한(稀罕)ᄒᆞ려니와 그 ᄃᆡ 슈한(壽限)이 명년이면 천궁(天弓)으로 들거시라.”

ᄒᆞ니[32],

32) 이하 꿈 이야기 중, ‘윤현이 명년 만리타국에서 죽게 되리라는 것과 유복자로 아들 쌍둥이가 태어나리라는 것, 그리고 두 아들의 천정숙연과 3남매가 겪게 될 수난 등에 대한 선관의 예언’ 690자 분량의 내용은 필사자가 의도적으로 생략한 후, 문장을 다듬어 다음 내용으로 연결시켰다.

션관 왈,

"황농은 십오ᄌ 오녀를 둘 거시 【9】 오, 옥농이 칠ᄌ삼녀를 둘 거시니 그 젼후로 옹호ᄒ엿는 빅 다 ᄌ녀셩(子女星)이라. 윤가의 ᄌ손이 번셩ᄒ려니와 다만 ᄉ라셔 아지 못ᄒ리니 가히 참연진(慘然哉)져."

상셰 탄왈, "텬명을 한디블급(恨之不及)34)이오. 져의 슈복(壽福)이 댱원(長遠)ᄒ미 원이라. 일녀를 몬져 어더 골육지졍(骨肉之情)35)을 아라시니 이ᄌ 일네 다 무부지ᄋ(無父之兒)나 됴히 댱셩(長成)홀진ᄃ 엇디 텬힝이 아니리오."

션관이 탄왈,

"군(君)의 ᄌ녀 삼인이 초년은 위시의 히로뼈 곡경(曲境)이 비상ᄒ려니와 길흉화복(吉凶禍福)이 다 텬뎡지싊(天定之壽)니 흉인이 간ᄃ로36) 죽이지 못홀지라. 군은 명년의 텬궁의 도라오려니와 난월셩은 ᄌ녀의 영효를 볼지니 붕셩디통을 관억ᄒ고 타일을 보라. 태허딘군은 인연이 여러 곳의 믹이엿고 원비 【10】 는 명쥬(明珠)로뼈 빙폐(聘幣)를 삼고 녕허도군 원비(元妃)도 명쥬 님지니 이후 삼일 만의 명쥬를 ᄌ연 어들지니 깁히 간ᄉᄒ엿다가 냥ᄌ의 빙폐를 삼으라."

부인이 상셔의 단슈(短壽)ᄒ믈 드르미 경악(驚愕)ᄒ여 ᄒ 말을 못ᄒ고 상셔는 언언(言言)이 ᄃ답ᄒ더니, 션관이 작별 왈,

"셔로 모드미 갓가오니 텬당의 즐거오미 인셰의 비길 빅 아니로ᄃ, 만니 타국의 맛ᄎ믈 한ᄒ나 인력으로 밋출빅 아니라 한치 말나."

언파(言罷)의 기리 읍(揖)ᄒ고 혹(鶴)을 인ᄒ여 ᄒ번 공듕의 소ᄉ니 경긱의 간 바를 아지 못ᄒ고, 빵농(雙龍)이 부인 픔쇽의 드러 셔긔(瑞氣) 뽀이니 부인이 놀나 ᄭ니 상셰 ᄯ ᄒ ᄭ엿더라. 부인이 ᄭᆷ을 ᄭ여 셔로 몽ᄉ를 답논ᄒ니 상셰 왈,

놀나 ᄭ여 셔로 몽ᄉ(夢事)을 담논(談論)ᄒ니, 샹셔 왈,

---

34)한디블급(恨之不及) : 한탄한다고 해도 미치지 못함

35)골육지졍(骨肉之情) : 가까운 혈족 사이의 정.

36)간ᄃ로 : 쉽사리, 마음대로, 함부로

"몽ᄉᆞ를 엇디 취신(取信)ᄒᆞ리오."
ᄒᆞ나, 그윽이 잉틱ᄒᆞᆯ가 ᄇᆞ라더라.

이러구러 슈일(數日)이 지【11】낫더니, 일일은 공의 친붕 어ᄉᆞ태우(御使大夫) 하딘과 대ᄉᆞ도(大司徒)[37] 뎡연이 남강의 션유(船遊)ᄒᆞ기를 청ᄒᆞ여 강호(江湖)의 츄슈(秋水)를 보고 산님의 단풍을 보려ᄒᆞ니, ᄎᆞ시는 츄구월(秋九月)이라.

공의 형뎨 모친긔 슈유(受由)ᄒᆞ고 하·뎡 양인으로 더브러 남강의 니르러 치션(彩船)을 ᄐᆞ고 쥬호(酒壺)를 닛그러 한유(閒遊)ᄒᆞᆯ ᄉᆡ, 뎡연의 ᄌᆞ는 윤뵈니 문댱지명(文章才名)이 일셰를 기우리고 하진의 ᄌᆞ는 퇴지니 박ᄒᆞᆨ군ᄌᆡ(博學君子)라. 윤공의 형뎨로 더브러 디긔상친(知己相親)ᄒᆞ고 년긔상뎍(年紀相適)[38]ᄒᆞᆫ 듕 하공은 삼십을 디나지 못ᄒᆞ여시ᄃᆡ 슬하의 댱옥(璋玉)이 션션(詵詵)ᄒᆞ니 윤공 형뎨 ᄆᆡ양 흠션(欽羨)ᄒᆞ더라.

이날 션유ᄒᆞ여 시듀(詩酒)를 창화(唱和)ᄒᆞ더니, 홀연 운뮈ᄉᆞ식(雲霧四塞)[39]ᄒᆞ며 광풍(狂風)이 대작(大作)ᄒᆞ여, 급ᄒᆞᆫ 비 븟드시 오고 쥬즙(舟楫)이 업칠 ᄃᆞᆺᄒᆞ니 션인(船人)이 대황숑구(大遑悚懼)ᄒᆞ여 각각 술기를 튝【12】원ᄒᆞ나 운뮈 션챵(船窓)을 둘너 어둡기 칠야(漆夜) ᄀᆞᆺ튼지라. 아모리 ᄒᆞᆯ 줄 모로ᄃᆡ 오딕 윤·뎡·하 삼공이 조금도 요동치 아니 ᄒᆞ더니, 믄득 기릐 만여댱(萬餘丈)이나 ᄒᆞᆫ 젹뇽(赤龍)이 바로 강듕(江中)으로 소ᄉᆞ 션창의 드니 그 셰 산악 ᄀᆞᆺ고 우레 소릐 텬디진동(天地振動)ᄒᆞᄂᆞᆫ디라. 션창 제인이 창황숑구(蒼黃悚懼)ᄒᆞ여 넉슬 일코 인ᄉᆞ를 모로ᄃᆡ 윤·뎡·하 삼인이 단연위좌(端然危坐)ᄒᆞ여 눈을 옴기디 아니터니, 젹뇽이 바로 윤상셔의게 다라드러 입 가온ᄃᆡ로셔 네낫 명쥬를 토ᄒᆞ여 상셔의 금포(錦袍) 알픠

"몽ᄉᆞ을 엇지 취신(取信)ᄒᆞ리오."
ᄒᆞ나, 그윽이 잉틱할가 바라더라.

이러구러 수일(數日)이 지ᄂᆡ[낫]더니, 일일은 공의 친구 어ᄉᆞ틱우(御使大夫) 하진과 ᄃᆡᄉᆞ도(大司徒)[33] 졍연이 남강의 션유(船遊)ᄒᆞ기을 청ᄒᆞ여, 강호의 츄슈(秋水)○[를] 보고 산림의 단풍을 보려ᄒᆞ니, ᄎᆞ시는 츄구월(秋九月)이라.

공의 형졔 모친긔 고ᄒᆞ고 하·졍 양닌(兩人)으로 더부러 남강의 이르러 치션(彩船)을 타고 주효(酒壺)을 익그러 ᄒᆞᆫ유(閒遊)ᄒᆞ더니, 졍연의 ᄌᆞ는 윤뵈니 문장ᄌᆡ명(文章才名)이 일셰을 기우리고, 하진의 ᄌᆞ는 퇴지니 박학군ᄌᆞ(博學君子)라. 윤【5】공형졔로 더부러 지긔상친(知己相親)ᄒᆞ고 연긔상젹(年紀相適)[34]ᄒᆞᆫ 즁 하공은 이십숨셰○[를] 지나지 못ᄒᆞ엿시되 슬하의 장옥(璋玉)이 션션(詵詵)ᄒᆞ니 윤공 등이 ᄆᆡ양 불워ᄒᆞ더니, 이 날 모다 션유ᄒᆞ여 주빈(酒杯)을 날니며 시ᄉᆞ(詩詞)을 창화(唱和)ᄒᆞ여 츄경(秋景)을 표ᄒᆞ더니, 홀연 운뮈ᄉᆞ식(雲霧四塞)[35]ᄒᆞ고 광풍(狂風)이 ᄃᆡ작(大作)ᄒᆞ며 급한 비 붓드시 오며 쥬집(舟楫)이 업칠 듯ᄒᆞ니 션인이 ᄃᆡ황공(大惶恐)ᄒᆞ여 일시의 하날게 비ᄃᆡ, 홀노 윤공과 하·졍 이공이 조곰도 요동치 아니ᄒᆞ더니, 문득 길기 만여장(萬餘丈)이나 ᄒᆞᆫ 젹뇽(赤龍)이 바로 션창의 쒸여드니 제인이 ᄃᆡ경실ᄉᆡᆨ(大驚失色)ᄒᆞ여 다 구러지ᄃᆡ 윤·하·졍 ᄉᆞ[숨]공은 단연위좌(端然危坐)ᄒᆞ엿고 윤틱우는 눈을 옴기지 아니ᄒᆞ고 바라보더니, 젹뇽이 바로 윤공 압희 나아가 입으로 네낫 명쥬을 토ᄒᆞ여 상셔의 금포(錦袍) ᄌᆞ락의 놋코, 다시 졍·하 양공(兩公)의 압희 나아가 보월픽(寶月佩) 일쥬(一株)식 빗앗고[36] 삼공을 향ᄒᆞ여 셰번 머리 좃고 즉

37)대ᄉᆞ도(大司徒) : '예조판서'를 달리 이르던 말. 중국 주나라 때의 벼슬. 나라의 토지를 관장하고 백성의 교화를 맡아보았다. 대사공, 대사마와 더불어 삼공의 하나였다.
38)년긔상뎍(年紀相適) : 나이가 서로 비슷함
39)운뮈ᄉᆞ식(雲霧四塞) : 구름과 안개가 사방을 둘러싸 캄캄함.

33)대ᄉᆞ도(大司徒) : '예조판서'를 달리 이르던 말. 중국 주나라 때의 벼슬. 나라의 토지를 관장하고 백성의 교화를 맡아보았다. 대사공, 대사마와 더불어 삼공의 하나였다.
34)년긔상뎍(年紀相適) : 나이가 서로 비슷함
35)운뮈ᄉᆞ식(雲霧四塞) : 구름과 안개가 사방을 둘러싸 캄캄함.

노코 ᄯᅩ 다시 뎡·하 냥공의 알패 나아가 보월ᄑᆡ(寶月佩) ᄒᆞᆫ 줄식 비[ᄇᆡ]왓고40) 삼공을 향ᄒᆞ여 셰번 머리 좃고 션챵의 나려 즉시 【13】 강 듕으로 드러가니 쳥풍(淸風)이 니러나고 운뮈소삭(雲霧消索)41)ᄒᆞ며 홍일(紅日)이 듕텬의 한가ᄒᆞᆫ디라.

듀듕(舟中) 졔인이 비로소 졍신을 슈습ᄒᆞ고 윤공은 명쥬(明珠)를 ᄌᆞ시 보니 크기 외얏42)만 ᄒᆞ고 광ᄎᆡ 찬난ᄒᆞ여 바로 태양의 졍광(精光)을 아ᄉᆞᆺᄂᆞᆫ디라43). 네 낫ᄎᆡ44) 각각 글ᄌᆡ 이시니, '진군빙(眞君聘)' '도군빙(道君聘)'45)이라 ᄒᆞ여 ᄒᆞᆫᄡᅡᆼ식 ᄡᅳ이고, 하·뎡 냥공(兩公)이 ᄯᅩ 보ᄑᆡ(寶貝)46)를 보니 모양이 두렷ᄒᆞ여 명월 ᄀᆞᆺ고 광ᄎᆡ 현요(眩耀)ᄒᆞ여 ᄇᆡᆨ일(白日) ᄀᆞᆺᄐᆞ니 오ᄎᆡ(五彩)47)로 당식(裝飾)ᄒᆞ여 인간의 보물이 아니라. 하·뎡 냥공(兩公)이 긔이ᄒᆞ믈 니긔디 못ᄒᆞ여 보니 보패 가온ᄃᆡ 글ᄌᆡ이셔 '빙물(聘物)48)' 두 ᄌᆡ 각각 ᄡᅧ여시니 괴이히 넉여 윤공을 향ᄒᆞ여 왈,

"우리 금일 션유ᄒᆞᄆᆡ 이런 보화를 어드니 엇디 【14】 이상치 아니ᄒᆞ리오."

윤공 왈,

"명쥐(明珠) 월패(月佩) 다 녀ᄌᆞ의 당염(粧匳)49)이라. 당부의 갓가이 ᄒᆞᆯ ᄇᆡ 아니니

40)ᄇᆡ왓고 : 뱉고. 입속에 있는 것을 입 밖으로 내놓고.

41)운뮈소삭(雲霧消索) : 구름과 안개가 흩어져 사라짐

42)외얏 : 오얏. 자두.

43)앗다 : 빼앗거나 가로채다.

44)낫 : 낱. 셀 수 있는 물건의 하나하나.

45) '빙(聘)'은 혼인신물(婚姻信物)을 뜻함. '진군빙(眞君聘)'과 '도군빙(道君聘)'은 각각 천상선관들인 태허진군(太虛眞君)과 영허도군(靈虛道君)의 강생(降生)으로 태어날 인물들의 결혼신물임을 나타낸 것이다.

46)보패(寶貝) : 보배. 여기서는 '보월패(寶月佩)'

47)오치(五彩) : 파랑, 노랑, 빨강, 하양, 검정의 다섯 가지 색.

48)빙물(聘物) : 남의 집을 방문할 때 가지고 가는 예물. 여기서는 혼인신물(婚姻信物).

49)당염(粧匳) : 몸을 치장하는 데 쓰는 물건.

시 션창의 ᄯᅱ여나려 강수(江水)로 드러가니 쳥풍(淸風)이 이러나고 ᄇᆡᆨ일(白日)이 즁쳔(中天)의 한가ᄒᆞᆫ지라.

션창(船倉) 졔인이 비로소 졍신을 진졍ᄒᆞ여 이러 안고, 윤공은 명쥬(明珠)을 엇고 몽즁ᄉᆞ의 마ᄌᆞ믈 신긔히 넉여 【6】 ᄌᆞ셰보니 크기 외앗37)만 ᄒᆞ고 광ᄎᆡ찬난ᄒᆞ여 바로 ᄐᆡ양의 졍광(精光)을 아ᄉᆞᆺᄂᆞᆫ지라38). 네 낫ᄒᆡ39) 각각 글ᄌᆞ 이시니 '진궁[군]빙(眞君聘)' '도군빙(道君聘)'40)시[이]라 ᄒᆞ여 ᄒᆞᆫ 쌍식 쓰이고, 하·졍 양인(兩人)이 ᄯᅩ 보ᄑᆡ(寶貝)41)을 보니, 모양이 두렷ᄒᆞ여 명월갓고 광ᄎᆡ 현요(眩耀)ᄒᆞ여 ᄇᆡᆨ일(白日) 갓트니, 오ᄎᆡ(五彩)42)로 장식(裝飾)ᄒᆞ여 인가(人家) 보물이 아니라. 하·졍 양공(兩公)이 긔이ᄒᆞ믈 이긔지 못ᄒᆞ여 보니 보월(寶月) 가온ᄃᆡ 글ᄌᆞ 잇셔 '빙물(聘物)43)' 두 ᄌᆞ 각각 쓰엿시니 그[긔]이히 넉여 윤공을 향ᄒᆞ여 갈오ᄃᆡ,

"금일 션유ᄒᆞᄆᆡ 이런 보화을 어드니 엇지 이상치 아니리오."

윤공 왈,

"명쥬(明珠)와 월ᄑᆡ(月佩) 다 여자의 장염(粧匳)44)이라. 장부의 갓가이 할 ᄇᆡ 아니라. 가장 불관(不關)ᄒᆞ거니와 '빙물'이○[라] 글

36)ᄇᆡ앗다 : 뱉고. 입속에 있는 것을 입 밖으로 내놓고.

37)외앗 : 오얏. 자두.

38)앗다 : 빼앗거나 가로채다.

39)낫 : 낱. 셀 수 있는 물건의 하나하나.

40) '빙(聘)'은 혼인신물(婚姻信物)을 뜻함. '진군빙(眞君聘)'과 '도군빙(道君聘)'은 각각 천상선관들인 태허진군(太虛眞君)과 영허도군(靈虛道君)의 강생(降生)으로 태어날 인물들의 결혼신물임을 나타낸 것이다.

41)보패(寶貝) : 보배. 여기서는 '보월패(寶月佩)'

42)오치(五彩) : 파랑, 노랑, 빨강, 하양, 검정의 다섯 가지 색.

43)빙물(聘物) : 남의 집을 방문할 때 가지고 가는 예물. 여기서는 혼인신물(婚姻信物).

44)당염(粧匳) : 몸을 치장하는 데 쓰는 물건.

가장 불관(不關)ᄒᆞ거니와 '빙물'이라 글ᄌᆡ 이시니 반ᄃᆞ시 범상(凡常)ᄒᆞᆫ 거시 아닌가 ᄒᆞ노라."

태위 칭하(稱賀) 왈,

"형댱이 지금 ᄉᆡᆼ남디경(生男之慶)이 업ᄉᆞ니 일가의 근심이러니 명쥬를 어드시니 반ᄃᆞ시 ᄉᆡᆼᄌᆞᄒᆞ샤 일노뼈 빙물을 삼을디라. 뎡·하 냥형(兩兄)도 월패를 어든 거시 ᄯᅩᄒᆞᆫ 각각 그 ᄋᆞᄃᆞᆯ의 빙폐(聘幣)[50]를 삼을디니 우리 삼가(三家)의 비상ᄒᆞᆫ 보ᄇᆡᆫ가 ᄒᆞᄂᆞ이다."

하공이 답 왈,

"우리ᄂᆞᆫ 월ᄑᆡ를 어덧거니와 형이 명쥬를 어드미 가장 긔이ᄒᆞᆫ디라. 명쥬를 빙폐ᄒᆞᆯ ᄋᆞᄃᆞᆯ을 어들 거시니 두고 보면 알니라."

윤공이 미소무언(微笑無言)이러라.

상셰 왈,

"댱뷔 쥬옥(珠玉)을 신변의 머므럼즉디 아니니 현뎨 엇【15】지 간ᄉᆞ[51]코져 ᄒᆞᄂᆞ뇨?"

태위 소 왈,

"형댱 말솜이 맛당ᄒᆞ시나 심상(尋常)ᄒᆞᆫ 보ᄇᆡ 아니라. 우리 집 귀ᄒᆞᆫ 빙물을 ᄉᆞᆷ으리니 엇디 블관ᄒᆞ리잇고?"

언ᄑᆞ의 금낭(錦囊)을[의] 집어[너허] ᄉᆞ매[52]의 너흐니, 하·뎡 냥공이 역(亦) 쇼왈,

"윤형이 명쥬를 져리 귀ᄒᆞᆫ 보ᄇᆡ로 아니 우리도 뇽(龍)이 준 ᄇᆡ라. 가져다가 ᄋᆞᄃᆞᆯ의 빙폐를 삼으리라."

ᄒᆞ고, ᄉᆞᄆᆡ의 너흐니, 윤ᄐᆡ위 쇼 왈, "퇴지ᄂᆞᆫ ᄋᆞᄃᆞᆯ이 여러히니 월ᄑᆡ를 빙ᄒᆞᆯ 님ᄌᆡ ᄂᆡᆫ동[53] 알니오."

하공이 쇼 왈,

"여러 ᄋᆞᄃᆞᆯ이 이시나 댱ᄋᆞ(長兒))ᄂᆞᆫ 내 집의 셰젼(世傳)ᄒᆞᄂᆞᆫ 빙물이 이시니 월패를

50)빙폐(聘幣) : 혼인신물. 빙물(聘物).

51)간ᄉᆞ : 간수. 물건 따위를 잘 거두어 보호하거나 보관함.

52)ᄉᆞᄆᆡ : 소매. 윗옷의 좌우에 붙어 있는 두 팔을 꿰는 부분

53)ᄂᆡᆫ동 : 누구인지. '-ㄴ동'은 현대어의 '-지'에 해당하는 어미. 경상방언에 많이 남아 있다.

ᄌᆞ 이시니 반다시 범상(凡常)ᄒᆞᆫ 거시 아닌가 ᄒᆞ노라."

ᄐᆡ위 칭하(稱賀) 왈,

"형장이 지금것 ᄉᆡᆼ남(生男)ᄒᆞ시난 경ᄉᆡ 업ᄉᆞ니 일가의 근심이러니 명쥬을 어더[시]니 반ᄃᆞ시 ᄉᆡᆼᄌᆞᄒᆞᄉᆞ 일로써 빙물을 삼을지라. 경·하 양형(兩兄)도 월ᄑᆡ을 어든 거시 ᄯᅩᄒᆞᆫ 각각 그 아들의 빙폐(聘幣)[45]을 ᄉᆞᆷ을지니 우리 ᄉᆞᆷ가(三家)의 비상ᄒᆞᆫ 보ᄇᆡᆫ가 ᄒᆞᄂᆞ이다."

하공이 답 왈,

"우리ᄂᆞᆫ 월ᄑᆡ을 어더거니와 형이 명쥬을 어더미 가장 긔특ᄒᆞᆫ지라. 명쥬로 빙폐할 아들을 어들【7】거시니 두고 보면 알니라."

윤공이 미소무언(微笑無言)이러라.

상셔 왈,

"장뷔 쥬옥(珠玉)을 신변의 머무럼즉지 아니니 현졔 엇지 간ᄉᆞ[46]코져 ᄒᆞᄂᆞ뇨?"

ᄐᆡ위 소 왈,

"형장 말솜이 맛당ᄒᆞ시ᄂᆞ 심상(尋常)ᄒᆞᆫ 보ᄇᆡ 아니라. 우리집 귀ᄒᆞᆫ 빙물을 ᄉᆞᆷ을 거시니 이 엇지 불관ᄒᆞ리잇고?"

언파의 금낭(錦囊)의 너허 ᄉᆞᄆᆡ[47]의 너흐니, 하·경 양공이 역(亦) 소왈,

"형이 명쥬을 져리 중ᄒᆞᆫ 보ᄇᆡ로 아니 우리도 뇽(龍)이 쥰 ᄇᆡ라. 가져다가 아들의 빙폐을 ᄉᆞᆷ으리라"

ᄒᆞ고, 각각 감초고,[48]

45)빙폐(聘幣) : 혼인신물. 빙물(聘物).

46)간ᄉᆞ : 간수. 물건 따위를 잘 거두어 보호하거나 보관함.

47)ᄉᆞᄆᆡ : 소매. 윗옷의 좌우에 붙어 있는 두 팔을 꿰는 부분

48) 이하, 하공이 여러 아들을 둔 이야기와 윤하정 4공이 윤부에서 함께 밤을 보낸 이야기는 축약되었다.

줄 거시 아니오, 쇼ᄋᆡᄌᆞ(小兒子)ᄅᆞᆯ 갈희여 ᄎᆞ보(此寶)로ᄡᅧ 빙물을 삼으리라.”

윤태위 우어 왈,

“형의 소ᄋᆡᄌᆡ 뉘오?”

하공이 답(答) 쇼 왈,

“뎨 ᄉᆞᄌᆞ 원광이 아직 슈삼셰(數三歲) ᄒᆡᄌᆡ(孩子)나 져의 작인(作人)이 비상ᄒᆞ니 쇼뎨 텬뉸(天倫) 밧【16】ᄀᆡ ᄌᆞ별(自別)ᄒᆞᆫ ᄌᆞᄋᆡ(慈愛) 잇노라.”

윤상셰 쇼 왈,

“져런 ᄋᆞᄒᆡ(兒孩)들이 다 여러 ᄋᆞᄃᆞᆯ을 두어시ᄃᆡ 우리ᄂᆞᆫ 지금 슬하의 일괴(一塊) 업ᄉᆞ니 엇지 한(恨)홉지 아니리오.”

하공이 쇼 왈,

“ᄌᆞ식도 그 아비 인ᄉᆞ(人士)로 조ᄎᆞ 삼기ᄂᆞ니[54] 쇼뎨 년긔(年紀)ᄂᆞᆫ 형만 못ᄒᆞ나 위인(爲人)인즉 형의 스승되기를 ᄉᆞ양치 아니리니 사ᄅᆞᆷ의 부형이 되염즉ᄒᆞᆫ 고로 십오셰브터 ᄋᆞᄃᆞᆯ을 나하 년ᄒᆞ여 옥동이 슬하의 넘노라 셩번(盛繁)ᄒᆞ믈 도으니, 형의 인ᄉᆞ로ᄂᆞᆫ 우리를 밋출 날이 머러시리라.”

상셰 소 왈,

“너모 과장치 말나. 퇴지의 용녈ᄒᆞ믈 ᄌᆞ식이 달마시면 므어ᄉᆡ ᄡᅳ리오.”

셔로 환쇼ᄒᆞ다가 날이 져믈ᄆᆡ 각각 집으로 도라올 ᄉᆡ, 하부(河府)와 윤부(尹府)ᄂᆞᆫ 도셩(都城) 옥누항의 연댱ᄃᆡ문(連墻大門)ᄒᆞ엿고, 뎡ᄉᆞ도 부듕(府中)은 동문 밧 취운산 운슈동의 이시니 날이 어두어【17】뎡ᄉᆞ되 밋쳐 취운산으로 가지 못ᄒᆞ여 윤상셔 곤계(昆季)와 ᄒᆞᆫ 가지로 윤부로 오니, 하어ᄉᆡ 부듕의 가 셕식(夕食) 후 즉시 윤부의 와 쵹(燭)을 니어 담화ᄒᆞ다가 명됴(明朝)의 허여지니라.

태위 조부인을 보고 명쥬를 젼홀ᄉᆡ, 태부인은 상을 비겨 조을ᄆᆡ 아지 못ᄒᆞ고 뉴시 ᄯᅩᄒᆞᆫ ᄉᆞ침(私寢)의 잇고 오ᄃᆡᆨ 구패 보고 그 찬난ᄒᆞ믈 긔이히 넉여 츌쳐를 므르니, 태위 왈,

“희듕 명쥬로셔 남강의 가 어덧ᄂᆞ이다.”

54)삼기다 : 생기다의 옛말.

다시 쥬효을 나와 쾌락ᄒᆞ고 명죠의 각각 도라오다.

ᄐᆡ위 죠부인을 보고 명쥬을 젼할ᄉᆡ ᄐᆡ부인은 상을 비겨 조을ᄆᆡ 아지 못ᄒᆞ고 뉴시 ᄯᅩᄒᆞᆫ ᄉᆞ침(私寢)의 잇고, 오즉 구ᄑᆡ 보고 ○…13자 결락…○[그 찬난ᄒᆞ믈 긔이히 넉여 츌쳐를] 무러니, ᄐᆡ위 왈,

“희즁 명쥬을 남강의 가 어덧ᄂᆞ이다.”

구ᄑᆡ 긔이히 넉이고 죠부인이 더욱 비상

낙선제본	박순호본
구패 ᄀᆡ이히 넉이고 조부인이 더옥 비상ᄒᆞ믈 알고 깁히 장(藏)ᄒᆞ니라.	ᄒᆞ믈 알고 깁히 장ᄒᆞ니라.
신몽 어든 후로브터 조부인이 잉ᄐᆡ ᄉᆞ오삭(四五朔)이 되고 ᄒᆡ 밧괴여 신츈을 만나니 상셔와 태우의 깃브믄 비길 곳이 업ᄉᆞᄃᆡ, 위태부인과 뉴시ᄂᆞᆫ 깃거 아니 ᄒᆞ더라.	신몽 어던 후로부터 죠부인이 잉ᄐᆡ ᄉᆞ오삭(四五朔)이 되고 ᄒᆡ 밧고여 신츈을 맛ᄂᆞ니 상셔와 ᄐᆡ위의 깃부믈 비길 곳지 업ᄉᆞᄃᆡ, ᄐᆡ부인과 뉴시ᄂᆞᆫ 실노 깃거 아니 ᄒᆞ더라.
이ᄣᅢ 뎡공의 부인 딘시ᄂᆞᆫ 이ᄌᆞ를 두고 ᄯᅩ 잉ᄐᆡ ᄉᆞ오삭이라. 뎡공이	이ᄣᅢ 뎡공의 부인 진시 이ᄌᆞ을 두고 ᄯᅩ 잉ᄐᆡ ᄉᆞ오ᄉᆞᆨ이라. 뎡공이
"남강【18】의 보월을 어더시니 맛당이 댱손(長孫)의 빙폐를 삼고져 ᄒᆞ노라."	"남강의 보월【8】을 어더시니 맛당이 장손(長孫)의 빙폐을 ᄉᆞᆷ고져 ᄒᆞ노라."
모친 슌태부인이 보월 어든 곡졀을 듯고 ᄀᆡ특이 넉여 댱손 텬흥을 어로만져 왈,	하니, 모친 슌ᄐᆡ부인이 보월 어든 곡졀을 듯고 ᄀᆡ특이 넉여 장숀 텬흥을 어로만져 왈,
"나의 ᄀᆡ린(騏驎)55)이 언제 댱셩ᄒᆞ여 슉녀를 취ᄒᆞ리오."	"나의 ᄀᆡ린(騏驎)49)이 언제 댱셩ᄒᆞ여 슉녀을 취ᄒᆞ리오."
공이 ᄃᆡ왈,	공이 ᄃᆡ왈,
"쇼ᄌᆞ의 친우 듕의 옥녀(玉女)를 ᄀᆞᆯ히여 텬흥의 ᄇᆡᆨ필을 미리 뎡ᄒᆞ리이다."	"소ᄌᆞ의 친우 즁의 옥녀들을 ᄀᆞᆯ히여 텽[텬]흥의 ᄇᆡᆨ필을 미리 졍ᄒᆞ리이다."
ᄒᆞ더라.	ᄒᆞ고,
일일은 옥누항 윤부의 니르러 윤공 형뎨로 담화ᄒᆞᆯ ᄉᆡ ᄋᆞ쇼져 명ᄋᆡ 태우의 ᄎᆞ녀 현ᄋᆞ로 더브러 시녀의게 안겨 외헌(外軒)의 나오다가 ᄀᆡᆨ을 보고 도로 드러 가거ᄂᆞᆯ, 뎡공이 쇼 왈,	옥누항 윤부의 이르러 윤공 형졔와 담화할 ᄉᆡ, 아소제{의게} ○…13자 결락…○[명ᄋᆡ 태우의 ᄎᆞ녀 현ᄋᆞ로 더브러] 시녀의게 안겨 외헌(外軒)의 나오다가 ᄀᆡᆨ을 보고 도로 드러 가거날, 뎡공이 소 왈,
"형의 녀ᄋᆞ를 쇼뎨 ᄒᆞᆫ 번 귀경코져 ᄒᆞ노라."	"형의 영아소져을 ᄒᆞᆫ번 구경코져 ᄒᆞ노라."
윤공이 웃고 시녀를 명ᄒᆞ여 냥ᄋᆞ(兩兒)를 다려오라 ᄒᆞ니, 시네 쇼져 냥인을 밧드러 오니, 명ᄋᆞᄂᆞᆫ ᄉᆞ셰오 현ᄋᆞᄂᆞᆫ 삼셰라. 신댱이 잠간 층등(層等)ᄒᆞ나 비상ᄒᆞᆫ ᄀᆡ딜(氣質)과 졀셰ᄋᆡ용(絶世愛容)이 일셰의 희한ᄒᆞᆫ디라.	윤공이 웃고 시녀을 명ᄒᆞ여 양아(兩兒)을 다려오라 ᄒᆞ니 시네 소져 양인을 밧드러 오니, 명ᄋᆡᄂᆞᆫ ᄉᆞ셰오 현ᄋᆡᄂᆞᆫ ᄉᆞᆷ셰라. 신장이 ᄌᆞᆷ간 ᄎᆞ등(差等)ᄒᆞ나 ○○○[비상ᄒᆞᆫ] ᄀᆡ질과 졀ᄃᆡ[셰]한 아[ᄋᆡ]용이 일셰을 기우려도 희한ᄒᆞᆫ지라.
태위 웃고【19】뎡공을 가르쳐 '녜ᄒᆞ라' ᄒᆞ니 냥ᄋᆡ 능히 븟그러온 줄 아라 옥면을 븕히고 졀ᄒᆞᆫᄃᆡ, 미목(眉目)의 텬디졍화(天地精華)56)를 거두엇고, 면모의 오ᄎᆡ상광(五彩	ᄐᆡ위 웃고 뎡공을 가르쳐 '녜ᄒᆞ라' ᄒᆞ니 양ᄋᆡ(兩兒) 능히 붓그러온 쥴 알아 옥면을 불히고 졀ᄒᆞ니, ᄀᆡ질은 규슈의 모양의[을] 일위고 미목(眉目)의ᄂᆞᆫ 쳔지졍화(天地精華)50)을 {거}거두엇고 면모의 오ᄎᆡ상광(五

55)ᄀᆡ린(騏驎) : 하루에 천리를 달린다는 말. 어린 자식이나 손자를 귀엽게 이르는 말.

56)텬디졍화(天地精華) : 천지의 깨끗하고 순수한 기운.

49)ᄀᆡ린(騏驎) : 하루에 천리를 달린다는 말. 어린 자식이나 손자를 귀엽게 이르는 말.

50)텬디졍화(天地精華) : 천지의 깨끗하고 순수한 기

祥光)이 ᄋᆡᄋᆡ(靄靄)ᄒᆞ여 슈츌(秀出)ᄒᆞᆫ 긔품이 막상막하(莫上莫下)ᄒᆞ니 ᄎᆞ등(差等)을 뎡키 어려온디라. 뎡공이 일견의 번연경동(翻然驚動)ᄒᆞ여 상연(爽然)[57]이 낫빗ᄎᆞᆯ 곳쳐 칭찬 왈,

"냥ᄋᆞ(兩兒)의 비범ᄒᆞ미 무빵ᄒᆞ니 비록 ᄯᆞᆯ을 두어시나 무상(無狀)ᄒᆞᆫ 십ᄌᆞ(十子)를 블워 아니리로다. 원간 이 ᄋᆞ희 뉘 녀ᄋᆡ뇨?"

태위 쇼 왈,

"형이 엇디 치녀(稚女)를 가져 이리 찬양ᄒᆞ시ᄂᆞ뇨? 신당이 큰 ᄋᆞ희ᄂᆞᆫ 샤곤(舍昆)[58]의 녜오, 젹은 ᄋᆞ희ᄂᆞᆫ 쇼뎨의 녀ᄋᆡ라."

뎡공이 칭찬ᄒᆞ미 긋지 아니 ᄒᆞ고 그윽이 ᄋᆞᄌᆞ 뎐홍의 ᄇᆡ우(配偶)를 뎡코져 ᄒᆞ더라. 믄득 하어ᄉᆡ 와시나 통(通)치 아니코 드러오니, 원ᄂᆡ 하부ᄂᆞᆫ 지쳑이라. 피ᄎᆡ 됴왕모ᄅᆡ(朝往暮來)[59] 【20】 ᄒᆞ니, 통치 아니코 단니더라.

윤공 형뎨 하어ᄉᆞ를 보고 우어 왈,

"뎡윤뵈 왓시ᄆᆡ 형이 뵈오라 왓도다. 가장 잘 왓ᄂᆞᆫ지라."

하어ᄉᆡ 승당ᄒᆞ여 뎡공으로 녜필의 쇼져 등을 보고 경문 왈,

"이 아니 윤형의 쳔금옥쉬(千金玉樹)[60]냐?"

상셰 왈,

"년(然)ᄒᆞ거니와 형이 엇디 과찬ᄒᆞᄂᆞ뇨?"

하어ᄉᆡ 심ᄋᆡ(甚愛) 왈,

"옥이 곤산(崑山)의 나고 진쥐(眞珠) 벽ᄒᆡ(碧海)의셔 나ᄂᆞ니 냥형(兩兄)의 ᄉᆡᆼᄋᆡ(生兒)

57)상연(爽然) : 이매우 시원스럽고 상쾌하게.
58)샤곤(舍昆) : 남에게 자기의 맏형을 겸손하게 이르는 말
59)됴왕모ᄅᆡ(朝往暮來) : 아침저녁 할 것 없이 왕래가 빈번함
60)쳔금옥쉬(千金玉樹) : 천금(千金)이나 할 만큼 귀하고 아름다운 사람. 옥수(玉樹)는 재주가 뛰어난 사람을 이르는 말.

彩祥光)이 어ᄅᆡ여시니, 슈츌(秀出)ᄒᆞᆫ 품격이 막상막하(莫上莫下)ᄒᆞ여 차등을 뎡키 어려운지라. 뎡공이 ᄒᆞᆫ 번 보ᄆᆡ 번연경동(翻然驚動) 【9】 ᄒᆞ여 상연(爽然)[51]이 낫빗ᄎᆞᆯ 곳쳐 칭찬 왈,

"양아(兩兒) 비범ᄒᆞ미 셰ᄃᆡ의 희한ᄒᆞ니 형 등이 비록 ᄯᆞᆯ을 두어시나 타인의 용상(庸常)ᄒᆞᆫ 십ᄌᆞ(十子)을 블워 아닐지라. 이 엇지 긔특지 아니리오. 원간 어ᄂᆡ 아희 문강의 녀ᄋᆡ요?"

ᄐᆡ위 소왈,

"형이 엇지 삼셰 ᄒᆡᄋᆞ(孩兒) 둘을 일컷기을 이ᄃᆡ도록 과히 ᄒᆞᄂᆞ뇨? 신장이 잠간 큰 아희ᄂᆞᆫ ᄉᆞ곤(舍昆)[52]의 녀요, 져근 ᄋᆞ희ᄂᆞᆫ 소졔의 녀식이로다."

뎡공이 칭찬흠ᄋᆡᄒᆞ여 ᄒᆞ믈 이긔지 못ᄒᆞ여 그윽이 아ᄌᆞ 뎐홍의 비상ᄒᆞ믈 ᄉᆡᆼ각고 양아 듕 뎡혼할 의ᄉᆞ 잇더니, 문득 하어ᄉᆞ 왓시믈 통치 아니ᄒᆞ고 바로 드러오니, 원ᄂᆡ 하부ᄂᆞᆫ 지쳑의 잇셔 피ᄎᆞ 죠왕모ᄅᆡ(朝往暮來)[53] ᄒᆞ니, 굿ᄒᆞ여 통ᄒᆞ고 단이지 아니ᄒᆞᄂᆞᆫ지라. 윤공 형졔 하어ᄉᆞ을 보고 웃어 왈,

"뎡윤뵈 왓시ᄆᆡ 형을 쳥코져 ᄒᆞ더니 잘 왓도다".

하어ᄉᆞ 승당ᄒᆞ여 뎡공으로 녜필(禮畢) 한헌(寒暄)[54]의 소져 등을 보고 경문 왈,

"이 아니 윤형의 쳔금교옥(千金皎玉)[55]이냐?"

상셔 왈,

"미셰ᄒᆞᆫ 유녀들을 뎡형이 보려 할ᄉᆡ ᄂᆡ여 왓더니 형이 엇지 과ᄌᆞ(過藉)ᄒᆞᄂᆞ뇨?"

하어ᄉᆡ 칭하 왈,

"옥이 곤산(崑山)의 나고 진쥐(眞珠) 벽ᄒᆡ

운.
51)상연(爽然) : 이매우 시원스럽고 상쾌하게.
52)샤곤(舍昆) : 남에게 자기의 맏형을 겸손하게 이르는 말
53)죠왕모ᄅᆡ(朝往暮來) : 아침저녁 할 것 없이 왕래가 빈번함
54)한훤(寒暄) : 날씨의 춥고 더움을 말하는 인사.
55)쳔금교옥(千金皎玉) : 천금(千金)이나 할 만큼 밝고 아름다운 옥이란 뜻으로 '아름다운 사람'을 이르는 말.

엇디 범연(凡然)[61]ᄒᆞ리오. 여ᄎᆞ 긔특ᄒᆞ미 본 바 쳐음이라. 이 곳의 됴왕모ᄅᆡ ᄒᆞ나 일즉 형의 이ᄀᆞᆺᄒᆞᆫ 농쥬(弄珠)[62]를 못 보앗더니 뎡형의 덕으로 션ᄋᆞ(仙娥)를 보괘라."

윤ᄐᆡ위 쇼 왈,

"쇼ᄋᆞ 등의 우미(愚迷)ᄒᆞ믈 보고 형등이 이러ᄐᆞᆺ 과찬ᄒᆞ니 평일 고산(高山) ᄀᆞᆺᄐᆞᆫ 안견(眼見)이 이러ᄐᆞᆺ 나ᄌᆞ뇨?"

하·뎡 냥공이 흔흔담쇼(欣欣談笑)ᄒᆞ며 눈을 옴기지 아니코, 뎡공이 몬져 ᄀᆞᆯ오ᄃᆡ,

"쇼뎨 녕녀(令女) 등을 보ᄆᆡ 외【21】람이 미돈(迷豚)으로ᄡᅧ '쥬딘(朱陳)의 호연(好緣)'[63]을 긔약ᄒᆞ여 냥ᄋᆡ(兩兒) ᄌᆞ라기를 기ᄃᆞ려 셩녜(成禮)코져 ᄒᆞᄂᆞ니 문강형의 ᄯᅳᆺ이 하여오?"

상셔 형뎨 미급답(未及答)의 하어ᄉᆡ 우음을 머금고 ᄀᆞᆯ오ᄃᆡ,

"뎡형이 두 규ᄋᆞ(閨兒)를 다 유의(有意)ᄒᆞ여 ᄌᆞ긔 냥ᄌᆞ(兩子)로 호연(好緣)을 긔약(期約)ᄒᆞ나, ᄒᆞ나흔 쇼뎨 결단ᄒᆞ여 구ᄒᆞ리니 뎡형은 냥ᄋᆞ(兩兒)를 다 바라지 말나."

뎡공이 흔흔(欣欣)이 우어 왈,

"쇼뎨 당ᄌᆞᄂᆞᆫ 오셰오 ᄎᆞᄌᆞᄂᆞᆫ 삼셰니 두 쇼져를 다 구ᄒᆞᆯ 의ᄉᆡ 잇더니 퇴지 이러ᄐᆞᆺ 니르니 ᄋᆡᄃᆞᆯ오믈 니긔지 못ᄒᆞ리로다."

윤공 형뎨 뎡·하 냥인의 말을 듯고 도로혀 가소(可笑)로이 넉여 ᄀᆞᆯ오ᄃᆡ,

"유하(乳下)를 면치 못ᄒᆞᆫ 것ᄉᆞᆯ 의혼(議婚)ᄒᆞᆯ ᄇᆡ 아니라. 타일 져의 ᄌᆞ란 후 우리 디극ᄒᆞᆫ 정분으로 다시 인아(姻婭)[64]의 의(義)

61)범연(凡然)하다 : 평범하다.

62)농쥬(弄珠) : 공놀이. 구슬받기 놀이. 남의 어린 여자아이를 귀엽게 이르는 말.

63) 주진(朱陳)은 중국 당(唐)나라 때에 주씨와 진씨 두 성씨가 함께 살아오던 마을 이름인데, 한 마을에 오직 주씨와 진씨만 대대로 살아오면서 서로 혼인을 하였다고 하여, 두 성씨간의 혼인을 일컬어 '주진(朱陳)의 호연(好緣)'이라 한다.

64)인아(姻婭) : 사위 쪽의 사돈과 사위 상호간. 곧 동서(同壻) 쪽의 사돈을 아울러 이르는 말. '인(姻)'

(碧海)의셔 나니 양형(兩兄)의 ᄉᆡᆼᄒᆞᆫ ᄇᆡ 필연 평상(平常)치 아니려니와 이러틋 긔특ᄒᆞ미 소졔【10】본 바 쳐음이라. 이 곳의 조왕모ᄅᆡᄒᆞ나 일즉 형의 이갓튼 농옥(弄玉)[56]을 귀경치 못ᄒᆞ엿더니, 금일 뎡형의 덕으로 션아(仙娥)의 용화(容華)을 본 ᄇᆡ라."

윤ᄐᆡ위 소 왈,

"소녀 등의 우미용상(愚迷庸常)ᄒᆞ믈 형등이 이러틋 과찬ᄒᆞ니 평일 고산 갓튼 안견(眼見)이 엇지 이리 나ᄌᆞ뇨?"

하·뎡 양공이 웃고 못ᄂᆡ 흠ᄋᆡ(欽愛)ᄒᆞ믈 마지 아냐 눈을 옴기지 아니터니, 뎡공이 참지 못ᄒᆞ야 갈오ᄃᆡ,

"소졔 영ᄋᆞ(令兒)의 긔이ᄒᆞ믈 보ᄆᆡ 외람이 미돈(迷豚)의 용우(庸愚)ᄒᆞ믈 잇고 '쥬진(朱陳)의 호연(好緣)'[57]을 긔약ᄒᆞ야 영ᄋᆡ ᄌᆞ라거든 셩녜(成禮)코져 ᄒᆞ나니 문강형의 곤계(昆季) ᄯᅳᆺ지 ᄒᆞ여니잇고?"

상셔 밋쳐 답지 못ᄒᆞ여셔 하어ᄉᆡ 우음을 머금고 갈오ᄃᆡ,

"뎡형이 두낫 슉완(淑婉)을 다 유의ᄒᆞ여 슬하 ᄋᆞ부(兒婦)을 ᄉᆞᆷ고져 ᄒᆞ나 결다[단]코 ᄒᆞ나흔 소졔 구ᄒᆞ리니 뎡형은 양ᄋᆞ(兩兒)을 다 바라지 말나."

뎡공이 흔흔(欣欣)이 우어 왈,

"소졔 장ᄌᆞᄂᆞᆫ 오셰오 ᄎᆞᄌᆞᄂᆞᆫ ᄉᆞᆷ셰니 두 옥슈(玉樹)을 다 구할 ᄯᅳᆺ지 잇더니 퇴지 이르러 희지으니 분완(憤惋)토다."

윤공 형제 양공(兩公)의 말을 듯고 가소(可笑)로와 왈,

"유ᄋᆞ(乳兒)로 혼ᄉᆞ을 의논할 거시 아니라, 타일 장셩(長成)커든 우리 지극ᄒᆞᆫ 졍분으로 다니[시] 인아(姻婭)[58]의 의(義)을 ᄆᆡ

56)농옥(弄玉) : 농주(弄珠). 남의 어린 여자아이를 귀엽게 이르는 말.

57) 주진(朱陳) : 은 중국 당(唐)나라 때에 주씨와 진씨 두 성씨가 함께 살아오던 마을 이름인데, 한 마을에 오직 주씨와 진씨만 대대로 살아오면서 서로 혼인을 하였다고 하여, 두 성씨간의 혼인을 일컬어 '주진(朱陳)의 호연(好緣)'이라 한다.

58)인아(姻婭) : 사위 쪽의 사돈과 사위 상호간. 곧 동서(同壻) 쪽의 사돈을 아울러 이르는 말. '인(姻)'은 사위의 아버지. '아(婭)'는 사위 상호간을 말함.

를 ᄆᆡᄌᆞ미 가ᄒᆞ니라."
덩・하 냥공이 착급ᄒᆞ여 소 왈,
"녕ᄋᆞ(令兒) 등【22】이 작인(作人)이 젼혀 복덕(福德)으로 슈한(壽限)이 댱원ᄒᆞ여 영귀ᄒᆞᆯ ᄇᆡ오, 미돈(迷豚) 등이 비록 용우ᄒᆞ나 ᄌᆞ라면 거의 슉녀의 평ᄉᆡᆼ을 욕지 아닐만ᄒᆞ니, 문강형의 곤계 돈ᄋᆞ(豚兒) 등을 보ᄂᆞᆫ ᄇᆡ라. 쇼뎨 등을 더러이 아니 넉이거든 혼ᄉᆞ를 허ᄒᆞ라."
상셔와 태위 쇼왈,
"뎡형의 댱ᄌᆞᄂᆞᆫ 오셰니 ᄋᆞ녀와 혼ᄉᆞ를 긔약ᄒᆞ미 가ᄒᆞ거니와 하형의 댱ᄌᆞ 거의 십셰나 되어시니 ᄋᆞ녀 등과 년긔브뎍(年紀不適)ᄒᆞ니 혼인을 구ᄒᆞ미 불가ᄒᆞᆫ디라."

하어ᄉᆡ 답 쇼왈,
"ᄀᆞᆺᄐᆞ여 댱ᄋᆞ로ᄡᅧ 구혼ᄒᆞᆯ ᄇᆡ 아니라. 녕ᄋᆞ 등과 년긔상뎍(年紀相適)ᄒᆞᆫ ᄋᆞ히로ᄡᅧ 뎡코져 ᄒᆞ노라."
뎡공이 명ᄋᆞ소져의 나흘 ᄆᆞ러 ᄌᆞ긔 ᄋᆞᄌᆞ 텬흥과 뎡약(定約)기를 쳥ᄒᆞ고, 하어ᄉᆡ 현ᄋᆞ소져의 나흘 ᄆᆞ러 삼셴 쥴 알고 ᄌᆞ긔 뎨ᄉᆞᄌᆞ 원광과 동년이라 구든 언약을 두어 냥ᄋᆡ 무ᄉᆞ히 ᄌᆞ랄진ᄃᆡ 죵ᄂᆡ(從來) ᄠᅳᆺ을 변치 아【23】니키를 쳥ᄒᆞ니 윤상셔ᄂᆞᆫ 미소단좌(微笑端坐)오, 태위 쇼 왈,
"댱부일언(丈夫一言)이 천년불개(千年不改)라. 한 번 허락ᄒᆞᆫ 후 엇디 ᄠᅳᆺ을 곳치리오. 쇼뎨ᄂᆞᆫ 녀ᄋᆞ를 허ᄒᆞ여 원광과 뎡혼(定婚)ᄒᆞ니 냥ᄋᆡ(兩兒) 자랄 ᄉᆞ이 혹ᄌᆞ ᄃᆡ단ᄉᆞ괴(事故) 잇셔 냥개(兩家) 형셰 ᄀᆞᆺ지 못ᄒᆞ미 잇셔도 윤명강의 ᄆᆞ음이 변치 아니리라."
하어ᄉᆡ 쾌활ᄒᆞ여 년망(連忙)이[65] 칭샤ᄒᆞᆫᄃᆡ, 뎡공이 쾌락(快諾)을 듯디 못ᄒᆞ여 보ᄎᆡ기를 마지 아니니, 상셰 날호여[66] 쇼 왈,
"ᄉᆞ뎨 혼인을 뇌뎡(牢定)ᄒᆞ여 ᄯᆞᆯ의 어리믈 ᄡᆡᄃᆞᆺ디 못ᄒᆞ니 가쇼롭거니와 형이 ᄯᅩ 당

은 사위의 아버지. '아(婭)'는 사위 상호간을 말함.
65)년망(連忙)이 : 바삐. 급히.
66)날호여 : 천천히.

잘 거시 올ᄒᆞᆯ가 ᄒᆞ노【11】라."
덩・하 양공이 ᄎᆞᆨ급ᄒᆞ여 소 왈,
"영아(令兒) 소져 등이 작인(作人)이 젼혀 복덕으로 수한(壽限)을[이] 장원ᄒᆞ여 영귀할 ᄇᆡ오, 미돈(迷豚) 등이 비록 용우ᄒᆞ나 ᄌᆞ라면 거의 슉녀의 평ᄉᆡᆼ을 욕지 아닐만ᄒᆞ니, 문강형의 곤계 돈아 등을 보ᄂᆞᆫ ᄇᆡ라. 소졔을 더러이 아니 너기거든 혼ᄉᆞ을 퇴(退)치 말나."
상셔와 ᄐᆡ위 소왈,
"뎡형의 장ᄌᆞᄂᆞᆫ 오셰니 ᄋᆞ녀와 혼ᄉᆞ을 긔약ᄒᆞ미 가ᄒᆞ거니와 하형의 장ᄌᆞ 거의 십셰나 되엿시니 ᄋᆞ녀 등과 {ᄋᆞ녀 등과} 년긔부젹(年紀不適)ᄒᆞ니 혼인을 구○[하]기 불가ᄒᆞᆫ지라. 불연치 아니리오."
하어ᄉᆞ 답 소왈,
"ᄀᆞᆺᄒᆞ여 장ᄋᆞ로ᄡᅧ 구혼ᄒᆞᆯ ᄇᆡ 아니라. 녕ᄋᆞ 등과 연긔상젹(年紀相適)ᄒᆞᆫ 아히로ᄡᅧ 졍코져 ᄒᆞ노라."
뎡공이 명ᄋᆞ소져의 나흘 무러 ᄉᆞ셴 쥴 알고 ᄌᆞ긔 아ᄌᆞ 텬흥과 뎡약(定約)기을 쳥ᄒᆞ고, 하어ᄉᆞ 현ᄋᆞ소져 나흘 무러 ᄉᆞᆷ셴 쥴 알고 ᄌᆞ긔 졔 사ᄌᆞ 원광과 동년이라 ᄒᆞ여 구든 언약을 두어 양ᄋᆡ 무ᄉᆞ히 ᄌᆞ랄진ᄃᆡ 죵ᄂᆡ ᄠᅳᆺ을 변치 아니키을 쳥ᄒᆞ니 윤상셔ᄂᆞᆫ 미소단좌요, ᄐᆡ위 소 왈,
"장부일언(丈夫一言)은 쳔년불ᄀᆡ(千年不改)라. ᄒᆞᆫ 번 하락ᄒᆞᆫ 후 엇지 ᄠᅳᆺ즐 곳치리요. 소졔ᄂᆞᆫ 녀ᄋᆞ을 허ᄒᆞ녀 원광과 뎡혼(定婚)ᄒᆞ니 냥ᄋᆡ ᄌᆞ랄 ᄉᆞ이 혹ᄌᆞ ᄉᆞ괴 잇셔 양가 형셰 갓【12】지 못할 닐이 잇셔도 윤명강의 마음이 변치 아니리라."

하어ᄉᆡ 쾌활ᄒᆞ여 연망(連忙)이[59] 칭ᄉᆞᄒᆞᆫᄃᆡ 뎡공이 쾌락을 듯지 못ᄒᆞ여 보ᄎᆡ기을 마지 아니 ᄒᆞ니, 상셔 날호여[60] 소 왈,
"ᄉᆞ뎨 혼인을 뇌졍ᄒᆞ여 ᄯᆞᆯ의 어리믈 ᄡᆡ닷지 못ᄒᆞ니 가소롭거니와, 형이 ᄎᆞᆨ급ᄒᆞ미 당혼(當婚)[61]ᄒᆞᆫ 아들을 《당흠 ‖ 둠》 갓트니

59)년망(連忙)이 : 바삐. 급히.
60)날호여 : 천천히.

혼(當婚)67)ᄒᆞᆫ ᄋᆞ돌을 둠 ᄀᆞᆺᄐᆞ니 쇼뎨 엇디 허락지 아니리오. 다만 뎐흥은 유하(乳下)를 면치 못ᄒᆞᆫ ᄋᆞ히로ᄃᆡ 호호발양(浩浩發揚)68) ᄒᆞ여 뇽호지습(龍虎之習)69)이 이시니 타일 영쥰호걸(英俊豪傑)이 될디라. ᄋᆞ녀의 용잔(庸孱)ᄒᆞ미 맛당ᄒᆞᆫ ᄇᆡ필(配匹)이 아닌가 ᄒᆞ노라.”

뎡공이 상셔의 허락을 엇고 【24】 영ᄒᆡᆼ(榮幸)ᄒᆞ여 샤례 왈,

“형이 쇼뎨의 용우ᄒᆞ믈 ᄇᆞ리디 아니코 쳔금옥녀(千金玉女)로ᄡᅧ 가연(介然)이 허ᄒᆞ여 돈ᄋᆞ의 동상(東床)70)을 긔약ᄒᆞ니 감샤ᄒᆞ믈 니긔디 못ᄒᆞᄂᆞ니 돈ᄋᆡ 타일 호방ᄒᆞ여 삼가지 못ᄒᆞᄂᆞᆫ 일이 잇셔도 쇼뎨 각별 ᄉᆞᆯ펴 녕ᄋᆞ의 일ᄉᆡᆼ을 편토록 ᄒᆞ리라.”

하어ᄉᆡ 믄득 ᄀᆞᆯ오ᄃᆡ,

“혼ᄉᆞ를 뇌뎡(牢定)ᄒᆞ니 반ᄃᆞ시 표젹을 두어 셔로 ᄯᅳᆺ을 곳치디 못ᄒᆞ게 ᄒᆞ리라.”

윤공 형뎨 쇼 왈,

“이도 형의 ᄆᆞ음ᄃᆡ로 ᄒᆞ려니와 표젹을 두지 아니나 우리 ᄉᆞ인이 심담(心膽)이 상됴(相照)ᄒᆞ니 죵ᄂᆡ 엇디 곳치리오.”

하공이 쇼 왈,

“범ᄉᆡ 구든 거시 웃듬이라.”

ᄒᆞ고, 잉혈71)을 구ᄒᆞ니, 태위 시녀를 명

67)당혼(當婚) : 혼인할 나이가 됨.

68)호호발양(浩浩發揚) : 마음, 기운, 재주 따위를 크게 떨쳐 일으킴.

69)뇽호지습(龍虎之習) : 용과 호랑이의 기상.

70)동상(東床) : ‘동쪽 평상’이라는 뜻으로, ‘사위’를 달리 이르는 말. 중국 진(晉)나라의 극감(郄鑒)이 사위를 고르는데, 왕도(王導)의 아들 가운데 동쪽 평상 위에서 배를 드러내고 누워 있는 왕희지를 골랐다는 고사에서 유래한다.

71)잉혈 : 개용단·회면단·도봉잠 등과 함께 한국고소설 특유의 서사도구의 하나. 중국 진(晉)나라 사람 장화(張華)의 『박물지(博物志)』에 나오는 수궁사(守宮砂)를 한국소설에서 창작적으로 변용하여 쓴 것이다. 필자가 확인한 바로는 ‘앵혈’을 서사도구로 처음 사용한 작품은 【소현성록】인데 그 권2에서 보면, “원ᄅᆡ 잉혈이라 ᄒᆞᄂᆞᆫ 것신 무논 모여ᄌᆞ(某女子) ᄒᆞ고 쳐음 어려셔 팔둑 우의 쥬ᄉᆞ(朱砂)로 쳑셕혈(蜴蜥血: 도마뱀의 피)을 화ᄒᆞ여 물을 박어 노흐며[면] 그 ᄋᆡ[앵]혈이 츌가(出嫁)ᄒᆞ야 음양을 통ᄒᆞᆫ 후 시러지ᄂᆞᆫ ᄇᆡ라.” 하여 그 효능과 제조방법이 『박물지』의 내용과 같다. 이러한 효

소졔 엇지 허락지 아니리오. 다만 텬흥은 유ᄒᆞ(乳下)을 면치 못ᄒᆞᆫ ᄋᆞ히로ᄃᆡ 호호발양(浩浩發揚)62)ᄒᆞ야 뇽호지상(龍虎之像)63) 잇시니 타일 영쥰호걸(英俊豪傑)이 될지라. ᄋᆞ녀의 용잔(庸孱)ᄒᆞ미 맛당ᄒᆞᆫ ᄇᆡ필(配匹)이 아닐가 ᄒᆞ노라.”

뎡공이 샹셔의 허락을 엇고 영ᄒᆡᆼ(榮幸)ᄒᆞ여 ᄉᆞ왈(謝曰),

“형이 소졔의 용우ᄒᆞᄂᆞᆯ 바리지 아냐 쳔금옥ᄋᆞ(千金玉兒)로ᄡᅧ ᄀᆡ연()介然이 허ᄒᆞᄉᆞ 동상(東床)64)의 맛기을 긔약ᄒᆞ니 감ᄉᆞᄒᆞ믈 이긔지 못ᄒᆞ나니, 타일 호방ᄒᆞ여 삼가지 못ᄒᆞᄂᆞᆫ 일이 잇셔도 각별 소졔 ᄉᆞᆯ펴 녕ᄋᆞ의 일ᄉᆡᆼ을 편토록 ᄒᆞ리라.”

하어ᄉᆡ 문득 갈오ᄃᆡ,

“이리 모다 혼ᄉᆞ을 뎡ᄒᆞ니 반다시 표젹을 두어 셔로 ᄯᅳᆺ즐 곳치지 말게 ᄒᆞ리라.”

윤공 형졔 소 왈,

“이ᄂᆞᆫ 형의 ᄆᆞ음 ᄃᆡ로 ᄒᆞ려니와 우리 ᄉᆞ인의 심담(心膽)이 상조(相照)ᄒᆞ니 엇지 다시 곳치미 잇시리오.”

하공이 소 왈,

“범ᄉᆡ 굿【13】게 ᄒᆞ미 웃듬이라.”

ᄒᆞ고 잉혈65)을 구ᄒᆞ여 ᄐᆡ위 시녀을 명ᄒᆞ

61)당혼(當婚) : 혼인할 나이가 됨.

62)호호발양(浩浩發揚) : 마음, 기운, 재주 따위를 크게 떨쳐 일으킴.

63)뇽호지습(龍虎之像) : 용과 호랑이의 기상.

64)동상(東床) : ‘동쪽 평상’이라는 뜻으로, ‘사위’를 달리 이르는 말. 중국 진(晉)나라의 극감(郄鑒)이 사위를 고르는데, 왕도(王導)의 아들 가운데 동쪽 평상 위에서 배를 드러내고 누워 있는 왕희지를 골랐다는 고사에서 유래한다.

65)잉혈 : 개용단·회면단·도봉잠 등과 함께 한국고소설 특유의 서사도구의 하나. 중국 진(晉)나라 사람 장화(張華)의 『박물지(博物志)』에 나오는 수궁사(守宮砂)를 한국소설에서 창작적으로 변용하여 쓴 것이다. 필자가 확인한 바로는 ‘앵혈’을 서사도구로 처음 사용한 작품은 【소현성록】인데 그 권2에서 보면, “원ᄅᆡ 잉혈이라 ᄒᆞᄂᆞᆫ 것신 무논 모여ᄌᆞ(某女子) ᄒᆞ고 쳐음 어려셔 팔둑 우의 쥬ᄉᆞ(朱砂)로 쳑셕혈(蜴蜥血: 도마뱀의 피)을 화ᄒᆞ여 물을 박어 노흐며[면] 그 ᄋᆡ[앵]혈이 츌가(出嫁)ᄒᆞ야 음양을 통ᄒᆞᆫ 후 시러지ᄂᆞᆫ ᄇᆡ라.” 하여 그 효능과 제조방법이 『박물지』의 내용과 같다. 이러한 효

ᄒᆞ여 잉혈을 ᄂᆡ여오ᄆᆡ 하공이 상셔의 알패 붓술 더져 왈,

"녕ᄋᆞ를 '뎡가(鄭家)의 종뷔(宗婦)'라 ᄒᆞ고, 명강이 농【25】쥬로 '하가(河家)의 ᄌᆞ뷔(子婦)'라 ᄒᆞ여 ᄑᆞᆯ 우ᄒᆡ 쓰쇼셔."

ᄒᆞ니,

상셰 미미(微微)히 우어 왈,

"하퇴지 흔흔댱부(昕昕丈夫)[72]로 호의(狐疑) 업더니 엇디 금일 당ᄒᆞ여 ᄋᆞ녀ᄌᆞ의 ᄆᆞ음이 잇ᄂᆞ뇨?"

하공이 웃고 쓰기를 ᄌᆡ쵹ᄒᆞ니 태위 쇼왈,

"비샹(臂上)의 표젹(標的)을 둘진ᄃᆡ 굿ᄐᆡ여 샤곤(舍昆)긔 쳥치 말고 그 엄구(嚴舅) 되리 각각 쓰라."

뎡공이 맛당ᄒᆞᆷ믈 일ᄏᆞᆺ고 친히 명ᄋᆞ 쇼져를 나오혀 글을 쓰려ᄒᆞ니, 명ᄋᆡ 븟그려 상셔의 압ᄒᆡ 안ᄌᆞ 팔흘 ᄂᆡ디 아니니, 나히 어려 혼ᄉᆞ(婚事) 뎡(定)ᄒᆞᄂᆞᆫ 일은 아디 못ᄒᆞ나, 젼일(前日) 보디 못ᄒᆞ던 어룬을 ᄃᆡᄒᆞ여 슈괴(羞愧)ᄒᆞ미라. 상셰 ᄉᆞ랑을 니긔디 못ᄒᆞ여 친히 녀ᄋᆞ의 ᄑᆞᆯ흘 ᄲᆡ혀 뎡공의 쓰기를 ᄌᆡ쵹ᄒᆞ니, 뎡공이 잉혈을 흐억히 직어 ○○○○[뎡가종뷔(鄭家宗婦]{열}네ᄌᆞ를 두려시 쓰고 믈너 태우로 ᄒᆞ여금 현ᄋᆞ 쇼져의 ᄑᆞᆯ흘 ᄲᆡ히라【26】ᄒᆞ니, 하공이 '하가ᄌᆞ뷔(河家子婦)'라 쓰ᄆᆡ, ᄉᆞ공(四公)이 ᄆᆞᄋᆞᆷ이 각별ᄒᆞ여 셔로 ᄌᆞ녀의 ᄌᆞ라기를 기ᄃᆞ릴 ᄉᆡ, 태위 웃고,

---

능 때문에 앵혈은 남녀의 동정(童貞)을 감별하거나 부부의 성적 결합여부를 판별하는 징표로 사용되는 경우가 많지만, 이에 못지않게 이 작품에서 윤명아·윤현아의 팔에 앵혈로 '鄭家宗婦'·'河家子婦'라고 써서 징표를 삼는 것처럼, 신분표지를 하는 데도 많이 쓰이고 있다. 특히 남·녀, 부·자의 이합(離合)에 따른 파란만장한 수난담을 다루고 있는 대하소설들은 어김없이 이 앵혈화소를 빌어서 서사의 확장을 꾀해가고 있다. 앵혈을 흔히 '鸚血(앵무새피)', '鶯血(꾀꼬리피)' 등으로 주석하고 있으나, 위 【소현성록】의 기록으로 보면 본디 '앵혈'은 '앵무새'나 '꾀꼬리'의 피를 특정한 말이 아닌, '앵두처럼 선홍빛을 띤 피'라는 뜻을 드러내 붙인 '경혈(經血)' 또는 '처녀막 출혈'의 대유(代喩)로 보인다.

72)흔흔댱부(昕昕丈夫) : 세상 이치에 통달한 대장부.

여 잉혈을 ᄂᆡ여 오니, 하공이 상셔 압ᄒᆡ 붓슬 더져 갈오ᄃᆡ,

"영ᄋᆞ로 ᄒᆞ여금 '뎡가(鄭家)의 종뷔(宗婦)'라 ᄒᆞ고 명강의 농쥬로 ᄒᆞ여금 '하가(河家)의 ᄌᆞ뷔(子婦)'라 ᄒᆞ여 팔 우ᄒᆡ 쓰소셔."

상셔 미소 답 왈,

"하퇴지 휴휴쟝부(休休丈夫)[66]로 호의(狐疑) 업순가 ᄒᆞ엿더니, 금일 엇지 아녀ᄌᆞ의 ᄆᆞ음이 잇ᄂᆞ뇨?"

하공이 웃고 쓰기을 ᄌᆡ촉ᄒᆞ니 ᄐᆡ위 역소 왈,

"비상의 표젹이[을] 둘진ᄃᆡ 굿ᄒᆞ여 ᄉᆞ곤(舍昆)의게 쳥치 말고 엄구(嚴舅) 되리 각각 쓰라"

뎡공이 맛당홈을 일컷고 명ᄋᆞ 소져을 《날호여‖나호여》 글을 쓰려 ᄒᆞ니 나히 어려 혼인 졍ᄒᆞᆷ은 아지 못ᄒᆞ되, 보지 못ᄒᆞ든 어룬을 ᄃᆡᄒᆞ여 슈괴(羞愧)ᄒᆞ믈 ᄯᅴ엿시니, 상셔 ᄉᆞ랑ᄒᆞ믈 이긔지 못ᄒᆞ여 친히 며[명]ᄋᆞ의 팔을 ᄲᅢ혀 뎡공을 ᄌᆡ촉ᄒᆞ니, 잉혈노 ○○○○[뎡가종뷔(鄭家宗婦] 네ᄌᆞ을 쓰고, ᄐᆡ위 ᄯᅩ 현ᄋᆞ 소져의 팔을 ᄲᅢ히○○[고 쓰]라 ᄒᆞ니 하공이 "하가ᄌᆞ뷔(河家子婦)"라 쓰ᄆᆡ, ᄉᆞ공(四公)이 ᄆᆞ음이 각별ᄒᆞ여 셔로 ᄌᆞ녀의 ᄌᆞ라기을 기다릴ᄉᆡ, ᄐᆡ위 웃고 왈,

---

능 때문에 앵혈은 남녀의 동정(童貞)을 감별하거나 부부의 성적 결합여부를 판별하는 징표로 사용되는 경우가 많지만, 이에 못지않게 이 작품에서 윤명아·윤현아의 팔에 앵혈로 '鄭家宗婦'·'河家子婦'라고 써서 징표를 삼는 것처럼, 신분표지를 하는 데도 많이 쓰이고 있다. 특히 남·녀, 부·자의 이합(離合)에 따른 파란만장한 수난담을 다루고 있는 대하소설들은 어김없이 이 앵혈화소를 빌어서 서사의 확장을 꾀해가고 있다. 앵혈을 흔히 '鸚血(앵무새피)', '鶯血(꾀꼬리피)' 등으로 주석하고 있으나, 위 【소현성록】의 기록으로 보면 본디 '앵혈'은 '앵무새'나 '꾀꼬리'의 피를 특정한 말이 아닌, '앵두처럼 선홍빛을 띤 피'라는 뜻을 드러내 붙인 '경혈(經血)' 또는 '처녀막 출혈'의 대유(代喩)로 보인다.

66)휴휴장부(休休丈夫) : 세사(世事)에 얽매이지 않고 도량이 넓고 큰 대장부

"샤곤(舍昆)이 지금의 ᄋᆞ들을 두디 못ᄒᆞ시니 졀박ᄒᆞᆫ 근심이 업디 못ᄒᆞ더니, 샤싊(舍嫂)[73] 잉ᄐᆡ 오륙삭이라. 혹ᄌᆞ 싱남ᄒᆞ시ᄂᆞᆫ 일이 잇거든 문호(門戶)의 대힝(大幸)이니, 하·뎡 냥형 듕 혹ᄌᆞ 부인이 잉ᄐᆡᄒᆞ시니 잇거든 냥가(兩家) ᄋᆞ히 나기를 기ᄃᆞ려 쏘 친ᄉᆞ(親事)[74]를 뎡ᄒᆞ리라."

뎡공이 조부인의 유신(有娠)[75]ᄒᆞ믈 듯고 상셔를 향ᄒᆞ여 칭하(稱賀)ᄒᆞ며 ᄌᆞᄀᆡ 부인이 잉ᄐᆡ 오뉵삭(五六朔)이믈 닐너 ᄋᆞ히 나기를 기ᄃᆞ려 남녀 분변ᄒᆞ여 혼인을 뎡ᄒᆞᄌᆞ ᄒᆞᆫᄃᆡ, 하공이 쇼 왈,

"형의 부인ᄂᆡ만 잉ᄐᆡᄒᆞ랴. 쇼뎨도 실인(室人)이 잉ᄐᆡ ᄉᆞ오삭이니 분산ᄒᆞ믈 보아 뎡ᄒᆞ리로다."

태위 가장 깃거 삼가(三家)의 ᄋᆞ히 나기를 기ᄃᆞ려 뎡혼ᄒᆞ믈 일ᄏᆞᆺ고 죵일 즐기다가 셕【27】양의 파ᄒᆞ여, 형뎨 죵용이 말ᄉᆞᆷᄒᆞᆯ 시, 태위 냥ᄋᆞ의 뎡혼ᄒᆞ믈 깃거 ᄒᆞ고, 뎡·하 냥부인의 분산(分産)ᄒᆞ믈 기ᄃᆞ려 형댱 싱ᄋᆞ와 결혼ᄒᆞ여 겹겹 인아(姻婭)의 둣터오믈 ᄆᆡᄌᆞ미 됴흐믈 일ᄏᆞ라 깃거ᄒᆞ믈 마지 아니ᄒᆞ니, 상셰 홀연 미우를 찡긔고 기리 탄 왈,

"ᄌᆞ녀를 셩취(成娶)ᄒᆞ여 영효(榮孝)를 보미 극히 두긋거오나[76] 내 스ᄉᆞ로 ᄆᆞ음이 위황(危慌)ᄒᆞ니 댱원(長遠)ᄒᆞ기를 ᄇᆞ라디 못ᄒᆞᆯ가 ᄒᆞ노라."

태위 경아(驚訝) 위로 왈,

"쇼뎨 다만 ᄋᆞ들을 두지 못ᄒᆞ여시니 형댱이 만일 쌍ᄐᆡ(雙胎)를 싱ᄒᆞ실진ᄃᆡ ᄒᆞ나흘 계후(繼後)ᄒᆞ려 ᄒᆞᄂᆞ이다."

상셰 미쇼 왈,

"현뎨 나히 져멋고 뉴싊(嫂) 단산(斷産)ᄒᆞ실 쩍 아니라. ᄌᆞ녜 몃치 될 줄 알니오. 괴이ᄒᆞᆫ 말 말지어다."

태위 믄득 탄식 ○[왈],

73)샤싊(舍嫂) : 형수(兄嫂).
74)친ᄉᆞ(親事) : 혼사(婚事).
75)유신(有娠/有身) : 임신.
76)두긋겁다 : 자랑스럽다. 대견스럽다. 기뻐하다.

"ᄉᆞ곤(舍昆)이 지금의 아들을 두지 못ᄒᆞ시

○…결락 28자…○[니 졀박ᄒᆞᆫ 근심이 업디 못ᄒᆞ더니, 샤싊(舍嫂)[67] 잉ᄐᆡ 오륙삭이라. 혹ᄌᆞ 싱남ᄒᆞ시]

ᄂᆞᆫ 일이 잇거든, 냥기(兩家) 아히 나기을 기ᄃᆞ려 또 친ᄉᆞ(親事)[68]을 졍ᄒᆞ리라."【14】

뎡공이 죠부인의 유신(有娠)[69]ᄒᆞ믈 듯고 상셔을 향ᄒᆞ여 칭하(稱賀)ᄒᆞ며 ᄌᆞᄀᆡ 부인이 잉ᄐᆡ 오뉵삭(五六朔)이믈 일너 아히 나기을 기ᄃᆞ려 남녀을 분간ᄒᆞ여 혼인을 졍ᄒᆞᄌᆞ ᄒᆞᆫᄃᆡ, 하공이 소 왈,

"형의 부인ᄂᆡ만 잉ᄐᆡᄒᆞ랴. 소뎨도 실인(室人)이 잉ᄐᆡ ᄉᆞ오ᄉᆞᆨ이니 분산ᄒᆞ믈 보아 졍ᄒᆞ리로다."

ᄐᆡ우 가장 ○○[깃거] 삼가(三家)며[의] 아히《길ᄒᆞ기을 기ᄃᆞ리더라∥나기를 기ᄃᆞ려》

○…결락 91자…○ [뎡혼ᄒᆞ믈 일ᄏᆞᆺ고 죵일 즐기다가 셕양의 파ᄒᆞ여, 형뎨 죵용이 말ᄉᆞᆷᄒᆞᆯ 시, 태위 냥ᄋᆞ의 뎡혼ᄒᆞ믈 깃거 ᄒᆞ고, 뎡·하 냥부인의 분산(分産)ᄒᆞ믈 기ᄃᆞ려 형댱 싱ᄋᆞ와 결혼ᄒᆞ여 겹겹 인아(姻婭)의 둣터오믈 ᄆᆡᄌᆞ미 됴흐믈 일ᄏᆞ라 깃거ᄒᆞ믈 마지 아니ᄒᆞ니,]

상셔 홀연 미우을 찡긔고 기리 탄식 왈,

"ᄌᆞ녀을 셩취(成娶)ᄒᆞ여 영효(榮孝)을 보미 극히 두긋겁기[70] 비샹ᄒᆞ려니와 ᄂᆡ 스ᄉᆞ로 ᄆᆞ음이 위ᄐᆡᄒᆞ니 장원ᄒᆞ기을 바라지 못ᄒᆞᆯ가 ᄒᆞ노라."

ᄐᆡ위 가장 놀나 위로 왈,

"소졔 다만 아들을 두지 못ᄒᆞ엿시니 형장이 만일 쌍ᄐᆡ(雙胎)을 싱ᄒᆞ실진ᄃᆡ ᄒᆞ나흘 계후(繼後)ᄒᆞ려 ᄒᆞ나이다."

상셔 미소 왈,

"현졔 나히 져멋고 뉴수(嫂) 단산(斷産)ᄒᆞ실 쩍 아니라. 이졔 ᄌᆞ녀 몃치 될 줄 알니오. 고이ᄒᆞᆫ 말을 말니어다."

ᄐᆡ위 문득 탄식 왈,

67)샤싊(舍嫂) : 형수(兄嫂).
68)친ᄉᆞ(親事) : 혼사(婚事).
69)유신(有娠/有身) : 임신.
70)두긋겁다 : 자랑스럽다. 대견스럽다. 기뻐하다.

"쇼뎨 실노 뉴시 ᄉᆡᆼ산을 원치 아니ᄒᆞᄂᆞ니 현ᄋᆡ 맛춤 모풍(母風)이 업거니와 경ᄋᆞᄂᆞᆫ 만히 【28】 그 어미를 달마 그 위인이 우리 집 품딜이 아니니 ᄋᆡᄃᆞᆯ와 ᄒᆞᄂᆞ이다."

상셰 뎡ᄉᆡᆨ 왈,

"네 엇디 괴이ᄒᆞᆫ 말을 ᄒᆞᄂᆞ뇨? 뉴쉬 총명ᄌᆞ혜(聰明慈惠)ᄒᆞ신디라. 만일 ᄉᆡᆼᄌᆞ(生子)ᄒᆞ실진ᄃᆡ 영걸지ᄌᆡ(英傑之材) 되리라. ᄌᆞ네(子女) 번셩ᄒᆞᆯ 거시오, 더옥 티발(齒髮)이 미댱(未長)ᄒᆞ고 유치(幼稚)○[ᄒᆞᆫ] 경ᄋᆞ를 '모풍(母風)이 잇다' ᄒᆞ여 ○○○○[갈구(渴求)ᄒᆞ니] 말마다 괴이ᄒᆞ도다."

태위 탄식 브답(不答)이러라.

이젹의 금국(金國) 오랑ᄏᆡ 호삼괴 여러 ᄃᆡ 됴공(朝貢)을 밧드디 아니코 군병[량]과 댱ᄉᆞ(將士)를 모화 텬됴(天朝)를 항형(抗衡)[77]코져 ᄒᆞ니 그 셰 강댱(强壯)ᄒᆞ여 크게 용이(容易)치 아닌디라. 텬ᄌᆡ 근심ᄒᆞ샤 옥톄 뇽상(龍床)의 슉식(宿食)이 불안ᄒᆞ시니, 금령문의 크게 됴회(朝會)를 여르샤 호삼ᄀᆡ 쳐치ᄒᆞᆯ 도리를 ᄆᆞ르시니, 만됴의 의논이 분분ᄒᆞ여 혹 흥ᄉᆞ문죄(興師問罪)[78]ᄒᆞ 【29】 ᄌᆞ ᄒᆞᄂᆞ니도 잇고, 혹ᄌᆞ 덕이 가즉ᄒᆞᆫ[79] 샤신을 보ᄂᆡ여 교유(敎諭)ᄒᆞᄌᆞ ᄒᆞᄂᆞ니도 잇셔 의논을 뎡치 못ᄒᆞ더니, 삼공(三公)[80]의 뜻이 텬샤(天使)를 보ᄂᆡ미 맛당ᄒᆞ고 병혁(兵革)을 니르혀미 듕난(重難)타 ᄒᆞ니, 텬ᄌᆡ 올히 넉이시나 삼공 이하 위지디(危之地))의 가기를 원치 아니ᄒᆞ여 면면상고(面面相顧)[81]ᄒᆞ여 결(決)치 못ᄒᆞ더니, 상셔 윤공이 가[ᄀᆡ]연(介然)이 반부듕(班部中)의 몸을 ᄲᆡ혀 브복(俯伏) 듀(奏) 왈,

"신(臣) 윤현이 국은(國恩)을 닙ᄉᆞ와 외람ᄒᆞ온 작딕(爵職)이 니부텬관(吏部天官)[82]과

77)항형(抗衡) : 서로지지 아니하고 맞섬.
78)흥ᄉᆞ문죄(興師問罪) : 군사를 일으켜 정벌함.
79)가즉ᄒᆞᆫ : 가즈ᄒᆞᆫ. 가지런한. 고루 다 갖춘.
80)삼공(三公) : 삼정승. 조선의 영의정·좌의정·우의정. 중국 주(周)·명(明)·청(淸)의 태사(太師)·태부(太傅)·태보(太保). 한(漢)·당(唐)·송(宋)의 태위(太尉)·사공(司空)·사도(司徒).
81)면면상고(面面相顧) : 아무런 의견도 내놓지 못하고 서로 얼굴만 바라봄.

"소졔 실노 뉴시 ᄉᆡᆼ산을 원치 아니 ᄒᆞᄂᆞ니 현ᄋᆡ ᄆᆞ참 모풍(母風)이 업거니와, 경ᄋᆞᄂᆞᆫ 만히 그 어미을 달마 그 위인이 우리집 품질이 아니니 ᄋᆡ달나 ᄒᆞ나이다."

상셔 뎡ᄉᆡᆨ 왈,

"네 엇지 고이ᄒᆞᆫ 말을 ᄒᆞ나뇨? 뉴쉬 총명ᄌᆞ혜(聰明慈惠)ᄒᆞ신 ᄉᆞ람이라. 만일 ᄉᆡᆼᄌᆞ(生子)ᄒᆞ실진ᄃᆡ 영걸지ᄌᆡ(英傑之材) 되리라. ᄌᆞ녀 【15】 번셩할 거시오. 더욱 치발(齒髮)이 ᄎᆡ 기지 못ᄒᆞᆫ 경ᄋᆞ을 '위인(爲人)이 모풍(母風)이 잇다' ᄒᆞ여 갈구(渴求)ᄒᆞ니 말마다 고이 ᄒᆞ도다."

ᄐᆡ위 브답(不答)이러라.

이젹의 금국(金國) 오랑ᄏᆡ 호슴ᄀᆡ 여러 ᄃᆡ 조공(朝貢)을 밧치지 아니코 ᄃᆡ국을 셤기는 녜 업고, 군량과 장ᄉᆞ(將士)을 모화 텬죠(天朝)을 항형(抗衡)[71]코ᄌᆞ ᄒᆞ니 ᄀᆡ셰 강장(强壯)ᄒᆞ야 크게 용이(容易)치 아닌지라. 텬ᄌᆡ 근심ᄒᆞᄉᆞ 옥쳬 용상(龍床)의 슉식(宿食)이 불안ᄒᆞ시니, 금텬문의 크게 조회을 여르ᄉᆞ 호슴ᄀᆡ 쳐치ᄒᆞᆯ 도리을 무르시니, 만죠의 논이 분ᄂᆞᆫ(紛亂)ᄒᆞ여 혹 ᄃᆡ병을 거나려 치ᄌᆞ ᄒᆞᄂᆞᆫ 이도 잇고, 혹 ᄌᆡ덕 가진[72] ᄉᆞ신을 보ᄂᆡ여 교유(敎諭)ᄒᆞᄌᆞ ᄒᆞᄂᆞᆫ 이도 잇셔 의논을 뎡치 못ᄒᆞ더니, 삼공(三公)[73]이 뜻지 텬ᄉᆞ(天使)을 보ᄂᆡ여 ᄀᆡ유ᄒᆞ미 맛당ᄒᆞ고 병혁(兵革)을 이르혀미 듕난(重難)타 ᄒᆞ니, 텬ᄌᆡ 드르시고 올히 넉이ᄉᆞ 삼공 이히 원지(遠地)의 가기을 원치 아니ᄒᆞ여 면면상고(面面相顧)[74]ᄒᆞ여 결치 못ᄒᆞ더니, 상셔 윤공이 ᄀᆡ연(介然)히 몸을 ᄲᅢ혀 반부듕(班部中)의 부복 주 왈,

"신(臣) 윤현이 국은(國恩)을 입ᄉᆞ와 외람이 작직(爵職)이 니부텬관(吏部天官)[75]과

71)항형(抗衡) : 서로지지 아니하고 맞섬.
72)가진 : 갖은. 골고루 다 갖춘.
73)삼공(三公) : 삼정승. 조선의 영의정·좌의정·우의정. 중국 주(周)·명(明)·청(淸)의 태사(太師)·태부(太傅)·태보(太保). 한(漢)·당(唐)·송(宋)의 태위(太尉)·사공(司空)·사도(司徒).
74)면면상고(面面相顧) : 아무런 의견도 내놓지 못하고 서로 얼굴만 바라봄.
75)니부텬관(吏部天官) : 이부상서(吏部尙書)

광녹태우(光祿大夫)를 겸ᄒᆞ와 홍문관(弘文館)의 요금혹식(腰金學士)[83] 되오니, 슉야우구(夙夜憂懼)[84]ᄒᆞ와 셩은(聖恩)을 만분디일(萬分之一)이나 갑ᄉᆞ올가 원ᄒᆞ오ᄃᆡ, 쳑촌(尺寸)도 국은(國恩)을 갑ᄉᆞᆸ지 못ᄒᆞ오나 엇디 방심히틔(放心解怠)ᄒᆞ리잇고? 방금(方今) 금국(金國)의 텬【30】샤를 의논ᄒᆞ시니, 외람ᄒᆞ오나 신을 보ᄂᆡ실가 ᄇᆞ라ᄂᆞ이다."

텬안이 셕연돈유[오](釋然頓悟)[85]ᄒᆞ샤 슈족 ᄀᆞᆺ튼 현냥(賢良))을 먼니 보ᄂᆡ기를 어려이 넉이시니, 삼공 이히 다 맛당ᄒᆞ믈 듀ᄒᆞᆫᄃᆡ, 상이 마지 못ᄒᆞ샤 ᄀᆞᆯ오ᄉᆞᄃᆡ,

"금국은 위험지디(危險之地)라. 텬샤를 보ᄂᆡ여도 강용(强勇)이 겸젼(兼全)ᄒᆞᆫ 무신을 보ᄂᆡ고 문관은 보ᄂᆡ지 아니려 ᄒᆞ더니, 이졔 윤현이 튱셩을 다ᄒᆞ여 ᄌᆞ원(自願)ᄒᆞ니 딤이 마지 못ᄒᆞ여 허ᄒᆞ거니와 금국 흉디의 가ᄆᆡ 셩명이 위틔ᄒᆞᆯ가 념녀ᄒᆞ노라."

상셰 돈슈(頓首) 듀왈(奏曰),

"셩샹이 미신(微臣)으로ᄡᅧ 이러ᄐᆞᆺ ᄒᆞ시니 황공ᄒᆞ와 알외올 ᄇᆡ 업ᄉᆞᆸᄂᆞᆫ디라. ᄉᆞᄉᆡᆼ이 유명ᄒᆞ오니 이젹(夷狄)이 비록 흉완(兇頑)ᄒᆞ오나 간ᄃᆡ로[86] 텬됴 샤신을 히치 못【31】ᄒᆞ오리니 복원(伏願) 폐하는 셩녀(聖慮)[87]치 마르쇼셔."

샹이 칭찬 왈,

"이졔 금국의 변이 이시ᄆᆡ 경의 뎡튱대졀(貞忠大節)을 식로이 알 ᄇᆡ라. 망신슌국(亡身殉國)ᄒᆞ니 가히 아름답도다."

ᄒᆞ시니, 상셰 불감ᄒᆞ오믈 듀달ᄒᆞ오니, 즉

82)니부텬관(吏部天官) : 이부상서(吏部尙書)

83)요금혹식(腰金學士) : 허리에 금대(金帶)를 두른 학사. 요금(腰金)은 벼슬아치의 허리에 두른 금대(金帶). 조선 시대에 정이품(6부의 판서급)의 벼슬아치가 조복(朝服)에 금대(金帶)를 둘렀다.

84)슉야우구(夙夜憂懼) : 이른 아침부터 밤늦게까지 걱정하며 두려워함.

85)셕연돈오(釋然頓悟) : 한 점 의심도 없이 밝히 깨달음

86)간ᄃᆡ로 : 마음대로

87)셩녀(聖慮) : 임금의 염려을 높여 이르는 말.

광녹ᄐᆡ우(光祿大夫)을 겸ᄒᆞ와 홍금[문]관의 요금학ᄉᆞ(腰金學士)[76] 되오니 슉야우구(夙夜憂懼)[77]ᄒᆞ와 성은(聖恩)을 만분지일(萬分之一)이나 갑ᄉᆞ올가 원ᄒᆞ오ᄃᆡ ᄌᆡ박(才薄)ᄒᆞ온 고로 척촌(尺寸)도 국【16】은을 갑ᄉᆞᆸ지 못ᄒᆞ오니 신심(身心)이 일시나 방심히틔(放心解怠)ᄒᆞ리잇고? 방금(方今)ᄒᆞ와 금국(金國)의 쳔ᄉᆞ을 의논ᄒᆞ오니 외람ᄒᆞ오나 신(臣)을 보ᄂᆡ실가 ᄇᆞ라나이다."

텬안이 셕연돈오(釋然頓悟)[78]ᄒᆞᄉᆞ 슈족 갓튼 현양(賢良)을 멀니 보ᄂᆡ믈 어려이 넉이시니, 삼공이 다 맛당ᄒᆞ믈 주ᄒᆞᆫᄃᆡ, 상이 마지 못ᄒᆞᄉᆞ 갈아ᄉᆞᄃᆡ,

"금국은 위험지지라(危險之地). 텬ᄉᆞ을 보ᄂᆡ여도 강용(强勇)이 장(壯)ᄒᆞᆫ 무반(武班)의 뉴(類)을 보ᄂᆡ고 문관뉴ᄂᆞᆫ 아니 보ᄂᆡ염 즉 ᄒᆞ더니, 윤현이 ᄌᆞ원(自願)ᄒᆞ고 츙셩을 다ᄒᆞ니 짐이 마지 못ᄒᆞ여 허ᄒᆞ거니와 금국 흉지의 가ᄆᆡ 셩명이 위틔ᄒᆞᆯ가 념녀ᄒᆞ노라."

윤현이 돈수(頓首) 주왈(奏曰),

"성상이 미신(微臣)으로ᄡᅧ 이럿ᄐᆞᆺ ᄒᆞ시니 황공ᄒᆞ와 알외올 ᄇᆡ 업ᄉᆞ온지라. ᄉᆞᄉᆡᆼ이 명이오니 그 도젹이 비록 ᄉᆞ오나오나 간ᄃᆡ로[79] 텬조 ᄉᆞ신을 히치 못ᄒᆞ오리니 복원 폐ᄒᆞᄂᆞᆫ 셩녀[80]치 마르소셔."

상이 칭찬 왈,

"이졔 금국의 변이 이시ᄆᆡ 경의 졍츙ᄃᆡ졀(貞忠大節)을 알 ᄇᆡ라. 스ᄉᆞ로 셩명을 도라보지 아니코 나라ᄒᆞᆯ 위ᄒᆞ여 진츙(盡忠)ᄒᆞ니 가히 아름답도다."

ᄒᆞ시니, 윤현이 블감ᄒᆞ오믈 주달ᄒᆞ온 ᄃᆡ, 상이 즉시 ᄉᆞ신○[을] 정송(定送)ᄒᆞ실 ᄉᆡ,

76)요금혹식(腰金學士) : 허리에 금대(金帶)를 두른 학사. 요금(腰金)은 벼슬아치의 허리에 두른 금대(金帶). 조선 시대에 정이품(6부의 판서급)의 벼슬아치가 조복(朝服)에 금대(金帶)를 둘렀다.

77)슉야우구(夙夜憂懼) : 이른 아침부터 밤늦게까지 걱정하며 두려워함.

78)셕연돈오(釋然頓悟) : 한 점 의심도 없이 밝히 깨달음

79)간ᄃᆡ로 : 마음대로

80)셩녀(聖慮) : 임금의 염려을 높여 이르는 말.

시 샤신을 뎡숑(定送)ᄒᆞ실ᄉᆡ, 젼뎐태ᄒᆞᆨᄉᆞ(殿前太學士) 뎡ᄉᆞ도로 부샤를 뎡ᄒᆞ여 일즉 티힝(治行)ᄒᆞ여 발힝케 ᄒᆞ시니, 윤·뎡 냥공이 퇴됴 귀가ᄒᆞ니, 일가친쳑과 샹하노쇠(上下老少) 놀나디 아니리 업ᄉᆞᄃᆡ, 오히려 뎡부 일문은 경악(驚愕)ᄒᆞᆫ 념녀 젹으나, 윤가 친쳑은 다 위ᄐᆡ히 너이고 텬샤를 ᄌᆞ원ᄒᆞ믈 이들니 너이며 윤태위 대경ᄎᆞ악(大驚嗟愕)ᄒᆞ여 샹셔ᄃᆞ려 고 왈,

"형댱은 봉ᄉᆞ봉친(奉祀奉親)의 듕ᄒᆞᆫ 몸이오 국가의 쥬셕동냥(柱石棟樑)이라. ᄎᆞ마 금국 위험지【32】디(危險之地)의 나아가리잇가? 명일 쇼뎨 탑젼(榻前)[88]의 듀달(奏達)ᄒᆞ고 금국 샤신을 쇼뎨 밧고와 가리이다."

상셰 뎡ᄉᆡᆨ 왈,

"금국이 위험ᄒᆞ나 ᄉᆞ디(死地) 아니오, 호삼기 ᄉᆞ오나오나 사ᄅᆞᆷ 죽이ᄂᆞᆫ 칼이 아니니 텬됴 샤신이 번국의 가ᄆᆡ 길히 영화롭고 쟉품(爵品)이 졈졈 놉흘디라. 므어시 위ᄐᆡ타 ᄒᆞᄂᆞ뇨?" 비록 ᄉᆞ디라도 내 임의 뎡ᄒᆞ여시니 요개(搖改)ᄒᆞᆯ[89] 길히 업거ᄂᆞᆯ 현데 엇디 소임을 당ᄒᆞ리오."

태위 ᄎᆞ악경심(嗟愕警心)[90] 왈,

"쇼뎨 금일 신긔 블평ᄒᆞ여 됴참치 못ᄒᆞ고 형댱이 금국의 가실 줄은 ᄭᅢ약디 아녓더니, 쳔만 ᄯᅳᆺ 밧 위험지디를 됴흔 길의 나아가ᄃᆞᆺ ᄒᆞ실 줄 엇디 아라시리잇고?"

상셰 태우의 념녀ᄒᆞ믈 위로ᄒᆞ고 ᄒᆞᆫ 가지로 경희뎐의 드러가 태부인긔【33】 금국의 나아가믈 고ᄒᆞ니, 위시 ᄆᆡ양 상셔ᄂᆞᆫ 가ᄂᆡ의 업ᄉᆞ록 깃거ᄒᆞ고 죽기를 쥬야 튝원ᄒᆞᄂᆞᆫ ᄇᆡ라. 심니의 대희(大喜)ᄒᆞ나 것ᄎᆞ로 경참(驚慘)ᄒᆞᆫ 빗출 지어 눈물을 흘녀 왈,

88)탑젼(榻前) : 임금의 의자 앞.
89)요개(搖改)ᄒᆞ다 : 대신하다. 바꾸다. 요ᄃᆡ(搖代)하다.
90)ᄎᆞ악경심(嗟愕警心) : 마음속으로 몹시 놀람.

젼젼ᄐᆡ학ᄉᆞ(殿前太學士) 뎡ᄉᆞ도로 부ᄉᆞ을 졍ᄒᆞ여 왈, 이[일]즉 치힝(治行)【17】ᄒᆞ여 발힝ᄒᆞ게 ᄒᆞ시니, 윤·뎡 양공이 퇴조ᄒᆞ여 집으로 도라오니 일가친쳑과 샹하노쇠(上下老少) 놀나지 아니리 업ᄉᆞᄃᆡ, 오히려 뎡공은 상ᄉᆞ(常事)로이 알고 뎡부 일문은 명약(明若)ᄒᆞᆫ 념녀 젹으ᄃᆡ, 윤가 친쳑은 다 위ᄐᆡ히 녀이고 텬ᄉᆞ을 ᄌᆞ원ᄒᆞ믈 이달니 녀이며, 윤ᄐᆡ위 ᄃᆡ경ᄎᆞ악(大驚嗟愕)ᄒᆞ여 상셔게 고 왈,

"형장은 봉ᄉᆞ봉친(奉祀奉親)의 듕ᄒᆞᆫ ᄉᆞ름이요, 조가(朝家)의 주셕동냥(柱石棟樑)이라. ᄎᆞ마 금국 위험지지(危險之地)의 나아가리잇가? 명일 소졔 탑젼(榻前)[81]의 쥬달(奏達)ᄒᆞ고 금국ᄉᆞ신을 소졔 밧고아 가리니 형장은 가실 ᄉᆡᆼ각을 마르소셔."

상셔 뎡ᄉᆡᆨ 왈,

"금국[이] 위험ᄒᆞ나 ᄉᆞ지(死地) 아니오. 호숨기 ᄉᆞ오나오나 ᄉᆞ름 쥭이ᄂᆞᆫ 칼이 아니니, 텬조 ᄉᆞ신이 번국의 가ᄆᆡ 기리[82] 영화롭고 작품(爵品)이 졈졈 놉흘 ᄲᅮᆫ이라. 무어시 위ᄐᆡ타 ᄒᆞᄂᆞ뇨? 비록 ᄉᆞ지라도 ᄂᆡ 임의 졍ᄒᆞ여시니 요ᄃᆡ(搖代)할[83] 길히 업거날 현졔 엇지 소임을 당ᄒᆞ리오."

ᄐᆡ위 ᄎᆞ악셩[경]심(嗟愕警心)[84]ᄒᆞ여 갈오ᄃᆡ,

"소졔 금일 신긔 블평ᄒᆞ여 조침[참](朝參)[85]치 못ᄒᆞ고 형장이 금국의 가실 쥴은 긔약지 아냐더니, 쳔만 ᄯᅳᆺ 밧 위험지지(危險之地)을 조흔 길의 나아가듯 ᄒᆞ실 쥴 엇지 아라시리잇가?"

상셔 ᄐᆡ위의 염녀ᄒᆞ믈 위로ᄒᆞ고 한가지로 경희젼의 드러가 ᄐᆡ부인긔【18】 금국의 나아가믈 고ᄒᆞ니, 위시 ᄆᆡ양 상셔ᄂᆞᆫ 업술ᄉᆞ

81)탑젼(榻前) : 임금의 의자 앞.
82)기리 : '길+이'의 연철표기
83)요ᄃᆡ(搖代)하다 : 대신하다. 바꾸다. 요개(搖改)ᄒᆞ다.
84)ᄎᆞ악경심(嗟愕警心) : 마음속으로 몹시 놀람.
85)조참(조참) : 한 달에 네 번 중앙에 있는 문무백관이 정전(正殿)에 모여 임금에게 문안을 드리고 정사(政事)를 아뢰던 일.

“금국 위험지디를 엇지 ᄌᆞ원 츌샤(出師)91)ᄒᆞ뇨? 만일 흉젹의 ᄒᆡ를 맛날진ᄃᆡ 노모의 그리ᄂᆞᆫ 심ᄉᆞ를 엇디코져 ᄒᆞᄂᆞ뇨?”

상셰 이셩화긔(怡聲和氣)92)로 ○○[위로] ᄒᆞ며, 태위 형을 ᄃᆡ신코져 ᄒᆞᄂᆞᆫ 뜻을 고ᄒᆞ니, 위시 진졍으로 놀나 왈,

“현은 ᄌᆡ덕이 졔미ᄒᆞ니 오히려 흉덕을 교유ᄒᆞ여 무ᄉᆞ히 도라오려니와 너ᄂᆞᆫ 형을 만불급(萬不及)93)ᄒᆞ리니 더옥 엇디 이런 말을 ᄒᆞᄂᆞ뇨?”

태위 낫빗출 뎡히 ᄒᆞ고 공슈 ᄃᆡ왈,

“형댱은 가국의 듕ᄒᆞᆫ 몸이니 아니 가셤즉 ᄒᆞ거니와 쇼ᄌᆞᄂᆞᆫ 집의 ᄎᆞᄌᆡ(次子)라. 블관ᄒᆞ오니 길흉간(吉凶間) 형을 ᄃᆡ신ᄒᆞ여 가【34】국을 위ᄒᆞ오미 인신디도(人臣之道)의 올ᄉᆞ온디라. ᄌᆞ졍이 맛당이 쇼ᄌᆞ로ᄡᅧ 가형을 ᄃᆡ신ᄒᆞ라 권ᄒᆞ셤즉 ᄒᆞᄋᆞᆸ거ᄂᆞᆯ 어이 이ᄃᆡ도록 ᄒᆞ시ᄂᆞ니잇고?”

위시 차악발비(嗟愕拔臂)94) 왈,

“노뫼 브졀업시 ᄉᆞ라 너희 이런 거동을 보니 밧비 죽으미 원이라. 국ᄉᆞ를 부ᄌᆞ간인들 ᄃᆡ신ᄒᆞᄂᆞᆫ 규귀(規矩) 잇ᄂᆞ냐?”

상셰 뎡식고 태우를 도라보아 왈,

“내 이제 ᄌᆞ뎐좌측(慈殿座側)95)을 ᄯᅥ나오미 하졍(下情)96)의 버히ᄂᆞᆫ ᄃᆞᆺ ᄒᆞ거ᄂᆞᆯ 엇디 괴이ᄒᆞᆫ 말노ᄡᅧ ᄌᆞ위의 놀나시믈 돕ᄉᆞᆸ고 나의 ᄆᆞᄋᆞᆷ을 산난(散亂)케 ᄒᆞᄂᆞ뇨? 평일 너를 밋던 ᄇᆡ 아니로다.”

91)츌샤(出師) : 출병(出兵). 군대를 이끌고 전장에 나감

92)이셩화긔(怡聲和氣) : 부드러운 말과 온화한 기색.

93) 만불급(萬不及) : 어림없이 미치지 못함. 천만불급(千萬不及)

94)차악발비(嗟愕拔臂) : 몹시 놀라 팔을 내 저으며 만류함.

95)ᄌᆞ뎐좌측(慈殿座側) : 어머니의 곁. 자전(慈殿)은 임금의 어머니를 이르던 말로, ‘어머니’를 높여 이르는 말.

96)하졍(下情) : 어른에게 대하여, 자기 심정이나 뜻을 겸손하게 이르는 말.

록 깃거ᄒᆞ고 죽기을 쥬야로 츅원ᄒᆞᄂᆞᆫ ᄇᆡ라. 심듕의 ᄃᆡ희(大喜)ᄒᆞ나 것ᄎᆞ로 경참(驚慘)ᄒᆞᆫ 빗출 지어 눈물을 흘녀 왈,

“금국 위험지지을 엇지 ᄌᆞ원ᄒᆞ여 츌ᄉᆞ(出師)86)ᄒᆞ나뇨? 만일 흉적의 ᄒᆡ을 만날진ᄃᆡ 노모의 그리ᄂᆞᆫ 심ᄉᆞ을 엇지코져 ᄒᆞᄂᆞ뇨?”

상셔 이셩화긔(怡聲和氣)87)로 위로ᄒᆞ며, ᄐᆡ위 형을 ᄃᆡ신코져 ᄒᆞ난 뜻즐 고ᄒᆞ니, 위시 진졍으로 놀나 갈오ᄃᆡ,

“형은 ᄌᆡ덕이 졔미ᄒᆞ니 오히려 흉젹을 교휼[유](敎諭]ᄒᆞ여 무ᄉᆞ이 도라오려니와 너ᄂᆞᆫ 형을 만블급(萬不及)88)ᄒᆞ리니 더욱 엇지 이런 말을 ᄒᆞᄂᆞ뇨?”

ᄐᆡ위 낫빗츨 뎡히 ᄒᆞ고 공수 ᄃᆡ왈,

“형장이 가국의 듕ᄒᆞᆫ ᄉᆞ람이니 아니 가셤즉 ᄒᆞ거니와 소ᄌᆞᄂᆞᆫ 집의 ᄎᆞᄌᆡ라 블관ᄒᆞ오니 길흉간(吉凶間) 형을 ᄃᆡ신ᄒᆞ여 가국을 위ᄒᆞ미 인신(人臣)의 되(道) 올ᄉᆞ온지라. ᄌᆞ졍이 맛당히 소ᄌᆞ로ᄡᅧ 가형을 ᄃᆡ신ᄒᆞ라 권ᄒᆞ셤즉 ᄒᆞ거날 어이 이ᄃᆡ○[도]록 과도이 구르시ᄂᆞᆫ잇가?”

위시 ᄎᆞ악발비(嗟愕拔臂)89) 왈,

“노뫼 부졀업시 ᄉᆞ라 너희 이런 거동을 보니 밧비 죽으미 원이라. 국ᄉᆞ을 부ᄌᆞ간인들 ᄃᆡ신ᄒᆞᄂᆞᆫ 규귀(規矩) 잇ᄂᆞ냐?”

상셔 뎡식ᄒᆞ고 ᄐᆡ우을【19】도라보아 왈,

“ᄂᆡ 이졔 ᄌᆞ젼좌측(慈殿座側)90)을 ᄯᅥᄂᆞ오미 하졍(下情)91)이 버히ᄂᆞᆫ 듯 ᄒᆞ거날, 아이 엇지 고이ᄒᆞᆫ 말노ᄡᅧ ᄌᆞ위긔 놀나시믈 돕ᄉᆞᆸ고 나의 ᄆᆞᄋᆞᆷ을 어득게92) ᄒᆞᄂᆞᆫ요? 평일 너을 밋든 ᄇᆡ 아니로다. 《업지‖엇지》 그리

86)츌ᄉᆞ(出師) : 출병(出兵). 군대를 이끌고 전장에 나감.

87)이셩화긔(怡聲和氣) : 부드러운 말과 온화한 기색.

88)만불급(萬不及) : 어림없이 미치지 못함. 천만불급(千萬不及)

89)차악발비(嗟愕拔臂) : 몹시 놀라 팔을 내 저으며 만류함.

90)ᄌᆞ젼좌측(慈殿座側) : 어머니의 곁. 자전(慈殿)은 임금의 어머니를 이르던 말로, ‘어머니’를 높여 이르는 말.

91)하졍(下情) : 어른에게 대하여, 자기 심정이나 뜻을 겸손하게 이르는 말.

92)어득하다 : 정신이 산란하여 까무러질 듯하다.

태위 모친 말ᄉᆞᆷ과 거동이며 상셔의 쥰졀ᄒᆞᆫ 의논을 드르ᄆᆡ ᄌᆞ긔 ᄆᆞ음을 펼 길히 업ᄂᆞᆫ디라. 비열(悲咽)ᄒᆞ믈 니긔디 못ᄒᆞ여 능히 디향치 못ᄒᆞᄂᆞᆫ디라. 상셰 나라흘 위ᄒᆞ여 ᄉᆞᄉᆞ를 도라보디【35】 못ᄒᆞᄂᆞᆫ디라. 아이 과도히 념녀ᄒᆞ며 슬허ᄒᆞ믈 보ᄆᆡ 엇디 심회 됴흐리오. 기리 탄식 왈,

"ᄌᆞ고로 '튱신이 효ᄌᆡ 되디 못ᄒᆞᆫ다' ᄒᆞ미 날을 두고 니르미로다. 내 이제 나라흘 위ᄒᆞ여 인신의 도리를 ᄒᆞ고져 ᄒᆞᄆᆡ ᄌᆞ위긔 블효를 깃치옵고 아이 슬허ᄒᆞ믈 보니 동긔(同氣)를 져ᄇᆞ리미 만토다."

태위 회픠 무궁ᄒᆞ나 모젼(母前)이라, 모친의 ᄉᆞ오나온 뜻을 모로고 슬허ᄒᆞ시믈 도울가 두려 ᄉᆞᄉᆡᆨ(辭色)을 곳쳐 십분 강인(强忍)ᄒᆞ여 시좌타가 외헌의 나와 상셔의 손을 잡고 눈물을 금치 못ᄒᆞ여 ᄀᆞᆯ오ᄃᆡ,

"형댱이 무ᄉᆞ히 도라오시면 텬힝이어니와 불연즉 쇼뎨의 심ᄉᆞ를 엇지 ᄒᆞ리잇고?"

상셰 또ᄒᆞᆫ 츄연ᄌᆞ상(惆然自喪)ᄒᆞ여 태우의 ᄑᆞᆯ흘 어로만져 탄왈,

"현뎨의 명감(明鑑)으로ᄡᅧ 엇디 우형의 명도(命途)와 슈요댱단(壽夭長短)을【36】 지우금 아지 못ᄒᆞᄂᆞ뇨? 반ᄃᆞ시 금년이 나의 명년(命年)[97]이라. 타국의 가지 아니나 텬명을 엇디 도망ᄒᆞ리오. 셩현도 오ᄂᆞᆫ ᄋᆡᆨ을 면치 못ᄒᆞ시고 안ᄌᆡ(顔子)[98] 단명ᄒᆞ시니 우형의 부ᄌᆡ박덕(不才薄德)으로 텬슈를 엇디 도망ᄒᆞ리오. 이제 이 길히 망연(茫然)ᄒᆞ나 도시(都是)[99] 명애(命也)라. 하늘과 귀신이 지휘ᄒᆞᄂᆞ니 엇디 면ᄒᆞ리오. 현뎨ᄂᆞᆫ 모로미 슬허 말고 ᄌᆞ위를 효봉ᄒᆞ고 일가 효우돈목(孝友敦睦)ᄒᆞ여 윤시문호를 흥긔ᄒᆞ라."

97)명년(命年) : 목숨을 마칠 연한(年限).
98)안자(顔子) : 안회(顔回). 공자의 제자. 십철(十哲) 가운데 한 사람.
99)도시(都是) : 도무지. 도통(都統). 이러니저러니 할 것 없이 아주.

무식불통ᄒᆞ야 되지 못ᄒᆞᆯ 의논을 ᄂᆡᄂᆞ뇨?"

ᄐᆡ위 모친 말ᄉᆞᆷ과 거동과 상셔 긔ᄉᆡᆨ을 보ᄆᆡ ᄌᆞ긔 ᄆᆞ음을 일우지 못ᄒᆞᆯ지라. 쳑연비열(惕然悲咽)ᄒᆞ믈 마지 아니ᄒᆞ니 상셔 비록 일단 위국 츙심이 ᄌᆞ경을 도라보지 못ᄒᆞ나 아의 이 갓치 염녀ᄒᆞ고 슬어ᄒᆞ믈 보ᄆᆡ 역시 탄왈,

"'츙신이 효ᄌᆞ 못된다' ᄒᆞ미[니], 졍히 《이런∥이》 말이 올토다. ᄂᆡ 이제 나라흘 위ᄒᆞ여 인신의 도리을 일치 말고져 ᄒᆞ오나 ᄌᆞ졍긔 블효을 끼치고 아의 졍을 져바리미 만토다."

ᄐᆡ위 회포 무궁ᄒᆞ나 모젼(母前)이라, 그 ᄉᆞ오나온 뜻즌 아지 못ᄒᆞ고 슬허ᄒᆞ시믈 도을가 ᄉᆞᄉᆡᆨ(辭色)을 십분 강잉(强仍)ᄒᆞ여 시좌ᄒᆞ엿다가 외헌의 나오며 상셔의 손을 잡고 누수 여우ᄒᆞ여 갈오ᄃᆡ,

"형장이 이번의 무ᄉᆞ히 도라오신[시]면 쳔힝이여니와 그러치 못ᄒᆞ면 소제의 심ᄉᆞ을 엇지 억제ᄒᆞ리잇고?"

상셔 또ᄒᆞᆫ 츄연ᄌᆞ상(惆然自喪)ᄒᆞ여 아의 팔을【20】 어로만져 추연 ᄎᆞ탄왈,

"현제 달니(達理)ᄒᆞᆫ 군ᄌᆞ로 우형의 명수(命數)을 아지 못ᄒᆞ나냐? 반다시 금년의 나의 ᄃᆡ명(大命)[93]이 가[타]국의 가 맛ᄎᆞ리니, 셩인도 오난 ᄋᆡᆨ은 면치 못ᄒᆞ시고 안회(顔回)[94] ᄃᆡ명ᄒᆞ니 ᄒᆞ믈며 우형의 부ᄌᆡ박덕(不才薄德)으로 쳔수(天數)을 엇지 도망ᄒᆞ리오. 쳔ᄉᆞ(天使)을 ᄂᆡ 청치 아냐도 누만니(累萬里) 박긔 가 명을 맛출지라. 뉘 길흉화복(吉凶禍福)과 슈난창[슈요쟝단(壽夭長短)]을 미리 혀아리며 하날과 귀신이 명녕ᄒᆞᄂᆞᆫ 바을 엇지 가히 잘 면ᄒᆞ기을 망녕되이 ᄉᆡᆼ각ᄒᆞ리오. ᄎᆞ탄ᄒᆞ미 만무가외(萬無加外)라. 모로미 현제ᄂᆞᆫ 녹녹(碌碌)○[히][95] 슬허ᄒᆞ믈 관회(寬懷)ᄒᆞ고, 존당편친을 지효로 밧드러 갈

93)대명(大命) : 천명(天命). 목숨. 어명(御命: 군주의 명령)
94)안회(顔回) : 공자의 제자. 십철(十哲) 가운데 한 사람.
95)녹녹(碌碌)하다 : 평범하고 보잘 것 없다.

태위 상셔의 말ᄉᆞᆷ으로 조ᄎᆞ 누쉬(淚水) 금포(錦袍)를 적실 ᄯᆞ름이라. 상셰 역시 슬허ᄒᆞ믈 마지 아냐 듀야 형뎨 상ᄃᆡᄒᆞ여 니회(離懷)를 니르고 디극ᄒᆞᆫ 졍이 비길ᄃᆡ 업셔 사ᄅᆞᆷ으로 ᄒᆞ여금 본바들 ᄇᆡ라.

ᄋᆡ(哀)라! 인간세ᄉᆡ 임의치 못ᄒᆞ미 여ᄎᆞᄒᆞᆫ고!

이러구러 텬샤의 발ᄒᆡᆼ일ᄌᆡ(發行日字) 점점 갓가오니【37】, 태위 왈,

"이졔 만니타국(萬里他國)의 나아가시ᄆᆡ 예ᄉᆞ 쇼국과 달나 위험지국의 환귀지쇽(還歸遲速)을 뎡치 못ᄒᆞᄂᆞ니 쳥컨ᄃᆡ 희월누의 드러가샤 슈슈(嫂嫂)의 디향 업ᄉᆞ신 심ᄉᆞ를 위로 ᄒᆞ쇼셔."

상셰 미쇼 왈,

"아이 니르지 아니나 내 ᄯᅩ 부부의 졍으로ᄡᅧ ᄉᆞ별(死別)을 위로치 아니랴."

태위 샤곤의 이런 말ᄉᆞᆷ을 드를ᄉᆞ록 ᄆᆞ음이 버히ᄂᆞᆫ ᄃᆞᆺ 하더라.

ᄎᆞ야의 상셰 희월누의 드러가니 부인이 상셔의 금국 샤ᄒᆡᆼ을 드른 후로 심담(心膽)이 여할여삭(如割如削)ᄒᆞ여 몽ᄉᆞ의 이상이 마ᄌᆞ믈 보ᄆᆡ 황황망극(惶惶罔極)ᄒᆞ믈 니긔지 못ᄒᆞᄃᆡ, 사ᄅᆞᆷ되오미 어름과 금옥의 견고ᄒᆞ믈 가져시니 강인ᄒᆞ여 ᄉᆞᄉᆡᆨ(辭色)을 화히 ᄒᆞ고 말ᄉᆞᆷ을 ᄌᆞ약(自若)히 ᄒᆞ여 상셔의 의복을 다ᄉᆞ려 ᄒᆡᆼ거(行車)를 출히더니 상셰 드러오믈 보고 긔영좌뎡(祇迎坐定)[100]ᄒᆞᄆᆡ 상셰 부인의 슈고로이 침션(針線)을 다ᄉᆞ려 몸이 갓브믈[101] 도라보지 아니믈 념녀【38】ᄒᆞ여 웃고 ᄀᆞᆯ오ᄃᆡ,

100)긔영좌뎡(祇迎坐定) : 공경하여 맞이한 후 자리에 앉음.
101)갓브다 : 잇브다. 가쁘다. 고단하다. 피곤하다.

녁(竭力)ᄒᆞ며, 일가 졔인을 거ᄂᆞ려 가도(家道)을 정돈ᄒᆞ믈 길히 바라노라"

ᄐᆡ위 상셔의 ᄎᆞ언을 드르ᄆᆡ 눈물이 금포(錦袍)을 적실 ᄡᆞ름이러라. 상셔 역시 슬허ᄒᆞ믈 마지 아냐 허희초창(歔欷悄愴)[96]ᄒᆞ믈 이긔지 못ᄒᆞ야 쥬야 형졔 양인이 상ᄃᆡᄒᆞ야 이회(離懷)을 이러[르]고 지극ᄒᆞᆫ 졍이 쳔윤(天倫) 박긔 ᄌᆞ별(自別)ᄒᆞ니 타인의 동긔(同氣)로 다르미 만흐니 낫지면 좌을 면ᄒᆞ고 밤이면 잠을 ᄒᆞᆫ번 ᄉᆞ이 ᄡᅥ나미 업ᄉᆞ니 권권(眷眷)ᄒᆞᆫ 졍회와 근근쳬쳬(懃懃棣棣)[97]ᄒᆞᆫ 성품이 날노 ᄉᆡ롭고, ᄐᆡ우의 동동축촉(洞洞屬屬)ᄒᆞᆫ 효【21】위(孝友) ᄌᆞ상(仔詳)ᄒᆞ야 이러구러 발ᄒᆡᆼ일이 졈졈 갓가오니, ᄐᆡ위 갈오ᄃᆡ,

"형장이 이졔 만니타국(萬里他國)의 가시ᄆᆡ 도라오실 지속이 업스니 쳥컨ᄃᆡ 희월누의 드러가ᄉᆞ 수수(嫂嫂)의 지향 업산 심ᄉᆞ을 위로ᄒᆞ소셔"

상셔 미소 왈,

"아이 니르지 아니ᄂᆞ ᄂᆡ ᄯᅩᄒᆞᆫ 부부의 졍으로ᄡᅧ ᄉᆞ별(死別)을 위로치 아니랴."

ᄐᆡ위 ᄉᆞ곤의 이런 말ᄉᆞᆷ[을] 들을ᄉᆞ록 ᄆᆞ음이 버히ᄂᆞᆫ 듯 ᄒᆞ더라.

ᄎᆞ야의 상셔 희월누의 드러가니 부인이 상셔의 금국 ᄉᆞ신을 드른 후로 심담(心膽)이 여할여삭(如割如削)ᄒᆞ여 몽ᄉᆞ의 이상이 마ᄌᆞ믈 황황망극(惶惶罔極)ᄒᆞ믈 이긔지 못ᄒᆞᄃᆡ ᄉᆞᄅᆞᆷ 되미 어[름]과 금옥의 견고ᄒᆞ믈 가져시니 강잉(强仍)ᄒᆞ여 ᄉᆞᄉᆡᆨ(辭色)을 화히 ᄒᆞ고 말ᄉᆞᆷ을 ᄌᆞ약(自若)히 ᄒᆞ여 상셔의 의복을 다ᄉᆞ려 ᄒᆡᆼ긔(行車)을 ᄎᆞ리더니, 상셔 드러오믈 보고 이러 마ᄌᆞ 좌(坐)을 졍ᄒᆞᄆᆡ, 상셔 부인이 슈고로이 침션(針線)을 다ᄉᆞ려 몸이 잇브믈[98] 도라보지 아니믈 염녀ᄒᆞ여 웃고 갈오ᄃᆡ,

96)허희초창(歔欷悄愴) : 근심하고 슬퍼하여 흐느낌.
97)근근쳬쳬(懃懃棣棣) : 정성스럽고 은근함.
98)잇브다 : 고단하다.

"ᄉᆡᆼ의 의복을 부인이 친집(親執)지 아니나 텬됴샤신(天朝使臣)의 ᄒᆡᆼᄎᆞ라 쇼과쥬현(所過州縣)이 의복과 찬션(饌膳)을 ᄀᆞᆺ초와 ᄉᆡᆼ의 뜻을 맛초와 영졉ᄒᆞ리니 엇디 유ᄐᆡ지듕(有胎之中)의 슈고로오믈 ᄉᆡᆼ각지 아니 ᄒᆞ시ᄂᆞ뇨?"

부인이 믁연(默然)이 말이 업더니 날호여 ᄃᆡ왈,

"금국이 위험지디라 ᄒᆞ오니, 군ᄌᆡ 봉친지하(奉親之下)의 ᄌᆞ원텬샤(自願天使)ᄒᆞ여 ᄉᆞᄉᆞ를 도라보지 아니샤, 튱의는 항복되오나 효의(孝義)ᄂᆞᆫ 지회(至孝) 아닌가 ᄒᆞᄂᆞ이다."

상셰 왈,

"흉디(凶地)의 나아가나 슈복(壽福)이 댱원(長遠)ᄒᆞᆯ진ᄃᆡ ᄌᆞ연 위디(危地)를 버셔날 거시오, 뎡ᄒᆞᆫ 슈(壽) 만일 맛ᄎᆞ라 ᄒᆞ면 위ᄐᆡᄒᆞ미 팔구분(八九分)이나 ᄒᆞ니, 부인은 복(僕)의 다시 산 얼골노 도라오지 못ᄒᆞ나 디통(至痛)을 관억(寬抑)ᄒᆞ여 ᄌᆞ위를 셩효로 밧드옵고 슬하유치(膝下幼稚)를 무휼(撫恤)ᄒᆞ여 복의 신후(身後)를 니으미 나의 【39】 밋ᄂᆞᆫ ᄇᆡ라. 복듕ᄋᆡ(腹中兒) 반드시 일빵긔린(一雙麒麟)이 되리니, ᄉᆡᆼ이 비록 업ᄉᆞ나 ᄋᆞᄃᆞᆯ이 여ᄎᆞᄒᆞ면 ᄉᆞ이불ᄉᆡ(死而不死)라. 므어술 슬허ᄒᆞ리오. 녀ᄋᆞᄂᆞᆫ 뎡윤보의 ᄋᆞᄃᆞᆯ과 뎡혼ᄒᆞ여시니 피ᄎᆡ 구든 ᄆᆡᆼ약이 금셕 ᄀᆞᄐᆞ니 뎡개 ᄇᆞ리지 아니면 오개 ᄯᅩ ᄇᆡ약(背約)지 못ᄒᆞᆯ디라. 인심셰ᄉᆡ(人心世事) 혹ᄌᆞ 괴이ᄒᆞ미 잇셔 혼인의 마장(魔障)[102]이 잇셔도 녀ᄋᆞᄂᆞᆫ 곳 뎡시의 사ᄅᆞᆷ이라. 타쳐의 의혼(議婚)치 마르쇼셔."

부인이 비록 타연ᄒᆞ기를 위쥬ᄒᆞ나 당ᄎᆞ지시(當此之時)ᄒᆞ여 상셔의 말ᄉᆞᆷ을 드르ᄆᆡ 더옥 심장이 최열(摧裂)[103]ᄒᆞ여 셩안(聖顔)의 쥬뤼(珠淚) 어ᄅᆡ고 아황(蛾黃)[104]의 슈운(愁雲)이 쳑쳑(慽慽)ᄒᆞ여 쳑연(慽然) ᄃᆡ왈,

102)마장(魔障) : '귀신의 장난'이라는 뜻으로, 일의 진행에 나타나는 뜻밖의 방해를 이르는 말.
103)최열(摧裂) : 끊어지고 찢어지다.
104)아황(蛾黃) : 아황(蛾黃)은 예전에 여자들이 얼굴에 바르던 누런빛이 나는 분으로, 여기서는 분바른 얼굴을 뜻함

"ᄉᆡᆼ의 의복을 부인이 친집(親執)지 아니ᄂᆞ 텬조ᄉᆞ신(天朝使臣) ᄒᆡᆼᄎᆞ라 소과(所過)의 쥬현(州縣)이 의복과 찬션(饌膳)을 갓초와 ᄉᆡᆼ의 뜻즐 마초와 영졉ᄒᆞ리니 어이 슈ᄐᆡ지듕(受胎之中)의 슈고롭기을 ᄉᆡᆼ각지 아니시ᄂᆞ뇨?"

부인이 묵연 말이 업더니 날【22】호여 왈,

"금국이 위험지지라 ᄒᆞ오니, 군ᄌᆡ 봉친지하(奉親之下)의 엇지 쳔ᄉᆞ을 원ᄒᆞᄉᆞ, 샤샤을 도라보지 아니시ᄂᆞ뇨?"

상셔 탄왈,

"ᄆᆡ식 쳔슈의 낫[나]지 못ᄒᆞᆯ지라. 복(僕)이 흉지(凶地)의 가나 복녹이 장원(長遠)ᄒᆞᆯ진ᄃᆡ ᄌᆞ연 무ᄉᆞᄒᆞᆯ 거시오, 졍ᄒᆞᆫ 슈(壽) 만니 타향의 몸을 맛ᄎᆞ라 ᄒᆞ엿시면 쳔방ᄇᆡᆨ게(千方百計)로 피코져 ᄒᆞ여도 면치 못ᄒᆞ리니, 부인은 지식이 통쳘(洞徹)ᄒᆞ시니, 복이 만히 밋ᄂᆞᆫ ᄇᆡ라. 장부 몽ᄉᆞ(夢事)을 취신(取信)ᄒᆞᆯ ᄇᆡ 아니로ᄃᆡ, ᄉᆞᆺᄉᆞᆺ치 마ᄌᆞ가미 심상치 아니ᄒᆞ고, 금년 신수(身數)을 졈복(占卜)ᄒᆞ니 ᄂᆡ명이 진(盡)ᄒᆞ엿ᄂᆞᆫ지라. 블효을 한ᄒᆞ더니 ᄎᆞᄒᆡᆼ(此行)을 당ᄒᆞ니 위ᄐᆡᄒᆞ미 반듯ᄒᆞᆫ지라. 부인은 복의 죽은 긔별을 드러[르]나 지통(至痛)을 관억(寬抑)ᄒᆞ여 ᄌᆞ위을 셩효로 밧들고 유치(幼稚)을 무양(撫養)ᄒᆞ여 복의 신후(身後)을 ᄉᆞᆺ게 말고 시신을 거두어 션산의 장ᄒᆞ게 ᄒᆞ소셔."

부인이 비록 참기을 위쥬ᄒᆞ나 이 ᄡᆡ을 당ᄒᆞ여 상셔의 말ᄉᆞᆷ을 드르니 심간(心肝)이 ᄭᅳᆫ어지ᄂᆞᆫ 듯ᄒᆞ니, 자연 슈ᄉᆡᆼ[ᄉᆡᆨ]이 만면ᄒᆞ고 누수(淚水) 어리고 팔ᄌᆞ아황(八字蛾黃)[99]의 슈운(愁雲)이 쳡쳡(疊疊)ᄒᆞ여 쳑연(慽然) ᄃᆡ왈,

99)팔ᄌᆞ아황(八字蛾黃) : 눈썹을 그리고 분을 바른 얼굴. 팔자(八字)와 아황(蛾黃)은 각각 눈썹과 얼굴에 바르는 분(粉)을 말함.

"명공(明公)이 쳡을 ᄃᆡᄒᆞ샤 ᄎᆞ마 사ᄅᆞᆷ의 견ᄃᆡ여 듯지 못ᄒᆞᆯ 말솜을 ᄒᆞ샤 ᄋᆞ녀ᄌᆞ의 심담을 ᄎᆞᆫ할(寸割)케 ᄒᆞ시ᄂᆞ니잇고?"

언파의 오열(嗚咽)ᄒᆞ믈 마지 아니니 상셰 나아가 부인【40】의 옥슈(玉手)를 잡아 ᄆᆡᆨ후(脈候)를 보고 우어 왈,

"이 진실노 졀쳐봉ᄉᆡᆼ(絶處逢生)105)이라. 이 엇지 텬되 무심ᄒᆞ신 ᄇᆡ리오. 이졔 부인의 ᄆᆡᆨ후를 보건ᄃᆡ 벅벅이106) ᄉᆡᆼ남ᄒᆞᆯ지라. 문호의 대경이오, 우리부부의 복이 아니리오. 녀ᄌᆡ 삼죵의탁(三從依託)107)이 이시니 ᄌᆡ가죵부(在家從父)ᄒᆞ고 뎍인죵부(適人從夫)ᄒᆞ고 부ᄉᆞ죵ᄌᆡ(夫死從子)라. 부인이 악댱(岳丈)의 만ᄂᆡ(晩來) 필ᄋᆞ(畢兒)로셔 셩인(成人)ᄒᆞ여 즉시 악댱 ᄂᆡ외 기셰ᄒᆞ시나 복이 이셔 부인의 바라미 되고, 이졔 복이 ᄉᆞ디의 나아가나 ᄒᆞᆫ낫 녀ᄋᆡ 잇고 복의 후ᄉᆞ(後嗣)를 ᄂᆡ을 남ᄋᆡ 나리니 삼죵지의(三從之義) 멸치 아니니, 스ᄉᆞ로 관억ᄒᆞ고 쳔만인(千萬人)이 죽으라 할지라도 가부(家夫)의 오날늘 유탁(遺託)을 져바리지 말고, 부인의 몸을 보호ᄒᆞ여 슐기를 구ᄒᆞᄂᆞᆫ 거시 가부의 혈쇽(血屬)을 긋지 아니ᄒᆞ미[며] 조션봉ᄉᆞ(祖先封祀)를 념녀ᄒᆞᄂᆞᆫ 도리라. ᄉᆡᆼ은 몸을 국가의 허ᄒᆞ여시ᄆᆡ 사ᄉᆞ(私事)를【41】 도라보지 못ᄒᆞ여 ᄌᆞ졍(慈庭)의 불회 비경(非輕)ᄒᆞ거니와, 부인은 셰샹의 머므러 ᄌᆞ졍을 밧드러 불효를 면ᄒᆞ며 ᄌᆞ녀를 길너 조션(祖先)의 유공(有功)ᄒᆞᆫ 며ᄂᆞ리 될진ᄃᆡ, ᄉᆡᆼ이 타일 구쳔하(九泉下)의 셔로 보나 깃븐 우음을 머금고 동혈 ᄯᅳᆺ글108)이 되여, ᄇᆡᆨ만년의 무궁ᄒᆞᆫ 졍을 위로ᄒᆞ여 인셰의 늣거온109) 화

---

105)졀쳐봉ᄉᆡᆼ(絶處逢生) : 오지도 가지도 못할 막다른 판에 요행히 살길이 생김.

106)벅벅이 : 반드시, 틀림없이

107)삼죵의탁(三從依託) : 삼종지도(三從之道). 예전에 여자가 따라야 할 세 가지 도리를 이르던 말. 결혼하기 전에는 아버지를, 결혼해서는 남편을, 남편이 죽은 후에는 자식을 따라야 하였다. ≪예기≫의 의례(儀禮) <상복전(喪服傳)>; 婦人有三從之義, 無專用道 故未嫁從父, 旣嫁從夫 夫死從子.

108)ᄯᅳᆺ글 : 티끌.

109)늣겹다 : 느껍다. 어떤 느낌이 마음에 북받쳐서

"명공(明公)이 쳡을 ᄃᆡᄒᆞᄉᆞ ᄎᆞ마 ᄉᆞᄅᆞᆷ의 견ᄃᆡ여 듯지 못ᄒᆞᆯ 말솜을 ᄒᆞᄉᆞ 아녀ᄌᆞ의 심담을 ᄎᆞᆫ활(寸割)케 ᄒᆞ시ᄂᆞ니잇고?"【23】

언파의 오열(嗚咽)ᄒᆞ믈 마지 아니니, 상셔 나아가 부인의 옥수(玉手)을 잡아 ᄆᆡᆨ후(脈候)을 보고 우어 왈,

"이 실로 졀쳐봉ᄉᆡᆼ(絶處逢生)100)이라. 이 엇지 쳔되 무심ᄒᆞ리오. 이졔 부인의 ᄆᆡᆨ후을 보건ᄃᆡ 벅벅이101) ᄉᆡᆼ남ᄒᆞᆯ지라 문호의 ᄃᆡ경이오 우리 부부의 복이 아니리오. 녀ᄌᆡ ᄉᆞᆷ종의탁(三從依託)이 잇시니 나히 어려실 졔 부모을 일으고102), ᄌᆞ라ᄆᆡ 부부을 일으미오, ᄌᆞ식을 두어 ᄐᆡ산 갓튼 의지라. 부인이 악장(岳丈)의 만ᄂᆡ(晩來) 필아(畢兒)로써 션[셩]인(成人)ᄒᆞ여 즉시 악장 ᄂᆡ외(內外)가 기셰ᄒᆞ시ᄂᆞ, 복(僕)이 잇셔 부인의 바라미 되고, 이졔 복이 ᄉᆞ지의 나아가나 ᄒᆞᆫ낫 녀ᄋᆡ 잇고 복의 후ᄉᆞ(後嗣)을 이을 남ᄌᆞ 나리니 ᄉᆞᆷ종지의(三從之義)103) 멸치 아닐지라. 스ᄉᆞ로 관억(寬抑)ᄒᆞ기을 주ᄒᆞ고 쳔만인이 쥭으라 ᄒᆞᆯ지라도 가부(家夫)의 오날날 유탁(遺託)을 져ᄇᆞ리지 말고, 부인의 몸을 보호ᄒᆞ여 슐기을 구ᄒᆞᄂᆞᆫ 거시 ᄌᆞ녀을 보젼ᄒᆞ고 가부의 혈속을 ᄭᅳᆫ치 아니ᄒᆞ여 조션봉ᄉᆞ(祖先奉祀)을 념녀ᄒᆞᄂᆞᆫ 도리라. ᄉᆡᆼ은 몸을 국가의 허ᄒᆞᄆᆡ 샤ᄉᆞ(私事)을 도라보지 못ᄒᆞ여 ᄌᆞ경(慈庭)의도 불효 비경(非輕)ᄒᆞ거니와 부인은 셰상의 머므러 ᄌᆞ경을 밧들며 블효을 면ᄒᆞ여 ᄌᆞ녀을 길너 조션의 유공(有功)ᄒᆞ며 ᄉᆡᆼ을 구쳔(九泉)의 셔로 만나 깃븜을 머금고 동혈(同穴) 틋글104)이 ○○[되여] ᄇᆡᆨ【24】만년의 무궁ᄒᆞᆫ 졍을 위로ᄒᆞ며 인셰

---

100)졀쳐봉ᄉᆡᆼ(絶處逢生) : 오지도 가지도 못할 막다른 판에 요행히 살길이 생김.

101)벅벅이 : 반드시, 틀림없이

102)일으고 : 잃고

103)ᄉᆞᆷ종지의(三從之義) : 삼종지도(三從之道). 예전에 여자가 따라야 할 세 가지 도리를 이르던 말. 결혼하기 전에는 아버지를, 결혼해서는 남편을, 남편이 죽은 후에는 자식을 따라야 하였다. ≪예기≫의 의례(儀禮) <상복전(喪服傳)>; 婦人有三從之義, 無專用道 故未嫁從父, 旣嫁從夫 夫死從子.

104)틋글 : 티끌.

락을 디하의 지으며, 나의 ᄌᆞ녀를 아ᄅᆞᆷ다이 셩취ᄒᆞ여 현부쾌셔(賢婦快壻)를 어들진ᄃᆡ 명명지듕(冥冥之中)의 즐거온 녕ᄇᆡᆨ(靈魄)이 부인의 셩덕을 하례ᄒᆞ리니, 엇디 즐겁지 아니리오. 부인이 셜셜(屑屑)이[110] 눈물을 나리와 ᄉᆡᆼ의 가ᄂᆞᆫ 심ᄉᆞ를 허틀고[111] 스ᄉᆞ로 몸을 상케 ᄒᆞ시ᄂᆞ뇨?"

조부인이 댱부의 이 ᄀᆞᆺ튼 당부를 드르ᄆᆡ 비회층쳡(悲懷層疊)ᄒᆞ고 가듕형셰(家中形勢)를 혜아리건ᄃᆡ 상셰 업ᄉᆞ면 ᄌᆞ긔 더옥 보젼키 어려온지라.【42】 출하리 ᄌᆞ긔 몸이 엄졀(掩絶)ᄒᆞ여[112] 망극ᄒᆞᆫ 경계(警戒)를 모로고져 ᄒᆞ여 머리를 숙이고 능히 답디 못ᄒᆞ나, 오ᄂᆡ(五內)[113] ᄉᆞᆺ쳐질 ᄃᆞᆺᄒᆞ니 ᄉᆞ식이 참연비졀(慘然悲絶)ᄒᆞᆫ디라. 상셰 시녀로 침금(寢衾)을 포셜(鋪設)ᄒᆞ라 하고 상요[114]의 나아갈 ᄉᆡ, 쵹(燭)을 물니고 부인으로 더브러 일침지하(一寢之下)의 여산약히(如山若海)ᄒᆞᆫ 듕졍(重情)을 니으ᄆᆡ ᄇᆡᆨ년의 늣거온 ᄯᅳᆺ이 잇거든 십뉵년 화락이 츈몽 ᄀᆞᆺ튼지라.

상셰 다시 ᄀᆞᆯ오ᄃᆡ,

"ᄉᆡᆼ을 ᄃᆡᄒᆞ여 살기를 니르지 아니코 일분이나 ᄉᆡᆼ의 도라오기를 ᄇᆞ라니 ᄉᆞ졍이 졀박ᄒᆞ므로ᄡᅧ 그러ᄒᆞ거니와 ᄉᆡᆼ이 ᄒᆞᆫ번 가ᄆᆡ 다시 도라올 ᄇᆡ 업ᄉᆞᆫ지라. 부인이 엇디 한 말 허락을 아니ᄒᆞ여 ᄉᆡᆼ의 가ᄂᆞᆫ ᄆᆞ음을 위로치 아니ᄒᆞ시ᄂᆞ뇨? ᄌᆞ고로 녀ᄌᆡ 지아비를 ᄯᆞ라 죽ᄂᆞᆫ 거시 사ᄅᆞᆷ의 일【43】ᄏᆞ라 졀부녈녀(節婦烈女)라 ᄒᆞ거니와, 형셰 만분부득이(萬分不得已) ᄒᆞᆯ 일 업ᄂᆞᆫ ᄌᆞᄂᆞᆫ 죽으미 괴이치 아니 ᄒᆞ거니와, 지어 부인 ᄀᆞᆺᄐᆞ니ᄂᆞᆫ 복듕ᄋᆞᄂᆞᆫ 니르디 말고 녀ᄋᆡ 잇고 가부의 부탁을 이 ᄀᆞᆺ치 니르니, ᄉᆡᆼ이 혹 죽고 가ᄂᆡ 어ᄌᆞ러

의 늣거온[105] 화락을 이으며, 나의 ᄌᆞ녀을 아름다이 셩취ᄒᆞ여 현부쾌서(賢婦快壻)을 어들진ᄃᆡ 명명지듕(冥冥之中)의 즐거온 녕ᄇᆡᆨ(靈魄)이 부인의 성덕을 ○○[하례]ᄒᆞ리니 엇지 즐겁지 아니 ᄒᆞ리잇고? 부인이 셜셜(屑屑)이[106] 눈믈을 나리와 ᄉᆡᆼ의 가는 심ᄉᆞ을 허틀고[107] 스ᄉᆞ로 몸을 상케 ᄒᆞ시ᄂᆞ뇨?"

부인이 장부의 이 갓튼 당부을 드르ᄆᆡ 비회층쳡(悲懷層疊)ᄒᆞ여 가즁형셰(家中形勢)을 혜건ᄃᆡ 상셔 업ᄉᆞ면 ᄌᆞ긔 보젼키 더욱 어려운지라. 만ᄉᆡ 아으라ᄒᆞ야[108] 출ᄒᆞᆯ리 ᄌᆞ긔 몸이 엄졀(掩絶)ᄒᆞ여 망극ᄒᆞᆫ 경계(警戒)을 모로고져 ᄒᆞ야 머리을 숙이고 능히 답지 못ᄒᆞ여 오ᄂᆡ(五內)[109] ᄭᆞᆫ쳐질 듯ᄒᆞ니, ᄉᆞ식이 참연비졀(慘然悲絶)ᄒᆞᆫ지라. 상셔 시녀로 ᄒᆞ여금 침금(寢衾)을 포셜(鋪設)○○[ᄒᆞ라] ᄒᆞ고 상요[110]의 나아가ᄆᆡ 부부은졍이 여산약히(如山若海)ᄒᆞᆫ 듕, ᄇᆡᆨ년(百年)의도 늣거온 ᄯᅳᆺ지 잇거놀, 십뉵년 화락이 츈몽 갓틀[튼]지라.

상셔 갈오ᄃᆡ,

"이졔 ᄉᆡᆼ이 ᄒᆞᆫ번 가면 반다시 ᄉᆞ라도라오지 못ᄒᆞᆯ지라. 부인이 엇지 금일 부탁ᄒᆞᄂᆞᆫ 말을 답지 아냐 ᄉᆡᆼ의 가는 ᄆᆞ음을 위로치 아니시나요? 녜로부터 지아비를 ᄯᅡ라 죽ᄂᆞᆫ 거ᄉᆞᆯ 일커라 졀부졀녀(節婦節女)라 ᄒᆞ거니와, 형셰 부득이(不得已)ᄒᆞ여 ᄉᆞᆯ 도리 업ᄉᆞᆫ ᄌᆞ난 죽으【1, 25, 468】미 올흐나, 부인 갓트니ᄂᆞᆫ 복듕ᄋᆞ을 니르지 말고 녀ᄋᆡ 잇고, 가부의 영결(永訣)ᄒᆞᄂᆞᆫ 심회의 기리 문호의 듕함과 가ᄂᆡ의 조종후ᄉᆡ(祖宗後嗣) 다 부인의○ ○○[게 잇고], 복ᄋᆡ(腹兒) ᄉᆡᆼᄒᆞ면 가국(家國)을 말힐지ᄌᆡ[마름할 자(子)ㅣ] 되리

벽차다.

110)셜셜(屑屑)이 : 자잘하게, 구구하게.

111)허틀다 : 흐트러뜨리다.

112)엄졀(掩絶)하다 : 죽어 자취를 감추다.

113)오ᄂᆡ(五內) : 오장(五臟). 간장, 심장, 비장, 폐장, 신장의 다섯 가지 내장을 통틀어 이르는 말.

114)상(牀)요 : 침상(寢牀)에 펴 놓은 요라는 뜻으로 잠자리를 말함.

105)늣겁다 : 느껍다. 어떤 느낌이 마음에 북받쳐서 벅차다.

106)셜셜(屑屑)이 : 자잘하게, 구구하게.

107)허틀다 : 흐트러뜨리다.

108)아으라ᄒᆞ다 : 아스라하다. 아득하다

109)오ᄂᆡ(五內) : 오장(五臟). 간장, 심장, 비장, 폐장, 신장의 다섯 가지 내장을 통틀어 이르는 말.

110)상(牀)요 : '침상(寢牀)에 펴 놓은 요'라는 뜻으로 '잠자리'를 말함.

온 일이 잇셔도 부인이 보젼키 어렵거든 권도(權道)와 곡녜(曲禮)이시니 비록 구ᄎᆞ히 도모ᄒᆞᆯ디라도 목숨 ᄉᆞᆯ기를 위쥬(爲主)ᄒᆞ고, ᄇᆡᆨ인이 죽기를 니르고 만인이 ᄭᅮ지져 ᄉᆞ지 말나 ᄒᆞ나, ᄉᆡᆼ의 금일 말을 ᄉᆡᆼ각ᄒᆞ여 젹은 일의 ᄆᆞ음을 요동치 말고 복ᄋᆞ를 무ᄉᆞ히 분산(分産)ᄒᆞ여, 명ᄋᆞ를 아름다이 길너 ᄌᆞ녀를 보호ᄒᆞ기를 착념(着念)ᄒᆞ여, 붕셩지통(崩城之痛)의 슬픈 거ᄉᆞᆯ 므릅ᄡᅥ 남이 부인을 무지용완(無知庸頑)타 니르리 이시디[ᄃᆡ], 아【44】른쳬 말고 ᄯᅳᆺ잡기를 쳘셕 ᄀᆞᆺ치 ᄒᆞ여 텬도의 되어가믈 보고, 나의 죽은 소식을 듯고 부인이 뒤흘 ᄯᆞ라 셰샹을 바릴진ᄃᆡ, 부인은 긴 셰월 슬프믈 닛거니와, 비록 ᄋᆞᄃᆞᆯ을 나하도 ᄉᆞᆯ니지 못ᄒᆞᆯ 거시오, 명ᄋᆞ도 보젼치 못ᄒᆞᆯ디라. 이ᄂᆞᆫ 부인의 손으로 ᄌᆞ녀를 죽이미니, ᄉᆡᆼ의 후ᄉᆞ를 부인이 ᄭᅳᆺ고져 아니 ᄒᆞᆯ디라도 윤시 후ᄉᆞ를 니으미 젼혀 부인긔 이시니, 원컨ᄃᆡ ᄒᆞᆫ 말 언약을 ᄒᆞ여 ᄉᆡᆼ의 ᄇᆞ라ᄂᆞᆫ 바를 ᄭᅳᆺ지 마르쇼셔."

부인이 심담이 붕녈(崩裂)ᄒᆞ나 상셔의 녜도(禮度)로온 말ᄉᆞᆷ을 아니 답지 못ᄒᆞ여 기리 탄왈,

"군ᄌᆞ의 니르시미 여ᄎᆞᄒᆞ시니 쳔만 명심ᄒᆞ오리니 군ᄌᆞᄂᆞᆫ 물우(勿憂)ᄒᆞ시고 튱의를 굿게 잡으시고 셩명(性命)을 상ᄒᆡ오디 마르샤【45】, 소무(蘇武)[115]의 북ᄒᆡ상(北海上)의 풍상을 비영(比映)[116]ᄒᆞ여 기리 졀월(節鉞)노 도라오믈 효측(效則)ᄒᆞ쇼셔."

공이 탄왈,

"인심이 고금이 다르고 ᄉᆡᆼ이 소무의 댱긔(壯氣) 업ᄉᆞ니 십구년을 니르디 말고 슈삼년이라도 견ᄃᆡ지 못ᄒᆞ리니 ᄉᆞ셰(事勢)를 보아 흉젹의 욕이 님치 아냐셔 내 스ᄉᆞ로 젹의 ᄆᆞ음을 요동(搖動)ᄒᆞ고 쾌히 죽으리니

115)소무(蘇武) : B.C.140~B.C.60, 중국 전한의 정치가. 자는 자경(子卿). 흉노에 사신으로 갔다가 잡혀 19년간 억류되었다가 귀국했는데, 절개를 굳게 지킨 공으로 전속국(典屬國)에 임명되었다.

116)비영(比映) : 비조(比照). 본따다. 따르다.

니, 오날 허다 수어(數語로 말을 베풀지 아니나 두어 말 부탁이 이 가트니, ᄎᆞ마 져바리지 아냔[냠]즉ᄒᆞ니, ᄂᆡ 쥭은 후 비록 가도(家道) 어ᄌᆞ로오미 이실지라도, 구ᄎᆞ히 도모ᄒᆞ여 ᄉᆞᆯ기을 위듕[듀](爲主)ᄒᆞ여, 금일 ᄉᆡᆼ의 ᄋᆡ원ᄒᆞᆫ 말을 헛도이 넉이지 말고 부탁ᄒᆞ믈 져바리지 마르소셔."

부인이 심담이 붕녈(崩裂)ᄒᆞ여[나] 녜도(禮度)○[로]온 말ᄉᆞᆷ《으로‖을》 ᄎᆞ마 져ᄇᆞ리지 못ᄒᆞᆯ지라. 기리 탄왈,

"군ᄌᆞ의 이르시미 여ᄎᆞᄒᆞ시니 슬프고 통ᄒᆞᆫ《ᄒᆞ거날‖ᄒᆞ믈》 못견ᄃᆡ여 군ᄌᆞ의 당부을 져ᄇᆞ릴가 ᄒᆞ나, 탁의(託意) 여ᄎᆞᄒᆞ시니 쳔만 명심ᄒᆞ리니, 군ᄌᆞ는 물우(勿憂)ᄒᆞ시고 츙의을 굿게 ᄌᆞ부시나, 셩명을 상ᄒᆡ오지 말으ᄉᆞ 소무(蘇武)[111]의 십구년 북ᄒᆡ상(北海上)의 풍상을 비양[영](比映)[112]ᄒᆞ고 길이 졀월(節鉞)노 도라오믈 효측(效則)ᄒᆞ소셔."

상셔 문득 탄왈,

"인심이 고금이 다르고 ᄉᆡᆼ이 소무의 장ᄒᆞᆫ 긔품이 업ᄉᆞ니 십구년을 이르지 말고 수삼년이라도 견ᄃᆡ지 못ᄒᆞ리니, ᄉᆞ셰(事勢)을 보아 흉젹의 욕이 임【26】치 아냐셔 ᄂᆡ 스ᄉᆞ로 젹의 ᄆᆞ음을 요동(搖動)ᄒᆞ고 콰히 죽

111)소무(蘇武) : B.C.140~B.C.60, 중국 전한의 정치가. 자는 자경(子卿). 흉노에 사신으로 갔다가 잡혀 19년간 억류되었다가 귀국했는데, 절개를 굳게 지킨 공으로 전속국(典屬國)에 임명되었다.

112)비영(比映) : 비조(比照). 본따다. 따르다.

부인은 싱의 도라오기를 ㅂ라지 말고 몸을 보젼ᄒ여 남은 셰월을 누리고 구쳔(九泉) 타일의 동혈 뜻글이 되며 신위(神位) ᄒᆞᆫ 집의 뭇기를 기다리쇼셔."

부인이 상셔의 가는 ᄆᆞ음을 요동(搖動)ᄒ미 브졀업셔 슌슌 ᄃᆡ왈,

"쳡의 몸은 집의 편히 머므니 하늘과 귀신이 죽이지 아니면 스ᄉᆞ로 쥭지 아니ᄒ오리니, 군ᄌᆞ는 쳡을 념녀치 마르시고【46】 만니 힝거(行車)를 무ᄉᆞ히 ᄒ쇼셔."

상셰 깃거 왈,

"부인이 가부(家夫)를 ᄃᆡᄒ여 이러틋 니르고 져바리지 아니리니, 싱이 죽으나 근심이 젹은지라. 후ᄉᆞ를 념녀치 아니 ᄒ고 ᄌᆞ위(慈闈)를 봉양ᄒᆞᆯ 도리는 다시 당붙이 아니 ᄒᄂᆞ니, 부인은 ᄌᆞ부의 도리를 각별이 ᄒ고 복이 반ᄃᆞ시 빵남이리니 분산ᄒ거든 댱ᄋᆞ로뼈 광텬이라 ᄒ며, ᄌᆞ를 ᄉᆞ원이라 ᄒ며, ᄎᆞᄋᆞ로 희텬이라 ᄒ며 ᄌᆞ를 ᄉᆞ빈이라 ᄒ쇼셔."

부인이 쳐연(悽然)이 말을 못ᄒ나 상셔는 죵야토록 당부ᄒ는 말이 다 보젼ᄒ기를 니르더니, 명일 일가친쳑과 닌니붕당(隣里朋黨)을 다 모화 빅작(杯酌)을 날녀 굉쥬교착(觥籌交錯)[117]ᄒᆞᆯ 시, 뎡ᄉᆞ되(鄭司徒) 윤상셔와 ᄒᆞᆫ가지로 가는지라. 범식(凡事) 상관(上官)의게 이시므로 인인이 뎡ᄉᆞ도 념녀ᄒ미 지ᄎᆞ(之次) 되【47】는디라. 뎡공이 ᄋᆞᄌᆞ 텬흥을 다리고 윤부의 와 상셔를 보게 ᄒ여 골오ᄃᆡ,

"형이 텬ᄋᆞ를 젼일 닉이 보아시나 뎡혼 후 보지 못ᄒ여시니 돈ᄋᆡ 나히 어리나 빙악의 만니 힝도의 아니 와 보지 못ᄒᆞᆯ 거시ᄆᆡ 다려 왓ᄂᆞ이다."

상셰 웃고 텬흥을 나호여 그 츌범 특이ᄒ믈 ᄉᆞ랑ᄒ여 졔친빈긱(諸親賓客)의게 ᄌᆞ랑

117)굉쥬교착(觥籌交錯) : 벌로 먹이는 술의 술잔과 잔 수를 세는 산가지가 뒤섞인다는 뜻으로, 연회가 성대함을 비유적으로 이르는 말.

으리니 부인은 싱의 도라오기을 바라지 말고, 싱의 가는 날 불구(不久)의 죽어 지하로 가는 쥴노 알고, 몸을 보젼ᄒ여 남은 셰월을 누리고, 구쳔(九泉) 타일의 동혈의 틋끌이 되며 신위 ᄒᆞᆫ 집의 못기을 기ᄃᆞ리게 ᄒ소셔."

부인이 상셔의 가는 ᄆᆞ음을 요동(搖動)ᄒ미 부졀업셔 슌슌 ᄃᆡ왈,

"쳡의 몸인 즉 집의 편히 머므니 ᄒ날과 귀신이 죽이지 아니면 스ᄉᆞ로 쥭지 아니 ᄒ오리니 군ᄌᆞ는 쳡의 몸을 염녀치 마르시고 만니 힝거(行車)을 무ᄉᆞ이 ᄒ소셔."

상셔 깃거 왈,

"부[부]인이 가부(家夫)을 ᄃᆡᄒ여 이러틋 이르고 져바릴 바는 업ᄂᆞ니 싱이 죽으나 근심이 져글지라. 후ᄉᆞ을 염녀치 아니 ᄒᄂᆞ니 부인은 ᄌᆞ부의 도을 각별이 ᄒ고 복ᄋᆡ 반다시 쌍남(雙男)이리니, 슌산ᄒ거든 장아(長兒)로 광쳔이라 ᄒ고 ᄌᆞ는 ᄉᆞ원이라 ᄒ며, ᄎᆞ아(次兒)로 희쳔이라 ᄒ고 ᄌᆞ을 ᄉᆞ빈이라 ᄒ소셔."

부인이 쳑연(慽然)이 말을 못ᄒ나 상셔 죵야토록 당부ᄒ는 말이 다 부인을 보젼ᄒ기로 니르더니, 명일 일가친쳑(一家親戚)과 인리붕당(隣里朋黨)이 다 모다 빅작을 난화 굉쥬교착(觥籌交錯)[113]ᄒᆞᆯ 식, 뎡ᄉᆞ도(鄭司徒) 윤상셔로 ᄒᆞᆫ 가지로 가는지라.【27】 번[범]식(凡事) 상관(上官)의게 이시므로 ᄉᆞ름마다 뎡ᄉᆞ도는 염녀ᄒ미 지ᄎᆡ(之次)되는 지라. 뎡공이 아쟈(兒子) 텬흥을 다리고 윤부의 와 상셔을 보게 ᄒ여 갈오ᄃᆡ,

"형이 텬ᄋᆞ을 평일 익이 보아시ᄂᆞ 뎡혼 후 보지 못ᄒ엿시니 돈아 나히 어리나 빙악의 만니 힝도의 아니 와 보지 못ᄒᆞᆯ 거시ᄆᆡ 다려 완는이다."

샹셔 웃고 텬흥을 날호여 다리고 ᄂᆡ당의 드러가 ᄉᆞ랑ᄒ며 졔친빈긱(諸親賓客)의게

113)굉쥬교착(觥籌交錯) : 벌로 먹이는 술의 술잔과 잔 수를 세는 산가지가 뒤섞인다는 뜻으로, 연회가 성대함을 비유적으로 이르는 말.

왈,

"유치 쇼ᄋᆞ로 뎡혼ᄆᆡᆼ약ᄒᆞᆯ 거시 아니로ᄃᆡ 뎡형이 착급ᄒᆞ여 쳥혼ᄒᆞ고 쇼뎨 텬흥의 비상ᄒᆞ믈 특ᄋᆡᄒᆞ여 질죡ᄌᆞ(疾足者)의게 아일가 뎡혼ᄒᆞ엿더니 금일 두 ᄋᆞᄒᆡ를 ᄒᆞᆫᄃᆡ 안쳐 보니 두긋거오미118) 비길 ᄃᆡ 업도다."

태위 츄연ᄒᆞ여 능히 말을 못ᄒᆞ며 구패 슬허 왈,

"상공이 엇지 불길ᄒᆞᆫ 말ᄉᆞᆷ을 ᄒᆞ시ᄂᆞ니잇고? 금국을 교유ᄒᆞ시고 영화로【48】이 도라 오샤 그 ᄉᆞ이 복ᄋᆞ의 분산ᄒᆞ시믈 보시고 쇼져를 아름다이 길너 셔랑을 마ᄌᆞ쇼셔"

상셰 쇼이ᄃᆡ왈(笑而對曰),

"셔모의 말ᄉᆞᆷ 갓흘딘ᄃᆡ ᄌᆞ의 슈복이 무흠(無欠)ᄒᆞ리로소이다."

모다 냥ᄋᆞ의 긔특ᄒᆞ믈 일ᄏᆞᆺ고, 태부인 왈,

"너희 명ᄋᆞ와 현ᄋᆞ를 뎡혼ᄒᆞ여시ᄃᆡ 엇디 경ᄋᆞᄂᆞᆫ 두 ᄋᆞᄒᆡ게 우히어ᄂᆞᆯ 뎡혼치 아니ᄒᆞ뇨?"

태위 ᄃᆡ왈,

"현ᄋᆞ와 명ᄋᆞᄂᆞᆫ 쇼ᄌᆞ 등의 구혼코져 ᄒᆞ오미 아니라 하·뎡 냥위(兩位) 친히 보고 구ᄒᆞ니 마지 못ᄒᆞ여 허락ᄒᆞ엿거니와 경ᄋᆞ조ᄎᆞ 미리 뎡ᄒᆞ리잇가? 다만 경ᄋᆞ의 긔질이 현ᄋᆞ만 못ᄒᆞᆫ가 ᄒᆞᄂᆞ이다."

위시 쇼왈,

"경ᄋᆞᄂᆞᆫ 노모의 장니(掌裏) 구슬이라. 엇지 현ᄋᆞ만 못ᄒᆞᆯ니 이시리오. ᄇᆞᄃᆡ 특이ᄒᆞᆫ 셔랑(壻郞)을 갈희여 경ᄋᆞ의 빵이 빗나게 ᄒᆞ라."

태위 ᄇᆡ샤슈명(拜謝受命)ᄒᆞ고, 상【49】셰 텬흥을 다리고 나올ᄉᆡ, 명ᄋᆞᄂᆞᆫ 뎡혼ᄒᆞᄂᆞᆫ 일을 아지 못ᄒᆞᄃᆡ, 텬흥은 능히 ᄢᆡ다라, 밧긔 나와 여러 명공(名公)이 므르ᄃᆡ,

"눌을 보라 온다?"

텬흥이 웃고 답지 아니ᄒᆞ더니, 쇼년명뉴(少年名流) 가장 지리히 무러,

118)두긋겁다 : 몹시 기쁘다. 자랑스럽게 여기다.

ᄌᆞ랑 왈,

"유하(乳下)을 겨유 면ᄒᆞᆫ 거ᄉᆞᆯ 뎡혼ᄆᆡᆼ약ᄒᆞᆯ 거시 아니로ᄃᆡ 뎡형이 ᄎᆞ급ᄒᆞ여 쳥ᄒᆞ고, 소졔 텬흥의 비상ᄒᆞ믈 특ᄋᆡᄒᆞ여 타일 질족자의게 아일가 졍혼ᄒᆞ믈 ᄇᆞ결업시 역엿드니 금일 당ᄒᆞ여 두 아히을 ᄒᆞᆫᄃᆡ 안쳐 보니 두긋거오미114) 비길ᄃᆡ 업도다."

ᄐᆡ위 츄연ᄒᆞ여 능히 답지 못ᄒᆞ며, 구ᄑᆡ 슬허 왈,

"상공이 엇지 불길ᄒᆞᆫ 말ᄉᆞᆷ을 ᄒᆞ시ᄂᆞᆫ잇고? 금국을 교유ᄒᆞ시고 경화(慶華)로이 도아오ᄉᆞ 그 ᄉᆞ이 복아의 슌산ᄒᆞ시믈 보시고 소져을 아름다이 길너 셔랑을 마즈소셔."

상셔 소이ᄃᆡ왈(笑而對曰),

"셔모 이르시ᄂᆞᆫ 말ᄉᆞᆷ 갓틀진ᄃᆡ ᄌᆞ의 수복이 무험(無欠)ᄒᆞ리로 소이다."

모다 양ᄋᆞ의 긔특ᄒᆞ믈 일컷고 ᄐᆡ부인 왈,

"너의 명ᄋᆞ와 현ᄋᆞᄂᆞᆫ 뎡혼ᄒᆞ여 두어시되【28】 경ᄋᆞᄂᆞᆫ 두 아히 우히어날 졍혼치 아니ᄒᆞ뇨?"

ᄐᆡ위 ᄃᆡ왈,

"현아와 질아ᄂᆞᆫ ᄌᆞ(子) 등의 구혼ᄒᆞ고져 ᄒᆞ미 아니오라, 하·뎡 양공이 친히 보고 구ᄒᆞ니 마지 못ᄒᆞ여 허락ᄒᆞ엿거니와 경ᄋᆞ조ᄎᆞ 미리 졍ᄒᆞ리잇가? 다만 경ᄋᆞ의 긔질이 현ᄋᆞ로 밋지 {못ᄒᆞᆯ지라도 이러치} 못ᄒᆞᆯ[ᄒᆞᆫ]가 ᄒᆞᄂᆞ이다."

태부인이 소왈,

"경ᄋᆞᄂᆞᆫ 노모의 장니보옥(掌裏寶玉)이라 엇지 현ᄋᆞ만 못ᄒᆞᆯ 거시 잇스리오. 부ᄃᆡ 특이ᄒᆞᆫ 서랑(壻郞)을 갈희여 냥ᄋᆞ(兩兒)의 쌍이 빗나게 ᄒᆞ라."

ᄐᆡ위 ᄇᆡᄉᆞ수명(拜謝受命)ᄒᆞ고 상셔 텬흥을 다리고 외당으로 나올 ᄉᆡ, 명ᄋᆞᄂᆞᆫ 졍혼ᄒᆞᄂᆞᆫ 일을 아지 못ᄒᆞ되, 텬흥은 능히 ᄢᆡ다라 밧긔 나오ᄆᆡ 좌상의 여러 명공(名公)이 무르ᄃᆡ,

"네 누를 보러 온다?"

ᄒᆞ니, 웃고 답지 아니터니 소년명뉘(少年名流) 지리히 무른ᄃᆡ, 텬흥이 가장 괴로이

114) 두굽겁다 : 몹시 기쁘다. 자랑스럽게 여기다.

"윤공 집 일가친쳑이라 왓ᄂᆞ냐?"

텬흥이 가장 괴로이 넉여 답ᄒᆞᄃᆡ,

"일가 족친은 아니로ᄃᆡ 우리 대인이 뎡혼ᄒᆞ엿다 ᄒᆞ시고 빙악(聘岳)119)이니 와셔 뵈오라 ᄒᆞ시더이다."

졔인이 문 왈,

"빙악이 무엇고?"

텬흥이 괴로이 넉여 답지 아니니 상셰 쇼왈,

"네 빙악이라 니르ᄂᆞᆫ 말이 엇진 ᄯᅳᆺ고?"

텬흥이 ᄃᆡ왈,

"쇼ᄋᆡ 엇지 알니잇고? 야애(爺爺) 빙악이라 ᄒᆞ시니 듯ᄌᆞ올 ᄲᅮᆫ이라. 좌듕의 뉘 빙악이 업ᄉᆞ며 뉘 안히 업ᄂᆞᆫ 사ᄅᆞᆷ이 이실 거시라 날다려 므르시리잇가?"

좌위【50】 어히업셔 대쇼ᄒᆞ고 상셰 그 머리를 ᄡᅳ다듬아 ᄉᆞ랑ᄒᆞ믈 니긔지 못ᄒᆞ더니, 일모(日暮)의 뎡공이 텬흥을 다리고 도라가고 졔ᄀᆡᆨ이 각산(各散) 후 명일은 상셰 츌ᄒᆡᆼ(出行)ᄒᆞᄂᆞᆫ 날이라. 태위 심ᄉᆞ를 디향치 못ᄒᆞ여 여취여광(如醉如狂)ᄒᆞ니, 상셰 위로ᄒᆞ여 가듕만ᄉᆞ(家中萬事)를 부탁ᄒᆞ고 니르ᄃᆡ,

"조시 복ᄋᆞ(腹兒)를 분산ᄒᆞ면 반ᄃᆞ시 빵싱(雙生)이리나[니] 우형(愚兄)이 죽으나 아이120) 이시니 ᄋᆞ히를 ᄒᆞᆨ문을 가르치며 범ᄉᆞ의 엄부(嚴父)의 쇼임을 다ᄒᆞᆯ디라. 조금도 념녀 업거니와 현데(賢弟) 셩졍(性情)이 소활ᄒᆞ여 잔 곡졀(曲切)121)이 너모 업ᄉᆞ니, 우형의 밋출 ᄇᆡ 아니라. 나의 간 후로ᄂᆞᆫ ᄌᆞ상ᄒᆞ고 관인(寬仁)ᄒᆞ기로ᄡᅧ 힘ᄡᅳ고 혹ᄌᆞ 불ᄒᆡᆼᄒᆞ여 ᄌᆞ식을 두지 못ᄒᆞ거든 빵ᄌᆡ 날진ᄃᆡ 맛당이 여러 셰월의 두고 보아 ᄒᆞ나ᄒᆞᆯ 계후(繼後)ᄒᆞ려【51】니와 급히 거조(擧措)치 말나."

태위 이런 말의 다ᄃᆞ라ᄂᆞᆫ 압히 어둡고 가슴이 막혀 눈물을 드리워 명을 밧고 쳘야토

119)빙악(聘岳) : 빙모(聘母)와 악장(岳丈)이라는 뜻으로, 장인과 장모를 아울러 이르는 말.

120)아이 : 아우. 동생.

121)곡졀(曲切)하다 : 곡진(曲盡)하다. 매우 자세하고 정성스럽다.

역여 오ᄅᆡ게야 답ᄒᆞ여 갈오ᄃᆡ,

"우인[리] ᄃᆡ인이 졍혼ᄒᆞ엿다 ᄒᆞ시고 '네 빙악(聘岳)115)을 가셔 뵈오라' ᄒᆞ시더이다."

졔인이,

"빙악이 무어신고?"

힐문ᄒᆞ니, 답지 아니터니, 상셔 잠소(潛笑)116) 왈,

"빙악이란 ᄯᅳᆺ즐 아ᄂᆞ냐?"

텬흥이 ᄃᆡ왈,

"소ᄌᆡ 엇지 알니잇고? 야야(爺爺) 빙악이라 ᄒᆞ시거날 아라거니와, 이 좌중의 뉘 빙악 ᄒᆞ나히 업ᄉᆞ며 안히 업ᄉᆞᆫ ᄉᆞᄅᆞᆷ이 잇시리잇고?"

좌위【29】 어히업셔 ᄃᆡ소ᄒᆞ고 상셔 ᄃᆞ머리을 ᄡᅳ다듬어 ᄉᆞ랑ᄒᆞ믈 이긔지 못ᄒᆞ더니, 날이 져물ᄆᆡ 뎡공이 아ᄌᆞ을 다리고 도라가고 졔ᄀᆡᆨ이 각산(各散)ᄒᆞᆫ 후 명일은 ○…결락26자…○[상셰 츌ᄒᆡᆼ(出行)ᄒᆞᄂᆞᆫ 날이라. 태위 심ᄉᆞ를 디향치 못ᄒᆞ여 여취여광(如醉如狂)ᄒᆞ니] 상셔 위로ᄒᆞ며 가듕만ᄉᆞ(家中萬事)을 부탁ᄒᆞ고,

"조시 복ᄋᆡ(腹兒) 반다시 쌍ᄌᆡ(雙子)리니 우형(愚兄)이 업스나 아이117) 잇스니 아희 학문을 가ᄅᆞ치며 범ᄉᆞ의 아ᄌᆞ비118)와 엄부(嚴父)의 소임(所任)을 다ᄒᆞ고 교유(敎諭)ᄒᆞ여 가르치믈 다ᄒᆞᆯ지어다. 혹 집이 블ᄒᆡᆼᄒᆞ여 아ᄃᆞᆯ을 두지 못ᄒᆞ거든 여러 셰월의 두고 보아 ᄒᆞ나ᄒᆞᆯ 계후(繼後)ᄒᆞ려니와 급히 셔드지 말나."

ᄐᆡ위 눈물을 드리워 명을 밧고 밤이 진(盡)토록 형제의 의 참연(慘然)ᄒᆞ여 ᄆᆞ음을

115)빙악(聘岳) : 빙모(聘母)와 악장(岳丈)이라는 뜻으로, 장인과 장모를 아울러 이르는 말.

116)잠소(潛笑) : 가만이 웃음.

117)아이 : 아우. 동생.

118)아ᄌᆞ비 : 아저씨. 작은아버지. 숙부(叔父)

록 형뎨 집슈년비(執手聯臂)122)ᄒᆞ여 ᄆᆞ음을 뎡치 못ᄒᆞ더니 금계(金鷄)123) ᄉᆡ비124)를 보ᄒᆞ니 발셔 하리군관(下吏軍官)의 무리 ᄃᆡ후(待候)ᄒᆞ엿ᄂᆞᆫ디라. 상셔 형뎨 니러나 관셰(盥洗)ᄒᆞ고 ᄂᆡ당의 드러가 태부인긔 신셩(晨省)125)ᄒᆞ고 뫼셔 슈슉이 ᄒᆞᆫᄃᆡ 모들 ᄉᆡ, 경ᄋᆞ 등 삼쇼졔 상하의 넘노니 상셰 냥딜ᄋᆞ(兩姪兒)와 녀ᄋᆞ를 나오혀126) 압ᄒᆡ 안치고 어로만져 년ᄋᆡ(憐愛)ᄒᆞᄂᆞᆫ 졍을 ᄎᆞᆷ디 못ᄒᆞ여 ᄀᆞᆯ오ᄃᆡ,

"남은 ᄯᆞᆯ이 블관(不關)타 ᄒᆞᄃᆡ 쳐음으로 어든 텬뉸ᄌᆞᄋᆡ(天倫慈愛)라 타인도곤127) 더ᄒᆞ더니, 내 이졔 ᄎᆞᄋᆞ(此兒) 등의 댱셩ᄒᆞ믈 보디 못ᄒᆞ게 되어시니 졍히 슬프ᄃᆡ, 명ᄋᆡ 우흐로 조뫼 계시고 아ᄌᆞ비와 어미 이시니 니 아비 이심과 다르지 아니리라."【51】

일좌 졔인이 상셔의 말노조ᄎᆞ 참연이 비루(悲淚)를 나리오ᄃᆡ 뉴시와 위시의 깃거ᄒᆞ미 듕심의 가득ᄒᆞ나 거즛 슬허ᄒᆞᄂᆞᆫ 빗ᄎᆞᆯ 지으니, ᄉᆞ롬이 아라 볼 ᄇᆡ○[라]. 상셔ᄂᆞᆫ 춍명이 여신(如神)ᄒᆞᆫ디라. 그윽이 한심ᄒᆞ여 가ᄉᆞ를 념녀ᄒᆞ여 슬허ᄒᆞᆯ ᄡᆞᆫ이오, 태부인긔 조부인 모녀ᄅᆞᆯ 부탁지 아니믄 ᄌᆞ긔 불효를 셜워ᄒᆞ고 위인ᄌᆞ(爲人子)ᄒᆞ여 쳐ᄌᆞ를 편모긔 보호ᄒᆞ쇼셔 말이 가치 아냐 믁믁(默默) 시좌(侍坐)러니, 날이 느ᄌᆞᄆᆡ 됴반을 파ᄒᆞ고 하ᄃᆡᆨᄒᆞᆯ 고ᄒᆞᆯ ᄉᆡ, 금일 니별이 쳔고영결(千古永訣)이라. 일분 인심이 이시면 엇지 슬프지 안니리오마ᄂᆞᆫ 힝혀 ᄉᆞ라 도라올가 념녀ᄒᆞᄂᆞᆫ ᄇᆡ 위시 고식(姑息)이라. 방인(傍人)의 이목을 위하ᄒᆞ여 눈물【52】을 ᄡᅳ리고 무ᄉᆞ히 도라오믈 일ᄏᆞ르니, 상셰 좌우로 ᄒᆞ여금 옥ᄇᆡ의 술을 브으라 ᄒᆞ여 위시긔 헌(獻)ᄒᆞ고 왈,

"쇼ᄌᆡ 타일 ᄌᆞ뎐의 뫼시기를 긔필(期必)

122)집슈년비(執手連臂) : 손을 잡고 어깨를 맞댐.

123)금계(金鷄) : '닭'의 미칭(美稱). 꿩과에 속한 새.

124)ᄉᆡ비 : 새벽.

125)신셩(晨省) : 아침 일찍 부모의 침소에 가서 밤사이의 안부를 살피는 일.

126)나오혀 : 나오게 하여

127)-도곤 : -보다.

졍치 못ᄒᆞ더니 옥쳠(屋簷)119)의 금계(金鷄)120) ᄉᆡ비121)을 보ᄒᆞ니 발셔 ᄒᆞ리군관의 무리 ᄃᆡ후(待候)ᄒᆞ엿ᄂᆞᆫ지라. 상셔 형졔 관셰(盥洗)ᄒᆞ고 ᄂᆡ당의 드러와 ᄐᆡ부인을 뫼셔 부부슈슉이 ᄒᆞᆫ당의 모들 ᄉᆡ, 경ᄋᆞ 등 ᄉᆞᆷ소졔 상하의 넘노니 상셔 양질(兩姪)과 녀ᄋᆞ를 《날호여‖나오혀122)》 슬상(膝上)의 안치고 교무연ᄋᆡ(交撫憐愛)123)ᄒᆞᄂᆞᆫ 풍졍(風情)을 참지 못ᄒᆞ여 왈,

"남은 ᄯᆞᆯ이 불관(不關)타 ᄒᆞ되 쳐음으로 어든 쳔뉸ᄌᆞᄋᆡ(天倫慈愛) 타인도곤124) 더ᄒᆞ더니 이졔 ᄎᆞᄋᆞ(此兒) 등의 장셩ᄒᆞ믈 보지 못ᄒᆞ게 ᄒᆞ여시니 뎡히 슬푸되 명ᄋᆞᄂᆞᆫ 우흐로 조뫼 계시고 아ᄌᆞ비와 어미 이【30】시니 아비 잇심과 다르지 아니리라."

일좌 졔인이 참연이 눈물을 나리오되 위시와 뉴시의 깃거ᄒᆞ미 듕심의 가득ᄒᆞ나 거즛 슬허ᄒᆞᄂᆞᆫ 빗ᄎᆞ로 ᄉᆞ롬이 아라볼 ᄇᆡ라. 상셔ᄂᆞᆫ 총명이 여신(如神)ᄒᆞᆫ지라, 그윽이 ᄒᆞᆫ심ᄒᆞ여 가ᄉᆞ을 염녀ᄒᆞ여 ᄒᆞᆯ ᄲᅮᆫ이오, ᄐᆡ부인긔 조부인 모녀을 부탁지 아니믄 ᄌᆞ긔 불효을 셜워ᄒᆞ고 위인ᄌᆞ(爲人子)ᄒᆞ여 쳐ᄌᆞ을 부모긔 '보호ᄒᆞ소셔' 말이 가치 아냐 묵묵(默默) 시좌(侍坐)러니, 날이 늣지ᄆᆡ 죠반을 파ᄒᆞ고 하직을 고ᄒᆞᆯ ᄉᆡ, 금일 니별이 쳔고영결(千古永訣)이라, 일분 {인}인심○[이] 잇시면 엇지 슬푸지 아니 ᄒᆞ리오마난 힝혀 술아올가 염녀ᄒᆞᄂᆞᆫ ᄇᆡ 위시 고식(姑息)이라. 방인(傍人)의 이목을 위ᄒᆞ야 눈물을 ᄲᅮ리고 무ᄉᆞ이 도라오믈 일카르니, 상셔 좌우로 ᄒᆞ여곰 옥ᄇᆡ의 술을 부으라 ᄒᆞ여 위시게 헌(獻)ᄒᆞ고 ᄃᆡᄒᆞ여 왈,

"소ᄌᆡ 타일 ᄌᆞ젼의 뫼시기을 긔필(期必)치 못ᄒᆞ오니 일ᄇᆡ로 하졍(下情)을 고ᄒᆞᄂᆞ이

119)옥쳠(屋簷) : 집의 처마.

120)금계(金鷄) : '닭'의 미칭(美稱). 꿩과에 속한 새.

121)ᄉᆡ비 : 새벽.

122)나오혀 : 나오게 하여

123)교무연ᄋᆡ(交撫憐愛) : 바꾸어 어루만지며 사랑함.

124)-도곤 : -보다.

치 못ᄒᆞ오리니 일ᄇᆡ로 하졍(下情)을 고ᄒᆞᄂᆞ이다."

위시 잔을 바다 마시고 그 손을 잡아 거ᄌᆞᆺ 슬허 왈,

"엇디 날을 두고 불길ᄒᆞᆫ 말을 ᄒᆞᄂᆞ뇨? 금국을 교유ᄒᆞ고 영화로이 도라와 노모의게 다시 헌슈(獻壽)ᄒᆞ기를 ᄇᆞ라노라."

상셰 다시 구파의게 잔을 밧드러 ᄀᆞᆯ오ᄃᆡ,

"엄졍(嚴庭)128)과 ᄌᆞ위(慈闈)를 여희오나 태태(太太)129)와 셔뫼(庶母) 계시니 기리 엿튼 졍셩을 펼가 ᄒᆞ엿더니 이졔 ᄯᅥ나ᄆᆡ ᄉᆞ싱을 졈복(占卜)지 못ᄒᆞ리【53】니 셔모ᄂᆞᆫ 남은 셰월의 셩톄 안길(安吉)ᄒᆞ쇼셔."

구패 황망이 잔을 바드ᄆᆡ 눈물이 일쳔 줄이라. 엄읍오열(掩泣嗚咽) 왈,

"노신(老身)이 션노야(先老爺)130)와 션부인을 여희옵고 망극지통(罔極之痛)131)이 오ᄂᆡ분붕(五內分崩)132)ᄒᆞ오나 태부인과 상공(相公) 곤계(昆季)를 의앙(依仰)ᄒᆞ와 셰월을 보ᄂᆡ옵더니, 이졔 상공이 만니 흉디의 향ᄒᆞ시니 이 심ᄉᆞ를 장ᄎᆞᆺ 엇디 ᄎᆞᆷ으리잇고?"

상셰 은근이 위로ᄒᆞ고 태부인긔 ᄌᆡ삼 셩휘안강(聖候安康)ᄒᆞ샤 만슈무강(萬壽無疆)ᄒᆞ시믈 원ᄒᆞ고 니러 하딕(下直)ᄒᆞᄆᆡ, 부부슈슉(夫婦嫂叔)이 작별ᄒᆞᆯ ᄉᆡ 뉴부인을 향ᄒᆞ여 오ᄃᆡ ᄌᆞ위를 뫼셔 기리 무양(無恙)ᄒᆞ시믈 일ᄏᆞᆺ고 조부인을 ᄃᆡᄒᆞ여ᄂᆞᆫ 다만 탄식고 부탁ᄒᆞᆫ 말을 져ᄇᆞ리지 말나 당부ᄒᆞᄆᆡ, 셔로 녜ᄒᆞ고 거름을 두루【54】혀133) 밧그로 나아갈 ᄉᆡ, 명ᄋᆡ 야야의 뒤흘 ᄯᆞᆯ와 외헌(外軒)가지 나오며 야애 어ᄃᆡ로 가시ᄂᆞᆫ고 ᄌᆡ삼 뭇ᄂᆞᆫ디라. 상셰 지극ᄒᆞᆫ ᄌᆞᄋᆡ지졍(慈愛之情)의 이 거동을 보고 ᄋᆡ련(哀憐)ᄒᆞ믈 니긔지 못

128)엄졍(嚴庭) : 아버지를 높여 이르는 말. 부친. 엄친(嚴親). 엄(嚴)은 아버지를 말함.

129)태태(太太) : 부인에 대한 존칭.

130)션노야(先老爺) : 돌아가신 어른. 노야(老爺)는 흔히 성이나 직함 뒤에 쓰여, 남을 높여 이르는 말.

131)망극지통(罔極之痛) : 한이 없는 슬픔. 보통 임금이나 어버이의 상사(喪事)에 쓰는 말이다.

132)오ᄂᆡ분붕(五內分崩) : 오장(五臟)이 떨어지고 무너짐.

133)두루혀다 : 돌이키다.

다."

위시 잔을 바다 마시고 그 손을 잡고 거즛 슬허 왈,

"엇지 날을 두고 블길ᄒᆞᆫ 말을 ᄒᆞᄂᆞ뇨? 금국을 교유ᄒᆞ고 영화로이 도라와 노모으게 다시 헌수(獻壽)ᄒᆞ기을 바라노라."

상셔 다시 구파의게 잔을 ᄇᆞᆺ드러 왈,

"엄졍(嚴庭)125)과【31】 ᄌᆞ위(慈闈)을 여희오나 ᄐᆡᄐᆡ(太太)126)와 셔모(庶母) 겨시니 엿튼 졍셩을 펼가 ᄒᆞ엿더니 ᄯᅥ나ᄆᆡ ᄉᆞ싱을 졈복(占卜)지 못ᄒᆞ리니 셔모ᄂᆞᆫ 나믄 셰월을 존쳬 안길(安吉)ᄒᆞ소셔."

구ᄑᆡ 황망이 잔을 바드ᄆᆡ 눈물이 쳔쥴이라, 《어우‖엄읍(掩泣)》 오열(嗚咽) 왈,

"쳔인(賤人)이 션노야(先老爺)127)와 션부인을 여희옵고 망극지통(罔極之痛)128)이 오ᄂᆡ블[붕]녈(五內崩裂)129)ᄒᆞ오나 ᄐᆡ부인(太夫人)과 상공(相公)이 계셔 셰월을 보ᄂᆡ더니 이졔 상공이 흉지의 힝ᄒᆞ시니 이 심ᄉᆞ을 엇지 참으리잇고?"

상셔 은근 위로ᄒᆞ고 ᄐᆡ부인긔 ᄌᆡᄉᆞᆷ 쳬후안강(體候安康)ᄒᆞ심을 원ᄒᆞ고 일어 하직(下直)ᄒᆞᄆᆡ 부부수숙(夫婦嫂叔)이 작별ᄒᆞᆯ ᄉᆡ 뉴부인을 향ᄒᆞ여 오직 ᄐᆡ부인을 뫼셔 슬하유치(膝下幼稚)130)을 거느려 무양(無恙)ᄒᆞ시믈 일캇고, 조부인을 ᄃᆡᄒᆞ여 다만 탄식고, 부탁ᄒᆞᆫ 말을 져바리지 말나, ᄌᆡᄉᆞᆷ 당부ᄒᆞᄆᆡ 셔로 녜(禮)ᄒᆞ고 거름을 두루혀131) 박그로 나갈 ᄉᆡ, 명ᄋᆡ 부친의 뒤흘 ᄯᆞ라 외헌가지 나오며 야야 어ᄃᆡ로 가시ᄂᆞᆫ고 ᄌᆡᄉᆞᆷ 뭇는지라. 상셔 지극ᄒᆞᆫ ᄌᆞᄋᆡ지졍(慈愛之情)의 이

125)엄졍(嚴庭) : 아버지를 높여 이르는 말. 부친. 엄친(嚴親). 엄(嚴)은 아버지를 말함.

126)태태(太太) : 부인에 대한 존칭.

127)션노야(先老爺) : 돌아가신 어른. 노야(老爺)는 흔히 성이나 직함 뒤에 쓰여, 남을 높여 이르는 말.

128)망극지통(罔極之痛) : 한이 없는 슬픔. 보통 임금이나 어버이의 상사(喪事)에 쓰는 말이다.

129)오ᄂᆡ붕녈(五內崩裂) : 오장(五臟)이 무너나고 찢어짐

130)슬하유치(膝下幼稚) : 슬하에 있는 어린 아이.

131) 두루혀 : 돌이켜, 돌려

ᄒᆞ여 쌍슈(雙手)를 펴 안고 운환(雲鬟)[134]을 쓰다듬아 함누(含淚)ᄒᆞ고 이윽이 교무(交撫)ᄒᆞ다가 됴히[135] 이시믈 당부ᄒᆞ고 나리와 노흐니, 명ᄋᆡ 울기를 마지 아니커ᄂᆞᆯ 유모(乳母)를 불너 ᄋᆞ히를 다려가라 ᄒᆞ고 날이 느ᄌᆞᄆᆡ[136] 궐하(闕下)의 나아가 하딕ᄒᆞᆯ ᄉᆡ, 태우ᄂᆞᆫ 문외(門外)의 가 ᄇᆡ별(拜別)ᄒᆞ려 ᄒᆞ더라.

상이 윤·뎡 이공을 인견(引見)ᄒᆞ샤 옥ᄇᆡ의 어은(御醞)[137]으로 군신의 졍을 표(表)ᄒᆞ시고 위험지디(危險之地)의 무ᄉᆞ환됴(無事還朝)ᄒᆞ믈 니르샤 텬은(天恩)이 호셩(豪盛)ᄒᆞ시니, 윤·뎡 이공이 각골감은(刻骨感恩)ᄒᆞ여 셩은(聖恩)을 슉샤(肅謝)[138] ᄒᆞ온ᄃᆡ 샹이 어슈(御手)로 윤공의 손을 잡【55】으샤 ᄀᆞᆯ오ᄉᆞᄃᆡ,

“경의 우국뎡튱(憂國貞忠)이 족히 귀신을 감동ᄒᆞᆯ디라, 공을 일우고 셩명을 보젼ᄒᆞ여 딤으로 ᄒᆞ여금 괴공듀셕(魁公柱石)[139]을 일ᄂᆞᆫ 탄이 업게 ᄒᆞ라.”

ᄒᆞ시니, 윤·뎡 이공이 감누(感淚)를 드리워 ᄇᆡ샤하딕(拜謝下直)고 궐문을 나ᄆᆡ, 만됴문뮈 작ᄎᆞ(爵次)[140]로 좌를 일워 쥬ᄇᆡ(酒杯)를 날니며 별댱(別章)을 가져 윤·뎡 이공으로 ᄡᅥ나ᄂᆞᆫ 회포를 니르니 냥공(兩公)이 면면 ᄉᆞ샤(謝辭)ᄒᆞ고 윤태위 그 형댱(兄丈) 겻ᄐᆡ 안ᄌᆞ 슬픈 안쉬(眼水)[141] 좌셕의 괴이니, 뎡공이 탄왈,

“명강은 슬허말나. 녕ᄇᆡᆨ시(令白氏)[142] 비

134)운환(雲鬟) : 여자의 탐스러운 쪽 찐 머리.
135)됴히 : 좋이. 별 탈 없이 잘.
136)느ᄌᆞᄆᆡ : 늦으매. 늦다.
137)어온(御醞) : 임금이 마시는 술.
138)슉샤(肅謝) : 숙배(肅拜)와 사은(謝恩)을 아울러 이르는 말. 새 벼슬에 임명되어 처음으로 출근할 때 먼저 대궐에 들어가서 임금에게 숙배하고 사은함으로써 인사하는 일이다.
139)괴공듀셕(魁公柱石) : 나라의 가장 중요한 자리에 있는 우두머리 신하.
140)작차(爵次) : 작위(爵位)에 따른 차례
141)안수(眼水) : 눈물. 궁중에서, '눈물'을 이르던 말.
142)녕빅시(令白氏) : 남의 형을 높여 이르는 말

거동을 보고 ᄋᆡ련(哀憐)ᄒᆞ믈 이긔지 못ᄒᆞ여 쌍수(雙手)로 안고 운환(雲鬟)[132]을 쓰다듬어 하루(下淚)ᄒᆞ믈 ᄭᆡ닷지 못ᄒᆞ여 이윽이 교무(教務)ᄒᆞ다가 조히[133] 잇스믈 당부ᄒᆞ고 나리와 노흐니, 명ᄋᆡ 울기을 마지 아니 ᄒᆞ거날 유모(乳母)을 블너 아히을 다려가라 ᄒᆞ고,【32】 날이 늣지ᄆᆡ[134] 궐하의 ᄒᆞ직ᄒᆞᆯ ᄉᆡ, ᄐᆡ후[우]ᄂᆞᆫ 문외(門外)의 가 ᄇᆡ별(拜別)ᄒᆞ려 ᄒᆞ더라.

화셜 윤상셔 궐하의 ᄒᆞ직ᄒᆞᆯ ᄉᆡ, 상이 윤·뎡 이공으로 인견(引見)ᄒᆞᄉᆞ 옥ᄇᆡ의 어온(御醞)[135]으로 군신의 졍을 표ᄒᆞ시고 위험지지(危險之地)의 무ᄉᆞ이 도라오믈 일으시고 심ᄂᆡ의 염녀ᄒᆞᄉᆞ 쳔은(天恩)이 호성(豪盛)ᄒᆞ시니 윤·뎡 이공이 각골감은(刻骨感恩)ᄒᆞ여 성은(聖恩)을 슉ᄉᆞ(肅謝)[136]ᄒᆞ온ᄃᆡ 상이 어수로 윤공의 손을 잡으ᄉᆞ ᄡᅥ나믈 연연ᄒᆞ고 앗기ᄉᆞ 갈오ᄉᆞᄃᆡ,

“경등 위국정츙(爲國貞忠)이 족히 신기(神祇)[137]을 감동ᄒᆞᆯ지라, 공을 일우고 셩명을 빗ᄂᆡ라.”

냥공이 ᄇᆡᄉᆞ하직(拜謝下直)ᄒᆞ고 궐문을 나ᄆᆡ, 만조문무(滿朝文武) 작별ᄎᆞ(爵別次)[138]로 좌을 일워 쥬ᄇᆡ(酒杯)을 날니며 회포을 일으니 냥공이 면면ᄉᆞᄉᆞᄒᆞ고, 윤ᄐᆡ위 그 형의 겻히 안ᄌᆞ 슬푼 안수(眼水)[139] 좌셕의 고이니, 뎡공이 탄왈,

“명공[강][140]은 슬허 말나. 영비[ᄇᆡᆨ]

132)운환(雲鬟) : 여자의 탐스러운 쪽 찐 머리.
133)조히 : 좋이. 별 탈 없이 잘.
134)늣지ᄆᆡ : 늦으매. 늦다.
135)어온(御醞) : 임금이 마시는 술.
136)슉샤(肅謝) : 숙배(肅拜)와 사은(謝恩)을 아울러 이르는 말. 새 벼슬에 임명되어 처음으로 출근할 때 먼저 대궐에 들어가서 임금에게 숙배하고 사은함으로써 인사하는 일이다.
137)신기(神祇) : 천신(天神)과 지기(地祇)를 아울러 이르는 말. 곧 하늘의 신령과 땅의 신령을 이른다.
138)작별차(爵別次) : 작위(爵位)에 따른 차례
139)안수(眼水) : 눈물. 궁중에서, '눈물'을 이르던 말.
140)'명강'은 태우 윤수의 자(字)임.

록 나아가나 형이 이시니 태부인을 뫼시미 근심 업고, 가ᄉᆞ를 념녀홀 ᄇᆡ 업거니와, 쇼뎨는 팔ᄌᆡ(八字)[143] 형과 ᄀᆞᆺ디 못ᄒᆞ여 ᄒᆞᆫ낫 안항(雁行)[144]이 업ᄉᆞ니 이제 나가ᄆᆡ 당(堂)의 편친(偏親)을 시봉(侍奉)홀 사ᄅᆞᆷ이 업ᄉᆞ니 인ᄌᆞ지정(人子之情)의 졀 【56】 박ᄒᆞ믈 니긔디 못ᄒᆞ노라."

윤상셰 태우를 도라보아 왈,

"윤보의 말이 실노 올흐니 셜셜이[145] 심회를 상히오지 말고 텬슈(天數)의 뎡ᄒᆞᆫ 거ᄉᆞᆯ 아라 우형(愚兄)이 도라오디 못홀ᄉᆞ록 현뎨의 몸이 듕(重)ᄒᆞ믈 ᄉᆡᆼ각ᄒᆞ라."

언파(言罷)의 형뎨 집슈(執手)ᄒᆞ여 무궁ᄒᆞᆫ 졍을 금치 못ᄒᆞᄃᆡ 일ᄉᆡᆨ(日色)이 기우러시므로 만됴문무와 일가친쳑을 각각 면면(面面)이[146] 니별ᄒᆞ고 형뎨 분슈(分手)홀 ᄉᆡ 니회만단(離懷萬端)[147]이라. 댱부(丈夫)의 눈물이 금포(錦袍)의 년낙(連落)ᄒᆞ여 ᄎᆞ마 손을 노치 못ᄒᆞ니, 윤부 모든 친쳑이 위로ᄒᆞ여 분슈ᄒᆞᄆᆡ, 상셰 ᄒᆡᆼ거(行車)의 오를 ᄉᆡ, 뎡공으로 더브러 옥부졀월(玉斧節鉞)[148]을 압셰오고 위의(威儀) 일광(日光)이 휘황(輝煌)ᄒᆞ여 영위무궁(榮威無窮)[149]ᄒᆞ나, 윤태우의 형을 위ᄒᆞᆫ 근심이 만복(滿腹)ᄒᆞ니, 샹마(上馬)ᄒᆞ여 상셔의 ᄒᆡᆼ거를 ᄯᆞᆯ와 ᄉᆞ 【57】 오니

143)팔자(八字) : 사람의 한평생의 운수. 사주팔자에서 유래한 말로, 사람이 태어난 해와 달과 날과 시간을 간지(干支)로 나타내면 여덟 글자가 되는데, 이 속에 일생의 운명이 정해져 있다고 본다.
144)안항(雁行) : 기러기의 행렬이란 뜻으로, 남의 형제를 높여 이르는 말.
145)셜셜이 : 구구(區區)하다. 구차(苟且)하다. 말이나 행동이 떳떳하거나 버젓하지 못하다.
146)면면(面面)이 : 저마다 따로따로.
147)니회만단(離懷萬端) : 떠나는 회포가 만 갈래나 될 만큼 복잡다단함.
148)옥부졀월(玉斧節鉞) : 절(節)과 옥으로 만든 부월(斧鉞). 절부월(節斧鉞). 절월(節鉞). 조선 시대에, 관찰사 · 유수(留守) · 병사(兵使) · 수사(水使) · 대장(大將) · 통제사 들이 지방에 부임할 때에 임금이 내어 주던 물건. 절은 수기(手旗)와 같이 만들고 부월은 도끼와 같이 만든 것으로, 군령을 어긴 자에 대한 생살권(生殺權)을 상징하였다.
149)영위무궁(榮威無窮) : 영광과 위엄이 한없음.

시[141] 비록 나가ᄂᆞ 형이 이시니 졍당 ᄐᆡ부인을 밧드오미 근심 업고 사ᄉᆞ을 염녀홀 ᄇᆡ 업거니와 소졔는 팔ᄌᆞ(八字)[142] 형과 갓지 못ᄒᆞ여 ᄒᆞᆫ낫 안ᄒᆡᆼ(雁行)[143]이 업ᄉᆞ니 인ᄌᆞ지졍(人子之情)의 졀박ᄒᆞ믈 이긔지 못ᄒᆞ노라."

윤상셔 ᄐᆡ우을 도라보아 왈,

"윤보의 말이 실노 올흐니 셜셜(屑屑)이[144] 심회을 상히오지 말고 쳔수(天數)의 졍 【33】 ᄒᆞᆫ 거ᄉᆞᆯ 아라 우형(愚兄)이 도라오지 못홀ᄉᆞ록 현졔의 몸이 듕(重)ᄒᆞ고 근심이 만흐니 ᄉᆡᆼ각ᄒᆞ여 ᄒᆞ라."

언파(言罷)의 형졔 손을 연ᄒᆞ여 무궁ᄒᆞᆫ 졍을 금치 못ᄒᆞ되 일ᄉᆡᆨ(日色)이 기우러스《믈∥므로》 만조문무(滿朝文武)와 일가친쳑을 면면니별(面面離別)[145]ᄒᆞ고 형졔 분수(分手)ᄒᆞ니 이회만단(離懷萬端)[146]이라. 장부(丈夫)의 눈물이 금포(錦袍)의 연낙(連落)ᄒᆞ여 ᄎᆞ마 손을 놋치 못ᄒᆞ니, 윤문 모든 친쳑이 위로ᄒᆞ여 분수ᄒᆞᄆᆡ, 상셔 뎡공으로 더부러 ᄒᆡᆼ거(行車)의 올나 옥부졀월(玉斧節鉞)[147]을 압희 셰우고 위의(威儀) 일광(日光)의 휘요(輝耀)ᄒᆞ여 영위무궁(榮威無窮)[148]ᄒᆞ나 윤ᄐᆡ위 형을 위로[ᄒᆞ]는 근심이 만복(滿腹)ᄒᆞᄆᆡ 상마(上馬)ᄒᆞ여 상셔의 ᄒᆡᆼ거

141)영ᄇᆡᆨ시(令白氏) : 남의 형을 높여 이르는 말
142)팔자(八字) : 사람의 한평생의 운수. 사주팔자에서 유래한 말로, 사람이 태어난 해와 달과 날과 시간을 간지(干支)로 나타내면 여덟 글자가 되는데, 이 속에 일생의 운명이 정해져 있다고 본다.
143)안항(雁行) : 기러기의 행렬이란 뜻으로, 남의 형제를 높여 이르는 말.
144)셜셜(屑屑)하다 : 구구(區區)하다. 구차(苟且)하다. 말이나 행동이 떳떳하거나 버젓하지 못하다.
145)면면니별(面面離別) : 저마다 일일이 이별함.
146)이회만단(離懷萬端) : 떠나는 회포가 만 갈래나 될 만큼 복잡다단함.
147)옥부졀월(玉斧節鉞) : 절(節)과 옥으로 만든 부월(斧鉞). 절부월(節斧鉞). 절월(節鉞). 조선 시대에, 관찰사 · 유수(留守) · 병사(兵使) · 수사(水使) · 대장(大將) · 통제사 들이 지방에 부임할 때에 임금이 내어 주던 물건. 절은 수기(手旗)와 같이 만들고 부월은 도끼와 같이 만든 것으로, 군령을 어긴 자에 대한 생살권(生殺權)을 상징하였다
148)영위무궁(榮威無窮) : 영광과 위엄이 한없음.

(四五里)를 가니, 상셰 머리를 두로혀 ᄀᆞᆯ오ᄃᆡ,

"니회(離懷)를 니르려150)ᄒᆞ면 쳔니를 ᄒᆞᆫ가지로 가나 다 못ᄒᆞᆯ 거시니, 다만 소탁(所託)을 닛디 말나. 임의151) 일셰(日勢)152) 느져시니 그만ᄒᆞ여 도라가라."

태위 슬프믈 금치 못ᄒᆞ여 갓가이 나아가 상셔의 손을 잡고 실셩오열(失性嗚咽) 왈,

"쇼뎨 엄졍(嚴庭)을 여희온153) 후 형댱을 의앙(依仰)ᄒᆞ여 일시도 ᄯᅥ나지 못ᄒᆞ더니 금일노브터 도라가 ᄇᆡᆨ화헌 가온ᄃᆡ 눌노 더브러 년침년슈(連寢連睡)154)ᄒᆞ리잇고?"

상셰 댱탄(長歎) 왈,

"우형의 가ᄂᆞᆫ 심ᄉᆡ 어ᄌᆞ러온지라. 현뎨ᄂᆞᆫ 비회를 관억ᄒᆞ여 우형의 심ᄉᆞ를 돕지 말나. 너의 외롭고 슬픈 소회(所懷)를 니르지 아니나 내 엇지 모로리오. 모로미 효우돈목(孝友敦睦)155)ᄒᆞ여 가ᄉᆞ(家事)를 화(和)히 ᄒᆞ라."

언흘(言訖)156)의 태우를 ᄌᆡ촉ᄒᆞ여, '입셩(入城)ᄒᆞ라.' ᄒᆞ니, 태위 계오 심회를 강작(强作)157)ᄒᆞ여【58】 ᄆᆞᆯ혁158)을 두로혀니 상셰 비로소 허다 위의를 거ᄂᆞ려 금국(金國)159)으로 향ᄒᆞᆯ ᄉᆡ, 웅댱ᄒᆞᆫ 위의 휘황ᄒᆞ여 일ᄉᆡᆨ을 가리오더라.

어시의 본부 위태부인과 뉴시, 상셰 나아가고 조부인이 외로이 이시니, 평ᄉᆡᆼ지원(平生之願)을 일워 션부인(先夫人) 황시의 씨

150)니르려 : 이르려. 말하려.
151)임의 : 이미.
152)일셰(日勢) : 하루해의 길이.
153)여희다 : 여의다. 부모나 사랑하는 사람이 죽어서 이별하다.
154)년침년슈(聯枕聯睡) : 베개를 나란히 하여 함께 잠듦.
155)효우돈목(孝友敦睦) : 부모에게 효도하고 형제간에 우애하며 화목하게 지냄.
156)언흘(言訖) : 말을 마친 후.
157)강작(强作) : 억지로 기운을 냄.
158)ᄆᆞᆯ혁(革) : 말안장 양쪽에 장식으로 늘어뜨린 고삐.
159)금국(金國) : 1115-1234. 여진족 완안부의 추장 아구다가 지금의 만주, 몽골, 화북(華北) 땅에 북송과 요를 무찌르고 세운 나라. 9대 120년 만에 몽골 제국에 망하였다.

을 ᄯᆞ라 ᄉᆞ오니(四五里)을 가니, 상셔 머리을 두로혀 갈오ᄃᆡ,

"니회(離懷)을 이르려149) ᄒᆞ면 ○…결락 9자…○[쳔니를 ᄒᆞᆫ가지로 가나] 다 못ᄒᆞᆯ 거시니 부ᄃᆡ 이왕 부탁ᄒᆞᆫ 말을 잇지 말나. 임의 일셰(日勢)150) 느졋시니 그만ᄒᆞ여 도라가라."

태위 슬푸믈 금치 못ᄒᆞ여 갓가이 나아와 상셔의 손을 잡고 실셩오열(失性嗚咽) 왈,

"소졔 엄졍(嚴庭)을 여흰151) 후 더욱 형장을 의앙ᄒᆞ미 일시 ᄯᅥᄂᆞ지 못ᄒᆞ더니 금일 도라가 ᄇᆡᆨ화원 ᄒᆞᆫ 가온ᄃᆡ 눌노 더부러 연침연슉(聯枕聯宿)152)ᄒᆞ리잇고?"

상셔 장탄(長歎) 왈,

"우형의 가ᄂᆞᆫ 심ᄉᆞ 만단(萬端)이나 어즈러오니 너의 외롭고 슬푼 소회(所懷)을 이【34】르지 아니나, 엇지 모르리오. 모로미 효우돈목(孝友敦睦)153)ᄒᆞ여 가ᄉᆞ(家事)을 화(和)히 ᄒᆞ라."

언필(言畢)154)의 ᄐᆡ우을 ᄌᆡ촉ᄒᆞ여 '입셩(入城)ᄒᆞ라' ᄒᆞ니, ᄐᆡ위 심회을 겨유 강작(强作)155)ᄒᆞ여 말혁(革)156)을 두루치니157) 상셔 비로소 허다 위의를 거ᄂᆞ려 금국(金國)158)으로 향ᄒᆞᆯ ᄉᆡ, 웅장ᄒᆞᆫ 위의(威儀) 휘황찬난(輝煌燦爛)ᄒᆞ여 일광을 가리오더라.

어시의 본부 위ᄐᆡ부인과 뉴시, 상셔 나가고 조부인이 외로이 잇스니 평ᄉᆡᆼ지원(平生之願)을 일워 션부인(先夫人) 황시의 씨을

149)이르다 : 말하다.
150)일세(日勢) : 하루해의 길이.
151)여희다 : 여의다. 부모나 사랑하는 사람이 죽어서 이별하다.
152)연침연슉(聯枕聯宿) : 베개를 나란히 하여 함께 잠을 잠.
153)효우돈목(孝友敦睦) : 부모에게 효도하고 형제간에 우애하며 화목하게 지냄.
154)언필(言畢) : 말을 마친 후.
155)강작(强作) : 억지로 기운을 냄.
156)말혁(革) : 말안장 양쪽에 장식으로 늘어뜨린 고삐.
157)두루치다 : 두루혀다. 돌이키다.
158)금국(金國) : 1115-1234. 여진족 완안부의 추장 아구다가 지금의 만주, 몽골, 화북(華北) 땅에 북송과 요를 무찌르고 세운 나라. 9대 120년 만에 몽골 제국에 망하였다.

를 업시ᄒᆞ려 뎡ᄒᆞᄂᆞᆫ디라. 상셰 나간 후로ᄂᆞᆫ 홀연 조부인을 ᄉᆞ랑ᄒᆞ며 명ᄋᆞ를 황홀탐ᄋᆡ(恍惚貪愛)ᄒᆞᄂᆞᆫ 거동이 이셔, 언간(言間)의 니르ᄃᆡ,

"졔 아비 이실 졔ᄂᆞᆫ 오히려 무심ᄒᆞ여 셰셰히 념녀치 아니터니 현이 나가ᄆᆡ 조현부의 모녜 각별 못 닛치이ᄂᆞᆫ지라[160]. ᄒᆞ믈며 현뷔 유ᄐᆡ지듕(有胎之中)이라. 현의 만니ᄒᆡᆼ도(萬里行途)를 념녀ᄒᆞ며 두로 심ᄉᆡ 편치 못ᄒᆞ리니 몸을 닛비[161] 말고 쳔만 ᄌᆞ보(自保)ᄒᆞ라."

ᄒᆞ고 진찬(珍饌)을 ᄊᆡᆨᄊᆡᆨ 졍다히[162] 먹이나, 조부인의 여신(如神)ᄒᆞᆫ 춍명【59】으로ᄡᅧ, 위시의 불시(不時) ᄋᆡ듕ᄒᆞ미 반ᄃᆞ시 됴흔 ᄠᅳᆺ이 아니믈 혜아리ᄆᆡ, 공구ᄒᆞ미 여좌침상(如坐針上)이나 온화유열(溫和愉悅)ᄒᆞᆫ ᄉᆞᄉᆡᆨ(辭色)으로 황공ᄉᆞ샤(惶恐謝辭)ᄒᆞ고 명ᄋᆞ를 더옥 념녀ᄒᆞ여 독슈(毒手)를 닙을가 ᄉᆞᆯ피고 근심ᄒᆞ미 일시 방하(放下)[163]치 못ᄒᆞᄃᆡ, 태위 모·쳐(母·妻)의 흉심은 젼혀 아지 못ᄒᆞ고 져러ᄐᆞᆺ 무ᄋᆡ(撫愛)ᄒᆞ믈 그윽이 깃거ᄒᆞ고, ᄊᆡᆨᄊᆡᆨ 조부인 긔후를 문후ᄒᆞ고 심긔를 위로ᄒᆞ여, '복ᄋᆞ(腹兒)를 보호ᄒᆞ쇼셔.' ᄒᆞ니, 조부인이 슉슉(叔叔)의 후의를 깁히 감샤ᄒᆞ나 상셔의 ᄒᆡᆼ거를 ᄉᆡᆼ각ᄒᆞ면 심담(心膽)이 경악ᄒᆞ여 흉문(凶聞)을 듯디 아냐셔 오ᄂᆡ촌졀(五內寸絶)[164]ᄒᆞ더라.

일일은 위시 오반(午飯)을 바다 조부인 모녀를 불너 흔연(欣然)이 먹으라 ᄒᆞ니, 부인은 영니(怜悧)ᄒᆞᆫ지라. 가장 놀나고 오반을 ᄃᆡᄒᆞ니 두골이 쏠히ᄂᆞᆫ[165] ᄃᆞᆺᄒᆞ여 ᄉᆞ식(事食)[166]이 념(念)이 업ᄉᆞᄃᆡ, 강인(强忍)ᄒᆞ여 햐져(下箸)[167]ᄒᆞᄆᆡ 위시 명ᄋᆞ를 상ᄒᆞ(床下)

160)닛치다 : 잊혀지다. 잊히다.
161)닛브다 : 수고롭다. 힘들다.
162)졍다히 : 정다이. 따뜻한 정이 있게.
163)방하(放下) : 불교에서 정신적 · 육체적 집착을 일으키는 여러 인연을 놓아 버리는 일.
164)오ᄂᆡ촌졀(五內寸絶) : 오장(五臟)이 마디마디 끊어지는 듯함.
165)쏠히다 : 때리다. 무엇으로 딱딱 치는 듯한 아픈 느낌이 들다.
166)ᄉᆞ식(事食) : 식사(食事). 밥 먹는 일.

업시ᄒᆞ랴 ᄒᆞ는지라. 상셔 나간 후로는 홀연 조부인을 ᄉᆞ랑ᄒᆞ며 명ᄋᆞ을 황홀탐ᄋᆡ(恍惚貪愛) ᄒᆞᆫ[ᄒᆞ]ᄂᆞᆫ 거동이 잇셔 언간(言間)의 ᄒᆞ기을,

"졔 아비 잇슬 졔ᄂᆞᆫ 오히려 무심ᄒᆞ여 세셰ᄒᆞᆫ 곳의ᄂᆞᆫ 염녀로오미 가지 아니 ᄒᆞ더니, 현이 나가ᄆᆡ 조현부 모녀 각별 니치지[159] 아니 ᄒᆞᄂᆞᆫ지라. ᄒᆞ물며 현뷔 유ᄐᆡ지듕(有胎之中)이라. 현의 만여리(萬餘里) ᄒᆡᆼ도(行途)을 염녀ᄒᆞ며 두로 심ᄉᆡ 편치 못ᄒᆞ니 아모 일이라도 몸을 갓비[160] 말나."

ᄒᆞ며 ᄊᆡᆨᄊᆡᆨ로 진찬화미(珍饌華味)[161]을 정다이[162] 먹이니 조부인이 여신(如神)ᄒᆞᆫ 총명으로ᄡᅧ 위시 블시(不時) 의[ᄋᆡ]즁(愛重)ᄒᆞ미 반다시 조흔 ᄠᅳᆺ시 아닌 줄 혀아려[163] 공구(恐懼)ᄒᆞ미 젼의셔 십ᄇᆡ나 더ᄒᆞ여 침상(針上)과 빙셕(氷石)[164]을 드딤[165] 갓트여 못ᄂᆡ 우민(憂悶)ᄒᆞ나 온화ᄒᆞᆫ 샤ᄉᆡᆨ(辭色)【35】으로 황공(惶恐)ᄒᆞ믈 사사(謝辭)ᄒᆞᄂᆞᆫ 듯 명아을 더욱 염녀ᄒᆞ는 ᄆᆞ음이 독수(毒手)을 입을가 ᄉᆞᆯ피고 근심ᄒᆞ미 일시도 방ᄒᆞ(放下)[166]지[치] 못ᄒᆞᄃᆡ, ᄐᆡ우ᄂᆞᆫ 위뉴 양인의 ○○○[흉심은] 젼혀 아지 못ᄒᆞ고 져러ᄐᆞᆺ 무ᄋᆡ(撫愛)ᄒᆞ믈 그윽이 깃거 ᄊᆡᆨᄊᆡᆨ로 조부인 긔후을 뭇고, 심긔(心氣)을 위로ᄒᆞ여, '복아(腹兒)을 보호 ᄒᆞ소셔.' ᄒᆞ니, 조부인이 슉슉(叔叔)의 후덕(厚德)을 깁히 감ᄉᆞᄒᆞ나, 상셔의 ᄒᆡᆼ거(行車)을 ᄉᆡᆼ각ᄒᆞ면 심담(心膽)이 경악(驚愕)ᄒᆞ여 흉문(凶聞)을 듯지 아녀 오ᄂᆡ촌졀(五內寸絶)[167]ᄒᆞ여 ᄒᆞ더니, 일일은 위시 오반(午飯)을 바다 조부인 모녀을 흔

159)닛치다 : 잊혀지다. 잊히다.
160)갓브다 : 가쁘다. 힘에 겹다. 숨이 몹시 차다.
161)진찬화미(珍饌華味) : 푸짐하게 잘 차린 맛있는 음식.
162)정다이 : 정답게.
163)혀아려 : 헤아려
164)빙셕(氷石) : '수정(水晶)'을 달리 이르는 말. 여기서는 '얼음'을 말함.
165)듸딤 : 디딤.
166)방하(放下) : 불교에서 정신적 · 육체적 집착을 일으키는 여러 인연을 놓아 버리는 일.
167)오ᄂᆡ촌졀(五內寸絶) : 오장(五臟)이 마디마디 끊어지는 듯함.

의【60】○○[안쳐] 먹이더니, 이윽고 상을 물니ᄆᆡ 위시의 심복시녀 계월과 계년이 조부인 상과 ᄋᆞ쇼져 먹던 거ᄉᆞᆯ 다 거두어 가지고 먼니 가ᄂᆞᆫ지라. 조부인이 더옥 의심ᄒᆞ여 날호여 녀ᄋᆞ를 다리고 ᄉᆞ침(私寢)의 물너오니 복듕이 궤란(潰爛)ᄒᆞ고 졍신이 어득ᄒᆞᆫ 바의 명ᄋᆡ ᄯᅩᄒᆞᆫ 신ᄉᆡᆨ(身色)이 찬 지 ᄀᆞᆺᄐᆞ여 입으로조ᄎᆞ 먹은 거ᄉᆞᆯ 다 토(吐)ᄒᆞ고 혼미(昏迷)ᄒᆞᄂᆞᆫ지라.

부인이 경황ᄒᆞ여 상셔의 주고 간 약궤(藥櫃)를 밧비 열고 보니 젼혀 ᄒᆡ독ᄒᆞ며 복신보긔(復身補氣)[168]ᄒᆞᆯ ᄌᆡ류(材類)들이라. 급히 ᄒᆡ독환(解毒丸)을 프러 녀ᄋᆞ와 ᄌᆞ긔 먹을 ᄉᆡ, 구패 나아와 이 경ᄉᆡᆨ(景色)을 보고 명ᄋᆞ의 위급ᄒᆞᆷ을 실ᄉᆡᆨ(失色)ᄒᆞ고 일변 환약을 프러 너흐니 이윽고 모녜 다 먹은 거ᄉᆞᆯ 토ᄒᆞᄆᆡ 독긔(毒氣) 코흘 거ᄉᆞ리고 명ᄋᆞ와 부인의 형ᄉᆡᆨ(形色)이 위위(危危)[169]ᄒᆞ니 구패 지극 구호ᄒᆞ여【61】 날이 거의 황혼(黃昏)의야 비로소 졍신을 뎡ᄒᆞᄂᆞᆫ지라. 구패 ᄒᆡᆼ열(幸悅)[170]ᄒᆞ여 블의(不意) 위악(危惡)던 연고를 므르니, 부인이 믁믁냥구(默默良久)[171]의 ᄀᆞᆯ오ᄃᆡ,

"우연이 졍신이 아득ᄒᆞ고 먹은 거시 거ᄉᆞᆯ녀[172] 인ᄉᆞ(人事)를 출히지 못ᄒᆞ엿ᄂᆞ이다."

구패 좌우를 도라○[보]와 곡졀을 므르니 일츌여구(一出如口)[173]히 존당(尊堂의셔 오

167)하져(下箸) : 젓가락을 댄다는 뜻으로, 음식을 먹음을 이르는 말.

168)복신보긔(復身補氣) : 몸을 회복하고 원기를 도움.

169)위위(危危) : 어떤 형세가 몹시 위태로워 보임.

170)ᄒᆡᆼ열(幸悅) : 다행하고 기쁘게 여김.

171)믁믁냥구(默默良久) : 시간이 꽤 오래도록 말이 없음.

172)거ᄉᆞ리다 : 거스르다.

173)일츌여구(一出如口) : 말이 한입에서 나온 것과

연(欣然)이 먹기을 {먹기을} 권ᄒᆞ고 ᄌᆞ긔 상의 찬션(饌膳)을 더러주며 간졀이 먹으라 ᄒᆞ고 뉴시 ᄯᅩᄒᆞᆫ 졍다이 권ᄒᆞ니, 부인은 극히 영니(怜悧)ᄒᆞᆫ지라, 가장 놀나 오반을 ᄃᆡᄒᆞᄆᆡ 두골을 ᄯᆞ리ᄂᆞᆫ[168] 듯ᄒᆞ여 ᄉᆞ식지념(事食之念)[169]이 일분 업ᄉᆞ되 강인(强忍)ᄒᆞ여 하져(下箸)[170]ᄒᆞᄆᆡ 위시 명ᄋᆞ을 상하의 안쳐 먹이더니 이윽고 상을 물니ᄆᆡ 위시의 심복시녀 계월과 비영이 조부인 상과 아소져 먹던 거ᄉᆞᆯ 다 거두어 가지고 멀니 가거ᄂᆞᆯ, 조부인이 더욱 의심ᄒᆞ여 날호여 이어 녀ᄋᆞ을 다리고 ᄉᆞ침으로 물너오니, 복듕(腹中)이 문득 궤란(憒亂)ᄒᆞ고 졍신이 어득ᄒᆞᆫ ᄇᆡ의 명ᄋᆞ ᄯᅩᄒᆞᆫ 신상이 ᄎᆞᆫ 지 가ᄐᆞ야 입으로 조ᄎᆞ 먹은 거ᄉᆞᆯ 다 토(吐)ᄒᆞ고 혼미(昏迷)ᄒᆞ여【36】 ᄒᆞᄂᆞᆫ지라.

부인이 경황ᄒᆞ야 상셔의 주고 간 바 약궤(藥櫃)을 밧비 열고 보니 젼혀 ᄒᆡ독ᄒᆞ여 복신보긔(復身補氣)[171]ᄒᆞᆯ ᄌᆡ료라. 급히 ᄒᆡ독환(解毒丸)을 푸러 녀ᄋᆞ와 ᄌᆞ긔 먹을 졔, 구ᄑᆡ 나아와 이 경ᄉᆡᆨ(景色)을 보고 명ᄋᆞ의 위급ᄒᆞᆷ을 놀나 일변 복약(服藥)을 푸러 너흐니, 이윽고 모녀 먹은 거ᄉᆞᆯ 다 토ᄒᆞᄆᆡ 독긔(毒氣) 코흘 거ᄉᆞ리고, 명ᄋᆞ와 부인의 형ᄉᆡᆨ(形色)이 위위(危危)[172]ᄒᆞ니 구ᄑᆡ 지극히 구호ᄒᆞ여 날이 거의 황혼시(黃昏時)의 비로소 긔운을 졍ᄒᆞ거ᄂᆞᆯ, 구ᄑᆡ ᄒᆡᆼ열(幸悅)[173]ᄒᆞ여 불의 위황(危慌)ᄒᆞ던 연고을 무르니, 부인이 묵묵양구(默默良久)[174] 후 갈오ᄃᆡ,

"우연이 졍신이 아득ᄒᆞ고 먹은 거시 거ᄉᆞ려[175] 인ᄉᆞ을 ᄎᆞ리지 못ᄒᆞ나이다."

168)ᄯᆞ리다 : 때리다. 무엇으로 딱딱 치는 듯한 아픈 느낌이 들다.

169)ᄉᆞ식지념(事食之念) : 밥을 먹고 싶은 마음.

170)하져(下箸) : 젓가락을 댄다는 뜻으로, 음식을 먹음을 이르는 말.

171)복신보긔(復身補氣) : 몸을 회복하고 원기를 도움.

172)위위(危危) : 어떤 형세가 몹시 위태로워 보임.

173)ᄒᆡᆼ열(幸悅) : 다행하고 기쁘게 여김.

174)묵묵양구(默默良久) : 시간이 꽤 오래도록 말이 없음.

175)거ᄉᆞ리다 : 거스르다.

반(午飯)을 진식(盡食)[174]ᄒᆞ시고 나오시며 그러ᄒᆞ믈 답ᄒᆞᄂᆞᆫ디라. 구패 엇지 위시의 심폐(心肺)를 아디 못ᄒᆞ리오. 조부인을 븟들고 눈물을 흘녀 왈,

“상셰 나가시고 부인과 ᄋᆞ쇼졔 위ᄐᆡᄒᆞ오미 누란(累卵) ᄀᆞᆺᄐᆞ니 이를 장ᄎᆞᆺ 엇디 ᄒᆞ리오. ᄒᆞ믈며 부인이 유ᄐᆡ(有胎) 듕 독을 만나샤 복듕을 범ᄒᆞ면 복ᄋᆡ 보젼치 못ᄒᆞ리니, 부인은 ᄌᆞ보지도(自保之道)[175]를 ᄉᆡᆼ각ᄒᆞ쇼셔.”

부인이 탄식 왈,

“일시 음식을 ᄀᆞᆯ희지 못ᄒᆞᆫ 고로 거ᄉᆞ리미니【62】 괴이ᄒᆞᆫ 일노 의심ᄒᆞᆯ ᄇᆡ 아니라. 일노ᄡᅧ 셔모ᄂᆞᆫ 함믁(含默)ᄒᆞ샤 쳡으로 ᄒᆞ여금 불효의 죄인이 되게 마르쇼셔.”

구패 더옥 슬허 왈,

“부인이 쳡을 ᄃᆡᄒᆞ여 오히려 심ᄉᆞ(心思)를 은닉(隱匿)ᄒᆞ시거니와 태부인이 젼일은 부인을 향ᄒᆞ여 ᄒᆞ시ᄂᆞᆫ ᄇᆡ 다 인졍 밧기러니, 근간 ᄌᆞᄋᆡᄒᆞ시ᄂᆞᆫ 거시 진심이 아니라. 쳡이 ᄆᆡ양 념녀ᄒᆞ던 ᄇᆡ나, 엇지 상셰 나가션지 미급슈슌(未及數旬)[176]의 이런 일이 이실 쥴 ᄯᅳᆺᄒᆞ여시리잇고?”

부인이 기리 탄ᄒᆞᆯ 쁜이오. 다시 말이 업ᄉᆞ니, 구패 ᄯᅥ나지 아니ᄒᆞ여 구호ᄒᆞ고 태우긔 조부인 모녜 유질(有疾)ᄒᆞ믈 고ᄒᆞ고 음식을 토ᄒᆞ던 바ᄂᆞᆫ 니ᄅᆞ지 아니 ᄒᆞ더니, 태우ᄂᆞᆫ 오딕 우연ᄒᆞᆫ 통셰(痛勢)로 아라 잘 구호ᄒᆞ기를 당부ᄒᆞ며, 위시 고식(姑息)은 셔로 의논ᄒᆞ여 필경 죽으리라 깃거 ᄒᆞ더니,

같이 한결 같음.

174)진식(盡食) : 밥을 다 먹다.

175)ᄌᆞ보지도(自保之道) : 스스로를 지킬 방도.

176)미급슈슌(未及數旬) : 수십 일도 못 되어서.

구ᄑᆡ 좌우다려 무르니 일오ᄃᆡ, 존당(尊堂)의셔 오반을 ᄌᆞ시고[176] 나오시며 즉시 그러ᄒᆞ믈 ᄃᆡ답ᄒᆞ거ᄂᆞᆯ, 구ᄑᆡ 엇지 위시의 심슐(心術)을 모로리오. 조부인을 븟들고 눈물을 흘녀 왈,

“상셔 나가시고 부인 모녀의 위ᄐᆡᄒᆞ미 누란(累卵) 갓트니 엇지 ᄒᆞ면 조흘고. 부지하경(不知何境)[177]이니 유ᄐᆡ지듕(有胎之中)의 독ᄒᆞᆫ 거ᄉᆞᆯ ᄌᆞ로 먹으면 필연 복ᄋᆞ도 보젼치 못ᄒᆞᆯ 거시니 부인은 익이[178] ᄉᆡᆼ각ᄒᆞ여 ᄌᆞ신지도(自身之道)[179]을 ᄉᆞᆯ피소셔.”

부인이 일영ᄉᆞᆷ탄(一詠三歎)[180]ᄒᆞ고 침음(沈吟)ᄒᆞ다가 나ᄌᆞᆨ이 ᄃᆡ답ᄒᆞ여 갈오ᄃᆡ,

“셔모ᄂᆞᆫ 고이ᄒᆞᆫ 말【37】삼을 ○○○○[함묵(含默)ᄒᆞ샤] 날노 ᄒᆞ여곰 불효죄인(不孝罪人)이 되게 마르소셔.”

구ᄑᆡ 더욱 슬허 왈,

“부인이 이졔 쳡을 ᄃᆡᄒᆞ여 심ᄉᆞ(心思)을 은익(隱匿)ᄒᆞ거니와 쳡은 그윽이 염녀ᄒᆞ든 ᄇᆡ러니, 이졔 상셔 나가신 수년[순][181]이 못ᄒᆞ여셔 가ᄂᆡ의 벌셔 이런 일이 잇슬 쥴 알니오.”

ᄒᆞ고 탄식ᄌᆞ탄(歎息自歎)ᄒᆞ믈 마지 아니ᄒᆞ니, 부인 ᄯᅩᄒᆞᆫ 길이 탄ᄒᆞᆯ ᄲᅮᆫ이러라. 구ᄑᆡ ᄯᅥᄂᆞ지 아냐 구호ᄒᆞ며 ᄐᆡ우긔 부인과 명ᄋᆞ 유질(有疾)ᄒᆞ믈 고ᄒᆞ나 음식 토ᄒᆞ든 바를 일으지 아니ᄒᆞ니, ᄐᆡ우는 오직 우연ᄒᆞᆫ 통셰(痛勢)로 아라 ᄌᆞᆯ 구호ᄒᆞ기을 당부ᄒᆞ고, 위시 고식은 셔로 의논ᄒᆞ여 고이ᄒᆞᆫ 독약을 먹

176)ᄌᆞ시다 : 자시다. ‘먹다’의 높임말.

177)부지하경(不知何境) : 어느 지경에 이를지를 알지 못함.

178)익이 : 익히. 익숙하게. 어떤 일을 여러 번 해 보아서 서투르지 않게.

179)ᄌᆞ신지도(自身之道) : 자신의 살아갈 방도.

180)일영ᄉᆞᆷ탄(一詠三歎) : 한번 시를 읊고 세 번 감탄한다는 뜻으로, 여기서는 한번 생각하고 세 번 탄식함을 이름.

181)윤현이 금국 사신으로 나간 지 얼마 안 된 때이므로, ‘수년(數年)’이 아니라 ‘수순(數旬)’이라야 맞다.

뉘 도로혀 히독졔(解毒劑)를 【63】 쌔 독긔를 삐셔 닌 줄 알니오.

이후 부인이 칭병불츌(稱病不出)[177]ᄒᆞ고 명ᄋᆞ를 일졀 ᄂᆡ여노치 아냐 ᄌᆞ긔 분산(分産)ᄒᆞᆯ 급ᄒᆞᆫ 화나 졔방(制防)[178]코져 ᄒᆞ니, 위시 고식이 조부인 모녀의 죽기를 고ᄃᆡ(苦待)ᄒᆞᄃᆡ ᄒᆡᆼ계(行計) 월여의 병이 듕탄 말이 업ᄉᆞ니 크게 의아ᄒᆞ여, 뉴시 ᄌᆞ로 문병ᄒᆞ라 ᄒᆡ월누의 와 동졍(動靜)을 ᄉᆞᆯ피ᄂᆞᆫ지라. 조부인이 뉴시의 심폐를 ᄉᆞᆯ피ᄆᆡ ᄌᆞ개 오ᄅᆡ 누어시면 브ᄃᆡ 니러나도록 ᄒᆞᆯ 거시니 스ᄉᆞ로 니러나 ᄃᆞᆫ니ᄂᆞᆫ 거시 올타 ᄒᆞ고 소셰(梳洗)ᄒᆞ고 경희젼의 신셩(晨省)ᄒᆞ니 위시 통ᄒᆞᆫ코 믜오믈 니긔지 못ᄒᆞ여 독약을 먹여도 죽지 아닌 연고를 몰나 ᄒᆞ니, 뉴시 왈,

"조시 반ᄃᆞ시 의심ᄒᆞ고 히독졔를 먹으미니 죽이미 용이치 아닐가 ᄒᆞᄂᆞ이다."

위시 분연 왈,

"내 엇지 져를 못 쥭이리오. 이졔 【64】ᄂᆞᆫ 암밀이 말고 알개ᄒᆞ여 ᄌᆞ딘토록 보칠리라."

ᄒᆞ고, 이후ᄂᆞᆫ 위시 기젼(其前)[179] 작위(作爲)[180]ᄒᆞ던 ᄉᆞ랑이 업고 싀호(豺虎)의 ᄉᆞ오납기와 ᄉᆞ갈(蛇蝎)의 모질기를 힘쌔 고ᄃᆡ 삼킬 ᄃᆞ시 ᄒᆞ다가도, 태우 보ᄂᆞᆫ ᄃᆡᄂᆞᆫ 상셔의 ᄒᆡᆼ거를 념녀ᄒᆞ고 조시의 ᄉᆡᆼ남(生男)ᄒᆞ믈 바라ᄂᆞᆫ 쳬 ᄒᆞ니, 태우ᄂᆞᆫ 휴휴(休休)[181]ᄒᆞᆫ 댱뷔라. 본ᄃᆡ 소활(疎豁)ᄒᆞᆫ지라. 형댱의 당부를 명심ᄒᆞ여 가ᄉᆞ를 ᄉᆞᆯ피나 원간 ᄂᆡᄉᆞ 알기를 괴로워 ᄒᆞ고 형을 위디(危地)의 보ᄂᆡᄆᆡ 창망(悵惘)ᄒᆞᆫ 심ᄉᆡ 여할(如割)ᄒᆞ니[182] 흥미 업셔 모친긔 신혼셩졍(晨昏省定)[183]ᄒᆞ

177)칭병불츌(稱病不出) : 병을 핑계로 나가지 아니함.
178)졔방(制防)하다 : 막다.
179)기젼(其前) : 그전.
180)작위(作爲) : 사실은 그렇지 않은데도 그렇게 보이기 위하여 의식적으로 하는 행위.
181)휴휴(休休) : 마음이 너그럽고 편안한 모양.
182)여할(如割)하다 : 칼로 써는 것 같이 아프다.

여 조시 모녀 지금은 급히 죽지 아니ᄂᆞ 필경은 죽을 쥴노 알아 그ᄋᆞᆨ이 깃거ᄒᆞ더니, 뉘 돌녀[182] ᄒᆡ독ᄒᆞᆯ 당졔(當劑)[183]을 써 독긔(毒氣)을 아셔[184] ᄂᆡᆯ 쥴 알니오.

이후ᄂᆞᆫ 부인이 칭병ᄒᆞ고 문박글 나지 아니며 명ᄋᆞ을 ᄯᅩᄒᆞᆫ ᄂᆡ여놋치 아니며 ᄌᆞ긔 분산ᄒᆞᆫ 젼은 급한 화을 져당(抵當)[185]코져 ᄒᆞ니, 위시 고식이 조부인 모녀 쥭기를 고ᄃᆡ(苦待)ᄒᆞ되 ᄒᆡᆼ계(行計)ᄒᆞᆫ 지 월여의 병이 듕타 말이 업ᄉᆞ니 크게 의아ᄒᆞ여, 유시 ᄌᆞ로 문병ᄒᆞ려 ᄒᆡ월누의 와 동졍을 ᄉᆞᆯ피ᄂᆞᆫ지라. 조부인이 뉴시의 심폐을 ᄉᆞᆯ피ᄆᆡ ᄌᆞ긔 오ᄅᆡ 누어시면, 족히 존고(尊姑)의 고ᄒᆞ여 부ᄃᆡ 이러나도 【38】 록 ᄒᆞᆯ 거시니, 스ᄉᆞ로 이러나 다니ᄂᆞᆫ 거시 올타 ᄒᆞ고 이의 소셰(梳洗)ᄒᆞ고 경희당의 신셩ᄒᆞ니 위 통ᄒᆞᆫ코 뮈오믈 이긔지 못ᄒᆞ여 독약을 먹여도 쥭지 아니ᄒᆞᄂᆞᆫ 연고을 몰나 우민ᄒᆞ니, 뉴시 왈,

"조시 반다시 히독졔을 먹은가 시브오니 쥭이기 용이치 아닐가 ᄒᆞᄂᆞ이다."

위시 분연 왈,

"엇지 져을 쥭이지 못ᄒᆞ리오. 이졔 비밀이 말고 알게 ᄒᆞ여 ᄌᆞ진(自盡)토록 보칠리라."

ᄒᆞ고, 이후ᄂᆞᆫ 위시 기젼(其前)[186] 작위(作爲)[187]ᄒᆞ던 ᄉᆞ랑이 간ᄃᆡ 업고 싀호(豺虎)의 ᄉᆞ오나옴과 ᄉᆞ갈(蛇蝎)의 모질믈 힘쎠 고ᄃᆡ 삼킬 다시 ᄒᆞ다가도 ᄐᆡ우 보ᄂᆞᆫ ᄃᆡᄂᆞᆫ 상셔의 ᄒᆡᆼ노(行路)을 염녀ᄒᆞ고 조시의 ᄉᆡᆼ남(生男)ᄒᆞ믈 바라ᄂᆞᆫ 쳬ᄒᆞ니, ᄐᆡ우ᄂᆞᆫ 흡흡(洽洽)[188]ᄒᆞᆫ 장부라, 본ᄃᆡ 소활(疎豁)ᄒᆞ니 형의 당부을 명심ᄒᆞ여 가ᄉᆞ을 ᄉᆞᆯ피나 원간 ᄂᆡᄉᆞ(內事) 알기을 괴로와 ᄒᆞ고 형을 위지(危地)의 보ᄂᆡᄆᆡ 창망(悵惘)ᄒᆞᆫ 심ᄉᆡ 버히ᄂᆞᆫ 듯ᄒᆞ니, 흥

182)돌리다 : 그럴듯한 꾀에 속다.
183)당제(當劑) : 어떤 병에 딱 들어맞는 약
184)앗다 : 없애다. 씻다. 가시다.
185)져당(抵當)하다 : 막다.
186)기젼(其前) : 그전.
187)작위(作爲) : 사실은 그렇지 않은데도 그렇게 보이기 위하여 의식적으로 하는 행위.
188)흡흡(洽洽) : 넉넉하고 부드러운 모양.

고 조부인 ᄀᆡ운을 ᄆᆞ른 후ᄂᆞᆫ 외헌(外軒)의 나와 하어ᄉᆞ를 청ᄒᆞ여 담화ᄒᆞ며 외롭고 울젹ᄒᆞᆫ 회포를 붓칠 곳이 업셔 낫은 친우붕ᄇᆡ(親友朋輩)를 ᄎᆞᄌᆞ 집의 든 ᄊᆡ 젹으니 엇지 형슈의 만단 곡경【65】을 몽니(夢裏)의나 ᄉᆡᆼ각ᄒᆞ리오.

이러므로 조부인의 슬픈 졍니(情理)를 알니 업더라. 조부인이 비록 금옥(金玉)의 견고ᄒᆞ미 이시나 가군(家君)의 ᄉᆞᄉᆡᆼ이 엇디 될고 듀야 심담이 붕녈(崩裂)ᄒᆞ고 존○[고]의 지흉극악(至凶極惡)ᄒᆞ미 경ᄀᆡᆨ(頃刻)의 쥭이고져 ᄒᆞ니 복ᄋᆞ를 보젼치 못ᄒᆞᆯ가 두려 가지록 셩효(誠孝)를 갈진(竭盡)ᄒᆞ여 조금도 원(怨)ᄒᆞᄂᆞᆫ 의ᄉᆡ 업ᄉᆞ나, 상셔의 부탁을 ᄉᆡᆼ각ᄒᆞ여 감ᄋᆡ[ᄂᆡ](堪耐)ᄒᆞ니 화용(花容)이 초췌(憔悴)ᄒᆞ고 옥골(玉骨)이 표연(飄然)ᄒᆞ여 풍진(風塵)의 붓칠 ᄃᆞᆺᄒᆞ니, 구패 초조착급(焦燥着急)[184]ᄒᆞ나 보호ᄒᆞᆯ 도리 업셔 심담(心膽)을 녹이더라.

ᄌᆡ셜 윤상셰 옥부금졀(玉斧金節)[185]을 압셰오고 금국으로 향ᄒᆞ니 청명(淸名)과 ᄌᆡ덕(才德)이 됴야(朝野)의 일ᄏᆞᆺᄂᆞᆫ ᄌᆡ상(宰相)이라. ᄒᆞ믈며 위국뎡튱(爲國貞忠)이 가연이[186] ᄉᆞ디(死地)를 ᄌᆞ원ᄒᆞ여 나아가니 쇼과(所過)의【66】 쥬현ᄌᆞᄉᆞ(州縣刺史) 등이 황황지영(遑遑祗迎)[187]ᄒᆞ여 그 튱의덕화(忠義德化)를 아니 공경ᄒᆞ리 업ᄂᆞᆫ디라. ᄒᆡᆼᄒᆞ여

183)신혼셩정(晨昏省定) : 신성(晨省)과 혼정(昏定). 곧 밤에는 부모의 잠자리를 보아 드리고 이른 아침에는 부모의 밤새 안부를 묻는다는 뜻으로, 부모를 잘 섬기고 효성을 다함을 이르는 말.

184)초조착급(焦燥着急) : 애가 타서 마음이 조마조마하고 급하다..

185)옥부금졀(玉斧金節) : 옥으로 만든 도끼인 부월(斧鉞)과 황금색 수기(手旗)인 금절(金節). 조선시대 관찰사 등의 지방관이 부임할 때 왕이 내려주던 것으로, 절(節)은 신표(信標), 부월(斧鉞)은 생살권(生殺權)을 상징한다.

186)가연이 : 개연(慨然)히, 분연히.

187)황황지영(遑遑祗迎) : 허둥지둥하며 급히 공경하여 맞이함.

이 업시 모친긔 신혼셩졍(晨昏省定)[189]ᄒᆞ고 조부인 ᄀᆡ후을 무른 후ᄂᆞᆫ 외헌(外軒)의 나와 하어ᄉᆞ을 청ᄒᆞ여 셔로 담화○…결락 23자…○[ᄒᆞ며 외롭고 울젹ᄒᆞᆫ 회포를 붓칠 곳이 업셔 낫은 친우붕ᄇᆡ(親友朋輩)]을 ᄎᆞᄌᆞ 집의 잇ᄂᆞᆫ ᄊᆡ 젹으니, 엇지 형수의 만단 곡경을 몽니(夢裏)의나 ᄉᆡᆼ각ᄒᆞ리오.

이러무로 조부인의 슬푼 졍니(情理) 알ᄉᆞ름이 젼혀 업더라. 비록【39】 금옥(金玉)의 견고ᄒᆞ니 잇스나 가군(家君)이 위험지지의 나아가 ᄉᆞᄉᆡᆼ이 엇지 될고, 듀야 심담이 붕녈(崩裂)ᄒᆞ고 존고의 극악극흉(極惡極凶)ᄒᆞ미 {붓치기을} 일시도 편ᄒᆞ고 ᄒᆞᆫ가ᄒᆞᆯ ᄊᆡ 업셔, 경각(頃刻)의 죽일 드시 심히 보ᄎᆡ아 복아을 보젼치 못ᄒᆞᆯ가 두리니, 가지록[190] 셩효(誠孝)을 갈진(竭盡)ᄒᆞ여 조곰도 편ᄒᆞᄂᆞᆫ 의ᄉᆡ 업ᄉᆞ나, 상셔의 부탁을 ᄉᆡᆼ각ᄒᆞ여 강인(强忍)ᄒᆞ니, 화용(花容)이 초췌(憔悴)ᄒᆞ고 옥골이 소연(昭然)ᄒᆞ여 풍진(風塵)의 부치일 듯ᄒᆞ니, 구ᄑᆡ 쵸죠ᄎᆞᆨ급(焦燥着急)[191]ᄒᆞ여 보호ᄒᆞᆯ 도리 업셔 심간(心肝)을 녹이더라.

ᄌᆡ셜, 윤상셔 옥부금졀(玉斧金節)[192]을 압세우고 금국으로 향ᄒᆞ니 춍명(聰明)과 ᄌᆡ덕(才德)이 죠야(朝野)의 일컷ᄂᆞᆫ ᄌᆡ상(宰相)이라. ᄒᆞ믈며 위국졍츙(爲國貞忠이 ᄀᆡ연이[193] ᄉᆞ지(死地)의 ᄌᆞ원ᄒᆞ여 나아가니 소과(所過)의 쥬현ᄌᆞᄉᆞ(州縣刺史)드리 황황지영(遑遑祗迎)[194]ᄒᆞ여 그 츙의덕화(忠義德

189)신혼셩경(晨昏省定) : 신성(晨省)과 혼정(昏定). 곧 밤에는 부모의 잠자리를 보아 드리고 이른 아침에는 부모의 밤새 안부를 묻는다는 뜻으로, 부모를 잘 섬기고 효성을 다함을 이르는 말.

190)가지록 : 갈수록.

191)쵸죠ᄎᆞᆨ급(焦燥着急) : 애가 타서 마음이 조마조마하고 급하다..

192)옥부금졀(玉斧金節) : 옥으로 만든 도끼인 부월(斧鉞)과 황금색 수기(手旗)인 금절(金節). 조선시대 관찰사 등의 지방관이 부임할 때 왕이 내려주던 것으로, 절(節)은 신표(信標), 부월(斧鉞)은 생살권(生殺權)을 상징한다.

193)ᄀᆡ연(慨然)이 : 개연히, 분연이,

194)황황지영(遑遑祗迎) : 허둥지둥하며 급히 공경하여 맞이함.

형쥐 니르러 윤공의 평ᄉᆡᆼ고우(平生故友) 화도ᄉᆞ를 만나니 반가오믈 니긔지 못ᄒᆞ여, 형듀 ᄀᆡᆨ관(客館)의 드지 아니ᄒᆞ고 별쳐의 햐쳐(下處)ᄒᆞ여 밤을 당ᄒᆞ여 죵용이188) 담화ᄒᆞᆯ ᄉᆡ. 화도ᄉᆞ의 명은 '쳔'이오 ᄌᆞᄂᆞᆫ '연디'니 항쥐인이라. 윤공의 부친이 기ᄃᆡᆨ(棄織)ᄒᆞ고 항듀 본향으로 나려 갓던 고로 화쳔과 닌니의 잇셔 ᄋᆞ시로브터 정의(情誼) 지극ᄒᆞᄃᆡ ᄯᅳᆺ이 ᄀᆞᆺ지 아냐 화도ᄉᆞᄂᆞᆫ 공명을 헌신ᄀᆞᆺ치 넉이며 부귀를 부운(浮雲) ᄀᆞᆺ치 아라 나히 십셰를 계오 지나며 텬태산(天台山) 하(下)의 진쳥도ᄉᆞ를 ᄯᆞᆯ와 텬문디리(天文地理)와 상법(相法)의 슐(術)과 사ᄅᆞᆷ의 길흉화복(吉凶禍福)을 졈복(占卜)ᄒᆞᄆᆡ 신묘치 아니미 업셔 안ᄌᆞ셔 만니【67】를 보ᄂᆞᆫ 총(聰)이 이시며, 셰샹의 ᄌᆞ최를 피ᄒᆞ고 션도(仙道)를 ᄇᆡ호니, 샹셰 이런 일을 아쳐ᄒᆞ여189)

,

"군ᄌᆡ 당당이 공문(孔門)190)의 도ᄒᆞᆨ(道學)을 ᄇᆡ화 '닙신양명(立身揚名)ᄒᆞ여 이현부모(以顯父母)'191)ᄒᆞ미 올커ᄂᆞᆯ, 엇디 ᄌᆡ조를 품고 발치 아냐 님하(林下)의 은ᄉᆞ(隱士)로 셩명이 초목과 ᄀᆞᆺ치 셕으리오192). ᄒᆞ물며 션도ᄂᆞᆫ 허탄키 심ᄒᆞ니 진쳥도ᄉᆞ의 뎨ᄌᆡ되여 화식(火食)193)을 물니치고 션도를 ᄇᆡ호려 ᄒᆞ니, 진황(秦皇)·한무(漢武)194)의 위엄으로도 신션을 만나지 못ᄒᆞ엿거든 화연지 므슴 사ᄅᆞᆷ이완ᄃᆡ 신션이 되리오"

188)종용이 : 종용히. 성격이나 태도가 차분하고 침착하게.

189)아쳐ᄒᆞ다 : 하자(瑕疵)하다. 흠을 잡다.

190)공문(孔門) : 공자의 문하. 곧 유교에 입문(入門)함을 뜻함.

191)입신양명 이현부모(立身揚名 以顯父母) : 『효경(孝經)』「개종명의장(開宗明義章)」에 나오는 말로, 출세하여 이름을 세상에 떨침으로써 부모님의 덕을 드러내는 것.

192)셕다 : 썩다.

193)화식(火食) : 불에 익힌 음식을 먹는 것으로, 세속인의 삶을 뜻함.

194)진황(秦皇)·한무(漢武) : 중국 진(秦)나라 시황제(始皇帝: BC259~210)와 한(漢)나라 무제(武帝: B.C.156~87)를 말함. 둘 다 선도(仙道)에 심취해 신선의 술(術)을 얻고자 했다.

化)을 아니 공경ᄒᆞ리 업ᄂᆞᆫ지라. ᄒᆡᆼᄒᆞ여 형쥬의 이른ᄃᆡ 윤공의 평ᄉᆡᆼ고우(平生故友) 화도ᄉᆞ을 만나니 반가오믈 이긔지 못ᄒᆞ여 형쥬 ᄀᆡᆨ광[관](客館)의도 드지 아니ᄒᆞ고 별쳐의 ᄉᆞ쳐(私處)ᄒᆞ여 밤을 당ᄒᆞ야 죵용이195) 담화ᄒᆞᆯ ᄉᆡ, 화도ᄉᆞ의 명은 쳥이오 ᄌᆞᄂᆞᆫ 연지니 황주인이라. 윤공의 부친이 기직(棄職)ᄒᆞ고 황쥬로 나려갓던 고로 화쳥[쳔]○○○○○[과 닌니의 잇]셔 아시로브터 정의(情誼)【40】지극ᄒᆞ더니, ᄯᅳᆺ지 갓지 못ᄒᆞ여 화도ᄉᆞᄂᆞᆫ 공명을 허[헌]신 갓치 넉이며 부귀을 부운(浮雲) 갓치 아라, 나희 겨유 십셰을 지나ᄆᆡ 쳔ᄐᆡ산 ᄒᆞ의 진텽도ᄉᆞ을 ᄯᆞ라 쳔문지리(天文地理)와 ᄉᆞᄅᆞᆷ의 화복길흉(禍福吉凶)을 졈복(占卜)ᄒᆞ여 신묘치 아니미 업ᄉᆞ니 안져셔 쳔니 밧 일을 아ᄂᆞᆫ 춍명이 잇ᄂᆞᆫ 고로 세상 ᄌᆞ최을 피ᄒᆞ고 션도(仙道)을 ᄇᆡ호니 상셔 이런 일을 ᄒᆞᄌᆞ(瑕疵)ᄒᆞ여196) 일오ᄃᆡ,

"군ᄌᆡ 셰상의 쳐ᄒᆞᄆᆡ 당당히 공문(孔門)197) 도ᄒᆞᆨ(道學)을 ᄇᆡ화 '닙신양명(立身揚名)ᄒᆞ여 이현부모(以顯父母)'198)ᄒᆞ미 올커ᄂᆞᆯ 엇지 ᄌᆡ조을 품고 발치 아니 ᄒᆞ여 거연이 임ᄒᆞ은ᄉᆞ(林下隱士)로 성명이 초목과 갓치 셕으리오199). 허물며 션도ᄂᆞᆫ 심히 허탄ᄒᆞ니 진쳥도ᄉᆞ의 졔ᄌᆡ 되어 화식(火食)200)을 물니치고 션도을 ᄇᆡ호려 ᄒᆞ니, 진시황(秦始皇)201) 한무졔(漢武帝)202)의 위엄으로도 신션을 만나지 못ᄒᆞ엿거든 화연지ᄂᆞᆫ 무슴 ᄉᆞ

195)종용이 : 조용히.

196)ᄒᆞᄌᆞ(瑕疵)ᄒᆞ다 : 아쳐하다. 흠을 잡아 말하다.

197)공문(孔門) : 공자의 문하. 곧 유교에 입문(入門)함을 뜻함.

198)입신양명 이현부모(立身揚名 以顯父母) : 『효경(孝經)』「개종명의장(開宗明義章)」에 나오는 말로, 출세하여 이름을 세상에 떨침으로써 부모님의 덕을 드러내는 것.

199)셕다 : 썩다.

200)화식(火食) : 불에 익힌 음식을 먹는 것으로, 세속인의 삶을 뜻함.

201)진시황(秦始皇) : BC259~210. 중국 진(秦)나라 시황제(始皇帝). 재위 BC246~210.

202)한무제(漢武帝) : B.C.156~87. 중국 전한(前漢) 제7대 황제. 재위 BC141-87.

ᄒᆞ니, 화도ᄉᆡ 웃고,

"비록 신션은 되지 못ᄒᆞ나 ᄉᆞᄒᆡ의 오유ᄒᆞ여 명산을 편답ᄒᆞ며 풍경을 완상(玩賞)ᄒᆞ니 형의 벼슬ᄒᆞᄂᆞᆫ 영귀로 비치 못ᄒᆞ리라."

ᄒᆞ더라. 【68】

름이뇨?"

연지 소왈,

"비록 신션은 되지 못ᄒᆞ나 ᄉᆞᄒᆡ의 오유ᄒᆞ여 명산을 편답ᄒᆞ여 풍경을 완상ᄒᆞ니 엇지 형의 벼슬ᄒᆞ는 영귀만 못ᄒᆞ리오."

ᄒᆞ더라.

명듀보월빙 권디이

션시(先時)의 화도ᄉᆡ 쇼왈(笑曰),

“신선은 되지 못ᄒᆞ나 ᄉᆞᄒᆡ(四海)를 오유(遨遊)ᄒᆞ고 명산의 노라 풍경을 완상ᄒᆞ니 즐거오미 형의 샤환(仕宦)ᄒᆞᄂᆞᆫ 영귀(榮貴)로 비치 못ᄒᆞ리라.”

○○○○○[원ᄂᆡ 화도ᄉᆞ] 부뫼 일죽 기셰(棄世)ᄒᆞ시나 빅시 잇셔 조션향화(祖先香火)[195]와 혈식(血食)[196]을 니으니, ᄌᆞ긔ᄂᆞᆫ 나히 삼슌(三旬)이로ᄃᆡ 죵시 취실(娶室)치 아니ᄒᆞ고 도인을 조ᄎᆞ 진념(塵念)을 긋쳐시므로 일가친척도 만나지 못ᄒᆞ더니, 윤상셰 만니타국의 외로운 귀신이 될 줄 소연(昭然)이 알매, ᄒᆞᆫ 번 몸을 화(化)ᄒᆞ여 구름을 ᄐᆞ고 신쥬 니르러 셔로 만나니, 상셰 집슈희열(執手喜悅)[197] 왈,

“무륜(無倫)[198]ᄒᆞᆫ 도ᄉᆞ를 니별ᄒᆞ연지 삼년이 남앗더니[199] 금일은 하일(何日)이완ᄃᆡ 이의 니르럿ᄂᆞ뇨?”

도ᄉᆡ 쇼 왈,【1】

“문강이 날다려 무륜타 ᄒᆞ여도 젼졍운슈(前程運數)[200]를 ᄇᆞᆰ히 알므로 금년의 형을 위ᄒᆞ여 길흉을 츄졈(推占)ᄒᆞ니 임의 대명(大命)[201]이 긋쳐졋ᄂᆞᆫ디라. ‘듁마(竹馬)의 고우(故友)’[202]로 ᄒᆞᆫ 번 영결(永訣)코져 니르괘라.”

상셰 왈,

195)조션향화(祖先香火) : 향불을 피워 선조의 제사를 지냄.
196)혈식(血食) : 종묘(宗廟) 제사에서 강신의례(降神儀禮)로 신을 내려오게 하기 위해 가축을 잡아 그 피를 바쳐 고한데서 유래한 말로, '제사'를 뜻한다.
197)집슈희열(執手喜悅) : 손을 잡고 서로 반기며 기뻐함.
198)무륜(無倫) : 군신・부부・부자관계와 같은 인간이 마땅히 갖춰야할 인간관계나 그 구성원으로서의 도리를 차리지 않음.
199)남다 : 넘다.
200)젼졍운슈(前程運數) : 앞날의 운수.
201)대명(大命) : 천명(天命). 타고난 수명.
202)듁마고우(竹馬故友) : 대막대기를 타고 놀던 벗이라는 뜻으로, 어릴 때부터 같이 놀며 자란 벗.

원ᄂᆡ(原來) 화도ᄉᆞ 부모 일즉 죽고 그 빅시 이셔 조션향화(祖先香火)[203]와 혈식(血食)[204]을 이으니, ᄌᆞ긔는 나히 ᄉᆞᆷ슌(三旬)이로ᄃᆡ 종시 취실(娶室)치 아니 ᄒᆞ고 도인을 조ᄎᆞ 진념(塵念)을 끈ᄎᆞ시므로 일가 친척도 만【41】나지 못ᄒᆞ더니, ᄎᆞ일 윤상셔을 만나미 만니 타향의 외로온 귀신이 될 쥴 소연(昭然)이 아는 고로 ᄒᆞᆫ번 몸을 화ᄒᆞ여 텬틱산 구름을 타고 형쥬의 이르러 셔로 만나니 상셔 집수희열(執手喜悅)[205] 왈,

“무륜(無倫)[206]ᄒᆞᆫ 도ᄉᆞ을 니별ᄒᆞᆫ지 ᄉᆞᆷ년이 남앗스니[207] 금일은 ᄒᆞ일(何日)이관ᄃᆡ 이의 이르러 셔로 만나뇨?”

화도○[ᄉᆞ] 소왈,

“문강이 날타려 무륜(無倫)타 ᄒᆞ여도 젼경운수(前程運數)[208]을 밝히 알무로 금년의 형을 위ᄒᆞ여 길흉을 츄졈(推占)ᄒᆞ니 ᄃᆡ명(大命)[209]이 임의 끈쳐질지라. 죽마고우(竹馬故友)[210]로 ᄒᆞᆫ 번 영결(永訣)코져 이르럿노라.”

상셔 왈,

203)조션향화(祖先香火) : 향불을 피워 선조의 제사를 지냄.
204)혈식(血食) : 종묘(宗廟) 제사에서 강신의례(降神儀禮)로 신을 내려오게 하기 위해 가축을 잡아 그 피를 바쳐 고한데서 유래한 말로, '제사'를 뜻한다.
205)집수희열(執手喜悅) : 손을 잡고 서로 반기며 기뻐함.
206)무륜(無倫) : 군신・부부・부자관계와 같은 인간이 마땅히 갖춰야할 인간관계나 그 구성원으로서의 도리를 차리지 않음.
207)남다 : 넘다.
208)젼경운슈(前程運數) : 앞날의 운수.
209)대명(大命) : 천명(天命). 타고난 수명.
210)죽마고우(竹馬故友) : 대막대기를 타고 놀던 벗이라는 뜻으로, 어릴 때부터 같이 놀며 자란 벗.

"형이 니르지 아니나 위디(危地)를 향ᄒᆞ니 ᄉᆞ라 도라오기를 미드리오."

도ᄉᆡ 믄득 츄연(惆然) 왈,

"형의 인ᄌᆞ화홍(仁慈和弘)[203]ᄒᆞᆫ 덕힝으로 텬록(天祿)[204]을 누리지 못ᄒᆞ고 슬하의 ᄋᆞ돌을 보지 못ᄒᆞ여 빵뇽(雙龍)의 영화를 보지 못ᄒᆞᆯ ᄇᆡ 엇지 한홉지[205] 아니리오."

윤공이 경왈(警曰),

"쇼뎨의 단슈(短壽)ᄒᆞ믄 거의 짐작ᄒᆞ거니와 형의 니른 바 빵뇽은 므어술 니르미뇨?"

도ᄉᆡ 왈,

"형이 엇지 쇼뎨를 은닉(隱匿)ᄒᆞᄂᆞ뇨? 거츄(去秋)의 반ᄃᆞ시 신몽(神夢)을 인ᄒᆞ여 냥뇽(兩龍)을 보아 실【2】 거시니 태허진군(太虛眞君)과 녕허도군(靈虛道君)이 윤가의 쳔니긔린(千里麒麟)[206]이라. 형의 후ᄉᆡ(後嗣) 빗나고 명강 형이 맛춤ᄂᆡ ᄋᆞ돌이 업ᄉᆞ리니 녕허도군은 계시(季氏)[207] 양ᄌᆡ(養子) 될지라. 다만 냥뇽이 초년이 곤궁ᄒᆞ여 간익(艱厄)이 비상ᄒᆞ나 각각 팔ᄌᆡ 대길ᄒᆞ여 엄안(嚴顔)을 모로미 흠ᄉᆡ(欠事)로ᄃᆡ, 됴달영귀(早達榮貴)[208]ᄒᆞ여 슈한(壽限)이 댱원(長遠)ᄒᆞ니 형이 ᄋᆞ돌을 보지 못ᄒᆞ고 셰상을 ᄇᆞ릴지라도 ᄆᆞ옴의 대귀ᄒᆞᆯ 냥ᄌᆞ(兩子)를 둠과 다르지 아니리라."

공이 화도ᄉᆞ의 젼후를 본ᄃᆞ시 니르믈 드르니 ᄯᅩᄒᆞᆫ 션되(仙道) 업다 못ᄒᆞᆯ지라. 의괴왈(疑怪曰),

"쇼뎨 거츄의 긔몽(奇夢)을 어더 빵뇽을 어더 보앗거니와 몽ᄉᆡ 허툰(虛誕)ᄒᆞᆫ디라, 므솜 취신ᄒᆞᆯ ᄇᆡ 이시리오?"

도ᄉᆡ 쇼왈,【3】

203)인ᄌᆞ화홍(仁慈和弘) : 안자하고 온화하며 너그러움.
204)텬록(天祿) : 하늘이 주는 복록.
205)한홉다 : 한스럽다.
206)쳔니긔린(千里麒麟) : 하루에 천 리를 달릴 만큼 뛰어난 기린이라는 뜻으로, 재주가 남보다 뛰어난 이이를 비유(比喩)해 이르는 말.
207)계시(季氏) : 동생, 아우.
208)됴달영귀(早達榮貴) : 젊은 나이로 일찍 높은 지위에 올라 귀(貴)히 됨.

"형이 일으지 아니나 위지(危地)을 향ᄒᆞ니 엇지 ᄉᆞᄅᆞ 오기을 미드리오."

화도ᄉᆡ 문득 츄연(惆然) 왈,

"형이 인ᄌᆞ화홍(仁慈和弘)[211]ᄒᆞᆫ 덕힝으로 쳔녹(天祿)[212]을 누리지 못ᄒᆞ고 슬하의 아들을 보지 못ᄒᆞ고 쌍뇽(雙龍)의 영화을 아지 못ᄒᆞ미 ᄒᆞᆫ홉지[213] 아니리오."

윤공이 놀나 왈,

"소제의 단수(短壽)ᄒᆞ믄 거의 짐즉ᄒᆞ거니와 형의 닐으ᄂᆞᆫ 바 쌍뇽은 엇지 일옴인고?"

도ᄉᆡ 왈,

"형이 엇지 소제을 은익(隱匿)ᄒᆞᄂᆞ뇨? 거츄(去秋)의 형이 반다시 신몽(神夢)을 인ᄒᆞ여 냥뇽(兩龍)을 보아실 거시니, ᄐᆡ허진군(太虛眞君)과 령허도ᄉᆡ(靈虛道士)니 윤가 쳔니긔린(千里麒麟)[214]이라. 형의 후ᄉᆡ(後嗣) 빗ᄂᆞ고 명강 형이 마춤ᄂᆡ 아【42】들이 업ᄉᆞ리니 영허도군(靈虛道君)은 계시(季氏)[215]의 양ᄌᆡ(養子) 될지라. 다만 쌍뇽의 쵸년이 곤궁ᄒᆞ여 간익(艱厄)이 비상ᄒᆞ나 각각 팔ᄌᆡ ᄃᆡ길ᄒᆞ여 엄부(嚴父)의 얼골을 모르미 흠ᄉᆡ(欠事)로ᄃᆡ 됴달영귀(早達榮貴)[216]ᄒᆞ여 수ᄒᆞᆫ(壽限)이 장구(長久)ᄒᆞ니 형이 아들을 보지 못ᄒᆞ고 셰상을 바릴지라. 연이나 ᄃᆡ길ᄒᆞᆯ 양ᄌᆞ을 두리니 ᄆᆞ음은 가장 즐거울노다."

공이 화도ᄉᆞ의 젼후을 보드시 일으믈 드르니 ᄯᅩᄒᆞᆫ 션되(仙道) 업다 ᄒᆞ지 못ᄒᆞᆯ지라. 고이히 녁여 왈,

"소제 거츄의 긔몽(奇夢)을 어더 쌍뇽을 보아거니와 몽ᄉᆡ 허탄(虛誕)ᄒᆞ니 무슴 취신ᄒᆞᆯ ᄇᆡ 이시리오?"

도ᄉᆡ 소왈,

211)인ᄌᆞ화홍(仁慈和弘) : 안자하고 온화하며 너그러움.
212)쳔녹(天祿) : 하늘이 주는 복록.
213)ᄒᆞᆫ홉다 : 한스럽다.
214)쳔니긔린(千里麒麟) : 하루에 천 리를 달릴 만큼 뛰어난 기린이라는 뜻으로, 재주가 남보다 뛰어난 이이를 비유(比喩)해 이르는 말.
215)계시(季氏) : 동생, 아우.
216)됴달영귀(早達榮貴) : 젊은 나이로 일찍 높은 지위에 올라 귀(貴)히 됨.

"형이 몽ᄉᆞ를 허탄타 ᄒᆞ거니와 명듀를 어듬과 형의 텬샤로 나가미 ᄒᆞᆫ 일이나 어긔미 이시리오. 이졔 오믄 형을 영결ᄒᆞ고 형의 화상(畵像)을 일웟다가 후ᄅᆡ의 형의 ᄋᆞ돌을 주고져 ᄒᆞ노라."

언파의 ᄉᆞᄆᆡ 가온ᄃᆡ로셔 ᄒᆞᆫ 필(疋) ᄇᆡᆨ능(白綾)을 ᄂᆡ여 촉하(燭下)의셔 ᄎᆡ필(彩筆)을 드러 윤공의 화상을 일우ᄂᆞᆫ디라. 상셰 긔이히 녀겨 볼 ᄲᅳᆫ이러니, 이윽고 그리기를 맛ᄎᆞᄆᆡ 벽상의 걸고 본 즉 완연이 윤상셰 졍신을 머금고 말을 ᄒᆞᄂᆞᆫ ᄃᆞᆺ 옥면호풍(玉面豪風)의 광의대ᄃᆡ(廣衣大帶)[209]로 단졍이 안ᄌᆞ시니 일분도 다르미 업ᄂᆞᆫ디라. 상셰 화도ᄉᆞ를 향ᄒᆞ여 칭샤 왈,

"형이 션견디명(先見之明)이 미ᄅᆡ지ᄉᆞ(未來之事)를 이러ᄐᆞ시 아라 【4】 나의 화상을 일워 ᄌᆞ식을 주려 ᄒᆞ니 엇디 감샤치 아니리오마ᄂᆞᆫ 다만 냥농이 ᄋᆞ돌일시 분명ᄒᆞ며, 쇼뎨 ᄒᆞᆫ낫 녀ᄋᆡ 잇셔 금년이 오셰라. 작인이 쳥약(淸弱)ᄒᆞ니[210] 능이 향슈(享壽)치 못ᄒᆞᆯ가 두려 ᄒᆞᄂᆞ니 쇼뎨 죽으나 복이 무ᄉᆞ히 나고 녀식이 됴히 댱셩(長成)ᄒᆞ랴?"

도ᄉᆡ 쇼 왈,

"형은 이런 일을 념녀 말나. 녕ᄋᆡ(令愛)[211] 뎡가의 만년연분(萬年緣分)이 잇고 귀복(貴福)[212]이 당당ᄒᆞ니 초년 쇼쇼ᄌᆡ앙(小小災殃)은 니를 ᄇᆡ 아니라. 냥농은 ᄒᆞᆫ갓 형의 집을 흥긔(興起)ᄒᆞᆯ ᄲᅳᆫ 아니라 국가를 보좌ᄒᆞ고 낭묘(廊廟)[213]의 그릇시 되리니 형의 보지 못ᄒᆞ미 참연ᄒᆞᆯ지언졍 그 밧 흠식 업셔 초년 곤익이야 현마 엇지 ᄒᆞ리오."

공이 언언이 졈두(點頭)ᄒᆞ고 이의 【5】

209)광의대ᄃᆡ(廣衣大帶) : 너른 옷을 입고 넓은 띠를 두름.

210)쳥약(淸弱)ᄒᆞ다 : 기품이 맑고 약하다.

211)녕ᄋᆡ(令愛) : 윗사람의 딸을 높여 이르는 말.

212)귀복(貴福) : 귀히 살 복.

213)낭묘(廊廟) : 조정의 정무(政務)를 돌보던 전각(殿閣).

"형이 몽ᄉᆞ을 허탄이 알거니와 명쥬을 어듬과 형의 쳔ᄉᆞ로 나가미 ᄒᆞᆫ 일이나 어긔미 잇스리오. 이졔 소졔 오믄 형을 영결ᄒᆞ고 형의 화상(畵像)을 일워다가 후ᄅᆡ의 형의 ᄋᆞ돌을 주고져 ᄒᆞ노라."

언파의 ᄉᆞᄆᆡ로조ᄎᆞ ᄒᆞᆫ 필(疋) ᄇᆡᆨ능(白綾)을 ᄂᆡ여 촉ᄒᆞ의 ᄎᆡ필(彩筆)을 둘너 윤공의 화상을 일우ᄂᆞᆫ지라. 상셔 긔이히 녀겨 다만 볼 ᄲᅳᆫ이러니, 이윽고 그리기을 다ᄒᆞᄆᆡ 벽상의 걸고 본 즉 완연이 윤상셔의 졍신을 머금고 날을 ᄒᆞᆯ 닷 옥면호풍(玉面豪風)의 쥬관옥ᄃᆡ(珠冠玉帶)[217]로 단졍○[이] 안ᄌᆞ시니 일분도 다르미 업ᄂᆞᆫ지라. 상셔와 ᄃᆡᄒᆞᄆᆡ ᄒᆞᆫ ᄉᆞ룸이 도로혀 두 ᄉᆞ 【43】 룸이 되엇ᄂᆞᆫ지라. 상셔 화도ᄉᆞ을 향ᄒᆞ여 거구[수]칭ᄉᆞ(擧手稱謝) 왈,

"형이 션견지명(先見之明)이 잇셔 과거 미ᄅᆡᄉᆞ(未來事)을 이러타시 알아 나의 화상을 그려 ᄌᆞ식을 듀려ᄒᆞ니 엇지 감ᄉᆞ치 아니리오마는, 양농이 아들일시 분명ᄒᆞ며 소졔 ᄒᆞᆫ낫 ᄯᆞᆯ이 잇셔 금년이 오셰라. 작인이 쳠약ᄒᆞ니[218] 능히 향수치 못ᄒᆞᆯ 가 두리ᄂᆞᆫ ᄇᆡ라. 소졔 듁으나 유복이 무ᄉᆞ이 나며 녀식이 ᄯᅩ 무ᄉᆞ히 장셩ᄒᆞ랴?"

화도ᄉᆡ 소왈,

"형은 이런 일은 염녀 말나. 영네(令女) 뎡가의 만년연복[분](萬年緣分)이오 귀복(貴福)[219]이 당당ᄒᆞ니 소년 소소ᄌᆡ앙(小小災殃)은 일을 ᄇᆡ 아니라. 긔모(奇謀)와 향수(享壽)ᄒᆞ믈 장원치 못ᄒᆞᆯ가 두릴 거시 아니오, 양농은 ᄒᆞᆫ갓 형의 집을 흥긔(興起)ᄒᆞᆯ ᄲᅳᆫ 아니라 국가을 보젼ᄒᆞ고 낭묘(廊廟)[220]의 큰 그릇시 되리니 형의 보지 못ᄒᆞ미 참연ᄒᆞᆯ지○[언]졍 그 밧긔는 흠식 업셔 소년공명이 ᄯᅩᄒᆞᆫ 빗나리니 현마 엇지 ᄒᆞ리오."

윤상셔 언언이 신긔히 녁이고 즉시 ᄌᆞ긔

217)쥬관옥ᄃᆡ(珠冠玉帶) : 구슬갓끈을 단 관(冠)을 쓰고 옥으로 장식한 띠를 두름.

218)쳠약ᄒᆞ다 : 기품이 여리고 약하다.

219)귀복(貴福) : 귀히 살 복.

220)낭묘(廊廟) : 조정의 정무(政務)를 돌보던 전각(殿閣).

ᄌᆞ긔 화상 아ᄅᆡ 두어 쥴 글을 ᄡᅧ 도ᄉᆞ의 후의를 칭샤ᄒᆞ니, 도ᄉᆡ 왈,

“형의 화상의 친필을 머므러 두ᄂᆞᆫ 거시 더옥 형의 ᄋᆞᄃᆞᆯ노 ᄒᆞ여금 분명ᄒᆞᆫ 줄 알게 ᄒᆞ미로다.”

언필의 화상을 거두어 ᄉᆞᄆᆡ의 너코 밤을 ᄒᆞᆫ가지로 지ᄂᆡᆯ ᄉᆡ, 상셰 냥농의 연분이 어ᄂᆡ 곳의 인ᄂᆞᆫ고 므르니, 도ᄉᆡ 왈,

“황농은 인연이 여러 곳의 ᄆᆡ이고 원비ᄂᆞᆫ 뎡연의 녜 될 거시오. 옥농은 두 곳 연분이 이시니 원비ᄂᆞᆫ 하진의 ᄯᆞᆯ 밧근 나지 아니ᄒᆞ리라.”

이러틋 냥인이 쳘야(徹夜)토록 담화ᄒᆞ여 계셩(鷄聲)이 동(動)ᄒᆞ니, 화도ᄉᆡ 기리 니별ᄒᆞᆯ ᄉᆡ, 피ᄎᆡ(彼此) 의의(依依)ᄒᆞ여[214] 엄연슈루(奄然垂淚)[215]ᄒᆞ믈 면치 못ᄒᆞᄂᆞᆫ디라. 셔로 니회(離懷)를 ᄎᆞᆷ지 못ᄒᆞ여 쳔ᄃᆡ지하(泉臺之下)[216]의 셔로 보기【6】를 닐너 분슈(分手)ᄒᆞ니라.

명일 뎡공이 ᄀᆡᆨ관으로ᄡᅥ 나와 ᄀᆞᆯ오ᄃᆡ,

“작셕(昨夕)의 형이 관읍(官邑)으로 드로오지 아니 ᄒᆞ고 ᄉᆞᄉᆞ햐쳐(私私下處)[217]를 잡아 화도ᄉᆞ와 밤을 지ᄂᆡ니 므ᄉᆞᆷ 신이ᄒᆞᆫ 소식을 드르며 우리 길ᄒᆡ 위ᄐᆡᆨᄒᆞ미나 업다 ᄒᆞ더냐?”

윤공이 화도ᄉᆞ의 말을 ᄃᆡ강 젼ᄒᆞ여 왈,

“쇼뎨를 영결ᄒᆞ라 와시니 므ᄉᆞᆷ 길ᄒᆞᆫ 일이 이시리오. 다만 실인(室人)이 유신(有娠)ᄒᆞ엿더니, 반다시 쌍ᄉᆡᆼ남ᄋᆞ(雙生男兒)ᄒᆞ여 인연이 형의 녀ᄌᆞ와 하퇴지 녀ᄌᆞ의게 잇다 ᄒᆞ니, 쇼뎨 죽은 후라도 이 말을 사뎨(舍弟)의게 젼ᄒᆞ라.”

뎡공이 상셔의 불길ᄒᆞᆫ 말ᄉᆞᆷ을 놀나나 ᄉᆞ식(辭色)지 아니ᄒᆞ고 됴흔 말노 위로ᄒᆞ며 힝ᄒᆞ여 슈삼일만의 금국의 다ᄃᆞ【7】르니 국왕 호○○[숨ᄀᆡ] ᄇᆡ야호로 용댱(勇壯)ᄒᆞᆫ 군졸을 모호고 대댱군 알늄쉬 만인부뎍지용

214)의의(依依)ᄒᆞ다 : 헤어지기가 서운하다.
215)엄연슈루(奄然垂淚) : 홀연(忽然) 눈물을 흘림.
216)쳔ᄃᆡ지하(泉臺之下) : 저승.
217)햐쳐(下處) : 사처. 손님이 길을 가다가 묵음. 또는 묵고 있는 그 집

화상 아ᄅᆡ 두어 쥴 글을 ᄡᅧ 도ᄉᆞ의 후의을 칭ᄉᆞᄒᆞ니, 도ᄉᆡ 소왈,

“화상의 친필을 머무러 두미 형의 아ᄃᆞᆯ노 ᄒᆞ여곰 더욱 분명ᄒᆞᆫ 듈 알게 ᄒᆞ미로다.”

언필의 거두어 ᄉᆞᄆᆡ의 너코 밤을 ᄒᆞᆫ가지로 지ᄂᆡᆯ ᄉᆡ, 냥농의 연분이 어나 곳의 이시믈 《시니‖므르니》 도ᄉᆡ 왈,

“황농은 인연이 여러 곳의 잇고 원비ᄂᆞᆫ【44】{난} 뎡연의 녜 될 거시오. 옥농은 두 곳 연분이 잇고 원비ᄂᆞᆫ 하진의 ᄯᆞᆯ박긔 나지 아니리라.”

이날 밤이 박도록[221] 담화ᄒᆞ더니, 계셩(鷄聲)이 ᄉᆡᄇᆡᆨ[222]을 보ᄒᆞᄆᆡ 화도ᄉᆡ 길이 니별ᄒᆞᆯ ᄉᆡ, 피ᄎᆞ 의의ᄒᆞ여[223] 엄연슈루(奄然垂淚)[224]ᄒᆞ믈 면치 못ᄒᆞᄂᆞᆫ지라. 셔로 니회(離懷)을 참지 못ᄒᆞ여 쳔ᄃᆡ지ᄒᆞ(泉臺之下)[225]의 셔로 보믈 일컷고 ᄯᅥ나니라.

명일 뎡공이 ᄀᆡᆨ관으로셔 나와 일오ᄃᆡ,

“작셕의 형이 관읍(官邑)으로 드러오지 아니ᄒᆞ고 ᄉᆞᄉᆞ햐쳐(私私下處)[226]을 잡아 화도ᄉᆞ와 밤을 지ᄂᆡ니 무ᄉᆞᆷ 신이ᄒᆞᆫ 소식을 드르며 우리 길의 위ᄐᆡᆨᄒᆞ미 업다 ᄒᆞ더뇨?”

윤공이 도ᄉᆞ의 말을 ᄃᆡ강 젼ᄒᆞ여 왈,

“소졔을 영결ᄒᆞ러 왓스니 무ᄉᆞᆷ 일ᄒᆞᆫ 일이 잇시리오. 다만 실인(室人)이 잉ᄐᆡᆨᄒᆞ더니 반드시 쌍남을 ᄉᆡᆼᄒᆞ여 연분이 형의 녀ᄌᆞ와 하퇴지 녀ᄌᆞ의게 잇다 ᄒᆞ니 소졔 죽을지라도 이 말을 ᄉᆞ뎨(舍弟)의게 젼ᄒᆞ여 듀소셔.”

뎡공이 쳥파의 윤공이 단수(短壽)ᄒᆞ리라 말을 놀나나 ᄉᆞ식(辭色)지 아니 ᄒᆞ고 조흔 말노 위로 ᄒᆞ며 힝ᄒᆞ여 수ᄉᆞᆷ월만의 금국의

221)박도록 : 밝도록.
222)ᄉᆡᄇᆡᆨ : 새벽.
223)의의(依依)ᄒᆞ다 : 헤어지기가 서운하다.
224)엄연슈루(奄然垂淚) : 홀연(忽然) 눈물을 흘림.
225)쳔ᄃᆡ지ᄒᆞ(泉臺之下) : 저승.
226)햐쳐(下處) : 사처. 손님이 길을 가다가 묵음. 또는 묵고 있는 그 집

(萬人不敵之勇)과 풍우(風雨)를 부리ᄂᆞᆫ ᄌᆡ죄 잇셔 금왕(金王)을 도도아 텬됴(天朝)를 항거ᄒᆞᆯ 뜻이 급ᄒᆞ고 군신의 대의를 출히○[미] 업셔 됴공(朝貢)을 폐ᄒᆞ연지 오ᄅᆡ니 알뉼취 금왕의게 헌계(獻計)ᄒᆞᄃᆡ,

다다르니 국왕 호숨ᄀᆡ 바야흐로 용장졍병(勇將精兵)을 모흐고 군법을 죠련(調練)ᄒᆞ고 ᄃᆡ장군 알율치 만인무젹지용(萬人不敵之勇)과 풍우(風雨)을 부리ᄂᆞᆫ ᄌᆡ죠 잇셔 금왕(金王)을 도도와 텬조(天朝)을 항[항](抗)ᄒᆞᆯ 뜻지 급ᄒᆞ여 군【45】신의 ᄃᆡ의을 ᄎᆞ리ᄂᆞᆫ 일이 업셔 조공을 폐ᄒᆞᆫ지 오ᄅᆡ드니, ᄃᆡᄉᆞ도 뎡연이 텬조의 수명(受命)ᄒᆞᆫ 장ᄉᆡ(壯士)라 하는지라. 알율치 금왕의게 헌계ᄒᆞ여 왈,

“쇼신이 텬샤(天使)의 오ᄂᆞᆫ 거슬 드러 텬샤의 아름다오미 드른 말과 ᄀᆞᆺ틀진ᄃᆡ 죽이지 아니ᄒᆞ고, 다만 그 관하(官下)를 잡ᄋᆞ 가도고 텬샤 냥인만 뎐하ᄭᅴ ᄇᆡ하(拜賀)ᄒᆞ라 ᄒᆞ여, 아국 웅댱ᄒᆞᆫ ᄀᆡ셰를 뵈고 군병ᄀᆡ갑(軍兵機甲)을 둘너 항복ᄒᆞ믈 ᄌᆡ촉ᄒᆞ여, 만일 조츨진ᄃᆡ 아죠 대신을 삼고, 일분이나 불공ᄒᆞ미 잇거든 육장(肉醬)을 ᄆᆡᆫ들니라.”

“소신이 텬ᄉᆞ(天使)의 오ᄂᆞᆫ 길을 드러가와 쳔ᄉᆞ의 아름다오미 듯던 말과 갓틀진ᄃᆡ 죽이지 말고 다만 그 관ᄒᆞ(官下)을 잡아 가두고 쳔ᄉᆞ 양인을 다ᄅᆡ여[227] 젼하ᄭᅴ ᄇᆡ(拜)ᄒᆞ라 ᄒᆞ여 아국 장ᄒᆞᆫ ᄀᆡ셰을 뵈고 군병갑ᄀᆡ(軍兵甲騎)을 둘너 항복ᄒᆞ믈 ᄌᆡ촉ᄒᆞ여 만일 조출진ᄃᆡ 아조 신ᄒᆞ(臣下)을 숨고 일부[분]이나 불공ᄒᆞ미 잇거든 뉵장(肉醬)을 만들니이다.”

ᄒᆞ니, 금왕【8】이 점두(點頭)[218]ᄒᆞ니 알뉼취 즉시 군병을 거ᄂᆞ려 텬샤의 오ᄂᆞᆫ 길흘 막고져 ᄒᆞ니, 승상 한침 왈,

“부텬샤 아오로 가도고 상샤(上使) 일인만 남겨 뎐하ᄭᅴ 산호ᄇᆡ무(山呼拜舞)[219]ᄒᆞ라 ᄒᆞ여, 항복ᄒᆞ미 이시면 부샤 이하ᄂᆞᆫ 다 상관(上官)의게 달녀시니 ᄌᆞ연이 아국 위셰를 두려 항(降)ᄒᆞ리이다.”

호삼개 왈,

“한경의 말이 올흐니 알 댱군은 그ᄃᆡ로 ᄒᆞ라.”

알뉼취 승명ᄒᆞ여 셩 남문 밧ᄭᅴ 가 텬샤의 슈려(秀麗)ᄒᆞᆫ 용화(容華)와 쇄락(灑落)ᄒᆞᆫ 풍광(風光)이 완연이 학우션관(鶴羽仙官)[220]이라. 그 조ᄎᆞᆫ 군관하리(軍官下吏)의 뉴(類) 번국인물(藩國人物)[221]노 비컨ᄃᆡ ᄇᆡᆨ승(百

금왕○[이] 《크게 ‖ 고개》 조아[228] 응낙ᄒᆞ니, 알뉼치 즉시 군병을 거느려 쳔ᄉᆞ의 오ᄂᆞᆫ 길을 막으려 ᄒᆞ니, 승상 한침 왈,

“부쳔ᄉᆞ 아오로 가도고 상ᄉᆞ(上使) 일인만 거ᄂᆞ려 젼ᄒᆞᄭᅴ 산호ᄇᆡ무(山呼拜舞)[229]ᄒᆞ라 ᄒᆞ여, 항복ᄒᆞ미 잇거든 부ᄉᆞ 이하ᄂᆞᆫ 다 상관(上官)의게 달녀시니 ○(아)국 위셰을 두려 항(降)ᄒᆞ리라.”

호숨ᄀᆡ 일오ᄃᆡ,

“한승상의 말이 올흐니 알장군은 그ᄃᆡ로 ᄒᆞ라.”

알뉼치 승명ᄒᆞ여 셩남 문박ᄭᅴ 텬ᄉᆞ의 오는 길을 막으니, 멀니 보건ᄃᆡ 냥텬ᄉᆞ의 수려ᄒᆞᆫ 용화와 쇄락ᄒᆞᆫ 풍광이 완연이 학우션관(鶴羽仙官)[230]이라. 그 조찬 군관ᄒᆞ리 번국인물(蕃國人物)[231]노 비컨ᄃᆡ 쳔ᄇᆡᆨ승(千百

---

218)점두(點頭) : 승낙하거나 옳다는 뜻으로 머리를 약간 끄덕임.

219)산호ᄇᆡ무(山呼拜舞) : 나라의 중요 의식에서 신하들이 임금의 만수무강을 축원하여 두 손을 치켜들고 만세를 부르고 절하던 일.

220)학우션관(鶴羽仙官) : 학(鶴)의 깃옷[羽衣]을 입은 신선.

221)번국인물(蕃國人物) : 오랑캐 나라의 사람들.

227)다ᄅᆡ다 : 달래다.

228)조아 : (고개를) 끄덕여. ‘쪼다’의 옛말 ‘좃다’의 부사형.

229)산호ᄇᆡ무(山呼拜舞) : 나라의 중요 의식에서 신하들이 임금의 만수무강을 축원하여 두 손을 치켜들고 만세를 부르고 절하던 일.

230)학우션관(鶴羽仙官) : 학(鶴)의 깃옷[羽衣]을 입은 신선.

231)번국인물(蕃國人物) : 오랑캐 나라의 사람들.

勝)이라. 알늘춰 말【9】을 아니ᄒᆞ고 군병으로 겹겹이 에워ᄡᆞ며 텬샤의 좌우로 뫼신바 군관하리를 일졔히 잡아 함거(檻車)의 가도고 큰 칼과 긴 창으로 부텬샤를 잡아 함거의 너흐라 ᄒᆞ니, 윤·뎡 이공이 ᄎᆞ경(此境)을 당ᄒᆞ여 어히 업셔, 졍셩(正聲) 칙(責) 왈,

"여등(汝等)이 비록 이젹(夷狄)의 풍쇽(風俗)으로 녜의를 아디 못ᄒᆞ나 텬됴대신(天朝大臣)을 이러틋 곤욕(困辱)ᄒᆞ니 네 나라히 무ᄉᆞᄒᆞ믈 어드랴? 호삼개 머리를 보젼코져 ᄒᆞ거든 여등을 식여[222] 이러치 아니ᄒᆞᆯ디라. 대국샤신을 문외(門外)의 나와 맛디 아니ᄒᆞ고 이 므슴 거죄(擧措)뇨?"

알늘춰 드른 쳬 아니 ᄒᆞ고 부ᄉᆞ를 잡아 함거의 너흐니, 뎡공이 팔쳑댱부로 용녁이【10】이 업지 아니ᄒᆞᄃᆡ, 외로온 몸으로 뼈 오ᄇᆡᆨ 군ᄉᆞ를 엇디 당ᄒᆞ리오. 힘힘이 함거의 갓치이니 분완통한(憤惋痛恨)ᄒᆞ여 노긔(怒氣) 하날을 쎄칠 둧ᄒᆞᄃᆡ, 할 일 업셔 윤공을 향ᄒᆞ여 웨여[223] 왈,

"쇼뎨 용녈(庸劣)ᄒᆞ여 이뎍의게 잡힌 ᄇᆡ 되엿거니와 형은 댱부의 예긔(銳氣)를 ᄒᆞᆫ갈ᄀᆞᆺ치 최찰(摧挫)[224]치 말나."

윤공이 미급 답의 표풍취우(飄風驟雨)[225] ᄀᆞᆺ치 급히 다르니[226], 윤공이 ᄌᆞ긔를 아니 잡아가ᄂᆞᆫ 거시 발셔[227] 뜻이 이시믈 아라 죵용이 단신(單身)으로 힝ᄒᆞ여 금국 도셩(都城)의 니르러 금왕의 궁실(宮室)노 향ᄒᆞᆯ ᄉᆡ, 승상 한침{의} 이히(以下) 다 나와, 니르ᄃᆡ,

"텬ᄉᆡ 우리 뎐하긔 됴회(朝會)ᄒᆞ려 ᄒᆞᆯ진ᄃᆡ 당당이 아됴(我朝) 복ᄉᆡᆨ을【11】ᄒᆞ고 산호ᄇᆡ무ᄒᆞᆯ 거시니 숑됴(宋朝) 옷ᄉᆞᆯ 곳치라."

니르며, 금왕의 츌입ᄒᆞᄂᆞᆫ 문을 막고 문무

222)식여 : 시켜.
223)웨다 : 외치다.
224)최찰(摧挫) : 최좌(摧挫). 최절(摧折). 최촬(摧挫). 좌절(挫折). 마음이나 기운이 꺾임.
225)표풍취우(飄風驟雨) : 회오리바람과 소나기
226)다르니 : 달려가니, 기본형 '닫다'.
227)발셔 : 벌써.

勝)이라. 알늘치 말을 아니 ᄒᆞ고 군병을 겹겹이 에워ᄊᆞ고 쳔【46】ᄉᆞ의 좌우 군관ᄒᆞ리을 일졔히 잡아 함거(檻車)의 가도고 큰 칼과 긴 창으로 부쳔ᄉᆞ을 잡아 함거의 너흐라 ᄒᆞ니, 윤·뎡 이공이 ᄎᆞ경(此境)을 보고 어히 업셔 통한(痛恨)ᄒᆞ믈 이긔지 못ᄒᆞ여 엄졀(嚴切)이 ᄭᅮ지져 왈,

"여등(汝等)이 비록 이젹(夷狄)의 풍속(風俗)으로 녜의을 아지 못ᄒᆞ나 텬죠ᄃᆡ신(天朝大臣)을 이러틋 곤욕(困辱)ᄒᆞ니 네 나라히 무ᄉᆞᄒᆞ믈 어들소냐?" 호ᄉᆞᆷᄀᆡ 머리을 보젼코져 ᄒᆞᆯ지[진]ᄃᆡ, 여등으로 감히 이러타시 못ᄒᆞ리라. 너의 도리 쳔ᄉᆞ을 문외(門外)의 나와 맛지 아니 ᄒᆞ고 이 엇진 거동이뇨?"

알늘치 드른 쳬 아니코 부ᄉᆞ을 잡아 함거의 너흐니 뎡공이 팔쳑장신으로 용녁이 업지 아니ᄃᆡ 외로온 몸으로ᄡᅧ 오ᄇᆡᆨ군졸을 어이 다토리오. 힘힘히 함거의 갓치이니 분완통ᄒᆞᆫ(憤惋痛恨) ᄒᆞ여 발연(勃然)ᄒᆞᆫ 노긔(怒氣) 하날을 ᄊᆡ칠 듯ᄒᆞ되 ᄒᆞᆯ 일 업셔 윤공을 향ᄒᆞ여 웨여[232] 왈,

"ᄂᆡ 용녈(庸劣)ᄒᆞ여 이젹의게 잡힌 ᄇᆡ 되어시나 형은 장부의 여[예]긔(銳氣)을 최촬(摧挫)[233]지 말나."

윤공이 미급 답의 포[표]풍취우(飄風驟雨)[234] 갓치 여러 함거을 말게 시러 급급히 다르니[235], 윤공이 ᄌᆞ긔을 아니 잡아 가는 거시 발셔[236] 뜻시 잇시믈 아라 종용이 단신으로 힝ᄒᆞ여 금국 도셩(都城)의 드러가 금왕의 궁궐노 향ᄒᆞᆯ ᄉᆡ, 한침 이히(以下) 다 나와 일오ᄃᆡ,

"텬【47】ᄉᆡ 우리 젼ᄒᆞ게 조알(朝謁)코져 ᄒᆞᆯ진ᄃᆡ 당당○[이] 아조(我朝) 복ᄉᆡᆨ으로 산호ᄇᆡ무ᄒᆞᆯ 거시니 송죠(宋朝) 옷슬 곳치라."

일으며, 금왕의 츌입ᄒᆞ는 문을 막고 문무 조신의 왕ᄂᆡᄒᆞ는 져근 문으로 드러가라 ᄒᆞ

232)웨다 : 외치다.
233)최촬(摧挫) : 최좌(摧挫). 최절(摧折). 최찰(摧挫). 좌절(挫折). 마음이나 기운이 꺾임.
234)표풍취우(飄風驟雨) : 회오리바람과 소나기
235)다르니 : 달려가니, 기본형 '닫다'.
236)발셔 : 벌써.

신뇨의 츌입ᄒᆞᄂᆞᆫ 문으로 드러가라 ᄒᆞ며 금국 복식을 가져와 닙으라 ᄒᆞ니, 윤공이 대로ᄒᆞ여 됴의(朝衣)[228]를 ᄎᆞᄇᆞ리고 즐(叱) 왈,

"대국텬ᄉᆡ 이에 오ᄆᆡ 네 님군이 먼니 나와 됴칙을 마ᄌᆞ며 텬샤를 공경ᄒᆞᄂᆞᆫ 거○[시] 번신의 도리어ᄂᆞᆯ 간ᄉᆞᄒᆞᆫ 말노 나의 뜻을 엿고져[229] ᄒᆞ니 여ᄎᆞ(如此) 완악(頑惡)ᄒᆞ고 능히 신명(神明)이 두렵지 아니랴?"

한침 등이 공을 져히며[230] 어셔 왕긔 됴알(朝謁)ᄒᆞ라 ᄒᆞ니, 상셰 잠간 지졍여[231] 낭듕(囊中)의 필연(筆硯)을 ᄂᆡ고 ᄉᆞᄆᆡ 가온ᄃᆡ 죠희[232]를 어더 일봉소(一封疏)를 황샹긔 올닐 ᄉᆡ, 문댱(文章)은 팔두(八斗)[233]를 기우리고 필법은 왕【12】희지(王羲之)[234]를 묘시(藐視)[235]ᄒᆞ니 경긱(頃刻)의 쓰기를 맛ᄎᆞᄆᆡ ᄉᆞ매의 너코 금왕의 츌입ᄒᆞᄂᆞᆫ 문을 당ᄒᆞ여 잠미(蠶眉)[236]를 거ᄉᆞ리고[237] 봉안(鳳眼)을 브릅ᄯᅥ 문니(門吏)를 즐퇴(叱退)ᄒᆞ니 위풍이 늠늠(凜凜)ᄒᆞᄂᆞᆫ지라. 문니 두려 감히 막지 못ᄒᆞ고 드려보ᄂᆡ니 금왕이 텬샤의 불공(不恭)ᄒᆞ던 말을 듯고 위엄을 댱(壯)히 버리고[238] 문무신뇨를 졔졔(齊齊)히 모호고 군병긔갑(軍兵機甲)을 셩히 베프며 형

228)조의(朝衣) : 공복(公服). 관원(官員)이 평상시 조정(朝廷)에 나아갈 때 입는 제복(制服).
229)엿다 : 엿보다. 모음으로 시작하는 어미 앞에서는 '엳-'으로 나타난다.
230)져히다 : 위협하다.
231)지졍이다 : 지체하다. 서성이다.
232)죠희 : 종이
233)팔두(八斗) : 중국 위(魏)나라 시인 조식(曹植: 192~232)의 재주가 뛰어남을 비유적으로 이른 말. 즉 동진(東晋)의 시인 사령운(謝靈運 : 385~433년)이 '천하의 재주를 한 섬으로 볼 때 조식의 재주가 팔두(八斗)을 차지한다'고 한데서 유래했다.
234)왕희지(王羲之) : 307~365. 중국 동진(東晋) 때 사람. 서성(書聖)으로 일컬어지는 중국 최고의 서예가.
235)묘시(藐視) : 업신여기어 깔봄.
236)잠미(蠶眉) : 와잠미(臥蠶眉). 누운 누에와 같이 길고 굽은 눈썹.
237)거ᄉᆞ리다 : 거스르다. 여기서는 '거스르게 뜨다'의 뜻
238)버리다 : 벌이다. 여러 가지 물건을 늘어놓다.

며 금국 복식을 가져다 입으라 ᄒᆞ거날, 윤상셔 ᄃᆡ로ᄒᆞ여 교위(交椅)[237]을 ᄎᆞ바리고 ᄃᆡ질(大叱) 왈,

"ᄃᆡ국텬ᄉᆡ 이의 이르ᄆᆡ 너의 님군이 교외에 나와 됴칙을 맛고 텬ᄉᆞ을 공경ᄒᆞ미 번왕의 도리여ᄂᆞᆯ 감히 이러틋 ᄂᆡ 뜻즐 역[엿]고ᄌᆞ[238] ᄒᆞ니, 능히 왕위을 안낙ᄒᆞ여 여국(汝國)이 주륙(誅戮)을 면ᄒᆞᆯ다?"

한침 등이 윤상셔을 져히며[239] 조회(朝會)ᄒᆞ믈 ᄌᆡ촉ᄒᆞᆫᄃᆡ 상셔 문득 낭듕(囊中)으로 차ᄎᆞ 필연(筆硯)을 ᄂᆡ고 ᄉᆞᄆᆡ의 조희[240]을 ᄂᆡ여 일봉소(一封疏)을 닥가 황상긔 올니려 ᄒᆞ니, 문장은 금수(錦繡)의 빗나믈 웃고, 필법은 희지(羲之)[241]을 묘시(藐視)[242]ᄒᆞ니, 경각(頃刻)의 쓰기을 맛ᄎᆞᄆᆡ ᄉᆞᄆᆡ의 너코 금왕 츌입ᄒᆞᄂᆞᆫ 뎡문(正門)의 당ᄒᆞ여 잠미(蠶眉)[243]을 거ᄉᆞ리고[244] 봉안(鳳眼)을 부릅ᄯᅥ 문니(門吏)을 즐퇴(叱退)ᄒᆞ니, 위풍이 늠늠(凜凜)ᄒᆞᆫ지라. 문니 두려워 감히 막지 못ᄒᆞ고 노화 드리니[245] 금왕이 쳔ᄉᆞ의 불열(不悅)ᄒᆞ던 말을 듯고, 위엄을 장(壯)히 버려[246] 구속고져 ᄒᆞ무로, 문무신뇨을 졔졔(齊齊)이 모호고 군병갑긔(軍兵甲機)을 성히 버려 형벌긔구(刑罰器具)을 갓초고 검극(劍戟)을 상셜(霜雪)갓치 버리고 쳔ᄉᆞ 들기【48】을 기ᄃᆞ리더니, 윤상셔 친이 황칙(皇勅)[247]을 밧드러 셔셔히 거러 나아오니 늠

237)교의(交椅) : 의자(椅子).
238)엿다 : 엿보다. 모음으로 시작하는 어미 앞에서는 '엳-'으로 나타난다.
239)져히다 : 위협하다.
240)조희 : 종이.
241)왕희지(王羲之) : 307~365. 중국 동진(東晋) 때 사람. 서성(書聖)으로 일컬어지는 중국 최고의 서예가.
242)묘시(藐視) : 업신여기어 깔봄.
243)잠미(蠶眉) : 와잠미(臥蠶眉). 누운 누에와 같이 길고 굽은 눈썹.
244)거ᄉᆞ리다 : 거스르다. 여기서는 '거스르게 뜨다'의 뜻
245)드리다 : 들이다. 들여보내다.
246)버리다 : 벌이다. 여러 가지 물건을 늘어놓다.
247)황칙(皇勅) : 황제의 명을 적은 문서.

벌긔구를 ᄀᆞᆺ초고 검극(劍戟)을 상셜(霜雪) ᄀᆞᆺ치 버리고 드러오믈 기다리더니, 윤공이 친히 황ᄐᆡᆨ(皇勅)[239]을 밧드러 편편이 거러 나아오니 늠늠ᄒᆞᆫ 신댱(身長)의 표일(飄逸)ᄒᆞᆫ 풍ᄎᆡ 일만 버들이 츈풍을 당ᄒᆞ고, 금관은 월ᄋᆡᆨ(月額)[240]의 빗겨시니, 션풍옥골이 니ᄇᆡᆨ(李白)의 허랑(虛浪)ᄒᆞ믈 웃ᄂᆞᆫ디라. 쳔고현인군 【13】 ᄌᆞ(千古賢人君子)오 셰ᄃᆡ명현(世代名賢)이라.

호삼개 ᄒᆞᆫ 번 보ᄆᆡ 번연경동(蕃衍驚動)[241]ᄒᆞ여 가ᄇᆞ야이 ᄃᆡ졉ᄒᆞᆯ 뜻이 업ᄉᆞᄃᆡ, 브ᄃᆡ[242] 그 항복을 바드려 ᄒᆞᄂᆞᆫ 고로 만히[일] 항치 아니면, 무ᄉᆞ히 도라보ᄂᆡ여[243] 숑됴현신(宋朝賢臣)을 온젼이 잇게 못ᄒᆞ리라 ᄒᆞ여, 승상 한침으로 ᄒᆞ여금 텬ᄌᆞ ᄐᆡᆨᄌᆞ[지](勅旨)를 바다 교위[의](交椅) 우희 노흐라 ᄒᆞ고, 윤공을 명ᄒᆞ여 ᄇᆡ례ᄒᆞ라 ᄒᆞ니, 윤상셰 ᄐᆡᆨ지를 바다 교위의 노흐니 오히려 ᄆᆞᄋᆞᆷ이 편ᄒᆞ여 ᄌᆞ긔 죽으믄 대ᄉᆞ로이[244] 아니 넉이ᄂᆞᆫ지라. 잠간 눈을 드러 보니 검극이 젼후좌우로 삼녈(森列)ᄒᆞ고 넙은 곤장(棍杖)과 긴ᄆᆡ를 흉녕(凶獰)ᄒᆞᆫ 군ᄉᆡ 무슈히 잡앗ᄂᆞᆫ디라. 쇠를 달호며 온갖 괴이ᄒᆞᆫ 형위(刑威)를 베퍼 ᄌᆞ긔를 구속고져 ᄒᆞᄂᆞᆫ지라. 통완(痛惋) 분(憤)히ᄒᆞ【14】여 바로 당(堂)의 오르며 듕계(中階)를 드ᄃᆡ니, 한침 등이 ᄂᆡᄃᆞ라 막으며 계하(階下)의셔 뎐하긔 ᄇᆡ례ᄒᆞ라 ᄒᆞ고 잠기 든 군ᄉᆞ와 쇠를 달호ᄂᆞᆫ 군ᄉᆡ 젼후로 갓가이 오ᄂᆞᆫ지라. 공이 개연(慨然) ᄂᆡᆼ소 왈,

"너의 검극과 형벌노 텬됴대신을 ᄆᆡᆨ밧고져[245] ᄒᆞ거니와 대댱뷔 가히 이만 위의(威儀)를 두릴소냐? 너희다려 ᄒᆞᆯ 말이 이시니

239)황ᄐᆡᆨ(皇勅) : 황제의 명을 적은 문서.
240)월ᄋᆡᆨ(月額) : 달처럼 둥근 이마.
241)번연경동(蕃衍驚動) : 갑작스럽게 깨닫고 놀람.
242)브ᄃᆡ : 부디.
243)도라보ᄂᆡ다 : 돌려보내다.
244)대ᄉᆞ롭다 : 대수롭다.
245)ᄆᆡᆨ밧다 : 살피다. 시험(試驗)하다.

늠ᄒᆞᆫ 신장(身長)의 표일(飄逸)ᄒᆞᆫ 풍ᄎᆡ가 일만 버들이 츈풍(春風)을 당ᄒᆞ여 금관(金冠)은 월ᄋᆡᆨ(月額)[248]의 빗겻시니 션풍옥골(仙風玉骨)은 두목지(杜牧之)[249]의 호일(豪逸)ᄒᆞ믈 나물ᄒᆞ고[250] 니ᄇᆡᆨ(李白)의 허랑(虛浪)ᄒᆞ물 웃ᄂᆞᆫ지라. 쳔고(千古)의 성인군ᄌᆞ(聖人君子)오 당셰(當世)의 명현의ᄉᆡ(名賢義士)라.

호ᄉᆞᆷ기 ᄒᆞᆫ 번 보ᄆᆡ 번연경동(翻然驚動)[251]ᄒᆞ여 가ᄇᆡ야이 ᄃᆡ졉ᄒᆞᆯ 뜻지 업ᄉᆞᄃᆡ, 부ᄃᆡ[252] 그 항복을 ᄇᆞ다 외람이 져의 신ᄒᆞ을 삼고ᄌᆞ ᄒᆞ여, 만일 굴치 아니ᄒᆞ면 무ᄉᆞ이 도라보ᄂᆡ여[253] 송죠현신(宋朝賢臣)을 온젼케 아니려, 불슌ᄒᆞ미 잇거든 만단(萬端)의 쓰지려 ᄒᆞ는 불측(不則)ᄒᆞᆫ 흉심(凶心)이 업[잇]ᄂᆞᆫ지라. 승상 ᄒᆞᆫ침으로 쳔조칙지(天朝勅旨)을 ᄇᆞ다 교의(交椅)에 노흐라 ᄒᆞ고, 일시의 소ᄅᆡ질너 윤상셔을 계ᄒᆞ의 ᄭᅮ러 왕긔 뵈라 ᄒᆞᆫᄃᆡ, 상셔 칙지(勅旨)을 ᄇᆞ다 교의(交椅)에 노음을 보ᄆᆡ, ᄆᆞ음이 젹이 편ᄒᆞ여 ᄌᆞ긔 죽음은 오히려 ᄃᆡᄉᆞ(大事)로 아지 안닛ᄂᆞᆫ지라. 잠간 봉안(鳳眼)을 드러 보니 검극이 젼후좌우의 ᄉᆞᆷ녈(森列)ᄒᆞ고 너분[254] 곤장(棍杖)과 긴 ᄆᆡ을 장졈(裝點)[255]ᄒᆞᆫ 군ᄉᆡ 무수히 잡아ᄂᆞᆫᄃᆡ 쇠을 달호며 온갖 고이ᄒᆞᆫ 형벌○[을] 버려 ᄌᆞ긔을 구속고져 ᄒᆞ거ᄂᆞᆯ 통한분완(痛恨憤惋)ᄒᆞ여 바로 당상을 올으려 듕계을 드ᄃᆡ니, 한침 등이 ᄂᆡ다라 막으며 계ᄒᆞ의셔 금왕긔 ᄇᆡ례ᄒᆞ라【49】 ᄒᆞ며 창금[검] 든 군ᄉᆞ와 쇠 달호던 군ᄉᆡ 젼후로 갓가이 오ᄂᆞᆫ지라. 윤상셔 ᄀᆡ연 ᄂᆡᆼ소ᄒᆞ고 왈,

"너의 검극과 형벌노 텬됴ᄃᆡ신을 위협고

248)월ᄋᆡᆨ(月額) : 달처럼 둥근 이마.
249)두목지(杜牧之) : 803~852. 이름은 두목(杜牧). 당나라 만당(晩唐)때 시인. 미남자로, 두보(杜甫)와 함께 이두(二杜)로 일컬어진다.
250)나물하다 : 나무라다.
251)번연경동(蕃衍驚動) : 갑작스럽게 깨닫고 놀람.
252)부ᄃᆡ : 부디.
253)도라보ᄂᆡ다 : 돌려보내다.
254)너분 : 넓은.
255)장졈(裝點) : 갖추다. 꾸리다.

밧비 호삼개를 이리 나아오라 ᄒᆞ라."

이 ᄶᅴ 금왕이 뇽상의 뎐좌(殿座)ᄒᆞ여 쥬렴ᄉᆞ이로 윤뎐ᄉᆞ를 보고 긔특이 넉이믈 마지 하니 ᄒᆞ나, 맛ᄎᆞᆷᄂᆡ 항복(降伏)지 아닌 즉 죽이려 ᄒᆞᆯ ᄉᆡ, 시신(侍臣)으로 ᄒᆞ여금 쥬렴(珠簾)을 놉히 들나 ᄒᆞ고, 윤상셔를 향ᄒᆞ여 왈,

"ᄌᆞ고(自古)로 '텬하(天下)ᄂᆞᆫ 비일인지텬하(非一人之天下)오, 텬하인지텬히(天下人之天下)【15】라'246). 당당이 덕 잇ᄂᆞᆫ ᄃᆡ 도라가ᄂᆞ니, 숑(宋)이 본ᄃᆡ 고ᄋᆞ(孤兒)와 과부(寡婦)를 쇽여 어든 나라히라247). 뎡되(正道) 아니오, 이졔 과인이 응텬슌인(應天順人)248)ᄒᆞ여 만니강산(萬里江山)○[을] 슈ᄒᆞ(手下)의 긔약(期約)ᄒᆞ니, 인심이 ᄉᆞᄉᆞ로 흡연(翕然)ᄒᆞ여 물이 동뉴(東流)ᄒᆞᆷ ᄀᆞᆺ튼지라.249) 냥금턱목(良禽擇木)250)ᄒᆞ고 현신턱군(賢臣擇君)이라 ᄒᆞ니 과인이 이졔 군의 풍신용화(風神容華)를 보니 결비용인(決非庸人)이라. 그ᄃᆡᄂᆞᆫ ᄆᆞᄋᆞᆷ을 두로혀 불인ᄒᆞᆫ 숑국(宋國을) ᄇᆞ리고 과인으로 더브러 ᄉᆞ뎨지의(師弟之義)를 ᄆᆡ자 ᄒᆞᆫ가지로 텬하를 엇ᄂᆞᆫ 날 강산을 반분(半分)ᄒᆞ리니, 엇지 영화

246)텬하(天下)ᄂᆞᆫ 비일인지텬하(非一人之天下)오, 텬하인지텬히(天下人之天下)라 : 『六韜』<武韜>편에 나오는 "天下非一人之天下 乃天下之天下也"를 인용한 말로, '천하는 군주 한 사람의 천하가 아니라 천하 사람의 천하'라는 뜻.

247)송(宋) 태조 조광윤(趙匡胤: 927-976)이 절도사(節度使)로서, 후주(後周) 세종(世宗)이 갑자기 병사하여 황태자 시종훈(柴宗訓: 953-968)이 불과 7세의 나이로 제위에 오르고 황태후가 섭정을 하게 되자, 부하장수들의 추대를 받아 반란을 일으키고, 공제(恭帝; 시종훈)로부터 황위(皇位)를 선양 받아 송나라를 건국한 일을 두고 이르는 말.

248)응텬슌인(應天順人) : 천명(天命)에 순응(順應)하고 민심(民心)을 따름.

249)중국의 하천은 대부분 서쪽에서 발원하여 동쪽으로 흐른다. 여기서 '동류(東流)'는 '물이 동(東)으로 흐른다'는 뜻으로, '물이 동으로 흐르듯 민심이 자신에게 쏠리고 있음'을 강조한 말이다.

250)냥금턱목(良禽擇木) : 좋은 새는 나무를 가려서 깃들인다는 뜻으로, 훌륭한 사람은 좋은 군주를 가려서 섬김을 비유적으로 이르는 말.

져 ᄒᆞ거니와 ᄃᆡ장부 엇지 이만 위히(危害)을 두릴소냐? 너희 다려 ᄒᆞᆯ 말이 업ᄉᆞ니 호숨ᄀᆡ 밧비 나오라."

ᄎᆞ시 금왕이 뇽상의 젼좌(殿座)ᄒᆞ여 쥬렴ᄉᆞ이로 윤상셔을 ᄇᆞ라보고 긔특ᄒᆞᆫ 풍치을 황홀ᄒᆞ여, 맛ᄎᆞᆷᄂᆡ 항복(降伏)지 아니면 죽이려 ᄒᆞᆯ ᄉᆡ, 졔신(諸臣)으로 ᄒᆞ여곰 쥬렴을 놉히 들나 ᄒᆞ고, 윤상셔을 향ᄒᆞ여 왈,

"ᄌᆞ고(自古)로 쳔하ᄂᆞᆫ ᄒᆞᆫ ᄉᆞᄅᆞᆷ의 쳔ᄒᆞ 아니라, 당당이 덕 잇ᄂᆞᆫ 곳즈로 도라갈질[지]라. 송이 본ᄃᆡ 고아(孤兒) 과부(寡婦)을 속여 어든 나라히ᄆᆡ256) 뎡되(正道) 아니오, 과인은 이졔 응텬슌인(應天順人)257)ᄒᆞ여 만니강산(萬里江山)을 수ᄒᆞ(手下)의 긔약(期約)ᄒᆞ니 인심이 ᄉᆞᄉᆞ로 흡연(翕然)ᄒᆞ며 물이 동의[으]로 흐름 갓튼지라.258) 허물며 '어진 ᄉᆡᄂᆞᆫ 남글 갈희여 깃드린다.' ᄒᆞ며. '어진 신ᄒᆞᄂᆞᆫ 님군을 갈희여 셤긴다.' ᄒᆞ니, 과인이 이졔 군의 풍신용화(風神容華)을 보ᄆᆡ 결단코 속셰 녹녹(碌碌)ᄒᆞᆫ 용인(庸人)이 아니라. 그ᄃᆡᄂᆞᆫ ᄆᆞᄋᆞᆷ을 도로혀 불인(不仁)ᄒᆞᆫ 송국(宋國)을 ᄇᆞ리고 과인으로 ᄉᆞ뎨지의(師弟之義)를 ᄆᆡᄌᆞ ᄒᆞᆫ가지로 쳔ᄒᆞ을 엇는 날의 강산을 반(半)으로 난호리니, 이 엇지 군이 강산부귀(江山富貴)을 가져 ᄐᆡ평으로 안【50】낙ᄒᆞ미 영화롭지 아니며, ᄒᆞ믈며 송텬ᄌᆞ을 위ᄒᆞ여 츙의을 빗ᄂᆡ고져 ᄒᆞ나 임의 혈혈단신(孑孑單身)259)이라. ᄉᆡᆼ살(生殺)이

256)(宋) 태조 조광윤(趙匡胤: 927-976)이 절도사(節度使)로서, 후주(後周) 세종(世宗)이 갑자기 병사하여 황태자 시종훈(柴宗訓: 953-968)이 불과 7세의 나이로 제위에 오르고 황태후가 섭정을 하게 되자, 부하장수들의 추대를 받아 반란을 일으키고, 공제(恭帝; 시종훈)로부터 황위(皇位)를 선양 받아 송나라를 건국한 일을 두고 이르는 말.

257)응텬슌인(應天順人) : 천명(天命)에 순응(順應)하고 민심(民心)을 따름.

258)중국의 하천은 대부분 서쪽에서 발원하여 동쪽으로 흐른다. 여기서 '동류(東流)'는 '물이 동(東)으로 흐른다'는 뜻으로, '물이 동으로 흐르듯 민심이 자신에게 쏠리고 있음'을 강조한 말이다.

259)혈혈단신(孑孑單身) : 의지할 곳이 없는 외로운 홀몸.

롭지 아니리오. 군이 비록 송텬ᄌᆞ를 위ᄒᆞ여 튱의를 빗ᄂᆡ고져 ᄒᆞ나 혈혈단신(孑孑單身)이라. ᄉᆞᄉᆡᆼ(死生)이 과인(寡人)의 장악(掌握)의 이시니, 죵시(終是)251) 굴치 아니ᄒᆞ면 머리를 동시(東市)252)의 ᄃᆞᆯ고 몸이 육장(肉醬)이 되리니 【16】 군은 ᄂᆡᆨ이253) ᄉᆡᆼ각ᄒᆞ라."

공이 ᄎᆞ언을 드르ᄆᆡ 분긔 ᄇᆡᆨ댱(百丈)이나 놉하 도로혀 ᄎᆞ게 웃기를 마지 아니 ᄒᆞ다가 금왕의 낫ᄎᆞᆯ 향ᄒᆞ여 춤254)밧타 ᄭᅮ지ᄌᆞᄃᆡ,

"번국역신(蕃國逆臣)이 언연(偃然)이255) 농상의 비겨 텬됴대신을 ᄃᆡᄒᆞ여 무도패언(無道悖言)을 이ᄃᆡ도록 ᄒᆞᄂᆞ뇨? 금텬ᄌᆡ(今天子) 요슌탕무(堯舜湯武)256)의 덕을 니으샤 교홰 만방의 ᄒᆡᆼᄒᆞ니 ᄉᆞ이(四夷)257) 번국이 귀슌(歸順)치 아니리 업거ᄂᆞᆯ, 홀노 너 극악대흉이 텬됴를 비방ᄒᆞ고 누년(累年) 됴공을 밧드지 아니ᄒᆞ고 군신의 도리를 폐ᄒᆞ니 황샹이 흥병문죄(興兵問罪)ᄒᆞ실 줄 모로시리오마ᄂᆞᆫ, ᄆᆡᆼᄌᆞ(孟子)의 니르신 바 '솔토지빈(率土之濱)이 막비왕신(莫非王臣)이오 보텬지히(普天之下) 막비왕퇴(莫非王土)라'258) ᄉᆞᄒᆡ만방(四海萬邦)의 잇ᄂᆞᆫ 곳이 어ᄂᆞ 사ᄅᆞᆷ이 우리 셩듀(聖主)의 【17】 ᄇᆡᆨ셩이 아니리오. 이러므로 네 목숨을 앗기ᄂᆞᆫ 거시 아니라. 대국 졍병이 니른 즉 금국이 옥셕(玉石)을 불분(不分)ᄒᆞ고 ᄋᆡᄆᆡᄒᆞᆫ ᄇᆡᆨ셩이 어육(魚

251)죵시(終是) : 끝내.
252)동시(東市) : 동쪽에 있는 시장. 옛날 중국의 수도 장안(長安)에서 죄인을 처형(處刑)하던 장소. 이 때문에 '형장(刑場)'의 뜻으로 쓰임
253)닉이 : 익히, 깊이.
254)춤 : 침.
255)언연(偃然)이 : 언연히. 언건(偃蹇)히. 거드름을 피우면 거만하게.
256)요슌탕무(堯舜湯武) : 고대 중국의 임금들인 요・순・탕・무.
257)사이(四夷) : 사방의 오랑캐. 예전에, 중국인들이 사방에 있던 동이(東夷), 서융(西戎), 남만(南蠻), 북적(北狄)을 통틀어 이르던 말.
258)『맹자(孟子)』 <만장(萬章) 상>편에 나오는 말로 '온 땅에 사는 사람들이 임금의 신하 아닌 사람이 없고 온 천하의 땅이 임금의 땅 아닌 것이 없다'는 말.

ᄂᆡ게 잇ᄂᆞ니 종시(終是)260) 굴복지 아니면 머리을 버혀 동시(東市)261)의 달니니 군의 ᄯᅳᆺ시 엇더ᄒᆞ뇨? 익이262) ᄉᆡᆼ각ᄒᆞ여 뉘웃지 말나."

공이 ᄎᆞ언을 드르ᄆᆡ 분긔 ᄇᆡᆨ장(百丈)이나 놉ᄒᆞ 도로혀 ᄎᆞ게 웃기을 일장(一場)이ᄂᆞ ᄒᆞ다가, 호숨긔의 낫출 향ᄒᆞ야 츔263)붓ᄒᆞ ᄭᅮ지ᄌᆞᄃᆡ,

"번국역신(蕃國逆臣)이 언연(偃然)이264) 용상의 비겨 쳔죠ᄃᆡ신을 ᄃᆡᄒᆞ여 무도ᄑᆡ언(無道悖言)을 이ᄃᆡ도록 ᄒᆞᄂᆞ뇨? 금텬ᄌᆡ(今天子) 요슌탕무(堯舜湯武)265)의 덕을 이으ᄉᆞ 교홰 만방의 ᄒᆞ르시니, ᄉᆞ이(四夷)266) 번국이 귀슌(歸順)치 아니리 업거날 홀노 너희 극악ᄃᆡ흉이 쳔조을 비반ᄒᆞ여 누년(累年) 죠공을 폐ᄒᆞ야 군시[신]도리을 젼혀 모르니 황상이 흥병문죄(興兵問罪)을 엇지 모로시리오마ᄂᆞᆫ, ᄆᆡᆼᄌᆞ(孟子)의 일으신 바, '솔토지빈(率土之濱)이 막비왕신(莫非王臣)이오, 보쳔지히(普天之下) 막비왕퇴(莫非王土)라,'267) ᄉᆞᄒᆡ만방(四海萬邦)의 잇ᄂᆞᆫ 곳이 어ᄂᆡ ᄉᆞᄅᆞᆷ이 우리 성주(聖主)의 ᄇᆡᆨ셩이 아니리오. 이러무로 네 목숨을 앗기미 아니라 ᄃᆡ국 졍병이 일즉 이른 즉 금국의 옥셕(玉石)을 갈히기 어렵고 ᄋᆡᄆᆡᄒᆞᆫ ᄇᆡᆨ셩을 모다

260)죵시(終是) : 끝내.
261)동시(東市) : 동쪽에 있는 시장. 옛날 중국의 수도 장안(長安)에서 죄인을 처형(處刑)하던 장소. 이 때문에 '형장(刑場)'의 뜻으로 쓰임
262)익이 : 익히, 깊이.
263)츔 : 침.
264)언연(偃然)이 : 언연히. 언건(偃蹇)히. 거드름을 피우면 거만하게.
265)요슌탕무(堯舜湯武) : 고대 중국의 임금들인 요・순・탕・무.
266)사이(四夷) : 사방의 오랑캐. 예전에, 중국인들이 사방에 있던 동이(東夷), 서융(西戎), 남만(南蠻), 북적(北狄)을 통틀어 이르던 말.
267)『맹자(孟子)』 <만장(萬章) 상>편에 나오는 말로 '온 땅에 사는 사람들이 임금의 신하 아닌 사람이 없고 온 천하의 땅이 임금의 땅 아닌 것이 없다'는 말.

肉)이 될지라. 셩듀로[의] 지극ᄒᆞ신 덕화로 뼈 싱민(生民)의 도탄(塗炭)을 념녀ᄒᆞ샤, 날을 보ᄂᆡ샤 틱지를 너희게 젼ᄒᆞ고 교유ᄒᆞ여 개과천션케 ᄒᆞ라 ᄒᆞ시니, '곳치미 귀타'ᄒᆞ믄 셩교(聖敎)의 허ᄒᆞ신 ᄇᆡ라. 네 비록 쳐음 어지지 못ᄒᆞ나 후의 회과ᄒᆞ여 션도의 나아가면 대국의 ᄒᆞᆫ갓 깃부미 아니라, 네 나라히 큰 복이오 싱녕의 도탄을 면ᄒᆞᆯ너니, 이졔 너의 ᄒᆞᄂᆞᆫ 말과 텬샤를 ᄃᆡ졉지 아니ᄒᆞ여 참욕(慘辱)을 닐위믄 오히려 둘지오, 셩틱(聖勅)[259]을 문외의 영졉지 아니ᄒᆞ고 불경방ᄌᆞ(不敬放恣)ᄒᆞ미【18】 여ᄎᆞᄒᆞ니 죄당만ᄉᆡ(罪當萬死)라. 텬일지하(天日之下)의 이시미 두렵지 아니냐? 네 조고만 검슈(黔首)[260]와 괴이ᄒᆞᆫ 거조를 좌우로 버려시나, 소조(蕭條)ᄒᆞ고 잔피(孱疲)ᄒᆞ기 대국 ᄌᆡ상가(宰相家)만 못ᄒᆞᆫ디라. 져거술 두려ᄒᆞᆯ 사ᄅᆞᆷ이 어이 이시리오. 하믈며 네 날을 보고 외람ᄒᆞᆫ 의ᄉᆡ 삼셰쳑동(三歲尺童) ᄀᆞᆺ치 다ᄅᆡ고져 ᄒᆞ여 무도지셜(無道之說)이 군ᄌᆞ의 졍시(正視)ᄒᆞᆯ ᄇᆡ 아니오, 무례망측(無禮罔測)ᄒᆞ기 보기 어려온지라. 일신이 네 셤 아ᄅᆡ 이신들 내 명이 유한ᄒᆞ니 내 이곳의 와 죽으라 ᄒᆞ여시면 내 스ᄉᆞ로 죽을 ᄲᅳᆫ이라. 엇지 너의 더러온 형벌을 바드리오. 대국은 우리 ᄀᆞᆺ튼 ᄌᆡ 불가승쉬(不可勝數)[261]라. 우리 폐ᄒᆞ(陛下)의 미셰ᄒᆞᆫ 신ᄌᆞ(臣子) 일인 업시ᄒᆞᄂᆞᆫ 거ᄉᆞᆫ 대ᄉᆡ 아니어니와 네 회과치 아니ᄒᆞ면 쳔병만ᄆᆡ(千兵萬馬)【19】호호탕탕(浩浩蕩蕩)이 나아와 뎡벌ᄒᆞᄂᆞᆫ 즈음은 비록 갑(甲)을 벗고 살기를 도모ᄒᆞ나 네 머리를 보젼치 못ᄒᆞ리니, 가히 금국싱녕이 불상치[262] 아니랴?"

259)셩틱(聖勅) : 황제가 보낸 칙사.

260)검슈(黔首) : 검은 맨머리라는 뜻으로, 일반 백성을 비유적으로 이르는 말. 예전에 중국에서 서민들은 머리에 관을 쓰지 않고 검은 맨머리로 지낸 데서 비롯된 말이다.

261)불가승수(不可勝數) : 너무 많아서 셀 수가 없음.

262)불상하다 : 불쌍하다. 처지가 안되고 애처롭다.

어육(魚肉)이 될지라. 성주의 지극ᄒᆞ심 덕화로써 싱민(生民)의 도탄(塗炭)을 념녀ᄒᆞᄉᆞ 날을 보ᄂᆡ여 측지(勅旨)을 너의게 젼ᄒᆞ고 교유ᄒᆞ【51】여 ᄀᆡ과쳔선케 ᄒᆞ시니, ᄉᆞᄅᆞᆷ의 '곳치미 귀타' ᄒᆞ믄 성교(聖敎)의 ᄒᆞ신 ᄇᆡ라. 네 비록 쳐음은 엇[어]지지 못ᄒᆞ나 다시 회과(悔過)ᄒᆞ야 쳔션(遷善)ᄒᆞᄂᆞᆫ 지셩이[에] 나아가면 ᄃᆡ국의 ᄒᆞᆫ갓 깃부미 아니라. 네 나라히 큰 복이오, 싱녕의 도탄을 면ᄒᆞᆯ너니, 이졔 너의 ᄒᆞᄂᆞᆫ 말과 쳔ᄉᆞ을 ᄃᆡ졉지 아냐 참욕(慘辱)을 일위믄 오히려 둘지오, 성상 칙지을 교외의 붓[믓]지 아니 ᄒᆞ고 불명방ᄌᆞ(不明放恣)ᄒᆞ미 이러틋 심ᄒᆞ니 죄당만ᄉᆞ(罪當萬死)라. 쳔일지하(天日之下)의 이시미 두렵지 아니냐? 네 조고마ᄒᆞᆫ 《금국과‖검슈(黔首)[268]와》 괴구[괴]ᄒᆞᆫ 형벌긔구을 좌우의 버려시나, 고루(孤陋)ᄒᆞ고 잔페(孱廢)ᄒᆞ미 ᄃᆡ국 졔장가(諸將家)만 못ᄒᆞ거늘 져거술 보고 겁ᄒᆞᆯ ᄉᆞᄅᆞᆷ이 어ᄃᆡ 이시리오. 허물며 네 나을 보고 외람ᄒᆞᆫ 의ᄉᆡ 숨겨[셰]쳑동(三歲尺童)으로 알고, 달ᄋᆡ고져 ᄒᆞ여 무도지셜이 군ᄌᆞ의 쳥시(聽視)ᄒᆞᆯ ᄇᆡ 아니오, 무례망측(無禮罔測)ᄒᆞ미 보기도 어려온지라. 일신이 네 셤 아라[ᄅᆡ] 잇신들 네 나을 업수히 《녁여‖녁이미 이갓트랴.》 ᄂᆡ 명이 유한ᄒᆞ니 ᄂᆡ 이곳의 와셔 죽으려[라] ᄒᆞ엿스믹[면] 스ᄉᆞ로 ᄂᆡ 죽을 ᄲᅮᆫ이니 엇지 너의 더러온 형벌을 바드리오. ᄃᆡ국은 우리 갓튼 ᄌᆡ 불가승쉬(不可勝數)[269]라. 우리 폐ᄒᆞ 미셰ᄒᆞᆫ 신ᄌᆞ(臣子) 일인 업시ᄒᆞ믄 족히 ᄃᆡᄉᆡ 아니여○[니]와 너희 과ᄒᆞᆫ 도리 잇스면 쳔병만마(千兵萬馬) 호호탕탕(浩浩蕩蕩)이 나아와 문죄졍벌(問罪征伐)ᄒᆞᄂᆞᆫ 날【52】은 비록 갑듀(甲冑)을 벗고 술기을 ᄋᆡ걸ᄒᆞ나 그 엇지 감히 발뵈며[270] 무죄싱령이 불상치 아니냐?"

268)검슈(黔首) : 검은 맨머리라는 뜻으로, 일반 백성을 비유적으로 이르는 말. 예전에 중국에서 서민들은 머리에 관을 쓰지 않고 검은 맨머리로 지낸 데서 비롯된 말이다.

269)불가승수(不可勝數) : 너무 많아서 셀 수가 없음.

270)발뵈다: 발보이다. 드러내 보이다.

말ᄉᆞᆷ이 당당(堂堂)ᄒᆞ고 ᄉᆞ긔(士氣) 싁싁 쥰졀ᄒᆞ여 츄텬(秋天) ᄀᆞᄐᆞᆫ 긔품과 명월(明月) ᄀᆞᄐᆞᆫ 용홰(容華) 볼ᄉᆞ록 긔이ᄒᆞ니, 호삼개 더욱 황홀ᄒᆞ여 졔 신하를 삼고져 ᄯᅳᆺ이 급ᄒᆞ니 독형(毒刑)을 ᄒᆞ다가 듯지 아니면 죽이려 ᄒᆞᄂᆞᆫ지라. 좌우 군졸을 명ᄒᆞ여 '쳘삭으로 결박ᄒᆞ라.' ᄒᆞ니, 상셔 개연(慨然)이 웃고 낭듕(囊中)의 환약(丸藥)을 ᄂᆡ여 입의 너흐니 군졸이 갓가이 오ᄂᆞᆫ지라. 공이 봉안을 브릅드고 대ᄆᆡ(大罵) 왈,

"이젹(夷狄)의 더러온 군졸이 감히 텬됴 대신을 욕되게 ᄒᆞᄂᆞᆫ다! 맛당이 호삼개를 결박【20】하라!"

말을 맛ᄎᆞ며 팔흘 드러 군ᄉᆞ를 밀치며 죵용이 셧다가 약이 목을 넘으ᄆᆡ 피를 토ᄒᆞ고 구러지니 발셔 운명(殞命)ᄒᆞ엿ᄂᆞᆫ지라. 시년(時年)이 이십팔셰니 ᄎᆞ호셕지(嗟乎惜哉)라! 윤니부 명쳔공이여! 문댱덕힝과 쳥명아망(淸名雅望)[263]이 ᄉᆞ류(士類)의 츄앙(推仰)ᄒᆞᄂᆞᆫ ᄇᆡ라. 튱졀이 가득ᄒᆞ여 만니타국의 와 명(命)을 맛ᄎᆞ니, 호삼개 윤공을 져히려 ᄒᆞ다가 그 명이 맛ᄎᆞᆷ을 보ᄆᆡ 눈이 두렷ᄒᆞ여, 뎐샹뎐하(殿上殿下)의 슈풀 ᄀᆞᄐᆞᆫ 신뇨(臣僚)와 모든 군ᄉᆡ 낫빗출 곳쳐 눈물 아니 흘니리 업ᄂᆞᆫ지라. 승상 한침이 급히 나리다라[264] 윤상셔의 시신을 ᄉᆞᆯ펴본 즉, 임의 ᄒᆞᆯ일 업슨지라. 눈물 ○○○[나리믈] ᄡᅵᆺ듯지 못ᄒᆞ니 호삼개를 향ᄒᆞ여 고왈(告曰),

263)쳥명아망(淸名雅望) : 청렴하고 아름다운 명성과 덕망.
264)나리닫다 : 내리닫다. 높은 곳에서 낮은 곳으로 내달리다.

말ᄉᆞᆷ이 강강(剛剛)ᄒᆞ고 ᄉᆞ긔(士氣) 씩씩 쥰졀ᄒᆞ여 츄쳔(秋天)갓튼 긔품과 명월(明月)갓튼 용화(容華) 볼ᄉᆞ록 긔이ᄒᆞ니, 호ᄉᆞᆷ기 더욱 황홀ᄒᆞ여 져의 신ᄒᆞ을 삼아보고자 ᄯᅳᆺ지 ᄎᆞᆨ급ᄒᆞ야 독형(毒刑)을 ᄒᆞ다가 종ᄂᆡ(終乃) 듯지 아니면 죽이려 ᄒᆞᄂᆞᆫ지라. 좌우 군졸을 명ᄒᆞ여 '쳘삭을 가져 윤상셔을 결박ᄒᆞ라' ᄒᆞ니 상셔 ᄀᆡ연(慨然)이 웃고 낭듕(囊中)으로 조ᄎᆞ 환약(丸藥)을 ᄂᆡ여 입의 너흐ᄆᆡ 군졸이 갓가이 나아오니 상셔 봉안을 브릅ᄯᅳ고 녀셩ᄃᆡᄆᆡ(厲聲大罵) 왈,

"이젹(夷狄)의 더러온 군졸이 엇지 감히 쳔조ᄃᆡ신을 욕되게 ᄒᆞᆯ다! 맛당이 호ᄉᆞᆷ기을 결박ᄒᆞ라!"

말을 맛ᄎᆞ며 팔을 들어 군ᄉᆞ을 밀치고 죵용이 셧더니, 졔일 독ᄒᆞᆫ 환약이 겨유 화ᄒᆞ여 목을 넘으ᄆᆡ 즉시 장부의 드럿ᄂᆞᆫ지라. 경각의 피을 토ᄒᆞ고 구러지니 발셔 운명(殞命)ᄒᆞ엿ᄂᆞᆫ지라. 시년이 이십팔셰니 ᄎᆞ호셕지(嗟乎惜哉)라! 윤이부 명현[쳔]공의 문장덕힝과 현권아명(玄權雅名)[271]이 ᄉᆞ류(士類)의 츄앙(推仰)ᄒᆞ난 군ᄌᆞ로 졍츙ᄃᆡ졀(貞忠大節)을 잡으ᄆᆡ, ᄉᆞ싱을 초ᄀᆡ(草芥) 갓치 녁여 스ᄉᆞ로 몸을 죽여 병혁(兵革)의 근심을 업게 ᄒᆞ니 츙졀이 가작ᄒᆞ나[272] 그 수ᄒᆞᆫ ᄌᆞ르고[273] 몸을 만니【53】타국의 맛ᄎᆞ니 엇지 슬푸지 아니리오. 호ᄉᆞᆷ기 윤상셔을 졔혀[274] 맛춤ᄂᆡ 항복밧고져 ᄒᆞ다가 명을 맛ᄎᆞᆷ을 보ᄆᆡ, 두 눈이 두렷ᄒᆞ고 놀나오ᄆᆡ 극ᄒᆞ여 어린드시 보니, 젼상젼하(殿上殿下)의 슈풀 갓튼 신뇨(臣僚)와 모든 군ᄉᆡ ᄀᆡᄀᆡ(箇箇)히 낫빗출 곳쳐 참연(慘然)치 아니리 업ᄂᆞᆫ지라. 승상 한침이 급히 나리다라[275] 윤상셔의 시신을 살펴본 즉 임의 ᄒᆞᆯ일 업ᄂᆞᆫ지라. 눈물 나리믈 ᄡᅵ닷지 못ᄒᆞ고 호ᄉᆞᆷ기을 향ᄒᆞ여 고왈(告曰),

271)현권아명(玄權雅名) : 현묘한 꾀와 아름다운 이름
272)가작하다 : 가즉하다. 가지런하다.
273)ᄌᆞ르다 : 짧다.
274)졔히다 : 겁주다. 위협하다.
275)나리닫다 : 내리닫다. 높은 곳에서 낮은 곳으로 내달리다.

"텬샤(天使)의 호일(豪逸)ᄒᆞ믈 보고 아국 신하를 삼고져 ᄒᆞ미러니, 싱【21】각 밧 쥭으니 이런 경참(驚慘)ᄒᆞᆫ 일이 어ᄃᆡ 이시리오. 실노 텬샤의 말 ᄀᆞᆺ트여 듕국병ᄆᆡ ᄒᆞᆫ번 아국을 즛치면,265) 종샤(宗社)를 보젼치 못ᄒᆞ고 뎐히(殿下) 용납ᄒᆞᆯ ᄯᆞ히 업ᄉᆞ리니, 즉ᄀᆡᆨ(卽刻)으로 향안(香案)을 ᄇᆡ셜(排設)ᄒᆞ여 황틱(皇勅)을 밧들고, 부텬샤(副天使)를 노화 그릇ᄒᆞ믈 샤죄ᄒᆞ고, 누년(累年) 됴공을 출히고 대신과 셰ᄌᆞ를 텬됴의 보ᄂᆡ여 죄를 청ᄒᆞ시면, 송텬ᄌᆞ(宋天子)ᄂᆞᆫ 관홍지군(寬弘之君)이라, 가히 뎡벌(征伐)ᄒᆞᄂᆞᆫ 일이 업ᄉᆞᆯ가 ᄒᆞᄂᆞ이다."

호삼개 범ᄉᆞ를 한침의 말ᄃᆡ로 ᄒᆞᄂᆞᆫ지라. 뉘웃ᄎᆞ미 잇ᄂᆞᆫ 고로 ᄯᅳᆺ을 결(決)ᄒᆞ여 텬됴를 밧들녀 ᄒᆞᆯ ᄉᆡ, 목젼의 윤공의 참ᄉᆞᄒᆞ믈 경달(驚怛)266)ᄒᆞ여 브지불각(不知不覺)의 나리다라 시신을 븟들고 실셩통곡(失性痛哭)ᄒᆞ니, 문무신뇨들이 다 소ᄅᆡ나믈 ᄭᅴᄃᆞᆺ지 못ᄒᆞ여 크게 슬허ᄒᆞ니[여],【22】 골육의 상ᄉᆞ(喪事)○[와] ᄀᆞᆺᄐᆞ믄[니], 이ᄂᆞᆫ ○[다] 그 풍치용화(風彩容華)를 보고 항복(降伏)ᄒᆞ며, ○[그] 튱의녈졀(忠義烈節)을 잡아 닙ᄀᆡᆨ(立刻)의 쥭으믈 보ᄆᆡ[고] 챵감ᄒᆞ믈 마지 아니《ᄒᆞ니‖ᄒᆞ미라》. ○○○[일시에] 곡셩(哭聲)이 텬디진동ᄒᆞ더라.

금왕이 슬허ᄒᆞ기를 마지 아니 ᄒᆞ다가 날호여 눈물을 거두고 시신(侍臣)을 명ᄒᆞ여 윤상셔의 시신(屍身)을 ᄀᆡᆨ관(客官)으로 옴기라 ᄒᆞ고 부텬샤 이하를 다 노흐라 ᄒᆞ며, 졔신(諸臣)을 거ᄂᆞ려 그릇ᄒᆞ믈 샤죄ᄒᆞ고 윤상셔의 초상(初喪)을 출히려 ᄒᆞ더니, 알뉼쥐ᄂᆞᆫ 뎡ᄉᆞ도(鄭司徒)와 여러 군관하리를 함거(檻車)의 ᄂᆡ여 바야흐로 누옥(陋獄)의 가도며 뎡ᄉᆞ도를 만단셰언(萬端說言)으로 달ᄂᆡ여 옥듕고초(獄中苦楚)를 격지 말고 어셔 항복

265)즛치다 : 짓치다. 시살(弑殺)하다. 함부로 마구 치다.

266)경달(驚怛) : 놀라고 두려워함.

"쳔ᄉᆞ(天使)의 호일(豪逸)ᄒᆞᆫ 풍치을 ᄉᆞ랑ᄒᆞ여 아국신뇨을 ᄉᆞᆷ고져 ᄒᆞᆷ이러니 쳔만몽외(千萬夢外)의 ᄆᆞᆫ득 죽ᄉᆞ오니 이런 경ᄎᆞᆷ(驚慘)ᄒᆞᆫ 일이 어ᄃᆡ 잇슬이잇고? 실로 쳔ᄉᆞ의 말 갓트여 ᄃᆡ국졀의(大國節義)로 죽기을 ᄎᆞ기 갓치 역이오니, 이졔 듕국병ᄆᆡ ᄒᆞᆫ 번 이러 아국을 즛치면276), 종묘(宗廟)을 보젼치 못ᄒᆞ고 젼히 용납ᄒᆞᆯ ᄯᆞ히 업ᄉᆞᆯ지라. 즉ᄀᆡᆨ으로 향안(香案)을 ᄇᆡ셜(排設)ᄒᆞ여 황칙(皇勅)을 밧들고, 부쳔ᄉᆞ(副天使)을 노ᄒᆞ 그릇ᄒᆞ믈 ᄉᆞ죄ᄒᆞ고 누년 젹폐(積弊)ᄒᆞᆫ 조공을 ᄎᆞ리고 ᄃᆡ신과 셰ᄌᆞ을 쳔조의 보ᄂᆡ여 죄을 청ᄒᆞ시면, 송쳔ᄌᆞ(宋天子)ᄂᆞᆫ 관홍ᄃᆡ덕군ᄌᆞ(寬弘大德君子)니 만혹(萬或)277) 용셔ᄒᆞᄉᆞ 졍벌ᄒᆞᄂᆞᆫ 환이 업ᄉᆞᆯ가 ᄒᆞᄂᆞ이다."

호ᄉᆞᆷ기 범ᄉᆞ을 한침의 말을 조칠 ᄲᅮᆫ 아니라, 크게 뉘웃쳐 쳔됴을 밧들고 목젼의 윤공의 ᄎᆞᆷᄉᆞ을 경달(驚怛)278)【54】ᄒᆞ여 부지불각(不知不覺)의 나리다라 ○…결락12자…○ [시신을 븟들고 실셩통곡(失性痛哭)ᄒᆞ니], 문무신뇌 소ᄅᆡ나믈 ᄭᅴ닷지 못ᄒᆞ고 슬허 울미 골육(骨肉)의 상ᄉᆞ(喪事)와 갓ᄒᆞ니, 이ᄂᆞᆫ 그 풍치용화(風彩容華)《와‖를》○○○○○○[보고 항복(降伏)ᄒᆞ며] 츙의열졀(忠義烈節)을 잡아 입각(立刻)의 쥭으믈 보고 ᄎᆞᆷ담(慘澹)치 아니리 업셔 앗기믈 마지 아니《ᄒᆞ니‖ᄒᆞ미라》. ○○○[일시에] 곡셩(哭聲)이 쳔지진동ᄒᆞ더라.

금왕이 일장을 통곡ᄒᆞᆫ 후, 졔신을 명ᄒᆞ여 윤공의 시신(屍身)을 ᄀᆡᆨ관(客館)으로 옴기라 ᄒᆞ고 부텬ᄉᆞ ○[이]ᄒᆞ을 다 노흐라 ᄒᆞ고, 문무 졔신을 거ᄂᆞ려 그릇ᄒᆞ믈 《ᄉᆞ례‖ᄉᆞ죄》코ᄌᆞ ᄒᆞᆯ ᄉᆡ, ᄎᆞ시 알뉼치 뎡ᄉᆞ도와 여러 군관ᄒᆞ리을 함거(檻車)의 ᄂᆡ여 바야호로 누옥(陋獄)의 가도며 뎡ᄉᆞ도을 만단셰어(萬端說語)로 다릐되, 옥듕고초(獄中苦楚)을 격지 말고 수히 항복ᄒᆞ라 ᄒᆞ니, 뎡ᄉᆞ되 통ᄒᆞᆫ

276)즛치다 : 짓치다. 시살(弑殺)하다. 함부로 마구 치다.

277)만혹(萬或) : 만에 하나 어떤 일이 일어나는 경우에.

278)경달(驚怛) : 놀라고 두려워함.

ᄒᆞ라 ᄒᆞ니, 뎡ᄉᆞ되 통한ᄒᆞ미 비ᄒᆞᆯ ᄃᆡ 업셔 비록 ᄌᆞ긔 죽을지라도 알늘취를 업【23】시ᄒᆞ고 죽고져 ᄒᆞ여 몸이 함거 밧글 나ᄆᆡ 슈족(手足)을 놀니게 ᄒᆞ여시므로 용긔를 분발ᄒᆞ여 찬 칼ᄒᆞᆯ ᄲᆡ혀 알늘취를 죽이려 ᄒᆞᆯ ᄉᆡ, 알늘취 무심 듕 옥문 밧긔 셧더니, 표연(飄然)이 옥문을 ᄎᆞ바리고 알늘취의 ᄇᆡ를 급히 지르니 칼이 비록 크지 아니나 긔특ᄒᆞᆫ 보ᄇᆡ라, 향ᄒᆞ여 쓰ᄂᆞᆫ 바의 나ᄂᆞᆫ ᄃᆞᆺᄒᆞ더라. 알늘치 만부브당지용(萬夫不當之勇)[267]이 이시나 뎡ᄉᆞ도 알기를 ᄒᆞᆫ낫 문ᄉᆞ명공(文士名公)으로 아라 져를 항거ᄒᆞ여 ᄒᆡ치 못ᄒᆞᆯ 줄노 혜아린 ᄇᆡ라. 쳔만 ᄉᆡᆼ각 밧 날닌 칼날이 ᄇᆡ의 깁히 ᄭᅩᄌᆞᆺᄂᆞᆫ지라. 알늘치 그으이 신힝법슐(神行法術)도 ᄡᅳᆯᄃᆡ 업ᄉᆞ니 용ᄆᆡᆼ도 발뷜 길히 업ᄂᆞᆫ지라. ᄒᆞᆫ갓 ᄋᆡ고 소ᄅᆡ 진동ᄒᆞ더니【24】 졈졈 숨을 ᄂᆡ두로지[268] 못ᄒᆞ고 장뷔 허여지며[269] 구러져 죽엄이 빗기고[270] 피흘너 옥문 밧긔 가득ᄒᆞᆫ지라. 뎡공이 쾌활ᄒᆞ여 하리 군관 삼십여인이 ᄎᆞᄎᆞ 옥문을 ᄎᆞ고 나오거ᄂᆞᆯ 거ᄂᆞ리고 윤공을 ᄎᆞᄌᆞ가려 ᄒᆞ더니, 홀연 음풍(陰風)이 늠늠(凜凜)ᄒᆞ여 미우(眉宇)의 셔리를 씌이고 안광(眼光)이 ᄆᆡᆼ녈(猛烈)ᄒᆞ여 경ᄀᆡᆨ의 사ᄅᆞᆷ을 죽일 ᄃᆞᆺᄒᆞ니, 옥니(獄吏) 혼불부톄(魂不附體)[271] ᄒᆞ여 쥐숨ᄃᆞᆺ 다라나니, 뎡공이 다시 군관으로 ᄒᆞ여금 알늘도의 머리를 버혀 들니고 삼십여 보ᄂᆞᆫ ᄒᆡᆼᄒᆞ더니, 알늘도의 오ᄇᆡᆨ군졸이 길ᄒᆞᆯ 막아 늘도의 오기를 기다리다가, 그 머리를 보고 대경ᄒᆞ여 일시의 뎡공과 군관 등을 에워【25】ᄡᆞ고 다시 잡아 금왕긔 밧치려 ᄒᆞ더니, 믄득 금왕의 명이 이셔 상텬샤(上天使) 윤공의 시신을 ᄀᆡᆨ관으로 옮기시니, 부텬샤와 하리를 다 ᄀᆡᆨ궁(客宮)으로 들게 ᄒᆞ고 알 댱군을 브르신다 ᄒᆞ니, 뎡공이 윤상셔의 흉문을 듯고 심장이 ᄆᆡᄂᆞᆫ ᄃᆞᆺ ᄒᆞ

267)만 명의 남자가 덤벼도 당(當)하지 못할 용맹.
268)ᄂᆡ두로다 : 내두르다. 이리저리 흔들다.
269)허여지다 : 헤어지다. 살갗이 터져 갈라지다.
270)빗기다 : 가로지르다. 가로 놓이다.
271)혼불부톄(魂不附體) : 몹시 놀라서 혼백(魂魄)이 흩어짐.

ᄒᆞ미 비ᄒᆞᆯ고지 업셔 비록 ᄌᆞ긔 죽을지언졍 알늘치을 업시ᄒᆞ고 듁고져 ᄒᆞ여 몸이 함거 ᄇᆞᆺ긔 나ᄆᆡ 수족(手足)을 잠으지 아냐시무로 용긔을 분발ᄒᆞ여 ᄎᆞᆺ던 칼ᄒᆞᆯ ᄲᆡ혀 ᄒᆞᆫ 번 치니, 알늘치 무심 듕 밧긔 셧더니 졸연(猝然)이 옥문을 ᄎᆞ바리고 알늘치의 ᄇᆡ을 급히 지르니 칼이 비록 크지 못ᄒᆞ나 긔특ᄒᆞᆫ 보검이라, 향ᄒᆞ야 쓰ᄂᆞᆫ 바의 반다시 나ᄂᆞᆫ 듯ᄒᆞ니, 졔 비록 만부무젹지ᄃᆡ용(萬夫無敵之大勇)[279]이 이시ᄂᆞ 뎡ᄉᆞ도 알기을 한ᄉᆞ명공(寒士名公)[280]으로만 알아 항거ᄒᆞ여 ᄒᆡ(害)치 못ᄒᆞᆯ 쥴【55】노 혀아린 ᄇᆡ라. 쳔만 경[ᄉᆡᆼ]각 밧 날닌 칼이 ᄇᆡ을 깁히 ᄭᅩᄌᆞᆺᄂᆞᆫ《듯‖지라》. 신힝법술(神行法術)도 간ᄃᆡ 업ᄉᆞ니 용ᄆᆡᆼ도 발뷜 길이 업ᄂᆞᆫ지라. ᄒᆞᆫ갓 ᄋᆡ고 소ᄅᆡ 진동ᄒᆞ더니, 졈졈 숨을 두루지[281] 못ᄒᆞ고 장뷔 허여지며[282] 구러져 둑엄[283]이 빗기고[284] 피흘너 옥문 밧긔 가득ᄒᆞᆫ지라. 뎡공이 쾌활ᄒᆞ여 하리군관 ᄉᆞᆷ십여인을[이] ᄎᆞᄎᆞ 옥문을 박ᄎᆞ고 나오거ᄂᆞᆯ 드ᄃᆡ여 거ᄂᆞ리고 윤공을 ᄎᆞᄌᆞ가려 ᄒᆞ더니, 홀연 음풍(陰風)이 늠늠(凜凜)ᄒᆞ여 머리의 찬 셔리을 찌치고 안광(眼光)이 ᄆᆡᆼ녈ᄒᆞ여 《일작이‖일각(一刻)에》 ᄉᆞ름을 ᄉᆞᆷ킬 듯ᄒᆞ니, 옥니(獄吏) 혼불부쳬(魂不附體)ᄒᆞ여 쥐 숨듯 다라나거ᄂᆞᆯ, 뎡공이 다시 군관으로 ᄒᆞ여금 알율치 머리을 버혀 들니고 ᄉᆞᆷ십여보ᄂᆞᆫ ᄒᆡᆼᄒᆞ더니, 알율치의 오ᄇᆡᆨ 군졸이 길을 막고 늘치 오기을 ᄃᆡ후(待候)ᄒᆞ다가, 그 머리을 보고 ᄃᆡ경ᄒᆞ여 뎡공과 군관을 에워ᄊᆞ고 다시 잡아 금왕긔 ᄇᆞᆺ치려 ᄒᆞ더니, 금왕이 ᄒᆞ령(下令)ᄒᆞᄃᆡ 상쳔ᄉᆞ 윤공의 시신을 ᄀᆡᆨ관으로 옴기고 부텬ᄉᆞ와 하리을 다 ᄀᆡᆨ궁(客宮)으로 들게 ᄒᆞ여 알장군을 부르신다 ᄒᆞ거ᄂᆞᆯ, 뎡공이 윤상셔의 흉문을 듯고 심장이 ᄆᆡᄂᆞᆫ 듯ᄒᆞ니, 장부의 장긔(壯氣)나 셜셜이 뮈여지

279)만 명의 남자가 덤벼도 당(當)치 못할 큰 용맹.
280)가난한 선비이거나 이름난 재상.
281)두루다 : 두르다. 마음대로 다루다.
282)허여지다 : 헤어지다. 살갗이 터져 갈라지다.
283)둑엄 : 주검. 시신(屍身)
284)빗기다 : 가로지르다. 가로 놓이다.

여, 댱부의 댱긔(壯氣)나 셜셜이 ᄉᆞ라지믈 면치 못ᄒᆞ니 ᄎᆞ악발비(嗟愕拔臂) 왈,

“반일지ᄂᆡ(半日之內)의 발셔 유명(幽明)이 다르니 호삼개 흉젹이 반ᄃᆞ시 윤형을 히ᄒᆞ도다.”

언파의 알늪도의 머리를 더져 군관으로 크게 웨여 왈,

“너의 알댱군의 머리를 갓다가 금왕을 주라!”

금위댱(禁衛將) 학도승이 금왕의 명으로 뎡공을 마ᄌᆞ ᄀᆡ궁으로 드리려 왓다가 알늪도의 머리를 【26】 ᄂᆡ치니 혼비ᄇᆡᆨ산(魂飛魄散)ᄒᆞ여 급히 도라와 부텬샤의 ᄒᆞ던 말과 알댱군의 오ᄇᆡᆨ 군졸이 부텬샤와 군관을 에워 ᄡᆞ고 알늪도의 원슈를 갑흐려 ᄒᆞ더니, ᄀᆡ궁으로 드리라 ᄒᆞ믈 듯고 아모리 할 줄 몰나 쳐치ᄒᆞ믈 품{ᄒᆞ더라} 하니, ○○[ᄎᆞ시] 호삼개 ᄀᆡ궁을 쇄소(灑掃)ᄒᆞ고 윤상셔의 시신을 옴기며 부텬ᄉᆡ 객궁으로 들거든 쥬ᄀᆡᆨ(主客)의 녜(禮)로 가 보고 극진히 샤죄코져 ᄒᆞ더니, 알늪되 죽어시믈 듯고 ᄎᆞ악경히(嗟愕驚駭)ᄒᆞ여 좌우를 도라보아 왈,

“숑됴 샹샤(上使)ᄂᆞᆫ 위국뎡공[충](爲國貞忠)이 쥭기를 도라감 ᄀᆞᆺ치 ᄒᆞ고, 부샤(副使)ᄂᆞᆫ 알늪도 ᄀᆞᄐᆞᆫ 용댱강ᄆᆡᆼ(勇壯强猛)ᄒᆞᆫ 영웅을 셕은 풀 버히듯 ᄒᆞ여시니, 텬됴의 졔신(諸臣)이 개개히 비상(非常)ᄒᆞ미 이러ᄒᆞᆯ진ᄃᆡ, 만일 【27】 샹샤의 원슈를 갑흐려 ᄒᆞ면 아국(我國)이 도륙(屠戮)ᄒᆞᆯ 거시니 이를 장ᄎᆞᆺ 어디 ᄒᆞ리오.”

한침이 ᄃᆡ왈,

“뎐히(殿下), 이졔 친히 나아가샤 부텬샤를 마ᄌᆞ 객궁의 드리샤272) 샹샤의 죽으미 우리 탓시 아니믈 니르샤 알늪되 임의 쥭어시니 죄를 다 늪도의게 밀위샤 부샤 이하를 잡어오미 대왕의 뜻이 아니시믈 베프시고 샤죄ᄒᆞ실진ᄃᆡ, 부ᄉᆡ 감동ᄒᆞ여 굿ᄐᆞ여 원슈를 갑흐려 아니 ᄒᆞ리이다.”

272)드리다 : 들이다. 들게 하다.

믈 면치 못ᄒᆞ여 ᄎᆞ악발비(嗟愕拔臂) 왈,

“반일(半日)이 못되여셔 만니동ᄒᆡᆼ(萬里同行)ᄒᆞ든 텬조【56】 동뇌(天朝同僚) 쳔만몽외(千萬夢外)의 유명(幽明)이 달니 될 줄 어이 알니오. 호삼기 흉젹이 반드시 윤형을 히ᄒᆞ도다.”

알늪치 머리을 더져 군관으로 웨여 왈,

“네 알장군의 머리 여긔 이시니 갓다가 금왕을 주라.”

금의[위]장(禁衛將) 학조승이 금왕의 명녕(命令)으로 뎡공을 마ᄌᆞ 관(館)으로 드러가라[랴] ᄒᆞ다가 알늪치의 머리을 보고 혼비ᄇᆡᆨ산(魂飛魄散)ᄒᆞ여 급히 도라와 금왕긔 수말(首末)을 고ᄒᆞᆫᄃᆡ, ᄎᆞ시 금왕이 ᄀᆡ궁을 쇄소(灑掃)ᄒᆞ고 윤공의 시신을 옴기미 부텬ᄉᆡ ᄀᆡ관의 들거든 주ᄀᆡᆨ지녜(主客之禮)로써 보고 극진이 ᄉᆞ죄코져 ᄒᆞ더니, 알늪치 죽여[어]시믈 듯고 ᄎᆞ악경히(嗟愕驚駭)ᄒᆞ여 좌우을 도라보아 왈,

“소[송]죠(宋朝) 상ᄉᆞ(上士)ᄂᆞᆫ 위국졍튱(爲國貞忠)이 죽기을 도라감 갓치 ᄒᆞ고 부쳔ᄉᆞ(副天使)ᄂᆞᆫ 알늪치 갓튼 용장(勇將)을 셕은 풀 버히듯 ᄒᆞ여시니 쳔됴ᄃᆡ신의 비상(非常)ᄒᆞ믄[미] ᄀᆡᄀᆡ히 이러ᄒᆞᆯ진ᄃᆡ 만일 상ᄉᆞ의 원슈을 갑흐려 동병문죄(動兵問罪)ᄒᆞ면 아국이 멸족지환(滅族之患)이 이시리니 장ᄎᆞ 엇지ᄒᆞ리요.”

한침이 ᄃᆡ왈,

“젼히(殿下), 이졔 친히 나아가ᄉᆞ 부텬ᄉᆞ을 마ᄌᆞ ᄀᆡ궁의 드러시고285) 상ᄉᆞ의 죽은 거시 우리 타시 아니믈 일으ᄉᆞ 알늪치 임의 죽어시니 죄을 다 늪치의게 밀위여 부ᄉᆞ 이ᄒᆞ을 다 잡아오미 ᄃᆡ왕의 본쯧지 아닌 쥴노 베푸○○[시고] ᄉᆞ죄ᄒᆞ시면 부ᄉᆡ 반드시 감동ᄒᆞ여 《군관역‖굿ᄐᆞ여》 보슈치 【57】

285)드러시고 : 드리시고. 들게 하시고.

왕이 올히 넉여 문무됴신(文武朝臣)을 거ᄂᆞ려 부샤를 마즐 ᄉᆡ, 거륜(車輪)을 ᄀᆞᆺ초아 뎡공의 오르기를 쳥ᄒᆞ여 ᄀᆡᆨ관으로 드러오니, 뎡공이 만ᄉᆡ 즐겁지 아니ᄒᆞ고 금왕의 ᄃᆡ졉ᄒᆞᆷ도 깃브지 아니ᄒᆞ【29】여 윤공의 죽으믈 각골통상(刻骨痛傷)ᄒᆞ니, ᄀᆡᆨ궁의 드러와 바로 윤공의 시슈(屍首)를 븟들고 방셩대곡(放聲大哭) 왈,

"만니타국을 ᄒᆞᆫ가지로 왓다가 오날날 형이 뎡틍대졀노 몸이 맛ᄎᆞ니 쇼뎨로 ᄒᆞ여금 외로이 도라가ᄆᆡ 셩듀(聖主)의 기다리시ᄂᆞᆫ ᄯᅳᆺ을 엇지 하며, 이 슬프믈 엇디 ᄒᆞ리오."

언파의 긔운이 엄ᄉᆡᆨ(奄塞)[273]ᄒᆞᆯ ᄃᆞᆺᄒᆞ고, 윤공의 하리(下吏) 노ᄌᆡ(奴子)며 군관(軍官) 등이 호텬통곡(呼天痛哭)ᄒᆞ며, ᄋᆡ셩(哀聲)이 텬디를 진동ᄒᆞ고 초목이 위비(爲悲)ᄒᆞ니, 금왕의 군신이 다 눈물을 금치 못ᄒᆞ여 쳐음 극진히 ᄃᆡ졉지 못ᄒᆞ믈 뉘웃쳐 뎡공의 ᄀᆞᆺ치기를 쳥ᄒᆞ여 잠간 진뎡(鎭靜)ᄒᆞᆫ 후, 금왕이 좌(座)를 ᄯᅥ나 뎡공을 향ᄒᆞ여 ᄀᆞᆯ오ᄃᆡ,

"쇼방이 감히 대【29】국을 반ᄒᆞᆯ 의ᄉᆡ 이시리잇고마ᄂᆞᆫ, 본ᄃᆡ ᄡᅥᆨ히 너르지 못ᄒᆞ고 여러 ᄒᆡ 긔황(饑荒)ᄒᆞ여 됴공을 밧드지 못ᄒᆞ므로 번국이 텬됴를 셤기지 못ᄒᆞ고, 과인이 소활무식(疎豁無識)ᄒᆞ여 대댱 알눌도의 패악ᄒᆞ믈 금치 못ᄒᆞ여 텬샤의 ᄒᆡᆼ도(行道)를 망녕(妄靈)도이 간범(干犯)ᄒᆞ여 존공(尊公)을 욕되게 ᄒᆞ니, 샹텬ᄉᆡ(上天使) 통분이 강개ᄒᆞ여 스ᄉᆞ로 괴이ᄒᆞᆫ 약을 숨켜 경ᄀᆡᆨ ᄉᆞ이의 셰샹을 바리시니, 과인(寡人)의 되(罪) 아니나 경참(驚慘)ᄒᆞ미 비ᄒᆞᆯ 곳이 업ᄂᆞᆫ디라. 쇼국(小國)이 텬샤의 니르믈 드르면 먼니 영졉ᄒᆞ여 황디(皇旨)를 공경ᄒᆞ고 즉ᄀᆡᆨ의 녜를 ᄀᆞᆺ초미 맛당ᄒᆞ거ᄂᆞᆯ, 과인이 무상(無常)ᄒᆞ여 군신지의(君臣之義)를 아디 못ᄒᆞ여 녜

273)엄ᄉᆡᆨ(奄塞) : 갑자기 막힘.

아닐가 ᄒᆞᄂᆞ이다."

왕이 문무(文武)을 거ᄂᆞ려 부ᄉᆞ을 마즐 ᄉᆡ 거륜(車輪)을 가초아 뎡공을 쳥ᄒᆞ니, 뎡공이 엇지 즐거워 ᄒᆞ리오. 왕의 ᄃᆡ졉도 깃부지 아니ᄒᆞ고 윤공의 죽으믈 각골통상(刻骨痛傷)ᄒᆞ여 ᄀᆡᆨ궁의 도라와 신톄(身體)을 붓들고 통곡 왈,

"만니타국의 한가지로 와셔 ᄉᆞ싱을 ᄒᆞᆫ가지○[로] ᄒᆞᆯ가 ᄒᆞ여더니, 오날날 형이 도라가믈 이ᄃᆡ도로[록] ᄲᆞᆯ니 ᄒᆞ여 소제로ᄡᅧ 만니이국(萬里異國)의 외로이 ᄎᆞᆷ통비졀(慘痛悲絶)ᄒᆞ미 골슈(骨髓)의 ᄉᆞ못ᄎᆞ며 쳐ᄌᆞ의 궁쳔지통(窮天之痛)을 씻치ᄂᆞ뇨?"

언파의 긔운이 혼졀(昏絶)ᄒᆞ여 윤공의 소속 ᄒᆞ리(下吏) 일시의 ᄋᆡ통ᄒᆞ니 곡셩이 쳔지을 움작이며 일월(日月)이 무광(無光)ᄒᆞ고 쵸목금슈(草木禽獸) 늣기며 슬허ᄒᆞ니, 아모리 이젹(夷狄)인들 토목(土木)이 아니어든 엇지 슬푸지 아니리오. 금국 군ᄉᆞ와 군신(君臣)이 눈물을 아니 흘니리 업셔 쳐음의 ᄃᆡ졉지 못ᄒᆞᆫ 일을 뉘웃쳐, 뎡공을 ᄇᆡᆨ단(百端)으로 위로ᄒᆞ여 곡셩을 진정ᄒᆞᄆᆡ, 금왕이 뎡공을 향ᄒᆞ야 복지ᄉᆞ죄(伏地謝罪)왈,

"소국이 엇지 쳔죠을 반ᄒᆞᆯ 의ᄉᆞ을 두엇실잇가마ᄂᆞᆫ 본ᄃᆡ ᄡᅥᆨ히 넙지 못ᄒᆞ고 여러 ᄒᆡ을 긔황(饑荒)ᄒᆞ니 죠공을 밧드러 텬죠을 셤기지 못ᄒᆞ고 과인이 소활무식(疎豁無識)ᄒᆞ여 ᄃᆡ장 알눌치의 ᄑᆡ악(悖惡)ᄒᆞ믈 금치 못ᄒᆞ고 쳔ᄉᆞ의 ᄒᆡᆼ거(行車)을 범ᄒᆞᄆᆡ, {상ᄉᆡ(上使) 격노ᄒᆞ여} 죤공(尊公)을 욕되게 ᄒᆞ미 아니로ᄃᆡ, 상ᄉᆡ 강ᄀᆡ(慷慨)ᄒᆞ여 스ᄉᆞ【58】로 불승기분(不勝氣憤)ᄒᆞ여 음약이ᄉᆞ(飮藥以死)[286]ᄒᆞ여 셰상을 바리시니, 관[과]인(寡人)의 안면(顔面)의 경참(驚慘)ᄒᆞ미 비ᄒᆞᆯ 고지 업ᄂᆞᆫ지라. 소국이 쳔ᄉᆡ 이르시믈 드르면 멀니 영졉ᄒᆞ야 황지(皇旨)을 공경ᄒᆞ고 주ᄀᆡᆨ(主客)의 례(禮)을 가쵸미 ᄯᅥᆺᄯᅥᆺᄒᆞᆫ 일이여ᄂᆞᆯ, 과인이 무상(無常)ᄒᆞ여 군신지의(君臣之義)

286)음약이ᄉᆞ(飮藥以死) : 약을 먹고 죽음.

【30】 법을 출히지 못ᄒᆞ여 작죄(作罪)ᄒᆞ미 만흔디라. 명공(明公)은 회과ᄌᆞ칙(悔過自責)ᄒᆞ믈 ᄉᆡᆼ각ᄒᆞ여 유감(遺憾)ᄒᆞᆫ 뜻을 머므르디 마르쇼셔."

덩ᄉᆞ되 계오 두어 말을 ᄃᆡ답ᄒᆞ고 다시 윤상셔 시신(屍身)을 븟들고 방셩대곡(放聲大哭)ᄒᆞ기를 마디 아니 ᄒᆞ고, 그 ᄉᆞ매의 오히려 쇼봉(疏封)을 너흔 치 두어시니, 덩공이 ᄂᆡ여 보고 더욱 슬프믈 니긔지 못ᄒᆞ여 도라가 황샹긔 올니려 ᄒᆞ여 궤듕(櫃中)의 너코, 습념입관(襲殮入棺)[274]ᄒᆞᆯ ᄉᆡ 초죵졔졀(初終諸節)[275]이 다 경샤(京師)의셔 쥰비ᄒᆞᆫ ᄇᆡ오, 일물(一物)도 금국 거ᄉᆞᆯ 쓰디 아니 ᄒᆞ고 슈히 도라가려 ᄒᆞ니, 금왕(金王)이 능히 말뉴(挽留)치 못ᄒᆞ여, 다만 됴공을 ᄀᆞᆺ초고 대신(大臣) 삼ᄉᆞ인과 셰ᄌᆞ를 아오로 텬됴의 보ᄂᆡ여 셩샹(聖上)긔 청죄ᄒᆞ고, 【31】 표문(表文)을 올녀 ᄃᆡᄃᆡ로 대국을 셤겨 다시 방ᄌᆞ치 아닐 바를 고ᄒᆞ고, 부샤를 셜연(設宴)ᄒᆞ여 니별ᄒᆞ니, 덩ᄉᆞ되 쥰졀이 믈니치고 금국을 교유ᄒᆞ여 {니별ᄒᆞ니, 덩ᄉᆞ되 쥰졀이 믈니치고 금국을 교유(敎諭)ᄒᆞ여} ᄎᆞ후○[나] 작죄치 말나 당부ᄒᆞ고 녕구(靈柩)를 호ᄒᆡᆼ(護行)ᄒᆞ여 도라오니, 일ᄒᆡᆼ의 망극(罔極)ᄒᆞ믄 니르도 말고 도듕(道中)의 굿보ᄂᆞᆫ ᄌᆡ 아니 슬허ᄒᆞ리 업더라.

어시(於是)의 윤부의셔 상셰 금국의 간지 ᄉᆞ오삭(四五朔)이 되니 위험지디(危險之地)의 'ᄉᆞᄉᆡᆼ(死生)이 엇디 된고?' 쥬야로 슬프미 ᄆᆡᆺ치ᄂᆞᆫ 바ᄂᆞᆫ 조부인과 태우오, 버거ᄂᆞᆫ 구패되 태부인과 뉴시ᄂᆞᆫ 흉문(凶聞)이 더딘 줄을 근심ᄒᆞ여 혹ᄌᆞ(或者) ᄉᆞ라 도라올가 념녀ᄒᆞ고, 부인이 졈졈 만삭(滿朔)ᄒᆞ여 몸을 니긔지 못ᄒᆞᆯ ᄃᆞᆺ 형용이 슈패(瘦敗)[276]ᄒᆞ고, 【32】 십일삭(十一朔)이 되도록 분만(分娩)ᄒᆞᄂᆞᆫ 일이 업ᄉᆞ니 태위 근심ᄒᆞ기를 마지 아

274)습념입관(襲殮入棺) : 초상이 났을 때, 시신을 씻긴 뒤 수의를 갈아 입혀 베로 싸 묶고 관(棺) 속에 넣는 상례절차.

275)초죵졔졀(初終諸節) : 초상이 난 뒤부터 졸곡까지 치르는 모든 일이나 예식.

276)슈패(瘦敗) : 몸이 여위고 축남.

을 아지 못ᄒᆞ고 녜법을 ᄎᆞ리지 못ᄒᆞ여 작죄(作罪) ᄐᆡ심(太甚)ᄒᆞᆫ지라. 명공○[은] 과인의 회과ᄌᆞ칙(悔過自責)ᄒᆞ물 간졀히 ᄉᆡᆼ각ᄒᆞᄉᆞ 유감(遺憾)ᄒᆞᆫ 뜻을 머무르지 마르소셔."

덩ᄉᆞ되 겨유 말ᄃᆡ답ᄒᆞ고, 다시 윤상셔의 시신(屍身)을 븟들고 ᄃᆡ셩통곡(大聲痛哭)ᄒᆞ기을 맛고, 그 ᄉᆞᄆᆡ의 오히려 소봉(疏封)을 노흔 치 두어시니 덩공이 ᄂᆡ여 보고 더욱 슬푸믈 이긔지 못ᄒᆞ여 도라가 황상긔 올니려 ᄒᆞ여 궤듕의 너코 염습입관(殮襲入棺)[287]ᄒᆞᆯ ᄉᆡ, 초종졔졀(初終諸節)[288]이 다 경ᄉᆞ(京師)의셔 쥰비ᄒᆞᆫ ᄇᆡ오, 금국의 폐(幣)[289]로 아니ᄒᆞ고, 일즉 도라가려 ᄒᆞ니 금왕이 능히 만뉴(挽留)치 못ᄒᆞ여 다만 죠공을 갓초고 ᄃᆡ신(大臣) ᄉᆞᆷᄉᆞ인과 셰ᄌᆞ 아오로 쳔조의 보ᄂᆡ여 성상(聖上)긔 청죄ᄒᆞ고 표문(表文)을 올녀 ᄃᆡᄃᆡ로 ᄃᆡ국을 셤기고 다시 방ᄌᆞ(放恣)치 아니믈 고ᄒᆞ고, 부ᄉᆞ을 셜연(設宴)ᄒᆞ여 니별ᄒᆞ고 금ᄇᆡᆨ(金帛)을 나오니, 덩ᄉᆞ되 쥰졀이 물니치고 금국을 교유(敎諭)ᄒᆞ여 다시 작죄 말믈 당부ᄒᆞ고 영구(靈柩)을 호ᄒᆡᆼᄒᆞ여 도라오니, 일ᄒᆡᆼ의 망극(罔極)ᄒᆞ믄 이르도 말고 도로관시 【59】 ᄌᆡ막불뉴쳬(道路觀視者莫不流涕)[290]러라.

어시(於是)의 윤부의셔 상셔 간지 ᄉᆞ오삭(四五朔)이 되니 위지(危地)의 'ᄉᆞᄉᆡᆼ(死生)이 엇지 된고?' 주야 ᄉᆡᆼ각ᄒᆞᄂᆞᆫ 이ᄂᆞᆫ 조부인과 ᄐᆡ우요, 버거 구ᄑᆡ라. ᄐᆡ부인과 뉴시ᄂᆞᆫ 흉문(凶聞)이 더ᄃᆡ믈 근심ᄒᆞ여 혹(或) ᄉᆞ라 도라올가 념녀ᄒᆞ며, 조부인은 졈졈 만삭(滿朔)ᄒᆞ여 몸을 이긔지 못ᄒᆞᆯ 듯 형용이 수쳑(瘦瘠)ᄒᆞ고 십일ᄉᆞᆨ(十一朔)이 되도록 분만(分娩)ᄒᆞᆯ

287)염습입관(殮襲入棺) : 초상이 났을 때, 시신을 씻긴 뒤 수의를 갈아 입혀 베로 싸 묶고 관(棺) 속에 넣는 상례절차.

288)초종졔졀(初終諸節) : 초상이 난 뒤부터 졸곡까지 치르는 모든 일이나 예식.

289)폐(幣) : 예물. 비단.

290)길에서 굿 보는 사람들이 눈물을 흘리지 않는 이가 없음.

니 ᄒᆞ더니, 부인이 츄칠월(秋七月) 긔망(旣望)277)을 ᄃᆡᄒᆞ여 노염(老炎)278)이 지심(至甚)ᄒᆞ고 태부인의 보치믈 닙어 일신(一身)이 한가ᄒᆞ믈 엇디 못ᄒᆞ다가, ᄎᆞ일(此日)은 신긔(神氣)279)불안ᄒᆞ믈 인ᄒᆞ여 위시 브르나 드러가디 못ᄒᆞ고, 희월누의 고요히 누어 심식 창황(惝恍)ᄒᆞ니 아으라히280) 금국을 향ᄒᆞ여 상셔의 몸이 엇디 된고 흉장(胸臟)이 믜는 ᄃᆞᆺᄒᆞ여 ᄒᆞᆫ 술 물도 마○[시]지 아니ᄒᆞ고, 밤을 당ᄒᆞ여 명월은 만방(萬方)의 ᄇᆞᆰ앗고 만뢰구젹(萬籟俱寂)281)ᄒᆞ니 오직 녀ᄋᆞ의 머리를 쓰다듬아 야텬(夜天)을 우러러 비회를 금치 못ᄒᆞ다가 샤창(紗窓)을 의지ᄒᆞ여 조으더니, 홀연 상셰 부인의 손을 잡고 【33】 위로 왈,

"텬명을 능히 버셔나디 못ᄒᆞ여 ᄉᆡᆼ이 슈샥젼(數朔前)의 셰상을 ᄇᆞ리고 혼빅(魂魄)이 옥쳥궁(玉淸宮)282) 부귀를 누리나 ᄌᆞ당(慈堂)의 불회 비경(非輕)ᄒᆞ고 쳐ᄌᆞ의 디통(至痛)을 ᄉᆡᆼ각ᄒᆞᄆᆡ 참연(慘然)ᄒᆞ믈 니긔디 못ᄒᆞᄂᆞ니, 부인은 관억(寬抑)ᄒᆞ여 스ᄉᆞ로 보젼ᄒᆞ쇼셔."

부인이 실셩오읍(失性嗚泣)ᄒᆞ니, 상셰 말녀 왈,

"유명(幽明)이 길히 다르고 즉금 님산(臨産)ᄒᆞ여시니 대귀(大貴)ᄒᆞᆯ 남ᄌᆞ를 어더 망극ᄒᆞᆫ 심ᄉᆞ(心思)를 위로 ᄒᆞ라."

부인이 늣기다가283) ᄂᆡ쳐284) 소ᄅᆡᄒᆞ니 시녜 ᄭᆡ오ᄆᆡ 발셰 계셩(鷄聲)이 악악ᄒᆞ

277)긔망(旣望) : 음력으로 매달 열엿샛날.
278)노염(老炎) : 늦더위.
279)신긔(神氣) : 정신과 기운을 아울러 이르는 말.
280)아으라하다 : 아스라하다. 보기에 아슬아슬할 만큼 높거나 까마득하게 멀다.
281)만뢰구젹(萬籟俱寂) : 밤이 깊어 아무 소리도 없이 아주 고요함.
282)옥쳥궁(玉淸宮) : 도교에서, 천제(天帝) 살고 있다고 하는 궁. 옥청은 신선이 산다는 삼청세계(三淸世界: 玉淸, 上淸, 太淸)의 하나.
283)늣기다 : 흐느끼다.
284)ᄂᆡ쳐 : 내처. 어떤 일 끝에 더 나아가. 줄곧 한결같이.

동졍(動靜)이 업ᄉᆞ니 ᄐᆡ위 근심을 마지 아니 ᄒᆞ더니, 부인이 츄칠월(秋七月) 긔망(旣望)291)을 당ᄒᆞ여 노렴(老炎)292)이 심ᄒᆞ고 ᄐᆡ부인의 보치믈 입어 일신이 ᄒᆞᆫ가ᄒᆞ믈 엇지 못ᄒᆞ다가, ᄎᆞ일(此日)은 신긔(神氣)293)불안ᄒᆞ믈 인ᄒᆞ여 부르나 드러가지 못ᄒᆞ고, 희월누의 고요이 누어 심식 참황(慘況)ᄒᆞ더니, 아으라ᄒᆞᆫ294) ○…결락 15자…○[금국을 향ᄒᆞ여 상셔의 몸이 엇디 된고] 흉장(胸臟)이 뮈여지는 듯ᄒᆞ여 작수(勺水)295)도 마시지 아니ᄒᆞ고 밤을 당ᄒᆞ여 비최는 명월은 만방(萬方)의 발갓고 만긔고젹(萬機孤寂)296)ᄒᆞ여 오직 녀ᄋᆞ의 머리을 쓰다듬어 야쳔(夜天)을 울어러 비회(悲懷)을 금치 못ᄒᆞ며 ᄉᆞ창(紗窓)을 의지ᄒᆞ야 잔[잠]간 《조으다가‖조으더니》, 홀연 상셔 부인의 손을 잡고 위로 왈,

"쳔명을 능히 버셔ᄂᆞ지 못ᄒᆞ여 슈삭젼(數朔前)의 ᄉᆡᆼ이 기셰(棄世)ᄒᆞ여 혼빅(魂魄)이 옥쳥궁(玉淸宮)297) 부귀을 누리나 ᄌᆞ당(慈堂)의 불효 비경(非輕)ᄒᆞ고 쳐ᄌᆞ의 비통을 ᄉᆡᆼ각ᄒᆞᄆᆡ 참연ᄒᆞ믈 이긔지 못ᄒᆞ나니 부인은 관억(寬抑)ᄒᆞ여 스ᄉᆞ로 보젼ᄒᆞ여 기리 안낙ᄒᆞ다가 구쳔타 【60】 일(九泉他日)298)의 보기를 바라노라."

언파의 편이 눕기을 권ᄒᆞᆫᄃᆡ, 부인이 진진(津津)299) 늣기다가300) ᄂᆡ쳐301) 읍읍(悒悒)

291)긔망(旣望) : 음력으로 매달 열엿샛날.
292)노렴(老炎) : 늦더위.
293)신긔(神氣) : 정신과 기운을 아울러 이르는 말.
294)아으라ᄒᆞ다 : 아스라하다. 보기에 아슬아슬할 만큼 높거나 까마득하게 멀다.
295)작수(勺水) : 한 작(勺: 잔)의 물이라는 뜻으로, 한 모금의 물을 이르는 말.
296)만긔고젹(萬機孤寂) : 세상 온갖 만물이 다 고요에 잠겨 있음.
297)옥쳥궁(玉淸宮) : 도교에서, 천제(天帝) 살고 있다고 하는 궁. 옥청은 신선이 산다는 삼청세계(三淸世界: 玉淸, 上淸, 太淸)의 하나.
298)구쳔타일(九泉他日) : 저승에서의 훗날.

여285) ᄉᆡ빅를 고ᄒᆞ니, 심ᄉᆡ 황홀ᄒᆞ며 복통(腹痛)이 급ᄒᆞ니, 시비 밧비 구파를 청ᄒᆞ여 구호ᄒᆞ며 태우긔 알외여 약을 년【34】속(連續)ᄒᆞ니, 날이 장ᄎᆞᆺ 붉아 홍일(紅日)이 동녕(東嶺)의 오르고져 ᄒᆞᄆᆡ, 부인이 옥 ᄀᆞᆺ튼 빵남을 나흐니 태위 깃브미 취미(翠眉)286)의 어ᄅᆡ여시나 상셰 경ᄉᆞ(慶事)를 ᄒᆞᆫ가지로 보지 못ᄒᆞ믈 ᄋᆡ돌나 ᄒᆞ며 구파다려 신ᄋᆞ(新兒) 보기를 청ᄒᆞ니, 위시의 고식(姑媳)287)은 그 ᄉᆡᆼ남ᄒᆞ믈 듯고 믜오믈 니긔디 못ᄒᆞ나 태우 보ᄂᆞᆫ ᄃᆡ 의심을 두지 《아니므로∥아니려 ᄒᆞ므로》 일시의 희월누의 모다 ᄋᆞ히(兒孩)를 보며, 조부인을 보호ᄒᆞᄂᆞᆫ 체ᄒᆞ니, 태위 신ᄉᆡᆼᄋᆞ를 보ᄆᆡ 일월(日月)이 써러진 ᄃᆞᆺ 산천뎡기(山川精氣)를 모화 귀격(貴格)을 일워시니, 범용쇽ᄌᆞ(凡庸俗子)288)와 다른디라. 태위 ᄒᆞᆫ 번 보매 희열(喜悅)ᄒᆞ여 왈,

"하ᄂᆞᆯ이 오형의 튱녈과 슈슈(嫂嫂)의 슉덕현ᄒᆡᆼ(淑德賢行)을 갑흐샤【35】 이런 냥개(兩箇) 긔린(麒麟)을 ᄂᆡ시도다."

위시와 뉴시는 신ᄋᆞ를 보ᄆᆡ 악심이 발작(發作)ᄒᆞ여 믜오미 칼노 지를 ᄃᆞᆺᄒᆞᄃᆡ 사ᄅᆞᆷ 되오미 흉휼간특(兇譎姦慝)289)ᄒᆞ여 외견(外見)으로 가장 어딘 빗출 짓ᄂᆞᆫ디라. 신ᄋᆞ의

285)악악ᄒᆞ다 : 몹시 기를 쓰며 자꾸 소리를 내지르다.
286)취미(翠眉) : 푸른 눈썹. 화장한 눈썹을 이른다.
287)고식(姑媳) : 고부(姑婦). 시어머니와 며느리를 아울러 이르는 말.
288)범용쇽ᄌᆞ(凡庸俗子) : 평범하고 변변하지 못한 사람.
289)흉휼간특(兇譎姦慝) : 음흉하여 간사하고 악독하다.

히302) 우니 모든 시녜 부인을 ᄭᆡ오니, 발셔 계성(鷄聲)이 악악303)ᄒᆞ고 심ᄉᆡ 황홀ᄒᆞ며 복듕이 급ᄒᆞ니, 모든 시녜 밧비 구파을 청ᄒᆞ여 구호ᄒᆞ고 ᄐᆡ우ᄭᅴ 고ᄒᆞ여 약을 등ᄃᆡ(等待)ᄒᆞ니, 이러구러 동방이 긔ᄇᆡᆨ(旣白)ᄒᆞ고 홍일(紅日)이 부상(扶桑)304)의 오르니 부인이 일ᄀᆡ 옥동을 ᄉᆡᆼᄒᆞ니 미쳐 그 얼골을 보지 못ᄒᆞ여 울음소ᄅᆡ 웅장ᄒᆞ니, ᄐᆡ위 창외셔 듯고 희츌망외(喜出望外)305)ᄒᆞ더니, 아ᄒᆡ 또 이어 나오니 구픽 황홀ᄒᆞ여 쌍ᄉᆡᆼ(雙生)인 쥴 일으니, ᄐᆡ위 왈,

"쌍ᄋᆡ 다 남ᄌᆡ니잇가?"

구픽 왈,

"연(然)ᄒᆞ여이다."

ᄐᆡ위 더욱 ᄃᆡ열(大悅)ᄒᆞ나 형장이 경ᄉᆞ(慶事)을 ᄒᆞᆫ가지로 보지 못ᄒᆞ믈 ᄋᆡ달나 ᄒᆞ여 구파다려 신아(新兒) 보기을 청ᄒᆞᆫᄃᆡ, 위시의 고식(姑媳)306)은 부인의 ᄉᆡᆼ남ᄒᆞᆫ 소식을 듯고 믜워ᄒᆞ믈 니긔지 못ᄒᆞ나, ᄐᆡ우 보ᄂᆞᆫᄃᆡᄂᆞᆫ 의심을 아니케 ᄒᆞ여 일시의 희월누의 모다 아ᄒᆡ을 보고 반기며 조부인을 구호ᄒᆞᄂᆞᆫ 체ᄒᆞ니, ᄐᆡ위 ᄒᆡᄋᆞ(孩兒)을 ᄒᆞᆫ 번 보ᄆᆡ 일월이 쓰ᄂᆞᆫ 듯 산천청[정]긔(山川精氣)을 모화 귀격(貴格)을 일워시니 범용 속아와 크게 다른지라. ᄐᆡ위 ᄃᆡ희ᄃᆡ열(大喜大悅)ᄒᆞ여 왈,

"하ᄂᆞᆯ이 우리 형장의 츙효(忠孝)을 감동ᄒᆞ시고 수수(嫂嫂)의 숙덕(淑德)을 슬피ᄉᆞ 이【61】런 쌍미긔린(雙美麒麟)307)을 ᄂᆡ시도다."

299)진진(津津) : 어떤 상태가 계속되는 모양.
300)늣기다 : 흐느끼다.
301)ᄂᆡ쳐 : 내처. 어떤 일 끝에 더 나아가. 줄곧 한결같이.
302)읍읍(悒悒)히 : 마음이 매우 걱정스럽고 답답하여 편하지 아니하게.
303)악악ᄒᆞ다 : 몹시 기를 쓰며 자꾸 소리를 내지르다.
304)부상(扶桑) : 해가 뜨는 동쪽 바다.
305)희츌망외(喜出望外) : 기대하지 아니하던 기쁜 일이 뜻밖에 생김.
306)고식(姑媳) : 고부(姑婦). 시어머니와 며느리를 아울러 이르는 말.
307)쌍미긔린(雙美麒麟) : 아름다운 한 쌍의 기린.

비상ᄒᆞ믈 보고 조부인긔 치하ᄒᆞ며 극진히 구호ᄒᆞᄂᆞᆫ 쳬ᄒᆞ니 태우는 의심치 아니터라.

뉴시를 당부ᄒᆞ여 셔모(庶母)와 ᄒᆞᆫ가지로 슈슈를 구호ᄒᆞ라 ᄒᆞ고 즉시 나오니, 차일 졀도ᄉᆞ(節度使)의 쥬문(奏文)이 니르러 샹텬샤 윤현이 금국의 나아가 굴복지 아니ᄒᆞ고 ᄌᆞᄉᆞ(自死)ᄒᆞ니 호삼개 경동(警動)ᄒᆞ여 부텬샤 뎡연 등을 쥬ᄀᆡᆨ지녜(主客之禮)로 ᄃᆡ졉ᄒᆞ여 됴공을 밧들며, 셰ᄌᆞ와 대신 등을 상샤(上使)의 녕구오는 ᄃᆡ ᄒᆞᆫ가지로【36】 온다 ᄒᆞ여 몬져 션셩(先聲)이 이시니, ᄎᆞ일 샹이 됴회를 파치 아냐 계시다가 쥬문을 드르시고 텬심(天心)이 경악(驚愕)ᄒᆞ샤 뇽뉘(龍淚) 어의(御衣)예 ᄡᅥ러지샤 왈,

"윤현의 튱녈(忠烈)노 만니타국의 그 명이 맛ᄎᆞ니 황텬(皇天)이 딤(朕)의 박덕(薄德)을 벌ᄒᆞ시미라."

ᄒᆞ시며, 슬허ᄒᆞ시니 문무ᄇᆡᆨ관이 뉘 아니 슬허ᄒᆞ리오. 샹이 태듕태우(太中大夫) 윤슈를 명초(命招)ᄒᆞ시니, 태위 조부인이 슌산ᄒᆞ고 쌍ᄋᆡ 비상ᄒᆞ믈 대희ᄒᆞ나 형댱의 ᄒᆞᆫ가지로 보지 못ᄒᆞ믈 슬허ᄒᆞ다가 황명(皇命)을 좃ᄎᆞ 쌜니 입궐ᄒᆞ니, 상이 졀도ᄉᆞ의 듀문(奏文)을 니르시고 왈,

"경의 형을 딤이 죽인지라. 나라흘 위ᄒᆞ여 명을 ᄉᆞᆺᄎᆞ【37】니 참졀(慘切)ᄒᆞ믈 어이 ᄎᆞᆷ으리오. 아디 못게라. 경의 형이 ᄋᆞ들이 잇ᄂᆞ냐?"

태위 샹교(上敎)를 듯ᄌᆞ오ᄆᆡ 흉장(胸臟)이 믜는 듯 망극ᄋᆡ통(罔極哀痛)ᄒᆞ미 텬디회ᄉᆡᆨ(天地晦塞)ᄒᆞ여 긔운이 엄엄(奄奄)[290]ᄒᆞ고 가ᄉᆞᆷ이 막히여 즉시 ᄃᆡ(對)치 못ᄒᆞ고 눈물이 금포(錦袍)의 년낙(連落)ᄒᆞ여 브복(仆伏) ᄃᆡ쥬(對奏) 왈,

290)엄엄(奄奄)ᄒᆞ다 : 숨이 곧 끊어지려 하거나 매우 약한 상태에 있다.

위ᄐᆡ부인과 뉴시는 신ᄋᆞ을 보ᄆᆡ 악심이 발복(發復)[308]ᄒᆞ여 칼노 질을 듯ᄒᆞᄃᆡ, ᄉᆞ롬되미 흉휼간특(兇譎姦慝)[309]ᄒᆞ여 외면으로 가장 어진 빗출 짓는지라. 신아의 비상ᄒᆞ믈 보고 조부인긔 치하ᄒᆞ며 극진이 구호ᄒᆞᄂᆞᆫ 쳬ᄒᆞ니, ᄐᆡ우는 의심치 아니ᄒᆞ고, 뉴시을 당부ᄒᆞ야 셔모(庶母)와 ᄒᆞᆫ가지로 수수(嫂嫂)을 구호ᄒᆞ라 ᄒᆞ고 즉시 외헌으로 나오니라. ᄎᆞ일 졀도ᄉᆞ의 주문(奏文)이 이르러 상쳔ᄉᆞ 윤현이 금국의 나아가 굴복지 아니ᄒᆞ고 ᄀᆡ연이 ᄌᆞᄉᆞ(自死)ᄒᆞ니, 호슴ᄀᆡ 경동(驚動)ᄒᆞ여 부쳔ᄉᆞ 뎡연 등을 주ᄀᆡᆨ지녜(主客之禮)로 ᄃᆡ졉ᄒᆞ며 조공을 밧들며, 셰ᄌᆞ와 ᄃᆡ신 등을 보ᄂᆡ여 상ᄉᆞ(上使)의 영구을 호송ᄒᆞ야 니른다 션셩(先聲)이 니르거늘, ᄎᆞ일 상이 조회을 파치 아니ᄒᆞ여 겨시다가 주문을 드르시고 쳔심(天心)이 경악(驚愕)ᄒᆞᄉᆞ 용뉘(龍淚) 어의(御衣)에 ᄡᅥ러져 갈오ᄉᆞᄃᆡ,

"윤현의 츙뎔(忠節)노 만니타국의 그 명이 마ᄎᆞ니 황쳔(皇天)이 짐(朕)의 박덕(薄德)을 벌ᄒᆞ시도다."

ᄃᆡ셩통곡ᄒᆞ시니, 문무ᄇᆡᆨ관이 뉘 아니 슬허ᄒᆞ리오. 상이 즉시 ᄐᆡ듕ᄐᆡ우(太中大夫) 윤슈을 명초(命招)ᄒᆞ시니, ᄐᆡ위(大夫) 조부인이 슌산ᄒᆞ고 쌍ᄋᆡ 비범ᄒᆞ믈 가장 쾌열(快悅)ᄒᆞ나, 오작 형장과 ᄒᆞᆫ가지 못 보믈 슬허ᄒᆞ다가, 문득 황명으로 부【62】르시믈 조차 입궐 ᄉᆞᄇᆡ(四拜)ᄒᆞ온ᄃᆡ, 상이 졀도ᄉᆞ의 주문을 일오시고 갈아ᄉᆞ○[ᄃᆡ],

"경의 형을 짐이 죽이미니 나라흘 위ᄒᆞ여 명을 ᄉᆞᆺᄎᆞᆫ지라. 참졀(慘切)ᄒᆞ믈 어이 측냥ᄒᆞ리오. 아지못게라 경의 형이 아들이 잇ᄂᆞ냐?"

ᄐᆡ위 상교(上敎)을 듯ᄌᆞ오ᄆᆡ 흉장(胸臟)이 미여지는 듯 망극비통(罔極悲痛)ᄒᆞ미 쳔지회ᄉᆡᆨ(天地晦塞)ᄒᆞ여 긔운이 엄엄(奄奄)ᄒᆞ고[310] 흉격(胸膈))이 막혀 즉시 ᄃᆡ주(對奏)

308)발복(發復)하다 : 복발(復發)하다. 병이나 근심, 설움 따위가 다시 또는 한꺼번에 일어남

309)흉휼간특(兇譎姦慝) : 음흉(陰凶)하여 간사하고 악독하다.

310)엄엄(奄奄)ᄒᆞ다 : 숨이 곧 끊어지려 하거나 매우

"신형(臣兄)이 만니타국의 가 죽ᄉᆞ오니 신ᄌᆞ(臣子)의 ᄃᆡᆨ분(職分)을 다ᄒᆞ와 셩은을 만분지 일이나 갑ᄉᆞ오니 엇디 명을 앗기리잇고 마ᄂᆞᆫ, 명되(命途) 궁박(窮迫)ᄒᆞ와 ᄌᆞ란 ᄌᆞ식이 업ᄉᆞ와 계오 삼ᄉᆞ셰 유녀(幼女)를 두ᄋᆞᆸ고 형슈 조시 유복빵남(遺腹雙男)을 금일이야 ᄉᆡᆼᄒᆞ엿ᄂᆞ이다."

상(上) 왈,

"비록 ᄌᆞ란 ᄋᆞ들이 업ᄉᆞ나 이제 빵ᄌᆞ(雙子)를 나흐니 텬되(天道) 유의(有意)ᄒᆞ여 튱녈의 종ᄉᆞ(宗嗣)【38】를 니으니 만ᄒᆡᆼ(萬幸)치 아니랴. 약물을 보ᄂᆡ여 산모를 구호ᄒᆞ게 ᄒᆞ라."

ᄒᆞ시고, '윤상셔의 상귀(喪柩) 오ᄂᆞᆫ 날 ᄇᆡᆨ관으로 마ᄌᆞ라' ᄒᆞ시고 '윤부 태부인긔 녜관(禮官)을 보ᄂᆡ여 관억(寬抑)ᄒᆞ믈 니르라' 하시니, 윤태위 셩은(聖恩)을 황공ᄒᆞ여 샤은ᄒᆞ고 춍총이 궐문을 나 집으로 도라오니, 발셔 녜관(禮官)이 부음(訃音)291)을 젼ᄒᆞ며 교디(敎旨)를 니르니, 이ᄯᆡ 위시ᄂᆞᆫ 상셔의 흉음(凶音)을 듀야(晝夜) 기다리다가 이 말을 듯고 깃브믈 니긔지 못ᄒᆞ나 거ᄌᆞᆺ 눈물과 우름으로 사람의 의심을 면ᄒᆞ려 ᄒᆞᄂᆞᆫ디라. 태부인의[이] 우름을 날회고 조부인 시녀를 당부ᄒᆞ여 일시도 써나지 말나 ᄒᆞ고 비로○[소] 합개(闔家) 발상통곡(發喪痛哭)292)ᄒᆞ니 태우의 무ᄋᆡ【39】지원(无涯之怨)293)이 일신을 분쇄(粉碎)ᄒᆞᆷ ᄀᆞᆺ트여 친상(親喪)294)과 다르디 아니 ᄒᆞ며, 가듕샹히(家中上下) 져마다 호통ᄋᆡ곡(號慟哀哭)295)ᄒᆞ여 셜워 아니리 업ᄉᆞᄃᆡ, 오직 위시 고식과 그 심복(心

291)부음(訃音) : 사람이 죽었다는 것을 알리는 말이나 글.

292)발상통곡(發喪痛哭) : 발상(發喪). 상례에서, 죽은 사람의 혼을 부르고 나서 상제가 머리를 풀고 슬피 울어 초상난 것을 알림. 또는 그런 절차

293)무ᄋᆡ지원(无涯之怨) : 끝없는 원통함.

294)친상(親喪) : 부모의 상(喪).

295)호통ᄋᆡ곡(號慟哀哭) : 부르짖어 슬피 울고 곡함.

을 못ᄒᆞ고 눈물이 금포(錦袍)의 연낙(連落)ᄒᆞ고 어린다시 말을 못ᄒᆞ다가 반향 후 겨유 진졍ᄒᆞ여 부복(仆伏) ᄃᆡ왈,

"신형(臣兄)이 만니타국의 가 죽ᄉᆞ오니 신ᄌᆞ(臣子)의 직분(職分)을 다ᄒᆞ와 성은을 만분지일이나 갑ᄉᆞ오니 엇지 일명(一命)을 앗기리잇고마ᄂᆞᆫ 명되(命途) 긔구(崎嶇)311)ᄒᆞ와 ᄌᆞ란 ᄌᆞ식이 업ᄉᆞᆸ고 겨유 ᄉᆞᆷ셰 녀식을 두ᄋᆞᆸ고 유복쌍ᄌᆞ(遺腹雙子)을 금일이야 ᄉᆡᆼᄒᆞ여ᄂᆞ이다."

상이 갈ᄋᆞᄉᆞ○[ᄃᆡ],

"비록 장셩(長成)ᄒᆞᆫ 아들이 업ᄉᆞ나 이제 쌍ᄌᆞ(雙子)을 나하다 ᄒᆞ니, 쳔되(天道) 유의(有意)ᄒᆞ여 츙신(忠臣) 죵ᄉᆞ(宗嗣)을 이으니 엇지 만ᄒᆡᆼ(萬幸)치 아니리오. 약물을 보ᄂᆡ여 산모을 구호케 ᄒᆞ라."

ᄒᆞ시고, 윤상셔 상구(喪柩) 이러러 오난 날 ᄇᆡᆨ관이 마ᄌᆞ라 ᄒᆞ시며, 윤부 ᄐᆡ부인긔 녜단을 보ᄂᆡ여 관억(寬抑)ᄒᆞ믈 위로ᄒᆞ라 ᄒᆞ시니, 윤ᄐᆡ위 성은을 황공ᄒᆞ여 ᄉᆞ은ᄒᆞ고 총총이 궐문을 나 남편(南便)을 ᄇᆞ라 일장(一場)을 통곡(痛哭)ᄒᆞ【63】고 본부로 도라오니, 발셔 녜관(禮官)이 니르러 부음(訃音)312)을 젼ᄒᆞ고 교지(敎旨)을 일오니, ᄎᆞ시 위시ᄂᆞᆫ 상셔의 흉음(凶音)을 주야(晝夜)로 기다리다가 이 말을 듯고 깃부믈 이긔지 못ᄒᆞ나, 거즛 우름과 눈물노 ᄉᆞᄅᆞᆷ의 치소(嗤笑)을 면코ᄌᆞ ᄒᆞᄂᆞᆫ지라. ᄐᆡ위 우름을 억제(抑制)ᄒᆞ고 조부인 시녀을 당부ᄒᆞ여 일시도 써ᄂᆞ지 말나 ᄒᆞ고, 비로소 합ᄀᆡ(闔家) 발상통곡(發喪痛哭)ᄒᆞ니, ᄐᆡ우의 우[무]ᄋᆡ지원(無涯之怨)313)이 일신을 분쇄(粉碎)ᄒᆞᆷ 갓트미 친상(親喪)314)과 다르미 업ᄉᆞ며 가듕상히(家中上下) 져마다 호통ᄋᆡ곡(號慟哀哭)315)ᄒᆞ나 오직 위시 고식과 그 심복시녀

약한 상태에 있다.

311)긔구(崎嶇)ᄒᆞ다 : 산길이 험하다. 세상살이가 순탄하지 못하고 가탈이 많다.

312)부음(訃音) : 사람이 죽었다는 것을 알리는 말이나 글.

313)무ᄋᆡ지원(无涯之怨) : 끝없는 원통함.

314)친상(親喪) : 부모의 상(喪).

腹) 슈삼개(數三個) 시비 슬허ᄒᆞᄂᆞᆫ 의ᄉᆡ(意思) 업셔 겨ᄌᆞᆺ 비통(悲痛)이 이목(耳目)을 가리오니 뉘 알니이시리오.

태우ᄂᆞᆫ ᄌᆞ로[296] 곡셩(哭聲)이 ᄭᅳᆺ쳐지고 긔운이 엄홀(奄忽)ᄒᆞᆯ ᄃᆞᆺᄒᆞ나 스ᄉᆞ로 슬프믈 셔리담고 모친을 위로ᄒᆞ여 듁음(粥飮)을 권ᄒᆞ고 친히 ᄒᆡ월누의 니르니, 부인이 텬붕디탁[통](天崩之痛)[297]ᄒᆞᄂᆞᆫ 흉음(凶音)을 드르ᄆᆡ 산후약질(産後弱質)이 엇디 ᄉᆞᆯ기를 긔약ᄒᆞ리오 마ᄂᆞᆫ, 텬신이 보호ᄒᆞ여 비록 ᄀᆡᆼ반(羹飯)[298]을 믈니치고 듁음(粥飮)을 나오ᄂᆞᆫ ᄇᆡ 업ᄉᆞ나, ᄌᆞ연이 눈을 ᄀᆞᆷ고 인ᄉᆞ를 아ᄂᆞᆫ ᄃᆞᆺ 모로ᄂᆞᆫ ᄃᆞᆺ 지통ᄋᆡ곡(至痛哀哭) 【40】 ᄒᆞ여 골졀(骨節)을 ᄉᆞ못더니[299], 태위 창외(窓外)의셔 위로 왈,

"흉음을 듯ᄌᆞ오ᄆᆡ 망극통졀(罔極痛切)ᄒᆞ믈 어이 비ᄒᆞᆯ 곳이 이시리잇고 마ᄂᆞᆫ 문운(門運)이 블ᄒᆡᆼᄒᆞ며 ᄉᆞᄉᆡᆼ(死生)이 유명(有命)[300]이라 현마[301] 어이 ᄒᆞ리잇고? 형댱님ᄒᆡᆼ부탁(臨行付託)[302]을 ᄉᆡᆼ각ᄒᆞ시고 명ᄋᆞ 삼남ᄆᆡ(三男妹)를 도라 보샤 디통을 관억ᄒᆞ샤 신ᄋᆞ를 슬피시면 이ᄂᆞᆫ 우리 집 종ᄉᆞ(宗嗣)를 긋지 아니미로소이다. 원컨ᄃᆡ 존슈(尊嫂)ᄂᆞᆫ 여러가지로 혜아리샤 쇽졀업시 ᄋᆡ통을 과도히 마르쇼셔"

부인이 호텬ᄋᆡ곡(呼天哀哭)ᄒᆞ여 말이 업ᄉᆞ니 태위 구파를 향ᄒᆞ여 왈,

"셔모ᄂᆞᆫ 슬프믈 니ᄌᆞ시고 ᄡᅡᆼᄋᆞ(雙兒)를 보호ᄒᆞ시며 슈슈(嫂嫂)를 ᄯᅥ나지 마르쇼셔."

구패 심ᄉᆡ 붕녈(崩裂)ᄒᆞ나 샹셔를 ᄯᆞ라 죽지 못ᄒᆞ고 부【41】인과 ᄡᅡᆼᄋᆞ를 보호ᄒᆞ

296)ᄌᆞ로 : 자주.

297)텬붕디통(天崩之痛) : 하늘이 무너지는 것 같은 슬픔이라는 뜻으로, 아버지나 임금의 죽음을 당한 슬픔을 이르는 말. 여기서는 남편의 죽음을 당한 슬픔을 이르고 있다. 일반적으로 남편의 죽음은 '붕성지통(崩城之痛)'이라 한다.

298)ᄀᆡᆼ반(羹飯) : 국과 밥을 아울러 이르는 말.

299)ᄉᆞ못다 : 사무치다. 깊이 스며들거나 멀리까지 미치다.

300)유명(有命) : 명(命)에 달려 있음.

301)현마 : 설마. 차마.

302)님ᄒᆡᆼ부탁(臨行付託) : 길을 떠나면서 남긴 당부.

수숨인(數三人)이 조곰도 슬허ᄒᆞᄂᆞᆫ 의ᄉᆡ 업셔 거즛 비통(悲痛)으로 ᄉᆞ룸의 이목(耳目)을 가리오니 뉘 알니 잇시리오.

ᄐᆡ위 곡셩(哭聲)이 ᄌᆞ로[316] 긋쳐지고 긔운이 엄홀(奄忽)ᄒᆞ나 스ᄉᆞ로 슬픈 ᄆᆞ음을 셔리담고[317] 모친을 위로ᄒᆞ여 식음을 권ᄒᆞ고 친히 ᄒᆡ월누의 이르니, 분[부]인이 쳥[쳔]붕지통(天崩之痛)[318]○[의] 흉음(凶音)을 드르ᄆᆡ 산후약질(産後弱質)이 엇지 ᄉᆞᆯ기을 긔약ᄒᆞ리오. 쳔신이 보호ᄒᆞ여 비록 ᄀᆡᆼ반(羹飯)[319]을 물니치고 죽음(粥飮)을 나오ᄂᆞᆫ ᄇᆡ 이시ᄂᆞ ᄌᆞ연이 눈을 감으면 인ᄉᆞ을 아ᄂᆞᆫ 듯 모로ᄂᆞᆫ 듯 지통ᄋᆡ곡(至痛哀哭)ᄒᆞ야 골졀(骨節)을 ᄉᆞ못더니[320], ᄐᆡ위 창외(窓外)셔 위로 왈,

"흉음을 듯ᄌᆞ오ᄆᆡ 망극통졀(罔極痛切)ᄒᆞ믈 어이 비ᄒᆞᆯ 곳지 잇시리오만[마]ᄂᆞᆫ 문운(門運)이 불ᄒᆡᆼ【64】ᄒᆞ여 형장이 만니타국이[에] 원ᄉᆞ(冤死)ᄒᆞ엿스니 복원(伏願) 수수(嫂嫂)ᄂᆞᆫ 형의 부탁을 ᄉᆡᆼ각ᄒᆞᄉᆞ 신아(新兒)을 살니시면 이ᄂᆞᆫ 우리집 종ᄉᆞ(宗嗣)을 ᄭᅳᆫ치 아니ᄒᆞ미니, 죤수(尊嫂)는 여러 가지로 혀아리ᄉᆞ 속졀업시 ᄋᆡ통을 과(過)히 마옵소셔."

부인이 호쳔ᄋᆡ곡(呼天哀哭)ᄒᆞ여 말ᄉᆞᆷ이 업ᄉᆞ니 ᄐᆡ위 구파을 향ᄒᆞ야 왈,

"셔모ᄂᆞᆫ 슬허 마르시고 일시 ᄯᅥᄂᆞ지 모르소셔."

ᄑᆡ 망혼ᄋᆡ읍(亡魂哀泣)[321]ᄒᆞ더라. ᄐᆡ위 죽음을 ᄌᆞ로 권ᄒᆞ며 밧들기을 ᄐᆡ부인 버금

315)호통ᄋᆡ곡(號慟哀哭) : 부르짖어 슬피 울고 곡함.

316)ᄌᆞ로 : 자주.

317)셔리담다 : '서리다'와 '담다'의 합성어. 차곡차곡 포개어 담다.

318)쳔붕지통(天崩之痛) : 하늘이 무너지는 것 같은 슬픔이라는 뜻으로, 아버지나 임금의 죽음을 당한 슬픔을 이르는 말. 여기서는 남편의 죽음을 당한 슬픔을 이르고 있다. 일반적으로 남편의 죽음은 '붕성지통(崩城之痛)'이라 한다.

319)ᄀᆡᆼ반(羹飯) : 국과 밥을 아울러 이르는 말.

320)ᄉᆞ못다 : 사무치다. 깊이 스며들거나 멀리까지 미치다.

321)망혼ᄋᆡ읍(亡魂哀泣) : 넋을 잃고 슬피 욺.

여 밧들기를 태부인 버금으로 ᄒᆞ니, 부인이 깁히 감샤ᄒᆞ며 가듕형셰(家中形勢)를 혜아리ᄆᆡ 살 뜻이 업ᄉᆞᄃᆡ, 상셔의 간권(懇勸)이 부탁ᄒᆞ던 바를 져ᄇᆞ리지 못ᄒᆞ고 ᄌᆞ긔{를} 죽으면 빵ᄋᆞ(雙兒)와 명ᄋᆞ를 보젼치 못ᄒᆞᆯ디라. 심ᄉᆞ를 관억(寬抑)ᄒᆞ여 잠연(潛然)이[303] 혈누(血淚)[304]를 나리올 ᄲᅳᆫ이러니, 슈일 후의 상귀(喪柩) 문외(門外)의 니르ᄆᆡ 태위 조부인 산실을 ᄯᅥ나지 못ᄒᆞ고 의약을 다ᄉᆞ리므로 미리 나아가 맛디 못ᄒᆞ고, 강졍으로 가 녕구(靈柩)를 마ᄌᆞ 즉시 항쥬 션산(先山)으로 나려가려ᄒᆞᄂᆞᆫ지라.

부인이 ᄒᆞᆫ 번 보아 곡별(哭別)[305]ᄒᆞ믈 고ᄒᆞ니 태위 실(實)노뼈 고 왈,

"빙[빈]연(殯輦)[306]을 ᄃᆡᄒᆞ시ᄆᆡ 오ᄂᆡ붕녈(五內崩裂)[307]ᄒᆞ실 ᄲᅳᆫ이오 일호(一毫) 유익ᄒᆞᆫ 일이 업ᄉᆞ시고,【42】 존쉬(尊嫂) 분산(分産)ᄒᆞ션지 ᄉᆞᆷ칠일(三七日)[308]이 넘지 아녀시니 반다시 듕ᄒᆞᆫ 질환을 닐위실지라. 브졀업시 과쳬(過涕)[309]치 마르쇼셔."

부인이 다시 쳥치 못ᄒᆞ여 흉금(胸襟)이 편식(偏塞)ᄒᆞ니 ᄌᆞ로 엄홀(奄忽)ᄒᆞ더라.

태위 만됴ᄇᆡᆨ뇨(滿朝百寮)로 더브러 문외의 나가 강졍(江亭) 노복을 분부ᄒᆞ여 가ᄉᆞ를 슈리ᄒᆞ고 ᄌᆞ긔ᄂᆞᆫ 졔인뉴(諸人類)의셔 삼ᄉᆞ리를 압셔 가니 상귀(喪柩) 오ᄂᆞᆫ 바의 븟치이ᄂᆞᆫ 명졍(銘旌)[310]은 츄풍의 나븟기고

303)잠연(潛然)이 : 잠잠(潛潛)이.
304)혈누(血淚) : 피눈물. 몹시 슬프고 분하여 나는 눈물.
305)곡별(哭別) : 죽은 이를 곡(哭)하여 영결(永訣)함.
306)빈연(殯輦) : 영구(靈柩)를 실은 수레.
307)오ᄂᆡ붕녈(五內崩裂) : 오장(五臟)이 무너나고 찢어짐
308)삼칠일(三七日) : 세이레. 아이가 태어난 후 스무하루가 되는 날. 대개는 이날 금줄을 거둔다.
309)과체(過涕) : 과도히 울며 슬퍼함.
310)명정(銘旌) : 죽은 사람의 관직과 성씨 따위를 적

으로 ᄒᆞ니 부인이 감ᄉᆞᄒᆞ나 궁쳔지통(窮天之痛)을 이긔지 못ᄒᆞ고 가듕ᄉᆞ(家中事)을 싱각ᄒᆞᄆᆡ 술 뜻지 묘연(杳然)ᄒᆞ되, 상셔의 간졀ᄒᆞᆫ 부탁과 셰낫 유치을 보젼ᄒᆞᆯ 바을 싱각ᄒᆞᄆᆡ 누쉬(淚水) 보협(酺頰)[322]의 어롱ᄊᆡ니[323], 구픠 쌍ᄋᆞ(雙兒)을 어로만져 왈,

"세간의 일기 골육도 업시 쳥년조과(青年早寡)[324]ᄒᆞ나니도 이시니, 부인은 ᄉᆞᆷ기혈속(三個血屬)이 윤문(尹門貴寶)여ᄂᆞᆯ 엇지 초창(怊悵)ᄒᆞ시ᄂᆞᆫ잇고?"

여ᄎᆞ 위로ᄒᆞ며 지ᄂᆡ더라.

부인이 쌍ᄋᆞ을 볼ᄉᆞ록 그 부친이 아지 못ᄒᆞ믈 지극통ᄉᆞᆼ(至極痛傷)ᄒᆞ더니, 수일 후 상셔의 상귀(喪柩) 문외의 니르ᄆᆡ, ᄐᆡ위 조부인 산측(産側)을 ᄯᅥᄂᆞ지 못ᄒᆞ여 멀니 나가지 못ᄒᆞ고 문외(門外) 강졍(江亭)의 가 영구(靈柩)을 마ᄌᆞ 즉시 항쥬 션산(先山)으로 가려ᄒᆞᆯ 시, 분[부]인이 한번 보아 영결(永訣)ᄒᆞ물 쳥ᄒᆞ니, ᄐᆡ【65】위 실(實)노ᄡᅧ 고왈,

"빈연(殯輦)[325]○[을] ᄃᆡᄒᆞ여 오ᄂᆡ붕졀(五內崩切)[326]ᄒᆞᆯ ᄲᅳᆫ이오, 일호(一毫)도 유익ᄒᆞᄆᆡ 업ᄉᆞ리니 존쉬(尊嫂) 분산(分産)ᄒᆞ신졔 ᄉᆞᆷ일(三日)이라. 반드시 듕환(重患)을 일위실 ᄯᆞ름이니 지통(至痛)을 이즈시고 몸을 보호ᄒᆞ소셔."

부인이 다시 쳥(請)ᄒᆞ여 흉회억식(胸懷臆塞)ᄒᆞ니 ᄌᆞ로 엄홀(奄忽)ᄒᆞ더라.

ᄐᆡ위 만죠ᄇᆡᆨ관(滿朝百官)으로 더부러 문외의 나아가 강졍(江亭) 노복을 분부ᄒᆞ여 가ᄉᆞ(家舍)을 쇄소ᄒᆞ고, ᄌᆞ긔ᄂᆞᆫ ᄉᆞᆷᄉᆞ리(三四里)을 압셔 가니, 먼니 상귀(喪柩) 오ᄂᆞᆫ 빅의 불근 명졍(銘旌)[327]은 츄풍의 나붓기고

322)보협(酺頰) : 빰. 얼굴의 양쪽 관자놀이에서 턱 위까지의 살이 많은 부분.
323)어롱ᄊᆡ다 : 아롱지다.
324)청년조과(青年早寡) : 청년에 일찍 남편을 잃고 과부(寡婦)가 됨.
325)빈연(殯輦) : 영구(靈柩)를 실은 수레.
326)오ᄂᆡ붕졀(五內崩切)
327)명정(銘旌) : 죽은 사람의 관직과 성씨 따위를 적은 기. 일정한 크기의 긴 천에 보통 다홍 바탕에 흰 글씨로 쓰며, 장사 지낼 때 상여 앞에서 들고 간 뒤에 널 위에 펴 묻는다.

허다(許多) 위의(威儀)ᄂᆞᆫ 가던 ᄯᅢ로 다르디 아냐 하리군관의 뉘(類) 다 의구히 도라오ᄃᆡ, 황명으로 힝ᄒᆞ던 바 샹ᄉᆡ(上使) 홀노 유명(幽明)이 격(隔)ᄒᆞ여 ᄉᆞ오삭지ᄂᆡ(四五朔之內)의 인ᄉᆡ 변역(變易)홀 줄 ᄯᅳᆺᄒᆞ여시리오. ᄌᆞ○[포]오ᄉᆞ(紫袍烏紗)311)로 옥부(玉斧)를 압셰워 거륜(車輪) 가온ᄃᆡ 단졍이 엄연【43】뎡좌(儼然正坐)ᄒᆞ여 가던 ᄇᆡ 도라오기를 당ᄒᆞ여ᄂᆞᆫ 거믄 관(棺)이 ᄎᆡ여(彩輿)312)의 실녀 힝상귀장(行喪歸葬)313)ᄒᆞ니 옥골영풍(玉骨英風)이 쇽졀업고 학녀청음(鶴唳淸音)314)을 어더 드를 길히 업ᄂᆞᆫ디라. ᄯᅡ라갓던 노복의 무리 호텬통곡(呼天痛哭)ᄒᆞ니 ᄎᆞ경을 당ᄒᆞ여ᄂᆞᆫ 셕목간장(石木肝腸)315)이라도 ᄎᆞᆷ기 어려오니, 이ᄯᅢ 윤부 친쳑은 이에 와 기다리ᄂᆞᆫ디라. 상구를 당ᄒᆞ여 참통ᄒᆞ믈 니긔디 못ᄒᆞ거ᄂᆞᆯ, 태위 크게 ᄒᆞᆫ 소ᄅᆡ를 지르고 것구러져 엄홀ᄒᆞ니, 모다 구호ᄒᆞ며 상구를 강졍으로 뫼시라 ᄒᆞ니, 태위 가장 오ᄅᆡᆫ 후 졍신을 출혀 강졍의 드러오니, 친쳑이 발셔 녕구를 실듕(室中)의 뫼셧ᄂᆞᆫ디라. 태위 바로 관을 븟들고 통곡ᄒᆞ니 눈물이 강슈(江水)를 보ᄐᆡ며 쳐졀(凄切)【44】ᄒᆞᆫ 곡셩이 산쳔을 움즉여 반일을 방셩대곡ᄒᆞ고 지친 붕ᄇᆡ 녕연(靈筵)316)을 어로만져 슬피 울 ᄆᆡ, 그 튱의를 감탄ᄒᆞ고 위인을 앗겨 져마다 눈물 아니 흘니리 업ᄉᆞᆫ디라. 부샤(副

은 기. 일정한 크기의 긴 천에 보통 다홍 바탕에 흰 글씨로 쓰며, 장사 지낼 때 상여 앞에서 들고 간 뒤에 널 위에 펴 묻는다.

311)ᄌᆞ포오ᄉᆞ(紫袍烏紗) : 자포(紫袍)와 오사모(烏紗帽). '자포'는 조선시대 관원들이 관복을 입을 때 입던 자색(紫色) 도포를 말하고, '오사모'는 관복을 입을 때 머리에 쓰던 검은 사(紗)로 만든 모자를 말한다.

312)채여(彩輿) : 꽃 등으로 화려하게 장식한 상여(喪輿).

313)힝상귀장(行喪歸葬) : 다른 고장에서 죽은 사람의 시신을 고향으로 옮겨다 장사 지냄.

314)학녀청음(鶴唳淸音) : 학의 울음소리처럼 맑고 청아한 소리.

315)셕목간장(石木肝腸) : 나무나 돌처럼 아무런 감정도 없는 사람.

316)녕연(靈筵) : 영좌(靈座). 궤연(几筵). 영위(靈位)를 모시어 놓은 자리.

허다(許多) 위의(威儀) 가던 ᄯᅢ로 다름이 업셔 ᄒᆞ리군관(下吏軍官)이 의구(依舊)이 도라오ᄃᆡ, 상셔 홀노 ᄉᆞ오삭지ᄂᆡ(四五朔之內)의 유명(幽明)이 격(隔)홀 줄 ᄯᅳᆺᄒᆞ여시리오. 자포오ᄉᆞ(紫袍烏紗)328)로 옥부금졀(玉斧金節)을 압셰워 거륜(車輪) 가온ᄃᆡ 엄연(儼然)이 가던 ᄇᆡ 도라오기을 임ᄒᆞ여 거문 관이 ᄎᆡ예(彩輿)329)의 실녀 힝ᄉᆡᆨ(行色)이 장ᄒᆞ나 옥골영풍(玉骨英風)을 볼 길이 엽고, 학녀청음(鶴唳淸音)330)을 어더 들을 길이 업셔 좃ᄎᆞ 갓던 노복은 호쳔통곡(呼天痛哭)ᄒᆞ니 ᄎᆞ경(此景)을 당ᄒᆞ여 목셕간장(木石肝腸)331)이라도 ᄎᆞᆷ지 못홀지라. 윤부 친쳑이 다 와 기ᄃᆞ리다가 상구을 보고 참통ᄒᆞ믈 이긔지 못ᄒᆞ고, ᄐᆡ위 일셩장통의 혼졀ᄒᆞ니 모다 구호ᄒᆞ며 상구을 강졍으로 뫼시라 ᄒᆞ니, ᄐᆡ위 가장 오린 후 인ᄉᆞ을【66】ᄎᆞ려 강졍으로 드러오니, 친쳑이 발셔 영구을 뫼셧ᄂᆞᆫ지라. 바로 관을 붓들고 비회(悲懷)을 금억(禁抑)지 못ᄒᆞ여 눈물이 쳔항(千行)이오, 곡셩(哭聲)이 산쳔을 움즉이여 반일(半日)을 방셩ᄃᆡ곡(放聲大哭)ᄒᆞ고 지친붕우(至親朋友) 녕연(靈筵)332)을 어로만져 슬허 울며 그 츙의와 위인을 감탄ᄒᆞ고 앗기지 아니리 업셔, 져마다 눈물 아ᄂᆡ[니]○○[흘니]리 업ᄉᆞᆯ너라. 부ᄉᆞ(副使) 뎡공이 궐ᄒᆞ의 봉ᄇᆡ(奉拜)ᄒᆞ미 급ᄒᆞᄃᆡ 윤ᄐᆡ우을 아니 보지 못ᄒᆞ여 잠간 강졍의 나려 ᄐᆡ우의 손을 잡고 일장(一場)을 다시 통곡ᄒᆞ고 ᄐᆡ위 실셩쳬읍(失性涕泣) 왈,

328)자포오ᄉᆞ(紫袍烏紗) : 자포(紫袍)와 오사모(烏紗帽). '자포'는 조선시대 관원들이 관복을 입을 때 입던 자색(紫色) 도포를 말하고, '오사모'는 관복을 입을 때 머리에 쓰던 검은 사(紗)로 만든 모자를 말한다.

329)채여(彩輿) : 꽃 등으로 화려하게 장식한 상여(喪輿).

330)학녀청음(鶴唳淸音) : 학의 울음소리처럼 맑고 청아한 소리.

331)목셕간장(木石肝腸) : 나무나 돌처럼 아무런 감정도 없는 사람.

332)녕연(靈筵) : 영좌(靈座). 궤연(几筵). 영위(靈位)를 모시어 놓은 자리.

使) 뎡공이 궐하의 졀ᄒᆞᆯ 뜻이 급ᄒᆞᄃᆡ 태우를 아니 보지 못ᄒᆞ여 잠간 강졍의 나려 태우의 손을 ᄌᆞᆸ고 피ᄎᆞ 일장(一場)을 다시 통곡ᄒᆞ고, 태위 실셩쳬읍(失性涕泣) 왈,

"샤곤(舍昆)과 형이 ᄒᆞᆫ가지로 금국으로 향ᄒᆞ엿더니 ᄉᆞ오삭지ᄂᆡ(四五朔之內)의 인ᄉᆡ 이ᄃᆡ도록 변역(變易)ᄒᆞ여 샤ᄇᆡᆨ(舍伯)[317]이 음용(音容)[318]을 ᄀᆞᆷ초와 쇽졀업ᄉᆞᆫ 녕귀 도라오니 이 젼혀 쇼뎨 집 문운이 블힝ᄒᆞ여 샤ᄇᆡᆨ이 보젼치 못ᄒᆞ미라. 졀도ᄉᆞ의 쥬문(奏文)이 니르러 대강을 얼프시 드러시나, 원간[319] 님위지시(臨危之時)[320]의 ᄆᆞᄉᆞᆫ 말이 이시【45】며 금젹(金敵)[321]의 보ᄎᆡᄂᆞᆫ 욕이나 보지 아니냐?"

뎡공이 가슴을 어로만져 왈,

"말을 ᄒᆞ고져 ᄒᆞᄆᆡ 알픠 어둡고 흉금(胸襟)이 폐ᄉᆡᆨ(閉塞)ᄒᆞ니 다 못ᄒᆞᄂᆞ니, 죵용이 젼ᄒᆞ려니와, 녕ᄇᆡᆨ(令伯)의 님죵지시(臨終之時)ᄂᆞᆫ 보디 못ᄒᆞ엿ᄂᆞᆫ디라. 또ᄒᆞᆫ 아지 못ᄒᆞᄃᆡ 굿ᄐᆡ여 금젹의게 보ᄎᆡᄂᆞᆫ 참욕은 보지 아니코 스ᄉᆞ로 약을 먹어 명을 맛ᄎᆞᄆᆡ, 일노뼈 크게 감동ᄒᆞ고 두려 우리를 다 노화 보ᄂᆡ니라. 그러치 아니면 일힝이 다 어육(魚肉)이 되어실 거시니 상권(喪柩)들 엇지 고국의 도라오기를 바라리오"

인ᄒᆞ여 ᄌᆞ긔ᄂᆞᆫ 알ᄂᆞᆯ도의게 잡혀 하리군관의 ᄂᆔ(類) 다 함거(檻車)의 들고 윤상셰 단신으로 드러가 죽으믈 닐너 안쉬(眼水) 비ᄀᆞᆺᄐᆞ니 뎡공의 풍화(豊和)ᄒᆞᆫ 얼굴이 환탈(換奪)ᄒᆞ여 ᄉᆞ오【46】삭(四五朔) ᄉᆞ이 신약불승의(身若不勝衣)[322] ᄒᆞᆯ 듯ᄒᆞ니, 윤공의 기셰ᄒᆞ믈 슬허ᄒᆞ미 태우긔 나리미 업고, 태위 초종제구(初終諸具)를 ᄆᆞ른 ᄃᆡ,

"입념제구(入殮諸具)[323]ᄂᆞᆫ 다 경ᄉᆞ(京師)

"ᄉᆞ곤(舍昆)과 형이 ᄒᆞᆫ가지로 금국을 향ᄒᆞ엿더니 ᄉᆞ오삭ᄂᆡ(四五朔內)예 인ᄉᆞ(人事) 이ᄃᆡ도록 변ᄒᆞ여 ᄉᆞᄇᆡᆨ(舍伯)[333]은 음형(音形)[334]을 감초아 속졀업시 영귀(靈柩) 도라오니, 이 젼혀 소제(小弟)의 문운(門運)이 망극(罔極)ᄒᆞ여 ᄉᆞᄇᆡᆨ이 보젼치 못ᄒᆞ미라. 졀도ᄉᆞ의 주문이 와 흉음을 듯고 ᄃᆡ강을 드러시나 임위지시(臨危之時)[335]의 무ᄉᆞᆫ 말이 이시며 금젹(金敵)[336]의 욕이나 보지 아니시냐?"

뎡공이 가슴을 어로만져 ○[왈],

"말을 ᄒᆞ고져 ᄒᆞᄆᆡ 압히 어둡고 흉금(胸襟)이 막혀 다 못ᄒᆞᄂᆞ니 조용히 젼ᄒᆞ려니와 영ᄇᆡᆨ(令伯)의 임종지시(臨終之時)ᄂᆞᆫ 오히려 아지 못ᄒᆞᄂᆞ ᄃᆡ강 금젹의 욕을 바드미 아니라 스ᄉᆞ로 약을 먹어 그 명(命)을 맛ᄎᆞᄆᆡ 금젹이 일노써 크게 감동ᄒᆞ고 두【67】려 우리을 다 노하 보ᄂᆡᆺ지, 그러치 아니면 일힝이 다 어육이 되엿시리니, 상ᄉᆡ(喪事) 본국의 도라오기을 바라리오."

인ᄒᆞ여 ᄌᆞ긔ᄂᆞᆫ 알ᄂᆞᆯ치의게 ᄌᆞᆸ혀 하리군관이 다 함거(檻車)의 들고 윤상셔 단신으로 드러가 죽음을 슬허ᄒᆞᄆᆡ 측냥업셔 ᄒᆞ고, 화도ᄉᆞ을 형양 등쳐(等處) 역경[졈](驛店)의 만나 영ᄇᆡᆨ과 일야(一夜)을 단쳥ᄉᆞ의셔 피ᄎᆞ 심회을 펴든 슈말(首末)을 ᄃᆡ강 젼ᄒᆞ고 초창(怊悵)ᄒᆞᄆᆡ ᄐᆡ우긔 나리미 업고, ᄐᆡ위 초종졔구(初終諸具)[337]을 무르ᄆᆡ,

"염습지구(殮襲之具)[338]ᄂᆞᆫ 경셩(京城)셔

317)샤ᄇᆡᆨ(舍伯) : 사곤(舍昆). 남에게 자기의 맏형을 겸손하게 이르는 말.

318)음용(音容) : 음성과 용모를 아울러 이르는 말

319)원간 : 워낙. 원체. 원판. 본디부터.

320)님위지시(臨危之時) : 위기를 당하였을 때.

321)금젹(金敵) : '금나라 원수' 곧 '금왕'을 지칭함.

322)신약불승의(身若不勝衣) : 몸이 약하여 옷을 이기지 못할 것 같음.

323)입념제구(入殮諸具) : 입관(入棺)과 습(襲)·염(殮)

333)ᄉᆞᄇᆡᆨ(舍伯) : 사곤(舍昆). 남에게 자기의 맏형을 겸손하게 이르는 말.

334)음형(音形) : 음성과 형체를 아울러 이르는 말

335)임위지시(臨危之時) : 위기를 당하였을 때.

336)금젹(金敵) : '금나라 원수' 곧 '금왕'을 지칭함.

337)초종졔구(初終諸具) : 상례(喪禮)에 쓰는 제반 물품.

338)염습지구(殮襲之具) : 상례(喪禮)에서, 염(殮)과 습(襲)에 쓰는 물품.

의셔 가져 간 것ᄉᆞ로 뼈시니 금국(金國) 거ᄉᆞᆫ 일호(一毫)도 쁜 거시 업ᄂᆞ니라”

언파의 총총이 궐하(闕下)로 향ᄒᆞᆯ ᄉᆡ, 금국 셰ᄌᆞ와 대신을 거ᄂᆞ려 궐하의 다ᄃᆞ르니, 만죠문뮈(滿朝文武) 윤공 녕연(靈筵)의 울고 뎡공을 마ᄌᆞ 샹(上)긔 고ᄒᆞᆫᄃᆡ, 샹이 금국 셰ᄌᆞ와 대신은 밧긔 머물나 ᄒᆞ시고 뎡공만 인견(引見)ᄒᆞ실 ᄉᆡ, 텬안(天眼)이 함비(含悲)ᄒᆞ샤 뇽누(龍淚)를 나리오시고, 거ᄅᆡ(去來)의 인ᄉᆡ(人事) 변역(變易)ᄒᆞ여 윤상셔의 죽으믈 크게 슬허ᄒᆞ시며 금국 셰ᄌᆞ와 대신을 다 쥭이고 경병(精兵)을 니르혀 금국을 즛질너[324] 윤공의 원슈 갑기를【47】의논ᄒᆞ시니, 뎡공이 윤공의 유표(遺表)를 드리고 금국 뎡벌ᄒᆞ미 가치 아니믈 고ᄒᆞ니, 샹이 ᄀᆞᆯ오ᄉᆞᄃᆡ,

“금국을 뎡벌치 아니나 호삼개 ᄋᆞᄃᆞᆯ을 쥭여 윤경의 한을 셜(雪)ᄒᆞ리라[325].”

ᄒᆞ시고 윤상셔의 유표를 어람(御覽)ᄒᆞ시니 대개 국가를 위ᄒᆞ여 몸이 만니타국의 와 죽으미 결단ᄒᆞ여 호삼긔 감동ᄒᆞ미 이실 거시니 황샹이 덕화로 베프샤 신의 죽은 거술 금국의 년좌(連坐)치 마르시고, 셰ᄌᆞ와 대신을 무ᄉᆞ히 도라 보ᄂᆡ시믈 간듀(懇奏)ᄒᆞ고 만니(萬里)의 병혁(兵革)을 니르혀시미 불가ᄒᆞ믈 ᄀᆞ초 베퍼, 격졀(激切)ᄒᆞᆫ 튱의와 군덕(君德)을 돕ᄉᆞ오미 졀졀(切切)ᄒᆞ여 그 사ᄅᆞᆷ을 다시 보ᄂᆞᆫ ᄃᆞᆺ 쳡쳡(帖帖)[326]ᄒᆞᆫ 문한(文翰)은 은하(銀河)의 근원(根源)이며 쇄락(灑落)ᄒᆞᆫ 필톄(筆體)ᄂᆞᆫ 쥬옥(珠玉)을 흣튼 ᄃᆞᆺ, 지【48】샹(紙上)의 광ᄎᆡ(光彩) 어ᄅᆡ니, 텬안이 반기시며 비상ᄒᆞ믈 마지 아니샤, 두어 대신을 명툐(命招)ᄒᆞ샤 윤공의 유표를 뵈시고 ᄀᆞᆯ오ᄉᆞᄃᆡ,

“딤심(朕心)은 금국 셰ᄌᆞ와 대신을 아오로 죽여 셜한(雪恨)코져 ᄒᆞ엿더니 윤공의

에 쓰는 제반 물품.

324)즛지르다 : 짓찌르다. 무찌르다.

325)셜(雪)ᄒᆞ다 : 풀다. 마음에 맺혀 있는 것을 해결하여 없애거나 품고 있는 것을 이루다.

326)쳡쳡(帖帖) : 주련(柱聯)이 기둥마다 붙어 있는 모양.

가져간 바로 쎳스니 금국(金國) 거ᄉᆞᆫ 츄호(秋毫)도 쓴 거시 업ᄂᆞᆫ니라.”

언파의 궐하(闕下)로 향ᄒᆞᆯ ᄉᆡ 금국 셰ᄌᆞ와 ᄃᆡ신을 거ᄂᆞ려 궐하의 다다르니, 만조문무(滿朝文武) 윤공 영연(靈筵)의 울고 뎡공을 마ᄌᆞ 상(上)게 고ᄒᆞᆫᄃᆡ, 상이 금국셰ᄌᆞ와 ᄃᆡ신을 밧긔 머물고 뎡공만 ○○[인견(引見)]ᄒᆞᄉᆞ, 쳔안(天顔)이 참비함쳑(慘悲含慽)ᄒᆞ셔 용누(龍淚)을 나리시고, 거ᄅᆡ(去來)의 인ᄉᆡ(人事) 변역(變易)ᄒᆞ여 윤상셔의 죽으믈 크게 슬허ᄒᆞ시며, 금국 셰ᄌᆞ와 ᄃᆡ신을 다 죽이고 경병(精兵)을 일으혀 금국을 즛질너[339] 윤공의 원수 갑기을 의논ᄒᆞ시니, 뎡공이 윤공의 유표(遺表)을 드리고 금국 경벌ᄒᆞ미 가(可)치 아니믈 고ᄒᆞ니, 상이 갈아ᄉᆞᄃᆡ,

“금국을 정벌치 안으나 호숨기의 아들을 죽여 윤경의 ᄒᆞᆫ을 셜(雪)ᄒᆞ리라[340].”

ᄒᆞ시고, 윤상셔의【68】 유표을 어람(御覽)ᄒᆞ시니, ᄃᆡ긔 국가을 위ᄒᆞ여 몸을 만니타국의 와 죽으니 결단ᄒᆞ여 숨기 회과(悔過)ᄒᆞ미 잇슬거시니 황상이 덕화을 베프ᄉᆞ 신의 죽은 거술 금국의 연좌(連坐)치 마르시고 셰ᄌᆞ와 ᄃᆡ신을 다 무ᄉᆞ이 도라 보ᄂᆡ시믈 간주(懇奏)ᄒᆞ고, 만니(萬里)의 군긔(軍器)을 이르시미 불가ᄒᆞ믈 가즉 베퍼 격졀(激切)ᄒᆞᆫ 츙의와 군덕(君德)을 돕ᄉᆞ오미 그 츙의을 ᄃᆞ시 보ᄂᆞᆫ 듯 쳡쳡(帖帖)[341]ᄒᆞᆫ 문장은 ○[은]ᄒᆞ(銀河)의 근원(根源)이며 쇄락(灑落)ᄒᆞᆫ 필체(筆體)ᄂᆞᆫ 쥬옥(珠玉)을 흐튼 듯 지상(紙上)의 광ᄎᆡ(光彩) 어ᄅᆡ니, 쳔안(天顔)이 반기며 비쳑(悲慽)ᄒᆞ믈 마지 아니ᄉᆞ, 두어 ᄃᆡ신을 명초(命招)ᄒᆞᄉᆞ 윤상셔의 유표을 뵈시고 갈아ᄉᆞᄃᆡ,

“짐(朕)은 금국 셰ᄌᆞ와 ᄃᆡ신을 아오로 쳐살(處殺)ᄒᆞ고져 ᄒᆞ엿더니, 윤경의 유표 이러틋 ᄒᆞ니 엇지 ᄒᆞ야 가(可)ᄒᆞ리오.”

339)즛지르다 : 짓찌르다. 무찌르다..

340)셜(雪)ᄒᆞ다 : 풀다. 마음에 맺혀 있는 것을 해결하여 없애거나 품고 있는 것을 이루다.

341)쳡쳡(帖帖) : 주련(柱聯)이 기둥마다 붙어 있는 모양

유ᄑᆡ 이러ᄐᆞᆺ ᄒᆞ니 엇지 ᄒᆞ리오."

졔신이 다 간왈(諫曰),

"호삼개 군신대의(君臣大義)를 모로고 여러 ᄒᆡ 됴공을 밧드지 아니 ᄒᆞ옵고 ᄒᆞ물며 폐해 윤현으로ᄡᅧ 져의 무도(無道)ᄒᆞᆫ 죄를 ᄇᆞᆰ히샤 틱디(勅旨)를 나리와 계시거ᄂᆞᆯ, 역텬(逆天)ᄒᆞᆫ 죄 텬ᄉᆡ(天使) 몸을 맛기의 니르오니, 그 죄과ᄂᆞᆫ 셰ᄌᆞ와 대신을 쥬륙(誅戮)ᄒᆞ옵고 금국을 뎡벌(征伐)ᄒᆞ오미 맛당ᄒᆞ오나, 윤현의 죽ᄉᆞ오미 스ᄉᆞ로 튱졀을 빗ᄂᆡ오미니, 호삼개 군병을 쓰디 아니 ᄒᆞ엿ᄉᆞᆸ고 윤현의 튱셩과 격【49】녈ᄒᆞᆫ ᄉᆞ의(辭意)를 조ᄎᆞ 놀나고 감동ᄒᆞ여 이젹의 무리 회과ᄌᆞ칙(悔過自責)ᄒᆞ올 ᄲᆞᆫ 아니오라, 윤현은 그 사ᄅᆞᆷ되오미 범상(凡常)치 아니ᄒᆞ온 바의 국가 동냥지ᄌᆡ라, 죽기를 당ᄒᆞ와 능히 간곡(懇曲)ᄒᆞ온 유ᄑᆡ 군덕을 돕ᄉᆞ왓ᄂᆞ니, 유표를 져바리시고 ᄒᆞᆫ갓 셜한(雪恨)만 ᄒᆞ실진ᄃᆡ 이ᄂᆞᆫ 윤현의 소ᄉᆞ(疏詞)를 져ᄇᆞ리시미라. 신등의 어린 소견은 블가ᄒᆞᆫ가 ᄒᆞᄂᆞ이다."

상이 다시금 분완(憤惋)ᄒᆞ샤 쥬져미결(躊躇未決)[327]이러시니, 금국 셰ᄌᆞ와 대신을 아오로 입궐ᄒᆞ라 ᄒᆞ시니, 셰ᄌᆡ 대신을 거ᄂᆞ려 텬궐의 ᄇᆡ샤(拜謝)ᄒᆞ고 국궁(鞠躬)ᄒᆞ니, 텬안의 분긔(憤氣)를 ᄯᅴ이샤 옥음(玉音)이 엄녈(嚴烈)ᄒᆞ샤 하교(下敎)[328] 왈,

"너 조고만 이젹(夷狄)의 무리 대국 군신지의(君臣之義) 텬디현격(天地懸隔)ᄒᆞ믈 아지 못ᄒᆞ고 역【50】텬무도패셜(逆天無道悖說)[329]이 텬ᄉᆡ 분앙(憤怏)ᄒᆞ믈 먹음어 죽기의 니르니, 너희 등을 다 쥬륙ᄒᆞ고 삼ᄀᆡ의 머리를 보젼치 못ᄒᆞᆯ 줄 아ᄂᆞᆫ다?"

327)쥬져미결(躊躇未決) : 머뭇거리고 망설여 일을 결정짓지 못함.

328)하교(下敎) : 윗사람이 아랫사람에게 가르침을 베풂.

329)역텬무도패셜(逆天無道悖說) : 천명을 어기고 도리에 어긋난 못된 말.

졔신이 다 간왈(諫曰),

"호ᄉᆞᆷᄀᆡ 군신ᄃᆡ의(君臣大義)을 모로고 누녀[년](累年) 죠공을 ᄇᆞᆺ드지 아니며 ᄒᆞ물며 폐ᄒᆡ 윤현으로ᄡᅧ 져의 무도(無道)ᄒᆞᆫ 죄을 발키ᄉᆞ 칙지(勅旨)을 나리와 게시거늘, 역쳔(逆天)ᄒᆞᆫ 죄 쳔ᄉᆡ(天使) 몸을 맛기의 이르러ᄉᆞ오니, 그 죄ᄂᆞᆫ 셰ᄌᆞ와 ᄃᆡ신을 쥬륙(誅戮)ᄒᆞ고 금국을 졍벌(征伐)ᄒᆞ오미 맛당ᄒᆞ오나, 윤공의 죽ᄉᆞ오미 스ᄉᆞ로 츙졀을 빗ᄂᆡ미옵고 굿ᄒᆞ여 호ᄉᆞᆷᄀᆡ 군병○[을] 쓰며[려] ᄒᆞ미 아니요, 윤공의 츙셩과 격졀(激切)ᄒᆞᆫ ᄉᆞ의(辭意)로 좃ᄎᆞ 감동ᄒᆞ와 임의 회과(悔過)ᄒᆞ엿ᄉᆞᆸ고, 윤현이 죽기을【69】 당ᄒᆞ와 간측(懇惻)[342]ᄒᆞᆫ 유ᄑᆡ 군덕을 돕ᄉᆞ와스니, 그 소주(所奏)을 져바리지 마르시고 조히 도라보ᄂᆡ시미 셩쳔ᄌᆞ(聖天子) 호ᄉᆡᆼ지덕(好生之德)이 되리이다."

상이 비록 뜻지 계시나 윤공의 죽으믈 분한통ᄒᆡ(憤恨痛駭)[343]ᄒᆞᄉᆞ 쾌허(快許)치 아니시더니, 이의 금국 셰ᄌᆞ와 ᄃᆡ신을 입궐ᄒᆞ라 ᄒᆞ시니, 셰ᄌᆡ ᄃᆡ신을 거ᄂᆞ려 쳔궐(天闕)의 ᄉᆞᄇᆡ국궁(四拜鞠躬)[344]ᄒᆞ니 쳔안(天顔)의 분긔(憤氣)을 ᄯᅴ이ᄉᆞ 셩음(聲音)이 강ᄀᆡ(慷慨)ᄒᆞᄉᆞ 하교(下敎)[345] 왈,

"네 조고만 이젹(夷狄)의 무리 ᄃᆡ국(大國) 군신지의(君臣之義) 쳔지현격(天地懸隔)ᄒᆞ믈 아지 못ᄒᆞ고 역쳔무도ᄑᆡ셜(逆天無道悖說)[346]노 쳔ᄉᆞ을 구욕(驅辱)[347]ᄒᆞ여 죽기의 이르니, 너희 등은 주륙(誅戮)ᄒᆞ고 호ᄉᆞᆷᄀᆡ 머리을 보젼치 못ᄒᆞᆯ 줄 아ᄂᆞᆫ다?"

342)간측(懇惻) : 몹시 간절하고 지성스러움.

343)분한통히(憤恨痛駭) : 뜻밖의 일을 만나 몹시 놀라고 분하여 한스러워 함.

344)ᄉᆞᄇᆡ국궁(四拜鞠躬) : 신하가 임금에게 네 번 절하고 몸을 굽혀 예(禮)를 표함.

345)하교(下敎) : 윗사람이 아랫사람에게 가르침을 베풂

346)역텬무도패셜(逆天無道悖說) : 천명을 어기고 도리에 어긋난 못된 말.

347)구욕(驅辱) : 못 견디도록 구박하고 모욕함.

셰지 작되(作罪) 태과(太過)ᄒᆞᄆᆡ 만신(滿身)을 ᄯᅥ러 한츌쳠ᄇᆡ(汗出沾背)[330]ᄒᆞ니, 듀(奏)ᄒᆞᆯ 바를 아디 못ᄒᆞ고 다만 죽기를 청ᄒᆞ고 가져온 표문(表文)을 올니니, 졔신이 표를 닑으니 상이 드르시ᄆᆡ ᄉᆞ의(辭意) 간곡(懇曲)ᄒᆞ여 몬져 됴공을 폐ᄒᆞ여 방ᄌᆞᄒᆞ믈 긔록ᄒᆞ고, 텬샤(天使)를 ᄃᆡ졉지 아냐 역텬무도지되(逆天無地之罪)[331]와 텬샤의 튱심이 ᄌᆞᄉᆞ(自死)ᄒᆞ기의 니르믈 《당ᄒᆞ와 항복ᄒᆞ고‖당ᄒᆞ여 항복ᄒᆞᄂᆞᆫ 등》, 무도ᄒᆞᆫ 되 불가형언(不可形言)이라. 금국을 능히 교유(敎諭)ᄒᆞ믈 감동ᄒᆞ여 ᄌᆞᄌᆞ손손(子子孫孫)이 대국을 셤겨 다시 방ᄌᆞ치 아닐 바를 ᄀᆞᆺ초 알외엿ᄂᆞᆫ디라. 샹이 쳥파(聽罷)의 삼개 회션(回善)[332]ᄒᆞ【51】미 분명ᄒᆞᆫ디라. 윤공의 표를 다시 보시며 타국의 니르러 이젹지심(夷狄之心)을 감동ᄒᆞ게 ᄒᆞ믈 ᄉᆡᆼ각ᄒᆞ시ᄆᆡ, 츄연ᄌᆞ상(惆然自傷)[333]ᄒᆞ샤 졔신을 도라보샤 왈,

"호삼개 비록 대되를 지어시나 윤경(尹卿)의 표를 좃고 져의 회과(悔過)ᄒᆞ믈 샤ᄒᆞ나니, 셰ᄌᆞ와 졔 나라 대신을 위ᄎᆞ(位次)를 주지 말고 도라가게 ᄒᆞ라."

하시니, 졔신이 샹교를 쥰힝ᄒᆞ여 금국인을 도라가게 ᄒᆞ니라.

상이 일을 결단ᄒᆞ여 맛ᄎᆞᄆᆡ 비쳑(悲慽)ᄒᆞ미 더으시고 더옥 앗기샤 윤현을 츄증(追贈)ᄒᆞ샤 튱무공(忠武公)을 봉ᄒᆞ시고, 두 ᄋᆞ달이 ᄌᆞ라거든 즉시 입딕(入直)ᄒᆞ여 아비 후를 닛게 ᄒᆞ라 ᄒᆞ시고, 뇽뉘(龍淚) ᄯᅥ러지믈 면치 못ᄒᆞ시니, 만됴졔신이 ᄎᆞ셕(嗟惜) 칭찬ᄒᆞ여 윤니부 앗기믈 마디【52】 아니ᄒᆞ며, 그 튱의를 감탄치 아니리 업더라.

대ᄉᆞ도(大司徒) 뎡공이 알뉼도를 죽여 듕국 위엄을 빗ᄂᆡ다 ᄒᆞ샤 금평후를 봉ᄒᆞ시니,

330)한츌쳠ᄇᆡ(汗出沾背) : 몹시 부끄럽거나 무서워서 흐르는 땀이 등을 적심.

331)역텬무도지되(逆天無地之罪) : 천자(天子)에 반역하여 제후의 도리를 지키지 못한 죄를 지음.

332)회션(回善) : 천선(遷善). 선에 돌아옴.

333)츄연ᄌᆞ상(惆然自傷) : 슬픈 생각이 들어 마음이 산란해짐.

셰지 작죄(作罪) ᄐᆡ과(太過)ᄒᆞᄆᆡ 만신(滿身)을 ᄯᅥᆯ기을 면치 못ᄒᆞ야 주(奏)ᄒᆞᆯ 바을 아지 못ᄒᆞ니, 다만 죽기을 쳥ᄒᆞ고 가져온 표문(表文)을 올니니, 졔신이 표(表)을 일거 알왼ᄃᆡ, 상이 드르시ᄆᆡ 간측(懇惻)ᄒᆞ여 몬져 조공을 폐ᄒᆞ여 무례ᄒᆞ믈 쳥죄ᄒᆞ며, 쳔ᄉᆞ(天使)을 ᄃᆡ졉지 아냐 자ᄉᆞ(自死)의 이르게 ᄒᆞ미 죄ᄉᆞ무셕(罪死無惜)[348]이오나 이졔 쳔ᄉᆞ의 츙심을 본ᄇᆞ다 ᄌᆞᄌᆞ손손(子子孫孫)이 ᄃᆡ국(大國)을 셤겨 다시 방ᄌᆞ(放恣)치 아닐 바을 가초[349] 알외엿ᄂᆞᆫ지라. 상이 호ᄉᆞᆷᄀᆡ의 회과(悔過)ᄒᆞ미 분명ᄒᆞ믈 알으시고 더욱 윤공의 츙의(忠義)을 탄복ᄒᆞᄉᆞ 졔신을 도라보아 일오ᄉᆞᄃᆡ,

"호ᄉᆞᆷ【70】ᄀᆡ 비록 ᄃᆡ죄을 지어시나 윤공(尹公)의 유표을 좃고, 져의 회과ᄒᆞ믈 ᄉᆞ(赦)ᄒᆞᄂᆞ니 셰ᄌᆞ의[와] ᄃᆡ신을 졔 나라 위ᄎᆞ을 주지 말고 도라가게 ○○[ᄒᆞ라]"

ᄒᆞ시니, 졔신이 상교을 쥰힝ᄒᆞ여 금국인을 도라가게 ᄒᆞ다.

상이 윤공을 츄증(追贈)ᄒᆞ여 츙무공(忠武公)을 봉(封)ᄒᆞ시고 그 아들이 ᄌᆞ라거든 즉시 아비 벼술을 승습(承襲)게 ᄒᆞ야 후ᄉᆞ(後嗣)을 잇게 ᄒᆞ시고, 어뉘(御淚)[350] 뇽포(龍袍)의 ᄌᆞ로 ᄯᅥ러지시니, 만조제신(滿朝諸臣)이 ᄎᆞ셕(嗟惜)ᄒᆞ여 그 츙의을 아니 앗기리 업더라.

ᄃᆡᄉᆞ도(大司徒) 뎡공이 알뉼도을 죽여 ᄃᆡ국위엄(大國威嚴)을 빗ᄂᆡ다 ᄒᆞᄉᆞ 금평후을 봉ᄒᆞ시니, 뎡ᄉᆞ되 진졍으로 ᄉᆞ양ᄒᆞ되 종시(終是) 불윤(不允)[351]ᄒᆞ시니, 부득이 후작

348)죄ᄉᆞ무셕(罪死無惜) : 죄가 커서 죽음으로도 갚을 없음.

349)가초 : 갖추어.

350)어뉘(御淚) : 임금의 눈물.

351)종시(終是) : 끝내.

뎡ᄉᆞ되 진졍 고샤ᄒᆞᄃᆡ 샹이 불윤(不允)ᄒᆞ시니, 마지 못ᄒᆞ여 후쟉(侯爵)을 밧ᄌᆞ오나 일심의 윤공을 ᄉᆡᆼ각고 슬허ᄒᆞ더라.

태위 녜월(禮月)[334]이 다ᄃᆞ르ᄆᆡ 항쥐 명혈(明穴)[335]을 갈희여 튱무공의 녕궤(靈几)를 안장(安葬)ᄒᆞᆯ ᄉᆡ, 상명(上命)을 인ᄒᆞ여 튱무공 비셕(碑石)을 놉히고 ᄇᆡᆨᄒᆡᆼᄉᆞ젹(百行事跡)을 찬양ᄒᆞ여 어셔(御書)로 메여시니[336], 튱신의 일홈이 돌 우희 두렷ᄒᆞ여 ᄒᆡᆼ인이 길흘 머[멈]추고 칭찬탄복(稱讚歎服)지 아니리 업더라.

윤태위 형의 녕구(靈柩)를 디하(地下)의 영결(永訣)을 당ᄒᆞᄆᆡ 홀홀(忽忽)히[337] 넉술 【53】 술오고 쳐쳐(悽悽)히[338] 브르지져 늣기ᄂᆞᆫ 소ᄅᆡ 하ᄂᆞᆯ의ᄂᆞᆫ 구름이 머흘고[339] ᄯᅳ히ᄂᆞᆫ 강ᄉᆔ(江水) 오열(嗚咽)ᄒᆞ며, 뫼ᄉᆡ[340]ᄂᆞᆫ 슬피 우러 곡셩(哭聲)을 응ᄒᆞ고 들 ᄌᆞᆫ납이ᄂᆞᆫ 파람[341]ᄒᆞ여 슬프믈 도으니 댱부(丈夫)의 웅심(雄心)이 셜셜(屑屑)이[342] ᄉᆞ라지ᄂᆞᆫ ᄃᆞᆺ, 것ᄎᆞᆫ 플흘 어로만져 일장을 통곡ᄒᆞ고, 목묘(木廟)[343]를 뫼셔 경ᄉᆞ(京師)로 도라올 ᄉᆡ, 일픔ᄌᆡ샹지위(一品宰相之位)로 각읍이 진동ᄒᆞ여 회쟝(會葬)[344]의 부려(富麗)ᄒᆞᆫ 위의 일노(一路)의 진동ᄒᆞ는디라. 반혼(返魂)[345]ᄒᆞ여 경샤의 니르니 문외의 명공거경

334)녜월(禮月) : 초상(初喪) 뒤에 장사 지내는 달. 천자는 일곱 달, 제후는 다섯 달, 대부(大夫)는 석 달, 선비는 한 달 안에 지냈다.

335)명혈(明穴) : 풍수지리에서, 명당(明堂)이 되는 묏자리.

336)메여시니 : 메우다. 메웠으니. 채웠으니.

337)홀홀(忽忽)히 : 근심스러워 뒤숭숭한 상태로.

338)쳐쳐(悽悽)히 : 마음이 매우 구슬프게.

339)머흘다 : 험하고 사납다.

340)뫼ᄉᆡ : 산 새.

341)파람 : 휘파람. 또는 짐승의 울음소리나 포효하는 소리.

342)셜셜(屑屑) : 떳떳하지 못하고 구차함.

343)목묘(木廟) : 목주(木主). 죽은 사람의 위패(位牌). 대개 밤나무로 만드는데, 길이는 여덟 치, 폭은 두 치가량이고, 위는 둥글고 아래는 모지게 만든다.

344)회쟝(會葬) : 나라에 공로가 있거나 덕망이 높은 사람이 죽었을 때 고을의 수령 등 관청에서 주관하여 치르는 장례

345)반혼(返魂) : 반우(返虞). 장례 지낸 뒤에 신주(神主)를 집으로 모셔 오는 일.

(侯爵)을 바드니 일심의 윤공의 일을 ᄉᆡᆼ각고 슬허ᄒᆞ더라.

ᄐᆡ위 녜월(禮月)[352]이 다ᄃᆞᆯ으니 ᄐᆡᆨ일(擇日)ᄒᆞ여 항쥬 션산의 명혈(名穴)[353]을 갈희여 츙무공의 영구(靈柩)을 안장(安葬)ᄒᆞᆯ ᄉᆡ, 산[상]명(上命)을 인ᄒᆞ여 비셕(碑石)의 그 ᄇᆡᆨᄒᆡᆼ(百行)을 찬양(讚揚)ᄒᆞ여 어필(御筆)노 메우시게[354] ᄒᆞ여, 그 츙효ᄃᆡ절(忠孝大節)이 돌우희 두렷ᄒᆞ야 ᄒᆡᆼ인이 길을 멈추어 칭찬ᄒᆞ더라.

윤ᄐᆡ위 형장(兄丈) 영구(靈柩)을 지하의 영결(永訣)ᄒᆞᄆᆡ 훌훌이[355] 넉[356]을 술오고 쳐쳐이 부르지져 읍읍(悒悒)히 늣기ᄂᆞᆫ 소ᄅᆡ 초목도 슬허ᄒᆞ니, ᄎᆞ마 보지 못ᄒᆞᆯ지라. 날이 느지ᄆᆡ 목주(木主)을 뫼셔 환경(還京)ᄒᆞᆯ ᄉᆡ, 일품ᄌᆡ상(一品宰相) 【71】 의 녜(禮)로 각읍(各邑)이 진동ᄒᆞ여 홰[회]장(會葬)[357]의 부례[려](富麗)ᄒᆞ미 무비(無比)ᄒᆞ더라. 경ᄉᆞ의 다다르ᄆᆡ 만조공경(滿朝公卿)과 열후황친(列侯皇親)이 문외(門外)의 영졉ᄒᆞ여 본부 옥누항의 드러와 외당(外堂) 죽운각의 목주을 봉안ᄒᆞ고 합가(闔家)의 망극통졀(罔極痛切)ᄒᆞ미 가지록 더으고, 조부인의 궁쳔원억(窮天冤抑)은 더욱 일을 거시 잇시리오. ᄐᆡ우와 구파의 슬푸미 상ᄒᆞ(上下)키 어려오ᄃᆡ 흉ᄑᆡ(凶悖)ᄒᆞᆫ 위시 고식(姑媳)의 근심업시 깃거ᄒᆞ믄 형언치 못ᄒᆞᆯ ᄇᆡ나, 거즛 셜워ᄒᆞᄂᆞᆫ 빗ᄎᆞᆯ 지으니, ᄐᆡ위 모친을 지극 위로ᄒᆞ며 조부인 밧들기을 지셩을 다ᄒᆞ며 소활쾌ᄃᆡ(疎豁快大)[358]ᄒᆞᆫ 성졍(性情)이로ᄃᆡ, 조부인

352)녜월(禮月) : 초상(初喪) 뒤에 장사 지내는 달. 천자는 일곱 달, 제후는 다섯 달, 대부(大夫)는 석 달, 선비는 한 달 안에 지냈다.

353)명혈(明穴) : 풍수지리에서, 명당(明堂)이 되는 묏자리.

354)메우다 : 채우다.

355)훌훌이 : 홀홀(忽忽)히. 근심스러워 뒤숭숭한 상태로.

356)넉 : 넋.

357)회쟝(會葬) : 나라에 공로가 있거나 덕망이 높은 사람이 죽었을 때 고을의 수령 등 관청에서 주관하여 치르는 장례

358)소활쾌ᄃᆡ(疎豁快大) : 소활(疎豁)하고 쾌대(快大)

(名公巨卿)과 녈후황친(列侯皇親)의 못는 슈를 혜지 못ᄒᆞ리러라. 일가친쳑(一家親戚)과 졔우붕당(諸友朋黨)이 셔로이 통곡ᄒᆞ더라. 옥누항의 드러와 목쥬(木主)를 봉안(奉安)ᄒᆞ고 합가(闔家)의 망극ᄋᆡ통(罔極哀慟)ᄒᆞ【54】미 가지록 더으고, 조부인의 궁텬원통(窮天寃痛)이 엇지 모양ᄒᆞ여 니르리오. 태우와 구파의 셜우미 샹하치 아니ᄃᆡ 흉패ᄒᆞᆯᄉᆞ 위시 고식(姑媳)의 근심업시 깃거ᄒᆞ미 형언치 못ᄒᆞᆯ더라. 거줏 셜워ᄒᆞᄂᆞᆫ 빗출 디으니 태우ᄂᆞᆫ 모친의 ᄉᆞ오나옴과 뉴시의 악심을 아디 못ᄒᆞ고 ᄆᆡ양 모친을 위로ᄒᆞ며 조부인 밧들기를 지셩을 다ᄒᆞ여 소활(疎豁)ᄒᆞ고, 쾌대(快大)[346]ᄒᆞᆫ 셩졍(性情)이 조부인긔 밋쳐ᄂᆞᆫ ᄌᆞ상(仔詳)ᄒᆞ고 죵죵ᄒᆞ여[347], 됴셕식음(朝夕食飮)을 술피며 날마다 긔력을 므러 졍셩으로 술피며, 명ᄋᆞ를 귀듕ᄒᆞ기 ᄌᆞ긔 냥녀(兩女)의 우히오, 빵ᄋᆞ를 ᄋᆡ듕ᄒᆞ미 비ᄒᆞᆯ 곳이 업ᄉᆞ니, 태부인이 뉴시로 더브러 조부인 업시키를【55】 ᄭᅬᄒᆞ나, 태위 ᄌᆞ상이 술피니 젼일과 달나 보ᄎᆡ기를 ᄆᆞ음과 ᄀᆞᆺ지 못ᄒᆞ고, 오ᄃᆡ 태우 못보ᄂᆞᆫ ᄃᆡ 위시 친히 와 조르고 보ᄎᆞ며 ᄭᅮ지져, 상셰 참혹히 죽으ᄃᆡ 슬픈 줄을 모로고, 날노 음식만 먹기를 일삼고 ᄌᆞ긔를 원망ᄒᆞᆫ다 ᄒᆞ여, 차마 못ᄒᆞᆯ 말과 날노 즐칙이 비ᄒᆞᆯ ᄃᆡ 업ᄉᆞᄃᆡ, 부인이 하ᄒᆡ(河海)로 심디(心地)를 삼고 텬디로 냥(量)을 삼아, 셜운 거술 셔리담고 가군의 간졀ᄒᆞᆫ 부탁과 슉슉의 지극ᄒᆞᆫ 후의를 져ᄇᆞ리지 아니려 뎡ᄒᆞ엿ᄂᆞᆫ디라. 셰낫 유치(幼稚)를 보호ᄒᆞ기를 일삼고 굿ᄐᆞ여 쥭을 ᄯᅳᆺ을 두지 아니므로ᄡᅧ, 위시의 험악ᄒᆞᆫ 즐칙을 됴흔 말 드른ᄃᆞ시 오ᄃᆡ 나즉이 샤【56】죄ᄒᆞᆯ ᄲᅮᆫ이오, 평ᄉᆡᆼ(平生)의 올흐며 그르믈 변ᄇᆡᆨ(辨白)지 아니ᄒᆞ니, 위시의 그 위인의 어려오믈 더옥 ᄆᆡ이 녁여 착급(着急)히 히코져 ᄒᆞᄃᆡ, 됴흔 모ᄎᆡᆨ을 엇지 못ᄒᆞ더니, 금평후 뎡공의 부인이 ᄉᆡᆼ녀ᄒᆞ여 긔이ᄒᆞ기 ᄒᆡ샹명쥬(海上明珠)[348]와 유곡(幽谷)의 난쵸(蘭草) 향긔를

346)쾌대(快大) : 성격이 시원스럽고 배포가 큼.
347)죵죵ᄒᆞ다 : 종종거리다. 잔소리가 많다.

긔ᄂᆞᆫ 지극 ᄌᆞ상(仔詳)ᄒᆞ고 조용ᄒᆞ여 조셕식(朝夕食)을 친히 술피며 날마다 긔력을 뭇ᄌᆞ와 졍셩이 간졀(懇切)ᄒᆞ며, 명ᄋᆞ을 ᄉᆞ랑ᄒᆞ미 ᄌᆞ긔 양녀(兩女)의 우히오, 쌍ᄋᆞ(雙兒)을 귀듕ᄒᆞ미 비ᄒᆞᆯ 곳지 업ᄉᆞ니, ᄐᆡ부인이 뉴시로 더브러 조시 업시키을 ᄭᅬᄒᆞ나 ᄐᆡ우 ᄌᆞ상ᄒᆞ미 젼과 달나 마음ᄃᆡ로 보ᄎᆡ지 못ᄒᆞ고 ᄐᆡ우 보지 안ᄂᆞᆫᄃᆡ 보ᄎᆡ고 조르고, 상셔 참혹히 죽오ᄃᆡ 셜워ᄒᆞ지 아니코, 음식 먹기을 일숨고, 자긔을 원망ᄒᆞᆫ다 ᄒᆞ여 ᄎᆞ마 못ᄒᆞᆯ 말노 질ᄎᆡᆨ(叱責)ᄒᆞ니, 능히 견딜 ᄇᆡ 아니로ᄃᆡ, 조부인의 하ᄒᆡ지량(河海之量)[359]으로ᄡᅧ 셔룬[360] 거술 셔러담고[361] 가군(家君)의 간졀ᄒᆞᆫ【72】 부탁과 슉슉(叔叔)의 지극ᄒᆞᆫ ᄯᅳᆺ즐 져바리지 아니랴 ᄒᆞ고, 세낫 유치 보호ᄒᆞ기을 위ᄒᆞ여 굿ᄒᆞ여 죽을 ᄯᅳᆺ즐 두지 아니무로 위시의 질칙을 조흔 말 듯 ᄯᅳᆺᄒᆞ며[362], 오직 나작이 ᄉᆞ려(謝禮)ᄒᆞᆯ ᄲᅮᆫ이니, 위시 더옥 무이[363] 녁여 착급(着急)히 히코져 ᄒᆞᄃᆡ, 조흔 모칙(謀策)을 엇지 못ᄒᆞ더라. 금평후 뎡공부인이 ᄉᆡᆼ녀(生女)ᄒᆞ여 긔이(奇異))ᄒᆞ미 비컨ᄃᆡ ᄒᆡ상명주(海上明珠)[364]와 곤산미옥(崑山美玉)[365] 갓트여 ᄇᆡᆨᄐᆡ쳔광(百態千光)[366]이 ᄒᆞᆫ 곳 무심ᄒᆞᆫ 곳 업ᄉᆞ니, 금평후 도라와 모친의 안강(安康)ᄒᆞ심과 녀ᄋᆞ의 비상(非常)ᄒᆞ미 바란 밧기라. 영ᄒᆡᆼ(榮幸)ᄒᆞ미 극ᄒᆞ나 윤공의 참상ᄒᆞ믄 오릴ᄉᆞ록 잇지 못ᄒᆞ여 슬푸미 밋친 ᄇᆡ러라.

함. 성격이 탁 트여 좀스럽지 않고, 시원스럽고 배포가 크다.
359)하ᄒᆡ지량(河海之量) : 하해(河海)와 같이 넓은 도량.
360)셔룬 : 서러운.
361)셔러담고 : 서리담고.
362)듯 ᄯᅳᆺᄒᆞ며 : 듣 듯하며.
363)무이 : 뮈이. 밉게.
364)해상명주(海上明珠) : 바다조개에서 나온 진주.
365)곤산미옥(崑山美玉) : 중국 전설상의 산인 곤륜산에서 나는 아름다운 옥.
366)빅티쳔광(百態千光) : 온갖 아름다움을 갖춘 자태.

토ᄒᆞᆷ ᄀᆞᄐᆞ여 ᄇᆡᆨᄐᆡ쳔광(百態千光)349)이 ᄒᆞᆫ 곳 무심히 삼긴 곳이 업고, 금평휘 도라와 모친의 안강(安康)ᄒᆞ심과 녀ᄋᆞ의 비상(非常)ᄒᆞ미 바란 밧기라. 영ᄒᆡᆼ희열(榮幸喜悅)ᄒᆞ나 윤공의 맛ᄎᆞ믈 일월이 오릴ᄉᆞ록 ○○○○○ [잇지 못ᄒᆞ여] 슬프미 ᄆᆡᆺ쳣ᄂᆞᆫ디라.

일일은 옥누항의 와 태우로 죵용이 담화ᄒᆞ다가 상셔의 ᄲᅣᆼᄌᆞ를 ᄂᆡ여와 볼 ᄉᆡ, 이 블과 세샹을 아란디 오륙삭【57】이로ᄃᆡ 셕대(碩大)ᄒᆞ기 ᄉᆞ오셰(四五歲)나 ᄒᆞᆫ ᄋᆞᄒᆡ ᄀᆞᆺ고 영ᄎᆡ(英彩) 영호(英豪)ᄒᆞ여 츄월(秋月)이 산두(山頭)의 오로고 ᄇᆡᆨ일(白日)이 당텬(當天)ᄒᆞᆫ ᄃᆞᆺ, 두 ᄋᆞᄒᆡ 얼골 모양이 ᄒᆞᆫ 판의 박은 ᄃᆞᆺ 일호 다르미 업셔 뇽미봉안(龍眉鳳眼)350)과 호치단슌(皓齒丹脣)351)이며 옥면년협(玉面蓮頰)352)이 졔졔쇄락(齊齊灑落)353)ᄒᆞ고 영긔동인(英氣動人)354)ᄒᆞ니 뎡공이 ᄒᆞᆫ 번 보ᄆᆡ 긔특ᄒᆞ믈 니긔지 못ᄒᆞ여 쳑연이 슬허 이 ᄀᆞᄐᆞᆫ ᄋᆞᄃᆞᆯ을 보디 못ᄒᆞ믈 탄식ᄒᆞ고 칭찬ᄒᆞ믈 마디 아니ᄒᆞ며, 그 ᄉᆡᆼ월일시(生月日時)를 므러 공교히 ᄌᆞ긔 녀ᄋᆞ와 동월동일(同月同日)의 낫ᄂᆞᆫ디라. 도ᄉᆞ의 말을 윤상셰 니르던 바를 ᄉᆡᆼ각고 믄득 냥항누(兩行淚)355)를 금치 못ᄒᆞ여 태우다려 왈,

"금국의 갈 졔 형쥐셔 녕ᄇᆡᆨ(令伯)이 화도ᄉᆞ를 만나 일【58】야(一夜)를 지ᄂᆡ니 화도ᄉᆡ 녕ᄇᆡᆨ다려 여ᄎᆞ여ᄎᆞᄒᆞ더라 ᄒᆞ고 날다려 그 말을 옴겨 형의게 니르라 ᄒᆞ거ᄂᆞᆯ 드럿더니, 이졔 녕딜(令姪)의 ᄉᆡᆼ월일시를 드르니 쇼녀(小女)356)와 동월일(同月日)의 낫ᄂᆞᆫ지

348)해상명주(海上明珠) : 바다조개에서 나온 진주.
349)빅틱쳔광(百態千光) : 온갖 아름다움을 갖춘 자태.
350)뇽미봉안(龍眉鳳眼) : '용의 눈썹'과 '봉황의 눈'이란 뜻으로, 아름다운 눈 모양을 표현한 말.
351)호치단슌(皓齒丹脣) : 하얀 이와 붉은 입술이란 뜻으로 아름다운 입 모양을 이르는 말.
352)옥면 년협(玉面蓮頰) : 옥 같이 깨끗한 얼굴과 연꽃처럼 청순한 빰이란 뜻으로 아름다운 얼굴을 표현한 말.
353)졔졔쇄락(齊齊灑落) : 가지런하고 깨끗함.
354)영긔동인(英氣動人) : 빼어난 기상(氣像)이 사람을 움직임
355)냥항누(兩行淚) : 두 줄기 눈물.

일일은 옥누항의 와 종용이 담화ᄒᆞ다가 상셔의 쌍ᄌᆞ(雙子)을 쳥ᄒᆞ여 볼 ᄉᆡ, 블과 ᄉᆡᆼ지 오륙삭이로ᄃᆡ 셕ᄃᆡ(碩大)ᄒᆞ미 ᄉᆞᆷᄉᆞ셰(三四歲)나 ᄒᆞᆫ ᄃᆞᆺᄒᆞ고, 의연이 일월(日月)이 실듕(室中)의 ᄯᅥ러진 ᄃᆞᆺ, 냥ᄋᆞ의 얼골이 ᄒᆞᆫ판의 박은 드시 호리(毫釐) 다르미 업고, 요[용]미봉안(龍眉鳳眼)367)과 호비주슌(虎鼻朱脣)368)이며 옥면연협(玉面蓮頰)369)이 쇄락(灑落)ᄒᆞ고 광ᄎᆡ현황(光彩炫煌)ᄒᆞ여 영ᄎᆡ동인(靈彩動人)370)ᄒᆞ고 귀격달상(貴格達相)371)이 은은ᄒᆞ니, 뎡공이 일견의 황홀칭ᄋᆡ(恍惚稱愛)ᄒᆞ믈 이긔지 ○[못]ᄒᆞᄂᆞᆫ 듕, 쳑연(慽然)이 슬허 상셔 이갓ᄐᆞᆫ 거조을 보지 못ᄒᆞ믈 탄식ᄒᆞ고 칭찬ᄒᆞ믈 마지【73】안으며, 그 ᄉᆡᆼ월일시(生月日時)을 무르니, 공교이 ᄌᆞ긔 녀ᄋᆞ와 동월동일(同月同日)의 낫ᄂᆞᆫ지라. 화도ᄉᆞ의 말을 윤상셔 이르든 바을 ᄉᆡᆼ각고 ○[비]창슈누(悲愴垂淚)ᄒᆞ고, ᄐᆡ우다려 왈,

"금국의로 갈 ᄊᆡ의 형쥬셔 영ᄇᆡᆨ시(令伯氏) 화도ᄉᆞ을 만나 일야(一夜)을 지ᄂᆡ니, 화도ᄉᆞ 영ᄇᆡᆨ시다려 여ᄎᆞ여ᄎᆞᄒᆞ더라 ᄒᆞ고, 날다려 그 말을 일너 형의게 젼ᄒᆞ라 ᄒᆞ거ᄂᆞᆯ 들엇더니, 이졔 영질ᄋᆞ 등의 ᄉᆡᆼ년월일을 드르ᄆᆡ 소녀(小女)372)와 동월동일의 낫ᄂᆞᆫ지라, 창천(蒼天)이 유의(有意)ᄒᆞ심인가 ᄒᆞ나

367)용미봉안(龍眉鳳眼) : '용의 눈썹'과 '봉황의 눈'이란 뜻으로, 아름다운 눈 모양을 표현한 말.
368)호비주슌(虎鼻朱脣) : 호랑이 코에 붉은 입술을 가진 얼굴 모습.
369)옥면연협(玉面蓮頰) : : 옥 같이 깨끗한 얼굴과 연꽃처럼 청순한 빰이란 뜻으로 아름다운 얼굴을 표현한 말.
370)영채동인(英彩動人) : 신령한 빛이 사람을 움직임
371)귀격달상(貴格達相) : 귀하게 될 사람의 골격과 높은 인물이 될 상모(相貌).
372)소녀(小女) : 자신의 딸을 낮추어 이르는 말.

라. 하날이 유의ᄒᆞ여 ᄂᆡ시민가 ᄒᆞᄂᆞ니, 망우(亡友)의 뜻을 ᄇᆞ리지 못ᄒᆞᆯ디라. 양가ᄌᆞ녜 댱셩ᄒᆞ기를 기다려 혼ᄉᆞ를 일우리라."

태위 쳑연 탄식 왈,

"가형이 쌍남을 ᄉᆡᆼᄒᆞᆯ 줄 아라 계시던 거시니, 화도ᄉᆞ의 말이 대개 미ᄅᆡᄉᆞ(未來事)를 아ᄂᆞᆫ디라. 형과 하퇴디 내집을 ᄇᆞ리디 아니면 쇼뎨야 엇지 니ᄌᆞ리오. 하형도 ᄉᆡᆼ녀ᄒᆞ다 ᄒᆞᄃᆡ 쇼뎨 흥황(興況)이 업셔 이런 말을 아녓더니라."

뎡공 왈,

"쇼뎨 냥ᄋᆞ(兩兒) 듕 ᄒᆞ나흘【59】 셔랑(壻郎)을 삼으리라."

태위 츄연함누(惆然含淚)ᄒᆞ니 뎡공이 위로ᄒᆞ며 명ᄋᆞ를 ᄂᆡ여 와 보니, 졈졈 긔려승졀(奇麗勝絶)ᄒᆞ여 신댱(身長)이 더 ᄌᆞ란 ᄃᆞᆺᄒᆞ니 뎡공이 망우를 ᄉᆡᆼ각고 친녀나 다르지 아니○○○○○[게 귀듕혹ᄋᆡ(貴重惑愛)]ᄒᆞ니, 쇼졔 모친을 일시도 써나지 아니 ᄒᆞ더니, 뎡공을 보고 븟그려 드러가려 ᄒᆞ니, 태위 알패 안쳐 왈,

"금평후ᄂᆞᆫ 네게 남이 아니라. 븟그려 말나."

ᄒᆞ니, 쇼졔 이 말을 듯고 답지 아니ᄒᆞ더라. 뎡공이 도라간 후, 즉시 모부인(母夫人)긔 드러오ᄆᆡ 부인이 문 왈,

"외헌(外軒)의셔 눌을 본다?"

명ᄋᆡ ᄃᆡ왈,

"젼일의 뎡ᄉᆞ되라 ᄒᆞ고 단니던 손이 와셔 쇼녀를 블너 보더이다."

부인이 쳑연읍탄(慽然泣嘆)ᄒᆞ여 뎡ᄉᆞ되 위험지디(危險之地)의 무【60】ᄉᆞ히 도라와 봉후고명(封侯誥命)[357]을 바드믈 그윽이 블워ᄒᆞ더라.

셰월이 ᄇᆡᆨ구과극(白駒過隙)[358]ᄒᆞ여 상셔

356)소녀(小女) : 자신의 딸을 낮추어 이르는 말.
357)봉후고명(封侯誥命) : 임금이 후작(侯爵)의 벼슬을 내린 임명장.
358)ᄇᆡᆨ구과극(白駒過隙) : 흰 망아지가 빨리 달리는 것을 문틈으로 본다는 뜻으로, 인생이나 세월이 덧없이 짧음을 이르는 말.

니 엇지 망우(亡友)의 뜻즐 져바리리오. 냥가 ᄌᆞ녀 장셩ᄒᆞ기을 기ᄃᆞ려 혼ᄉᆞ을 일우리라."

ᄐᆡ위 쳑연 탄식 왈,

"망형(亡兄)이 쌍남을 어들 줄 짐작ᄒᆞ던 ᄇᆡ여니와 화도ᄉᆞ의 말이 ᄃᆡ강 미ᄅᆡ지ᄉᆞ을 아ᄂᆞᆫ지라, 형과 하퇴지 ᄂᆡ집을 ᄇᆞ리지 아니면 소졔야 엇지 이ᄌᆞ리오. 하형도 ᄉᆡᆼ녀ᄒᆞ다 ᄒᆞ되 소졔 흥황(興況)이 업셔 이런 말을 아냣더니라."

뎡공 왈,

"하퇴지ᄂᆞᆫ 젼후 말이 다르지 아니려니와 소졔ᄂᆞᆫ 양아(兩兒) 듕 ᄒᆞ나흘 셔낭(壻郎)흘 ᄉᆞᆷ을이라."

ᄐᆡ위 츄연함누(惆然含淚)ᄒᆞ여 비회을 억졔치 못ᄒᆞ니 뎡공이 위로ᄒᆞ며 명ᄋᆞ을 ᄂᆡ여 와 보니, 졈졈 긔긔묘려(奇奇妙麗)ᄒᆞ며 풍영윤ᄐᆡᆨ(豊盈潤澤)[373]ᄒᆞ고 신장(身長)이 더 ᄌᆞ란 듯ᄒᆞ니 뎡공이 망우을 ᄉᆡᆼ각고 소져을 친【74】녀와 다르지 아니게 귀듕혹ᄋᆡ(貴重惑愛)ᄒᆞ니 뎡공을 보고 붓그려 드러가랴 ᄒᆞ거ᄂᆞᆯ, ᄐᆡ위 잇그러 압희 안쳐 왈,

"금평후ᄂᆞᆫ 남이 아니니 붓그려 말나."

ᄒᆞ니, 소졔 머리을 슉여 말을 아니코 뎡공이 간 후, 즉시 모친(母親)긔 드러오니 부인 왈,

"외헌의셔 누을 본다?"

ᄃᆡ왈,

"젼일 뎡ᄉᆞ도○[라] ᄒᆞ고 단이든 손이 와셔 소녀을 블너 보더이다."

부인이 쳑연읍탄(慽然泣嘆)ᄒᆞ여 쳥뉘(淸淚) 옷 압흘 젹시더라.

셰월이 훌훌ᄒᆞ여[374] 얼푸시 상셔의 ᄉᆞᆷ상(三喪)[375]을 맛ᄎᆞ니 조부인 망극지통(罔極

373)풍영윤택(豊盈潤澤) : 생김새가 풍만하고 윤기(潤氣)가 있다.
374)훌훌ᄒᆞ다 : 눈이나 낙엽 따위가 가볍게 날려 사라지듯 덧없다.
375)삼상(三喪) : 삼년상(三年喪).

의 삼상(三喪)[359]을 맛ᄎᆞᄆᆡ 조부인의 망극지통(罔極之痛)이 각골(刻骨)ᄒᆞ여 됴셕증상(朝夕蒸嘗)[360]을 긋ᄎᆞ니, 우혈(禹穴)[361]업셔 셜우믈 니긔지 못ᄒᆞ여 ᄒᆞ고, 태우의 슬픈 한이 구곡(九曲)[362]의 ᄆᆡᆺ쳐 ᄇᆡᆨ화헌의 혼ᄌᆞ 안ᄌᆞ며 눕기를 당ᄒᆞ여 츄연하루(惆然下淚)치 아닐 적이 업ᄉᆞ며 조부인 밧드ᄂᆞᆫ 정셩이 ᄒᆞᆫ갈ᄀᆞᆺ치 감(減)ᄒᆞᄂᆞᆫ ᄇᆡ 업ᄉᆞ니, 부인이 감격ᄒᆞ믈 니긔지 못ᄒᆞ더라.

빵ᄋᆡ 삼ᄉᆞ셰의 니르러 스ᄉᆞ로 유모를 믈니치고 태우를 ᄯᆞ라 외헌(外軒)의 잇기를 구ᄒᆞ니 공이 귀듕ᄒᆞᄂᆞᆫ 정이 시시로 층가ᄒᆞ여 조부인긔 ᄋᆞ히 일홈을 품쳥(稟請)ᄒᆞ오ᄆᆡ, 샹【61】셔의 지어주믈 인ᄒᆞ여 댱ᄋᆞ(長兒)로뼈 광텬이라 ᄒᆞ고 ᄎᆞᄋᆞ(次兒)로뼈 희텬이라 ᄒᆞ여, 공이 다리고 외헌의 잇셔 밤을 당ᄒᆞ면 좌우로 포회(抱懷)ᄒᆞ여 어로만져 날노 비상특이ᄒᆞ믈 영힝ᄒᆞ니 냥ᄋᆡ 공을 ᄃᆡᄒᆞ여 ᄀᆞᆯ오ᄃᆡ,

“쇼ᄌᆞ 등이 어미를 짜라 닌가(隣家)의 가면 ᄋᆞ히들이 부모를 ᄒᆞᆫ가지로 뫼시고 안ᄌᆞ시ᄃᆡ 대인은 엇디 모친과 ᄒᆞᆫ가지로 가ᄎᆞ치[363] 아니 ᄒᆞ시고 ᄆᆡ양 각각 계시니잇고?”

공이 쳥파(聽罷)의 심담(心膽)이 ᄆᆡᄂᆞᆫ 듯ᄒᆞ여 ᄉᆞ매를 드러 안슈(眼水)를 거두고 왈,

“나ᄂᆞᆫ 네 부친이 아니라 ᄌᆞ근아비니 이졔

之痛)이 가지록 도골ᄒᆞ여 오릴ᄉᆞ록 셜움을 이긔지 못ᄒᆞ고 ᄐᆡ우의 슬허ᄒᆞ미 구곡(九曲)[376]의 ᄆᆡ쳐, ᄇᆡᆨ화헌의 홀노 안ᄌᆞ며 누으ᄆᆡ 츄연타누(惆然墮淚) 아닐 적이 업ᄉᆞ며, 조부인을 밧들미 일각(一刻)도 게으로지 아니니 부인이 감격ᄒᆞ믈 이긔지 못ᄒᆞ여 ᄐᆡ우을 의앙(依仰)ᄒᆞ미 ᄐᆡ산(泰山) 갓더라.

쌍ᄋᆡ 삼사셰의 이르러ᄂᆞᆫ 유모을 물니쳐 졋술 먹이지 아니코, ᄐᆡ우을 ᄯᆞ라 외헌(外軒)의 잇기을 쳥ᄒᆞ니, ᄐᆡ위 일마다 탐ᄋᆡ귀듕(貪愛貴重)ᄒᆞ여 조부인긔 아희 일홈 질바을 뭇ᄌᆞ오ᄆᆡ, ᄉᆡᆼ시 상셔의 지어주어시믈 인ᄒᆞ여 장ᄋᆞ(長兒)의 명은 광텬이라 ᄒᆞ고 ᄎᆞ아(次兒)ᄂᆞᆫ 희텬이라 ᄒᆞ여, ᄐᆡ위 다리고 ᄇᆡᆨ화헌의 잇셔 밤이면 좌우로 품고 낫출 다이고 몸을 어로만【75】져 그 비상특이ᄒᆞᆷ을 영힝ᄒᆞ여 ᄒᆞ고, 일일은 냥ᄋᆡ ᄐᆡ우을 ᄃᆡᄒᆞ여 갈오ᄃᆡ,

“소자 등이 어미을 ᄯᆞ라 인가(隣家)의 가면 아희들이 부모을 ᄒᆞᆫ가지로 뫼시고 안ᄌᆞ스ᄃᆡ, 부친은 엇지 안희 드러가 모친과 가작이[377] 좌ᄒᆞ시믈 보지 못ᄒᆞᄂᆞᆫ잇고?”

ᄐᆡ우 ᄎᆞ언을 드르ᄆᆡ ᄉᆡᆨ로이 심ᄉᆡᆨ 요동(搖動)ᄒᆞ야 안쉬(眼水) 쳔항(千行)이라, 광수(廣袖)로 졔어(制御)ᄒᆞ고 반향(半晌)[378]의 안ᄉᆡᆨ(顔色)을 곳쳐 가로ᄃᆡ,

“나ᄂᆞᆫ 네 부친이 아니오 계부(季父)니 이졔ᄂᆞᆫ 계부라 부르라.”

---

359)삼상(三喪) : 삼년상(三年喪).

360)됴셕증상(朝夕蒸嘗) : 아침저녁으로 올리는 제사. 증상(蒸嘗)은 제사(祭祀)를 뜻하는 말로, ‘증(蒸)’은 겨울제사를, ‘상(嘗)’은 가을제사를 말한다.

361)우혈(禹穴) : 중국 하(夏)나라 우왕(禹王)이 회계산(會稽山)에 사냥을 나갔다가 죽어 그곳에 장사지냈는데, 묘 뒤에 암혈(巖穴) 있어 사람들이 그것을 우혈(禹穴)이라 하여 우임금 묘에 대한 징표를 삼았다. 여기서 “우혈(禹穴) 업셔”는 조석으로 지내던 제사가 그쳐져 제사로 남편과 교감하던 마음마저 펼 수 없음을 상징적으로 표현한 말이다.

362)구곡(九曲) : 구곡간장(九曲肝腸). 굽이굽이 서린 창자라는 뜻으로, 깊은 마음속 또는 시름이 쌓인 마음속을 비유적으로 이르는 말.

363)가ᄎᆞ하다 : 가까이 하다.

376)구곡(九曲) : 구곡간장(九曲肝腸). 굽이굽이 서린 창자라는 뜻으로, 깊은 마음속 또는 시름이 쌓인 마음속을 비유적으로 이르는 말.

377)가작이 : 나란히, 가지런하게.

378)반향(半晌) : 반나절. 시간이 상당히 지나는 동안.

ᄂᆞᆫ 계뷔(季父)라 브르라."

냥ᄋᆡ 악연(愕然) 왈,

"그리면 우리 대인(大人)이 어ᄃᆡ 계시니잇가?"

태위 왈,

"어린 ᄋᆞ히ᄂᆞᆫ 이런【62】 말을 아니 ᄒᆞᄂᆞ니, 즘즘ᄒᆞ고 잇다가 ᄌᆞ란 후 알나."

ᄒᆞᆫᄃᆡ, 광텬 왈,

"아모리 유ᄋᆞ(幼兒)들 아비이시며 업ᄉᆞ믈 뭇지 아니 ᄒᆞ리잇가?"

희텬이 ᄌᆡ삼 뭇ᄌᆞ오니, 공이 더옥 참연 왈,

"너희 부친(父親)이 아니 계시나 내 이시니 아비와 다르미 업ᄂᆞ니라."

ᄒᆞ고 다른 말노 다ᄅᆡ나 냥ᄋᆡ 심니(心裏)의 즐기지 아냐 ᄎᆡᆨ을 가지고 와 글 ᄇᆡ오믈 청ᄒᆞ니, 공이 ᄆᆡᄋᆞ의 슉셩긔이(夙成奇異)ᄒᆞ믈 두굿기나 너모 비상ᄒᆞ니, 혹ᄌᆞ(或者) 슈한(壽限)의 ᄒᆡ로올가 두려 ᄭᅮ지져 가ᄅᆞ치지 아니ᄒᆞ고, 쥬야 다리고 잇셔 가ᄉᆞ를 념녀ᄒᆞ여, 소활ᄒᆞᆫ 셩정을 곳쳐 ᄌᆞ상명텰(仔詳明哲)ᄒᆞ믈 쥬(主)ᄒᆞ나, 뉴시의 ᄉᆞ오나오믈 ᄭᆡ댯디 못ᄒᆞ니, 태부인과 뉴시 쥬ᄉᆞ야탁(晝思夜度)[364]ᄒᆞ여 조부인 모ᄌᆞ녀(母子女)【63】를 업시키를 계교ᄒᆞ나, 조부인과 삼ᄋᆞ(三兒)ᄂᆞᆫ 셩인(聖人)이라. 과악(過惡)을 브릴 길히 업셔 분을 셔리담아 셰월이 ᄌᆞ로 뒤이져[365] 광텬형뎨 팔셰 되니, 신댱이 셕대ᄒᆞ고 옥모영풍(玉貌英風)이 늠연쇄락(凜然灑落)ᄒᆞ여 반악(潘岳)[366] 두목지(杜牧之)[367]의 풍ᄎᆡ를 우이 넉이니 진쇽(塵俗)의 ᄆᆞ드지 아냐 츄

364)쥬ᄉᆞ야탁(晝思夜度) : 낮에 생각하고 밤에 헤아린다는 뜻으로, 밤낮을 가리지 않고 깊이 생각함을 이르는 말.

365)뒤잊다 : 뒤짚다.

366)반악(潘岳) : 247~300. 중국 서진(西晉)의 문인(文人). 자는 안인(安仁). 권세가인 가밀(賈謐)에게 아첨하다 주살(誅殺)되었다. 미남이었으므로 미남의 대명사로도 쓴다.

367)두목지(杜牧之) : 803~852. 이름은 두목(杜牧). 당나라 만당(晩唐)때 시인. 미남자로, 두보(杜甫)에 상대하여 '소두(小杜)'라 칭하며, 두보와 함께 '이두(二杜)'로 일컬어지기도 한다.

아히 악연(愕然) 왈,

"그리면 부친은 아니 겨신잇가?"

ᄐᆡ위 왈,

"어린 아희○[긔]ᄂᆞᆫ 뭇[못] 닛ᄂᆞ니[379]잠잠ᄒᆞ고 잇다가 ᄌᆞ라거든 알나."

ᄒᆞᆫᄃᆡ, 광텬 왈,

"아모리 유ᄋᆞ(幼兒)들 아비 잇스며 업ᄉᆞ믈 모로리잇가?"

인ᄒᆞ여 양ᄋᆡ 괴로이 보ᄎᆡ여 무르니, ᄐᆡ위 참연 왈,

"너희 부친(父親)이 아니 계셔도 ᄂᆡ 잇스니 부친이ᄂᆞ 다르지 아니타."

ᄒᆞ고, 다른 말노 ᄆᆞ음을 즐겁게 ᄒᆞ나, 양ᄋᆡ 심히 즐겨 아니코 ᄎᆡᆨ을 가져 글 ᄇᆡ호기을 청ᄒᆞ니, ᄐᆡ위 왈,

"수학(修學)이 너무 어리니 오셰부터 ᄇᆡ호라."

희텬은 굿ᄒᆞ여 다시 청치 아니 ᄒᆞᄃᆡ 광텬은 ᄇᆡ호기을 ᄌᆡ숨 청ᄒᆞ니, {ᄐᆡ}ᄐᆡ위 너무 비상특이ᄒᆞ여 수한(壽限)이 장원(長遠)치 못ᄒᆞᆯ가 두리ᄂᆞᆫ 고로 일즉 학문을 가라치지 아니려 ᄒᆞᄂᆞᆫ지라. 즘즛 ᄭᅮ지져 물니치고 이후 ᄉᆞ군출님(事君察任) 여가(餘暇)의 다리고 잇셔【76】 소활ᄒᆞᆫ 성경으로도 양 공ᄌᆞ의게ᄂᆞᆫ ᄌᆞ상명쾌(仔詳明快)ᄒᆞ기을 위주(爲主)ᄒᆞᄃᆡ, ᄉᆞ곡(邪曲)[380]ᄒᆞᆫ 곳즌 일졀 념녀(念慮)[381]치 아니ᄒᆞᄂᆞᆫ 고로, 모친과 뉴시의 ᄉᆞ오나믈 ᄭᆡ닷지 못ᄒᆞ니, 위시 주ᄉᆞ야탁(晝思夜度)[382]의 조부인 모ᄌᆞ 업시ᄒᆞᆯ 계교을 ᄉᆡᆼ각ᄒᆞ나, ᄐᆡ우 잇스므로 흉심을 발뵈지 ○[못]ᄒᆞ여 분을 셔리담고 잇더니, 얼푸시 여러 츈츄(春秋)을 뒤어쳐[383] 광텬 형졔 팔셰 되니, 신장(身長)이 언건(偃蹇)[384]ᄒᆞ며 옥모

379)닏다. 니르다.

380)ᄉᆞ곡(邪曲) : 요사스럽고 교활함.

381)념녀(念慮) : 여러 가지로 마음을 씀.

382)주ᄉᆞ야탁(晝思夜度) : 낮에 생각하고 밤에 헤아린다는 뜻으로, 밤낮을 가리지 않고 깊이 생각함을 이르는 말.

383)뒤어치다 : 뒤집히다..

슈(秋水) ᄀᆞᆺᄐᆞᆫ 졍신과 츄텬(秋天) ᄀᆞᆺᄐᆞᆫ 긔상이 싁싁ᄒᆞ여 와ᄌᆞᆷ뇽미(臥蠶龍眉)368)ᄂᆞᆫ 강산녕긔(江山靈氣)를 거두어 놉흔 코와 븕은 냥협(兩頰)의 도쥬(桃朱)369) ᄀᆞᆺᄐᆞᆫ 단슌(丹脣)이오 빙옥(氷玉) ᄀᆞᆺᄐᆞᆫ 호치(皓齒)라. 형뎨 용화풍신(容華風神)이 ᄒᆞᆫ 판의 박은 ᄃᆞᆺᄒᆞ나, 졈졈 ᄌᆞ라ᄆᆡ 셩졍과 픔질이 잠간 달나 댱공ᄌᆞ(長公子)ᄂᆞᆫ 영웅긔상(英雄氣像)과 호걸지풍(豪傑之風)으로 튱텬댱긔(衝天壯氣) 호호발양(浩浩發揚)ᄒᆞ고 뇽호(龍虎)의 품격(品格)이오, ᄎᆞ공ᄌᆞ(次公子)ᄂᆞᆫ【64】 온듕뎡대(穩重正大)ᄒᆞ여 셩현군ᄌᆞ의 풍(風)이 빈빈(彬彬)ᄒᆞ니 린봉긔딜(麟鳳氣質)이라. 오셰로브터 계부긔 슈ᄒᆞᆨ(修學)ᄒᆞ여 ᄉᆡᆼ이지지(生而知之)ᄒᆞᄂᆞᆫ 툥(聰)이 이셔 ᄒᆞᆫᄌᆞ를 드러 열ᄌᆞ를 통ᄒᆞᄂᆞᆫ디라. 공이 더옥 극ᄋᆡᄒᆞ나 슈한의 ᄒᆞ로올가 ᄒᆞ여 금지ᄒᆞ나, 공ᄌᆞ 등이 스ᄉᆞ로 학문의 의미를 ᄭᆡ다라 일취월댱(日就月將)ᄒᆞ여 붓술 들ᄆᆡ 쳔언(千言)을 닙취(立就)370)ᄒᆞ고 시를 디으ᄆᆡ 귀신을 울니ᄂᆞᆫ디라. 보ᄂᆞ니 칭찬갈치(稱讚喝采)ᄒᆞ고 공의 귀듕ᄒᆞ미 비홀 ᄃᆡ 업셔, ᄆᆞ음의 ᄎᆞ공ᄌᆞ를 ᄌᆞ긔 계후(繼後)ᄒᆞ려 ᄒᆞᄃᆡ, 아딕 토셜(吐說)치 아니 ᄒᆞ고, 뉴시 향ᄒᆞᆫ 은졍(恩情)이 ᄉᆞᆷ ᄀᆞᆺᄐᆞ여 ᄂᆡ당의 슉침(宿寢)ᄒᆞ미 일년의 ᄒᆞᆫ번도 강인(强忍)ᄒᆞᄂᆞᆫ ᄇᆡ 되어, 혹ᄌᆞ 부인이 슈ᄐᆡ(受胎)ᄒᆞ여 경ᄋᆞ ᄀᆞᆺᄐᆞᆫ ᄋᆞᄃᆞᆯ이 날가 근심ᄒᆞ니, 엇지 일분이나 ᄉᆡᆼ산(生産)을 바라리오. 위시 태우의 ᄂᆡ당(內堂) ᄌᆞ최 희소(稀少)ᄒᆞ믈 칙ᄒᆞ더라.

영풍(玉貌英風)이 늠연쇄락(凜然灑落)ᄒᆞ여 일ᄃᆡ미완(一代美婉)385)의 연븐(鉛粉)386) 베픈 ᄌᆞᄐᆡ(姿態)을 더러이 녁이고, 추수봉안(秋水鳳眼)387)의 와잠용미(臥蠶龍眉)388) 강산졍긔(江山精氣)을 거두엇고 넉ᄉᆞ단슌(_四丹脣)389)과 빙옥호치(氷玉皓齒)ᄂᆞᆫ ᄒᆞᆫ갈갓치 용화풍신(容華風神)이 진속(塵俗)의 무드지 아닌 거동이 츄호(秋毫)도 다르미 업ᄉᆞᄃᆡ, 졈졈 ᄌᆞ라며 셩졍이 ᄂᆡ도ᄒᆞ여390) 광텬은 영웅지상(英雄之像)과 호걸지풍(豪傑之風)으로 츙쳔지긔(衝天之氣) 호호발양(浩浩發揚)ᄒᆞ야 능히 뇽호(龍虎)의 품격(品格)이오, ᄎᆞ공ᄌᆞ(次公子)ᄂᆞᆫ 단엄온즁(端嚴穩重)ᄒᆞ여 셩현군ᄌᆞ의 도덕이 빈빈(彬彬)ᄒᆞ니, 오셰로브터 ᄉᆡᆼ이지지(生而知之)ᄒᆞᄂᆞᆫ 총명(聰明)이 이슴으로 공학(共學)ᄒᆞ믈 바드ᄆᆡ, ᄒᆞᆫ ᄌᆞ(字)을 들어 빅을 ᄉᆞ못ᄎᆞ니, ᄐᆡ위 그 ᄌᆡ조 너무 조셩(早成)ᄒᆞ여 수복(修復)의 ᄒᆡ로올가 념녀ᄒᆞ야 착실(着實)이 갈으치지391) 아니 ᄃᆡ, 공ᄌᆞ 등이 스ᄉᆞ로 학문의 ᄌᆞ미(滋味)을 ᄭᆡ다라 당ᄎᆞ지시(當此之時) ᄒᆞ여ᄂᆞᆫ 일취월장(日就月將)ᄒᆞᄂᆞᆫ ᄌᆡ죄 노ᄉᆞ숙유(老士宿儒)을 압두ᄒᆞ며 립취쳔언(立就千言)392)ᄒᆞ여 귀신을 울닐지라. 보ᄂᆞᆫ ᄌᆡ 칭찬여갈(稱讚如渴)393)ᄒᆞ고 ᄐᆡ우【77】의 귀즁ᄒᆞ미 비길 ᄃᆡ 업셔, 마음의 희쳔은 ᄌᆞ긔 계후(繼後)을 ᄒᆞ랴 ᄒᆞ되 아즉 발셜(發說)치 아니코, 뉴시의게ᄂᆞᆫ

368)와ᄌᆞᆷ뇽미(臥蠶龍眉) : 와잠미(臥蠶眉)와 용미(龍眉)를 겸한 눈썹. 곧 눈썹이 누에처럼 길고 굽은 모양인데다 양쪽 끝이 용처럼 길게 치올라간 모습을 함.

369)도쥬(桃朱) : 복숭아꽃의 붉은 빛.

370)닙취(立就) : 즉각에 이루어 냄.

384)언건(偃蹇) : 장대(壯大)함. 허우대가 크고 튼튼한 모양.

385)일ᄃᆡ미완(一代美婉) : 일대의 빼어난 미인.

386)연븐(鉛粉) : 분(粉). 얼굴빛을 곱게 하기 위해 얼굴에 바르는 화장품의 하나.

387)추수봉안(秋水鳳眼) : 가을 물처럼 맑은 눈.

388)와잠용미(臥蠶龍眉) : 와잠미(臥蠶眉)와 용미(龍眉)를 겸한 눈썹. 곧 눈썹이 누에처럼 길고 굽은 모양인데다 양쪽 끝이 용처럼 길게 치올라간 모습을 함.

389)넉ᄉᆞ단슌(_四丹脣) : '넉 사(四)' 자(字) 모양으로 다문 붉은 입술.

390)ᄂᆡ도ᄒᆞ다 : 매우 다르다. 판이(判異)하다.

391)갈으치다 : 가르치다.

392)립취쳔언(立就千言) : 순식간에 천언(千言)의 글을 지어냄.

393)칭찬여갈(稱讚如渴) : 칭찬하기를 목이 마를 듯이 하다.

ᄎᆞ셜 뉴시의 댱녀(長女) 경ᄋᆞᄂᆞᆫ 모풍(母風)을 젼쥬(專主)ᄒᆞ여 ᄋᆡ용(愛容)이 졀셰(絶世)ᄒᆞ나 심졍이 간험요특(姦險妖慝)371)ᄒᆞᆫ디라, 모친으로 더브러 부친의 박졍()薄情)을 원(怨)ᄒᆞ고 광텬 등을 과ᄋᆡ(過愛)ᄒᆞ믈 싀긔ᄒᆞ여 {ᄒᆞ여} 명ᄋᆞ를 무고(無故)히 ᄆᆡ워ᄒᆞ니, 현ᄋᆞᄂᆞᆫ 십셰라, 춍명슉셩(聰明夙成)ᄒᆞ며 인ᄌᆞ온냥(仁慈溫涼)ᄒᆞ여 모친과 형의 불인(不仁)ᄒᆞ믈 보면 가장 ᄋᆡ돌와 읍간(泣諫)ᄒᆞᆫ 즉 뉴시 ᄭᅮ짓고, 경ᄋᆞ로 ᄯᅳᆺ이 다르고 ᄆᆞ음이 각각이라. 이러므로 현ᄋᆞ를 외ᄃᆡ(外待)ᄒᆞ여 범ᄉᆞ를 긔이미372) 만터라.

광텬형뎨 오륙셰 되도록 그 부친【66】이 만니타국의 가 별셰ᄒᆞ믈 몰낫다가 비로소 계부의게 ᄌᆞ셔히 알고 지통(至痛)이 뉵아(蓼莪)373)의 ᄆᆡᆺ쳐 형뎨 손을 잡고 쳬읍(涕泣)ᄒᆞ여 엄안(嚴顔)을 아지 못ᄒᆞ믈 ᄀᆞᆨ골(刻骨)이 슬허ᄒᆞ더라.

일일은 태위 긔ᄉᆡᆨ(氣色)을 알고 더옥 잔잉ᄒᆞ여374) 슉딜(叔姪)의 졍이 부ᄌᆞ(父子)의

371)간험요특(姦險妖慝) : 간악하고 음험하며 요사함.
372)긔이다 : 기이다. 숨기다. 속이다.
373)뉵아지통(蓼莪之痛) : 어버이가 이미 돌아가시어 봉양할 길이 없는 효자의 슬픔. 『시경(詩經)』《소아(小雅)》편 <곡풍(谷風)>장 가운데 있는 '륙아(蓼莪)'시에서 온 말.

졍이 졈졈 ᄆᆡᄆᆡ(浼浼)ᄒᆞ여394) ᄂᆡ침(內寢)ᄒᆞ미 일년의 ᄒᆞᆫ 번도 강작(强作)ᄒᆞ미오, 혹ᄌᆞ(或者) 부인이 수ᄐᆡ(受胎)ᄒᆞ여 경ᄋᆞ 갓튼 아들이 날가 근심이 젹지 아니ᄒᆞ니, 일분이나 ᄉᆡᆼ남(生男)을 바라리오. ᄐᆡ위 ᄆᆡ양 ᄂᆡ당(內堂)의 ᄌᆞ최 희소(稀少)ᄒᆞ믈 ᄎᆡᆨᄒᆞ면, 상셔 별셰ᄒᆞᆫ 후로 신상의 병이 잇셔믈 고ᄒᆞ고 힝혀도 종젹(蹤迹)이 ᄒᆡ츈누의 님치 아니코, 모친이 과려(過慮)ᄒᆞ면 드러가 누엇다가 즉시 나오니, 부부의 친(親)ᄒᆞ미 업고 완연(完然)이 힝노(行路)395) 갓튼지라. 위시 더욱 ᄋᆡ답고 통왕[완](痛惋)ᄒᆞ야, 광텬 양아(兩兒)의게 침혹(沈惑)ᄒᆞ여 그런가 ○○[여겨] 조부인 모ᄌᆞ(母子) 뮈오미 일일칭가(日日層加)ᄒᆞ더라.

394)ᄆᆡᄆᆡ(浼浼)ᄒᆞ다 : 창피를 줄 정도로 거절하는 태도가 쌀쌀맞다.
395)행노(行路) : 행로인(行路人). 길가는 사람. 남.

더어, 텬셩이 엄슉ᄒᆞᄃᆡ 냥ᄋᆞ(兩兒)의게 다ᄃᆞ라ᄂᆞᆫ 황홀탐ᄋᆡ(恍惚耽愛)ᄒᆞ니 밤을 당ᄒᆞ여ᄂᆞᆫ 품어 ᄌᆞ기를 여러 셰월의 ᄒᆞᆫ갈ᄀᆞᆺ○, ○○[고, 형뎨] ᄒᆞᆨ문을 권치 아냐도 ᄒᆡᆼ실(行實)을 슈련(修鍊)ᄒᆞ며, 계부(季父) 면젼(面前)을 당ᄒᆞ여 ᄌᆞ딜의 도리와 모친을 밧드러 동동촉촉(洞洞屬屬)ᄒᆞ니, 셩회(誠孝) 봉영집옥지녜(奉盈執玉之禮)375)를 다 ᄒᆞ니, 노셩댱ᄌᆞ(老成長者)의 위친경댱지도(爲親敬長之道)376)를 다ᄒᆞ니, 태위 더옥 가ᄅᆞ칠【67】거시 업ᄉᆞᄃᆡ, 광텬은 긔운이 하ᄂᆞᆯ을 쎼칠377) ᄃᆞᆺ 태산을 넘쒸며 쳔인(千人)을 압두(壓頭)ᄒᆞ고 만인(萬人)을 묘시(藐視)ᄒᆞ여 일즉 사ᄅᆞᆷ을 아니 나모라ᄂᆞ니 업고, 손오양져(孫吳穰苴)378)의 강용(强勇)을 흠모ᄒᆞ며 말마다 삼가고 거름마다 조심ᄒᆞᄂᆞᆫ 도ᄒᆡᆼ(道行)을 답답이 아ᄂᆞᆫ디라. 의ᄉᆞ(意思) 댱(壯)ᄒᆞ며 긔상(氣像)이 쥰엄(峻嚴)ᄒᆞ여, 팔셰 ᄋᆞ동 ᄀᆞᆺ치 아냐 쳔고(千古)의 희한(稀罕)ᄒᆞᆫ 영웅쥰걸(英雄俊傑)이라. 태위 광텬의 방일(放逸)ᄒᆞ믈 졔어키 어려올가 념녀ᄒᆞᄃᆡ, 알패셔ᄂᆞᆫ 동용(動容)이 안셔(安舒)ᄒᆞ고 엄부 셤기ᄂᆞᆫ 도를 다ᄒᆞ니 가ᄅᆞ칠 거시 업ᄂᆞᆫ디라. ᄌᆞ긔 밋쳐 ᄉᆡᆼ각지 못ᄒᆞᆯ 일을 ᄭᆡᄃᆞᆺ게 ᄒᆞ며 신긔히 ᄉᆡᆼ각ᄒᆞ니 범ᄉᆞ(凡事)의 슈응(酬應)과 셔ᄉᆞ(書寫) ᄃᆡ작(代作)이 민쳡ᄒᆞ여 태우의 ᄆᆞᄋᆞᆷ의 ᄎᆞ고, 죵일(終日)토록 그 허물을【68】잡고져 유의(留意)ᄒᆞ나 미딘(未盡)ᄒᆞᆫ 곳이 업고, ᄎᆞ공ᄌᆞᄂᆞᆫ 쳥검겸퇴(淸儉謙退)ᄒᆞ여 공ᄆᆡᆼ안증(孔孟顔曾)379)의 셩ᄒᆞᆨ대도(聖學大道)

---

374)잔잉ᄒᆞ다 : 불쌍하다. 가엾다. 안쓰럽다.

375)봉영집옥지녜(奉盈執玉之禮) : 효자가 부모를 섬김에 있어, 물이 가득 담긴 그릇을 받들고 있는 것처럼, 또는 값비싼 옥을 잡고 있는 것처럼 조심하여 예(禮)를 다함. 『소학(小學)』《명륜(明倫)》편에 나온다.

376)위친경댱지도(爲親敬長之道) : 어버이를 위하고 어른을 공경하는 도리.

377)쎼치다 : 꿰뚫다.

378)손오양져(孫吳穰苴) : 중국 춘추 전국 시대의 병법가인 손무(孫武)·오기(吳起)·사마양저(司馬穰苴)를 아울러 이르는 말.

379)공ᄆᆡᆼ안증(孔孟顔曾) : 유가(儒家)의 성현(聖賢)들인 공자(孔子), 맹자(孟子), 안자(顔子), 증자(曾子).

를 쟝(藏)ᄒᆞ고 ᄌᆡ조와 덕을 ᄌᆞ랑치 아냐 희로(喜怒)를 불현어ᄉᆡᆨ(不顯於色)[380]ᄒᆞ고 언어를 경츌(輕出)치 아냐 나아가ᄆᆡ 것칠드시[381] ᄒᆞ고, 셰상ᄉᆞ를 아ᄂᆞᆫ ᄃᆞᆺ 모로ᄂᆞᆫ ᄃᆞᆺ ᄒᆞᆫ 가온ᄃᆡ나 ᄌᆞ연 신셩(神聖)ᄒᆞᆫ 픔격이 쇽셰범뉴(俗世凡類)와 ᄂᆡ도ᄒᆞ니[382], ᄇᆡᆨᄒᆡᆼ(百行)이 졍슉(靜肅)ᄒᆞ고 법되 완연(完然)이 대군ᄌᆞ의 유풍(遺風)이라.

태위 언언(言言)이 일ᄏᆞ라 내집을 흥긔(興起)ᄒᆞᆯ 대군ᄌᆡ라 ᄒᆞ며, 광텬다려 왈,

"형이 아[383]을 ᄇᆡᄒᆞᆯ 거시 아니로ᄃᆡ 희텬은 타일 명경ᄒᆞᆨᄌᆡ(明經學者) 될 거시니 네 ᄯᅩ ᄉᆞᄒᆡᆼ(事行)[384]을 희ᄋᆞ와 ᄀᆞᆺ치 ᄒᆞ라."

당공ᄌᆡ ᄇᆡ샤슈명(拜謝受命)ᄒᆞ나 뜻인 즉 ᄂᆡ도ᄒᆞ니 셩품을 곳칠 길히 업ᄉᆞᄃᆡ 그 야야(爺爺)【69】 얼골 모로미 궁텬디통(窮天之痛)이 되어 흉억(胸臆)의 셜우미 박혀시니, 오히려 긔운이 퍽 주러지ᄂᆞᆫ ᄃᆞᆺᄒᆞᄃᆡ, 텬ᄉᆡᆼ호긔(天生豪氣)라, 입의 말이 ᄂᆞᄆᆡ 흐르ᄂᆞᆫ ᄃᆞᆺ ᄒᆞ고 소견을 펴ᄆᆡ 쾌달(快達)[385]ᄒᆞ여 쇼쇼녜졀(小小禮節)을 거리ᄭᅵ지 아닛ᄂᆞᆫ ᄃᆞᆺᄒᆞ나, 대[ᄆᆡ]ᄉᆞ(每事))의 강명지단(剛明之斷)이 이셔 소활ᄒᆞ여 셰쇄지ᄉᆞ(細瑣之事)를 알녀 아니 ᄒᆞᄃᆡ, ᄇᆞᆰ으미 여신(如神)ᄒᆞ며 팔셰 쇼ᄋᆞ로 측냥치 못ᄒᆞᆯ 디략(智略)과 특달신이(特達神異)ᄒᆞ미 이시니, 조부인이 이ᄌᆞ(二子)의 비상ᄒᆞ믈 영ᄒᆡᆼᄒᆞ여 문호(門戶)를 흥긔ᄒᆞᆯ 가바라미 듕ᄒᆞ고, 녀ᄋᆡ 졈졈 ᄌᆞ라 십일셰의 밋ᄎᆞ니, 용화긔질(容華氣質)이 쇄락(灑落)ᄒᆞ여 더옥 긔려(奇麗)ᄒᆞᆫ 태도며 효슌(孝順)ᄒᆞᆫ 셩ᄒᆡᆼ이 슉녀의 방향(芳香)을 흠모ᄒᆞ니, 부인이 ᄌᆞ네 이러ᄐᆞᆺ 아름다이 ᄌᆞ라【70】ᄃᆡ, 그 부친이 보디 못ᄒᆞ믈 셜워 ᄊᆡᆨᄊᆡᆨ 청뉘환낙(淸淚汍落)[386]ᄒᆞ여 옷깃ᄉᆞᆯ 젹시니, 냥공ᄌᆞ(兩

380)불현어ᄉᆡᆨ(不顯於色) : 속마음을 얼굴빛으로 드러내지 않음.
381)것치다 : 걸리다. 무엇인가에 부딪치거나 관계하여 해를 입다.
382)ᄂᆡ도ᄒᆞ다 : 매우 다르다. 판이(判異)하다.
383)아 : 아우.
384)사행(事行) : 행사(行事). 어떤 일을 행함.
385)쾌달(快達) : 성품이 상쾌(爽快)하고 활달(豁達)함.
386)청뉘환낙(淸淚汍落) : 맑은 눈물이 방울져 떨어지

이ᄯᆡ 양공ᄌᆞ 졈졈 장셩ᄒᆞ여 갓초 특이ᄒᆞ믈 볼젹마다 부인은 가군(家君)의 보지 못ᄒᆞ믈 슬허 ᄊᆡᆨᄊᆡᆨ 청뉘환난(淸淚汍亂)[396]ᄒᆞ여 옷깃ᄉᆞᆯ 젹시니, 양공ᄌᆞ(兩公子)와 소졔 안ᄉᆡᆨ을 화(和)히ᄒᆞ고 위로ᄒᆞ고, 장공ᄌᆞᄂᆞᆫ 더욱 말ᄉᆞᆷ이 흐르ᄂᆞᆫ 듯 문견(聞見)의 긔담ᄉᆞ의[어](奇談私語)을 젼ᄒᆞ며, 의논이 풍ᄉᆡᆼ(風生)[397]을 겸ᄒᆞ여 만면화긔(滿面和氣)로 우

396)청뉘환난(淸淚汍亂) : 맑은 눈물이 어지럽게 흘러내리는 모양.

公子)와 쇼졔 모친의 슬허ᄒᆞ시믈 ᄃᆡᄒᆞ면, 더옥 촌할(寸割)ᄒᆞᆫ 심ᄉᆞ를 형상(形象)치 못ᄒᆞ나 ᄉᆞᄉᆡᆨ(辭色)을 화(和)히 ᄒᆞ여 위로(慰勞)ᄒᆞ믈 간졀(懇切)이 ᄒᆞ여, 냥공ᄌᆞᄂᆞᆫ 더옥 말ᄉᆞᆷ이 흐르ᄂᆞᆫ ᄃᆞᆺ 문견(聞見)의 긔담미어(奇談美語)를 젼ᄒᆞ여, 비록 만가지 소회(所懷) 이시나 광텬의 츈양(春陽) ᄀᆞᄐᆞᆫ 화긔(和氣)와 능녀(凌厲)[387]ᄒᆞᆫ 담쇠(談笑) ᄒᆞᆫ 번 웃기를 면치 못ᄒᆞᆯ 거시오, 희텬의 경운화풍지상(慶雲和風之像)[388]과 동일지ᄋᆡ(冬日之靄)[389]를 당ᄒᆞᆫ 즉 인심이 즐거오며 화평ᄒᆞ여 근심과 념녀를 물니칠 ᄇᆡ라. 부인이 냥ᄌᆞ의 디효(至孝)로 밧드ᄂᆞᆫ 졍셩을 보면 어엿브며 귀듕ᄒᆞ미 비ᄒᆞᆯ ᄃᆡ 업ᄉᆞᄃᆡ ᄆᆡ양 단엄(端嚴)이 경계 왈,

"너의 형【71】뎨 셰상의 나ᄆᆡ 엄안(嚴顔)을 아지 못ᄒᆞ고 훈교(訓敎)를 듯지 못ᄒᆞ여 약ᄒᆞᆫ ᄌᆞ모(慈母)와 어진 계부(季父)의 탐ᄋᆡ(耽愛)ᄒᆞᆷ만 바드니 두리ᄂᆞᆫ 곳과 거치ᄂᆞᆫ 거시 업셔, ᄒᆡᆼ실을 삼가지 아니코 유ᄒᆞᆨ(儒學)을 힘ᄡᅳ지 아니면, 경박ᄌᆞ(輕薄子) 되기를 면치 못ᄒᆞ리니, 희텬은 오히려 긔운이 나즉ᄒᆞ고 쳐신이 공겸뎡대(恭儉正大)ᄒᆞ여 그 ᄆᆞ음이 금옥(金玉)의 견고ᄒᆞ미 이시니 념녀로오미 업ᄉᆞᄃᆡ, 광텬은 만히 호방ᄒᆞ여 스ᄉᆞ로 긔운을 졔어(制御)치 못ᄒᆞ니 여모(汝母)[390]의 근심ᄒᆞᄂᆞᆫ ᄇᆡ라. 모로미 공ᄆᆡᆼ지교(孔孟之敎)를 법측(法則)ᄒᆞ여[391] 남이 다 무부지ᄌᆡ(無父之子)나 ᄒᆡᆼ실이 슉연(肅然)타 ᄒᆞ면 내 엇디 깃브디 아니리오."

언파의 기리 탄식ᄒᆞ니 공ᄌᆡ 쳑연 ᄌᆡᄇᆡ슈명(再拜受命)ᄒᆞ고 광텬【72】이 튱텬댱긔(衝天壯氣)를 만히 쥬리잡ᄂᆞᆫ[392] ᄇᆡ로ᄃᆡ 능히 희텬의 단엄온듕(端嚴穩重)ᄒᆞ기를 밋지

는 모양..

387)능녀(凌厲) : 아주 뛰어나게 훌륭하다.

388)경운화풍지상(慶雲和風之像) : 상서로운 구름과 화창한 바람과 같은 기상(氣像).

389)동일지ᄋᆡ(冬日之靄) : 겨울날의 아지랑이.

390)여모(汝母) : 너의 어머니, 네 어미.

391)법측(法則)ᄒᆞ다 : 법칙을 삼다. 법받다. 본받다.

392)쥬리잡다 : '쥬리다[줄이다]'와 '잡다'가 합해진 말. 줄여 잡다. 누그러뜨리다.

음을 찬조ᄒᆞ며 어리롭고[398] 풍화(豊和)ᄒᆞ미 일만 근심을 품엇든 ᄌᆡ라도 ᄒᆞᆫ 번 웃기을 면치 못ᄒᆞᆯ 바오, ᄎᆞ공ᄌᆞ의 ᄌᆞ약온화(自若溫和)[399]ᄒᆞ고 안셔(安舒) 나작한[400] 거동(擧動)은 ᄒᆡᆼ인이라도 무심이 지나지 못ᄒᆞᆯ지라. 양공ᄌᆞ을 ᄃᆡᄒᆞ【78】면 ᄌᆞ연 ᄆᆞ음이 화평ᄒᆞ고 우음이 나니, 부인의 ᄋᆡ듕(愛重)ᄒᆞ미 비길 ᄃᆡ 업ᄉᆞᄃᆡ, ᄆᆡ양 ᄉᆞ랑을 존졀(撙節)ᄒᆞ고[401] 경계 왈,

"너의 형뎨 셰상의 나ᄆᆡ 엄안(嚴顔)을 모로고 교훈을 듯지 못ᄒᆞ여, ᄌᆞ모(慈母)의 나약ᄒᆞᆷ과 계부(季父)의 과ᄋᆡ(過愛)ᄒᆞ심만 바드니 조심ᄒᆞ며 두릴 거시 업ᄂᆞᆫ지라. 희아ᄂᆞᆫ 오히려 념네(念慮) 젹거니와, 광텽은 호방ᄒᆞᆫ 긔운을 억졔치 못ᄒᆞᆯ진ᄃᆡ 경박탕ᄌᆡ(輕薄蕩子) 되미 쉬우리니, 쳐신(處身)을 졍도(正道)로 ᄒᆞ고 언ᄒᆡᆼ(言行)을 옥(玉)갓치 ᄒᆞ여 남이 다 무부지ᄌᆡ(無父之子)나 ᄒᆡᆼ실이 특연(特然)타[402] 이르면, ᄂᆡ 엇지 깃부지 아니리오."

언파의 기리 탄식ᄒᆞ니 공ᄌᆡ, 쳑연이 안ᄉᆡᆨ을 곳쳐 ᄌᆡᄇᆡ수명(再拜受命)ᄒᆞᄆᆡ 츙쳔장긔(衝天壯氣)을 만이 장츅(藏縮)[403]ᄒᆞ나 마춤ᄂᆡ 희쳔의 온듕단아(穩重端雅)ᄒᆞ믄 밋지 못

397)풍ᄉᆡᆼ(風生) : 의론이나 재주 따위가 계속 나옴.

398) 어리롭다 : 아리땁다. 귀엽다.

399)ᄌᆞ약온화(自若溫和) : 침착하고 온화함.

400)나작하다 : 나즉하다. 나직하다. 위치나 소리가 높지 않고 낮다.

401)존졀(撙節)ᄒᆞ다 : 알맞게 절제하다. 씀씀이를 아껴 알맞게 쓰다.

402)특연(特然)하다 : 특별하다.

403)장츅(藏縮) : 감추고 줄임.

못ᄒᆞ더라.

태우의 댱녀(長女) 경ᄋᆞ의 시년(時年)이 심삼의 니르니 ᄌᆡ용(才容)이 졀셰(絶世)ᄒᆞ여 홍ᄆᆡ(紅梅) 납셜(臘雪)393)을 무릅 ᄡᅳ고 곤산(崑山)의 미옥(美玉)을 공교히 다ᄃᆞᆷ아 ᄎᆡ식(彩色)을 몌온394) 듯, 별 ᄀᆞᆺᄐᆞᆫ ᄲᅣᆼ안(雙眼)과 쵸월(初月)395) ᄀᆞᆺᄐᆞᆫ 아미(蛾眉) 춍아(寵兒)396)ᄒᆞᆫ ᄌᆡ졍(才情)397)을 ᄀᆞᆷ초고 도화냥협(桃花兩頰)398)과 단ᄉᆞ잉슌(丹砂櫻脣)399)의 ᄌᆞᄐᆡ 황홀(恍惚)ᄒᆞ여 견ᄌᆞ로 ᄒᆞ여금 ᄉᆞ랑ᄒᆞ믈 니긔지 못ᄒᆞᆯ더라. 다만 경ᄋᆞ의 ᄒᆞᆫ 조각 심졍(心情)이 현슉ᄒᆞ믈 엇디 못ᄒᆞ여 은악양션(隱惡佯善)ᄒᆞ고 투현질능(妬賢嫉能)ᄒᆞ여 ᄂᆡ외 가ᄌᆞᆨ지 못ᄒᆞ니, 그 부친 윤태위 ᄯᆞᆯ의 어지지 못ᄒᆞ믈 아지 못ᄒᆞ나 ᄆᆡ양 나모라ᄒᆞ여 왈,

"용모거동(容貌擧動)이 일분(一分)도 우【73】리 집을 담지 아냣다."

ᄒᆞ여 ᄋᆡ듕ᄒᆞ미 현ᄋᆞ만 못ᄒᆞ나, 임의 댱셩ᄒᆞᄆᆡ 위시 가셔(佳壻)를 ᄐᆡᆨᄒᆞ라 ᄌᆡ촉ᄒᆞ니, 태위 슈명(受命)ᄒᆞ여 츄밀샤(樞密使) 셕화의 뎨 삼ᄌᆞ 쥰과 셩친(成親)ᄒᆞ니, 이곳 개국공신(開國功臣) 셕슈신(石守信)400)의 손이러라.

393)납셜(臘雪) : 납일(臘日: 동지 뒤의 셋째 술일[戌日]로, 이날 조상이나 종묘, 사직 등에 제사를 지냈다)에 내리는 눈.
394)몌오다 : 메우다. 채우다. 여기서는 '칠하다'의 뜻.
395)쵸월(初月) : 초승달.
396)춍아(寵兒) : 특별한 사랑을 받는 사람.
397)ᄌᆡ졍(才情) : 재치. 재치 있는 생각.
398)도화냥협(桃花兩頰) : 복숭아꽃처럼 붉은 두 빰.
399)단ᄉᆞ잉슌(丹砂櫻脣) : 주사(朱砂)나 앵두처럼 붉은 입술.
400)셕수신(石守信) : 후주(後周)와 송초(宋初)의 무장(武將). 후주에서 홍주방어사(洪州防禦使)를 지냈고 송 태조(太祖) 때 위국공(魏國公)에 봉해졌다.

ᄒᆞ더라.

타[ᄐᆡ]우의 장녀 경ᄋᆡ 십습셰의 이르니 ᄌᆡ품(才品)이 졀셰(絶世)ᄒᆞ여 홍ᄆᆡ(紅梅) 납셜(臘雪)404)을 무릅스고 곤강미옥(崑岡美玉)을 ᄎᆡ식ᄒᆞᆫ 닷, 효셩쌍안(曉星雙眼)405)과 초월아미(初月蛾眉)406)며 도화양협(桃花兩頰)407)의 진ᄉᆞᄋᆡ[잉]슌(辰砂櫻脣)408)이 ᄌᆞᄐᆡ 활[황]홀(恍惚)ᄒᆞ여, 소져의 용모을 보나니ᄂᆞᆫ ᄉᆞ랑ᄒᆞ믈 이긔지 못ᄒᆞᄂᆞᆫ지라. 다만 ᄒᆞᆫ 조각 현숙(賢淑)지 못ᄒᆞ여 은악양선(隱惡佯善)ᄒᆞ고 투현질능(妬賢嫉能)ᄒᆞ여 ᄂᆡ심이 가ᄌᆞᆨ지 못ᄒᆞ니, 부친이 비록 그 ᄯᆞᆯ의 과악(過惡)을 모르나 ᄆᆡ양 나모라고, 용모거동(容貌擧動)도 우리 집【79】을 담지 아냣다 ᄒᆞ여 ᄋᆡ듕(愛重)ᄒᆞ미 현아만 못ᄒᆞ○○[다 하]더니, 장셩(長成)ᄒᆞᄆᆡ 위시 가셔(佳壻)을 ᄐᆡᆨᄒᆞ라 ᄎᆡᆨ(責)ᄒᆞ니, ᄐᆡ우 승명(承命)ᄒᆞ고 가서을 ᄐᆡᆨᄒᆞᆯ ᄉᆡ, 츄밀ᄉᆞ(樞密使) 셕화의 제숨ᄌᆞ 셕쥰과 셩친(成親)ᄒᆞ니 이 곳 ᄀᆡ국공신(開國功臣) 셕수신(石守信)409)의 손(孫)이라.

404)납셜(臘雪) : 납일(臘日: 동지 뒤의 셋째 술일[戌日]로, 이날 조상이나 종묘, 사직 등에 제사를 지냈다)에 내리는 눈.
405)효셩쌍안(曉星雙眼) : 새벽별처럼 반짝이는 두 눈.
406)초월아미(初月蛾眉) : 초승달처럼 아름다운 눈썹.
407)도화양협(桃花兩頰) : 복숭아꽃처럼 붉은 두 빰.
408)진ᄉᆞ잉슌(辰砂櫻脣) : 주사(朱砂)나 앵두처럼 붉은 입술.
409)셕수신(石守信) : 후주(後周)와 송초(宋初)의 무장(武將). 후주에서 홍주방어사(洪州防禦使)를 지냈고 송 태조(太祖) 때 위국공(魏國公)에 봉해졌다.

명듀보월빙 권디삼

어시의 윤태위 모명(母命)을 밧드러 경ᄋᆞ를 셩혼(成婚)ᄒᆞᆯᄉᆡ 셕화의 뎨삼ᄌᆞ 쥰 과 친을 일우니 이 곳 개국공신 대댱군(大將軍) 셕슈신(石守信)의 손이라. 사ᄅᆞᆷ되오미 굉걸뇌락(宏傑磊落)[401] ᄒᆞ고 풍신(風神)이 늠연쇄락(凜然灑落)ᄒᆞ며 문댱이 ᄲᆡ혀나고 셩질이 엄녈(嚴烈) 싁싁ᄒᆞ니, 태위 뜻의 ᄎᆞᆫ 셔랑을 어드ᄆᆡ 만심흔열(滿心欣悅)ᄒᆞ고, 셕부의셔 ᄌᆞ부(子婦)를 보고 그 졀염미모(絶艶美貌)를 ᄉᆞ랑ᄒᆞ나, 셕ᄉᆡᆼ이 윤 쇼져로 더브러 은졍이 흡연치 못하여, 쳐음은 오히려 부부뉸의(夫婦倫義)를 폐치 아니터니, ᄒᆡ 밧고이고 ᄃᆞᆯ이 오라매 졈졈 염고(厭苦)ᄒᆞ여 힝노(行路) 보 【1】 ᄃᆞᆺᄒᆞ니, 셕츄밀 부뷔 칙ᄒᆞᄃᆡ 부부은졍을 능히 강쟉(强作)지 못ᄒᆞ고 윤부의셔 쇼져를 다려와 신방(神房)을 빅셜(排設)ᄒᆞ고 셕ᄉᆡᆼ을 쳥ᄒᆞ면, 셕ᄉᆡᆼ이 ᄉᆞ양치 아니코 슌슌(順順)[402] 니르러 그 악댱(岳丈)과 광텬 등으로 더브러 외당의 머믈고 신방으로 드러가라 ᄒᆞ면 쇼이ᄃᆡ왈(笑而對曰),

"쇼ᄉᆡᆼ이 악댱(岳丈)의 동상(東床)[403]을 모쳠(冒忝)[404]ᄒᆞ여 팔구삭지내(八九朔之內)의 반양지되(潘楊之道)[405] 임의 슉진(熟盡)[406]ᄒᆞ고 ᄒᆡ를 밧고앗ᄂᆞᆫ디라. 의앙지졍

셕ᄉᆡᆼ의 ᄌᆞᄂᆞᆫ ᄌᆞ횡이니 ᄉᆞ람되오미 굉걸쇄락(宏傑灑落)[410]ᄒᆞ고 풍신(風神)이 늠연쇄락(凜然灑落)ᄒᆞ니, ᄒᆞ믈며 문장이 ᄲᅡ혀나고 성질이 엄녈씩씩ᄒᆞ니, ᄐᆡ위 뜻의 찬 셔랑(壻郎)을 어드ᄆᆡ 만심환열(滿心歡悅)ᄒᆞ고, 석부의셔 ᄌᆞ부을 보고 그 졀념미모(絶艶美貌)을 ᄉᆞ랑ᄒᆞ나 셕ᄉᆡᆼ이 윤소져로 은졍이 흡연치 못ᄒᆞ여 쳐음은 오히려 부부윤의(夫婦倫義)을 폐치 아니터니, ᄒᆡ 밧고이고 달이 오ᄅᆡᄆᆡ 졈졈 염고(厭苦)ᄒᆞ여 힝노(行路)보듯ᄒᆞ니, 셕츄밀 부ᄌᆡ 칙ᄒᆞᄃᆡ 부부금슬(夫婦琴瑟)○[을]을 능히 강작(强作)지 못ᄒᆞ고, 윤부의셔 소져을 다려와 신방(新房)을 빅셜(排設)ᄒᆞ고 석ᄉᆡᆼ을 청ᄒᆞ면 ᄉᆡᆼ이 외당의 나와 그 악장(岳丈) 《ᄐᆡ장ᄐᆡ우 ‖ ᄐᆡ중ᄐᆡ우(太中大夫)》·광텬·희텬 등으로 더부러 지ᄂᆡ고, 신방의 드르가지 아니ᄒᆞ니, ᄐᆡ위(大夫) 신방으로 드러가기을 권ᄒᆞ면 ᄉᆡᆼ이 웃고 ᄃᆡ답ᄒᆞ여 갈오ᄃᆡ,

"악장의 동상(東床)[411]을 모쳠(冒忝)ᄒᆞ와 반ᄌᆞ(半子)[412]의 정(情)이 팔구삭(八九朔)의 소ᄉᆡᆼ ᄉᆞ랑ᄒᆞ시미 지극ᄒᆞ시니, 후의(厚誼)을 감격ᄒᆞ오니 엇지 심곡(心曲)을 은휘(隱諱)ᄒᆞ리잇고? 소ᄉᆡᆼ의 나히 겨유 삼 【80】 오(三五) 되고, 실인(室人)이 이칠(二七)이라. 청츈녹발(靑春綠髮)이 머러시니 긴 셰월의 황[화]락(荒落)이 무궁(無窮)ᄒᆞᆯ지라. 소ᄉᆡᆼ이

---

401)굉걸뇌락(宏傑磊落) : 기개(氣概)가 크고 장(壯)하며 도량이 넓어 작은 일에 얽매이지 않음.

402)슌슌(順順)하다 : 고분고분하다.

403)동상(東床) : 동쪽 평상이라는 뜻으로, '사위'를 달리 이르는 말. 중국 진(晉)나라의 극감(郄鑒)이 사위를 고르는데, 왕도(王導)의 아들 가운데 동쪽 평상 위에서 배를 드러내고 누워 있는 왕희지를 골랐다는 고사에서 유래했다.

404)모쳠(冒忝) : 외람되게 어떤 자리에 끼어 수를 채우게 됨.

405)반양지되(潘楊之道) : '반(潘)씨와 양(楊)씨 사이의 도리(道理)'라는 뜻으로, 혼인(婚姻)으로 인척(姻戚) 관계(關係)가 된 성씨들 사이에 지켜야 할 도리, 곧 '인척간의 도리'를 말한다.

406)슉진(熟盡) : 다 이루어져 부족한 데가 없음.

410)굉걸쇄락(宏傑灑落) : 기개(氣概)가 크고 장(壯)하며 성품이 맑고 상쾌하다.

411)동상(東床) : 동쪽 평상이라는 뜻으로, '사위'를 달리 이르는 말. 중국 진(晉)나라의 극감(郄鑒)이 사위를 고르는데, 왕도(王導)의 아들 가운데 동쪽 평상 위에서 배를 드러내고 누워 있는 왕희지를 골랐다는 고사에서 유래했다.

412)반ᄌᆞ(半子) : 반자식. 아들이나 다름없이 여긴다는 뜻의 '반자지명(半子之名)'에서 온 말로, '사위'를 이르는 말.

(依仰之情)이 범연(凡然)치 아니ᄒᆞ고, 악당이 쇼ᄉᆡᆼ을 ᄉᆞ랑ᄒᆞ시미 지극ᄒᆞ시니 후의(厚誼)를 감격ᄒᆞᄂᆞ니, 엇디 심곡(心曲)을 은닉(隱匿)ᄒᆞ리잇고? 쇼ᄉᆡᆼ의 나히 계오 삼오(三五)요, 실인(室人)이 이칠(二七)이라. 청츈녹발(靑春綠髮)이 머【2】러시니 긴 셰월의 화락(和樂)이 무궁ᄒᆞ려니와, 아직은 고인의 유취디년(有娶之年)이 아니오, 쇼ᄉᆡᆼ이 ᄉᆡᆨ념(色念)이 ᄉᆞ연ᄒᆞ여[407] 부부은졍(夫婦恩情)을 아디 못ᄒᆞ오니 반ᄃᆞ시 나히 어린 연괴(緣故)라 악당은 신방동낙(新房同樂)을 권치 마르쇼셔."

태위(大夫) 셕ᄉᆡᆼ이 댱셩남ᄌᆞ(長成男子)로 부부ᄉᆞ졍(夫婦私情)을 모를 ᄇᆡ 아○[니]로ᄃᆡ, 반ᄃᆞ시 녀ᄋᆞ를 염박(厭薄)홈인 줄 ᄭᆡᄃᆞ라 다시 신방의 드러가라 권치 아니ᄒᆞ고, ᄌᆞ로 쳥ᄒᆞ여 외헌의셔 ᄒᆞᆫ가지로 머믈며 ᄉᆞ랑ᄒᆞ믈 친ᄌᆞᄀᆞᆺ치 ᄒᆞ니, 셕ᄉᆡᆼ이 그 악당의 관인댱ᄌᆡ(寬仁長者)믈 항복(降服)ᄒᆞ여 년긔브뎍(年紀不適)ᄒᆞ나 ᄯᅳᆺ인즉 셔로 맛가쟈[408] 지극ᄒᆞᆫ 옹셔간(翁壻間)이로ᄃᆡ, 그 악모(岳母)를 보면 젼혀 윤시와 ᄀᆞᆺᄐᆞ여, 어진【3】 쳬ᄒᆞᄂᆞᆫ 거동과 ᄂᆡ외 다른 형상이 보기의 분완(憤惋)ᄒᆞᆫ디라. 그윽이 ᄎᆞ셕(嗟惜)ᄒᆞ여 그 ᄌᆞ식이 십삭ᄐᆡ교(十朔胎敎)로 가믈 아라 태우의 어질므로ᄲᅧ 그 부인과 ᄯᆞᆯ이 블인(不仁)ᄒᆞ믈 한ᄒᆞ더라.

뉴부인이 경ᄋᆞ를 셩혼ᄒᆞᄆᆡ 셔랑의 풍ᄎᆡ(風彩) 호쥰(豪俊) ᄒᆞ나 그 안히를 염박ᄒᆞ고, 그 위인이 죵요롭지 못ᄒᆞ여 쳐모(妻母) ᄃᆡ졉이 일분 졍이 업셔 외헌의 와 여러 날 머믈 젹도 ᄂᆡ당의 ᄇᆡ견(拜見)ᄒᆞ믈 쳥치 아냐, 드러오라 ᄒᆞ면 얼프시 드러와 계오 슈어(數語)로 문답ᄒᆞ고 즉시 나가니, 크게 소원(所願)의 어긔여, ᄋᆡ 돏고 분ᄒᆞ믈 니긔지 못ᄒᆞ며, 경ᄋᆡ 구가의도 드므리 왕ᄂᆡᄒᆞ고, 본부의 이셔 셕ᄉᆡᆼ의 박【4】ᄃᆡ를 원망ᄒᆞ고 슬허 홍뉘(紅淚) 뉴미(柳眉)[409]를 좀으니, 위

407)ᄉᆞ연ᄒᆞ다 : 어떤 일을 하고자 하는 생각이나 욕구 따위가 전혀 없다.

408)맛갖다 : 알맞다. 잘 맞다.

ᄉᆡᆨ념(色念)이 ᄉᆞ연ᄒᆞ여[413] 부부은졍(夫婦恩情)을 아지 못ᄒᆞ오니 반다시 나히 어린 연괴(緣故)가 ᄒᆞᄂᆞ이다. 악장은 신방동노[낙](新房同樂)을 권치 마르소셔."

ᄐᆡ위 셕ᄉᆡᆼ이 셩장남ᄌᆞ(成長男子)로 부부상졍(夫婦常情)을 모를 ᄇᆡ 아니로ᄃᆡ, 반ᄃᆞ시 녀ᄋᆞ○[를] 염박(厭薄)홈인 쥴 ᄭᆡ다라 다시 신방의 드러가라 말이 업더라. 이후 ᄌᆞ로 쳥ᄒᆞ여 ᄉᆞ랑ᄒᆞ믈 친ᄌᆞ 갓치 ᄒᆞ니, 셕ᄉᆡᆼ이 그 악장의 관인장ᄌᆡ(寬仁長者)믈 항복(降服)ᄒᆞ여 년긔부젹(年紀不適)ᄒᆞ나 그 ᄯᅳᆺ인 즉 지극ᄒᆞᆫ 옹셔간(翁壻間)이로ᄃᆡ, 그 악모(岳母)을 보면 젼혀 윤시와 갓트여 ᄂᆡ외(內外) 다르믈 분완통ᄋᆡ[히](憤惋痛駭) ᄒᆞ더라. ᄐᆡ우의 어질무로 그 부인과 녀ᄋᆡ 이갓트믈 ᄎᆞ셕(嗟惜)ᄒᆞ더라.

뉴시 경ᄋᆞ을 셩혼(成婚)ᄒᆞᄆᆡ 셔랑(壻郞)의 풍ᄎᆡ(風彩)○…결락16자…○[호쥰(豪俊) ᄒᆞ나 그 안히를 염박ᄒᆞ고, 그 위인이] 죵요롭지 못ᄒᆞ여 쳐모(妻母) ᄃᆡ졉이 일분 졍이 업셔, 여러날 머무ᄃᆡ ᄇᆡ현ᄒᆞ믈 쳥치{치} 아냐, 마지못ᄒᆞ여 얼푸시 드러와 수어(數語)을 문답ᄒᆞ고 즉시 나가니, 소원(所願)의 크게 어긔며 경ᄋᆡ 구가의도 드무리 왕ᄂᆡᄒᆞ고, 본부의셔 셕ᄉᆡᆼ을 원망ᄒᆞ고 슬허 홍쉬(紅水)[414] 유미(柳眉)[415]을 잠으니, 위시 ᄐᆡ우을 원망ᄒᆞ며

413)ᄉᆞ연ᄒᆞ다 : 어떤 일을 하고자 하는 생각이나 욕구 따위가 전혀 없다.

414)홍쉬(紅水) : 붉은 눈물. 피눈물. 몹시 슬프고 분하여 나는 눈물.

415)유미(柳眉) : 버들잎 같은 눈썹이란 뜻으로, 미인

부인이 태우를 ᄭᅮ지져 ᄐᆡᆨ셔(擇壻) 잘못ᄒᆞ여 시믈 한(恨)ᄒᆞ니, 태위 도로혀 웃고 고왈,

"부부ᄉᆞ졍은 임의로 못ᄒᆞ옵ᄂᆞ니, 져희 아ᄃᆡᆨ 최소(最少)ᄒᆞᆫ ᄋᆞ희들이라 쟝ᄂᆡ(將來) 나히 ᄎᆞ고 혬이 나면 ᄌᆞ연 화락ᄒᆞ오리니, ᄌᆞ위ᄂᆞᆫ 이런 일의 셩녀(聖慮)를 번거로이 마르쇼셔."

위시 심심 블낙ᄒᆞ더라.

일일은 위시 고식(姑媳)이 상ᄃᆡᄒᆞ여 조부인 모ᄌᆞ녀(母子女) 업시ᄒᆞᆯ 계규(計規) 를 의논ᄒᆞᆯᄉᆡ, 위시 왈,

"엇디ᄒᆞ면 현뷔(賢婦) 긔ᄌᆞ(奇子)를 ᄉᆡᆼᄒᆞ여 윤가 종통(宗統)을 닛게 ᄒᆞ고 조시 모ᄌᆞ녀를 아오로 업시ᄒᆞᆫ 후, 현부로 ᄒᆞ여곰 윤부 죵부(宗婦)를 삼아 일가(一家)의 듕망(衆望)이 온【5】젼케 ᄒᆞ고, 십만ᄌᆡ산(十萬財産)이 ᄌᆞ손으로 ᄒᆞ여곰 난호ᄂᆞᆫ 일이 업게 ᄒᆞ여 부ᄌᆡ(父子) 안락케 ᄒᆞ리오. 노뫼(老母) 초년브터 황시의 아ᄅᆡ 거ᄒᆞ여 ᄌᆡ실(再室)의 욕되믈 ᄎᆞᆷ고, 황시 현을 몬져 나코 노뫼 슈년 후 슈를 나흐니, 션군(先君)의 ᄉᆞ랑이 간격지 아니나, 종당(宗長)410)의 듕ᄒᆞ므로뼈 ᄆᆡ양 현을 더ᄒᆞ고 일가의 츄듕(推重)이 현의 몸의 이시니, 분ᄒᆞ고 믜오미 친히 칼노 디르고 시브나 능히 ᄆᆞ음과 ᄀᆞᆺ디 못ᄒᆞ다가, 션군과 황시 기셰(棄世)ᄒᆞ고 현과 슈만 이시니, 슈의 뜻이 조금이나 노모와 ᄀᆞᆺ흘진ᄃᆡ, 현을 발셔 금국의 가기 젼의 한을 프러실 거시로ᄃᆡ, 슈의 어리고 탄탕(坦蕩)411)ᄒᆞ기 눈쳐를 모로고, ᄃᆡᆨ심(直心)의 쥬변412)【6】업시 어딜미 현을 엄부ᄀᆞᆺ치 셤기다가 죽으ᄆᆡ 셜워ᄒᆞ기를 효ᄌᆡ 친상을 만남 ᄀᆞᆺ치 ᄒᆞ여, 간악ᄒᆞᆫ 조시를 날과 ᄀᆞᆺ치 셤기고 광텬 등 ᄉᆞ랑ᄒᆞ미 실노 현이 이셔도 그ᄃᆡ도록든 아닐 거시오, 노뫼 뜻을 빗최지 못ᄒᆞ여 이

409)뉴미(柳眉) : 버들잎 같은 눈썹이란 뜻으로, 미인의 눈썹을 이르는 말.

410)종당(宗長) : 한 집안의 종통계승권을 가진 적장자(嫡長子).

411)탄탕(坦蕩) : 마음이 치우치거나 얽매이지 않고 평평(平平)하고 편안함.

412)쥬변 : 일을 주선하거나 변통함. 또는 그런 재주.

뉴시다려 왈,

"이졔 조시 간악(奸惡)ᄒᆞ여 ᄒᆡ(害)키 어려오니 조시 모녀을 엇지ᄒᆞ【81】면 업시ᄒᆞ며 십만ᄌᆡ산(十萬財産)이 ᄂᆡ 아희게 도라오리오. 노뫼 초년(初年)부터 황시 아ᄅᆡ 거ᄒᆞ여, ᄌᆡ실(再室)의 유[욕]되믈 참고, 황시 현을 몬져 낫코 노뫼 수년 후의 슈을 나흐니, 종당[댱](宗長)416)의 듕흠으로 ᄆᆡ양 현을 더ᄒᆞ고 슈을 후희417) ᄒᆞ니, ᄆᆡ양 칼노 지르고져 시부더니, 션군(先君)과 황시 죽으며 현이 업시니 싀훤ᄒᆞ나, 쉬 공연이 슬허 엄부상(嚴父喪)을 만남 갓트니, 간악ᄒᆞᆫ 조시을 날과 갓치 셤기고, 광텬 등(等) ᄉᆞ랑ᄒᆞ미 실노 현이 잇셔도 긔에셔 더으지 못ᄒᆞ리니, 다못 우리 고식이 졍(情)을 폐고418) 심담(心膽)이 상됴(相照)호니, 조시 ᄉᆞ모ᄌᆞ(四母子)을 다 죽여 ᄆᆡ친 분을 셜ᄒᆞ고, 현뷔 아들을 두지 못ᄒᆞ면 일가의 아름다온 아희을 어더 슈의 명녕(螟蛉419))을 뎡ᄒᆞ리라."

의 눈썹을 이르는 말.

416)종당(宗長) : 한 집안의 종통계승권을 가진 적장자(嫡長子).

417)후희 : 후에, 뒤에.

418)폐고 : 펴고.

419)명녕(螟蛉) : 나비와 나방의 '애벌레'. '나나니'('구멍벌'과에 속한 곤충)가 '명령(螟蛉)'을 업어 기른다는 데서 온 말로, 타성(他姓)에서 맞아들인 양자(養子)를 이르는 말.

런 말 곳 드르면 죽으려 홀 거시니, 다만 우리 고식이 경을 펴고 심담(心膽)이 샹됴(相照)ᄒᆞ니, 힘을 다ᄒᆞ고 계교를 의논ᄒᆞ여 조시 모ᄌᆞ를 아오로 욕장을 ᄆᆡᆫᄃᆞ라 평싱의 ᄆᆡ친 분을 쾌히 ᄒᆞ고, 현뷔 블힝ᄒᆞ여 ᄋᆞ돌을 두지 못ᄒᆞ면 일가의 아름다온 ᄋᆞ돌을 어더 슈의 명녕(螟蛉)413)을 뎡(定)ᄒᆞ면 슈의 ᄋᆞ돌이오 나의 손ᄌᆡ니, 황시의 쇼싱 ᄌᆞ손【7】이 업셔지면 엇지 쾌치 아니리오."

뉴시 쳑연 탄식 ᄃᆡ왈,

"존고(尊姑)의 가군(家君)을 위ᄒᆞ신 념녀와 쳡을 ᄋᆡ휼(愛恤)ᄒᆞ시는 셩덕이 가지록 더ᄒᆞ시니, 쳡을[은] ᄀᆞᆨ골감은(刻骨感恩)ᄒᆞ여 경셩과 힘을 다ᄒᆞ와 셩교를 밧들고져 ᄒᆞ오ᄃᆡ, 일이 ᄆᆞ옴과 ᄀᆞᆺ치 되디 아니ᄒᆞ오니 ᄒᆞᆫ갓 심녁만 허비ᄒᆞ올 ᄲᅮᆫ이라. ᄒᆞ믈며 가군이 쳡의 모녀를 힝노 보ᄃᆞᆺᄒᆞ고, 젼혀 쥬(主)ᄒᆞᆫ ᄇᆡ 광텬 형데와 조시 모녜라. 경ᄋᆞ를 셩가ᄒᆞ여 셕낭의 박ᄃᆡ ᄎᆞ악(嗟愕)ᄒᆞᄃᆡ, 일분 잔잉히 넉이는 의ᄉᆡ 업스니 비인졍의 ᄀᆞᆺ갑거놀, 셕낭을 ᄉᆞ랑ᄒᆞ고 경ᄋᆞ를 본ᄃᆡ ᄆᆡ워ᄒᆞ니, 텬하의 그런 인졍이 어ᄃᆡ 이시리잇고? 존고긔도 오【8】히려 조시 모ᄌᆞ 향ᄒᆞᆫ ᄆᆞ옴만 못ᄒᆞ고, 원간414) 알기를, 조시는 녀듕군ᄌᆞ(女中君子)로 알고 존고는 ᄉᆞ리 모르는 편으로 최옵ᄂᆞ니415), 실노 존고를 업슈히 녁이미라. 존괴 가군을 부듕(府中)의 두시고는 아모 일도 ᄆᆞ옴으로 못ᄒᆞ실 거시니. 국ᄉᆞ(國事)로ᄲᅧ 먼니 나가게 ᄒᆞ고 거리ᄭᅵᆯ 거시 업시 ᄒᆞᆫ 후의 조시 모ᄌᆞ녀를 죽이미 맛당홀가 ᄒᆞᄂᆞ이다."

위시 극악흉패지인(極惡凶悖之人)이나, 태우는 ᄡᅥ나고져 아니ᄒᆞ고, 상셰 국ᄉᆞ로 나가 죽어시ᄆᆡ ᄂᆡ여보ᄂᆡ기 ᄉᆞ외로416) 녁여 니르ᄃᆡ,

413)명녕(螟蛉) : 나비와 나방의 '애벌레'. '나나니'('구멍벌'과에 속한 곤충)가 '명령(螟蛉)'을 업어 기른다는 데서 온 말로, 타성(他姓)에서 맞아들인 양자(養子)를 이르는 말.
414)원간 : 워낙.
415)츼다 : 치다. 어떠한 상태라고 인정(認定)하다.
416)ᄉᆞ외하다 : 꺼림하다. 꺼림칙하다.

뉴시 쳑연 ᄃᆡ왈

"존괴(尊姑) 가군(家君) 위ᄒᆞ신 념녀와 쳡을 ᄉᆞ랑ᄒᆞ시는 ᄇᆡ 각골감은(刻骨感恩)ᄒᆞ오나, 쳡의 모녀을 힝노(行路) ᄀᆞᆺ치 알고 젼주(專主)ᄒᆞᆫ ᄇᆡ 광텬 남ᄆᆡ니, 경ᄋᆞ을 셩가(成家)ᄒᆞ와 셕낭의 박ᄃᆡ(薄待) 어ᄃᆡ 잇시릿가? 존고긔도 오히려 경셩이 조시 모ᄌᆞ 향ᄒᆞ니만 못ᄒᆞ오니, 원간420) 알기을 조시는 녀듕군ᄌᆞ(女中君子)로 알고 존고는 ᄉᆞ리 모로는 편으로 《치우니∥치오니421)》, 그는 망형(亡兄)을 ᄉᆡᆼ각ᄒᆞ여 그러ᄒᆞ거니와 존고을 업수히 녁이미 아니라. 존괴 가군을 두시고는 아모【82】 일도 못ᄒᆞ실 거시니, 국ᄉᆞ(國事)로 말ᄆᆡ아마 멀니 가게 ᄒᆞ고 거리ᄭᅵᆯ 일이 업ᄉᆞᆫ 후의 조시 모ᄌᆞ을 죽이미 가홀가 ᄒᆞ나이다."

위시 극악(極惡)ᄒᆞ나 ᄐᆡ우는 ᄡᅥ나고져 아닛는지라. 상셔 국ᄉᆞ로 나가 죽어시ᄆᆡ ᄉᆞ외로이422) 녁여 ○…결락18자…○[니르ᄃᆡ,

"현이 금국의 가 맛는 거동을 보니 슈는]아모ᄃᆡ도 보ᄂᆡ지 말고져 ᄒᆞ니, 집의 두고 조시 모녀을 업시코져 ᄒᆞ노라.

420)원간 : 워낙.
421)치다 : 어떠한 상태라고 인정(認定)하다.
422)ᄉᆞ외로이 : 꺼림칙이, 매우 꺼림하게.

"현이 금국의 가 맛ᄂᆞᆫ 거동을 보니 슈ᄂᆞᆫ 아모ᄃᆡ도 가지 말고져 ᄒᆞᄂᆞ니, 집의 두고 조시 모ᄌᆞ녀를 업시코져 ᄒᆞ노라."

뉴시 ᄃᆡ왈,

"샹공이 집의 이신 후【9】ᄂᆞᆫ 쳔ᄇᆡᆨ년(千百年)이라도 존고의 ᄆᆞ음을 펴실 길히 업ᄉᆞ리니 므ᄉᆞᆫ 계교로 조시 모ᄌᆞ녀를 업시ᄒᆞᆯ 계교를 ᄒᆞ시리잇고? 슉슉(叔叔)은 금국(金國) 위험지디(危險之地)의 가시ᄆᆡ 죽어계시거니와, 가군이야 평안ᄒᆞᆫ 고을을 ᄀᆞᆯ희여 가면 엇디 념녀 이시리잇고? 아모 길노나 금은(金銀)을 드리고 가군을 먼니 보ᄂᆡᄂᆞᆫ 거시 올흘가 ᄒᆞᄂᆞ이다."

위시 ᄎᆞ언은 낙죵(諾從)치 아니ᄒᆞ여 다만 유유히 다시 의논ᄒᆞ여 그리 ᄒᆞᄌᆞ ᄒᆞ더라.

화표(話表) 션시(先時)의 태우 하진의 벼슬이 놉하 병부샹셔 문연각 태ᄒᆞᆨᄉᆞ(兵部尙書文淵閣太學士)의 니르니, 긔졀아망(氣節雅望)이 일셰의 츄앙ᄒᆞ는 ᄇᆡ오, 샹툥(上寵)이 늉셩ᄒᆞ샤 만됴(滿朝)의 소ᄉᆞ나니, 하공이 본ᄃᆡ 긔개(氣槪) 과인(過人)ᄒᆞ여, 군젼의 소견(所見)을 은닉ᄒᆞᄂᆞᆫ【10】 일이 업고, 질악(嫉惡)[417]을 여슈(如讐)[418] ᄒᆞ여 ᄉᆞ군지되(事君之道) 한어ᄉᆞ(漢御使) 급암(汲黯)[419]과 당상(唐相) 위즁[징](魏徵)[420]의 풍(風)이 이시니, 현ᄌᆞᄂᆞᆫ 븟좃고 악ᄌᆞᄂᆞᆫ 만히 ᄡᅥ려 ᄒᆡ(害)ᄒᆞ기를 도모ᄒᆞ니, 금평후 뎡ᄉᆞ도와 윤태위 알고 하상셔를 ᄃᆡᄒᆞ여 너모 강엄(剛嚴)ᄒᆞ여 사ᄅᆞᆷ의 ᄒᆡ를 닙지 말나 ᄒᆞ니, 하상셰 개연이 웃고 왈,

"댱뷔 간인의 모ᄒᆡ를 두려 소견을 움치고 군젼의 아당(阿黨)ᄒᆞᆯ 거시 아니라."

뉴시 왈,

"상공이 잇슨 후ᄂᆞᆫ 쳔년(千年)이라도 존고의 마음을 펴시고ᄌᆞ ᄯᅳᆺ슬 일울 ᄃᆡ 업스리다."

위시 ᄃᆡ왈,

"무슴 도리로 조시 모ᄌᆞ녀을 업시ᄒᆞ리오."

뉴시 왈,

"숙숙은 금국의 가시기로 죽어 도라왓거니와 가군이야 명산(名山)의 평안ᄒᆞᆫ 곳의 갈히여 가면 업[엇]지 념녀ᄒᆞ리오. 금은(金銀)을 드리고 가군을 멀니 보ᄂᆡ미 조흘가 ᄒᆞᄂᆞ이다."

위시 ᄎᆞ언(此言)을 듯고 낙종(諾從)치 아냐 다시 의논ᄒᆞ여 그리ᄒᆞᄌᆞ ᄒᆞ더라.

션시의 ᄐᆡ우 하진이 즁ᄌᆞᆨ(重爵)ᄒᆞ여 병부상셔 문연각 ᄐᆡ학ᄉᆞ(兵部尙書文淵閣太學士)의 올나 긔졀(氣節)이 일셰 츄앙(推仰)ᄒᆞ고 상춍(上寵)이 융듕(隆重)ᄒᆞᄉᆞ 양ᄉᆡ(良士) 동지(同志)ᄒᆞ고 간인(奸人)은 ᄡᅳ려 ᄒᆡ코져 ᄒᆞ니, 금평후와 윤ᄐᆡ우 알고 하상셔을 ᄃᆡᄒᆞ여 너무 강엄(剛嚴)ᄒᆞ야 간인의 ᄒᆡ을 입지 말나 ○○[ᄒᆞ니], 하상셔 소왈,

"장뷔 간인의 모ᄒᆡ을 두리고 군젼의 아당(阿黨)ᄒᆞᆯ 거시 아니라."

417)질악(嫉惡) : 악을 미워함.

418)여수(如讐) : 원수처럼 미워함.

419)급암(汲黯) : ?~B.C.112. 중국 전한(前漢) 무제 때의 간신(諫臣). 자는 장유(長孺). 성정이 엄격하고 직간(直諫)을 잘하여 무제로부터 '사직(社稷)의 신하'라는 말을 들었다.

420)위징(魏徵) : 580~643. 중국 당나라 초기의 공신(功臣)·학자. 자는 현성(玄成). 현무문의 변(變) 이후, 태종을 모시고 간의대부가 되었다

ᄒᆞ니, 윤・뎡 이공이 ᄀᆞᆯ오ᄃᆡ,

"사ᄅᆞᆷ이 허믈이 이시나 과도히 허믈을 삼아 살육(殺戮)을 권ᄒᆞ미 치군요슌(致君堯舜)421) ᄒᆞᄂᆞᆫ 도리 아닌가 ᄒᆞ노라."

하상셰 ᄯᅩᄒᆞᆫ 웃고 그러히 넉이며 태우 윤공과 졍의심밀(情誼深密)ᄒᆞ여 윤상셰 기셰(棄世)ᄒᆞᆫ 후로【11】ᄂᆞᆫ 태위 심ᄉᆞ(心思) 디향(指向)치 못ᄒᆞ니, 하공이 윤부의 아니가ᄂᆞᆫ 날은 태위 하부의 가 담화ᄒᆞ며, 뎡부ᄂᆞᆫ ᄉᆞ이 먼 고로 츄[츅]일상죵(逐日相從)422)치 못ᄒᆞ며, 뎡공이 슌 일의 ᄒᆞᆫ 번식 윤・하 냥부(兩府)의 왕ᄂᆡᄒᆞ니, 광텬 등이 졈졈 ᄌᆞ라 크게 비상ᄒᆞ믈 ᄋᆡ경(愛慶)423)ᄒᆞ여 뎡ᄉᆞ도ᄂᆞᆫ 광텬으로 셔랑(壻郞)을 삼고 하상셰ᄂᆞᆫ 희텬으로ᄡᅧ 뎡혼(定婚)ᄒᆞ여 망우(亡友)의 ᄠᅳᆺ을 져ᄇᆞ리지 아니려 ᄒᆞ더라.

하상셰의 부인 됴시 여러 ᄌᆞ녀를 ᄉᆡᆼ산ᄒᆞ여 개개히 옥슈경화(玉樹瓊花)424)ᄀᆞᆺᄒᆞ니 댱ᄌᆞ 원경의 ᄌᆞᄂᆞᆫ 《원보오∥ᄌᆞ안이오》, ᄎᆞ○○○○[ᄌᆞ 원보의] ᄌᆞᄂᆞᆫ ᄌᆞ상이요, 삼ᄌᆞ 원상의 ᄌᆞᄂᆞᆫ 죵이니, 원경은 십칠셰오 원보ᄂᆞᆫ 십오셰오 원상은 십셰라. 금츈(今春)의 원경의 곤계(昆季) 뇽방(龍榜)425)의 오르ᄆᆡ 풍ᄎᆡ(風彩) 헌앙(軒昻)ᄒᆞ【12】여 관옥승상(冠玉勝像)426)이어ᄂᆞᆯ 신댱(身長)이 셕대(碩大)ᄒᆞ여 팔쳑댱부(八尺丈夫)의 긔상(氣像)이오, 문한(文翰)이 유여(裕餘)ᄒᆞ여 ᄌᆞ건(子建)의 칠보시(七步詩)427)와 니ᄇᆡᆨ(李白)의 쳥평

421)치군요슌(致君堯舜) : 임금이 요(堯)・순(舜)과 같은 성군(聖君)이 되도록 충성을 다해 보필함.

422)츅일상죵(逐日相從) : 하루고 거르지 않고 날마다 서로 찾아 친하게 지냄.

423)ᄋᆡ경(愛慶) : 사랑하고 기뻐함.

424)옥슈경화(玉樹瓊花) : 옥처럼 아름다운 '나무'와 '꽃'이라는 말로, 재주가 매우 뛰어나고 용모가 아름다운 사람을 이르는 말. 옥(玉)과 경(瓊)은 뜻이 같은 말로 다 같이 '사물의 아름다움'을 나타낼 때 비유로 쓰는 말이다.

425)뇽방(龍榜) : 과거급제자 명단을 써 붙인 글.

426)관옥승상(冠玉勝像) : '미남자의 아름다운 용모와 풍채를 아울러 표현한 말. 즉 '관옥(冠玉)'은 관(冠)의 앞을 꾸미는 옥을 가리키는 말로 '남자의 아름다운 얼굴'을, 승상(勝像)은 몸 전체의 외관적 형상이 매우 아름다운 것을 표현한 것.

○…결락10자…○ [ᄒᆞ니 윤・뎡 이공이 ᄀᆞᆯ오ᄃᆡ],

"ᄉᆞᄅᆞᆷ의 허물 잇시나 과도히 죄을 ᄉᆞᆷ아 치국(治國)ᄒᆞ미 요순(堯舜)의 되(道) 아닌가【83】ᄒᆞ노라."

하공이 웃고 그러히 넉이며 윤ᄐᆡ우와 교계심후(交契深厚)423)ᄒᆞ여 하공○[이] 혹 윤부의 못가ᄂᆞᆫ 날은 ᄐᆡ위 ᄎᆞᆺ고, 뎡공은 집이 멀어 날마다 못ᄒᆞ고 수일(數日)의 ᄒᆞᆫ 번식 뎡공이 윤하 양부로 왕ᄂᆡᄒᆞ더라. 광텬 등이 졈졈 ᄌᆞ라ᄆᆡ 비상ᄒᆞ믈 보고 뎡공이 광텬으로 셔랑(壻郞)을 졍ᄒᆞ고, 하상셔ᄂᆞᆫ 희텬으로 녀서(女壻)을 졍(定)ᄒᆞ여 망우(亡友)의 ᄠᅳᆺ을 져바리지 아니랴 ᄒᆞ고, 각각 ᄌᆞ녀 셩취(成娶)키을 두굿기ᄂᆞ ᄉᆞᄉᆞ(事事)의 윤상셔을 ᄉᆡᆼ각더라.

하상셔ᄂᆞᆫ 부인 조시로 ᄌᆞ녀 션션(詵詵)ᄒᆞᄆᆡ ᄀᆡᄀᆡ(個個) 옥수경지(玉樹瓊枝)424) 갓ᄐᆞ니 장ᄌᆞ 원셩의 ᄌᆞᄂᆞᆫ ᄌᆞ건이니 년이 십칠셰오, ᄎᆞᄌᆞ 원보ᄂᆞᆫ 십오셰오 ᄉᆞᆷᄌᆞ 원ᄉᆞᆷ은 십ᄉᆞᆷ셰라. 금츈(今春)의 등과(登科)ᄒᆞ여 구슬 ᄭᅦᆫ다시 동방(同榜)425)의 올으ᄆᆡ, 풍치(風彩) 헌앙(軒昻)ᄒᆞ여 관옥승상(冠玉勝像)426)이오, 신장(身長)이 셕ᄃᆡ(碩大)ᄒᆞ여 팔쳑장부(八尺丈夫)의 긔상(氣像)이오, 문한(文翰)이 유여(裕餘)ᄒᆞ야 ᄌᆞ건(子建)의 칠보시(七步詩)427)와 ᄐᆡᄇᆡᆨ(太白) 청평ᄉᆞ(清平詞)428)을 안ᄒᆞ(眼

423)교계심후(交契深厚) : 우정이 매우 두텁다.

424)옥수경지(玉樹瓊枝) : 재주가 빼어나게 뛰어난 사람을 비유해서 이르는 말. 옥수(玉樹)나 경지(瓊枝)는 다 같이 '재주가 뛰어난 사람'을 이르는 말이다.

425)동방(同榜) : 같은 방목(榜目: 조선시대의 과거 합격자 명부)에 이름이 올라 있다는 말로 과거급제 동기(同期) 를 뜻한다.

426)관옥승상(冠玉勝像) : '미남자의 아름다운 용모와 풍채를 아울러 표현한 말. 즉 '관옥(冠玉)'은 관(冠)의 앞을 꾸미는 옥을 가리키는 말로 '남자의 아름다운 얼굴'을, 승상(勝像)은 몸 전체의 외관적 형상이 매우 아름다운 것을 표현한 것.

427)ᄌᆞ건(子建)의 칠보시(七步詩) : 위(魏)나라 조조(曹操)의 아들 조식(曹植 : 192~232)이 일곱 걸음 만에 시를 지어 죽음을 모면하였다는 고사가 담긴 시. 자건(子建)은 조식의 자(字).

ᄉᆞ(淸平詞)428)를 안하(眼下)의 묘시(藐視)ᄒᆞ니, 텬툥(天寵)이 늉늉(隆隆)ᄒᆞ샤 하상셔의 복녹이 ᄃᆞᆺ거오믈 니르시며, 원경으로 시강원 태ᄒᆞᆨᄉᆞ(侍講院太學士)를 ᄒᆞ이시고, 원보는 한님ᄒᆞᆨᄉᆞ(翰林學士)를 ᄒᆞ이시고 원상으로 금문딕ᄉᆞ(金文直士)429)를 ᄒᆞ이시니, 하ᄉᆡᆼ 등이 년쇼미ᄌᆡ(年少微才)로 블ᄉᆞ(不似)430)ᄒᆞ믈 ᄉᆞ양(辭讓)ᄒᆞ온ᄃᆡ, 샹이 블윤(不允)ᄒᆞ시니 마지못ᄒᆞ여 샤은(謝恩) 찰직(察職)ᄒᆞᆯᄉᆡ, 경악(經幄)431)의 근시(近侍)ᄒᆞ여 면졀경ᄌᆡᆼ(面折廷爭)432)이 간관(諫官)의 풍(風)이 가ᄌᆞᆨᄒᆞ여 쇼인간당(小人奸黨)이 하공부ᄌᆞ를 믜워 ᄒᆡ(害)ᄒᆞᆯ 긔틀을 엿보더라.

하공이 간당의 써리믈 모르지 아니ᄒᆞᄃᆡ 텬셩(天性)을 곳치지 못ᄒᆞ고, 하ᄉᆡᆼ 등이 부【13】풍(父風)을 니어 청명긔절(淸明氣節)이 가ᄌᆞᆨᄒᆞ니, 원경은 니부시랑(吏部侍郞) 원[님]경의 녀를 취(娶)ᄒᆞ니 님시 셩ᄒᆡᆼ(性行)이 온슌(溫順)ᄒᆞ고 ᄉᆡᆨ광(色光)이 슈려(秀麗)ᄒᆞ며 ᄉᆞ덕(四德)433)이 가ᄌᆞᆨᄒᆞ니, 효봉구고(孝奉舅姑)와 승슌군ᄌᆞ(承順君子)ᄒᆞ여 ᄉᆞᄉᆞ(事事)의 진션진미(盡善盡美)ᄒᆞ니, 구괴 ᄉᆞ랑ᄒᆞ고 ᄒᆞᆨᄉᆡ 듕대ᄒᆞ미 가ᄇᆡ압지 아니ᄒᆞ더

427)ᄌᆞ건(子建)의 칠보시(七步詩) : 위(魏)나라 조조(曹操)의 아들 조식(曹植 : 192~232)이 일곱 걸음 만에 시를 지어 죽음을 모면하였다는 고사가 담긴 시. 자건(子建)은 조식의 자(字).

428)청평ᄉᆞ(淸平詞) : 중국 당(唐) 나라 이백(李白 : 701-762)이 현종(玄宗)의 명을 받고 양귀비(楊貴妃)의 아름다움을 찬양하여 지은 시. 삼수(三首)로 되어 있다.

429)금문직사(金文直士) : 임금의 조서를 짓는 일을 맡은 벼슬. 금문(金文)은 조서(詔書)를 뜻하는 말이고 직사(直士)는 직학사(直學士)의 줄임말. 직학사는 고려 시대에 둔, 홍문관·수문관·집현전의 정4품 벼슬. 한림학사도 정4품이다.

430)블ᄉᆞ(不似) : 닮지 않음. 어떤 일이나 조건에 알맞지 않음.

431)경악(經幄) : 경연(經筵). 고려·조선 시대에, 임금이 학문이나 기술을 강론·연마하고 더불어 신하들과 국정을 협의하던 일. 또는 그런 자리.

432)면졀졍징(面折廷爭) : 임금의 면전에서 허물을 기탄없이 직간하고 쟁론함.

433)ᄉᆞ덕(四德) : 여자로서 갖추어야 할 네 가지 덕. 마음씨[婦德], 말씨[婦言], 맵시[婦容], 솜씨[婦功]를 이른다.

下) 묘시(藐視)ᄒᆞ니, 쳔총(天寵)이 융융(隆隆)ᄒᆞᄉᆞ 하상셔의 복이 ᄃᆞᆺ거오믈 일으시며, ᄌᆞ식 잘 나ᄒᆞᆫ 긔특이 교훈(敎訓)ᄒᆞ믈 칭찬ᄒᆞᄉᆞ 원셩으로 시강원 ᄐᆡ학ᄉᆞ(侍講院太學士)을 ᄒᆞ이시고, 원보로 한림학ᄉᆞ(翰林學士)을 ᄒᆞ이시고, 원슘으로 금문직ᄉᆞ(金文直士)429)을 ᄒᆞ이시니, 하ᄉᆡᆼ 등이 연소미ᄌᆡ(年少微才)믈 일카라 간졀이 ᄉᆞ양(辭讓)ᄒᆞ되, 쳔의(天意)【84】 불윤(不允)ᄒᆞ시니, 마지못ᄒᆞ여 찰임(察任)ᄒᆞᆯ ᄉᆡ, 경악(經幄)430)의 근시(近侍)ᄒᆞ여 면졀경ᄌᆡᆼ(面折廷爭)431)이 열ᄉᆞ간관(烈士諫官)의 풍(風)으로 일셰ᄉᆞ류(一世士類)의 칭선(稱善)ᄒᆞ미 되어시니, 소인의 간당(奸黨)은 하공 부ᄌᆞ을 졀치부ᄒᆞᆫ(切齒腐恨)432)ᄒᆞ여 ᄒᆡ(害)ᄒᆞᆯ 긔틀을 여흐니433), 하공이 간당(奸黨)의 ᄭᅳ리믈 모로미 아니로ᄃᆡ 천성(天性)을 곳치지 못ᄒᆞ고, 하학ᄉᆞ 등이 ᄯᅩᄒᆞᆫ 부풍(父風)을 니어 청망(淸望)이 가ᄌᆞᆨᄒᆞ니, 원셩은 등과 젼(前) 니부시랑(吏部侍郞) 님광의 녀을 취(娶)ᄒᆞ니, 님시 안ᄉᆡᆨ(顔色)이 수려(秀麗)ᄒᆞ고 셩ᄒᆡᆼ(性行)이 온슌(溫順)ᄒᆞ여 부녀ᄉᆞ덕(婦女四德)이 가ᄌᆞᆨᄒᆞ여 효봉구고(孝奉舅姑)ᄒᆞ고 승순군ᄌᆞ(承順君子)의 일마다 녀의(女儀)434)을 심ᄉᆞ(深思)ᄒᆞ니, 구괴(舅姑) ᄉᆞ랑ᄒᆞ고 학ᄉᆞ의 듕ᄃᆡ 가ᄇᆡ얍지 아니ᄒᆞ더라. 부뫼 두굿겨 원보 등

428)ᄐᆡᄇᆡᆨ(太白) 청평ᄉᆞ(淸平詞) : 중국 당(唐) 나라 이백(李白 : 701-762)이 현종(玄宗)의 명을 받고 양귀비(楊貴妃)의 아름다움을 찬양하여 지었다는 시. 삼수(三首)로 되어 있다. 태백(太白)은 이백의 자.

429)금문직ᄉᆞ(金文直士) : 임금의 조서를 짓는 일을 맡은 벼슬. 금문(金文)은 조서(詔書)를 뜻하는 말이고 직사(直士)는 직학사(直學士)의 줄임말. 직학사는 고려 시대에 둔, 홍문관·수문관·집현전의 정4품 벼슬. 한림학사도 정4품이다.

430)경악(經幄) : 경연(經筵). 고려·조선 시대에, 임금이 학문이나 기술을 강론·연마하고 더불어 신하들과 국정을 협의하던 일. 또는 그런 자리.

431)면졀졍징(面折廷爭) : 임금의 면전에서 허물을 기탄없이 직간하고 쟁론함.

432)졀치부ᄒᆞᆫ(切齒腐恨) : 몹시 분하여 이를 갈며 원한(怨恨)을 풀지 못해 속을 썩임.

433)여흐다 : 엿보다.

434)녀의(女儀) : 부의(婦儀). 일상생활에서 여성이 지켜야 할 예의범절(禮儀凡節))

라. 원보 등을 취실(娶室)ᄒᆞ여 ᄌᆞ미(滋味)를 보고져 ᄒᆞ여 퇴부(擇婦)ᄒᆞᄂᆞᆫ 념녀 방하(放下)[434]치 못ᄒᆞ니, 명공진렬(名公宰列)의 유녀ᄌᆞ(有女子)ᄂᆞᆫ 닷토아 구혼ᄒᆞᄃᆡ 공이 허치 아니ᄒᆞ더라.

상셰 김귀비의 아비 김탐[탁]의 방ᄌᆞ무긔(放恣無忌)[435]ᄒᆞ믈 탑젼(榻前)의 쥬(奏)ᄒᆞ니, 언ᄉᆡ 쥰졀(峻節)ᄒᆞ니 샹이 김 국구(國舅)를 일년 월봉(月俸)을 거두시고 엄칙(嚴責)ᄒᆞ여 계신지라. 국귀 져의 블법지뙤(不法之罪)를 하상셰 듀달(奏達)ᄒᆞ믈 졀치부심(切齒腐心)ᄒᆞ여 간당(奸黨)을 쳐결(締結)ᄒᆞ니, 황샹【14】의 죵뎨(從弟) 초왕이 하샹셰 어ᄉᆞ(御使)로 이실 졔 초왕의 참남(僭濫)ᄒᆞᆫ 샤치(奢侈)를 알외엿던 고로, 초왕이 역시 분완(憤惋)ᄒᆞ여 김탁과 동심(同心)ᄒᆞ여 안흐로 귀비를 쵹ᄒᆞ고 밧그로 간당을 쳐결ᄒᆞ니 엇지 계교(計巧)를 일우지 못ᄒᆞ리오. 참언(讒言)이 니음ᄎᆞ[436] 하공이 블궤지심(不軌之心)[437]을 두엇다 ᄒᆞᄃᆡ 고지듯디 아니시더니, 귀비 요언(妖言)으로 참쇼ᄒᆞ니 샹이 괴이(怪異)히 아르시ᄃᆡ 아른 쳬 아니시니, ᄎᆞ시 하람(河南) 하북(河北)이 어ᄌᆞ러워 쳐쳐(處處)의 도젹이 니러나고 시졀이 긔황(饑荒)ᄒᆞ니 샹이 근심ᄒᆞ시ᄂᆞᆫ디라. 하공이 ᄌᆞ원츌ᄉᆞ(自願出師)[438]ᄒᆞ믈 쳥ᄒᆞ니, 샹이 윤허(允許)ᄒᆞ샤 은영(恩榮)으로뼈 냥지(兩地)의 보ᄂᆡ시니, 샹셰 ᄇᆡ샤ᄒᆞ고 집을 써날ᄉᆡ 원상 원보 냥ᄌᆞ(兩子)의 혼취(婚娶)를 못ᄒᆞ고 원

434)방하(放下)ᄒᆞ다 : ①마음이나 일 따위를 다잡지 아니하고 풀어 놓아 버리다. ②불교에서, 정신적·육체적인 일체의 집착을 버리고 해탈하는 일. 또는 집착을 일으키는 여러 인연을 놓아 버리는 일.
435)방ᄌᆞ무긔](放恣無忌) : 행동 따위가 어려워하거나 조심스러워하는 태도가 없이 건방지고 거리낌이 없음.
436)니음ᄎᆞ다 : 잇따르다. 연잇다.
437)블궤지심(不軌之心) : 반역을 일으키려는 마음. 불궤(不軌))는 법이나 도리를 지키지 않음을 뜻한다.
438)ᄌᆞ원츌ᄉᆞ(自願出師) : 군대를 이끌고 싸움터로 나가기를 자원함. 출사(出師)≒출병(出兵).

을 마ᄌᆞ[435] 취실(娶室)ᄒᆞ여 작쇼(鵲巢)[436]의 깃드리믈[437] 보고져 ᄒᆞ여, 동셔(東西)로 틱부(擇婦)ᄒᆞ여 쏘ᄒᆞᆫ 가치 아니ᄒᆞ고 명공거경과 황친국쳑의 유녀ᄌᆞᄂᆞᆫ 학[하]혹사 등의 긔특ᄒᆞ믈 보고 다토와 구혼ᄒᆞᄃᆡ 하공이 경이히 허치 아냐 결승의 호연을 일우지 못ᄒᆞ더라.

하공이 ○○○[황상의] 총ᄋᆡᄒᆞ시ᄂᆞᆫ 바 김귀비의 아비 김탁의 방ᄌᆞ무식(放恣無識)[438]ᄒᆞ믈 탑젼(榻前)의 주(奏)ᄒᆞ여 언ᄉᆡ 듄졀(峻節)ᄒᆞ니, 상이 김○[국]구(國舅)의 일년 월봉(月俸)을 거두고 엄칙ᄒᆞ여 계신지라. ᄎᆞ후 하공을 졀치(切齒)ᄒᆞ여 간당(奸黨)을 쳐결(締結)ᄒᆞᆯᄉᆡ, 상의 뎨(弟) 초왕이 하공이 어ᄉᆞ(御使)로【85】 이실적 초궁(楚宮) 참남(僭濫)ᄒᆞᆫ ᄉᆞ치(奢侈)을 논힉(論劾)ᄒᆞ여 초왕의 불법지ᄉᆞ(不法之事)을 알외엿든 고로 초왕 쏘ᄒᆞᆫ 통한(痛恨)ᄒᆞᄂᆞᆫ지라. 김탁과 동심ᄒᆞ여 안으로 귀비를 쳐결ᄒᆞ고 밧그로 간ᄉᆞ(奸邪)을 모호니, 죵일 의논ᄒᆞᄂᆞᆫ ᄇᆡ 하공을 ᄒᆡᄒᆞᆯ 말이라. 엇지 계교(計巧)을 니르지 못ᄒᆞ리리요. 참쇠(讒訴) 상계(相繼)ᄒᆞ여 하공이 불궤지심(不軌之心)[439]을 두엇다 ᄒᆞ되, 상이 명성(明聖)[440]ᄒᆞᄉᆞ 고지 듯지 아니시더니, 귀비 연(連)ᄒᆞ여 참소ᄒᆞ니 상이 괴이(怪異)히 녁이시ᄃᆡ 알은 쳬ᄒᆞ심이 업더니, ᄎᆞ시 하남 하북이 반(叛)ᄒᆞ여 쳐쳐(處處)의 도젹이 이러나고 시졀이 긔황(饑荒)ᄒᆞ니 상이 근심ᄒᆞ시ᄂᆞᆫ지라. 하공이 ᄌᆞ원슌무ᄉᆞ(自願巡

435)마ᄌᆞ : 마저. 남김 없이 모두.
436)작쇼(鵲巢) : 까치집. '여자가 시집가서 남자의 집에서 사는 것' 또는 '부부의 보금자리[신방(新房)]'을 비유적으로 이르는 말. 『시경(詩經)』《召南》편 <鵲巢> 장의 "維鵲有巢 維鳩居之 之子于歸 百兩御之"에서 온말.
437)깃드리다 : 깃들이다. ①짐승이 보금자리를 만들어 그 속에 들어 살다. ②사람이나 건물 따위가 어디에 살거나 그곳에 자리 잡다.
438)방ᄌᆞ무식(放恣無識) : 행동 따위가 어려워하거나 조심스러워하는 태도가 없이 건방지거나, 아는 것이 없어 세련되지 못하고 우악스러움.
439)불궤지심(不軌之心) : 반역을 일으키려는 마음. 불궤(不軌))는 법이나 도리를 지키지 않음을 뜻한다.
440)명성(明聖) : 슬기롭고 덕이 거룩함. ≒성명(聖明).

경을 당부 왈,

"불【15】과 일년이 될 거시니 ᄌᆞ모와 졔데(諸弟)로 더브러 됴히 이시라."

ᄒᆞ고,

"원상의 혼인을 구ᄒᆞ리 이셔도 내 도라오기를 기다리라."

혹ᄉᆞ 등이 십니 밧긔 나와 야야를 ᄇᆡ별ᄒᆞ고 슬프믈 니긔지 못ᄒᆞ나, 원경은 ᄉᆞᄉᆡᆨ(辭色)을 화히 ᄒᆞ고 '국ᄉᆞ를 션치ᄒᆞ샤 슈히 도라오시믈' 청ᄒᆞ니, 공이 역시 심회 블호(不好) ᄒᆞ여 원광의 머리를 ᄡᅳ다둠아 '유혹(儒學)을 힘ᄡᅳ라' ᄒᆞ고, 또 삼ᄌᆞ(三子)의 손을 잡아 왈,

"여뷔(汝父) 너희를 ᄯᅥ나ᄆᆡ 결연(缺然)ᄒᆞ나, 오라면 일년이오 쉬 오면 팔구삭이라, 엇디 이ᄃᆡ도록 슬허ᄒᆞᄂᆞ뇨?"

혹ᄉᆞ 등이 비읍ᄃᆡ왈(悲泣對曰),

"ᄒᆡᄋᆞ(孩兒) 등이 ᄉᆡᆼ셰지후(生世之後)로 대인(大人) 슬하를 ᄯᅥ나미 쳐음이라, 능히 춤지 못ᄒᆞ리로소이다."

공이 ᄌᆡ삼 당【16】부ᄒᆞ고,

"윤·뎡 냥공긔 ᄌᆞ로 ᄇᆡ현(拜見)ᄒᆞ여 ᄌᆞ딜(子姪) ᄀᆞᆺ치 ᄒᆞ라."

혹ᄉᆞ 등이 ᄌᆡᄇᆡ슈명ᄒᆞ고 니별ᄒᆞ니, 부ᄌᆞ 오인의 졍이 의의(依依)[439]ᄒᆞ더라. 공이 ᄆᆞᆯ혁[440]을 두로혀니, 혹ᄉᆞ 등이 ᄒᆞᆯ연ᄒᆞ믈[441] 니긔지 못ᄒᆞ나 ᄒᆞᆯ일 업셔 도라와 모친긔 뵈옵고, 관ᄉᆞ여가(官事餘暇)의 윤·뎡 이공(二公)긔 ᄌᆞ로 ᄇᆡ현ᄒᆞ니, 냥공이 상히[442] 그 위인을 ᄉᆞ랑ᄒᆞ여 ᄋᆡᄃᆡ(愛待)ᄒᆞ미 지친(至親) ᄀᆞᆺ더라.

439)의의(依依) : 헤어지기 섭섭한 모양.
440)ᄆᆞᆯ혁(-革) : 마혁(馬革). 말고삐.
441)ᄒᆞᆯ연ᄒᆞ다 : 서운하다. 마음에 모자라 아쉽거나 섭섭한 느낌이 있다.
442)상히 : 늘. 항상.

撫使)ᄒᆞ니[441] 상이 윤허(允許)ᄒᆞᄉᆞ 옥부금졀(玉斧金節)을 쥬시고 난향어온(暖香御醞)[442]을 반ᄉᆞ(頒賜)[443]ᄒᆞᄉᆞ 은영(恩榮)으로ᄡᅧ 양지(兩地)의 보ᄂᆡ시니, 상셔 궐하의 ᄇᆡᄉᆞᄒᆞ고 집을 ᄯᅥ늘 ᄉᆡ, 원숨 ○○[원보] 양ᄌᆞ(兩子)의 혼취(婚娶)을 못ᄒᆞ고 가는지라. 원셩을 당부ᄒᆞ여 왈,

"불과 ᄒᆞᆫ ᄒᆡ 될 거시니 ᄌᆞ모와 양뎨로 더부러 조히 잇시라."

ᄒᆞ고,

"원숨의 혼인을 졍ᄒᆞ고 ᄂᆡ가 도라오기을 기다려 셩친케 ᄒᆞ라."

학ᄉᆞ 등이 십니 박긔 와 부친을 ᄇᆡ별ᄒᆞᆯ ᄉᆡ, 믄득 슬푸물 먹음으ᄃᆡ 오직 필ᄌᆞ 원광이 ᄉᆡᆨ을 온화히 ᄒᆞ고 국ᄉᆞ을 션치ᄒᆞ시고 도라오시믈 청ᄒᆞ니, 공이 역시 심회 불호(不好)ᄒᆞ며 원광【86】의 머리을 ᄡᅳ다듬어 '독셔ᄒᆞ기을 힘ᄡᅳ라' ᄒᆞ고 또 ᄉᆞᆷᄌᆞ(三子)의 손을 잡아 왈,

"여뷔(汝父) 너희을 ᄯᅥᄂᆞᄆᆡ 멀면 ᄒᆞᆫ ᄒᆡ오 쉬우면 팔구삭이 될 거시니 엇지 이ᄃᆡ도록 ᄒᆞᄂᆞ뇨?"

학ᄉᆞ 등이 비읍 왈,

"ᄒᆡ아 등이 ᄉᆡᆼ셰지후(生世之後)로 슬하을 ᄯᅥᄂᆞ기 쳐음이라, 이러틋 하졍(下情)이 버히는 듯ᄒᆞ오니 능히 춤지 못ᄒᆞ리로 소이다."

공이 ᄌᆡ숨 당부ᄒᆞ고,

"윤·뎡 양공게 ᄌᆞ로 ᄇᆡ현ᄒᆞ여○…결락 83자…○[ᄌᆞ딜 ᄀᆞᆺ치 ᄒᆞ라."

혹ᄉᆞ 등이 ᄌᆡᄇᆡ 슈명ᄒᆞ고 니별ᄒᆞ니 부ᄌᆞ 오인의 졍이 의의ᄒᆞ더라. 공이 ᄆᆞᆯ혁을 두로혀니 혹ᄉᆞ 등이 ᄒᆞᆯ연ᄒᆞ믈 ᄂᆡ기지 못ᄒᆞ나 ᄒᆞᆯ일업셔 도라와 모친긔 뵈옵고 관ᄉᆞ여가(官事餘暇)[444]의 윤·뎡 이공긔 ᄌᆞ로 ᄇᆡ현ᄒᆞ여] ᄌᆞ질 갓치 ᄒᆞ더니, 이공(二公)이 상히[445] 그 위인을 ᄉᆞ랑ᄒᆞ여 ᄋᆡ

441)ᄌᆞ원슌무ᄉᆞ(自願巡撫使)ᄒᆞ다 : 순무사로 나가기를 자원하다.
442)난향어온(暖香御醞) : 따뜻하고 향그러운 어주.
443)반ᄉᆞ(頒賜) : 임금이 녹봉이나 물건을 내려 나누어 주던 일.
444)관ᄉᆞ여가(官事餘暇) : 관청의 일을 보고난 뒤의 남는 시간.
445)상히 : 늘. 항상.

어시의 하공이 하람 슌무ᄉᆞ(巡撫使)로 간지 ᄉᆞ오삭의 도적이 화(化)ᄒᆞ여 냥민(良民)이 되고, 일경(一境)이 하공의 덕화를 앙복(仰服)ᄒᆞ더라. 쇼문이 경ᄉᆞ의 들니ᄆᆡ 초왕과 김탁 등이 더옥 ᄆᆡ이 녀여 하가를 어육(魚肉)고져 참간(讒奸)이 슈지 아냐, 하진○[이] 하람의 가 크게 인심을 어더 대군을 모라 범경(犯境)홀 뜻【17】이 잇다 ᄒᆞ며, 원경 등이 흉ᄉᆞ를 쇠혼ᄃᆡ 샹이 청이블문(聽而不聞)ᄒᆞ시니, 김탁이 착급(着急)ᄒᆞ여, 원경 등 삼인 입번(入番)ᄒᆞᆫ 날의 개용단(改容丹)443)을 삼켜 원경이 되고, 환ᄌᆞ(宦者) 주셕·오하로 원보·원상이 되어, 다 비슈(匕首)를 ᄭᅵ고 샹이 취침ᄒᆞ신 ᄯᅢ를 타 소ᄅᆡᄒᆞ고 다라드러 ᄒᆡ코져 ᄒᆞᄂᆞᆫ 형상을 사ᄅᆞᆷ이 다 보게 ᄒᆞ니, 샹이 무심듕(無心中) 대경ᄒᆞ샤 급히 보시ᄆᆡ 이 믄득 하가 삼형뎨라. 슉딕환ᄌᆞ로 잡으라 ᄒᆞ시니 환시(宦侍) 경황ᄒᆞ여 밋쳐 손을 놀지니 못ᄒᆞ여셔 나ᄂᆞᆫᄃᆞ시 다라나니, 텬뇌(天怒) 딘쳡(震疊)ᄒᆞ샤 밤이 ᄉᆡ기를 밋쳐 기다리지 못ᄒᆞ시고, 급히 셜국(設鞫)ᄒᆞ여 원경 등을 엄문ᄒᆞ실ᄉᆡ 금위관(禁衛官)과 딕슉관원(直宿官員)이 일졔이 모히고 ᄒᆞᆨᄉᆞ(學士) 등 삼인을 나ᄅᆡ(拿來)ᄒᆞ니,【18】 ᄒᆞᆨᄉᆞ 등이 입번ᄒᆞ여 잠이 깁헛다가 나명(拿命)이 급ᄒᆞ고, 궐정대화(闕廷大禍)를 드르나 ᄇᆡᆨ옥무하(白玉無瑕)444)ᄒᆞ니 ᄆᆞ음이 안연ᄌᆞ약(晏然自若)ᄒᆞᄃᆡ 오딕 금문딕ᄉᆞ(金文直士) 원상이 십삼 유ᄋᆞ(幼兒)라, 경황망극(驚惶罔極)ᄒᆞ여 앙텬탄왈(仰天嘆曰),

"야텬(夜天)이 됴림(照臨)ᄒᆞ시고 셩신(星辰)이 버러시니 아등(我等)의 지원극통(至冤

443)개용단(改容丹) : 잉혈·회면단·도봉잠 등과 함께 한국고소설 특유의 서사도구의 하나. 이 약을 먹으면 자기가 되고자 하는 사람과 얼굴을 비롯해서 온몸이 똑같은 모습으로 둔갑(遁甲)하게 된다. 한국고소설에서는 악격인물(惡格人物)들이 이 약을 선격인물(善格人物)을 모해하는 도구로 사용하여 다양한 사건들을 만들어낸다.

444)빅옥무하(白玉無瑕) : 백옥에 아무런 티나 흠이 없다는 뜻으로, 아무런 흠이나 결점이 없음 또는 그런 사람을 이르는 말.

ᄃᆡ(愛待)ᄒᆞ미 지친(至親) 갓더라.

하공이 하남 슌무ᄉᆞ(巡撫使)로 가 ᄉᆞ오삭의 도적이 화(化)ᄒᆞ여 양민(良民)이 되고 악인이 어지러, 남녀노쇠 하공의 덕화을 감격지 아니리 업더라. 소문이 경ᄉᆞ의 들니ᄆᆡ 초왕과 김탁 등이 더욱 뮈히 녀여 착급히 하가을 뭇지르고져 ᄒᆞ여 참간(讒奸)이 슈지 아냐 하진○[이] ᄒᆞ남의 가, 크게 인심을 어더 ᄃᆡ군을 모라 경ᄉᆞ로 온다 ᄒᆞ며, 원셩 등이 흉ᄉᆞ(凶事)을 쇠혼다 ᄒᆞ되, 상이 청이불문(聽而不聞)ᄒᆞ시니, 초왕과 김탁이 ᄎᆞᆨ급(着急)ᄒᆞ여 원셩 등 숨형뎨 입번ᄒᆞᆫ 날 반야숨경(半夜三更)의 ᄀᆡ용단(改容丹)446)을 숨켜 원셩이 되고, 환ᄌᆞ(宦者) 두석으로 원보 되고, 환ᄌᆞ 오확으로 원숨이 되어, 다 비수(匕首)을 ᄭᅵ고 상이 경히 취침ᄒᆞ신 ᄯᅢ을 타 소ᄅᆡᄒᆞ고 다라드러 ᄒᆡ(害)코져 ᄒᆞᄂᆞᆫ【87】 형상을 ᄉᆞᄅᆞᆷ이 다 보게 ᄒᆞ니, 상이 무심 듕ᄃᆡ경ᄒᆞᄉᆞ 급히 보시ᄆᆡ 이 분명 하가 숨형뎨라. 수직환ᄌᆞ(守直宦者)로 잡으라 ᄒᆞ시니, 환지 경황ᄒᆞ여 홀 지음의 나ᄂᆞᆫ 다시 다라나니, 쳔뇌(天怒) 진쳡(震疊)ᄒᆞᄉᆞ 급히 셜국(設鞫)ᄒᆞᄉᆞ 원셩 등을 엄문ᄒᆞ실 시, 금위관(禁衛官)과 궐듕 직슉(直宿)ᄒᆞᄂᆞᆫ 관원을 일졔히 모호고 학ᄉᆞ 숨인을 나ᄅᆡ(拿來)ᄒᆞ시니, 학ᄉᆞ 형뎨 입번ᄒᆞ여 잠이 깁허다가 나명(拿命)이 급ᄒᆞ고, 궐듕 ᄃᆡ화을 드르나 그 압히 ᄇᆡᆨ옥무하(白玉無瑕)447)ᄒᆞ니 마음이 안연ᄌᆞ약(晏然自若)ᄒᆞ나 오직 금문직ᄉᆞ(金文直士) 원숨이 나히 겨유 십삼셰 아희라, 경황망조(驚惶罔措)ᄒᆞ여 앙쳔탄왈(仰天嘆曰),

"야쳔(夜天)이 됴림(照臨)ᄒᆞ고 셩신(星辰)이 보시니 아등(我等)의 지원극통(至冤極痛)

446)ᄀᆡ용단(改容丹) : 잉혈·회면단·도봉잠 등과 함께 한국고소설 특유의 서사도구의 하나. 이 약을 먹으면 자기가 되고자 하는 사람과 얼굴을 비롯해서 온몸이 똑같은 모습으로 둔갑(遁甲)하게 된다. 한국고소설에서는 악격인물(惡格人物)들이 이 약을 선격인물(善格人物)을 모해하는 도구로 사용하여 다양한 사건들을 만들어낸다.

447)빅옥무하(白玉無瑕) : 백옥에 아무런 티나 흠이 없다는 뜻으로, 아무런 흠이나 결점이 없음 또는 그런 사람을 이르는 말

極痛)을 ᄉᆞᆯ피시고 하문이 망멸(亡滅)케 마르쇼셔."

언미필의 위ᄉᆡ(衛士) 계셜속박(繫絏束縛)445)ᄒᆞ여 샹젼(上前)의 니르니, 발셔 형위(刑威)를 베플고 삼인을 뎐하(殿下)의 ᄭᅮᆯ니고, 샹이 문왈,

"여뷔(汝父) 션됴의 등과 ᄒᆞ여 홍은(鴻恩)을 닙ᄉᆞᆸ고 딤이 통우ᄒᆞ미 만됴의 소ᄉᆞ나고 여등이 등과 칠팔삭(登科七八朔)의 딤이 ᄉᆞ랑ᄒᆞ미 부ᄌᆞ ᄀᆞᆺ거ᄂᆞᆯ, 여뷔 하람 병마를 거두어 범경(犯境)코져 ᄒᆞᆫ다 ᄒᆞ여도 딤이 밋지 아녓더니, 너희 야반(夜半)의 칼을 ᄡᅵ고 딤을 히코져 ᄒᆞ니, ᄎᆞᄂᆞᆫ 만【19】고무쌍(萬古無雙)ᄒᆞᆫ 역적(逆賊)이라. 엇디 다시 므를 거시 이시리오마ᄂᆞᆫ, 아지못게라 여부의 식이미냐 여등이 스ᄉᆞ로 힝ᄒᆞ미냐.

원경이 샹교(上敎)를 듯ᄌᆞᆸ고 개연이 듀왈,

"신의 집이 셰ᄃᆡ로 국은(國恩)을 닙ᄉᆞ와 관면(冠冕)446)이 슝고(崇高)ᄒᆞ고 신의 아비 이칠(二七)의 션됴(先朝)의 몽은(蒙恩)ᄒᆞ와 냥됴의 셩은을 닙ᄉᆞ와 하ᄂᆞᆯ이 좁고 ᄯᅡ히 엿튼디라. 슉야우구(夙夜憂懼)ᄒᆞ와 국은을 갑ᄉᆞ올 바를 아지못ᄒᆞ오니, 비록 사ᄅᆞᆷ의게 믜이믈 밧ᄌᆞᆸ고 폐해 직간을 깃거 아니실디라도, 소견을 굽히지 못ᄒᆞ와 보과습유(補過拾遺)의 ᄉᆞ군보국(事君報國)ᄒᆞ오미 신ᄌᆞ의 ᄃᆡ분을 다ᄒᆞ고져 ᄒᆞ오며 신등 삼형뎨 년쇼브ᄌᆡ(年少不才)로 외람이 셩듀의 대은이 일신의 넘ᄶᅵ와, 샤이브득(辭而不得) ᄒᆞ옵고 찰임힝공(察任行公)ᄒᆞ오나 일야(日夜)의 손【20】복(損福)ᄒᆞᆯ가 두리오ᄆᆡ, 우튱(愚衷)이 쇄신보국(碎身報國)고져 ᄒᆞ옵더니, 금야(今夜) 망극ᄒᆞ온 은디(恩旨)를 듯ᄌᆞ오니 골경심한(骨驚心寒)ᄒᆞ와 듀ᄒᆞᆯ ᄇᆡ 업ᄉᆞᆸ거니와, 신등이 비록 대역지심(大逆之心)이 잇ᄉᆞ오나 반ᄃᆞ시 쥬밀(周密)이 ᄒᆞ여 경솔(輕率)치 아니ᄒᆞ

445)계셜속박(繫絏束縛) : 죄인들을 오랏줄로 결박함.

446)관면(冠冕) : 갓과 면류관이라는 뜻으로, 벼슬아치를 비유적으로 이르는 말.

을 살피시고 하문이 망멸(亡滅)케 마르소셔."

말이 맛지 못ᄒᆞ여 위ᄉᆡ(衛士) 그 몸을 결박ᄒᆞ여 상젼(上前)의 이르니 발셔 형위을 베플고 삼인을 젼ᄒᆞ의 ᄭᅮᆯ니고 문 왈,

"여뷔(汝父) 션조의 등과ᄒᆞ여 혼[홍]은(鴻恩)을 입고 짐이 즉위ᄒᆞᆫ 후 총우ᄒᆞ미 만조의 소ᄉᆞ나고, 여등 형뎨 등과 칠팔삭(登科七八朔)의 짐이 ᄉᆞ랑ᄒᆞ미 군신부ᄌᆞ을 겸ᄒᆞᆫ ᄇᆡ여ᄂᆞᆯ, 여뷔 하남군을 거두어 황셩을 작변(作變)ᄒᆞ려 ᄒᆞᆫ다 ᄒᆞ되, 짐이 고지듯지448) 아냣더니, 너의 야반(夜半)의 칼을 ᄡᅵ고 짐을 히코져 ᄒᆞ니, ᄎᆞᄂᆞᆫ 만고(萬古)의 드문 역젹(逆賊)이라. 엇지 다시 무를 거시【88】 잇시리오."

삼인의 답언이 ᄒᆞ여오?

익셜(益說)449), 시시의 만셰 황야(皇爺) 옥음(玉音)이 ᄭᅳᆫ치시ᄆᆡ 금위ᄉᆡ 황명을 이어 명ᄇᆡᆨᄒᆞ믈 고찰ᄒᆞᄆᆡ, 삼ᄌᆡ 듀 왈,

"신의 집이 셰ᄃᆡ로 국은(國恩)을 입ᄉᆞ와 관면(冠冕)450)이 슝고(崇高)ᄒᆞ고 신의 아비 이칠(二七)의 션주(先主)의 몽은(蒙恩)ᄒᆞ와 냥죠 셩은을 입ᄉᆞ와 하날이 좁고 ᄯᅡ히 여튼지라, 벼슬이 졍위(廷尉)451)되와 뉵경(六卿)의 거ᄒᆞᆫ 후ᄂᆞᆫ 슉야우구(夙夜憂懼)ᄒᆞ와 군은(君恩) 갑ᄉᆞ올 바을 아지 못ᄒᆞ오니, 비록 ᄉᆞ롬의 뮈이믈 밧잡고 폐ᄒᆡ 직간을 ○○[깃거] 아닐실지라도, 소셩(素性)을 굽히지 못ᄒᆞ와 폐ᄒᆞ의 드르신 바을 주으며 이자신 바을 일ᄭᅵ와452) 사군보국(事君報國)ᄒᆞ오미 신ᄌᆞ직분(臣子職分)을 다ᄒᆞ고져 ᄒᆞ오며, 신등 ᄉᆞᆷ형뎨 년소부ᄌᆡ로 외람이 등과ᄒᆞ오니 성주ᄃᆡ은(聖主大恩)이 일신의 넘치와 각각 작직

448)고지듯다 : 곧이듣다. 남의 말을 듣고 그대로 믿다.

449)익셜(益說) : 고소설에서 '화설(話說)' '차설(且說)' 등처럼 장면전환을 나타내는 화두사(話頭詞).

450)관면(冠冕) : 갓과 면류관이라는 뜻으로, 벼슬아치를 비유적으로 이르는 말.

451)졍위(廷尉) : 중국 진(秦)나라 때부터, 형벌을 맡아보던 벼슬. 구경(九卿)의 하나였는데, 나중에 대리(大理)로 고쳤다.

452)일ᄭᅵ와 : 일깨워.

오리니, 셩듀(聖主)의 일월지명(日月之明)으로 엇지 슬피지 못ᄒᆞ시ᄂᆞ니잇고? 신등이 항우(項羽)447)의 녀력(膂力)이 잇고, 형가(荊軻)448) 셥경(聶政)449)의 날ᄂᆡ미 이시나, 감히 디엄○[한] 용상하(龍床下)의 집검돌입(執劍突入)ᄒᆞ리잇고? 당을 쳬결ᄒᆞ미 업시 삼형데 잡힐 바는 삼셰유ᄋᆞ(三歲幼兒)라도 아올 ᄇᆡ오, 더옥 신븨 하람을 슌무ᄒᆞ와 인심을 딘졍(鎭定)ᄒᆞ고 ᄇᆡᆨ셩을 안무ᄒᆞᄆᆡ, 일노ᄡᅧ 블궤지심(不軌之心)을 둔다 ᄒᆞ올딘ᄃᆡ, 나라흘 위ᄒᆞ여 명슈듁ᄇᆡᆨ(名垂竹帛)450)ᄒᆞᆯ 지 업ᄉᆞ오리니, 셩샹 일월지광(日月之光)으로 【21】 쇼인을 미더 실덕ᄒᆞ실 바를 ᄋᆡ돌와 ᄒᆞᄂᆞ이다."

한님혹ᄉᆞ 하원뵈 니어 듀왈,

"신등이 망극ᄒᆞᆫ 되명(罪名)을 므릅ᄡᅧ ᄋᆡᄆᆡᄒᆞ온 아비 블궤(不軌)의 뜻을 두엇다 ᄒᆞ

447)항우(項羽) : B.C.232~B.C.202. 중국 진(秦)나라 말기의 무장. 이름은 적(籍). 우는 자(字)이다. 숙부 항량(項梁)과 함께 군사를 일으켜 유방(劉邦)과 협력하여 진나라를 멸망시키고 스스로 서초(西楚)의 패왕(霸王)이 되었다. 그 후 유방과 패권을 다투다가 해하(垓下)에서 포위되어 자살하였다

448)형가(荊軻) : ?-B.C.227. 중국 전국 시대의 자객. 위나라 사람으로, 연나라 태자인 단(丹)의 부탁을 받고 진시황제를 암살하려 하였으나 실패하고 죽임을 당하였다.

449)셥경(聶政) : 중국 전국시대의 자객. 제나라 사람으로 복양(濮陽) 사람 엄중자(嚴仲子)의 사주를 받고 한나라 재상 협루(俠累)를 죽인 후, 주인을 누설치 않기 위해 자결했다.

450)명슈듁ᄇᆡᆨ(名垂竹帛) : 이름이 죽간(竹簡)과 비단에 드리운다는 뜻으로, 이름이 역사에 길이 빛남을 이르는 말.

(爵職)을 주시니 ᄉᆞ양ᄒᆞ와 득지 못ᄒᆞ옵고 찰임ᄒᆡᆼ공(察任行公)ᄒᆞ오니, 일야(日夜)의 여른 복이 손할가 두리오며 어린 츙셩이 ᄡᅢ을 마아 갑습고져 뜻지 아비게 ᄇᆡ혼 ᄇᆡ올너니, 금야 망극지교(罔極之敎)을 듯ᄌᆞ오니 골경심한(骨驚心寒)ᄒᆞ와 주할 ᄇᆡ 업삽거니와, 신등이 ᄃᆡ역지심(大逆之心)을 두올지라도 반드시 주밀(周密)이 ᄒᆞ여 경솔ᄒᆞᆫ 뉘웃부미 업게 ᄒᆞ오리니, 성주의 일월지명(日月之明)으로ᄡᅧ 엇지 슬피지 아니시ᄂᆞ니잇고? 신등이 항우(項羽)453)의 여력(餘力)이 잇고, 형가(荊軻)454)·셥경(聶政)455)의 날ᄂᆡ미 잇스【89】나, 감히 용상하(龍床下)의 쳑금(尺劍)을 들고 감히 ᄒᆡᆼ흉ᄒᆞᆯ 의ᄉᆡ 나지 아니ᄒᆞ오리니, 당을 쳐결ᄒᆞ미 업시 잡힐 ᄇᆡ는 숨셰유아(三世幼兒)도 아닐 ᄇᆡ요, 더욱이 아비어이 ᄌᆞ식을 멸망지환(滅亡之患)을 지휘ᄒᆞ리잇고? 하남의 슌무ᄒᆞ여 인심을 진졍(鎭定)ᄒᆞ고 ᄇᆡᆨ셩을 안무ᄒᆞᄆᆡ 불과 송덕(頌德)ᄒᆞᆯ ᄯᆞ름이여날, 엇지 일노ᄡᅧ 불궤지심(不軌之心)을 둔다 하믄 츙냥(忠良)을 의심ᄒᆞᄉᆞ 간ᄉᆞ(奸邪)을 미드시미라. 신의 형뎨 부월지하(斧鉞之下)의 죽으믄 셜워 아니 ᄒᆞ오ᄃᆡ, 성상 일월지광(日月之光)을 부운(浮雲)이 가리오믈 슬허ᄒᆞᄂᆞ이다."

원뵈 니어 주왈,

"신등이 몽우(蒙愚)ᄒᆞ와 망극ᄒᆞᆫ 죄명을 므릅쓰고 ᄋᆡᄆᆡᄒᆞᆫ 아비 블궈[궤](不軌)을 도모ᄒᆞᆫ다 ᄒᆞ옵는 하교(下敎)을 듯ᄌᆞ오니 경심ᄎᆞ악(驚心嗟愕)ᄒᆞ와 ᄒᆞᆫ갓 신의 부ᄌᆞ형뎨 명

453)항우(項羽) : B.C.232~B.C.202. 중국 진(秦)나라 말기의 무장. 이름은 적(籍). 우는 자(字)이다. 숙부 항량(項梁)과 함께 군사를 일으켜 유방(劉邦)과 협력하여 진나라를 멸망시키고 스스로 서초(西楚)의 패왕(霸王)이 되었다. 그 후 유방과 패권을 다투다가 해하(垓下)에서 포위되어 자살하였다

454)형가(荊軻) : ?-B.C.227. 중국 전국 시대의 자객. 위나라 사람으로, 연나라 태자인 단(丹)의 부탁을 받고 진시황제를 암살하려 하였으나 실패하고 죽임을 당하였다.

455)셥경(聶政) : 중국 전국시대의 자객. 제나라 사람으로 복양(濮陽) 사람 엄중자(嚴仲子)의 사주를 받고 한나라 재상 협루(俠累)를 죽인 후, 주인을 누설치 않기 위해 자결했다.

오니 ᄒᆞᆫ갓 신등 부ᄌᆞ와 일문어육(一門魚肉)을 슬허ᄒᆞ올 � 아니라, 다만 셩샹의 일월지명(日月之明)을 가리와 간인의 작변(作變)이 여ᄎᆞᄒᆞ와 폐하의 실덕(失德)○○○○○[이 이에 이름]이라. 신등이 경악(經幄)의 근시(近侍)ᄒᆞᆫ ᄇᆡ오, 신등 삼인이 각각 입딕(入直)ᄒᆞ여 잠이 깁헛습ᄂᆞᆫ 고로, 폐하의 뇽탑(龍榻)의 돌입ᄒᆞ다 ᄒᆞ시니, ᄎᆞᄂᆞᆫ 벅벅이 니ᄆᆡ망냥(魑魅魍魎)451)의 됴홰라. 폐해 만일 뎍실(適實)이 아르시고져 ᄒᆞ실진ᄃᆡ, 시강원(侍講院)과 한님원(翰林院)이며 금문(禁門)의 입번졔신(入番諸臣)을 브르샤 신등의 움즈인 일이 잇ᄂᆞᆫ가 하문ᄒᆞ실딘ᄃᆡ 닙긱(立刻)의 아르시리이다."

금문딕ᄉᆞ 하원【22】상이 강개 부복 듀왈,

"신은 나히 이륙(二六)을 갓너머 셰ᄉᆞ를 아지 못ᄒᆞ오ᄃᆡ, 어려셔부터 아비 튱효를 닐너 ᄌᆞ식 경계ᄒᆞ미 반졈 비의(非義)와 블법(不法)을 용납지 아닛ᄂᆞᆫ ᄇᆡ오. 신등이 텬셩이 지극 용우(庸愚)ᄒᆞ오나 대역브도(大逆不道)의 일은 ᄎᆞ마 듯지 못ᄒᆞᄂᆞᆫ ᄇᆡ니, 엇디 몸소 힝ᄒᆞ오며, 십삼쇼ᄋᆡ(十三小兒) 므ᄉᆞᆫ 용녁으로 집검범상(執劍犯上)ᄒᆞᆯ 의ᄉᆡ이시리잇고? 신등이 다만 쥬륙지화(誅戮之禍)를 셜워ᄒᆞ오미 아니라, 폐하의 일월지명(日月之明)이 어두오시믈 한심(寒心)ᄒᆞ옵고 아ᄅᆡ로 신부(臣父)의 젹심단튱(赤心丹忠)으로뼈 믄득 대역의 일홈을 ᄋᆡ돌와 ᄒᆞᄂᆞ이다."

샹이 삼인의 말을 드르시고 즉시 셰곳 입번졔신(入番諸臣)을 브르샤 삼인의 거취(去就)를 므르신ᄃᆡ, 여츌일구(如出一口)의 촌보(寸步)도 움즈이지 아니므로【23】뼈 고ᄒᆞᆫᄃᆡ, 샹이 듕논(衆論)의 일구(一口)ᄒᆞᆷ과 평일 하공의 관일뎡튱(貫一貞忠)을 깁히 통우ᄒᆞ시나, 작야ᄉᆞ(昨夜事)를 친견ᄒᆞ신 ᄇᆡ라. 원경 등의 발명(發明)은 예ᄉᆡ(例事)라 ᄒᆞ샤 삼인

451)이ᄆᆡ망냥(魑魅魍魎) : 온갖 도깨비. 산천, 목석의 정령에서 생겨난다고 한다. ≒망량.

[멸]망지화(滅亡之禍)만 두리오미 아니오라 간신이 성춍(聖聰)을 가리와 폐하의 실덕이 여ᄎᆞᄒᆞ시니, 신등이 경악(經幄)의 근시(近侍)ᄒᆞ와 군덕(君德)을 돕습지 못ᄒᆞᆫ 죄 업다 못ᄒᆞ려니와, 칼을 가져 용상을 범(犯)타ᄒᆞ믄 이ᄆᆡ망냥(魑魅魍魎)456)을 텬감(天監)이 그릇 아르시미라. 신등이 강원(講院)의 입번ᄒᆞ고 신뎨ᄂᆞᆫ 금문누(禁門樓)의 슉직(宿直)ᄒᆞ와 다 잠이 깁허습다가 궐졍흉ᄉᆞ(闕廷凶事)을 듯습고 나명(拿命)을 인ᄒᆞ와 젼졍죄수(殿庭罪囚) 되오나 신등의 ᄋᆡᄆᆡᄒᆞᆫ 텬지신명이 질졍(質定)ᄒᆞ리니, 비록 형벌의 목숨을 맛ᄎᆞ나 조흔 귀신이 되리니, 감히【90】어즈러이 발명(發明)ᄒᆞ오미 안야, 입번동요(入番同僚)을 불너 신등이 움작인 일 잇ᄂᆞᆫ가 하문(下問)ᄒᆞ시면 일각(一刻)의 알니이다."

원ᄉᆞᆷ이 주왈,

"신은 이뉵(二六)이 갓너머 셰ᄉᆞ을 아지 못ᄒᆞ오ᄃᆡ 어려셔부터 아비 츙효로뼈 ᄆᆡ양 경계ᄒᆞ옵고 신들이 텬셩이 지잔용우(至孱庸愚)ᄒᆞ오나[니], ᄃᆡ역부도(大逆不道)는[를] 참아 몸소힝ᄒᆞ며 십ᄉᆞᆷ셰 소ᄋᆡ(小兒) 무ᄉᆞᆷ 용역으로 집검범상(執劍犯上)ᄒᆞᆯ 뜻시 이시리잇고? 신등(臣等)의 주륙지화(誅戮之禍)을 흘노 셜워ᄒᆞ지 아니ᄒᆞ와 셩상(聖上)의 ᄉᆞᆯ미지 못ᄒᆞ옵시믈 ᄒᆞᆫ심(寒心)ᄒᆞ고, 아ᄅᆡ로 신부(臣父)의 젹심단츙(赤心丹忠)으로 함죄(陷罪)ᄒᆞ믈 각골(刻骨)ᄒᆞᄂᆞ이다."

상이 ᄉᆞᆷ인의 말을 드르시고 즉시 셰곳 입번동관(入番同官)을 부르ᄉᆞ 원셩 등의 동작(動作)을 무르신ᄃᆡ, 여츌일구(如出一口)이 ᄒᆞᆫ가지로 움작이지 아니믈 ᄃᆡᄒᆞ니, 상이 본ᄃᆡ 하진의 관일지츙(貫一之忠)과 원셩 등의 아름다오믈 깁피 총우(寵遇)ᄒᆞ시ᄂᆞᆫ ᄇᆡ로ᄃᆡ, 아ᄌᆞ457) 흉참(凶慘)ᄒᆞᆫ 거동을 친견ᄒᆞ시ᄆᆡ

456)이ᄆᆡ망냥(魑魅魍魎) : 온갖 도깨비. 산천, 목석의 정령에서 생겨난다고 한다. ≒망량.
457)아ᄌᆞ : 갑자기, 이전, 조금 전.

을 엄형국문(嚴刑鞫問)ᄒᆞ실ᄉᆡ ᄆᆡ마다 고찰ᄒᆞ샤 블궤지ᄉᆞ(不軌之事)를 다 고ᄒᆞ라 ᄒᆞ시나, 삼인이 구셜(口舌)이 무익ᄒᆞ믈 ᄭᆡᄃᆞ라 말을 아니코, 일시의 님형(臨刑)ᄒᆞᆯᄉᆡ, ᄒᆞᆨᄉᆞ와 한님은 됴ᄒᆞᆫ 일ᄀᆞᆺ치 블변안ᄉᆡᆨ(不變顏色)ᄒᆞᄃᆡ, 원상은 참형(慘刑)을 님ᄒᆞ여 옥 ᄀᆞᆺᄐᆞᆫ 얼골이 ᄎᆞᆫᄌᆡ ᄀᆞᆺᄐᆞ여 뉴셩(柳星)452) ᄀᆞᆺᄐᆞᆫ 봉안을 ᄯᅳ디 아니ᄒᆞ여 ᄉᆡᆼ인(生人)의 거동이 업ᄉᆞ니, 일 ᄎᆡ453)를 다 못ᄒᆞ여셔 ᄒᆞᆫ 소ᄅᆡ 탄셩(歎聲)으로조ᄎᆞ 명(命)이 진(盡)ᄒᆞ니 비부비뷔(悲夫悲夫)며 ᄎᆞ의ᄎᆞ의(嗟矣嗟矣)라.454) 십삼세 쳐신ᄒᆞᄆᆡ ᄒᆞᆫ조각 허믈이 업이[시] 엄형디하(嚴刑之下)의 맛ᄎᆞ니 엇지 참혹지 【24】 아니리오.

ᄒᆞᆨᄉᆞ 형뎨 임의 ᄒᆞᆫ ᄎᆡ를 바닷더니 삼뎨(三弟)의 참ᄉᆞ(慘死)ᄒᆞ믈 보ᄆᆡ 오ᄂᆡ촌할(五內寸割)ᄒᆞ고 텬디 어두운지라. ᄒᆞᆫ가지로 엄홀(奄忽)ᄒᆞ니, 샹이 ᄎᆞ경을 당ᄒᆞ시ᄆᆡ 그 되를 의논ᄒᆞᆯ진ᄃᆡ 쳔ᄉᆞ유경(千死猶輕)이오 만ᄉᆞ무셕(萬死無惜)이로ᄃᆡ, 삼인의 풍신ᄌᆡ화(風神才華)로 정하되쉬(庭下罪囚)되여 신톄 젹혈(赤血) 듕의 잠겨시믈 보시ᄆᆡ, 친문(親問)ᄒᆞ시믈 아니ᄭᅩ이455) 넉이샤, 원상의 시신을 ᄂᆡ여주라 ᄒᆞ시고, ᄒᆞᆨᄉᆞ 등을 하옥ᄒᆞ라 ᄒᆞ시니 날이 발셔 ᄇᆞᆰ고, 만됴문뮈(滿朝文武) 텬문의 됴회ᄒᆞᆯᄉᆡ 나졸(邏卒)456)이 하ᄃᆡᆨᄉᆞ의 시신을 븟드러ᄂᆡ고, ᄒᆞᆨᄉᆞ와 한님을 구호ᄒᆞ

452)뉴셩(柳星) : 이십팔수의 스물넷째 별자리에 있는 별들.

453)ᄎᆡ : 매질. 죄인을 신문할 때 공포감을 주어 자백을 강요할 목적으로 한바탕 가하는 매질. 또는 그러한 매질의 횟수를 세는 단위. '치'는 '笞(매질할 태)'의 원음, '태'는 그 속음(俗音)임.

454)비부비뷔(悲夫悲夫)며 ᄎᆞ의ᄎᆞ의(嗟矣嗟矣)라 : 슬프고 슬프며 통탄하고 또 통탄할 일이로다.

455)아니ᄭᅩ이 : <아니ᄭᅩᆸ다 : 아니꼽다>. 아니꼽게. 비위가 뒤집혀 구역질이 날 듯하게.

456)나졸(邏卒) : 조선 시대에, 포도청(捕盜廳)에 속하여 관할 구역의 순찰과 죄인을 잡아들이는 일을 맡아 하던 하급 병졸.

엇지 다ᄉᆞ리지 아니시리오. 모든 말이 밋부지 아니ᄒᆞ고 원경 등 발명은 예ᄉᆞ(例事)라. ᄉᆞᆷ인을 엄형추문(嚴刑推問)ᄒᆞᄉᆞ 블궤지ᄉᆞ(不軌之事)을 고ᄒᆞ라 ᄒᆞ시니, ᄉᆞᆷ인이 구셜(口舌)이 무익ᄒᆞ믈 ᄭᆡ다라 다시 말을 아니코 일시의 형벌을 바들 ᄉᆡ, 원보ᄂᆞᆫ ᄀᆡ연(介然)이 안ᄉᆡᆨ을 불변ᄒᆞ고 일셩(一聲)을 부동(不動)ᄒᆞᄃᆡ, 원ᄉᆞᆷ은 연유십ᄉᆞᆷ세(年幼十三歲) 【91】 의 부모제형 듕 교ᄋᆡ(驕兒)로 ᄉᆡᆼ장ᄒᆞ여 일작 크게 ᄎᆡᆨ(責)ᄒᆞᆷ도 듯지 못ᄒᆞ엿다가, 불의에 참형을 당ᄒᆞ니 다만 옥면이 찬ᄌᆡ 갓고, 츄슈봉안(秋水鳳眼)을 ᄯᅳ지 아냐 ᄉᆡᆼ인의 거동이 업삿더니458), 일 ᄎᆞ459)을 다 못ᄒᆞ여 옥골(玉骨)이 허여져 유혈이 임니(淋漓)ᄒᆞ며 임의 명(命)이 진(盡)ᄒᆞ니, ᄉᆡᆼ셰 십ᄉᆞᆷ년의 ᄒᆞᆫ 조각 불의지ᄉᆡ(不義之事) 업시 듕형(重刑)의 명을 마ᄎᆞ니 엇지 원억(冤抑)지 아니리오.

원경 등이 ᄯᅩᄒᆞᆫ 일ᄎᆞ식 마ᄌᆞ더니, ᄉᆞᆷ뎨(三弟)의 죽으믈 보고 통활[한](痛恨)ᄒᆞ여 쳔지 어득이 긔운이 막혀 엄홀(奄忽)ᄒᆞ니, 상이 삼인의 여옥지모(如玉之貌)와 셰류풍ᄎᆡ(細柳風彩)로써, ᄯᅳ 우히 죄수(罪囚)되여 혈육이 임니(淋漓)ᄒᆞᄂᆞᆫ 형벌을 바다, 임의 그 ᄒᆞ나히 죽으믈 보시고, 죄 즉 만ᄉᆞ유경(萬死猶輕)으로 아르시나 친국 ○○○[ᄒᆞ시믈] 아니ᄭᅩ이460) 넉이오ᄉᆞ 원ᄉᆞᆷ의 시신(屍身)을 ᄂᆡ여주라 ᄒᆞ시고, 원경과 원보을 아직 하옥(下獄)ᄒᆞ라 ᄒᆞ시니, 날이 발고 만조문무(滿朝文武) 금쳔문의 조회ᄒᆞᆯ ᄉᆡ, 나졸(邏卒)이 하 즉ᄉᆞ(直士)의 시신을 붓드러 ᄂᆡ고, 학ᄉᆞ(學士)와 한님(翰林)을 구호○○[ᄒᆞ여] ᄃᆡ리시(大理寺)461)의 가도ᄆᆡ, 초왕・김탁이 상이 다ᄉᆞ○[리]시기을 긋치시고 하옥

458)업삿더니 : <업ᄉᆞ다 : 없다>. 없더니.

459)ᄎᆞ : 차. 차례. 수량을 나타내는 말 뒤에 쓰여, 일이 일어나는 횟수를 세는 단위.

460)아니ᄭᅩ이 : <아니ᄭᅩᆸ다 : 아니꼽다>. 아니꼽게. 비위가 뒤집혀 구역질이 날 것 같이.

461)대리시(大理寺) : 고려 시대에, 형옥(刑獄)을 맡아보던 관아. 성종 14년(995)에 전옥서를 고친 것으로, 문종 때에 다시 전옥서로 고쳤다.

여 대리시(大理寺)457)의 가도믹, 초왕과 김탁이 일을 일워 슷치 이실지라. 샹이 다ᄉ리기를 긋치고 하옥ᄒ시【25】믈 블열ᄒ여 데일 독약을 ᄎ의 타 나졸을 주어 왈,

“하혹ᄉ 등이 일시 운건(運蹇)ᄒ여 대리시의 ᄊ져시나 이믹ᄒ미 빅옥(白玉) ᄀᆺᄐ니 오라지 아냐 신셜(伸雪)ᄒ리니, 여등(汝等)을 이 ᄎ(茶)로ᄡ 맛지ᄂ니 하혹ᄉ 등의 마른 목을 젹시게 ᄒ라.”

옥니 등이 지우하쳔(至愚下賤)이나 혹ᄉ 등의 위인을 앗겨 눈물을 흘니다가, ᄎ언을 듯고 진짓말458)만 넉여, 형데를 ᄡ머여 ᄒᆫ 그르ᄉᆯ 다 먹이니, 현현(顯顯)이459) 못견듸ᄂᆞᆫ 빅 업시 쟝뷔 ᄭᅳᆫ허지며 뉵믹(六脈)460)이 다 상ᄒ여 엄연(奄然)이461) 셰상을 바리니, 통의통ᄌᆡ(痛矣痛哉)462)라! 혹ᄌ(或者), 고금(古今)의 원ᄉ(寃死)ᄒ니 ᄒ나 둘이 아니나 엇지 ᄎ(此) 삼인 ᄀᆺ치 일야지간(一夜之間)의 비명참ᄉ(非命慘死)ᄒᆫ 지 이시리오. 통【26】호셕ᄌᆡ(痛乎惜哉)463)며 ᄎ호이ᄌᆡ(嗟乎哀哉)464)라! 그 부형(父兄)으로 니르지 말고 우연ᄒᆫ 타인이라도 눈믈나믈 면치 못ᄒ리러라.

옥니 혹ᄉ 등의 년쇼귀골(年少貴骨)노 중형을 바드믹 죽은 줄 알고, ᄎ의 독약을 먹고 죽은 줄은 모르고 즉시 죽어시믈 고ᄒ니, 샹이 ᄇ야흐로 됴회를 님(臨)ᄒ샤, 원경 등의 작야ᄉ(昨夜事)를 니르시고 분연(憤然)ᄒ믈 니긔지 못ᄒ신듸, 만되(滿朝) 경악ᄒ여 하공의 딕졀(直節)을 ᄡ리던 ᄌᄂᆞᆫ 참혹히 녁이ᄂᆞᆫ 빗치 업셔 말을 아니ᄒ듸, 하공 부

457)대리시(大理寺) : 고려 시대에, 형옥(刑獄)을 맡아보던 관아. 성종 14년(995)에 전옥서를 고친 것으로, 문종 때에 다시 전옥서로 고쳤다.

458)진짓말 : 참말.

459)현현(顯顯)이 : 환히 드러나게. 명백히.

460)뉵믹(六脈) : 『한의학』에서 말하는 여섯 가지 맥박. 부(浮), 침(沈), 지(遲), 삭(數), 허(虛), 실(實)의 맥을 이른다.

461)엄연(奄然)이 : 갑자기.

462)통의통ᄌᆡ(痛矣痛哉) : 원통하고 원통함.

463)통호셕ᄌᆡ(痛乎惜哉) : 몹시 애석하고 안타까움.

464)ᄎ호이ᄌᆡ(嗟乎哀哉) : 몹시 슬프고 애석함.

ᄒ시믈 불열ᄒ여 졔일독약(第一毒藥)을 ᄎ의 타 옥졸을 주어 왈,

“하혹ᄉ 등이 일시 운건(運蹇)ᄒ여 참혹ᄒᆫ 죄의 ᄡ져시나 반다시 오릭지 아냐 진졍(眞情)이 발각(發覺)ᄒ면 신셜(伸雪)ᄒᆯ지라, 너희 맛당이 보【92】호ᄒ고 이 ᄎ(茶)을 먹여 마른 목을 젹시게 ᄒ라.”

옥니 등이 지우하쳔(至愚下賤)이나 하혹ᄉ 등의 빅옥무ᄒ(白玉無瑕)ᄒᆷ으로 형벌을 입어 ᄉ싱(死生)이 급ᄒ믈 보고 눈물을 흘니다가, 이 말을 듯고 진짓말462)노 알아, 약물을 무심이 바다 형졔을 먹여 ᄒᆫ 그릇ᄉᆯ 다 먹지 아냐, 뉵믹(六脈)463)이 다 상(傷)ᄒ여 엄연(奄然)464)이 셰상을 바리니, 통의(痛矣)며 참의(慘矣)라465). 부형(父兄)을 일으지 말고 타인(他人)으로도 눈물을 금치 못ᄒᆯ지라.

옥니 학ᄉ 등의 년소귀골(年少貴骨)노 듕형을 당ᄒ믹 죽은 줄노 알고, ᄎ(茶)의 약 먹은 줄은 모로고 죽어시물 고ᄒ니, 상이 조회(朝會)을 임(臨)ᄒᄉ 원경 등의 작야ᄉ(昨夜事)을 일너 분(憤)ᄒ여 ᄒ신듸, 만죄(滿朝) 경악ᄒ여 하공의 직졀(直節)을 ᄭ리ᄂᆞᆫ ᄌᄂᆞᆫ 참혹(慘酷)히 녁이ᄂᆞᆫ 지 업고, 하공 부ᄌ의 츙의(忠義)을 아ᄂᆞᆫ ᄌᄂᆞᆫ 참졀경히(慘絶驚駭)466)ᄒ여, 일시의 주(奏)ᄒ여, 성상(聖上) 쳐치을 너무 쥰급(峻急)히 ᄒ여 성명지덕(聖明之德)이 젼일과 다르믈 주ᄒ더

462)진짓말 : 참말.

463)뉵믹(六脈) : 『한의학』에서 말하는 여섯 가지 맥박. 부(浮), 침(沈), 지(遲), 삭(數), 허(虛), 실(實)의 맥을 이른다.

464)엄연(奄然)이 : 갑자기.

465)통의(痛矣)며 참의(慘矣)라! : 몹시 원통하고 슬프다.

466)참졀경히(慘絶驚駭) : 더할 나위 없이 놀라고 비참해 함.

ᄌᆞ의 튱의(忠義)를 아ᄂᆞᆫ ᄌᆞᄂᆞᆫ 참졀경히(慘絶驚駭)[465]ᄒᆞ여 일시의 쥬(奏)ᄒᆞ여 셩샹(聖上) 쳐치 너모 쥰급(峻急)ᄒᆞ샤 셩명지덕(聖明之德)의 젼일과 다르시믈 쥬(奏)ᄒᆞ더니, 믄득 원경 등의 믈고(物故)[466]ᄒᆞ믈 고ᄒᆞ니, 샹이【27】 졔신의 듀ᄉᆞ(奏辭)로조ᄎᆞ 만히 후회ᄒᆞ실 ᄎᆞ, 냥인의 믈고ᄒᆞ믈 드르시고 가장 경참(驚慘)히 넉이샤 왈,

“원경 등의 되 쥬륙(誅戮)의 가ᄒᆞ나 다시 죵용히 쳐치코져 ᄒᆞ엿더니 엇지 그리 급히 맛ᄎᆞ뇨?”

ᄒᆞ시고, 하공 나ᄅᆡᄉᆞ(拿來事)를 의논ᄒᆞ시니, 승상 조슌이 하진의 튱녈(忠烈)을 힘뼈 간ᄒᆞ여 죄명이 ᄋᆡᄆᆡᄒᆞ믈 ᄀᆞᆺ초 쥬ᄒᆞ니, 금평후 뎡공과 태듕태우 운쉬 출반(出班) 주왈,

“신등(臣等)이 하진으로 문경지의(刎頸之義)[467]라. 그 위인을 즈셔히 아옵ᄂᆞ니, 튱셩이 관일(貫一)ᄒᆞ고 딕긔(直氣)[468] 남과 다르온 고로 국가를 위ᄒᆞᄆᆡ ᄉᆞᄉᆞ를 도라보지 아니코, 질악(嫉惡)을 여슈(如讐)ᄒᆞᄂᆞᆫ 고로 셩샹의 친현신원소인(親賢臣遠小人)[469]ᄒᆞ시믈 알외여 일호반ᄉᆞ(一毫叛事)[470]를 용납지 아니ᄒᆞ오니, 대개 너모【28】 녈일쥰엄(烈日峻嚴)ᄒᆞ여 간당 등의 믜이믈 바드미 가히 뭇지 아냐 알 거○[시]로ᄃᆡ, 셩샹의 일월지명(日月之明)으로 튱냥(忠良)을 무죄히 맛출 줄 실시녀외(實是慮外)[471]라 신등이 하진을 위ᄒᆞ여 놀나미 아니라, 셩샹 실덕(失德)이 이의 밋ᄎᆞ시믈 실노 ᄋᆡ돌와 ᄒᆞ옴ᄂᆞ니 하원경 등 셰낫 명현(名賢)을 앗가이 맛ᄎᆞ시니,

465)참졀경히(慘絶驚駭) : 더할 나위 없이 놀라고 비참해 함.
466)믈고(物故) : 죄를 지은 사람이 죽음. 또는 죄를 지은 사람을 죽임.
467)문경지의(刎頸之義) : 서로를 위해서라면 목이 잘린다 해도 후회하지 않을 만큼 의리를 지킨다는 뜻으로, 생사를 같이할 수 있는 친구 사이의 의리를 이르는 말. 중국 전국 시대의 인상여(藺相如)와 염파(廉頗)의 고사에서 유래하였다
468)딕긔(直氣) : 직절(直節)과 의기(義氣)
469)친현신원소인(親賢臣遠小人) : 어진 신하를 가까이 하고 간사한 사람을 멀리함.
470)일호반ᄉᆞ(一毫叛事) : 털끝만큼의 작은 반역사건.
471)실시녀외(實是慮外) : 진실로 생각 밖의 일임.

니, 믄득 원경 등 죽으믈 고ᄒᆞ니 상이 졔신의 주ᄉᆞ(奏辭)을 드르시고 만이 후회ᄒᆞ실 차, 냥인의 죽으믈 드르시고 경ᄎᆞᆷ(驚慘)이 넉이오ᄉᆞ 왈,

“원경 등의 죄 쥬륙(誅戮)이 가ᄒᆞ나 다시 죠용○[이] 쳐치코져 ᄒᆞ엿더니, 여ᄎᆞ히 급피 죽느뇨?

ᄒᆞ시고 하공의 나ᄅᆡᄉᆞ을 의논ᄒᆞ시니, 승상 조츈이 하진의 츙열(忠烈))을 힘써 간ᄒᆞ여 죄명이【93】 ᄋᆡᄆᆡᄒᆞ믈 주ᄒᆞ니, 금평후 뎡공과 ᄐᆡ우 윤쉬 츌반(出班) 주왈,

“소신 등이 하진의 츙직(忠直)ᄒᆞ오미 국ᄉᆞ○[의] 다ᄃᆞ러 ᄉᆞᄉᆡᆨ(私事) 업습고, 성상의 친현신원소인(親賢臣遠小人)[467]ᄒᆞ시물 간ᄒᆞ와 일호 용납ᄒᆞ오미 업ᄂᆞᆫ 고로, 간당의 뮈이물 뭇지 아냐 알 거시로ᄃᆡ, 성상의 일월명휘(日月明輝)로 무죄히 맛출 쥴은 실시의외(實是意外)[468]라. 신등이 하진을 위ᄒᆞ여 슬허ᄒᆞᆯ ᄲᅮᆫ 아니오라, 성상 실덕(失德)이 이의 밋ᄎᆞ시물 ᄋᆡ돌아 ᄒᆞ옵나이다. 하원경 삼인은 ᄎᆞᆼ명영ᄌᆡ(聰明英才) 츌인(出人)ᄒᆞ옵고, 츙의(忠義) 고인(古人)을 효측(效則)ᄒᆞᆯ ᄇᆡ러니, 일야간(一夜間) 원ᄉᆞ(寃死)ᄒᆞ오니, 성상이 셰낫 명현(名賢)을 악가이[469] 일흐시미라. 엇지 국가 불ᄒᆡᆼ이 아니리잇가. 하진을 마ᄌᆞ 나ᄅᆡ(拿來)ᄒᆞ려 ᄒᆞ시면 신등의 작직(爵職)을 드려 하진의 일명(一命)을 ᄃᆡ신ᄒᆞ고, 폐하의 호ᄉᆡᆼ지덕(好生之德)이 되게 ᄒᆞ오리니, 엇지 불궤(不軌)의 쐬을 ᄒᆞᆯ니 잇시리잇고.”

467)친현신원소인(親賢臣遠小人) : 어진 신하를 가까이 하고 간사한 사람을 멀리함.
468)실시의외(實是意外) : 정말로 뜻밖의 일임.
469)악가이 : 앗가이. 아깝게.

엇디 국가 블힝이 아니며 원경 등의 참ᄉᆞᄒᆞ미 측은치 아니리잇고? 이졔 하진을 나ᄅᆡ(拿來)ᄒᆞᆯ 바를 의논ᄒᆞ시니, 신등이 쟉딕을 드리고 하진의 일명(一命)을 ᄉᆞ, 뼈 폐하의 호싱지덕(好生之德)을 돕ᄉᆞ오리이다. 신등이 슈블튱무상(雖不忠無狀)472)이오나 하진이 평일 힝ᄉᆞ 만일 일호(一毫)나 의심되미 이실진ᄃᆡ 셩명지하(聖明之下)의 허언(虛言)을 듀달(奏達)ᄒᆞ와【29】 호역지되(護逆之罪)473)를 면치 못ᄒᆞ올지라. 하진의 역모지ᄉᆡ(逆謀之事) 젹실ᄒᆞ올진ᄃᆡ 신등이 ᄯᅩᄒᆞᆫ 되를 당ᄒᆞ리이다."

말ᄉᆞᆷ이 강개격졀(慷慨激切)ᄒᆞ여 튱현이 화의 ᄡᅥ러지믈 참연비졀(慘然悲絶)ᄒᆞ니 샹이 유예미결(猶豫未決)474)ᄒᆞ샤 침음냥구(沈吟良久)의 ᄀᆞᆯ오ᄉᆞᄃᆡ,

"경등(卿等)이 하진을 녁구(力救)ᄒᆞ니 딤이 ᄯᅩᄒᆞᆫ 그 반심(叛心)을 보지 못ᄒᆞ엿거니와, 원경 등 역신(逆臣)이 집검돌입(執劍突入)ᄒᆞ여 시군(弑君)ᄒᆞᆯ ᄯᅳᆺ이 소연(昭然)ᄒᆞ디라. ᄎᆞᄂᆞᆫ 만고(萬古)의 드믄 역젹이라. 하진이 비록 뎡튱대졀(貞忠大節)이 잇다 ᄒᆞ나 삼역(三逆)475)의 년좌(緣坐)를 면치 못ᄒᆞᆯ 거시오, 딤이 ᄯᅩᄒᆞᆫ 하진부ᄌᆞ를 져바리미 업거ᄂᆞᆯ, 하젹(河敵)이 이졔 감히 하람군을 모라 황셩을 범(犯)코져 ᄒᆞᆫ다 ᄒᆞ니, 일관(一貫)476)이 통히(痛駭)【30】{히}ᄒᆞᆫ지라. 가히 역텬젹ᄌᆞ(逆天賊子)를 버혀 후인을 증계(證戒)ᄒᆞ리라."

하시니 뎡・윤 이공(二公)이 우쥬 왈,

"셩상이 비록 흉역(凶逆)을 친찰(親察)ᄒᆞ시미 계시나, ᄎᆞᄂᆞᆫ 반ᄃᆞ시 니ᄆᆡ망냥(魑魅魍魎)이 원경 등을 히ᄒᆞ려 ᄆᆡ골(埋骨)을 비러 셩심(聖心)을 격동(激動)ᄒᆞ미라. 원경 등은

말ᄉᆞᆷ이 격졀(激切)ᄒᆞ고 안ᄉᆡᆨ이 강ᄀᆡ(慷慨)ᄒᆞ여 하진을 구ᄒᆞ믈 못밋찰 닷ᄒᆞ니, 상이 침음양구(沈吟良久)의 왈,

"짐이 하진의 반상(叛狀)은 보지 아냐거니와 원경 등이 거조(擧措)을 짐이 목견(目見)ᄒᆞ엿시니 발명(發明)ᄒᆞᆯ ᄇᆡ 업ᄂᆞᆫ지라. 엇지 그 아비게 연좌(緣坐) 업ᄉᆞ리오."

뎡・윤 양공이 주왈,

"성상이 비록 원경 등의 흉역(凶逆)을 친히 보신 ᄇᆡ나, 이ᄂᆞᆫ 반다시 이ᄆᆡ망냥(魑魅魍魎)이 하가을 히ᄒᆞᆫ 연괴라, 무죄ᄒᆞᆫ【94】 삼인(三人)이 죽음도 국가 불힝이니, 엇지 하진의게 연좌(緣坐)ᄒᆞ리잇고?"

472)슈블튱무상(雖不忠無狀) : 비록 충성스럽지 못하고, 내세울 만한 공적이 없으나.

473)호역지되(護逆之罪) : 반역죄인을 두호(斗護)한 죄.

474)유예미결(猶豫未決) : 망설여 일을 결정하지 못함.

475)삼역(三逆) : 세 사람의 역적. 곧 하진의 세 아들 하원경・하원보・하원상을 말함.

476)일관(一貫) : 엽전의 한 꿰미. 일관향(一貫鄕). 여기서는 하진의 일가족을 말함.

결단코 그럴 니 업ᄉ오니 져의 죽음도 셩듀의 참덕(慙德)이어ᄂᆯ 엇지 하진의게 년좌ᄒ시리잇고?"

샹이 청ᄎ(聽此)의 옥ᄉᆡᆨ(玉色)이 변이(變異)ᄒ샤 왈,

"경등이 원경 등을 져러ᄐᆺ 두호(斗護)ᄒ여 딤의 친견ᄒᆞᆫ 바를 니ᄆᆡ망냥이라 밀위니 평일 밋던 ᄇᆡ 아니로다."

냥공이 샹의 진노ᄒ시믈 보오나 츄호 구쇽(拘束)지 아냐 원경 등의 무뵈ᄒᆞᆷ과 하진의 튱녈을 닷토아 굴치 아【31】니니, 텬심이 블예(不豫)477)ᄒ샤 파됴(罷朝)ᄒ시니, 이공이 ᄒᆞᆯ일업셔 믈너나 원경 등의 시신을 ᄎᄌ 방셩대곡(放聲大哭)ᄒ니, 비뤼쳔항(悲淚千行)478)이라. 원경등의 시신을 아직 ᄂᆡ여주시나[라] 명이 업ᄉ니 윤·뎡 냥공이 더옥 참통비졀(慘痛悲絶)ᄒ더라.

니부샹셔 김후ᄂᆞᆫ 김탁의 당ᄌᆡ라. 윤샹셔 망(亡)ᄒᆞᆫ 후 니부텬관의 거ᄒ여 용인지졍(用人之政)479)이 무상(無狀)ᄒ여 ᄉ졍(私情)으로 당뉴(黨類)를 쓰며, ○…결락 15자…○[현인군ᄌ(賢人君子)을 무고(無故)이 뮈워ᄒ니, ᄒ물며] 하공이[은] 기부(其父)를 침노(侵擄)ᄒ엿거든 욕살지심(慾殺之心)480)이 업ᄉ리오. 원경 등 죽이믈 타, 하가를 업시ᄒ려 ᄒ고 초왕으로 합녁(合力)ᄒ니,

○…결락 336자…○[셔로 의논ᄒ고 파조 후 즉시 청ᄃᆡ(請對)481)ᄒ온ᄃᆡ, 상이 인견ᄒ실 ᄉᆡ, 김후와 초왕이 주(奏)ᄒᄃᆡ, '하진이 지금 하남군병을 거두어 황셩(皇城)을 엿보고, 원경 등이 비록 죽어시나 ᄂᆡ응(內應)ᄒ여 그 여당(與黨)이 무수ᄒ니 국가 위ᄐᆡᄒ물' 고ᄒ고, '하진이 밋쳐 방비치 못ᄒ여셔 나ᄅᆡ(拿來)ᄒ고 그 집을 어림군(御林軍)482)으로 에워싸 ᄉ름의 왕ᄂᆡ(往來)

477)블예(不豫) : 임금이나 왕비가 편치 않거나 죽음. ≒불열(不悅).

478)비뤼쳔항(悲淚千行) : 눈물이 천 줄이나 되게 흐름.

479)용인지졍(用人之政) : 인사행정(人事行政). 관리를 적재적소에 임용하는 등의 인사관리.

480)욕살지심(慾殺之心) : 누군가를 죽이려 하는 마음.

481)청ᄃᆡ(請對) : 신하가 급한 일이 있을 때 임금에게 뵙기를 청하던 일.

482)어림군(御林軍) : 임금의 신변과 궁궐의 방위를 책임지는 국왕 직속의 근위부대(近衛部隊).

상이 옥ᄉᆡᆨ(玉色)이 변(變)ᄒ여 왈,

"경등이 원경 등을 져러 탓 두호(斗護)ᄒ여 짐이 친견(親見)ᄒᆞᆫ 바을 이ᄆᆡ망냥(魑魅魍魎)으로 미르니 경등을 미드미 이러케 아니미 평일 밋던 ᄇᆡ 아니로다."

냥공이 상의 노ᄒ시물 보오나 츄호 구속(拘束)지 아냐, {왈} 원경 등의 무죄ᄒᆞᆷ과 하진의 츙녈을 다토아 굴치 아니니, 쳔심이 ᄌ못 불예(不豫)470)ᄒᄉ 조회을 파ᄒ시니, 양인이 ᄒᆞᆯ 일 업셔 물너나와 하직ᄉ의 시신을 ᄎᄌ 방셩ᄃᆡ곡(放聲大哭)ᄒ고[니], 비뉘쳔항(悲淚千行)471)이라. 원경 등 시신은 아직 ᄂᆡ여주라 명이 업ᄉ니 윤·뎡 양공이 더욱 츰통비졀(慘痛悲絶)ᄒ더라.

니부상셔 김후는 김탁의 장ᄌᆡ라. 윤상셔 망(亡)ᄒᆞᆫ 후 니부쳔관의 거ᄒ여 용인치졍(用人治政)472)이 무상(無狀)ᄒ여 ᄉ졍(私情)으로 졔 당뉴(黨類)을 쓰며 현인군ᄌ(賢人君子)을 무고(無故)이 뮈워ᄒ니, ᄒ물며 하공은 졔 아비을 침노(侵擄)ᄒ엿거든 죽이고져 뜻지 업ᄉ리오. 원경 등 죽이물 타, 하가을 업시ᄒ려 ᄒ고 초왕 등으로 합녁(合力)ᄒ니, 셔로 의논ᄒ고 파조 후 즉시 청ᄃᆡ(請對)473)ᄒ온ᄃᆡ, 상이 인견ᄒ실 ᄉᆡ, 김후와 초왕이 주(奏)ᄒᄃᆡ, '하진이 지금 하남군병을 거두어 황셩(皇城)을 엿보고, 원경 등이 비록 죽어시나 ᄂᆡ응(內應)ᄒ여 그 여당(與黨)이 무수(無數)ᄒ니 국가 위ᄐᆡᄒ물' 고ᄒ고, '하진【95】이 밋쳐 방비치 못ᄒ여셔 나ᄅᆡ(拿來)ᄒ고 그 집을 어림군(御林軍)474)으로

470)블예(不豫) : 임금이나 왕비가 편치 않거나 죽음. ≒불열(不悅).

471)비뉘쳔항(悲淚千行) : 눈물이 천 줄이나 되게 흐름.

472)용인치졍(用人治政) : 사람을 적재적소에 발탁하여 쓰고 정사(政事)를 바로 다스리는 일.

473)청ᄃᆡ(請對) : 신하가 급한 일이 있을 때 임금에게 뵙기를 청하던 일.

474)어림군(御林軍) : 임금의 신변과 궁궐의 방위를

치 못ᄒᆞ게 ᄒᆞ옵고, 진의 필ᄌᆞ 원광이 십세로ᄃᆡ 그 상뫼(相貌) 비상ᄒᆞ여 융준농안(隆準龍眼)483)이 의연(毅然)이 졔왕(帝王)의 긔상이오, 신ᄌᆞ(臣子)의 상뫼(相貌) 아니라 ᄒᆞᄆᆡ, 하진이 크게 올히 녁여 젼혀 광을 위ᄒᆞ여 흥병(興兵)ᄒᆞᆫ다 ᄒᆞ니, 원광을 밧비 잡아 엄수(嚴囚)ᄒᆞ소셔' ᄒᆞ니, 상이 비록 명성(明聖)ᄒᆞ시나 참간(讒奸)이 에[예]부터 현인을 흠졍의 너흐니, '증모(曾母의 투져(投杼)'484)ᄒᆞ시물 어지 면ᄒᆞ리오. 즉시 원광을 ᄃᆡ리시(大理寺)의 가도라 ᄒᆞ시고 하남의 위ᄉᆞ(衛士)을 발ᄒᆞ여 하진을 나ᄅᆡ(拿來)ᄒᆞ라 ᄒᆞ시니, 김후 등이 쏘 주 왈,

"원경 등이 비록 죽어시나 그 흉역(凶逆)이의 머리을 동시(東市)의 달고 수족을 니쳐(離處)ᄒᆞ염 즉 ᄒᆞ니이다."

상이 의윤(依允)ᄒᆞ시니 나졸이 양인의 신체을 ᄂᆡ여 참(斬)ᄒᆞ려 ᄒᆞᆫ ᄃᆡ],

뎡·윤 냥공이 일반 명뉴 삼십여인으로 더브러 궐하의 쳥ᄃᆡ(請對)ᄒᆞ니 샹이 인견(引見)ᄒᆞ실ᄉᆡ, 윤·뎡 이공이 옥계(玉階)의 【32】 머리를 두다려 하진의 원억(冤抑)을 쥬ᄒᆞ고, 원경 등이 임의 죽엇거ᄂᆞᆯ 그 머리를 버히시미 셩쥬의 실덕이믈 녁ᄌᆡᆼ고간(力爭固諫)ᄒᆞ여 왈,

"하진이 진실노 반(叛)ᄒᆞᆯ진ᄃᆡ, 위ᄉᆡ(衛士) 가도 젼지(傳旨)를 좃지 아니코 위관(衛官)을 죽이고 황셩(皇城)을 범ᄒᆞᆯ 거시니 연즉(然卽) 신등이 ᄒᆞᆫ가지로 쥬륙(誅戮)을 바드리이다."

샹이 ᄎᆞ(此) 냥인을 지극 ○○[춍우(寵遇)]ᄒᆞ시ᄂᆞᆫ 바로, 쥬ᄉᆡ(奏辭) 이러틋 간졀ᄒᆞ여 원경 등 시신을 참(斬)치 마르시믈 녁ᄌᆡᆼ고간(力爭固諫)ᄒᆞᄆᆡ 당ᄒᆞ여ᄂᆞᆫ, 가장 블예(不

483)융준농안(隆準龍眼) : 우뚝한 코와 튀어나온 눈을 한 얼굴.

484)증모(曾母)의 투져(投杼) : 증자의 어머니가 증자가 사람을 죽였다는 말을 듣고, 처음에는 이를 믿지 않다가, 두 번 세 번까지 같은 말을 듣고는 마침내 베틀의 북을 내던지고 사건현장으로 달려갔다는 고사. ①누구나 여러 번 말을 들으면 곧이듣게 된다는 말. ②임금이 참언을 믿는 것을 비유(比喩)해 이르는 말.

에워싸 ᄉᆞᄅᆞᆷ이 왕ᄂᆡ치 못ᄒᆞ게 ᄒᆞ옵고, 진의 필ᄌᆞ 원광이 십세로ᄃᆡ 그 상뫼 비상ᄒᆞ여 융준농안(隆準龍眼)475)이 의연(毅然)이 제왕(帝王)의 긔상이오, 신ᄌᆞ(臣子)의 상뫼(相貌) 아니라 ᄒᆞᄆᆡ, 하진이 크게 올히 녁여 젼혀 광을 위ᄒᆞ여 흥병(興兵)ᄒᆞᆫ다 ᄒᆞ니, 원광을 밧비 잡아 엄수(嚴囚)ᄒᆞ소셔' ᄒᆞ니, 상이 비록 명성(明聖)ᄒᆞ시나 참간(讒奸)이 에[예]부터 현인을 흠정(陷穽)의 너흐니, '증모(曾母)의 투져(投杼)'476)ᄒᆞ시물 어지 면ᄒᆞ리오. 즉시 원광을 ᄃᆡ리시(大理寺)의 가도라 ᄒᆞ시고 하남의 위ᄉᆞ(衛士)을 발ᄒᆞ여 하진을 나ᄅᆡ(拿來)ᄒᆞ라 ᄒᆞ시니, 김후 등이 쏘 주왈,

"원경 등이 비록 죽어시나 그 흉역(凶逆)이[의] 머리을 동시(東市)의 달고 수졸[족]을 니쳐(離處)ᄒᆞ염 즉 ᄒᆞ니이다."

상이 의윤(依允)ᄒᆞ시니 나졸이 양인의 신체을 ᄂᆡ여 참(斬)ᄒᆞ려 ᄒᆞᆫ ᄃᆡ, 뎡·윤 냥공이 일반명뉴 삼십여인으로 더부러 궐하의 청ᄃᆡ(請對)ᄒᆞ니 상이 인견(引見)ᄒᆞ실 ᄉᆡ, 윤·뎡 냥인이 옥계(玉階)의 머리을 두다려 하진의 원억(冤抑)ᄒᆞ믈 주ᄒᆞ고 원경 등이 임의 죽어거ᄂᆞᆯ 머리을 버히시미 성주의 실덕이시믈 역ᄌᆡᆼ고간(力爭苦諫) 왈,

"하진이 진실노 반(叛)ᄒᆞᆯ진ᄃᆡ ᄒᆞ남군을 거두어 위ᄉᆡ(衛士) 가도 성지(聖旨)을 응슌(應順)치 아니코 위관(衛官)을 쥭이고 황셩(皇城)을 범ᄒᆞᆯ 【96】 거시지 만일 그러ᄒᆞᆯ진ᄃᆡ 신등(臣等)이 ᄒᆞᆫ 가지로 역신(逆臣)이 되와 쥬륙(誅戮)을 스ᄉᆞ로 청ᄒᆞ리이다."

상이 ᄎᆞ(此) 냥인을 지극 총우(寵遇)ᄒᆞ시ᄂᆞᆫ 바로 주ᄉᆡ(奏辭) 이럿틋 간졀ᄒᆞ여, ᄋᆡ걸ᄒᆞ여, 원셩 등 신체을 ᄎᆞᆷ(斬)치 마르시물 역

책임지는 국왕 직속의 근위부대(近衛部隊).

475)융준농안(隆準龍眼) : 우뚝한 코와 튀어나온 눈을 한 얼굴.

476)증모(曾母)의 투져(投杼) : 증자의 어머니가 증자가 사람을 죽였다는 말을 듣고, 처음에는 이를 믿지 않다가, 두 번 세 번까지 같은 말을 듣고는 마침내 베틀의 북을 내던지고 사건현장으로 달려갔다는 고사. ①누구나 여러 번 말을 들으면 곧이듣게 된다는 말. ②임금이 참언을 믿는 것을 비유(比喩)해 이르는 말.

豫)ᄒᆞ샤 왈,

"경등의 젼일 튱셩으로뼈 대역(大逆) 두호(斗護)ᄒᆞ미 이러틋 ᄒᆞ믈 뜻ᄒᆞ지 아냣도다. 원경 등이 딤의 뇽상하(龍床下)의 발검돌입(拔劍突入)이 만고흉역(萬古凶逆)이라 므어슬 앗겨 이ᄃᆡ도록 ᄒᆞᄂᆞ뇨?"

뎡·윤 이공이 ᄃᆡ쥬(對奏) 왈,

"원경【33】등의 대역이 셩샹의 니르시는 바 ᄀᆞᄌᆞ올진ᄃᆡ 신등이 ᄒᆞᆫ가지로 쥬륙을 쳥ᄒᆞ올 거오ᄃᆡ, 결단코 그럴 니 업ᄉᆞᆸ고. 또 간뉴(奸類)를 남달리 피ᄒᆞ므로 젼후 사ᄅᆞᆷ의게 만히 믜인지라. 하가를 믜워ᄒᆞ리[485] 셩샹을 속여 변형ᄒᆞᄂᆞᆫ 약을 삼켜, 거ᄌᆡ 여ᄎᆞ(如此)턴가 ᄒᆞᄋᆞᆸᄂᆞ니, 시쇽(時俗)의 요되(妖道) 이셔 괴이ᄒᆞᆫ 약뉴(藥類)를 삼켜 사ᄅᆞᆷ의 얼골을 밧고ᄂᆞᆫ 단약(丹藥)을 ᄆᆡᆫᄃᆞ라 파라 듕가(重價)를 취ᄒᆞᆫ다 ᄒᆞ오니, 신등의 소견은 이러ᄒᆞ와 원경 등을 칭원(稱寃)ᄒᆞᄋᆞᆸᄂᆞ니, 폐하ᄂᆞᆫ 그 시신을 온젼이 ᄂᆡ여 주샤 신등이 당(當)ᄒᆞ와 시톄(屍體)를 입념(入殮)[486]ᄒᆞ엿다가 하진이 만일 셩디(聖旨)를 슌슈(順受)치 아냐 하람의셔 작변(作變)ᄒᆞ미 이신즉, 신등의 머리를 버혀 호역【34】지죄(護逆之罪)를 뎡히 ᄒᆞ시고 원경 등을 부관참시(剖棺斬屍)ᄒᆞ오셔도 늣지 아니시리이다."

샹이 냥공의 녁징고간(力爭固諫)으로조ᄎᆞ 원경등 시슈(屍首)ᄂᆞᆫ 참(斬)치말나 ᄒᆞ시고 하가를 쥬야 에워ᄡᅳ고 원광을 다시 잡아 가도라 ᄒᆞ시니, 이공이 다시 닷토미 블가ᄒᆞ여 졔명뉴(諸名流)로 더브러 믈너나 흑ᄉᆞ등 시슈를 ᄎᆞᄌᆞ 입념(入殮)ᄒᆞ려 ᄒᆞᆯ ᄉᆡ, 나졸(邏卒)이 바야흐로 참ᄒᆞ려 ᄒᆞ다가 셩디 급히 나리ᄆᆡ 시신을 냥공을 맛지더라.

어시의 하부의셔 됴부인이 삼ᄌᆞ(三子) 입번(入番)ᄒᆞ니 심회 젼ᄌᆞ와 달나 여취여광(如醉如狂)ᄒᆞ며 흑ᄉᆞ부인 님시와 녀ᄋᆞ 영쥬로 더브러 밤을 지닐ᄉᆡ, 홀연 눈믈을 금치 못ᄒᆞ여 닐오ᄃᆡ,

485)믜워ᄒᆞ리 : 믜워ᄒᆞᆯ 이.
486)입염(入殮) : 염습(殮襲)과 입관(入棺).

간고징(力諫固爭)ᄒᆞ온ᄃᆡ, 상이 옥안이 불예(不豫)ᄒᆞᄉᆞ 왈,

"경등이 평일 츙심이 김후 등의 우희러니 ᄃᆡ역(大逆)을 두호(斗護)ᄒᆞ여 이러트시 주(奏)ᄒᆞᆯ 줄 뜻ᄒᆞ지 아니엿노라."

뎡·윤이 ᄃᆡ왈,

"원셩 등이 성상○[이] 이르신 바와 갓ᄉᆞ올진ᄃᆡ 신등이 ᄒᆞᆫ가지로 쥬륙을 쳥ᄒᆞᆯ ᄇᆡ오나, 결단코 그럴니 업ᄉᆞᆸ고, 하진의 츙직ᄒᆞ미 반다시 《소인을‖소인으로》 뮈이미 만ᄒᆞ고, ○[고]이ᄒᆞᆫ 약을 삼켜 성총(聖聰)을 가리오고 이 변을 일운○[가] ᄒᆞᄂᆞ이다. 요ᄉᆞ이 시속의 고이ᄒᆞᆫ 요되(妖道) 잇셔 고이ᄒᆞᆫ 약뉴(藥類)로 ᄉᆞ람의 얼골 박구ᄂᆞᆫ[477] 약을 ᄆᆡᆫ다라 셰상의 갑슬 취ᄒᆞᆫ다 ᄒᆞ오니, 신등은 이을 분변치 못ᄒᆞ와 하가을 칭원(稱寃)ᄒᆞᄋᆞᆸᄂᆞ니, 복원(伏願) 폐ᄒᆞᄂᆞᆫ 시신이나 온젼케 ᄒᆞᄋᆞᆸ시면 신등이 친히 입염(入殮)[478]ᄒᆞ엿다가 하진이 만일 셩지을 슌(順)치 아니ᄒᆞ와, 하남의셔 작변(作變)ᄒᆞ미 잇ᄉᆞ오면 신 등이 역젹(逆賊) 두호(斗護)ᄒᆞᆫ 죄을 밝히ᄉᆞ 동시(東市)의 참ᄒᆞ시고 원셩 등을 부관참시(剖棺斬屍)ᄒᆞ셔도 늣지 아니니이다."

상이 양인의 역징(力爭)【97】ᄒᆞᆷ으로 원경 등의 시수(屍首)을 참(斬)치 말나 ᄒᆞ시고, 오직 하가을 에워ᄊᆞ고 원광을 잡아 가도라 ᄒᆞ시니, 냥공이 물너나 학ᄉᆞ 등의 시수을 ᄎᆞᄌᆞ 입염(入殮)ᄒᆞ랴 ᄒᆞᆯ ᄉᆡ, 나졸이 바야호로 참ᄒᆞ려 ᄒᆞ다가 냥공을 주니라.

어시의 하부의셔 조부인이 솜ᄌᆞ(三子) 입번(入番)ᄒᆞ미 젼과 달나 여취여실(如醉如失)ᄒᆞ여 학ᄉᆞ 쳐 님시와 녀ᄋᆞ 영쥬로 더부러 밤을 지닐 ᄉᆡ, 홀연 누쉬여우(淚水如雨)[479]

477)박구ᄂᆞᆫ : 바꾸는
478)입염(入殮) : 염습(殮襲)과 입관(入棺)
479)누쉬여우(淚水如雨) : 눈물이 비오듯 흐르는 모양.

"금일 내 심식 지향업셔 밤을 당ᄒᆞ나 ᄒᆞᆫ 졈 조으【35】름이 업셔 밋쳐날 ᄃᆞᆺᄒᆞ니 엇디 이리 괴이ᄒᆞ뇨?"

님쇼졔 쳑연(慽然) ᄃᆡ왈,

"쇼쳡이 역시 회푀 어ᄌᆞ러오니 연고업시 괴이ᄒᆞ이다."

영쥬쇼졔 모친과 님쇼져를 위로ᄒᆞ여 날이 ᄇᆞᆰ기의 니르도록 ᄌᆞᆷ을 못ᄌᆞᆺ더니, ᄒᆞᆨᄉᆞ 등의 하리 밧긔 와 원광공ᄌᆞ긔 ᄒᆞᆨᄉᆞ 등의 참변을 고ᄒᆞ고 ᄃᆡᆨᄉᆞᄂᆞᆫ 발셔 맛ᄎᆞ시믈 고ᄒᆞ니 공ᄌᆡ 놀나오미 쳥텬의 벽녁이 일신을 분쇄ᄒᆞᄂᆞᆫ ᄃᆞᆺ 망극통원(罔極痛寃)이 일월(日月)이 회싀(晦塞)ᄒᆞ고 텬디함벽(天地陷闢)487)ᄒᆞᄂᆞᆫ ᄃᆞᆺ 손으로 가슴을 치고 ᄒᆞᆫ 소ᄅᆡ 쟝통(長痛)의 피를 토ᄒᆞ고 업더지니, 시노셔동비(侍奴書童輩) 밧비 븟드러 구호ᄒᆞ며, ᄎᆞᄎᆞ 젼ᄒᆞ여 ᄂᆡ당의 니르니 합문(闔門)488) 샹하(上下)의 경황망극(驚惶罔極)489)ᄒᆞ미 텬디 어두어 셜운 줄도 ᄭᆡᄃᆞᆺ디 못ᄒᆞ여, 부【36】인은 ᄒᆞᆫ 말을 못ᄒᆞ고 칼흘 ᄲᅢ혀 가삼을 지르려 ᄒᆞ니, 님쇼져와 영쥐 급히 칼흘 앗고 모녀고식(母女姑媳)490)이셔로 호텬통곡(呼天痛哭)ᄒᆞ더니, 원광이 인ᄉᆞ를 출혀 드러와 모친과 슈ᄆᆡ(嫂妹)491)의 우름을 긋치쇼셔 ᄒᆞ고, ᄯᅩ 골오ᄃᆡ,

"화변(禍變)이 블측(不測)ᄒᆞᆫ 곳의 잇셔 ᄒᆞᆫ갓 삼형의 참망(慘亡)ᄒᆞᆷ만 아니라 ᄇᆡᆨ시(伯氏)와 듕시(仲氏) 흉화(凶禍)의 ᄲᅢ젓고, 대인(大人)이 망극지참(罔極之慘)을 인ᄒᆞ여 위티ᄒᆞᆯ 거시니 문회(門戶) 망멸(亡滅)ᄒᆞ기 슈유(須臾)의 급(急)ᄒᆞ니 ᄉᆞ긔를 보아 ᄉᆞᄉᆡᆼ을 결ᄒᆞ려니와, 피창(彼蒼)492)이 ᄎᆞ마 엇디 지

487)텬디함벽(天地陷闢) : 천지합벽(天地闔闢). 천지가 꺼지고(닫히고) 열리고 함.
488)합문(闔門) : 문을 닫는다는 뜻으로, '온 집안'을 이르는 말.
489)경황망극(驚惶罔極) : 몹시 놀라고 두려워 허둥지둥하며 어찌할 바를 모름.
490)모녀고식(母女姑媳) : 어머니와 딸과 며느리를 함께 이르는 말.
491)슈ᄆᆡ(嫂妹) : 형수와 누이.
492)피창(彼蒼) : 저 창천(蒼天). 저 하늘.

ᄒᆞ여 왈,

"금일 ᄂᆡ 심ᄉᆡ 지향 업ᄉᆞ니 밤을 당ᄒᆞ나 ᄒᆞᆫ 졈 조으름이 업고 쳔ᄉᆞ만려(千思萬慮) 실셩(失性)ᄒᆞᆫ 듯 ᄒᆞ니, 이 엇지 이리 ᄒᆞ뇨?"

님소져 쳑연(慽然) ᄃᆡ 왈,

"소쳡이 ᄯᅩᄒᆞᆫ 심ᄉᆡ 어즐업ᄉᆞ오니 연고 업시 심동(心動)ᄒᆞ미 고이ᄒᆞ여이다."

소져 모친과 님시을 위로ᄒᆞ여 날이 ᄉᆡ기의 일오도록 ᄌᆞᆷ을 일우지 못ᄒᆞ더니, ᄒᆞᆨᄉᆞ 등의 하리 밧긔 와 원광 공ᄌᆞ긔 참화을 고ᄒᆞ고 직ᄉᆞᄂᆞᆫ 발셔 맛ᄎᆞ시믈 고ᄒᆞ니, 공ᄌᆡ 망극ᄒᆞ고 놀나오미 쳥쳔ᄇᆡᆨ일(青天白日)의 뇌졍벽녁(雷霆霹靂)이 일신을 분쇄(粉碎)ᄒᆞᄂᆞᆫ 듯, 일월(日月)이 폐식(閉塞)ᄒᆞ고 쳔지(天地) 합(闔)ᄒᆞᄂᆞᆫ480) 듯ᄒᆞᆫ지라. 일셩장호(一聲長呼)481)의 문득 혼도(昏倒)482)ᄒᆞ니 시노(侍奴) 등이 밧비 구호ᄒᆞ며 ᄎᆞᄎᆞ 젼ᄒᆞ여 ᄂᆡ당의 이르니, 합문(闔門)483) 상하(上下)의 경악망극(驚愕罔極)484)ᄒᆞ미 쳔지 어두오니 셔[셜]운 줄 도 ᄭᆡ닷지 못【98】ᄒᆞ고, 부인은 칼을 ᄲᅢ혀 ᄌᆞ결(自決)코져 ᄒᆞ니, 님시와 소졔 급히 칼흘 앗고 모녀고식(母女姑媳)485)이 셔로 ᄃᆡᄒᆞ여 거짓말인 듯 ᄒᆞᆫ갓 호쳔통곡(呼天痛哭)ᄒᆞ더라. 원광이 인ᄉᆞ을 ᄎᆞ려 드러와 모친과 수ᄆᆡ(嫂妹)486)을 우름을 긋치고 왈,

"화변불측(禍變不測)ᄒᆞ여 삼형이 참ᄉᆞᄒᆞᆯ ᄲᅮᆫ 아니라 ᄇᆡᆨ형(伯兄)과 ᄎᆞ형(次兄)이 흉화의 ᄲᅢ지고 ᄃᆡ인이 위틱ᄒᆞ시니 ᄉᆞ셰을 보아 ᄉᆞᄉᆡᆼ을 결ᄒᆞ려니와, 하날이 ᄎᆞᆷ아 지원극통(至冤極痛)을 살피지 아니리잇가? 모친과 존수ᄂᆞᆫ 쳔만 관억(寬抑)ᄒᆞᄉᆞ 나종 되어가믈 보소셔. 소ᄌᆡ 삼형의 시수(屍首)을 ᄎᆞ지러

480)합(闔)하다 : 문 따위를 닫다. 천지, 문 따위가 한 순간에 닫히다.
481)일셩장호(一聲長呼) : 길게 한소리를 지름.
482)혼도(昏倒) : 정신을 잃고 쓰러짐.
483)합문(闔門) : 문을 닫는다는 뜻으로, '온 집안'을 이르는 말
484)경악망극(驚愕罔極) : 몹시 놀라 어쩔 줄 모름.
485)모녀고식(母女姑媳) : 어머니와 딸과 며느리를 함께 이르는 말.
486)수ᄆᆡ(嫂妹) : 형수와 누이.

원극통(至冤極痛)을 ᄉᆞᆯ피지 아니시ᄂᆞ니잇고! ᄌᆞ위(慈闈)와 슈슈(嫂嫂)ᄂᆞᆫ 관억(寬抑)ᄒᆞ샤 일이 되어가믈 보쇼셔. 쇼ᄌᆞᄂᆞᆫ 삼형의 시신(屍身)을 ᄎᆞᄌᆞ라 가ᄂᆞ이【37】다.”

부인이 가슴을 허위여 피나고 머리를 두다려 ᄭᆡ여지기의 밋쳐 원상을 브르고 혼졀(昏絶)ᄒᆞ니, 공ᄌᆡ 슈ᄆᆡ(嫂妹)로 더브러 구호ᄒᆞᄆᆡ 황황(遑遑)ᄒᆞ여 즉시 시신을 ᄎᆞᄌᆞ라 가지 못ᄒᆞ여 노복의 무리와 셔동을 보ᄂᆡ여 ᄃᆡᆨᄉᆞ의 시신을 ᄎᆞᄌᆞ라 ᄒᆞ더니, 믄득 ᄒᆞᆨᄉᆞ(學士)와 한님(翰林)의 흉음(凶音)을 ᄯᅩ 드르니 부인이 잠간 정신을 출혓다가 ᄎᆞᄉᆞ를 듯고 죽으려 ᄒᆞᄂᆞᆫ디라. 공ᄌᆞ 남ᄆᆡ ᄒᆞᆫ마ᄃᆡ 우름을 발치못ᄒᆞ고 모친을 븟드러 구호ᄒᆞ니, 님시 존고를 뫼셔 ᄎᆞᄉᆞ를 듯고 셔연(徐然)이 니러 쟝외(場外)의 나와 ᄎᆞᆺ던 옥장도(玉粧刀)를 ᄲᅢ혀 ᄌᆞ문(自刎)ᄒᆞ니, 가듕이 다 어두어 님쇼져 죽으믈 아디 못ᄒᆞ엿더니, ᄎᆞ희라 님시 이팔【38】청츈의 신월(新月)이 두렷ᄒᆞ고, 슈ᄐᆡᆨ(水澤)의 홍년(紅蓮)이 셩개(盛開)ᄒᆞᄂᆞᆫ 용화(容華)로, 부녀ᄉᆞ덕(婦女四德)이 일무쇼흠(一無小欠)493)이어ᄂᆞᆯ, 홀노 그 명(命)이 박(薄)ᄒᆞ고 쉬(壽) 단(短)ᄒᆞ여, 셩혼삼ᄌᆡ(成婚三載)494)의 일졈골육(一點骨肉)을 두지 못ᄒᆞ고, 가부(家夫)의 참망(慘亡)ᄒᆞ므로 ᄌᆞ문이ᄉᆞ(自刎而死)495)ᄒᆞ여 뒤흘 ᄌᆞᆺᄎᆞ니 녈녈(烈烈)ᄒᆞᆫ 졀의(節義)ᄂᆞᆫ 고인(古人)을 압두(壓頭)ᄒᆞ나, 하가참변(河家慘變)이 이ᄃᆡ도록 ᄒᆞ여, 삼ᄌᆞ(三子) 통ᄇᆡ(冢婦)496) 일일지ᄂᆡ(日日之內)의 맛출 줄 알니오.

영쥐 모친을 구호(救護)ᄒᆞ다가 님시 간 곳 업ᄉᆞ믈 보고 원광을 보아 왈,

“져제(姐姐) 어ᄃᆡ 가시뇨?”

493)일무쇼흠(一無小欠) : 한가지의 작은 흠도 없음.
494)셩혼삼ᄌᆡ(成婚三載) : 결혼한 지 삼년이 됨.
495)ᄌᆞ문이ᄉᆞ(自刎而死) : 스스로 자신의 목을 찔러 죽음
496)통ᄇᆡ(冢婦) : 정실(正室) 맏아들의 아내. 특히, 망부(亡父)를 계승한 맏아들이 대를 이을 아들 없이 죽었을 때의 그 아내를 이른다.

가ᄂᆞ이다.”

부인이 못듯ᄂᆞᆫ 듯ᄒᆞ고 다만 원ᄉᆞᆷ을 불너 혼졀(昏絶)ᄒᆞ니, 공ᄌᆡ 수ᄆᆡ(嫂妹)로 더부러 구호ᄒᆞᄆᆡ ᄌᆡᆨᄉᆞ의 시수(屍首)을 밋쳐 ᄎᆞ지러 가지 못하여셔, 노복(奴僕)의 무리와 셔동ᄇᆡ(書童輩)을 보ᄂᆡ여 ᄌᆡᆨᄉᆞ의 시수(屍首)을 ᄎᆞ지라 ᄒᆞ더니, 창뒤(蒼頭)487) 학ᄉᆞ(學士)와 한임(翰林)의 부음(訃音)을 보ᄒᆞ니, 부인이 잠간 졍신을 ᄎᆞ렷다가 이 말을 듯고 죽으랴 ᄒᆞᄂᆞᆫ지라. 공자 남ᄆᆡ(男妹) ᄒᆞᆫ 마ᄃᆡ 울도 못ᄒᆞ고 모친을 구호ᄒᆞ니, 님시 존고(尊姑)을 뫼셧다가 이 말을 듣고 셔연(徐然)이 장외(場外)의 나와 ᄎᆞᆺ던 옥장도(玉粧刀)을 들어 ᄌᆞ문(自刎)ᄒᆞ니 가듕이 다 황황(遑遑)ᄒᆞ여 님시 죽으믈 아지 못ᄒᆞ니, ᄎᆞ회(嗟乎)라! 님시 이팔청츈(二八青春)의 신월(新月)이 두렷ᄒᆞ고 츄슈(秋水)의 연홰(蓮花) 성ᄀᆡ(盛開)ᄒᆞᆫ 용【99】화(容華)로 부녀ᄉᆞ덕(婦女四德)이 일무소흠(一無小欠)488)이여날, 홀노 그 명(命)이 박(薄)ᄒᆞ고 쉬(壽) 단(短)ᄒᆞ여 셩혼ᄉᆞᆷᄌᆡ(成婚三載)489)의 일점골육(一點骨肉)을 두지 못ᄒᆞ고 ᄌᆞ문이ᄉᆞ(自刎而死)490)ᄒᆞ여 가부(家夫)의 뒤을 ᄯᆞ로니 열열(烈烈)ᄒᆞᆫ 절의(節義)ᄂᆞᆫ 고인(古人)을 압두(壓頭)ᄒᆞ나 하문참변(河門慘變)이 이ᄃᆡ도록 ᄒᆞ여 ᄉᆞᆷᄌᆡ(三子)와 총ᄇᆡ(冢婦)491) 일일지ᄂᆡ(日日之內)의 맛출 줄 알니오.

영쥐 모친을 구호(救護)ᄒᆞ다가 님시 간 곳이 업ᄉᆞ믈 보고 원광다려 왈,

“님형(林兄)이 어ᄃᆡ 가시뇨?”

487)창두(蒼頭) : 사내종.
488)일무쇼흠(一無小欠) : 한가지의 작은 흠도 없음.
489)셩혼ᄉᆞᆷᄌᆡ(成婚三載) : 결혼한 지 삼년이 됨.
490)ᄌᆞ문이ᄉᆞ(自刎而死) : 스스로 자신의 목을 찔러 죽음
491)총부(冢婦) : 정실(正室) 맏아들의 아내. 특히, 망부(亡父)를 계승한 맏아들이 대를 이을 아들 없이 죽었을 때의 그 아내를 이른다.

공ᄌᆞ 경왈(驚曰),

"쇼ᄆᆡ(小妹) 잠간 슈슈(嫂嫂)를 어더 보라."

영쥐 니러 쟝외(場外)의 나오ᄆᆡ, 님시 구러졋거ᄂᆞᆯ, 엄흘(奄忽)ᄒᆞᆫ가 븟드러 보니, 셩혈(腥血)이 님니(淋漓)ᄒᆞ고 삼촌검(三寸劍)이 빗기질녀 임의 졀명(絶命)ᄒᆞ엿ᄂᆞᆫ디라 슈족이 어름ᄀᆞᆺ고 옥【39】면이 비록 변치 아녀시나 임의 혼ᄇᆡᆨ이 상ᄒᆞᆫ 시신이라. 영쥐 비록 슉셩(夙成)ᄒᆞ나 나힌즉 구셰라. 사ᄅᆞᆷ이 이러틋 죽ᄂᆞᆫ 거ᄉᆞᆯ 어이 보아시리오. 경악참비(驚愕慘悲)ᄒᆞ여 ᄒᆞᆫ소ᄅᆡ를 지르고 업더지니, 부인모ᄌᆡ(夫人母子) 밧비 니르러 이 경상을 보니, 텬디간(天地間)의 다시 업ᄉᆞᆯ지라. 부인이 ᄇᆡ야흐로 못죽어 한ᄒᆞ더니 님시 발셔 맛ᄎᆞ니 방셩호곡(放聲號哭) 왈,

"현부ᄂᆞᆫ 결단이 쾌(快)ᄒᆞ여 녈졀이 두렷ᄒᆞ나, 나ᄂᆞᆫ 현부의 쾌ᄒᆞ믈 ᄯᆞᆯ오지 못ᄒᆞ므로 이ᄃᆡ도록 셜우믈 겻그니, 엇디 흉완(凶頑)치 아니리오."

공ᄌᆡ 모친의 우름을 긋치시게 ᄒᆞ고 쇼ᄆᆡ를 구ᄒᆞ여 니러 안ᄌᆞᄆᆡ, 셔로 말이 나지 아냐 혼ᄇᆡᆨ이 비월(飛越)497)ᄒᆞ니, 아모리 ᄒᆞᆯ 줄을 아지 못ᄒᆞ더니, 위ᄉᆡ(衛士)【40】 니르러 공ᄌᆞ를 나오라 ᄒᆞ고 어림군(御林軍)이 겹겹이 ᄡᆞ니, 공ᄌᆡ 창황(蒼黃)이 모친긔 하딕 왈,

"쇼ᄌᆞ를 마ᄌᆞ 잡히ᄂᆞᆫ 거시 하가를 맛ᄎᆞ려 ᄒᆞ오미나 삼형의 맛ᄎᆞᆷ도 고금텬디의 업ᄉᆞᆫ 지원극통(至冤極痛)이어ᄂᆞᆯ, 쇼ᄌᆡ 마ᄌᆞ 죽을니 어이 잇ᄉᆞ오며, 대인의 관일지튱(貫一之忠)498)이 일월(日月)노 ᄌᆡ[쟁]광(爭光)ᄒᆞ리니, 신명(神明)이 ᄒᆞᆫ번 ᄉᆞᆯ피시미 이실디라. ᄌᆞ졍(慈庭)은 죵ᄂᆡ 시말을 다 보시고 ᄉᆞᄉᆡᆼ(死生)을 결ᄒᆞ시미 늣지 아니 ᄒᆞ오리니, ᄆᆞᄋᆞᆷ을 구지 잡으시고 지통을 모르ᄂᆞᆫ ᄃᆞ시 ᄒᆞ샤, 일이 되어 가믈 보시고 급히 셔도지 마르쇼셔."

497)비월(飛越) : 정신이 아뜩하도록 높이 날아올라 혼미함.

498)관일지튱(貫一之忠) : 한결같은 충성.

공ᄌᆡ 역경(亦驚) 왈,

"소ᄆᆡ(小妹) 잠간 님수(林嫂)을 ᄎᆞ져 보라."

소졔 일어 장(場) 박긔 나오니 님시 임의 것구러졋거ᄂᆞᆯ, 엄홀ᄒᆞ민가 븟드러 보니 셩혈(腥血)이 님니(淋漓)ᄒᆞ고, 숨촌(三寸) 단검이 빗기 질니여 임의 졀명(絶命)ᄒᆞ엿ᄂᆞᆫ지라. 수족(手足)이 어름 갓흐되 옥면화안(玉面花顔)은 완연이 변치 아냐시니, 영쥐 비록 긔특ᄒᆞ나 ᄂᆞ히 구셰라. ᄉᆞᄅᆞᆷ의 죽ᄂᆞᆫ 양을 엇지 보아슬리오. 경악홈비(驚愕含悲)ᄒᆞ여 ᄒᆞᆫ 소ᄅᆡ을 ᄒᆞ고 혼졀ᄒᆞ니, 부인모ᄌᆡ(夫人母子) 밧비 이러 보ᄆᆡ 이 경상(景狀)이라. 님시의 시신을 붓들고 방셩호곡(放聲號哭) 왈,

"현부ᄂᆞᆫ 결단이 쾌(快)ᄒᆞ여 열졀(烈節)이 듯텁거니와 나ᄂᆞᆫ 이 셔름을 격그니 엇지 북그럽지 아니리오."

공ᄌᆡ 모친을 그치시게 ᄒᆞ고 소ᄆᆡ(小妹)을 구ᄒᆞᄆᆡ, 셔로 안ᄌᆞ 우름도 소ᄅᆡ을 잇지 못【100】ᄒᆞ고 아모리 ᄒᆞᆯ 줄을 모로더니, 위ᄉᆡ(衛士) 일으러 공ᄌᆞ을 나오라 ᄒᆞ고 어림군이 겹겹이 ᄊᆞ다 ᄒᆞ니, 공ᄌᆡ 창황이 모젼의 ᄒᆞ직 왈,

"소ᄌᆞ을 마ᄌᆞ 잡히ᄂᆞᆫ 거시 하가을 멸망ᄒᆞ려ᄂᆞᆫ 뜻지오니 혈마492) 신명(神明)이 ᄉᆞᆯ피미 잇실지니, 소ᄌᆞ 마ᄌᆞ 죽으리잇가? ᄌᆞ졍(慈庭)은 종말을 다 보시고 ᄉᆞᄉᆡᆼ을 결ᄒᆞ시미 늣지 아니 ᄒᆞ오리니, 마음을 구지 잡으시고 원억지통(冤抑之痛)을 모로ᄂᆞᆫ 다시 ᄒᆞᄉᆞ 일이 되어가믈 보소셔."

492)혈마 : 설마.

도라 영쥬다려 왈,

"슈슈(嫂嫂)ᄂᆞᆫ 님시랑이 습념(襲殮)ᄒᆞᆯ 거시니, 삼위형댱(三位兄丈)은 노복 등○[과]《셔동등 ‖ 셔슉(庶叔)》이 정셩으로 ᄒᆞ리니 쇼ᄆᆡᄂᆞᆫ 오직 모친을 보호ᄒᆞ여 결말을 보라."

부【41】인과 호곡(號哭)ᄒᆞ여 셔로 븟들고 ᄀᆡ운이 막힐 ᄃᆞᆺᄒᆞ니, 공ᄌᆡ ᄌᆡ삼 비러, '나죵을 보쇼셔' ᄒᆞᆯ식, 위관(衛官)이 ᄌᆡ촉ᄒᆞ니, 공ᄌᆡ 다시 말을 못ᄒᆞ고 나와 잡혀가니, 부인이 죽기를 ᄌᆞ분ᄒᆞ여[499] 칼과 노[500]흘 가져 ᄉᆞᆺ쳐 셜우믈 모르고져 ᄒᆞ니, 영쥐 시녀로 더브러 모친을 븟드러 혈읍(血泣) ᄋᆡ걸(哀乞) 왈,

"나죵을 보고 결단ᄒᆞ셔도 늣지 아니시려든 이ᄃᆡ도록 급히 구르시ᄂᆞ니잇고?"

부인이 통곡 왈,

"죵말을 볼 거시 어이 이시리오. 삼ᄌᆡ 일시의 망ᄒᆞ고 필ᄋᆞ를 마ᄌᆞ 잡아가시니 반ᄃᆞ시 죽일디라. 이런 망극참통(罔極慘痛)을 보고 일신들 살니오. 네 출하리 약과 칼흘 가져 날노ᄡᅧ 이런 참경을 보디 말게 ᄒᆞ고, 너도 ᄯᅩᄒᆞᆫ 죽으미 올커ᄂᆞᆯ 엇지 날다려 살나 ᄒᆞᄂᆞ【42】뇨."

영쥐 비읍(悲泣) 왈,

"하날이 엇지 오가(吾家)를 멸망케 ᄒᆞ시리잇가? ᄉᆞ형(四兄)은 닙신(立身)치 아닌 몸이라 므슨 죽이리잇고? 대인이 참화(慘禍)를 바드실진ᄃᆡ 우리 모녜 ᄒᆞᆫ가지로 죽어 망극(罔極)ᄒᆞᆫ 화를 보디 아니려니와, 아ᄃᆡᆨ 일이 아모리 될 줄 모르오니 즈레 긋출 거시 아니니이다."

부인이 일신을 브ᄃᆡ이져 피나도록 상ᄒᆞ니 영쥐 듕시비(衆侍婢)[501]로 더브러 븟들고 안ᄌᆞ 촌쟝(寸腸)이 ᄉᆞ라지믈 ᄭᆡᄃᆞᆺ지 못ᄒᆞ더

499)ᄌᆞ분ᄒᆞ다 : 작정하다. 기필하다. 어떤 일을 이루려고 마음을 굳게 먹다.

500)노 : 실, 삼, 종이 따위를 가늘게 비비거나 꼬아 만든 줄.

501)듕시비(衆侍婢) : 여러 시비. 시비들의 무리.

급히 셔드지 마르시믈 ᄌᆡ숨 ᄋᆡ걸ᄒᆞ고 소ᄆᆡ다려 왈,

"수시(嫂氏)ᄂᆞᆫ 님시랑이 입염(入殮)ᄒᆞᆯ 거시니 세 형장(兄丈)은 노복 등과 셔슉(庶叔)이 정셩으로 ᄒᆞᆯ지라. 소ᄆᆡᄂᆞᆫ 오직 모친을 보호ᄒᆞ여 결말을 보라."

부인과 소졔 븟들고 호곡(號哭)ᄒᆞ여 막힐 ᄃᆞᆺᄒᆞ니, 공ᄌᆡ 오열(嗚咽)ᄒᆞ여 능히 다시 말을 못ᄒᆞ고 나와 잡혀가니, 부인이 칼과 노[493]흘 가져 ᄌᆞ결코ᄌᆞ ᄒᆞ니 소졔 시녀로 더부러 모친을 븟드러 혈읍(血泣) ᄋᆡ걸(哀乞) 왈,

"결말을 보고 결단을 ᄒᆞ셔도 늣지 아니리니 엇지 촌[존]체(尊體)을 도라보지 아니시ᄂᆞᆫ잇가."

부인이 통곡 왈,

"종말을 볼 거시 ○○[이시]리오. 필아(畢兒)마ᄌᆞ 잡혀 갓시니 반드시 죽을지라. ᄉᆞᆯ고져 ᄒᆞ나 망극ᄒᆞᆯ ᄲᅮᆫ이니 칼과 약을 가져 날노ᄡᅧ 이런 ᄎᆞᆷ경(慘景)을 보지 말【101】게 ᄒᆞ고 너도 죽으미 올거ᄂᆞᆯ 엇지 ᄂᆞᆯ다려 ᄉᆞᆯ나 ᄒᆞ나뇨?"

영쥐 비읍(悲泣) 왈,

"하날이 셜마 오문을 명[멸]망(滅亡)케 ᄒᆞ시리오. ᄉᆞ형(四兄)○[은] 닙신(立身) 아닌 몸이니 무슴 죽으[이]리잇고?"

부인이 통읍운졀(慟泣殞絶)[494]ᄒᆞ여 소져의 말을 답지 못ᄒᆞ니 마ᄎᆞᆷᄂᆡ 하부화란(河府禍亂)이 엇지된고 하회을 분셕ᄒᆞ라.

493)노 : 실, 삼, 종이 따위를 가늘게 비비거나 꼬아 만든 줄.

494)통읍운졀(慟泣殞絶) : 슬피 울다 숨이 끊김.

라.

ᄎᆞ설 뎡·윤 냥공이 원경 등 삼인의 참ᄉᆞᄒᆞ믈 ᄎᆞ악경비(嗟愕驚悲)ᄒᆞ여 시슈를 ᄎᆞᄌᆞ 의금관곽(衣衾棺槨)[502]을 ᄀᆞᆺ초아 념습(殮襲)ᄒᆞ려 ᄒᆞᆯ ᄉᆡ ,하공의 셔죵뎨(庶從弟) 하운과 노복 등이 니르러 통곡ᄒᆞ믈 긋치지 아니ᄒᆞ니, 이공(二公)이 안슈(眼水)를 금치 못ᄒᆞ여 왈,

"ᄌᆞ안 등 삼형뎨 일【43】야지ᄂᆡ(一夜之內)의 참화의 써러져 이리 될 줄이야 몽ᄆᆡ의나 뜻ᄒᆞ여시리오. 도시 하형의 가운이 망극ᄒᆞ미라. ᄎᆞ후나 무ᄉᆞ키를 바ᄅᆞᄂᆞ니, 무익히 슬허ᄒᆞ나 밋출 ᄇᆡ 업ᄂᆞᆫ디라. 다만 됴부인의 각골 셜워ᄒᆞ시ᄂᆞᆫ 듕, 원광을 마ᄌᆞ 잡혀보ᄂᆡ고 ᄆᆞ음을 뎡치 못ᄒᆞ시리니, 아등(我等)이 비록 무상(無狀)ᄒᆞ나 죽기를 도라보지 아니ᄒᆞ고 극녁(極力)ᄒᆞ나, 일이 아모리 될 줄 모르니, 부인녀ᄌᆞ의 ᄆᆞ음이 프러 ᄉᆡᆼ각ᄒᆞ시기 어려오니, 하ᄉᆡᆼ은 도라가 ᄐᆡᆨ듕(宅中)을 직희여 샹하인심(上下人心)을 진뎡ᄒᆞ고, 부인긔 '아등의 말ᄉᆞᆷ을 고ᄒᆞ여 과상(過傷)치 마르시고 결말을 보쇼셔' ᄒᆞ라. ᄌᆞ안 등의 초죵입념지졀(初終入殮之節)[503]은 우리 졍셩을 다ᄒᆞ리니 군의 념녀ᄒᆞᆯ ᄇᆡ 아니라."

하운이 톄읍(涕泣) ᄇᆡ【44】샤 왈,

"냥위 상공의 하시(河氏)를 긍념(矜念)[504]ᄒᆞ시미 이ᄀᆞᆺᄐᆞ샤 디원극통(至冤極痛)을 ᄉᆞᆯ피시니 ᄎᆞᄂᆞᆫ 망극지은(罔極之恩)이라 쇼ᄉᆡᆼ이 도라가 부인긔 은혜를 고ᄒᆞ고 교령(敎令)ᄃᆡ로 집을 직희리이다."

뎡·윤 이공이 츄연 탄왈,

"아등이 하형으로 더브러 졍의(情誼) 관

502)의금관곽(衣衾棺槨) : 상례(喪禮)에서 습렴(襲殮)과 입관(入棺) 시에 망자(亡者)를 위해 사용하는 옷·이불·관(棺) 따위.

503)초종입념지절(初終入殮之節) : 상장례(喪葬禮)에서 초상이 난 때로부터 습(襲)·염(殮)·입관(入棺)·장례(葬禮)·졸곡(卒哭)에 이르기까지의 모든 의례 절차.

504)긍념(矜念) : 애처롭게 여겨 보살펴 주는 마음.

ᄎᆞ셜 뎡·윤 양공이 원경 등의 ᄎᆞᆷᄉᆞ(慘死)ᄒᆞ믈 ᄎᆞ악경참(嗟愕驚慘)ᄒᆞ여 시수(屍首)을 즉시 의금관곽(衣衾棺槨)[495]을 갓초아 염습ᄒᆞ랴 ᄒᆞᆯ ᄉᆡ, 하공 셔종졔 하운과 노복 등이 이르러 시신을 붓들고 통곡ᄒᆞ기를 긋치지 아니ᄒᆞ니 이공(二公)이 안누(眼淚)을 금치 못ᄒᆞ며 왈,

"ᄌᆞ안 등 ᄉᆞᆷ 형뎨 일야지ᄂᆡ(一夜之內)의 흉화(凶禍)의 써러져 이리 될 줄이야 몽니(夢裏)의나 알니요. 도시(都是)[496] 하문 가운이 망극ᄒᆞ미라. ᄎᆞ후나 무ᄉᆞᄒᆞ기을 바라니 무익히 슬허ᄒᆞ나 밋출 길 업ᄉᆞᆫ지라. 다만 조부인이 이 화을 당ᄒᆞ여 원광을 마ᄌᆞ 잡히여 보ᄂᆡ고 보젼(保全)ᄒᆞ시미 어려오니, 아등이 비록 무상(無狀)ᄒᆞ나 지긔(知己)을 위ᄒᆞ여 죽기을 도라보지 못ᄒᆞ고, 극녁ᄒᆞ여 구ᄒᆞ려 ᄒᆞ나 일이 엇지 될 줄 모로고, 부인녀ᄌᆞ의 마음이 널니 풀어 관억(寬抑)ᄒᆞ기 어려오니, 하ᄉᆡᆼ은 도라가 《탁‖택중(宅中)》을 직희여 상하인심(上下人心)을 진정케 ᄒᆞ고, 부인긔 아【102】등의 말을 알외여 '너무 경(輕)치 마르시고 결말을 보소셔' ○○[ᄒᆞ라]. ᄌᆞ안 등 초상닙념지졀(初喪入殮之節)[497]은 우리 다 정셩으로 ᄒᆞ리니, 하ᄉᆡᆼ이 념녀ᄒᆞᆯ ᄇᆡ 아니니라."

하운이 쳬읍(涕泣) ᄇᆡᄉᆞ 왈,

"냥 상공이 하문을 극념(極念)ᄒᆞ시미 이 갓ᄒᆞᄉᆞ 지원극통(至冤極痛)을 ᄉᆞᆯ피시니 종형(從兄) 부ᄌᆞ긔 망극ᄃᆡ은(罔極大恩)이라. ᄉᆡᆼ이 도라가 부인긔 ᄎᆞᄉᆞ을 진달(進達)ᄒᆞ고 교령(敎令)ᄃᆡ로 집을 직희리다."

하운이 도라간 후, 냥인이 츄연 탄왈,

"퇴지와 우리ᄂᆞᆫ 동긔(同氣) 아니믈 ᄭᆡ닷지 못ᄒᆞᄂᆞ니 엇지 화란(禍亂)의 괄시(恝視)

495)의금관곽(衣衾棺槨) : 상례(喪禮)에서 습렴(襲殮)과 입관(入棺) 시에 망자(亡者)를 위해 사용하는 옷·이불·관(棺) 따위.

496)도시(都是)) : 도무지

497)초상닙념지절(初喪入殮之節) : 초상이 난 때로부터 습염(襲殮)과 입관(入棺)에 이르기까지의 모든 의례절차,

포(管鮑)505)의 비기니, 셔로 환난(患難)의 괄시(恝視)ᄒᆞ리오. 아등은 삼인의 시슈를 입념(入殮)ᄒᆞ여 문외(門外) 하쳐506)를 어더다가507) 셩복(成服)508)ᄒᆞ게 ᄒᆞ리니 군은 도라가라."

운이 ᄇᆡ샤슈명(拜謝受命)ᄒᆞ고 가거ᄂᆞᆯ, 뎡윤 냥공이 상의 왈,

"원경 등이 일분이나 유죄면 아등이 호역지죄(護逆之罪)를 당ᄒᆞ려니와, 그 슈신셥힝(修身攝行)509)이 빙옥(氷玉) ᄀᆞᆺᄐᆞ믈 아ᄂᆞ니, 비록 타인이 아등을 호역ᄒᆞᆫ다 니른들 므슨 븟그러오미 이시리오. 맛당이 금슈(錦繡)로 입념(入殮)ᄒᆞ여 초상지졀(初喪之節)의 퇴【45】지로 ᄒᆞ여금 보지 못ᄒᆞᆫ 참원(慘怨)을 ᄒᆞ나히나 위로ᄒᆞ리라."

ᄒᆞ고

505)관포(管鮑) : 관중과 포숙의 사귐을 이르는 말로, 우정이 아주 돈독한 친구 관계를 말함.
506)하쳐(下處) : 사처. 손님이 길을 가다가 임시 머무는 집.
507)어더다가 : 얻어 두었다가.
508)셩복(成服) : 초상이 나서 상인(喪人)들이 처음으로 상복(喪服)을 입는 일. 보통 입관(入棺)을 마친 후 입는다.
509)슈신셥힝(修身攝行) : 몸과 행실을 닦음.

ᄒᆞ리오. 당ᄎᆞ지시(當此之時) ᄒᆞ여 뉘 알은쳬ᄒᆞ리오. ᄎᆞ 삼인을 닙념(入染)ᄒᆞ여 문외ᄉᆞ쳐498)을 어더 나아가 셩복(成服)499)게 ᄒᆞ리니 그ᄃᆡᄂᆞᆫ 아직 도라갓다가 셩복날 오라."

운이 슌슌(順順) ᄇᆡᄉᆞ수명(拜謝受命)ᄒᆞ고 가거ᄂᆞᆯ 윤공이 뎡공으로 상의 왈,

"원경 등이 일분이나 흐릿ᄒᆞ미 잇스면 아등이 호역지죄(護逆之罪)을 당ᄒᆞ려니와 슈신셩힝(修身性行)이 빙옥(氷玉) 가트믈 아ᄂᆞᆫ ᄇᆡ로, 죄명(罪名)이 부운(浮雲) 갓트니, 비록 타인이 아등(我等)을 호역(護逆)ᄒᆞᆫ다 이른들 무ᄉᆞᆷ 븟그러오미 잇스리오. 맛당이 금슈(錦繡)○[로] 닙념(入殮)ᄒᆞ여 초상지졀(初喪之節)의 퇴지로 ᄒᆞ여곰 보지 못ᄒᆞᆫ 슬움500)이 참원(慘怨)을 ᄲᅵ친 바의 한가지나 위로케 ᄒᆞ리라"

ᄒᆞ더라.

갑인 ᄉᆞ월 일 군창 ᄀᆡ듕 등셔 【103】

498)ᄉᆞ쳐 : 하쳐(下處). 사처. 손님이 길을 가다가 임시 머무는 집
499)셩복(成服) : 초상이 나서 상인(喪人)들이 처음으로 상복(喪服)을 입는 일. 보통 입관(入棺)을 마친 후 입는다.
500)슬움 : 설움.

삼ᄉᆞ일을 집의 가지 아니코 식반을 믈니쳐 흐르ᄂᆞᆫ 술노뼈 목을 젹시며, 삼현ᄉᆞ(三賢士)의 참혹히 맛ᄎᆞ믈 통상(痛傷)ᄒᆞ미 일가친쳑의 다르미 업ᄂᆞᆫ지라. 습념입관(襲殮入棺)을 다 친집(親執)ᄒᆞ여, 문외(門外)로 나가 삼인의 녕구(靈柩)를 햐쳐(下處)의 머므르고, 하부 근신(勤愼)ᄒᆞᆫ 노복으로 상측(喪側)을 직희오고, 하운은 나와 셩복(成服)ᄒᆞᄃᆡ 하공과 원광이 셩복을 못ᄒᆞ므로 후일 다시 모다 복졔(服制)를 출히기를 원ᄒᆞ니, ᄉᆞᄌᆞ(死者)ᄂᆞᆫ 이의(已矣)510)오 하공과 공ᄌᆞ(公子)의 무ᄉᆞ키를 튝원ᄒᆞ더라.

윤·뎡 이공이 녕구(靈柩)를 안둔ᄒᆞ고 바로 하부(河府)로 오니 군병이 겹겹이 에워 ᄡᆞᄂᆞᆫ디라 냥공 왈,

“우리ᄂᆞᆫ 이 집을 단니미 지친(至親) ᄀᆞᄐᆞ니【46】군샹(君上)도 아르시ᄂᆞᆫ 바라 여등(汝等)은 막지 말나.”

군ᄉᆡ 뎡·윤 냥공의 샹툥(上寵)과 덕망(德望)을 닉이 아ᄂᆞᆫ디라, 감히 막지 아니ᄒᆞ더라. 이공이 외당의 니르니 님시랑이 녀ᄋᆞ를 입관ᄒᆞ고 관을 두다려 통곡ᄒᆞᄂᆞᆫ디라. 냥공이 님공을 쳥ᄒᆞ여 치위(致慰)ᄒᆞᆯᄉᆡ, 시랑이 다른 ᄌᆞ녀ᄂᆞᆫ 셩혼치 못ᄒᆞ고 녀ᄋᆞ를 쳐음으로 셩가(成家)ᄒᆞ여, 계오 삼ᄌᆡ(三載)의 셔랑(壻郞) 삼형뎨 참망(慘亡)ᄒᆞ고, 녀ᄋᆡ ᄌᆞ문필ᄉᆞ(自刎必死)511)ᄒᆞ믈 통상비졀(痛傷悲絶)ᄒᆞ여 흉장(胸臟)이 ᄶᅵᆨᄂᆞᆫ ᄃᆞᆺᄒᆞ니, 계오 하부(河府) ᄡᆞᆫ 거ᄉᆞᆯ 헤치고 드러와 녀ᄋᆞ를 습념입관(襲殮入棺)ᄒᆞ고, ᄒᆞᆨᄉᆞ 등 삼인은 윤·뎡 이공이 진심ᄒᆞ여 치상(治喪)ᄒᆞ기를 맛고, 이의 니르믈 보ᄆᆡ 그 신의(信義)를 감탄ᄒᆞ여 눈물을 흘니고, 칭샤ᄒᆞ믈 마지 아니니, 냥공

510)이의(已矣) : 이미 끝난 일. 또는 돌이킬 수 없는 상황을 나타낸다.
511)ᄌᆞ문필ᄉᆞ(自刎必死) : 스스로 목숨을 끊어 죽기에 이름.

ᄎᆞ셜 윤·뎡 이 공이 ᄉᆞᆷ일을 집의 가지 안니코 식반을 물니치고, 흐르ᄂᆞᆫ 물노 목을 젹시며 과실 저유501)로 비위(脾胃)502)을 경ᄒᆞ여 ᄉᆞᆷ 학ᄉᆞ의 참혹히 맛ᄎᆞ믈 통상(痛傷)ᄒᆞ미 일가지친(一家至親)의 화변을[으]로 다르미 업ᄉᆞᆫ지라. 습염지구(襲殮之具)을 다 친집ᄒᆞ여 문외로 나가 ᄉᆞᆷ인의 영구을 하쳐(下處)의 머므르고 하부 근신(勤愼)ᄒᆞᆫ 노복으로 직희게 ᄒᆞ고, 하운니 나와 셩복(成服)ᄒᆞ되 하공과 원광이 셩복지 못ᄒᆞ므로 후일 다시 모다 복졔(服制) ᄎᆞ리기을 하계 ᄒᆞ고, ᄉᆞᄌᆞᄂᆞᆫ 니의(已矣)503)요, 하공과 공ᄌᆞ 무ᄉᆞ키을 바라더라.

윤·뎡 양공이 ᄉᆞᆷ학ᄉᆞ 영구(靈柩)을 문외(門外)의 안둔(安頓)ᄒᆞ고 바로 하부의 오니 군병이 겹겹이 ᄊᆞᆫᄂᆞᆫ지라. 양 공 왈,

“우리ᄂᆞᆫ 이 집의 단니기을 지친 갓치 ᄒᆞ난 쥴 상이 알으시ᄂᆞᆫ ᄇᆡ라. 여등(汝等)은 막지 말나.”

ᄒᆞ고, 외당(外堂)의 이르니, 임시랑이 여아을 입관(入棺)ᄒᆞ여 관(棺)을 두다려 방셩ᄃᆡ곡(放聲大哭)ᄒᆞᄂᆞᆫ지라. 양인이 님공을 보고 조위(弔慰)ᄒᆞᆫ다. 시랑이 다른 ᄌᆞ여ᄂᆞᆫ 셩혼치 못ᄒᆞ고, 다만 여아을 쳐음으로 셩가(成家)ᄒᆞ여 계오 ᄉᆞᆷᄌᆡ(三載)의 셔랑 형졔 ᄎᆞᆷ망ᄒᆞ고, 이여 여아 마ᄌᆞ ᄌᆞ문이ᄉᆞ(自刎而死)ᄒᆞ니 통【1】상비졀(痛傷悲絶)ᄒᆞ미 흉장(胸臟)이 ᄶᅵ여지ᄂᆞᆫ 듯ᄒᆞ니, 계오 ᄒᆞ부(河府)을 혓치고504) 드러와 여아을 습염입관(襲殮入棺)ᄒᆞ고, 학ᄉᆞ ᄉᆞᆷ인은 윤·뎡 이공이 진심ᄒᆞ믈 미더 염예(念慮)치 안타가, 이공을 보

501)저유 : 따위.
502)비위(脾胃) : 음식물을 삭여 내거나 아니꼽고 싫은 것을 견디어 내는 성미.
503)니의(已矣) : 이미 끝난 일. 또는 돌이킬 수 없는 상황을 나타낸다.
504)혓치고 : 헤치고.

이 츄연 왈,

"ᄌᆞ안형뎨【47】 시신을 거두믈 형이 엇지 쇼뎨 등의게 칭샤ᄒᆞ리오. 다만 하가 화란이 아모 지경(地境)의 갈 줄 아디 못ᄒᆞ니 참악(慘愕)ᄒᆞᆫ 심ᄉᆞ(心思)를 측지 못ᄒᆞ리로다."

드드여 시녀 등을 블너 부인 긔력과 쇼져 소식을 뭇고 부인긔 젼어 왈,

"쇼ᄉᆡᆼ 등이 존슈(尊嫂)긔 말솜을 고ᄒᆞ미 미안ᄒᆞ오나, 참화를 당ᄒᆞ와 밋쳐 녜의를 출히지 못ᄒᆞ옵고, 참변을 ᄉᆡᆼ각ᄒᆞ오ᄆᆡ 오ᄂᆡ붕졀(五內崩切)ᄒᆞ믈 씌듯지 못ᄒᆞ옵ᄂᆞ니, 존슈ᄂᆞᆫ 힝혀 괴이히 넉이지 마르쇼셔. ᄌᆞ안 등의 참ᄉᆞᄂᆞᆫ 므ᄉᆞᆷ 말솜을 알외리잇고? 하날이 무심ᄒᆞ시고 신명(神明)이 블찰(不察)ᄒᆞ믈 통한ᄒᆞ옵ᄂᆞ니, ᄉᆞᄌᆞ(死者)ᄂᆞᆫ 이의(已矣)라. 슬허ᄒᆞ여 밋출 길히 업ᄉᆞ니 이졔ᄂᆞᆫ 퇴지 형의 부ᄌᆞ나 무ᄉᆞ키를 ᄇᆞ라ᄂᆞᆫ ᄇᆡ라. 원광이 취리(就理)[512]【48】 ᄉᆞ오일의 국문(鞫問)ᄒᆞᄂᆞᆫ 일이 업고 하람의 위ᄉᆡ(衛士) 가시나 됴졍 의논이 하형의 튱졀을 져마다 칭원(稱寃)ᄒᆞ여 갈구(渴求)ᄒᆞᆯ 뜻이 이시니, 간당이 간ᄃᆡ로 현인을 다 뭇지르지 못ᄒᆞ오리니, 존슈ᄂᆞᆫ 궁텬지통(窮天之痛)을 측으시고 죵ᄂᆡ(終乃) 시말(始末)을 보샤, ᄉᆞᄉᆡᆼ을 가ᄇᆡ야이 마르시고 쇼져의 어린 나히 상ᄒᆞ믈 념녀ᄒᆞ쇼셔."

됴부인이 쥬야 죽기를 ᄌᆞ분ᄒᆞ던 가온ᄃᆡ나 삼ᄌᆞ의 신톄를 완젼ᄒᆞ미 윤·뎡 이공의 산히대은(山海大恩)[513]이라 습념·입관을 극진히 ᄒᆞ고 ᄇᆞᆫ 거술 헤치고 드러와 이러틋 므르믈 감은극골(感恩刻骨)ᄒᆞ여 읍혈(泣血) 회답 왈,

"가운이 흉참망극(凶慘罔極)ᄒᆞ여 쳔고(千古)의 드믄 화란을 블의(不意)예 당ᄒᆞ여 문회(門戶) 망멸(亡滅)ᄒᆞ미 누란(累卵) ᄀᆞᄐᆞ여

512)취리(就理) : 죄를 지은 벼슬아치가 의금부에 나아가 심리를 받던 일.

513)산히대은(山海大恩) : 산이나 바다와 같이 큰 은혜.

고 극진이 초상을 맛고 이예 이르믈 보고, 그 신의을 감탄ᄒᆞ여 눈물을 흘니고 칭ᄉᆞᄒᆞ믈 마지 아니니, 이공이 츄연 타루 왈,

"ᄌᆞ안의 ᄉᆞᆷ 형졔 시신을 거두어 입념ᄒᆞ믈 엇지 쇼뎨 등의계 칭ᄉᆞᄒᆞ리오. 다만 하○[씨] 가문 화란니 아모 지경(地境)이[에] 어ᄃᆡ가지 밋출 쥴 모로니, ᄎᆞ악한 심ᄉᆞ을 졍치 못ᄒᆞ리로다."

드ᄃᆡ여 시녀을 불너 분[부]인 긔력과 쇼져 안부을 뭇고 부인계 젼언 왈,

"쇼ᄉᆡᆼ이 죤슈(尊嫂)계 말ᄉᆞᆷ을 고ᄒᆞ미 미안ᄒᆞ오나 ᄎᆞᆷ화을 당ᄒᆞ와 밋쳐 녜을 ᄉᆡᆼ각지 못ᄒᆞ옵ᄂᆞ니 죤슈ᄂᆞᆫ 향(幸)혀 고이히 녁이지 마르시옵소셔. ᄌᆞ안 등의 ᄎᆞᆷᄉᆞᄂᆞᆫ ᄎᆞ마 무ᄉᆞᆫ 말ᄉᆞᆷ을 고하리가. 하날이 무심ᄒᆞ고 신명이 불ᄎᆞᆷ[찰](不察)ᄒᆞ믈 통원(痛寃)ᄒᆞ옵ᄂᆞ니, 발셔 ᄉᆞᄌᆞ난 니의(已矣)라. 슬허ᄒᆞ여 밋출 길 업ᄉᆞ오니 이졔ᄂᆞᆫ 퇴지 형 부ᄌᆞ나 무ᄉᆞ키을 바라ᄂᆞᆫ ᄇᆡ라. 원광이 취리(就理)[505] ᄉᆞ일의 츄문(推問)ᄒᆞ난 일이 업고, 또 하람의 위ᄉᆡ(衛士) 갓ᄉᆞ나, 죠졍 의논이 하형의 졍츙ᄃᆡ졀(貞忠大節)을 져마다 칭원(稱寃)ᄒᆞ여 갈구(渴求)할 쯧【2】지 잇시니, 간당이 간ᄃᆡ로 현인을 다 맛지 못할지라. 모로미 죤슈난 궁쳔극통(窮天極痛)을 ᄎᆞᆷ으시고, 죵ᄂᆡ(終乃) 시말시말)을 보ᄉᆞ, 사ᄉᆡᆼ(死生)을 가바야이 말르시고, 쇼졔(小姐)의 어린 나희 상ᄒᆞ믈 염녀ᄒᆞ쇼셔."

됴부인니 쥬야 쥭기을 ᄌᆞ분ᄒᆞᄂᆞᆫ 가온ᄃᆡ나 ᄉᆞᆷ아의 신쳬을 온젼니 ᄒᆞ미 윤·졍 이공의 ᄉᆞᆫ히ᄃᆡ은(山海大恩)[506]니라. 습념입관(襲殮入棺)을 극진이 ᄒᆞ고 ᄊᆞᆫ 거슬 헤치고 드러와 이러틋 무르믈 감은각골(感恩刻骨)ᄒᆞ와 읍혈(泣血) 회답 왈,

"가운이 흉ᄎᆞᆷᄒᆞ와 젼고(前古)의 드문 화란을 당ᄒᆞ여 문회(門戶) 망멸(亡滅)ᄒᆞ미 누란(累卵) 갓고, ᄉᆞᆷ아을 ᄎᆞᆷ통이 맛ᄎᆞ며 식부

505) 취리(就理) : 죄를 지은 벼슬아치가 의금부에 나아가 심리를 받던 일.

506)ᄉᆞᆫ히ᄃᆡ은(山海大恩) : 산이나 바다와 같이 큰 은혜.

삼ᄋᆞ를 참통이 맛고, 식뷔(息婦)【49】 ᄌᆞ문이ᄉᆞ(自刎而死)ᄒᆞ니, 이 경계(境界)ᄂᆞᆫ 셕목(石木)이라도 ᄎᆞᆷ지 못ᄒᆞᆯ ᄇᆡ로ᄃᆡ, 쳡이 명완무지(命頑無知)ᄒᆞ와 ᄉᆞ오일을 지닌 ᄇᆡ라. 텬디의 ᄌᆞ옥ᄒᆞᆫ514) 원억지통을 어이 다 형상(形狀)ᄒᆞ리잇고. 삼ᄌᆞ의 신톄를 완젼ᄒᆞ고 습념ᄒᆞ믄 냥위 샹공의 산ᄒᆡ대은(山海大恩)이라 쇄신분골ᄒᆞ나 다 갑습지 못ᄒᆞ리로소이다. 원광은 십일셰 치ᄋᆡ(稚兒)라, 누옥(陋獄)의 오ᄅᆡ 견딜 니 업ᄉᆞ니 ᄉᆞᆯ기를 긔필(期必)치 못ᄒᆞᆯ 거시오. 위ᄉᆡ 하람의 발ᄒᆞ미 오라지 아냐 샹경ᄒᆞ오리니, 만일 흉참ᄒᆞᆫ 일이 잇거든 쳡으로 ᄒᆞ여금 몬져 알게 ᄒᆞ시믈 청ᄒᆞᄂᆞ이다 위험ᄒᆞᆫ 곳의 님(臨)ᄒᆞ샤 친문(親問)ᄒᆞ시ᄂᆞᆫ 후의(厚意)를 더옥 감은ᄒᆞᄂᆞ이다."

이공이 몸을 굽혀 듯기를 다ᄒᆞᄆᆡ 튱근(忠謹)ᄒᆞᆫ 양낭(養娘) ᄉᆞ오인【50】을 블러 부인과 쇼져를 보호ᄒᆞ여 듁음(粥飮)을 나오시게 ᄒᆞ라 ᄒᆞ고 남노녀복을 다 블너 니르ᄃᆡ,

"너희 노얘 슌슌후(數旬後) 올나오실 거시오, 말죵(末終)의 상공과 공ᄌᆞᄂᆞᆫ 무ᄉᆞ히 날 거시니, 비ᄌᆞ 등은 안흘 직희오고, 노ᄌᆞ 등은 밧글 직희여 요란ᄒᆞ고 방ᄌᆞᄒᆞ미 업게 ᄒᆞ라."

비복 등이 지우하쳔(至愚下賤)이나 냥공의 은덕을 감튝(感祝)ᄒᆞ여 눈믈을 드리워 슈명(受命)ᄒᆞ더라.

이공이 각각 허여져 본부로 도라갈ᄉᆡ 삼인의 녕구(靈柩)를 노복 등으로 직희여 부듕을 ᄯᅥ나지 말나 당부ᄒᆞ니 하운이 이공의 명ᄃᆡ로 ᄒᆞ더라.

윤공이 집의 도라와 모젼의 ᄉᆞ오일 존후를 뭇ᄌᆞᆸ고 조부인 긔운을 뭇ᄌᆞ온 후 외헌의 나와 광슈(廣袖)로 ᄂᆞᆺ출 덥고 누어 비회【51】를 억졔치 못ᄒᆞ여, 원광을 맛ᄂᆞᆫ 날이면 현ᄋᆞ를 폐륜지인(廢倫之人)515)을 삼을지

514)자옥ᄒᆞ다 : 연기나 먼지 따위가 가득 차 있다.
515)폐륜지인(廢倫之人) : 인륜(人倫)을 폐절(廢絶)한 사람. 여기서는 시집가는 일을 하지 않는 사람을 말함.

(息婦) 이여 ᄌᆞ문이ᄉᆞ(自刎而死) ᄒᆞ오니 이 경계(境界)ᄂᆞᆫ 셕목(石木)이라도 ᄎᆞᆷ지 못할 ᄇᆡ로ᄃᆡ, 쳡이 명완무지(命頑無知)ᄒᆞ와 우금(于今)507) 지팅ᄒᆞᆫ ᄇᆡ나 쳔지의 원억지통(冤抑之痛)을 어이 다 형상ᄒᆞ오리가? 삼ᄌᆞ의 신체을 거두문 양 공의 산은히덕(山恩海德)이라, 쇄신분골(碎身粉骨)ᄒᆞ오나 다 갑습지 못ᄒᆞ리로소이다. 원광은 십일셰 치아(稚兒)라. 누옥(陋獄)의 오ᄅᆡ 견딜 슈 업ᄉᆞ니 살기을 긔필치 못할 거스[시]오, 위식 하람의 발ᄒᆞ미 오ᄅᆡ지 안여 상경ᄒᆞ올이니, 만일 흉참ᄒᆞᆫ 일이 잇거든 쳡으로 ᄒᆞ여금 먼져 알계 ᄒᆞ오시믈 청ᄒᆞ나이【3】다. 위험ᄒᆞᆫ 곳의 임(臨)ᄒᆞᄉᆞ 친문(親問)ᄒᆞ시난 후의(厚意)을 더옥 감은(感恩)ᄒᆞ여이다."

이 공이 몸을 굽혀 듯기을 다 ᄒᆞᄆᆡ 츙근(忠謹)한 양낭(養娘)) ᄉᆞ오인을 불녀 부인과 소져을 보호ᄒᆞ여 쥭음(粥飮)을 나오계 ᄒᆞ라 ᄒᆞ고 남녀 노복을 불너 이로ᄃᆡ,

"너의 쥬군이 슌슌후(數旬後) 올나오실 거시니 너의 등은 ᄂᆡ외(內外)을 엄졀(嚴絶)이 직희여 요란ᄒᆞ미 업계ᄒᆞ라."

비복 등이 감은ᄒᆞ여 함누슈명(含淚受命)ᄒᆞ거날 이 공과 님시랑이 각각 허여져 본집으로 도라 갈 ᄉᆡ, ᄒᆞ운으로 부즁을 ᄯᅥ나지 말나 당부ᄒᆞ니 범ᄉᆞ을 니공(二公)의 지휘ᄃᆡ로 ᄒᆞ더라.

윤공이 집의 도라와 모젼의 뵈오며 ᄉᆞ오일 존후(尊候)508)을 뭇ᄌᆞᆸ고 물너나와 광슈(廣袖)로 ᄂᆞᆺ출 덥고 ᄎᆞ악(嗟愕)한 심ᄉᆞ(心思)을 길이 ᄉᆡᆼ각ᄒᆞ여도, 만일 원광을 맛ᄂᆞᆫ 날이면 현아의 일ᄉᆡᆼ을 맛출지라. ᄌᆞ긔 두낫 ᄯᆞᆯ을 두어시니 ᄌᆞᆼ여(長女)ᄂᆞᆫ 츌가ᄒᆞ고 ᄎᆞ여난 아직 미혼 즁이나, ○…결락 14자…○[셔

507)우금(于今) : 지금까지.
508)존후(尊候) : 남의 건강상태를 높여 이르는 말.

라 ᄌᆞ긔 두 낫 ᄯᆞᆯ을 두어 댱녀(長女)ᄂᆞᆫ 셕ᄉᆡᆼ의 졈졈 박ᄃᆡᄒᆞ미 면목블견(面目不見)ᄒᆞ고, ᄎᆞ녀ᄂᆞᆫ 셔랑(壻郞) 될 사ᄅᆞᆷ이 대리시(大理寺) 되인(罪人)이 되어 ᄉᆞᄉᆡᆼ을 미뎡(未定)ᄒᆞ고, 하가 화란이 친옹(親翁)의 살기를 긔필치 못ᄒᆞ리니, ᄒᆞᆫ갓 붕우지의(朋友之義) ᄲᅮᆫ 아니라, 녀ᄋᆞ의 일ᄉᆡᆼ이 하가의 달녀시니, 엇지 될고 근심이 미우를 펴지 못ᄒᆞ니, 광텬 등 냥공지 좌우로 뫼셔 역시 하가를 위ᄒᆞ여 념녀ᄒᆞ믈 마지 아니ᄒᆞ더니, 져녁문안을 당ᄒᆞ여 경희뎐의 뫼히니 태위 탄왈,

"현ᄋᆞ의 팔ᄌᆡ(八字) 길ᄒᆞ면 하원광이 ᄉᆞ디(死地)를 버셔나렷마ᄂᆞᆫ, 긔필치 못ᄒᆞ니 졀박ᄒᆞᆫ 념녜 비 【52】 ᄒᆞᆯ 곳이 업도다."

뉴시 낫출 ᄇᆞᆰ히고 ᄀᆞᆯ오ᄃᆡ,

"현ᄋᆞᄂᆞᆫ 화듕왕(花中王)이오 옥듕박옥(玉中璞玉)516)이라 셩ᄒᆡᆼ긔딜(性行氣質)이 고왕금ᄂᆡ(古往今來)의 독보(獨步)ᄒᆞ니, 명공(明公)의 형셰로 ᄉᆞ회517)를 어ᄃᆡ 가 못 어더 화가여ᄉᆡᆼ(禍家餘生)으로 무ᄉᆞ(無事)ᄒᆞ리라 ᄒᆞᆫ들 ᄎᆞ마 엇디 결혼코져 의ᄉᆡ 나리오. 쳡이 일ᄉᆡᆼ 다리고 잇셔도 하가의ᄂᆞᆫ 보ᄂᆡ디 못ᄒᆞ리로소이다."

공이 바야흐로 심ᄉᆡ 난ᄒᆞᆫᄃᆡ ᄎᆞ언을 드르니 평ᄉᆡᆼ 부녀의 당돌ᄒᆞ믈 믜이 넉이고 대ᄉᆞ의 말ᄒᆞᄂᆞᆫ 양 ᄒᆞᄂᆞᆫ 줄 가장 괘심이 넉이ᄂᆞᆫ지라. 블승통한(不勝痛恨)ᄒᆞ여 노목(怒目)을 빗기 써 ᄯᅮ러질ᄃᆞ시 보며 ᄂᆡᆼ쇼왈,

"내 비록 용녈ᄒᆞ나 부인의 가뷔오, 현ᄋᆞ의 아비라. 대ᄉᆞ(大事)518) 【53】 를 내 임의로 듀댱(主掌)ᄒᆞᆯ 거시어ᄂᆞᆯ, 엇지 간예(干與)ᄒᆞ여 다언(多言)ᄒᆞᄂᆞ뇨? 그ᄃᆡ 비록 현ᄋᆞ를 다리고 잇고져 아니ᄒᆞ여도 하원광이 죽은 즉 폐륜지인(廢倫之人)이 어ᄃᆡ로 가리오. ᄌᆞ연 부모 슬하를 직희리니 공교로온 언참(言讖)519)을 말나. 내 죽은 즉 그ᄃᆡ ᄌᆞᄒᆡᆼ(恣行)

516)옥듕박옥(玉中璞玉) : 옥 가운데서도 아직 다듬지 않은 천연 그대로의 순수한 옥.
517)사회 : 사위. 딸의 남편.
518)대ᄉᆞ(大事) : 큰일. 결혼, 회갑, 초상 따위의 큰 잔치나 예식을 치르는 일. 여기서는 '혼인'을 말함.
519)언참(言讖) : 미래의 사실을 꼭 맞추어 예언하는

랑(壻郞) 될 사ᄅᆞᆷ이 대리시(大理寺) 되인(罪人)이 되어] ᄉᆞᄉᆡᆼ(死生)을 미졍(未定)ᄒᆞ고, 하가 횡츰한 화을 당ᄒᆞ며 친옹(親翁)의 솔기을 긔필치 못할지라. 한갓 동긔 갓튼 붕우지졍(朋友之情)분 아니라, 여ᄋᆞ의 일신이 하가의 달녀시ᄆᆡ, 엇지 될지 못나 근심이 미우(眉宇)을 펴지 못ᄒᆞ니, 광쳔 형졔 좌우로 뫼셔 하가을 위하여 염녀(念慮)하물 마지 안 【4】 니 하던니, 져녁 문안을 당ᄒᆞ여 경희젼의 모드니 현아 등이 좌우로 버렷ᄂᆞᆫ지라. ᄐᆡ위 탄왈,

"현ᄋᆞ의 팔ᄌᆡ(八字) 길(吉)ᄒᆞ면 원광이 화을 버스련만ᄂᆞᆫ 망망(茫茫)한 텬명을 아지 못ᄒᆞ리니 졀박ᄒᆞ고 염여(念慮) 비경ᄒᆞ도다."

뉴시 믄득 낫출 불키고 왈,

"현ᄋᆞ의 셩ᄒᆡᆼ긔질(性行氣質)이 고금의 독보(獨步)ᄒᆞ니, 명공의 형셰로 어ᄃᆡ 가랑(佳郞)을 못 어더 이리 번뇌ᄒᆞ시ᄂᆞᆫ잇가? 셜양509) 하ᄀᆡ 무ᄉᆞ(無事)히 된들 참아 엇지 다시 결혼코져 의ᄉᆞ나리잇고? 쳡이 일ᄉᆡᆼ을 현ᄋᆞ을 다리고 잇셔도 하가의ᄂᆞᆫ 드러 보ᄂᆡ지 안니려 ᄒᆞᄂᆞ이다."

공이 심ᄉᆞ 바야흐로 번뇌ᄒᆞ다가 ᄎᆞ언을 드르ᄆᆡ 그 당돌방ᄌᆞ(唐突放恣)ᄒᆞ믈 통한(痛恨)ᄒᆞ여 노목(怒目)을 빗기 써 왈,

"ᄂᆡ 비록 용우(庸愚)ᄒᆞ나 부인의 가ᄌᆞᆼ(家長)이요 현ᄋᆞ의 아비라. ᄃᆡᄉᆞ(大事)510)을 ᄂᆡ 임의로 쥬ᄌᆞᆼ(主掌)ᄒᆞ거날 엇지 간여(干與)ᄒᆞ여 다언(多言)ᄒᆞᄂᆞ뇨? 그ᄃᆡ 비록 현ᄋᆞ을 다리고 잇고져 안니 ᄒᆞ여도 하원광이 쥭은 즉 페륜지인(廢倫之人)이니 어ᄃᆡ 가리오. ᄌᆞ연 부모 슬ᄒᆞ을 직히리니, 공교로온 언츰(言讖)511)을 말나. ᄂᆡ 쥭은 후난 그ᄃᆡ ᄌᆞᄒᆡᆼ(恣行)ᄒᆞ련니와 ᄂᆡ ᄉᆞ라ᄂᆞᆫ 즉 임으로 못ᄒᆞ리

509)셜양 : 설령(設令). 설약(設若).
510)ᄃᆡᄉᆞ(大事) : 큰일. 결혼, 회갑, 초상 따위의 큰 잔치나 예식을 치르는 일. 여기서는 '혼인'을 말함.
511)언츰(言讖) : : 미래의 사실을 꼭 맞추어 예언하는 말.

ᄒᆞ려니와 내 ᄉᆞ라신 즉 임의로 못ᄒᆞ리라."

분긔(憤氣)로 인ᄒᆞ여 셩음이 ᄉᆡᆨᄉᆡᆨᄒᆞ고 안ᄉᆡᆨ이 쥰녈(峻烈)ᄒᆞ여, 북풍이 놉핫ᄂᆞᆫᄃᆡ 상셜(霜雪)이 ᄲᅳ리ᄂᆞᆫ 둧ᄒᆞ니, 뉴시 본ᄃᆡ 은악양션(隱惡佯善)ᄒᆞ여 가부(家夫)의게 블공(不恭)ᄒᆞᆫ 말을 아니키로, 공의 셩정이 엄숙ᄒᆞᄃᆡ 셔로 징힐(爭詰)ᄒᆞᄂᆞᆫ 일이 없더니, 금일 본셩을 직희지 못ᄒᆞ여 참화의 ᄲᅢ진·하가를 위ᄒᆞ여 옥(玉) ᄀᆞᆺ튼 녀ᄋᆞ를 가연이 폐륜홀 ᄯᅳᆺ【54】을 두믈 골돌 개탄(慨歎)ᄒᆞ여 눈믈을 ᄲᅳ려 왈,

"명공이 원ᄂᆡ 텬뉸ᄌᆞᄋᆡ(天倫慈愛) 남과 ᄀᆞᆺ지 못ᄒᆞ여 경ᄋᆞ를 셩가(成家)ᄒᆞ미 셕낭의 박ᄃᆡ를 엇게 ᄒᆞ고, 현ᄋᆞ를 대역의 집과 뎡혼ᄒᆞ여시나, 일시 희언(戲言)을 유신(有信)ᄒᆞᆫ 체ᄒᆞ시고, 공연이 하가를 위ᄒᆞ여 ᄌᆞ식을 폐륜지인(廢倫之人)을 삼고져 ᄒᆞ시니, 쳡의 모녜 출하리 ᄒᆞᆫ 칼히 죽어 명공의 ᄆᆞᄋᆞᆷ을 쾌케 ᄒᆞ리라."

공이 분연 대로 왈,

"내 엇지 텬뉸ᄌᆞᄋᆡ(天倫慈愛) ᄇᆞ족ᄒᆞ리오마ᄂᆞᆫ 실노 냥ᄋᆡ 그ᄃᆡ의 쇼ᄉᆡᆼ이믈 깃거 아니ᄒᆞ노라. ᄒᆡᆼ혀 모습(母襲)을 ᄒᆞᆯ진ᄃᆡ 블ᄒᆡᆼ이 젹지 아니니, 죽으나 놀납지 아니리니, 임의로 ᄒᆞ라. 셕낭의 박ᄃᆡᄒᆞᄂᆞᆫ 거술 므ᄉᆞᆫ 념치(廉恥)로 후ᄃᆡ(厚待)ᄒᆞ라 ᄒᆞ리오.【55】 그ᄃᆡ 언ᄉᆡ 능녀(凌厲)ᄒᆞ니 엇지 권치 못ᄒᆞᄂᆞ뇨? 현ᄋᆞ를 폐륜지인이 되면 나도 보기 슬흐니 그ᄃᆡ 죽이기ᄂᆞᆫ ○○○[임의로] ᄒᆞ려니와, 그ᄃᆡ 도부슈(刀斧手)520) 아니니 능히 사ᄅᆞᆷ을 손으로 죽이려 ᄒᆞᄂᆞ뇨? ᄉᆞ갈(蛇蝎)의 모질기와 일희521)예 ᄉᆞ오나오믈 가져시

라."

분긔(憤氣)을 인ᄒᆞ여 셩음이 ᄆᆡᆼ열ᄒᆞ고 안ᄉᆡᆨ【5】이 ᄡᅵᆨᄡᅵᆨᄒᆞ여 북풍한셜(北風寒雪) 갓트니, 뉴시 본ᄃᆡ 은악양션(隱惡佯善)ᄒᆞ여 가부(家夫)의계 불공(不恭)ᄒᆞᆫ 말을 안니키로, 공예[의] 셩정이 엄슉ᄒᆞ되, 셔로 징힐(爭詰)ᄒᆞ미 업더니, 금일 본셩을 직희지 못ᄒᆞ여 츰화로 ᄲᅥ러진·하가를 위ᄒᆞ여 옥(玉) 갓튼 여아로 가연니 폐륜할 ᄯᅳᆺ지 이시믈 각골분완(刻骨憤惋)ᄒᆞ여 눈물을 ᄲᅮ려 발악(發惡) 왈,

"명공이 원ᄂᆡ 쳔윤ᄌᆞᄋᆡ(天倫慈愛) 남과 갓지 못ᄒᆞ여 경아를 셩가(成家)ᄒᆞ미 셕낭의 박ᄃᆡ 틱심ᄒᆞ여 경ᄋᆞ의 평ᄉᆡᆼ신셰(平生身世)을 셜니512) 되어시니 이난 명공의 ᄌᆞ취(自取)ᄒᆞ미여날, ᄯᅩ 현ᄋᆞ로 ᄒᆞ여금 일시 희연[언](戲言)으로 졍약ᄒᆞ다 ᄒᆞᄂᆞ, 방금 하가ᄂᆞᆫ ᄃᆡ역의 걸여 《일윤∥인륜》이 복멸(覆滅)ᄒᆞ거날, 희언(戲言)을 유신(有信)ᄒᆞᆫ 쳬ᄒᆞ시고, 공연니 하가을 위ᄒᆞ여 ᄌᆞ식을 폐륜지인(廢倫之人)을 슴고져 ᄒᆞ시니, 쳡의 모여 출하리 한 칼의 쥭어 명공의 마음을 쾌ᄒᆞ계 ᄒᆞ리라."

공이 쳥파의 발연(勃然) ᄃᆡ로ᄒᆞ여 여셩(厲聲) 왈,

"ᄂᆡ 엇지 쳔윤ᄌᆞᄋᆡ(天倫慈愛) 타인만 못ᄒᆞ리오 마ᄂᆞᆫ, 진실노 양ᄋᆡ 그ᄃᆡ 소ᄉᆡᆼ이라 깃거 안닛노라. ᄒᆡᆼ혀 모습(母襲)을 품슈(稟受)ᄒᆞ여 부덕(婦德)이 가ᄌᆞ지 못할진ᄃᆡ 가문【6】의 불향[행](不幸)이 젹지 안니니, 쥭으나 놀납지 안닐지라. ᄉᆡᆼᄉᆞ(生死)을 임으로 할지여다. 경아ᄂᆞᆫ 녀ᄒᆡᆼ(女行)이 습면(習勉)치 못ᄒᆞ고 신셰무광(身世無光)ᄒᆞ여 셕낭의 박ᄃᆡᄒᆞ난 거시니, 무슴 염치(廉恥)로 후ᄃᆡ(厚待)ᄒᆞ라 ᄒᆞ리오. 그ᄃᆡ 능여(凌厲)ᄒᆞ니 셕낭이 오거든 이르라. 현아ᄂᆞᆫ 폐륜지인니 될진ᄃᆡ 나도 보기 슬흐니 그ᄃᆡ 쥭이려거든 시[스]ᄉᆞ로 쥭이련이와, 그ᄃᆡ 도부슈(刀斧手)513) 안니여든 능히 ᄉᆞ람을 즐 쥭이랴?

말.

520)도부슈(刀斧手) : 큰 칼과 큰 도끼로 무장한 군사. 사형을 집행하는 형리(刑吏).

521)일희 : 이리.

512)셜니 : 셜리. 서럽게.

513)도부슈(刀斧手) : 큰 칼과 큰 도끼로 무장한 군사.

니 당면(當面)ᄒᆞ여 말ᄒᆞ기 괴롭고 심홰 나ᄂᆞᆫ지라, 실노 나의 마음을 어ᄌᆞ러이고 괴독지언(怪毒之言)을 이ᄀᆞᆺ치 ᄒᆞ다가ᄂᆞᆫ 무ᄉᆞ 일을 ᄂᆡ고 긋치리니 잠잠코 이시라."

언필(言畢)의 ᄉᆞ매를 ᄯᅥᆯ치고 밧그로 나가니, 뉴시 울며 태우를 원망ᄒᆞᄂᆞᆫ디라. 태부인이 말녀 왈,

"하개(河家)) 아딕 멸망치 아녓고 죵ᄂᆡ(終乃)를 보아 현ᄋᆞ를 타쳐의 셩가(成家)ᄒᆞᆯ지라. 너모 급히 구지 말고 ᄉᆞ긔를 ᄉᆞᆯ펴 현ᄋᆞ의 일싱【56】이 쾌케 ᄒᆞ리니, 현부ᄂᆞᆫ 념녀치 말나."

뉴시 쳬읍 ᄃᆡ왈,

"존고의 셩덕으로 쳡의 모녜 이 가듕의 머므ᄂᆞᆫ ᄇᆡ라. 가군(家君)의 ᄆᆞ음은 실노 쳡의 모녀를 가ᄂᆡ의 업과져 ᄒᆞ여 원슈ᄀᆞᆺ치 넉이니, 부부부녀간(夫婦父女間) 이러ᄒᆞ고 므슨 화긔(和氣)이시리잇고?"

태부인이 위로 왈,

"이 ᄋᆞᄒᆡ 셩졍이 본ᄃᆡ 죵요롭지 못ᄒᆞ고 잔 곡졀이 업ᄂᆞᆫ디라, 부녀의 ᄉᆞ졍을 몰나 괴롭거니와 엇지 ᄌᆞ식을 원슈 ᄀᆞᆺ치 넉이며 그ᄃᆡ를 업과져 ᄒᆞ리오. 아직 하가를 위ᄒᆞ여 져리ᄒᆞ나 하개 멸ᄒᆞ면 녀ᄋᆞ를 폐륜치 못ᄒᆞᆯ 거시오 노뫼 현ᄋᆞ를 위ᄒᆞ여 셩혼을 직쵹ᄒᆞ리니 그ᄃᆡᄂᆞᆫ 믈녀(勿慮)ᄒᆞ라."

뉴시 ᄋᆡ듧고 분ᄒᆞ나 고뫼 이러틋 니르니 ᄒᆞᆯ일 업셔 말을【57】 아니ᄒᆞ고, 현ᄋᆞᄂᆞᆫ 년긔 십셰 너머시니 만ᄉᆡ 슉셩(夙成)ᄒᆞᆫ지라. 그ᄋᆞ이 모친의 거동을 보ᄆᆡ ᄌᆞ긔 졀힝(節行)을 희지을가 한심ᄒᆞ믈 니긔지 못ᄒᆞᄃᆡ, ᄡᅣᆼ안을 낫초아 묵연단좌(默然端坐)더라.

윤공이 뎡공으로 상의ᄒᆞ여 하공을 구코져 ᄒᆞᄃᆡ 계괴 업고 간뫼(奸謀) 블측(不測)ᄒᆞ니 싱의치 못ᄒᆞ고, 텬도의 슌환(循環)ᄒᆞ기만 바라더라. 위ᄉᆡ 하람의 가 하공을 잡을ᄉᆡ ᄇᆡᆨ셩 등이 공의 덕화(德化)를 감은(感恩)ᄒᆞ다가, ᄎᆞ경(此境)을 보고 아니 슬허ᄒᆞ리 업더라. 공이 하람을 평뎡(平定)ᄒᆞ고 ᄇᆡ야흐로

ᄉᆞ갈(蛇蝎)의 모질기와 일희514)예 ᄉᆞ나옴을 겸ᄒᆞ여시니 당면(當面)ᄒᆞ여 말ᄒᆞ기 무셥고 심회 나ᄂᆞᆫ지라. 망언(妄言)을 이갓치 ᄒᆞ다가ᄂᆞᆫ 무슴 일을 ᄂᆡᆯ 거시니, 모로미 입을 닷치고 잇ᄉᆞ라."

언흘(言訖)예 ᄉᆞᄆᆡ을 ᄯᅥᆯ치고 박그로 나아가니, 뉴시 노흡고 ᄋᆡ달나 분ᄒᆞ믈 이긔지 못ᄒᆞ여, 울기을 마지 아니코 ᄐᆡ우을 원망ᄒᆞ난지라. ᄐᆡ부인니 말녀 왈,

"ᄒᆞ기 아직 다 망멸(亡滅)치 안낫고515) ᄂᆞ종을 보아가며 현ᄋᆞ을 타쳐의 셩가(成家)ᄒᆞᆯ지라. 너모 급급(急急)히 구지 말고 ᄉᆞ긔을 ᄉᆞᆯ펴 일싱을 빗ᄂᆡ고 쾌토록 ᄒᆞ리니, 현부ᄂᆞᆫ 염녜 말나."

뉴시 쳬읍 왈,

"쳡이 존고 셩덕으로 가즁(家中)의【7】 머무ᄂᆞᆫ ᄇᆡ라. 가군의 ᄯᅳ[뜻]을 혜컨ᄃᆡ 쳡을 뮈워ᄒᆞ기을 원슈갓치 ᄒᆞ니, 부부부녀간(夫婦父女間)이 이러ᄒᆞ고 엇지 집이 평안(平安)ᄒᆞ리잇고?"

ᄐᆡ부인니 위로ᄒᆞ여 갈오ᄃᆡ,

"슈예 본셩이 종요롭지 못ᄒᆞ고 잔 곡졀(曲折)이 업셔 부녀의 ᄉᆞ졍을 ᄉᆞᆯ피지 못ᄒᆞ나, 엇지 ᄌᆞ식을 원슈 갓치 녁이며 그ᄃᆡ을 업과져 ᄒᆞ리오. 아직 ᄒᆞ가을 위ᄒᆞ여 져리구나, 그ᄃᆡᄂᆞᆫ 너모 심녀치 말나."

유시 고모(姑母)의 이러틋 이르믈 드르ᄆᆡ ᄒᆞᆯ 일 업셔 잠잠ᄒᆞ고, 현ᄋᆞᄂᆞᆫ 나히 게오 십셰 너머시ᄆᆡ 만ᄉᆡ 슉셩(夙成)ᄒᆞᆫ지라, 모친의 거동을 보ᄆᆡ 자긔 졀힝(節行)을 ᄌᆞ희ᄒᆞᆯ가 ᄒᆞᆫ심ᄒᆞ믈 ᄉᆡᆼ각ᄒᆞ고, ᄶᅡᆼ안이 ᄂᆞᄌᆞᆨᄒᆞ여 무언단좌(無言端坐)러라.

윤공이 뎡공으로 상의ᄒᆞ여 하공을 구ᄒᆞ려 ᄒᆞ되 계교 업셔 참상(慘傷)ᄒᆞ믈 이긔지 못ᄒᆞ여 다만 쳔도(天道)의 ᄉᆞᆯ피시믈 바라더니, ○○[위ᄉᆡ] ᄒᆞ람의 가 하공을 잡을 시, ᄒᆞ

사형을 집행하는 형리(刑吏).

514)일희 : 이리.

515)안낫고 : 않았고.

하북을 향코져 ᄒᆞ더니, 나명(拿命)을 듯고 개연이 몸을 믹여 올ᄉᆡ, 삼ᄌᆞ의 죽으믈 위관이 젼치 아냣더니, 경샤의 온 후야 삼ᄌᆞ의 참부(慘訃)[522] 【58】를 젼ᄒᆞᄂᆞᆫ디라. 공이 쳘구금심(鐵軀金心)[523]이나 엇지 골졀(骨節)이 녹지 아니리오. ᄌᆞ긔 뢰슈(罪囚)로 올나오며, 호곡(號哭)ᄒᆞ미 블가ᄒᆞ여 ᄆᆞ옴을 구지 잡고 일셩(一聲)을 브동(不動)ᄒᆞ여 궐하의 다ᄃᆞ르니, 위ᄉᆡ(衛士) 하진 나릭(拿來)ᄒᆞ믈 듀(奏)ᄒᆞᆫᄃᆡ, 샹이 맛참 슈삼일 블예(不豫)ᄒᆞ샤 즉시 다ᄉᆞ리지 못ᄒᆞ시고 대리시의 나리오라 ᄒᆞ시니, 나졸이 공을 가도니 원광의 가도인 ᄃᆡ와 ᄉᆞ이 머니 부ᄌᆡ 상면(相面)ᄒᆞ믈 엇지 못ᄒᆞ니라.

뎡·윤 이공이 하공의 오믈 듯고 더옥 착급ᄒᆞᄃᆡ 구활 모칙이 업셔 우민(憂悶)ᄒᆞ더라.

직셜 뎡공ᄌᆞ 텬흥의 년(年)이 십삼의 니르니 풍뉴(風流) 수려동탕(秀麗動蕩[524])ᄒᆞ여 뇽미봉안(龍眉鳳眼)과 호비쥬슌(虎鼻朱脣)이 츌뉴발췌(出類拔萃)[525]ᄒᆞ고 박학다ᄌᆡ(博學多才)ᄒᆞ여, 문댱(文章)은 니두(李杜)를 묘시(藐視)【59】ᄒᆞ고, 필법은 종왕(鍾王)[526]을 압두(壓頭)ᄒᆞ며, 겸ᄒᆞ여 샹통텬문(上通天文)ᄒᆞ고 하달디리(下達地理)ᄒᆞ여 손오병법(孫吳兵法)[527]을 무블통지(無不通知)ᄒᆞ며 졔셰안민지칙(濟世安民之策) 이 잇고 튱텬댱긔(衝天壯氣) 발월(發越)ᄒᆞ여 온듕단묵(穩重端默)ᄒᆞ미 적으니 금평휘 ᄆᆡ양 엄히

522)참부(慘訃) : 참혹히 죽은 사실을 알림.
523)쳘구금심(鐵軀金心) : 철로 된 몸 쇠로된 마음이란 뜻으로, 몸과 마음이 쇠처럼 단단하고 강직함.
524)수려동탕(秀麗動蕩 : 빼어나게 아름답고 잘 생김.
525)츌뉴발췌(出類拔萃) : 여럿 가운데서 특별히 뛰어남.
526)종왕(鍾王) : 중국 위(魏)나라의 서예가 종요(鍾繇: 151~230)와 진(晉)나라의 서예가 왕희지(王羲之: 307~365)를 함께 이르는 말.
527)손오병법(孫吳兵法) : 중국 춘추 전국 시대의 병법가인 손무(孫武)·오기(吳起)의 병법. 이들의 병법서에 『손자(孫子)』와 『오자(吳子)』가 있다.

람 빅셩이 공의 덕화을 각골감은(刻骨感恩)ᄒᆞ다가, 츰화 당ᄒᆞ물 보ᄆᆡ 안니 슬허ᄒᆞ리 업셔 도로의 곡별(哭別)ᄒᆞᄂᆞᆫ ᄌᆡ 부지기싊(不知其數)러라.

ᄎᆞ셜 위ᄉᆡ(衛士) 하진을 나릭(拿來)ᄒᆞ여 오믈 쥬(奏)한ᄃᆡ, 상이 마츰 《불여‖불예(不豫)》ᄒᆞᄉᆞ 즉시 다ᄉᆞ리지 못ᄒᆞ시고, 다[대]리시(大理寺)의 나리오라 ᄒᆞ시니, ᄂᆞ졸(邏卒)이 공을 가도나 원광 공ᄌᆡ 가돈 ᄃᆡ셔 초원(稍遠)[516]ᄒᆞ므로 부ᄌᆡ 싱면(生面)치 못ᄒᆞ더라.

시【8】시의 뎡·윤 이 공이 ᄒᆞ공의 죄슈(罪囚)ᄒᆞ믈 듯고 더옥 ᄎᆞ급(着急)ᄒᆞ여 아모리 상냥ᄒᆞ나 구활 묘칙이 업셔 ᄒᆞᆫ탄ᄒᆞ믈 마지 아니ᄒᆞ더니,

ᄎᆞ시의 뎡공ᄌᆞ 텬흥이 년(年)니 십숨이라, 총명특달(聰明特達)ᄒᆞ미 만ᄉᆞ의 능통ᄒᆞ여 모을[를] 거시 업더라. 잇ᄯᅢ 공ᄌᆡ 부친니 윤공으로 더부러 ᄒᆞ공을 구(救)치 못ᄒᆞ여 일야(日夜) 근심ᄒᆞ믈 보고, 일일(一日)은 부젼(父前)의 뭇ᄌᆞ오ᄃᆡ,

516)초원(稍遠) : 조금 멀다.

잡죄더니, 일일은 부젼(父前)의 뭇ᄌᆞ오ᄃᆡ,

"하 년숙(緣叔)[528]을 히코져 ᄒᆞᄂᆞ니 뉘니잇고?"

공이 ᄀᆞᆯ오ᄃᆡ,

"굿ᄐᆞ여 아뢸 줄 모르ᄃᆡ 니부샹셔 김후 등이 원경 등의 시슈(屍首) 참ᄒᆞ믈 청ᄒᆞ니 젼일의 하형이 김탁의 탐남블법지ᄉᆞ(貪婪不法之事)를 논힉(論劾)ᄒᆞ미 잇ᄂᆞᆫ 고로 혐극(嫌隙)이 되어 퇴지를 죽이고져 ᄒᆞᄂᆞᆫ가 ᄒᆞ노라."

공ᄌᆡ 다시 뭇ᄌᆞ오ᄃᆡ,

"원간 김후의 집이 어ᄃᆡ니잇가?"

공이 무심히 닐너 왈,

"도셩 십ᄌᆞ각(十字閣)[529] 거리의 읏듬 고루댱각(高樓莊閣)이 져의 집이니라."

공ᄌᆡ 【60】 듯ᄌᆞ올 만ᄒᆞ고 ○○○[물너나] ᄎᆞ뎨(次弟) 닌홍다려 왈,

"내 잠간 혼졍(昏定) 후 단녀올 ᄃᆡ 이시니 셔동을 다리고 이시라."

ᄎᆞ공ᄌᆡ 가ᄂᆞᆫ ᄃᆡ를 므른ᄃᆡ, 텬홍이 쇼왈,

"닌가(隣家)의 가 야화(夜話)ᄒᆞ고 오리니 대인이 모르시게 ᄒᆞ라."

ᄒᆞ고, 셩을 너머가니 슌라군(巡邏軍)이 곳곳마다 이시나, 공ᄌᆡ 힝뵈(行步) 훌훌(欻欻)ᄒᆞ고 쳐신이 신능(神能)ᄒᆞ니 아모도 모르더라. 김후의 집으로 가니 문누(門樓)의 '김상셔 창현궁'이라 뼛더라. 공ᄌᆡ 의긔(義氣)를 발ᄒᆞ여 하공을 ᄉᆞ디(死地)의 구ᄒᆞ려 하ᄂᆞᆫ디라. 두로 도라보니 댱원(牆垣)이 ᄎᆞ아(嵯峨)[530]ᄒᆞᆫᄃᆡ, 뉴리를 밀친 ᄃᆞᆺᄒᆞ고[531], 씩 삼

528)년숙(緣叔) : 아저씨라고 부를 만한 친지.
529)십ᄌᆞ각(十字閣) : 조선 시대에 경복궁의 정문인 광화문의 동서 양쪽에 있던 망루(望樓).
530)ᄎᆞ아(嵯峨)ᄒᆞ다 : 산이 높이 솟아 아득하게 높다.
531)밀친 ᄃᆞᆺᄒᆞ고 : 깎아놓은 듯하고. <밀치다 : 밀다> : 바닥이나 거죽의 지저분한 것을 문질러서 깎거나 닦아내다.

"하 연숙(緣叔)[517]을 이심이[518] 히코ᄌᆞ ᄒᆞᄂᆞ니 뉘니잇고?"

금평휘 답 왈,

"아모라 지목(指目)지 못ᄒᆞ나 니부상셔 김후 등이 원경 등 시신을 마ᄌᆞ 참ᄒᆞ믈 청ᄒᆞ고, 또 ᄒᆞ퇴지을 나릭(拿來)ᄒᆞ며 원광을 엄슈(嚴囚)홈도 ᄎᆞ유(此類)의 쥬쳥ᄒᆞᆫ 빅라. 당초의 퇴지가 김탁을 논힉(論劾)ᄒᆞ여 불법지ᄉᆞ(不法之事)을 고ᄒᆞ엿더니, 일노 혐원(嫌怨)이 되어, ᄆᆡ양 퇴지을 쥭이고져 ᄒᆞᄂᆞᆫ 가온ᄃᆡ니, 원광이 위틱홀가 시푸도다."

공ᄌᆡ 다시 못ᄌᆞ오ᄃᆡ,

"김가의 집이 어ᄃᆡ니잇고?"

공이 무심이 일너 왈,

"도셩 십ᄌᆞ 거리 읏듬 고루장각(高樓莊閣)이라."

공ᄌᆡ 《더럴만ᄒᆞ고‖드를만 ᄒᆞ고》 물너나 ᄎᆞ일 혼졍(昏定) 후 ᄉᆞ졔(舍弟) 인홍다려 왈,

"ᄂᆡ 잠간 단녀올 곳지 잇시니 너난 셔동을 다리고 편이 ᄌᆞ라."

ᄎᆞ공ᄌᆡ 운학당의셔 한가지로 ᄌᆞ려ᄒᆞᄃᆞ가 그 가난 곳즐 무르니 쳔홍 공ᄌᆡ 소왈,

"인가(隣家)예 가 야화(夜話)ᄒᆞ고 오리니ᄃᆡ 【9】 인니 ᄆᆡ양 우리 나가믈 금ᄒᆞ시니 모로시게 가리라."

임예 셩문을 다닷난지라. 가연이 몸을 날여 셩을 너머갈 ᄉᆡ, 슌나군(巡邏軍)이 곳곳지 잇스되, 공ᄌᆞ의 쳐신니 능여(凌厲)허여 힝뵈 나넌 듯ᄒᆞ니, 아모도 보지 못ᄒᆞ더라. 바로 십ᄌᆞ(十字) 거리로 다ᄃᆞ르니 과연 김후의 집이 잇셔, ᄃᆡ문의 금ᄌᆞ로 크게 김상셔 창년궁이라 ᄒᆞ여거늘, 뎡공ᄌᆞ 현심이 격발(激發)ᄒᆞ여 하공을 구하랴 ᄒᆞᄂᆞᆫ지라. 후의 집을 두로 살피니 장원(牆垣)이 유리(琉璃)로 밀친 듯ᄒᆞ여[519], 아오라이[520] 높고 씩

517)연숙(緣叔) : 아저씨라고 부를 만한 친지.
518)이심이 : 이심(已甚)히. 지나칠 정도로 심하게.
519)밀친 듯하여 : 깎아놓은 듯하여. <밀치다 : 밀다> : 바닥이나 거죽의 지저분한 것을 문질러서 깎거나 닦아내다.

경(三更)이니 만뇌구젹(萬籟俱寂)532)ᄒᆞ디라. 공ᄌᆡ 몸을 소샤 담을 넘으니 ᄎᆞᄎᆞ 댱원(牆垣)과 문이 잇ᄂᆞᆫ디라. 공ᄌᆡ 무인디경(無人之境)ᄀᆞᆺ치 드러가니 김휘 외당【61】의셔 ᄌᆞᄃᆡ, 광활(廣闊)ᄒᆞᆫ 집의 금슈포장(錦繡布帳)을 ᄆᆡᆫᄃᆞ라 지웟거ᄂᆞᆯ, 댱을 들고 드러가니 슉딕셔동(宿直書童) ᄉᆞ오인이 잠이 깁헛고, 김후ᄂᆞᆫ 상샹(床上)의셔 비셩(鼻聲)이 우레ᄀᆞᆺ거ᄂᆞᆯ, 공ᄌᆡ 블승분노(不勝忿怒)ᄒᆞ여 즉ᄀᆡᆨ의 죽이고 시브ᄃᆡ, 살인을 간ᄃᆡ로 ᄒᆞ여 ᄌᆞ취기화(自取起禍)를 ᄒᆞ리오 ᄒᆞ고, 눈을 드러 살핀 즉 벽샹의 텰편이 걸녓거ᄂᆞᆯ, 손의 쥐고 금금(錦衾)을 헤치고 그 머리를 눌너 안ᄌᆞ 텰편으로 힘을 다ᄒᆞ여 두다리니, 김휘 놀나 ᄭᆡᄆᆡ 알프기 죽을 듯ᄒᆞ고 갑갑ᄒᆞ미 터질 ᄃᆞᆺᄒᆞ니, 능히 소ᄅᆡ를 못ᄒᆞ거ᄂᆞᆯ, 공ᄌᆡ 그 등의 안ᄌᆞ 슈죄(數罪) 왈,

"간흉젹ᄌᆞ(奸凶賊子)야! 네 뇌상(罪狀)을 드러 보라. 네 박덕브ᄌᆡ(薄德不才)로 외람이 니부텬관(吏部天官) 쟉녹이 과의(過矣)533)어ᄂᆞᆯ, 족ᄒᆞᆫ 줄 모르고 현ᄉᆞ를 져바리며 간당【62】을 나와534), 용인치졍(用人治政)이 무상ᄒᆞ여 비록 ᄌᆡ덕이 가ᄌᆞ나 네게 믜오니ᄂᆞᆫ 벼슬의 의망(擬望)535)치 아니ᄒᆞ고, ᄌᆡ죄 젹고 ᄇᆡ혼536) 거시 업ᄉᆞᆯ디라도 다만 너의게 아당ᄒᆞ여 네 ᄯᅳᆺ을 맛초면, 쳔거ᄒᆞ기를 못밋츨 ᄃᆞᆺᄒᆞ여, 악뉴와 간당을 쳬결(締結)ᄒᆞ여 현인을 긍극히 모ᄒᆡᄒᆞ니, 이러ᄒᆞ고 텬앙이 업지 못ᄒᆞᆯ디라. 그르믈 ᄭᆡᄃᆞ라 ᄌᆞ금이후(自今以後)나 개과쳔션ᄒᆞ면 가히 샤(赦)ᄒᆞ려니와, 하던 ᄀᆞᆺ튼 튱냥현신(忠良賢臣)을 모살(謀殺)코져 ᄒᆞ며, 원경 등을 모ᄒᆡᄒᆞ여 죽이고 오히려 브족ᄒᆞ여 시슈(屍首) 참ᄒᆞ기를 쳥하여, 셩듀의 티화(治化)를 그르게 ᄒᆞ미

532)만뇌구적(萬籟俱寂) : 밤이 깊어 아무런 소리도 없어 아주 고요함.
533)과의(過矣) : 과하다. 정도가 지나치다. 의(矣)는 어조사.
534)나오다 : 내다. 추천하다.
535)의망(擬望) : 옛날 벼슬아치를 발탁할 때 공정한 인사 행정을 위하여 세 사람의 후보자를 임금에게 추천하던 일.
536)ᄇᆡ호다 : 배우다.

반야ᄉᆞᆷ경(半夜三更)이라. ᄉᆞ람마다 잠이 깁고 만뇌구젹(萬籟俱寂)521)하니 홍이 한 번 몸을 소소와522) 무인지경(無人之境) ᄀᆞᆺ치 {드러가이 김휘 즘을 깁히} 드러가니, 김휘 즘을 깁피 드러 ᄉᆞ람이 드러오믈 모로ᄂᆞᆫ지라. 공ᄌᆡ 김후의 가ᄉᆞᆷ을 눌너 안ᄌᆞ 벽ᄉᆞᆼ의 걸인 쳘편을 벅겨523) 들고 이불을 벗기고 타둔(打臀)524)ᄒᆞ며 ᄭᅮ지져 갈오ᄃᆡ,

"○[네] 용인치졍(用人治政)이 무ᄉᆞᆼ(無狀)ᄒᆞ여 공의(公義)을 삼가 도라보지 안니코 ᄉᆞ졍을 젼쥬(專主)ᄒᆞ니, 비록 ᄌᆡ덕(才德)이 가지ᄂᆞᆫ 네 미오면 쓰지 안코, 덕이 업ᄉᆞ나 네게 아당ᄒᆞ면 청현화직(淸顯華職)을 더으니, 국가 졍ᄉᆞ 네 손의 그릇되ᄂᆞᆫ지라. ᄉᆞ람은 모로나 쳔신니 노ᄒᆞ야 네 죄을 일일이 발히ᄂᆞ니, ᄎᆡᆨ별(責罰)이 업지 못ᄒᆞᆯ지라. 마지 못ᄒᆞ여 경ᄎᆡᆨ(輕責)【10】ᄒᆞᄂᆞᆫ니, ᄎᆞ후 ᄀᆡ과쳔션(改過遷善)ᄒᆞ면 쳔지신명이 혹 ᄉᆞ(赦)ᄒᆞ려이와, ᄒᆞ진 갓튼 츙현(忠賢)을 죄 업시 쥭이기을 도모ᄒᆞ며 원경 등 ᄉᆞᆷ 형졔 갓튼 명현군ᄌᆞ(名賢君子)을 모함ᄒᆞ여 쥭이며 유위[이](猶以)525) 부족ᄒᆞ여 시슈(屍首)을 버히기을 쥬쳥(奏請)ᄒᆞ여, 군덕(君德)을 손상케 ᄒᆞ물 ᄭᆡ닷지 못ᄒᆞ고, 셩쥬의 치화(治化)을 그릇ᄒᆞ미 젼혀 여등(汝等) 간당의 죄라. 네 만일 진심ᄒᆞ여 ᄒᆞ진을 ᄉᆞᆯ오지 안

520)아오라이 : 아스라히. 아득하게.
521)만뇌구적(萬籟俱寂) : 밤이 깊어 아무런 소리도 없어 아주 고요함.
522)소소다 : 솟구치다.
523)벅겨 : 벗겨.
524)타둔(打臀) : 볼기를 침.
525)유이(猶以) : 오히려.

전혀 너 간젹(奸賊)의 되라. 만일 네 하진을 술오지 아니ᄒᆞ고 셩듀의 참덕(慙德)을 숨을 진ᄃᆡ ᄒᆞᆫ칼노 네 머리를 참ᄒᆞ【63】고 집을 뭇지르리라."

김휘 댱어호치(長於豪侈)537)ᄒᆞ고 ᄉᆡᆼ어부귀(生於富貴)538)ᄒᆞ여 풍한셔열(風寒暑熱)539)의 신긔(身氣) 잠간 블평ᄒᆞ여도 각별이 티료(治療)ᄒᆞ고, 남달니 압흔 거술 못견ᄃᆡ여 ᄒᆞ더니, 쳔만 ᄀᆡ약지 아닌 듕벌을 만나 셩혈이 님니(淋漓)ᄒᆞ니, 그 인셰(人世)를 분간치 아니ᄒᆞ고, 힝ᄉᆡ 본ᄃᆡ 블미ᄒᆞ미 텬신이 벌을 주시민가 겁ᄒᆞ고 두려, ᄯᅩᆼ을 흘니고 고개를 그덕여 익걸 왈,

"뵈상을 아옵ᄂᆞ니 텬신은 셩덕을 드리워 일명(一命)을 빌니시면 개과쳔션ᄒᆞ여 용인치졍의 공의(公義)를 잡아 ᄉᆞ졍을 먼니ᄒᆞ고, 하딘을 아모려나 ᄉᆞ도록 ᄒᆞ리니 그만ᄒᆞ여 샤(赦)ᄒᆞ쇼셔."

공ᄌᆡ 혜오ᄃᆡ 이놈이 결단코 하공을 모히ᄒᆞ여시니 ᄌᆞ시 알니라 ᄒᆞ고, 가지록 ᄆᆡ이 쳐 【64】 왈,

"악ᄉᆡ(惡事) 텬졍의 빗최고 디부의 올나시니 므를 ᄇᆡ 업거니와, 네 만일 ᄆᆞ음을 곳쳐 션도(善道)의 나아갈진ᄃᆡ, 젼젼악ᄉᆞ(前前惡事)를 뉘웃ᄎᆞ리니 므ᄉᆞᆷ 일이 더옥 뉘웃브뇨540)?"

김휘 왈,

"졍신이 황홀(恍惚)ᄒᆞ니 치기를 긋치시면 고ᄒᆞ리이다."

공ᄌᆡ 잠간 긋쳐 왈,

"하원경 등 히ᄒᆞ기를 네 ᄎᆞ마 엇지 ᄒᆞᆫ다?"

김휘 ᄃᆡ왈,

537)댱어호치(長於豪侈) : 화려하고 사치스러운 환경에서 자라남.
538)ᄉᆡᆼ어부귀(生於富貴) : 부귀한 집에서 태어남.
539)풍한셔열(風寒暑熱) : 바람과 추위, 심한 더위를 함께 이르는 말.
540)뉘웃브다 : 뉘우치다. 스스로 제 잘못을 깨닫고 마음속으로 가책을 느끼다.

니ᄒᆞ고 셩쥬(聖主)의 졍ᄉᆞ을 어두옵게 ᄒᆞᆯ진ᄃᆡ, ᄒᆞᆫ 칼노 머리을 버히고 네 집을 뭇질너 씨을 업시 ᄒᆞ리라."

이리 이르며 치기을 ᄆᆡ오ᄒᆞ니, ○○○○[김휘 ᄉᆡᆼ어]부귀(生於富貴)526)ᄒᆞ고 장어호치(長於豪侈)527)로 ᄒᆞ여 풍ᄒᆞᆫ셔열(風寒暑熱)528)을 모로고 지ᄂᆡ다가, 쳔만 뜻밧게 즁ᄉᆞᆼᄒᆞ미 이갓타여 셩혈이 임니(淋漓)ᄒᆞ니 그 ᄉᆞ람이며 귀신이믈 분별치 못ᄒᆞ고, 황황망극(惶惶罔極)ᄒᆞ여 ᄯᅩᆼ을 흘니며 고ᄀᆡ을 흔들어 ᄉᆞᆯ아지라 ᄋᆡ걸ᄒᆞᄂᆞ, 드른 쳬ᄂᆞ ᄒᆞ리오. 두다리기을 졍신업시, ᄒᆞ니 김후 졍신업시 고왈,

"ᄒᆞ진을 아모조록 구ᄒᆞᆯ 거시미니 그만ᄒᆞ여 ᄉᆞᆯ오소셔."

뎡공ᄌᆞ ᄉᆡᆼ각ᄒᆞᄃᆡ, 이놈이 결단코 ᄒᆞ가(河家)을 모함ᄒᆞᆫ ᄇᆡ니 자시 알아보리라. ᄒᆞ고 가지록 쳐 왈,【11】

"네 악ᄉᆡ(惡事) 귀녹(鬼錄)의 올나스니 물을 ᄇᆡ 업거니와, 네 만일 마음을 고쳐 현도(賢道)의 나아갈 진ᄃᆡ, 젼젼악ᄉᆞ(前前惡事)을 뉘우치미529) 잇슬지라. 그러ᄒᆞᆫ 즁 무ᄉᆞᆷ 일노 하가을 히치요[뇨]?"

김후 이어 ᄃᆡ답ᄒᆞ여 가로ᄃᆡ,

"졍신니 업고 심신(心身)니 황홀(恍惚)ᄒᆞ여 진졍ᄒᆞᆯ 기리 업ᄉᆞ오니 치기을 긋치시면 고ᄒᆞ리다."

공ᄌᆡ 즘간 ᄎᆞ기을 날회고 물으니, 김후 우러러 고왈,

526)ᄉᆡᆼ어부귀(生於富貴) : 부귀한 집에서 태어남.
527)장어호치(長於豪侈) : 화려하고 사치스러운 환경에서 자라남.
528)풍ᄒᆞᆫ셔열(風寒暑熱) : 바람과 추위, 심한 더위를 함께 이르는 말.
529)뉘우치다 : 스스로 제 잘못을 깨닫고 마음속으로 가책을 느끼다.

"엇지 ᄉᆞ오나온 줄 모르리잇고마는 하진이 가친(家親)의 허믈을 텬졍(天庭)의 듀달(奏達)ᄒᆞ여 일년 월봉(月俸)을 거두시고 엄칙ᄒᆞ시니 통한이 밋쳐홀 제, 하딘이 어ᄉᆞ로 잇셔 초왕을 논힉(論劾)ᄒᆞ미 셩샹이 그릇 넉이시니, 하딘을 믜워ᄒᆞ미 골돌ᄒᆞ여 하가를 뭇지르고져 ᄒᆞᄆᆡ, 하원상 등이 입번ᄒᆞᆫ 쎡를 타 초왕이 환관(宦官) 두셕과 오담으로 【65】 더브러 개용단을 삼켜, 원상 등의 모양이 되어 발검ᄒᆞ고 농상하(龍床下)의 나아가 혼동(混同)ᄒᆞ고 원상 등을 죽여시니 실노 못ᄒᆞᆯ 일을 ᄒᆞ엿ᄂᆞ이다."

공지 텬편으로 그 등을 울혀[541] 왈,

"일졍(一定)[542] 작되(作罪) 쓴아냐 극악(極惡)을 다 아ᄂᆞ니 ᄌᆞ시 고ᄒᆞ라.

휘 울며 왈,

"용인치졍(用人治政)의 무상ᄒᆞ믄 텬신이 아르시ᄂᆞᆫ 빅니, 다시 고치 아니커니와 원상은 비명원ᄉᆞ(非命寃死)ᄒᆞ고, 원경·원보ᄂᆞᆫ 일ᄎᆞ(一次)를 마ᄌᆞ시나 죽든 아니ᄒᆞ거ᄂᆞᆯ, 가친과 초왕이 옥니다려 이리이리 니르고 술의 독을 타 주니, 옥니 등은 모르고 먹이니 즉ᄉᆞ(卽死)ᄒᆞ니이다."

공지 일일이 복초(服招)를 바드ᄆᆡ 십분 통히(痛駭)ᄒᆞᆫ지라. 죽이고져 시브ᄃᆡ 참고 요하의 칼흘 쌔혀 그 장가락[543]을 버혀 낭듕(囊中)의 너흐며【66】 후리쳐 누이고, 입의 좋을 누고, ᄭᅮ지져 왈,

"나는 하날의 잇지 아니ᄒᆞ고 싸히도 잇지

"엇지 ᄉᆞ오나오믈 모로리잇가마난 ᄒᆞ진니 가친(家親)의 죄상을 쳔졍(天庭)의 쥬달(奏達)ᄒᆞ여 일연 월봉(月俸)을 거두시고 엄칙ᄒᆞ시계 ᄒᆞ니 통입골슈(痛入骨髓)[530]ᄒᆞᆯ 지음의, ᄒᆞ진이 어ᄉᆞ로 잇슬 졔 초왕이 논힉(論劾)을 맛ᄂᆞ 성상이 그릇 넉이시믈 어드ᄆᆡ, 초왕이 ᄒᆞ진 뮈오미 골돌ᄒᆞ여 가친과 비로쇼 상의묘계(相議妙計)ᄒᆞ여, 하가을 아조 뭇질르고져 ᄒᆞᄆᆡ, ᄒᆞ원경 등 숨인을 히하려 ᄒᆞ여 입번할 쎡을 타, 초왕이 환관 쥬셩과 오학으로 더부러 기용단을 숨켜 원경 등 숨인의 얼골이 되어, 발검(拔劍)ᄒᆞ고 용상 압히 나아가 범상(犯上)코져 ᄒᆞ므로, 원경을 쥭여ᄉᆞ오니 못ᄒᆞᆯ 일을 만니 ᄒᆞ엿거이와, 쳔신은 일명(一命)을 술오쇼셔."

ᄒᆞ며 ᄋᆡᄋᆡ(哀哀)이 빌어 왈,

"목【12】 슘을 빌니시면 ᄒᆞ진을 술오리다."

공지 쳘편으로 쳐 갈오ᄃᆡ,

"작죄(作罪) 이쑨 안닐지라."

휘 울며 답ᄒᆞ여 왈,

"용인치졍(用人治政)의 허다 무쌍ᄒᆞ미 잇시ᄂᆞ 엇지 ᄎᆞᆼ졸간(倉卒間)[531]의 다 고ᄒᆞ오리가? 쳔신니 명출(明察)ᄒᆞ오시리니 능히 고치 못ᄒᆞᄂᆞ니다. 원숨은 즁형의 치ᄉᆞ(致死)ᄒᆞ고, 원경 원보ᄂᆞᆫ 일ᄎᆞ식 마진 후 ᄒᆞ옥(下獄)ᄒᆞᄆᆡ, 가친과 초왕이 의논코 옥니을 불너 여ᄎᆞ여ᄎᆞ ᄒᆞ라 ○○○[이르고] 독약을 타 쥬니, 옥니 아모란 쥴 모르고 먹이니 쥭은 비 되어ᄂᆞᆫ니다."

뎡공지 일일이 복초(服招)을 드르ᄆᆡ 더옥 분히졀통(憤駭切痛)ᄒᆞ여 고ᄃᆡ 쥭이고 십푸ᄃᆡ, 십분 참고 요ᄒᆞ(腰下)의 장검(長劍)을 쌔혀 김후의 장가락[532]을 버혀 낭즁(囊中)의 녁코 ᄭᅮ지져 왈,

"나는 쳔상의도 안니 잇고 싸의도 잇지

541)울히다 : 울리게 하다. 소리가 나게 하다.
542)일졍(一定) : 어떤 대상이나 종류 따위가 어느 하나이다. 또는 어느 하나로 정하여져 있다.
543)장가락 : 장지(長指). 가운뎃손가락.

530)통입골슈(痛入骨髓) : 통한(痛恨)이 마음 속 깊이까지 들어와 맺힘.
531)ᄎᆞᆼ졸간(倉卒間) : 미처 어찌할 수 없이 매우 급작스러운 사이.
532)장가락 : 장지(長指). 가운뎃손가락.

아녀 운슈간(雲水間)의 잇거니와, 네 이런 경계를 지닉고 다시 현인을 모히홀진딕, 죽엄을 만단(萬端)544)의 닉고 여부(汝父)가지 육장(肉醬)을 믿돌니니 조심ᄒ라."

셜파의 니러나니 슉딕셔동이 ᄶ여 보고 쩔며 ᄒᆞᆫ 구셕의 우구리고 안잣거늘, 공직 발노 박ᄎ 왈,

"네 항것545) 놈의 되상이 만ᄉ무셕(萬死無惜)이라. 즉금 긔졀ᄒ여시니 ᄭᅢ거든 구호ᄒ고 아직 후리쳐546) 두라."

언파의 문을 밀치고 훌훌547)이 쟝원(牆垣)과 문을 너머가니, 밤이 오히려 ᄉ지 아녓는지라. ᄒᆞᆫ 거름의 취운산의 도라와 집의 니르니, ᄎ공직 오히려 ᄌ지 아니ᄒ고 기다리다가 마ᄌ 왈,

"형당(兄丈)이 가시는 곳【67】을 니르지 아니ᄒ고 가시니, 의아(疑訝)ᄒ딕 급히 가시믹 뭇줍지 못ᄒ고 기다리더니, 어딕를 가계시더니잇고?"

댱공직 대쇼ᄒ고 낭듕으로셔 사름의 손가락을 닉여 뵈며 왈,

"내 이거슬 버히라 갓더니라."

ᄎ공직 경악ᄒ여 왈,

"이 엇진 일이니잇고?"

댱공직 호호히 웃고 김후의 집의 가 그놈을 슬토록 타둔ᄒ고 좃을 누어시믈 니르고, 원상 등의 참혹히 죽음과 초왕 등의 모히닙으믈 ᄎ셕비열(嗟惜悲咽) 왈,

"이ᄯᅵ는 김후의 말이 그러홀지라도 내 십여 셰 동치(童穉)로 남의 일에[을] 가로맛타548) 신원(伸寃)ᄒ여 주려 ᄒ나 형셰 되지 못홀지라 그 손가락을 비혀549) 와 후일 증

544)만단(萬端) : 만 조각.
545)항것 : 주인. 상전(上典).
546)후리치다 : 팽개치다. 내버려두다.
547)훌훌 : 가볍게 날듯이 뛰거나 움직이는 모양.
548)가로맛다 : 가로맡다. 남의 일에 참견하다.
549)비혀 : 베어

안냐 운슈간(雲水間)의 잇거니와 네 이런 경겨[계]을 지닉고 다시 현인을 모함홀진딕 죡엄을 만단(萬端)533)의 닉고 여부(汝父)도 육중(肉醬)을 만들니라."

셜파의 김후의 입을 억기고534) 좃을 누어 쳘편으로 억귀여535) 넉코, 비로소 일어나 갈 식, 슉직든 셔동은 ᄭᅢ여시ᄂ 일신니 쩔여 입을 아올니지536) 못ᄒ고 ᄒᆞᆫ 구셕의 오구리고 안ᄌ거날, 공직 발노 박【13】ᄎ며 왈,

"네 쥬인 상공님의 죄상이 쳔ᄉ무셕(千死無惜)이라. 지금 긔졀ᄒ엿시니 ᄭᅢ거든 구호ᄒ고 아직 후리쳐537) 두라."

언파의 문을 열치고 훌훌538)이 여러 중원(牆垣)을 넘어 가니 밤이 깁더라. ᄒᆞᆫ 거름의 취운순의 도라올 식, 슌나군(巡邏軍)니 다닷는 족족 밀치니 츄풍낙엽 갓더라.

집의 도라오니 ᄎ공직 오히려 ᄌ지 안니코 기다리다가 마ᄌ 왈,

"형중(兄丈)니 거취 업시 나아가시던니 어ᄂ 곳듸 가시던니가?"

공직 웃고 낭즁으로셔 ᄉ람의 손가락 씩은 거슬 닉여 뵈여 왈,

"이 거슬 버히러 갓던니라."

ᄎ공ᄌ 보고 경악ᄒ여 왈,

"이 어인 일리닛가?"

텬홍 공직 흔연니 웃고 듸듸여 셩닉 십ᄌ거리 충년궁 김후 부즁의 가 슬토록 타둔(打臀)ᄒ고, 하원경 등의 춤ᄉ홈과 초왕 등의 불춤음흉(不懺陰凶)539)ᄒᆞᆫ 히을 입으믈 ᄎ셕(嗟惜)ᄒ여, 일후(日後)540) 발명ᄒ여도 중물(贜物)541)을 숨아야 하공이 신셜(伸雪)

533)만단(萬端) : 만 조각.
534)억기다 : 으깨다. 부스러뜨리다.
535)억귀여 : 억지를 부려.
536)아올니지 : 아물지.
537)후리치다 : 팽개치다. 내버려두다.
538)훌훌 : 가볍게 날듯이 뛰거나 움직이는 모양.
539)불춤음흉(不懺陰凶) : 엉큼하여 흉악을 저지르고도 뉘우치지 않음.
540)일후(日後) : 뒷날.

험(證驗)을 삼고져 ᄒᆞ노라".

닌홍이 뎡ᄉᆡᆨ ᄃᆡ왈,

"형당의 힝ᄉᆡ ᄉᆡᆼ【68】각밧기라 가히 댱부의 쾌ᄉᆡ(快事)라 ᄒᆞ려니와, 그러나 일이 뎡대치 아냐 무인심야(無人深夜)의 위고ᄌᆡ상(位高宰相)550)을 그ᄃᆡ도록 ᄒᆞ미 온듕(穩重)치 못ᄒᆞ여 취화(取禍)ᄒᆞ기 쉬오니, ᄎᆞ후 힝신쳐ᄉᆡ(行身處事) 종용ᄒᆞ믈 취ᄒᆞ쇼셔."

텬홍이 쇼왈,

"내 종용치 못ᄒᆞ믈 알오ᄃᆡ 하공을 구ᄒᆞᆯ 도리 업셔 김후를 경동(驚動)ᄒᆞ면 요ᄒᆡᆼ(僥倖) 다시 ᄒᆡᄒᆞ미 업ᄉᆞᆯ가 ᄒᆞ미라. 대인이 아르시면 ᄎᆡᆨᄒᆞ시리니 고치 말나."

닌홍이 웃고 눕고져 ᄒᆞ더니 원촌(遠村)의 계셩(鷄聲)이 들니거ᄂᆞᆯ 일공ᄌᆡ 쇼왈,

"삼십니를 왕ᄂᆡᄒᆞ여 흉인을 다ᄉᆞ리노라 ᄒᆞ니 밤이 다 갓도다."

ᄎᆞ공ᄌᆡ 웃고, ᄒᆞᆫ가지로 소셰(梳洗)ᄒᆞ고 신셩ᄒᆞ니, 뎡공이 ᄋᆞᄌᆞ의 작용은 모르고 하공 위ᄒᆞᆫ 념네 비길 ᄃᆡ 업셔, 탄왈,

"내【69】 일즉 허심(許心)ᄒᆞ여 동긔(同氣) ᄀᆞᆺ튼 붕우ᄂᆞᆫ 하퇴지와 윤명강 형뎨러니, 금국의 가 문강의 참ᄉᆞᄒᆞ믈 보고 골육상변(骨肉喪變)551)으로 다르지 아니타가, 셰월이 오라ᄆᆡ ᄌᆞ연 닛치이미 되엿더니, 당금(當今) 하퇴지의 화변(禍變)이 쥬야 밋친 병이 되나 구ᄒᆞᆯ 길이 업ᄉᆞ니, 엇지 참졀(慘絶)치 아니리오."

일공ᄌᆡ 김후의 말을 고코져 ᄒᆞ나 ᄎᆡᆨᄒᆞ실가 두려 발구(發口)치 못ᄒᆞ고, 김휴 하공을 구ᄒᆞᆯ가 그윽이 기다리더라.

어시의 김휴 반ᄉᆡᆼ반ᄉᆞ(半生半死)ᄒᆞ엿다가 스ᄉᆞ로 ᄭᆡ여ᄂᆞᆫ 셔동비 ᄂᆡ당의 알외더라. 【70】

550)위고지상(位高宰相) : 지위가 높은 재상.

551)골육상변(骨肉喪變) : 친족의 상사(喪事).

할지니 손가락을 징거징엄(徵據徵驗)542)을 ᄉᆞᆷ고져 《ᄒᆞ노라‖ᄒᆞ믈 니르니》, ᄎᆞ공ᄌᆡ 왈,

"이 쥰걸(俊傑)에 쾌ᄉᆞ(快事)라 ᄒᆞ려니와 형장 ᄒᆞ시ᄂᆞᆫ 일리 너모 침묵(沈黙)지 못ᄒᆞ여, 무인심야(無人深夜)에 ᄌᆡ상을 그ᄃᆡ도록 슈욕(數辱)ᄒᆞ시니, 실노 온즁【14】치 못ᄒᆞ신지라. 차후ᄂᆞᆫ 힝신쳐ᄉᆞ(行身處事)을 이갓치 마르시ᄋᆞᆸ쇼셔."

텬홍 공ᄌᆞ 소왈,

"너ᄂᆞᆫ 이 일을 ᄃᆡ인게 고치말나. 나도 온당치 못ᄒᆞ믈 아ᄂᆞ 하공을 구할 기리 업셔 요향을 미드미라. 만일 ᄃᆡ인니 아르시면 ᄎᆡᆨᄒᆞ시믈 면ᄒᆞ리오"

ᄎᆞ공ᄌᆞ 자고ᄌᆞ ᄒᆞ더니 계셩(鷄聲)이 악악ᄒᆞᆫ지라. 일공ᄌᆡ 소왈,

"ᄉᆞᆷ십니 왕ᄂᆡᄒᆞ여 흉인의 죄 다ᄉᆞ리노라 ᄒᆞ니 밤이 다 갓도다."

ᄎᆞ공ᄌᆡ ᄯᅩᄒᆞᆫ 웃고 ᄒᆞᆫ가지로 소셰(梳洗)ᄒᆞ고 됸당부모(尊堂父母)계 신셩ᄒᆞ러 드러가니, 뎡공은 아ᄌᆞ의 작용을 아지 못ᄒᆞ고, 하공을 위ᄒᆞ여 염녀 비경(非輕)ᄒᆞ여 탄식 왈,

"ᄂᆡ 일직 마음을 허ᄒᆞ여 붕우지졍(朋友之情)이 동긔 갓트니ᄂᆞᆫ 하퇴지와 윤명강 형졔널리[러니], 금국의 나아가 명강의 ᄎᆞᆷᄉᆞᄒᆞ믈 보ᄆᆡ 골육의 상변(喪變)을로[으로] 다르미 업ᄉᆞᆫ지라. 셰월이 오ᄅᆡ고 일신니 분망(奔忙)ᄒᆞ여 ᄌᆞ연 이지미 되엿더니, 당금 ᄒᆞ퇴지의 화변(禍變)으로 쥬야 ᄆᆡ친 병이 되어도 구할 도리 업ᄉᆞ니 엇지 참졀(慘絶)치 안니리오."

일 공ᄌᆞ 심니의 김후의 슈말을 고코져 ᄒᆞ나 ᄌᆞ긔 일이 온즁(穩重)치 못ᄒᆞ믈 ᄎᆡᆨᄒᆞ실가 두려 발구(發口)치 못ᄒᆞ고, 다만 김휘 ᄒᆞ공 구ᄒᆞ기을 그윽히 기ᄃᆡ리더라. ᄎᆞ후 엇지 된고 ᄒᆞ회(下回)을【15】 분셕ᄒᆞ라.

541)즁물(贓物) : 절도, 강도, 사기, 횡령 따위의 재산범죄에 의하여 불법으로 가진 타인 소유의 재물.

542)징거징엄[험](徵據徵驗) : 증거와 효험

어시의 김휘 반ᄉᆡᆼ반ᄉᆞ(半生半死)ᄒᆞ엿다가 ᄉᆞᄉᆞ로 ᄭᆡ미, 셔동비 ᄂᆡ당의 알외니, 국구부부(國舅夫婦)ᄂᆞᆫ 닷집552)의 이시미 밋쳐 모르고, 후의 부인과 ᄌᆞ네 일시의 나와 보니, 만면(滿面)이 ᄯᅩᆼ빗치오, 손의 피 흘너시며, 방안이 후란ᄒᆞ여553) 셩혈(腥血)이 님니(淋漓) ᄒᆞ고 ᄯᅩᆼ물을 흘녀 악취 코흘 거ᄉᆞ리니, 부인과 ᄌᆞ네 창황망극(蒼黃罔極)554)ᄒᆞ여 시녀로 상하(床下)의 ᄯᅩᆼ을 쳐ᄂᆡ고, ᄌᆞ리를 가라 누인ᄃᆡ, 휘 말을 못ᄒᆞ거ᄂᆞᆯ, 부인과 ᄌᆞ네 곡졀(曲折)을 지삼 므른ᄃᆡ, 휘 텬신(天神)의 말을 ᄒᆞ려 ᄒᆞᆯᄎᆞ, 부뫼 듯고 급히 와보니 그 거동이 흉참(凶慘)ᄒᆞᆫ지라. 븟들고 울며 야ᄅᆡ(夜來)의 이ᄃᆡ도록 참혹히 상ᄒᆞ믈 므르니, ○○○○[휘 소ᄅᆡ을] ᄉᆞᆺ치락 니으락 ᄒᆞ며 【1】 ○○○[텬신니] 져를 슈되(數罪)ᄒᆞ고, 이러틋 듕치(重治)ᄒᆞ며 손가락을 버혀가고 ᄯᅩᆼ을 입의 눈 바를 고ᄒᆞ니, 부뫼 안ᄌᆞ 능히 다시 말을 못ᄒᆞ더니, 국귀 왈,

"어나 텬신이 이러ᄒᆞ리오. 결단코 사ᄅᆞᆷ의 작용이라. 문회(門戶) 듕듕쳡쳡(重重疊疊)ᄒᆞ고 댱원(牆垣)이 뉴리(琉璃)로 밀친 ᄃᆞᆺᄒᆞ여 비됴(飛鳥) 밧긔 왕ᄂᆡ를 못ᄒᆞ리니, 어ᄃᆡ셔 형가(荊軻) 셥졍(聶政)의 용력 가진 지 드러와 이러틋 ᄒᆞ리오. 휘 인귀(人鬼)를 분변치

익셜(益說) 시시의 니부상셔 김휘 창년궁 외현[헌](外軒)의셔 ᄌᆞ다가 불의예 낙미지악[액](落眉之厄)543)을 만ᄂᆞ, 혼몽(昏懜)을 ᄭᆡ여, 치ᄂᆞᆫ ᄌᆞ을 무망즁(無妄中)544) 그 ᄉᆞ람이며 귀신인지 분별치 못ᄒᆞ고, 즁ᄉᆞᆼ(重傷)ᄒᆞ여 반ᄉᆡᆼ반ᄉᆞ(半生半死)ᄒᆞ미 ᄂᆡ두(來頭)을 아모란 쥴 모르고 긔졀ᄒᆞ여더니, 계우 ᄭᆡ미 셔동이 이 말을 ᄂᆡ당(內堂)의 고급(告急)ᄒᆞ니, 부인과 ᄌᆞ여(子女) 놀나, ᄂᆞ가 익경츌쳐(厄境出處)을 무르니, 휘 경신을 ᄎᆞ려 쳔신(天神)의 벌ᄒᆞ든 말을 ᄒᆞ고져 ᄒᆞ더니, 부모 바야흐로 아ᄌᆞ(兒子)의 즁상ᄒᆞ물 듯고 급급히 나와 보니, 그 거동이 경악비졀(驚愕悲絶)545)ᄒᆞ여 일장(一場)을 통곡ᄒᆞ고 왈,

"네 일야지간(一夜之間) 이ᄃᆡ도록 즁ᄉᆞᆼᄒᆞ여 만신의 피흐르고 곳곳지 셩혈(腥血)리 ᄆᆡ쳐 ᄒᆞᆫ낫 시신(屍身)니 되엿도다."

휘 소ᄅᆡ을 ᄉᆞᆺ치락 이으락 ᄒᆞ여 계유546) 입을 열어 답ᄒᆞ되,

"소ᄌᆡ(小子) 자다가 야반(夜半)의 이르러 답답ᄒᆞ거날, 눈을 ᄯᅥ, 불길이 업ᄉᆞ와 계유 경신을 진경ᄒᆞ여 본, 즉 쳔신(天神)니 나려와 소ᄌᆞ 복즁547)을 눌너 안ᄌᆞ 슈죄(數罪)ᄒᆞ고, 이갓치 즁치(重治)ᄒᆞ며 손가락을 버혀 가지고 ᄯᅩᆼ을 입의 쳐넛코 가든 바을 일일이 젼ᄒᆞ니, 부모와 쳐지 경참(驚慘)ᄒᆞ여 말을 못ᄒᆞ다가 양구후(良久後)의 왈,

"네 쳔신니라 ᄒᆞ니 무슴【16】 쳔신니 그러 ᄒᆞ리오. 결단코 ᄉᆞ람의 ᄌᆞᆨ용(作用)이라. 연니ᄂᆞ 문회(門戶)가 즁즁쳡쳡(重重疊疊)ᄒᆞ고 즁원(牆垣)니 유리(琉璃)을 펼친 듯ᄒᆞ며 비조(飛鳥) 밧근 왕ᄂᆡ(往來)치 못ᄒᆞ려

552)닷집 : 닫집. 궁전 안의 옥좌 위나 법당의 불좌 위에 만들어 다는 집 모형. 여기서는 한 집안에서 웃어른이 거처하는 '상부(上府)'를 말함인 듯.
553)후란ᄒᆞ다 : 혼란(混亂)스럽다. 문드러지다.
554)창황망극(蒼黃罔極) : 몹시 놀라거나 다급하여 어찌할 바를 모름.

543)낙미지악[액](落眉之厄) : 눈앞에 닥친 재앙.
544)무망즁(無妄中) : 별 생각이 없이 있는 상태.
545)경악비졀(驚愕悲絶) : 더할 나위 없이 놀랍고 슬픈 일을 만남.
546)계유 : 겨우.
547)복즁 : 가슴의 한 복판. 한자를 빌려 '腹臟'으로 적기도 한다.

못ᄒᆞ고 하가(河家) 모히ᄒᆞᆫ 일과 블미지ᄉᆞ(不美之事)를 닐너시니, 대변(大變)이 날디라. 허겁(虛怯)ᄒᆞ미 이ᄃᆡ도록 ᄒᆞ뇨?"

휘 손을 져어 왈,

"결단코 사ᄅᆞᆷ은 아니라. 쇼ᄌᆡ 창황듕(蒼黃中)이나 엇디 인귀를 분변치 못ᄒᆞ리잇가? 하진을 살오마 언약(言約)ᄒᆞ여시니 대인은 져를 죽일 의ᄉᆞ를 마르쇼셔."

국귀 혀ᄎᆞ【2】 왈,

"듕심(中心))이 져러ᄐᆞᆺ 허겁ᄒᆞ니 능히 대ᄉᆞ를 일우지 못ᄒᆞ리로다. 연(然)이나 죽이지 말고져 ᄒᆞ면, 초왕과 상의ᄒᆞ고 셩샹긔 정ᄇᆡ(定配)를 청ᄒᆞ리라."

휘 창쳐(瘡處)를 간간이 알흐며 후간(喉間)의 분쉬(糞水) 넘어 눅눅ᄒᆞ고[555] 아닛고으미 비위를 뎡치 못ᄒᆞ여, 음식이 거ᄉᆞ리며 약믈을 슌히 넘기지 못ᄒᆞ니, 일개 황황(遑遑)ᄒᆞ여 창쳐의 약을 븟치고 ᄇᆡᆨ가지로 티료ᄒᆞ여, 슌여(旬餘)의 잠간 나으ᄃᆡ, 이런 말이 남도 븟그러워 혹 알니 이실가 두려 ᄀᆞᆷ초니, 초왕 등이 그 당뉴로ᄃᆡ 오히려 모르고 국구ᄂᆞᆫ 기ᄌᆞ(其子)를 치고 간 거시 사ᄅᆞᆷ인 줄 아나, 기여(其餘)ᄂᆞᆫ 혹 귀신이라도 ᄒᆞ며, 혹 신귀(神鬼)도 아니오, 가ᄂᆡ(家內) 흉인이 외인을 두려 작변(作變)ᄒᆞ다 ᄒᆞ여, 의논이 분분ᄒᆞ고, 국구【3】ᄂᆞᆫ 근심이 만하 ᄋᆞ들이 악ᄉᆞ를 닐너시니 후환이 될가 방심치 못ᄒᆞ나, 김후ᄂᆞᆫ 후일은 아ᄃᆡᆨ 근심치 아니ᄒᆞ고 다만 하진을 죽이지 말믈 청ᄒᆞ여, 당뉴(黨類)를 보ᄂᆞ니마다 니르ᄃᆡ,

"하원상 등을 셩상이 뫼상(罪狀)을 ᄇᆞᆰ히 보아 계시나 기부(其父)ᄂᆞᆫ 모역이 분명ᄒᆞᆫ 줄 모르니, 셩듀의 호ᄉᆡᆼ지덕(好生之德)을 돕

555)눅눅ᄒᆞ다 : 메스껍다. 먹은 것이 되넘어 올 것같이 속이 몹시 울렁거리는 느낌이 있다.

든 어ᄃᆡ셔 형가(荊軻) 셥졍(聶政)의 날님과 고금(古今) 의 드문 용역(勇力)이 잇ᄂᆞᆫ ᄌᆡ 잇셔 드러와 이갓치 ᄌᆞᆼ난ᄒᆞ여시랴. 인귀(人鬼)을 분별치 못ᄒᆞ고, ᄒᆞ가(河家)의 모히ᄒᆞ다고 일너시니, ᄃᆡ변(大變)이 ᄂᆞ기 쉬온지라. 엇지 허겁(虛怯)ᄒᆞ미 니ᄃᆡ도록 ᄒᆞ뇨?"

휘 머리을 흔드러 왈,

"결단코 ᄉᆞ람이 안니라. 소ᄌᆡ(小子) 아모리 경황즁(驚惶中)인들 인귀(人鬼)을 분별치 못ᄒᆞ오리가? ᄒᆞ진을 ᄉᆞᆯ오마 언약(言約)ᄒᆞ여ᄉᆞ오니 바라건ᄃᆡ 부친은 다시 져을 쥭일 으ᄉᆞ을 마르쇼셔."

국귀 혀ᄎᆞ 왈,

"즁심(中心)이 져러틋 단단치 못ᄒᆞ니 ᄃᆡᄉᆞ을 일우지 못ᄒᆞ리로다. 아모려나 ᄒᆞ진을 쥭이지 말고져 ᄒᆞ면 초왕과 상의ᄒᆞ여 셩상긔 즐 쥬달ᄒᆞ여 감ᄉᆞ졍ᄇᆡ(減死定配)[548]을 청ᄒᆞ리라"

ᄒᆞ더라.

김휘 장쳐(杖處) ᄃᆡ단ᄒᆞ여 신음ᄒᆞ고 또 분집(糞汁)이 목의 너머 들어가 눅눅ᄒᆞ고[549] 아니ᄭᆞ아 비위을 진정치 못ᄒᆞ고, 음식제졀(飮食諸節)과 약물리 슌히 나리지 못ᄒᆞ여 구토(嘔吐)ᄒᆞ며, 장쳐의 약【17】을 붓쳐 지셩 구호ᄒᆞᄆᆡ, 슌여의 이르러 비로소 ᄎᆞ도(差度)을 어드나, 이런 말을 남이 알가 붓그럽고, 혹ᄌᆞ 알니 이슬가 ᄒᆞ여 씨슨다시 감초니, 초왕은 그 당우(黨友)로ᄃᆡ 오히려 아지 못ᄒᆞ고, 국귀 이ᄂᆞᆫ ᄌᆞ긔 아달 친 거시 ᄉᆞ람인 쥴 아라, 그 아ᄌᆞ의 악ᄉᆞ을 일일이 일너ᄉᆞᄆᆡ 후릐의 필유화근이 될가 쥬야 방심치 못ᄒᆞ나, 김후 아직 후일을 근심치 안니코 ᄒᆞ진을 쥭이지 안니키을 쥬ᄉᆞ야탁(晝思夜度)ᄒᆞ여 그 당우을 보난이 마다 일으되,

"ᄒᆞ원경 등은 셩상이 친히 보신 ᄇᆡ나, 기

548)감ᄉᆞ졍ᄇᆡ(減死定配) : 죽을죄를 지은 죄인을 처형하지 않고, 장소를 지정하여 귀양을 보내던 일.

549)눅눅ᄒᆞ다 : 메스껍다. 먹은 것이 되넘어 올 것같이 속이 몹시 울렁거리는 느낌이 있다.

ᄉᆞ와 감ᄉᆞ뎡빅(減死定配)[556]를 청ᄒᆞ미 올흐니라."

댱뉴는 굿ᄐᆞ여 믜워ᄒᆞ는 빅 아니로딕 국구의 셰를 두리고 니부{의}통직(吏部冢宰)의 뜻을 바다 환로(宦路)의 졈졈 놉기를 바라더니 김휘 이러ᄐᆞᆺ ᄒᆞ니 그딕로 ᄒᆞ기를 응(應)ᄒᆞ더라.

샹휘(上候) 미령(靡寧)ᄒᆞ샤 결옥(決獄)을 못ᄒᆞ시더니, 평복(平復)ᄒᆞ시믹, 문무를 모화 하진을 셜국문되(設鞫問罪)[557]ᄒᆞ실식, 국구의 당뉘 하공을 구ᄒᆞ려 ᄒᆞ【4】고 현인군ᄌᆞ(賢人君子)는 하공이 ○○[화(禍)의] 써러지믈 앗기고 분ᄒᆞ던지라. 일시의 듀왈,

"원상 등은 결단코 발검돌입(拔劍突入)ᄒᆞ여 범샹(犯上)흘니 업ᄉᆞ니, 니믹망냥(魑魅魍魎)의 작변인가 ᄒᆞ오며, 더욱 하진은 국ᄉᆞ를 션치(善治)ᄒᆞ여 빅셩을 안무(按撫)ᄒᆞ믹 도젹이 화ᄒᆞ여 냥민이 ○○[되고], 덕홰 가즉ᄒᆞ고 튱셩이 관일ᄒᆞ여 군상을 밧드오믹, 효직 아비 셤김도곤[558] 더ᄒᆞ온디라. 튱냥을 죽이시미 셩덕의 흠ᄉᆡ(欠事)믈 간ᄒᆞ고 김후의 당뉘 또ᄒᆞᆫ 감ᄉᆞ뎡빅ᄒᆞ믈 듀ᄒᆞ니 샹이 골오ᄉᆞ딕,

"하진의 뎨ᄉᆞᄌᆞ 원광이 인신지상(人臣之相)이 아니라 ᄒᆞ니 원광을 죽이미 엇더ᄒᆞ뇨?"

태듕태우 윤쉬 부복 듀왈,

부(其父)난 모역이 분명치 못ᄒᆞᆫ 쥴 거의 짐족ᄒᆞᆫ 빅라. 셩쥬의 호싱지덕(好生之德)을 돕ᄉᆞ와 감ᄉᆞ졍빅을 쥬청ᄒᆞ미 올흔지라."

ᄒᆞ니, 그 당우는 구타여 ᄒᆞ공을 별노 결원(結怨)ᄒᆞ미 업되, 국구 부ᄌᆞ의 셰력을 두리오무로 부득이 잇글여 부조치미러니, 김휘 이러ᄐᆞᆺ ᄒᆞ믈 도러혀 낙죵(諾從)ᄒᆞ더라.

ᄎᆞ시 황야(皇爺) 옥휘미령(玉候靡寧)ᄒᆞ오시믹 용침(龍寢)의 잇부오미[550] 계신지라. ᄎᆞ고(此故)로 결옥(決獄)을 못ᄒᆞ여 계시던니, 옥휘(玉候) ᄎᆞ복(差復)ᄒᆞ오시믹, 문무즁신(文武重臣)을 모화 ᄒᆞ진 쳐치ᄒᆞ기을 무르시믹, 국구의 당유(黨類) ᄒᆞ공을 ᄉᆞᆯ【18】호랴 ᄒᆞ니, 허물며 현인군ᄌᆞ(賢人君子)난 ᄒᆞ진이 화(禍)의 써러지믈 크계 악기고 격졀참분(激切慘憤)[551]히 역이던지라. 상이 무르시무로 ᄎᆞᄎᆞ 일시의 쥬달(奏達)ᄒᆞ여 갈오딕,

"ᄒᆞ원경 등의 숨형졔가 결단코 발검(拔劍)ᄒᆞ여 흉역을 범치 안니ᄒᆞ염즉 ᄒᆞ옵고, 반다시 이난 이믹밍냥(魑魅魍魎)이 ᄉᆞ람의 믹골(埋骨)을 비러 원경 등의 신상을 맛초고, 하진는 국ᄉᆞ을 션치ᄒᆞ여 빅셩을 안무ᄒᆞ고 도젹을 화ᄒᆞ여 현인을 믿드니, 덕홰 가즉ᄒᆞ고 츙셩이 관일(貫一)ᄒᆞ온지라. 하진을 쥭이시면 군덕의 히로○[오]물 지숨 녁간(力諫)ᄒᆞ고, 김후의 당유 역시 진쥬(陳奏)ᄒᆞ여 감ᄉᆞ졍빅 ᄒᆞ시믈 쥬ᄒᆞ니 상이 옥음을 열러[어] 갈오ᄉᆞ딕,

"ᄒᆞ진의 졔ᄉᆞᄌᆞ 원광이 인신(人臣)의 긔상(氣像)이 안니라 ᄒᆞ니, 원광을 쥭이미 엇더ᄒᆞ뇨?"

언미필(言未畢)의 좌반(坐班)의 일위 지상이 금관면뉴(金冠冕旒)로 홍포(紅袍)을 닙고 옥딕(玉帶)을 도도여 츌반부복(出班仆伏)ᄒᆞ니, 틱즁틱우 윤쉬라. 옥음난셩(玉音鸞聲)[552]을 가다듬어 딕쥬(對奏) 왈,

556)감ᄉᆞ뎡빅(減死定配) : 죽을죄를 지은 죄인을 처형하지 않고, 장소를 지정하여 귀양을 보내던 일.
557)셜국문되(設鞫問罪) : 국청(鞫廳)을 열어 죄를 캐물음.
558)-도곤 : -보다.

550)잇브다 : 고단하다. 몸이 지쳐서 나른하다.
551)격졀참분(激切慘憤) : 몹시 참혹해하고 분해함.
552)옥음난셩(玉音鸞聲) : 옥의 소리와 난새의 소리처

"원광은 계오 십일셰 유ᄋᆡ라. 상모(相貌)를 아딕 의논ᄒᆞᆯ ᄇᆡ 업ᄉᆞ오니, 어나 상ᄌᆞ(相者)[559] 원광을【5】 뎨왕지상(帝王之相)이라 ᄒᆞ여 멸망지화(滅亡之禍)를 취ᄒᆞ리잇고? 셩상이 친히 보시면 인신의(人臣義)[560] 가ᄌᆞᆨᄒᆞ믈 아르실지라. 신의 어린 녀식과 원광으로 뎡혼ᄒᆞ여시니 하가(河家)를 구ᄒᆞ오미 공의(公義) 아니라. 사ᄅᆞᆷ이 신으로ᄡᅧ ᄉᆞ졍(私情)을 인ᄒᆞ민가 넉이려니와, 신의 ᄆᆞᄋᆞᆷ이 일월이 빗최여 공의(公義)를 듀(主)ᄒᆞ고 ᄉᆞ졍을 ᄉᆡᆼ각지 아니므로 이리 알외미로소이다."

샹이 원광을 보고ᄌᆞ ᄒᆞ샤 뎐젼(殿前)의 블너드리라 ᄒᆞ시니, 나졸이 닛그러 뎐하의 ᄉᆞᆲ닐ᄉᆡ, 신댱(身長)이 십여 셰 ᄋᆞ히 ᄀᆞᆺ지 아냐 댱부(丈夫)의 톄(體)를 일웟고, 잠미(蠶眉)ᄂᆞᆫ 샹셔(祥瑞)를 응ᄒᆞ엿고, 옥(玉)으로 무은[561] 텬정(天庭)[562]이 두렷ᄒᆞ고, 냥협(兩頰)의 《듁슌‖연화(蓮花)》을 ᄊᆞ즌 ᄃᆞᆺ, 단ᄉᆞ쥬슌(丹砂朱脣)[563]의 옥치(玉齒) ᄀᆞᆷ초여시니 고은 용홰(容華) 반악(潘岳)[564]의 ᄆᆞᆰ음과 두랑(杜郎)[565]【6】의 풍ᄎᆡ를 웃ᄂᆞᆫ지라. 텬심이 번연경동(翻然驚動)[566]ᄒᆞ샤 옥음(玉音)을 여러 ᄆᆞ르샤ᄃᆡ,

559)상ᄌᆞ(相者) : 관상가.
560)인신의(人臣義) : 신하로서의 의리.
561)무으다 : 쌓다. 만들다.
562)텬졍(天庭) : 관상에서, 두 눈썹의 사이 또는 이마의 복판을 이르는 말.
563)단ᄉᆞ쥬슌(丹砂朱脣) : 주사(朱砂)처럼 붉은 입술.
564)반악(潘岳) : 247~300. 중국 서진(西晉)의 문인(文人). 자는 안인(安仁). 권세가인 가밀(賈謐)의 집에 드나들며 아첨하다가 주살(誅殺)되었다. 미남이었으므로 미남의 대명사로도 쓴다.
565)두랑(杜郎) : 두목지(杜牧之)를 말함. *두목지(杜牧之); 247~300. 중국 서진(西晉)의 문인(文人). 자는 안인(安仁). 권세가인 가밀(賈謐)의 집에 드나들며 아첨하다가 주살(誅殺)되었다. 미남이었으므로 미남의 대명사로도 쓴다.
566)번연경동(翻然驚動) : 깜짝 놀라 움찔하는 모양.

"원광은 계우 십세을 갓 너문 아ᄒᆡ(兒孩)라. 상모(相貌)을 아직 의논하올 ᄇᆡ 안니오며, 어ᄂᆡ 상ᄌᆞ(相者) 원광의 상을 제왕(帝王)의 긔상(氣像)이라 ᄒᆞ여 멸망지화(滅亡之禍)을 취ᄒᆞ오리가? 바라건ᄃᆡ 셩상은 원광을 부【19】르ᄉᆞ 친히 보시면 긔상의 인신의(人臣義)[553] 가ᄌᆞᆨᄒᆞ물 알으시리라. 신의 어린 ᄯᆞᆯ과 원광으로 정혼(定婚)ᄒᆞ와ᄉᆞ오니 하가(河家)을 구ᄒᆞᄆᆡ 반다시 ᄉᆞ졍(私情)이라 ᄒᆞ오셔 의심ᄒᆞ오시려니와, 신의 공심(公心)은 일월(日月)이 질정(質定)ᄒᆞ오니 붓그럽지 안닐ᄉᆡ, 일이[554] 알외ᄋᆞᆸᄂᆞ이다."

상이 이의 원광을 보고져 ᄒᆞᄉᆞ 정젼(正殿)으로 불너들이ᄉᆞ 젼ᄒᆞ(殿下)의 ᄉᆞᆲ니니, 그 신장이 십일세 아동 갓지 안냐, 언건(偃蹇)ᄒᆞᆫ ᄌᆞᆼᄇᆡ(丈夫)오, 체지(體肢) 쥰슈특달(俊秀特達)[555]ᄒᆞ여 일윤명월(一輪明月)[556]이 흑운(黑雲)을 헤치ᄂᆞᆫ 듯, 봉안(鳳眼)이 유셩(流星) 갓고, ᄌᆞᆷ미(蠶眉) 상셔(祥瑞)을 응ᄒᆞ엿고, 옥으로 ᄶᅡ가 무은[557] 듯ᄒᆞᆫ 천졍(天庭)[558]이○○○○○[두렷ᄒᆞ고, 냥협(兩頰)의] 연화(蓮花)을 ᄊᆞ잔 듯, 단ᄉᆞ쥬슌(丹砂朱脣)의 혈긔(血氣) 잠간 감ᄒᆞ여시나, 그 용홰(容華) 반악(潘岳)[559]의 나리옴[560]과 니두(二杜)[561]의 호풍(豪風)을 우을지라. 진실노 옥인군ᄌᆞ(玉人君子)오, 비록 편발동몽(編髮

럼 맑고 아름다운 목소리를 이르는 말.
553)인신의(人臣義) : 신하로서의 의리.
554)일이 : 이리. 모양, 성질 따위가 이러한 모양.
555)쥰슈특달(俊秀特達) : 남달리 외모가 아름답고 재주가 뛰어남.
556)일윤명월(一輪明月) : 둥글고 밝은 달.
557)무으다 : 쌓다. 만들다.
558)천졍(天庭) : 관상에서, 두 눈썹의 사이 또는 이마의 복판을 이르는 말.
559)반악(潘岳) : 247~300. 중국 서진(西晉)의 문인(文人). 자는 안인(安仁). 권세가인 가밀(賈謐)의 집에 드나들며 아첨하다가 주살(誅殺)되었다. 미남이었으므로 미남의 대명사로도 쓴다.
560)나리오다 : 내리다. 값이나 명성 따위가 떨어지거나 못함.
561)니두(二杜) : 두목지(杜牧之)를 달리 이르는 말. *두목지(杜牧之); 247~300. 중국 서진(西晉)의 문인(文人). 자는 안인(安仁). 권세가인 가밀(賈謐)의 집에 드나들며 아첨하다가 주살(誅殺)되었다. 미남이었으므로 미남의 대명사로도 쓴다.

"딤이 여부(汝父)를 져바리미 업고 여형(汝兄)등 삼인을 ᄉᆞ랑ᄒᆞ여, 군신지의 엄숙ᄒᆞᆫ 거술 닛고 부ᄌᆞ의 친홈ᄀᆞᆺ치 ᄒᆞ엿거ᄂᆞᆯ, 혼야(昏夜)의 칼을 ᄭᅵ고 딤을 범코져 ᄒᆞ며, 여뷔(汝父) 하람군을 거두어 범경(犯京)코져 ᄒᆞ고, 너 쇼ᄋᆞ를 거드러 인신지상(人臣之相)이 아니라 ᄒᆞ여 흉ᄉᆞ를 ᄭᅬᄒᆞ다 ᄒᆞ니, 네 비록 년유(年幼)ᄒᆞ나 인ᄉᆞ를 모로지 아니ᄒᆞ리니, 여부(汝父)의 모역(謀逆)ᄒᆞ던 바를 직고(直告)ᄒᆞ여 형벌의 괴로오믈 밧디 말나.

원광이 돈슈(頓首) 듀왈,

"신은 년쇼유ᄋᆡ(年少幼兒)라. 셰ᄉᆞ를 ᄎᆡ 모르오나, 아비 ᄆᆡ양 군신유의(君臣有義)를 니르와 젹심단튱(赤心丹忠)이 일월의 빗최고ᄌᆞ ᄒᆞ오니, 형등(兄等)이 ᄯᅩᄒᆞᆫ ᄒᆞᆫ가지로 효측(效則)ᄒᆞ여 튱효 두ᄌᆞ【7】를 아옵ᄂᆞᆫ지라, 아비 국ᄉᆞ로 나가온 후 형 등이 튱셩을 다ᄒᆞᄃᆡ, ᄉᆞ부ᄌᆡ(四父子) 셩은을 과히 닙ᄉᆞ와 작녹(爵祿)이 과의(過矣)라. 가득ᄒᆞᄆᆡ ○[넘]ᄶᅵ이ᄂᆞᆫ[567] 홰(禍) 이실가 긍긍업업(兢兢業業)[568]ᄒᆞ옵더니, 참홰 일야지간의 삼형이 되ᄉᆞ(罪死)ᄒᆞ고 아비 흉역지명으로 나ᄅᆡ(拿來)ᄒᆞ와 문회 멸망ᄒᆞᆯ 줄 엇디 아라시리잇가? 하날이 각별 신의 집을 ᄆᆡ이 넉이샤 디원극통(至冤極痛)ᄒᆞᆫ 되역(罪逆)의 참ᄉᆞᄒᆞ

567)넘ᄶᅵ다 : 넘치다.

568)긍긍업업(兢兢業業) : 항상 조심하여 삼감. 또는 그런 모양.

童蒙)[562]으로 월여을 옥니(屋裏)의 곤(困)ᄒᆞ미 되ᄆᆡ 옥면화협(玉面花頰)[563]의 두발(頭髮)이 홋트러 삽삽(澁澁)ᄒᆞ엿시니[564] 경히 깃 거ᄉᆞ린[565] 학이오 날ᄀᆡ 버린[566] 봉이라. 긔히ᄒᆞ미 츈츄난셰(春秋亂世)[567]의 부ᄌᆞ(夫子)[568]을 위ᄒᆞᆫ 긔린(麒麟)이 교야(郊野)의 나린 듯,[569] 광치 출난(燦爛)ᄒᆞ미 젼상젼ᄒᆞ(殿上殿下)을 쇄연(灑然)니 발히ᄂᆞᆫ지라. 텬심이 번연경동(翻然警動)[570]ᄒᆞᄉᆞ 옥음(玉音)을 나리오ᄉᆞ 문 왈,

"짐이 여부(汝父)을【20】 져ᄇᆞ리미 업고 여경[형](汝兄) 등을 ᄉᆞ랑ᄒᆞ미 부ᄌᆞ지친(父子之親) 갓치 ᄒᆞ거ᄂᆞᆯ, 역텬무도(逆天無道)ᄒᆞ여[고] 참흉픽악(僭凶悖惡)ᄒᆞ여 칼을 가져 짐을 범(犯)코ᄌᆞ ᄒᆞ며, 여부 하람군을 거나려 황셩(皇城)을 엿보며, 너을 일카라 인신지상(人臣之相)이 아니라 ᄒᆞ야, 흉ᄉᆞ(凶事)을 ᄎᆞᆫ츌(撰出)ᄒᆞ다 ᄒᆞ니, 네 비록 연유(年幼)ᄒᆞ나 인ᄉᆞ을 모로지 안니리니, 여부의 도모ᄒᆞ든 바을 일일이 직고(直告)ᄒᆞ라. 만일 그러치 아니면 반다시 형벌의 괴로오믈 바드리라"

원광이 상교(上敎)을 듯ᄌᆞᆸ고 돈슈부복(頓首俯伏) 쥬왈,

562)편발동몽(編髮童蒙) : 머리를 길게 땋아 늘인 관례(冠禮) 전의 사내아이.

563)옥면화협(玉面花頰) : '옥 같은 얼굴의 꽃처럼 아름다운 볼'이란 뜻으로 '아름다운 얼굴'을 비유적으로 표현한 말.

564)삽삽(澁澁)하다 : 매끄럽지 아니하고 껄껄하다.

565)거ᄉᆞ리다 : 거사리다. 빙 둘러 펴다. 긴 것을 힘있게 빙빙 돌려서 포개어지게 하다

566)버리다 : 펼치다. 접히거나 개킨 것을 널찍하게 펴다.

567)츈추난세(春秋亂世) : 중국 주나라가 동쪽으로 도읍을 옮긴 기원전 770년부터 기원전 403년까지 약 360년간의 전란(戰亂)이 심했던 시대. 공자가 역사책인 ≪춘추≫에서 이 시대의 일을 서술한 데서 붙여진 이름이다.

568)부자(夫子) : 공자(孔子: B.C.551~B.C.479)를 높여 이르는 말.

569)공자(孔子)가 태어나기 전, 어머니 안징재(安徵在)의 꿈에, 기린(麒麟)이 집에 들어와 옥서(玉書)를 토(吐)하여 주고 가, 비범한 아이가 태어날 것임을 예시(豫示)하였다는 전설을 말함인 듯.

570)번연경동(翻然警動) : 깜짝 놀라 움찔하는 모양.

오니 신의 부지 구구삼셜(九口三舌)569)이라 도 발명(發明)치 못ᄒᆞ오리니, 부월지쥬(斧鉞之誅)570)를 닙ᄉᆞ오려니와, ᄋᆡᄆᆡ(曖昧)ᄒᆞ미 ᄇᆡᆨ옥무하(白玉無瑕)571)ᄒᆞ오나, 만ᄉᆡ다 명얘(命也)니 현마 엇지ᄒᆞ리잇가? 다만 신부의 모역지상(謀逆之相)을 뉘 친히 보아 폐하긔 알외더니잇고? 대ᄉᆡ(大事) 몽농(朦朧)치 못 ᄒᆞ오리니 ᄒᆞ믈며 대역지ᄉᆡ리잇 【8】 고? 고변ᄒᆞ던 ᄌᆞ를 ᄂᆡ여 ᄃᆡ면(對面)케 ᄒᆞ시고 또 하람군을 잡아 엄문(嚴問)ᄒᆞ샤 진가(眞假)를 ᄒᆡᆨ실(覈實)ᄒᆞ시미 맛당ᄒᆞᆯ가 ᄒᆞ나이다."

569)구구삼셜(九口三舌) : '아홉 입과 세 혀'라는 뜻으로 많은 말을 늘어놓는 것을 말함.

570)부월지쥬(斧鉞之誅) : 부월(斧鉞: 도끼. 형벌기구의 하나) 아래 죽음을 당함.

571)ᄇᆡᆨ옥무하(白玉無瑕) : 백옥에 아무런 티나 흠이 없다는 뜻으로, 아무런 흠이나 결점이 없음 또는 그런 사람을 이르는 말

"신은 연소유ᄋᆡ(年少幼兒)로셔 세ᄉᆞ을 치아지 못ᄒᆞ오ᄂᆞᆫ ᄇᆡ옵고, 군신유의(君臣有義) 존비숭고(尊卑崇高)ᄒᆞ며 지즁단엄(至重端嚴)ᄒᆞ오믈 아옵ᄂᆞᆫ ᄇᆡ라. 직심단츙(直心丹忠)이 일월의 비최고져 ᄒᆞ오니, 신형(臣兄)도 또 한가지로 효측[칙](效則)ᄒᆞ와 츙효의 즁ᄒᆞ오문 아옵ᄂᆞᆫ지라. 아비 국ᄉᆞ(國事)로 ᄒᆞ람의 나간 후, 신의 형 등이 찰직ᄒᆡᆼ공(察職行公)의 진츙갈녁(盡忠竭力)ᄒᆞ와 미(微)ᄒᆞ온 졍셩을 다ᄒᆞ고져, 폐부(肺腑)의 ᄉᆞ이든 ᄇᆡ오, 소신의 ᄉᆞ부ᄌᆞ(四父子) 셩은을 과이 입ᄉᆞ와 장[작]녹(爵祿)이 늉즁(隆重)ᄒᆞ와, 복(福)이 가득ᄒᆞ오면 넘ᄶᅵᄂᆞᆫ571) 환(患)니 잇실가 두려 긍긍업업(兢兢業業)572)ᄒᆞᆯ지연졍, 춤홰(慘禍) 일야지간(一夜之間)의 이러나, 신의 형 슘형제 참 【21】 ᄉᆞ ᄒᆞ옵고, 아비 흉역지명(凶逆之名)으로 나ᄅᆡ(拿來)ᄒᆞ와 문회 멸망ᄒᆞᆯ 쥴은 쳔만 몽상지외(夢想之外)라. 하날이 신의 집을 뮈이 역이ᄉᆞ 지원극통의 참화로 모함ᄒᆞ믈 만나와, 삼형의 발검(拔劍)ᄒᆞ여 용상을 범ᄒᆞ믈 셩상계오셔 친찰(親察)ᄒᆞ오시미 되엿다 ᄒᆞ오니, 신의 부ᄌᆞ 아홉 입이 잇습고 구리 혜573) 잇셔도 발명치 못ᄒᆞ옵고 오직 부월지쥬(斧鉞之誅)574)을 입ᄉᆞ오믈 바라오나, ᄋᆡᄆᆡ(曖昧)ᄒᆞ오미 ᄇᆡᆨ옥무ᄒᆞ(白玉無瑕)575)온들 엇지 폭ᄇᆡᆨ(暴白)ᄒᆞ기을 ᄉᆡᆼ각ᄒᆞ오며, 오직 ᄉᆞ라 흉역지명(凶逆之名)을 듯ᄌᆞ오나 슈원슈ᄒᆞᆫ(誰怨誰恨)니오며, 쥭어 츙신열ᄉᆞ의 뒤흘 조ᄎᆞ 영ᄇᆡᆨ(靈魄)이라도 붓그럽지 아니ᄒᆞ올지라. 신뷔(臣父) 진실노 흉모을 ᄭᅬᄒᆞ여 ᄒᆞ람군을 거두어 경셩을 엿볼진ᄃᆡ

571)넘ᄶᅵ다 : 넘치다.

572)긍긍업업(兢兢業業) : 항상 조심하여 삼감. 또는 그런 모양.

573)구리 혀 : '동셜(銅舌)'의 번역어. 조선조 궁중악기의 하나인 '순(錞)'에 달았던 작은 방울 모양의 것으로, 이것을 흔들어 소리를 냈다. 여기서는 방울소리처럼 유창한 말주변을 뜻한다.

574)부월지쥬(斧鉞之誅) : 부월(斧鉞: 도끼. 형벌기구의 하나) 아래 죽음을 당함.

575)ᄇᆡᆨ옥무ᄒᆞ(白玉無瑕) : 백옥에 아무런 티나 흠이 없다는 뜻으로, 아무런 흠이나 결점이 없음 또는 그런 사람을 이르는 말

나명(拿命)을 슌슈(順受)치 아니ᄒᆞ올지니 뉘 능히 모역지ᄉᆞ(謀逆之事)을 보고 드르미 잇셔 폐하(陛下)계 알외든잇가? 신뷔의 흉녁지ᄉᆞ을 고ᄒᆞ던 자로 ᄒᆞ여곰 ᄃᆡ면질졍(對面質定)ᄒᆞ시고 ᄒᆞ람군ᄉᆞ을 잡아 엄문(嚴問)ᄒᆞᄉᆞ 진가(眞假)을 힉실(覈實)ᄒᆞ시미 셩명치졍(聖明治政)에 《현신원역과소인‖친현신원소인(親賢臣遠小人)》ᄒᆞᄂᆞᆫ 당우지치(唐虞之治)576)을 법(法)ᄒᆞᄉᆞ, 츙양직신(忠良直臣)의 단일셩장(單一成長)577)ᄒᆞ난 츙냥【22】(忠良)의 마음을 써러치지 안니시미요, 현신(賢臣)은 ᄐᆡᆨ[ᄐᆡᆨ]쥬(擇主)ᄒᆞ고 현금(賢禽)은 ᄐᆡᆨ무[목](擇木)ᄒᆞᄂᆞᆫ 법되(法度) 가ᄌᆞᆨ히 발히ᄂᆞᆫ578) ᄌᆞᆨ시오, 간뇨쳠녕지신(奸妖諂佞之臣)의 현인군ᄌᆞ의 쥰엄(峻嚴) 씩씩ᄒᆞ믈 써려 업시코져 ᄒᆞ난 계교로 마ᄎᆞᆷ 갓ᄉᆞ오니, 셩쥬(聖主) 쳐ᄉᆡ(處事) 광명졍ᄃᆡ ᄒᆞ오시믈 쥬ᄒᆞ고 덕화을 베푸러 만민을 거나리ᄉᆞ, 원역(冤抑)ᄒᆞ미 업게 ᄒᆞ시미요, 요슌지치(堯舜之治)을 이으시난 ᄌᆞᆨ시여날, 셩상게오셔 신형(臣兄) 숩 형졔을 다ᄉᆞ리시믈오 공논(公論)도 취치 안니시압고, 급급이 일야지간의 인명을 쎡은 풀 버혀 마치시듯ᄒᆞ오나, 어ᄃᆡ가 감히 원역[억]ᄒᆞ오믈 알외리가? 신 형숩인니 문ᄌᆡ(文才) 용우(庸愚)키을 면ᄒᆞ엿ᄉᆞ오나 연약ᄒᆞ오미 부인 여자 갓ᄉᆞ오니, 쇼가온ᄃᆡ 붓ᄃᆡ을 계우 이기ᄂᆞᆫ 힘이여날 무ᄉᆞᆷ 힘으로 칼을 빗계 용상(龍床)을 범ᄒᆞ오며, 용역이 잇ᄉᆞ와 힝흉(行凶)ᄒᆞ올진ᄃᆡ 엇지 훤ᄌᆞ(喧藉)히 소ᄅᆡ을 질너 셩상이 놀나시게만 ᄒᆞ고 힘힘히579) 물너가리잇고? 이러타시 질둔(質鈍)ᄒᆞ오며 또 엇지 다라 날 ᄯᅥᄂᆞᆫ 비조(飛鳥) 갓치 닷고, 즉시 그 ᄌᆞ최을 감초지 못ᄒᆞ고 《원관‖위관》의 나명(拿命)을 인ᄒᆞ여 ᄒᆞᆫ 말 업시 ᄉᆞ슬의 《ᄆᆡ여‖ᄆᆡ엿시

---

576)당우지치(唐虞之治) : 중국역사에서 이상적인 왕도정치가 이뤄졌다는 요(堯)·순(舜) 시절의 정치. 당우(唐虞)는 도당씨(陶唐氏)인 요(堯)와 유우씨(有虞氏)인 순(舜)을 아울러 이르는 말

577)단일셩장(單一成長) : 한가지로 뜻을 키움.

578)발히다 : 밝히다.

579)힘힘히 : 부질없이. 헛되이.

샹이 쳥파(聽罷)의 텬심이 만히 도로혀샤 하공 죽일 뜻이 만히 주러지시니, 졔신을 도라보샤 왈,

"원광의 말이 이ᄌᆞᆺ고 하진의 모역은 친견ᄒᆞ미 업ᄉᆞ니 아직 감ᄉᆞ뎡ᄇᆡ(減死定配)ᄒᆞ여 타일 ᄋᆡᄆᆡᄒᆞ미 드러난즉, 블ᄎᆞ(不次)로 쁠 거시오. 혹ᄌᆞ 모역이 젹실ᄒᆞ면 쥬륙(誅戮)을 면치 못ᄒᆞ리니, ᄒᆡ도(海島)의 뎡ᄇᆡᄒᆞ라."

ᄒᆞ시니 하공의 친우붕ᄇᆡ(親友朋輩) 블승영ᄒᆡᆼ(不勝榮幸)ᄒᆞ며 졔신이 일시의 셩덕을 칭숑ᄒᆞ니 샹이 원광다려 ᄀᆞᆯ오ᄉᆞᄃᆡ,

"너를 보니 결단코 흉ᄉᆞ를 ᄭᅬᄒᆞ지 아냐실 듯ᄒᆞᄆᆡ 여부를 뎡ᄇᆡ(定配)ᄒᆞᄂᆞ니, 너는 딤의 쳐ᄉᆞ를 원치 【9】 말고 아비 블의를 곳치게 ᄒᆞ고, 여형 삼인의 되 ᄋᆡᄆᆡᄒᆞ면 엇지 신셜치 아니ᄒᆞ리오. 비록 상ᄌᆞ와 하람군ᄉᆞ로 ᄃᆡ질(對質)ᄒᆞᆷ을 쳥ᄒᆞ나 일이 어ᄌᆞ러워 죄명 벗기는 쉽지 못ᄒᆞ리라."

원광이 인신(人臣)의 도리의 셩샹이 특은

며》, 흉역을 현쥬[루](現漏)ᄒᆞ엿【23】시면 다라나지 안코 입번(入番)ᄒᆞ엿다가 힘힘히 잡히리잇고? 바라건ᄃᆡ 셩상은 익히 슬피ᄉᆞ[소셔]. 지원극통(至冤極痛)이로소이다."

언쥬파(言奏罷)의 안ᄉᆡᆨ(顔色)이 화열(和悅)ᄒᆞ고 ᄉᆞ리 안셔(安舒)ᄒᆞ여 지쳑쳔안엄위지지(咫尺天顔嚴威之地)580)을 당ᄒᆞ되, 일호(一毫) 구겁(懼怯)ᄒᆞ미 업셔, 안광(眼光)의 셩덕(盛德)이 빗최고 미우(眉宇)의 복녹이 감초엿고, 츄쳔(秋天) 갓튼 긔상과 츈양(春陽) 갓{ᄒᆞ}튼 화기(和氣) 슉엄경ᄃᆡ(肅嚴正大)ᄒᆞ여 그 몸이 ᄡᅥᆨ히 죄슈(罪囚)되믈 모로난 듯, ᄉᆞᄉᆡᆼ지간(死生之間)의 요동(搖動)할 ᄯᅳ지 업ᄂᆞᆫ지라. 황야 용안을 드르ᄉᆞ 양구(良久)히 슉시(熟視)ᄒᆞ시다가 그 학여셩음(鶴唳聲音)을 드르시ᄆᆡ, 하가(河家)을 멸ᄒᆞ오시는 의ᄉᆞ 츈셜(春雪) 갓트ᄉᆞ, 그 ᄉᆞ람되오믈 크계 ᄉᆞ랑하시믈 마지 아니시ᄃᆡ, 너모 져러틋시 비송ᄒᆞ여, 혹ᄌᆞ 외람ᄒᆞᆫ ᄯᅳ슬 두던가 의심ᄒᆞ시나, ᄎᆞᆷ아 쥭일 ᄯᅳ시 업ᄉᆞ신 듕, 원경 ᄉᆞᆷ인 등의 일도 원광의 쥬언(奏言)이 온당ᄒᆞᆫ지라. 텬의(天意) 만히 두루혀ᄉᆞ 반열(班列) 즁신다려 옥음을 열으ᄉᆞ 왈,

"원광의 말이 이갓고 ᄒᆞ진의 모역하문 친견(親見)치 못ᄒᆞ엿시니 아직 감ᄉᆞ경ᄇᆡ(減死定配) ᄒᆞ여 타일 진실노 ᄋᆡᄆᆡᄒᆞ미 잇셔 혹ᄌᆞ 신셜(伸雪)ᄒᆞ미 잇슬진ᄃᆡ 은ᄉᆞ(恩赦)을 쓸 거시오, 혹ᄌᆞ【24】 모역ᄒᆞ미 젹실ᄒᆞᆫ 즉 쥬륙(誅戮)을 시ᄒᆡᆼᄒᆞ리니 《ᄒᆡᆼ노‖ᄒᆡ도(海島)》의 경ᄇᆡ하라."

ᄒᆞ오시니, ᄒᆞ공의 친구붕ᄇᆡ(親舊朋輩) 다ᄒᆡᆼᄒᆞ믈 이긔지 못ᄒᆞ여 졔신니 일시의 셩덕을 칭송ᄒᆞ니 상이 원광다려 왈,

"너을 보니 결단코 흉ᄉᆞ을 ᄭᅬᄒᆞ여 지을지 안닐 듯ᄒᆞ여 네 여부을 ᄉᆞᄒᆞ여 감ᄉᆞ경ᄇᆡ(減死定配)ᄒᆞ난니, 너는 염여ᄒᆞ여 짐의 쳐분을 원치 말고 아뷔581) 불인ᄒᆞ믈 곤치게 ᄒᆞ라. 여형 ᄉᆞᆷ인의 원역(冤抑)ᄒᆞ미 들어날진ᄃᆡ

580)지쳑쳔안엄위지지(咫尺天顔嚴威之地) : 임금을 가까이 모시고 있는 매우 위엄 있고 엄숙한 자리.
581)아뷔 : 아비.

을 드리오시ᄂᆞᆫᄃᆡ, 다시 징변(爭辯)ᄒᆞ미 블가ᄒᆞ여 ᄇᆡ복샤은(拜伏謝恩) ᄊᆞᆫ이라. 동용거지(動容擧止) 대군ᄌᆞ의 덕질(德質)이 빈빈(彬彬)ᄒᆞ니 샹이 ᄋᆡ경ᄒᆞ시고 ᄇᆡᆨ뇌 다 긔특이 녁이더라.

샹이 윤태우다려 닐너 ᄀᆞᆯ오ᄉᆞᄃᆡ,

"경이 딕심(直心)으로 국가를 위ᄒᆞ고 ᄉᆞ경을 쓰지 아니믈 아ᄂᆞ니, 금일 원광을 보ᄆᆡ 딤심(朕心)이 ᄋᆡ경(哀哽)572)ᄒᆞᄂᆞᆫ디라, 원경 등의 시신을 온젼이 ᄒᆞ고 년좌(緣坐)를 쓰지 아냐, 하진은 유죄무죄간 찬덕ᄒᆞᆯ ᄊᆞᆫ이오 원【10】광은 특은으로 뉼(律)을 아니 ᄡᅳ노라."

윤공이 호ᄉᆡᆼ지덕(好生之德)을 샤은ᄒᆞ고 샹이 파됴ᄒᆞ시다. 원광이 몸이 무ᄉᆞᄒᆞ여 망형(亡兄)의 죄뉼(罪律)을 밧지 아니코 믈너나ᄆᆡ, 바로 대리시(大理寺) 옥문의 니르니 나졸이 장ᄎᆞᆺ 하공을 븟드러 ᄂᆡ여 죄명을 젼ᄒᆞ더니, 원광이 밧비 부젼(父前)의 ᄌᆡᄇᆡᆨᄒᆞᄆᆡ 공이 집슈(執手) 통곡왈,

"내 하람으로 갈 졔 너의 ᄉᆞ형뎨 강두(江頭)의 나와 숑별ᄒᆞ더니 ᄉᆞ오삭지ᄂᆡ(四五朔之內)의 엇지 이ᄃᆡ도록 변역(變易)ᄒᆞ엿ᄂᆞ뇨?"

공ᄌᆡ 심장이 믜여질 ᄃᆞᆺᄒᆞ나 야야(爺爺)를 위로 왈,

"망극지홰(罔極之禍) 이의 밋쳐ᄉᆞ오니 비록 슬허ᄒᆞ나 망형 등의게 유익ᄒᆞ미 업ᄉᆞᆸ고, 죄명을 신ᄇᆡᆨ(伸白)ᄒᆞ기 젼 대인의 찬덕ᄒᆞ시미 셩듀의 특은이라. 삼형【11】의 참ᄉᆞᄒᆞ오미 디원극통이오나, 요란(搖亂)ᄒᆞ시미 원망ᄒᆞᄂᆞᆫ ᄃᆞᆺᄒᆞ와 간당의 엿보미 두리오니 심

572)ᄋᆡ경(哀哽) : 슬퍼서 목이 멤. 또는 그렇게 욺.

엇지 신셜치 아니리오."

원광이 젼ᄒᆞ(殿下)의 업ᄃᆡ여 황야의 놉히 감동ᄒᆞᄉᆞ 은젼(恩典)을 나리오ᄉᆞ 교명(敎命)을 듯ᄌᆞ오ᄆᆡ, 쳔은(天恩)이 윤졍(允定)ᄒᆞ시믈 감츅ᄒᆞ여 ᄇᆡᆨᄇᆡᄉᆞ은(百拜謝恩)ᄒᆞ여, 동동(洞洞)582)한 거지 군ᄌᆞ의 네되 빈빈(彬彬)ᄒᆞ니, 상이 경동ᄒᆞ시고 만죄 다 ᄒᆞ공ᄌᆞ 신상을 쏘와 눈을 옴길 쥴 몰나, 뉘 안니 긔특이 역이지 안니리 업더라.

상이 하진을 노하 ᄎᆞᆫ츌(竄黜)ᄒᆞ라 ᄒᆞ시고 윤슈을 ᄃᆡᄒᆞᄉᆞ 옥윤(玉輪)583)을 열어 갈오ᄉᆞᄃᆡ,

"경이 진심으로 ○○○[국가를] 위ᄒᆞ고 ᄒᆞ진을 ᄉᆞ졍으로 구ᄒᆞ미 《이신 쥴∥아닌 쥴》 아나니, 금일 원광을 보니, 짐의 마음의 ᄋᆡ경(哀哽)584)ᄒᆞ믈 이긔지 못ᄒᆞ리로다. 원경 등 슴인의 시신을 온젼케 ᄒᆞ여 연좌(緣坐)을 쓰지 안냐, 하진【25】은 유죄무죄간 군병을 거나려 황도(皇都)을 엿보다 ᄒᆞ무로 찬젹(竄謫)할 분이오, 원광은 특은으로 유[율](律)을 쓰지 안니 ᄒᆞ노라."

윤공이 호ᄉᆡᆼ지덕(好生之德)을 ᄉᆞ사(謝辭)ᄒᆞ고 상이 조회을 파ᄒᆞ시니, 만죄 퇴ᄒᆞ고 원광이 무ᄉᆞᄒᆞ여 물너나와 ᄃᆡ리시(大理寺)의 이르니 나졸(邏卒)이 바야흐로 하공을 밧드러 셩지을 젼ᄒᆞ던니, 원광이 급히 부젼(父前)의 두 번 졀ᄒᆞᄆᆡ, 하공이 그 손을 잡고 방셩ᄃᆡ곡(放聲大哭) 왈,

"ᄂᆡ ᄒᆞ람으로 갈졔 너의 ᄉᆞ형졔 강외(江外)의 송별ᄒᆞ든니, ᄉᆞ오ᄉᆡᆨ지ᄂᆡ의 엇지 이ᄃᆡ도록 인ᄉᆡ(人事) 변ᄒᆞ여ᄂᆞᆫ뇨?"

공ᄌᆡ 흉장(胸臟)이 막혀 터즐 듯ᄒᆞ나 마음을 구지 쟙아 야야(爺爺)을 위로 왈,

"막금(莫今)585) ᄃᆡ홰 이의 밋쳐 비록 슬퍼ᄒᆞ오시나 망형 등의게 일분 유익ᄒᆞ미 업

582)동동(洞洞) : 질박하고 성실함.
583)옥륜(玉輪) : 옥으로 만든 수레바퀴라는 뜻으로, '달'을 아름답게 이르는 말. 여기서는 '임금의 입'을 높여 이른 말.
584)ᄋᆡ경(哀哽) : 슬퍼서 목이 멤. 또는 그렇게 욺.
585)막금(莫今) : 지금까지 없었거나 일어나지 않음.

찰(審察)ᄒᆞ쇼셔.

공이 우름을 긋치고 문왈,

"네 형등이 시슈(屍首)를 입념(入殮)ᄒᆞᆫ다?"

ᄃᆡ왈,

"보지 못ᄒᆞ고 취리(就理)ᄒᆞ여시니 ᄌᆞ시 모로오나 셔슉(庶叔)이 이시니 경셩으로 아니ᄒᆞ리잇가?"

뎡언간(停言間)의 금평후와 윤태위 니르러 하공의 손을 잡고 쳬읍(涕泣) 왈,

"형의 집 참화는 다시 니를 말이 업거니와 블힝듕(不幸中) 형과 원광이 무ᄉᆞᄒᆞ니 셩듀의 호ᄉᆡᆼ지덕을 칭숑ᄒᆞ고, 형의 댱슈(長壽)ᄒᆞ믈 깃거ᄒᆞᄂᆞ니, ᄌᆞ안 등의 참ᄉᆞ는 도로혀 닛치이는지라573). 관억(寬抑)ᄒᆞ고 후일 간인의 쥬멸(誅滅)ᄒᆞ기를 기다리라. 녕낭(令郞) 삼인의 빙연(殯筵)574)은 문외(門外)예 집【12】을 어더 안돈(安頓)ᄒᆞ여시니 밧비 그리로 가라.

공이 미급답(未及答)의 하운이 안마(鞍馬)를 ᄃᆡ후(待候)ᄒᆞ여 문외로 가기를 청ᄒᆞ고, 뎡·윤 냥공이 하공의 가기를 ᄌᆡ쵹ᄒᆞ여 문외로 갈ᄉᆡ, 일변(一邊) 됴부인긔 통ᄒᆞ고 이인이 뒤흘 좃ᄎᆞ 나오니, 하공이 이에 다ᄃᆞ라 셰낫 관(棺)을 보니, 가슴이 막혀 관을 두다리고 일셩호곡(一聲號哭)의 혈뉘(血淚) 니음ᄎᆞ니575) 산쳔초목(山川草木)이 다 슬허ᄒᆞ는 둧, 뎡·윤 냥공이 일장(一場)을 통곡ᄒᆞ고, 하공부ᄌᆞ의 울기를 긋치라 ᄒᆞ니, 공ᄌᆡ

573)닛치다 : 잊히다.

574)빙연(殯筵) : 빈소(殯所). 상여가 나갈 때까지 관을 놓아 두는 방.

575)니음ᄎᆞ다 : 잇따르다. 연잇다.

습고, 죄명을 신ᄇᆡᆨ젼(伸白前)의는 ᄃᆡ인의 《참젹∥찬젹》ᄒᆞ오시미 셩쥬의 특은이시라. 이리 요란(搖亂)니 슬허ᄒᆞ오시면 원국(怨國)ᄒᆞ는 듯ᄒᆞ여 간당의 엿보미 이슬가 두리오니 바라건ᄃᆡ ᄃᆡ인은 심찰(審察)ᄒᆞ옵시믈 ᄇᆞ라나이다."

공이 쳥파의 우름을 긋치고 문왈,

"여형(汝兄) 등의 시신을 입염(入殮)이나 ᄒᆞ엿난냐?"

공ᄌᆡ ᄃᆡ 왈,

"소ᄌᆡ 삼 형의 닙염(入殮)ᄒᆞ믈 보지【26】 못ᄒᆞ옵고 취리(就理)ᄒᆞ엿ᄉᆞ오나, 셔슉(庶叔)이 잇시니 현마 입관셩복(入棺成服)이야 안니 ᄒᆞ엿ᄉᆞ오리가?"

졍언간(停言間)의 금평후·윤ᄐᆡ우 이인(二人)니 이르러 집슈타류[루](執手墮淚) 왈,

"형의 집 참화는 구두(口頭)의 올니기 어렵도다. 그러나 불힝 즁 형과 원광이 무ᄉᆞᄒᆞ니, 셩쥬의 호ᄉᆡᆼ지덕이 융즁(隆重)ᄒᆞ시믈 칭송ᄒᆞ고, 형의 장슈(長壽)한 빗을 깃거 ᄒᆞ나니, ᄌᆞ안 등의 참ᄉᆞ는 도로혀 잇치는지라. 형은 관역(寬抑)ᄒᆞ기을 힘쓰고, 타일 간당(奸黨)니 쥬멸(誅滅)ᄒᆞ기을 기다리고, ᄌᆞ안 등 숨인의 빙연(殯筵)586)은 문외(門外)의 집을 어더 안돈(安頓)ᄒᆞ엿시니 밧비 그리로 가라."

ᄒᆞ공이 미급답(未及答)의 ᄒᆞ운이 안마(鞍馬)을 거나려 문외(門外)로 가시믈 청ᄒᆞ고 윤·뎡 이공이 ᄌᆡ촉ᄒᆞ여 문외로 갈 ᄉᆡ, 일변(一邊) 됴부인긔 이 소유을 통ᄒᆞ고, 윤·뎡 이공이 뒤흘 조ᄎᆞ 나오니, 공의 부ᄌᆡ 관을 두다려 혈눈[누](血淚)을 ᄲᅳ려 통곡ᄒᆞ{라}니, ᄒᆡᆼ뇌(行路)587) 위ᄒᆞ여 셜워ᄒᆞ는지라. 냥공(兩公)이 ᄯᅩ한 일ᄌᆞᆼ(一場)을 통곡ᄒᆞ고 하공부ᄌᆞ을 관위(寬慰)ᄒᆞ니, 공의 궁천지통(窮天之痛)이 발ᄒᆞᄆᆡ, 참지 못ᄒᆞ여 셰 관을 두다려 호곡(號哭) 왈,

586)빙연(殯筵) : 빈소(殯所). 상여가 나갈 때까지 관을 놓아 두는 방.

587)ᄒᆡᆼ뇌(行路) : 행로인(行路人). 길가는 사람.

눈믈을 거두고 부공을 븟드러 긋치시믈 청ᄒᆞᆫᄃᆡ, 공이 궁텬극디지통(窮天極地之痛)576)을 발ᄒᆞᄆᆡ 참지 못ᄒᆞ여, 브르지져 통곡ᄒᆞ다가 업더져 일신이 《녕절(永絶)॥궐닝(厥冷)577)》ᄒᆞ니, 공ᄌᆡ 황황(惶惶)ᄒᆞ【13】여 약슈(藥水)로 구호ᄒᆞᆯᄉᆡ, 뎡·윤 이공이 ᄯᅩᄒᆞᆫ 놀나 하공을 붓드러 구호ᄒᆞ여 오란 후 인ᄉᆞ(人事)를 출히ᄂᆞᆫ지라. 이에 위로 왈,

"형이 당당ᄒᆞᆫ 댱부로 쳔만비원(千萬悲怨)을 잡아 ᄎᆞᆷ아 댱신(藏身) 보존ᄒᆞ여 신셜(伸雪)ᄒᆞᆯ 길운(吉運)을 기다리지 아니ᄒᆞ고 이ᄃᆡ도록 과통(過痛)ᄒᆞ여 ᄌᆞ안 등의 뒤흘 ᄯᅩᆯ오고져 ᄒᆞ니, 평일 긔상이 아니라. ᄌᆞ안 등의 녕ᄇᆡᆨ(靈魄)이 알오미 이시면 형의 이 경상을 더옥 셜워 아니 ᄒᆞ리오."

하공이 가슴을 어로만져 답고져 ᄒᆞᆯ 졔, 님시랑이 니르러 서로 보고 통곡ᄒᆞᄆᆡ 곡셩은 쳐졀ᄒᆞ여 산쳔을 움즉이고, 눈믈은 소소ᄒᆞ여 하슈를 보틸지라. 좌위 아니 슬허ᄒᆞ리 업더라.

공ᄌᆡ 부친을 븟드러 우름을 긋치고 님시랑이【14】 혹ᄉᆞ삼형뎨의 참ᄉᆞ(慘死)ᄒᆞᆷ과 녀ᄋᆞ의 ᄌᆞ문이ᄉᆞ(自刎而死)ᄒᆞ믈 닐너 목이 메여 셔로 말을 일우지 못ᄒᆞ니, 하공이 님쇼져 죽으믄 오히려 몰낫다가 실셩참통(失性慘痛)ᄒᆞ믈 니긔지 못ᄒᆞ여, 손으로 ᄊᆞ흘 두다려 다시 통곡 왈,

"돈ᄋᆞ(豚兒) 삼인이 죄루듕(罪累中) 참망(慘亡)ᄒᆞ믄 도시(都是) 하가 젹앙(積殃)이 듕ᄒᆞ미오, 현부의 슉ᄌᆞ혜질(淑姿惠質)노 복을 향(享)치 못ᄒᆞ고 슈(壽)를 누리지 못ᄒᆞ여 이팔쳥츈(二八青春)의 ᄌᆞ문이ᄉᆞ(自刎而死)ᄒᆞᆷ

576)궁텬극디지통(窮天極地之痛) : 하늘과 땅같이 끝이 없는 슬픔.
577)궐닝(骨冷) : 궐랭(厥冷). 체온이 내려가며 손발 끝에서부터 차가워지는 증상.

"여등(汝等)이 나의 남힝시(南行時)의 쳬류[루](涕淚)【27】ᄉᆞᆷᄉᆞᆷᄒᆞ더니 우리 부ᄌᆡ 쳔고영결(千古永訣) 될 쥴은 모로고, 셔로 위로하엿든니, 이졔 일얼588) 쥴 몽니(夢裏)의ᄂᆞ ᄯᅳᆺᄒᆞ여시리오. 여부의 죄악이 즁ᄒᆞ여 화익(禍厄)이 여등의게 밋ᄎᆞ미라."

언파의 ᄃᆡ셩통곡(大聲痛哭)ᄒᆞ든이 임의 피을 토ᄒᆞ고 업더져 일신○[이] 골닝(厥冷)589)ᄒᆞ니, 공ᄌᆡ 황황(遑遑)ᄒᆞ여 약물노 구ᄒᆞ거날, 윤·뎡 양 공이 ᄯᅩ한 놀나 하공을 붓드러 오린 후 인ᄉᆞ을 ᄎᆞ리난지라. 이의 ᄀᆡ유(開諭) 왈,

"형이 당당ᄒᆞᆫ ᄃᆡ장부(大丈夫)로 쳔만비원(千萬悲怨)을 잡아, 참아 장신보젼(藏身保全)ᄒᆞ며 신셜(伸雪)ᄒᆞᆯ 도리을 ᄉᆡᆼ각ᄒᆞ여 쳔번 가다듬어 참지 못ᄒᆞ고, 이ᄃᆡ도록 과통(過痛)ᄒᆞ야 ᄌᆞ안 등의 뒤을 ᄯᅡ르고져 ᄒᆞ니, 평일 긔상이 안니로다. 자안 등의 졍녕이 알오미 잇실진ᄃᆡ 형의 이 경상(景狀)을 더옥 슬허 안니랴?"

ᄒᆞ공이 가슴을 어로만져 답고져 ᄒᆞ던니 님시랑이 이르러 다시 통곡을 시죽ᄒᆞ니 곡셩이 쳐졀ᄒᆞ여 산쳔을 움즉이고 눈물은 ᄒᆡ슈(海水)을 보틸너라. 죄위 ᄎᆞ마 보지 못ᄒᆞ여 뉘 안니 슬퍼ᄒᆞ리 업더라.

공ᄌᆡ 부친을 붓드러 울음을 긋친 후 임시랑이 먼져 말을 펴 {왈} 학ᄉᆞ 삼인의 ᄎᆞᆷᄉᆞ(慘死)와 여아의 ᄌᆞ문이ᄉᆞ(自刎而死)ᄒᆞ믈 일너 목이 메여 말을 일르[일우]지 못ᄒᆞ니, 하공이 님씨 쥭으문 오히려 몰나다가 실셩ᄎᆞᆷ통(失性慘痛)ᄒᆞ믈 이긔지 못하여 손으로 ᄊᆞ흘 두다려 다시 통곡 왈,

"돈아(豚兒) ᄉᆞᆷ인의 죄류[루](罪累) 즁 참망(慘亡)ᄒᆞ믄 도시(都是)) 하가 집 젹악(積惡)이 즁ᄒᆞ미요, 현부의 슉ᄌᆞ혜질(淑姿惠質)노 복(福)을 밧지 못ᄒᆞ고 슈을 누리지 못ᄒᆞ여, 쳥츈의 ᄌᆞ문이ᄉᆞ(自刎而死)함도 ᄒᆞ문의 드러온 연괴라. ᄇᆡᆨ인(伯仁)이 유아이ᄉᆡ(由我

588)일얼 : 이렬. 이러할.
589)골닝(厥冷) : 궐랭(厥冷). 체온이 내려가며 손발 끝에서부터 차가워지는 증상.

도 오문(吾門)의 드러온 연괴라. '빅인(伯仁)이 유아이ᄉᆡ(由我而死)'578)니 녕녀(令女)의 망ᄒᆞ미 내 집 탓시라, 쇼뎨 오히려 현부ᄂᆞᆫ 산 줄노 아랏더니 ᄌᆞ(子)·부(婦) ᄉᆞ인을 일시의 죽이고 ᄎᆞ마 엇지 솔니오."

님공이 도로혀 위로ᄒᆞ고 윤·뎡 이공이 지삼 개유(開諭)ᄒᆞ여 비로소 문답홀ᄉᆡ 하공이 삼ᄋᆡ 맛【15】촌 곡졀을 ᄎᆡ 아지 못ᄒᆞ고, 그 입념(入殮)을 아뫼579) ᄒᆞᆫ 줄을 모르ᄂᆞᆫ지라. 하운이 삼혹ᄉᆞ의 시톄를 완젼이 ᄒᆞ고 습념입관(襲殮入棺)ᄒᆞ미 윤·뎡 이공의 덕이라 ᄒᆞ고, 뎡·윤 이공이 삼혹ᄉᆞ의 죄명을 젼ᄒᆞ니, 하공이 삼ᄌᆞ의 망극ᄒᆞᆫ 죄루(罪累)를 드르니 오ᄂᆡ붕졀(五內崩切)ᄒᆞ고, 윤·뎡 냥공의 태산 ᄀᆞᆺ튼 은덕을 ᄀᆞᆨ골감격(刻骨感激)ᄒᆞ여 갑흘 바를 아지 못ᄒᆞ나, 말노ᄡᅧ 과히 일ᄏᆞᆺ지 아냐 왈,

"뎡·윤 이형은 피ᄎᆞ 동긔로 다르미 업ᄉᆞ니, 내집 화란을 친히 당홈 ᄀᆞᆺ치 ᄒᆞ믄 그 본심이라. 우리 삼인의 ᄆᆞ음이 ᄉᆞᄉᆡᆼ지졔(死生之際)의 셔로 좃ᄎᆞ믈 허ᄒᆞ여시니, 돈ᄋᆞ 등의 시신을 거두어 주며 셩샹긔 징간(爭諫)ᄒᆞ여 그 머리를 완젼케 ᄒᆞ믄, 이형의 극ᄒᆞᆫ 신의【16】와 남다른 덕이로ᄃᆡ, 그 힝ᄉᆞ의 예ᄉᆡ(例事)니, 쇼뎨 신망지은(身亡之恩)580)을 일ᄏᆞᆺ지 아니코, 망ᄋᆞ(亡兒) 등이

578)'백인은 나로 인해 죽었다'는 뜻으로, 직접적으로 사람을 죽이지는 않았지만 죽은 사람에 대해 자신이 적극적으로 구하지 않은 책임이 있음을 안타까워하거나, 어떤 사건에 간접적으로 연관되어 있는 것을 비유적으로 나타낸 말. 《진서(晉書)》 열전(列傳), 주의(周顗) 조(條)에 나오는 중국 동진(東晋) 사람 왕도(王導)와 주의(周顗: 字 伯仁)사이의 고사에서 유래했다. 즉 왕도는 그의 종형(從兄) 왕돈(王敦)의 반역에 연좌되어 죽을 위기에 있을 때 주의의 변호로 살아났는데, 왕돈의 반역이 성공한 뒤, 주의가 죽게 되었을 때 자신이 그를 구명해줄 수 있는 위치에 있었음에도 구하지 않고 외면하였다가, 뒤에 주의가 자신을 구명해주어 살아난 사실을 알고, 위와 같이 탄식하였다 함.

579)아모 : 아무. 어떤 사람을 특별히 정하지 않고 이르는 인칭 대명사.

而死)590)니 영녀(令女)의 망ᄒᆞ미 ᄂᆡ집 타시라, 소졔ᄂᆞᆫ 오히려 현부난 ᄉᆞᆫ 쥴노 알아던니 ᄌᆞ(子)·부(婦) 네 ᄉᆞ람을 일시의 쥭이고 참아 엇지 ᄉᆞ라, 긴 《셰월의문ᄋᆡ지ᄒᆞᆫ‖셰월ᄋᆡ 의문지ᄒᆞᆫ(倚門之恨)591)》을 견ᄃᆡ리오."

님공이 도로혀 위로ᄒᆞ고 윤·뎡 이공이 지ᄉᆞᆷ 권연(勸然)ᄒᆞ여 비로소 문답할 ᄉᆡ, ᄒᆞ공이 ᄉᆞᆷᄌᆞ의 맛ᄎᆞᆫ 곡졀을 오히려 ᄎᆡ 모르고 그 닙염(入殮)은 아모592)가 ᄒᆞᆫ 쥴을 아지 못ᄒᆞ엿ᄂᆞᆫ지라. ᄒᆞ운니 ᄉᆞᆷ학ᄉᆞ의 신쳬을 온젼니 ᄒᆞ고 습념입관(襲殮入棺)을 극진니 ᄒᆞ미 다 윤·뎡 이공의 지극ᄒᆞᆫ ᄃᆡ덕(大德)이라 하더라. 윤·뎡 양공이 ᄉᆞᆷ학ᄉᆞ의 죄명을 젼ᄒᆞ여 알게 ᄒᆞ니, ᄒᆞ공이 삼ᄌᆞ의 망극ᄒᆞᆫ 죄류[루](罪累)을【29】 드르ᄆᆡ 더옥 원억(冤抑)ᄒᆞ미 온[오]ᄂᆡ 분붕(五內分崩)ᄒᆞ고, 윤·뎡 양공의 ᄐᆡᄉᆞᆫ 갓튼 은혜을 감격ᄒᆞ여 갑흘 바을 아지 못ᄒᆞ여, 말노ᄡᅧ 과(過)이 일캇지 못ᄒᆞ야 왈,

"뎡·윤 양 공은 피ᄎᆞ의 동긔로 다르미 업ᄉᆞ니 ᄂᆡ집 화란을 친히 당홈 갓트믄 본심니라. 우리 ᄉᆞᆷ인의 마음이 ᄉᆞᄉᆡᆼ지쳐(死生之處)의 셔로 조ᄎᆞ믈 허하여시니, 돈아 등의 시신을 거두어 쥬며 셩상긔 징간(爭諫)ᄒᆞ여

590)'백인은 나로 인해 죽었다'는 뜻으로, 직접적으로 사람을 죽이지는 않았지만 죽은 사람에 대해 자신이 적극적으로 구하지 않은 책임이 있음을 안타까워하거나, 어떤 사건에 간접적으로 연관되어 있는 것을 비유적으로 나타낸 말. 《진서(晉書)》 열전(列傳), 주의(周顗) 조(條)에 나오는 중국 동진(東晋) 사람 왕도(王導)와 주의(周顗: 字 伯仁)사이의 고사에서 유래했다. 즉 왕도는 그의 종형(從兄) 왕돈(王敦)의 반역에 연좌되어 죽을 위기에 있을 때 주의의 변호로 살아났는데, 왕돈의 반역이 성공한 뒤, 주의가 죽게 되었을 때 자신이 그를 구명해줄 수 있는 위치에 있었음에도 구하지 않고 외면하였다가, 뒤에 주의가 자신을 구명해주어 살아난 사실을 알고, 위와 같이 탄식하였다 함.

591)의문지ᄒᆞᆫ(倚門之恨) : 집 나간 자식을 기다리는 부모의 한(恨). 여기서 '의문(倚門)'은 '의문지망(依門之望)' 의 줄임말로 '어머니가 대문에 기대어 서서 자식이 돌아오기를 기다리는 것 또는 그런 어머니의 마음'을 뜻한다.

592)아모 : 아무. 어떤 사람을 특별히 정하지 않고 이르는 인칭 대명사.

'구원(九原)의 플을 ᄆᆡᄌᆞ며'581), 쇼뎨 듕심의 은덕을 명골(銘骨)582)ᄒᆞᆯ 쎈이라. ᄉᆞ라셔 갑ᄒᆞᆯ 도리 어이 이시리오.

냥공이 쳑연 슈루(垂淚) 왈,

"우리 심담(心膽)이 상됴(相照)ᄒᆞ니 니르지 아냐도 알너니와 녕낭등 참망ᄒᆞᆫ 거동을 볼 ᄯᅢ의야 어이 식음을 넘으리오. 형의 몸을 념녀ᄒᆞᄆᆡ 각각 내 ᄆᆞ음의 나리미 업ᄉᆞᄃᆡ, 오히려 편친(偏親)이 계시므로 범ᄉᆞ를 ᄌᆞ유(自由)치 못ᄒᆞᆯ 젹이 만흐니, 엇지 ᄌᆞ안 등의 시슈(屍首)를 입념(入殮)○○○○[ᄒᆞ믈 칭은]ᄒᆞ여 블안케 《ᄒᆞ리오 ‖ ᄒᆞᄂᆞ뇨?》.

하공이 감은ᄒᆞ믈 머금고 눈믈을 흘녀 거동이 당황ᄒᆞ고, 셰 관(棺)을 보다가【17】혹 가삼을 치고, 혹 머리를 부ᄃᆡ이져 상셩(喪性)키 쉬온지라. 뎡·윤 냥공이 븟드러 듁음을 권ᄒᆞ며 위로ᄒᆞ믈 마지 아니ᄒᆞ더니, ᄇᆡ소(配所)를 셔쵹의 뎡ᄒᆞᄆᆡ, 위ᄉᆡ(衛士) 니르러 슈삼일 티ᄒᆡᆼ(治行)ᄒᆞ여 가기를 젼ᄒᆞ니, 하공이 심ᄉᆡ 아득ᄒᆞ여 도로혀 아인(啞人) ᄀᆞᆺ치 안ᄌᆞ 말을 못ᄒᆞ거늘, 뎡·윤 냥공 왈,

"형이 녕낭 등의 쟝ᄉᆞ도 지ᄂᆡ고 갈 길이 업ᄉᆞ니, 온갖 념녀를 다 믈니치고 힝거를 무ᄉᆞ히 ᄒᆞᄂᆞᆫ 거시 올흐니, 우리 녕낭 등의 관(棺)을 븟드러 형의 션산(先山) 소쥐 가 안쟝(安葬)ᄒᆞ리니 형은 물념(勿念)ᄒᆞ고 오직 몸을 보전ᄒᆞ라."

하공이 밋쳐 답지 못ᄒᆞ여셔 공ᄌᆡ 부전(父前)의 고왈,

"뎡·윤 냥년슉대인(兩緣叔大人)이 ᄒᆞᆫ갈ᄀᆞᆺ치 산ᄒᆡ지은(山海之恩)을 드리오시니 감골(感骨)ᄒᆞ온【18】지라. 대인이 망형 등의

580)신망지은(身亡之恩) : 죽은 뒤에까지도 잊지 않고 갚아야 할 은혜.

581)구원(九原)의 풀을 맺음 : '결초보은(結草報恩)'을 달리 표현한 말.

582)명골(銘骨) : 뼈에 새김.

그 머리을 완젼케 ᄒᆞ문, 이형(二兄)의 지극한 신의요 남다른 덕이로ᄃᆡ, 그 힝ᄉᆞ의 예ᄉᆞ니 소졔 신망지은(身亡之恩)593)을 일캇지 아니코, 망아(亡兒) 등니 '구원(九原)의 풀을 ᄆᆡᄌᆞ며'594) 쇼뎨 즁심의 은덕을 명골(銘骨)595)할 분니라, ᄉᆞ○[라]셔 갑ᄒᆞᆯ 도리 어이 이시리오."

양공이 쳑연 슈루(垂淚) 왈,

"우리 ᄉᆞᆷ인의 심담(心膽)이 상조(相照)ᄒᆞ오믄 일으지 안녀도 알녀이와, ᄌᆞ안 등 참망ᄒᆞᆫ 거동을 볼 ᄯᅢ의야 어이 식음이 목ᄋᆡ 넘으며, 형의 몸을 염네ᄒᆞᄆᆡ 각각 ᄂᆡ 마음의 나리미 업ᄉᆞᄃᆡ, 오히려 당의 편친(偏親)니 게시무로 범ᄉᆞ을 ᄌᆞ유(自由)치 못할 젹이 만흐니 엇지 ᄌᆞ안 등의 시슈(屍首)을 입념(入殮)ᄒᆞ믈 칭은ᄒᆞ여 불안케 ᄒᆞᄂᆞᆫ뇨?"

하공【30】이 오직 감은ᄒᆞ믈 먹음어 눈물을 흘녀 거동이 당황ᄒᆞ여, 셰 관을 ᄇᆞ라보다가 혹 가ᄉᆞᆷ을 치고 혹 머리도 부ᄃᆡ이져 상셩(喪性)키 쉬온지라. 뎡·윤 냥공이 붓드러 죽음(粥飮)을 움[우]김질노 먹이며 위로ᄒᆞ물 마지 아니ᄒᆞ더니, ᄇᆡ소(配所)을 셔촉의 졍ᄒᆞᄆᆡ, 위ᄉᆡ(衛士) 이르러 슈ᄉᆞᆷ일 치ᄒᆡᆼ(治行)ᄒᆞ여 가긔을 이르니, 하공이 심ᄉᆞ 아득ᄒᆞ여 도로혀 벙어리 갓치 안ᄌᆞ 말을 못ᄒᆞ거날, 윤·뎡 양공 왈,

"형이 ᄌᆞ안 등의 ᄌᆞᆼᄉᆞ도 지ᄂᆡ고 갈 길 업ᄉᆞ니 온갖 염네와 비원을 다 물니치고 힝니을 무ᄉᆞ히 ᄒᆞ는 거시 올흐니, 형의 션ᄉᆞᆫ(先山)의 가 우리 영낭 등의 관(棺)을 붓드러 소쥐로 가 안ᄌᆞᆼᄒᆞ리니, 형은 염네 말고 오직 몸을 보젼ᄒᆞ믈 ᄇᆞ라노라."

ᄒᆞ공이 밋쳐 답지 못ᄒᆞ여셔 공ᄌᆡ 부젼(父前)의 고왈,

"뎡·윤 양연슉(兩緣叔)이 한갈갓치 ᄉᆞᆫᄒᆡ지은(山海之恩)을 드리오시니 각골(刻骨)ᄒᆞ온지라. ᄃᆡ인니 망형의 장ᄉᆞ(葬事)난 마르

593)신망지은(身亡之恩) : 죽은 뒤에까지도 잊지 않고 갚아야 할 은혜.

594)구원(九原)의 풀을 맺음 : '결초보은(結草報恩)'을 달리 표현한 말.

595)명골(銘骨) : 뼈에 새김.

댱ᄉᆞ(葬事)ᄂᆞᆫ 념녀치 마르시고, 몬져 힝ᄒᆞ시면, 쇼ᄌᆞᄂᆞᆫ 머므러 삼형의 쟝ᄉᆞ를 지ᄂᆡ고 쵹(蜀)으로 가리이다."

윤공 왈,

"네 말이 을흐나 녕존(令尊)이 너를 마ᄌᆞ ○○[써나] 원노험디(遠路險地)의 졍신을 진뎡(鎭靜)ᄒᆞ여 무ᄉᆞ히 득달ᄒᆞ기를 밋지 못ᄒᆞ니, 비록 쟝ᄉᆞ를 보지 못ᄒᆞ나 녕엄(令嚴)을 보호ᄒᆞ여 ᄒᆞᆫ가지로 가미 올흐니, ᄂᆡᆨ이 ᄉᆡᆼ각ᄒᆞ라."

공ᄌᆡ ᄇᆡ샤 왈,

"쇼딜(小姪)이 블초(不肖)ᄒᆞ와 가친(家親)을 뫼시리 업시 홀노 힝ᄒᆞ실 바를 념녀치 못ᄒᆞ고, 머므러 가형(家兄) 등의 쟝ᄉᆞ(葬事)를 지ᄂᆡ고져 ᄒᆞ옵더니, 년슉(緣叔)의 명괴 맛당ᄒᆞ시니 쇼딜은 가친을 뫼셔 갈 거시니, 삼형의 쟝ᄉᆞᄂᆞᆫ 이위 년슉대인을 밋ᄉᆞᆸ거니와, 님쟝지시(臨葬之時)의도 보지 못ᄒᆞᄂᆞᆫ 유한이 쵹쳐(觸處)의 무궁(無窮) 【19】 토소이다."

윤·뎡 냥공이 년ᄋᆡ(憐愛)ᄒᆞ여 그 손을 ᄌᆞᆸ고 하공을 ᄃᆡᄒᆞ여 왈,

"형이 비록 ᄌᆞ안 등을 일코 궁텬지한(窮天之恨)이 밋쳐시나, 이 ᄋᆞᄃᆞᆯ이 남의 십ᄌᆞ를 블워 아닐ᄇᆡ오, 참화(慘禍)를 도로혀[583] 후ᄅᆡ(後來)의 문호를 흥기ᄒᆞᆯ ᄌᆞᄂᆞᆫ 원광이라. 임의 죽으니ᄂᆞᆫ 쓸오지 못ᄒᆞ고 ᄉᆞ랏ᄂᆞᆫ ᄌᆞ녀를 도라보아 심ᄉᆞ를 관억(寬抑)ᄒᆞ미 올코, 형의 년긔 ᄉᆞ십이 넘어시나 이제라도 존싊(尊嫂) ᄉᆡᆼ산을 ᄒᆞ실 ᄇᆡ라. 젼졍(前程)이 만니와 ᄀᆞᄐᆞ니 과도히 슬허 말나."

하공이 어린ᄃᆞ시 안ᄌᆞ 드를 ᄲᅢᆫ이러니, 날호여 기리 탄왈,

583)도로혀다 : 돌이키다.

사, 몬져 힝ᄒᆞ오시면, 소ᄌᆡ난 머무러 ᄉᆞᆷ형의 ᄌᆞᆼᄉᆞ을 지ᄂᆡ옵고 쵹(蜀)으로 가리이다."

윤공 왈,

"네 말이 올흐나 영존(令尊)게셔 너을 마ᄌᆞ 써나 원노험지(遠路險地)의 졍신을 진졍ᄒᆞ여 무ᄉᆞ히 득달ᄒᆞ기 【31】 을 밋지 못ᄒᆞ리니, 비록 장ᄉᆞ을 보지 못ᄒᆞ나 영엄(令嚴)을 보호ᄒᆞ여 ᄒᆞᆫ가지○[로] 뫼셔가ᄂᆞᆫ 거시 맛당ᄒᆞ니 ᄋᆡᆨ히 ᄉᆡᆼ각ᄒᆞ라."

공ᄌᆡ 망형 등 영연(靈筵)의 울기을 쾌이 못ᄒᆞ엿시ᄆᆡ, 머무러 궁천지통(窮天之痛)을 다ᄒᆞ여 풀고져 ᄒᆞ다가, 윤공의 말을 듯고 ᄭᆡ다라 ᄇᆡᄉᆞ 왈,

"소질(小姪)이 불초ᄒᆞ와 부친을 뫼시고 가리도 업시 홀노 힝ᄒᆞ오시믈 염녀치 안니코, 머므르러 형 등의 장ᄉᆞ(葬事)을 지ᄂᆡ고져 ᄒᆞ옵던니, 연슉(緣叔)의 명교 맛당ᄒᆞ오시니, 소질이 가친을 뫼오셔 갈 거시오니, ᄉᆞᆷ형의 장ᄉᆞᄂᆞᆫ 이위(二位) 연슉계 잇ᄉᆞᆸᄂᆞ이다. 임장지시(臨葬之時)의 보지 못ᄒᆞᆫ 유한이 쵹쳐(觸處)의 무궁ᄒᆞ도소이다"

언파의 쌍미(雙眉)의 슈운(愁雲)이 함집(涵集)[596]ᄒᆞ고 봉안(鳳眼)의 말근 누쉬 ᄉᆞᆷᄉᆞᆷᄒᆞ여 옥면을 젹시니, 윤·뎡 냥공이 그 손을 잡고 하공을 ᄃᆡᄒᆞ여 왈,

"형이 비록 ᄌᆞᄋᆞᆫ 등을 여히고 궁쳔(窮天)의 한이 밋쳐스나, 이 아달이 남의 용이ᄒᆞᆫ 십ᄌᆞ(十子)을 안니 불워할 ᄇᆡ오, ᄎᆞᆷ화(慘禍)을 도로혀[597], 후ᄅᆡ(後來)의 문호을 흥긔ᄒᆞᆯ ᄌᆞ난 원광이라. 임의 쥭으[은] 이난 싸르지 못ᄒᆞ고 살아[앗]ᄂᆞᆫ 자녀을 도라보아 심ᄉᆞ을 관억(寬抑)ᄒᆞ미 올코, 형의 연긔 게우 ᄉᆞᆷ십이 넘어스니 이제라도 됴싊(曺嫂) ᄉᆡᆼᄉᆞᆫ(生産)ᄒᆞ실 【32】 지라. 젼졍(前程)이 만니 갓튼지라. 과도히 슬허 말나."

ᄒᆞ공이 어린 다시 안ᄌᆞ 드를 분이러니, 날호여 길이 슬허 왈,

596)함집(涵集) : 안개, 구름 따위가 모여듦.
597)도로혀다 : 돌이키다.

"죄뎨(罪弟) 망극ᄒᆞᆫ 죄루를 몸 우히 싯고 참화여ᄉᆡᆼ이 셩듀의 호ᄉᆡᆼ지덕으로 일누(一縷)를 보젼ᄒᆞ나, 환쇄(還刷)[584]ᄒᆞᆯ 긔약을 감히 ᄇᆞ라지 못ᄒᆞᆯ지라. 형셰 쳐ᄌᆞ로 각니(各離)치 못ᄒᆞ게 되【20】여시니, 쳐와 ᄌᆞ녀를 다 ᄒᆡᆼ도(行途)의 거ᄂᆞ려 가리니, 망ᄋᆞ 등 쟝ᄉᆞ(葬事)ᄂᆞᆫ 냥형이 진심ᄒᆞ니, 쇼데 친히 보나 다르지 아닌더라, 근심치 아니ᄒᆞᄃᆡ, 만ᄉᆡ(萬事) 아ᄋᆞ라ᄒᆞ여[585] 쵹쳐비회(觸處悲懷)[586]라. 당ᄎᆞ지시(當此之時)ᄒᆞ여ᄂᆞᆫ 셕년(昔年)의 어린 ᄌᆞ녀를 가져 뎡혼(定婚)ᄒᆞᆫ 일이 더옥 뉘웃븐지라. 원광이 엇지 문호를 흥긔ᄒᆞ며 타인의 여러 ᄋᆞ돌을 ᄇᆞ라리오. 오직 죄데 ᄉᆡᆼ젼의 죽ᄂᆞᆫ 일이나 업ᄉᆞ면 만ᄒᆡᆼ(萬幸)이라, 엇지 ᄉᆡᆼ산ᄒᆞ기를 ᄇᆞ라리오."

윤태위 믄득 안ᄉᆡᆨ을 곳치고 왈,

"쇼데 므ᄉᆞᆷ 일 형의게 잘못 뵌 일이 잇셔 ᄌᆞ녀를 뎡혼ᄒᆞ믈 뉘웃쳐 바릴 뜻을 두ᄂᆞ뇨? 쇼데ᄂᆞᆫ 텬디개벽(天地開闢)ᄒᆞ고 하ᄒᆡ상젼(河海桑田)[587]이 되나, 일편뎡심(一片定心)을 곳치미 업셔 원광을 ᄉᆞ회로 알고 녕녀로 희텬의 안히로【21】아ᄂᆞ니, 금번 화란의 원광이 ᄉᆞ디 못ᄒᆞ던들 아녀(我女)를 공규(空閨)의 폐륜(廢倫)ᄒᆞ여 형의 필적(筆跡)을 직희게 ᄒᆞ엿더니, 텬되 도으샤 원광이 무ᄉᆞᄒᆞ니, 셔쵹 아녀 만니타국이라도 나히 ᄎᆞ믈 기ᄃᆞ려 셩친코져 ᄒᆞ더니, 형의 뜻은 만히 다르도다."

하공이 ᄌᆞ가 문호의 참화를 만나 찬뎍ᄒᆞ

584)환쇄(還刷) : 쇄환(刷還). 조선시대에, 외국에서 유랑하는 동포를 데리고 돌아오던 일. 여기서는 적소에서 귀양살이가 풀려 고국으로 돌아옴을 뜻함.

585)아ᄋᆞ라ᄒᆞ다 : 아득하다. 어떻게 하면 좋을지 몰라 막막하다.

586)쵹쳐비회(觸處悲懷) : 촉각(觸角)이 닿는 곳마다 다 슬픈 회포뿐임.

587)하ᄒᆡ상젼(河海桑田) : 늑상전벽해(桑田碧海). 뽕나무밭이 변하여 푸른 강이나 바다가 된다는 뜻으로, 세상일의 변천이 심함을 비유적으로 이르는 말

"죄졔(罪弟) 망극ᄒᆞᆫ 죄류[루](罪累)을 몸 위히 싯고 참화여ᄉᆡᆼ이 셩쥬의 호ᄉᆡᆼ지덕으로 일누(一縷)을 보젼ᄒᆞ나 환쇄(還刷)[598]ᄒᆞᆯ 긔약을 감히 바라지 못할지라. 형셰 쳐ᄌᆞ로 각니(各離)치 못할지라. 쳐와 ᄌᆞ녀을 다 ᄒᆡᆼ도(行途)의 거ᄂᆞ려 가리니, 망아의 장ᄉᆞ(葬事)ᄂᆞᆫ 냥형이 진심ᄒᆞ니, 소졔 친히 보나 다르지 안일지라, 금[근]심치 아니ᄒᆞᄃᆡ 만ᄉᆞ《아오라ᄒᆞ여 ‖ 아ᄋᆞ라ᄒᆞ여[599]》쵹쳐(觸處)의 비회(悲懷)라, ᄉᆞ라스미 쥭음만 못ᄒᆞᆫ지라. 당ᄎᆞ지시(當此之時)ᄒᆞ여ᄂᆞᆫ 셕년의 어린 ᄌᆞ녀을 가져 졍혼ᄒᆞᆫ 일이 더옥 뉘웃분지라. 원광이 졔 엇지 문호을 흥긔ᄒᆞ며 타인 여러 아달을 바라리오. 오직 죄제 ᄉᆡᆼ젼의 쥭ᄂᆞᆫ 일이나 업ᄉᆞ면 만ᄒᆡᆼ(萬行)일가 ᄒᆞ나니, 다시 ᄉᆡᆼ손ᄒᆞ기을 바라지 못ᄒᆞ노라."

윤공이 문득 안ᄉᆡᆨ을 곳쳐[치]고 왈,

"소졔 형의게 무ᄉᆞᆷ 그릇ᄒᆞᆫ 일이 잇관ᄃᆡ 자여로써 졍혼ᄒᆞ믈 뉘웃쳐 바릴 쓰즐 두나뇨? 소데ᄂᆞᆫ 쳔지기벽ᄒᆞ고 ᄒᆞ히상젼이 되어도 일편 졍심은 곳치지 못ᄒᆞ련[려]든 ᄒᆞ물며 원광으로 ᄒᆞ야금 ᄉᆞ회로 알고 영녀로 희텬의 안히로 아나니 어인 말ᄉᆞᆷ이뇨?【33】소데 심곡을 은익지 아닛ᄂᆞ니 금번 화란의 원광이 만일 ᄉᆞ지 못한 즉 아녀난 일ᄉᆡᆼ 공규의 폐륜되여 형의 친필 잉혈을 직희여 과부로 쳐할지라. 연니ᄂᆞ 텬되 도으ᄉᆞ 원광이 무ᄉᆞᄒᆞ니 셔촉 안냐 만니타국이라도 피ᄎᆞ 나○[히] ᄎᆞ기을 기다려 셩혼코ᄌᆞ ᄒᆞ나니, 형의 쓰지 소데와 다르도다."

하공이 진졍으로 윤가의 졍혼ᄒᆞ려든 ᄇᆡ을 뉘위기ᄂᆞᆫ[600] ᄌᆞ긔 집이 흉참한 화기(禍家)되여 셔촉의 ᄎᆞᆫ젹(竄謫)ᄒᆞ니, 젼일 부귀로 현격ᄒᆞ여, 윤공의 텬금(千金)《쥬아 ‖ 규아(閨兒)》로 ᄒᆞ여금 《ᄒᆞ가 ‖ 화가(禍家)》의

598)환쇄(還刷) : 쇄환(刷還). 조선시대에, 외국에서 유랑하는 동포를 데리고 돌아오던 일. 여기서는 적소에서 귀양살이가 풀려 고국으로 돌아옴을 뜻함.

599)아ᄋᆞ라ᄒᆞ다 : 아득하다. 어떻게 하면 좋을지 몰라 막막하다.

600)뉘위기ᄂᆞᆫ : <뉘웇다 : 뉘우치다>. 뉘우치기는.

니 감히 윤공의 녀으로뻐 긔약(旣約)을 ᄇ라지 못ᄒ더니, 윤공의 견확(堅確)ᄒ미 여ᄎᄒ믈 보고 감뉘죵횡(感淚縱橫)ᄒ여 샤례 왈,

"죄뎨 당금의 ᄉ고여싱(事故餘生)이 형의 만금농쥬(萬金弄珠)588)로뻐 위부(爲婦)589)홀 의ᄉ 망연(茫然)ᄒ미러니, 형의 굿은 신의 여ᄎᄒ니 오딕 의긔심덕(義氣心德)을 감탄홀 ᄯᆞᄅᆞᆷ이로다."

윤공이 블열(不悅) 왈,

"형이 쇼뎨로 츄셰비린(趨勢鄙吝)590)으로 알믈 더옥 참괴ᄒᄂ니, 다만 형이 슈히【22】 환쇄(還刷)치 못ᄒᆫ 즉, 쇼뎨 녀식(女息)을 거ᄂ려 나려가 셩친ᄒ리니, 형은 괴이ᄒᆫ 말을 말고 여러 쳔니(千里)의 혼셔납빙(婚書納聘)591)을 힝ᄒ고 갈지니, 원광과 아녜 비록 어리나 ᄎ힝(此行)의 내 집 납폐문명(納幣問名)592)을 가져가라."

하공이 '블감쳥(不敢請)이언졍 고소원(固所願)'593)이라, 언언(言言)이 낙죵(諾從)ᄒ나, 도라 삼ᄌ의 녕구를 보니 심담이 촌할(寸割)ᄒ고, 친우족친(親友族親)이 모다 공의 ᄉ디의 버셔나 찬뎍ᄒ믈 도로혀 깃거ᄒ니, 하공의 위인을 긔ᄃ(企待)ᄒ며 그 죄루(罪累)를 칭원(稱寃)ᄒ니 공이 도로혀 깃거 아니ᄒ더라.

공지 집의 도라가 모친과 누의를 보려 ᄒ거ᄂᆯ 공이 ᄀᆯ오ᄃ,

"힝니(行李)를 급히 출히고 노복을 분졍(分定)ᄒ여, 더러ᄂᆫ 집을 직희오고 더러ᄂᆫ 게 결혼하믈 질겨 안닐가 ᄒ여, 엇지 남 못할 노르슬 ᄒ리오 하미러라. 하공의 집 화망(禍亡)을 ᄉ람마다 ᄃ 의ᄆ이 역○[여] 뭇나니 그 슈를 아지 못ᄒ니, 하상셔 도로혀 불안ᄒ여 ᄒ더라.

공지 집의 가 모친과 누의을 보려ᄒ니 공이 갈오ᄃ,

"향[힝]니(行李)을 찰혀 노복을 졍ᄒ여 더려[러]ᄂᆫ 집을 직히라 하고, 더러ᄂᆫ 힝도의 조ᄎ라 ᄒ고, 조션ᄉ우(祖先祠宇)을 아직 경ᄉ(京師)의 뫼셔 운으로 ᄒ여금 봉ᄉ(奉祀)을 밧들게 ᄒ라. 이러타시 다 분별ᄒ여 결단ᄒ고 우명일은 여모와 여ᄆ을 다리고 발힝케 ᄒ라."

588)만금농쥬(萬金弄珠) : 남의 귀한 딸을 이르는 말.
589)위부(爲婦) : 며느리를 삼음.
590)츄셰비린(趨勢鄙吝) : 지나칠 정도로 야박하게 세력 있는 사람을 붙좇아서 행동함.
591)혼셔납빙(婚書納聘) : 혼인례에서 정혼이 이루어진 증거로 신랑집에서 신부집에 보내는 혼서(婚書)와 납폐(納幣).
592)납폐문명(納幣問名) : 혼인례의 절차 가운데 문명(問名)과 납폐(納幣)를 말함. 문명은 신랑측에서 신부가 될 여자(女子)와 그 집안에 관(關)하여 묻는 일을, 납폐는 정혼이 이루어진 증거로 신랑집에서 납폐서(納幣書)와 폐백(幣帛)을 신부집에 보내는 일을 말한다.
593)상대방의 제안을 자신이 감히 청할 수는 없지만, 그것이 진실로 자신의 소원하는 바임.

힝도의 좃게 ᄒᆞ라. 조션샤우(祖先祠宇)는 아 【23】 직 경샤(京師)의 뫼셔 운으로 ᄒᆞ여금 봉샤(奉祀)케 ᄒᆞ고, ᄌᆡ명일(再明日)의 너의 ᄌᆞ당(慈堂)과 누의를 다려 발힝케 ᄒᆞ라."

공ᄌᆡ 슈명ᄒᆞ니, 공이 우왈(又曰),

"아부의 관(棺)을 못보니 졍니(情理)의 더옥 통할(痛割)ᄒᆞ니, 이곳의 옴겨 두엇다가 ᄒᆞᆷ긔 힝상(行喪)케 ᄒᆞ리니 ᄋᆞ부(我婦)의 관(棺)을 이리 보ᄂᆡ라."

공ᄌᆡ 응명(應命)ᄒᆞ고 옥누항의 니르니, 됴부인이 즉시 죽기를 ᄌᆞ분(自憤)ᄒᆞ다가 공의 부ᄌᆡ 무ᄉᆞ히 찬뎍ᄒᆞ다 ᄒᆞ니, 져기[594] 다힝ᄒᆞ여 듁음을 ᄎᆞᄌᆞ 마시고 졍신을 출혀, 님시 관의 나아가 ᄉᆡ로이 통곡 왈,

"삼ᄋᆡ 죽으나 현뷔나 ᄉᆞ라시면 경ᄋᆞ의 ᄃᆡ신으로 위회(慰懷)ᄒᆞᆯ ᄇᆡ어ᄂᆞᆯ, 엇지 죽어 흔젹이 업게 ᄒᆞᄂᆞ뇨? 나의 명완무지(命頑無知)[595]ᄒᆞ미 삼ᄌᆞ와 현부를 닛고 지금 ᄉᆞ랏다가, 상공이 면ᄉᆞ뎡비(免死定配)ᄒᆞ믈 드르니, 도로혀 희보(喜報) 【24】 로 아라 죽을 의ᄉᆞ를 곳치니 엇지 ᄉᆞ오납지 아니리오."

언파의 관을 두다려 통곡ᄒᆞ다가 구혈긔ᄉᆡᆨ(嘔血氣塞)ᄒᆞ니, 영쥬쇼졔 쳬읍구호(涕泣救護)ᄒᆞ더니, 공ᄌᆡ 드러와 슬하의 졀ᄒᆞ오니

594)져기 : 저으기. 적이. 꽤 어지간한 정도로.
595)명완무지(命頑無知) : 목숨이 모질고, 무지하여 우악스러움.

공ᄌᆡ 승명ᄒᆞ미 상셔 쏘 일오ᄃᆡ,

"현부(賢婦)의 【34】 관을 보지 못ᄒᆞ미 졍니(情理)의 더옥 통할(痛割)ᄒᆞ니 이곳의 옴겨 두엇다가 한가지로 힝상(行喪)ᄒᆞ리니 오ᄋᆡ(吾兒)는 드러가 즉시 관(棺)을 이리 옴기라."

공ᄌᆡ 슌슌 슈명ᄒᆞ고 쌀니 옥누힝[항]의 일[이]르니라.

ᄎᆞ시 됴부인니 쥬야 쥭기을 ᄌᆞ분(自憤)ᄒᆞ든니, 영쥬소져 일시을 써ᄂᆞ지 안니코 혈읍ᄋᆡ걸(血泣哀乞)ᄒᆞ여 쥭음을 권ᄒᆞ여 월여을 지ᄂᆡ더니, 문득 공의 부ᄌᆡ 무ᄉᆞ히 ᄂᆞ와 춘젹ᄒᆞᆫ다 ᄒᆞ니, 부인의 《알름 ‖ 알음》의는[601] ᄒᆞ공이 흉ᄉᆞ(凶死)ᄒᆞ면 원광이 ᄉᆞ직(嗣職)[602]이 끈쳐, ᄒᆞ문의 씨 멸망(滅亡)할가 간담이 촌촌(寸寸)이 끗쳐질 듯, 쥬야 심ᄉᆞ을 술와 합연(溘然)[603]니 쥭어 소문(所聞)을 듯지 말믈 원ᄒᆞ다가, ᄎᆞ언(此言)을 드르미 쳔만다행(千萬多幸)ᄒᆞ여, 스ᄉᆞ로 이러나 쥭음(粥飮)을 ᄎᆞᄌᆞ 마시고, 졍신을 ᄎᆞ려 님시의 관 압픠 나아가, ᄉᆡ로이 통곡 왈,

"슴ᄋᆡ 망ᄒᆞ나 그ᄃᆡ나 살아스면 경아의 안히라 ᄒᆞ여 언두(言頭)의 일캇[카]를 거시오, 일분이나 《우회 ‖ 위회(慰懷)》ᄒᆞᆯ ᄇᆡ여날, 엇지 아조 흔젹업시 쥭어시니 어ᄃᆡ가 음용(音容)을 다시 어더보리요. 나의 명완무지(命頑無知)[604]ᄒᆞ미 슴아와 현부을 잇고 지금 ᄉᆞ라다가, 상공이 츰화을 【35】 버셔 춘젹이나 ᄒᆞ믈 드르미 희보(喜報)로 아라 완연(宛然)니 쥭을 의ᄉᆞ을 끗치니, 엇지 ᄉᆞ오납지 아니리오."

언필의 관을 어로만져 반일호곡(半日號

601)알음의는 : 알기로는. 생각에는.
602)ᄉᆞ직(嗣職) : 사자(嗣者)의 직분(職分) 곧 대를 이을 아들로서의 본분.
603)합연(溘然) : 뜻하지 않게 갑자기 죽게 됨
604)명완무지(命頑無知) : 목숨이 모질고, 무지하여 우악스러움.

부인이 밧비 등을 어르만져 왈,

"비록 위디(危地)의 드럿던 빅나 스라나 모지(母子) 상견ᄒᆞ니, 여형(汝兄)은 어나 셰월의 어더 보리오."

공지 희안이셩(和顔怡聲)으로 위로ᄒᆞ며 부명(父命)을 고ᄒᆞ여,

"힝니(行李)를 출히쇼셔."

ᄒᆞ니, 부인이 십분 강작(强作)ᄒᆞ나, 능히 정신을 출혀 가ᄉᆞ(家事)를 쳐치(處置)ᄒᆞᆯ 길히 업ᄉᆞ니, 공지 친히 식상(食床)을 밧드러 모친의 진(進)ᄒᆞ시믈 권ᄒᆞ여 왈,

"ᄌᆞ위 비록 삼형을 위ᄒᆞ여 셰샹을 원(願)치 아니시나, 상명지통(喪明之痛)596)을 당ᄒᆞ미 ᄒᆞ나 둘히 아니오, 텬힝(天幸)으로 대인(大人)이 무ᄉᆞᄒᆞ시고 히ᄋᆞ(孩兒) 남믹 ᄉᆞ라시니, 【25】족히 위로ᄒᆞᆯ 빅오니 ᄎᆞ후ᄂᆞᆫ 삼형과 님슈(林嫂)를 니ᄌᆞ시고 관역(寬抑)ᄒᆞ시믈 위쥬ᄒᆞ쇼셔."

부인이 ᄋᆞᄌᆞ의 말을 듯고 임의 죽은 ᄋᆞᄃᆞᆯ은 이의(已矣)오, 이 ᄌᆞ식이 ᄉᆞ라시니 죽기를 진졍ᄒᆞ고, 모지 셔로 진반(進飯)597)ᄒᆞ기를 권ᄒᆞ고, 공지 쇼믹(小妹)를 도라보니 형용이 환탈(換奪)598)ᄒᆞ여 표연(飄然)이 우화(羽化)599)ᄒᆞᆯ 돗ᄒᆞ여시니, 심시 더옥 막힐 돗ᄒᆞᆫ지라. ○○[칙 왈],

596)상명지통(喪明之痛) : 눈이 멀 정도로 슬프다는 뜻으로, 아들이 죽은 슬픔을 비유적으로 이르는 말. 옛날 중국의 자하(子夏)가 아들을 잃고 슬피 운 끝에 눈이 멀었다는 데서 유래한다

597)진반(進飯) : 밥을 먹다. 병이 나은 뒤에 입맛이 나서 식욕이 차츰 더해지다.

598)환탈(換奪) : '환골탈태(換骨奪胎)'의 줄임말. 사람이 외면적으로나 내면적으로 전혀 딴 사람처럼 변함.

599)우화(羽化) : '우화등선(羽化登仙)'의 줄임말. 사람의 몸에 날개가 돋아 하늘로 올라가 신선이 된다는 뜻으로, '죽음'을 비유적으로 이르는 말.

哭)의 피을 토(吐)ᄒᆞ고 신식(身色)이 위름(危懍)605)ᄒᆞ니, 소져 붓드러 구호ᄒᆞ던니 공지 들어가 슬ᄒᆞ의 졀ᄒᆞ믹, 부인이 궁천원상(窮天寃傷)606)을 품은 듯ᄒᆞ나, 아ᄌᆞ을 보니 반갑고 다힝ᄒᆞ니, 깁부고 귀즁ᄒᆞ미 형상치 못ᄒᆞ여 밧비 그 등을 어로만져, 울어 왈,

"비록 위지의 드럿든 빅나 ᄉᆞ라낫ᄉᆞ니 다힝토다."

공지 위로 ᄃᆡ 왈,

"불초 남믹의 속이 타ᄂᆞᆫ 듯ᄒᆞᆫ 하졍(下情)607)을 고렴(顧念)ᄒᆞ소셔."

언파의 부드러온 얼골과 화(和)ᄒᆞᆫ 말숨이 족히 목셕(木石)을 감동할 듯ᄒᆞᆫ지라.

부인니 아ᄌᆞ의 말을 듯고 임의 쥭은 아들은 할 일 업고, 쳔힝으로 이 ᄌᆞ식이 ᄉᆞ라시니 이ᄂᆞᆫ 쳔지신명과 조션유령(祖先幽靈)이 도으시미라. 쥭을 마음을 진졍ᄒᆞ고 모지 서로 진반(進飯)608)ᄒᆞ기을 권ᄒᆞ고, 공지 다시금 소믹을 도라보아 그 형용니 환탈(換奪)609)ᄒᆞ여 표연(飄然)이 우화(羽化)610)ᄒᆞᆯ 듯ᄒᆞ여시믹, 공지 심ᄉᆞ 더옥 막힐 듯ᄒᆞᆫ지라.

605)위름(危懍) : 몹시 위태로움.

606)궁천원상(窮天寃傷) : 하늘에 사무치는 원통함과 설움.

607)하정(下情) : 아랫사람의 사정. 어른에게 대하여, 자기 심정이나 뜻을 겸손하게 이르는 말.

608)진반(進飯) : 밥을 먹다. 병이 나은 뒤에 입맛이 나서 식욕이 차츰 더해지다.

609)환탈(換奪) : '환골탈태(換骨奪胎)'의 줄임말. 사람이 외면적으로나 내면적으로 전혀 딴 사람처럼 변함.

610)우화(羽化) : '우화등선(羽化登仙)'의 줄임말. 사람의 몸에 날개가 돋아 하늘로 올라가 신선이 된다는 뜻으로, '죽음'을 비유적으로 이르는 말.

"삼형이 참ᄉᆞ(慘死)ᄒᆞ시ᄆᆡ 우리 젼ᄌᆞ(前者)로 다르거ᄂᆞᆯ, 부모긔 ᄒᆞᆫ 근심이나 깃치디 말미【29】 올흔지라. 엇디 져ᄃᆡ도록 되엿ᄂᆞ뇨?"

쇼졔 ᄋᆡ읍(哀泣) ᄃᆡ왈,

"우리 다 부모의 교ᄋᆡ(嬌愛)600)를 밧ᄌᆞ오니 인간의 낙ᄉᆞ(樂事)를 알고 슬프믄 모르다가, 일됴(一朝)의 흉화를 당ᄒᆞ여 모친이 일야(日夜)의 거거(哥哥)601) 등을 ᄯᆞᆯ오려 ᄒᆞ시니, 쇼ᄆᆡ(小妹) 므ᄉᆞᆷ ᄆᆞᄋᆞᆷ으로 음식의 뜻이 이시리잇고? 스ᄉᆞ로 과쳑(過瘠)602)고져 ᄒᆞ미 아【26】니오, ᄌᆞ위(慈闈) 음식을 폐ᄒᆞ시니 쇼ᄆᆡ 홀노 먹지 못ᄒᆞ여 이리 되과이다."

부인이 ᄌᆞ녀의 거동을 보고 잔잉ᄒᆞ미 골졀(骨節)이 한상(寒傷)603)ᄒᆞ여 위로ᄒᆞ고 ᄒᆡᆼ니(行李)를 출힐ᄉᆡ, 조션봉ᄉᆞ(祖先奉祀)는 하운의쳐 박시 가장 현미(賢美)ᄒᆞᆫ 고로 졔례(祭禮)를 닐너 집을 직희오고, 뎍쇼(謫所)의 다려갈 노복을 뎡ᄒᆞ고, 공ᄌᆡ 님시 녕구를 문외로 옴기니, 부인 왈,

"내 잠간 삼ᄋᆞ의 관을 영결코져 ᄒᆞ노라."

공ᄌᆡ ᄃᆡ왈,

"대인긔 고ᄒᆞ고 명ᄃᆡ로 ᄒᆞ리이다."

부인이 님시의 관을 보ᄂᆡ고 녀ᄋᆞ로 더브러 혈읍통도(血泣痛悼)ᄒᆞ더라.

600)교애(嬌愛) : 매우 두터운 사랑.
601)거거(哥哥) : 형(兄). 오빠. 중국어 차용어로, 주로 여성이 손위 남자 형제를 이르는 말로 사용된다.
602)과척(過瘠) : 지나치게 야윔.
603)한상(寒傷) : (뼈가) 시리도록 슬픔.

ᄎᆡ 왈,

"우리 남ᄆᆡ 젼ᄎᆞ(前次)로 달나 부모의게 이우 말미 올커날 엇지 져ᄃᆡ도록 초조ᄒᆞᄂᆞᆫ요?"

소【36】져 읍ᄃᆡ(泣對) 왈,

"소ᄆᆡ 평ᄉᆡᆼ의 부모 교ᄋᆡ(嬌愛)만 밧ᄌᆞ와 낙ᄉᆞ(樂事)만 알고 슬푸믈 모로다가, 일조(一朝)의 흉참ᄒᆞᆫ 화을 당ᄒᆞ여 일명을 임의치 못ᄒᆞ여, 지우금(至于今)611) 보젼ᄒᆞ와 잇ᄉᆞ오나, 모친니 쥬야로 거거(哥哥)612) 등을 부르지져 망망이 그 뒤을 ᄯᆞᆯ으고져 ᄒᆞ시니 소ᄆᆡ 음식의 ᄯᅳ지 업셔 이릇틋 쳑ᄑᆡ(瘠敗)613)ᄒᆞ미오, 님졔졔(姐姐)을 ᄉᆡᆼ각하여 화룡월ᄐᆡ(花容月態) 안목(眼目)의 ᄉᆞᆷᄉᆞᆷᄒᆞ고 낭음봉셩(朗吟鳳聲)614)이 이변(耳邊)의 의의(依依)ᄒᆞ여615) 눈물이 압풀 가리와 ○○○○○○[이리 되과이다.]"

○○[ᄒᆞ고] 말을 못ᄒᆞ니, 공ᄌᆞ 남ᄆᆡ 쳔만 강잉(强仍)616)ᄒᆞ여 화(和)ᄒᆞᆫ ᄉᆞᄉᆡᆨ(辭色)으로 계유 식반(食飯)을 파ᄒᆞ고, 가ᄉᆞ을 의논ᄒᆞ여 ᄒᆡᆼ니을 출일 ᄉᆡ, 조션봉ᄉᆞ(祖先奉祀)는 하운의 쳐 박시 가ᄌᆞᆼ 아름다온 고로 졔녜(祭禮)을 긔결(旣決)617)ᄒᆞ여 집을 직희오고, 젹쇼의 다려갈 비복을 졍ᄒᆞ여 ᄲᆡᆫ618) 후, 공ᄌᆡ 님시의 영구을 문외로 옴길 ᄉᆡ, 부인 왈,

"ᄂᆡ ᄉᆞᆷ아의 관을 영결코져 ᄒᆞ노라."

공ᄌᆡ ᄃᆡ 왈,

"ᄃᆡ인게 고ᄒᆞᆫ 후 명ᄃᆡ로 ᄒᆞ리이다."

부인니 임시의 관을 보ᄂᆡ고 여아로 더부러 천만통원(千萬痛寃)과 쳡쳡ᄒᆞᆫ 셜름이 오

611)지우금(至于今) : 예로부터 오늘에 이르기까지.
612)거거(哥哥) : 형(兄). 오빠. 중국어 차용어로, 주로 여성이 손위 남자 형제를 이르는 말로 사용된다.
613)쳑ᄑᆡ(瘠敗) : 몹시 야윔.
614)낭음봉셩(朗吟鳳聲) : 봉황의 울음소리처럼 맑고 아름다운 소리.
615)의의(依依)ᄒᆞ다 : 소리, 가억 따위가 어렴풋하게 들리거나 머무는 모양.
616)강잉(强仍) : 억지로 참음. 또는 마지못하여 그대로 함
617)긔결(旣決) : 이미 결정됨.
618)ᄲᆡ다 : 뽑다.

공ᄌᆡ 님쇼져의 녕구를 뫼셔 나오니 공이 향탁(香卓)을 비셜ᄒᆞ고 빙소(殯所)ᄒᆞᆫ 후, 실셩댱통(失性長痛)ᄒᆞ니, 공ᄌᆡ ᄋᆡ걸 위로ᄒᆞ고, 뎡·윤 냥공이 ᄒᆞᆫ가지로 밤을 지닌 후, 원별(遠別)이 결연(缺然)ᄒᆞ여 피ᄎᆞ(彼此) 비회(悲懷)【27】를 ᄎᆞᆷ지 못ᄒᆞ더라.

공ᄌᆡ 부젼의 모친이 삼형의 녕구를 영결코져 ᄒᆞ시믈 품(稟)ᄒᆞ니, 공이 츄연(惆然) 왈,

“관을 보ᄆᆡ 더옥 참통ᄒᆞᆯ ᄲᅳᆫ 아냐 죽은 져의게 유익ᄒᆞ믄 업ᄉᆞ나 모ᄌᆞ의 졍니를 막지 못ᄒᆞ리니 명일 잠간 나와 보게 ᄒᆞ라.”

공ᄌᆡ 슈명(受命)ᄒᆞ고 명됴(明朝)의 본부의 드러와 모부인을 뫼셔 문외로 나아갈ᄉᆡ, 영쥐 ᄯᅩᄒᆞᆫ 거거(哥哥)의 녕구를 영결코져 모친을 ᄯᆞᆯ아 나와, 부인이 삼ᄌᆞ의 관을 어르만져 가슴이 막혀 다만 ᄀᆞᆯ오ᄃᆡ,

“여뫼 쥬쥬야야(晝晝夜夜)의 긴 세월을 엇지 궁텬극지지통(窮天極地之痛)604)을 ᄎᆞᆷ으리오. 쉶을 비러 여등을 상면코져 ᄒᆞ나 능히 ᄆᆞᄋᆞᆷ과 ᄀᆞᆺ지 못ᄒᆞ리니, 엇지ᄒᆞ여 여등을 니ᄌᆞ리오.”

604)궁천극지지통(窮天極地之痛) : 하늘 끝, 땅 끝까지 이르는 헤아릴 수 없이 큰 슬픔.

ᄂᆡ붕졀(五內崩切)ᄒᆞ여 ᄉᆞᆷᄌᆞ을 부르지져 혈읍 통도ᄒᆞ믈 마지 아니터라.

공ᄌᆡ 님소져【37】의 영구을 뫼셔 문외로 ᄂᆞ오니, ᄒᆞ공이 상탁(床卓)을 빅셜ᄒᆞ여 안의 빙소(殯所)ᄒᆞ고 관을 어로만져 실셩즁통(失性長痛)의 참졀ᄋᆡ도(慘絶哀悼)ᄒᆞ여 학ᄉᆞ 등의 쥭음과 다르지 아닌지라. 공ᄌᆡ ᄋᆡ걸 위로ᄒᆞ고 윤·뎡양 공이 ᄒᆞᆫ가지로 밤을 지ᄂᆡ며 니별을 결울(結鬱)619)ᄒᆞ여 피ᄎᆞ 이졍(離情)이 ᄎᆞᆷ연(慘然)ᄒᆞ고, 하공의 심ᄉᆞᄂᆞᆫ 여취여광(如醉如狂)ᄒᆞ여 ᄋᆡ류[루](哀淚)치 말기을 위쥬ᄒᆞ나 능히 ᄎᆞᆷ지 못ᄒᆞ더라.

공ᄌᆡ 부젼의 {고 왈} 모친니 ᄉᆞᆷ형의 영구을 영결코져 ᄒᆞ시믈 품(稟)ᄒᆞ니, 공이 츄연(惆然) 왈,

“관을 보ᄆᆡ 심시 더옥 ᄎᆞᆷ악할 분니라. 연이ᄂᆞ 모ᄌᆡ지졍을 엇지 막으리오. 명일 즘간와 보게 ᄒᆞ라.”

공ᄌᆡ 슈명(受命)ᄒᆞ고 명일(明日) 조반(朝飯) 후 옥누항의 드러와 모친을 뫼셔 문외로 나올 ᄉᆡ, 영쥐소져 ᄯᅩᄒᆞᆫ 거거(哥哥)의 영구을 영결코져 ᄒᆞ니, 부인니 ᄒᆞᆫ가지로 교ᄌᆞ의 너어 문외로 나와 ᄉᆞᆷᄌᆞ의 관을 ᄃᆡᄒᆞ니, 가슴이 막혀 우름이 나지 《못ᄒᆞᆫ지라∥못ᄒᆞᄂᆞᆫ지라》. 이윽히 진졍ᄒᆞ여 방셩ᄃᆡ곡(放聲大哭)ᄒᆞᆯ ᄉᆡ, 관을 어르만져 왈,

“여뫼 쥬쥬야야(晝晝夜夜)의 궁쳔극지통원(窮天極地痛寃)620)을 품어, 여등(汝等)을 ᄉᆡᆼ각ᄒᆞᄆᆡ 쉶을{을} 비러 얼골을 반기고져 ᄒᆞ나 능히 마음과 갓지 못ᄒᆞ고, 원경 등이 그리오미 이ᄃᆡ도록 견ᄃᆡ긔 어렵거ᄂᆞᆯ 긴 셰월을 엇지 ᄎᆞᆷ으리오. 아지못게【38】라. 져 ᄎᆞᆼ천(蒼天)니 우리로[를] 뮈여ᄒᆞ미 이 지경의 밋쳐, ᄇᆡᆨ옥무하(白玉無瑕)ᄒᆞᆫ 아등(兒等)으로 죄류[루](罪累) 즁 참망케 ᄒᆞᄂᆞ뇨? 너히 임종지시(臨終之時)의 당ᄒᆞ여, 부모을 ᄉᆡᆼ각고 셜워ᄒᆞ미 여신(汝身)을 만난 바로써

619)결울(結鬱) : 울결(鬱結). 가슴이 답답하여 막힌 데가 있음.
620)궁천극지통원(窮天極地痛寃) : 하늘 끝, 땅 끝까지 이르는 원한과 슬픔.

인ᄒᆞ여 호곡운졀(號哭殞絶)ᄒᆞ니, 영쥐 ᄯᅩᄒᆞᆫ ᄋᆡ곡(哀哭)ᄒᆞ여 인ᄉᆞ를 모로【28】니, 공ᄌᆡ 모친과 쇼ᄆᆡ를 구호ᄒᆞ여 진뎡ᄒᆞ고 공이 드러와 셔르 보ᄆᆡ 일층 비회 더ᄒᆞᆯ ᄲᅮᆫ이라. 공이 녀ᄋᆞ를 나호여 그 슈쳑(瘦瘠)ᄒᆞ믈 념녀ᄒᆞ여 머리를 어르만져 부인을 ᄃᆡᄒᆞ여 타루(墮淚) 왈,

"삼ᄋᆞ를 참망ᄒᆞ고 부뷔 산 낫ᄎᆞ로 보ᄆᆡ 임의 명완(命頑)ᄒᆞ여 져희를 ᄯᆞ로오지 못ᄒᆞ고 일명이 ᄉᆞ라 ᄎᆞᆨ디(觸地)로 향ᄒᆞᆯ지라. 부인은 ᄉᆡᆼ을 위ᄒᆞ여 통원(痛寃)을 ᄎᆞᆷ고 ᄉᆞᆯ기를 위쥬ᄒᆞ미 져의 블효를 더으지 아니ᄒᆞ미오, 원광 남ᄆᆡ로 ᄒᆞ여금 진뎡케ᄒᆞ○○○[ᄂᆞᆫ 도리]라. 텬되 오문(吾門)을 증오ᄒᆞ샤 여ᄎᆞ 강화(降禍)ᄒᆞ시니, 슬허ᄒᆞᆫ들 어이 밋ᄎᆞ리오. 원광은 누옥(陋屋)의 곤ᄒᆞ나 그ᄃᆡ도록 패(敗)치 아냐시ᄃᆡ, 녀ᄋᆞᄂᆞᆫ 몰나보게 되어시니 망ᄋᆞᄂᆞᆫ 이의(已矣)오. 산 ᄌᆞ녀를 병들게 말미【29】 우리 부부의 ᄒᆡᆼ(幸)이니 부인은 널니 ᄉᆡᆼ각ᄒᆞ쇼셔."

부인이 공의 몸을 념녀ᄒᆞᄆᆡ 십분 강쟉(强作)ᄒᆞ여 ○○[대왈]

"죽으니를 ᄯᆞ로오지 못ᄒᆞᆫ 후ᄂᆞᆫ ᄌᆞ연 닛ᄂᆞᆫ 거시 되니, 쳡은 명공(明公)의 덕ᄒᆡᆼ(謫行)이 도로혀 텬ᄒᆡᆼ이오, ᄌᆞ네 디셩으로 먹고져 ᄒᆞ니 죽을 의ᄉᆡ 업ᄉᆞᄃᆡ, 다만 명공이 과상(過傷)ᄒᆞ샤 셩질(成疾)605)ᄒᆞ실가 두려ᄒᆞᄂᆞ니, ᄒᆞ믈며 누쳔니(累千里) 험노의 발셥(跋涉)ᄒᆞ실지라. 물비관억(勿悲寬抑)606)ᄒᆞ샤 즐거온 길의 ᄒᆡᆼ홈 ᄀᆞᆺ치 ᄒᆞ쇼셔."

605)셩질(成疾) : 병을 이룸.
606)물비관억(勿悲寬抑) : 슬픔을 참아 억제함.

더을 거시니, ᄋᆡ달고 불상ᄒᆞ다. 비록 유명(幽明)이 길이 다르나 엇지 그ᄃᆡ도록 알으미 업셔 몽니(夢裏)의도 뵈미 업ᄂᆞ뇨."

인ᄒᆞ여 ᄉᆞᆷ인을 부르니져 긔운이 막혀 위위(危危)ᄒᆞ니, 영쥐 쇼져 ᄯᅩᄒᆞᆫ 실셩ᄋᆡ곡(失性哀哭)ᄒᆞ야 인ᄉᆞ을 모로난지라. 공ᄌᆡ 모친을 구호ᄒᆞ며 쇼져의 우름을 그치라 ᄒᆞ고, 모친을 뫼셔 본부로 도라가려 ᄒᆞᆯ ᄉᆡ, 부인니 관을 븟들고 움즉이지 못ᄒᆞ더니, 하공이 드러와 부부 부녀 셔로 볼 ᄉᆡ, 공이 녀ᄋᆞ을 날호여 슬ᄒᆞ의 안치고 그 쳑골슈픠(瘠骨瘦敗)621)ᄒᆞ믈 염녀ᄒᆞ여 머리을 어로만지며 부인을 ᄃᆡᄒᆞ여 쳬류[루](涕淚) 왈,

"ᄉᆞᆷ아을 참망ᄒᆞ고 우리 부뷔 ᄉᆞᆫ 낫츠로 보ᄆᆡ 명완(命頑)ᄒᆞ나 임의 져희을 ᄯᅡ로지 못ᄒᆞ고 셩쥬의 특은(特恩)이 ᄉᆡᆼ의 일명을 빌니시니, 지원극통을 품고 경경(惸惸)622)이 ᄌᆞ최○[를] ᄭᅳᆫ어 촉지로 향ᄒᆞ니, 부인은 ᄉᆡᆼ을 ᄉᆡᆼ각ᄒᆞ고 ᄌᆞ식을 도라보아 통원을 잇고 ᄉᆞᆯ기을 위쥬ᄒᆞ미, 져의 불효을 더으지 아니미오, 원광 남ᄆᆡ로 ᄒᆞ여곰 진졍【39】케 ᄒᆞᄂᆞᆫ 도리라. 하날이 오문(吾門)을 뮈워 화란을 나리오시니, 슬허ᄒᆞᆫ들 엇지 밋ᄎᆞ리오. 원광은 누옥()陋屋의 곤ᄒᆞᄂᆞ 그 얼골이 슈픠(瘦敗)치 안야스ᄃᆡ. 여아ᄂᆞᆫ 몰ᄂᆞ보게 되엿시니, 망아(亡兒) 등은 이의(已矣)오, ᄉᆞᆫ ᄌᆞ식은 병드지 《안니ᄒᆞ여∥아니케 ᄒᆞ미》 우리 부부의게 달○[녀]시니 부인은 널니 ᄉᆡᆼ각ᄒᆞ소셔."

부인니 공의 몸을 염녜ᄒᆞᄆᆡ 심ᄉᆞ을 강즉ᄒᆞ여 슈류[루](垂淚) ᄃᆡ왈(對曰),

"쥭으니을 ᄯᅡ르지 못ᄒᆞᆫ 후난 ᄌᆞ연 이치이ᄂᆞᆫ623) 거시 되니, 쳡은 명공(明公)의 찬젹이나 ᄒᆞ시믈 쳔ᄒᆡᆼ(天幸)으로 《아라∥알고》, ᄌᆞ녀{의} 지셩으로 먹고 ᄉᆞᆯ고져 ᄒᆞ오니, 당ᄎᆞ시(當此時)의 ᄒᆞ여ᄂᆞᆫ 쥭을 으ᄉᆞ(意思) 업ᄉᆞᄃᆡ, 다만 명공이 ᄉᆞᆼ(傷)ᄒᆞ실가 ᄒᆞ나

621)쳑골슈픠(瘠骨瘦敗) : 너무 슬퍼하여 뼈가 앙상하게 드러나도록 몸이 몹시 야위고 파리함.
622)경경(惸惸) : 외로이 근심으로 지내는 모양.
623)이치이다 : <이치다 : 잊히다>. 잊혀 지다.

공이 기리 탄식고 셔로 위로ᄒᆞ여 명일 발ᄒᆡᆼᄒᆞᆯ 바를 니르고, 공ᄌᆞ를 본부의 보ᄂᆡ여 가ᄉᆞ를 쳐치ᄒᆞ고 부인과 녀ᄋᆞ를 호ᄒᆡᆼ(護行)케 ᄒᆞ니, 공ᄌᆡ 삼형의 관(棺)을 어르만져 하딕을 고ᄒᆞᆯᄉᆡ, 혈뉘(血淚) 쳠의(沾衣)ᄒᆞ고 ᄒᆞᆫ번 우름의 일만(一萬) 진납이[607] 날치나, 부모의 심ᄉᆞ를 도라 【30】 보아 울기를 긋치고, 부인을 뫼셔 환가(還家)ᄒᆞ니라.

윤·뎡·님 삼공이 머므러 하공을 보ᄂᆡ려 ᄒᆞᆯᄉᆡ, 윤공 왈,

“형이 만ᄉᆡ 무렴(無念)ᄒᆞ나 원광의 납폐(納幣) 문명(問名)을 머므르고 ᄒᆡᆼᄒᆞ라.”

하공이 즉시 부인긔 통ᄒᆞ여 젼일(前日) 남강 션유(船遊)의 어든 바 보월(寶月)을 보ᄂᆡ라 ᄒᆞ니, 부인이 경의(驚疑) 왈,

“보월(寶月)은 광ᄋᆞ의 납폐를 위ᄒᆞ여 둔 ᄇᆡ어ᄂᆞᆯ 이런 비황듕(悲遑中)의 달나 ᄒᆞ시ᄂᆞᆫ고.”

공ᄌᆡ ᄃᆡ왈,

“ᄎᆞᆨ디 왕반(往返)이 어려온 고로 빙물(聘物)을 아조 두고 가라 ᄒᆞ더이다.”

607)진납이 : 잔나비. 원숭이.

이다. ᄒᆞ믈며 슈쳔니(數千里) 험노을 발셥(跋涉)ᄒᆞ실지라, 져희을 다 잇고 심ᄉᆞ(心事)을 푸러 즐거온 길을 ᄒᆡᆼᄒᆞ듯 ᄒᆞ시옵쇼셔.”

공이 기리 탄식하고 부부부ᄌᆡ 셔로 위로ᄒᆞ여 슬푸믈 참고 원억을 셔리담아 명일 발ᄒᆡᆼᄒᆞᆯ 바을 일너, 부인과 녀ᄋᆞ을 일즉이 《차려 ‖ 다려》 가라 당부ᄒᆞ고, 공ᄌᆞ을 또ᄒᆞᆫ 집의 보ᄂᆡ여 가ᄉᆞ을 쳐치ᄒᆞ고 부인과 소져을 호ᄒᆡᆼ(護行)ᄒᆞ라 ᄒᆞ니, 공ᄌᆞ 삼형의 관(棺) 압ᄒᆡ 가 다시 우지 못ᄒᆞ고 명일 아조 써나게 되니, 간담이 촌촌(寸寸)니 【40】 바아지ᄂᆞᆫ[624] 슬품을 모로난 듯 ᄉᆞᄉᆡᆨ(辭色)을 밧고지 아니ᄒᆞ고, 날호여 이러나 삼형의 관을 어로만져 ᄒᆞ직을 고할 ᄉᆡ, 눈물이 옷깃슬 잠으고 한 ᄆᆞᄃᆡ 울름의 ᄋᆡ 일만(一萬) 구뷔 ᄭᅳᆺ쳐지니, 쳡쳡(疊疊)ᄒᆞᆫ 통원(痛冤)이 고ᄃᆡ 쥭어 모로고져 ᄒᆞᄃᆡ, 부모의 심ᄉᆞ을 도라보아 즉시 긋치고, 님시의 관 압픠 잠간 ᄇᆡ곡(拜哭)ᄒᆞ고, 총망(悤忙)이 와 모친을 뫼셔 집으로 도라오니라.

윤·뎡 양공과 님시랑은 문외의 머므러 ᄒᆞ공을 보ᄂᆡ려 할 ᄉᆡ, 윤공이 하공을 ᄃᆡᄒᆞ여 왈,

“만ᄉᆡ 물념(勿念)ᄒᆞᄂᆞ 원광의 납폐(納幣) 문명(問名)을 머므르고 가믈 바라노라.”

ᄒᆞ공이 즉시 부인긔 젼언(傳言)ᄒᆞ여 젼일(前日) 남강 션유(船遊)의 어더온 보월(寶月)을 보ᄂᆡ라 ᄒᆞ니, 부인니 보월의 비승ᄒᆞᆫ 광치을 긔특이 역여 깁피 간ᄉᆞᄒᆞ엿더니[625], 공이 ᄎᆞᄌᆞ믈 보고 고히 역여 왈,

“보월(寶月)은 광아의 납폐(納幣)을 삼으려 ᄒᆞ엿거날 엇지 이런 망극 즁 찻ᄂᆞᆫ뇨? 일을 아지 못ᄒᆞ리로다.”

공ᄌᆡ ᄃᆡ왈,

“윤공이 ᄎᆞᆨ지 왕반(往返)니 어려온 고로 빙물(聘物)을 《아직 ‖ 아조》 두고 가라 ᄒᆞ던니라[다].”

624)바아지다 : 부서지다. 단단한 물체가 깨어져 여러 조각이 나다.

625)간ᄉᆞ하다 : 간수하다. 물건 따위를 잘 보호하거나 보관하다.

부인 왈,

"셕년(昔年)의 비록 약혼ᄒᆞ여시나 당금(當今) 윤부ᄂᆞᆫ 온젼ᄒᆞ고 오가(吾家)ᄂᆞᆫ 화가여ᄉᆡᆼ(禍家餘生)이라 엇디 결혼(結婚)코져 ᄒᆞ더뇨?"

공ᄌᆞ 탄식 ᄃᆡ왈,

"윤공의 신의ᄂᆞᆫ 셰쇽인의 밋출 ᄇᆡ 아니라 뎡공으로 더브러 삼형을【31】 극진이 념빙(殮殯)608)ᄒᆞ고 시톄(屍體)를 완젼케 ᄒᆞ미 다 이공(二公)의 대덕(大德)이니이다."

부인이 ᄀᆞᆨ골감은(刻骨感恩)ᄒᆞ더라. 시녜(侍女) 보월을 가져오니, 하공이 혼셔(婚書)를 쓰고, 보월을 ᄒᆞᆫᄃᆡ ᄡᆞ 윤공긔 미러, 왈,

"납빙(納聘)은 길일(吉日)을 ᄐᆡᆨᄒᆞ거ᄂᆞᆯ 환난듕(患難中) 이러ᄐᆞᆺ 구ᄎᆞ(苟且)ᄒᆞ도다."

윤공이 탄왈,

"만시 텬의니 져의 팔ᄌᆞ 길ᄒᆞ면 'ᄐᆡᆨ일 여뷔 하관지위(何關之有)'609)리오."

ᄒᆞ더라.

윤공이 빙ᄎᆡ(聘采)610)를 가지고 밧비 본부의 니르러, 현ᄋᆞ 쇼져와 유모 셜난을 블너 혼셔(婚書)와 월패(月佩)를 주어 심장(深藏)ᄒᆞ라 ᄒᆞ고, 녀ᄋᆞ를 무ᄋᆡ(撫愛) 왈,

"너ᄂᆞᆫ 하문 사ᄅᆞᆷ이라. 비샹쥬필(臂上朱筆)611)이 너의 엄구(嚴舅)의 쁜 ᄇᆡ니, 남ᄌᆞᄂᆞᆫ 튱효(忠孝)가 근본이오, 녀ᄌᆞᄂᆞᆫ 효절(孝節)이 웃듬이니, 여뫼(汝母) 인ᄉᆞ를 모르고 츄셰(趨勢)ᄒᆞ여 하가를 ᄇᆡ반ᄒᆞᆯ ᄯᅳᆺ을 두니, 한심ᄒᆞ여 말을 아니【32】커니와, 문명(問名)을 임의 가져와시니, 네 곳의 두고 불인(不仁)ᄒᆞᆫ 모훈(母訓)의 쇽지 말나."

쇼졔 옥면(玉面)이 취홍(醉紅)ᄒᆞ고 셩안()

608)염빈(殮殯) : 시체를 염습하여 관에 넣어 안치함.

609)'택일을 잘 하고 못하고가 무슨 관계가 있겠는가?' 라는 말.

610)빙채(聘采) : 빙물(聘物). 납채(納采). 혼인례에서 정혼이 이루어진 증거로 신랑 집에서 신부집에 보내는 예물.

611)비샹쥬필(臂上朱筆) : 팔위에 앵혈로 쓴 붉은 글씨. 여성의 순결징표가 되며 정혼사실을 기록해 놓기도 한다.

부인니 놀나 왈,

"셕년(昔年))의 비록 졍혼ᄒᆞ엿스나 금차지시(今此之時)의ᄂᆞᆫ 윤가ᄂᆞᆫ 온젼ᄒᆞᆫ 집이오 오가(吾家)ᄂᆞᆫ 화가여ᄉᆡᆼ(禍家餘生)이라, 엇지 결혼【41】코자 ᄒᆞᄂᆞᆫ고. 도로혀 ᄉᆡᆼ각 밧긔오 어진 일이로다."

공ᄌᆞ 탄식 ᄃᆡ왈,

"윤공의 구든 신의ᄂᆞᆫ 속셰인의 밋출 ᄇᆡ 안니라. 뎡공으로 더부러 ᄉᆞᆷ형을 극진이 염빙(殮殯)626)ᄒᆞ고 신톄을 완젼케 ᄒᆞ오미 다 이 공의 ᄐᆡᆨ순 갓튼 ᄃᆡ덕이니다."

부인이 각골감은ᄒᆞ더라. 시여(侍女)을 불너 보월을 보ᄂᆡ니 하공이 혼셔을 쓰고 보월을 ᄒᆞᆫᄃᆡ ᄊᆞ 윤공게 미러 왈,

"납빙은 길일을 ᄐᆡᆨᄒᆞ거날 환란 즁 이러틋 구ᄎᆞᄒᆞ도다."

윤공이 탄식 왈,

"만ᄉᆞ 쳔야니 져의 팔ᄌᆞ 길ᄒᆞ면 '타[ᄐᆡᆨ]일여뷔하관지위[유](擇日與否何關之有)'627)《되오리다‖리오》."

ᄒᆞ더라.

윤공이 빙ᄎᆡ(聘采)628)을 거두어 가지고 밧비 본부의 이르러, 현ᄋᆞ 소져와 유모 셜난을 불너 혼셔(婚書)와 월픽(月佩)을 쥬어 심중(深藏)ᄒᆞ라 ᄒᆞ고, 여ᄋᆞ을 무ᄋᆡ(撫愛) 왈,

"너ᄂᆞᆫ ᄒᆞ문 ᄉᆞ람이라. 비ᄉᆞᆼ쥬필(臂上朱筆)629)이 너의 엄구(嚴舅)의 쓴 ᄇᆡ니, 남ᄌᆞᄂᆞᆫ 츙효(忠孝)가 근본이요, 여ᄌᆞᄂᆞᆫ 효졀(孝節)이 웃듬이니, 여모(汝母)ᄂᆞᆫ 인ᄉᆞ을 모르고, 츄세(趨勢)ᄒᆞ여 ᄒᆞ가을 ᄇᆡ반할 ᄯᅳᆺ슬 두니, 엇지 ᄒᆞᆫ심치 아니ᄒᆞ랴. 혼셔(婚書)을 가져 왓스니 네 곳의 두고 불민[인](不仁)ᄒᆞᆫ 어미의 무식ᄒᆞᆫ 말을 듯지 말나."

소져 옥면(玉面)이 취홍(醉紅)ᄒᆞ고 셩안

626)염빈(殮殯) : 시체를 염습하여 관에 넣어 안치함.

627)택일을 잘 하고 못하고가 무슨 관계가 있겠는가?' 라는 말.

628)빙채(聘采) : 빙물(聘物). 납채(納采). 혼인례에서 정혼이 이루어진 증거로 신랑 집에서 신부집에 보내는 예물.

629)비ᄉᆞᆼ쥬필(臂上朱筆) : 팔위에 앵혈로 쓴 붉은 글씨. 여성의 순결징표가 되며 정혼사실을 기록해 놓기도 한다.

星眼이 나즉ᄒᆞ여 감히 ᄃᆡ치 못ᄒᆞ니 공이 년ᄋᆡ(憐愛)ᄒᆞ믈 마지 아니ᄒᆞ더라

태부인이 이 거동을 보고 대경 왈,

“네 비록 소활(疎豁)ᄒᆞ나 ᄌᆞ식의 대륜(大倫)을 이러틋 그른 곳의 지ᄂᆡ려 ᄒᆞᄂᆞ뇨? 노모의 ᄉᆡᆼ젼(生前)은 ᄎᆞ혼(此婚)을 지ᄂᆡ지 못ᄒᆞ리라.”

태위 뎡식 ᄃᆡ왈,

“ᄒᆡᄋᆡ(孩兒) 무신블의(無信不義)ᄒᆞ와 하가를 ᄇᆡ약(背約)고져 ᄒᆞᆯ지라도, ᄌᆞ졍(慈庭) 훈괴(訓敎) 맛당이 유신(有信)ᄒᆞ믈 니르셤즉ᄒᆞ거ᄂᆞᆯ, 엇디 이런 하교를 ᄒᆞ시ᄂᆞ니잇고? 하개(河家) 비록 젼안지녜(奠雁之禮)[612]를 아녀시나, 현ᄋᆞ의 팔 우희 하공의 필젹이 잇고, 소ᄌᆡ 금셕ᄀᆞᆺ치 면약(面約)ᄒᆞ여시니 ‘댱부일언(丈夫一言)은 천년블개(千年不改)라.’[613] ᄌᆞ식을 ᄎᆞ마 훼졀(毁節)케 ᄒᆞ리【33】잇고? ᄎᆞᄉᆞ(此事)의 다ᄃᆞ라ᄂᆞᆫ ᄌᆞ교(慈敎)를 봉승(奉承)치 못ᄒᆞ리로소이다.”

612)젼안지녜(奠雁之禮) : 혼인례에서, 신랑이 기러기를 가지고 신부 집에 가서 상 위에 놓고 절하는 의례(儀禮). 기러기는 한번 짝을 지으면 죽을 때까지 짝을 바꾸지 않는다 하여 신랑이 백년해로 하겠다는 서약의 징표로서 신부의 어머니에게 기러기를 드린다. 산 기러기를 쓰기도 하나, 대개는 나무로 만든 것을 쓴다.

613)‘장부는 어떠한 경우에도 자신이 한 말을 바꾸지 않는다. 또는 자신이 한 말에 책임을 진다’ 는 말.

(星眼)니 ᄂᆞ즉ᄒᆞ【42】여, 감히 답지 못ᄒᆞ니, 공이 여ᄋᆞ을 ᄉᆞ랑ᄒᆞ믈 이긔지 못ᄒᆞ여, ᄒᆞ가(河家) 화란으로 경ᄉᆞ을 써나 찬젹(竄謫)ᄒᆞ여 가니, 질거이 ᄃᆡᄉᆞ(大事)을 지ᄂᆡ지 못ᄒᆞ믈 ᄋᆡ달나 ᄒᆞ나, 말을 안니터라.

ᄐᆡ부인니 그 빙물(聘物) 가져왓시물 알고 ᄃᆡ경 왈,

“네 비록 소활(疎豁)ᄒᆞ나 ᄌᆞ식의 ᄃᆡ륜(大倫)을 이룻트시 그러[르]게 만드ᄂᆞ뇨? ᄒᆞ가ᄂᆞᆫ 참화여ᄉᆡᆼ(慘禍餘生)으로 셔촉의 찬츌ᄒᆞ니, 아직 일명(一命)이 잇시나 타일 쏘 아모리 될 쥴 모르거날, 현ᄋᆞ로 굿타여 결혼ᄒᆞ려 ᄒᆞ니 그 무숨 쓰시뇨? 노모의 ᄉᆡᆼ젼(生前)은 ᄎᆞ혼(此婚)을 못ᄒᆞ리라.”

ᄐᆡ위 웃ᄂᆞᆫ 빗출 경이 ᄒᆞ고 ᄃᆡ왈,

“ᄒᆡᄋᆞ(孩兒) 비록 무신불의(無信不義)ᄒᆞ나 ᄒᆞ가을 ᄇᆡ약(背約)을 ᄒᆞ고져 할지라도, ᄌᆞ졍(慈庭)의 훈교(訓敎) 맛당이 유신(有信)ᄒᆞ믈 이르셤 즉ᄒᆞ거날, 엇지 이런 놀나온 말숨을 ᄒᆞ시ᄂᆞᆫ니잇가? ᄒᆞ가 비록 젼안(奠雁)[630]·독ᄌᆞ(獨坐)[631]의 네(禮)을 이루지 아녓ᄉᆞ오나, 현ᄋᆞ의 팔 우희 하상셔의 친필이 잇습고, 소ᄌᆡ 당면(當面)ᄒᆞ여 금셕(金石) 갓치 언약이 잇ᄉᆞ오니 ‘ᄌᆞᆼ부일언(丈夫一言)이 쳔년불ᄀᆡ(千年不改)라’[632] 다행이 원광이 ᄉᆞ라ᄉᆞ오니 현아의 폐륜(廢倫)치 안니미 천힝(天幸)이라, ᄌᆞ교(慈敎)을 역명ᄒᆞ오미 안니오미오, ᄌᆞ식을 실졀케 안니ᄒᆞ오려 ○○○[ᄒᆞ미니], ᄎᆞ혼의 다ᄃᆞ【43】라ᄂᆞᆫ ᄌᆞ교을 봉승치 못ᄒᆞᄂᆞ이다.”

630)젼안네(奠雁禮) : 혼인례에서, 신랑이 기러기를 가지고 신부 집에 가서 상 위에 놓고 절하는 의례(儀禮). 기러기는 한번 짝을 지으면 죽을 때까지 짝을 바꾸지 않는다 하여 신랑이 백년해로 하겠다는 서약의 징표로서 신부의 어머니에게 기러기를 드린다. 산 기러기를 쓰기도 하나, 대개는 나무로 만든 것을 쓴다.

631)독ᄌᆞ네(獨坐禮) : 혼인례에서 대례(大禮)를 달리 이른 말. 즉 신랑과 신부가 대례를 행할 때 각각의 앞에 음식을 차려 놓은 독좌상(獨坐床)을 놓고 교배(交拜)·합근(合巹) 등의 의례를 행하는 것을 비유하여 쓴 말이다.

632)‘장부는 어떠한 경우에도 자신이 한 말을 바꾸지 않는다. 또는 자신이 한 말에 책임을 진다’ 는 말.

태부인이 노왈(怒曰),

"네 본ᄃᆡ 날 알기를 ᄒᆡᆼ노(行路) ᄀᆞᆺ치 ᄒᆞᄂᆞ니 엇디 내 말을 드르리오, 너도 인졍(人情)이라, ᄌᆞ식을 ᄎᆞ마 역젹여당(逆賊與黨)의 결혼코져 ᄒᆞᄂᆞ냐?"

태위 츄연이 슬허 좌를 ᄲᅥ나 ᄃᆡ왈,

"쇼ᄌᆡ 블초무상(不肖無常)614)ᄒᆞ와 ᄌᆞ졍을 효봉(孝奉)치 못ᄒᆞ오믄 슈ᄉᆞ난측(雖死難測)615)이오나 현ᄋᆞ를 하가의 셩혼키는 졀의를 완젼코져 ᄒᆞ오미니 ᄌᆞᄋᆡ 박(薄)ᄒᆞ미 아니로소이다."

부인이 셩을 춤지 못ᄒᆞ여 왈,

"칼 들고 님군긔 다라드는 거시 흉역이 아니냐? 하가를 앗기미 너브터 블튱(不忠)이로다."

공이 오ᄅᆡ 말을 아니타가 날호여 조부인긔 고왈,

"하공이 희텬을 ᄉᆞ랑ᄒᆞ여 기녀(其女)와 뎡혼이 되엿더니 이졔 슈쳔니(數千里) 왕반의 냥가 인【34】ᄉᆞ를 아지 못ᄒᆞᄂᆞ니 미리 ᄋᆞᄌᆞ의 빙폐를 보ᄂᆡ고져 ᄒᆞ오니 존슈(尊嫂)는 명쥬를 ᄂᆡ여 주쇼셔.

조부인이 쳑연(慽然) 응ᄃᆡᄒᆞ고 니러나 침소로 가ᄆᆡ, 태부인이 희텬 등 혼ᄉᆞ는 아모리 참혹ᄒᆞᆫ ᄃᆡ ᄒᆞ나 놀나오미 업셔 말니미 업더니, 태위 ᄯᅩ 고왈,

"뉴시 냥녀를 ᄉᆡᆼᄒᆞᆫ 십년의 다시 ᄉᆡᆼ산ᄒᆞ미 업ᄉᆞ니, 쇼ᄌᆡ 희텬으로 계후(繼後)를 뎡ᄒᆞᄂᆞ이다."

614)블초무상(不肖無狀) : 못나고 어리석을 뿐 아니라 아무렇게나 행동하여 버릇이 없음.

615)슈ᄉᆞ난측(雖死難測) : 죽도록 헤아려도 다 헤아리지 못함.

부인니 노왈,

"네 본ᄃᆡ 날을 어미로 아지 안냐 엽슈이 역이믈 ᄒᆡᆼ노 갓치 ᄒᆞᄂᆞ니 ᄂᆡ 말을 들을니 잇스리요. 너도 인졍이니 ᄌᆞ식을 ᄎᆞ마 역젹의 여당과 결혼코ᄌᆞ ᄯᅳ지 ᄂᆞ난냐?"

ᄐᆡ우 슬허 좌를 ᄲᅥ나 ᄃᆡ죄 왈,

"쇼ᄌᆡ 불초뭇[무]상(不肖無狀)633)ᄒᆞ와 ᄌᆞ졍을 효도로 밧드지 못ᄒᆞ온 죄난 슈ᄉᆞ는쇽(雖死難贖)634)이오며, 현ᄋᆞ로 ᄒᆞ여○[금] ᄒᆞ가의 셩혼키는 졀의을 완젼코져 ᄒᆞ오미니, ᄌᆞ아[ᄋᆡ]지졍(慈愛之情)니 업순 ᄇᆡ 아니로소이다. 하가의 지원극통(至冤極痛)ᄒᆞ믈 참혹히 긋기며635), 붕당(朋黨)과 친위(親友) 다 위ᄒᆞ여 앗기고 슬허ᄒᆞ는 ᄇᆡ여날, 자졍이 ᄎᆞ마 엇지 역젹의 여당(與黨)이라 ᄒᆞ시ᄂᆞ니잇고?"

부인니 노을 이긔지 못ᄒᆞ여 왈,

"칼을 들고 군상긔 다라드는 거시 쳔ᄒᆞ의 흉젹(凶賊)이 안니냐? 하가을 앗기는 거시 더부러 불츙무상(不忠無狀)ᄒᆞᆫ ᄇᆡ로다."

공이 날호여 됴부인긔 고 왈,

"ᄒᆞ공이 희쳔을 ᄉᆞ랑ᄒᆞ여 긔여(其女)와 졍혼ᄒᆞ엿던니, 이졔 여려[러] 쳘니(千里)의 왕반(往返)니 어렵습고, 냥가 인ᄉᆞ을 아지 못ᄒᆞ오니 미리 희쳔의 빙폐(聘幣)을 보ᄂᆡ고져 ᄒᆞ옵ᄂᆞ니 죤슈(尊嫂)난 명쥬일쌍(明珠一雙)을 ᄂᆡ여 쥬쇼셔."

죠부인이 션연(嬋娟)니636) 응ᄃᆡ(應對)ᄒᆞ고, 이러 침쇼의【44】 가ᄆᆡ, ᄐᆡ부인니 희텬의 혼인은 아모 ᄃᆡ 참혹ᄒᆞᆫ ᄃᆡ라도 지ᄂᆡᄂᆞ 놀나오미 업는 고로 말닐 의ᄉᆞ 업ᄉᆞ니, ᄐᆡ우 ᄯᅩ 고ᄒᆞ여 왈,

"뉴시 냥ᄋᆞ을 ᄉᆡᆼ한 십년의 ᄉᆡᆼ순 길히 업ᄉᆞ오ᄆᆡ 소ᄌᆞ의 후ᄉᆞ(後嗣)을 의탁할 고지 업ᄉᆞ오니 희텬으로 계후(繼後)을 졍ᄒᆞᄂᆞ이

633)불초무상(不肖無狀) : 못나고 어리석을 뿐 아니라 아무렇게나 행동하여 버릇이 없음.

634)슈ᄉᆞ는쇽(雖死難贖) : 죽도록 갚아도 다 갚지 못함.

635)긋기다 : 궂기다. 일에 헤살이 들거나 장애가 생기어 잘되지 않다.

636)션연(嬋娟)니 : 선연(嬋娟)히. 좋은 얼굴빛으로.

태부인이 바야흐로 조시 모ᄌᆞ를 죽이믈 도모홀 즈음의 ᄎᆞ언을 듯고 블열통ᄒᆡ(不悅痛駭) 왈,

"네 날을 남ᄀᆞᆺ치 녁이니 범간(凡間) 대ᄉᆞ를 닐너 무엇ᄒᆞ리오, 다만 뉴현뷔 ᄉᆞ십이 머럿고 단산(斷産)ᄒᆞ믈 아지 못ᄒᆞ니 희ᄋᆞ로 계후(繼後)ᄒᆞ엿다가 뉴시 ᄉᆡᆼᄌᆞ(生子)ᄒᆞ면 엇지려 ᄒᆞᄂᆞ뇨?"

태위 왈,

"만일 ᄉᆡᆼᄌᆞᄒᆞᆫ 즉, 희ᄋᆞ로 댱ᄌᆞ(長子)를 삼을지니 엇지 의논【35】ᄒᆞ리잇고? 쇼ᄌᆡ 텬ᄋᆞ를 뎡ᄒᆞ연지 오ᄅᆡ오ᄃᆡ 토셜(吐說)이 금고(今古) 처음이라. ᄌᆞ젼의 고ᄒᆞ고 종용이 예부(禮部)의 졍문(呈文)616)ᄒᆞ여 셰상이 다 알게 ᄒᆞ려 ᄒᆞᄂᆞ이다.

뉴시 태우의 고집을 알거니, ᄋᆡ둛고 분ᄒᆞ미 고ᄃᆡ 희텬을 죽여 공의 ᄇᆞ라믈 ᄭᅳᆫ고져 ᄒᆞ나 득지 못ᄒᆞ고, 공교로온 의ᄉᆡ 밧그로 극진히 어진 쳬ᄒᆞ여 공으로 의심치 아니케 ᄒᆞ고, 가마니 희텬을 죽이고져 ᄒᆞ여 믄득 탄식고, 태부인긔 고왈,

"쳡이 젹앙(積殃)이 듕ᄒᆞ와 ᄒᆞᆫ낫 농장지경(弄璋之慶)617)이 업ᄉᆞ오니 군ᄌᆞ의 계후코져 ᄒᆞ오미 맛당ᄒᆞ온지라. 조형(曹兄)의 ᄉᆡᆼᄋᆞ 엇지 쳡의 긔츌(己出)이나 다르리잇가? 쳡이 비록 ᄉᆡᆼ남ᄒᆞ나 희텬 ᄀᆞᆺ기를 바라지 못ᄒᆞ오리니 일즉이 뎡ᄒᆞ오미 됴홀가 ᄒᆞᄂᆞ이다."

태부인이【36】 뉴시의 말인 즉 긔특이 녁이ᄂᆞᆫ디라 반ᄃᆞ시 묘계 이셔 져러틋 ᄒᆞᄂᆞᆫ도다 ᄒᆞ여 깃거 쾌허 왈,

"나ᄂᆞᆫ 현뷔 ᄉᆡᆼ남ᄒᆞ믈 ᄇᆞ라고 일즉 뎡ᄒᆞ믈 블쾌ᄒᆞ더니 현부의 ᄠᅳᆺ이 여ᄎᆞᄒᆞ고 쉬 구지 뎡ᄒᆞ니 내 엇디 막으리오."

공이 ᄀᆞᆺ장 깃거 ᄇᆡ샤이퇴(拜辭而退)618)ᄒᆞ니, 조부인이 명쥬를 외헌으로 ᄂᆡ여보ᄂᆡ니,

616)졍문(呈文) : 하급 관아에서 상급 관아로 올리는 공문(公文).

617)농장지경(弄璋之慶) : 아들을 낳은 경사. 예전에, 중국에서 아들을 낳으면 구슬을 장난감으로 주었다는 데서 유래한 말.

618)ᄇᆡ샤이퇴(拜辭而退) : 절하여 사례하고 물너남.

다."

ᄐᆡ부인니 바야흐로 조시 모ᄌᆞ을 쥭이려 할 즈음의 ᄎᆞ언을 듯고 불열통흉(不悅痛凶)637) 왈,

"네 날을 남가치 녁이니 범간(凡間) ᄃᆡ소ᄉᆞ을 일너 무엇 ᄒᆞ리오마ᄂᆞᆫ, 뉴현뷔 아직 ᄉᆞ십이 머럿고 단손(斷産)ᄒᆞ믈 아지 못ᄒᆞ니 희아을 계후(繼後)ᄒᆞ엿다가 뉴시 ᄉᆡᆼ남(生男)ᄒᆞ면 엇지려 ᄒᆞᄂᆞᆫ다?"

공이 ᄃᆡ왈,

"유시 ᄉᆡᆼ남할 길도 업습거니와 만일 ᄉᆡᆼ남ᄒᆞ여도, 희아로 장ᄌᆞ(長子)을 숨을 거시오니 엇지 다시 의논할 ᄇᆡ리잇고? 소ᄌᆡ 희ᄋᆞ로 졍ᄒᆞ온지 오ᄅᆡ오ᄃᆡ 토셜(吐說)이 오날 쳐음이라. ᄌᆞ졍긔 고ᄒᆞ고 조용히 네부의 문셔을 ᄂᆡ여 셰상이 알게 ᄒᆞ오려 ᄒᆞᄂᆞ니다."

뉴시 ᄐᆡ우 고집을 졍ᄒᆞᆫ 후ᄂᆞᆫ 곳치지 못ᄒᆞ믈 아ᄂᆞᆫ 고로 잠잠ᄒᆞ나 분긔 ᄐᆡᆼ즁(撑中)ᄒᆞ더라.

됴부인이 '도군빙(道君聘)'이라 쓴 명쥬 ᄒᆞᆫ쌍을 ᄇᆡ로 외현(外軒)으로 보ᄂᆡ니, 공이 즉시 혼셔을 일우어 쓸ᄉᆡ, 양 공ᄌᆡ 좌○[우]의【45】셔 잠간 보ᄆᆡ, 공의 '게ᄌᆞ(繼子) 희텬'이라 ᄒᆞ여 혼셔을 일우ᄂᆞᆫ지라. 광

637)불열통흉(不悅痛凶) : 심히 불쾌하고 흉히 여김.

태위 즉시 혼셔(婚書)를 쁠ᄉᆡ, 냥공ᄌᆡ 좌우의셔 잠간 보니 공이 '복지ᄌᆞ(僕之子) 희린[텬]'이라 쁘ᄂᆞᆫ지라. 광텬이 눈으로 희텬을 보아 놀나믈 마지 아니ᄒᆞ니, 이ᄂᆞᆫ 뉴시 ᄌᆞᄀᆡ 등이 복듕의 이실 졔도 독약으로ᄡᅧ 모ᄌᆞ(母子)를 죽이려 ᄒᆞ던 악심(惡心)이어든, 그 양ᄌᆡ(養子)되ᄆᆡ 더옥 믜워ᄒᆞ【37】믈 보지 아냐 알지라. ᄎᆞ공ᄌᆞᄂᆞᆫ 눈을 낫초아 무ᄉᆞ무려(無思無慮)ᄒᆞᆫ ᄃᆞᆺᄒᆞ더라. 공이 쓰기를 다ᄒᆞ고 니르ᄃᆡ,

"하공은 션형(先兄)과 나의 문경지괴(刎頸之交)라. 이졔 원억(冤抑)히 찬뎍(竄謫)ᄒᆞ니, 여등(汝等)이 년유(年幼)ᄒᆞ나 잠간 가ᄇᆡ별(拜別)ᄒᆞ미 올흐니, 내 뒤흘 좃ᄎᆞ라."

냥공ᄌᆡ 응명ᄒᆞᄆᆡ, 공이 명쥬와 혼셔를 가지고 냥공ᄌᆞ를 거나려 문외로 가 하공을 볼ᄉᆡ, 냥공ᄌᆡ ᄇᆡ례ᄒᆞ니, 그 ᄉᆞ이 신당이 유여(裕餘)ᄒᆞ고 풍광(風光)이 동탕(動蕩)ᄒᆞ여시니, 하공이 밧비 나호여 집슈(執手) ᄋᆡ경 왈,

"오륙삭지ᄂᆡ(五六朔之內)의 이러ᄐᆞᆺ 댱셩ᄒᆞ여시니 엇지 ᄀᆡ특지 아니리오."

냥공ᄌᆡ ᄉᆞ샤(謝辭)ᄒᆞ고 그 화란을 티위(致慰)ᄒᆞᄆᆡ, 언ᄉᆡ 간졀ᄒᆞ고 위곡(委曲)ᄒᆞᆫ 졍셩이 나타【38】나니, 하공이 더옥 ᄀᆡ특이 넉이더라.

윤공이 혼셔와 명듀를 하공ᄀᆡ 젼ᄒᆞ니 공이 펴보고 경문 왈,

"형이 엇지 져믄 나히 믄득 계후(繼後)ᄒᆞ여 망단(望斷)[619]ᄒᆞᆫ 사ᄅᆞᆷ ᄀᆞᆺ치 ᄒᆞᄂᆞ뇨?"

태위 미쇼 왈,

"내 비록 늙지 아냐시나 ᄉᆡᆼ남ᄒᆞ믈 바라지 아냐 희ᄋᆞ로 신후(身後)를 닛고져 ᄒᆞ미 졍히 구의(久矣)라. 형이 엇지 놀나ᄂᆞ뇨?

619)망단(望斷) : 희망이 끊김. 바라던 일이 실패함.

텬니 눈으로 희텬을 보와 놀나물 마지 아니니, 이ᄂᆞᆫ 뉴시 악심(惡心)을 졍ᄒᆞ믈 발히[638] 알고, ᄌᆞᄀᆡ 형졔 복즁의 잇실 졔(際)도 독약을 시험ᄒᆞ여 모ᄌᆞ을 다 죽이려ᄂᆞᆫ 마음으로ᄡᅧ, 그 양ᄌᆡ 되ᄆᆡ 더옥 미워ᄒᆞ믈 보지 안냐 알지라. 연고(然故)로 일공ᄌᆞ(一公子)ᄂᆞᆫ 경악ᄒᆞ되, 이공자(二公子)ᄂᆞᆫ 머리을 슉겨 무ᄉᆞ무레[려](無思無慮)한 듯○○○[ᄒᆞ더라]. 공이 쓰기을 맛고 일오ᄃᆡ,

"ᄒᆞ공은 션형(先兄)과 나의 문경지교(刎頸之交)라, 이졔 원억(冤抑)히 촉지(蜀地)의 찬젹(竄謫)ᄒᆞ니, 여등(汝等)이 나히 어려 인ᄉᆞ을 출히ᄂᆞᆫ ᄯᆡ 아니ᄂᆞ, 잠간 ᄇᆡ현(拜見)ᄒᆞ미 올흔니, ᄂᆡ 뒤흘 조ᄎᆞ라."

양공ᄌᆡ 응명ᄒᆞᄆᆡ 공이 혼셔와 명쥬을 ᄒᆞ리(下吏)로 들니고, 냥공ᄌᆞ을 거나려 문외로 나와 ᄒᆞ공을 볼 ᄉᆡ, 광텬 형졔 나아가 ᄂᆞ작이 ᄇᆡ현ᄒᆞ니, 그 신ᄌᆞᆼ이 더 ᄌᆞ라고 풍광(風光)이 더옥 동탕(動蕩)ᄒᆞ야 ᄀᆡ이ᄒᆞᆫ지라. ᄒᆞ공이 급히 숀을 잡고 ᄋᆡ련(愛戀)ᄒᆞ믈 이ᄀᆡ지 못ᄒᆞ여 왈,

"오륙삭지ᄂᆡ(五六朔之內)의 이러틋 장셩ᄒᆞ여스니 엇지 ᄀᆡ특지 안니리오. 너희 형졔ᄂᆞ의 화란을 ᄯᆞᄒᆞᆫ 아ᄂᆞᆫ ᄇᆡ냐?"

공ᄌᆡ ᄉᆞᄉᆞ(謝辭)ᄒᆞ고 인ᄒᆞ여 그 화란을 치위(致慰)ᄒᆞᄆᆡ, 언ᄉᆡ 비졀(悲絶)ᄒᆞ야 위곡(委曲)ᄒᆞᆫ 졍셩이 나타ᄂᆞᆯ 분 안냐, 노셩(老成)ᄒᆞᆫ 장【46】ᄌᆞ(長子)의 지ᄂᆞ미 잇스니, ᄒᆞ공이 더욱 ᄀᆡ히이 역여 눈물을 흘여 ᄃᆡ답ᄒᆞ더라.

윤공이 명쥬와 혼셔을 ᄒᆞ공의게 젼ᄒᆞ니 공이 혼셔을 페[펴] 보고 경문 왈,

"형이 엇지 져문 나희 게후(繼後)ᄒᆞ여 망단(望斷)ᄒᆞᆫ 말을 ᄒᆞ나뇨?"

ᄐᆡ위 미소 왈,

"ᄂᆞ히 비록 늑지[639] 안냐스나 바라지 안냐 발셔 희텬으로 신후(身後)을 의탁고져 ᄒᆞ연지 오ᄅᆡᆫ지라. 형이 엇지 놀나ᄂᆞᆫ뇨?"

638)발히 : 밝히.
639)늑지 : 늙지.

하공 왈,

"굿ᄐᆞ여 말니든 아니나 너모 니른가 ᄒᆞ노라."

윤공 왈,

"이 말은 날회고 명듀를 녕ᄋᆞ의게 젼ᄒᆞ여 심댱(深藏)케 ᄒᆞ라. 형의 월패(月佩)와 오가(吾家) 명듀ᄂᆞᆫ 듕ᄒᆞᆫ 보ᄇᆡ라."

ᄒᆞ니 하공이 명듀를 ᄂᆡ여보고 탄왈,

"다시 이 월패와 명듀 어들 젹 ᄀᆞᆺ치 즐길 씌 업ᄉᆞ리로다."

윤공이【38】 ᄯᅩᄒᆞᆫ 형댱을 ᄉᆡᆼ각고 취감(惆憾)ᄒᆞ믈 마디 아니터라.

일모(日暮)ᄒᆞᄆᆡ 광텬 등이 하흑ᄉᆞ 녕구(靈柩)의 ᄇᆡ곡(拜哭)ᄒᆞ고 하공긔 험노관산(險路關山)의 무고히 득달ᄒᆞ시믈 ᄇᆡ샤하딕(拜謝下直)ᄒᆞ니 하공이 집슈년년(執手戀戀)ᄒᆞ여 희텬다려 왈,

"녕엄(令嚴)이 내 집 참화를 블고(不顧)ᄒᆞ고 피ᄎᆞ ᄌᆞ녀 혼취를 뎡약(定約)ᄃᆡ로 ᄒᆞ고져 ᄒᆞ니, 타일 다시 볼가 ᄒᆞ노라."

공ᄌᆡ 유연ᄇᆡ샤(悠然拜辭)620)ᄒᆞ고 형으로 더브러 도라가니, 태우ᄂᆞᆫ 냥ᄌᆞ를 보ᄂᆡ고 ᄎᆞ야를 뎡공과 님공으로 더브러 하공을 위로ᄒᆞ며 니졍(離情)을 니를ᄉᆡ, 명됴의 발ᄒᆡᆼ(發行)ᄒᆞᆫ 후 만날 지속(遲速)이 업ᄉᆞ믈 탄ᄒᆞ여, 이러틋 달야(達夜)ᄒᆞᄆᆡ ᄎᆡ관(差官)이 ᄒᆡᆼ거(行車)를 ᄌᆡ촉ᄒᆞᄂᆞᆫ지라. 하공이 삼ᄌᆞ의 관을 두ᄃᆞ【40】려 호텬통곡(呼天痛哭)ᄒᆞ여 운절(殞絶)ᄒᆞ니, 삼공이 구호관위(救護寬慰)ᄒᆞ여 계오 진뎡ᄒᆞᄆᆡ, 다시 님시의 관을 어로만져 일장을 ᄋᆡ통ᄒᆞ고, 비로소 승도(承道)ᄒᆞᆯᄉᆡ, 친붕족당(親朋族黨)이 모다 니졍을 년년(戀戀)ᄒᆞ고 은ᄉᆡ(恩赦) 슈히 나리믈 원ᄒᆞ니, 공이 츄연(惆然) ᄉᆞ샤 왈,

620)유연ᄇᆡ샤(悠然拜辭) : 침착하게 절하여 사례함.

ᄒᆞ공이 황,

"구지 졍ᄒᆞ여시면 만일 ᄇᆡ약든 못ᄒᆞ련니와 너머 일즉 ᄒᆞᆫ가 ᄒᆞ노라."

ᄐᆡ우 왈,

"부졀업ᄉᆞᆫ 말을 말고 명쥬을 영ᄋᆞ의게 보ᄂᆡ여 심즁(深藏)케 ᄒᆞ라. 형가 월ᄑᆡ(月佩)와 오가 명쥬ᄂᆞᆫ 심상ᄒᆞᆫ 보ᄇᆡ 아니라. 용이 ᄇᆡ가온ᄃᆡ 이르러 젼ᄒᆞᆫ 거시니 범연ᄒᆞᆫ 보ᄇᆡ 아니라. 엇지 ᄒᆞ날이 명ᄒᆞ신 ᄇᆡ 아니리오."

ᄒᆞ공이 명쥬을 ᄂᆡ여 보고 감회ᄒᆞ여 탄왈,

"명쥬와 보ᄑᆡ을 어들 젹 갓치 다시 어더 볼 길이 업도다."

ᄐᆡ위 ᄯᅩᄒᆞᆫ 망형을 ᄉᆡᆼ각고 츄감ᄒᆞ믈 이긔지 못ᄒᆞ더라.

날이 져믈ᄆᆡ 광텬 등이 ᄒᆞ학ᄉᆡ 등 영구(靈柩)의 ᄇᆡ곡(拜哭)ᄒᆞ고 하공긔 험노관ᄉᆞᆫ(險路關山)의 무ᄉᆞ히 득달ᄒᆞᄉᆞ 길리 안강(安康)ᄒᆞ오시믈 쳥ᄒᆞ고, 이러 ᄇᆡ별ᄒᆞ니 ᄒᆞ공이 집슈연연(執手戀戀)ᄒᆞ믈 마지 안냐, 희텬다려 왈,

"영【47】엄(令嚴)니 ᄂᆡ집 참화을 불념(不念)ᄒᆞ고, 피ᄎᆞ ᄌᆞ녀로 혼취을 긔약(期約)ᄒᆞ여 납빙(納聘)가지 ᄒᆞ여시니, 타일 너을 다시 볼가 ᄒᆞ노라."

공ᄌᆡ 오직 ᄇᆡᄉᆞ(拜辭)ᄒᆞ고 형으로 더부러 본부로 도라오니라. ᄐᆡ우ᄂᆞᆫ 양 공ᄌᆞ을 보ᄂᆡ고 ᄎᆞ야을 뎡공과 님시랑으로 더부러 ᄒᆞ공을 위로ᄒᆞ여 니졍(離情)을 펼ᄉᆡ, 명죠ᄂᆞᆫ 발ᄒᆡᆼ할지라. 참연ᄒᆞᆫ 졍을 이긔지 못ᄒᆞ여 달촉게명(達燭鷄鳴)640)의 니르도록 회포을 폐다가, 즘간 졉목(接目)ᄒᆞᄆᆡ 임의 날이 발그니, ᄎᆡ관(差官)니 ᄒᆡᆼ거을 ᄌᆡ촉ᄒᆞ난지라. ᄒᆞ공이 이러나 ᄉᆞᆷᄌᆞ의 관(棺) 압ᄑᆡ 가 방셩ᄃᆡ곡(放聲大哭) 왈,

"너희 관을 붓드러 션ᄉᆞᆫ의 뭇지 못ᄒᆞ고 촉지로 가나니, 이 심ᄉᆞ을 엇지 ᄒᆞ라고 ᄒᆞ나뇨? 여부의 젹앙(積殃)으로써 너의을 ᄎᆞᆷ망ᄒᆞ고, 신체을 궁지(窮地)의 즁(葬)ᄒᆞᄂᆞᆫᄃᆡ도 부모 동기 가 보지 못ᄒᆞ니, 명명지즁(冥

640)달촉게명(達燭鷄鳴) : 날이 밝아 닭 울음소리가 들림.

"누인(陋人)이 참화여ᄉᆡᆼ(慘禍餘生)으로 일명이 지연(遲延)홈도 텬은(天恩)이 망극ᄒᆞ미어늘 환쇄(還刷)키를 엇지 ᄇᆞ라리오."

님시랑을 향왈(向曰),

"현부(賢婦)와 ᄋᆞᄌᆞ 등의 쟝ᄉᆞ(葬事)ᄂᆞᆫ 형과 윤·뎡 냥형을 밋ᄂᆞ니 엇지 쇼뎨(小弟) 친집(親執)홈과 다ᄅᆞ리오마ᄂᆞᆫ 부ᄌᆞ졍니(父子情理)의 보지 못ᄒᆞ니 심ᄉᆡ여할(心思如割)621)홀 ᄲᅳᆫ이로다.

삼공이 ᄌᆡ삼 위로(慰勞) 분슈(分手)홀ᄉᆡ 하공이 샹마(上馬)ᄒᆞ기의 당ᄒᆞ여ᄂᆞᆫ, 일만 비원(悲怨)이 ᄎᆞᆫ장을 상ᄒᆡ(傷害)오니 누싊(淚水) 하슈(河水)를 쳠(添)ᄒᆞ여 댱부의 긔운이 셜【41】셜ᄒᆞ고, 영웅의 긔운이 ᄎᆞ악(嗟愕)ᄒᆞ니, 참지 못ᄒᆞ여 삼공을 븟드러 일장(一場)을 엄읍(掩泣)ᄒᆞ고, 하운을 머므러 소쥐가 삼ᄌᆞ를 쟝ᄒᆞᆫ 후 목쥬(木主)를 셔쵹(西蜀)으로 반우(返虞)622)ᄒᆞ려 ᄒᆞ더라.

621)심ᄉᆡ여할(心思如割) : 마음이 칼로 베어내는 듯이 아프다.

622)반우(返虞) : =반혼(返魂). 장례 지낸 뒤에 신주

冥之中)이ᄂᆞ 정영(精靈)니 운쇼(雲宵)의 슬피 울어, 원억ᄒᆞᆫ 영ᄇᆡᆨ(靈魄)이 쳔ᄃᆡ지ᄒᆞ(泉臺之下)641)의 눈물을 ᄲᅮ리지 아니ᄒᆞ랴."

언파의 ᄉᆞᆫ으로 가ᄉᆞᆷ을 치며 인ᄉᆞ을 ᄎᆞ리지 못ᄒᆞ니, 윤·뎡 냥공과 님시랑이 붓드러 위로{케}ᄒᆞ며, 님시 관을 두다려 참통호곡(慘痛號哭)ᄒᆞ고 비로셔 발힝ᄒᆞ려 ᄒᆞ니, 일가족당(一家族黨)이 일시의【48】 모여 니졍(離情)의 슬푸믈 이르고 은ᄉᆞ(恩赦)을 입어 슈이 환쇄(還刷)ᄒᆞ믈 원ᄒᆞ니 공이 츄연(惆然) ᄉᆞᄉᆞ(謝辭) 왈,

"누인(陋人)의 ᄎᆞᆷ화여ᄉᆡᆼ(慘禍餘生)이 셩쥬(聖主)의 회ᄉᆡᆼ특은(回生特恩)을 입ᄉᆞ와 일명을 보젼ᄒᆞᄂᆞ, 엇지 감히 다시 환쇄을 바라리오. 원컨ᄃᆡ 열위(列位) 존공이 존가(尊駕)를 굴(屈)ᄒᆞᄉᆞ 누인을 보ᄂᆡ시니, 은혜(恩惠) 감격ᄒᆞ나 불안ᄒᆞ믈 니긔지 못ᄒᆞ나니, 청운(靑雲)642)과 ᄇᆡᆨ운(白雲)643)이 길이 다르고, 누인니 열위 졔공으로 후회(後會)을 긔약지 못ᄒᆞ나니, 바라건ᄃᆡ 영복(榮福)을 기리 누려 ᄐᆡ평을 안낙(安樂)ᄒᆞ쇼셔."

제인니 휘류[루](揮淚)ᄒᆞ여 면면(面面)니 슬프믈 씌엿고, 하공이 님시랑을 ᄃᆡᄒᆞ여 왈,

"현부(賢婦)와 돈아(豚兒) 등의 ᄌᆞᆼᄉᆞ(葬事)ᄂᆞᆫ 형과 뎡·윤 양○[공]으로 밋고 가ᄂᆞᆫ니, 엇지 소져[제](小弟) 친집(親執)ᄒᆞ니와 다르리오마ᄂᆞᆫ, 림ᄌᆞᆼ(臨葬)의 통원(痛寃)을 펴지 못ᄒᆞ고 쵹지(蜀地)로 힝ᄒᆞᄂᆞᆫ 심ᄉᆞ여할(心事如割)644)홀 분이로다."

님·뎡·윤 삼공이 위로ᄒᆞ여 상마(上馬)ᄒᆞ기을 당ᄒᆞ여ᄂᆞᆫ, 가ᄂᆞᆫ 마음이 일만 가지 비원(悲怨)을 품어 ᄎᆞᆫᄌᆞᆼ(寸腸)이 ᄉᆞ희고645)

641)쳔ᄃᆡ지ᄒᆞ(泉臺之下) : 저승.

642)청운(靑雲) : '푸른 빛깔의 구름'이란 뜻으로, 높은 지위나 벼슬 따위를 추구하는 세속적 삶을 비유적으로 이르는 말.

643)ᄇᆡᆨ운(白雲) : '색깔이 흰 구름'이란 뜻으로, 속세를 떠나 부나 명예와 같은 현실적인 이익을 추구하는 마음으로부터 벗어난 탈속적 삶을 비유적으로 이르는 말

644)심ᄉᆞ여할(心事如割) : 마음이 칼로 베어내는 듯이 아프다

645)ᄉᆞ희다 : 사위다. 삭다. 다 타서 재가 되다.

원광남ᄆᆡ 가ᄉᆞ를 쳐치ᄒᆞ고 모부인을 뫼셔 발힝ᄒᆞ려 ᄒᆞᆯ시, 됴부인이 혹ᄉᆞ 등의 방의가 호곡(號哭)ᄒᆞ여 ᄎᆞ마 ᄯᅥ나지 못ᄒᆞ니, 공지 붓드러 거륜(車輪)의 올니고, 비복을 거ᄂᆞ려 셔흐로 힝ᄒᆞ니, 윤·뎡·님 삼공이 하공의 힝거(行車)를 ᄇᆞ라 초챵(怊悵)ᄒᆞ더니, 공ᄌᆞ의 모친을 호힝ᄒᆞ여 ᄯᅥ나믈 보고 손을 잡아 무ᄉᆞ득달ᄒᆞ믈 당부ᄒᆞ니, 공지 오열 왈,

"인졍텬니(人情天理)의 망극ᄒᆞ믈 엇지 견ᄃᆡ리잇고. 환난여ᄉᆡᆼ(患難餘生)이 텬일(天日) 보믈 긔필치 못ᄒᆞᄋᆞᆸᄂᆞ니 삼위 년【42】슉 대인(緣叔大人)은 만슈무강ᄒᆞ쇼셔."

뎡·님 냥공은 츄연타루(惆然墮淚)ᄒᆞ고 윤공은 집슈뉴톄(執手流涕) 왈,

"녕엄(令嚴)이 슈히 은샤를 닙지 못ᄒᆞ나 슈년 후면 내 녀식(女息)을 거ᄂᆞ려 가리니 엇디 다시 보미 업ᄉᆞ리오. 모로미 비원(悲怨)을 억졔ᄒᆞ여 병을 닐위지 말나."

공지 ᄇᆡ샤하딕(拜謝下直)고 부모를 호힝ᄒᆞ니 삼공이 그 먼니 가도록 ᄇᆞ라다가 츄연이 타루ᄒᆞ고, 하운으로 ᄒᆞ여금 녕구를 직희오고 각각 환귀기가(還歸己家)ᄒᆞ니라.

윤공이 ᄯᅳᆺ을 결ᄒᆞ여 녜부(禮部)의 고ᄒᆞ고,

(神主)를 집으로 모셔 오는 일.

보ᄂᆡᄂᆞᆫ 눈물니 ᄒᆞ슈(河水) 갓트여 장부의 긔운니 셜셜ᄒᆞ고, 영웅의 회포 ᄎᆞ악(嗟愕)ᄒᆞ니 ᄎᆞᆷ지 못ᄒᆞ여, 윤·뎡·님 ᄉᆞᆷ 공이 ᄒᆞ공을 붓들고 일ᄌᆞᆼ(一場)을 통곡ᄒᆞ여 이별ᄒᆞ니, ᄒᆞ운【49】은 머무러 소쥐로 가 ᄉᆞᆷ학ᄉᆞ의 ᄌᆞᆼᄉᆞ을 지ᄂᆡ고 목쥬(木主)을 셔쵹(西蜀)의 두고 오려 ᄒᆞ더라.

원광은 영쥬 쇼져로 더부러 가ᄉᆞ을 쳐치ᄒᆞ고 모친을 뫼시고 발힝ᄒᆞ려 할 싀, 됴부인이 학ᄉᆞ 등 신톄의 실셩통곡ᄒᆞ여 ᄎᆞ마 ᄯᅥᄂᆞ지 못ᄒᆞ니, 모다 부인을 붓드러 거즁(車中)의 올니고, 소ᄆᆡ(小妹)을 교ᄌᆞ의 드리ᄆᆡ, 시녀노복을 거나려 힝ᄒᆞ니, 윤·뎡·님 ᄉᆞᆷ 공이 하공의 상마(上馬)을 바라보아 비ᄎᆞᆼ(悲愴)ᄒᆞᆫ 심ᄉᆞ을 억졔치 못ᄒᆞ다가, 공ᄌᆞ의 그 모친을 호힝ᄒᆞ여 포홀(飄忽)이 힝ᄒᆞ믈 보고, 쳥ᄒᆞ여 두어 마ᄃᆡ 말을 펴 원노험지의 무ᄉᆞ히 득달ᄒᆞ믈 당부ᄒᆞ니, 원광이 쳬읍ᄇᆡᄉᆞ(涕泣拜謝) 왈,

"ᄉᆞᆷ위 연슉(緣叔)의 ᄃᆡ은으로 망형(亡兄)과 망슈(亡嫂)을 닙념(入殮)ᄒᆞ고 장ᄉᆞ(葬事)을 다 밋ᄉᆞ와 부모 동긔도 모로는 드시 셔(西)흐로 향ᄒᆞ오니, 쳔니인졍(天理人情)의 망극통졀ᄒᆞ오미 어이 비길 곳지 잇시리가? ᄎᆞᆷ화여ᄉᆡᆼ이 쳔일(天日)을 다시 볼 시졀이 업ᄉᆞ오니 ᄉᆞᆷ위 연슉은 만슈무강ᄒᆞ오심물 ᄇᆞ라ᄂᆞ니다."

뎡·님 양 공은 츄연타류[루](惆然墮淚)ᄒᆞ고 윤공은 집슈유쳬(執手流涕) 왈,

"영엄(令嚴)이 슈이 은ᄉᆞ을 입습지 못ᄒᆞ면, 슈년 후 ᄂᆡ 여식(女息)을 거나【50】려 가리니 엇지 다시 보미 업다 ᄒᆞᄂᆞ뇨? 모로미 비원(悲怨)을 억졔ᄒᆞ여 병을 이루지 말나."

공지 ᄇᆡᄉᆞᄒᆞ직(拜謝下直)ᄒᆞ고 부모을 효[호]힝ᄒᆞ여가니 ᄉᆞᆷ공이 멀니 가도록 바라다가 츄연니 타류[루]ᄒᆞ고, ᄒᆞ운으로 ᄒᆞ여금 영구을 직희오고 각각 환기가(還己家) ᄒᆞ니라.

윤공이 ᄯᅳ즐 결ᄒᆞ여 녜부(禮部)의 고ᄒᆞ고 족당(族黨)을 쳥ᄒᆞ여 회텬으로 계후(繼後)ᄒᆞ

족친(族親)을 청ᄒᆞ여 희텬으로 계후(繼後)ᄒᆞ게 ᄒᆞ니, 조부인이 말니지 못ᄒᆞ나 뉴시의 심의(心意)를 아ᄂᆞᆫ 고로, 념네 가득ᄒᆞ여 타일 ᄋᆞᄌᆞ의 신셰 엇더ᄒᆞᆯ고 회푀 만단(萬端)ᄒᆞ니 명ᄋᆞ【43】쇼졔 모친 심우(心憂)를 알고 화평이 위로ᄒᆞ더라.

뉴시 희텬으로 ᄋᆞᄃᆞᆯ을 완뎡(完定)ᄒᆞᄆᆡ, 것ᄎᆞ로 ᄌᆞᄋᆡ근근(慈愛勤勤)ᄒᆞ여 귀듕ᄒᆞᄂᆞᆫ 거동을 태위 보게 ᄒᆞ니, 공은 소활(疎豁)ᄒᆞᆫ디라. 그 흉악을 모로고 인지상졍(人之常情)으로 아라 근심치 아니니, 희텬이 홀노 견ᄃᆡ지 못ᄒᆞᆯ 경계(境界)를 당ᄒᆞ니, 엇지 잔잉치 아니리오. 뉴시 희텬을 친ᄌᆞ식을 삼안지 슈슌(數旬)의 공ᄌᆞ 동동쵹쵹(洞洞屬屬)ᄒᆞᆫ 효셩이 싱모의 감(減)ᄒᆞ미 업ᄉᆞ나, 뉴시 고요ᄒᆞᆫ ᄯᅢ와 이목이 업ᄉᆞᆫ 즉 공ᄌᆞ를 블너 만단슈죄(萬端數罪) 왈, '십셰젼 쇼ᄋᆡ(小兒)) 간흉요악(奸凶妖惡)ᄒᆞ여 태우긔 ᄆᆡ양(每樣) 참소ᄒᆞ여 부모를 불화케 ᄒᆞᆫ다.' ᄒᆞ여 혹 ᄌᆞ가를 욕살지의(慾殺之意) 이셔 간계(奸計)를 싱각ᄂᆞᆫ다 ᄒᆞ여, 그 몸을 혜지 아니코 강악(强惡)ᄒᆞᆫ【44】 힘을 다ᄒᆞ여 치ᄃᆡ, 그 낫츨 상치 아니케 ᄒᆞ여 태위 모로게 ᄒᆞ니, 공ᄌᆞ 구셰치ᄋᆡ(九歲稚兒)로ᄃᆡ 사ᄅᆞᆷ되오미 셩회(誠孝) 츌텬(出天)ᄒᆞ고 역냥이 하히(河海) ᄀᆞᆺᄐᆞ니, 양모의 간험(姦險)ᄒᆞ믈 모르지 아니ᄃᆡ, 셩효를 다ᄒᆞ여 감동ᄒᆞ기를 ᄇᆞ랄 ᄲᅳᆫ이오, 일호(一毫) 질원(疾怨)치 아니코, 싱모긔도 괴로오믈 고치 아니니, 조부인이 지극 총명ᄒᆞ고 광텬공직 남달니 신능(神能)ᄒᆞ나, 오히려 뉴시의 그ᄃᆡ도록 ᄒᆞ믈 모르니, ᄎᆞᄂᆞᆫ 뉴시 희텬을 칠 젹마다 사ᄅᆞᆷ이 보디 못ᄒᆞᄂᆞᆫ 곳의 가 치니 가듕(家中)이 모르더라. 공ᄌᆞ의 황황우구(惶惶憂懼)ᄒᆞ미 일야 방심치 아냐, 양모의 독ᄒᆞᆫ ᄆᆡ를 당ᄒᆞ면 알프미 극ᄒᆞ나 참기를 잘ᄒᆞ여, 화긔(和氣) 여젼ᄒᆞ니 그 심회를 알니 업더라.

윤【45】·뎡·님 삼공이 상의ᄒᆞ여 하혹ᄉᆞ의 쟝일(葬日)을 튁ᄒᆞ고, 쇼쥐로 네 상구를 발ᄒᆞᆯᄉᆡ, 쳔여리(千餘里) 도로의 초동(初冬)을 당ᄒᆞ여 한풍(寒風)이 쳐쳐(凄凄)ᄒᆞ고

니, 조부인니 말니지 못ᄒᆞ나 뉴시의 심의(心意)을 알고, 염네 가득ᄒᆞ여 타일 아ᄌᆞ의 신셰 엇지 할고 회포만단(懷抱萬端)ᄒᆞ니 명ᄋᆞ 쇼져 모친 심의을 알고 화평이 위로ᄒᆞ더라.

뉴시 희텬을 아달을 완졍ᄒᆞᄆᆡ 것츠로 ᄌᆞᄋᆡ근근(慈愛勤勤)ᄒᆞ여 ᄋᆡ즁ᄒᆞᄂᆞᆫ 거동을 ᄐᆡ우 보게 ᄒᆞ니, 공은 소활(疎豁)ᄒᆞᆫ지라. 그 흉악은 모로고 인지상졍(人之常情)으로 아라 조심치 아니니, 희쳔니 홀노 견ᄃᆡ지 못할 경계(境界)을 당ᄒᆞ니, 엇지 ᄌᆞᆫ잉치 아니리오. 희텬을 칭ᄌᆞ칭모(稱子稱母)ᄒᆞ연지 슈슌(數旬)의 공ᄌᆞ의 동동촉촉(洞洞屬屬)ᄒᆞᆫ 셩효 싱모와 간격이 업ᄉᆞᄃᆡ, 뉴시ᄂᆞᆫ 고요ᄒᆞᆫ ᄯᅢ을 타 희텬을 불너 슈죄(數罪)ᄒᆞ여 십셰젼 어린거시 간휼(奸譎)ᄒᆞ여 {양}양모(養母)을 뮈워ᄒᆞ여 ᄐᆡ우게 ᄎᆞᆷ쇼(讒訴)ᄒᆞ여 부모을 부란(不安)케 ᄒᆞᆫ다 ᄒᆞ며【51】 두다리ᄃᆡ, 오직 ᄐᆡ우 모르게 ᄒᆞ니, 공자 구셰로ᄃᆡ 위인이 셩효츌쳔(誠孝出天)ᄒᆞ고 역낭(力量)이 과인(過人)《ᄒᆞ여∥ᄒᆞ니》, 언급ᄒᆞ난 ᄉᆞ식(辭色)을 엇지 《알니오∥모로리오》. 황황(惶惶)ᄒᆞᆫ 근심이 쥬야의 방심치 못ᄒᆞ고, 양모의 장칙을 당ᄒᆞ면 알프믈 이긔지 못ᄒᆞ나 참긔을 졀ᄒᆞ여 긔위(氣威) 여젼ᄒᆞ니 그 심회(心懷)을 알니 업더라.

금평휘 윤·님 양 공으로 상의ᄒᆞ여 하혹ᄉᆞ 등의 ᄌᆞᆼ일(葬日)을 튁ᄒᆞ고, 쇼쥬로 상구을 발할ᄉᆡ, 도뢰 쳔여리(千餘里)라. ᄯᅢ 초동(初冬) 십월이라, 광풍(狂風)은 소슬ᄒᆞ여[646]

상셜(霜雪)이 비비(霏霏)ᄒᆞᆫ 듕, 붉은 명졍(銘旌)과 네 낫 상귀(喪柩) ᄒᆡᆼᄒᆞ니, 소조(蕭條)ᄒᆞ미 견ᄌᆞ(見者)로 ᄒᆞ여금 슬플지라. 발ᄒᆡᆼ 슌여(旬餘)의 소ᄌᆔ 니르러 뎡공이 본ᄃᆡ 디슐(地術)이 고명(高明)ᄒᆞᆫ 고로, 댱지(葬地)를 ᄐᆡᆨᄒᆞ여 냥ᄒᆞᆨᄉᆞ를 쟝(葬)ᄒᆞ고, 원경을 님시로 합폄(合窆)ᄒᆞᄆᆡ, 하공이 친집(親執)ᄒᆞ나 이에 더으지 못ᄒᆞᆯ지라. 목쥬를 하운이 호ᄒᆡᆼᄒᆞ여 쵹으로 향ᄒᆞᄆᆡ 삼공이 하공긔 평셔(平書)를 븟치고, 님ᄒᆡᆼ의 삼묘(三墓)의 크게 통곡ᄒᆞ니, 님공은 녀・셔(女・壻)를 일시의 쟝ᄒᆞ고 도라오ᄂᆞᆫ 심회(心懷) 여할(餘割)ᄒᆞ믄 인졍의 녜ᄉᆡ(例事)로ᄃᆡ, 뎡・윤 이【46】공은 친우지ᄌᆞ(親友之子)를 위ᄒᆞ여 여ᄎᆞᄒᆞ니, 삼ᄒᆞᆨᄉᆞ의 졍녕(精靈)이 이실진ᄃᆡ 구쳔지하(九泉之下)의 결초(結草)[623]ᄒᆞ믈ᄉᆞ양치 아닐너라. 삼공이 하운을 보ᄂᆡ고 경샤의 도라오니 그 ᄉᆞ이 일삭(一朔)이나 되엿더라.

ᄌᆡ셜, 하공부뷔 지원극통을 셔리담고 ᄇᆡ소로 향ᄒᆞᆯᄉᆡ, 잔도검각(棧道劍閣)[624]의 슈목(樹木)이 참텬(參天)[625]ᄒᆞ여, ᄇᆡᆨ쥬(白晝)라도 텬ᄉᆡᆨ(天色)을 보지 못ᄒᆞ고, 호표(虎豹)의 파람과 ᄉᆞ갈(蛇蝎)의 ᄌᆞ최 갓가이 빗최다가도, 하공ᄌᆡ 당젼(當前)ᄒᆞ여 길ᄒᆞᆯ 열면 다 스ᄉᆞ로 믈어가ᄂᆞᆫ지라. 일ᄒᆡᆼ제인(一行諸人)이 다 공ᄌᆞ의 범인이 아닌 줄 아라 위ᄐᆡ ᄒᆞᆫ 곳을 당ᄒᆞᆫ 즉 공ᄌᆞ긔 고ᄒᆞ니, 슌슌이 젼도를 당ᄒᆞ여 호표싀랑(虎豹豺狼)[626]을 보면 죽【47】이고져 ᄒᆞ나, ᄌᆞ긔 십일셰 ᄋᆞ동으로 화가여ᄉᆡᆼ이니 용녁(勇力)이 과인(過人)ᄒᆞ믈 간당이 드르면 반ᄃᆞ시 ᄒᆡᄒᆞᆯ 긔틀을 엿볼가 두리고, 부공(父公)이 ᄯᅩᄒᆞᆫ 살ᄉᆡᆼ을 금ᄒᆞ

623)결초(結草) : 결초보은(結草報恩)의 줄임말.

624)잔도검각(棧道劍閣) : 중국 사천성 검각현(劍閣縣)에 있는 잔도(棧道). '잔도'는 험한 벼랑 같은 곳에 선반처럼 달아서 낸 길로, 특히 검각현의 대검산 소검산 사이에 난 잔도는 험하기로 유명하다. '검각(劍閣)'은 지명(地名).

625)참텬(參天) : 하늘을 찌를 듯이 공중으로 높이 솟아서 늘어섬.

626)호표싀랑(虎豹豺狼) : 호랑이・표범・승냥이・이리를 아울러 이르는 말.

ᄉᆞᆸᄉᆞᆸᄒᆞ고[647] 상셜(霜雪)은 비비(霏霏)ᄒᆞᆫᄃᆡ, 쳐량ᄒᆞᆫ 불근 명졍(銘旌)은 압ᄒᆞᆯ 인도ᄒᆞ고, 네 상구ᄂᆞᆫ ᄒᆡᆼᄒᆞᄂᆞᆫ 바의 뎡・윤 니공이 뒤ᄒᆞᆯ 조차며, 복인(服人)은 님시랑・ᄒᆞ운 분니라. 소조(蕭條)ᄒᆞ미 슬푼 빗ᄉᆞᆯ 돕더라. ᄒᆡᆼᄉᆞᆼ(行喪)ᄒᆞ연지 슈월의 쇼ᄌᆔ 이르러 ᄉᆞᆫ지(山地)을 ᄐᆡᆨᄒᆞ여 장ᄉᆞᄒᆞ고, 목쥬을 ᄒᆞ운니 호ᄒᆡᆼᄒᆞ여 셔쵹으로 향ᄒᆞᄆᆡ, ᄉᆞᆷ공이 ᄒᆞ공게 셔간을{을} 붓치고 경ᄉᆞ로 도라오다.

ᄌᆡ셜, 하공부뷔 ᄇᆡ쇼(配所)로 항[향(向)]ᄒᆞᆯᄉᆡ, 도뢰 험쥰ᄒᆞ여 ᄉᆞᆫ곡(山谷)의 슈목(樹木)이 ᄒᆞ날의 가리엿고, 호푀(虎豹) 파람ᄒᆞ고 빗최다가도 ᄒᆞ공ᄌᆞ 압ᄒᆞᆯ 당ᄒᆞ면 슈풀을 헷치고 물너【52】가니, 일ᄒᆡᆼ이 공ᄌᆞ의 범인(凡人)니 아닌 쥴 알고, 위로ᄒᆞ여 여러날 만의 쳔니(千里)을 ᄒᆡᆼᄒᆞ여 젹쇼(謫所)의 이르러ᄂᆞᆫ, 쵹군ᄐᆡᄉᆔ(蜀郡太守) ᄒᆞᆫ흠니 후ᄃᆡ(厚待)ᄒᆞᄂᆞᆫ지라. 공이 참악(慘愕)ᄒᆞᆫ 죄명이 몸우ᄒᆡ 시러시믈 일캇고, 셩외(城外)의 촌ᄉᆞ(村舍)을 어더 머물 ᄉᆡ, 잇ᄯᆡ 십이월 초슌(初旬)의 하운이 학ᄉᆞ 등의 목쥬(木主)와 임시의 신위(神位)을 뫼셔 이르니, 혼[촌]ᄉᆞ(村舍)의 곡셩이 ᄉᆞᆫ쳔(山川)을 동(動)ᄒᆞ고 경상(景狀)의 참통(慘痛)ᄒᆞ미 ᄎᆞ마 보지 못할네라.

646)소슬ᄒᆞ다 : 으스스하고 쓸쓸하다.

647)ᄉᆞᆸᄉᆞᆸ(颯颯)ᄒᆞ다 : 바람이 몸으로 느끼기에 쌀쌀하다.

ᄂᆞᆫ 고로 용(勇)을 발치 아니나, 졀노 믈너가니 공의 부뷔 독지(獨子)나 남의 십ᄌᆞ를 불워 아냐 심ᄉᆞ를 위로ᄒᆞ나, 여러 쳔니를 힝ᄒᆞ여 경ᄉᆞᄂᆞᆫ 졈졈 머러 아으라ᄒᆞ고, 봉만(峰巒)이 듕쳡ᄒᆞᆫᄃᆡ 단풍은 금슈장(錦繡帳)을 두른 ᄃᆞᆺᄒᆞ니 산경(山景)의 가려(佳麗)ᄒᆞ미 더옥 심회를 돕ᄂᆞᆫ지라. 월여를 촌촌젼진(村村前進)ᄒᆞ여, 상풍(霜風)[627]의 초목이 녕낙(零落)ᄒᆞ니, 일ᄉᆡᆨ(日色)이 늠녈(凜烈)ᄒᆞ고 상월(霜月)이 교교(皎皎)ᄒᆞᆫᄃᆡ, 기러기 슬피 우니, 공의 부뷔 츄기로 위쥬ᄒᆞ나, 이를 당ᄒᆞ여ᄂᆞᆫ 망ᄌᆞ(亡子) 등의 음용(音容)【48】을 ᄉᆞ상(思想)ᄒᆞ여 쳔양하(泉壤下)의 만나기를 원ᄒᆞ니, 공ᄌᆞ 남ᄆᆡ 지셩대효(至誠大孝)로 식음(食飮)을 ᄌᆞ로 권ᄒᆞᄆᆡ, 위곡(委曲)ᄒᆞ믈 ᄎᆞ마 져바리지 못ᄒᆞ여, 일노(一路)의 근근지탱(僅僅支撑)ᄒᆞ여 뎍쇼(謫所)의 니르니, 쵹군태슈(蜀郡太守) 한흠이 친히 마ᄌᆞ 셩ᄂᆡ 큰 집을 슈소(修掃)ᄒᆞ고 안둔(安頓)케 ᄒᆞ고 극진위ᄃᆡ(極盡爲待)ᄒᆞ니, 공이 그 참누(慘累)를 몸의 시러 되명이 호대(浩大)ᄒᆞ믈 일ᄏᆞ라 고사(固辭)ᄒᆞ고, 셩외촌샤(城外村舍)를 어더 머믈며, 태슈의게 삭망졈고(朔望點考)[628]를 참예(參預)ᄒᆞ여 슈졸(戍卒)ᄒᆞ기를 디극히 ᄒᆞ니, 경ᄉᆞ(京師)의 번화(繁華)와 고루거각(高樓巨閣)의 혹ᄉᆞ 등으로 좌우의 버릿던 ᄇᆡ 일장츈몽(一場春夢)이 되고, 궁항벽쳐(窮巷僻處)의 슈간모옥(數間茅屋)이 일신을 용납기 어렵거ᄂᆞᆯ, 좌우를 도라보니 원광 남ᄆᆡ ᄲᅮᆫ이라. 공이 부인을【49】도라보아 왈,

"복(僕)이 본ᄃᆡ 됴상부모(早喪父母)ᄒᆞ고 죵션형뎨(終鮮兄弟)ᄒᆞ여 ᄋᆞ시로 슬픈 인ᄉᆡᆼ이라. 악댱(岳丈)이 거두어 무ᄋᆡ(撫愛)ᄒᆞ시믈 힘닙어 몸이 영귀ᄒᆞᄃᆡ, 부뫼 아니 계샤 인간지낙(人間之樂)을 모르던 ᄇᆡ라. 우리 부뷔 결발(結髮)[629] 후 슬허 젹막지 아니니,

627)상풍(霜風) : 서릿바람. 서리가 내린 아침에 부는 쌀쌀한 바람.

628)삭망졈고(朔望點考) : 매월 초하룻날과 보름날에 관청에서 죄수 등의 수를 그 명부에 일일이 점을 찍어가며 조사하던 일.

인인(人人)이 다 복인(福人)이라 칭ᄒᆞ더니 당ᄎᆞ지시(當此之時)ᄒᆞ여 쳔고무애지통(千古无涯之痛)630)을 품고, 화란여ᄉᆡᆼ(禍亂餘生)으로 셔쵹슈졸(西蜀戍卒)이 되어, 텬일(天日)을 볼 길히 업ᄉᆞ니, 이ᄀᆞᆺ튼 비원(悲怨)을 엇디 견ᄃᆡ리오."

부인이 ᄆᆞ옴을 구지 잡아 공의 회포를 돕디 아니려 타연(泰然)이 ᄃᆡ왈,

"ᄉᆡᆼ각ᄒᆞᆫ 즉 골졀이 ᄉᆞ회리니631) 현마 텬되 망ᄋᆞ 등의 신셜(伸雪)ᄒᆞᆯ 조각을 빌니디 아니ᄒᆞ리잇가? 샹공은 졍을 버【50】혀 ᄉᆡᆼ각지 마르시고 심ᄉᆞ를 관억(寬抑)ᄒᆞ쇼셔."

공이 창연의의(悵然依依)632)ᄒᆞ여 기리 통도(痛悼)ᄒᆞ더니, 듕동(仲冬)의 하운이 삼흑ᄉᆞ와 님시의 목쥬(木主)를 반혼(返魂)ᄒᆞ여 니르니, 네곳으로 향탁(香卓)을 ᄇᆡ셜(排設)ᄒᆞ여 됴셕제향(朝夕祭香)을 일우니, 참담(慘憺)ᄒᆞᆫ 형상이 보기의 슬프더라.

공ᄌᆞ남ᄆᆡ 쳔만비회를 억졔ᄒᆞ여 듀야로 부모의 좌측(座側)을 ᄯᅥ나지 아냐 위로ᄒᆞ고 삼흑ᄉᆞ와 님쇼져의 녕궤(靈几)의 ᄎᆞ례로 졔곡(啼哭)ᄒᆞᄃᆡ 지리히 우지 아냐 친의(親意)를 위안ᄒᆞ더라. 공이 윤·뎡·님 삼공의 셔간을 반기고 슬허ᄒᆞ니, 하운이 삼공의 디극ᄒᆞᆫ 셩의와 뎡공이 ᄐᆡᆨ디(擇地)ᄒᆞ여 션산여혈(先山餘穴)633)의 나리634) ᄡᅳᆷ을 일일이 고ᄒᆞ니, 공이 감뉘(感淚) 종횡ᄒᆞ여 왈,

"님형은 녀셔(女壻)의【51】 상졍(常情)이어니와 윤·뎡 이형은 심덕이 쳔고무빵(千古無雙)이라."

부인과 공ᄌᆞ남ᄆᆡ ᄀᆞᆨ골감은ᄒᆞ고 부인이 ᄡᅵᄡᅵ 윤부 납빙(納聘)을 ᄂᆡ여 명듀의 광ᄎᆡ 녕농ᄒᆞᆷ을 긔특이 넉여, ᄆᆡ양 닐오ᄃᆡ,

공ᄌᆞ 남ᄆᆡᄂᆞᆫ 쳔만비원을 셔리담고 부모을 위로ᄒᆞ여 좌우을 ᄯᅥ나지 아니코, 공ᄌᆡ 슘형의 궤젼(几前)을 부모로 참네(參禮)치 못ᄒᆞ시게 ᄒᆞ고, ᄌᆞ긔 홀노 졔곡(啼哭)ᄒᆞᄃᆡ 과히 우지 아니며, 부모지심을 요동치 아니터라. ᄒᆞ운니 윤·뎡·님 슘 공의 셔간을 드리고 즁ᄉᆞ지졀(葬事之節)을 일일이 고ᄒᆞ니, ᄒᆞ공이 감은ᄒᆞᆫ 눈물이 가득ᄒᆞ여 슬허ᄒᆞ더라.

629)결발(結髮) : 예전에, 관례를 할 때 상투를 틀거나 쪽을 찌던 일. '성년(成年)' 또는 '혼인'을 달리 이르는 말로 쓰인다.

630)쳔고무애지통(千古无涯之痛) : 오랜 세월을 통하여 그 유례(類例)가 없는 가없는 슬픔.

631)ᄉᆞ회다 : 사위다. 삭다. 다 타서 재가 되다

632)창연의의(悵然依依) : 몹시 슬프고 서운하다.

633)션산여혈(先山餘穴) : 선산의 무덤을 쓸 만한 여유가 있는 자리.

634)나리 : 내리. 잇따라 계속해서

"어나 쪄의 보월의 님ᄌᆞ를 ᄎᆞᄌᆞ며 명듀의 빙(聘)ᄒᆞᆫ 신낭이 ᄌᆞ라 녀ᄋᆞ를 마ᄌᆞ 갈고. 셰월이 여류(如流)타 ᄒᆞ나 ᄌᆞ녀 셩취 기ᄃᆞ리기의ᄂᆞᆫ 요원(遙遠)ᄒᆞ도다."

공이 츄연 왈,

"광ᄋᆞ의 취실(娶室)은 블과 슈삼년이 될 거시오, 녀ᄋᆞ도 ᄉᆞ오 년을 기다리면 신낭을 마ᄌᆞ리니, ᄉᆞ니는 ᄌᆞ연 즐길 쪄 이시려니와 망ᄋᆞ 등은 쳔츄만년(千秋萬年)의 원억ᄒᆞᆫ 졍녕(精靈)이 슬허ᄒᆞᆯ ᄲᅳᆫ이라. 어나 시졀의 웃ᄂᆞᆫ 낫ᄎᆞ로 반기리오."

부인이 슈루무언(垂淚無言)이더라.

공과 ᄒᆞᆷᄭᅴ 온 ᄎᆡ관이 우셜(雨雪)【52】이 년일(連日)ᄒᆞ므로 일삭을 관가의 이셔 ᄯᅥ나디 못ᄒᆞ더니, 날이 ᄀᆡᆫ 후, 하운으로 동힝ᄒᆞᆯ ᄉᆡ 션셰샤우(先世祠宇)를 뫼셔 졔ᄉᆞ의 딘심ᄒᆞ믈 당부ᄒᆞ고, 윤・뎡・님 삼공긔 글을 붓치니라. 일일은 한풍(寒風)이 ᄲᅧ를 블고, 공의 머므ᄂᆞᆫ 촌ᄉᆡ(村舍) 퇴락(頹落)ᄒᆞ여 풍우를 막지 못ᄒᆞ여 한ᄂᆡᆼᄒᆞ미 심ᄒᆞ니, ᄂᆡ당이 오히려 나은지라. 공ᄌᆡ 드러가 취팀ᄒᆞ시믈 지삼 쳥ᄒᆞ니 공이 ᄋᆞᄌᆞ의 말인 즉 그 졍셩을 어엿비 넉여 듯ᄂᆞᆫ디라. 시노 등으로 공ᄌᆞ를 뫼셔 ᄌᆞ라 ᄒᆞ고 ᄂᆡ당으로 드러가니, 부인으로 화란 이후 다 잠을 이루지 못ᄒᆞ더니, ᄎᆞ야의 부부 냥인이 잠간 취팀ᄒᆞ엿더니, ᄒᆞᆯ연 ᄒᆞᆨᄉᆞ 등 삼인이 드러와 부모긔 ᄇᆡ곡ᄒᆞ니, 공의【53】 부뷔 황홀이 반갑고 슬프믈 니긔지 못ᄒᆞ여 븟들고 실셩쳬읍ᄒᆞ여 말이 업더니, ᄒᆞᆨᄉᆞ 등이 뉴쳬 왈,

"쇼ᄌᆞ 등이 부모 교훈을 밧ᄌᆞ와 튱효를 듕히 아옵더니, 명되 긔구(崎嶇)ᄒᆞ여 흉참ᄒᆞᆫ 누명을 시러 인간의 ᄌᆞ최 스러지고, 셩상의 일월지명이 부운의 옹폐(壅蔽)ᄒᆞ시니, 일야지간(一夜之間)의 셩뇌(聖怒) 진쳡(震疊)ᄒᆞ샤 극형엄문(極刑嚴問)ᄒᆞ시니, ᄒᆡᄋᆞ 등이 부귀 듕 ᄉᆡᆼ댱ᄒᆞ와 부뫼 ᄌᆞᄋᆡ 과도ᄒᆞ시므로, 일즉 ᄐᆡ장도 밧지 아녓더니, 원통ᄒᆞ믈 엇디다 알외리잇고? ᄇᆡᆨ옥무하(白玉無瑕)ᄒᆞ믈 ᄉᆡᆼ각고 힝혀 ᄉᆞ라날가 ᄒᆞ다가, 원상이 블급일ᄎᆞ(不及一次)의 믄득 명이 딘ᄒᆞ고, 쇼ᄌᆞ형뎨

이ᄯᅢ 공을 다려온 ᄎᆡ관니 우셜(雨雪)이 연일 오기로 발힝치 못ᄒᆞ고 우셜이 ᄀᆞ친 후 상경ᄒᆞᆯ ᄉᆡ, 공이 공이 ᄒᆞ운으로 동힝케 ᄒᆞ여 션셰 ᄉᆞ후[우]을 뫼셔 진셩(盡誠)ᄒᆞ믈 당부ᄒᆞ고 윤・뎡・님 ᄉᆞᆷ공긔 글월을 붓치다.

ᄎᆞ야의 공의 부부 혼곤(昏困)ᄒᆞ여 벼ᄀᆡ의 의지ᄒᆞ엿더니, ᄉᆞ몽【53】비몽간(似夢非夢)의 ᄒᆞᆨᄉᆞ 삼인니 ᄂᆞ아와 ᄇᆡᄉᆞ곡읍ᄒᆞ니, 공의 부부 황홀이 반갑고 슬허 밧비 븟들고 실셩쳬읍ᄒᆞ니, ᄒᆞᆨᄉᆞ 등이 냥구(良久) 뉴쳬 왈,

"소ᄌᆞ ᄉᆞᆷ형졔 부훈과 모교을 명심ᄒᆞ와 거의 죄예 ᄲᅡ지지 아닐너니, 명되 긔구(崎嶇)ᄒᆞ와 흉춤ᄒᆞ온 죄명을 시러 간인의 ᄒᆡ을 입ᄉᆞ오ᄆᆡ, 셩상 일월지명이 부운의 은폐ᄒᆞ믈 면치 못ᄒᆞ시니, 일시의 텬뇌(天怒) 진쳡(震疊)ᄒᆞᄉᆞ 극형엄문(極刑嚴問)ᄒᆞ오시니 ᄒᆡᄋᆡ 등이 부귀호치(富貴豪侈)의 ᄉᆡᆼ장ᄒᆞ여 부모의게 ᄐᆡ벌도 밧지 안냐다가, 원통코 슬푸물 엇지 알외리가마는, 오히려 ᄇᆡᆨ옥무ᄒᆞ(白玉無瑕)하믈 ᄉᆡᆼ각고 힝혀 ᄉᆞ라날가 ᄒᆞ여솝든니, 원ᄉᆞᆷ이 불급 슈장(數杖)의 명이 진ᄒᆞ옵

ᄂᆞᆫ 명이 ᄎᆞ지[635] 아녓거ᄂᆞᆯ, 김탁 흉인이 독약을 옥니【54】를 준 ᄇᆡ 되어, 듕형 여ᄉᆡᆼ이 경ᄀᆡᆨ의 맛ᄎᆞᆫ디라. 듕과 회 다 헛곳의 도라가니 구원녕ᄇᆡᆨ(九原靈魄)[636]이라도 비원을 품어 울기를 참지 못ᄒᆞ옵ᄂᆞ니 부모의 통상ᄒᆞ시믈 엇디 모르리잇고 나히 ᄎᆞ지 못ᄒᆞ고 슬하를 늣거이 참별ᄒᆞ여 인ᄌᆞ의 졍을 펴디 못ᄒᆞ고 근시 칠팍삭의 ᄋᆡᄆᆡ히 몸을 맛ᄎᆞ니 상뎨 비명횡ᄉᆞᄒᆞ믈 어엿비 녁이샤 우리 등을 인셰의 다시 환도(還道)케 ᄒᆞ시니 쇼ᄌᆞ 등이 발원ᄒᆞ여 다시 부모슬하의 뫼시려 ᄒᆞ와 쇼ᄌᆞ형뎨ᄂᆞᆫ 몬져 빵ᄐᆡ(雙胎)되여 나고 삼뎨ᄂᆞᆫ 슈년ᄂᆡ의 나리이다."

하공부뷔 통흉운졀(痛胸殞絶)ᄒᆞᆯ ᄃᆞᆺ○○[ᄒᆞ여] 삼ᄌᆞ를 븟들고 왈,

"너희 만일 발원ᄒᆞ여 다시 부ᄌᆞ지졍을 니으려 ᄒᆞᆯ진ᄃᆡ【55】 ᄲᆞᆯ니 복듕(腹中)의 의탁ᄒᆞ라. 아모리 닛고져 ᄒᆞ나 듀야로 이목(耳目)의 영(影)ᄢᅵ고[637] 낭셩(朗聲)이 징연(錚然)ᄒᆞ니, 흉듕의 칼이 박히고 골졀이 녹ᄂᆞᆫ ᄃᆞᆺ, 긴 셰월을 ᄎᆞᆷ고 견딜 길이 업더니 다시 도라온 즉 만만텬ᄒᆡᆼ(萬萬天幸)[638]이라."

삼인이 눈물을 거두고 위로 왈,

"쇼ᄌᆞ 등이 다시 부모를 뫼실 거시오, 타일 누명을 신셜ᄒᆞ미 거울 ᄀᆞᆺᄉᆞ오리니 너모 슬허 마르시고 허탄ᄒᆞᆫ 몽ᄉᆞ로 아르시지 마르쇼셔."

부인이 더옥 우러 왈,

"삼ᄋᆞᄂᆞᆫ 다시 의탁ᄒᆞᆯ 여한이 이시나 님시ᄌᆞ문이ᄉᆞ(自刎而死)ᄒᆞ니 일시 참별(慘別)과 셜우미 여등으로 일양이라. ᄯᅩᄒᆞᆫ 도라오미 이시랴?"

635)ᄎᆞ다 : 차다. 정한 수량, 나이, 기간 따위가 다 되다.

636)구원녕ᄇᆡᆨ(九原靈魄) : 저승에 있는 넋.

637)영(影)ᄢᅵ다 : 늬어리다. 빛이나 그림자, 모습 따위가 희미하게 비치다.

638)만만텬ᄒᆡᆼ(萬萬天幸) : 하늘이 준 더할 나위 없이 큰 행운.

고, 소ᄌᆞ 등 형졔ᄂᆞᆫ 일명이 ᄊᆞᆫ지 아니ᄒᆞ엿ᄉᆞᆸ든니, 초왕과 김탁의 독약이 옥니(獄吏)의 이르러 쇼ᄌᆞ 등 일명을 경각의 맛ᄎᆞᆫ지라. 나희 이십도 못ᄒᆞ여 슬하을 늣거이 ᄎᆞᆷ별ᄒᆞ와 인ᄌᆞ의 졍을 펴지 못ᄒᆞ고 셰간의 드문 불효만 ᄭᅵ치고 위곡츙심(委曲忠心)이 간졀ᄒᆞᄃᆡ 경악근시(經幄近侍)ᄒᆞ온지 칠팔삭의 ᄋᆡᄆᆡᄒᆞᆫ 죄명으로 맛ᄎᆞ니, 텬졔(天帝) 비명횡ᄉᆞ(非命橫死)ᄒᆞ믈 어여비 역이ᄉᆞ 소ᄌᆞ ᄉᆞᆷ형졔을 다시 인셰○○○[의 환도(還道)]케 ᄒᆞ시니 소ᄌᆞ 등이 발원ᄒᆞ여 다【54】시 부모슬ᄒᆞ의 뫼시믈 원ᄒᆞ와, 쇼ᄌᆞ 등은 먼져 쌍ᄐᆡ(雙胎)되여 나고져 왓ᄉᆞᆸ고, ᄉᆞᆷ졔ᄂᆞᆫ 슈년 후 오리다."

《부모∥부부》 통흉운졀(痛胸殞絶)ᄒᆞ여 ᄉᆞᆷᄌᆞ을 븟들고 왈,

"ᄲᆞᆯ니 복즁으{으}로 의지ᄒᆞ여 나게 ᄒᆞ라. 그러나 아모리 잇고져 ᄒᆞ나 듀야의 얼골과 신ᄎᆡ 이목의 어ᄅᆡ고[648] 쳥하낭음(淸河朗吟)이 이변(耳邊)의 징징(錚錚)ᄒᆞ니, 흉즁의 칼을 ᄭᅩᆺ쳐 골졀에 마으난[649] 듯ᄒᆞ 긴 셰월의 엇지 견ᄃᆡ리오. 쥬야 통곡ᄒᆞ나 다시 도라온즉 만만여ᄒᆡᆼ(萬萬餘幸)[650]이로다."

ᄉᆞᆷ인니 눈물을 거두고 도려혀 위로 왈,

"소ᄌᆞ 등이 다시 부모을 뫼시고 누명을 신셜ᄒᆞ미 거울 갓틀진ᄃᆡ 부모ᄂᆞᆫ 여한이 업ᄉᆞ리로 소이다."

부인이 우러 왈,

"너희 등은 다시 나오면 ᄒᆞᆫ니 업ᄉᆞ련니와 님시ᄂᆞᆫ ᄌᆞ문이ᄉᆞ(自刎而死)ᄒᆞ여시니 우리 고식(姑媳)의 졍이 ᄌᆞ모(子母)의 감치 아니타가 일시의 ᄎᆞᆷ별(慘別)ᄒᆞ니 앗갑고 셜우을[믈] ᄎᆞᆷ기 어려오니 ᄯᅩᄒᆞᆫ 도라오미 잇시랴?"

648)어ᄅᆡ다 : 어리다. 빛이나 그림자, 모습 따위가 희미하게 비치다.

649)마으다 : 부수다. 단단한 물체를 여러 조각이 나게 두드려 깨뜨리다.

650)만만여ᄒᆡᆼ(萬萬餘幸) : 매우 다행함.

혹시 되왈,

"님시 효졀(孝節)이 쌍젼(雙全)ᄒᆞ온 고로 비창(悲愴)타 ᄒᆞ샤, 다시 님공의 ᄯᆞᆯ이 되어 쇼ᄌᆞ로 인연(因緣)을 일워 슈복을 누리【56】게 ᄒᆞ엿ᄂᆞ이다."

《부뫼∥부인》 왈,

"너희 직셰(再世) 후 다시 직앙(災殃)이 업ᄉᆞ랴?"

혹ᄉᆞ 등이 졔셩(齊聲) 왈,

"환싱후ᄂᆞᆫ 슈복이 완젼ᄒᆞ며 튱효를 다ᄒᆞ려 ᄒᆞ옵ᄂᆞ니 부모ᄂᆞᆫ ᄎᆞ후란 과상(過傷)치 마르쇼셔. 신셜ᄒᆞᆯ 시졀의 영화로이 《환셰∥환쇄(還刷)》ᄒᆞ시리이다."

언파의 형뎨 부인 품으로 들고 딕ᄉᆞᄂᆞᆫ 니러 빅샤(拜辭) 왈,

"쇼ᄌᆞᄂᆞᆫ 냥형이 ᄉᆡᆼ셰 후 다시 오리이다. 아딕 믈너가ᄂᆞ이다."

학ᄉᆞ 탄식 되왈,

"님시 네졀(禮節)이 아름답고 비명횡ᄉᆞ(非命橫死)ᄒᆞ여 다시 님공의 ᄯᆞᆯ이 되여 나, 소ᄌᆞ로 인연(因緣)을 일우며 슈복(壽福)을 누리게 ᄒᆞ엿ᄂᆞᆫ니다."

부인 왈,

"너희 직셰(再世) 후나 다시 직앙이 업시 슈복을 타 ᄂᆞ면 엇지 긔특지 아니리오."

학ᄉᆞ 등 숨인니 이셩(怡聲) 되왈,

"환ᄉᆡᆼ 후【55】ᄂᆞᆫ 슈복 근심이 업술 거시니 부모을 현달(顯達)ᄒᆞ여 종효(終孝)ᄒᆞ고 동냥(棟梁)으로 국가의 ᄉᆞ환(仕宦)치 못ᄒᆞ고 늣거이 쥭은 ᄒᆞᆫ을 업시 ᄒᆞ리니, 부모ᄂᆞᆫ 과승치 마르소셔."

언파의 학ᄉᆞ 형졔 부인의 품《ᄉᆞ∥으》로 들고 직ᄉᆞᄂᆞᆫ 이러 빅ᄉᆞ 왈,

"소ᄌᆞᄂᆞᆫ 양형이 ᄉᆡᆼ세 후 다리 오리다."

부인이 븟들고 울어 왈,

"여등의 입졀(立節)과 궁진(窮塵)의 장(葬)할 ᄯᅢ을 다 보지 《못ᄒᆞ고∥못ᄒᆞ미》 쥬야 ᄆᆡ친 ᄒᆞᆫ(恨)니라. 여 형이 ᄉᆡᆼ셰 후 즉시 복즁(腹中)을 으지ᄒᆞ여 마음을 위로ᄒᆞ라."

직시 유쳬(流涕) 왈,

"쇼ᄌᆞᄂᆞᆫ 더옥 십습 초츈의 ᄂᆞ뷔 화등(火燈)의 즘긴 듯 늣거이[651] 맛ᄎᆞ믈 슬허ᄒᆞ옵ᄂᆞᆫ니, 냥형이 난 후 다시 도라오리니, 원컨ᄃᆡ 너모 슬혀 마르쇼셔. 초상입염지졀(初喪入殮之節)과 장슈지ᄉᆞ(葬需之事)[652]ᄂᆞᆫ 되인니 친집ᄒᆞ시ᄂᆞ 그 밧 더을 거시 업습고, 지즁(地中)이 안온(安穩)ᄒᆞ여 쇼ᄌᆞ 형제 영빅(靈魄)이 다 윤·뎡 양 공의 되은을 입으미니다."

언필의 니러 나가니 부인니 크게 브르지져 울ᄆᆡ 공이 ᄯᅩᄒᆞᆫ 놀나 ᄭᆡ여, 몽ᄉᆞ을 ᄉᆡᆼ각ᄒᆞ고 봉안셩음(鳳眼聲音)이 안젼(眼前)의 의연ᄒᆞ고 말숨이 연연(戀戀)ᄒᆞ여 허ᄉᆞ(虛事)

651)늣겁다 : 느껍다. 서럽다. 원통하고 슬픈 마음이 북받치다.

652)장슈지ᄉᆞ(葬需之事) : 장례와 장례에 드는 여러 가지 비용.

《부뫼‖부부》 붓들고 우다가 ᄭᆡ다르니{니} 팀샹일몽(寢牀一夢)이라. 더옥 ○…결락 63자…○[공이 흉인의 용심을 ᄭᆡ쳐 ᄌᆞ긔 군젼의셔 초왕, 김탁의 불법지ᄉᆞ을 쥬ᄒᆞᆫ 연고로 혐원(嫌怨)이 니러 ᄒᆞᆨᄉᆞ 등을 ᄃᆡ역지쥬(大逆之誅)의 ᄒᆞᆷ익(陷溺)ᄒᆞ고 ᄒᆞ가(河家)을 멸망ᄒᆞ려 ᄒᆞ던 바을 ᄉᆡᆼ각ᄒᆞ니] 통원(痛寃)이 하날의 다하 ᄂᆞᆲ써639) 안ᄌᆞ, 셔안(書案)을 치며 고셩뉴톄(高聲流涕) 왈,

"내 브ᄃᆡ ᄉᆞ라 간흉이 쥬멸(誅滅)ᄒᆞ믈 보고 오ᄋᆞ 등의 원슈를 갑하 궁양극통(穹壤極痛)640)을 셜ᄒᆞ리라."

부인은 혈읍(血泣)ᄒᆞ여 말을 일우지 못ᄒᆞ더니, 날이 ᄇᆞᆰ으매 공ᄌᆡ 신셩(晨省)ᄒᆞ니, 【57】부뫼 몽ᄉᆞ를 니르고 눈믈이 만면ᄒᆞ여 ᄉᆡ로이 ᄋᆡ도ᄒᆞ니, 공ᄌᆞ남ᄆᆡ 몽ᄉᆞ를 ᄯᅩᄒᆞᆫ ᄃᆞᆺ고 오ᄂᆡ분붕(五內分崩)ᄒᆞ나 강인(强忍)ᄒᆞ여 위로 왈,

"삼형의 원억ᄒᆞᆫ 졍녕이 명명듕(冥冥中) 알오미 이셔 부모의 과상(過傷)ᄒᆞ심과 인셰를 늣거이641) 바린 한이 ᄌᆡ셰발원(再世發願)ᄒᆞ고 다시 슬하를 뫼시고져 ᄒᆞ오미니, 부모는 디원극통을 니ᄌᆞ시고 텬슈(天數)의 되어가믈 보쇼셔."

부뫼 ᄉᆡ로이 참졀ᄒᆞ믈 니긔지 못ᄒᆞ더니 과연 몽ᄉᆞ 어든 후 부인이 잉ᄐᆡᄒᆞ니, 하공이 슬해(膝下) 젹막ᄒᆞ믈 슬허ᄒᆞ고 삼ᄌᆞ의 참ᄉᆞᄒᆞ믈 궁텬극디(窮天極地)642)ᄒᆞ다가, 비록 통원을 신셜치 못ᄒᆞ나 ᄒᆞᆨᄉᆞ 등이 환ᄉᆡᆼᄒᆞ여 다시 ᄌᆞ식이 될가 영ᄒᆡᆼᄒᆞ믈 니긔지 못ᄒᆞ고, 부인이 잉ᄐᆡᄒᆞ므로브터 무어ᄉᆞᆯ 어든 ᄃᆞᆺᄒᆞ여, 십삭【58】을 ᄎᆡ와 무ᄉᆞ히 분산ᄒᆞ기를 ᄇᆞ라기로 ᄯᅩᄒᆞᆫ 몸을 스ᄉᆞ로 보호ᄒᆞ니,

639)ᄂᆞᆲ써 : 벌떡. 눕거나 앉아 있다가 조금 큰 동작으로 갑자기 일어나는 모양.

640)궁양극통(穹壤極痛) : 하늘과 땅에 사무치는 지극한 설움.

641)늣거이 : 느껍게. 서럽게. 원통하고 슬픈 마음이 북받치게.

642)궁텬극디(窮天極地) : 하늘과 땅처럼 끝이 없음.

갓지 안닌지라. 부인을 흔드러 ᄭᆡ와 셔로 몽ᄉᆞ을 일을 ᄉᆡ, 비졀ᄒᆞ미 미쳐 날 ᄃᆞᆺᄒᆞ여 가ᄉᆞᆷ을 어로만져 스ᄉᆞ로 진졍ᄒᆞ여 양 학ᄉᆞᄂᆞᆫ 독약의 맛【56】차믈 이르든 ᄇᆡ 더욱 분명ᄒᆞ니, 공이 흉인의 용심을 ᄭᆡ쳐 ᄌᆞ긔 군젼{의}의셔 초왕, 김탁의 불법지ᄉᆞ을 쥬(誅)ᄒᆞᆫ 연고로 험[혐]원(嫌怨)이 니러, ᄒᆞᆨᄉᆞ 등을 ᄃᆡ역지쥬(大逆之誅)의 《ᄎᆞᆷ익 : ᄒᆞᆷ익(陷溺)》ᄒᆞ고 ᄒᆞ가(河家)을 멸망ᄒᆞ려 ᄒᆞ던 바을 ᄉᆡᆼ각ᄒᆞ니, 통원니 ᄒᆞ날의 ᄉᆞ못차 발연(勃然)니653) 일더[어]나 안져 셔안을 쳐 고셩유체 왈,

"ᄂᆡ 부ᄃᆡ ᄉᆞ라 간흉의 쥬멸(誅滅)ᄒᆞ믈 보고 오ᄋᆞ의 원슈을 갑푸리라."

부인은 결울(結鬱)ᄒᆞ여 말을 일우지 못ᄒᆞ더니, ᄂᆞᆯ이 발그ᄆᆡ 공ᄌᆞ남ᄆᆡ 신셩(晨省)ᄒᆞ거날 부모 몽ᄉᆞ을 이르고 눈물이 낫치 가득ᄒᆞ여 ᄉᆡ로이 ᄋᆡ통ᄒᆞ니, 공ᄌᆞ 남ᄆᆡ 몽ᄉᆞ을 ᄃᆞᆺ고 오ᄂᆡ(五內) ᄭᅳᆫᄂᆞᆫ ᄃᆞᆺᄒᆞ나, 더옥 강잉(强仍)ᄒᆞ여 위로 왈,

"ᄉᆞᆷ형의 원억ᄒᆞᆫ 졍영이 명명지ᄌᆞᆼ(冥冥之中) 알오미 잇셔 부모의 과ᄉᆞᆼ(過傷)ᄒᆞ심을 위로ᄒᆞ고 인셰을 늣기여 바려시므로, 신ᄒᆞᆫ(身恨)이 되어 발원극통(發願極痛)ᄒᆞ민가 ᄒᆞ오니 바라건ᄃᆡ 부모ᄂᆞᆫ 쳔슈(天數) 되어가믈 보쇼셔."

공의 부부 ᄉᆡ로이 참졀ᄋᆡ상ᄒᆞ믈 이긔지 못ᄒᆞ더니, 과연 몽ᄉᆞ을 어든 후로 붓텀654) 부인이 잉ᄐᆡᄒᆞ니, ᄒᆞ공이 슬ᄒᆡ(膝下) 젹막ᄒᆞ믈 각골(刻骨) 슬허ᄒᆞ고 ᄉᆞᆷᄌᆞ의 ᄎᆞᆷᄉᆞ을 궁쳔극지(窮天極地)655) ᄒᆞᄂᆞᆫ 원앙(怨怏)이 되어ᄂᆞᆫ지라. 아직 신셜치 못ᄒᆞ나 ᄒᆞᆨᄉᆞ 등이 환상[ᄉᆡᆼ](還生)ᄒᆞ여 다시 ᄌᆞ식이 될가 영ᄒᆡᆼ(榮幸)ᄒᆞ【57】믈 이긔지 못ᄒᆞ고, 부인이 《ᄒᆡ잉‖회잉(懷孕)》ᄒᆞ무로부터 무어슬 어든 ᄃᆞᆺᄒᆞ여 그 ᄉᆞ이 무ᄉᆞ히 보ᄂᆡ기을 ᄇᆞ라고

653)발연(勃然)니 : 발연히. 왈칵 성을 내는 태도나 일어나는 모양이 세차고 갑작스럽게.

654)붓텀 : 부텀('부터'의 방언). 부터

655)궁쳔극지(窮天極地) : 하늘과 땅처럼 끝이 없음.

공ᄌᆞ남ᄆᆡ 다힝ᄒᆞᆷ을 니긔디 못ᄒᆞ더라.

ᄌᆡ셜 뎡공ᄌᆞ 텬흥의 년이 십삼의 니르니 윤・뎡 냥공이 셔로 의논ᄒᆞ고 혼ᄉᆞ를 일우려 튁일ᄒᆞ니, 납빙(納聘)은 십일월초슌(十一月初旬)이오 대례(大禮)ᄂᆞᆫ 회간(晦間)이라. 뎡공이 환희(歡喜) 왈,

"길긔(吉期) 계오 월여(月餘)를 격ᄒᆞ니, 쇼뎨 현부(賢婦) 볼 날이 머지 아냐시ᄆᆡ, 환힝(還幸)ᄒᆞᆷ을 니긔지 못ᄒᆞ리로다."

윤공이 츄연(惆然) 감상(感想)ᄒᆞ여 낫빗출 곳치고 기리 탄왈,

"셕년 빅화헌의셔 샤곤(舍昆)과 형이 하퇴지로 더브러 셔로 ᄌᆞ녀를 밧고와 뎡약ᄒᆞᆯ 시절의, 엇디 샤곤이 딜ᄋᆞ(姪兒)의 혼인을 보지 못ᄒᆞᆯ 줄 아라시며 하퇴지 져런 참화(慘禍)를 만나 슈쳔니(數千里) 애각(涯角)의 찬뎍(竄謫)【59】ᄒᆞᆯ 쥴 알니오. 이졔 우리 냥인만 남아 쵹ᄉᆞ(觸事)[643]의 외롭고 슬프미 비길 ᄃᆡ 업도다."

뎡공이 역비역탄(亦悲亦嘆)ᄒᆞ기를 마지 아니ᄒᆞ더라.

금평휘 도라간 후, 태위 ᄂᆡ당의 드러가 조부인긔 명ᄋᆞ의 혼ᄉᆞ를 뎡공이 ᄌᆡ촉ᄒᆞ여 셰말회간(歲末晦間)으로 길일(吉日) 튁ᄒᆞᆷ을 고ᄒᆞ니, 부인이 셕ᄉᆞ를 싱각고 ᄉᆡ로이 쥬루(珠淚)를 금치 못ᄒᆞ고, 뉴부인은 심용(心用)이 검극(劍戟) ᄀᆞᆺᄐᆞ여 광텬 삼남ᄆᆡ를 죽여 업시코져 ᄒᆞ거ᄂᆞᆯ, 명익 공후의 통뷔(冢婦)[644] 되미 밉고 분ᄒᆞ여 싱각ᄒᆞᄃᆡ, '나ᄂᆞᆫ

643)쵹ᄉᆞ(觸事) : 만나는 일마다 다.

644)통뷔(冢婦) : 종부(宗婦). 정실(正室)의 맏아들의

몸을 보호ᄒᆞ니, 공ᄌᆞ 남ᄆᆡ 깃거ᄒᆞ고 여[영]힝(榮幸)ᄒᆞᆷ을 비할 곳지 업셔 쥬야 위로ᄒᆞ여 감지봉양(甘旨奉養)[656]의 효을 다ᄒᆞ여, 동촉(洞屬)[657]ᄒᆞᆫ 졍셩이 증ᄌᆞ(曾子) 왕상(王祥)[658]을 ᄯᆞ로니, 공의 부뷔 안젼의 다만 원광의 남ᄆᆡ분니라, 귀즁ᄒᆞᆫ 졍이 쳔윤(天倫)의 지ᄂᆡᆷ을 ᄭᆡ닷지 못ᄒᆞ고, 쥬야 부인의 슌슌ᄒᆞ기만 바라ᄂᆞ, 관긔금ᄉᆞ(關其今事[659]))을 싱각ᄒᆞᄆᆡ 일변(一邊) 슬푸고 일변 분ᄒᆞᆫ ᄒᆞᆷ을 마지 아니ᄒᆞ고, 흥황(興況)업ᄉᆞᆫ 세월을 보ᄂᆡ더라.

어시의 윤공이 ᄒᆞ공을 니별ᄒᆞ고 학ᄉᆞ 등의 증ᄉᆞ(葬事) 후, ᄒᆞ운은 촉으로 보ᄂᆡ고 도라와 ᄒᆞ공의 춤화을 다시금 슬허ᄒᆞ더니, 셔동이 뎡공의 ᄂᆡ림ᄒᆞ시믈 고ᄒᆞᆫ니 쳥ᄒᆞ여 ᄒᆞᆫ원[훤]파(寒喧罷)의, 뎡공 왈,

"하형의 춤화ᄂᆞᆫ 일시 운건(運蹇)ᄒᆞ미연니와 우리의 졍약(定約)ᄒᆞᆫ 아희 이졔 장셩ᄒᆞ여스니 밧비 셩네(成禮)ᄒᆞᆷ을 바라노라."

윤틱우 기리 망형(亡兄)을 츄모ᄒᆞ며 뎡공다려 왈,

"우리ᄂᆞᆫ ᄌᆞ녀을 셩취ᄒᆞ여 경ᄉᆞ(慶事)로 보ᄂᆡ건니와 하형은 의외 흉변을 맛ᄂᆞ 슈쳘니(數千里)의 찬츌(竄黜)할 쥴 엇지 싱각ᄒᆞ며, 우리 냥【58】인니 맛ᄂᆞᆫ 바 촉쳐(觸處)의 외롭고 슬푸도다."

뎡공이 역탄(亦嘆)ᄒᆞ고 '틱일을 허송치 말ᄂᆞ' ᄒᆞ고 도라가다.

뎡공이 도라간 후, 틱우 안의 드러와 조부인긔 명아의 혼ᄉᆞ을 뎡공이 ᄌᆡ촉ᄒᆞ여 셰말(歲末)의 지ᄂᆡ기을 뇌졍(牢定)ᄒᆞᆷ을 고ᄒᆞ니, 조부인이 셕ᄉᆞ을 싱각ᄒᆞ여 셩안의 쥬류[루](珠淚)을 금치 못ᄒᆞ니, 뉴시ᄂᆞᆫ 검극(劍

656)감지봉양(甘旨奉養) : 맛있는 음식으로 부모를 봉양함. ≒감지공친(甘旨供親).

657)동촉(洞屬) : 공경하고 조심함.

658)왕상(王祥) : 184-268년. 중국 삼국-서진 때의 효자.

659)관긔금ᄉᆞ(關其今事) : 이번 일에 관한 것..

명되 괴이ᄒᆞ여 냥녀를 두ᄆᆡ, 경ᄋᆞ의 초츌(超出)ᄒᆞᆫ ᄌᆡ질노뼈 셕ᄉᆡᆼ의 박ᄃᆡ를 밧고, 조시는 ᄌᆞ녀를 ᄀᆞᆺ초 두어 그 녀ᄋᆡ 몬져 공후의 며ᄂᆞ리 되믈 골돌ᄒᆞ여', 경ᄋᆞ로 더브러 혼ᄉᆞ 일【60】지 못ᄒᆞᆯ 계규(計規)를 상의ᄒᆞ니 경ᄋᆡ 미우(眉宇)를 찡긔고 간계(奸計)를 듀ᄉᆞ야탁(晝思夜度)ᄒᆞ더니, 일이 공교(工巧)ᄒᆞ여, 항쥐 션산의 투쟝(偸葬)645)이 니러 묘지 슈호ᄒᆞᄂᆞᆫ 노ᄌᆡ 급보ᄒᆞ니, 태위 분앙ᄒᆞ여 밧비 항쥐로 갈ᄉᆡ, 모젼의 하ᄃᆡᆨ고 조부인긔 고왈,

戟) 갓탄[타]여 광텬 ᄉᆞᆷ남ᄆᆡ을 쥭여 업ᄉᆡ고져 ᄒᆞ더니, 명ᄋᆡ 공후의 춍부(冢婦)되믈 뮙고 분ᄒᆞ여 헤오ᄃᆡ, 'ᄂᆞ난 명되 고이ᄒᆞ여 냥네을 두ᄆᆡ 경아ᄂᆞᆫ 초츌(超出)ᄒᆞᆫ ᄌᆡ질노 셕낭의 박ᄃᆡ을 밧고, 현ᄋᆞ의 만고무비(萬古無比)660)ᄒᆞᆫ ᄉᆡᆨ티(色態)로 신낭을 구ᄒᆞᄆᆡ 상부후문(相府侯門)의 옥인군ᄌᆞ(玉人君子)을 다 바리고 ᄀᆞᆺ타여 셔촉슈졸(西蜀戌卒)ᄒᆞᆫ 원광으로 결혼ᄒᆞ려 ᄒᆞ니, 현ᄋᆞ의 일ᄉᆡᆼ이 무광간고(無光艱苦)ᄒᆞ기을 일로도 말고, ᄒᆞᆫ번 촉지로 간 후ᄂᆞᆫ 관ᄉᆞᆫ(關山)니 가리고 ᄋᆡ각(涯角)이 지음쳐 소식조ᄎᆞ 통키 어려올지라. 상공의 용심이 일마다 고이ᄒᆞ여, ᄂᆡ ᄌᆞ식은 못되도록 질겨 ᄒᆞ고, 원수의 ᄌᆞ식은 귀ᄒᆞ며 호치(豪侈)ᄒᆞ기을 즐겨, 명ᄋᆡᄂᆞᆫ 뎡가 며나리을 ᄉᆞᆷ으니 ᄂᆡ 결단코 ᄎᆞ혼을 못되게 ᄌᆞᆨ희(作戲)ᄒᆞ고, 명ᄋᆞ의 일ᄉᆡᆼ이 쳔박(淺薄)ᄒᆞᆫᄃᆡ ᄉᆡᆨ지지 아니면 아조 쥭여 업시ᄒᆞ고, 현ᄋᆞᄂᆞᆫ 뷔[부]귀(富貴)○[한] 집을 ᄐᆡᆨᄒᆞ여 옥【59】인군ᄌᆞ(玉人君子) 가랑(佳郎)을 맛ᄌᆞ, ᄒᆞ가을 멸망ᄒᆞ여 상공이 원광 위ᄒᆞᆫ 염예(念慮)을 업시케 ᄒᆞ리라.' 의ᄉᆞ 이에 밋쳐ᄂᆞᆫ ᄉᆞᆺ치661) 누리지662) 못ᄒᆞ여 경ᄋᆡ와 가마니 모의할 ᄉᆡ, 경ᄋᆡ 왈,

"부친니 계신 후ᄂᆞᆫ ᄎᆞ혼(此婚)을 ᄌᆞᆨ희치 못ᄒᆞ오리니 아모데나 ᄂᆞ가시면 조흐련마ᄂᆞᆫ, 조당지ᄉᆞ(朝堂之事)의 비ᄌᆞ(非訾)663) 통ᄒᆞ여 말ᄒᆞ기 어렵도 소이다."

뉴시 왈,

"존고 실노 상공 나가시믈 불열(不悅)ᄒᆞ시나 만니라도 가셔셔 무ᄉᆞ하면 영힝이라, 무ᄉᆞᆷ 연연(戀戀)ᄒᆞ미 잇스리오. 다만 신년니 머지 안냐시니 아모ᄃᆡ 가도 셰후 될 거시니 셰젼 혼인을 밀쳐 작폐(作弊)치 못ᄒᆞᆯ가 ᄒᆞ노라."

경ᄋᆡ 미우(眉宇)을 찡긔고 간계(奸計)을

아내.

645)투쟝(偸葬) : 남의 산이나 묏자리에 몰래 자기 집안의 묘를 쓰는 일.

660)만고무비(萬古無比) : 아주 뛰어나서 세상에 비길 데가 없음.

661)ᄉᆞᆺ치 : 종시(終是). 끝내. 끝에 가서 드디어.

662)누리다 : 누르다. 억누르다. 참다. 견디다. 자신의 감정이나 생각을 밖으로 드러내지 않고 참다.

663)비ᄌᆞ(非訾) : 남을 헐뜯거나 비방함.

"쇼ᄉᆡᆼ이 급급히 투쟝(偸葬)ᄒᆞᆫ 거ᄉᆞᆯ 파ᄂᆡ고 오오리니 존슈ᄂᆞᆫ 혼구를 미비ᄒᆞᆫ 것 업시 츌히쇼셔."

부인이 응ᄃᆡᄒᆞ고 슈히 환귀(還歸)ᄒᆞ시믈 쳥ᄒᆞ니 공이 밧비 나와 뎡공을 보고 가려 ᄒᆞᆯ ᄎᆞ, 하리 금평후의 님ᄒᆞ시믈 보ᄒᆞ니 공이 깃거 밧비 쳥ᄒᆞ여 셔로 볼ᄉᆡ 태위 왈,

"쇼뎨 ᄇᆞ야흐로 형을 보라 가려 ᄒᆞ더니 가장 잘 왓도다. 항쥐션산의 투쟝ᄒᆞᆫ 변이 나셔 시금(時今)[646]의 가ᄂᆞᆫ 길히라. 비록 급급왕반(急急往返)ᄒᆞ나 그 투쟝ᄒᆞᆫ 거ᄉᆞᆯ 파ᄂᆡ고 도라 【61】 오면, ᄌᆞ연 길긔(吉期) 님시(臨時) 되리니 범귀(凡具)[647] 미비ᄒᆞᆯ가 념녀ᄒᆞᄂᆞ니, 형은 희텬 등을 ᄌᆞ로 와 보고 혹 미비ᄒᆞᆫ 거시 잇거든 밧그로 도으라."

뎡공이 놀나 왈,

"형이 항쥐로 간다 ᄒᆞ니 쳔니왕반(千里往返)이 극난(極難)ᄒᆞ나 마지못ᄒᆞᆫ 길이어니와, 혹ᄌᆞ 길긔 밋쳐 못올가 ᄒᆞᄂᆞ니 혼구(婚具)란 념녀 말고 속속(速速)히 단녀오라."

태위 일시 밧바 급히 ᄯᅥ나니 뎡공이 결연ᄒᆞ믈 니긔지 못ᄒᆞ여 이윽이 안ᄌᆞ 광텬 등으

646)시금(時今) : 금시(今時). 지금(只今). 말하는 바로 이때.

647)범귀(凡具) : 모든 기구(器具).

ᄉᆡᆼ각ᄒᆞ더니, 일ᄉᆞᆨ이 못ᄒᆞ여 항쥐 션ᄉᆞᆫ의 투ᄌᆞᆼ(偸葬)ᄒᆞ미 잇셔, 묘소 슈호(守護)ᄒᆞ난 노ᄌᆡ 급보(急報)ᄒᆞ니, ᄐᆡ위 분완(憤惋)ᄒᆞ여 밧비 항쥐로 나려갈 ᄉᆡ, 모젼(母前)의 ᄒᆞ직고 조부인긔 고 왈,

"소ᄉᆡᆼ이 급급히 투장한 거ᄉᆞᆯ 파ᄂᆡ고 도라오리니 슈쉬ᄂᆞᆫ 그 ᄉᆞ이 혼슈을 미비ᄒᆞᆫ미 업시 ᄒᆞ쇼셔."

조부인니 응ᄃᆡᄒᆞ니, 공이 밧게 ᄂᆞ아와 뎡공을 보고 가려 ᄒᆞ더니, 문득 하리 금평후의 이르러시믈 고ᄒᆞ니, 공이 쳥ᄒᆞ여 셔로 볼 ᄉᆡ, 뎡공이 왈,

"납빙길일(納聘吉日)이 임박ᄒᆞ니 두굿기믈 이긔지 못ᄒᆞᄃᆡ, 소졔 금일 풍한의 상【60】ᄒᆞ여 츌입을 못ᄒᆞ고 형이 그 ᄉᆞ이 ᄎᆞᆽ지 아니니 소뎨 참지 못ᄒᆞ여 오히려 치낫지 못ᄒᆞᆫ 거ᄉᆞᆯ 온 괘라."

ᄐᆡ우 왈,

"쇼졔 바야흐로 형을 보러 가ᄂᆞᆫ 지음[664]의 가ᄌᆞᆼ 잘 왓도다. 연니나 항쥬 션ᄉᆞᆫ의 투ᄌᆞᆼᄒᆞᆫ 폐(弊) 잇셔 지금 가ᄂᆞᆫ 길이라. 급급(急急)이 왕반(往返)코ᄌᆞ ᄒᆞ나, 투ᄌᆞᆼᄒᆞᆫ 거ᄉᆞᆯ 파ᄂᆡ고 오노라 ᄒᆞ면, 길일이 임시(臨時)ᄒᆞ여 올 거시니 범구(凡具)의 미비할 거시 염여(念慮)나, 소뎨 일일(一日)을 격(隔)ᄒᆞ고 오리니 형은 쇼뎨 오기를 기다려 ᄒᆞ라."

뎡공이 결울(結鬱) 왈,

"ᄎᆞᄒᆡᆼ은 마지 못ᄒᆞᆫ ᄒᆡᆼ되(行道)나 쳔니 왕반의 엄한(嚴寒)을 ᄡᅴ여 향되(向道) 가ᄌᆞᆼ 극난ᄒᆞ고 혹ᄌᆞ 길일의 밋지 못ᄒᆞ면 엇지 결연(缺然)치 아니리오."

ᄐᆡ우 왈,

"쥬야 ᄒᆡᆼ할지라도 길일의 밋쳐 도라오리니 형은 물녀(勿慮)ᄒᆞ고 혼슈(婚需)을 축실이 ᄒᆞ며 희텬 등을 ᄌᆞ로 와보와 미비ᄒᆞᆫ 거시 잇거든 의구(儀具)[665]을 도으라."

뎡공이 응낙ᄒᆞ니, ᄐᆡ우 일시 밧바 급히 항쥬로 향ᄒᆞ니, 뎡공이 이윽히 안ᄌᆞ 광텬 등과 슈쟉(酬酌)ᄒᆞ다가 도라가니라.

664)지음 : 즈음. 일이 어찌 될 무렵.

665)의구(儀具) : 의식에 쓰는 기구(器具)

로 슈쟉(酬酌)ᄒᆞ다가 도라가니라.

뉴시 쇼원이 영합(迎合)ᄒᆞ여 혼ᄉᆞ 작희ᄒᆞᆯ 긔틀이 되니 존고긔 고왈,

"조시 모ᄌᆞ를 ᄆᆡ양 업시코져 ᄒᆞ시ᄃᆡ 소원을 못 일우시고 희텬형데ᄂᆞᆫ 점점 ᄌᆞ라가고 명ᄋᆞᄂᆞᆫ 뎡가 혼ᄉᆞ를 온젼케 되니, 조시의 형셰 하슈(下手)키 어려온지라 엇지 【62】 ᄒᆞ려 ᄒᆞ시ᄂᆞ니잇고?"

부인이 침음 답왈,

"ᄎᆞ혼을 작희ᄒᆞ여 셜분코져 ᄒᆞ나 됴혼 계괴 업도다."

뉴시 왈,

"뎡개 명ᄋᆡ 삼ᄉᆞ세의 션슉슉(先叔叔)과 《결혼‖뎡혼》ᄒᆞ여 이졔 셩혼(成婚)ᄒᆞ미 경이히 작희ᄒᆞᆯ 조각이 업셔 우민ᄒᆞᄂᆞ이다."

경ᄋᆡ 밀밀(密密)히 고왈,

"쇼녜 그윽이 ᄉᆡᆼ각ᄒᆞ오니 위 관인(官人)이 년급 ᄉᆞ십의 금현(琴絃)[648]이 단졀ᄒᆞ고 평ᄉᆡᆼ 졀ᄉᆡᆨ(絶色)을 구ᄒᆞᆫ다 ᄒᆞ니, 조뫼 위력으로 맛지시고 뎡가의ᄂᆞᆫ 실산(失散)ᄒᆞ다 ᄒᆞ고 믈니치면 관겨치 아니리이다."

부인이 박장대쇼(拍掌大笑) 왈,

"이 말이 묘ᄒᆞ고 묘ᄒᆞ다. 방이 상실(喪室)ᄒᆞ고 ᄌᆡ취(再娶)를 구ᄒᆞᄃᆡ, 노뫼 능히 ᄉᆡᆼ돗지 못ᄒᆞ도다."

즉시 심복시녀로 위방을 브르니 원ᄂᆡ 이 위관인은 태부인 셔뎔(庶姪)이라 방이 용ᄆᆡᆼ이 과인ᄒᆞ여 활을 다ᄅᆡ고[649] 【63】 칼흘 츔츄어 효용(驍勇)이 졀뉸(絶倫)ᄒᆞ므로 군문(軍門)의 댱관(將官)을 지ᄂᆡ고 집이 호부(豪富)ᄒᆞ여 누만금(累萬金)을 ᄡᅡ코 노복이 무슈ᄒᆞ더라. 기쳐(其妻) 홍시 ᄌᆞ녀를 두고 망ᄒᆞ니, 방이 과상ᄒᆞᄂᆞᆫ 듕 듀뫼(主母) 업ᄉᆞ믈

뉴시 쇼원이 영합ᄒᆞ여 조히 혼ᄉᆞ 즉희할 긔틀을 어드니 죤고긔 고왈,

"죤괴 ᄆᆡ양 조시의 ᄉᆞ모ᄌᆞ(四母子)을 업시코져 ᄒᆞ시ᄂᆞ 소원을 못 일우고 텬아ᄂᆞᆫ 점점 ᄌᆞ라고 명ᄒᆞᄂᆞᆫ 뎡가 며나리 되어 【61】 가게 되어시니, 조시의 셰권(勢權)니 부셩(富盛)을 어든 즉 더옥 하슈키 어려오니, 엇지 ᄒᆞ려 ᄒᆞ시ᄂᆞᆫ니가?"

부인니 침음양구(沈吟良久) 왈,

"ᄎᆞ혼을 즉희ᄒᆞ여 셜분(雪憤)ᄒᆞ미 엇더ᄒᆞ냐?"

뉴시 왈,

"죤괴(尊姑) ᄒᆞ괴(下敎) 맛당ᄒᆞ시ᄂᆞ 뎡가 명ᄋᆞ로 ᄉᆞᆷ셰부터 션슉(先叔)과 정혼(定婚)ᄒᆞ여 이졔 양가(兩家) 다 ᄌᆞ라 셩취케 되오니 경(輕)히 ○○[작희]ᄒᆞᆯ 조각이 업셔 우민ᄒᆞ여이다."

ᄐᆡ부인이 역시 양칙(良策)을 ᄉᆡᆼ각지 못ᄒᆞ여 치[침]음(沈吟)ᄒᆞ더니, 경ᄋᆡ 미소 고왈,

"쇼여(小女) 그윽이 ᄉᆡᆼ각ᄒᆞ니 위관인(官人)니 연근[급] ᄉᆞ십의 금현(琴絃)[666]이 단졀ᄒᆞ고 평ᄉᆡᆼ 졀ᄉᆡᆨ(絶色)을 남달니 구ᄒᆞ니, 조뫼 명ᄋᆞ을 위력으로 맛기시고 뎡가의 젼ᄒᆞ기을 실ᄉᆞᆫ(失散)타 ᄒᆞ여 혼인을 물니미 올흘가 ᄒᆞᄂᆞ이다."

부인니 박ᄌᆞᆼᄃᆡ소(拍掌大笑) 왈,

"네 말이 묘코 묘ᄒᆞ다. 방이 ᄉᆞᆼ실(喪失)ᄒᆞ고 ᄌᆡ취(再娶)을 구ᄒᆞ려 ᄒᆞ거날 노뫼 ᄉᆡᆼ각지 못ᄒᆞ도다."

ᄒᆞ고 인ᄒᆞ여 심복시녀로 위방을 부르니 원ᄂᆡ 위방ᄌᆞ난 ᄐᆡ부인 셔질(庶姪)이라. 용ᄆᆡᆼ이 과인ᄒᆞ여 활을 다ᄅᆡ고[667] 칼흘 츔츄어 군문(軍門)의 ᄌᆞᆼ관(將官)을 지ᄂᆡ고 집이 부요(富饒)ᄒᆞ여 무슈 노복과 ᄌᆡ보(財寶) 슈만금(數萬金)이라. 그 쳐 홍시 ᄌᆞ여(子女)을 두고 망ᄒᆞᄆᆡ, 방이 과ᄉᆞᆼ(過傷)ᄒᆞ여 신취(新娶)을 구할 ᄉᆡ, 쳔금을 드려도 미인을 어드

648)금현(琴絃) : 거문고의 줄. 여기서는 '아내'를 비유적으로 일컬은 말이다.

649)다ᄅᆡ다 : 당기다.

666)금현(琴絃) : 거문고의 줄. 여기서는 '아내'를 비유적으로 일컬은 말이다.

667)다ᄅᆡ다 : 당기다.

민망(憫惘)ᄒᆞ여 신취(新娶)를 진정 구ᄒᆞᆯᄉᆡ, 쳔금을 드려도 미인을 어드면 앗길 거시 업셔 녀ᄉᆡᆨ의 쥬린 귓거시라[650]. 경ᄋᆡ 명ᄋᆞ를 쳔거ᄒᆞ고 금은을 졔 욕심ᄃᆡ로 물니려 ᄒᆞ미라. 짐즛 조모를 촉(囑)ᄒᆞ여 타일 부친이 아라도 져{의}ᄂᆞᆫ ᄲᆡ지고져 ᄒᆞ미라.

위방이 니르러 태부인긔 ᄇᆡ견(拜見)ᄒᆞ고 브르시ᄂᆞᆫ 연고를 뭇ᄌᆞ오니 부인이 쇼왈,

"됴흔 말을 니르고져 브르미라. 네 후취(後娶)를 못ᄒᆞ여시니, 나의 손녀 현의 ᄯᆞᆯ이니 나히 계오 십이셰라. 옥모ᄋᆡ용(玉貌愛容)이 금고(今古)의 독【64】보(獨步)ᄒᆞᆫ디라. 졔 아비 ᄉᆡᆼ시(生時)의 금평후 뎡연지ᄌᆞ(之子)와 뎡약(定約)ᄒᆞ여 이졔 뎡개 촉혼(促婚)ᄒᆞ니, 내 ᄆᆞᄋᆞᆷ은 너를 주고져 ᄒᆞ나 네 셔얼(庶孽)이오 년긔브젹(年紀不適)ᄒᆞ니 ᄋᆞᄌᆞ의 귀의ᄂᆞᆫ ᄎᆞ언을 들니지 못ᄒᆞᆯ디라. 임의로 못ᄒᆞ더니 이졔 쉬 나가고 혼긔 님박ᄒᆞ여 일이 가장 급ᄒᆞᆫ디라 너의 뜻이 엇더ᄒᆞ뇨?"

방이 쳔만무망(千萬無望)의 윤상셔 천금농듀(千金弄珠)로 져의게 가(嫁)ᄒᆞ려 ᄒᆞ믈 드르니 감격ᄒᆞᆫ ᄃᆞᆺ 황공ᄒᆞᆫ ᄃᆞᆺ 정신이 취(醉)ᄒᆞ이니 오딕 웃ᄂᆞᆫ 입을 버리고, 거믄 낫치 더러온 나룻ᄉᆞᆯ 어로만지며 니러 고두ᄇᆡ샤(叩頭拜謝)[651] 왈,

"쳔딜(賤姪)을 위ᄒᆞ여 명쳔공 노야(老爺)의 만금규와(萬金閨瓦)[652]로ᄡᅧ 허ᄒᆞ시니, 은혜 쇄신분골(碎身粉骨)ᄒᆞ오나 다 갑ᄉᆞᆸ디 못ᄒᆞ리【65】로소이다. 연이나 의법(依法)ᄒᆞᆫ 셔얼이 상문녀ᄌᆞ(相門女子)를 남이 알게 취(娶)치 못ᄒᆞ오리니 각별한 계교로 취코져 ᄒᆞᄂᆞ이다."

부인 왈,

"나도 위력으로 맛지고져 ᄒᆞ더니 여언(汝言)이 올흐니 엇디 남이 모르게 취ᄒᆞ리오."

650)귓것 : 귀신(鬼神).

651)고두ᄇᆡ샤(叩頭拜謝) : 공경하는 뜻으로 머리를 땅에 조아려 절하고 사례함.

652)만금규와(萬金閨瓦) : 아주 귀한 딸. '규와(閨瓦)'의 '와(瓦)'는 '농와지경(弄瓦之慶)'의 '와(瓦)'로 딸을 비유적으로 일컫는 말.

면 앗길 ᄯᅳ지 업ᄉᆞ니 여ᄉᆡᆨ(女色)의 쥬린 긋[귓]거【62】시라[668]. 경ᄋᆡ 명ᄋᆞ을 쳔거ᄒᆞ고 금은을 졔 마음ᄃᆡ로 물니려 ᄒᆞ미라. 짐줏 조모을 부촉(咐囑)ᄒᆞ여 부친니 아르셔도 져의 모여(母女) 타ᄉᆞᆯ 삼지 못ᄒᆞ게 ᄒᆞ밀너라.

방이 ᄐᆡ부인긔 뵈ᄋᆞᆸ고 부르신 연고을 뭇ᄌᆞ온ᄃᆡ, 부인니 희희(喜喜) 소왈,

"조흔 말을 이르{려}고져 부르미라. 네 ᄌᆡ취을 못ᄒᆞ엿다 ᄒᆞ니, 나의 손여오, 현의 ᄯᆞᆯ이니, ᄂᆞ히 겨유 십이셰라. 옥모화용(玉貌花容)이 화월()花月이 불급(不及)ᄒᆞᆫ지라. 졔 아비 ᄉᆡᆼ시의 금평후 뎡년의 ᄌᆞ와 졍혼ᄒᆞ여 이졔 뎡가 촉혼(促婚)ᄒᆞ니, 오심(吾心)이 너을 쥬고져 ᄒᆞᄃᆡ, 네 셔일[얼](庶孼)이오 연긔부젹(年紀不適)ᄒᆞ니 슈의 귀의난 들니지 못ᄒᆞᆯ지라. 임의로 못ᄒᆞ엿드니, 이졔 쉬 나가고 혼긔 임박ᄒᆞ엿시니 일리 가ᄌᆞᆼ 급ᄒᆞᆫ지라. 여심(汝心)은 엇더ᄒᆞ뇨?"

방이 쳔만무망즁(千萬無望中) 윤상셔의 만금옥여(萬金玉女)로ᄡᅧ 져의게 속현(續絃)ᄒᆞ려 ᄒᆞ믈 드르니, 감격ᄒᆞᆫ 듯 황송ᄒᆞᆫ 듯 정신니 취(醉)ᄒᆞ이고 몸이 져려 오작 말을 오ᄅᆡ 못ᄒᆞ다가, 이러 ᄇᆡᄉᆞ(拜謝) 왈,

"ᄐᆡ부인니 쳔질(賤姪)을 ᄃᆡᄒᆞᄉᆞ 션상셔(先尙書) 명쳔 노야의 만금규아(萬金閨兒)[669]로ᄡᅧ 허ᄒᆞᄉᆞ 쥬시니 쳔질이 분골쇄신(粉骨碎身)ᄒᆞ오나 다 갑ᄉᆞᆸ지 못ᄒᆞ올지라. 연이ᄂᆞ 각별ᄒᆞ온 게교(計巧)을 엇지코져 ᄒᆞ시나니가? 쳔질이 용【63】밍이 과인ᄒᆞ오니, 쇼져의 침쇼을 가라쳐 쥬시면 모야(暮夜) 겁탈코져 ᄒᆞ나이다"

668)귓것 : 귀신(鬼神).

669)만금규아(萬金閨兒) : 아주 귀한 딸.

방 왈,

"쳔딜이 용밍이 과인ᄒᆞ니 쇼져 팀소를 가르치시면 심야의 겁탈(劫奪)코져 ᄒᆞᄂᆞ이다."

부인이 올타 ᄒᆞ더니 경ᄋᆡ 협실의셔 문답을 듯고 공교로온 ᄭᅬ를 ᄉᆡᆼ각고 조모(祖母)를 청ᄒᆞ여 니르ᄃᆡ,

"왕모(王母)는 이리이리 ᄒᆞ쇼셔."

ᄒᆞ니, 부인이 응낙(應諾)고 나와 위방다려 왈,

"손녜(孫女) 아직 각각 팀쳐의 잇지 아니코 모녜 동거(同居)ᄒᆞ고, 조시 춍명의 여신(如神)ᄒᆞ여 남ᄌᆞ의 지난653) 지감(知鑑)이 이시니, 네 비록 용밍ᄒᆞ나 혼ᄌᆞ 드러와【66】셔는 정젹(情迹)이 패루(敗漏)ᄒᆞ기 쉬오니, 내 집을 ᄯᅥ나 조시 모녀(母女)만 다리고 강졍(江亭)으로 갈 거시니, 너는 명화젹(明火賊)인 쳬ᄒᆞ고 군ᄉᆞ를 거ᄂᆞ려 돌입(突入)ᄒᆞ면, 내 ᄂᆡ응(內應)ᄒᆞ여 합녁(合力)ᄒᆞ리니, 너는 ᄯᅩ 조시를 마ᄌᆞ 질너 죽여, 말이 나디 아니케 ᄒᆞ라."

방이 더옥 깃거 슌슌 샤례ᄒᆞ니 부인 왈,

"오날이라도 올므리니 너는 다만 용댱(勇壯)ᄒᆞᆫ 댱슈(將帥)를 모화 일을 잘ᄒᆞ라."

방이 ᄇᆡᆨᄇᆡ 팅은(稱恩)ᄒᆞ고 도라가니, 태부인이 조부인을 블너 왈,

"노뫼 년일 몽됴(夢兆) 블길ᄒᆞ고 심ᄉᆡ(心思) 산란ᄒᆞ여 디향치 못ᄒᆞ니, 괴이ᄒᆞ여 복ᄌᆞ(卜者)의게 길흉을 츄졈(推占)ᄒᆞᆫ 즉, 슈삭이나 니가(離家) ᄒᆞ여 도익(度厄)ᄒᆞ라 ᄒᆞ니, 브득이 슈일ᄂᆡ(數日內)로 강졍(江亭)으로 가려 ᄒᆞᄂᆞ니, 뉴시는 운쉬(運數)【67】 블길타 ᄒᆞ니 다려가디 못ᄒᆞ고, 오딕 그ᄃᆡ 모녜 길(吉)타 ᄒᆞ니 날을 좃ᄎᆞ 갓다가 혼녜 밋쳐 도라오게 ᄒᆞ라."

653)지나다 : 지나다. 어떠한 상태나 정도를 넘어서다.

부인니 ᄯᅩ한 올타ᄒᆞ더니, 경ᄋᆡ 협실의셔 문답 셜화을 듯고 공교로온 ᄭᅬ을 ᄉᆡᆼ각고, 조모을 청ᄒᆞ고, '일리일리 ᄒᆞ라' ᄒᆞ니, 부인니 응낙고 갈오ᄃᆡ,

"손여(孫女) 아직 각각 침실을 정치 아니코 져의 모여(母女) 동거ᄒᆞ여 잇고, ᄯᅩᄒᆞᆫ 조시 총명ᄒᆞ미 여신(如神)ᄒᆞ여 남ᄌᆞ의 지ᄂᆞᆫ670) 질약(智略)이 잇스니, 비록 용밍이 과인신츌(過人神出)ᄒᆞ나, 혼ᄌᆞ 드러가면 형젹(形迹)이 픽루(敗漏)ᄒᆞ미 쉬오니, ᄂᆡ 이곳을 ᄯᅥ나 조시 모녀만 다리고 잠간 강졍으로 나갈 거시니, 명화젹(明火賊)인 쳬ᄒᆞ고 군ᄉᆞ을 거나려 돌입ᄒᆞ면 ᄂᆡ응(內應)이 되어 명ᄋᆞ을 잡게 ᄒᆞ리라. ᄯᅩᄒᆞᆫ 조시는 아조 질너 쥭여 말이 나지 안케 ᄒᆞ라"

방이 더옥 깃거 슌슌ᄇᆡᄉᆞᄒᆞ고, '밧비 힝ᄒᆞ쇼셔' ᄒᆞ니 부인 왈,

"오날이라도 올무려 ᄒᆞ니 너는 염녀(念慮) 말고 다만 용즁(勇壯)ᄒᆞᆫ 즁슈(將帥)을 모화 일을 즐ᄒᆞ여 후회 업게 ᄒᆞ라."

방이 ᄇᆡᆨᄇᆡᆨ[ᄇᆡ](百拜) ᄉᆞ은ᄒᆞ고 밀밀히 상약(相約)ᄒᆞᆫ 후 도라가니라.

ᄐᆡ부인이 조부인을 불너 왈,

"ᄂᆡ 몽ᄉᆡ(夢事) 연일 불길ᄒᆞ고 심ᄉᆞ 살는(散亂)ᄒᆞ여 지향치 못ᄒᆞ니 ᄒᆞ 고이ᄒᆞ여 복ᄌᆞ(卜者)의게 길홍[흉](吉凶)을 츄졈ᄒᆞᆫ 즉, 슈삭(數朔)을 집을 ᄯᅥᄂᆞ 피졉(避接)671)ᄒᆞ야 도익(度厄)ᄒᆞ리라 ᄒᆞ니, 부득이 강졍으로【64】 가려ᄒᆞ나니, 뉴시난 운슈(運數) 불길타 ᄒᆞ무로 ᄯᅡ르지 못ᄒᆞ거이와, 그 ᄃᆡ 모여(母女)난 길ᄒᆞ다 ᄒᆞ니, 늘을 됴ᄎᆞ 갓다가 혼긔 임박ᄒᆞ여 슈의 도라오기을 기다려, 드

670)지ᄂᆞ다 : 지나다. 어떠한 상태나 정도를 넘어서다

671)피접(避接) : '비접'의 원말. 앓는 사람이 다른 곳으로 자리를 옮겨서 요양함.

조부인이 존고의 심폐(心肺)를 빗최고 그윽이 놀나오나 감히 거역지 못ᄒᆞ여 슈명(受命)ᄒᆞᆯ ᄯᆞ름이러니, 냥공ᄌᆡ 드러와 ᄎᆞ언을 듯고 일공ᄌᆡ 간왈,

"복셜(卜說)이 극히 허탄ᄒᆞ고 무고히 피화(避禍)ᄒᆞ실 ᄇᆡ 아니니 원컨ᄃᆡ 옴지 마르쇼셔."

태부인이 텬ᄋᆞ 등 ᄆᆡ오미 얽혀시ᄃᆡ 태우이실 ᄊᆡᄂᆞᆫ ᄉᆞ짓도 못ᄒᆞ였던디라, 믄득 젹튝(積蓄)ᄒᆞ엿던 심용(心用)이 대발ᄒᆞ여 변ᄉᆡᆨ(變色) 왈,

"노뫼 몽ᄉᆡ 심난(心亂)ᄒᆞ여 집을 잠간 ᄯᅥ나려 ᄒᆞ미라 네 엇지 막ᄂᆞ뇨?"

공ᄌᆞ 등이 ᄃᆡ왈,

"브ᄃᆡ 올므려 ᄒᆞ시면 쇼손 등과 구조뫼 모셔 가리니 모친과 ᄆᆡ져는 두고【68】 가ᄉᆞ이다."

부인이 즐 왈,

"여모(汝母)를 다려가미 므어시 유ᄒᆡ(有害)ᄒᆞ리오?"

공ᄌᆡ ᄃᆡ왈,

"유ᄒᆡ(有害)ᄒᆞ미 아니라 져져(姐姐)의 혼긔 님박(臨迫)ᄒᆞᆫᄃᆡ 왕반ᄒᆞ미 혼슈 출히기 어려올가 ᄒᆞᄂᆞ이다."

부인이 대로ᄒᆞ여 젹년(積年) ᄡᅡ힌 분한(憤恨)이 겸발ᄒᆞ니 금쳑(金尺)으로 냥공ᄌᆞ를 난타ᄒᆞ여 왈,

"간흉ᄒᆞᆫ 악종들이 므어슬 아노라 노모를 긔결ᄒᆞᄂᆞ뇨654)? 《우‖여부(汝父)》 브터 몹쓸 놈일너니, 일즉 죽고 여등 냥인을 깃쳐 이ᄃᆡ도록 ᄉᆞ오나오냐?"

뎡공ᄌᆡ 뎡ᄉᆡᆨ(正色) 왈,

"요슌지ᄌᆞ(堯舜之子)도 블초ᄒᆞ오니 쇼손 등의 ᄉᆞ오나오미 션군(先君)의 죄 아니어늘,

654)긔결하다 : 명령하다. 분부하다. 시키다.

러와 혼인을 지ᄂᆡ게 ᄒᆞ라."

ᄒᆞᆫᄃᆡ, 조부인니 슌슌슈명(順順受命)ᄒᆞ나 죤고의 심폐(心肺)을 그윽히 ᄀᆡ탄ᄒᆞᆯ 다름이라. 그윽히 ᄉᆞᆺ쳐 심ᄒᆞ(心下)의 경아ᄒᆞ나 ᄉᆞ쇠지 아니더라. 냥공ᄌᆞ 드러와 ᄎᆞ언을 듯고 ᄃᆡ경ᄒᆞ여 일공ᄌᆞ 간 왈,

"그 말이 그윽히 허탄(虛誕)ᄒᆞ고 무고히 피화(避禍)할 ᄇᆡ 아니니, 원컨ᄃᆡ 옴지 마ᄋᆸ쇼셔."

ᄐᆡ부인니 광텬 형졔 미오미 흉격의 얼켜시ᄃᆡ ᄐᆡ우을 어려워 마음ᄃᆡ로 ᄉᆞᆺ짓도 못ᄒᆞ엿ᄂᆞᆫ지라. 문득 변ᄉᆡᆨ(變色) 즐 왈,

"노뫼 몽ᄉᆡ 심는(心亂)ᄒᆞ여 집을 즘간 피신ᄒᆞ여 ᄯᅥ나 다녀오려 ᄒᆞ미라. 네 엇지 막ᄂᆞᆫ뇨?"

공ᄌᆡ 이셩 ᄃᆡ왈,

"조뫼 부ᄃᆡ 올무려 ᄒᆞ시면 소손과 구조뫼 뫼셔 가오리니 모친과 져져ᄂᆞᆫ 두고 가ᄉᆞ이다."

부인니 ᄃᆡ로 왈,

"여모(汝母)을 다려가미 무어시 유히ᄒᆞ미 잇ᄂᆞ뇨?"

일공ᄌᆡ ᄃᆡ왈,

"유히ᄒᆞ미 아니오라 ᄆᆡ졔의 혼인니 임박(臨迫)ᄒᆞ온 ᄃᆡ 왕반ᄒᆞ시면 혼슈을 ᄎᆞ리기 어려올가 ᄒᆞ{여}ᄂᆞ이다."

부인니 ᄃᆡ로ᄒᆞ여 젹츅《ᄒᆞ미‖ᄒᆞᆫ》 ○○[ᄒᆞᆫ이] 《오ᄂᆡ‖오래》 ○○[되어] 겸발(兼發)하니, 츰지 못ᄒᆞ여 금쳑(金尺)을 들어 냥공ᄌᆞ을 난타ᄒᆞ여 왈,

"악종의 간휼(奸譎)한【65】놈들이 무슴 인ᄉᆞ을 아ᄂᆞᆫ 양ᄒᆞ여, 노모을 감히 긔결ᄒᆞᄂᆞᆫ뇨672)? 여부(汝父)부텀 불효ᄒᆞᆫ 몹실 놈이 일즉 죽고, 두낫 아들을 ᄭᅵ쳐 이ᄃᆡ도록 ᄉᆞ오나오냐?"

희텬 공ᄌᆞᄂᆞᆫ 무언 슈ᄉᆡᆨ(羞色)이나 광텬이 정ᄉᆡᆨ(正色) ᄃᆡ왈,

"슌지ᄌᆞ(舜之子)도 불초ᄒᆞ오니 소손 등의 불초ᄒᆞ미 션친(先親)의 죄 아니여날, ᄃᆡ모

672)긔결하다 : 긔결하다. 명령하다. 시키다.

엇디 ᄎᆞ마 대인을 일ᄏᆞ르샤 못홀 말ᄉᆞᆷ을 ᄒᆞ시ᄂᆞ니잇고? 션군의 됴셰(早世)ᄒᆞ시미 왕모긔 셔하지탄(西河之嘆)655)이시고 쇼손 등의 디원극통(至冤極痛)이라. 비졀(悲絶)ᄒᆞ신 ᄆᆞᄋᆞᆷ을【69】 두지 아니시고 실덕(失德)ᄒᆞ시미 이ᄀᆞᆺᄐᆞ시니잇고?"

부인이 더옥 대로ᄒᆞ여 광텬의 두발(頭髮)을 잡아 벽의 브ᄃᆡ잇고, 우슈(右手)로 희텬의 머리를 잡아 ᄡᅳ드며 고셩(高聲) 즐왈,

"십세도 못ᄒᆞᆫ 것들이 이졔브터 한미를 죽이려 ᄒᆞ여 원망ᄒᆞᄂᆞᆫ 뜻이 이ᄀᆞᆺᄐᆞ니 여ᄎᆞᄒᆞᆫ 악종들을 ᄉᆞᆯ녀 므엇ᄒᆞ리오. 나의 말이 엇더ᄒᆞ여 실덕이 되ᄂᆞ뇨? 네 아비놈이 너희를 못 보아셔도 간흉요악(奸凶妖惡)ᄒᆞ여 밧그로 효셩된 쳬하고, 안흐로 날을 죽이고져 ᄒᆞ더니, 너희놈들이 아비와 ᄀᆞᆺᄐᆞ니 엇지 통히치 아니리오. ᄌᆞ식이 부모를 담는다 말이 올흐여, 여등의 거동은 현의 간악과 조시의 궁흉(窮凶)을 겸ᄒᆞ여시니, 쳔고뎨일대악(千古第一大惡)656)이라. 출하리 ᄒᆞᆫ 칼히 모ᄌᆞ녀(母子女) ᄉᆞ인을 다【70】 죽여 셜한(雪恨)ᄒᆞ리라."

광텬이 머리를 브ᄃᆡ이ᄌᆞ니 알프믈 니긔지 못ᄒᆞ나 강인(强忍)ᄒᆞ여 졍식 ᄃᆡ왈,

"왕모 말ᄉᆞᆷ이 한심경히(寒心驚駭)ᄒᆞ믈 니긔지 못ᄒᆞ리로소이다. 쇼손 등이 엄안(嚴顔)을 아지 못ᄒᆞ고, 지통(至痛)이 심골(心骨)의 ᄆᆡᆺ쳐 인셰흥황(人世興況)을 모르오ᄃᆡ, 일가친쳑(一家親戚) 졔인의 말을 듯ᄌᆞ오면 션친의 효우셩ᄒᆡᆼ(孝友性行)과 목족인현(睦族仁賢)ᄒᆞ샤미 셰속지인(世俗之人)으로 다르시더라 ᄒᆞ거ᄂᆞᆯ, 왕뫼 엇디 쇼손 등의 블초ᄒᆞ믈 인ᄒᆞ여 믄득 션군을 블효블인(不孝不仁)이라 ᄒᆞ샤 목강(穆姜)657)의 인ᄌᆞᄒᆞ신 셩덕

---

655)셔하지탄(西河之嘆) : 자식을 잃은 탄식. '서하의 탄식'이라는 뜻으로, 공자(孔子)의 제자인 자하(子夏)가 서하(西河)에 있을 때 자식을 잃고 너무 슬픈 나머지 소경이 된 고사에서 온 말.

656)쳔고뎨일대악(千古第一大惡) : 세상에서 제일 큰 악인(惡人).

(大母) 엇지 망부(亡父)을 일카르ᄉᆞ 사람의 ᄎᆞᆷ지 못홀 말ᄉᆞᆷ○[을] ᄒᆞ시ᄂᆞ니가? 션친의 조셔(早逝)ᄒᆞ시미 ᄃᆡ모게ᄂᆞᆫ 참쳑(慘慽)673)이라. 비련(悲戀)ᄒᆞ오신 마음은 두지 아니시고 거죄(擧措) 실덕(失德)ᄒᆞ오시미 이 갓트시니잇가?"

부인니 밋친 셩관(性慣)과 흉ᄒᆞᆫ 분(憤)니 쳘쳔(徹天)ᄒᆞ여 {유}젹츅(積蓄)ᄒᆞᆫ 한(恨)니 일시의 발ᄒᆞ니, 좌슈(左手)로 광텬의 머리을 ᄌᆞᆸ아 벽의 부ᄃᆡ잇고, 우슈(右手)로 희텬의 두발을 쥐여 ᄡᅳ더 고셩ᄃᆡᄆᆡ(高聲大罵) 왈,

"십세도 못ᄎᆞᆫ 것들이 이졔 엇지 조모을 쥭이고져 원망ᄒᆞᄂᆞᆫ 말이 엿ᄎᆞᄒᆞ니, 이 악종(惡種)을 ᄉᆞᆯ여 두어 무엇 ᄒᆞ리오. 노뫼 무ᄉᆞᆷ 말이 엇더ᄒᆞ여 실덕이 엇지 되ᄂᆞᆫ뇨? 네 아비 놈이 너의ᄂᆞᆫ 못보아시나 간흉요악(奸凶妖惡)ᄒᆞ여 밧그로 효셩된 쳬ᄒᆞ고 안흐로난 날을 쥭이고져 ᄒᆞ든지라. 너희 놈들이 ᄯᅩ 네 아비와 갓트니 엇지 통히치 아니리오. ᄌᆞ식이 ᄌᆞ연 부모을 담는다 ᄒᆞ나 너의ᄂᆞᆫ 측쳔(則天)674)의 간악과 포시[사](褒姒)675)의 궁【66】흉(窮凶)ᄒᆞ믈 겸ᄒᆞ여시니, 쳔고의 졔일 요악이라. 출하리 너의 ᄉᆞ모ᄌᆞ(四母子)을 다 쥭여 셜한ᄒᆞ리라."

광텬이 머리을 벽의 부ᄃᆡ쳐 졍신니 어득ᄒᆞ나 신ᄉᆡᆨ을 강잉(强仍)ᄒᆞ여 졍ᄉᆡᆨ(正色) 왈,

"ᄃᆡ모(大母) 말ᄉᆞᆷ이 ᄉᆞ람이 드르ᄆᆡ ᄒᆞᆫ심경히(寒心驚駭)ᄒᆞ믈 이긔지 못할지라.

○…결락384자…○ [쇼손 등이 엄안(嚴顔)을 아지 못ᄒᆞ고 지통(至痛)이 심골(心骨)의 ᄆᆡᆺ쳐 인셰흥황(人世興況)을 모르오ᄃᆡ 일가친쳑(一家親戚) 졔인의 말을 듯ᄌᆞ오면 션친의 효우셩ᄒᆡᆼ(孝友性行)과 목족인현(睦族仁賢)ᄒᆞ샤미 셰속지인(世俗之人)으로 다르시더라 ᄒᆞ거ᄂᆞᆯ 왕뫼 엇디 쇼손등의 블초ᄒᆞ믈 인ᄒᆞ여 믄득 션군을 블효블인(不孝不仁)이라 ᄒᆞ샤 목강(穆姜)676)의 인ᄌᆞᄒᆞ

---

673)참쳑(慘慽) : 자손이 부모나 조부모보다 먼저 죽는 일.

674)측쳔(則天) : 측천무후(則天武后). 624-705. 중국 당나라 고종의 황후로, 스스로 황위에 올라 국호를 '주(周)'로 고치고 성신황제(聖神皇帝)라 했다.

675)포사(褒姒) : 중국 주(周)나라 유왕의 총희(寵姬)로 웃음이 없었다. 유왕이 그녀를 웃게 하기 위해 거짓 봉화를 올려 제후들을 소집하였다가, 뒤에 외침(外侵)을 받고 봉화를 올렸으나 제후들이 모이지 않아 왕은 죽고 포사는 사로잡혔다고 한다.

이 업亽시고 실덕(失德) 실체(失體)를 위듀(爲主)ᄒᆞ시니, 쇼손이 실노 왕모를 위ᄒᆞ여 타인이 드를가 붓그리ᄂᆞ이다.”

부인이 더옥 분긔쳘골(憤氣徹骨)ᄒᆞ여 ᄎᆞ공ᄌᆞ를 노화 ᄇᆞ리고, 대공ᄌᆞ의게 다라드러 머리로브터 【71】 왼몸을 혜지 아니코 즛두다리니, 분긔발발(憤氣勃發)ᄒᆞ여 흉악히 날치ᄂᆞᆫ 거동이 일회658) 사룸을 만나 무러 흔드ᄂᆞᆫ 형상이오, ᄒᆞᆫ 조각 인졍이 업ᄉᆞ니 나히 비록 늙으나 쇠패(衰敗)ᄒᆞ미 업서, 공ᄌᆞ를 두다리ᄂᆞᆫ 바의 피 소ᄉᆞ나고 일신이 상ᄒᆞᄂᆞᆫ디라. 조부인은 이런 광경을 당ᄒᆞ여 ᄌᆞ긔 몸이 알프고 ᄲᅧ 져리나 어ᄃᆡ 가 구ᄒᆞᄂᆞᆫ 말을 ᄂᆡ리오. 오직 아ᄂᆞᆫ 돗 모르ᄂᆞᆫ 돗ᄒᆞ니, ᄎᆞ공ᄌᆡ 울며 비러 왈,

“형이 비록 말숨이 블공(不恭)ᄒᆞ오나 셩덕을 드리오ᄉᆞ 샤(赦)ᄒᆞ시믈 ᄋᆡ고(哀告)ᄒᆞᄂᆞ이다.”

부인이 드른 쳬 아니니 댱공ᄌᆡ ᄌᆞ긔 알프기ᄂᆞᆫ ᄉᆡ로이 가변(家變)을 ᄉᆡᆼ각ᄒᆞ니 ᄎᆞ악ᄒᆞ여 ᄌᆞ긔 형뎨 블효지인(不孝之人)이 될가 슬허 이의 고왈,

“쇼손을 다스리시미 의법(依法) 시노(侍奴) 【72】 로 장칙(杖責)ᄒᆞ실 ᄇᆡ라. 이러틋 셩톄(聖體)를 근노ᄒᆞ샤 쇼손의 불효를 더으시ᄂᆞ니잇고?”

부인이 ᄯᅩ 드른쳬 아니ᄒᆞ고 어ᄌᆞ러이 두다리며 그 몸을 무러ᄯᅳ더 피를 ᄂᆡ고, 두발을 쥐여ᄯᅳ드며 벽의 부ᄃᆡ이져 별학659) ᄀᆞᆺ치 즛두다리니, 두골이 ᄭᆡ여져 붉은 피 돌지어660) 흐르니 이러구러 요란ᄒᆞᆫ디라. 대쇼져와 현ᄋᆞ 쇼져며 구시 등이 다ᄃᆞ라 ᄎᆞ경(此

657)목강(穆姜) : 중국 진(晉)나라 정문구(程文矩)의 아내. 성은 이(李)씨, 자(字)는 목강(穆姜). 전처 소생의 네 아들을 자신이 낳은 두 아들보다 더 사랑하여 훌륭하게 키웠다.

658)일회 : 이리. 늑대.

659)별학 : 벼락.

660)돌지다 : 솟아나다. 돌돌 흐르다. 똘[도랑]을 이루다. ‘돌’은 ‘똘[도랑]’의 옛말. ‘-지다’는 ‘여울지다’ ‘방울지다’ 따위의 말에서처럼, ‘그런 성질이 있음’ 또는 ‘그런 모양임’의 뜻을 더하고 형용사를 만드는 접미사.

신 셩덕이 업ᄉᆞ시고, 실덕(失德) 실체(失體)를 위듀(爲主)ᄒᆞ시니, 쇼손이 실노 왕모를 위ᄒᆞ여 타인이 드를가 붓그리ᄂᆞ이다.”

부인이 더옥 분긔쳘골(憤氣徹骨)ᄒᆞ여 ᄎᆞ공ᄌᆞ를 노화 ᄇᆞ리고 대공ᄌᆞ의게 다라드러 머리로브터 왼몸을 혜지 아니코 즛두다리니, 분긔발발(憤氣勃發)ᄒᆞ여 흉악히 날치ᄂᆞᆫ 거동이 일회677) 사룸을 만나 무러 흔드ᄂᆞᆫ 형상이오, ᄒᆞᆫ 조각 인졍이 업ᄉᆞ니, 나히 비록 늙으나 쇠패(衰敗)ᄒᆞ미 업서, 공ᄌᆞ를 두다리ᄂᆞᆫ 바의 피 소ᄉᆞ나고 일신이 상ᄒᆞᄂᆞᆫ디라. 조부인은 이런 광경을 당ᄒᆞ여 ᄌᆞ긔 몸이 알프고 ᄲᅧ 져리나, 어ᄃᆡ 가 구ᄒᆞᄂᆞᆫ 말을 ᄂᆡ리오. 오직 아ᄂᆞᆫ 돗 모르ᄂᆞᆫ 돗ᄒᆞ니 ᄎᆞ공ᄌᆡ 울며 비러 왈,

“형이 비록 말숨이 블공ᄒᆞ오나 셩덕을 드리오ᄉᆞ 샤ᄒᆞ시믈 ᄋᆡ고(哀告)ᄒᆞᄂᆞ이다.”

부인이 드른 쳬 아니니 댱공ᄌᆡ ᄌᆞ긔 알프기ᄂᆞᆫ ᄉᆡ로이 가변(家變)을 ᄉᆡᆼ각ᄒᆞ니 ᄎᆞ악ᄒᆞ여 ᄌᆞ긔]

형뎨 지효(至孝)을 완젼치 못할가 슬허 고왈,

“쇼손을 다ᄉᆞ리시미 의법(依法) 시노(侍奴)을 명ᄒᆞ여 장칙(杖責)ᄒᆞ실지라. 이럿틋 셩체(聖體)을 근노ᄒᆞᄉᆞ 소손의 불효을 더ᄒᆞ실 거시 아니로소이다.”

부인니 드른 쳬 아니ᄒᆞ고 더옥 어ᄌᆞ러이 두다리며 간간이 그 몸과 팔을 무러ᄯᅳ더 피 흐르고, 두발(頭髮)을 ᄯᅳ드며 벽의 부ᄃᆡ잇거날678) 그 소ᄅᆡ 벼락 갓트여 두골이 ᄭᆡ여져 홍혈이 돌쳐679) 흐르니, 이리 굴젹의 요란ᄒᆞᆫ지라. 명ᄋᆞ와 현아 구씨 등이 모혀 이 거동을 보고 ᄃᆡ경(大驚) 경황(驚惶)ᄒᆞ더니, 현아 밧비 나가 조모의 가진 금쳑(金尺)을 앗고 구픽ᄂᆞᆫ 공ᄌᆞ을 구하여 ᄂᆡ니, 흉괴(凶怪)

676)목강(穆姜) : 중국 진(晉)나라 정문구(程文矩)의 아내. 성은 이(李)씨, 자(字)는 목강(穆姜). 전처 소생의 네 아들을 자신이 낳은 두 아들보다 더 사랑하여 훌륭하게 키웠다.

677)일회 : 이리. 늑대.

678)부ᄃᆡ잇다 : 부딪치다.

679)돌치다 : 솟구치다. 돌돌 흐르다.

境)을 보고 대경(大驚)ᄒᆞ여 현ᄋᆞ쇼졔 나아가 ᄆᆡ를 앗고 공ᄌᆞ를 붓드러 ᄂᆡ니, 부인이 오히려 분을 프지 못ᄒᆞ여시나 아조 죽이든 못ᄒᆞ고, 현익 ᄆᆡ를 아ᄉᆞ니 마디 못ᄒᆞ여 노코, 조부인을 ᄌᆞ식 잘못 나하시믈 욕ᄒᆞ고 ᄭᅮ지졸 ᄯᆞ름이오, 강졍(江亭)의 가기를 ᄃᆡ뎡(大定)ᄒᆞ여 일용즙물(日用什物)【73】을 약간 옴기고 당ᄉᆞ(堂舍)를 슈쇄(收刷)ᄒᆞ라 분부ᄒᆞ니, 조부인은 묵연이 믈너나니, 대공지 졍신을 슈습ᄒᆞ여 머리를 ᄡᆞᄆᆡ고 날호여 《ᄂᆡ당∥외당》의 니르러 ᄎᆞ공ᄌᆞ다려 왈,

"왕모의 강졍 힝되(行道) 불힝이라 반ᄃᆞ시 곡졀이 이셔 ᄌᆞ위(慈闈)와 져져(姐姐)를 다려가시미라. 엇디ᄒᆞ면 화를 방비ᄒᆞ여 위디를 면홀고. 우형(愚兄)이 졍신이 아득ᄒᆞ여 뎡치 못ᄒᆞ리로다."

ᄎᆞ공지 탄식 ᄃᆡ왈,

"대인이 아니 계시ᄆᆡ 이런 일이 이시니 강졍으로 가신 후 ᄉᆞ긔를 보아 방비ᄒᆞ려니와 형댱이 브졀업시 셩노를 도도아 일호 유익ᄒᆞ미 업ᄉᆞ니 ᄎᆞ후ᄂᆞᆫ 일이 되어가믈 보시고 교명(敎命)을 어긔오지 마르쇼셔."

대공지 기리 슬허 왈,

"아등의 명【74】되 긔구ᄒᆞ여 엄안을 아지 못ᄒᆞ고 가듕 ᄉᆞ긔를 ᄉᆞᆺ치건ᄃᆡ 변괴 층가ᄒᆞ리니 아등의 안위ᄂᆞᆫ 겨관(係關)업ᄉᆞ나[661] ᄌᆞ위 긴 셰월의 무궁ᄒᆞᆫ 고ᄉᆡᆼ을 겻그시리니 인ᄌᆞ지도(人子之道)의 ᄌᆞ졍(慈庭)이 편ᄒᆞ실 바를 도모치 못ᄒᆞ고 엇지 견ᄃᆡ리오."

언필의 눈믈이 삼삼ᄒᆞ여[662] ᄇᆡᆨ년용화(白蓮容華)[663]를 젹시니, ᄎᆞ공지 비읍(悲泣)ᄒᆞ믈 마지 아니나, 왕모의 과악을 일ᄏᆞᆺ지 아니터라.

위부인이 슈일 후 조시모녀를 다리고 강졍으로 갈ᄉᆡ 냥공지 뫼셔가믈 청ᄒᆞ니 위 듯지 아니ᄒᆞ더라.

오히려 분을 푸니 못ᄒᆞ여 즉긱(卽刻)의 죽이지 못ᄒᆞ믈 ᄒᆞᆫᄒᆞ나, 현ᄋᆞ난 귀즁ᄒᆞᆫ ᄉᆞᆫ녀라. 금쳑을 아ᄉᆞ도 ᄭᅮ지[짓]도 못ᄒᆞ고, 한갓 조부인니 ᄌᆞ식을 즐 못 낫다 ᄒᆞ여, 한 업ᄉᆞᆫ 욕을 ᄒᆞ고 ᄭᅮ지져 분분할 분이오, 강졍의 가기난 ᄃᆡ졍(大定)ᄒᆞ여 일용즙물(日用什物)을 약간 옴기고 당ᄉᆞ을 슈쇄(收刷)【67】ᄒᆞ라 분부ᄒᆞ니, 조부인은 묵묵히 물너ᄂᆞ고 광쳔은 두로 알파 머리을 ᄊᆞᄆᆡ고 날호여 외당으로 나가니라.

661)겨관(係關)업다 : 관계(關係)없다.
662)삼삼ᄒᆞ다 : 또렷하다.
663)ᄇᆡᆨ년용화(白蓮容華) : 하얀 연꽃처럼 아름다운 얼굴.

명듀보월빙 권디오

어시의 위부인이 슈일 후 조시 모녀를 다리고 강졍으로 갈식, 냥공지 뫼셔가믈 청ᄒᆞ니, 위시 조부인 모녀를 업시 ᄒᆞ려 ᄒᆞ거늘 엇디 드르리오. 이의 ᄀᆞᆯ오ᄃᆡ,

"여등은 집의 잇고 오지 말나."

ᄒᆞ니, 조부인이 냥ᄌᆞ를 블너 가마니 니르ᄃᆡ,

"나는 녀으로 더브러 아모 긔구ᄒᆞᆫ 변이 잇셔도 방비ᄒᆞ리니 여등은 왕모의 명ᄃᆡ로 아직 집의 이시라."

냥인이 쳬읍 왈,

"강졍 힝되(行道) ᄌᆞ위(慈闈)와 져져(姐姐)긔 됴흔 길이 아니라, 블의지변(不意之變)을 만나면 엇지코져 ᄒᆞ시ᄂᆞ니잇고?"

부인 왈,

"여뫼 비록 무릉(無能)ᄒᆞ나 임의 텬붕지통(天崩之痛)도 견ᄃᆡ고 죽지 못ᄒᆞ여시니 이졔는 궁극히 술【1】기를 도모ᄒᆞᄂᆞ니 여등은 념녀 말나."

쇼졔 또 냥뎨를 위로ᄒᆞ니 냥공지 눈물을 흘니고 직삼 쳥ᄒᆞ여 블의지변(不意之變)이 이셔도 경이히 몸을 상히오지 마르시믈 고ᄒᆞ니, 부인이 슌슌응낙(順順應諾)고 태부인 직촉이 급ᄒᆞ니 드ᄃᆡ여 모녜 ᄒᆞᆫ가지로 강졍으로 힝홀ᄉᆡ, 냥공지 조모와 모친을 문외예 송별ᄒᆞ고 결울(結鬱)ᄒᆞᆫ 심ᄉᆞ와 졀박ᄒᆞᆫ 근심이 비길 곳이 업더라.

부인이 강졍의 나와 방ᄉᆞ(房舍)를 뎡ᄒᆞ여 들고, 조부인 모녀를 악악히[664] 보치는 일이 업ᄉᆞ나, 부인 모녜 일시도 방심(放心)치 못ᄒᆞ더니, 강졍의 온 슈일 후 뎡부 납빙(納聘)이 니르니, 조부인이 보니 월패(月佩) 일쥴이나 광칙 황홀ᄒᆞ여 태양의 빗츨 아ᄉᆞ니 텬하무가뵈(天下無價寶)[665]라 부인【2】이

664)악악거리다 : 억지를 부리고 고함을 지르며 떠들썩거리다.

시ᄒᆞ(時下)[680]의 조부인니 양ᄌᆞ을 ᄃᆡᄒᆞ여 함누(含淚) 왈,

"여뫼(汝母) 무상(無狀)ᄒᆞ여 텬붕지탁(天崩地柝)[681]ᄒᆞᄂᆞᆫ 변고(變故)의 쥭지 못ᄒᆞ엿시니, 이졔ᄂᆞᆫ 궁극히 슐기을 도모할지라. 모로미 여등은 마음을 평안니 ᄒᆞ여 길시(吉時)을 기ᄃᆞ리라."

명ᄋᆞ 소져 이의 ᄌᆞ[냥]공자을 위로ᄒᆞ니 양인니 직슴 쳥죄ᄒᆞ여 불의지변이 잇셔도 경이히 몸을 상히오지 마르쇼셔.

부인니 슌슌응낙고 ᄐᆡ부인니 길을 직촉ᄒᆞ미 급ᄒᆞ니, 드ᄃᆡ여 교즁(轎中)의 드러 모녀 ᄒᆞᆫ가지로 강졍으로 향홀 ᄉᆡ, 냥 공지 조모와 모친을 문외의 ᄇᆡ송(拜送)ᄒᆞ고 결울(結鬱)ᄒᆞᆫ 심ᄉᆞ와 졀박ᄒᆞᆫ 근심이 비길 ᄃᆡ 업더라.

부인니 강졍의 나와 방ᄉᆞ(房舍)을 졍ᄒᆞ여 져의 쳐소을 숨고 조부인 모녀을 악악히[682] 보치ᄂᆞᆫ 일은 업ᄉᆞᄂᆞ 부인 모녀 일시도 방심치 못ᄒᆞ여 ᄆᆡ일 조심ᄒᆞ더니, 강졍의 이른지 슈일의 뎡부의셔 납빙(納聘)이 일[이]르니,

680)시하(時下) : 이때.

681)텬붕지탁(天崩地柝) : 하늘이 무너지고 땅이 갈라지는 환란.

682)악악거리다 : 억지를 부리고 고함을 지르며 떠들썩거리다.

뎡공이 남강 션유시(仙遊時)의 보월 어든 줄 드럿더니, 이제 보믹 쳑연감상(慽然感傷)ᄒᆞ여 기시(其時)에 상셔ᄂᆞᆫ 명듀를 엇고, 뎡후ᄂᆞᆫ 보월을 어더 긔특이 뎡ᄒᆞ여시나, ᄌᆞ녀의 셩취(成娶)ᄒᆞ기를 당ᄒᆞ여 알오미 업ᄉᆞᆷ을 슬허ᄒᆞ고, 뎡공의 쳥검졀ᄎᆞ(淸儉切磋)ᄒᆞ미 냥ᄌᆞ를 셩혼ᄒᆞᄃᆡ 시쇽번잡(時俗煩雜)ᄒᆞ미 업셔, 다만 ᄒᆞᆫ댱 혼셔(婚書)와 보월일쥬(寶月一珠)와 셰젼(世傳)ᄒᆞᄂᆞᆫ 박옥빵봉잠(珀玉雙鳳簪) ᄲᅮᆫ이라. 부인이 그 쳥고(淸高)ᄒᆞᆷ을 탄복ᄒᆞᄃᆡ 태부인은 입을 비젹여[666], '뎡개(鄭家) 공후의 부귀로 빙믈이 박냑(薄略)ᄒᆞ여 빈한ᄒᆞᆫ 션비[667]만도 못ᄒᆞ니 아비 업ᄉᆞᆫ 탓이라, {ᄒᆞ여} 엇지 분치 아니리오' ○○[ᄒᆞ니], 조부인이 말을 아니코 빙물을 거두어 침소의 두니, 태부인이 그 보월(寶月)의 긔【3】특ᄒᆞᆫ 보빗믈 그윽이 욕심ᄂᆡ여 아ᄉᆞ 경ᄋᆞ를 주고져 ᄒᆞᄃᆡ, 위방이 명ᄋᆞ를 겁탈ᄒᆞ고 조시를 죽이고져 ᄒᆞ니, 만일 죽이거든 쾌히 아ᄉᆞ 경ᄋᆞ를 주려 ᄒᆞ니 욕심의 흉독ᄒᆞ미 이굿더라.

위방이 강경의 나아가 눈닉여 두로[668] 보고 태부인긔 빅견(拜見)ᄒᆞ니, 부인이 셔르 날을 긔약ᄒᆞ고 무뢰빅(無賴輩)를 다리고 돌입(突入)ᄒᆞ라 ᄒᆞ니, 방이 슌슌샤례(順順謝禮)ᄒᆞ고 가ᄂᆞ니라.

조부인이 방의 단녀가므로브터 홀연 ᄆᆞᄋᆞᆷ이 요동ᄒᆞ여 므ᄉᆞᆷ 흉계(凶計)고 념네 번ᄃᆞ(煩多)ᄒᆞ더니, 쇼제 홀연 좌비(左臂) ᄯᅥᆯ녀 진뎡치 못ᄒᆞ다가, 모친긔 고왈,

"쇼녜 ᄆᆞᄋᆞᆷ이 산난ᄒᆞ고 좌비 ᄯᅥᆯ녀 스ᄉᆞ로 무셔오니 반드시 불길ᄒᆞᆫ 증죄(徵兆)라. 금야ᄂᆞᆫ 모친과 히ᄋᆡ(孩兒) 다 옷슬【4】 곳쳐

665)텬하무가뵈(天下無價寶) : 값을 매길 수 없을 만큼 귀중하여, 천하의 비길 데가 없는 보배.

666)비젹이다 : 비죽이다. 비웃거나 언짢거나 울려고 할 때 소리 없이 입을 내밀고 실룩이다.

667)션빅 : 선비.

668)두로 : 두루. 빠짐없이 골고루.

조부인이 보믹 월픽(月佩) ᄒᆞᆫ ᄶᅡᆼ이 광치 황홀ᄒᆞ여 틱양의 빗출 아ᄉᆞ니 셰승의 ᄊᆞᆼ이 업난 보빅라. 조부인이 일졍(一定) 뎡공이 남강의 션뉴시(仙遊時)의 더[어]든 ᄶᅡᆼ 알고 쳑연감ᄉᆞᆼ(慽然感傷)ᄒᆞ여 상셔ᄂᆞᆫ 명쥬(明珠)을 엇고, 뎡공은 보월을 어더 긔특이【68】 졍혼ᄒᆞ엿시니, ᄌᆞ녀의 혼취(婚娶)의 알음이 업ᄉᆞᆷ을 슬허ᄒᆞ며, 뎡공의 슝검졀ᄎᆞ(崇儉切磋)ᄒᆞ여 장ᄌᆞ을 졍혼ᄒᆞ믹 납빙이 시쇽번잡(時俗煩雜)ᄒᆞᆫ 틱산(泰山) 필빅(匹帛)으로 부히 ᄒᆞᆫ 여의(麗衣)을 덜고, 다만 ᄒᆞᆫ중 혼셔(婚書)와 ᄒᆞᆫ ᄶᅡᆼ 보월(寶月)과 셰젼(世傳)ᄒᆞ난 빅옥쌍봉좀(白玉雙鳳簪)분이라. 부인니 그 쳥고ᄒᆞᆷ을 더옥 황[항]복(降伏)ᄒᆞᄃᆡ, 틱부인은 입을 비쳑여[683] 왈,

"뎡가 공후 ᄌᆡᄉᆞᆼ의 부귀로쎠 빙물의 박냑(薄略)ᄒᆞ미 빈ᄒᆞᆫ한 션빅[684]만도 못ᄒᆞ니, 명ᄋᆞ을 무부모(無父母)ᄒᆞᆫ 신부라 ᄒᆞ여 업슈히 역이밀러니, 엇지 통히치 아닐리오."

조부인니 좀쇼(潛笑)ᄒᆞ고 빙물을 거두어 침쇼의 두니라. 틱부인니 보월의 긔이ᄒᆞᆷ을 보믹 그윽히 욕심을 ᄂᆡ여 경ᄋᆞ을 아ᄉᆞ 쥬고져 의ᄉᆞ을 졍ᄒᆞ니 그 용심(用心)이 여ᄎᆞ 흉악ᄒᆞ더라.

위방이 강졍의 나와 눈익히여 두로[685] 보고져 ᄒᆞ여 틱부인긔 빅현(拜見)ᄒᆞ니, 위흉이 흔흔낙낙(欣欣諾諾)ᄒᆞ여 날을 맛초아 물외비(無賴輩)을 다리고 도립(突入)ᄒᆞ라 ᄒᆞ니, 위방이 슌슌응낙(順順應諾)ᄒᆞ고 가더라.

조부인니 위방의 단녀가믈 듯고 마음의 셔늘ᄒᆞ여 념네(念慮)을 노치 못ᄒᆞ더니, 이윽고 쇼져 좌비(左臂) ᄯᅥᆯ여 졍치 못ᄒᆞ니 모친게 고왈,

"쇼여(小女) 마음이 번ᄂᆞᆫ(煩亂)하고 냥비(兩臂) ᄯᅥᆯ니며 스ᄉᆞ로 마음이 무셔오니 반다시 불길ᄒᆞᆫ 증죄(徵兆)라. 금야의【69】 쇼여와 모친이 옷슬 곤쳐, 쇼여ᄂᆞᆫ 광텬의

683)비쳑이다 : 비젹이다. 비죽이다. 비웃거나 언짢거나 울려고 할 때 소리 없이 입을 내밀고 실룩이다.

684)션빅 : 선비.

685)두로 : 두루. 빠짐없이 골고루.

쇼녀ᄂᆞᆫ 광텬의 옷술 닙고 모친은 대인 닙으시던 단의를 닙으샤 블의지변(不意之變)을 방비ᄒᆞ미 맛당ᄒᆞ니이다."

부인이 졈두 왈,

"여언이 뎡합오심(正合吾心)이라. 이리 온 십여 일의 일시도 ᄆᆞᄋᆞᆷ을 노치 못ᄒᆞ여 일 만난 사ᄅᆞᆷ ᄀᆞᆺᄐᆞ니, 반ᄃᆞ시 대홰 박두(迫頭)ᄒᆞ미라. ᄒᆞ물며 위방이 젼일은 ᄇᆡ현(拜見)치 아니ᄒᆞ더니, 근간 왕ᄂᆡ빈빈(往來頻頻)ᄒᆞ여 이곳가지 단녀가미 유의(有意)ᄒᆞ미라. 금야의 변복ᄒᆞ고 ᄉᆞ긔(事機)를 보리라."

모녜 의논을 뎡ᄒᆞ고 셕식후 태부인을 뫼셔 말ᄉᆞᆷᄒᆞ다가 믈너 팀소(寢所)의 도라와, 모녜 남의(男衣)를 개착(改着)홀ᄉᆡ 쇼져의 유모 셜난은 부인의 유뎨(乳弟)오, 시녀 쥬영·현잉은 셜난의 ᄯᆞᆯ이니, 다 복심(腹心)이라. 부인과 쇼져의 거【5】동을 의아ᄒᆞ여 연고를 뭇ᄌᆞ오니,

"블의지변(不意之變) 곳 이시면 잠간 피코져 ᄒᆞᄂᆞ니, 여등(汝等)은 나갈 길흘 보라."

셜난이 몸을 니러 밧긔 나와 좌우를 슬피다가, 뒤 장원(牆垣)을 보니, 퇴락(頹落)ᄒᆞ여 문허지고 허술ᄒᆞ니 도라와 부인긔 고ᄒᆞ니, 부인이 ᄋᆞᄌᆞ(兒子)의 빙녜(聘禮)홀 명쥬ᄂᆞᆫ ᄌᆞ긔 몸의 ᄀᆞᆷ초고, 뎡가 빙믈(聘物)과 혼셔(婚書)ᄂᆞᆫ 쇼져의 품의 너코, 밤이 깁도록 쵹을 ᄇᆞᆰ히고 안ᄌᆞᆺ더니, 홀연 함셩이 대진(大振)ᄒᆞ며 횃블이 됴요(照耀)ᄒᆞ니, 부인과 쇼졔 셜난의 삼모녀를 닛글고, 창황히 뒤담 문허진 ᄃᆡ로 급히 ᄂᆡ다라 ᄲᆞᆯ니 피ᄒᆞᄃᆡ, 산상의 ᄇᆡᆨ셜(白雪)이 만디(滿地)ᄒᆞ고 길히 막히니, 젹이 츄죵(追從)ᄒᆞᆫ 즉, 몸바릴 곳이 업ᄂᆞᆫ디라. 초조착【6】급(焦燥着急)ᄒᆞ여 셜난이 계오 부인과 쇼져를 닛그러 ᄀᆞᆷ초고, 겻ᄐᆡ 셧더니, 위방이 강졍의 돌입ᄒᆞᄆᆡ 졔젹을 다리고 바로 조부인 팀소로 드리다라 보ᄆᆡ 부인 노듀(奴主) 오인의 그림ᄌᆞ도 업ᄂᆞᆫ디라. 방이 무류(無聊)ᄒᆞ고669) ᄋᆡᄃᆞᆲ기ᄂᆞᆫ 니

669)무류(無聊)하다 : 부끄럽고 열없다.

여벌 옷술 입고, 모친은 ᄃᆡ인 입으시든 단의을 입으ᄉᆞ 불의지변(不意之變)을 방비ᄒᆞ미 올흘가 ᄒᆞᄂᆞ이다."

부인니 쳑연 졈두 왈,

"여언니 졍합오의(正合吾意)라. 이리 온지 십여 일의 ᄒᆞᆫ ᄊᆡ도 마음을 놋치 못ᄒᆞ야, 일만 ᄉᆞ람의 ᄊᆞ인 듯 쥬야 망(網)의 걸인 것 갓트니, 이 반다시 ᄃᆡ변(大變)이 임박(臨迫)ᄒᆞ미라. ᄒᆞ물며 위방이 젼일은 존고긔 ᄇᆡ현치 아니터니 근간 왕ᄂᆡ빈빈(往來頻頻)ᄒᆞ야 이 곳가지 오미 심히 고히ᄒᆞ니, 금야의 변복ᄒᆞ고 ᄉᆞ긔(事機)을 보아 졍ᄒᆞ리라."

ᄒᆞ고 셕식을 파ᄒᆞᆫ 후, 위ᄐᆡ긔 문안ᄒᆞ고 물너 ᄉᆞ침의 도라와 모여(母女) 남의(男衣)을 ᄀᆡ착(改着)할 ᄉᆡ, 쇼져의 유모난 셜난니니 셜난은 부인 유졔(乳弟)오, ᄋᆞ시비(兒侍婢)은 셜난의 ᄯᆞᆯ이니, 쥬영·현잉 다 심복이라. 부인 쇼져의 거동을 의아ᄒᆞ여 연고을 뭇ᄌᆞ오니, 부인이 츄연(惆然) 왈,

"불의지변(不意之變) 곳 잇시면 피코ᄌᆞ ᄒᆞ나니 너ᄂᆞᆫ 나갈 곳을 길이 보라."

언파의 슈루ᄌᆞᆼ탄(垂淚長歎)ᄒᆞ니, 셜ᄂᆞᆫ니 역시 눈물을 흘니며 몸을 일어 밧게 ᄂᆞ와 좌우을 슬피다가 뒤흐로 드러가니, 후원 ᄌᆞᆼ원(牆垣)니 퇴락(頹落)ᄒᆞ여 문 여러 ᄂᆞ가긔 쉬운지라. ᄌᆞ시 보고 즉시 도라와 부인긔 고ᄒᆞ니 광텬의 빙치(聘采)홀 명주【70】난 ᄌᆞ긔가 품고, 뎡가 혼셔(婚書)와 빙치(聘采)ᄂᆞᆫ 쇼져 품쇽의 넛코 밤이 깁도록 불을 발히고 안져던니, 홀연 함셩이 ᄃᆡ진(大振)ᄒᆞ니 부인 모녀 ᄃᆡ경황황(大驚惶惶)하여, 셜ᄂᆞᆫ 슴모녀을 익글고686) 창황(蒼黃)이 담터진 ᄃᆡ로 ᄲᆞᆯ니 ᄂᆡ다라 보보젼젼(步步前前)ᄒᆞ여 피신코져 ᄒᆞ니, 산ᄉᆞᆼ(山上)의 ᄇᆡᆨ월이 만긔ᄒᆞ고 동셔을 불분ᄒᆞ니, 츄죵(追從)이 ᄯᆞ르면 쥭고ᄌᆞ ᄒᆞ나 몸 바릴 고지 업ᄂᆞᆫ지라. 초조촉급(焦燥着急)ᄒᆞ여 엇지 할 쥴 모르더니, 셜ᄂᆞᆫ니 계유 졍신을 출혀 부인 모녀을 익글려[어] ᄉᆞᆫ의 올나 감초고 이[겨]ᄐᆡ 셧더니,

686)익글다 : 잇글다. 이끌다.

르지 말고, 흉인의 분완(憤惋)ᄒᆞ미 비길 곳이 업ᄂᆞᆫ디라. 밧비 니르ᄃᆡ,

“요악ᄒᆞᆫ 년들이 ᄉᆞ긔를 알고 도쥬(逃走)ᄒᆞ미라. 반ᄃᆞ시 먼니 아니 가시리니 급히 츄종(追從)ᄒᆞ라.”

방이 슈명ᄒᆞ여 당뉴를 거ᄂᆞ리고 샹산(上山)ᄒᆞ여 ᄉᆞ면으로 두로 도라 횃블을 낫ᄀᆞᆺ치 ᄒᆞ고, 젹이 벌 뭉긔ᄃᆞᆺ 나아오니 소졔 일이 급ᄒᆞᆫ디라. ᄆᆞᄋᆞᆷ을 단단이 잡고 모친을 븟드러 위로 왈,

“ᄎᆞ변(此變)이 비심상지츌(非尋常之出)670)이오니 아모 【7】 커나 일을 급히 방비ᄒᆞ미 올흐니, 태태(太太)ᄂᆞᆫ 보신지칙(保身之策)을 ᄉᆡᆼ각ᄒᆞ쇼셔.”

부인이 이의 쥬영·현잉을 도라보아 ᄀᆞᆯ오ᄃᆡ,

“너희 긔상(氣像)과 튱셩으로ᄡᅧ 쇼져의 옥골방신(玉骨芳身)을 엇더케 ᄒᆞ여 보젼(保全)ᄒᆞᆯ 도리 이시랴.”

쥬영·현잉이 응셩(應聲) ᄃᆡ왈,

“쇼비 등이 비록 튱셩이 고인을 밋지 못ᄒᆞ오나 쳔신(賤身)으로ᄡᅧ 쇼져를 보호ᄒᆞ리이다.”

언미(言未)의 젹이 졈졈 산하 【8】 의 니르니 셜난·현잉이 쥬영을 븟드러 통곡ᄒᆞ며 웨여 니르ᄃᆡ,

“우리ᄂᆞᆫ 뎍을 피ᄒᆞᆫ 몸으로 쇼져를 뫼셔 이의 이시니 바라ᄂᆞ니 인명을 상히오지 말나.”

670)비심상지츌(非尋常之出) : 예사로운 곳에서 나온 것이 아님.

잇ᄯᅥ 위방이 강졍의 돌입ᄒᆞᆯ ᄉᆡ, 졔젹(諸賊)을 다리고 조부인 침실노 바로 드러가니 위ᄐᆡ 일오ᄃᆡ,

“조녀ᄂᆞᆫ 쥭이고 명ᄋᆞᄂᆞᆫ 잡으라.”

ᄒᆞ고 거즛 ‘ᄋᆡ고, ᄋᆡ고, 이 어인 일리냐?’ ᄒᆞ며 부인 침실의 드러가 보니, 조부인 노쥐 오인(五人)니 그름ᄌᆞ도 업ᄉᆞ니 방은 무류(無聊)코687) ᄋᆡ답기ᄂᆞᆫ 일르도 말고 위ᄐᆡᄂᆞᆫ 분완(憤惋)ᄒᆞ미 비길 ᄃᆡ 업셔, 밧비 이르ᄃᆡ,

“이 요악ᄒᆞᆫ 연들이 ᄉᆞ긔을 짐죽ᄒᆞ고 도듀(逃走)ᄒᆞ미니 밧비 ᄎᆞᄌᆞ라.”

방이 졔젹을 거나리고 ᄉᆞᆫ상(山上)의 올나 홰불을 낫 갓치 발키고 어들 ᄉᆡ, 잇ᄯᅥ 쇼져 산ᄉᆞᆼ 암혈의 몸을 슘어시나 홰불이 발가 졈졈 갓가이 오니 피신할 길이 업ᄉᆞᆫ지라. 이의 모친을 붓들고 왈,

“ᄎᆞ변 【71】 니 심ᄉᆞᆼ(尋常)한 고듸로 ᄂᆞᆫ ᄇᆡ 아니오니 아모케ᄂᆞ 모친은 보신지칙(保身之策)을 ᄉᆡᆼ각ᄒᆞ소셔.”

부인니 그 말을 올히 역여 츄영 등을 도라 보와 일오ᄃᆡ,

“너희 즁의 ‘긔신(紀信)의 츙(忠)’688)으로ᄡᅧ 쇼져의 옥보방신(玉寶芳身)을 보젼(保全)케 ᄒᆞ리오?”

쥬영이 항젼(向前) ᄇᆡ왈,

“소비 비록 고인의 츙셩을 밋지 못ᄒᆞ오ᄂᆞ 몸으로ᄡᅥ 우리 쇼져의[을] ᄃᆡ신 ᄒᆞ리이다.”

언필의 젹셰(賊勢) 졈졈 ᄃᆡ진(大振)ᄒᆞ여 산ᄉᆞᆼ의 니르니 셜ᄂᆞᆫ·현잉이 쥬영을 붓들고 통곡ᄒᆞ며 니로ᄃᆡ,

“우리ᄂᆞᆫ 도젹을 피ᄒᆞᆯ 분니연이와 쇼져을 뫼셔 이르러시니 바라건ᄃᆡ 인명(人命)을 상히오지 말나.”

687)무류(無聊)하다 : 부끄럽고 열없다.

688)긔신(紀信)의 츙(忠) : 중국 한나라 고조 때의 무장(武將) 기신(紀信)이 스스로 고조의 차림을 하고 항복하여, 항우의 군사에게 포위당한 고조를 도망치게 하였던 고사(故事).

위방이 지금 쇼져의 간 바를 츄종ᄒᆞ는 바의 이곳의 와 만나니, 크게 깃거 바로 교ᄌᆞ(轎子)를 산하의 다히고, 븟들고 통곡ᄒᆞᄂᆞᆫ 거시 쇼져라 ᄒᆞ여 급히 븟드러 교ᄌᆞ의 담을ᄉᆡ, 쥬영이 본ᄃᆡ 옥골방용(玉骨芳容)이 쳥의듕(靑衣中)의 ᄲᆡ혀난지라. 깁ᄉᆞᄆᆡ[671]로 낫촐 가리오고 ᄋᆡᄋᆡ(哀哀)히 통곡ᄒᆞ니, 젹(賊)이 쇼져라 ᄒᆞ여 븟들고 니르ᄃᆡ,

"쇼져ᄂᆞᆫ 슬허 마르시고 놀나지 마르쇼셔. 소져긔 ᄒᆡ로온 사ᄅᆞᆷ이 아니오, 쇼져의 일ᄉᆡᆼ을 영화롭고 부귀케 ᄒᆞᆯ거시니, 뎍당(賊黨)만 넉이지 마르쇼셔."

쥬영이 ᄇᆞᄃᆡ이져 우러 왈,

"야텬(夜天)이 됴림(照臨)ᄒᆞ시고 신명이 ᄌᆡ방ᄒᆞ니 상문규수(相門閨秀)를 도적이 이러틋 욕되게 구ᄂᆞᆫ 일이 고금의 어ᄃᆡ 이시리오. 모친은 어ᄃᆡ로 가시며 희텬은 날을 바리고 믈너셔셔 엇지ᄎᆞ ᄒᆞᄂᆞ뇨?"

방이 쥬영의 거동을 보고 윤쇼졔【9】 가장 강녈타 ᄒᆞ니, 조부인을 마ᄌᆞ 죽이면 원쉬 될 거시오. 쇼졔 또 죽을가 겁ᄒᆞ여 쥬영만 교ᄌᆞ의 담아 표풍취우(飄風驟雨)[672]ᄀᆞᆺ치 모라가니, 쥬영은 ᄋᆡᄋᆡ(哀哀)히 울기를 마지 아니ᄒᆞ니, 셜난이 현ᄋᆡᆼ으로 더브러 그 가ᄂᆞᆫ 거동을 바라보고 ᄎᆞ악경심(嗟愕驚心)ᄒᆞ여 즉시 부인 잇ᄂᆞᆫ 암셕 ᄉᆞ이의 나아가 도적의 ᄒᆞ던 말을 고ᄒᆞ고, 셜난이 고왈,

"그 웃듬 도젹이 의심업슨 위방이라. 비록 낫치 광ᄃᆡ[673]를 뼈시나 엇지 모르리잇고."

부인이 심골이 경한(驚寒)ᄒᆞ여 왈,

"이런즉 녀ᄋᆞ를 다리고 드러가지 못ᄒᆞ리니, 쥬영을 ᄃᆡ신으로 보ᄂᆡ고 젹이 믈너가시

ᄒᆞ거ᄂᆞᆯ, 젹이 지금 쇼져을 일코 ᄎᆞᆺᄂᆞᆫ 빅의 이의셔 맛ᄂᆞ니 ᄃᆡ희(大喜)코 깃거, 교ᄌᆞ을 다히고 쇼져을 븟들어 교즁의 넣코 풍우갓치 가며, ᄉᆞ람은 상히치 말ᄂᆞ ᄒᆞ니, 교즁의셔 쇼져 쇼ᄅᆡ질너 왈,

"냥반(兩班)의 쇼교(小嬌)[689]을 겁탈ᄒᆞ문 고금의도 업ᄉᆞ리니 모친은 어ᄃᆡ로 가시며 희텬은 져리 멀니 잇셔셔 날을 엇지 구치 안ᄂᆞᆫ뇨?"

ᄒᆞ거날, 위방이 져 쥬영의 거동을 보고 왈,

"ᄎᆞᆷ, 윤쇼져 가ᄌᆞᆼ 강열타."

ᄒᆞ며, 또 혀오ᄃᆡ, 만일 조부인을 마ᄌᆞ ᄎᆞ져 쥭이면 원쉬 되리니, 쏘ᄒᆞᆫ 쇼져 쥭을 거시니 아모커ᄂᆞ 미인을 다려가며 엇지 그 어미을 쥭이리오, ᄒᆞ날이 무셔오니 비록 ᄐᆡ【72】부인의 말ᄉᆞᆷ은 어긔나 ᄂᆞ의 쇼원을 일워시니 ᄉᆞ람을 히치 말고 도라가미 올타 ᄒᆞ고 풍우갓치 다라가니, 쥬영은 ᄋᆡᄋᆡ히 울기을 마지 아니ᄒᆞ니, 셜ᄂᆞᆫ니 쥬영이 가ᄂᆞᆫ ᄃᆡ을 바라보고 ᄎᆞ악경심ᄒᆞ여 즉시 부인 게신 암셕 ᄒᆞ이예 와 도젹의 ᄒᆞ든 말을 고ᄒᆞ여 왈,

"그 웃듬 도젹이 의심 업ᄂᆞᆫ 위방이라. 비록 낫치 광ᄃᆡ을 썻스나 신ᄌᆞᆼ셩음이 조금도 다르미 업든니다."

부인이 심골경한ᄒᆞ여 왈,

"이런 즉 여ᄋᆞ을 다리고 드러가지 못ᄒᆞᆯ지라. 쥬영을 임의 ᄃᆡ신 보ᄂᆡ여 도젹이 물너 갓시니 드러가면 맛당ᄒᆞᄃᆡ 만일 도젹이 드르면 다시 ᄌᆞ변할 거시니 이을 ᄌᆞᆼᄎᆞ 엇지

671)깁ᄉᆞᄆᆡ : 비단 옷의 소매.
672)표풍취우(飄風驟雨) : 회오리바람과 소낙비.
673)광ᄃᆡ : 가면(假面).

689)쇼교(小嬌) : 어린 딸.

니 드러가미 맛당ᄒᆞᄃᆡ, 젹이 드르면 다시 작변(作變)ᄒᆞᆯ 거시니 이를 엇지ᄒᆞ리오."

쇼졔 함누(含淚)【10】 왈,

"위방 흉적이 쥬영을 겁탈ᄒᆞ여 가시니 계부(季父)의 오시지 아닌 젼은 드러가지 못ᄒᆞ오리니 ᄌᆞ위는 유모를 다리고 드러가시고, ᄒᆡᄋᆞ는 현잉으로 더브러 아직 고요ᄒᆞᆫ 곳을 ᄀᆞᆯᄒᆡ여 머물니이다."

부인이 집수(執手) 탄왈,

"너를 아모ᄃᆡ도[로] 지향 업시 보ᄂᆡ고 내 심ᄉᆞ(心思)를 엇지 잡아 견ᄃᆡ리오. 이졔 드러갈 형셰는 되지 못ᄒᆞ여시니, 다른 ᄃᆡ로 가지말고 금능의 덜ᄋᆞ 등이 이시니 그곳의 가 머므러, ᄉᆞ긔를 보아가며 드러오려니와 이 엄한의 엇지 득달(得達)ᄒᆞ리오."

쇼졔 위로 왈,

"일이 블힝ᄒᆞ여 이의 밋ᄎᆞ니 슬허ᄒᆞ여 므엇ᄒᆞ리잇고 태태는 심ᄉᆞ를 널니 ᄒᆞ시고 쇼녀를 념녀치 마르쇼셔. 금능으로 가거나 어ᄃᆡ 암ᄌᆞ도관(庵子道觀)부치[674]를 어더 안신(安身)ᄒᆞᆯ 거시【11】니, 하날이 죽이지 아니시면 ᄉᆞᄉᆞ로 위ᄐᆡ치 아니ᄒᆞ오리니, 왕뫼(王母) 바야흐로 ᄌᆞ위 피ᄒᆞ시믈 아르시면 분긔 더을 거시니 어셔 드러가쇼셔."

부인이 마지 못ᄒᆞ여 쇼져를 암셕 ᄉᆞ이의 두고 드러갈ᄉᆡ, 심장이 여할(如割)ᄒᆞ여 체읍 왈,

"네 어미 밋고 바라는 빅 여둥 남ᄆᆡ라. 만고를 셔리담아 쥬야의 툭슈(祝手)ᄒᆞ는 빅,

674)-붙이 : -붙이. 어떤 물건에 딸린 같은 종류라는 뜻을 더하는 접미사.

ᄒᆞ리오."

쇼져 엄누(掩淚) ᄃᆡ왈,

"위방 흉적이 쥬영을 소여로 알고 겁칙ᄒᆞ여 갓시니 쇼여는 슉부 환가ᄒᆞ시기 젼의난 드러가지 못할 거시니 모친은 유모로 더부러 드러가시고 쇼녀는 형잉으로 더부러 아모ᄃᆡ나 고요ᄒᆞᆫ 승방을 어더 머물고져 ᄒᆞᄂᆞ이다."

부인니 흉즁○[이] 막혀 쳬루숨숨ᄒᆞ여 왈,

"너을 지향업시 아모ᄃᆡ로나 보ᄂᆡ고 ᄂᆡ 심ᄉᆞ을 엇지 견ᄃᆡ리오. 아모케ᄂᆞ 네 들어가지 못ᄒᆞᆯ 형셰니 다른 ᄃᆡ로 가지 말고 금능의 졔졔와 질ᄌᆞ 등이 잇시니 그곳의 가 멀물러 ᄉᆞ긔을 보아가며 드러오게 하【73】려이와 금능이 여러 날 길이라. 져 약질이 엄ᄒᆞᆫ을 무릅써 엇지 능히 득달ᄒᆞ리오."

쇼져 모친을 위로 왈,

"일이 임의 이의 이르러ᄉᆞ오니 슬퍼ᄒᆞ미 무익ᄒᆞ오니, 복원(伏願) ᄐᆡᄐᆡ는 회포을 널니ᄉᆞ 천만 억졔ᄒᆞᄉᆞ, 아모리 괴로오신 일을 당ᄒᆞ시나 귀쳬(貴體)을 보젼ᄒᆞ실 도리을 싱각ᄒᆞ시고, 소여는 과렴치 마르시믈 바라ᄂᆞ이다. 쇼여는 금능으로 가거ᄂᆞ, 그러치 아니ᄒᆞ면 암ᄌᆞ(庵子)나 도관(道觀)이나 조용ᄒᆞᆫ ᄃᆡ을 어더 안신ᄒᆞ올 거시니, 슈화즁(水火中)의 드러도 ᄒᆞ날이 쥭이긔 젼은 ᄉᆞᄉᆞ로 위ᄐᆡ할 일 업ᄉᆞ오니다. 연니ᄂᆞ 조뫼 발셔 ᄐᆡᄐᆡ 피ᄒᆞ시믈 분노ᄒᆞ시리니, 어셔 밧비 드러 가쇼셔."

부인니 ᄌᆞ긔 ᄒᆞᆫ가지로 여ᄋᆞ을 다리고 피치 못ᄒᆞᆯ 지경의는 밧비 들어가는 거시 올흔지라. 마지 못ᄒᆞ여 쇼져을 암셕의 두고 써날 ᄉᆡ, 심ᄉᆡ 버히는 듯ᄒᆞ여 누쉬 오월댱슈(五月長水) 갓타여, 쇼져의 양비(兩臂)을 붓들고 오열 왈,

"밋고 바라는 빅 너의 남ᄆᆡ분니라. 쳔빅가지 곡경(曲境)을 조흔 다시 지ᄂᆡ고, 지통을 셔리담아 쥬야의 원ᄒᆞ난 빅 셰ᄂᆺ ᄌᆞ여을 셩취(成娶)ᄒᆞ여 션군(先君)의 유탁(遺託)을

광텬 등과 너를 셩취(成娶)ᄒᆞ여 션군(先君)의 유탁(遺託)을 져바리지 말고져 ᄒᆞ미라. 녀ᄋᆞᄂᆞᆫ 하히(河海)의 너름과 금옥(金玉)의 견고ᄒᆞ미 이시니 아모려나 몸을 보젼ᄒᆞ라."

쇼제 슈명ᄒᆞ고,

"유모를 다리고 드러가쇼셔."

ᄒᆞ니, 부인이 한업ᄉᆞᆫ 슬프믈 ᄎᆞᆷ고 마지 못ᄒᆞ여 드러갈ᄉᆡ, ᄒᆡᆼ댱(行裝)이 업ᄉᆞ므로 쇼져를 아직 암셕의 이시라 ᄒᆞ고, 셜난【12】으로 더브러 오니, 위시 바야흐로 손벽을 두다리며 ᄀᆞᆯ오ᄃᆡ,

"조시 모녜 간부를 어더 도망ᄒᆞ고 도적이 드러도 날은 혼ᄌᆞ ᄇᆞ리고 갓다."

ᄒᆞ여 욕셜이 ᄒᆡ연(駭然)ᄒᆞ니, 부인이 족용(足容)을 듕지ᄒᆞ여 듯고, 어히업고 한심ᄒᆞ여 ᄌᆞ긔 남복(男服)ᄒᆞᆫ 거동을 보면 더옥 믜이 녀일 줄 알고, 가마니 팀소(寢所)의 드러가 다시 복ᄉᆡᆨ(服色)을 개착ᄒᆞ고 협ᄉᆞ(篋笥)를 뒤여 은냥(銀兩)을 어더 쇼져긔 보ᄂᆡ고, 밧비 존고긔 나아가니, 부인이 조부인 모녜 아모ᄃᆡ로 간 줄을 아지 못ᄒᆞ여 힝혀 ᄉᆞ라날가 근심ᄒᆞ고 분완(憤惋)ᄒᆞ더니, 부인을 보니 믜오미 고ᄃᆡ 삼킬 ᄃᆞᆺᄒᆞ나 소져의 간 곳을 뭇고져 ᄒᆞ여 왈,

"복셜(卜說)이 일노 ᄒᆞ여 ᄋᆡᆨ(厄)이 즁타 ᄒᆞ던 거시어니와, 반야삼경(半夜三更)의 명화젹(明火賊)675)이 급히【13】 드니 노뫼 놀나 거의 긔절ᄒᆞᆯ 번ᄒᆞ엿ᄂᆞ니, 현부 모녀ᄂᆞᆫ 그림ᄌᆞ도 보지 못ᄒᆞ여시니 어ᄃᆡ 갓더뇨?"

675)명화적(明火賊) : 조선시대 주로 횃불을 들고 약탈을 자행한 강도집단. 조선 전기부터 나타나며, 조선 후기, 특히 19세기 후반 철종(1849~1863) 때에 집중적으로 발생한 강도집단 혹은 떼강도를 말한다. 명화적은 화적(火賊)이라 불리기도 했는데, 이러한 명칭은 그들이 약탈할 때에 주로 횃불을 들고 다녔다는 점, 약탈 방법이 대체로 불을 가지고 공격했다는 점과 관련이 있다.

져바리지 말고져 원(願)일너니, 너ᄂᆞᆫ 하히(河海)의 너름과 금옥(金玉)의 견고ᄒᆞ미 이시니, 아모려ᄂᆞ 몸을 보젼ᄒᆞ【76】여 여뫼 바라ᄂᆞᆫ ᄯᅳ즐 져바리지 말면, 여뫼 ᄯᅩᄒᆞᆫ 쳔만가지 간고즁(艱苦中)이라도 몸을 보젼ᄒᆞ여 너히 졀ᄒᆞ기을 기다리리라."

소져 직ᄉᆞᆷ 모친을 위로ᄒᆞ며 어셔 드러가시믈 간쳥ᄒᆞ니 부인니 한업ᄉᆞᆫ 셔름과 슬푸믈 셔리담아 들러갈 ᄉᆡ, 아모 ᄃᆡ로 가나 힝낭(行囊)이 업ᄉᆞ니, 소져 다려 아직 이스라 ᄒᆞ고, 셜난을 다리고 드러오니, 위틱 바야흐로 손벽을 두다리며 난간을 박ᄎᆞ며 욕셜이 무슈ᄒᆞ여 왈,

"모여 간부을 어더 도망ᄒᆞ고 명화젹이 ᄊᆞ라가가도 날을 바리고 갓다."

ᄒᆞ고 우난 소ᄅᆡ 산의 승냥이 ᄌᆞ져괴ᄂᆞᆫ 듯ᄒᆞ니, 조부인이 듯고 어히 업셔 한심골경(寒心骨驚)ᄒᆞ믈 이긔지 못ᄒᆞ여 ᄒᆞ난 즁, ᄌᆞ긔 남복(男服)ᄒᆞᆫ 거동을 보면 더욱 뮈워할지라. 가만니 침쇼 후문으로 드러가, 협ᄉᆞ(篋笥)의 든 약간 은냥(銀兩) ᄉᆞ오양(四五兩)을 ᄂᆡ여 쇼져의게 보ᄂᆡ고 밧비 남의(男衣)을 벗고 드러가니, ᄎᆞ시의 위흉이 심니의 조시 쥭은 가 희망ᄒᆞ더니, 그 무ᄉᆞ이 ᄂᆞ오믈 보니 미오미 고ᄃᆡ 숨킬 듯ᄒᆞ나, 명ᄋᆞ의 간곳을 뭇고져 ᄒᆞ여 눈망울을 뒤룩이며 '두 아귀'690)로 건츰691)을 흘여 왈,

"복셜(卜說)의 말이 날다려 ᄋᆡᆨ회(厄會) 잇다 ᄒᆞ더니, 반야슴경(半夜三更)의 명화젹(明火賊)692)이 드러 왓시ᄃᆡ 그ᄃᆡ 모녀ᄂᆞᆫ 노모을 바리고 어【75】ᄃᆡ 갓든뇨?"

690)두 아귀 : 아귀는 '사물의 갈라진 부분'을 뜻하는 말. 여기서는 '입'의 속어인 '입아귀' '주둥이'를 달리 말한 것으로, '두 아귀'는 '입의 양 가장자리'를 뜻한다.

691)건츰 : 건침. 마른침.

692)명화적(明火賊) : 조선시대 주로 횃불을 들고 약탈을 자행한 강도집단. 조선 전기부터 나타나며, 조선 후기, 특히 19세기 후반 철종(1849~1863) 때에 집중적으로 발생한 강도집단 혹은 떼강도를 말한다. 명화적은 화적(火賊)이라 불리기도 했는데, 이러한 명칭은 그들이 약탈할 때에 주로 횃불을 들고 다녔다는 점, 약탈 방법이 대체로 불을 가지고 공격했다는 점과 관련이 있다.

조부인이 쇼져의 간 곳을 《쳑연이‖천연(天然)이676)》 모로는 쳬ᄒᆞ여 놀나는 ᄉᆞ식(辭色)으로 ᄃᆡ왈,

"젹(賊)의 함셩을 듯줍고 쳡은 존고 침젼으로 오려ᄒᆞ다가, 발셔 젹이 압흘 당ᄒᆞ엿ᄉᆞ오니 오지 못ᄒᆞ고 뒤문으로 나가 잠간 숨엇솝더니, 명ᄋᆞ는 쥬영·현잉을 다리고 뒤문으로 향ᄒᆞ여 ᄂᆡᄃᆞ르려 ᄒᆞ거늘, 쳡이 존고 침젼으로 가거나 청ᄉᆞ 밋ᄐᆡ 숨거나 ᄒᆞ라 ᄒᆞ엿솝더니, 어ᄃᆡ 숨고 나지 아녓도소이다."

부인이 조부인이 평싱 단묵침졍(端默沈靜)ᄒᆞ여 헷677) 말을 아니ᄒᆞ는 줄을 오히려 아는지라. 쇼제 어ᄃᆡ 숨엇는가 ᄒᆞ여 청ᄉᆞ 밋과 왼집을 두로 헷쳐 ᄎᆞᄌᆞ보ᄃᆡ 그【14】림ᄌᆞ도 어더보지 못ᄒᆞ고 강졍 노복과 인인(隣人)이 다 니르ᄃᆡ,

"도젹이 갈 ᄶᅵ의 교ᄌᆞ(轎子) 속의 우름소ᄅᆡ 들니더라"

하는지라, 태부인이 쇼져는 방이 다려간 줄 알고 깃거ᄒᆞᄃᆡ, 조부인 못 죽이믈 ᄋᆡ들나 ᄒᆞ나 방인(傍人)의 의심을 막고져 ᄒᆞ여 거즛 ᄎᆞ악경히(嗟愕驚駭)ᄒᆞᆫ ᄉᆞᄉᆡᆨ(辭色)으로 두로 ᄎᆞᄌᆞ라 ᄒᆞ며 눈믈을 흘니니 좌위 그러히 넉이더라. 이에 조부인을 도라보아 왈,

"명ᄋᆞ의 거쳬 맛춤ᄂᆡ 업ᄉᆞ면 뎡가의 무어시라 ᄒᆞ고 혼인을 믈니려 ᄒᆞᄂᆞ뇨."

부인이 대왈,

"녀ᄋᆞ를 죵시 ᄎᆞᆺ지 못ᄒᆞ면 맛춤ᄂᆡ 뎡가의 실산(失散)ᄒᆞ므로 통홀 밧 엇지ᄒᆞ리잇고."

위시 우문 왈,

"빙네(聘禮)는 엇지 ᄒᆞ엿ᄂᆞ뇨."

ᄃᆡ 왈,

"졔 몸의 지니고 나가시니 엇지ᄒᆞ리잇고."

부인이 보월의 욕심을 ᄂᆡ엿다가 ᄀᆞ장{ᄋᆡ}【15】ᄋᆡ둛고 조부인을 죽이지 못ᄒᆞ믈 통완ᄒᆞ나, 강졍 비복들의 소견이라도 ᄌᆞ긔

676)천연(天然)이 : 천연(天然)히. 시치미를 뚝 떼어 겉으로는 아무렇지 아니한 듯이.
677)헷 : 헛. 이유 없는. 또는 보람 없는.

부인니 쇼져 간 곳슬 모로는 쳬ᄒᆞ고 놀나는 쳬ᄒᆞ여 왈,

"젹의 함셩을 듯고 쳡은 존괴 침젼으로 오려 ᄒᆞ다가 발셔 도젹○[이] 압흘 당ᄒᆞ엿ᄉᆞ오니 어리ᄶᅵ지693) 못ᄒᆞ여 뒷문 밧긔 ᄂᆞ가 슘어습고, 명ᄋᆞ는 쥬영·현잉을 다리고 젼문(前門)으로 ᄂᆡ다르려 ᄒᆞ거날, 쳡이 청ᄉᆞ(廳舍) 밋히나 슈므라 ᄒᆞ엿습더니, 아히 지금가지 슘고 나지 아니 ᄒᆞ도소이다."

ᄒᆞ니, 조부인니 평싱 단엄침묵(端嚴沈默)ᄒᆞ여 ᄂᆡ외심(內外心)이 한갈갓고694), 헷695) 말을 아니 ᄒᆞ난 쥴은 위ᄐᆡ 쏘한 아난지라. 명ᄋᆞ 필연 어ᄃᆡ 슘은가 ᄒᆞ여 청ᄉᆞ 밋과 왼집을 두로 어드나 그림ᄌᆞ도 업고, 노복이 이로ᄃᆡ,

"도젹이 갈젹의 뫼가지 올나 가든니 누을 다려 가는지 교ᄌᆞ을 메여 가는 ᄃᆡ 교ᄌᆞ 가온ᄃᆡ셔 ᄋᆡᄋᆡ(哀哀)한 우름쇼ᄅᆡ 들니던니다."

ᄒᆞ거날, 위흉이 명명(明明)이 명ᄋᆞ을 위방이 다려간 쥴 아나, 조부인을 마ᄌᆞ 쥭이지 아여시믈 ᄋᆡ달ᄂᆞ ᄒᆞ나, 방인(傍人)의 이목을 가리노라고 가증 놀는는 듯ᄒᆞ고, 노복을 희[흐]터 쇼져을 ᄎᆞᄌᆞ라 ᄒᆞ고, ᄎᆞ악경심(嗟愕驚心)ᄒᆞᆫ 빗치 가득ᄒᆞ여, ᄉᆡ랑 갓튼 쇼ᄅᆡ을 골이 터지게 울며, 조부인 술닌 일을 ᄋᆡ달나 분완ᄒᆞ믈 이긔지 못ᄒᆞᄃᆡ, 강졍 비복과 인【76】친(姻親)의 아름답지 아닌 쇼문이 퍼질가 ᄒᆞ여 흉심을 셔리담고, 것ᄎᆞ로 명ᄋᆞ을 부르지져 우는 쳬ᄒᆞ니, 조부인이 탄식ᄎᆞ악ᄒᆞ여 물너 ᄉᆞ침(私寢)의 도라와, 셜난을 ᄃᆡᄒᆞ여 쇼져의게 은ᄌᆞ을 젼ᄒᆞᆫ 가 ᄌᆞ셔히 무르니, 눈니 ᄃᆡ왈,

693)어리ᄶᅵ다 : 어릿거리다. 어렴풋하게 자꾸 눈앞에 나타나다.
694)한갈갓다 : 한결같다.
695)헷 : 헛. 이유 없는. 또는 보람 없는.

너모 인졍업시 ᄒᆞ면 아름답지 아닌 쇼문이 날가 져허, 흉심을 셔리담고 겻ᄎᆞ로 흔연ᄒᆞ니, 조부인이 ᄉᆞᄉᆞ의 한심ᄒᆞ여 침소의 도라와 셜난다려 쇼져긔 은ᄌᆞ를 젼ᄒᆞ가 므르니 난이 ᄃᆡ왈,

“쇼졔 니르시ᄃᆡ, ‘소녀ᄂᆞᆫ 아모조록 보명(保命)ᄒᆞ여 타일 슬하의 졀ᄒᆞ오리니 ᄌᆞ위ᄂᆞᆫ 쳔만 보듕(保重)ᄒᆞ쇼져’ ᄒᆞ시더이다.”

부인이 기리 탄식ᄒᆞ여 ‘녀ᄋᆞ의 약질노 셜한(雪寒)의 어ᄃᆡ로 향ᄒᆞᄂᆞᆫ고?’ ᄋᆡ상(哀傷)ᄒᆞ믈 니긔지 못ᄒᆞ니, 셜난이 위로ᄒᆞ더니 날이 ᄇᆰ으ᄆᆡ 강졍 노복 등이 옥누항 공ᄌᆞ 등긔 실산지변(失散之變)을 고ᄒᆞ니, 공ᄌᆞ 등이 대경ᄒᆞ여 창황(蒼黃)이 슉모【16】긔 고ᄒᆞ고 강졍의 니르니, 위시 마조 나와 야간ᄉᆞ(夜間事)를 니르고, 쇼져 실산ᄒᆞᆫᄃᆡ 밋쳐ᄂᆞᆫ 목이 메여 눈믈을 금치 못ᄒᆞ니, 냥공지 엇지 조모의 ᄯᅳᆺ을 모르리오. 슌셜(脣舌)이 무익ᄒᆞ여 다만 뉴쳬 왈,

“져져 비록 일시 간 곳을 모르오나 결단ᄒᆞ여 도적의게 잡히여 가지 아녓사오리니 왕모ᄂᆞᆫ 과상치 마르쇼셔.”

모친 방의 와 작야ᄉᆞ(昨夜事)를 뭇ᄌᆞᆸ고 대공ᄌᆞᄂᆞᆫ 친히 ‘두로 도라 져져의 거쳐를 ᄎᆞᄌᆞ 보렷노라’ ᄒᆞ니, 부인이 냥ᄌᆞ를 나호여 가마니 쥬영을 젹이 다려감과, 쇼졔 금능으로 가려 ᄒᆞ던 바를 니르니, 냥공지 깃거ᄒᆞ나 약질이 엄한을 당ᄒᆞ여 엇지 득달ᄒᆞᆯ고 참연(慘然)ᄒᆞ여 부인긔 고왈,

“쇼져 아모ᄃᆡ 가셔도 보즁(保重)ᄒᆞ여 타일 모드실 거시오니 부인은 보즁ᄒᆞ쇼셔. 은ᄌᆞᄂᆞᆫ 젼ᄒᆞ엿ᄂᆞ니다.”

부인이 탄식슈셩(歎息數聲)의 눈물이 ᄉᆡ암696)솟 듯ᄒᆞ여 베기을 젹시며, 쳔ᄉᆞ만염(千思萬念)이 비길 고지 업ᄂᆞᆫ 즁, ‘여ᄋᆞ의 약질이 엄(嚴)ᄒᆞᆫ 셜ᄒᆞᆫ(雪寒)의 어ᄃᆡ로 가 능히 안신할고?’ 이러틋 ᄉᆡᆼ각ᄒᆞᄆᆡ 참연(慘然) ᄋᆡ상(哀傷)ᄒᆞ여 진진니 늣기물 마지 아니ᄒᆞ니, ᄂᆞᆫ니 겻히 잇셔 호언으로 위로ᄒᆞ더라. 날이 발그ᄆᆡ 강졍 비복이 쇼져의 실ᄉᆞᆫ(失散)ᄒᆞ믈 고ᄒᆞ니, 광텬 공ᄌᆡ 형졔 ᄃᆡ경실ᄉᆡᆨ ᄒᆞ여 창황(蒼黃)이 뉴시긔 보ᄒᆞ고 강졍으로 나오니, 위ᄐᆡ 마조 나와 ᄉᆞᆫ벽쳐 울어 갈오ᄃᆡ,

“간밤의 명화적이 들어 명ᄋᆞ을 실ᄉᆞᆫᄒᆞ니 셰ᄉᆞᆼ의 이런 일도 잇ᄂᆞ냐?”

ᄒᆞ고 통곡ᄒᆞ니, 공ᄌᆡ 엇지 조모의 심졍을 모르리오. 슌셜(脣舌)이 무익ᄒᆞ여 다만 위로 왈,

“ᄆᆡ져의 ᄋᆡᆨ회 고히ᄒᆞ와 일시 거쳐을 모르오나 결단코 도적의 슈즁의 ᄯᅥ러져 슈욕은【77】 보지 아니 ᄒᆞ오리니, 과러[려]치 마르쇼셔.”

부인이 오열 뉴쳬ᄒᆞ여 능히 말을 못ᄒᆞ난지라. 즁공ᄌᆡ 친히 두로 도라 ᄆᆡ져의 거쳐을 ᄎᆞ지랴 ᄒᆞ니, 부인니 가만니 날호여 쥬영이 ᄃᆡ신 도적의게 ᄌᆞᆸ혀간 일과, 소져 남ᄌᆞᆼ으로 금능으로나 암ᄌᆞ나 도관이나 가 머물여 ᄒᆞ믈 이르고, 그 지향 업시 가믈 일일이 이르니, 공ᄌᆞ 등이 그 쳐음은 거쳐을 몰나다가 도리혀 다ᄒᆡᆼᄒᆞ나, 약질이 엄ᄒᆞᆫ(嚴寒)을 당ᄒᆞ여 금능으로 가기 쉽지 못ᄒᆞ고, 어ᄂᆡ 곳의 유숙ᄒᆞ믈 졍치 못ᄒᆞ고 길가의셔 바ᄌᆞ이믈697) ᄉᆡᆼ각ᄒᆞᄆᆡ, 심간니 ᄭᅳᆫᄂᆞᆫ 듯ᄒᆞ여

696)ᄉᆡ암 : 샘.

"ᄌᆞ위 엇디 져져를 개연이 보ᄂᆡ시니잇고 금능은 길히 멀고 암ᄌᆞ 도관부치【17】도 죵용ᄒᆞᆫ 곳을 엇기 극난ᄒᆞ오리니 쇼ᄌᆞ 등이 오날 종일 차ᄌᆞ보려 ᄒᆞᄂᆞ이다."

부인이 말녀 왈,

"여ᄆᆡ 위인이 결단코 몸을 가바야이 바리지 아니리니 아직 가마니 바려 두라. 흉적이 쥬영을 다려 가시나, ᄂᆡ응(內應)이 이시니 필연 여ᄆᆡ 버셔난 줄 알면 대변(大變)이 나리니 아직 모로ᄂᆞᆫ 쳬ᄒᆞ미 올흐니라."

냥공ᄌᆡ ᄃᆡ왈,

"ᄌᆞ괴 맛당ᄒᆞ시나 혼인은 임의 길일이 머지 아녓고, 뎡부의셔ᄂᆞᆫ 우리집 연고를 모로ᄂᆞᆫᄃᆡ, 규수를 일타 ᄒᆞ여 혼인을 믈니미 아름답지 아니ᄒᆞ오니, 쇼ᄌᆡ 두르도라 져져를 ᄎᆞᄌᆞ 종용ᄒᆞᆫ 암ᄌᆞ를 어더 안신케 ᄒᆞ고 도라와, 뎡부의ᄂᆞᆫ 아직 이런 말 말고 계뷔 혼인 님시(臨時)ᄒᆞ여 오실 거시니 계뷔 오시거든 져져를 다려와 셩혼ᄒᆞ【18】여 보ᄂᆡ면, 밋쳐 간젹(奸賊)이 손을 놀니지 못ᄒᆞᆯ 거시오, 혼ᄉᆞᄂᆞᆫ 무ᄉᆞ히 지ᄂᆡ미 되리이다."

부인 왈,

"오ᄋᆞ(吾兒)의 말이 맛당ᄒᆞᄃᆡ 슉슉(叔叔)이 혼인 밋쳐 못오시면, 녀ᄋᆞ의 혼ᄉᆞᄂᆞᆫ 길일을 허숑ᄒᆞᆯ가 ᄒᆞ노라."

대공ᄌᆡ ᄃᆡ왈,

"계뷔(季父) 혹ᄌᆞ 혼인 밋쳐 못 오시면 뎡가의ᄂᆞᆫ ᄆᆡ졔 유질(有疾)ᄒᆞ여 친ᄉᆞ를 일우지 못ᄒᆞ니 잠간 믈니ᄌᆞ ᄒᆞ미 올흐니이다."

부인이 올히 억여 졈두ᄒᆞ더라.

누슈(淚水) 옥면(玉面)의 가득ᄒᆞ여 왈,

"ᄌᆞ경이 어이 가연니 져져을 ᄂᆡ여보ᄂᆡ신잇고? 금능은 길리 어려오니 먼 길을 갈 슈업고 암ᄌᆞ 도관은 안정(安靜)할 고지 그리 쉽지 못ᄒᆞ오리니, 이 극한의 도로의셔 방황ᄒᆞ다가 약질이 능히 보젼치 못ᄒᆞ오리니, 소ᄌᆞ 등이 금일 ᄆᆡ져을 ᄎᆞᄌᆞ 보리다."

부인니 말녀 왈,

"여ᄆᆡ 《우인‖위인》니 심상치 아니ᄒᆞ니 지혀 잇셔 가ᄇᆡ야이 몸을 상ᄒᆡ오지 아니 ᄒᆞ리니 아직 바려두라. 흉젹이 쥬영을 다려가시나 ᄂᆡ응ᄒᆞ미 업ᄉᆞ면 엇지 힘힘히 잡혀 가리오. 만일 ᄎᆞᄌᆞ닐진ᄃᆡ 일졍(一定)[698] ᄃᆡ변니 날 거시니 아직 모르난 쳬ᄒᆞ고, 여ᄋᆞ 아모ᄃᆡᄂᆞ ᄌᆞ최을 감초게 ᄒᆞ미 올흔니라."

냥공ᄌᆡ ᄃᆡ왈,

"ᄌᆞ교 맛당ᄒᆞ시나 혼인은 이 곳 일윤ᄃᆡᄉᆞ(人倫大事)라. 임의 길일이 머지 아니ᄒᆞ고, 뎡가의셔 우리 집 변고을 모로ᄂᆞᆫᄃᆡ, 규슈을 실ᄉᆞᆫᄒᆞ다 ᄒᆞ미 불가ᄉᆞ문어타인(不可使聞於他人)이라. 쇼ᄌᆡ 두로 도라 ᄎᆞᄌᆞ 종용ᄒᆞᆫ 암ᄌᆞ의 머무르고, 뎡부의ᄂᆞᆫ 이런 ᄉᆞ단(事端)을 알니지 말고 슉뷔 혼긔 임박ᄒᆞ여 도라오실 거시니, 긋ᄃᆡ[699] 즉시 ᄆᆡ져을 다려다가 혼인ᄒᆞ여 보ᄂᆡ오면, 간젹(奸賊)이 밋쳐 손을 놀니지 못ᄒᆞ여 ᄃᆡᄉᆞ을 승[셩]젼(成全)ᄒᆞ리이다."

부인 왈,

"여언(汝言)이 맛당ᄒᆞ나 슈[슉]슉(叔叔)이 밋쳐 오시지 못ᄒᆞ면, 길긔ᄂᆞᆫ 허송할가 ᄒᆞ노라."

공ᄌᆡ ᄃᆡ왈,

"슉뷔 길긔 미쳐 못오시면 뎡가ᄂᆞᆫ 져져의 유질(有疾)ᄒᆞ믈 일너 친ᄉᆞ을 잠간 물니ᄌᆞ ᄒᆞᄉᆞ이다."

부인이 그러히 녁여 공ᄌᆞ다려 쇼져을 ᄎᆞᄌᆞ 그윽ᄒᆞᆫ 곳의 안신ᄒᆞ고 오라 ᄒᆞ다.

697)바ᄌᆞ이다 : 바장이다. 부질없이 짧은 거리를 오락가락 거닐다.
698)일정(一定) : 분명코, 틀림없이.
699)긋대 : 그때.

뉴시 강졍의 도젹이 드러 쇼져의 거쳬 업ᄉᆞ믈 듯고, 위방이 다려가시믈 알고 깃거ᄒᆞ나 오히려 조부인을 죽이지 못ᄒᆞ엿고, 공ᄌᆞ 등이 비상ᄒᆞ니 혹ᄌᆞ ᄉᆞ긔를 알가 존고긔 글을 올녀,

"광텬 등이 용이ᄒᆞᆫ ᄋᆞ히 아니니 혹 누의를 ᄎᆞᄌᆞ려 하리니, 슈일가지는 면젼을 써나지 못ᄒᆞ게【19】 ᄒᆞ여 명ᄋᆞ의 ᄌᆞ최를 엇지 못ᄒᆞ게 하쇼셔"

ᄒᆞ여시니, 태부인이 ᄭᆡᄃᆞ라 짐즛 누어 셜며 알는 쳬ᄒᆞ고, 부인 삼모ᄌᆞ를 블너 니르ᄃᆡ,

"내 졍신이 황홀(恍惚)ᄒᆞ여 긔운이 혼혼(昏昏)ᄒᆞ니 현뷔 손ᄋᆞ 등을 다리고 압흘 써나지 말나."

부인과 공ᄌᆞ 등이 조모의 심의(心意)를 지긔ᄒᆞ나, 이러틋 대통(大痛)ᄒᆞ믈 불승경황(不勝驚惶)ᄒᆞ여 슈족을 쥐므르며 좌우의셔 써나지 아니터니, 가장 이윽ᄒᆞ믹 공ᄌᆞ 등은 여신(如神)ᄒᆞᆫ 총명이라, 병후(病候)를 솔피믹 결ᄃᆞᆫᄒᆞ여 진짓 알는 증휘(症候) 아니라, 그윽이 한심ᄒᆞ여 가변을 크게 슬허ᄒᆞ더니, 대공지 모친긔 고왈,

"희데를 다리시고 왕모 환후를 구호ᄒᆞ쇼셔. 쇼ᄌᆞ는 져져의 거쳐를 아라 보리이다."

태부인이 광텬의 손을 잡아 겻틱 안치고【20】 왈,

"작야 젹변의 놀난 가슴이 지금 진뎡치 못ᄒᆞᆯ 둧ᄒᆞ니 너희나 써나지 말나."

조부인이 힝혀 ᄋᆞ지 역명ᄒᆞᆯ가 두려 눈으로써 ᄋᆞᄌᆞ를 보아 왈,

"녀ᄋᆞ는 ᄌᆞ최 아모ᄃᆡ로 간 줄 아지 못ᄒᆞ고, 존고 환휘 이러틋 ᄒᆞ시니 믈너날 의ᄉᆞ를 말나."

공지 져져의 거쳐를 ᄎᆞᆺ지 못ᄒᆞᆯ 빅 ᄆᆞ음이 버히는 둧ᄒᆞ나, 조모의 심용(心用)을 ᄉᆞᆺ치고

ᄎᆞ시 뉴시 강졍의 도젹이 드러 쇼져을 실손ᄒᆞ다 말을 듯고 반다시 위방이 명아을 다려가다 ᄒᆞ여, 위틱의게 상셔ᄒᆞᄃᆡ,

"위 관인니 명ᄋᆞ을 다려가문 다힝ᄒᆞ거니와 조시을 쥭이지 못ᄒᆞ얏고, 광텬 등이 ᄉᆞ긔을 ᄉᆞᆺ쳐 알오미 잇슨 즉,【79】 가군(家君)니 오난 날 셰셰히 고ᄒᆞ여 ᄃᆡ변니 늘 거시니, 텬아 등을 슈ᄉᆞ일 면젼의 써나지 못ᄒᆞ게 ᄒᆞᄉᆞ 명ᄋᆞ을 못ᄎᆞᆺ게 ᄒᆞ소셔."

ᄒᆞ여시니, 위틱 올히 역여 침젼의 누어 셜기을 무슈이 ᄒᆞ며 알는 쳬ᄒᆞ며, 조부인 슴모ᄌᆞ을 불너 일오ᄃᆡ,

"ᄂᆡ 졍신니 현황(炫煌)ᄒᆞ고 긔운이 혼혼(昏昏)ᄒᆞ니 광텬 등을 다리고 ᄂᆡ 압흘 써나지 말나."

조부인과 공지 형졔 조모의 어지지 아니ᄒᆞ문 발히[700] 아나, 그 흉심으로 이러틋 셜고 알는 거시야 어이 싱각이ᄂᆞ ᄒᆞ엿시리오. 불승경황(不勝驚惶)ᄒᆞ여 슈족(手足)을 쥐무르며 좌우의 《시칙‖시측(侍側)》ᄒᆞ엿더니, 가증 이윽ᄒᆞ믹, 공ᄌᆞ 등이 ᄉᆞ광(師曠)[701]의 총(聰)이라 ᄌᆞ셔이 보믹 진짓 병이 아니라, 그윽히 조모의 힝ᄉᆞ을 한심ᄎᆞ악(寒心嗟愕)ᄒᆞ여 가변이 점점 더할 바을 념네(念慮)ᄒᆞ여 머리을 슉이고 말을 아니 ᄒᆞ더니, 광텬이 모친긔 고 왈,

"틱틱는 희텬을 다리고 조모의 환후을 보소셔. 소ᄌᆞ는 믹져의 거취을 ᄎᆞᄌᆞ 보리다."

위흉이 광텬의 손을 잡고 왈,

"즉야의 젹변의 놀난 가슴이 진졍키 어려오니 너희는 써나지 말나."

조부인니 향[힝]혀 광텬이 억[역]명할가 두려 이르ᄃᆡ,

"여ᄋᆞ의 흔젹이 아모ᄃᆡ로 간 쥴 모로거날

---

700)발히 : 밝히.

701)ᄉᆞ광(師曠) : 춘추시대 진나라 음악가로, 소리를 들으면 이를 잘 분별하여 길흉을 점쳤다. 따라서 소리를 잘 분별하는 것을 '사광의 총명'이라 함

츄연 ᄃᆡ왈,

“쇼ᄌᆡ 금일브터 두로 도라 져져의 거쳐를 알고 도적의 근본을 브ᄃᆡ 알고져 ᄒᆞ엿ᄉᆞᆸ더니, 왕뫼 이러틋 ᄒᆞ시니 움즉이지 못ᄒᆞ오나 ᄆᆡ져를 ᄉᆡᆼ각ᄒᆞ오니 쳐황ᄒᆞᆫ 심ᄉᆡ 비길 곳이 업ᄂᆞ이다.”

부인이 공ᄌᆞ의 말을 듯고 심리(心裏)의 우이 넉여 혜오ᄃᆡ,

“졔 비록 총명ᄒᆞ나 우리 작용을 어이 알니오. 아모커나 잡아 안쳐【21】두어 아직 소문을 듯지 못ᄒᆞ게 ᄒᆞ리라.”

ᄒᆞ고, 공ᄌᆞ 형뎨를 다 겻ᄐᆡ 믈너나지 못ᄒᆞ게 ᄒᆞ니, 대공ᄌᆡ 더옥 착급ᄒᆞᄃᆡ ᄒᆞᆯ 일 업셔 슈삼일을 면젼의셔 써나지 못ᄒᆞ더라.

뎡공이 옥누항의 와 공ᄌᆞ 등을 보고져 ᄒᆞᆫ즉 강졍의 나갓다 ᄒᆞ고, 노복 등이 쇼져를 실산ᄒᆞ므로뼈 고ᄒᆞ니, 뎡공이 대경ᄒᆞ여 친히 강졍의 나아가 냥공ᄌᆞ를 보고 므러 왈,

“길긔(吉期) 졈졈 갓가오니 두굿거오믈 니긔지 못ᄒᆞ여, 존부의 나아가 여등을 보고 미비ᄒᆞᆫ 거시 잇거든 의구(儀具)를 돕고져 ᄒᆞ더니, ᄉᆡᆼ각 밧 쇼져를 실산(失散)ᄒᆞ다 ᄒᆞ니 이 엇진 변(變)이며 여등은 므ᄉᆞᆷ 연고로 이리 나왓ᄂᆞ뇨?”

대공ᄌᆡ 브ᄃᆡ ᄆᆡ져의 거쳐를 아라 계뷔 드러오시거든 져져를 다려다가【22】 길녜를 지ᄂᆡ려 ᄒᆞ므로 실산(失散)ᄒᆞ믈 뎡부의 통치 아녓더니, 뎡공이 발셔 아라시믈 블힝이 넉이ᄃᆡ, 졔 알고 뭇ᄂᆞᆫᄃᆡ 긔이{이}미 불가ᄒᆞ여, 이의 몸을 굽혀 ᄃᆡ왈,

“조뫼 피우(避寓)678)ᄒᆞ실 일이 이셔 ᄌᆞ당과 ᄆᆡ져(妹弟)를 다리시고 이의 올마 계시더니, 뜻밧 명화적(明火賊)이 심야의 돌입ᄒᆞ니, ᄉᆞᄆᆡ(舍妹) 두어 시녀로 더브러 급히 피

678)피우(避寓) : 전염병이나 액 따위를 피하기 위해 일시 거처를 옮겨 머묾.

네 ᄎᆞ지려 ᄒᆞ나 쉽지 못ᄒᆞᆯ 거시오, 존고 환후 여ᄎᆞᄒᆞ【80】시니 써날 의ᄉᆞ을 말ᄂᆞ.”

공ᄌᆞ ᄎᆞ탄 왈,

“소ᄌᆞ 금일노붓터 쥬류쳔하(周流天下)ᄒᆞ여 ᄆᆡ져의 죵적을 ᄎᆞᆺ고, 적환(敵患)의 근본을 알고져 ᄒᆞ옵더니 ᄃᆡ뫼 이럿틋 ᄒᆞ시니 써나지 못ᄒᆞ오나, ᄆᆡ져의 약질을 ᄉᆡᆼ각ᄒᆞ오면 심신이 쳐황(悽惶)ᄒᆞ여이다.”

위 흉이 광텬의 말을 듯고 심하의 혀오ᄃᆡ,

“졔 아○[모]리 총명ᄒᆞ나 위방의 교즁의 드러시믈 어이 알며, 도적의 근본을 알년노라 ᄒᆞ나 귀신의 영(靈)ᄒᆞ미 업ᄉᆞ니 엇지 알니오. 아모키나 소식을 모로게 ᄒᆞ리라”

ᄒᆞ고, 써ᄂᆞ지 못ᄒᆞ게 ᄒᆞ니, 공ᄌᆡ ᄎᆞᆨ급ᄒᆞ나 할 일 업셔 슈숨일을 불탈의(不脫衣)ᄒᆞ고 시측ᄒᆞ나 ᄆᆡ져의 소식을 몰나 우려(憂慮)ᄒᆞ더라.

금평후 뎡공이 옥누항의 와 광텬 등을 보고져 ᄒᆞᆫ 즉, 노복 등이 쇼져의 실ᄉᆞᆫ(失散)ᄒᆞᆫ 말을 고ᄒᆞ고 강졍의 갓다 ᄒᆞᄂᆞᆫ지라. 뎡공이 실ᄉᆡᆨ(失色)ᄒᆞ여 강졍의 가 냥 공ᄌᆞ을 ᄎᆞ져 보고 왈,

“길긔(吉期) 졈졈 갓가왓시ᄃᆡ 너희 여뷔 아직 오시지 아니ᄒᆞ기로써, 혹ᄌᆞ(或者) 미비ᄒᆞᆫ 거시 인[잇]는가 뭇고져 ᄒᆞ여 너을 보고져 이른 즉, 노복이 여ᄎᆞ여ᄎᆞᄒᆞ니 지[진]가(眞假)을 알고져 ᄒᆞ나니, 이 어인 변괴(變怪)냐?”

공ᄌᆡ ᄃᆡ왈,

“조뫼 피우(避寓)702)ᄒᆞ실 《이리‖일이》 잇셔 편모와 ᄆᆡ져(妹弟)을 다리【81】고 이리 올무ᄉᆞ 게시드니, 뜻밧긔 명화적(明火賊)이 도립ᄒᆞ여 소ᄆᆡ의 종적을 아지 못ᄒᆞ오니,

702)피우(避寓) : 전염병이나 액 따위를 피하기 위해 일시 거처를 옮겨 머묾.

ᄒᆞ다 ᄒᆞ되, 슈일이 되어시나 거쳐를 아지 못ᄒᆞ오니, 합개(闔家) 초조경황(焦燥驚惶)ᄒᆞᄂᆞᆫ 가온ᄃᆡ 잇ᄂᆞᆫ지라. 즉시 존부의 통ᄒᆞ여 아르시게 ᄒᆞᆯ 거시로ᄃᆡ, 혹ᄌᆞ 누의를 ᄎᆞ즐가 ᄒᆞ오미러니 금일가지 소식이 업ᄉᆞ오니, 반ᄃᆞ시 밤을 당ᄒᆞ여 창황이 피ᄒᆞ다가 길흘 일허 ᄎᆞᆺ지 못ᄒᆞᄂᆞᆫ가 시브오니, 존당 셩휘(聖候) 불안【23】ᄒᆞ신 고로 써나지 못ᄒᆞ고 경히 아모리 ᄒᆞᆯ 줄 모르ᄂᆞ이다."

공이 경히ᄎᆞ악ᄒᆞ여 문왈,

"봉적시(逢賊時)의 너의 형뎨ᄂᆞᆫ 어ᄃᆡ 이시며, 녕ᄆᆡ ᄯᅩ 엇지 그리 먼니 가셔 길흘 일토록 ᄒᆞ리오. 상문규수(相門閨秀)의 실산(失散)이 희한(稀罕)ᄒᆞᆫ 변이라 ᄒᆞᆫ긔 님박ᄒᆞ엿ᄂᆞᆫᄃᆡ 이런 블힝이 어ᄃᆡ 이시리오."

냥공지 츄연 ᄃᆡ왈,

"길일을 허송ᄒᆞ실 일이 존부의도 블힝이어니와 년딜(緣姪) 등이 누의를 실산ᄒᆞ오니 ᄉᆞ졍의 통박(痛迫)ᄒᆞᆫ 근심은 니르도 말고, 존당과 편위(偏闈)679)예 과상ᄒᆞ시미 셩질(成疾)ᄒᆞ시기의 니르시니, 더옥 초민(焦悶)ᄒᆞ믈 니긔지 못ᄒᆞ리로소이다. 적이 돌입ᄒᆞᆯ ᄯᅢ 년딜 등은 본부의 이시니 아지 못ᄒᆞ고, 금명(今明)680)의야 이에 니르럿ᄉᆞ오나, ᄉᆞᄆᆡ 아【24】모ᄃᆡ로 간 줄 모르오니 지향ᄒᆞ여 ᄎᆞ즐 길히 업습고, 존당환후로 써나지 못ᄒᆞ오니 심신이 밋칠 ᄃᆞᆺᄒᆞ여이다."

뎡공이 공ᄌᆞ등의 거동을 보ᄆᆡ ᄒᆞᆫ갓 누의를 실산ᄒᆞ여 초려(焦慮)ᄒᆞᆯ ᄲᅳᆫ 아니라, 황황(遑遑) 어득하여681) 아모리 ᄒᆞᆯ 줄 모르ᄂᆞᆫ 형상이라. 반드시 별단ᄉᆞ괴(別段事故) 이시믈 ᄭᆡᄃᆞ라 블힝ᄒᆞ믈 니긔지 못ᄒᆞ여, 공ᄌᆞ등을 당부ᄒᆞ여 쇼져를 ᄎᆞᄌᆞ보라 ᄒᆞ고 도라가니, 공ᄌᆞ 등이 안히 드러와 모친긔 뎡공의 말ᄉᆞᆷ을 고ᄒᆞ니, 부인이 참괴(慙愧) 츄연(惆然)ᄒᆞ나 태부인을 두려 쇼져 ᄎᆞᄌᆞᆯ 의ᄉᆞ를 못ᄒᆞ고, 일슌(一旬)을 지ᄂᆡ엿더니, 태위

679)편위(偏闈) : 편자위(偏慈闈). 편모(偏母). 아버지가 죽어 홀로 있는 어머니.
680)금명(今明) : 오늘 아침.
681)어득ᄒᆞ다 : 어둑하다. 희망이 없고 혼란스럽다.

즉시 존부의 고코져 ᄒᆞ오나 혹ᄌᆞ ᄉᆞᄆᆡ(舍妹) 방황유리(彷徨遊離)ᄒᆞ다 소식을 들을가 ᄒᆞ오미오, 소질이 ᄎᆞ지려 ᄒᆞ오나 조뫼 적변(賊變)의 놀나ᄉᆞ 환후비경(患候非輕)ᄒᆞ오시니 일시 ᄯᅥ나지 못ᄒᆞ옵고 경히 아모리 할 쥴 모로ᄂᆞ이다."

뎡공이 불승ᄎᆞ악ᄒᆞ여 이로ᄃᆡ,

"봉적시(逢賊時)의 너희 형졔 어ᄃᆡ 잇시며, 영ᄆᆡ 홀노 그ᄃᆡ도록 멀니 피ᄒᆞ여 길을 일토록 ᄒᆞ랴? 상문규슈(相門閨秀)을 실슨ᄒᆞ미 가ᄌᆞᆼ 희한(稀罕)ᄒᆞᆫ 변괴라, ᄒᆞᆫ긔 임박ᄒᆞ엿는ᄃᆡ 이런 불힝이 업도다."

냥공지 탄식 ᄃᆡ왈,

"길긔을 허송ᄒᆞ옴도 존부의 불힝이연니와 《녕질‖연질(緣姪)》 등도 졀박ᄒᆞᆫ 근심이 조뫼와 편뫼 과ᄉᆞᆼᄒᆞᄉᆞ 셩질(成疾)ᄒᆞ시니, 일마닥 초황ᄒᆞ믈 이긔지 못ᄒᆞ리로소이다. 도젹이 들 ᄯᅢ의 《영질‖연질》 등은 옥누항의 잇셔 젼연니 모로고 잇습다가, 날이 발근 후의 이리 오니다. ᄆᆡ졔 어ᄃᆡ로 간 쥴 아지 못ᄒᆞ오니 ᄎᆞ질 길 업습고 조모 환후ᄂᆞᆫ 시긱을 이측(離側)지 못ᄒᆞ오니 심신니 밋칠 듯ᄒᆞ여이다."

뎡공이 보건ᄃᆡ 광쳔 형졔 은위만복(隱憂滿腹)703)ᄒᆞ여 ᄒᆞᆫ갓【82】 누의 실슨지화(失散之禍)분더러 황황(遑遑)이 쥬(奏)ᄒᆞ여 아모리 할 쥴 모로ᄂᆞᆫ 거동이라. 반다시 ᄉᆞ괴이ᄉᆞᆼ(異常)ᄒᆞᆫ 쥴 ᄭᆡ다라 크게 불힝ᄒᆞ고, 한심ᄒᆞ여 공ᄌᆞ을 당부ᄒᆞ여 쇼져의 거쳐을 두로 심방(尋訪)ᄒᆞ라 ᄒᆞ고 가니라. 공지 모친긔 뎡공의 말을 고ᄒᆞ고 나가 심방치 못ᄒᆞ믈 한ᄒᆞ더라. 이러트시 일슌을 지ᄂᆡ니 잇ᄯᅢ 윤틔우 항쥐 ᄂᆞ려가 투ᄌᆞᆼ(偸葬)한 거슬 파ᄂᆡ고 즉시 상경ᄒᆞ여 옥누항의 이르니, 쇼져의 길긔(吉期) 슈슴이리[일이] 격ᄒᆞ엿더니, ᄐᆡ

703)은위만복(隱憂滿腹) : 마음속에 남에게 알리지 못할 근심이 가득함.

항쥐 나려가 투장(偸葬)ᄒᆞᆫ 거ᄉᆞᆯ 파ᄂᆡ고 밧비 상경ᄒᆞ여 부듕(府中)의 니르니, 【25】 쇼져의 길ᄀᆡ 슈삼일이 격(隔)ᄒᆞ여시므로, 공은 셜듕엄한(雪中嚴寒)을 혜지 아냐 ᄲᆞᆯ니 온 즉, 공ᄌᆞ 등도 업고 구패 밧비 ᄂᆡᄃᆞ라, 태부인이 피우로 조부인 모녀를 다리고 강경의 갓다가 쇼져 실산ᄒᆞᆫ 연유와 태부인이 놀나 셩질(成疾)ᄒᆞ여시믈 고ᄒᆞ고, 쇼져 실산ᄒᆞ믈 슬허ᄒᆞ니, 공이 쳥미필(聽未畢)의 만심경악(滿心驚愕)ᄒᆞ여 봉안(鳳眼)이 둥글고 미위(眉宇) 참엄(斬嚴)ᄒᆞ여 왈,

"ᄌᆞ경(慈庭)이 브졀업ᄉᆞᆫ 복셜을 미드샤 강경을 향ᄒᆞ시나, 셔모와 뉴시 등이 엇지 간치 못ᄒᆞᆫ뇨?"

구패 탄왈,

"상공이 오히려 태부인 셩졍을 모르시ᄂᆞ이다. 노신 등이 피우(避寓)ᄒᆞ시미 브졀업ᄉᆞ믈 고ᄒᆞᄃᆡ 듯지 아니시니 홀일업더이다."

공이 탄식고 강경의【26】 니르니 태부인이 마조 ᄂᆡ다라 쇼져 실산(失散)ᄒᆞ믈 니르고 눈믈을 흘니니, 태위 그 ᄉᆞ이 존후를 뭇ᄌᆞᆸ고 쳬ᄉᆡ환난(涕泗汍亂)682) ᄒᆞ여 왈,

"ᄌᆞ위(慈闈) 무복(巫卜)을 슝상ᄒᆞ시믈 ᄆᆡ양 간ᄒᆞ옵더니, 필경 이런 일이 잇셔 명ᄋᆞ를 일흐니 엇지 ᄋᆡ둛지 아니리잇가? 쇼ᄌᆡ 블초무상(不肖無狀)ᄒᆞ와 평일 ᄌᆞ경(慈庭)을 간치 못ᄒᆞ와, 요괴로온 무녀복ᄌᆞ(巫女卜者)의 말을 취신(取信)ᄒᆞ시게 ᄒᆞ여 브졀업ᄉᆞᆫ 피우로 딜녀를 실산ᄒᆞ니, 션형이 지극 미드신 바를 져ᄇᆞ리오니, 구원타일(九原他日)683)의 ᄇᆡᆨ시(伯氏)긔 뵈올 면목이 업ᄉᆞ리로소이다."

언진(言盡)의 블승쳬읍(不勝涕泣)ᄒᆞ니, 조부인이 드러오니 니러 마ᄌᆞ 녜필의 딜녀의 실산ᄒᆞ믈 일ㅋ라 누쉬여우(淚水如雨)684)ᄒᆞ니 조부인이 엇지 공을 긔이【27】 고져685)

우 부문의 이르러 광텬 등도 업더니, 구픠 밧비 ᄂᆡ다라 반기고, ᄐᆡ부인이 피우(避寓)로 조부인 모여(母女)와 공ᄌᆡ 형제 갓시물 젼ᄒᆞ고, 강경의 도젹이 드러 소져을 일코 ᄐᆡ부인니 놀나 환휘(患候) 비경(非輕)ᄒᆞ시믈 고ᄒᆞ며, 부졀업ᄉᆞᆫ 곳의 힝ᄎᆞᄒᆞ오ᄉᆞ 일이 이의 밋ᄎᆞ믈 각골ᄋᆡᄉᆞᆼ(刻骨哀傷)ᄒᆞ니, ᄐᆡ우 듯기을 다 못ᄒᆞ여셔 만심경악(滿心驚愕)ᄒᆞᆫ지라. 봉안(鳳眼)니 두렷ᄒᆞ여 급히 강경으로 향ᄒᆞ여 모친긔 뵈옵고 강경의 ᄂᆞ오시믈 뭇ᄌᆞ오니, 흉(凶)704)이 울며 가로ᄃᆡ,

"복ᄌᆞ(卜者)의게 무르니 ᄂᆡ 신슈(身數) 불길타고 잠간 집을 피ᄒᆞ라기○[로] 나와던이라."

ᄐᆡ우 갈로ᄃᆡ,

"요괴로온 무녀(巫女)와 허탄ᄒᆞᆫ 복ᄌᆞ(卜者)을 취신(取信)ᄒᆞ【83】 시게 ᄒᆞ여 연고업ᄉᆞᆫ 《피유‖피우(避寓)》을 ᄒᆞᄉᆞ 질녀을 일흐니, 혼긔을 허송할 분 아니라 망형의 지극히 미드시믈 이럿틋 져바리미 되오니, 구쳔타일(九泉他日)705)의 션형을 뵈올 면목이 업ᄉᆞ리로소이다."

언파(言罷)의 쳬읍ᄒᆞ기을 《마지못ᄒᆞ더니‖마지아니ᄒᆞ더니》, 조부인이 이르거날 ᄐᆡ위 마ᄌᆞ 네(禮)을 파ᄒᆞᄆᆡ, 명아의 거쳐 업ᄉᆞ믈 치위(致慰)ᄒᆞ여 상도비읍(傷悼悲泣)706)ᄒᆞ니. 조부인이 어이 ᄐᆡ위을 긔이고져707)

682)쳬ᄉᆡ환난(涕泗汍亂) : 슬피 울어 눈물 콧물이 어지럽게 흐름.
683)구원타일(九原他日) : 죽어 저승에 간 때.
684)누쉬여우(淚水如雨) : 눈물이 비오듯 흐름.
685)긔이다 : 기이다. 어떤 일을 숨기고 바른대로 말하지 않다.

704)흉(凶) : 위흉(凶) 곧 위태부인을 지칭한 말.
705)구쳔타일(九泉他日) : 죽어 저승에 간 때.
706)상도비읍(傷悼悲泣) : 몸이 상(傷)하도록 매우 슬피 욺.
707)긔이다 : 기이다. 어떤 일을 숨기고 바른대로 말

ᄒᆞ리오마ᄂᆞᆫ 존고의 험악(險惡)을 두려 역시 비상(悲傷)ᄒᆞᆯ ᄲᆞᆫ이요, 굿ᄐᆞ여 말이 업더니, 공이 모친긔 고왈,

“ᄌᆞ위 이리 올무실 제 광ᄋᆡ ‘슈슈와 딜녀를 다려가지 마르쇼셔’ ᄒᆞ믈 분노○○[ᄒᆞᄉᆞ], 광ᄋᆞ를 난타ᄒᆞ시미 과도ᄒᆞᆫ 지경의 밋쳐 광ᄋᆡ 머리 씌여졋더라 ᄒᆞ니 그 엇진 일이니잇고? 광ᄋᆞ등이 불초ᄒᆞᆫ 일이 잇셔도 ᄉᆞ리(事理)로 칙ᄒᆞ시고 ᄌᆞᄋᆡ로 거ᄂᆞ리시면, 져의 텬셩이 디효(至孝)ᄒᆞ오니 ᄌᆞ연 허물된 일이 업ᄉᆞ오려든, ᄌᆞ졍은 셩덕과 ᄌᆞᄋᆡ를 먼니ᄒᆞ시고 션형(先兄)의 효우션ᄒᆡᆼ(孝友善行)을 만고블효블인(萬古不孝不仁)[686]으로 지목ᄒᆞ샤 실덕이 과도ᄒᆞ시던가 시브오니, 쇼지 듯ᄌᆞ오ᄆᆡ 심한골경(心寒骨驚)ᄒᆞ옵ᄂᆞ니, ᄌᆞ위 비록 심홰【28】 셩(盛)ᄒᆞ시나 엇지 ᄎᆞ마 여ᄎᆞ(如此)ᄒᆞ시니잇고?”

부인이 ᄆᆡᄉᆞ를 공을 모르게 ᄒᆞ여 ᄌᆞ긔 극악대흉(極惡大凶)을 알가 ᄀᆞᆷ초고 것ᄎᆞ로 어진 빗출 지어 공을 속이더니, 공ᄌᆞ 등 난타ᄒᆞᆷ과 상셔를 드노화[687] ᄭᅮ짓던 말을 어ᄂᆞ ᄉᆞ이 알고, 이러ᄐᆞᆺ 니르믈 듯고 가장 민망ᄒᆞ여 거즛 뉘웃ᄂᆞᆫ 쳬ᄒᆞ고, 탄왈,

“노뫼 여형(汝兄)을 상(喪)ᄒᆞᆫ 후브터 심홰(心火) 셩ᄒᆞ여 조고만 일이라도 블여즉(不如則)[688] 심홰 발ᄒᆞ미라. 엇지 손ᄋᆞ 등을 귀듕치 아니미리오.”

686)만고블효블인(萬古不孝不仁) : 세상에 다시없는 불효하고 어질지 못한 행실.
687)드놓다 : 들놓다. 들고 놓고 하다. 함부로 말하다.
688)블여즉(不如則) : 뜻과 같지 아니하면.

ᄒᆞ리오 마ᄂᆞᆫ 존고을 두려 역시 비쳑(悲慽)ᄒᆞᆯ 분이오, 원노왕반(遠路往返)을 치위할 다름이라. ᄐᆡ위 구파의 ᄒᆞ던 말을 ᄉᆡᆼ각ᄒᆞᄆᆡ ᄒᆞᆫ심(寒心)ᄒᆞ믈 이긔지 못ᄒᆞ여 모부인긔 고ᄒᆞ여 왈,

“ᄌᆞ졍이 강졍으로 올무실 적 광텬니 ‘슈슈○[와] 명ᄋᆞ을 다려가지 마르쇼셔’ ᄒᆞ믈 노ᄒᆞᄉᆞ 광텬을 ᄂᆞᆫ타(亂打) ᄒᆞ시며, ‘텬아의 머리을 씌쳐 계시드라’ ᄒᆞ오니, 그 어인 이린잇고?[708] ᄎᆞ아(此兒) 형졔 셜ᄉᆞ 불초ᄒᆞᆫ 일이 잇셔도 ᄌᆞ위 《ᄉᆞ례‖사리(事理)》로 칙ᄒᆞ시고 ᄌᆞᄋᆡ을[로] 거나리시면 져희 쳔셩이 효슌ᄒᆞᆫ 아ᄒᆡ니 ᄌᆞ연 허물된 이리 업ᄉᆞ오려든, ᄌᆞᄋᆡ을 믄득 멀니ᄒᆞ시고 실덕을 ᄒᆡᆼᄒᆞᄉᆞ 손아의 두골을 상히오시고, 말ᄉᆞᆷ이 션형의게 밋쳐 지효셩ᄒᆡᆼ(至孝性行)을 이즈시고 도려혀[709] ‘불초터라 말ᄉᆞᆷ을 ᄒᆞᄉᆞ 실덕이 과【84】도 ᄒᆞ시더라’ ᄒᆞ니, 소ᄌᆡ 듯ᄌᆞ오니 불승경ᄒᆡ(不勝驚駭)ᄒᆞ여 몸이 셰ᄉᆞᆼ의 잇시믈 슬허ᄒᆞ옵ᄂᆞᆫ니, ᄌᆞ졍이 비록 심화{의} 셩(盛)ᄒᆞ시나 ᄎᆞ마 광텬 등을 ᄉᆞᆼ(傷)케 ᄒᆞ시며, 션형의 ᄃᆡ효(大孝)을 모로시ᄂᆞᆫ니잇가?”

위흉이 ᄆᆡ양 범ᄉᆞ을 ᄐᆡ위 모로게 ᄒᆞ여 ᄌᆞ긔 극악ᄃᆡ흉(極惡大凶)을 쓰리쳐[710] 감초아 밧그로 어진 양ᄒᆞ여 ᄐᆡ우의 의심을 동(動)치 안니 ᄒᆞ더니, 광텬 등을 난타(亂打)함과 상셔(尙書)을 질욕ᄒᆞ더라 말을, 어ᄂᆡ ᄉᆞ이 아라시믈 고이 역여 거짓 뉘웃쳐 탄왈,

“노뫼 여형의 ᄎᆞᆷ경(慘景) 이후로 심화(心火) 셩(盛)ᄒᆞ여, 조고만한 일리라도 ᄂᆡ 뜻즐 어긔오난 ᄉᆞ람은 분완(憤惋)ᄒᆞ믈 ᄎᆞᆷ지 못ᄒᆞ나니, 긋씌 ᄂᆡ 강졍으로 올무려 헐씌 고이히 의논이 만하, 뉴현부 모녀 ᄌᆡ숨 우겨 피우을 못ᄒᆞ게 ᄒᆞ니, 노뫼 화증이 ᄂᆞ난 ᄉᆞᆺᄐᆡ 광텬 등이 ᄒᆞ 여려[러] 번 불슌이 굴기로, 분두(岔頭)의 금쳑(金尺)으로 치노라 ᄒᆞ니, 광텬의 머리 마ᄌᆞ건니와 씌여지도록 헌 일

하지 않다.
708)이린잇고 : 일이니잇고.
709)도려혀 : 도리어.
710)쓰리치다 : 쓸다. 쓸어버리다. 쓰레기 따위를 한 데 모아서 버리다. 부정적인 것을 모조리 없애다.

공이 츄연(惆然) 탄식ᄒᆞ고,

모친의 불평(不平)ᄒᆞ시믈 우려ᄒᆞ여, 의약을 다ᄉᆞ려 슈히 ᄎᆞ셩(差成)ᄒᆞ시거든 환가(還家)ᄒᆞ시믈 쳥○○[ᄒᆞ려] ᄒᆞ더라.

어시의 뎡공이 윤쇼져의 실산ᄒᆞ믈 듯고 경히ᄎᆞ악ᄒᆞ여 도라와 태부인긔 고ᄒᆞ고, 길긔 허송홀 바를 익둘나 ᄒᆞ고, 윤【29】쇼져의 셩행ᄉᆞ덕(性行四德)이 외모의 낫타나믈 ᄋᆞ시의 본 빈니, 슈히 친ᄉᆞ(親事)를 일워 안젼긔화(眼前奇花)689)를 삼고져 ᄒᆞ다가, 불

689)안젼긔화(眼前奇花) : 눈앞에 피어있는 신비하고 아름다운 꽃.

은 업고, 노뫼 여형의 효을 모로는 거시 아니라, 불초타 ᄭᅮ지ᄌᆞ리오. 너는 고이ᄒᆞᆫ 말을 말나. 슈연(雖然)니나 어셔 밧비 명ᄋᆡ의 거쳐을 아라ᄂᆡ여 노뫼의 녹ᄂᆞᆫ 듯ᄒᆞᆫ 간ᄌᆞᆼ(肝腸)을 편케 ᄒᆞ라."

틱우 구파을 밋【85】던지라, 그 젼언(傳言)을 엇지 헛되리오 ᄒᆞ여, 모친 실덕을 ᄋᆡ달아 ᄒᆞ나 뉴시을 칙할 일리 업ᄉᆞ믈[믄] 위틱 거짓 '뉴시 모녀 피우을 말니더라' ᄒᆞ여 틱우 뉴시을 ᄭᅮ짓지 아닛케 ᄒᆞ니, 틱우 소탈ᄒᆞ여 엇지 알니요. ᄒᆞᆫ갓 쇼져의 거쳐을 모로ᄆᆡ 졀박ᄒᆞ여 근심되고, 뎡공다려 할 말이 업ᄉᆞ믈 탄식긔을 마지 아니 ᄒᆞ여 냥공ᄌᆞ다려 무러 왈,

"뎡공이 여ᄆᆡ(汝妹)의 실ᄉᆞᆫ(失散)ᄒᆞ믈 알아드냐?"

냥공지 뎡공의 ᄒᆞ든 문답ᄉᆞ을 다 고ᄒᆞ니, 틱우 슈루 탄왈,

"뉘 타슬 ᄉᆞᆷ으리오. ᄂᆡ 집을 ᄯᅥ나지 안냐던들 이런 일이 업술 거술, 항쥬로 공교(工巧)이 나려가기로 여ᄆᆡ을 실ᄉᆞᆫᄒᆞ니, 길일을 속절업시 허송(虛送)할지라, 엇지 한홉지 아니리오. 너희 비록 ᄌᆞ위긔 즁ᄌᆞᆼ(重杖)을 입을지라도 연고(緣故) 업시 피우ᄒᆞ시미 불가타 ᄒᆞ믈 온가지로 고ᄒᆞ여 옥누항을 ᄯᅥ나지 아니ᄒᆞ엿더면 여ᄆᆡ을 이를711) 니(理) 잇ᄉᆞ리오."

공지 감히 조모의 거동을 젼(傳)치 못ᄒᆞ고 머리을 슉여 말을 못ᄒᆞ더라.

틱위 모친의 병을 염녀ᄒᆞ여 의약을 나오고 슈히 ᄎᆞ복(差復)기을 원ᄒᆞ니 엇지 탁병(託病)인 쥴 알니오. 겨우 젹이 ᄂᆞᄋᆞ신 ○[즉] 집으로 드려가려 ᄒᆞ더라.

뎡공이 윤소져 실ᄉᆞᆫᄒᆞ믈 듯고 크게 경악【86】ᄒᆞ여 모친 슌틱부인의 고ᄒᆞ고, '텬흥의 길긔을 허송할 분 아니라 윤소져의 셩힝ᄉᆞ덕(性行四德)을 오륙셰 되도록 익히 보앗ᄂᆞᆫ지라. 불힝ᄎᆞ악(不幸嗟愕)ᄒᆞ미 어든 며나리로 다름이 업ᄉᆞ이다' ○○[ᄒᆞ니], 슌틱부인니 숀아(孫兒)의 입ᄌᆞᆼ(入丈)712)을 굴지게

711)이를 : '일을'의 연철표기. 잃을.

힝코 ᄎᆞ악ᄒᆞ믈 니긔지 못ᄒᆞ여 어든 ᄌᆞ부나 다르지 아니ᄒᆞ니, 태부인이 길일을 굴지고ᄃᆡ(屈指苦待)690)ᄒᆞ다가 ᄎᆞ언을 드르ᄆᆡ 대경ᄒᆞ여 왈,

"명화적이 드나 ᄌᆡ보(財寶)를 노략ᄒᆞᆯ 거시오, ᄌᆡ상규수를 겁탈ᄒᆞ여 가든 아닐 거시니 그 집 변괴 가장 괴이ᄒᆞᆫ지라. 텬ᄋᆡ 나히 십삼이나 댱대(壯大)ᄒᆞ미 미진ᄒᆞ미 업거ᄂᆞᆯ 지금 취실(娶室)치 못ᄒᆞ믄 규슈의 년유(年幼)ᄒᆞᆫ 연괴(緣故)러니, 이졔 실산타 ᄒᆞ나 거쳐 업ᄉᆞᆫ 윤시를 엇지 등ᄃᆡ(等待)ᄒᆞ리오. 몬져 타쳐의 구혼ᄒᆞ여 셩혼(成婚)ᄒᆞ면 됴흘가 ᄒᆞ노라."

공이 ᄃᆡ왈,

"ᄌᆞ괴 맛당ᄒᆞ시나 져【30】 윤시ᄂᆞᆫ 범연이 뎡혼ᄒᆞᆫ ᄇᆡ 아니라, 윤문강 ᄌᆡ시의 소ᄌᆡ 친히 윤ᄋᆞ 비상(臂上)의 글ᄌᆞ를 쓰고 면약뎡혼(面約定婚)ᄒᆞ엿ᄉᆞ오니, 피ᄎᆡ 뜻을 변ᄒᆞᆯ ᄇᆡ 아니오. 져 집이 실신ᄇᆡ약(失信背約)고져 ᄒᆞ미 아니라. 변괴 여ᄎᆞᄒᆞ여 기일을 허송ᄒᆞ미니 오개(吾家) 어든 ᄌᆞ부나 다르리잇고? 슈년을 기ᄃᆞ려 윤시의 ᄉᆞᄉᆡᆼ거쳐(死生去處)를 알고 타쳐의 구혼ᄒᆞ려 ᄒᆞᄂᆞ이다."

부인이 심히 셔운ᄒᆞ여 ᄒᆞ더라.

윤공이 모친 환휘 나으시ᄆᆡ 뫼셔 부듕으로 도라오고, 노복을 흣터 쇼져의 죵젹을 ᄉᆞ쳐로 심방ᄒᆞ나 츄풍낙엽(秋風落葉)과 대히의 평초(萍草) ᄀᆞᆺᄐᆞ니, 어ᄃᆡ가 소식인들 드르리오. 쇽졀업시 길일을 허송ᄒᆞ고 ᄒᆡ 밧괴이ᄆᆡ 공이 ᄋᆡ돏고 통상ᄒᆞ여 식불감미(食不甘美)691)ᄒᆞ고 침블안셕(寢不安席)692)ᄒᆞ【31】여 풍광이 슈쳑ᄒᆞ니 태부인이 그윽이 통한ᄒᆞ더라.

690)굴지고ᄃᆡ(屈指苦待) : 손가락을 꼽아가며 예정된 날을 몹시 기다림.

691)식불감미(食不甘美) : 근심과 걱정으로 음식을 먹어도 맛이 없음

692)침블안셕(寢不安席) : 걱정이 많아서 잠을 편히 자지 못함

○[일](屈指計日)713) 기다리다가 서운코 무류(無聊)ᄒᆞ여, 뎡공다려 왈,

"비록 명화젹이 드나 불과 ᄌᆡ물(財物)을 가져갈 거시여날, 상문규슈을 겁칙ᄒᆞᆯ니 업ᄉᆞ니, 그 집 변괴 가장 긔괴ᄒᆞᆫ지라, 텬흥이 연긔(年紀) 십숨세나 ᄌᆞᆼᄃᆡ(壯大)ᄒᆞ미 못밋츨 고지 업거날, 디금 취쳐(娶妻)치 못ᄒᆞ기ᄂᆞᆫ 윤시 어린 연괴라. 이졔 규슈을 일타ᄒᆞ니 거쳐 업ᄂᆞᆫ 윤시을 엇지 기다리리오. 금연은 다 가시니 명츈(明春)으로 윤시을 ᄎᆞᆽ지 못ᄒᆞ거든, 타쳐의 구혼ᄒᆞ여 가긔(佳期)을 일우게 ᄒᆞ라."

평후 복슈ᄃᆡ왈,

"ᄌᆞ교 맛당ᄒᆞ시나 윤시ᄂᆞᆫ 《번연‖범연(凡然)》ᄒᆞᆫ 졍혼이 아니라, 윤문강이 ᄌᆡ시의 쇼ᄌᆞ 친히 그 팔 우히 글을 쓰고 쳔황지로(天荒地老)714)ᄒᆞ여도 피ᄎᆞ 변치 아닐 쥴노 일너ᄉᆞ오니, 져집이 실신ᄇᆡ약(失信背約)고져 ᄒᆞ미 아니라 규슈을 불힝이 일어시니, 슈년을 기ᄃᆞ려 윤시의 ᄉᆞᄉᆡᆼ거쳐(死生去處)을 알고져 ᄒᆞ나이다."

ᄐᆡ부인이 가ᄌᆞᆼ 깃거 아냐 ᄋᆡ달오믈 이긔지 못ᄒᆞ여 ᄒᆞ더라.

윤ᄐᆡ우 모친 병이 나으시니 옥누항으로 뫼【87】셔오고 여러 고드로715) ᄉᆞ람을 ᄂᆡ여 노ᄒᆞ 소져의 거쳐을 츄죵ᄒᆞ나 츄풍낙엽 갓트니, 어ᄃᆡ로 인연ᄒᆞ여 소식이나 드라리오716). 쇽졀 업시 길긔을 허송ᄒᆞ고 ᄒᆡ 밧고이니 ᄋᆡ답고 통ᄉᆞᆼᄒᆞ여 식불감미(食不甘美)ᄒᆞ고 침불안셕(寢不安席)ᄒᆞ여 풍광이 소삭(消索)ᄒᆞ니, 위흉이 갓치 슬허ᄒᆞ여 못이져

712)입ᄌᆞᆼ(入丈) : 장가를 듦.

713)굴지게일(屈指計日) : 손가락을 꼽아 가며 예정된 날을 기다림

714)천황지로(天荒地老) : '하늘이 황무지가 되고 땅이 늙는다'는 뜻으로, '오랜 시간의 흐름' 또는 '오랜 시간이 흐른 뒤의 어느 때'를 비유적으로 이르는 말.

715)고드로 : 곳으로.

716)드라리오 : <듯다: 듣다>. 들으리오.

뎡공이 미양 니르러 태우를 보고 쇼져의 거쳐를 심방ᄒᆞ라 ᄒᆞᆫ즉, 공이 쳑연 왈,

"아니 ᄎᆞᆺ고져 ᄒᆞ미 아니라 지금 소식을 므르니 팀좌(寢坐)의 실닌 병이 되엿ᄂᆞ디라. 형의 집이 봉ᄉᆞ봉친(奉祀奉親)의 창빅의 혼ᄉᆡ 일시 밧블 거시니, 거쳐 업ᄂᆞᆫ 딜녀를 등ᄃᆡ치 말고 타쳐의 취실케 ᄒᆞ고, 혹ᄌᆞ 딜녀를 ᄎᆞᆺᄂᆞᆫ 날이면 비록 션휘(先後) 밧괴이나 뎡시의 셩명을 의탁ᄒᆞ여 바리지 아니미 대덕(大德)이라 형은 물녀(勿慮)ᄒᆞ고 밧비 틱부(擇婦)ᄒᆞ라."

뎡공이 역시 츄연 왈,

"노친이 과연 일시 밧바ᄒᆞ시나 슈년가지나 녕딜(令姪)을 위ᄒᆞ여 거쳐를 알고, 돈ᄋᆞ의 가긔를 뎡코져 ᄒᆞᄂᆞ【32】니 엇지 타쳐의 의혼(議婚)ᄒᆞ리오. 녕딜이 비록 가돈으로 더브러 화쵹의 녜를 일우믄 업ᄉᆞ나 오문(吾門) 빙폐(聘幣) 문명(問名)이 잇고, 녕딜의 비상(臂上) 글ᄌᆡ 이시니, 텬디개벽(天地開闢)ᄒᆞ여도 ᄠᅳᆺ을 곳칠 길히 업ᄉᆞ니, 엇디 신의를 일허 망우(亡友)를 져바리고, 구천타일(九泉他日)의 문강형 볼 안면이 업게 ᄒᆞ리오."

ᄒᆞᄂᆞᆫ 쳬ᄒᆞ더라.

평후 틱위을 보고 소져의 거쳐을 심방ᄒᆞ라 ᄒᆞᆫ 즉, 틱우 쳑연 탄왈,

"아니 ᄎᆞᄌᆞ미 아니라 지금 쇼식을 모로니 쇼뎨 일노 인ᄒᆞ여 몸의 병이 되엇ᄂᆞ이다. 형이 봉친지ᄒᆞ(奉親之下)의 혼ᄉᆡ 밧불 거시니, 거쳐 업난 질여(姪女)을 등ᄃᆡ치 말고 영낭(令郎)을 취실케 ᄒᆞ고, 혹ᄌᆞ 질여을 ᄎᆞᆺ거든 비록 션휘(先後) 밧고이나, 뎡시 셩명을 의탁ᄒᆞ여 져바리지 아니미 셩덕(聖德)이라. 형은 염네 말고 장안ᄌᆞ믹(長安紫陌)[717]의 셩친(成親)케 ᄒᆞ라."

평휘 츄연 탄왈,

"노친(老親)니 일시을 밧바ᄒᆞ시니 과연 민박(憫迫)ᄒᆞ거니와 슈연(數年)을 영질(令姪)을 위ᄒᆞ여 ᄉᆞ싱거쳐을 알고, 돈아(豚兒)의 가긔(佳期)을 졍코져 ᄒᆞ나니 엇지 그만ᄒᆞ여 타쳐의 구혼ᄒᆞ리오. 영질이 비록 돈아로 더부러 화촉지네(華燭之禮)을 일으지 못ᄒᆞ여시나, ᄂᆡ 집 빙폐문명(聘幣問名)이 잇【88】고 소져 팔 우히 쓴 바ᄂᆞᆫ, 쳔지기벽(天地開闢)ᄒᆞ여도 이 ᄯᅳ즐 곳칠 길이 업ᄉᆞ니, 엇지 망우(亡友)을 져바리고 구쳔타일(九泉他日)의 문강형을 볼 낫치 업게 ᄒᆞ리오."

ᄒᆞ더라. 차쳥ᄒᆞ회(次聽下回)을 보라.【89】

갑인(甲寅)[718] ᄉᆞ월 십육일 등셔(謄書).

717)장안ᄌᆞ믹(長安紫陌) : '서울의 큰길'이란 뜻으로 큰길가에 사는 부귀한 집을 이르는 말.

718)갑인년은 권6 말미 필사기의 "대ᄒᆞᆫ졔국(大韓帝國)은 일통쳔지(一統天地)로 만만쳔쳔(萬萬千千)ᄒᆞᄋᆸ쇼셔"로 보아, 대한제국 후 갑인년이므로 1914년임을 알 수 있다.

태위 쳑연(慽然) 타루왈,

"딜녀의 혼ᄉᆞ를 뎡ᄒᆞᆫ 길일의 못지ᄂᆡᄆᆞᆫ 쇼뎨 탓시라. 쇼뎨 집의 잇더면 편위(偏闈) 강졍(江亭) 힝도를 아니ᄒᆞ실디라. ᄒᆞᆫ갓 ᄉᆞ졍(私情)의 버히는 듯ᄒᆞᄆᆞᆫ 셰로이, 형가(兄家)의 근심을 깃치고, 죽어 샤ᄇᆡᆨ(舍伯)을 뵈옵고 젼ᄒᆞᆯ 말슴이 업ᄉᆞᆫ지라. 발셔 실산ᄒᆞ연지 슈삼월이 되어시니, 더 기다려 보아 맛【33】ᄎᆞᆷᄂᆡ 소식을 모르면, 쇼뎨 텬하를 두고 도라 ᄉᆞᄉᆡᆼ거쳐를 알고야 견ᄃᆡ리로다."

뎡공이 윤공의 과상ᄒᆞ믈 보고 도로혀 위로 왈,

"녕딜은 슈복이 완젼지상(完全之相)이라. 실산의 ᄉᆞᄉᆡᆼ을 바릴 일은 업ᄉᆞ리니 형은 과상치 말고 ᄋᆡᆨ회(厄會) 진(盡)ᄒᆞ여 단합(團合)ᄒᆞ기를 기다리라."

태위 심회를 뎡치 못ᄒᆞ여 거의 상셩(喪性)ᄒᆞᆯ 듯ᄒᆞ더라. 뎡휘 도라간 후 공ᄌᆞ 등이 ᄂᆡ당의 드러와 모부인긔 뎡공의 말숨을 고ᄒᆞ고, 일긔츈화(日氣春和)ᄒᆞ거든 ᄌᆞ긔 등이 져져를 ᄎᆞᄌᆞ 보렷노라 ᄒᆞ니, 부인이 쳑연 왈,

"슉슉이 와 계시니 여ᄆᆡ를 ᄎᆞᄌᆞ면 급히 셩혼ᄒᆞ여 구가로 보ᄂᆡ면 됴흐련마는, 아직 여ᄆᆡ의 거쳐를 모르니, 졔 금능으로 아니가도 반ᄃᆞ시 안【34】졍ᄒᆞᆫ 곳을 어더 머믈며, 우리 소식도 알녀 ᄒᆞᆯ 거시니 여등은 급히 ᄎᆞᄌᆞᆯ 의ᄉᆞ를 말나."

공ᄌᆞ 등이 슈명ᄒᆞ나 져져를 위ᄒᆞ여 근심이 비길 곳이 업더라.

뉴시 모녜 위시긔 고왈,

"명ᄋᆞ의 위인이 심상(尋常)치 아니ᄒᆞ니 위방의 욕을 감심치 아녀실 거시니, 그 ᄉᆞ단(事端)을 아지 못ᄒᆞ니 가장 굼거온지라.[693] 위관인의계 명ᄋᆞ와 냥 시ᄋᆡ(侍兒)다 갓는가 아라보쇼셔."

693)굼겁다 : 궁금하다. 알고 싶어 마음이 몹시 답답하다.

명쥬보월빙 권지숨

ᄎᆞ셜 윤ᄐᆡ위 ᄎᆞᆷ연(慘然) 타루 왈,

"질아를 실순ᄒᆞᄆᆞᆫ 쇼제타시라. 항쥬을 가지 아엿든들 이런 일리 잇ᄉᆞ리요."

장부웅심(丈夫雄心)이 셜셜(屑屑)ᄒᆞ믈 보니 뎡공이 도로혀 위로 왈,

"영질이 복녹이 완젼할 ᄉᆞᆼ(相)이니 일시 실순(失散)의 ᄉᆞᄉᆡᆼ을 염녜할 ᄇᆡ 안니니 형은 과상치 말고 ᄋᆡᆨ회(厄會) 진(盡)ᄒᆞ여 단회(團會)ᄒᆞ기를 기다리라."

ᄐᆡ위 심회를 졍치 못ᄒᆞ여 졍히 밋츨 듯ᄒᆞ더니, 금평휘 도라간 후 공ᄌᆞ 등이 부인긔 슈말을 고ᄒᆞ여 《ᄉᆞ긔즐에‖ᄌᆞ긔들이》 ᄎᆞᄌᆞ ᄂᆞ간[갈] 즄 고ᄒᆞ니, 부인이 쳑연타류[루](慽然墮淚) 왈,

"슉슉이 와 게시니 여ᄆᆡ를 ᄎᆞ자면 급급히 《졍혼‖셩혼》ᄒᆞ여 뎡가로 보ᄂᆡ면 다ᄒᆡᆼᄒᆞ련마ᄂᆞᆫ, 여ᄆᆡ 거쳐를 모르니 졔 금능으로 아니 가셔도 반다시 안졍ᄒᆞᆫ 곳를 어더 머물며 우리 소식을 알고져 할 거시니, 너희ᄂᆞᆫ 기다려 불급(不急)히 셔도지 말나."

공지 ᄆᆡ졔를 위ᄒᆞᆫ 근심이 비할ᄃᆡ 업더라.

뉴시 모녀 위ᄐᆡ긔 고왈,

"명ᄋᆞ의 위인니 심ᄉᆞᆼ(尋常)치 아니ᄒᆞ오니 위 관인의 욕을 밧고 힘힘이[719] 가실(家室)이 되어ᄉᆞᆯ 니(理) 업ᄉᆞ리니, 그 일리 엇지 된지 아지 못ᄒᆞ니 가ᄌᆞᆼ 궁거온지라[720]. 편

719)힘힘이 : 심심히. 맥없이. 하는 일이 없어 지루하고 재미가 없게. 또는 힘없이.

720) 궁겁다 : 궁금하다. 알고 싶어 마음이 몹시 답답

지로 아라보소셔."

위틱 포악불인(暴惡不仁)ᄒᆞ나 즌 쇠는 뉴시 모녀만 못한지라. 일로ᄃᆡ,

"무러보지 안냐도 위방의게 즙폐간 후난졔 쳐실을 솜아실 거시니 명익 비록 버셔ᄂᆞ고져 ᄒᆞ나 엇지 밋ᄎᆞ리오."

뉴시 왈,

"죤괴 말솜이 맛당ᄒᆞ시나 위 관인니 교ᄌᆞᄒᆞ나만 가져가【1】더라 ᄒᆞᄂᆞᆫᄃᆡ, 명ᄋᆞ와 쥬영, 현잉가지 업ᄉᆞ니 가즁 고이ᄒᆞᆫ지라, 위관인게 명아와 냥시익 다 간ᄂᆞᆫ가 무러보쇼셔."

ᄒᆞ니 부인이 그러히 넉여 ᄉᆞ름을 보ᄂᆡ여 뭇고져 ᄒᆞ더니, 위방이 믄득 밧긔와 현알ᄒᆞ블 쳥ᄒᆞᄂᆞᆫ디라. 공은 맛춤 나가고 냥공ᄌᆞᄂᆞᆫ 독셔당의 이시니 방이 ᄂᆡ당의 빅견(拜見)ᄒᆞ려 ᄒᆞ더니,

위틱 그러이 역겨 ᄉᆞ람을 보ᄂᆡ여 뭇고져 할 젹, 위방이 밧게 왓ᄉᆞ믈 고ᄒᆞᄂᆞᆫ지라. 틱우는 마춤 ᄂᆞ가고 공ᄌᆞ 등은 쥭셔당의셔 아지 못ᄒᆞ므로 위틱 급히 쳥ᄒᆞ여 볼 ᄉᆡ, 가만니 무러 왈,

"신연(新延)[721]이라 영영(永永)이 종젹을 아니니, 강졍(江亭)의 가 손녀을 겁칙ᄒᆞ여 엇지ᄒᆞᆫ고 몰나 하노라."

방이 웃고 ᄃᆡ왈,

"소져 즉금 쳔질(賤姪)의게 잇시되 날마닥 욕셜이 비승ᄒᆞ여 쳔질을 강되라 ᄒᆞ고, 갓가이 어리씨게도 못하게 ᄒᆞ고, 울기를 긋치지 안냐, 슈슥(數朔)이 지ᄂᆡ시되 쳔질노는 언어상졉(言語相接)을 아니니, 운우지졍(雲雨之情)은 몽니(夢裏)의도 싱각ᄒᆞ리잇가? 그 쓰[쯧]을 감화할 길이 민망(憫惘)ᄒᆞ여이다. 용식(容色)은 실노 희한ᄒᆞ던니다."

위틱 조곰도 의심치 안냐 왈,

"손익 아직 그럿틋 악쓰고 너을 욕ᄒᆞ련이와 일월이 오ᄅᆡ면 ᄌᆞ연 너의 가인(佳人)니 되리니 우김질노 부부지졍(夫婦之情)을 미져라."

태위 도라오니 방이 공을 슬히 넉여 총총ᄒᆞ믈 일캇고 도라가니, 태위 그 힝ᄉᆞ는 아지 못ᄒᆞᄃᆡ 그【35】 힝동을 우이 넉여, 태부인긔 고왈,

위방이 다시 말을 시즉고져 ᄒᆞ더니, 틱우ᄂᆞ갓다가 드러오ᄆᆡ, 위틱와 방이 말을 긋치고, 틱우 방을 보고 오ᄅᆡ 승면(相面)치 못ᄒᆞ

하다.

721)신연(新延) : 도(道)나 군(郡)의 장교와 이속(吏屬)들이 새로 부임하는 감사(監司)나 수령을 그 집에 가서 맞아 오던 일. 여기서는 위방이 윤명아를 겁탈해 간 것을 점잖게 이른 말.

“위방의 목ᄌᆡ(目子) 산(算)[694]밧긔 ᄇᆡ여 지고, 몸을 고요히 가지지 못ᄒᆞ여 거지(擧止) 실셩지인(失性之人) ᄀᆞᄐᆞ니 ᄎᆞ후 오거든 ᄌᆞ위(慈闈) 펑계ᄒᆞ시고 보지 마르쇼셔. 비록 디친이나 져런 거시 왕ᄂᆡ(往來)ᄒᆞ미 블긴(不緊)ᄒᆞ니이다.”

부인이 태우의 알오미 이 ᄀᆞᄐᆞᆷ을 보고, 혹ᄌᆞ 명ᄋᆞ의 일을 알오미 잇ᄂᆞᆫ가 ᄒᆞ여 이에 ᄀᆞᆯ오ᄃᆡ,

“그거시 본ᄃᆡ 안졍(眼睛)이 됴치도 못ᄒᆞ고, 무반(武班)이란 거시 당긔(壯氣)를 ᄡᅳ니 예ᄉᆞ 그러ᄒᆞᆫ지라, 비록 쳔ᄒᆞ나 슉딜(叔姪)의 졍이 이시니, 오면 아니보지 못ᄒᆞ여 보던 ᄇᆡ라. ᄂᆡ당(內堂)이 비편(非便)ᄒᆞ면 보지 말니라.”

태위 빈미(顰眉) ᄃᆡ왈,

“ᄌᆞ위 보시ᄂᆞᆫ 거ᄉᆞᆯ 말고져 ᄒᆞ미 아니라 소직 그런 뉴와 상면(相面)이 괴로와 ᄒᆞᄋᆞᆸᄂᆞ니, ᄌᆞ위 아니 보시면 졔 ᄉᆞᄉᆞ로 왕ᄂᆡᄒᆞᆯ ᄇᆡ 【36】 업ᄉᆞᆯ가 ᄒᆞᄂᆞ이다.”

부인이 가장 깃거 아냐 다시 말을 아니ᄒᆞ더라.

직셜. 윤쇼졔 현잉으로 더브러 ᄉᆞ오 냥 은ᄌᆞ를 가지고 금능으로 향코져 ᄒᆞ더니, 일긔 엄한(嚴寒)ᄒᆞ고 청슈약질(淸秀弱質이 원노(遠路)의 득달ᄒᆞᆯ 길 업ᄉᆞᆯ ᄲᅳᆫ더러, 삼촌(三寸) 금년(金蓮)[695]이 동셔를 불분(不分)ᄒᆞ거

694)산(算) : 셈. 헤아림.
695)금년(金蓮) : 금으로 만든 연꽃이라는 뜻으로, 미인의 예쁜 걸음걸이를 비유적으로 이르는 말. 중국 남조(南朝) 때 동혼후(東昏侯)가 금으로 만든 연꽃을 땅에 깔아 놓고 반비(潘妃)에게 그 위를 걷게 하였다는 고사에서 유래한다.

믈 니르고 신취(新娶)나 ᄒᆞ엿ᄂᆞᆫ냐 무르니, 위방이 ᄐᆡ우를 가ᄌᆞᆼ 슬히 넉이ᄂᆞᆫ지라. 다만 몸이 군문의 ᄆᆡ여 일시 ᄒᆞᆫ가치 못하기로 오릐 ᄇᆡ현(拜見)치 못ᄒᆞ믈 ᄉᆞ례(謝禮)ᄒᆞ고 지금것 신취 못ᄒᆞ믈 고ᄒᆞ고, ‘단일 곳 마나 총총(悤悤)ᄒᆞ 【2】 기로 가노라’ ᄒᆞ고 ᄒᆞ직고 나가니, ᄐᆡ우 그 힝ᄉᆞᄂᆞᆫ 아지 못ᄒᆞ고 그 거지(擧止) 고이ᄒᆞ믈 우이 넉여 ᄐᆡ부인긔 고왈,

“위방이 불근 이[722] 순(算)[723] 박거[게] ᄂᆞ고 쳬지(體肢) 고이ᄒᆞ여 부졍지인(不正之人)이라, 아모리 지친(至親)이라도 이런 거ᄉᆞᆫ ᄌᆞ로 보시지 말르소셔.”

위ᄐᆡ ᄐᆡ우의 긔ᄉᆡᆨ(氣色)을 아로미 여ᄎᆞ(如此)ᄒᆞ믈 보고 혹ᄌᆞ 명ᄋᆞ의 일을 알가 겁ᄒᆞ여 왈,

“그거시 《본직∥본ᄃᆡ》 안졍(安靜)치 못ᄒᆞᆫ 위인○[이]니 취쳐(娶妻)도 못ᄒᆞ고, 무반(武班)리란 거시 장긔(壯氣)를 이긔지 못ᄒᆞ여 본ᄃᆡ 그러ᄒᆞᆫ지라, 비록 쳔ᄒᆞ나 슉질이ᄉᆞ 오면 아니 보지 못ᄒᆞ려니와 ᄂᆡ당의 드리지 말고ᄌᆞ ᄒᆞ면 아니리라.”

ᄐᆡ우 미우을 쯩긔여 왈,

“ᄌᆞ졍이 위방을 보시ᄂᆞᆫ 거슬 막고져 ᄒᆞ오미 아니라 소직 그런 거슬 상면(相面)니 괴로워 ᄒᆞᄋᆞᆸᄂᆞ니, ᄌᆞ졍이 보지 아니시면 졔 ᄉᆞᄉᆞ로 아니 올가 ᄒᆞ미이다.”

위ᄐᆡ 가ᄌᆞᆼ 깃거 안냐 말를 아니 ᄒᆞ더라.

직셜 잇ᄯᅢ 윤소져 명아 현잉으로 ᄉᆞ오 냥 은자를 가지고 금능의로 향코져 ᄒᆞ더니, 일긔 엄ᄒᆞᆫ(嚴寒) ᄒᆞ고 심규약질(深閨弱質)이 원노(遠路)를 득달할 길히 업ᄂᆞᆫ지라. 몸 우히 건복(巾服)[724]이 잇시믈 밋고 그윽ᄒᆞᆫ 암ᄌᆞ(庵子) 도관(道觀)[725]을 구ᄒᆞ더니, 강졍의

722)이 : 치아(齒牙).
723)순(算) : 셈. 헤아림.
724)건복(巾服) : ᄂᆞ옷갓. 남복(男服). 웃옷과 갓을 아울러 이르는 말. 흔히 예전에 남자가 정식으로 갖추던 옷차림을 이른다.

늘, 현잉이 ᄯᅩᄒᆞᆫ 하류쳥의(下類靑衣)나 어려셔브터 옥규심합(玉閨深閤)696)의 죵ᄉᆞ(從事)ᄒᆞ여시므로 빙슈옥골(氷手玉骨)697)이라 노쥐(奴主) 셔르 븟드러 ᄆᆞ음을 담대(膽大)히 먹고 즉시 암혈을 ᄶᅥ나 길흘 ᄎᆞᄌᆞ 나아갈ᄉᆡ, 가히 그물의 버셔난 고기오 농듕(籠中)을 면ᄒᆞᆫ 봉황(鳳凰)이라. 니른 바 집이 이시나 드러가지 못ᄒᆞ고 텬히 너르나 일신(一身) 쥬착(住着)ᄒᆞᆯ 곳이 업ᄉᆞ니, 부듕을 바라 암암히 눈물을 ᄲᅳ리고 신샹의 건복(巾服)698)이 이 【37】 시니 밋고 두루 암ᄌᆞ(庵子) 도관(道觀)699)을 구ᄒᆞ여 안신(安身)코져 ᄒᆞᆯᄉᆡ, 쥬영으로 몸을 ᄃᆡᄒᆞ여 위젹(賊)을 속여 도라보ᄂᆡ고 모부인 ᄶᅥ나는 마음이 버히는 듯ᄒᆞ여, ᄉᆞᄉᆞ로 명텰보신(明哲保身)ᄒᆞ여 신여명(身與命)이 완젼코져 ᄒᆞᄆᆡ, 몸이 비록 향규(香閨) 일 소녜나 식견(識見)의 원(遠)ᄒᆞ믄 ᄉᆞ군ᄌᆞ(士君子) 녈댱부(烈丈夫)의 ᄆᆞ음이 잇ᄂᆞᆫ디라. 엇지 일시 니별의 셜셜ᄒᆞ여 대ᄉᆡ 그릇되게 ᄒᆞ리오. 모친 보닌 바 ᄉᆞ오냥 은ᄌᆞ를 가지고 강졍의셔 십여리를 힝ᄒᆞ여 가더니, 압흘 당ᄒᆞ여 일위 녀승이 ᄇᆡᆨ나장삼(白羅長衫)700)을 썰치고 오ᄉᆡᆨ념쥬(五色念珠)를 목의 걸고 황옥쟝(黃玉杖)701)을 집고 바로 윤쇼져를 향ᄒᆞ여 합장ᄇᆡ례(合掌拜禮) 왈,

"《벽환∥벽화산》 취월암 혜원니 【38】

696)옥규심합(玉閨深閤) : =규합(閨閤). 사대부가의 안주인이 거처하는 방.

697)빙슈옥골(氷手玉骨) : 어름이나 옥같이 희고 깨끗한 손과 골격이란 뜻으로, 청순하고 아름다운 사람을 이르는 말.

698)건복(巾服) : =옷갓. 남복(男服). 웃옷과 갓을 아울러 이르는 말. 흔히 예전에 남자가 정식으로 갖추던 옷차림을 이른다.

699)도관(道觀) : 도사(도교신자)가 수도하는 집.

700)ᄇᆡᆨ나장삼(白羅長衫) : 하얀 천으로 된 승려의 웃옷. 길이가 길고, 품과 소매를 넓게 만든다.

701)황옥장(黃玉杖) : =옥장(玉杖). 황옥(黃玉)으로 만든 지팡이. 《속한서(續漢書)》 예의지(禮儀志)에는, "가을 8월이 되면 나라에서 호적(戶籍)을 상고하여 일흔 살이 된 백성에게 옥장(玉杖)을 선물로 주었는데, 이 지팡이 머리에다 비둘기를 만들어 붙였다하여 이를 구장(鳩杖)이라 한다." 는 기록이 있다.

셔 십여리ᄂᆞᆫ 게오 힝ᄒᆞ여, 압흘 당ᄒᆞ여 일위 녀승이 ᄇᆡᆨᄂᆞᄌᆞᆼ숨(白羅長衫)726)을 썰치고 염쥬(念珠)727)를 옷의 걸고 황옥ᄌᆞᆼ(黃玉杖)728)을 집고 쇼져를 향ᄒᆞ여 합ᄌᆞᆼᄇᆡ레(合掌拜禮) 왈,

"벽히ᄉᆞᆫ 취월암의 니괴(尼姑)ᄂᆞᆫ 귀 쇼져 안젼 【3】 의 뵈옵ᄂᆞ니, 이런 셜한(雪寒)의 약질이 도로의 방황ᄒᆞ시미 무궁(無窮)ᄒᆞ도쇼이다."

725)도관(道觀) : 도사(도교신자)가 수도하는 집.

726)ᄇᆡᆨᄂᆞᄌᆞᆼ숨(白羅長衫) : 하얀 천으로 된 승려의 웃옷. 길이가 길고, 품과 소매를 넓게 만든다.

727)염쥬(念珠) : 염불할 때에, 손으로 돌려 개수를 세거나 손목 또는 목에 거는 법구(法具).

728)황옥장(黃玉杖) : =옥장(玉杖). 황옥(黃玉)으로 만든 지팡이. 《속한서(續漢書)》 예의지(禮儀志)에는, "가을 8월이 되면 나라에서 호적(戶籍)을 상고하여 일흔 살이 된 백성에게 옥장(玉杖)을 선물로 주었는데, 이 지팡이 머리에다 비둘기를 만들어 붙였다하여 이를 구장(鳩杖)이라 한다." 는 기록이 있다.

고(尼姑)ᄂᆞᆫ 귀쇼져 안젼의 뵈ᄂᆞ이다 이런 셜한(雪寒)의 쳔금약질(千金弱質)이 도로의 방황ᄒᆞ시도소이다."

쇼졔 남복(男服)을 ᄒᆞ여시므로 ᄌᆞ긔 녀진 줄 아지 못ᄒᆞᄂᆞᆫ가 ᄒᆞ다가, 쳔만 ᄉᆡᆼ각밧 니고(尼姑)를 만나 이런 말을 드르니, 놀납고 신긔ᄒᆞ믈 니긔지 못ᄒᆞ여 눈을 드러 니고를 보니, 얼골이 빙셜ᄀᆞᆺ고 미목(眉目)이 ᄲᅢ혀나 강산졍긔(江山精氣)를 ᄯᅴ엿ᄂᆞᆫ디라. 이의 탄식고 니르ᄃᆡ,

"내 평ᄉᆡᆼ 법ᄉᆞ(法師)로 일면지분(一面之分)702)이 업고 환난을 당ᄒᆞᆫ 곡졀을 니르지 아녓거ᄂᆞᆯ, 법ᄉᆡ 엇지 이러틋 아ᄂᆞ뇨."

혜원이 소왈,

"빈되(貧道)703) 비록 불명(不明)ᄒᆞ나 쇼져의 근본을 거의 아옵ᄂᆞ니, 도로의 문답ᄒᆞᆯ ᄇᆡ 아니오니 암ᄌᆡ 계오 슈리(數里)는 ᄒᆞᆫ지라 밧비 나가쇼셔."

쇼졔 바야흐로 암ᄌᆞ 도관을 어더 머믈【39】고져 ᄒᆞ다가 이승(異僧)을 만나 ᄒᆞᆫ가지로 벽화산의 니르니 산형(山形)이 긔려(奇麗)ᄒᆞ고 암ᄌᆡ 졍묘(精妙)ᄒᆞ여 별유세계(別有世界)오 봉ᄂᆡ방댱(蓬萊方丈)704)이라. 암ᄌᆞ로조ᄎᆞ 칠팔인 녀승이 나와 혜원을 마ᄌᆞ 왈,

"ᄉᆞ뷔 월아션(月娥仙)을 마ᄌᆞ라 가노라 ᄒᆞ시더니 마ᄌᆞ 오시ᄂᆞ니잇가."

혜원 왈,

"월아선을 마ᄌᆞ오거니와 너의 요란이 구지 말라."

702)일면지분(一面之分) : 한 차례의 서로 만나 사귄 교분.

703)빈도(貧道) : 덕(德)이 적다는 뜻으로, 승려나 도사가 자기를 낮추어 이르는 일인칭 대명사.

704)봉ᄂᆡ방댱(蓬萊方丈) : 봉래산(蓬萊山)과 방장산(方丈山)을 함께 이르는 말. 각각 중국 전설에 나오는 영산(靈山)인 삼신산(三神山) 가운데 하나로, 진시황과 한무제가 불로불사약을 구하기 위하여 동남동녀 수천 명을 보냈다고 한다. 이 이름을 본떠 우리나라의 금강산을 봉래산, 지리산을 방장산이라고도 하며, 또 한라산을 중국 삼신산 가운데 하나인 영주산이라 이르기도 한다.

쇼졔 남복를[을] ᄀᆡᄌᆞᆼ(改裝)ᄒᆞ여시믈 ᄌᆞ긔 여ᄌᆞ믈 알니 업슬가 ᄒᆞ엿다가, 쳔만 ᄉᆡᆼ각 밧 이고(尼姑)를 만ᄂᆞ 이 말을 드르ᄆᆡ 놀납고 신긔ᄒᆞ믈 니긔지 못ᄒᆞ여, 눈를 드러 이괴(尼姑)를 보니, 얼골이 빙셜 갓고 미목(眉目)이 ᄲᅢ혀나 강ᄉᆞᆫ졍긔(江山精氣)를 ᄯᅴ엿ᄂᆞᆫ지라. 소져 이에 탄식 ᄃᆡ왈,

"일한(日寒)니 엄녈(嚴烈)ᄒᆞ되 도로의 방황ᄒᆞᆫ은 졀박ᄒᆞᆫ 형셰(形勢)연니와 션괴(仙姑) 일면지분(一面之分)729)이 업시 엇지 쇼져(小姐)라 일캇ᄂᆞᆫ요?"

혜원니 웃고 왈,

"빈되(貧道) 불명(不明)ᄒᆞ나 쇼져의 근본을 거에 아옵ᄂᆞᆫ니, 도로의셔 문답ᄒᆞ실 ᄇᆡ 아니라 암ᄌᆡ 슈리(數里)ᄂᆞᆫ ᄒᆞ오니 밧비 ᄂᆞ아가ᄉᆞ이다."

쇼져 바야흐로 이런 곳즐 어더 머물고져 ᄒᆞ더니 신승(神僧)를[을] 만나 ᄒᆞᆫ가지로 벽화산의 이르니, ᄉᆞᆫ형(山形)이 긔이(奇異)ᄒᆞ고 암ᄌᆡ 졍묘(精妙)ᄒᆞ여 별유건곤(別有乾坤)이라. 암ᄌᆞ로 조ᄎᆞ 칠팔 여승이 나와 마ᄌᆞ 왈,

"ᄉᆞ뷔 월화션(月華仙)를 마ᄌᆞ러 가노라 ᄒᆞ시더니 마ᄌᆞ 오신니잇가?"

혜원 왈,

"월화션은 마ᄌᆞ오건니와 너희 요란이 구지 말ᄂᆞ."

729)일면지분(一面之分) : 한 차례의 서로 만나 사귄 교분.

이리 니르며 쇼져를 인도ᄒᆞ여 안흐로 드러오니 졔승이 윤쇼져 녀진 줄 아지 못ᄒᆞ나, 남의(男衣) 가온ᄃᆡ 일월명광(日月明光)과 텬향아틱(天香雅態) 만고를 기우려[705] 둘 업ᄉᆞᆫ 식광(色光)이라. 모다 넉ᄉᆞᆯ 일허 긔이(奇異)히 넉이믈 마지 아니ᄒᆞ더라.

원간 혜원은 본이 ᄉᆞ족(士族)이라 양쥬 션비 강운의 녀ᄌᆞ로 일즉 부뫼 망(亡)ᄒᆞ고 이칠(二七)의 취가(娶嫁)ᄒᆞ여 가뷔 죽【40】으니, 향니의 인심이 흉음(凶淫)ᄒᆞ여 그 ᄌᆞ식(姿色)을 듯고 믄득 졀(節)을 희지으려 ᄒᆞ니, 법식 부모와 동긔 업ᄉᆞ니 보젼치 못홀가 두려, 단발{ᄒᆞᆫ}위리(斷髮爲尼)[706]ᄒᆞ니 무상ᄒᆞᆫ 탕ᄌᆞ(蕩子) 산문(山門)을 ᄯᆞᆯ와 단니며 겁칙ᄒᆞ려[707] ᄒᆞ니, 법식 브득이 경샤의 올나와 남문밧 벽화산의 암ᄌᆞ를 일우고 부쳐를 밧드런지 슈십년의 화식(火食)을 념어(厭飫)[708]ᄒᆞ고 도힝이 긔특ᄒᆞ여 부쳐의 뎡과(正果)[709]를 어덧ᄂᆞᆫ지라. 안ᄌᆞ셔 쳔니밧 일을 혜아리미 잇고 몸이 운니(雲裏)의 의지ᄒᆞ여 ᄒᆞ로 만니를 힝ᄒᆞᄂᆞᆫ지라. 이날 법당의 안ᄌᆞ 송경(誦經)ᄒᆞ더니 눈을 희미히 ᄀᆞᆷ으믜, 관음이 현셩(顯聖)왈,

“월아션이 윤가의 ᄯᆞᆯ이 되엿더니 즉금 적변(賊變)을 당ᄒᆞ여 도로의 방황ᄒᆞ니 녜직 ᄲᆞᆯ니 구【41】ᄒᆞ여 다려다가 암ᄌᆞ의 편히 머믈게 ᄒᆞ라.”

법식 놀나 ᄭᆡ여 월아션의 운슈를 혜아리믜 남의로 반드시 암ᄌᆞ 도관을 구ᄒᆞᄂᆞᆫ지라. 즉시 나아가 윤쇼져를 마ᄌᆞ 도라오믜 깃브믈 늬긔지 못ᄒᆞ며, 그 셩ᄌᆞ광휘(聖姿光輝)를 황홀ᄒᆞ여 반ᄃᆞ시 비상ᄒᆞᆫ 귀격(貴格)이믈 헤아리고, 말ᄉᆞᆷ을 펴 관음대ᄉᆞ의 현셩ᄒᆞ여 가

705)기우리다 : 기울이다. 정성이나 노력 따위를 한곳으로 모으다.

706)단발위이(斷髮爲尼) : 여자가 머리를 깎고 비구니가 됨.

707)겁칙 : ≒겁측. 폭행이나 협박을 하여 강제로 부녀자와 성관계를 갖는 일.

708)념어(厭飫) : 물리도록 실컷 먹음.

709)뎡과(正果) : 바른 과보(果報). 과보란 사람이 지은 선악의 행위에 의한 결과와 갚음을 말함.

쇼져을 인도ᄒᆞ여 안흘로 드러오니 졔승이 소져의 일월명광(日月明光)과 쳔향아질(天香雅質)이 만고로 기우러도[730] 둘히 업ᄉᆞᆫ 식광(色光)이라. 모다 넉슬 일코 긔이(奇異)히 녁긔더라.

원간 혜원은 근본니 ᄉᆞ족(士族)이라. 양쥐 강운에 여ᄌᆞ로 일직【4】 부모 망ᄒᆞ고 이칠의 취가(娶嫁)ᄒᆞ여 가뷔(家夫) 일즉 쥭으니, 향니 인심니 흉음(凶淫)ᄒᆞ여, 그 ᄌᆞ식(姿色)을 듯ᄂᆞᆫ 지 졀(節)를 희지려 ᄒᆞ니, 법식 부모동긔(父母同氣) 업산니 의뢰무탁(依賴無託)ᄒᆞᆫ지라. 졀의을 보젼치 못할가 두려 단발위리(斷髮爲尼)[731]ᄒᆞ니 무ᄉᆞᆼ(無常)ᄒᆞᆫ 탕ᄌᆞ(蕩子) ᄉᆞᆫ즁(山中)의 ᄯᆞᆯ아단니면[며] 겁칙고져 ᄒᆞ니, 법식 부득이 경ᄉᆞ(京師)의 올나와, 남문 밧 벽화ᄉᆞᆫ의 암ᄌᆞ를 이루고 부쳐를 밧드러 슈십연(數十年) 도(道)를 일워 부쳐의 졍과(正果)[732]를 어든지라. 안ᄌᆞ셔 쳔니 밧글 헤ᄋᆞ려[리]ᄂᆞᆫ ᄇᆡ 잇고, 몸이 운외의 《슈로밧∥ᄒᆞ로》 만니를 힝ᄒᆞ니, 이날 법당(法堂)의 안져 송경(誦經)○○○[ᄒᆞ더니] 눈를 히미히 감으니 ᄇᆡᆨ의(白衣) 관음이 현명(顯命) 왈,

“월화션은 윤가의 ᄯᆞᆯ이라, 즉금 젹변를 당ᄒᆞ여 당황(唐惶)ᄒᆞ니 ᄲᆞᆯ니 구ᄒᆞ여 암ᄌᆞ의 ᄃᆞ려다가 머물게 ᄒᆞ라.”

법식 놀나 월화션를[을] 힝[향]ᄒᆞ여 니로믜 쇼져 남ᄌᆞᆼ(男裝)으로 항[힝]ᄒᆞ난지라. 마ᄌᆞ 도라오믜 깃부믈 이긔지 못ᄒᆞ여 그 셩ᄌᆞ옥골(聖姿玉骨)이 황홀긔경(恍惚奇景)ᄒᆞ고, 이에 말ᄉᆞᆷ을 여러 관음ᄃᆡᄉᆞ의 현몽(現夢)ᄒᆞ여 가르치던 바를 젼ᄒᆞ여 우왈(又曰),

730)기우리다 : 기울이다. 정성이나 노력 따위를 한곳으로 모으다.

731)단발위리(斷髮爲尼) : 머리를 깎고 비구니가 됨.

732)정과(正果) : 바른 과보(果報). 과보란 사람이 지은 선악의 행위에 의한 결과와 갚음을 말함.

ᄅᆞ치시던 말숨을 젼ᄒᆞ며, 냥목(兩目)을 옴기지 아니코 쇼져를 ᄇᆞ라보아 왈,

"쇼졔 ᄇᆡᆨ쥬(白晝)의 화란을 당ᄒᆞ여도 귀복(貴福)이 인간의 희한ᄒᆞ시니, 조금도 위틱ᄒᆞ신 바ᄂᆞᆫ 업거니와, 초년이 험난ᄒᆞ여 년긔십셰를 넘지 못ᄒᆞ여셔 엄상(嚴喪)을 만나실 거시오. 이번도 집을 삼ᄉᆞ삭(三四朔)이나 ᄯᅥ나실 운쉬(運數)어니와 ᄋᆡᆨ회(厄會) 아직 머러 계시이다."

쇼졔 ᄎᆞ언을 듯【42】고 가장 놀나 셩안(聖顔)의 츄쉬(秋水) 동ᄒᆞ여 왈,

"쳡의 운싊 법ᄉᆞ의 니르ᄂᆞᆫ 말ᄀᆞᆺ치 어려셔 엄졍(嚴庭)을 여희옵고, 외로오신 ᄌᆞ모(慈母)로 더브러 일월을 보ᄂᆡᄂᆞᆫ ᄇᆡ러니, 작야의 도적이 드러 혼샤를 작난ᄒᆞ니, 쳡은 ᄒᆞᆫ낫 시녀로 더브러 급히 피ᄒᆞ여 ᄉᆞ오리(四五里)를 나오ᄆᆡ 길를 일코 날이 ᄇᆞᆰ으나, 집을 ᄎᆞᆺ디 못ᄒᆞ여 도로의 방황ᄒᆞ더니, 법ᄉᆞ의 구ᄒᆞ여 암ᄌᆞ의 다려오블 어드니 감샤ᄒᆞ믈 니긔지 못ᄒᆞ나, 법ᄉᆞ의 셩시와 근본은 엇더ᄒᆞ뇨?"

혜원이 기리 탄왈,

"빈도ᄂᆞᆫ 텬하의 명박지인(命薄之人)이라. ᄉᆞ문녀ᄌᆡ(士門女子) 단발위리(斷髮爲尼)ᄒᆞᄂᆞᆫ 거시 어이 사ᄅᆞᆷ을 들념즉 ᄒᆞ리잇고? 발셔 블가의 ᄆᆡᆼ셰ᄒᆞ여 셰렴(世念)을 ᄭᅳ헌 지 하마 슈십년이라. 산슈간(山水間)의 오유(遨遊)【43】ᄒᆞ여 ᄯᅳᆺ을 븟치ᄂᆞᆫ ᄇᆡ 되엿더니, 텬ᄒᆡᆼ(天幸)으로 소져를 만나니 산문의 큰 경ᄉᆡ(慶事)로소이다."

쇼졔 혜원의 풍치골격이 반졈 진애(塵埃)의 무드지 아녀시믈 긔특(奇特)이 넉여, 종용이 말솜ᄒᆞᆯ식, 혜원이 데ᄌᆞ를 명ᄒᆞ여 소션(素膳)을 ᄀᆞᆺ초아 ᄌᆡ(齋)를 됴히 ᄒᆞ여 쇼져를 니밧고[710] 그윽ᄒᆞᆫ 팀당(寢堂)을 ᄀᆞᆯ희여 쇼져 노듀를 머물게 ᄒᆞᆯ식, 혜월 왈,

"ᄎᆞ쳐(此處) 경샤의셔 슈십니ᄂᆞᆫ ᄒᆞ거니와, 유벽(幽僻)ᄒᆞ여 일즉 외인의 ᄌᆞ최 님치 아

"쇼져 ᄇᆡᆨ가지 화란을 격그셔도 귀복(貴福)이 셰간의 희한(稀罕)ᄒᆞᆯ 터이니 조곰도 위틱로오실 바ᄂᆞᆫ 업ᄉᆞᆸ고, 다만 초년니 너모 험ᄋᆡᆨ(險阨)ᄒᆞᄉᆞ 연긔(年紀) ᄉᆞ셰 넘지 못ᄒᆞ여 엄ᄉᆞᆼ(嚴喪)을 만ᄂᆞ 게실 듯ᄒᆞ고 이번 도 집【5】을 삼ᄉᆞ삭(三四朔)를[을] ᄯᅥᄂᆞ실 운슈(運數)요, ᄋᆡᆨ화(厄禍) 아즉 머러 게실 터이니라."

쇼져 ᄎᆞ언을 가ᄌᆞᆼ 놀나 셩안(聖顔)의 옥뉘(玉淚) 요동ᄒᆞ여 왈,

"쳡의 운싊 험흔(險釁)ᄒᆞ여 법ᄉᆞ의 니르심과 갓치 어려셔 험ᄂᆞᆫ(險難)과 엄한[안](嚴顔)을 여희고 편모로 더부러 일월를 보ᄂᆡᄂᆞᆫ ᄇᆡ러니, ᄌᆞᆨ야의 도젹○[이] 이르러 집을 ᄌᆞᆨ난ᄒᆞ니, 쳡은 ᄒᆞᆫ낫 시녀로 더부러 피ᄒᆞ여 ᄉᆞ오리(四五里)를 나오ᄆᆡ 길흘 일코 날이 발그ᄆᆡ 집를 찻지 못ᄒᆞ여 방황하더니, 법ᄉᆡ(法師) 의구ᄒᆞ여 다려오믈 어드니, 영ᄒᆡᆼ코 감ᄉᆞᄒᆞ믈 이긔지 못ᄒᆞᄂᆞ니, 법ᄉᆞ의 존명(尊名)과 되명(道名)을 듯고져 ᄒᆞ나이다."

혜원이 탄식 ᄃᆡ왈,

"빈도ᄂᆞᆫ 쳔하의 명박지인(命薄之人)니라. ᄉᆞ문여ᄌᆞ(士門女子)로 단발위리(斷髮爲尼)ᄒᆞᄂᆞᆫ 거시 엇지 ᄉᆞ람의 들염즉 ᄒᆞ오○[리]잇가? 불가의 ᄆᆡᆼ셰ᄒᆞ엿ᄂᆞᆫ지라. ᄉᆞᆫ슈간(山水間)의 오유(遨遊)ᄒᆞ여 ᄯᅳ지 불가(佛家)의 젼일(專一)ᄒᆞ니, 도로혀 슬푸믈 아지 못ᄒᆞᄆᆡ 일월을 흘니ᄂᆞᆫ ᄇᆡ 되엿더니, 의외에 쇼져를 맛나오니 ᄉᆞᆫ문(山門)의 큰 경ᄉᆡ로소이다."

쇼져 혜원의 골격이 반졈 진ᄋᆡ(塵埃)의 무도지 아냐시물 칭ᄀᆡ(稱加)ᄒᆞ고 혜원니 졔승(諸僧)를 명ᄒᆞ여 소션(素膳)을 갓초아 뫼[ᄆᆡ]를 경결이 ᄒᆞ여 소져와 현ᄋᆡᆼ을 요기케 ᄒᆞ고, 그윽ᄒᆞᆫ 방ᄉᆞ(房舍)를 갈희여 소져를 머믈게 할 ᄉᆡ, 혜원 왈,

"이곳지 경ᄉᆞ의셔 슈십니ᄂᆞᆫ ᄒᆞ거니와【6】 일즉 외인의 ᄌᆞ쵀 임(臨)치 아니ᄒᆞᄂᆞ니, 의복을 곳치시미 맛당할가 ᄒᆞᄂᆞ이다."

710) 니바지ᄒᆞ다 : 이바지하다. 음식을 바치다.

니ᄒᆞ니, 쇼졔 음양을 밧고아 건복(巾服)으로 계시미 불가ᄒᆞ니 개복(改服)ᄒᆞ시미 맛당ᄒᆞᆯ가 ᄒᆞᄂᆞ이다."

쇼졔 왈,

"ᄉᆞ부의 말ᄉᆞᆷ이 올흐나 내 이곳의 머믈 일이 업고 혹ᄌᆞ ᄉᆡᆼ각밧 외인이 드러와도 심히 비편(非便)ᄒᆞ니 엇지 녀복을 곳치리오."

혜원【44】이 그러히 넉여 왈,

"쇼졔 ᄉᆡᆼ각이 그러ᄒᆞ시니 빈되 감히 막지 못ᄒᆞᄂᆞ니 쇼져의 ᄯᅳᆺᄃᆡ로 ᄒᆞ시고, 임의 이곳의 와 계시니 ᄒᆞᆫ번 ᄇᆡ불(拜佛)ᄒᆞ시믄 폐치 못ᄒᆞ시리이다."

쇼졔 왈,

"산문의 투입ᄒᆞ여 부모의 신톄발부ᄂᆞᆫ[를] 상히와 단발위리(斷髮爲尼)ᄂᆞᆫ 가치 아니ᄒᆞ거니와, ᄒᆞᆫ번 녜ᄇᆡ(禮拜)야 엇지 말니오."

혜원이 깃거 조됴(早朝)를 당ᄒᆞ여 쇼져를 불젼(佛前)의 현ᄇᆡ(見拜)ᄒᆞ라 ᄒᆞ니, 쇼졔 마지 못ᄒᆞ여 ᄋᆡᆨ회(厄會)를 소셜(掃雪)[711]ᄒᆞ고 슈히 도라가믈 튝원(祝願)ᄒᆞ더라.

쇼졔 암ᄌᆞ의 머므러 얼픗ᄒᆞᆫ ᄉᆞ이 신년을 당ᄒᆞ니 심회 쵹쳐(觸處)의 감창(感愴)ᄒᆞ믈 니긔지 못ᄒᆞ고, 모친의 괴롭고 슬픈 심ᄉᆞ를 ᄉᆡᆼ각ᄒᆞ여 쥬야 마르ᄂᆞᆫ 듯ᄒᆞᆯ ᄲᅮᆫ 아니라, ᄉᆡᆼ셰 쳐음으로 ᄌᆞ모를 ᄯᅥ나 그립고 쳐황(悽惶)ᄒᆞ미 날노【45】 더으니, 쥬영은 도젹의게 잡혀가 엇지 된고? 경경(耿耿)ᄒᆞᆫ 심녀(心慮) 비길 곳이 업ᄉᆞᆫ지라. 쎡쎡 쳥뉘환난(淸淚汍亂)ᄒᆞ여 ᄡᅣᆼ협(雙頰)을 젹시니, 현잉이 일시를 ᄯᅥ나지 아냐 위로ᄒᆞ고, 혜원이 밧들기를 관음의 버금으로 ᄒᆞ{ᄒᆞ}여 졍셩이 동쵹(洞屬)ᄒᆞ니 쇼졔 감샤ᄒᆞ믈 마지 아니ᄒᆞ며, 암ᄌᆞ의 계오 어더 니이ᄂᆞᆫ[712] ᄌᆡ식(齋食)[713]을 ᄌᆞ긔로 허비ᄒᆞ믈 블안ᄒᆞ여, ᄉᆞ오 냥 가져온 은냥의 ᄉᆡᆨᄉᆞ(色絲)와 쵹단(蜀緞)[714]을 ᄉᆞ 슈노화 시샹(市上)의 ᄆᆡᄆᆡᄒᆞᄆᆡ,

711)소셜(掃雪) : 쓸고(掃) 씻음(雪). 눈을 치움.
712)니이다 : 잇다. 끼니 따위를 잇다.
713)불가의 식사(食事)
714)쵹단(蜀緞) : 촉나라에서 생산된 비단.

쇼져 답ᄉᆞ왈,

"ᄉᆞ부의 말이 당연ᄒᆞ나 ᄂᆡ 이곳의셔 머물 이리 업고 불의에 외인○[이] 드러와도 비편(非便)ᄒᆞ려니, 시녀를 마ᄌᆞ 변복(變服)고져 ᄒᆞᄂᆞ이다."

혜원이 그러이 역겨 왈,

"소져 원예(遠慮) 올토소이다. 이ᄂᆞᆫ 쇼져의 ᄯᅳᆺᄃᆡ로 ᄒᆞ시고, 임의 이곳의 와 계시니 ᄒᆞᆫ 번 불젼(佛前)의 ᄇᆡ례(拜禮)ᄒᆞ여 슈이 도라가시기를 암츅(暗祝)ᄒᆞ쇼셔."

ᄒᆞ더라.

쇼져 암ᄌᆞ의 머므른지 히 밧고여 신연(新年)을 당ᄒᆞ니 심회(心懷) 촉쳐(觸處)의 감ᄉᆞᆼ(感傷)ᄒᆞ믈 이긔지 못ᄒᆞ고, 모친의 괴롭고 슬품을 염네(念慮)ᄒᆞ여 옥[육]증[733] 근심이 편식ᄒᆞᄂᆞᆫ 듯ᄒᆞᆫ 즁 쥬영은 도적의게 ᄌᆞᆸ펴 엇지 된고 청뉘 화란ᄒᆞ여 부요 보조기를 젹시니, 현잉이 일시도 ᄯᅥᄂᆞ지 아냐 위로ᄒᆞ고, 혜원이 지셩으로 관ᄃᆡ(款待) 동촉(洞屬)ᄒᆞ니, 쇼져 감ᄉᆞᄒᆞ믈 마지 아니ᄒᆞ며 암ᄌᆞ의 계오 어더셔 이우ᄂᆞᆫ[734] ᄌᆡ식(齋食)을 노쥐(奴主) 만히 허비ᄒᆞ믈 불안ᄒᆞ여, ᄉᆞ오 냥 가져온 은ᄌᆞ로 촉나(觸羅)[735]를 ᄆᆡᄆᆡᄒᆞ여 슈노하 시ᄉᆞᆼ(市上)의 파니, 슈품(繡品)의 졍공(精工)ᄒᆞ미 귀문(貴門) 직금(織金)[736]의 더

733)육장(六場) : 한 달에 여섯 번을 서는 장. 한 번도 빼지 않고 늘.
734)이우다 : 잇다. 끼니 따위를 잇다.
735)촉나(觸羅) : 촉나라에서 생산된 비단.
736)직금(織金) : 남빛 바탕에 은실이나 금실로 봉황과 꽃의 무늬를 섞어 짠 직물. 흔히 스란치마 자락의 끝에 두른다

슈치(繡致)로[의] 졍묘(精妙)ᄒᆞ미 보ᄂᆞ니로 ᄒᆞ여금 황홀홀 빅라. 져마다 갑슬 닷토지 아니ᄒᆞ고 다쇼를 의논치 아냐 부귀가(富貴家) 쇼져 등이 ᄉᆞ기를 못 밋츨ᄃᆞ시 ᄒᆞ니, 암ᄌᆞ의 이션 지 슈월의 금은(金銀)이 날노 모히니, 쇼져는 일호도 머므르는 거시 업셔 슈를 파라 갑【46】슬 바드믹, 즉시 니고를 주어 냥ᄌᆞ를 삼으라 ᄒᆞ고, 십지셤슈(十指纖手)를 신긔히 놀녀 낫이면 슈치의 잠심ᄒᆞ고, 밤이면 시셔(詩書)의 잠젹(潛寂)ᄒᆞ니, 원간 혜원이 ᄒᆞᆨ문이 유여(裕餘)ᄒᆞ여 암듕(庵中)의 셩경현젼(聖經賢傳)을 ᄀᆞᆺ초아 두엇는지라. 쇼져{긔} 《셔젼‖셔젹》을 옴겨 ᄌᆞ긔 머므는 방의 ᄡᅡ코, 현잉을 명ᄒᆞ여 강졍(江亭) 근쳐의 가 소식을 탐지ᄒᆞ여 오라 ᄒᆞ니, 현잉이 슈명ᄒᆞ여 반일(半日)○[을] 나가 알고 와 고ᄒᆞᄃᆡ,

"태위 도라와 태부인과 모부인을 뫼셔 옥누항으로 드러가고, 노복을 ᄂᆡ여 노화 쇼져의 소식을 듯본다 ᄒᆞ더이다."

ᄒᆞ니, 쇼졔 깃거 ᄌᆞ긔 암ᄌᆞ의 이시믈 통(通)ᄒᆞ여 집으로 드러가고져 ᄒᆞ거늘, 혜원이 말녀 왈,

"아모 졔라도 도라갈 거시니 빈되 써나기를 년년(戀戀)ᄒᆞ미 아니라, 아직 드러가시미 너모 급ᄒᆞ니 슈삼월 더 머므【47】르샤 ᄌᆞ연 긔회(機會)를 만나리니, 옥누항으로 나아가쇼셔."

쇼졔 문왈,

"이졔 드러가면 므ᄉᆞ 일이 이시랴?"

혜원이 쇼왈,

"쇼져의 ᄋᆡᆨ회는 아직 머러계시거니와 이번도 너모 샐니 드러가시면 취화(取禍)ᄒᆞ미 급ᄒᆞ시리이다."

쇼졔 왈,

"그러면 언졔로 드러가리오."

혜원이 ᄃᆡ왈,

"계춘(季春)을 기다리쇼셔."

쇼졔 탄왈,

"나의 ᄉᆞ친지회(思親之懷) 일일(一日)이 여삼츄(如三秋) ᄒᆞ거니와 계춘이 블원(不遠)

으니, 보는니 갑슬 닷토지 아니ᄒᆞ고 부귀가(富貴家)의셔들 ᄉᆞ가니, 이럿틋 여려 슌(旬)의 암ᄌᆞ(庵子)의 은양(銀兩)이 모히니, 쇼져 일호(一毫)도 아른 쳬 아니코 졔승을 쥬고, 쇼져【7】 십지셤슈(十指纖手)의 신션(神仙)의 조화를 가진 듯ᄒᆞ여, 나지면 슈취[치](繡致)의 즘심(潛心)ᄒᆞ고 밤이면 시셔(詩書)로 마음을 위로ᄒᆞ니, 원간 혜원이 경젼(經典)를 조와 역여 셔칙이 만터라.

현잉으로 셔동의 복식을 ᄒᆞ이고 셔칙이 쇼져 당즁(堂中)의 가득ᄒᆞ니, 의연(依然)니 셔싱의 거쳐 갓트니, 혜원니 웃기를 마지 아니 ᄒᆞ더라.

쇼져 현잉으로 강졍쇼식를 탐쳥(探聽)ᄒᆞ니 잉니 반일을 나가 쇼식을 탐문ᄒᆞ니[고] ○○○[와, 고왈],

"ᄐᆡ우 상공이 환가(還家)ᄒᆞ여 ᄐᆡ부인과 조부인을 뫼셔 본부로 가시고, 노복을 헷쳐 쇼져의 쇼식을 듯본다 하더니다."

쇼져 깃거 ᄌᆞ긔 암ᄌᆞ의 잇시믈 통(通)ᄒᆞ여 집으로 드러가고져 ᄒᆞ거날, 혜원이 말녀 왈,

"미구(未久)의 도라가실 거시니 빈되 써 나기를 ᄎᆞ마 못ᄒᆞ여 이러함도 아니요, 아직 도라가시미 너머 밧분지라. 슈숨월(數三月)을 더 머무ᄉᆞ ᄌᆞ연 집으로 가실 긔회(機會)을 맛ᄂᆞ 나아가시리다."

쇼져 문왈,

"이졔 드러가면 무신 일리 잇스랴?"

혜원니 답왈,

"ᄋᆡᆨ회(厄會)는 아즉 머러거니와 너모 샐니 드러가시면 취화(取禍)ᄒᆞ미 급ᄒᆞ시리라."

쇼져 왈,

"연직(然則) 언졔 드러가리요?

혜원 왈,

"게춘(季春)이 되기을 가ᄃᆡ리쇼셔."

쇼져 탄왈,

"ᄉᆞ친지회(思親之懷) 일일(一日)이 여숨츄(如三秋)라. 게춘(季春)이 머지 아니니 법ᄉᆞ

ᄒᆞ니 법ᄉᆞ(法師)의 말을 미드리라."

법ᄉᆡ 이에 관음가ᄉᆞ(觀音袈裟)의 슈(繡)를 청ᄒᆞ여 왈,

"빈되 타일의 취월암의도 잇지 아니ᄒᆞ오려니와, 혹ᄌᆞ 다시 쇼져를 뵈실가 바라ᄂᆞ니, 쇼져는 블가의 젹공(積功)ᄒᆞ샤 관음가ᄉᆞ의 슈를 노화 주시미 엇더ᄒᆞ리잇고?"

소졔 개연(介然)이 허락ᄒᆞ고 ᄌᆡ조를 다ᄒᆞ여 관음가ᄉᆞ의 슈를【48】 노흐니, 녕농(玲瓏)ᄒᆞ여 슈치(繡致) 오ᄉᆡᆨ이 어ᄅᆡ여 상광(祥光)이 됴요(照耀)ᄒᆞ여, 일셰(一世) 용우(庸愚)ᄒᆞᆫ 슈픔(繡品)과 ᄂᆡ도ᄒᆞ니 혜원이 깃브믈 니긔지 못ᄒᆞ더라. 필역(畢役)ᄒᆞᄂᆞᆫ 날 법당의 가 블젼의 ᄇᆡ복(拜伏)ᄒᆞ고 윤쇼져의 슈복을 츅원ᄒᆞ더라.

이ᄯᅢ 됴가(朝家)715)의셔 녜우(禮遇)를 베퍼 인ᄌᆡ(人材)를 ᄲᆡ실ᄉᆡ716), 뎡부의셔 텬흥공ᄌᆡ 조모를 촉(囑)ᄒᆞ여 ᄀᆞᆯ오ᄃᆡ,

"야야(爺爺) 쇼손(小孫)의 나히 어리다 ᄒᆞ샤 거년 과거의도 못보게 ᄒᆞ시고, 이번도 과거를 보지 말나 ᄒᆞ시니, 남의 됴달영귀(早達榮貴)를 구치 아니ᄒᆞ고 구ᄐᆞ여 슈염이 셰고 긔운이 다 진ᄒᆞᆫ 후 과거를 ᄒᆞ여든, 므어시 됴흐리잇가? 원컨ᄃᆡ 왕뫼(王母) 여ᄎᆞ여ᄎᆞᄒᆞ샤 쇼손이 과장의 나아가게 ᄒᆞ쇼셔."

태부인이 그 긔상을 두굿겨, 웃고 왈,【49】

"네 아비다려 니르려니와, 여뷔(汝父) ᄆᆡ양 너의 호방(豪放)ᄒᆞ믈 닐너, 일즉 과거를 ᄒᆞ면 긔운이 일을가 ᄒᆞ여 념녀ᄒᆞ미어니와, 엇지 나롯시717) 셰고718) 긔운이 쇠한 후 과거를 보라 ᄒᆞ리오."

공ᄌᆡ 역시 웃고 퇴(退)ᄒᆞ엿더니, ᄎᆞ일 저녁문안을 당ᄒᆞ여 태부인이 금평후다려 왈,

715)됴가(朝家) : 조정(朝廷)

716)ᄲᆡ다 : 뽑다.

717)나롯 : 나룻. 수염.

718)셰다 : 세다. 머리카락이나 수염 따위의 털이 희어지다.

의 말을 미드리라."

법ᄉᆡ 관음가ᄉᆞ(觀音袈裟)의【8】《슈셔로‖슈를》 청ᄒᆞ여 왈,

"빈도ᄂᆞᆫ 타일 취월암의ᄂᆞᆫ 잇지 아니려이와, 혹ᄌᆞ 다시 가 쇼져를 뵈실가 ᄇᆞ라ᄂᆞ니, 쇼져ᄂᆞᆫ 불가의 공(供)을 드리ᄉᆞ 관음가ᄉᆞ의 슈를 노하쥬시미 엇더ᄒᆞ시니잇가?"

쇼져 가연 허락고 ᄌᆡ조를 다ᄒᆞ더라.

잇ᄯᅢ 됴가(朝家)737)의셔 녜우(禮遇)을 베프ᄉᆞ 인ᄌᆡ(人材)를 ᄲᅦᆨ실ᄉᆡ738) 뎡공ᄌᆡ 텬흥이 조모 슌ᄐᆡ부인을 촉(囑)ᄒᆞ여 갈오ᄃᆡ,

"ᄃᆡ인게셔 소손○[이] 연뉴(年幼)ᄒᆞ믈오니번 과거을 보게 아니시니 슈염이 셰고 긔운니 쇠ᄒᆞ온 후, 과거ᄒᆞ여 무엇셰 쓰리잇고? 조모ᄂᆞᆫ 여ᄎᆞ여ᄎᆞ ᄒᆞ쇼셔."

슌ᄐᆡ부인○[이] 그 긔ᄉᆞᆼ(氣像)을 두굿겨 ○[왈],

"가라치ᄂᆞᆫ ᄃᆡ로 ᄂᆡ 여부(汝父)다려 일너보려이와, 너의 아비 ᄆᆡ양 너희 호방(豪放)ᄒᆞ믈 염네ᄒᆞ여 일직 과거ᄒᆞ면 긔운을 《기친다739)‖일을가》 ᄒᆞ여 금(禁)ᄒᆞᆷ이련이와, 엇지 ᄂᆞ룻시740) 셰고741) 쇠ᄒᆞᆫ 후야 과거를 뵈리요."

공ᄌᆞ 웃고 퇴(退)ᄒᆞ니라. ᄎᆞ일 셕(夕)의 문안을 당ᄒᆞ니, ᄐᆡ부인니 평후다려 왈,

737)됴가(朝家) : 조정(朝廷)

738)ᄲᅦᆨ다 : 뽑다.

739)기치다 : 끼치다. 영향, 해, 은혜 따위를 당하거나 입게 하다.

740)나룻 : 나룻. 수염.

741)셰다 : 세다. 머리카락이나 수염 따위의 털이 희어지다.

"박명인ᄉᆡᆼ(薄命人生)으로 셰상의 흥황(興況)이 업ᄉᆞᄃᆡ, 너 ᄒᆞᆫ 몸을 두니 다른 ᄌᆞ녜 잇지 아니ᄒᆞ고, 손ᄋᆞ의 텬흥 밧긔ᄂᆞᆫ ᄌᆞ라니 업ᄂᆞᆫ디라. 흥ᄋᆞ의 문댱긔상(文章氣像)이 노셩댱ᄌᆞ(老成長者)라도 밋지 못ᄒᆞᆯ디라. 발셔 과장츌입(科場出入)이 맛당ᄒᆞ나, 네 고집ᄒᆞ여 흥ᄋᆞ의 과거 보믈 허치 아니ᄒᆞ더니, 금번은 노모를 위ᄒᆞ여 드려보ᄂᆡ라."

뎡공이 셩회출텬(誠孝出天)ᄒᆞ여 평ᄉᆡᆼ【50】의 태부인 말솜을 어긔오ᄂᆞᆫ 일이 업ᄂᆞᆫ 고로, 슈명ᄇᆡ샤(受命拜辭) 왈,

"삼가 ᄌᆞ교(慈敎)를 봉승(奉承)ᄒᆞ오려니와, 텬흥의 위인이 방일허랑(放逸虛浪)ᄒᆞ여 군ᄌᆞ의 ᄒᆡᆼ(行)의 부족ᄒᆞ오니, 일즉 댱옥(場屋) 츌입을 식여 어린 긔운을 펴 등양ᄒᆞᄂᆞᆫ 날은 미녀셩ᄉᆡᆨ(美女聲色)을 모흘가 넘녀ᄒᆞ오미러니, ᄌᆞ위 져를 과장의 드리과져 ᄒᆞ시니 어이 거역ᄒᆞ리잇고."

공ᄌᆞ를 블너 명일 입과(入科)ᄒᆞ라 ᄒᆞ니, 텬흥이 심니의 흔ᄒᆡᆼ(欣幸)ᄒᆞ나, 다만 나즉이 ᄇᆡ샤 슈명ᄒᆞ고 장옥졔구(場屋諸具)를 출혀 나아가니, 오라지 아냐셔 글졔 나고 시긱이 급ᄒᆞ여 범연ᄒᆞᆫ ᄌᆡ조ᄂᆞᆫ 붓술 ᄲᅥᆯ치기 어려오ᄃᆡ, 뎡텬흥의 십년 공부와 강하대ᄌᆡ(江河大才)로 이날의 펼치ᄆᆡ, 지샹(紙上)의 풍운(風雲)이 취지(聚之)ᄒᆞ여 뇽【51】ᄉᆡ비둥(龍蛇飛騰)ᄒᆞ고 봉황이 ᄡᅣᆼᄡᅣᆼ이 춤츄ᄂᆞᆫ디라, 치셰경뉸(治世經綸)ᄒᆞᆯ ᄌᆡ덕(才德)이 글 우희 완젼ᄒᆞ니, 임의 ᄡᅳ기를 맛ᄎᆞᄆᆡ 죵ᄌᆞ(從子)를 주어 밧치라 ᄒᆞ고, 두로 도라 슈만다ᄉᆞ(數萬多士)의 글제를 보아[니], 눈셥을 ᄶᅵᆼ긔고 목을 그덕여 한업시 ᄉᆡᆼ각ᄒᆞ며[ᄃᆡ], 글시를 비ᄂᆞᆫ ᄌᆞ도 잇고, 필톄(筆體) 쾌(快)ᄒᆞ여 용녈(庸劣)키를 면ᄒᆞᆫ ᄌᆞ도 《잇고∥이시며》, 글을 능히 짓지 못ᄒᆞ여 남이 지어 주기를 청《ᄒᆞ여∥ᄒᆞ니도 잇서》, ᄌᆞ쟉ᄌᆞ셔(自作自書)ᄒᆞ리[719] ᄀᆞ장 드문디라. ᄉᆡᆼ이 이 거동을 보고 실쇼(失笑)ᄒᆞ여 혜오ᄃᆡ 져런 것들이 션빈 쳬ᄒᆞ고 명디(名紙)를 메고 과거의 드러오니 엇지 념치(廉恥) 상진(傷殄)치 아니

719)ᄒᆞ리 : 하는 이.

"ᄂᆡ 미망여ᄉᆡᆼ(未亡餘生)으로 셰렴(世念)이 돈연(頓然)ᄒᆞ되, 네 ᄒᆞᆫ 몸을 두어 다른 ᄌᆞ여 업고, 숀아ᄂᆞᆫ ᄌᆞ란 거시 텬흥이니, 흥아의 문ᄌᆞᆼ(文章)과 인물이 노셩장ᄌᆡ(老成長者)나 다르리오. 금번 과ᄌᆞᆼ(科場)의ᄂᆞᆫ 노모를 위ᄒᆞ여 과ᄌᆞᆼ의 드러보ᄂᆡ라."

하거날, 뎡공이 셩회츌쳔(誠孝出天)ᄒᆞ여 ᄐᆡ부인 말솜을 어긔오미 업ᄂᆞᆫ 고로【9】 슈명ᄇᆡᄉᆞ(受命拜辭)ᄒᆞ고 ○○[고왈],

"ᄌᆞ교(慈敎)을 봉ᄒᆡᆼ(奉行)ᄒᆞ오려이와, 텬흥 위인니 호방(豪放)ᄒᆞ와 군ᄌᆞ의 셩ᄒᆡᆼ(性行)이 부족ᄒᆞ오니, 일직 어향(御香)[742]을 쏘이온 즉, 긔운이 더옥 발(發)ᄒᆞ올지라. 등과 후 미여셩ᄉᆡᆨ(美女聲色)를 슈업시 모호오리니, ᄌᆞ졍이 져를 과ᄋᆡ(過愛)ᄒᆞ시미 이러틋 ᄒᆞ시니 엇지 ᄌᆞ교을 봉ᄒᆡᆼ치 아니리고?"

즉시 공ᄌᆞ을 불너 명일 과ᄌᆞᆼ의 드러가믈 허(許)ᄒᆞ니, 공ᄌᆡ 심니의 흔ᄒᆡᆼ(欣幸)ᄒᆞ여 ᄒᆞ나 ᄉᆞᄉᆡᆨ지 아니코, 다만 슈명ᄒᆞ고 장옥졔구를 급피 츌혀 과ᄌᆞᆼ의 ᄂᆞ아가니, 시긱이 급ᄒᆞ여 범연(凡然)ᄒᆞᆫ ᄌᆡ조로난 ᄯᆡ의 밋칠 길이 업ᄉᆞ되, 공ᄌᆡ의 십년공부와 강ᄒᆞᄃᆡᄌᆡ(江河大才)로ᄡᅧ ᄒᆞᆫ번 부술 ᄲᅥᆯ치ᄆᆡ 지ᄉᆞᆼ(紙上)의 풍운(風雲)이 취지(聚之)ᄒᆞ고 용ᄉᆡ비둥(龍蛇飛騰)ᄒᆞ난지라, 제셰경뉸(濟世經綸)할 ᄌᆡ략(才略)이 글 우희 완연ᄒᆞ니, 임의 ᄡᅳ기를 맛ᄎᆞᄆᆡ 종ᄌᆞ(從者)로 ᄒᆞ여금 밧치라 ᄒᆞ고, 두루 도라 관광ᄒᆞᆯᄉᆡ, ᄇᆡᆨ만군즁뉴(百萬群衆類) 눈셥를 ᄶᅵᆼ긔고 몸을 ᄭᅳ덕여 한업시 ᄉᆡᆼ각ᄒᆞ고[ᄃᆡ], 혹 좀쳐로[743] 셩편(成篇)ᄒᆞ나 글시을 비ᄂᆞᆫ ᄌᆞ도 잇셔[고], 글을 남다려 지여달나ᄂᆞᆫ 이도 잇셔, ᄌᆞ작ᄌᆞ셔(自作自書)ᄒᆞ리 드문지라. 뎡공ᄌᆞ 이 거동을 보고 실소(失笑)ᄒᆞ여 혀오ᄃᆡ, '져런 것들이 션빈 쳬ᄒᆞ고 ᄌᆞᆼ옥의 드러오니 엇지 염치(廉恥)

742)어향(御香) : 임금의 곁에 피우던 향 또는 임금이 신하에게 내리는 향. '어향을 쏘이다'는 말은 임금의 곁에서 일하는 신하가 됨을 말한다.

743)좀쳐로 : 좀체. 좀처럼. 좀 재주로. 여간해서는,

리오. 이러틋 우으며 ᄒᆞᆫ곳의 다ᄃᆞ르니 네낫 션ᄇᆡ 글졔를 ᄇᆞ라보고 눈물이 쎠러지며 의ᄉᆡ 삭막(索莫)ᄒᆞ여 슈두【52】ᄌᆡ(首頭者) 탄왈,

“과거ᄂᆞᆫ 일년의 슈삼ᄎᆞ(數三次)나 잇ᄂᆞᆫ 거시오, 사ᄅᆞᆷ마다 등양(登揚)ᄒᆞ기를 바라ᄂᆞᆫ 거시 아니로ᄃᆡ, 나의 졍ᄉᆞ(情事)ᄂᆞᆫ 타인과 ᄀᆞᆺ지 아냐, 부뫼구몰(父母俱沒)ᄒᆞ시고 조모의 은양(恩養)ᄒᆞ시믈 닙어 댱셩ᄒᆞ니, 지금의 조모의 환휘 위듕(危重)ᄒᆞ신 가온ᄃᆡ 실노 병측(病側)을 쎠나 과댱의 드러오지 못ᄒᆞᆯ 거시로ᄃᆡ, 조뫼 권ᄒᆞ여 드려보ᄂᆡ시며, ‘내 병을 약으로 티료치 말고 계화쳥삼(桂花青衫)으로 내 앞패 졀ᄒᆞ면 내 병이 경각(頃刻)의 나으리라’ ᄒᆞ시더니, 이졔 글뎨를 보ᄆᆡ 창졸의 작필(作筆)ᄒᆞᆯ 길히 업ᄉᆞ니, 타ᄇᆡᆨ(拖白)720)ᄒᆞ여 그져 가게 되엿거니와, 조모긔 므어시라 고ᄒᆞ리오.”

그 아ᄅᆡ 안즌 션ᄇᆡ 눈물을 먹음고 왈,

“형은 집이 경샤(京師)의 이시니 과거【53】마다 참예ᄒᆞ여도 쉬오려니와, 아등은 쳔니 외방의셔 가계빈궁(家計貧窮)ᄒᆞ여 됴블여셕(朝不慮夕)721)ᄒᆞᄂᆞᆫ 지경의 ᄌᆞ뫼(慈母) 아니 계시고 엄졍(嚴庭)이 쇠로(衰老)ᄒᆞ샤 세상ᄉᆞ를 ᄉᆡᆼ각지 못ᄒᆞ시며, 과게(科擧) 이시믈 드르시고 냥ᄌᆞ(糧資)를 장만ᄒᆞ여722) 주시며, 아등을 당부ᄒᆞ여 과거를 못ᄒᆞ거든 나려오지 말나 ᄒᆞ시더니, 글뎨를 보니 의ᄉᆡ 아득ᄒᆞ여 가슴이 막히ᄂᆞᆫ 듯ᄒᆞ니, 등양은 바라도 못ᄒᆞ고 도라가 엄졍의 뵈올 낫치 업도

720)타ᄇᆡᆨ(拖白) : ≒예백(曳白). 지필(紙筆)을 손에 들고서도 시문을 짓지 못함. 중국 당나라의 장석(張奭)이 하루 종일 글을 짓지 못하고 임금 앞에 백지를 내놓은 고사에서 유래한다.

721)됴블여셕(朝不慮夕) : ≒조불모석(朝不謀夕). 형세가 절박하여 아침에 저녁 일을 헤아리지 못한다는 뜻으로, 당장을 걱정할 뿐이고 앞일을 생각할 겨를이 없음을 이르는 말

722)장만ᄒᆞ다 : 필요한 것을 사거나 만들거나 하여 갖추다

ᄉᆞᆼ진(傷殄)치 아니리오’, 이렷 틋 우으며 두【10】로 ᄇᆡ회ᄒᆞ여, 한 곳의 다다러 보니 네낫 션ᄇᆡ 셔로 글졔을 보고 셩편ᄒᆞᆯ 길히 업셔 눈물이 거의 쎠러지며 의ᄉᆡ낙막(意思落寞)ᄒᆞ여, 일인니 탄왈,

“과거ᄂᆞᆫ 일년의 셔너 번이나 ○○(잇ᄂᆞᆫ) 거시오, 한갓 ᄂᆡ몸의 등양(登揚)ᄒᆞ기을 바라ᄂᆞᆫ 거시 아니라. ᄂᆡ 텨○[지](處地)ᄂᆞᆫ 남과 달나 조별쌍친(早別雙親)ᄒᆞ고 죵션형졔(終鮮兄弟)ᄒᆞ야 조모의 은양(恩養)을 밧ᄌᆞ와 ᄌᆞᆼ셩ᄒᆞ니, 직금 조모의 연노ᄒᆞ신ᄃᆡ 환휘 비경ᄒᆞᄉᆞ 《병츅‖병측(病側)》을 쎠나 과ᄌᆞᆼ의 드러오지 못할 거슬, 조뫼 권ᄒᆞ여 드러보ᄂᆡ시매 이르시되, ‘네 날을 다른{른} 약을 일위지 말고 게화쳥삼(桂花青衫)으로 ᄂᆡ 압히셔 졀ᄒᆞ면 ᄂᆡ 병이 ᄂᆞ으리로다’ ᄒᆞ시더니, 이졔 글졔을 보건ᄃᆡ 극히 어러워 창졸의 즉셔(作書)할 길은 업고, 시긱(時刻)니 급ᄒᆞ니 무가ᄂᆡ히(無可奈何)744)라. 도라가 조모게 무어시라 뵈오리오.”

그 아ᄅᆡ 안즌 션ᄇᆡ 쏘ᄒᆞᆫ 눈물을 먹음어 왈,

“형은 집이 경ᄉᆞ(京師)의 잇시니 과ᄌᆞᆼ마다 ᄎᆞᆷ네나 ᄒᆞ려이와, 아등은 쳘니원방(千里遠方)의셔 가셰빙궁(家勢貧窮)ᄒᆞ여 ᄉᆞᆷ슌구식(三旬九食)745)ᄒᆞᄂᆞᆫ 형셰의 ᄌᆞ뫼 아니 게시고 엄졍(嚴庭)이 쇠노(衰老)ᄒᆞᄉᆞ 셔ᄉᆞᆫ낙일(西山落日) 갓트신ᄃᆡ, 약간 ᄉᆞᆫ젼(山田)을 파라 힝ᄌᆞᆼ을 ᄎᆞ려 쥬시며 당부ᄒᆞ시ᄃᆡ, ‘네 과거을 못ᄒᆞ거든 오지말나’ ᄒᆞ시니, 이졔 글제을 ᄃᆡᄒᆞ니 의ᄉᆡ 아득ᄒᆞ여 가ᄉᆞᆷ니 각갑ᄒᆞ【11】니746) 무류(無聊)히 낙방거ᄌᆞ(落榜擧子)로 ᄂᆡ려가 엄졍게 엇지 드러가리오.”

말(末)ᄌᆡ 안진 션비ᄂᆞᆫ 머리을 슉이고 오ᄅᆡ 말을 못ᄒᆞ다가 두 쥴 눈물를 흘려 왈,

744)무가ᄂᆡ히(無可奈何) : ≒막무가내(莫無可奈). 어찌할 수가 없음.

745)ᄉᆞᆷ슌구식(三旬九食) : 삼십 일 동안 아홉 끼니밖에 먹지 못한다는 뜻으로, 몹시 가난함을 이르는 말.

746)각갑ᄒᆞ다 : 갑갑하다.

다.”

말셕(末席)의 안ᄌᆞ니ᄂᆞᆫ 머리를 숙이고 오리 말을 못ᄒᆞ다가 냥항뉘(兩行淚) 물흐르듯 ᄒᆞ여 왈,

“소뎨ᄂᆞᆫ 원간 과거의 드러올 의ᄉᆞ를 아녓더니, 망팔지년(望八之年)723)의 증조뫼 농몽(龍夢)이 이시니 드러가라 ᄒᆞ샤, 댱옥제구를 구ᄎᆞ(苟且)히 비러 주시【54】니, 마지 못ᄒᆞ여 드러왓더니, 문여필(文與筆)724)을 다 모양(模樣)ᄒᆞ여725) 닉기ᄂᆞᆫ 죽도록 ᄒᆞ여도 못ᄒᆞ여, 그져 힘힘히 도라가 증조모긔 무류(無聊)ᄒᆞ신 심ᄉᆞ를 엇지 뵈오리오. ᄋᆞ시로부터 팔ᄌᆞ 긔구(崎嶇)ᄒᆞ여 부모와 조부모를 다 여희고 동긔와 친쳑이 업ᄉᆞ니, 증조모를 의앙(依仰)ᄒᆞ여 ᄌᆞ라나셔도 ᄒᆞᆫ 일도 희열(喜悅)ᄒᆞ시믈 뵈옵지 못ᄒᆞ고, 허탄ᄒᆞᆫ 몽ᄉᆞ를 미드샤 아ᄋᆞ라히 바라고 계실 거시니, 출하리 쳐음의 과거를 보라 ᄒᆞ셔도 ᄉᆞ양ᄒᆞ고 드러오지 말 거슬, 이런 ᄋᆡ둘은 일이 어ᄃᆡ 이시리오.”

ᄒᆞᄂᆞᆫ디라, ᄎᆞ시 뎡공ᄌᆞ ᄉᆞ인의 문답을 다 듯고, ᄌᆡ죄 용둔(庸鈍)ᄒᆞ나 져ᄃᆡ도록 ᄒᆞ믈 우이 넉이ᄃᆡ, 그 졍ᄉᆞ를 츄연ᄒᆞ여 알패 나아가 팔흘 드러 댱읍(長揖) 왈,

“셕(昔)의 ᄉᆞ마의(司馬懿)726) 닐【55】오ᄃᆡ, ‘ᄉᆞ히지ᄂᆡ 개가위형뎨(四海之內 皆可謂兄弟)’727)라 ᄒᆞ니 쇼뎨 ᄉᆞ위(四位) 형으로 더브러 면분(面分)이 업ᄉᆞ나, 금일 ᄉᆞ위 존형의 졍회를 잠간 드ᄅᆞ니 인심의 츄연ᄒᆞ믈 니긔지 못ᄒᆞᆯ ᄇᆡ니, 아지 못게라 셩명이 뉘라 ᄒᆞ시ᄂᆞ니잇고? 쇼뎨 ᄌᆡ죄 둔녈(鈍劣)ᄒᆞ

723)망팔지년(望八之年) : ‘여든을 바라보는 나이’라는 뜻으로, 나이 일흔한 살을 이르는 말

724)문여필(文與筆) : 문필(文筆) 곧 ‘글과 글씨’, 또는 ‘글을 짓는 일과 글씨를 쓰는 일’을 아울러 이르는 말.

725)모양(模樣)ᄒᆞ다 : 모양내다. 꾸미어 맵시를 내다.

726)ᄉᆞ마의(司馬懿) : 179-251. 중국 삼국시대 위나라의 정치가이자 군략가. 그의 손자 사마염(司馬炎)이 세운 진(晋)나라의 기초를 세운 인물.

727)ᄉᆞ히지ᄂᆡ 개가위형뎨(四海之內 皆可謂兄弟) : 온 세상에 살고 있는 사람들이 다 같은 형제라는 말.

“소제ᄂᆞᆫ 원간 과ᄌᆞᆼ의 드러올 의ᄉᆞ을 안냐더니, 증조모 ᄒᆞ시ᄃᆡ ‘용몽(龍夢)을 어더시니 네 과ᄌᆞᆼ의 드러가라’ ᄒᆞᄉᆞ, 장옥제구을 두루 비러 쥬시며 ᄌᆡ쵹ᄒᆞ시ᄆᆡ 마지 못ᄒᆞ여 드러왓더니, 이제 글이 ○[이]러틋 어려오니 그져 도라갈 밧게 할 일 업ᄉᆞ니, 도라가 증조모의 기ᄃᆞ리시던 ᄯᅳᆺ즐 낙막(落寞)게 ᄒᆞ리잇가? 쇼제 아시로부터 명되 긔박ᄒᆞ여 쌍친을 여희고 동긔 업ᄉᆞ며 종족이 히소ᄒᆞ니, 증조모을 《의양∥의앙》ᄒᆞ여 ᄌᆞ라나, 몽ᄉᆞ을 기ᄃᆞ려 바라시다가 이을 ᄌᆞᆼᄎᆞ 엇지 ᄒᆞ리요?”

ᄎᆞ시 뎡공ᄌᆞ 졔인의 문답ᄉᆞ을 낫낫치 다 드른 후, 그 ᄌᆡ죄 이리도록 용둔(庸鈍)ᄒᆞ믈 우이 역이ᄂᆞ, 그 졍ᄉᆞ를 츄연(惆然)ᄒᆞ여 의긔현심(義氣賢心)이 이러나니, 춤지 못ᄒᆞ여 압희 나아가 팔을 드러 ᄌᆞᆼ읍(長揖) 왈,

“셕ᄌᆞ(昔者)의 ᄉᆞ마의(司馬懿)747) 갈오ᄃᆡ, ᄉᆞ히지ᄂᆡ(四海之內)748) 다 형제라 ᄒᆞ니, 쇼제 현형(賢兄) 등으로 면분(面分)이 업ᄉᆞᄃᆡ, 금일 ᄉᆞ형(四兄)의 졍ᄉᆞ(情事)을 드르니 인심의 츄연ᄒᆞ믈 이긔지 못ᄒᆞᄂᆞ니, 아지못게라 제형의 존셩(尊姓)과 ᄃᆡ명(大名)을 듯고져 ᄒᆞᄂᆞ이다. 소제 ᄌᆡ죄 비록 둔박(鈍朴)ᄒᆞ나 ᄉᆞ【12】위(四位) 현형의 명지(名紙)의 가마괴를 그려도 시긱의 밧치게 ᄒᆞ리다.”

747)ᄉᆞ마의(司馬懿) : 179-251. 중국 삼국시대 위나라의 정치가이자 군략가. 그의 손자 사마염(司馬炎)이 세운 진(晋)나라의 기초를 세운 인물.

748)ᄉᆞ히지ᄂᆡ(四海之內) : 온 세상.

나, ᄉᆞ형이 타ᄇᆡᆨ(拖白)ᄒᆞ시ᄂᆞᆫ ᄌᆞᆨᄉᆞ(作事)로 혜아려 명지를 ᄂᆡ시면, 가마괴를 그려도 되게 ᄒᆞ리이다."

ᄉᆞ인이 바야흐로 슈회(愁懷)를 니르고 눈을 드러 보지 아니므로 뎡ᄉᆡᆼ이 뒤히 션 줄 몰낫다가, 믄득 읍ᄒᆞ고 그 말ᄉᆞᆷ이 이러틋 ᄒᆞ기의 밋쳐ᄂᆞᆫ 크게 놀나, 년망(連忙)이 니러 답ᄇᆡ홀ᄉᆡ, 뎡ᄉᆡᆼ의 션ᄎᆡ졍광(仙彩頂光)728)이 바로 태양의 졍ᄎᆡ(精彩)오, 낫 우히 찬연이 고은 거슨 니르도 말고, 팔쳑경뉸(八尺徑輪)729)의 언건앙댱(偃蹇昂壯)730)ᄒᆞᆫ 위의(威儀) 쳔고일인(千古一人)이라. 혹ᄌᆞ【56】 신션이 ᄌᆞ가 등을 희롱ᄒᆞᄂᆞᆫ가 의심ᄒᆞ여, 면면(面面)이 셔로 도라보고 ᄃᆡ답지 못ᄒᆞ니, ᄉᆡᆼ이 다시 ᄀᆞᆯ오ᄃᆡ,

"사ᄅᆞᆷ을 밋지 아냐 시ᄀᆡᆨ(時刻)이 느져가ᄃᆡ, 명지(名紙)를 ᄂᆡ지 아니니 쇼졔 쳥ᄒᆞ여 누츄(陋醜)ᄒᆞᆫ 문필을 뵈고져 ᄒᆞ던 줄 심히 참괴ᄒᆞ도다."

ᄉᆞ인이 년망이 몸을 굽혀 칭샤 왈,

"쇼뎨 등은 박녈용우지인(薄劣庸愚之人)이라. ᄌᆡ죄 업셔 참방(參榜)ᄒᆞ기를 ᄇᆞ라믄 둘지오, 명지를 도로 가져가게 되니, 다 졍식 네ᄉᆞ롭지 아냐, 우연이 졍ᄉᆞ를 니르미러니, 존형은 어ᄃᆡ로 좃ᄎᆞ 니르러 계시관ᄃᆡ, 사ᄅᆞᆷ의 젹션을 ᄒᆞ랴 ᄒᆞ시ᄂᆞ뇨? 존셩(尊姓)과 대명(大名)을 듯고져 ᄒᆞᄂᆞ이다."

뎡ᄉᆡᆼ이 미쇼 왈,

"셩명 알기ᄂᆞᆫ 밧브지 아니니 어셔 ᄎᆞ례로 명지를 ᄂᆡ쇼셔."

ᄉᆞ인이 블승환희(不勝歡喜)ᄒᆞ여 즉시 명디(名紙)【57】와 필연(筆硯)을 {연을} 나

728)션ᄎᆡ졍광(仙彩頂光) : 신선과 같은 풍채와 그 후광(後光). 정광(頂光)은 불화(佛畵)나 성화(聖畵) 같은 데서 몸 뒤로부터 내비치는 신령한 빛을 말한다..

729)팔쳑경륜(八尺徑輪) : 팔척이나 되는 키와 그 몸 둘레를 함께 이르는 말. 경륜(徑輪)은 사물의 지름과 둘레를 함께 이르는 말.

730)언건앙댱(偃蹇昂壯) : 기상(氣像)이 거만스러워 보일만큼 높고 씩씩하다.

ᄉᆞ인니 바야흐로 쇼회(所懷)을 이르고 그 ᄉᆞ람드리 드러시믈 아지 못ᄒᆞ여다가, 일위 신션 갓튼 셔ᄉᆡᆼ이 읍양ᄒᆞ믈 보고 그 말이 여ᄎᆞᄒᆞ믈 보ᄆᆡ 크게 놀나, 연망(連忙)이 이러 답ᄇᆡ할 ᄉᆡ, 눈을 씻고 보건ᄃᆡ 뎡ᄉᆡᆼ의 풍ᄎᆡ신광(風彩身光)이 바로 ᄐᆡ양의 졍광을 아ᄉᆞ 쳔고(千古)의 일인(一人)니라. 신션(神仙)이 ᄒᆞ강(下降)ᄒᆞ여 져희를 희롱ᄒᆞ민가, 도로혀 의심하여 셔로 도라보고 쥬져(躊躇)ᄒᆞ여 ᄃᆡ답지 못ᄒᆞ거날, 뎡ᄉᆡᆼ이 우왈(又曰),

"졔형이 의심이 만토다. 시각이 느져가ᄃᆡ 명지를 ᄂᆡ지 아니ᄒᆞ니, 소졔 누누(累累)ᄒᆞᆫ 글을 쓰고져 ᄒᆞ미 심히 ᄎᆞᆷ괴ᄒᆞ도다."

ᄉᆞ인니 연망이 몸을 굽혀 졀ᄒᆞ여 칭ᄉᆞ 왈,

"쇼졔 등은 용우(庸愚)한 인ᄉᆡᆼ이라. ᄌᆡ죄 박열(薄劣)ᄒᆞ여 명지을 도로 가지고 환귀(還歸)할 바을 셔로 일너 졍시 남과 다르더니, 쳔만 쯧밧긔 신션이 ᄇᆡᆨ쥬(白晝)의 희롱ᄒᆞ시물 당ᄒᆞ니, 의혹ᄒᆞᆫ 졍신을 밋쳐 ᄎᆞ리지 못ᄒᆞ미로소이다. 감히 뭇잡ᄂᆞ니 존형은 어ᄃᆡ로셔 조ᄎᆞ 젹션을 힝코져 하시ᄂᆞᆫ잇고? 죤셩ᄃᆡ명을 알고져 ᄒᆞᄂᆞ이다."

뎡ᄉᆡᆼ이 미소 왈,

"소졔 셩명 알기ᄂᆞᆫ 그리 밧부리가?【13】 어셔 ᄎᆞ려[례]○[로] 명지을 ᄂᆡ소셔."

ᄉᆞ인이 ᄒᆞᆫ 즐겁고 신통ᄒᆞ니 엇지 형용ᄒᆞ리요. 명지와 필연을 나오니 슈두ᄌᆞ(首頭者)의 셩명은 여슉이요, 조모의 병이 즁ᄒᆞᆫ ᄌᆞ요, 그 아ᄅᆡᄂᆞᆫ 박관·박신 형제니, 원방의셔 온 션비요, 말지 션비ᄂᆞᆫ 화경이니, 증조모가 과옥제구○[를] ᄎᆞ려 보닌 ᄌᆞ라. 뎡ᄉᆡᆼ의 글 쓰난 법을 볼 ᄉᆡ, 공지 일분 ᄉᆡᆼ각ᄂᆞᆫ ᄇᆡ 업시 명지을 펴고 체(體)을 각각 ᄒᆞ여 잠간ᄉᆞ이 휘필(揮筆)ᄒᆞ니, 지상(紙上)의 쥬옥(珠

와 쓰기를 구ᄒᆞᆯᄉᆡ, 슈두ᄌᆞ(首頭者)의 셩명은 녀슉이오, 그 아ᄅᆡ로 박관 박건이 형뎨니 원방의셔 온 션ᄇᆡ오, 말좌(末座)의 소년은 화졍이니 뎡ᄉᆡᆼ을 향ᄒᆞ여 쳔만칭샤(千萬稱謝)ᄒᆞ고, 그 작필(作筆)ᄒᆞᄂᆞᆫ 거동을 볼ᄉᆡ, 일분도 ᄉᆡᆼ각ᄂᆞᆫ 일이 업셔 시ᄀᆡᆨ이 느져시므로, ᄉᆞ댱(四張) 명디를 초셔(草書)로 다 각각 쳬를 다르게 ᄒᆞ여 젹은덧731) ᄉᆞ이 필셔ᄒᆞ니, 디상(紙上)의 빵농이 쒸놀고 일월이 쎄러진 ᄃᆞᆺ, 광치 찬란ᄒᆞ여 눈이 바ᄋᆡ732)ᄂᆞᆫ디라. ᄒᆞ믈며 쳡쳡ᄒᆞᆫ 문한(文翰)이 댱강대ᄒᆞ(長江大河) ᄀᆞᄐᆞ니, ᄉᆞ인이 글뜻은 엇더ᄒᆞᆫ 줄 모르나 신쇽ᄒᆞ믈 놀나더니, 쓰기를 다 ᄒᆞᄆᆡ, ᄉᆡᆼ이 니러 읍ᄒᆞ고 ᄀᆞᆯ오ᄃᆡ,

"일ᄉᆡᆨ이 느져시니 어셔 밧치고 더ᄃᆡ지 마르쇼셔."

ᄉᆞ인이 일시의 뎡ᄉᆡᆼ의 옷슬 븟【58】들고 셩명을 므로며 은인이라 칭ᄒᆞ여 감골ᄒᆞ미 말ᄉᆞᆷ의 낫타나니 ᄉᆡᆼ이 졍ᄉᆡᆨ 왈,

"우연이 둔녈(鈍劣)ᄒᆞᆫ 글귀를 시험ᄒᆞ미 이시나 이ᄃᆡ도록 ᄒᆞ미 쇼뎨의 불안ᄒᆞ믈 돕ᄂᆞᆫ디라. 동졉(同接)733)이 바야흐로 기다릴 거시니 한담(閑談)치 못ᄒᆞᄂᆞ니 셩명은 후일 알오미 이시리라."

언파의 ᄌᆡ촉ᄒᆞ여 명디(名紙)를 밧치라 ᄒᆞ고 늠연(凜然)이 니러나며, 여러 사ᄅᆞᆷ의게 셧기니 경ᄀᆡᆨ의 간 바를 모로ᄂᆞᆫ디라. 녀ᄉᆡᆼ 등이 신션인가 의심ᄒᆞ며 글을 지어시니 다 힝ᄒᆞ여 일시의 밧치니라.

뎡ᄉᆡᆼ이 녀·박 ᄉᆞ인(四人)의 글을 지어주고 한유ᄒᆞ다가, 다시 년무쳥(鍊武廳)을 바라보니, 슈만 군웅이 댱긔(長技)를 비양(飛揚)ᄒᆞ여, ᄆᆞᆯ을 달니고 활을 잡아 ᄇᆡᆨ보(百步)의 뉴엽(柳葉)을 맛치며, 비슈(飛獸)【59】의 무리를 쏘아, 쌈을 흘니고 참방(參榜)ᄒᆞ기를

731)젹은덧 : 잠깐 사이.
732)바ᄋᆡ다 : ≒밤븨다. 빛나다. (눈이) 부시다.
733)동졉(同接) : 같은 곳에서 함께 공부함. 또는 그런 사람이나 관계.

玉)이 흐터지고 용ᄉᆡ(龍蛇)가 춤츄ᄂᆞᆫ ᄃᆞᆺ 귀신을 울일 풍운이 졔희(齊喜)749)ᄒᆞᆯ지라. ᄉᆞ인(四人)이 눈이 밤뷔고750) 졍신니 황홀ᄒᆞ니, 다만 입쇽의 가득이 칭은할 분이라. ᄉᆞ인이 그 글 뜻시 엇더ᄒᆞ믈 몰나 신쇽ᄒᆞ믈 놀나더니, 쓰기을 다ᄒᆞᄆᆡ ᄉᆡᆼ이 읍ᄒᆞ여 왈,

"일ᄉᆡᆨ이 느져시니 어셔 밧비 밧치쇼셔."

ᄒᆞ고 표연히 이러가니 ᄉᆞ인니 일시의 뎡ᄉᆡᆼ의 옷슬 ᄌᆞᆸ고 셩명거쥬(姓名居住)을 아라지이다 ᄒᆞ고 은인이라 칭ᄒᆞ니, 공ᄌᆡ 우읍기을 마지 아니 ᄒᆞᄃᆡ, 이에 졍ᄉᆡᆨ 왈,

"우연이 둔열(鈍劣)ᄒᆞᆫ 글귀로 시험ᄒᆞ미 이시나 졔형이 니ᄃᆡ도록 ᄒᆞ믄 붕우을 ᄎᆡᆨ션(責善)ᄒᆞᄂᆞᆫ 도리 아니라. 쇼졔 동졉(同接)751)들이 기ᄃᆞ리미 간졀ᄒᆞ리니 한셜(閑說)을 오ᄅᆡ 못ᄒᆞ리니 셩명은 후일 아【14】르시리다."

ᄒᆞ고, 언파의 늠연(凜然)니 두어 거름 ᄉᆞ이의 만인 가온ᄃᆡ 셧기니 간 바을 아지 못할너라. 여ᄉᆡᆼ들이 신션인가 의심ᄒᆞ며 밧비 시츅(詩軸)을 밧치니라.

뎡ᄉᆡᆼ이 여·박 ᄉᆞ인(四人)의 글을 지여주고 ᄒᆞᆫ유(閒遊)ᄒᆞ다가 다시 권[년]무쳥(鍊武廳)을 바라보니, 슈만 군웅(群雄)이 장긔(長技)을 비양(飛揚)ᄒᆞ여 말을 달니고 활을 ᄌᆞᆸ아 ᄇᆡᆨ보(百步)의 유엽(柳葉)를 맛칠 드시, 비조(飛鳥)의 무리을 쏘고져 쌈을 흘니고,

749)졔희(齊喜) : 일제히 즐거워함.
750)밤븨다 : ≒바ᄋᆡ다. 빛나다. (눈이) 부시다.
751)동졉(同接) : 같은 곳에서 함께 공부함. 또는 그런 사람이나 관계.

죄오ᄂᆞᆫ ᄆᆞ음이 대한(大旱)의 운예(雲霓)734) ᄀᆞᆺ튼디라. 뎡싱이 홀연 의ᄉᆡ 요동(搖動)ᄒᆞ여 혜오ᄃᆡ,

"대댱뷔 ᄌᆡ조를 픔고 발치 아니면 용졸(庸拙)키 심ᄒᆞᆫ디라. 내 본ᄃᆡ 무예를 닉이지 못ᄒᆞ여시나 뜻이 ᄆᆡ양 문무를 겸젼(兼全)코져 ᄒᆞ더니, 아모커나 ᄒᆞᆫ번 시험ᄒᆞ여 보리라."

ᄒᆞ고, 즉시 ᄉᆞ매를 쩔치고 개연이 년무쳥의 나아가 보궁(寶弓)을 다ᄅᆡ며735), 비젼(飛箭)을 날니ᄆᆡ 엇지 ᄎᆞ오(差誤)ᄒᆞ미 이시리오. 반싱을 근노ᄒᆞ여 닉이던 ᄌᆞ라도 이에 밋지 못ᄒᆞᆯ디라. ᄇᆡᆨ발ᄇᆡᆨ듕(百發百中)ᄒᆞ니 무과 당원을 남의게 ᄉᆞ양치 아닐지라. 큰 북이 년(連)ᄒᆞ여 울고 슈만 군웅이 혀를 둘너 칭찬치 아니리 업ᄉᆞ며, 그 표치풍광(標致風光)의 발월동탕(發越動蕩)736)ᄒᆞ미 만고일인(萬古一人)이라. 견【60】ᄌᆡ(見者) 홀홀(惚惚)이 넉술 일허, 어린ᄃᆞ시 뎡공ᄌᆞ 신샹의 눈을 뽀앗더라.

이날 과장이 크게 젼과 달나 황상이 친히 뎨(題)를 ᄂᆡ시고 일일히 ᄭᅩ노샤737) 인ᄌᆡ 바라시ᄂᆞᆫ ᄆᆞ음이 극ᄒᆞ신디라. ᄒᆞᆫ당도 셩의(聖意)예 합ᄒᆞ미 업셔, 혹 시의(詩意) 경발(警拔)738)ᄒᆞ니 이시나, 맛ᄎᆞᆷᄂᆡ 은하(銀河)의 깁흔 거시 업고, 그러치 아니면 계오 셩편ᄒᆞ니도 이시며, 문니(文理) ᄎᆡ 되지 못ᄒᆞ니도 이셔, 농안(龍顔)이 심히 블예(不豫)ᄒᆞ시더니, 날호여 뎡공ᄌᆞ의 시권(詩券)을 친히 어드시니, ᄒᆞᆫ번 어람(御覽)ᄒᆞ시ᄆᆡ 만디(滿紙)의 황농이 셔리고 난봉(鸞鳳)이 쒸노ᄂᆞᆫ디라. 쳡쳡ᄒᆞᆫ 문한(文翰)이 텬디의 너른 거ᄉᆞᆯ 가져 안방뎡국(安邦定國)ᄒᆞ며 티셰경뉸(治世經綸)ᄒᆞᆯ ᄌᆡ덕(才德)이 디샹(紙上)의 완젼ᄒᆞ

734)운예(雲霓) : 구름과 무지개를 아울러 이르는 말. 또는 비가 올 징조.
735)다ᄅᆡ다 : 당기다.
736)발월동탕(發越動蕩) : 용모가 깨끗하고 훤칠하며 묵직하여 잘생겼다.
737)ᄭᅩ노다 : 꼲다. 잘잘못을 따져서 평가하다.
738)경발(警拔) : 착상 따위가 아주 독특하고 뛰어나다.

참방(參榜)ᄒᆞ고ᄌᆞ ᄒᆞᄂᆞᆫ 마음이 ᄃᆡ한(大旱)의 운예(雲霓)752) 갓치 ᄒᆞᄂᆞᆫ지라. 뎡싱이 의긔(意氣) 발양(發揚)ᄒᆞ여 혀오ᄃᆡ,

"ᄃᆡ즁뷔 ᄌᆡ조을 품고 발치 아니면 용졸(庸拙)키을 면치 못ᄒᆞᄂᆞᆫ지라. ᄂᆡ 본ᄃᆡ 무여[예]을 슉십[습](熟習)ᄒᆞ미 업ᄉᆞ나 쓰지 ᄆᆡ양 문무을 겸젼(兼全)코져 ᄒᆞ더니 한번 시험ᄒᆞ여 보리라."

ᄒᆞ고, 즉시 ᄉᆞᄆᆡ을 쩔쳐 가연니 연무청의 ᄂᆞ아가 보궁(寶弓)을 달히며753) 비젼(飛箭)을 날니미 엇지 그리 신쇽한지, 반싱을 근노(勤勞)ᄒᆞ여 익이던 ᄌᆡ라도 이에 밋지 못할너라. ᄇᆡᆨ발ᄇᆡᆨ즁(百發百中)의 셰 술이 유엽(柳葉)을 쎤다시 맛치니, 큰 북이 연ᄒᆞ여 울고 슈만 군융(群雄)들이 헤을 둘너 놀나고, 칭춘ᄒᆞᄂᆞᆫ 소ᄅᆡ 어즈럽더라. 표치풍광(標致風光)을 견ᄌᆡ(見者) 훌훌(欻欻)이 넉술 일허 어린 다시 뎡공ᄌᆞ의 신ᄉᆞᆼ(身上)의 눈을 쏘아 보니, 이날 과ᄌᆞᆼ이 젼일과 크게 다르니 상이【15】 글졔를 ᄂᆡ시고 친히 어람(御覽)ᄒᆞᄉᆞ ○○[인ᄌᆡ] 기ᄃᆞ리시ᄂᆞᆫ 마음이 ᄃᆡ한(大旱)의 감우(甘雨) 갓트ᄉᆞ 글을 《셩젼‖션견(先見)》ᄒᆞ시나 한 ᄌᆞᆼ도 셩니(性理)에 합ᄒᆞ시미 업고, 혹 ᄌᆡ죄 겸발(兼發)ᄒᆞ미 잇시나 마참ᄂᆡ 은ᄒᆞ(銀河)의 깁흔 거시 업고, 그러치 아니면 계오 셩편(成篇)ᄒᆞ니도 이시며 물니(文理)가 ᄎᆡ 되지 못ᄒᆞᆫ 것도 잇셔, 용안니 심히 불열ᄒᆞ시더니, 날호여 뎡공ᄌᆞ 시젼(詩箋)을 친히 어드시니, 어람ᄒᆞ시ᄆᆡ 지ᄉᆞᆼ(紙上)의 황용이 셔리고 난봉(鸞鳳)이 쭈[쒸]노ᄂᆞᆫ 듯 쳡쳡ᄒᆞᆫ 물니(文理) 쳔지의 너른 거ᄉᆞᆯ 가져, 만방평국(萬邦平國)ᄒᆞ며 치셰경윤(治世經綸)할 ᄌᆡ덕이 긔ᄉᆞᆼ(氣像)의 완젼ᄒᆞ니, 쳔심(天心)이 ᄃᆡ열(大悅)ᄒᆞᄉᆞ 친히 장원이라 써노흐시고, 차려[례]로 ᄭᅩ노와 슈을 ᄎᆡ실ᄉᆡ754) 여·박·화 등의 글이 다 쳔안(天眼)의 깃그심755)이 되어 당셰의 인ᄌᆡ

752)운예(雲霓) : 구름과 무지개를 아울러 이르는 말. 또는 비가 올 징조.
753)달히다 : 당기다.
754)ᄎᆡ다 : 채우다.
755)깃그다 : 기뻐하다.

니, 텬심(天心)이 대열(大悅)ᄒᆞ샤 친히 댱원을 뎡ᄒᆞ시고, ᄎᆞ례【61】로 ᄉᆞ노아 슈를 치오시니, 녀・박・화 등의 글을 보시고 당셰의 인지 만흐믈 깃거 ᄒᆞ시고, 시신(侍臣)이 다 황홀 칭찬ᄒᆞ더라.

임의 문무의 슈를 치와 뎐두관(殿頭官)이 옥계하(玉階下)의셔 소릐를 길게 ᄒᆞ여 문무 댱원을 호명ᄒᆞ니 태쥬인 뎡텬흥의 년이 십ᄉᆞ셰오, 부(父)는 대ᄉᆞ도 금평후 연이라 부르는 소릐 셰번의, 일위 소년이 편편(翩翩)이 거러 옥계하(玉階下)의 츄딘(趨進)ᄒᆞ니, 신댱이 팔쳑이오. 두렷ᄒᆞᆫ 텬경(天庭)[739]은 {등원슈[740]의} 텬원디방(天圓地方)[741]을 상(像)[742]ᄒᆞ엿고, 와잠봉목(臥蠶鳳目)이오 연함호두(燕頷虎頭)[743]며 호비쥬슌(虎鼻朱脣)[744]이오 뇽호긔상(龍虎氣像)이라. 뎐상뎐하(殿上殿下)의 구름 ᄀᆞᆺ튼 사ᄅᆞᆷ이 댱원의 년소ᄒᆞ믈 듯고 모든 눈이 일시의 관광ᄒᆞ더니 그 신댱톄디(身長體肢)를 보고 아니 놀나리 업ᄂᆞᆫ더라. 텬안(天眼)【62】이 ᄒᆞᆫ번 보시ᄆᆡ 대열ᄒᆞ샤 계화(桂花)를 주시고 크게 칭찬ᄒᆞ샤 왈,

739)텬졍(天庭) : 이마. 관상에서, 두 눈썹의 사이 또는 이마의 복판을 이르는 말..

740)등원슈 : 미상. 둥근 이마와 네모진 턱을 가진 인물인 듯.

741)텬원디방(天圓地方) : 하늘은 둥글고 땅은 네모남을 이르는 말. 출전 ≪여씨춘추전(呂氏春秋傳)≫. 여기서는 이마는 둥글고 턱은 네모난 얼굴을 말함.

742)상(像) : 닮음.

743)연함호두(燕頷虎頭) : 제비 비슷한 턱과 범 비슷한 머리라는 뜻으로, 먼 나라에서 봉후(封侯)가 될 상(相)을 이르는 말.

744)호비쥬슌(虎鼻朱脣) : 호랑이 코에 붉은 입술을 가진 얼굴 모습.

만으믈 깃그시니, 군신니 희열(喜悅)ᄒᆞ더라.

임에 문무방(文武榜)이 ᄂᆞ, 뎐두관(殿頭官)니 소릐을 길게 ᄒᆞ여 문무ᄌᆞᆼ원(文武壯元)을 호명ᄒᆞᄆᆡ, 뎡텬흥의 연니 십ᄉᆞ요 부(父)는 ᄃᆡᄉᆞ도 금평후 뎡연니라 부르는 소릐 셰번의, 일위 쇼년니 옥계ᄒᆞ(玉階下)의 츄진응명(趨進應命)ᄒᆞ니, 늠늠ᄒᆞᆫ 신ᄌᆞᆼ이 팔쳑이오, 두 팔이 무릅헤 지나며, 와ᄌᆞᆷ(臥蠶)이 눈셥이오 옥면봉안(玉面鳳眼)의 용호(龍虎)의 거름이요, 옥의로 무은[756] 얼골은 쇄락(灑落)ᄒᆞ여 츄월(秋月)이 동영(東嶺)의 소ᄉᆞᆺᄂᆞᆫ 듯, ᄉᆞᄍᆞ쥬슌(四字朱脣)[757]【16】은 단ᄉᆞ(丹砂)를 먹음어시니, 팔쳑장부(八尺丈夫)로 미인의 고으믈 겸ᄒᆞ여시니, 츄쳔(秋天)의 아ᄋᆞ(峨峨)ᄒᆞᆫ[758] 격도(格調)와 하일(夏日)의 다ᄉᆞᄒᆞᆫ[759] 츈양화긔(春陽和氣) 만물을 부ᄉᆡᆼ(復生)함 갓트니, 운쥬유악(運籌帷幄)[760]의 결승쳔니(決勝千里)[761]할 ᄉᆞᆯ(術)이 잇시며, 뉵츌긔게(六出奇計)[762]ᄒᆞ든 진유ᄌᆞ(陳孺子)[763]을 우을지라. 장ᄒᆞᆫ 긔ᄉᆞᆼ(氣像)은 회음후(淮陰侯)[764]의 나릇업ᄉᆞ믈 웃고, 복되고 완젼ᄒᆞᆫ 거동이 곽영공(郭令公)[765]을 부러아닐지라. 쳔고영쥰(千古英俊)

756)무으다 : 쌓다. 만들다.

757)ᄉᆞᄍᆞ쥬슌(四字朱脣) : '四'자 모양의 붉은 입술.

758)아ᄋᆞ(峨峨)ᄒᆞ다 : 끝없이 높아 위엄이 있고 성(盛)하다.

759)다ᄉᆞᄒᆞ다 : 따뜻하다.

760)운쥬유악(運籌帷幄) : 장막(帳幕) 안에서 주판을 놓듯이 이리저리 궁리하고 계획함.

761)결승천리(決勝千里) : 교묘한 꾀를 써서 먼 곳에서 일어나는 싸움의 승리를 결정함.

762)뉵츌긔게(六出奇計) : 신기한 꾀를 여섯 번이나 냄. 진유자의 기계(奇計)에서 유래한 말.

763)진유자(陳孺子) : 진평(陳平). ? - BC178. 중국 한(漢)나라 때 정치가. 한 고조 유방(劉邦)를 도와 여섯 번이나 기발한 꾀를 내, 천하를 평정케 함.

764)회음후(淮陰侯) : 한신(韓信). ? - BC196. 중국 한(漢)나라 때의 무장(武將). 한 고조를 도와 조(趙)・위(魏)・연(燕)・제(齊)나라를 멸망시키고 항우를 공격하여 큰 공을 세웠다

“뎡연은 동냥지신(棟樑之臣)이며, 금옥군ᄌᆞ(金玉君子)러니, ᄌᆞ식을 두믜 이러틋 츌셰특이(出世特異)ᄒᆞ니, ᄒᆞᆫ갓 뎡가의 복이 아니라, 딤이 인ᄌᆡ를 어더 샤딕지신(社稷之臣)745)을 삼고 동냥지ᄌᆡ(棟梁之材)를 뎡ᄒᆞ리니, 국가의 경ᄉᆡ라 엇지 깃브디 아니리오”

만되 일시의 만셰를 블너 득인(得人)ᄒᆞ시믈 하례ᄒᆞ고, 문무신ᄂᆡ(文武新來)746)를 ᄎᆞ례로 블너 드리시니, 녀·박·화 ᄉᆞ인이 구슬 ᄭᅦᆫ ᄃᆞ시 등양ᄒᆞ고, 뎨뉵(第六)의ᄂᆞᆫ 셕쥰이니 츄밀ᄉᆞ 셕화의 뎨삼ᄌᆞ니, 태우 윤슈의 녀셰(女壻)오 경ᄋᆞ의 가뷔(家夫)라. 상이 가장 통ᄋᆡᄒᆞ샤 금평후 뎡연과 츄밀ᄉᆞ 셕화를 갓가이 브르샤 옥ᄇᆡ(玉杯)의 향온(香醞)을 나리와 각각 긔【63】자(奇子) 두믈 포댱ᄒᆞ시고, 댱원을 각별 통ᄋᆡᄒᆞ샤 어온(御醞)을 반샤(頒賜)ᄒᆞ시고, 이날 작직(爵職)을 도도아 한님ᄒᆞᆨ○[사] 호위댱군(翰林學士 護衛將軍)을 ᄒᆞ시고, 그 어린 나히 문무젼ᄌᆡ(文武全才) 만고(萬古)의 희한(稀罕)ᄒᆞ믈 대찬ᄒᆞ시니, 금평휘 ᄋᆞᄌᆞ의 웅문대ᄌᆡ(雄文大才)로뼈 과댱(科場)의 나아가믜 참방(參榜)ᄒᆞᆯ 쥴은 짐작ᄒᆞ엿거니와, 문무의 웃듬이 되어 우흐로 텬심과 아릐로 만됴(滿朝)의 칭찬ᄒᆞ미 셰ᄃᆡ일인(世代一人)으로 밀위니, 도로혀 불안ᄒᆞ고 깃거 아니며, 텬툥(天寵)이 과도ᄒᆞ기의 다ᄃᆞ라 블승황공ᄒᆞ여 돈슈샤은(頓首謝恩) 왈,

745)샤딕지신(社稷之臣) : 나라의 안위(安危)와 존망(存亡)을 맡은 중신(重臣)

746)문무신ᄂᆡ(文武新來) : 문과 무과에 새로 급제한 사람.

이오 만고영웅(萬古英雄)이라. 젼ᄉᆞᆼ젼ᄒᆞ(殿上殿下)의 슈풀 갓튼 ᄉᆞ람이 칭츈ᄒᆞᄂᆞᆫ 쇼릐 우레 갓더라. 텬안니 ᄃᆡ열ᄒᆞᄉᆞ 즉시 젼ᄉᆞᆼ의 올여 친히 그 게화(桂花)을 ᄭᅩᆺᄌᆞ시며 또 청삼(青衫)을 닙히시며 옥ᄃᆡ(玉帶) 아홀(牙笏)766)을 쥬시고 가로ᄉᆞᄃᆡ,

“졍연은 쥬셕동냥지신(柱石棟梁之臣)이라. ᄌᆞ식을 두믜 범연치 아니려니와 이러틋 긔이ᄒᆞ여 짐의 쥬셕과 괴공(股肱)이라.”

칭츈ᄒᆞ시니, 졔신니 인ᄌᆡ 어드시믈 만셰을 부르는 쇼릐 ᄉᆞᆫ쳔이 움즉이더라. ᄎᆞ례로 실[신]ᄂᆡ(新來)767)을 부르실 ᄉᆡ, 여·박·화 ᄉᆞ인이 모다 구슬 ᄭᅦᆫ 다시 동[등]냥(登揚)ᄒᆞ고 졔육(第六)의 셕쥰니니 츄밀ᄉᆡ 셕화의 졔 ᄉᆞᆷᄌᆡ라. 풍골(風骨)이 쇄락ᄒᆞ고 긔ᄉᆞᆼ이 장ᄃᆡ영걸(壯大英傑)이라. 상이 특별이 금평후 뎡공과 셕츄밀을 갓가이불으ᄉᆞ 옥ᄇᆡ(玉杯)의 향온(香醞)을 각각 은ᄉᆞ(恩賜)ᄒᆞᄉᆞ, 아달 졀 나흐믈 일카르시고, ᄌᆞᆼ원을 각별리 ᄉᆞ쥬ᄒᆞᄉᆞ 한님【17】학ᄉᆞ(翰林學士)을 ᄒᆞ이시고 무반 장원을 겸ᄒᆞᄉᆞ 호위ᄌᆞᆼ군(護衛將軍)을 ᄒᆞ이ᄉᆞ 그 어린 ᄂᆞ희 문무ᄌᆞᆼ원이 고금의 희ᄒᆞᆫ(稀罕)이 넉이시니, 금평휘 ᄋᆞᄌᆞ의 웅문ᄃᆡᄌᆞ[ᄌᆡ](雄文大才)로써 반다시 과ᄌᆞᆼ의 ᄂᆞ아가믜 ᄎᆞᆷ방(參榜)할 쥴은 짐족ᄒᆞ엿거니와, 문무의 웃듬이 되어 우흐로 쳔심(天心)과 아릐로 만조의 칭츈ᄒᆞ미, 셰ᄃᆡ일인(世代一人)이믈 도로혀 깃거아니며, 황ᄉᆞᆼ의 은총이 과도ᄒᆞ시믈 황공ᄒᆞ야 ᄌᆡ비ᄉᆞ은(再拜謝恩) 왈,

765)곽영공(郭令公) : 곽자의(郭子儀). 697~781. 중국 당(唐)나라 중기의 무장(武將). 안녹산 사사명의 반란을 평정하고 토번을 쳐 큰 공을 세워 분양왕에 올랐다.

766)아홀(아홀) : 조선 시대에, 1품에서 4품까지의 벼슬아치가 몸에 지니던 홀. 무소뿔이나 상아로 만들었다.

767)신ᄂᆡ(新來) : 과거에 새로 급제한 사람.

“뎐홍은 ᄒᆞᆫ낫 년유쇼ᄋᆡ(年幼小兒)라 우연이 셩과(盛科)의 참예ᄒᆞ오나, 농문승영(龍門承榮)747)은 쳔만의외(千萬意外)라. ᄒᆞ믈며 문무 두 길흘 드ᄃᆡ여748) 댱원을 쳔ᄌᆞ(擅恣)ᄒᆞ오니 신이 블승송황경구(不勝悚惶驚懼)749)ᄒᆞ와 알욀 바를 아지【64】 못ᄒᆞ옵ᄂᆞ니, 복망 셩샹은 뎐홍의 외람ᄒᆞᆫ 쟉딕을 거두샤 십년 말ᄆᆡ를 주시면, 믈너가 글을 더 닑고 나히 ᄎᆞ거든 ᄉᆞ군보국(事君保國)ᄒᆞ와 셩은을 만분지일(萬分之一)이나 갑ᄉᆞ올가 ᄒᆞᄂᆞ이다.”

ᄌᆡ삼 샤양(辭讓)ᄒᆞ미 혈심(血心)의 낫타나니, 샹이 그 공검쳥념(恭儉淸廉)ᄒᆞ믈 아름다이 녁이시고, 만되 탄복ᄒᆞ믈 마지 아니ᄒᆞ더라.

댱원이 야야(爺爺)의 깃거 아니시믈 보고, 역시 뎐폐(殿陛)의 나려 고샤(固辭) 왈,

“쇼신은 이칠쇼ᄋᆡ(二七小兒)라, 어린 나ᄒᆡ 과거를 구경ᄒᆞ미 므어시 밧브리잇고마는, 한미 년노(年老)ᄒᆞ와 님박셔산(臨迫西山)750)ᄒᆞ오니, ᄌᆞ손의 영화를 밧비 보고져 ᄒᆞ와 신부(臣父)를 권ᄒᆞ여 신을 과쟝의 드려보ᄂᆡ오니, 마지 못ᄒᆞ여 작셔(作書)ᄒᆞ여 밧치온 ᄇᆡ오, 년무쳥의셔 무반(武班)의 궁젼(弓箭)을 희롱ᄒᆞ오니, ᄋᆞᄒᆡ ᄆᆞ음【65】의 일시 희롱으로 보궁(寶弓)을 잡아 비됴(飛鳥)를 쏘ᄂᆞᆫ 노름의 참예하엿ᄉᆞ오나, 긔약지 아닌 무과 댱원이 되오니 황공불안(惶恐不安)ᄒᆞ오미 몸둘 곳을 아지 못ᄒᆞ옵ᄂᆞ니, 복원 셩상은 신의 일흠을 무과 댱원방목(壯元榜目)의 ᄡᅧ히시고, 십년 말ᄆᆡ를 허ᄒᆞ시면

747)농문승영(龍門承榮) : ‘용문(龍門)에 오른 영광’이라는 뜻으로, 여기서는 ‘과거에 급제한 영광’을 말함. 용문(龍門)은 중국 황하(黃河) 중류에 있는 여울목으로, 잉어가 이곳을 뛰어오르면 용이 된다고 전해진다.

748)드ᄃᆡ다 : 디디다. 밟다.

749)블승송황경구(不勝悚惶驚懼) : 몹시 놀랍고 송구(悚懼)함을 이기지 못해 함.

750)님박셔산(臨迫西山) : ‘해가 서산에 기울다’는 뜻으로 ‘죽음이 가까이 와 있다’는 말.

“뎐홍은 ᄒᆞᆫ낫 연유소ᄋᆡ(年幼小兒)라 우연니 과ᄌᆞᆼ의 ᄎᆞᆷ예ᄒᆞ오ᄂᆞ, 용젼(龍殿)의 비등(飛騰)할 쥴은 쳔만 ᄉᆡᆼ각밧기오니, ᄒᆞ믈며 졔 감히 문무의 두 기[길]을 드듸와768) 중원을 쳠구(僉求)ᄒᆞ오니, 신이 인졍의 ᄌᆞ식이 ᄎᆞᆷ방(參榜)한 거슬 깃거 아닛ᄂᆞᆫ 거시 아니오ᄃᆡ, ᄉᆞᄉᆞ로 뎐홍의 ᄌᆡ박불민(才薄不敏)ᄒᆞ믈 헤아리와 쳔은이 과도ᄒᆞ시물 불승송황(不勝悚惶)ᄒᆞ와 알외[욀] 바을 아지 못ᄒᆞᄂᆞ이, 원(願) 폐ᄒᆞ(陛下)ᄂᆞᆫ 뎐홍의 ᄌᆞᆨ직(爵職)을 거두ᄉᆞ 십년 말ᄆᆡ을 쥬시면 글을 더 닑거 ᄂᆞᄒᆡ ᄎᆞ면 ᄉᆞ군보국(事君保國)게 ᄒᆞ리이다.”

말ᄉᆞᆷ이 진졍의 비로셔 조곰도 즐겨ᄒᆞ미 업ᄉᆞ니 상이 그 겸퇴(謙退)ᄒᆞ믈 아름다이 녁이시고 만죄탄복(滿朝歎服)ᄒᆞ더라.

쟝원니 야야(爺爺)의 깃거 아니시믈 보고 역시 젼의 나려 ᄌᆞᆨ직을 고ᄉᆞᄒᆞ여 쥬왈,

“소신은 십ᄉᆞ 유츙(幼沖)일너니, 한갓 《과옥‖과욕(科慾)》○[을] 둔 거시 아니오라, 신의 한미 연노ᄒᆞ와 여일(餘日)【18】이 부다(不多)ᄒᆞ오무로, ᄌᆞ숀의 영화을 보고져 ᄒᆞ무로 신의 아비을 권ᄒᆞ와 신을 과ᄌᆞᆼ의 드려보ᄂᆡ오니, 마지 못ᄒᆞ와 ᄌᆞᆨ필(作筆)ᄒᆞ와 밧치옵고 연무쳥의 구경ᄒᆞ옵다가 여러 무반니 용긔를 비양(飛揚)ᄒᆞ오니, 연소지심(年少之心)의 보궁(寶弓)을 쥽아 우연니 맛치오니, 맛치 아ᄒᆡ 희롱 갓치 ᄒᆞ옵거날, 문무의 그 유(類)을 압셔와 ᄌᆞᆼ원을 졔슈ᄒᆞ시니, 황공무지(惶恐無地)ᄒᆞ오미 춰신무지(取身無地)로쇼이다. 복원셩상은 무과ᄌᆞᆼ원은 방목의 ᄡᅧ히와 일홈을 업ᄉᆡ시고 십년 말ᄆᆡ을 쥬시면, ᄉᆞ군보국(事君保國)할 ᄌᆡ덕(才德)을 ᄇᆡ화 직님(職任)의 ᄂᆞ아가오리이다.”

768)드듸다 : 디디다. 밟다.

믈너가 다시 ᄌᆡᄒᆞᆨ(才學)을 ᄃᆞᆨ가 ᄃᆡᆨ임(職任)을 다ᄉᆞ리이다."

샹이 우어 ᄀᆞᆯ오ᄃᆡ,

"경(卿)의 부ᄌᆡ 겸퇴(謙退)ᄒᆞᄂᆞᆫ 뜻이 너모 과도ᄒᆞᆫ디라. 원간 ᄌᆡ조ᄂᆞᆫ 년치(年齒) 노소의 잇지 아니니, 셕(昔)애 댱냥(張良)[751]의 쇼년이 범아부(范亞夫)[752]를 묘시(藐視)ᄒᆞ니 텬흥의 ᄌᆡ덕으로 엇지 샤군보국(事君保國)ᄒᆞᆯ ᄌᆡ죄 브족ᄒᆞ리오. 경은 안심물녀(安心勿慮)ᄒᆞ고 텬흥은 무익히 사양치 말고 힝공찰ᄃᆡᆨ(行公察職)ᄒᆞ라."

ᄒᆞ시니, 뎡공부ᄌᆡ ᄌᆡ삼 고샤ᄒᆞ여 십년 말ᄆᆡ를 쳥ᄒᆞᄃᆡ, 죵블윤(終不允)ᄒᆞ시고, 삼일【66】유과(三日遊街)[753] 후 즉시 힝공(行公)ᄒᆞ라 ᄒᆞ시니, 댱원이 ᄒᆞᆯ일업셔 샤은슉ᄇᆡ(謝恩肅拜)[754]ᄒᆞ고 믈너날ᄉᆡ, 텬심이 블승ᄋᆡ지(不勝愛之)ᄒᆞ샤, 어젼의 신ᄂᆡ를 ᄇᆡᆨ단유희(百端遊戱)ᄒᆞ샤 군신이 죵일 진환(盡歡)ᄒᆞ고 파됴(罷朝)ᄒᆞ시니, 댱원이 문무방하(文武榜下)를 거ᄂᆞ려 궐문을 나ᄆᆡ 만됴ᄇᆡᆨ관이 일시의 그 뒤흘 니어 믈너나니, 뎡공이 ᄋᆞᄌᆞ를 압셰오고 부듕으로 도라올ᄉᆡ, 집ᄉᆞ아역(執事衙役)은 위의를 돕고, 금의ᄌᆡ인(錦衣才人)은 ᄌᆡ조를 비양(飛揚)ᄒᆞ거늘, 쳥동ᄡᅣᆼ개(青童雙個)[755]와 홍패(紅牌)[756] 둘히 알플

751)댱냥(張良) : BC ?-189. 중국 한나라의 정치가, 건국공신. 자는 자방(子房). 유방의 책사로 홍문연에서 유방을 구하고 한신을 천거하는 등, 유방이 한나라를 세우고 천하를 통일할 수 있도록 도왔다. 소하·한신과 함께 한나라 건국 3걸로 불린다.

752)범아부(范亞夫) : 범증(范增, BC277-204. 중국 초나라의 책사·정치가. 항우와 초나라를 위해 유방을 죽이려 했지만 실패하고, 유방의 모사 진평의 반간계에 빠진 항우에게도 쫓겨나, 천하를 떠돌다가 객사했다.

753)삼일유가(三日遊街) : 과거에 급제한 사람이 사흘 동안 풍악을 잡히고 거리를 돌며 시험관과 선배 급제자와 친척을 방문하던 일.

754)샤은슉ᄇᆡ(謝恩肅拜) : 임금의 은혜에 감사하여 공손하고 경건하게 절을 올림.

755)청동ᄡᅣᆼ개(青童雙個) : 푸른 옷을 입은 두 명의 화동(花童).

756)홍패(紅牌) : 고려·조선 시대 과거시험의 대과(大

상이 우으시고 갈ᄋᆞᄉᆞᄃᆡ,

"경(卿)의 부ᄌᆡ 겸퇴(謙退)ᄒᆞᄂᆞᆫ 쓰지 너무 과ᄒᆞᆫ지라. 원간 ᄌᆡ죄란 거ᄉᆞᆫ 연치(年齒) 다쇼의 잇지 아닛ᄂᆞ니, 셕(昔)의 ᄌᆞᆼ냥(張良)[769]의 쇼년이 범아부(范亞夫)[770]의 칠십옹(七十翁)을 묘시(藐視)ᄒᆞ엿시니, 엇지 ᄉᆞ군보국(事君保國)의 부족다 ᄒᆞ며, 또ᄒᆞᆫ 경의 ᄌᆡ조와 츙심이 금셰의 ᄃᆡ두(對頭)ᄒᆞ리 업고, ᄒᆞ물며 더 ᄇᆡ흘 거시 잇시리오. 금평후ᄂᆞᆫ 조심ᄒᆞ여 아들의 영화을 두긋기고 텬흥은 무익한 ᄉᆞ양을 지리(支離)히 말지여다."

뎡공의 부ᄌᆡ ᄌᆡᄉᆞᆷ 고사ᄒᆞ여 십연 말ᄆᆡ을 쳥ᄒᆞᆫᄃᆡ, 상이 종불윤(終不允)ᄒᆞ시고 ᄉᆞᆷ일유과(三日遊街)[771] 후 힝공ᄎᆞᆯ직(行公察職)ᄒᆞ라 ᄒᆞ시니, ᄌᆞᆼ원이 할 일 업셔 ᄌᆡᄉᆞᆷ 슉ᄉᆞ(肅謝)ᄒᆞ【19】고, 녜모빈빈(禮貌彬彬)ᄒᆞ여 군젼의 일ᄉᆡᆼ ᄇᆡ레(拜禮)을 익이 ᄒᆞ던 노셩ᄌᆡ열(老成宰列)이라도 이에셔 더으지 못할너라. 텬심(天心)이 ᄋᆡ경(愛敬)ᄒᆞᄉᆞ 어젼의셔 신ᄂᆡ을 ᄇᆡᆨ단유희(百端遊戱)ᄒᆞᄉᆞ 군신이 종일 즐기시고, 상이 파조(罷朝)ᄒᆞ시니 장원이 문무방ᄒᆞ을 거나려 궐문을 나ᄆᆡ, 만조ᄇᆡᆨ뇨(滿朝百寮) 그 뒤흘 이어 일시의 ᄂᆞ아가니, 금평후 아ᄌᆞ(兒子)을 압셰우고 부즁으로 도라올 ᄉᆡ, 집ᄉᆞ아역(執事衙役)은 위의을 돕고, 《금위‖금의(錦衣)》ᄌᆡ인(才人)은 ᄌᆡ조을 비양(飛揚)커날, 청동쌍ᄀᆡ(青童雙個)[772]

769)ᄌᆞᆼ냥(張良) : BC ?-189. 중국 한나라의 정치가, 건국공신. 자는 자방(子房). 유방의 책사로 홍문연에서 유방을 구하고 한신을 천거하는 등, 유방이 한나라를 세우고 천하를 통일할 수 있도록 도왔다. 소하·한신과 함께 한나라 건국 3걸로 불린다.

770)범아부(范亞夫) : 범증(范增, BC277-204. 중국 초나라의 책사·정치가. 항우와 초나라를 위해 유방을 죽이려 했지만 실패하고, 유방의 모사 진평의 반간계에 빠진 항우에게도 쫓겨나, 천하를 떠돌다가 객사했다.

771)ᄉᆞᆷ일유과(三日遊街) : 과거에 급제한 사람이 사흘 동안 풍악을 잡히고 거리를 돌며 시험관과 선배 급제자와 친척을 방문하던 일

772)청동쌍ᄀᆡ(青童雙個) : 푸른 옷을 입은 두 명의 화동(花童).

인도ᄒᆞ거ᄂᆞᆯ 명공거경이 벌이 뭉긔며[757] 기얌이[758] 뿌시ᄃᆞ시[759] 대로를 덥허 취운산의 모다 신닉를 희롱ᄒᆞ려 ᄒᆞᆯ시, 벽데ᄡᅡᆼ곡(辟除雙曲)과 ᄉᆞ마거륜(駟馬車輪)[760]이 젼후로 분분ᄒᆞᆫ 가온ᄃᆡ, 댱원의 텬양경일지풍(天壤傾日之風)[761]과 뇽ᄌᆞ봉질(龍姿鳳質)이 독보(獨步)ᄒᆞ니 노샹관시ᄌᆡ(路上觀視者)[762] 칙칙(嘖嘖) 칭션(稱善)ᄒᆞ여 텬샹낭(天上郎)이【67】라 ᄒᆞ더라.

부듕의 도라와 뎡공이 댱원을 다리고 ᄂᆡ당의 드러가 슌태부인긔 뵈오니, 태부인과 진부인이 밧비 눈을 드러보니 댱원이 표표(表表)한 봉익(鳳翼)[763]의 금슈쳥삼(錦繡青衫)올 가ᄒᆞ고 일희[764] 허리의 옥ᄃᆡ(玉帶)를 두르고, 셤슈(纖手)의 아홀(牙笏)을 잡아 조모와 태태긔 ᄇᆡ례ᄒᆞ니, 어화(御花)[765]ᄂᆞᆫ 월익(月額)[766]의 기우럿고 어온(御醞)의 반취(半醉)ᄒᆞᆫ 용화(容華)ᄂᆞᆫ 츄ᄐᆡᆨ(秋澤)의 홍년(紅蓮)이 셩개(盛開)ᄒᆞ엿ᄂᆞᆫ ᄃᆞᆺ, 뉴셩(流星) ᄀᆞᆺᄐᆞᆫ 안광은 녕긔(靈氣) 징징(澄澄)ᄒᆞ여[767] 좌우의 바ᄋᆡ고, 발월(發越)ᄒᆞᆫ 긔상과 졀인ᄌᆡ풍(絶人才風)[768]이 쳥삼화ᄃᆡ(青衫花帶)[769] 가온ᄃᆡ 더옥 ᄲᅢ혀난지라. 태부인이 밧비 그 손을 잡고 등을 두다려 깃브믈 니긔지 못ᄒᆞ여 두굿겨 웃ᄂᆞᆫ 입을 주리지 못ᄒᆞ여 왈,

科)에 급제한 사람에게 주는 합격증서. 붉은색을 띤 용지를 사용했음으로 홍패라고 한다.
757)뭉긔다 : 뭉기다. 엉겨서 무더기를 이루다.
758)기얌이 : 개미.
759)뿌시다 : 비집다. 사람이 여러 사람 사이로 들어갈 만한 틈을 벌리거나 만들다
760)ᄉᆞ마거륜(駟馬車輪) : 네 필의 말이 끄는 수레.
761)텬양경일지풍(天壤傾日之風) : 천지간에 태양을 능가할 만큼 빛나는 풍채.
762)노샹관시ᄌᆡ(路上觀視者) : 길에서 구경하는 사람.
763)봉익(鳳翼) : '봉의 날개'를 뜻하는 말로 '양 어깨'를 비유적으로 표현한 말.
764)일희 : 이리.
765)어화(御花) : 어사화(御賜花). 조선 시대에, 문무과에 급제한 사람에게 임금이 하사하던 종이꽃.
766)월익(月額) : 달처럼 둥근 얼굴(이마).
767)징징(澄澄)ᄒᆞ다 : 매우 맑다.
768)졀인ᄌᆡ풍(絶人才風) : 매우 뛰어난 재주와 풍채.
769)쳥삼화ᄃᆡ(青衫花帶) : 과거급제자의 차림인 금수청삼(錦繡青衫)과 어사화(御賜花), 옥대(玉帶)를 함께 이른 말.

와 홍ᄑᆡ(紅牌)[773] 둘은 문무을 표ᄒᆞ엿고, 명공거경(名公巨卿)이 ᄃᆡ로을 쪄 취운손으로 나와 신닉을 희롱ᄒᆞ려 ᄒᆞᆯ 시, 벽졔쌍곡(辟除雙曲)과 ᄉᆞ마거륜(駟馬車輪)[774]니 젼후로 운집한 가온ᄃᆡ, 즁원의 쳔일지표(天日之表)와 용봉ᄌᆞ질(龍鳳資質)이 쳔고(千古)의 독보ᄒᆞ니, 노상관광ᄌᆡ(路上觀光者)[775] 칭촌불니(稱讚不已)[776]ᄒᆞ더라.

부즁의 도라와 금평후 즁원을 다리고 ᄂᆡ당의 드러가 ᄐᆡ부인긔 ᄇᆡ알(拜謁)ᄒᆞ니, ᄐᆡ부인과 모부인이 눈을 들어 보건ᄃᆡ, 즁원이 아아(峨峨)한 봉익(鳳翼)[777]의 금슈쳥ᄉᆞᆷ(錦繡青衫)을 가ᄒᆞ고, 요ᄒᆞ(腰下)의 옥ᄃᆡ(玉帶)을 두로고, 옥슈(玉手)의 아홀(牙笏)을 ᄌᆞᆸ아 슬ᄒᆞ(膝下)의 졀ᄒᆞ니, 두ᄉᆞᆼ(頭上)의 어화(御花)[778]ᄂᆞᆫ 무릅흘 침노ᄒᆞ고, 옥안셩모(玉顔聖貌)ᄂᆞᆫ 어쥬(御酒)을 반취(半醉)ᄒᆞ여시니, 보ᄇᆡ로온 귀밋ᄐᆡ 꼿가지 어르씨니[779] 왕모도화(王母桃花)[780] 일쳔졈이 취우(翠雨)의 져【20】져ᄂᆞᆫ 듯, 광휘(光輝) 아아ᄒᆞ여 실벽(室壁)의 조요(照耀)ᄒᆞ니, ᄐᆡ부인의 질겨ᄒᆞ믄 웃ᄂᆞᆫ 입을 쥬리지 못ᄒᆞ여 연망(連忙)이 한림의 손을 ᄌᆞᆸ고 등을 어로만져 왈,

773)홍ᄑᆡ(紅牌) : 고려·조선 시대 과거시험의 대과(大科)에 급제한 사람에게 주는 합격증서. 붉은색을 띤 용지를 사용했음으로 홍패라고 한다.
774)ᄉᆞ마거륜(駟馬車輪) : 네 필의 말이 끄는 수레.
775)노상관광ᄌᆡ(路上觀光者) : 길에서 구경하는 사람.
776)칭촌불니(稱讚不已) : 칭찬하기를 그치지 아니함.
777)봉익(鳳翼) : '봉의 날개'를 뜻하는 말로 '양 어깨'를 비유적으로 표현한 말.
778)어화(御花) : 어사화(御賜花). 조선 시대에, 문무과에 급제한 사람에게 임금이 하사하던 종이꽃.
779)어리씨다 : 어릿거리다. 어른거리다.
780)왕모도화(王母桃花) : 중국 전설상의 서왕모(西王母)의 요지(瑤池)에서 기른다는 반도(蟠桃)복숭아나무의 꽃.

"미망여싱(未亡餘生)이 붕셩(崩城)의 셜우믈 견딕믄 네 아뷔 지효를 져바리지 못ᄒᆞ여 셰샹의 머므러시나, 실노 즐겁고 깃브【68】믈 아지 못ᄒᆞ더니, 오날ᄂᆞᆯ 네 쳥운(青雲)의 고등ᄒᆞ여 계화쳥삼(桂花青衫)으로 노모의 압희 졀ᄒᆞ믈 어드니, 인간 낙ᄉᆡ(樂事) 이밧긔 업손 돗 두굿겁고 아름다오믈 형샹치 못ᄒᆞ나니, 엇디 효ᄌᆞ현손(孝子賢孫)이 아니리오."

진부인은 팔ᄌᆞ츈산(八字春山)[770]의 희긔(喜氣) 가득ᄒᆞ여 단슌호치(丹脣皓齒) 찬연ᄒᆞ니, 댱원이 조모와 모친의 깃거ᄒᆞ시믈 보옵고 옥면(玉面)의 승안화긔(承顔和氣) 우흴[771] 돗ᄒᆞᆫ디라. 금휘 ᄋᆞᄌᆞ의 츌인ᄒᆞᆫ ᄌᆡ조를 긔특이 넉이나, 어린 나히 사ᄅᆞᆷ마다 너모 일ᄏᆞᆺᄂᆞᆫ ᄇᆡ되고 문무의 웃듬이 되여 뇽방쳔인(龍榜千人)을 묘시(藐視)ᄒᆞ니, 그윽이 불안ᄒᆞ여 너모 됴달(早達)ᄒᆞ믈 깃거 아니ᄒᆞ더니, 모부인의 이러ᄐᆞᆺ 즐겨 ᄒᆞ시믈 보니, 비로소 잠간 웃고 쥬왈,

"ᄌᆞ식의 됴달영귀(早達榮貴)ᄂᆞᆫ 인인(人人)의 바라ᄂᆞᆫ ᄇᆡ오나, 텬흥의 년쇼브ᄌᆡ(年少不才)로 외람이 문무댱원이 되오【69】니, 무비ᄂᆞᆫ 션셰로브터 본ᄃᆡ 념(厭)ᄒᆞᄂᆞᆫ ᄇᆡ어ᄂᆞᆯ ᄋᆞ히 망녕되이 아비 깃거 아닛ᄂᆞᆫ 일을 승ᄉᆞ(承事)로 아라 힝ᄒᆞ오니, 쇼ᄌᆡ 죵일 심회 블평ᄒᆞ와 깃븐 줄을 아지 못ᄒᆞ옵더니, 집의 도라와 ᄌᆞ위 희열ᄒᆞ시믈 보오니 텬ᄋᆞ의 효도라 ᄒᆞ리로소이다."

태부인이 쇼왈,

"무비ᄂᆞᆫ 조션(祖先)의 업ᄉᆞᆫ 일이니 텬ᄋᆞ의 일이 오활(迂闊)ᄒᆞ거니와, 문과를 폐ᄒᆞ고 무과를 응ᄒᆞ미 아니라, 문무의 다 데일이 되니 ᄋᆞ손의 ᄌᆡ죄 비상ᄒᆞ미라, 엇지 블평ᄒᆞ미 이시리오. 비록 부ᄌᆡ나 셩되 각각이니 흥ᄋᆞᄂᆞᆫ 쳔고 녈댱뷔오, 일셰준걸이어ᄂᆞᆯ 너ᄂᆞᆫ 단묵ᄒᆞᆫ 군ᄌᆡ라. 고요ᄒᆞ기를 니르면 네

770)팔ᄌᆞ츈산(八字春山) : '두 눈 위의 화장한 눈썹'을 비유적으로 나타낸 말. '팔(八)'자는 '두 눈두덩 위에 나 있는 눈썹'의 모양을 나타낸 말.

771)우희다 : 웃음이 나오다.

"노뫼 붕셩지통(崩城之痛)을 만나 세상의 머물 뜻이 업더니, 네 아뷔 지효(至孝)을 져바리지 못ᄒᆞ여 ᄉᆞ랏다가 오날날 네 쳥운의 고등ᄒᆞ여 어화쳥숨(御花青衫)으로 노모의 압히 졀ᄒᆞ물 보니 인간낙ᄉᆡ(人間樂事) 이 밧긔 업ᄂᆞᆫ 듯 두굿기믈 형[형]ᄉᆞᆼ(形象)치 못ᄒᆞ나니, 엇지 깁부지 아니리오."

진부인은 팔ᄌᆡ츈ᄉᆞᆫ(八字春山)[781]의 희긔ᄌᆞ약(喜氣自若)ᄒᆞ더라. 장원이 조모와 ᄐᆡᄐᆡ 깃거ᄒᆞ시물 보고 옥면의 우음이 가득ᄒᆞ더라. 금평휘 아ᄌᆞ의 조달(早達)ᄒᆞ믈 그윽히 불안ᄒᆞ미 업지 아니터니, ᄐᆡ부인 질겨ᄒᆞ시믈 보고 승안화긔(承顔和氣)을 어러[더] 비로쇼 잠간 웃고 왈,

"ᄌᆞ식의 조달(早達)ᄒᆞ믄 인인(人人)의 바라ᄂᆞᆫ ᄇᆡ라. 텬흥이 연유부ᄌᆡ(年幼不才)로 외람이 문무장원이 되오니 무여[예](武藝)ᄂᆞᆫ 우리집 션ᄃᆡ로부터 업거날, 아히 남활ᄒᆞ미 이러ᄐᆞᆺ ᄒᆞ오니, 쇼ᄌᆡ 깁부믈 아지 못ᄒᆞ옵더니, ᄌᆞ위 이러ᄐᆞᆺ 깃거ᄒᆞ시니 텬아의 효되라 ᄒᆞ리로쇼이다."

ᄐᆡ부인이 소왈,

"문(文)을 바리고 무(武)을 응ᄒᆞ미 아니라 문무장원이니, 이ᄂᆞᆫ ᄂᆡ 손아의 ᄌᆡ죄 비ᄉᆞᆼᄒᆞ미라. 그 아비 되니 두굿겨 ᄒᆞ미 올커날 불평ᄒᆞ면 너모 겸퇴(謙退)ᄒᆞ미라."

ᄒᆞ시더라.【21】

781)팔ᄌᆡ츈ᄉᆞᆫ(八字春山) : '두 눈 위의 화장한 눈썹'을 비유적으로 나타낸 말. '팔(八)'자는 '두 눈두덩 위에 나 있는 눈썹'의 모양을 나타낸 말.

나으려니와, 만시 능녀긔이(凌厲奇異)[772] ᄒᆞ기는 손이 그 아비의셔 빅비 승ᄒᆞ리니 너는 브졀업ᄉᆞᆫ 근심 말나."

금휘 쇼이빅샤(笑而拜謝)【70】ᄒᆞ고 댱원을 다리고 샤묘의 현빅(見拜)ᄒᆞ기를 맛고, 외당의 좌긱이 가득ᄒᆞ여 신닉(新來)브르는 소릭 진동ᄒᆞ니, 금휘 ᄋᆞᄌᆞ를 다리고 외헌의 나와 하긱을 마줄시, 명공거경이 당상의 녈좌ᄒᆞ여 신닉를 빅단(百端) 유희홀시, 졀딕미ᄋᆞ(絶代美兒)를 드려 딕무(對舞)ᄒᆞ여 온가지로 유희ᄒᆞᆫ딕, 진퇴졀ᄎᆞ(進退節次)의 튱텬댱긔(衝天壯氣)를 댱튝(藏縮)지 못ᄒᆞ여, 샤관(四官)이 ᄀᆞᄅᆞ칠 나의[773] 업시 희롱이 낭ᄌᆞᄒᆞ여 긔긔졀도지시(奇奇絶倒之事)[774] 만흐니, 공후직렬과 쇼년명위(少年名流) 다 션ᄌᆞ(扇子)를 쳐 박장졀도(拍掌絶倒) ᄒᆞ기를 마지 아니ᄒᆞ딕, 금휘 안연단좌(晏然端坐)ᄒᆞ여 조금도 웃는 빗치 업셔, 날호여 냥목을 빗겨 댱원을 보니, 싱이 야야의 긔식을 아라보고 즉시 희롱을 긋치고 ᄉᆞ관의게 고왈,

"어젼의셔 녈위 노션싱이 빅단유희ᄒᆞ시미【71】 쇼싱이 갓븐 슘을 두르지 못ᄒᆞ여셔 집의 도라오오니, 또 이ᄀᆞᆺ치 보ᄎᆡ시니 쇼싱이 긔진ᄒᆞ여 못견딕리로소이다."

만좨 대쇼왈,

"이 신닉 완만ᄒᆞ여 스ᄉᆞ로 보ᄎᆡ기를 긋치고져 ᄒᆞ미오, 긔운이 진홀 듯ᄒᆞ단 말은 허언이라. 댱원의 튱텬댱긔 산악을 것구로칠 듯ᄒᆞ니, 이ᄀᆞᆺ치 보ᄎᆡ기를 일년을 ᄒᆞ여도 갓바 못견딕도록 홀 니는 업ᄉᆞ리라."

댱원이 우음을 먹음고 왈,

"ᄉᆞ관이 쇼싱이 긔운이 진ᄒᆞ도록 보ᄎᆡ려 ᄒᆞ신 즉, 감히 샤양치 못ᄒᆞ오려니와, 혈육지신은 다 ᄒᆞᆫ가지라, 졔위 존공은 등과시의 갓브지 아니시더니잇가? 쇼싱은 졸약(卒約)ᄒᆞ여 그만 보ᄎᆡ셔도 깅긔(更起)를 못ᄒᆞ리로

772)능녀긔이(凌厲奇異) : 아주 뛰어나게 훌륭하고 기발함.

773)나의 : 나위. 더 할 수 있는 여유나 더 해야 할 필요.

774)긔긔졀도지식(奇奇絶倒之事) : 몹시 이상야릇하고 우스꽝스러워 웃다가 까무러쳐 넘어질 만한 일들.

○…결락 1093자…○

[금휘 쇼이빅샤(笑而拜謝)ᄒᆞ고 댱원을 다리고 샤묘의 현빅(見拜)ᄒᆞ기를 맛고, 외당의 좌긱이 가득ᄒᆞ여 신닉(新來)브르는 소릭 진동ᄒᆞ니, 금휘 ᄋᆞᄌᆞ를 다리고 외헌의 나와 하긱을 마줄시, 명공거경이 당상의 녈좌ᄒᆞ여 신닉를 빅단(百端) 유희홀시, 졀딕미ᄋᆞ(絶代美兒)를 드려 딕무(對舞)ᄒᆞ여 온가지로 유희ᄒᆞᆫ딕, 진퇴졀ᄎᆞ(進退節次)의 튱텬댱긔(衝天壯氣)를 댱튝(藏縮)지 못ᄒᆞ여, 샤관(使官)이 ᄀᆞᄅᆞ칠 나의[782] 업시 희롱이 낭ᄌᆞᄒᆞ여 긔긔졀도지시(奇奇絶倒之事)[783] 만흐니, 공후직렬과 쇼년명위(少年名流) 다 션ᄌᆞ(扇子)를 쳐 박장졀도(拍掌絶倒) ᄒᆞ기를 마지 아니ᄒᆞ딕, 금휘 안연단좌(晏然端坐)ᄒᆞ여 조금도 웃는 빗치 업셔, 날호여 냥목을 빗겨 댱원을 보니, 싱이 야야의 긔식을 아라보고 즉시 희롱을 긋치고 ᄉᆞ관의게 고왈,

"어젼의셔 녈위 노션싱이 빅단유희ᄒᆞ시미 쇼싱이 갓븐 슘을 두르지 못ᄒᆞ여셔 집의 도라오오니, 또 이ᄀᆞᆺ치 보ᄎᆡ시니 쇼싱이 긔진ᄒᆞ여 못견딕리로소이다."

만좨 대쇼왈,

"이 신닉 완만ᄒᆞ여 스ᄉᆞ로 보ᄎᆡ기를 긋치고져 ᄒᆞ미오, 긔운이 진홀 듯ᄒᆞ단 말은 허언이라. 댱원의 튱텬댱긔 산악을 것구로칠 듯ᄒᆞ니, 이ᄀᆞᆺ치 보ᄎᆡ기를 일년을 ᄒᆞ여도 갓바 못견딕도록 홀 니는 업ᄉᆞ리라."

댱원이 우음을 먹음고 왈,

"ᄉᆞ관이 쇼싱이 긔운이 진ᄒᆞ도록 보ᄎᆡ려 ᄒᆞ신 즉, 감히 샤양치 못ᄒᆞ오려니와, 혈육지신은 다 ᄒᆞᆫ가지라, 졔위 존공은 등과시의 갓브지 아니시더니잇가? 쇼싱은 졸약(卒約)ᄒᆞ여 그만 보ᄎᆡ셔도 깅긔(更起)를 못ᄒᆞ리로소이다."

좌듕이 크게 웃고 긔상을 아니 ᄉᆞ랑ᄒᆞ리 업셔 샤ᄒᆞ여 당의 올녀 말숨홀시, 댱원은 부젼이라 경근ᄒᆞ는 네를 잡으니, 념슬궤좌(斂膝跪坐)ᄒᆞ여 봉안이 나즉ᄒᆞ고 긔운이 안셔(安舒)ᄒᆞ며, 단엄뎡딕ᄒᆞᆫ 거동이 다른 사름 ᄀᆞᆺ톤지라. 금후는 그 ᄒᆞᆫ갈ᄀᆞᆺ지 못ᄒᆞᆷ을 미온(未穩)ᄒᆞ여 심긔의 념녀ᄒᆞ는 바는, 지긔를 펴 문무댱원이 되고 샹통이 과도ᄒᆞ시니, 더옥 방약무인(傍若無人)ᄒᆞ여 동셔의 것칠 거시 업셔 졔어ᄒᆞ기 어려올가 근심ᄒᆞ고, 댱원은 야야(爺爺)의 긔식이 화열치 아니시믈 크게 황공ᄒᆞ여, 말숨을 ᄆᆞ음딕로 못ᄒᆞ는디라. 좌간의 윤태위 댱원의 손을 잡고 안식이 쳑연(慽然)ᄒᆞ여 뎡공을 향ᄒᆞ여 닐오딕,

"딜녀(姪女)의 박복ᄒᆞ미 일즉 봉관화리(鳳冠花履)로 명부(命婦)[784]의 덕을 즐기지 못ᄒᆞ고, 미급혼취(未及婚娶)의 무고히 실산ᄒᆞ여 이졔 녕낭이 쳥운의 고등ᄒᆞ니, 가실이 ᄒᆞ로도 업지 못홀디라. 형은 거쳐 업ᄉᆞᆫ 아딜(我姪)을 등딕치 말고 명문귀가의 슉녀를 마쟈 녕낭

782)나의 : 나위. 더 할 수 있는 여유나 더 해야 할 필요.

783)긔긔졀도지식(奇奇絶倒之事) : 몹시 이상야릇하고 우스꽝스러워 웃다가 까무러쳐 넘어질 만한 일들.

784)명부(命婦) : 봉작(封爵)을 받은 부인을 통틀어 이르는 말. 내명부와 외명부의 구별이 있었다.

소이다."

좌듕이 크게 웃고 긔상을 아니 ᄉᆞ랑ᄒᆞ리 업셔 샤ᄒᆞ여 당의 올녀 말솜홀ᄉᆡ, 댱원【72】은 부젼이라 경근ᄒᆞᄂᆞᆫ 녜를 잡으니, 념슬궤좌(斂膝跪坐)ᄒᆞ여 봉안이 나즉ᄒᆞ고 긔운이 안셔(安舒)ᄒᆞ며, 단엄뎡딕ᄒᆞᆫ 거동이 다른 사름 ᄀᆞᆺ틀지라. 금후ᄂᆞᆫ 그 ᄒᆞᆫ갈ᄀᆞᆺ지 못ᄒᆞ믈 미온(未穩)ᄒᆞ여 심긔의 념녀ᄒᆞᄂᆞᆫ 바ᄂᆞᆫ, 지긔를 펴 문무댱원이 되고 샹툥이 과도ᄒᆞ시니, 더옥 방약무인(傍若無人)ᄒᆞ여 동셔의 것칠 거시 업셔 졔어ᄒᆞ기 어려올가 근심ᄒᆞ고, 댱원은 야야(爺爺)의 긔식이 화열치 아니시믈 크게 황공ᄒᆞ여, 말솜을 ᄆᆞᄋᆞᆷ되로 못ᄒᆞᄂᆞᆫ디라. 좌간의 윤태위 댱원의 손을 잡고 안식이 쳑연(慽然)ᄒᆞ여 뎡공을 향ᄒᆞ여 닐오ᄃᆡ,

"딜녀(姪女)의 박복ᄒᆞ미 일즉 봉관화리(鳳冠花履)로 명부(命婦)775)의 덕을 즐기지 못ᄒᆞ고, 미급혼취(未及婚娶)의 무고히 실산ᄒᆞ여 이졔 녕낭이 쳥운의 고등ᄒᆞ니, 가실이 ᄒᆞ로도 업지 못ᄒᆞᆯ【73】디라. 형은 거쳐 업ᄉᆞᆫ 아딜(我姪)을 등ᄃᆡ치 말고 명문귀가의 슉녀를 마쟈 녕낭의 ᄇᆡ우를 빗나게 ᄒᆞ라."

금휘 탄왈,

"슈년을 기다려 녕딜(令姪)의 거쳐를 구식(求索)ᄒᆞ여 죵시 ᄎᆞᆺ디 못ᄒᆞ면 남ᄋᆡ 환거(鰥居)치 못ᄒᆞ여 췌실ᄒᆞ려니와, 아딕은 쇼뎨 념녜 다른 곳의 유의치 아니ᄒᆞᄂᆞ라."

좌듕의 가득ᄒᆞᆫ 명공거경이 ᄯᆞᆯ 둔 ᄌᆞᄂᆞᆫ 져마다 유의ᄒᆞ여 구혼ᄒᆞ고져 ᄒᆞᄃᆡ, 젼일 뎡공이 동셔구친(東西求親)을 다 믈니치고 윤상셔 집과 아시뎡밍(兒時定盟)이 이시믈 닐너시므로, 윤태우의 말슴이 여ᄎᆞᄒᆞ고 뎡공이 타쳐를 유의치 아니ᄒᆞ니, 감히 구혼ᄒᆞ리 업더라.

좌듕의 동평댱ᄉᆞ(同平章事) 양필광은 참졍(參政) 양문광의 아이라. 뎡공으로 더브러 지심익위(知心益友)러니 이에 웃고,

"댱원【74】의 걸츌(傑出)ᄒᆞᆫ 긔상이 일쳐

775)명부(命婦) : 봉작(封爵)을 받은 부인을 통틀어 이르는 말. 내명부와 외명부의 구별이 있었다.

의 ᄇᆡ우를 빗나게 ᄒᆞ라."

금휘 탄왈,

"슈년을 기다려 녕딜(令姪)의 거쳐를 구식(求索)ᄒᆞ여 죵시 ᄎᆞᆺ디 못ᄒᆞ면 남ᄋᆡ 환거(鰥居)치 못ᄒᆞ여 췌실ᄒᆞ려니와, 아딕은 쇼뎨 념녜 다른 곳의 유의치 아니ᄒᆞᄂᆞ라."

좌듕의 가득ᄒᆞᆫ 명공거경이 ᄯᆞᆯ 둔 ᄌᆞᄂᆞᆫ 져마다 유의ᄒᆞ여 구혼ᄒᆞ고져 ᄒᆞᄃᆡ, 젼일 뎡공이 동셔구친(東西求親)을 다 믈니치고 윤상셔 집과 아시뎡밍(兒時定盟)이 이시믈 닐너시므로, 윤태우의 말슴이 여ᄎᆞᄒᆞ고 뎡공이 타쳐를 유의치 아니ᄒᆞ니, 감히 구혼ᄒᆞ리 업더라.

좌듕의 동평댱ᄉᆞ(同平章事) 양필광은 참졍(參政) 양문광의 아이라. 뎡공으로 더브러 지심익위(知心益友)러니 이에 웃고,

"댱원의 걸츌(傑出)ᄒᆞᆫ 긔상이 일쳐(一妻)로 늙지 아닐 거시니, 만일 윤쇼져를 만나 혼ᄉᆞ를 일우거든, 쇼뎨 비록 용우ᄒᆞ나 외람이 형의 지긔(知己)로 허ᄒᆞ시믈 닙어 다시 인아(姻婭)의 정을 ᄆᆡᆺ고져 ᄒᆞᄂᆞ니, 소뎨의게 머리 누른 ᄯᆞᆯ이 잇셔 하마 도요시(桃夭詩)785)를 읇게 되어시니, 형이 만일 날을 나모라 바리지 아니ᄒᆞ거든 소녀(小女)로ᄡᅧ 댱원의 지실을 허ᄒᆞ라."]786)

785)도요시(桃夭詩) : 시경(詩經) <주남(周南)> 편에 있는 시. 시집가는 아가씨의 아름다움과 행복을 노래하고 있다.

786)이상 결락을 보완한 <낙선재본>원문 1,093자는 <박순호본> 약 3쪽(1쪽 375자) 분량에 해당한다. 그런데 <박본>은 이 부분이 빠진 상태에서 전후의 서사장면과 문맥이 서로 연결되지 않고 있는 점으로 보아, 필사자가 의도적으로 이 부분을 축약한 것은 아니었을 것으로 판단된다. 즉, 양필광이 정연에게 자신의 딸을 정천흥의 재실로 청혼하는 서사가 없는 상태에서 뜬금없이 이 청혼을 사양하는 대목이 나오는 모순이 나타나고 있기 때문이다. <박본>의 필사원본 자체에 낙장이 있었거나 필사자가 책장을 잘못 넘기는 등의 오류가 있었을 것으로 생각된다.

(一妻)로 늙지 아닐 거시니, 만일 윤쇼져를 만나 혼ᄉᆞ를 일우거든, 쇼데 비록 용우ᄒᆞ나 외람이 형의 지긔(知己)로 허ᄒᆞ시믈 닙어 다시 인아(姻婭)의 졍을 믹고져 ᄒᆞᄂᆞ니, 소뎨의게 머리 누른 ᄯᆞᆯ이 잇셔 하마 도요시(桃夭詩)776)를 읇게 되어시니, 형이 만일 날을 나모라 바리지 아니ᄒᆞ거든 소녀(小女)로뼈 댱원의 직실을 허ᄒᆞ라."

금휘 양평댱의 쳥고명현(淸高明賢)ᄒᆞᆫ 위인을 긔허(己許)ᄒᆞᄂᆞᆫ디라 믹몰히 ᄲᅦ칠의ᄉᆞᄂᆞᆫ 업더라. 【75】

776)도요시(桃夭詩) : 시경(詩經) <주남(周南)> 편에 있는 시. 시집가는 아가씨의 아름다움과 행복을 노래하고 있다.

명듀보월빙 권디뉵

화셜. 금평휘 양평댱의 청고명현흔 위인을 긔허ᄒᆞᄂᆞᆫ디라. ᄆᆡ몰이 쎄칠 의ᄉᆞᄂᆞᆫ 업ᄉᆞᄃᆡ, 댱원의 호신(豪身)을 넘녀ᄒᆞ여 그 방탕ᄒᆞ믈 돕디 아니려 ᄒᆞ여, ᄉᆞ샤(謝辭) 왈,

"형이 돈ᄋᆞ(豚兒)의 용우(庸愚)ᄒᆞ믈 혐의치 아냐 옥녀로쎠 ᄌᆞ실의 나ᄌᆞ믈 구애치 아니ᄒᆞ고 구혼ᄒᆞ니, 쇼뎨 엇디 감샤치 아니리오마ᄂᆞᆫ, 돈ᄋᆡ 소활무식(疎豁無識)ᄒᆞ여 일쳐도 편히 거나리지 못ᄒᆞ리니, 형의 만금농쥬(萬金弄珠)를 탕ᄌᆞ의게 가ᄒᆞ여 일ᄉᆡᆼ이 욕되믈 뭇디 아냐 알디라. 쇼뎨 딘졍(眞情)으로 니르ᄂᆞ니 형은 오ᄋᆞ를 유의치 말고 댱안ᄌᆞᄆᆡᆨ(長安紫陌)777)의 옥인군ᄌᆞ를 갈희여 녕ᄋᆞ(令兒)의 죵신대ᄉᆞ(終身大事)778)를 그르게 말나."

양공이 쇼【1】왈,

"형이 쇼뎨로 더브러 인친(姻親)되믈 염(厭)ᄒᆞ여 녕낭의 호일(豪逸)ᄒᆞ믈 일ᄏᆞ라 친사(親事)를 밀막으니, 쇼뎨 ᄋᆡ돌오믈 니긔지 못ᄒᆞ나니, 녕낭의 긔상이 ᄇᆡᆨ미인과 쳔희(千姬)를 맛져도 외입(外入)ᄒᆞᆯ 뉘 아니니 엇디 냥처를 거나리지 못ᄒᆞᆯ가 근심ᄒᆞ리오. 셜ᄉᆞ 녕낭이 방탕ᄒᆞ여 녀ᄌᆞ의 일ᄉᆡᆼ이 안안(晏晏)치 못ᄒᆞᆯ디라도, 쇼뎨 스ᄉᆞ로 쳥ᄒᆞ여 어든 ᄉᆞ회779)라. 형을 한치 아닐 거시니 부졀업시 칭탁지 말고 허락ᄒᆞ라."

뎡공이 양공의 말이 이의 밋쳐ᄂᆞᆫ 밀막을780) 말이 업셔 도로혀 쇼왈,

"형으로쎠 식안(識眼)이 남의셔 나은가 ᄒᆞ엿더니, 돈ᄋᆞ의 허랑블미(虛浪不美)ᄒᆞ믈 이ᄃᆡ도록 과히 아라 쳔금옥녀를 ᄌᆞ실노 도라보ᄂᆡ고져 ᄒᆞ니, 지인(知人)【2】ᄒᆞ미 엇디 그ᄃᆡ도록 불명(不明)ᄒᆞ뇨? 오ᄃᆡ 윤시를 ᄎᆞᆺ지 못ᄒᆞ여시니 ᄌᆞ취를 의논치 못ᄒᆞᆯ 거시

777)댱안ᄌᆞᄆᆡᆨ(長安紫陌) : 서울의 번화한 거리

778)죵신대ᄉᆞ(終身大事) : 결혼을 달리 이른 말.

779)ᄉᆞ회 : 사위.

780)밀막다 : 밀어서 막다. 핑계하고 거절하다.

화셜, 뎡공이 제인(諸人)의{게} 권함과 양공의 쳥혼ᄒᆞ믈 보ᄆᆡ 인졍의 쎄치지 못ᄒᆞ여, 침ᄉᆞ양구(沈思良久)의 ᄃᆡᄒᆞ여 갈오ᄃᆡ,

"슈년을 등ᄃᆡ(等待)ᄒᆞ여 면져 졍빙(定聘)787)ᄒᆞᆫ 규슈의 거쳐을 알라[아] 돈아(豚兒)ᄋᆡ 조강(糟糠)을 졍ᄒᆞ고, 다시 양형의 후의을 밧들연이와, 실노 외람ᄒᆞ믈 이긔지 못ᄒᆞ리로다. 양형이 일무가취(一無可取)ᄒᆞᆫ 텬흥의 ᄌᆞ실을 구ᄒᆞ여 ᄯᆞᆯ의 일ᄉᆡᆼ이 불쾌홈도 ᄉᆡᆼ각지 아니ᄆᆡ 이ᄉᆞᆼᄒᆞ고, 진형이 ᄉᆡᆼ질(甥姪)의 호방을 도아 ᄌᆞ취을 권ᄒᆞ미 ᄉᆞ랑ᄒᆞᄂᆞᆫ 도리 아니오. 더욱 윤형은 질여(姪女)의 젹인(敵人)을 모하 쥬려 ᄒᆞ미 실노 인졍이 아니로다."

양공이 소왈,

"'지ᄌᆞ(知子)ᄂᆞᆫ 막여뷔(莫如父)라'788) ᄒᆞ되 뎡공은 아달 알오미○…결락 82자…○[그러치 못ᄒᆞ니, 쇼뎨 ᄋᆡ돌오믈 니긔지 못ᄒᆞ나니, 녕낭의 긔상이 ᄇᆡᆨ미인과 쳔희(千姬)를 맛져도 외입(外入)ᄒᆞᆯ 뉘 아니니 엇디 냥처를 거나리지 못ᄒᆞᆯ가 근심ᄒᆞ리오. 셜ᄉᆞ 녕낭이 방탕ᄒᆞ여 녀ᄌᆞ의 일ᄉᆡᆼ이 안안(晏晏)치 못ᄒᆞᆯ디라도] 속ᄌᆞ의 원비도곤 즐거우리니, 소졔 굿타여 창ᄇᆡᆨ으로써 문무장원이 되다 ᄒᆞ여 은춍부귀(恩寵富貴)을 흠모ᄒᆞ미 아니라, 그 위인을 심복(心腹)ᄒᆞ미니, 츙ᄇᆡᆨ이 승어뷔(勝於父)789)라 ᄒᆞᄌᆞ(瑕疵)할 거시 업ᄂᆞ니라."

787)졍빙(定聘) : 정혼(定婚).

788)'아들은 그 아버지가 가장 잘 안다'는 말.

789)승어뷔(勝於父) : 아버지 보다 나음.

오, 돈ᄋᆡ 년유쇼ᄋᆞ로 만ᄉᆡ 외람ᄒᆞ여 문무의 댱원이 되고, 쟉ᄎᆡ(爵次) 과도ᄒᆞ니 쇼뎨지심이 공구튝쳑(恐懼蹙蹐)ᄒᆞ여 ᄌᆡ취를 허홀 의ᄉᆡ 업도다."

댱원의 표숙(表叔) 딘샹셔 등이 웃고 닐오ᄃᆡ,

"속담의 'ᄋᆞ들의 안히ᄂᆞᆫ 열히라도 ᄉᆞ양치 아닛ᄂᆞᆫ다' ᄒᆞ니, 형이 비록 텬ᄋᆞ로ᄡᅧ 윤시밧 타인을 허치 아닐 ᄯᅳᆺ이 이시나, 져의 위인이 형의 단묵(端默)홈과 다른디라. 타일 여러 쳐쳡을 모흘 거시니 엇디 양형의 간졀ᄒᆞᆫ 쳥을 믈니치ᄂᆞ뇨? 모로미 쾌허ᄒᆞ여 '쥬딘(朱陳)의 호연(好緣)'을 일우게 ᄒᆞ라."

금휘 미급답의 윤【3】태위 골오ᄃᆡ,

"형이 신의를 굿게 잡아 ᄋᆞ딜(我姪)을 ᄎᆞᄌᆞ 녕낭의 원위(元位)를 삼고져 ᄒᆞ니 쇼데 감은ᄒᆞ믈 니긔지 못ᄒᆞ리로소이다. 연(然)이나 양형이 쳔금농쥬(千金弄珠)로ᄡᅧ 챵빅의 ᄌᆡ실을 구ᄒᆞ니, 형이 비록 원치 아니나 챵빅의 풍신용화(風神容華)를 보ᄂᆞᆫ ᄌᆡ ᄯᆞᆯ 두ᄂᆞ니ᄂᆞᆫ 무심치 아닐지라. 양형의 녀ᄌᆡ 긔특ᄒᆞ믄 뭇지 아녀 알니니, '텬여블취(天與不取)면 반슈기앙(反受其殃)이라'781). 챵빅의 호풍(豪風)을 져ᄇᆞ리고 슉녀현부를 샤양ᄒᆞ미 가치 아니니, 거쳐(居處) 업ᄉᆞᆫ 딜녀를 기다리지 말고, 혹ᄌᆞ ᄉᆡᆼ존ᄒᆞᆫ 소식을 듯거든 미졷ᄎᆞ 취(娶)ᄒᆞ여도 형의 신의(信義)예 해롭지 아닐가 ᄒᆞ노라."

뎡공이 침ᄉᆞ냥구(沈思良久)782)의 쳐연(凄然) 탄왈,

"오ᄋᆡ 아직【4】 고인(古人)의 유취지년(有娶之年)이 아니라. 이졔 슈년을 더 기다리미 므어시 밧바 션후(先後)를 밧고며 구원(九原)의 망우(亡友)을 져바리리오."

금평후의 구든 ᄯᅳᆺ을 도로혀기 어려온지라. 좌위 다 탄복ᄒᆞ믈 마지 아니ᄒᆞ고 윤공이 역시 츄연감오(惆然感悟)ᄒᆞ믈 니긔지 못ᄒᆞ더라.

윤티위 이어 소왈,

"윤보 형이 눈니 잇시ᄂᆞ 티손을 몰나보고 다만 슈히(手下)라 ᄒᆞ여 나모랄 ᄲᅮᆫ만 아니, 챵빅이 엇지 원통치 아니랴. 질녀을 위ᄒᆞ여 챵빅의 호신(豪身)을 금할 길 업고, 여러 쳐쳡을 둘진ᄃᆡ 찰하리 상문(相門)의 어진 여ᄌᆞ을 모호미 힝인 고로 양형을 권ᄒᆞ미니, 형은 웃【22】지 말나."

진상셔 소왈,

"아등은 양형의 간졀ᄒᆞᆫ 쳥을 막지 못ᄒᆞ미러더니, 형이 아들 ᄉᆞ랑ᄒᆞ는 ᄯᅳ지 호신을 금ᄒᆞ거이와, 우리 당당이 타일을 보리라. 텬흥이 윤양으로 늘그면 긔특ᄒᆞ련이와, 다른 쳐쳡을 모흐면 금일 말이 븟그럽지 아니랴?"

일좌 ᄃᆡ쇼ᄒᆞ고 윤・양 니공이 장원을 도라보니, 침목위좌(沈默危坐)ᄒᆞ여 양공은 뎡공의 쾌ᄒᆞᆫ 언약(言約)을 듯지 못ᄒᆞ여시나 쾌셔(快壻)로 칭ᄒᆞ고, 윤티우ᄂᆞᆫ 질여(姪女)의 거쳐(居處)을 아지 못ᄒᆞ여, 탄식(歎息) 민민우우(悶悶憂憂)790)ᄒᆞ더라.

781)하늘이 주는 것을 받지 않으면 도리어 앙화(殃禍)를 입게 된다.

782)침ᄉᆞ냥구(沈思良久) : 오랫동안 깊이 생각함.

790)민민우우(悶悶憂憂) : 몹시 근심하고 번민함.

이러틋 죵일 달난(團欒)ᄒᆞ고 일모셔산(日暮西山)ᄒᆞ미 녈후ᄌᆡ상(列侯宰相)이며 공경명ᄉᆡ(公卿名士) 다 흣터지고

당원이 삼일유과(三日遊街)를 맛고, 샹(上)긔 쥬달ᄒᆞ고 말미를 쳥ᄒᆞ여 션산의 소분(掃墳)[783]ᄒᆞᆯ ᄉᆡ, 존당부모긔 하딕(下直)하고 창부ᄌᆡ인(娼婦才人)과 하리츄죵(下吏追從)을 거ᄂᆞ려 션능(先陵)을 향ᄒᆞᆯ ᄉᆡ, 존당부뫼 당원의 손을 잡고 쳔니힝도(千里行途)의 년유(年幼)ᄒᆞᆫ ᄋᆞᄒᆡ 엇지 누ᄃᆡ션묘(累代先墓)의 잘 단녀오리오. 념녀무궁(念慮無窮)ᄒᆞ여 년년ᄒᆞ믈 마지 아니【5】ᄒᆞ니, 당원이 이셩화긔(怡聲和氣)ᄒᆞ여 ᄀᆞᆯ오ᄃᆡ,

"쇼ᄌᆡ 비록 년쇼ᄒᆞ오나 혈긔방강(血氣方强)ᄒᆞ오니, 쳔니를 니르지 마옵고 만니라도 죡히 념녀 업ᄉᆞ오리니, 존당과 부모ᄂᆞᆫ 과려치 마르시고 귀톄녕슌(貴體寧順)ᄒᆞ시믈 바라ᄂᆞ이다."

인하여 졀ᄒᆞ여 하직ᄒᆞ고 부젼의 ᄇᆡ별ᄒᆞ니, 금휘 ᄌᆡ삼 슈히 단녀오믈 니르고 여러 곳 션묘(先墓)를 가ᄅᆞ치니, 당원이 ᄇᆡ이슈명(拜而受命)ᄒᆞ고 길히 오로니, ᄌᆡ인(才人)과 하리츄종(下吏追從)이 길흘 덥헛고, ᄉᆡᆼ소고악(笙簫鼓樂)[784]이 훤텬(喧天)ᄒᆞ여 십니의

783)소분(掃墳) : 오랫동안 외지에서 벼슬하던 사람이 친부모의 산소에 가서 성묘하던 일.
784)ᄉᆡᆼ소고악(笙簫鼓樂) : 생황(笙篁)과 통소, 북 등의 악기.

일모셔령(日暮西嶺)ᄒᆞ니 졔ᄀᆡᆨ이 각각 도라가고, 명일의 여·박·화 ᄉᆞ인이 이르러 장원을 보고 뎡공게 현알할 ᄉᆡ, 이윽이 안ᄌᆞ 좌위(左右) 고요ᄒᆞ믈 타 즁원을 향ᄒᆞ여 칭은감덕(稱恩感德)ᄒᆞᆫ ᄃᆡ, 장원이 정ᄉᆡᆨ 왈,

"형{의}등(兄等)이 각각 그 슈(數)[791]의 잇셔 《득이‖득지(得志)》ᄒᆞ니, 웃듬은 셩은(聖恩)이요, 버거는 운싊 길(吉)ᄒᆞ미여날, 엇지 쇼제의게 칭은(稱恩)ᄒᆞ리오. 쇼제 제형(諸兄)을 기리 고[교]도(交道)을 ᄆᆡᆺ고져 ᄒᆞ엿더니, 일언[이런] 말을 할진ᄃᆡ 방인(傍人)의 시비(是非)을 면치 못ᄒᆞ리니, 원컨ᄃᆡ 졔형은 ᄎᆞ후 이런 말을 말나."

ᄉᆞ인(四人)니 장원이 진졍으로 깃거 아니ᄒᆞ믈 보고, 다시 은덕을 일컷지 못ᄒᆞ고 평ᄉᆡᆼ의 ᄉᆡᆼᄉᆞ(生死)을 져바리지 아니려 ᄒᆞ더라.

즁원니 ᄉᆞᆷ일유과(三日遊街)을【23】맛고 션영의 소분(掃墳) 슈유(受由)ᄒᆞ여 션능(先陵)의 ᄇᆡ알할 ᄉᆡ, 문무의 웃듬으로 한림학ᄉᆞ와 포[표]긔장군(驃騎將軍)으로 겸ᄒᆞ니, 장(壯)ᄒᆞᆫ 위의(威儀)로 일노(一路)의 위의을 돕고, 쇼년영풍(少年英風)은 《반이‖반악(潘岳)[792]》을 능만(凌慢)ᄒᆞ니, 관광ᄌᆡ(觀光者) 칭찬ᄒᆞ여 신션니 ᄒᆞ강(下降)ᄒᆞ엿다 ᄒᆞ더라.

791)수(數) : 운수(運數).
792)반악(潘岳) : 247~300. 중국 서진(西晉)의 문인(文人). 자는 안인(安仁). 권세가인 가밀(賈謐)의 집에 드나들며 아첨하다가 주살(誅殺)되었다. 미남이었으므로 미남의 대명사로도 쓴다.

버러시니, 도로관광지(道路觀光者) 칙칙(嘖嘖) 칭션(稱善)ᄒᆞ여, 댱원의 월모풍신(月貌風神)과 당ᄒᆞᆫ 위의를 일ᄏᆞ라 텬상낭(天上郞)이라 ᄒᆞ더라. 쇼과쥬현(所過州縣)이 지ᄃᆡ영송(至大迎送)ᄒᆞ여, ᄀᆡ구(器具)의 부려(富麗)ᄒᆞ믈 도으니, 댱원이 일노(一路)의 영광이 됴요(照耀)ᄒᆞ여 무ᄉᆞ히 션능(先陵)의 【6】 득달ᄒᆞ니, 향니(鄕里) 녀로남복(女奴男僕)이 진동ᄒᆞ여 십니 밧긔 나와 맛고, 원근 향당(鄕黨)이 모혀 댱관(壯觀)을 구경ᄒᆞ며, 댱원의 옥모풍신(玉貌風神)과 슈려쇄락(秀麗灑落)ᄒᆞᆫ 긔상을 칙칙 칭찬ᄒᆞ여 혜[785] 달코 춤이 마를 ᄃᆞᆺᄒᆞ더라. 이에 ᄀᆡ구(器具)를 ᄀᆞᆺ초아 션셰능묘(先世陵墓)의 소분(掃墳)ᄒᆞ기를 맛고, 슈일(數日)을 고튁(古宅)의 머므러 평안이 쉬기를 다ᄒᆞᄆᆡ, 션묘의 하딕고 도라올ᄉᆡ, 힝ᄒᆞ여 십여일만의 경셩디경(京城地境) 갓가이 왓더니, 취운산 하(下)의 다ᄃᆞ라 급ᄒᆞᆫ 비 붓드시오니, ᄎᆞ역(此亦) 하날이 유의(有意)ᄒᆞ시미 아니리오.

일힝이 무듀공산(無主空山)의 대우(大雨)를 만나니 피ᄒᆞᆯ ᄃᆡ 업셔 뎡히 방황ᄒᆞ더니, 믄득 산샹(山上)의 젹은 암ᄌᆡ 님목 ᄉᆞ이예 빗최거늘, 댱원이 하리를 명ᄒᆞ여 졀의 드러가 피우(避雨)ᄒᆞ려【7】 ᄒᆞ니 암ᄌᆞ의 통ᄒᆞ라 ᄒᆞ니, 하리 급히 암ᄌᆞ의 드러가 ᄀᆡᆨ실을 츼우라 ᄒᆞ니, 모든 니괴(尼姑) 황황ᄒᆞ여 ᄀᆡᆨ당을 셔릇고[786] 댱원을 영졉ᄒᆞ거늘, ᄉᆡᆼ이 보니 남승이 아니오 녀승의 무리어늘, 구ᄐᆞ여 졉담치 아니ᄒᆞ고 잠간 피우ᄒᆞ여 날이 ᄀᆡ기를 기다리고, 일힝의 오반(午飯)ᄒᆞᆯ 냥ᄌᆡ(糧資)를 후히 주어 폐를 씻치지 말나 ᄒᆞ고, 문을 지혓더니[787] 홀연 인가(人家) 셔동(書童)의 복ᄉᆡᆨᄒᆞᆫ 노ᄌᆡ(奴子) 안흐로 가거늘, 댱원이 믄득 블너 알패 니르ᄆᆡ, 므러 왈,

"이곳이 녀승의 암ᄌᆞ나 유혹(儒學)ᄒᆞᄂᆞᆫ 셔ᄉᆡᆼ의 머므ᄂᆞ냐? 너를 보니 인가 셔동이

785)혜 : 혀.
786)셔릇다 : 거두어 치우다. 정돈하다.
787)지혓더니 : <지이다 ‖ 지우다>. 무엇인가에 의지해 있는 상태.

분쇼(墳掃)ᄒᆞ기을 맛고 환경(還京)할 ᄉᆡ, 남문(南門)을 ᄎᆡ 임치 못ᄒᆞ여셔, 홀연 급ᄒᆞᆫ 비 붓드시 오니, 장원의 일힝이 비을 피ᄒᆞ려 ᄒᆞ쳐(下處)을 잡으라 ᄒᆞ니, ᄉᆞᄒᆞ(山下)의 한 암ᄌᆡ 잇셔 졍쇄(精灑)ᄒᆞ믈 고ᄒᆞ니, 장원이 즉시 츄죵(追從)을 거나려 암ᄌᆞ의 드러가니, 녀승(女僧)만 잇ᄂᆞᆫ지라. 불의(不意)○[에] 장원의 위의(威儀) ᄉᆞᆫ문(山門)의 임ᄒᆞ믈 가증 놀나, 제되(諸徒) 분분(紛紛)이 청ᄉᆞ(廳舍)을 쇄소(灑掃)ᄒᆞ고, 조ᄒᆞᆫ ᄌᆞ리을 펴고 오반(午飯)을 ᄃᆡ령(待令)ᄒᆞᆫᄃᆡ, 증원니 본ᄃᆡ 승니을 빅쳑(排斥)ᄒᆞ난 고로 굿타여 졉담(接談)치 아냐, 하리(下吏)을 분부ᄒᆞ여 낭ᄌᆞ(糧資)을 쥬라 ᄒᆞ고, 몸을 문외(門外)의 저혀더니[793], 홀연 인가(人家) 셔동(書童)의 복ᄉᆡᆨ한 ᄌᆡ 드러가거날, 장원이 압ᄒᆡ 불너 문 왈,

"이곳지 여승의 암ᄌᆞ여날 유학(儒學)ᄒᆞᄂᆞᆫ 션비 머무ᄂᆞᆫ냐? 네 거동이 인가 셔동이니 주인니 이곳의 계시냐?"

793)저혀더니 : 지혀더니.<지이다 ‖ 지우다>. 무엇인가에 의지해 있는 상태.

라. 네 듀인이 이에 계시냐?"

그 셔동이 몽농(朦朧)이 딕왈,

"녀승 잇는 암즈의 엇디 유학ᄒᆞ는 션비 머믈니잇고마는 우리 듀인이 맛춤 머믈 일이 잇셔 잠【8】간 뉴우(留寓)ᄒᆞ엿ᄂᆞ이다."

댱원이 비를 피ᄒᆞ여 잠간 암즈의 머므나 고적(孤寂)ᄒᆞ여 더브러 말ᄒᆞ리 업ᄉᆞ니, 번화ᄒᆞᆫ 셩졍(性情)의 심히 답답ᄒᆞᆯ ᄲᅳᆫ 아니라, 그 셔동의 말을 드르미 암즈의 머므는 션비를 ᄒᆞᆫ번 보고져 의식 ᄌᆞ연 요동(搖動)ᄒᆞ여, 스ᄉᆞ로 몸을 니러 그 셔동다려 왈,

"내 잠간 네 듀인을 보고져 ᄒᆞᄂᆞ니 모로미 네 날을 인도ᄒᆞ여 압셔라."

ᄎᆞ시 현잉이 몸 우히 남복이 이시므로ᄲᅧ 셔동인 쳬ᄒᆞ나, 외인이 쇼져를 보려ᄒᆞᆷ믈 가장 놀나 다시 눈을 드러 댱원를 보미, 영풍쥰골(英風俊骨)이 늠늠쇄락(凜凜灑落)ᄒᆞ여 태산졔월지풍(泰山霽月之風)788)과 쳥텬빅일지상(靑天白日之相)789)이 완연이 쇼져로 뎡혼ᄒᆞ엿던 신낭이라. 뎡당원은 현잉을 유의ᄒᆞ여 본 일이 업ᄉᆞ므로 아지 못ᄒᆞ【9】나 현잉은 댱원이 옥누항의 왕닉ᄒᆞ여 태우긔 빈견(拜見)ᄒᆞᆯ 젹 닉이 보앗ᄂᆞᆫ디라. 크게 경아(驚訝)ᄒᆞ여 듀인이 유질(有疾)ᄒᆞ므로 칭탁(稱託)고져 ᄒᆞ다가, 댱원이 발셔 당의 나려 신을 신고 셔동을 ᄌᆡ촉ᄒᆞ여 압셔라 ᄒᆞ니, 현잉이 밋쳐 말을 못ᄒᆞ고 압셔 쇼져 침소의 다ᄃᆞ르니, 이날 윤쇼졔 맛춤 슈치(繡致)를 믈니치고 셩현셔(聖賢書)를 잠심ᄒᆞ여 눈을 옴기지 아니터니, 문을 여는 바의 현잉이 드러오고 일위(一位) 남ᄌᆡ 쳥삼옥딕(靑衫玉帶)로 오ᄉᆞ(烏紗)790)를 숙여 드러오니 거동이 참방신닉(參榜新來)791) ᄀᆞᆺᄐᆞᆫ딕, 어화(御花)는 하리를 맛져시므로 ᄡᅳ지 아녀시니 풍

셔동이 몽농(朦朧)이 딕왈,

"여암(女庵)의 엇지 유학ᄒᆞ난 션비 잇ᄉᆞ리잇고 마는, 아쥐(我主) 마춤 연괴(緣故) 잇셔 이곳의 유우(留寓)ᄒᆞ시ᄂᆞᆫ니다."

장원니 요젹(寥寂)히 안져 졉담(接談)할 곳지 업고, 번화ᄒᆞᆫ 《경셩에셔도‖성정(性情)에》 답답이 녁이다가, 암ᄌᆡ(庵子)의 션빅 잇스믈 듯고 한번 보고져 ᄒᆞ여 셔동{을} 다【24】려 왈,

"ᄂᆡ 너희 ᄉᆞᆼ공(相公)의 셔로 보고져 ᄒᆞ나니 네 모로미 압셔라."

현잉이 몸 우희 남복을 미더 셔동인쳬 ᄒᆞ나, 외인니 쇼져 보게 되믈 딕겁(大怯)ᄒᆞ여 머뭇기며 치어다 보니, 영풍옥골(英風玉骨)이 쇄락(灑落)ᄒᆞ여, ᄐᆡᄉᆞᆫ졔[졔]월지ᄉᆞᆼ(泰山霽月之相)794)과 쳥천빅일지풍(靑天白日之風)795)이 완연이 쇼져로 졍혼ᄒᆞᆫ 신낭이라. 잉이 딕경ᄒᆞ여 칭탁(稱託)고져 ᄒᆞ더니, 장원니 발셔 당의 ᄂᆡ려 신을 신을 ᄉᆡ, 현잉이 할 일 업셔 압셔 쇼져 쳐쇼의 이르니, ᄎᆞ시 윤쇼져 슈치(繡致)을 물니치고 경셔을 잠심ᄒᆞ여 보더니, 문득 지게 열니이며 일위 남ᄌᆡ 쳥숨(靑衫) 오ᄉᆞ(烏紗)796)로 아홀(牙笏)을 즙고 드러오니, 쇼져 천만(千萬) 긔약지 안인 외인니 드러오믈 경황(驚惶)ᄒᆞ여 ᄒᆞ딕, 《임예‖이미》 할 일 업ᄉᆞᆫ지라. 하회을 분히ᄒᆞ라.

788)태산졔월지풍(泰山霽月之風) : 비가 갠 날 태산 위에 떠 있는 밝은 달과 같은 풍채(風彩).

789)쳥텬빅일지상(靑天白日之相) : 맑은 하늘에 떠 있는 해와 같은 상모(相貌)

790)오ᄉᆞ(烏紗) : 오사모(烏紗帽). 고려 말기에서 조선 시대에 걸쳐 벼슬아치들이 관복을 입을 때에 쓰던 모자. 검은 사(紗)로 만들었는데 지금은 흔히 전통 혼례식에서 신랑이 쓴다.

791)참방신닉(參榜新來) : 과거에 갓 급제한 사람.

794)ᄐᆡᄉᆞᆫ졔월지ᄉᆞᆼ(泰山霽月之相) : 비가 갠 날 태산 위에 떠 있는 밝은 달과 같은 상모(相貌).

795)쳥천빅일지풍(靑天白日之風) : 맑은 하늘에 떠 있는 해와 같은 풍채(風彩).

796)오ᄉᆞ(烏紗) : : 오사모(烏紗帽). 고려 말기에서 조선 시대에 걸쳐 벼슬아치들이 관복을 입을 때에 쓰던 모자. 검은 사(紗)로 만들었는데 지금은 흔히 전통 혼례식에서 신랑이 쓴다.

광이 동탕(動蕩)ᄒᆞ여 좌우의 ᄡᅩ이ᄂᆞᆫ디라. 소제 쳔만 ᄀᆡ약지 아닌 외인이 ᄌᆞᄀᆡ 팀쳐(寢處)의 드러오믈 당ᄒᆞ니, 놀납고【10】 황황(惶惶)ᄒᆞ미 모양ᄒᆞ여 비길ᄃᆡ 업ᄉᆞᄃᆡ, 몸의 남복(男服)이 이시믈 밋고, 마디못ᄒᆞ여 니러 마ᄌᆞ 녜필좌뎡(禮畢坐定)의 댱원이 눈을 드러 윤쇼져를 보ᄆᆡ, 그 팔ᄎᆡ명광(八彩明光)792)이 면모(面貌)의 어른겨 창졸(倉卒)의 이목구비(耳目口鼻)를 ᄌᆞ시 아라보디 못ᄒᆞᆯ디라. 비봉(飛鳳)ᄀᆞᄐᆞᆫ 냥익(兩翼)의 쳥삼을 가ᄒᆞ고 뉴지(柳枝)ᄀᆞᄐᆞᆫ 허리의 셰초ᄃᆡ(細草帶)793)를 두로고 단연 뎡좌(正坐)ᄒᆞ니, 그 머리의 오히려 관(冠)을 ᄡᅳ디 아냐 편발동몽(編髮童蒙)794)을 면치 못ᄒᆞ여시ᄃᆡ, 슉묵(肅默)ᄒᆞᆫ 위의(威儀) 츄텬(秋天)의 고원(高遠)ᄒᆞ믈 닷톨디라.

댱원이 냥구(良久)히 슬피ᄆᆡ 그 미우(眉宇)의 셩ᄌᆞᄀᆡᄆᆡᆨ(聖姿氣脈)이 낫타나고, 효셩안광(曉星眼光)의 슉덕(淑德)이 어ᄅᆡ여시니, 옥면년험[협](玉面蓮頰)과 단슌호치(丹脣皓齒)며 월익무빈(月額霧鬢)795)이 만고의 ᄃᆡ두(對頭)ᄒᆞ【11】리 업ᄉᆞᆫ디라. 댱원이 슉시냥구(熟視良久)의 대경흠복(大驚欽服)ᄒᆞ여 혜오ᄃᆡ,

"미목(眉目)의 덕긔(德氣) 져ᄀᆞᆺ치 빗최고 텬졍(天庭)의 문명(文明)이 ᄌᆞ연(自然)ᄒᆞ니, 도덕ᄒᆞᆨᄒᆡᆼ(道德學行)이 셰ᄃᆡ무ᄡᅣᆼ(世代無雙)ᄒᆞ려니와, 남ᄌᆡ되여 어이 져ᄃᆡ도록 고은 ᄌᆡ이시리오. 우리도 풍신을 져마다 일ᄏᆞᆺᄂᆞᆫ 비로ᄃᆡ 실노 이 쇼년과 비ᄒᆞᆫ 즉, 만히 나리리니, 혈육지신(血肉之身)이 ᄒᆞᆫ가지로ᄃᆡ ᄎᆞ인은 ᄀᆡ이ᄒᆞ미 쳔고일인(千古一人)이라. 외뫼 이ᄀᆞᆺ고 ᄂᆡᄌᆡ(內才) 나리지 아니리니, 언어를 문답ᄒᆞ여 보리라."

---

792)팔ᄎᆡ명광(八彩明光) : 눈에서 나는 맑은 광채. '팔채(八彩)'는 팔(八)자 모양의 눈썹 광채를 뜻하는 말로, 여기서는 눈빛을 대신 나타낸 것이다.

793)셰초ᄃᆡ(細草帶) : 가느다란 실로 꼬아서 만든 띠.

794)편발동몽(編髮童蒙) : 머리를 길게 땋아 늘인 차림의 아직 관례(冠禮)를 올리지 않은 남자아이.

795)월익무빈(月額霧鬢) : 달처럼 둥근 이마와 안개가 서린 듯한 하얀 귀밑털.

ᄒᆞ고, 이에 말ᄉᆞᆷ을 펴 왈,

“쇼뎨ᄂᆞᆫ 경사 사ᄅᆞᆷ으로 맛촘 향니(鄕里)의 단닐 일이 이셔 갓다가 도라오ᄂᆞᆫ 길히, 비를 만나 피ᄒᆞᆯ 길히 업셔 이곳의 잠간 쉬고져 ᄒᆞ더니, 슈ᄌᆡ(秀才)[796] ᄎᆞ쳐의 머므르【12】시믈 듯고 심히 뇨젹(寥寂)ᄒᆞ여 감히 교도를 밋고져 ᄒᆞ여 니르럿ᄂᆞ니, 아디못게라 존셩과 대명을 드르리잇가.”

윤쇼졔 쳐음 눈드러 보믈 뉘웃쳐 다시 셩안(星眼)을 드디 아니코, 오직 ᄉᆞ샤 왈,

“쇼ᄉᆡᆼ은 일즉 년유쇼ᄋᆞ(年幼小兒)로 어려셔 부모를 실니(失離)ᄒᆞ여 셩명을 브득(不得)ᄒᆞᆫ 죄인으로, ᄌᆞ최 산문의 머므니 혹ᄌᆞ 사ᄅᆞᆷ이 셩명을 뭇ᄂᆞ니 이시나 니를 말이 업ᄂᆞᆫ디라. ᄉᆞᄉᆞ로 셰샹의 머므ᄂᆞᆫ 줄을 븟그리ᄂᆞ니 감히 녜ᄉᆞ 사ᄅᆞᆷ과 ᄀᆞᆺ치 교유ᄒᆞ믈 바라지 못ᄒᆞ고, ᄒᆞ믈며 귀인으로 더브러 ᄉᆞ괴기를 원ᄒᆞ리잇가?”

옥셩이 낭낭ᄒᆞ여 금반(金盤)의 진쥬를 구을니고 봉음(鳳吟)이 화열(和悅)ᄒᆞ여 텬디의 화긔를 일웟더라. 말노좃ᄎᆞ 유연(油然)이 븟【13】그리ᄂᆞᆫ 틔되 이셔, 어엿븐 거동이 츈풍하일(春風夏日)의 일만 ᄭᅩᆺ봉오리 향긔를 토(吐)ᄒᆞ며, 상연(爽然)이 놉고 ᄆᆞᆰ으믄 만니댱공(萬里長空)의 ᄒᆞᆫ 조각 졈운(點雲)이 업ᄉᆞᆫ 곳의, 츄월(秋月)이 옥누(玉樓)의 ᄇᆞᆰ앗ᄂᆞᆫ 듯, 텬튁(川澤)이 어름을 씨셔 슈졍(水晶)을 ᄃᆡ홈 ᄀᆞᆺᄐᆞ니, 뎡댱원이 눈을 옴기지 아니ᄒᆞ고 황홀(恍惚) 흠ᄋᆡ(欽愛)ᄒᆞ믈 니긔지 못ᄒᆞ여, 아모리 ᄉᆡᆼ각ᄒᆞ여도 남ᄌᆞ로ᄂᆞᆫ 져런 태되 업ᄉᆞᆯ지라.

796)슈ᄌᆡ(秀才) : ①예전에, 미혼 남자를 높여 이르던 말. ②뛰어난 재주. 또는 머리가 좋고 재주가 뛰어난 사람.

ᄎᆞ시 뎡장원니 윤쇼져을 ᄌᆞ시 보ᄆᆡ 만심이 흔열(欣悅)ᄒᆞ여, 이의 말ᄉᆞᆷ을 펴 갈오ᄃᆡ,

“쇼ᄉᆡᆼ은 경셩(京城) ᄉᆞ람으로 마ᄎᆞᆷ 션녕(先塋)의 쇼분(掃墳)ᄒᆞ고 도라오난 길의, 비을 맛ᄂᆞ 즘간 피우(避雨)코져 ᄒᆞ여 우연니 이곳의 이르러더니, 슈ᄌᆡ(秀才)[797] 이곳의 머물르시믈 듯고, 심긔(心氣) 울젹(鬱寂)ᄒᆞ믈 인ᄒᆞ여 감히 상견ᄒᆞ고 놉흔 고[교]회(敎誨)을 듯고져 ᄒᆞ여 이의 이르러ᄂᆞᆫ니, 아지못게라 죤셩ᄃᆡ명(尊姓大名)을 어더 드르리잇가?”

쇼져 듯기을 다ᄒᆞᄆᆡ 빙안(氷眼)을 드지 안니ᄒᆞ고 오직 ᄉᆞᄉᆞ 왈,

“쇼ᄉᆡᆼ은 연유쇼ᄋᆡ(年幼小兒)라. 어려셔 부모을 실니(失離)【25】ᄒᆞ고 셩명을 모로ᄂᆞᆫ 죄인이라. 이졔 나지[798] 무르시믈 당ᄒᆞ여 감히 ᄃᆡ할 말ᄉᆞᆷ이 업ᄉᆞᆸ고, ᄉᆞᄉᆞ로 셰ᄉᆞᆼ의 잇스믈 붓그리ᄂᆞ니 놉히 교우(交友)ᄒᆞ옴을 바라지 못ᄒᆞᄂᆞ이다.”

말ᄉᆞᆷ을 맛ᄎᆞᄆᆡ 옥셩이 《쳐열∥쳐연(凄然)》ᄒᆞ나 봉음(鳳吟)이 화평(和平)ᄒᆞ여 쳔지의 화기 동할 듯 ᄒᆞᄆᆡ, 말노조ᄎᆞ 은연니 슈괴ᄒᆞᆫ 빗출 ᄯᅴ엇시니, 그 어엿부고 아리다온 거동이 가히 금불(金佛)을 요동할 듯ᄒᆞ며, 휘요(輝曜)한 광념(光艶)과 ᄲᅢ혀ᄂᆞᆫ ᄌᆞ틔 상연(爽然)의[이] 놉고, 비컨ᄃᆡ 만니{즁이} 장공(萬里長空)의 졈운(點雲)이 업고, 쇼월(素月)이 옥누(玉樓)의 발갓ᄂᆞᆫ 듯, 조히 ᄀᆞᆷ고 텬튁(川澤)의 어릉[름]을 씨셔시며, 슈졍(水晶)을 닷근 듯, 요라션연(姚娜嬋姸)[799]ᄒᆞᆫ 농광(容光)은 월젼(月殿) 항ᄋᆡ(姮娥)[800] 반도(蟠桃)[801]을 밧드러 요지연(瑤池宴)[802]의

797)슈ᄌᆡ(秀才) : ①예전에, 미혼 남자를 높여 이르던 말. ②뛰어난 재주. 또는 머리가 좋고 재주가 뛰어난 사람.

798)나지 : 낮게.

799)요라션연(姚娜嬋娟) : 얼굴이 무척 곱고 아름답다.

800)항ᄋᆡ(姮娥) : =상아(嫦娥). 달 속에 있다는 전설 속의 선녀.

801)반도(蟠桃) : 삼천 년마다 한 번씩 열매가 열린다는 요지선계(瑤池仙界)에 있는 복숭아

팀ᄉᆞ냥구(沈思良久)의 또 유의ᄒᆞ여 본 즉, 피ᄎᆡ 다 어려셔 본 ᄇᆡ나 뎡ᄉᆡᆼ의 신긔로온 안춍(眼聰)이 음양의 변톄(變體)ᄒᆞ믈 ᄭᆡ다를 ᄲᅮᆫ 아니라, ᄎᆞ인의 용화젼형(容華全形)797)이 윤쇼져 어려실 적 태도와 만히 ᄀᆞᆺᄐᆞ여, 비록 남복과 대쇼(大小)다르나 이상이 방블ᄒᆞ니, 일단 의심이 뉴동(流動)ᄒᆞ여, 믄득 근이좌(近而坐)ᄒᆞ【14】여 ᄀᆞᆯ오ᄃᆡ,

"슈ᄌᆡ의 졍ᄉᆞ를 드르니 츄연ᄒᆞ믈 니긔지 못ᄒᆞ나니, 아지 못게라, 엇지 텬하를 두로 도라 부모를 ᄎᆞᆺ지 못ᄒᆞ시ᄂᆞ뇨? 원간 방년(芳年)이 몃 츈츄(春秋)를 지ᄂᆡ여 계시뇨?"

쇼제 ᄯᅩᄒᆞᆫ 나흘 아지 못ᄒᆞ므로 답ᄒᆞ고, 그 갓가이 안기를 님(臨)ᄒᆞ여 경황ᄒᆞ믈 츰디 못ᄒᆞ여 믈너 안ᄌᆞ니, 뎡ᄉᆡᆼ이 눈으로 쇼져를 보며 손으로 셔안(書案)의 ᄎᆡᆨ을 뒤젹이더니, 두어댱 시ᄉᆡ ᄲᅥ러지거ᄂᆞᆯ 펴보니 필획이 찬○[ᄂᆞᆫ](燦爛)ᄒᆞ여 묵광(墨光)이 됴요(照耀)ᄒᆞ니, 일월이 빗쵠 ᄃᆞᆺ, 쥬옥을 ᄒᆞᆺ튼 ᄃᆞᆺ, 쳘ᄉᆞ(綴詞)를 드리온 ᄃᆞᆺ, 시ᄉᆞ(詩詞)의 쳥신고결(淸新高潔)ᄒᆞ미 그 위인으로 다르지 아니ᄒᆞ나, 웅호댱활(雄豪壯活)798)ᄒᆞ미 브족(不足)ᄒᆞ여, 젼혀 놉고 ᄆᆞᆰ기와 인셩숙덕(仁聖淑德)으로 쥬ᄒᆞ여시니, 남ᄌᆞ로【15】니를진ᄃᆡ 《안연ᄌᆞ‖아녀자》 긔예(技藝)○[의] 일뉴(一類)라. 댱원이 칭찬ᄒᆞ믈 마지 아녀 쇼져를 향ᄒᆞ여 ᄀᆞᆯ오ᄃᆡ,

797)용화젼형(容華全形) : 얼굴과 전신의 모습.
798)웅호댱활(雄豪壯活) : 씩씩하고 호걸스러우며 장하고 활달함.

조회(朝會)ᄒᆞ는 ᄃᆞᆺᄒᆞᆫ지라. 장원이 눈을 옴기지 아니ᄒᆞ고 바라보아 황홀흠ᄋᆡ(恍惚欽愛)ᄒᆞ여 심니(心裏)의 ᄉᆡᆼ각ᄒᆞ되,

"이 엇지 남ᄋᆡ야 져러 틋ᄒᆞᆫ 용광이 잇시리오. 이 아니 엇던 집 규슈 무ᄉᆞᆷ ᄋᆡᆨ을 만나 변복유리(變服遊離)ᄒᆞ여 이곳의 유우(留寓)하민가?'"

침ᄉᆞ 양구(沈思良久)의 다시 유의ᄒᆞ여 ᄌᆞ시 ᄉᆞᆯ피건ᄃᆡ, 이 비록 어려셔 본 ᄇᆡ나 ᄉᆡᆼ이 이루지명(離婁之明)803)과 ᄉᆞ광지춍(師曠之聰)804)을 품슈(稟受)ᄒᆞ여시니, 신긔로온 안춍(眼聰)이 음양의 변쳬ᄒᆞ믈 ᄭᆡ다를 분 아니라, 그 용모젼형(容貌全形)이 윤쇼져의 뉴시ᄐᆡ도(幼時態度)와 방불ᄒᆞ믈 보ᄆᆡ 의심이 유동(流動)ᄒᆞ여 문득 이예 좌을 갓가이 ᄒᆞ여 왈,

"슈ᄌᆞ의 졍ᄉᆞ을 드르니【26】 ᄉᆡᆼ의 마음이 츄연ᄒᆞ믈 이긔지 못ᄒᆞᄂᆞᆫ이다. 아지 못게라. 슈ᄌᆞ 쳔ᄒᆞ을 두로 도라 부모을 ᄎᆞᆺ지 못ᄒᆞᄂᆞᆫ냐? 감히 뭇ᄂᆞᆫ니, 지금 연광(年光)이 몃 《쳔츄‖춘추(春秋)》을 지ᄂᆡ미뇨? ᄒᆞᆫ 번 이르기을 앗기지 마르쇼셔."

쇼져 져의 좌ᄎᆡ(座次) 압근(狎近)ᄒᆞ믈 경황ᄒᆞ여 좌을 물너 안져며, 날호여 ᄂᆞ흘 ᄯᅩ한 아지 못ᄒᆞ므로 ᄃᆡᄒᆞᆫ ᄃᆡ, 장원이 눈으로 그 거동을 보며 숀으로 셔안 우희 ᄎᆡᆨ을 뒤젹이든니, 문득 두 ᄌᆞᆼ 셔ᄉᆡᆨ(書辭) ᄲᅥ러지거날 거두어 보건ᄃᆡ, 필획(筆劃)이 긔이ᄒᆞ여 쳘ᄉᆞ(綴詞)을 드리온 ᄃᆞᆺ, 묵광(墨光)이 촐ᄂᆞᆫᄒᆞ여 ᄭᅩ치805) 자옥ᄒᆞ며 쥬옥(珠玉)을 흐튼 ᄃᆞᆺᄒᆞ야 시ᄉᆞ(詩詞)의 쳥신(淸新)ᄒᆞ미 위인(爲人)으로 다르지 아니나, 웅호광활(雄豪廣闊)ᄒᆞ미 업셔 놈ᄌᆞ로 일은 즉 안녀ᄌᆞ의 일뉘(一類)라. ᄌᆞᆼ원이 이시이806) 글을 가져

802)요지연(瑤池宴) : 중국 전설상의 선계(仙界)인 요지(瑤池)라는 못에서 열린다는 신선들의 연회.
803)이루지명(離婁之明) : 눈이 매우 밝음을 비유적으로 이르는 말. 중국 황제(黃帝) 때 사람인 이루가 눈이 밝았다는 데서 나온 말이다.
804)ᄉᆞ광지춍(師曠之聰) : 사광의 총명이란 뜻으로, 중국 춘추(春秋) 때 사광이란 사람이 소리를 잘 분변하여 길흉을 점쳤다는 고사에서 유래한 말.
805)ᄭᅩ치 : 꽃이.

"이 반ᄃᆞ시 슈ᄌᆡ(秀才)의 쇼쟉(所作)이라. 탄복ᄒᆞ믈 니긔지 못ᄒᆞᄂᆞ니, 이제 우리 일슈시(一首詩)를 화ᄒᆞ여 쳐음으로 보는 빈나 평싱 아던 바ᄀᆞᆺ치 정을 표ᄒᆞ리라."

쇼졔 더옥 블열(不悅)ᄒᆞ여 다만 손을 ᄭᅩᆺ고 샤례 왈,

"명공(明公)이 미셰(微細)ᄒᆞᆫ 글귀를 이러틋 과찬(過讚)ᄒᆞ샤 쇼싱의 ᄆᆞᄋᆞᆷ을 엇지 참괴(慙愧)케 ᄒᆞ시ᄂᆞ뇨? 쇼싱이 셩졍(性情)이 암둔(闇鈍)ᄒᆞ고, 지죄 노하(駑下)[799]ᄒᆞ여 창졸의 작셔ᄒᆞᆯ 길히 업ᄉᆞ니 됴흔 ᄯᅳᆺ을 밧드지 못ᄒᆞᄂᆞ이다."

뎡싱이 지삼 쳥ᄒᆞ되 구지 샤양ᄒᆞ며, ᄶᅣᆼ안(雙眼)을 낫초아, 비록 입으로 슈쟉ᄒᆞ나 방듕의 사ᄅᆞᆷ이 이시며 업ᄉᆞᆷ을 보지 아니니, 뎡싱이 의심이 졈졈 니러나 가연이 몸을 【16】 움즉여 그 알패 나아가, 큰 힘으로 ᄭᅥᆫ즌 팔흘 ᄲᅢᆨ히며 지필(紙筆)을 가져 글을 지으라 ᄒᆞ니, 쇼졔 대경ᄒᆞ여 급히 팔흘 ᄲᅥᆯ치고져 ᄒᆞᆯ 적, 뎡원이 그 옥슈를 잡고 ᄉᆞᄆᆡ를 밀치ᄆᆡ, ᄇᆡᆨ옥의 단ᄉᆞ(丹砂) 빗치 찬연ᄒᆞᆫ듸, 쥬필(朱筆)노 '뎡문툥부(鄭門冢婦)' ᄉᆞᄌᆞ(四字) 완연이 부공의 필젹이라. 의심업ᄉᆞᆫ 윤쇼졔믈 쾌히 알ᄆᆡ 심니의 깃브고 다힝ᄒᆞ믈 형상(形象)치 못ᄒᆞ니, 셩녜젼(成禮前) 친근ᄒᆞ미 녜(禮) 밧기라. 유히ᄒᆞ믈 ᄭᆡᄃᆞ라, 밧비 잡앗던 손을 노코 니러 왈,

"쇼져의 뎡혼ᄒᆞᆫ 바 뎡챵ᄇᆡᆨ이러니 션능(先陵)의 쇼분ᄉᆞ(掃墳事)로 나려갓다가, 우연이 암ᄌᆞ의 비를 피ᄒᆞ여 드러왓더니, 쇼졔 진실노 남ᄌᆡᆫ가 넉여 ᄉᆞ괴고져 ᄒᆞ미러니, 비샹(臂上) 글ᄌᆞ를 보니, 쳐음의 남녀를 아지 못ᄒᆞ여 셩녜젼 샹면(相面) 슈작(酬酌)이 블가ᄒᆞ나, 실노 만만무졍【17】지ᄉᆡ(萬萬無情之事)[800]라 쇼졔 놀나시나 타인과 다르리니 쇼져는 안심ᄒᆞ쇼셔. 싱이 도라가 녕슉대인 보다가 불승칭촌(不勝稱讚) 왈,

"이 반다시 슈ᄌᆞ의 쇼ᄌᆞᆨ(所作)이라, 쇼제 흠복(欽服)ᄒᆞ믈 이긔지 못ᄒᆞ나니, 원컨ᄃᆡ 이제 일슈시(一首詩)을 화(和)ᄒᆞ여 피ᄎᆞ 경복(敬服)ᄒᆞᄂᆞᆫ 정을 표ᄒᆞᄉᆞ이다."

쇼져 이 말을 드르ᄆᆡ 더옥 불열(不悅)ᄒᆞ여 이의 공슈 ᄉᆞ왈,

"명공이 미셰(微細)ᄒᆞᆫ 글귀을 과ᄎᆞᆫ(過讚)ᄒᆞᄉᆞ 소싱을 참괴(慙愧)케 ᄒᆞ시ᄂᆞᆫ이닛고? 쇼싱이 본ᄃᆡ 셩졍(性情)이 옹졸(壅卒)ᄒᆞ여 ᄎᆞᆼ졸(倉卒)의 ᄌᆞᆨ서(作書)ᄒᆞ올 길이 업ᄉᆞ오니 명공의 후의을 봉힝치 못ᄒᆞ오니, 불민ᄒᆞᆫ 죄을 ᄉᆞᄒᆞ쇼셔."

즁원이 짐즛 지숨 쳥ᄒᆞᆫᄃᆡ, 쇼져 구지 ᄉᆞ양ᄒᆞ여 힝혀도 눈을 들【27】미 업셔 난연(赧然)ᄒᆞᄂᆞᆫ ᄉᆞᄉᆡᆨ(辭色)을 능히 감초지 못ᄒᆞᄂᆞᆫ지라. 즁원이 이의 가연니[807] 좌ᄎᆞ을 ○○○[움즉여] 날호여 지필을 가지고 힘을 다ᄒᆞ여 옥슈(玉手)을 잡고 글짓기을 지촉ᄒᆞ니, 쇼져 ᄃᆡ경실ᄉᆡᆨ(大驚失色)ᄒᆞ여 이의 급피 ᄉᆞᄆᆡ을 ᄯᅥᆯ치고져 ᄒᆞᆫᄃᆡ, 즁원이 ᄉᆞᄆᆡ을 구지 잡고 짐즛 ᄉᆞᄆᆡ을 밀고 보니, ᄇᆡᆨ옥(白玉)의 단ᄉᆡ(丹砂) 비치며 쥬필(朱筆)이 '뎡문총뷔(程文冢婦)' 네ᄌᆡ 완연ᄒᆞ여 의심업ᄂᆞᆫ 부친 필젹이오, 윤쇼졔믈 쾌이 알ᄆᆡ, 심니(心裏)의 깁부고 다힝ᄒᆞ믈 형ᄉᆞᆼ(形象)할 ᄃᆡ 업ᄂᆞᆫ지라. 밧비 《즙아든‖잡앗던》 옥슈(玉手)을 놋코, 니러 왈,

"싱은 쇼져와 졍혼ᄒᆞᆫ 바 뎡ᄎᆞᆼᄇᆡᆨ일러니, 션능(先陵)의 쇼분ᄎᆞ(掃墳次)로 나갓다가 우연니 암ᄌᆞ의 이르러 비을 그느려[808] 왓더니 쇼져을 남ᄌᆞ로 아라 《결친‖결친(結親)》코져 ᄒᆞ미러니, 쇼져의 비ᄉᆞᆼ필젹(臂上筆跡)은 곳 부친 필젹이라. 싱의 지감(知鑑)이 불명ᄒᆞ여 남녀 셩녜젼(成禮前) 상면슈ᄌᆞᆨ(相面酬酌)ᄒᆞ미 올치 아니ᄂᆞ 실노 무졍지ᄉᆡ(無情之事)[809]오, 쇼져 놀나시ᄂᆞ 타인과 다르지

799)노하(駑下) : 둔한 말 아래라는 뜻으로, 남에게 자기를 낮추어 이르는 말.

800)만만무정지사(萬萬無情之事) : 전혀 고의(故意)로 한 일이 아님. 혐의(嫌疑)를 둘 만한 일이 없음.

806)이시이 : 이시히. 한참 동안. 오래도록.

807)가연이 : 개연(介然)히, 주저 없이. 머뭇거리거나 망설임 없이.

808)그느려 : 긋다. 비를 잠시 피하여 그치기를 기다리다.

(슈叔大人)긔 고ᄒᆞ여 본부로 도라가시게 ᄒᆞ리이다."

언파의 팔흘 드러 녜ᄒᆞ고 섈니 나가ᄂᆞᆫ지라

이ᄯᆡ 윤쇼졔 참괴(慙愧)ᄒᆞ미 욕ᄉᆞ무지(欲死無地)ᄒᆞ여 만면의 홍광(紅光)이 취지(聚之)ᄒᆞ니, 셩안(星眼)의 슈패(水波) 요동(搖動)ᄒᆞ믈 면치 못ᄒᆞ여, ᄌᆞ긔 빙옥방신(氷玉芳身)과 고고녜졀(孤高禮節)노 집의 무ᄉᆞ히 이시믈 엇지 못ᄒᆞ여, 산문(山門)의 뉴락(流落)ᄒᆞ여 뎡ᄉᆡᆼ을 만나니, 놀납고 ᄎᆞ악ᄒᆞ며 븟그럽고 한심ᄒᆞ믈 니긔지 못ᄒᆞ고, 뎡ᄉᆡᆼ이 ᄌᆞ긔 근본을 모로고 간 것과 달나 미리 니르고 나가니, 일마다 명도(命途))를 슬허 부친이 계시더면 ᄌᆞ긔 엇지 미혼 젼의 이런 일이 이시리오 .ᄉᆡ로이 비회교집(悲懷交集)ᄒᆞ니 어린ᄃᆞ시 벼개의 지혓더니, 혜원이 드러와【18】 웃고 왈,

"이졔ᄂᆞᆫ 쇼졔 도라가실 긔약이 갓가오리니, 엇지 져러틋 즐겨 아니ᄒᆞ시ᄂᆞ니잇고?"

쇼졔 묵연브답(默然不答)ᄒᆞ니, 혜원이 위로 왈,

"만ᄉᆡ 다 명(命)이니 쇼져ᄂᆞᆫ 한(恨)치 마르쇼셔. 블과 일삭지ᄂᆡ(一朔之內)의 도라가시려니와, 화ᄋᆡᆨ이 머럿ᄂᆞ니 비록 면코져 ᄒᆞ나 쉽지 못ᄒᆞᄃᆡ, 본ᄃᆡ 쇼져의 귀복이 당당ᄒᆞ여 쳔만 위경을 당ᄒᆞ여도 맛ᄎᆞᆷᄂᆡ ᄉᆞᄉᆡᆼ은 념녀롭지 아닌지라, 빈되 혹ᄌᆞ 타일 다시 뫼실가 ᄒᆞ나이다."

쇼졔 쳑연탄식(慽然歎息)ᄒᆞ여 말이 업더라. ᄉᆡᆼ이 밧긔 나와 현잉을 블너 므르ᄃᆡ,

"네 듀인이 남ᄌᆡ 아니믄 아랏거니와 너도 셔동이 아니오 시녜니 아지 못게라 이곳이 옥누항의셔 슈십여리(數十餘里)ᄂᆞᆫ 격(隔)ᄒᆞ고, 강졍은 더옥 갓갑거ᄂᆞᆯ[801] 너의 듀인이 집을【19】 ᄎᆞᄌᆞ 도라가지 아니시고 이 암ᄌᆞ의 머믈기ᄂᆞᆫ 므ᄉᆞᆷ 연괴오? 나ᄂᆞᆫ 드르ᄆᆡ 도젹이 드러 너의 듀인을 실산(失散)ᄒᆞ다

801)갓갑다 : 가깝다.

라. 원컨ᄃᆡ 쇼져ᄂᆞᆫ 안심ᄒᆞ쇼셔. 쇼ᄉᆡᆼ이 도라가 영슉(슈叔) ᄐᆡ우공긔 통ᄒᆞ여 본부로 도라가시게 ᄒᆞ리이다."

언파의 팔을 드러 기리 네ᄒᆞ고 ᄲᆞᆯ니 ᄂᆞ아가는지라.

이ᄯᆡ 윤쇼졔 참괴(慙愧)ᄒᆞ미 욕ᄉᆞ무지(欲死無地)ᄒᆞ니, 만면의 홍광(紅光)이 취지(聚之)ᄒᆞ고, 셩안(星眼)의 물결이 요동(搖動)ᄒᆞ믈 면치 못ᄒᆞ여, ᄌᆞ긔 빙옥방신(氷玉芳身)과 고고네졀(孤高禮節)노 집을 ᄡᅥᄂᆞᆫ ᄉᆞ문(寺門)의 유락(流落)ᄒᆞ여 뎡ᄉᆡᆼ【28】을 맛ᄂᆞ니, 놀납고 ᄎᆞ악(嗟愕)ᄒᆞ며 ᄒᆞᆫ심코 븟그리믈 이긔지 못ᄒᆞ고, 뎡ᄉᆡᆼ이 ᄌᆞ긔 근본을 모른 것과 달나 미리 이르고 ᄂᆞ가니, 일마다 명도(命途)을 슬허, 부친이 게시더면 ᄌᆞ긔 엇지 미혼 젼의 이런 일리 잇ᄉᆞ리오. ᄉᆡ로이 비회교집(悲懷交集)ᄒᆞ니 어린 다시 베ᄀᆡ의 지혀던니 헤원이 드러와 보고 왈,

"이졔ᄂᆞᆫ 쇼져 도라가실 긔약이 갓가오리니 엇지 져러틋 즐겨 아니ᄒᆞ시ᄂᆞᆫ뇨?"

쇼져 묵묵부답(默默不答)ᄒᆞ니, 헤원니 위로 왈,

"만ᄉᆡ 명(命)이니 쇼져ᄂᆞᆫ 한(恨)치 마르쇼셔. 블과 일ᄉᆞᆨ지ᄂᆡ(一朔之內)의 도라가시련니와 화ᄋᆡᆨ이 머러ᄂᆞᆫ니 비록 면코져 ᄒᆞ시ᄂᆞ 쉽지 못ᄒᆞ리이다. 쇼져의 귀복이 당당ᄒᆞ여 쳔만가지 위경을 당ᄒᆞ여도 ᄉᆞᄉᆡᆼ지녀(死生之慮)ᄂᆞᆫ 염네롭지 아닐지라. 빈되 혹ᄌᆞ 타일 다시 뫼실가 ᄒᆞᄂᆞ니다."

쇼져 쳑연탄식(慽然歎息)ᄒᆞ여 말이 업더라. 잇ᄯᆡ 뎡ᄉᆡᆼ이 밧긔 ᄂᆞ와 이의 현잉을 불너 문왈,

"너의 쥬인니 여화위남(女化爲男)[810]ᄒᆞ믈 ᄂᆡ 임의 발히 아라시니, 네 ᄯᅩ한 셔동이 아니오, 반다시 시녀라. 아지못게라 이곳지 옥누항의셔 상게(相距) 슈십니(數十里)오. 강

809)무정지ᄉᆡ(無情之事) : 전혀 고의(故意)로 한 일이 아님. 혐의(嫌疑)를 둘 만한 일이 없음.

810)여화위남(女化爲男) : 여자가 변장하고 남자차림을 함.

ᄒᆞ더니 므ᄉᆞᆷ 곡졀노 산ᄉᆞ(山寺)의 뉴우(留寓)ᄒᆞ미 되엿ᄂᆞ뇨?"

현잉이 쇼져와 뎡혼ᄒᆞᆫ 신낭(新郞)이믈 알ᄆᆡ, ᄆᆞ음의 헤오ᄃᆡ,

"○○○○○○[ᄌᆡ상가 규슈을] 도젹이 ○…결락37자…○[드러 겁탈ᄒᆞ다 ᄒᆞ미 곡졀 모로ᄂᆞᆫ ᄉᆞ람으로 ᄒᆞ여곰 알게 할진ᄃᆡ, 가ᄂᆡ 불미지ᄉᆞ(不美之事)을 불가ᄉᆞ문어]타인(不可使聞於他人)《이니르ᄃᆡ‖이로ᄃᆡ》, 내 형이 쇼져 ᄃᆡ신으로 가시니,○○[ᄎᆞ후] 아름답지 아닌 말이 우리 쇼져 신샹의 밋ᄎᆞ면, 비록 씻고져 ᄒᆞ나 쉽지 《아니ᄒᆞ니‖아니리니》, 뎡상공이 므르시ᄂᆞᆫ ᄊᆡ를 타 고ᄒᆞ리라."

ᄒᆞ고, 이에 고왈,

"쇼비(小婢)의 듀인이 노태부인(老太夫人)을 뫼셔 강경의 나왓더니 ᄉᆡᆼ각지 아닌 도젹이 심야의 돌입ᄒᆞ니, 쥬인이 쇼비형뎨로 더브러 급히 피ᄒᆞ시ᄃᆡ, 원간 가즁ᄉᆡ(家中事) 어ᄌᆞ러온 일이 만흐므로, 태우노야 항쥬 나려가시고 외로이 강경의【20】 머므시니, 듀인이 원녀(遠慮) 깁허 맛ᄎᆞᆷ 밤을 당ᄒᆞ여 남의(男衣)를 개장(改裝)ᄒᆞ신 ᄊᆡ라. 도젹이 굿ᄐᆡ여 ᄌᆡ믈을 노략ᄒᆞᆯ 쥬의(主意) 아니오, 쇼져 신샹을 히코져 ᄒᆞᄂᆞᆫ 고로, 쇼비의 형이 쇼졘 체ᄒᆞ고 잡혀가니 그 도젹이 가장 심상치 아냐 ᄂᆡ응(內應)이 이셔 아듀(我主)를 히코져 ᄒᆞᄂᆞ니 이시므로, 쇼졔 인ᄒᆞ여 강경을 써나 암ᄌᆞ의 머므시ᄂᆞᆫ디라. 태우노야 도라오신 후 옥누항으로 가려 ᄒᆞ시ᄃᆡ, ᄯᅩ 히를 닙을가 두리시ᄂᆞᆫ 고로 삼ᄉᆞ삭(三四朔)을 이 곳의 머므신 ᄇᆡ 되엿ᄂᆞ이다."

경은 더옥 갓갑거날[811], 너의 쥬인니 집으로 도라가지 아니시고, 이의 유우(留寓)ᄒᆞ시믄 엇진 연고며, 쳐음 실ᄉᆞᆫ(失散)ᄒᆞᆫ 변(變)과 곡졀(曲折)이 그 어인 일이뇨? 일호(一毫)도 긔이지 말고 ᄌᆞ시 일너, ᄂᆡ 외인(外人)니 아니니【29】 무ᄉᆞᆷ 혐의 이시리오. 한 번 일르믈 앗기지 말ᄂᆞ."

현잉이 창외셔 양인의 슈작ᄒᆞᄂᆞᆫ 말을 드르ᄆᆡ 쇼져의 형젹이 탈누할가 근심ᄒᆞ더니, 밋 장원이 쇼져의 비상홍졈(臂上紅點)을 보고 졍혼한 신낭이라 ᄒᆞ믈 드르ᄆᆡ 심ᄒᆞ의 깃거 ᄒᆞ더니, 믄득 장원이 부르믈 듯고 다시 뭇ᄂᆞᆫ 말을 드르ᄆᆡ ᄂᆡ심의 헤오ᄃᆡ,

"ᄌᆡ상가 규슈을 도젹이 드러 겁탈ᄒᆞ다 ᄒᆞ미 곡졀 모로ᄂᆞᆫ ᄉᆞ람으로 ᄒᆞ여곰 알게 할진ᄃᆡ, 가ᄂᆡ 불미지ᄉᆞ(不美之事)을 불가ᄉᆞ문어타인(不可使聞於他人)니로ᄃᆡ, ᄎᆞ후 아름답지 아니ᄒᆞᆫ 말이 쇼져 신상의 욕되리니, 출ᄒᆞ리 뎡승공이 므르실 ᄊᆡ ᄃᆡ강을 고ᄒᆞ여 가즁의 변괴을 아르시게 ᄒᆞ리라."

ᄒᆞ고, 이의 고왈,

"쇼비(小婢)의 쥬인니 노ᄐᆡ부인(老太夫人)을 뫼셔 강경의 ᄂᆞ왓습더니, ᄉᆡᆼ각지 아닌 도적이 무지(無知)[812] 혼야(昏夜)의 벌뭉키 듯 다라드니, 쇼져 쇼비 형제로 더부러 급피 피하실 ᄉᆡ, 원간 가즁ᄉᆡ(家中事) 어지러오미 만흔 고로 미리 방비ᄒᆞ미 잇셔, 밤을 당ᄒᆞ{ᄒᆞ}여 남의을 ᄀᆡᄌᆞᆼ(改裝)ᄒᆞ시고 겨시더니, 문득 도적이 드러 굿타여 ᄌᆡ물을 노략ᄒᆞ미 업셔 바로 쇼져의 ᄌᆞᆼ각(莊閣)의 도립(突入)ᄒᆞ거날, 쇼비의 형이 거즛 소졘 쳬ᄒᆞ여 도적의게 쟙혀가니, 원ᄂᆡ 도적이 ᄂᆡ응(內應)이 가즁(家中)의 인ᄂᆞᆫ 고로, 쇼져【30】 인ᄒᆞ여 소비을 다리시고 강경을 ᄯᅥᄂᆞᄉᆞ 이곳의 유우ᄒᆞ시ᄂᆞᆫ지라, ᄐᆡ우 노야 환죠(還朝)ᄒᆞ신 후의 옥누항으로 도로 드러가고져

811)갓갑다 : 가깝다.
812)무지(無知) : 알지 못함. 남몰래. 몰래.

당원이 잉의 말을 드르믜 윤부 가닉 평상(平常)치 못ᄒᆞ여 별난 ᄉᆞ괴 이시믈 짐작ᄒᆞ고 우왈,

"여쥐(汝主) 옥누항으로 드러가기를 두릴진ᄃᆡ, 다른 곳의 머므실 ᄃᆡ 업셔 산ᄉᆞ의 머므시ᄂᆞ냐?"

잉이 ᄃᆡ왈,

"경ᄉᆞ의【21】ᄂᆞᆫ 맛당이 머므셤즉ᄒᆞᆫ 곳이 업고, 쇼져의 표문(表門)802)이 금능의 계신지라, 그ᄡᅥ 금능으로 가려 ᄒᆞ시다가 일긔 엄한(嚴寒)ᄒᆞ고 규즁 약질이 험노의 발셥(跋涉)ᄒᆞ실 길히 업셔 마디 못ᄒᆞ여 암듕의 머므시더니, 근일의 도라가려 ᄒᆞ시더니 혜원니괴 ᄎᆞᄌᆞ라 오리 이시믈 고ᄒᆞ여, '급히 드러가 취화(取禍)치 마르쇼셔' ᄒᆞ니, 실노 인심을 측냥치 못ᄒᆞ여 아모리 ᄒᆞᆯ 줄을 아디 못ᄒᆞᄂᆞ이다."

뎡ᄉᆡᆼ이 현잉의 말이 슈상(殊常)ᄒᆞ믈 드르니 구ᄐᆞ여 남의 집 아름답지 아닌 쇼문을 다시 알고져 아니ᄒᆞ여 날호여 닐오ᄃᆡ,

"내 도라가 윤 태우긔 너의 노쥐 이곳의 이시믈 젼ᄒᆞ여 슈히 다려가시게 ᄒᆞ리라."

현잉이 다만 샤례ᄒᆞ고 믈너가거ᄂᆞᆯ, ᄉᆡᆼ이 이윽이 안ᄌᆞ 비 ᄀᆡ기를 기다【22】려, ᄲᆞᆯ니 운산으로 오니 발셔 일모(日暮)ᄒᆞ엿더라.

ᄉᆡᆼ이 존당부모긔 ᄇᆡ현ᄒᆞ고 그ᄉᆞ이 존후를 뭇ᄌᆞ올ᄉᆡ 집을 ᄯᅥ난 지 일망(一望)이 되엿ᄂᆞᆫ디라. 조모와 모친이 크게 반기고 금평휘 여러 능침(陵寢)의 소분ᄒᆞ믈 뭇고, 촉을 니어 태원뎐의셔 부ᄌᆞ 형데 태부인을 뫼셔 말ᄉᆞᆷᄒᆞᆯᄉᆡ, 금평휘 왈,

"네 이제ᄂᆞᆫ 소분을 다ᄒᆞ여시니 찰딕ᄒᆡᆼ공(察職行公)ᄒᆞᆯ디라. 어린 긔운을 나는 ᄃᆡ로 ᄒᆞ여 사ᄅᆞᆷ과 결우기를 말지니, 너의 등과ᄒᆞ므로 드ᄃᆡ여 어린 ᄋᆞ히 문무딕임(文武職任)이 과도ᄒᆞᆫ디라. 오문이 ᄃᆡᄃᆡ로 공후직렬(公

802)표문(表門) : 외가(外家). 외가댁.

ᄒᆞ시나, 오히려 간인니 히할가 두리ᄉᆞ 아직 이곳의 머무시ᄂᆞᆫ ᄇᆡ로소이다."

장원이 현잉의 말을 듯건ᄃᆡ 윤부 가닉 어질어오믈 짐죽ᄒᆞ나, 굿타여 남의 가닉의 아름답지 안닌 일을 듯고져 안냐, 날호여 다만 일오ᄃᆡ,

"닉 도라가 윤ᄐᆡ우긔 너의 쥬인이 이곳의 머므러시믈 고ᄒᆞ여 다려가시게 ᄒᆞ리라."

현잉이 다만 ᄉᆞ례ᄒᆞ고 물너나거날, 장원니 이의 비 ᄀᆡ이믈 보고 ᄒᆞ리츄종을 거나려 취운손으로 도라오니 발셔 날리 어두어더라.

중원니 승당ᄒᆞ여 됸당부모긔 ᄇᆡ알ᄒᆞ고 기간 죤후을 뭇ᄌᆞ오니, 장원○[이] 집 ᄯᅥᄂᆞᆫ지 거의 일ᄉᆞᆨ(一朔)이 된지라. 일ᄀᆡ 크게 반겨ᄒᆞ고 금평후 여러 능침(陵寢)의 쇼분ᄒᆞᆫ 졀ᄎᆞ을 뭇고, 촉(燭)을 이어 ᄐᆡ원젼의셔 부ᄌᆞ 형졔 ᄐᆡ부인을 뫼셔 말숨할 ᄉᆡ, 금평후 중원다려 경게 왈,

"너의 이제ᄂᆞᆫ ᄒᆡᆼ공찰직(行公察職)ᄒᆞ리니 모로미 쇼심익익(小心翼翼)813)ᄒᆞ여 공근겸숀(恭謹謙遜)ᄒᆞ기을 힘써ᄒᆞ고, 과격ᄒᆞᆫ 셩(性)과 어린 긔운을 닉여 ᄉᆞ람과 결우지 말나. 너의 등과(登科)ᄒᆞ미 두 길을 드ᄃᆡ여 어

813)쇼심익익(小心翼翼) : 삼가고 조심함.

侯宰列)노 관면(冠冕)이 슝고ᄒᆞ니, 내 ᄆᆡ양 블안ᄒᆞᆫ 뜻이 업지 아니ᄒᆞ더니, 너의 등양(騰揚)ᄒᆞᆫ 이후로 더옥 셩만지셰(盛滿之勢)를 두리ᄂᆞ니, 죵족의 오ᄉᆞᄌᆞ포ᄌᆡ(烏紗紫袍者)[803] ᄉᆞ십 여인이라. 비록 슉딜형뎨 아니나【23】 원족(遠族)이라도 과경(科慶)이 ᄌᆞ로 나니 도로혀 깃거 아닛ᄂᆞ니, 뜻잡기를 튱녈(忠烈)의[을] 오로지 {아니}ᄒᆞ고 몸가지믈 청검(淸儉)이 ᄒᆞᆯ진ᄃᆡ 엇지 깃브지 아니리오."

당원이 ᄇᆡ샤 왈,

"ᄋᆞ히 슈(雖)[804] 블초무상(不肖無狀)ᄒᆞ오나 엄훈(嚴訓)의 지극ᄒᆞ시믈 간폐(肝肺)의 삭이리이다."

태부인이 탄왈,

"샤군찰임은 졔 ᄆᆞᄋᆞᆷ의 달녓거니와 텬ᄋᆞ의 취쳐(娶妻)ᄂᆞᆫ 그 아비 ᄆᆞᄋᆞᆷ의 이시ᄃᆡ, 등과ᄒᆞᆫ ᄌᆞ식으로뼈 변발쳑동(辮髮尺童)ᄀᆞᆺ치 안ᄒᆡ를 엇지 말나 ᄒᆞ고, 윤시를 위ᄒᆞ여 슈졀(守節)ᄒᆞ라 ᄒᆞ니, 홍ᄋᆡ 만일 아뷔 뜻을 어긔여 훼졀(毁節)ᄒᆞᄂᆞᆫ 일이 이시면 아비 눈밧긔 나ᄂᆞᆫ ᄌᆞ식이 되리니, 노모ᄂᆞᆫ 근간 텬ᄋᆞ를 위ᄒᆞ여 근심ᄒᆞ노라."

공이 계상(階上) ᄌᆡᄇᆡ왈,

"쇼ᄌᆡ 블초ᄒᆞ와 이런 쉬온 일의 ᄌᆞ위 우려ᄒᆞ시게 ᄒᆞ오니 블효를 탄ᄒᆞᄋᆞᆸ나【24】니, 윤태우를 보아 그 딜녀의 ᄉᆞᄉᆡᆼ거쳐(死生居處)를 ᄌᆞ시 듯보라 ᄒᆞ여, 죵시(終是)[805] 소식을 모르면 양가의 취실케 ᄒᆞ여 며나리를 ᄌᆞ졍(慈庭)이 슈히 보시게 ᄒᆞ리이다."

태부인은 당원의 가긔(佳期) 느ᄌᆞ믈 ᄋᆡ달나ᄒᆞ고 딘부인이 ᄀᆞᆯ오ᄃᆡ,

"윤가ᄂᆞᆫ ᄒᆞᆫ갓 텬ᄋᆞ의 뎡약 쁜 아니라 녀ᄋᆞ를 광텬과 뎡혼ᄒᆞ여시니 그 집 규슈 일ᄂᆞᆫ

803)오ᄉᆞᄌᆞ포ᄌᆡ(烏紗紫袍者) : 고관대작의 관복(官服)인 오사모(烏紗帽)를 쓰고 자줏색 도포를 입은 사람.

804)슈(雖) : 비록.

805)죵시(終是) : 끝내.

린 나희 문무작ᄎᆡ(文武爵次) 과분ᄒᆞᆫ지라. 우리 집【31】이 여러 ᄃᆡ 공후ᄌᆡ열(公侯宰列)노 위ᄎᆡ(位次) 슝고(崇高)ᄒᆞ니, ᄂᆡ 일야(日夜)의 불안ᄒᆞ여 ᄒᆞ더니, 이졔 너의 등과ᄒᆞ무로부터 더옥 셩만(盛滿)ᄒᆞ믈 두려 ᄒᆞᄂᆞᆫ니, 일가 종족의 오ᄉᆞᄌᆞ포(烏紗紫袍)[814] 사십여인이라. 비록 친형졔슉질은 아니ᄂᆞ 이 ᄯᅩᄒᆞᆫ 원족(遠族)이 안니라. 문호의 과경(科慶)이 이시믈 도로혀 깃거 아니ᄒᆞᄂᆞ니, 네 뜻ᄌᆞᆸ기을 츙졀(忠節)노뼈 ᄒᆞ고 조금도 방심치 말지여다."

중원니 ᄇᆡ이슈명(拜而受命) ᄃᆡ왈,

"ᄒᆡᄋᆡ 비록 불초(不肖)ᄒᆞ오나 엄훈(嚴訓)의 지극ᄒᆞ오신 바을 엇지 감히 《위열‖위월(違越)》ᄒᆞ오리가. 간폐(肝肺)의 ᄉᆞᆨ여 일시라도 방심치 아니리다."

ᄐᆡ부인이 탄왈,

"ᄉᆞ군지도(事君之道)난 져의 위인의 달인 ᄇᆡ여이와 취쳐(娶妻)ᄒᆞ기ᄂᆞᆫ 그 아비의 쇼임이여ᄂᆞᆯ, 등과ᄒᆞᆫ ᄌᆞ식을 동몽(童蒙)으로 아라 다만 윤씨을 위ᄒᆞ여 슈졀졍남(守節貞男)을 ᄉᆞᆷ으니 무ᄉᆞᆷ 도리뇨? 노뫼 근간은 더옥 텬아의 ᄂᆡ조(內助) 업ᄉᆞ믈 우례(憂慮)ᄒᆞ노라."

금평후 ᄌᆞ교을 듯ᄉᆞ오ᄆᆡ 황공ᄒᆞ믈 이긔지 못ᄒᆞ여 ᄌᆡᄇᆡ 왈,

"엇지 여ᄎᆞ 미쇼지ᄉᆞ의 ᄌᆞ위의 셩여을 돕ᄉᆞ오리가? 윤ᄐᆡ우을 슈이 ᄎᆞᄌᆞ보고 그 질여의 ᄉᆞᄉᆡᆼ거쳐을 종시 ᄎᆞᆺ지 못ᄒᆞ여실진ᄃᆡ 먼져 양가의 취실케 ᄒᆞ여 ᄌᆞ졍의 ᄌᆡ미을 보시게 ᄒᆞ리이다"

ᄐᆡ부인니 중원의 가긔(佳期) ᄎᆞ라ᄒᆞ믈[815] ᄋᆡ달와 ᄒᆞ고 진부인 왈,

"윤가의 ᄒᆞᆫ갓 쳔아의 혼ᄉᆞ을 졍ᄒᆞ【32】여실 분 아니라, 여ᄋᆞ로뼈 광텬과 졍혼ᄒᆞ엿거날 그 집이 규슈을 실ᄉᆞᆫ(失散)ᄒᆞ난 변이

814)오ᄉᆞᄌᆞ포(烏紗紫袍) : 고관대작의 관복(官服)인 오사모(烏紗帽)를 쓰고 자줏색 도포를 입은 사람.

815)ᄎᆞ라ᄒᆞ다 : 아득히 멀다.

변을 보니 실노 혼ᄉᆡ 되고져 의ᄉᆡ 젹어 만히 셔운터이다."

금휘 왈,

"당ᄎᆞ시(當此時)ᄒᆞ여ᄂᆞᆫ 윤개 아모 괴이ᄒᆞᆫ 일이 이셔도 ᄇᆡ약(背約)지 못ᄒᆞ게 되여시니 부인은 브졀업ᄉᆞᆫ 말 마르쇼셔."

태부인 왈,

"뎡약(定約)이 금셕ᄀᆞᆺᄐᆞ니 요개(搖改)ᄒᆞᆯ 길은 업ᄉᆞ려니와 져집이 만일 며ᄂᆞ리를 어더 편히 거ᄂᆞ리지 못ᄒᆞ량이면 엇디 블힝이 아니리오."

공이 웃고 대왈,

"각각 져의 팔ᄌᆡ오니 념【25】녀ᄒᆞ여 밋출길 업ᄉᆞ온지라, 아직 텬흥의 형뎨도 입장(入丈)치 못ᄒᆞ엿ᄉᆞ오니, 녀ᄋᆞ의 혼ᄉᆞᄂᆞᆫ 념이 밋지 못ᄒᆞ엿ᄉᆞ오나 윤광텬을 보오면 녀ᄋᆞ의 어셔 ᄌᆞ라기를 바라옵ᄂᆞ니, 아모리 괴려(乖戾)ᄒᆞᆫ 가듕이라도 광텬ᄀᆞᆺᄐᆞᆫ 가부(家夫)를 엇ᄂᆞᆫ 녀ᄌᆡ 복녹이 무량(無量)ᄒᆞ리이다. 쇼ᄌᆞᄂᆞᆫ 망우(亡友)의 뜻은 져바리지 못ᄒᆞ오며, 광텬 ᄒᆞ나ᄒᆞᆯ 보아 근심을 아닛ᄂᆞ이다."

당원이 조모와 부모의 말ᄉᆞᆷ을 긋치신 후 좌를 써나 고왈,

"쇼ᄌᆡ 금일 급ᄒᆞᆫ 비를 만나 남문 밧 벽화산 취월암의 잠간 드럿숩더니 윤시의 ᄉᆡᆼ존을 아랏ᄂᆞ이다."

태부인과 공의 부뷔 크게 깃거 윤쇼져의 ᄉᆡᆼ존ᄒᆞᆫ 곡졀을 므르니, ᄉᆡᆼ이 몸을 굽혀 윤시의 시비를 보고 남복을 ᄒᆞ여시므로 인가 셔동만 넉여 다리고 드러【26】가 윤시를 보오ᄆᆡ, 쳐음은 녀ᄌᆡ믈 아디 못ᄒᆞ엿다가 너모 슈습ᄒᆞ미 괴이ᄒᆞ와 우연이 글을 지으라 ᄒᆞ더니, 옷ᄉᆞᄆᆡ 거두치ᄆᆡ806) 비샹(臂上)을 보오니 그제야 ᄭᆡ다라 놀나 즉시 나옴과, 그 시ᄋᆞ의 말을 다 고ᄒᆞ니, 태부인과 금후 부뷔 희열ᄒᆞ믈 니긔지 못ᄒᆞ여 윤태우긔 긔별ᄒᆞ여 길녜(吉禮)를 슈히 일우려 ᄒᆞᆯᄉᆡ, 태부인이 윤쇼져의 용화긔질(容華氣質)을 므른ᄃᆡ, ᄉᆡᆼ이 부공이 ᄌᆡ좌(在坐)ᄒᆞ시니 말ᄉᆞᆷ을

806)거두치다 : 걷다. 걷어 올리다.

이시니 진실노 결혼ᄒᆞ올 의ᄉᆡ 업도소이다."

평휘 왈,

"ᄎᆞ시(此時)을 당ᄒᆞ여ᄂᆞᆫ 윤부의 아모 변괴이실지라도 ᄇᆡ약(背約)든 못ᄒᆞ오리니 부인은 부졀업ᄉᆞᆫ 염네을 마르쇼셔."

ᄐᆡ부인 왈,

"금셕 갓튼 졍약(定約)을 요ᄀᆡ(搖改)할 길 업거니와, 져 집의셔 만일 며나리을 슌편(順便)이 거나리지 못할진ᄃᆡ 엇지 불힝치 아니ᄒᆞ리요."

평후 ᄃᆡ쥬왈,

"이ᄂᆞᆫ 다 져의 팔ᄌᆡ오니 미리 혀아려 알 ᄇᆡ 아니옵고 히ᄋᆡ 또 광텬을 보올 젹마다 그 형제 슈발(秀拔)ᄒᆞ믈 긔특이 역여 져의 《여ᄆᆡ‖여ᄋᆡ(女兒)》 어셔 ᄌᆞ라기을 바라옵ᄂᆞ니, 아모 고이ᄒᆞᆫ 가즁(家中)이라도 광텬 갓튼 가부(家夫)을 엇ᄂᆞᆫ 여ᄌᆞ난 복녹이 무량(無量)ᄒᆞ오리니 근심이 업도소이다."

장원니 잇ᄯᅢ 좌(座)의 이셔 부모의 말ᄉᆞᆷ이 긋친 후의 이의 피셕(避席) 고왈,

"히ᄋᆡ 쇼분ᄒᆞ고 도라오ᄂᆞᆫ 길의 마춤 비을 만나 남문 밧 벽화ᄉᆞᆫ 취월암의 드러습다가 여ᄎᆞ여ᄎᆞᄒᆞ와 윤씨 ᄉᆡᆼ존한 바을 아랏ᄂᆞ이다. "

ᄐᆡ부인과 평후 부뷔 ᄃᆡ희(大喜)ᄒᆞ여 ᄌᆞ시 무르니, 즁원이 드ᄃᆡ여 윤소져의 녀화위남(女化爲男)ᄒᆞ여심과 그 신여(侍女)의 말ᄉᆞᆷ으로써 일일이 고ᄒᆞᆫᄃᆡ, ᄐᆡ부인과 평후 부뷔 깃부믈 이긔지 못ᄒᆞ여 윤ᄐᆡ우의게 통긔(通寄)ᄒᆞ고 슈이 ᄐᆡᆨ일(擇日) 셩【33】여[예](成禮)ᄒᆞ려 할 ᄉᆡ, ᄐᆡ부인니 즁원다려 윤쇼져의 ᄌᆞᆨ인긔질(作人氣質)을 힐문ᄒᆞᆫᄃᆡ, 장원니 다만 ᄌᆞ시 숄피지 아니 ᄒᆞ여시믈로써 ᄃᆡᄒᆞ니, ᄐᆡ부인이 쇼왈,

나ᄂᆞᆫ ᄃᆡ로 못ᄒᆞ여 오직 ᄃᆡ왈, 남복 가온ᄃᆡ 유의치 아니코 ᄌᆞ시 보지 아냐시믈 고ᄒᆞᆫᄃᆡ, 태부인이 ᄋᆞ쇼져 혜쥬를 나호여 쓰다듬아 쇼왈,

"아손은 텰부셩녀(哲婦聖女)라 윤시 비록 아름다오나 아손(兒孫)을 밋지 못ᄒᆞ리라."

뎡공이 우음을 씌여 고왈,

"ᄌᆞ경은 혜쥬 【27】 로뼈 셰간(世間)의 업슨 ᄋᆞ희로 아르시나, 윤시ᄂᆞᆫ 여러 층 나으미 잇ᄉᆞᆸ나니, 대례(大禮)를 일워 보시ᄂᆞᆫ 날 아르시리다."

부인 왈,

"윤ᄋᆞ의 ᄉᆡᆼ존ᄒᆞ믄 깃브거니와 그 시녀의 ᄒᆞ더란 말을 드르니, 그 가듕 이 고요치 아닌 줄 알 거시오. 향ᄌᆞ의 드르니 윤태우 모친 위시 가장 인ᄌᆞ치 못ᄒᆞ고, 윤태우 부인 뉴시 어지지 못ᄒᆞᆫ 녀지라 ᄒᆞ거ᄂᆞᆯ, 우연이 드럿더니 금ᄎᆞ지시 ᄒᆞ여ᄂᆞᆫ, 념녀ᄒᆞ미 혜쥬로뼈 셩녀도 아녀시나 ᄆᆞ음이 블평ᄒᆞ도다."

공이 쇼왈,

"비록 부인 녀ᄌᆞ의 잔 호의 이시나 엇지 미리 근심ᄒᆞ리오. 아녀ᄂᆞᆫ 슈화(水火)의 드러도 념녀로온 ᄋᆞ히 아니라, 복녹이 구젼ᄒᆞ리니 두고 보쇼셔."

부인이 ᄃᆡ왈,

"미리 근심ᄒᆞ미 아니라, 윤시 시녀의 말을 드르니 의심이 만코, 윤시 실 【28】 산(失散)ᄒᆞᆫ 말을 드르니 근본이 괴(怪)ᄒᆞᆫ지라. 쳡의 소견의ᄂᆞᆫ 상공이 윤ᄋᆞ의 ᄉᆡᆼ년월일을 아르시ᄂᆞᆫ ᄇᆡ니 아ᄃᆡ 거쳐를 ᄎᆞᄌᆞ라 마르시고, 져집이 모르게 ᄐᆡᆨ일(擇日)ᄒᆞ샤 슈삼일만 격ᄒᆞ거든 그졔야 윤 태우다려 닐너, 그 딜녀를 다려다가 혼ᄉᆞ를 지ᄂᆡ게 ᄒᆞ미 맛당ᄒᆞ니, 미리 알게 ᄒᆞ면 혹ᄌᆞ 윤ᄋᆞ를 ᄒᆡᄒᆞ리 이셔 간계(奸計)를 ᄒᆡᇰ할가 두리ᄂᆞ이다."

"여부(汝父)ᄂᆞᆫ 윤시{시}의 셩ᄒᆡᆼ(性行)이 셰간(世間)의 업ᄂᆞᆫ 슉녀쳘부(淑女哲婦)라 ᄒᆞ거날, 이졔 너의 말이 이러틋 모호ᄒᆞ니 더옥 궁거워[816] ᄒᆞ노라."

평후 쇼이ᄃᆡ왈,

"윤아ᄂᆞᆫ 진실노 뎐아(兒)의 바랄 ᄇᆡ 아니라. 신부 ᄃᆡ례(大禮) ᄒᆞᄂᆞᆫ 날 보시면, ᄒᆡᄋᆡ의 말ᄉᆞᆷ이 오히려 셔어(齟齬)[817]ᄒᆞ믈 아르시리다."

진부인이 이의 우연(憂然) 탄왈,

"윤아의 ᄉᆡᆼ존하오믄 깃부거니와 그 신여(侍女)의 말노조ᄎᆞ 보건ᄃᆡ, 가히 그 가즁이 어지러오믈 알지라. 《향ᄌᆞ ‖ 향ᄌᆞ》의 듯ᄉᆞ오ᄆᆡ 윤ᄐᆡ우 모부인 위시 가ᄌᆞᆼ 어지지 못ᄒᆞ고, 그 부인 뉴시 ᄂᆡ외 가ᄌᆞᆨ지 아니타 ᄒᆞ오던지라, 헤쥬로 졍혼ᄒᆞ오미 불ᄒᆡᆼ토소이다."

공이 소왈,

"부인 여자의 편협(偏狹)ᄒᆞ미, 나타ᄂᆞ지 아닌 일을 억탁(臆度)으로 근심ᄒᆞ미 가치 아니 ᄒᆞ니다."

진부인이 ᄃᆡ왈,

"이 염녜ᄂᆞᆫ 진실노 여ᄋᆞ(女兒)을 위ᄒᆞ여 졀졀(切切)ᄒᆞ기의[818] 갑가건니와[819] 윤아의 시비 말을 조ᄎᆞ 츄이(推理)하건ᄃᆡ, 상공은 ᄎᆞᄉᆞ을 윤부의 통치 말르시고, 이 곳의셔 ᄐᆡᆨ일ᄒᆞ여 슈삼일 격ᄒᆞ거든, 윤ᄐᆡ우긔 젼ᄒᆞ여 그 질아을 다려 다가 셩혼하오미 맛당하오니, 미리 일을진ᄃᆡ 혹ᄌᆞ 간인(奸人)니 다시 간게(奸計)을 벼퍼 윤아을 ᄒᆡ할 지 【34】 잇실가 져허ᄒᆞᄂᆞ이다[820]."

816)궁겁다 : 궁금하다.
817)셔어(齟齬)ᄒᆞ다 : 늑저어(齟齬)하다. 틀어져서 어긋나다. 뜻이 맞지 아니하여 서먹하다
818)절절(切切)ᄒᆞ다 : 매우 간절하다.
819)갑가건니와 : 가깝거니와.
820)져허ᄒᆞ다 : 두려워하다.

공이 올히 넉여 쇼왈,

"부인이 잔 념녀를 만히 ᄒᆞ기로 일을 쥬밀(周密)히 ᄉᆡᆼ각ᄒᆞ여시니 이 의논이 방히롭지 아니ᄒᆞ도다."

태부인이 턱일을 슈히 ᄒᆞ라 ᄒᆞ니 공이 ᄃᆡ왈,

"턱일은 신부의 집의셔 ᄒᆞᄂᆞᆫ 거시 올커늘 쇼ᄌᆞᄂᆞᆫ 윤시의게 엄구(嚴舅)라[와] 친부(親父)를 겸ᄒᆞ【29】니 혼ᄉᆞ를 지ᄂᆡᆫ 후 범연ᄒᆞᆫ 구식지간(舅息之間)과 다르리로소이다."

태부인이 웃고 길일이 슈히 나믈 기다리니, 금휘 존당의 밧바ᄒᆞ시믈 보고 촉하(燭下)의셔 턱일ᄒᆞ니, 쇼원(所願)과 영합(迎合)ᄒᆞ여 일망(一望)이 격(隔)ᄒᆞ엿ᄂᆞᆫ디라. 태부인이 희열ᄒᆞ고 금휘 길일이 슈삼일만 격ᄒᆞ거든 윤 태우다려 니르려 ᄒᆞ더라.

댱원이 힝공찰직(行公察職)홀ᄉᆡ, 면졀졍징(面折廷爭)[807]은 당상(唐相) 위징(魏徵)[808] ᄀᆺ고 안방뎡국(安邦定國)홀 ᄌᆡ홰(才華) 가ᄌᆞᆨᄒᆞ여, 냥ᄃᆡ보필지ᄌᆡ목(兩代輔弼之材木)[809]이라. 샹춍(上寵)이 늉성(隆盛)ᄒᆞ시고 만되(滿朝) 츄앙ᄒᆞ더라. 금평후ᄂᆞᆫ 《힝ᄉᆞ‖힝세(行世)》를 두굿기나 가지록 경계ᄒᆞ믈 엄히ᄒᆞ여 계칙(戒飭)ᄒᆞ더라.

이러구러[810] 길긔 격(隔)ᄒᆞ미 금평휘 옥누항의 니르러 윤태우를 보고 죵용(慫慂)이

평후 쳥파의 부인의 통달(通達)ᄒᆞᆫ 의논을 올히 역여 소왈,

"부인의 말솜을 듯건ᄃᆡ ᄉᆞ셰(事勢)의 히롭지 아니니 그리ᄒᆞᄉᆞ이다."

ᄐᆡ부인니 ᄯᅩ한 그러이 역여 이의 ᄐᆡᆨ일(擇日)하믈 ᄌᆡ촉ᄒᆞᆫᄃᆡ, 평휘 ᄌᆞ교(慈敎)을 인ᄒᆞ여 드ᄃᆡ여 촉ᄒᆞ의셔 길월낭[냥]신(吉月良辰)[821]을 ᄐᆡᆨᄒᆞ니, 쇼원(所願)이 영합(迎合)ᄒᆞ여 불과 일망(一望)이 격(隔)ᄒᆞ여ᄂᆞᆫ지라. ᄐᆡ부인이 ᄒᆡᆼ열(幸悅)ᄒᆞ믈 이긔지 못ᄒᆞ여, 희ᄉᆡᆨ(喜色)이 만안(滿顔)ᄒᆞ여 굴지게○[일](屈指計日)[822]○○[ᄒᆞ여] 혼긔(婚期)을 긔다리고, 평후 ᄯᅩ한 깃거 부인 말ᄃᆡ로 혼긔 슈삼일이 격ᄒᆞ거든 윤ᄐᆡ우을 ᄎᆞᄌᆞ보고 이 연유을 통ᄒᆞ려 ᄒᆞ더라.

슈일 후 장원이 직님(職任)의 ᄂᆞ아가 힝공찰님(行公察任)홀ᄉᆡ, ᄉᆞ군찰직(事君察職)ᄒᆞ미 언논(言論)이 격앙(激昻)ᄒᆞ고 슉연졍ᄃᆡ(肅然正大)ᄒᆞ여 ᄒᆞᆫ갓 보과습유(報果拾遺)의 면졀졍징(面折廷爭)ᄒᆞ난 명신(明臣)일분 아니라, 치셰경윤지ᄌᆡ(治世經綸之才)와 안방경국(安邦定國)할 덕이 가ᄌᆞᆨᄒᆞ여, 황각(黃閣)[823]의 ᄃᆡ보(台輔)[824]요 ᄉᆞ직(社稷)의 동양(棟梁)이라. 상춍(上寵)이 융셩(隆盛)ᄒᆞ시고 만죄(滿朝) 그 연소(年少)ᄒᆞ믈 잇고 져마다 공경예ᄃᆡ(恭敬禮待)ᄒᆞ니 문무듕망(文武衆望)이 일셰(一世)의 독보(獨步)ᄒᆞᄂᆞᆫ지라. 평후 일변 두깃기고 ᄆᆡ양 온즁졍ᄃᆡᄒᆞ믈 경게(警戒)ᄒᆞ더라.

이러구러[825] 길긔 슈솜일이 격ᄒᆞ엿시ᄆᆡ, 평후 이의 거마을 ᄌᆡ촉ᄒᆞ여 옥누항의 ᄂᆞ아가니, 잇ᄯᅴ 윤ᄐᆡ우 질아(姪兒)의 ᄉᆞᄉᆡᆼ거쳐

807)면졀졍징(面折廷爭) : 임금의 면전에서 허물을 기탄없이 직간하고 쟁론함.

808)위징(魏徵) : 580~643. 중국 당나라 초기의 공신(功臣)·학자. 자는 현성(玄成). 현무문의 변(變) 이후, 태종을 모시고 간의대부가 되었다.

809)냥ᄃᆡ보필지ᄌᆡ목(兩代輔弼之材木) : 두 대에 걸쳐서 임금을 보필할 재목이 나옴.

810)이러구러 : 이럭저럭 시간이 흐르는 모양.

821)길월냥신(吉月良辰) : 운이 좋고 상서러운 때.

822)굴지계일(屈指計日) : 손가락을 꼽아 가며 예정된 날을 기다림.

823)황각(黃閣) : 의정부(議政府)를 달리 이르는 말.

824)ᄃᆡ보(台輔) : 임금을 돕고 백관을 다스리는 대신. 재상(宰相), 삼공(三公)을 이른다.

825)이러구러 : 이럭저럭 시간이 흐르는 모양.

담【30】화(談話)ᄒᆞᆯᄉᆡ, 믄득 쇼왈,

"형이 녕딜(令姪)의 거쳐를 죵시(終是) 모르ᄂᆞ냐."

태위 탄왈,

"아모리 ᄎᆞᆽ고져 ᄒᆞ여도 망망(茫茫)이 소식을 모르니 쇼뎨 친히 ᄎᆞᄌᆞ려 ᄒᆞ노라."

뎡공 왈,

"어나 ᄶᆡ의 차쟈려 ᄒᆞᄂᆞ뇨."

태위 답왈,

"발셔811) ᄎᆞᄌᆞ보려 ᄒᆞ엿더니 ᄉᆞ괴(事故) 만하 ᄯᅥ나지 못ᄒᆞ엿ᄂᆞᆫ지라. 슈일 후 발힝ᄒᆞ여 경샤로브터 ᄉᆞᄒᆡ구쥬(四海九州)를 다 도라 딜아(姪兒)의 ᄉᆞᄉᆡᆼ거쳐(死生居處)를 알고 드러오려 ᄒᆞ노라."

뎡공이 쇼왈,

"형이 녕딜의 ᄉᆞᄉᆡᆼ을 ᄎᆞᄌᆞ라 나가ᄂᆞᆫ 슈고로ᄡᅧ, 녕딜의 잇ᄂᆞᆫ 곳을 가ᄅᆞ칠 거시니 슈일간 길네(吉禮)를 일울가 시브냐?"

태위 왈,

"딜아(姪兒)를 ᄎᆞᆽᄂᆞᆫ 날이라도 길일(吉日)을 만나면 친ᄉᆞ(親事)를 지ᄂᆡ려니와, 형이 엇디 아딜(我姪)의 거쳐를 아ᄂᆞ뇨."

금휘 쇼왈,

"돈ᄋᆡ 등과 후 《션형‖션영(先塋)》의【31】 소분(掃墳)ᄒᆞ고 집으로 도라오다가

811)발셔 : 벌써.

(死生居處)을 몰ᄂᆞ, 종시(終是) 찻지 못ᄒᆞᄆᆡ, 일야(日夜) 심우(心憂)을 ᄉᆞᆯ오더니, 일일은 ᄒᆞ리(下吏) 보왈,

"금평후 노야 ᄂᆡ【35】림(來臨)ᄒᆞ시ᄂᆞ이다."

ᄒᆞ거ᄂᆞᆯ, ᄐᆡ우 반겨 이의 의관을 정제(整齊)ᄒᆞ고 츌문영졉(出門迎接)ᄒᆞ여 승당네필(昇堂禮畢) 후 좌정ᄒᆞᄆᆡ, 평후 ᄐᆡ우을 향ᄒᆞ여 문왈,

"근간 영질의 소식을 드르신니잇가?"

윤ᄐᆡ우 탄식 왈,

"쇼제 아모리 ᄉᆞ면(四面)으로 심방(尋訪)ᄒᆞ여도 소식이 묘연(杳然)ᄒᆞ니 이제ᄂᆞᆫ 쇼제 친히 ᄂᆞ, ᄎᆞ자, 경ᄉᆞ로부터 ᄉᆞᄒᆡ팔방(四海八方)으로 두루 도라단니며 질아의 ᄉᆞᄉᆡᆼ존망(死生存亡)을 안 후 말거시로ᄃᆡ, 지금 ᄉᆞ괴(事故) 만ᄒᆞ 아직 집을 ᄯᅥᄂᆞ지 못ᄒᆞ믈 한ᄒᆞᄂᆞ이다."

ᄒᆞ고 이의 쥬촌(酒饌)을 나아와 권할 ᄉᆡ, 평후 존을 잡고 ᄐᆡ우을 향ᄒᆞ여 미소 왈,

"쇼제 영질(令姪)의 《거취(去就)‖거쳐(居處)》을 ᄌᆞ시 아나니, 형이 다만 ᄉᆞ방으로 쥬류(周流)할 ᄆᆞ음으로ᄡᅧ, 슈일간으로 길네(吉禮)을 일울가 시부냐?"

ᄐᆡ위 ᄎᆞ경ᄎᆞ희 왈,

"질녀을 찻ᄂᆞᆫ 날이라도 형의 ᄯᅳᆺᄃᆡ로 ᄒᆞ련이와 다만 형이 엇지 질ᄋᆞ의 거쳐을 알니오."

평후 존을 거후르고 답 쇼왈,

"쇼제(小弟) 엇지 형을 긔롱(欺弄)코져 ᄒᆞ리오. 과연 돈ᄋᆡ 쇼분ᄒᆞ고 도라오ᄂᆞᆫ 길의 비을 피ᄒᆞ여 우연니 남문 밧 벽화산 취월암

급ᄒᆞᆫ 비를 만나, 남문밧 벽화산 암ᄌᆞ의 드러가 비를 피ᄒᆞ다가, 녕딜이 그곳의 남복으로 이시니, 져ᄂᆞᆫ 아지 못ᄒᆞ고 ᄉᆞ괴고져 ᄒᆞ다가, 비샹(臂上) 글ᄌᆞ를 보고 비로소 녕딜인 줄 아라, 셩녜전(成禮前) 셔로 보믈 깃거 아니나, 임의 녕딜의 거쳐를 아라시니 냥가의 다ᄒᆡᆼ이라. 쇼뎨(小弟) 녕딜의 ᄉᆡᆼ년월일을 알므로 길일을 ᄐᆡᆨᄒᆞ니, 우명일(又明日)812)이 대길(大吉)ᄒᆞᆫ지라, 밧비 다려와 이번이나 길긔를 무ᄉᆞ히 지ᄂᆡ게 ᄒᆞ라."

태위 깃브고 즐거오미 도로혀 어린 ᄃᆞᆺᄒᆞ여 뎡공을 냥구(良久)히 보다가 쇼왈,

"녕낭(令郞)이 소분ᄒᆞ고 도라완 지 일슌(一旬)이 넘은지라. 형이 아란 지 오라거ᄂᆞᆯ, 이졔야 니르믄 하의야오."

금휘 쇼왈,

"쇼졔 즉시 형다려 니르【32】려 ᄒᆞ엿더니 맛참 ᄉᆞ괴 이셔 이곳의 오지 못ᄒᆞ고 형이 쇼졔를 ᄎᆞᆺ지 아니니, 쇼졔 ᄉᆡᆼ각ᄒᆞ니 님혼(臨婚)ᄒᆞ여 아라도 젼일 출혓던 혼쉬(婚需) 업지 아닐 거시니, 현마 엇지ᄒᆞ리오."

태위 금평후의 즉시 니르지 아닌 줄이 필유묘ᄆᆡᆨ(必有苗脈)813)이믈 ᄭᆡᄃᆞ라 괴이히 녁이나, 딜녀의 거쳐를 아라시니 만분 다ᄒᆡᆼᄒᆞᆫ지라. 쇼왈,

"형이 ᄉᆞᄉᆞ로 ᄐᆡᆨ일ᄒᆞ고 쇼졔다려ᄂᆞᆫ 니르지 아녓다가, 님박(臨迫)ᄒᆞᆫ 후 이졔야 니르미 가장 통한ᄒᆞ니, 길일이 ᄯᅩ 엇지 업ᄉᆞ리오. 딜ᄋᆞ를 다려와 쳔쳔이 혼ᄉᆞ를 지ᄂᆡ리라."

금휘 대쇼왈,

"이리 ᄒᆞ여ᄂᆞᆫ 쇼졔 ᄉᆞᄉᆞ로 명일(明日)의 녕딜을 다려다가 형의 집 ᄉᆞ랑의 머므르고, 셩녜(成禮) 후 다려가리니, 형이 바야흐로

812)우명일(又明日) : 다음 다음날, 모레.
813)필유묘ᄆᆡᆨ(必有苗脈) : 반드시 어떤 까닭이 있음.

의 드러, 여ᄎᆞ여ᄎᆞᄒᆞᆫ 편발셔ᄉᆡᆼ(編髮書生)으로 더부러 말ᄒᆞᄆᆡ, 이 다ᄅᆞᆫ니 아니오, 일야(日夜)의 ᄉᆞᄉᆡᆼ거쳐(死生居處)을 모르고 심우(心憂)을 술오든 영질(令姪)이라. 여화위남(女化爲男)ᄒᆞ여 그곳의 잇ᄂᆞᆫ지라. 돈이 진짓 남ᄌᆞ로 알라 교우(交友)코ᄌᆞᄒᆞ【36】다가, 비ᄉᆞᆼ쥬필(臂上朱筆)을 본 ᄇᆡ 된지라. 비록 셩녜젼(成禮前) 남여 셔로 보미 예(禮) 아니ᄂᆞ, 그 ᄉᆡᆼ존ᄒᆞ미 영ᄒᆡᆼ(榮幸)ᄒᆞᆫ지라. 그곳의 잇ᄂᆞᆫ 연고ᄂᆞᆫ 아지 못ᄒᆞ거○[니]와, 다만 편친(偏親)이 쇼식을 드르시고 ᄃᆡ희(大喜)ᄒᆞᄉᆞ 셩녜ᄒᆞ믈 밧바ᄒᆞ시믈 인ᄒᆞ여, 쇼졔 ᄉᆞᄉᆞ로 ᄐᆡᆨ일ᄒᆞᄆᆡ 우명일(又明日)826)이 ᄃᆡ길ᄒᆞᆫ지라. 형이 맛당이 밧비 다려와 셩녜케 ᄒᆞ소셔."

ᄐᆡ우 쳥미파(聽未罷)의 ᄒᆞ827) 깃거, 도로혀 어린 ᄃᆞᆺᄒᆞ여, 평후을 냥구쳠시(良久瞻視)ᄒᆞ다가, 비로쇼 일오ᄃᆡ,

"영낭이 쇼분ᄒᆞ고 도라완지 임의 일슌이 너머거ᄂᆞᆯ, 형이 엇지 이졔야 셜파ᄒᆞᄂᆞ뇨? 쇼졔 형으로 지긔(知己)턴 ᄇᆡ 아니로다."

평후 답 소왈,

"쇼졔 마ᄎᆞᆷ ᄉᆞ괴(事故) 잇셔시ᄆᆡ 이졔야 일르럿ᄂᆞ니 형은 소졔 진시(趁時)828) 통ᄒᆞ지 아닌 죄을 ᄉᆞᄒᆞ소셔."

ᄐᆡ우 평후의 즉시 이르지 아니ᄒᆞ미 필유묘ᄆᆡᆨ(必有苗脈)829)이 잇시믈 짐작고, 그윽히 의괴(疑怪)ᄒᆞ나, 질ᄋᆞ의 거쳐 알믈 만분 다ᄒᆡᆼᄒᆞ여 이의 쇼왈,

"형이 ᄉᆞᄉᆞ로 ᄐᆡᆨ일ᄒᆞ고 쇼제다려 이르지 아녓다가, 이제야 이르니 가ᄌᆞᆼ 통완ᄒᆞ도다. 질아(姪兒)을 다려다가 쳔쳔니 다시 ᄐᆡᆨ일ᄒᆞ여 녜(禮)을 일우리라."

826)우명일(又明日) : 다음 다음날, 모레.
827)ᄒᆞ : 아주, 몹시.
828)진시(趁時) : 진즉. 좀더 일찍이.
829)필유묘ᄆᆡᆨ(必有苗脈) : 반드시 어떤 까닭이 있음.

녕딜의 거쳐를 모【33】를 즈음의 내 와니르니, 감격혼 줄은 모르고 언단(言端)이 여ᄎᆞᄒᆞ니 쇼졔 도로혀 분ᄒᆞ도다.”

태위 호호히 쇼왈,

“셩네 후는 형의 집 며나리니, 거춰 윤보의 달녀 아ᄌᆞ비 알빅 아니어니와, 셩혼 젼은 형의 임의로 못ᄒᆞ리니 우은 말 말나.”

언파의 가졍을 분부ᄒᆞ여 거륜을 출히라 ᄒᆞ고 뎡공다려 왈,

“형이 아직 이곳의 이시라 내 가셔 딜ᄋᆞ를 다려오리라.”

금휘 단닐 ᄃᆡ 이셔 도라가다.

태위 즉시 안히 드러가 모친긔 고왈,

“명ᄋᆞ를 실산ᄒᆞ여 삼ᄉᆞ삭이 거의로ᄃᆡ 거쳐를 모르더니, 드르니 문외(門外) 산ᄉᆞ(山寺)의 뉴우(留寓)혼다 ᄒᆞ오니 쇼ᄌᆡ(小子) 이졔 가 다려오려 ᄒᆞᄂᆞ이다.”

위시 ᄎᆞ언을 드르ᄆᆡ 놀나오미 벽녁(霹靂)이 만신(滿身)을 바으는 듯, 통한코 이상ᄒᆞ믈 결을[814]치 못ᄒᆞ여【34】 명이 힝여 위방의 집의셔 도망ᄒᆞ여 산ᄉᆞ로 갓는가, 심히 ᄎᆞ악(嗟愕)ᄒᆞ여, ᄌᆞ연 눈믈을 금치 못ᄒᆞ니, 이는 ᄌᆞ긔 과악(過惡)을 태위 알고, 므솜 변을 ᄂᆡ여 태위 죽으려 셔들가, 념녀무궁ᄒᆞ여 골오ᄃᆡ,

“문외 산ᄉᆞ의 이시면 엇지 이졔야 소식이 잇ᄂᆞ뇨? 가히 아지 못홀 일이로다. 아모커나 어셔 다려오라.”

태위 즉시 하리를 거ᄂᆞ려 취월암을 ᄎᆞᄌᆞ가니, 현잉이 맛츰 문밧긔 나왓다가 태우를 보고 년망(連忙)이 비알ᄒᆞ거늘, 태위 그 남복 닙어시믈 괴이히 넉여 밧비 믈긔 나려, 쇼져 잇ᄂᆞ 곳을 므르니, 현잉이 안히 이시믈 고혼ᄃᆡ, 태위 쇼져 볼 뜻이 급ᄒᆞ여 알플 인도ᄒᆞ라 ᄒᆞ니, 잉이 태우를 뫼셔 쇼져 슉소의 니르러 슉딜이 상견홀ᄉᆡ, 뎡싱을 만나 ᄌᆞ긔 근본을【35】 알고 도라간 후, 일슌이

814)결을 : 겨를. 틈. 어떤 일을 하다가 생각 따위를 다른 데로 돌릴 수 있는 시간적인 여유.

언파의 ᄃᆡ쇼ᄒᆞ고, 가졍(家丁)을 분부ᄒᆞ여 거륜(車輪)을 ᄎᆞ리라 ᄒᆞ며, 평후{을}다려 왈,

“형은 아직 이의 잇셔 머무르쇼셔. 소제 밧비 가 질아을 다리고 오리이다.”

평후 마츰 ᄉᆞ괴 잇시믈로써 답ᄒᆞ고, 이의 죽별【37】ᄒᆞ고 도라가거늘, ᄐᆡ우 평후을 보ᄂᆡ고 ᄂᆡ당의 즉시 드러가, 모부인긔 소유을 고하고 이졔 다리러 가믈 고혼ᄃᆡ, 위시 밋쳐 다 듯지 못ᄒᆞ여셔 분혼 긔운이 막히니, 청천벽녁(靑天霹靂)이 일신을 분쇄ᄒᆞ는 듯, 통혼ᄒᆞ고 이상ᄒᆞ믈 결울[830]치 못ᄒᆞ나, 힝혀 ᄐᆡ위 긔식을 알가 두려 가마니 일오ᄃᆡ,

“손ᄋᆡ 문외의 ᄉᆞᆫ사의 이시면 엇지 이제야 소문이 잇는고, 진실노 싱존(生存)ᄒᆞ미 만힝(萬幸)혼지라 밧비 가 다려오라.”

ᄐᆡ우 빅이슈명(拜而受命)ᄒᆞ고 화ᄉᆞᆫ 취월암의 일르니, 현잉이 마츰 ᄂᆞ오다가 ᄐᆡ우을 보고 연망(連忙)이 압히 ᄂᆞ아가[와] ᄇᆡ현(拜見)ᄒᆞ거날, ᄐᆡ우 ᄌᆞ시 보니 이는 질아의 비ᄌᆞ 현잉이라. 반겨 이의 밧비 말게 ᄂᆞ려 쇼져 잇는 곳을 인도ᄒᆞ라 ᄒᆞ고 현잉의 뒤흘 ᄯᅡ라니, 잇ᄯᅢ 윤소져 천만 몽외(夢外)의 뎡싱을 만나 ᄌᆞ긔 근본이 탈노(綻露)ᄒᆞ여, 알고 도라간 후 슌일(旬日)이 지나도록 쇼식

830)결울 : 겨를. 틈. 어떤 일을 하다가 생각 따위를 다른 데로 돌릴 수 있는 시간적인 여유.

지나되 소식이 업ᄉᆞ니 반ᄃᆞ시 옥누항의 통치 아녀시믈 알고 괴이히 넉이나, 현잉이 뎡한님다려 가듕연고(家中緣故)를 닐너시믈 아지 못ᄒᆞ엿더니, 금일 계부대인(季父大人)을 만나, 슬젼(膝前)의 졀ᄒᆞᄆᆡ, 진진(津津)이[815] 늣기믈[816] 마지 아닛ᄂᆞᆫ지라. 태위 그 남복 가온ᄃᆡ 졀인(絶人)ᄒᆞᆫ 풍치 더욱 슈려ᄒᆞ여, 텬향월틔(天香月態)[817] 이목의 현난(絢爛)ᄒᆞ니, 밧비 그 손을 잡고 냥항누(兩行淚)를 나리와 오ᄅᆡ도록 말을 못ᄒᆞ다가, 날호여 탄식 왈,

"내 항쥬를 나려간 지 오라지 아녀셔 너를 실산ᄒᆞ니, 도라와 아모리 ᄎᆞᄌᆞ려 ᄒᆞ나 소식을 알 길히 업더니, 금일이야 뎡공이 니르러 여ᄎᆞ여ᄎᆞ ᄒᆞ거ᄂᆞᆯ 다리라 왓거니와, 음양을 밧고아 산ᄉᆞ의 뉴우(留寓)ᄒᆞ여, 집을 ᄎᆞᄌᆞ 도라오기를 닛고 슈【36】슈(嫂嫂)의 듀야참졀(晝夜慘絶)ᄒᆞ신 념녀를 ᄉᆡᆼ각지 아니믄 어인 ᄯᅳᆺ이뇨?"

쇼졔 오열톄읍(嗚咽涕泣)ᄒᆞ여 말ᄉᆞᆷ을 즉시 ᄃᆡ치 못ᄒᆞ고 가듕형셰(家中形勢)를 고ᄒᆞ고져 ᄒᆞᄃᆡ, 그 가온ᄃᆡ 뉴부인이[을] 범ᄒᆞ믈[ᄂᆞᆫ] 블평《ᄒᆞ고‖ᄒᆞᆫ》 ᄉᆞ단(事端)이 무궁ᄒᆞᆯ지라. 출하리 도적의게 ᄶᅩㅊ치여 오므로뼈 ᄃᆡ답ᄒᆞ여 일이 슌편ᄒᆞ기를 위쥬ᄒᆞ여 이에 비읍(悲泣) ᄃᆡ왈,

"조뫼 강졍의 피우(避寓)ᄒᆞ시므로 모친과 소녜 뫼셔 나왓다가, 모일 야(夜)의 명화젹(明火賊)이 다라드러, 구ᄐᆞ여 ᄌᆡ보(財寶)를 취ᄒᆞ미 업고 쇼녀를 ᄒᆡᄒᆞ려 ᄒᆞ오니, 창황듕(蒼黃中) 피ᄒᆞᆯ 도리 업ᄉᆞ와, 희텬의 여벌 옷슬 급히 닙고 ᄂᆡ다르니, 도젹이 ᄯᅩᆯ오기를 셩화(星火)ᄀᆞᆺ치 ᄒᆞ여 화를 면키 어려오니, 마지못ᄒᆞ여 다시 블의지변(不意之變)이 이실가 공구(恐懼)ᄒᆞ와, 길히셔 혜원니고를 만나【37】 지셩으로 쳥뉴(請留)ᄒᆞ여 아직 산ᄉᆞ의 머므다가, ᄋᆡᆨ회(厄會) 멸ᄒᆞ거든 도라가

815)진진(津津)이 : 매우 성(盛)하게. 여기서는 '매우 서럽게'.

816)늣기다 : 흐느끼다.

817)텬향월틔(天香月態) : 뛰어나게 좋은 향기와 달처럼 아름답고 고요한 모습.

이 업ᄉᆞᄆᆡ, 반드시 본부의 통치 안냐시믈 알고 다만 고히 녁일 ᄯᆞ름이오, 현잉이 ᄌᆞ가(自家)의 변고을 이른 쥴은 망연이 모로더니, 금일 의외예 슉뷔 ᄂᆡ림(來臨)ᄒᆞ시믈 보고, 황망이 ᄒᆞ당(下堂) 영지(迎祇)ᄒᆞ여 승당(昇堂) ᄇᆡ알(拜謁)ᄒᆞ고, ᄒᆡ음업시[831] 화협(花頰)의 쥬뤼(珠淚) 이음차 진진(津津)니[832] 늣기고[833] 반겨ᄒᆞᄂᆞᆫ 말ᄉᆞᆷ을 능히 일우지 못ᄒᆞ거날, ᄐᆡ위 크게 반겨 구쳔(九泉)의 도라갓던 ᄉᆞ람을 만ᄂᆞᆫ 듯, 밧비 집슈(執手)ᄒᆞ고 쳑연(慽然) 탄왈,

"ᄂᆡ 항쥐을 간지 오ᄅᆡ지【38】 안냐셔 너을 실ᄉᆞᆫᄒᆞ다 ᄒᆞ니, 쇼식도 알 길이 업ᄉᆞ니, 금일 의외(意外)의 금평후 이르러 여ᄎᆞ여ᄎᆞ 젼할 ᄉᆡ, ᄂᆡ 비로쇼 알고 환쳔희지(歡天喜地)[834]ᄒᆞ여 이의 다리러 이르럿건니와, 질ᄋᆡ(姪兒) 무슴 연고로 변복ᄒᆞ여 순사(山寺)의 방황ᄒᆞ고 집의 도라오기을 ᄉᆡᆼ각지 아니ᄒᆞ던뇨?"

쇼져 오열체읍(嗚咽涕泣)ᄒᆞ여 감히 가즁(家中) 불미지ᄉᆞ(不美之事)을 고치 못ᄒᆞ고, 다만, 강졍의셔 불의의 도젹을 만나 창황듕(蒼黃中) 희쳔의 옷슬 입고 다름[835]과 다시 도젹이 드러올가 두려 드러가지 못ᄒᆞ고 방황ᄒᆞ다가 혜원이괴(尼姑)을 맛ᄂᆞ, 지셩으로 '이곳의 머므러 ᄋᆡᆨ이 진한 후 도라가라' ᄒᆞ기로, 이의 머믈무로뼈 고ᄒᆞ니, 현잉이 도젹이 소져을 ᄶᅡ르든 말ᄉᆞᆷ과 제 형을 쇼져로 알아 다려가믈 고한ᄃᆡ, ᄐᆡ우 청파의 ᄃᆡ경실ᄉᆡᆨ(大驚失色) 왈,

831)ᄒᆡ음업시 : 하염없이. 시름에 싸여 멍하니 이렇다 할 만 한 아무 생각이 없다

832)진진(津津)이 : 매우 성(盛)하게. 여기서는 '매우 서럽게'.

833)늣기다 : 흐느끼다.

834)환쳔희지(歡天喜地) : 하늘도 즐거워하고 땅도 기뻐한다는 뜻으로, 아주 즐거워하고 기뻐함을 이르는 말

835)다름 : 달음. 빨리 뛰어 감.

라 ᄒᆞ오니, 삼ᄉᆞ삭을 뉴우(留寓)ᄒᆞ오나 조모 슉당과 ᄌᆞ위를 앙모ᄒᆞ옵ᄂᆞᆫ 하졍(下情)이 어나 ᄣᅢ 노히리잇가?"

태위 대경(大驚) 왈,

"그ᄣᅢ 엇던 도젹이 너를 ᄒᆡ코져 ᄒᆞ다가 쥬영을 ᄃᆡ신의 잡아가단 말이뇨 가장 심상ᄒᆞᆫ 젹뉘 아니라. ᄌᆡ상가 규수를 겁칙ᄒᆞ미 셰ᄃᆡ의 희한ᄒᆞᆫ 변이니 엇지 흉적을 잡아 쾌히 다ᄉᆞ릴고? 실노 통ᄒᆡ(痛駭)ᄒᆞ도다."

쇼졔 유모의 말노좃ᄎᆞ 위방인 줄 알오ᄃᆡ 능히 고치 못ᄒᆞ고, 삼ᄉᆞ삭 상니(相離)ᄒᆞ엿다가 슉딜(叔姪)이 만나ᄆᆡ 태우의 깃븐 뜻과 쇼져의 반기ᄂᆞᆫ ᄆᆞ음이 부녀와 다르미 업더라.

공이 혜원을 블너 딜녀를 구ᄒᆞ여 편히 머믈게 ᄒᆞ믈 칭샤ᄒᆞ고, ᄇᆡᆨ은 삼ᄇᆡᆨ 냥을 주니 혜원은 쳥졍(清淨)【38】ᄒᆞᆫ 이승(異僧)이라, ᄌᆡ물을 블관이 넉이ᄃᆡ, 태우의 칭은ᄒᆞ미 과도ᄒᆞ니 블승감격(不勝感激)ᄒᆞ여 샤례ᄒᆞ고, 쇼져 ᄯᅥ나믈 크게 결연(缺然)ᄒᆞ여 눈믈을 ᄲᅮ려 니별을 앗기고, 암듕졔승(庵中諸僧)이 다 훌연[818]ᄒᆞ믈 니긔지 못ᄒᆞ여 년년(戀戀)ᄒᆞ믈 마지 아니ᄒᆞᄂᆞᆫ지라. 쇼졔 ᄯᅩᄒᆞᆫ 졔승의 후의를 칭샤ᄒᆞ고, 태위 날이 느즈믈 일ᄏᆞ라 ᄌᆡ촉ᄒᆞ여 쇼졔 교ᄌᆞ의 드니, 혜원이 쇼져를 붓들고 의의쳑연(依依慽然)[819]ᄒᆞ여 후회(後會)를 일ᄏᆞ르니, 쇼졔 역시 혜원의 쳥고(清高)ᄒᆞᆫ 도ᄒᆡᆼ(道行)을 공경ᄒᆞ던 ᄇᆡ라, 삼ᄉᆞ삭(三四朔)을 ᄒᆞᆫ가지로 머므러 관곡(款曲)ᄒᆞ던 후의를 ᄉᆡ로이 칭샤(稱謝)ᄒᆞ고 ᄒᆡᆼ게(行車) 밧븐 고로 총총이 도라가니, 현잉이 ᄯᅩᄒᆞᆫ 졔승의 ᄉᆞ랑ᄒᆞ던 은혜를 닙엇ᄂᆞᆫ지라, 피ᄎᆞ ᄯᅥ나믈 결연ᄒᆞ여 눈믈을 ᄲᅳ【39】려 졔승을 하직(下直)ᄒᆞ고, 쇼져를 뫼셔 도라올ᄉᆡ, 혜원과 졔승이 먼니 와 니별ᄒᆞ고, 도라오ᄆᆡ 훌연ᄒᆞ믈 니긔지 못ᄒᆞ더라.

818)훌연ᄒᆞ다 : 훌훌ᄒᆞ다. 마음속이 무엇인가 잃은 것이 있는 것 같아 허전하다.

819)의의쳑연(依依慽然) : 헤어지기 서운하여 슬픈 빛을 띠다.

"아지 못게라, 엇던 도젹이 너을 ᄒᆡ코져 ᄒᆞ든고? ᄌᆡᄉᆞᆼ가(宰相家) 규슈을 겁칙고져 ᄒᆞ미 쳔고의 희한ᄒᆞᆫ 변괴라. 엇지ᄒᆞ면 흉젹을 잡아 셜분ᄒᆞ리오. 가ᄌᆞᆼ 통ᄒᆡᄒᆞ도다."

쇼져 유모의 젼언으로조ᄎᆞ 위방의 쇼위(所爲) 쥴 아라시ᄃᆡ, 조모와 슉모의 악ᄉᆞ을 ᄌᆞ긔 입으로 차마 챵셜(唱說)치 못ᄒᆞ여, 다만 슉질이 ᄉᆞᆷ사식(三四朔) 이졍(離情)을 베퍼 셜화 탐탐(貪貪)할[836] 다름이오, ᄐᆡ우 곡졀(曲折)을 ᄌᆞ시 아지 못ᄒᆞ고, 체체ᄒᆞᆫ[837] 사랑이 만금(萬金)의 지나, 이의 즉시 혜원을 불너 보고 질아(姪兒)을 구ᄒᆞ여 삼ᄉᆞ삭 머무든 은혜을 일컷고, ᄇᆡᆨ금 ᄉᆞᆷᄇᆡᆨ양【39】을 쥬며 왈,

"이 비록 ᄉᆞ쇼ᄒᆞᄂᆞ 질아을 위ᄒᆞ여 그ᄃᆡ을 쥬ᄂᆞᆫ니 불젼의 고[공]양(供養)ᄒᆞ는 바의 보ᄐᆡ여 쓰게 ᄒᆞ라."

혜원이 ᄌᆡ보(財寶)을 불관(不關)이 역이ᄂᆞ 쥬ᄂᆞᆫ 거슬 감히 ᄉᆞ양치 못ᄒᆞ여 이의 업ᄃᆡ여 밧고 무슈히 ᄉᆞ례 왈,

"급한 ᄉᆞ람을 구ᄒᆞ오믄 불가(佛家)의 본ᄉᆡ(本事)라. 쇼져의 삼ᄉᆞ삭 이곳의 머무르시미 ᄯᅩᄒᆞᆫ 인연(因緣)니니 엇지 이러틋ᄒᆞ신 말숨을 감당(堪當)ᄒᆞ리잇가?"

ᄒᆞ며 쇼져 ᄯᅥᄂᆞ믈 결연(缺然)ᄒᆞ여 누슈(淚水)을 흘니고 암즁(庵中) 졔승(諸僧)이 다 훌훌ᄒᆞ믈[838] 이긔지 못ᄒᆞᄂᆞᆫ지라. 소져 각각 위로 왈,

"이합(離合)이 유슈(有數)ᄒᆞ니 엇지 ᄆᆡ양 한가지로 잇기을 바라리오."

ᄒᆞ고 조히 이시믈 당부ᄒᆞ고 ᄐᆡ우의 ᄌᆡ촉ᄒᆞ믈 인ᄒᆞ여 교즁(轎中)의 오르니, 혜원니

836)탐탐(貪貪)ᄒᆞ다 : 무엇인가를 찾아 열중하다.

837)체체하다 : 행동이나 몸가짐이 너절하지 아니하고 깨끗하며 트인 맛이 있다.

838)훌훌ᄒᆞ다 : 훌연ᄒᆞ다. 마음속이 무엇인가 잃은 것이 있는 것 같아 허전하다.

어시의 윤태위 딜녀를 다리고 도라오니, 남노녀복(男奴女僕)이 문(門)의 나와 마ᄌᆞ며, 광·희 냥공ᄌᆡ 나아와 태우를 마ᄌᆞ며 져져(姐姐)의 도라오믈 깃거ᄒᆞ니, 니른바 ᄉᆞ듕구ᄉᆡᆼ(死中求生)[820]ᄒᆞ미러라. 바로 교ᄌᆞ(轎子)를 경희뎐 뜰의 노흐니, 쇼졔 오히려 남의를 벗지 못ᄒᆞ엿ᄂᆞᆫ지라. 청포혁ᄃᆡ(青袍革帶)[821]로 쥬렴(珠簾)밧긔 나ᄆᆡ, 광텬형뎨와 구패 븟드러 반기미 늉흡(隆洽)ᄒᆞ며, 그 남복ᄒᆞ여시믈 보고 각각 우음을 먹음더라. 쇼졔 당(堂)의 올나 존당과 모부인긔 ᄇᆡ현(拜見)ᄒᆞ고 뉴시긔 졀홀ᄉᆡ, 위시 흉ᄒᆡ(胸海)[822]의 소원(所怨)이 쒸노라 놀납고 ᄆᆡ오며 분ᄒᆞ믈 니긔지 못ᄒᆞ고 ᄋᆡ돌오미 극【40】ᄒᆞ여, 조시 ᄉᆞ모ᄌᆞ녀(四母子女)를 경ᄀᆡᆨ(頃刻)의 육장(肉醬)을 ᄆᆡᆫᄃᆞ라 ᄆᆡ온 ᄆᆞ음을 쾌히 셜(雪)ᄒᆞ고져 시브ᄃᆡ, 태우의 의심을 동치 아니려 ᄒᆞᄆᆡ 도로혀 븟들고 울기를 마지 아니니, 조부인은 머리를 슉여 묵연(默然)ᄒᆞᄃᆡ, 태부인 거동을 보니 근심이 더옥 깁허 ᄌᆞ긔 ᄌᆞ녀의 화란이 브디하경(不知何境)[823]일 줄 모르고, 태우ᄂᆞᆫ 모친의 흉심을 아지 못ᄒᆞ고 과상(過傷)ᄒᆞ시믈 위로ᄒᆞ고, 조부인긔 고ᄒᆞᄃᆡ,

820)ᄉᆞ듕구ᄉᆡᆼ(死中求生) : 죽을 수밖에 없는 처지에서 한 가닥 살길을 찾음.

821)청포혁ᄃᆡ(青袍革帶) : 푸른 도포와 가죽 띠를 두른 차림.

822)흉ᄒᆡ(胸海) : 가슴.

823)브디하경(不知何境) : 어느 지경에 이를 줄을 알지 못함.

먼니 ᄂᆞ와 쇼져을 보ᄂᆡ며 ᄌᆡᄉᆞᆷ 후회을 이르며 쳑연(慽然)ᄒᆞ믈 이긔지 못ᄒᆞ더라.

ᄐᆡ위 쇼져을 다리고 본부의 이르러 교ᄌᆞ을 바로 경희젼 뜰 압히 노흐니, 쇼져 오히려 남ᄌᆞᆼ(男裝)을 밧고지 못ᄒᆞ여는지라. 청포혁ᄃᆡ(青袍革帶)[839]로 나오니, 이ᄯᆡ 광텬 등과 구픽 쇼져을 실ᄉᆞᆫ(失散)ᄒᆞ고 ᄉᆞᄉᆡᆼ거쳐(死生居處)을 몰ᄂᆞ 쥬야 심우(心憂)을 ᄉᆞᆯ오다가, 쳔만(千萬) [840]몽ᄉᆞᆼ지외(夢想之外)의 쇼져을 ᄉᆞᆼ봉(相逢)ᄒᆞᄆᆡ 깃부미 ᄒᆞ날노 조ᄎᆞ 나린 듯ᄒᆞ여, 밧비 다라드러 소져을 붓듯고 일희일비(一喜一悲)ᄒᆞᄂᆞᆫ 즁, 남ᄌᆞᆼ(男裝)을 보고 도로혀 각각 우음을 머금고 당의 올나가니, ᄎᆞ시 위·뉴 양흉(兩凶)이 쇼져을 보ᄆᆡ 가ᄉᆞᆷ의 일쳔(一千) 진납이 쑤[쒸]노라 놀납고 분ᄒᆞ며 ᄆᆡ【40】오며 ᄋᆡ달오믈 이긔지 못ᄒᆞ여, 쇼져 모여(母女)을 경ᄀᆡᆨ의 ᄉᆡᆼ키지[841] 못ᄒᆞ믈 한(恨)ᄒᆞ나, ᄐᆡ우 의심을 일우지 아니려 ᄒᆞ여 이의 마음을 강ᄌᆞᆨ(强作)ᄒᆞ여, 쇼져을 드립더 붓들고 울기을 마지 아니ᄒᆞ거날, 죠부인은 머리을 슉여 묵연(默然)이 말을 아니ᄒᆞ고, 이 거동을 보ᄆᆡ 환ᄂᆞᆫ(患難)니 어ᄂᆡ 지경의 밋츨 바을 아지 못ᄒᆞ여 더옥 근심이 만단(萬端)이로ᄃᆡ, ᄐᆡ우ᄂᆞᆫ 모부인의 이러틋 ᄒᆞ시ᄂᆞᆫ 양을 진졍(眞正)으로 아라 ᄌᆡᄉᆞᆷ 호언(好言)으로ᄡᅧ 관위(款慰)ᄒᆞ여 왈,

"질아의 ᄉᆞᄉᆡᆼ거쳐을 모를 ᄯᆡ도 오히려 견ᄃᆡ엿ᄉᆞᆸ더니 이졔 질ᄋᆡ ᄉᆡᆼ환(生還)ᄒᆞ여ᄉᆞ오니 깃분 말ᄉᆞᆷ으로 반기실지라. 엇지 이럿틋 ᄒᆞ시ᄂᆞᆫ니잇고?"

위시 우름을 긋치지 아녀 왈,

"져의 ᄉᆞᄉᆡᆼ을 몰ᄂᆞ실 졔(際)ᄂᆞᆫ 할 일 업거니와 금일 져을 다시 보니 엇지 일희일비(一喜一悲)치 아니리오."

ᄐᆡ우 슈ᄎᆞ 관위(款慰)ᄒᆞ고 이의 물너 조부인긔 고왈,

839)청포혁ᄃᆡ(青袍革帶) : : 푸른 도포와 가죽 띠를 두른 차림.

840)몽ᄉᆞᆼ지외(夢想之外) : 꿈속에서도 생각지 못함.

841)ᄉᆡᆼ키다 : 삼키다.

“뎡공이 길일을 ᄐᆡᆨᄒᆞ니 우명일이 대길타 ᄒᆞ니 슈슈ᄂᆞᆫ 혼구를 급히 출혀 셩녜케 ᄒᆞ쇼셔.”

부인이 심니의 깃거 녀ᄋᆞ를 어셔 셩인ᄒᆞ여 뎡가로 보ᄂᆡ고져 ᄒᆞᄂᆞᆫ디라 이에 ᄃᆡ왈,

“혼슈ᄂᆞᆫ 젼일의 출힌 ᄇᆡ라 져 집이 밧바ᄒᆞ면 이번이나 뎡ᄒᆞᆫ【41】 날노 디ᄂᆡ면 됴흘가 ᄒᆞᄂᆞ이다.”

태위 쇼져를 도라보아 남의(男衣)를 버ᄉᆞ라 ᄒᆞ니, 쇼졔 더옥 두려 움ᄌᆞᆨ이지 못ᄒᆞ고 조모의 심폐(心肺)를 혜아리ᄆᆡ, 넘녀 측냥업셔 팔ᄌᆞ츈산(八字春山)의 슈운(愁雲)이 모히고 효셩냥안(曉星兩眼)의 ᄡᅡᆼ뉘(雙淚) 구으러 화협(花頰)을 젹실 쁜이러니, 위시 울며 왈,

“너를 실산ᄒᆞ여 숨ᄉᆞ삭이 되나 ᄉᆡᆼ거쳐를 모르고 쥬쥬야야(晝晝夜夜)의 칼흘 삼킨 듯 통상(痛傷)ᄒᆞᆫ 심ᄉᆞ를 금억(禁抑)지 못ᄒᆞ더니, 산문의 뉴우(留寓)ᄒᆞ여 능히 몸이 무양ᄒᆞ니 다ᄒᆡᆼᄒᆞ거니와, 반가오ᄆᆡ 그ᄯᆡ 일코 ᄋᆡ쓰던 바와 노뫼 도적의 변을 혼ᄌᆞ 당ᄒᆞ여 하마 죽을 번ᄒᆞᆫ 일을 ᄉᆡᆼ각ᄒᆞ니, 슬프미 극ᄒᆞ도다.”

쇼졔 탄식 ᄃᆡ왈,

“쇼녜 그ᄯᆡ 도적의게 ᄶᅩᆺ치여【42】 맛참 남복을 ᄒᆞ여시므로 화를 버셔나 급히 피ᄒᆞ니, 오던 길흘 일코 취월암 슈승(首僧)이 간졀이 쳥ᄒᆞ여 암ᄌᆞ의 가 도ᄋᆡᆨ(度厄)ᄒᆞ기를 니르니, 오히려 블의지변(不意之變)을 두려 집으로 드러오디 못ᄒᆞ고, 삼ᄉᆞ삭을 산문의 머므오니 존당과 ᄌᆞ모를 쳐음으로 니측(離側)ᄒᆞ와 앙모지졍(仰慕之情)을 어이 측냥ᄒᆞ리잇고?”

위시 ᄎᆞ언을 드르니 결단코 위방의게 《갓던‖가지 아녓던》 줄 알고 더옥 놀납고 괴이ᄒᆞ여,

“즉금 위방이 윤쇼져라 ᄒᆞ여 두니ᄂᆞᆫ 그 뉜고?”

창졸의 ᄉᆡᆼ각지 못ᄒᆞ여 블냥(不良)ᄒᆞᆫ 목지

“금평후 금일 이르러 길긔을 ᄌᆡ촉ᄒᆞ오니 우명일이 ᄃᆡ길ᄒᆞ다 ᄒᆞᄋᆞᆸᄂᆞᆫ지라, 원컨ᄃᆡ 슈슈(嫂嫂)ᄂᆞᆫ 혼구(婚具)을 졈검ᄒᆞᄉᆞ 급피 셩네(成禮)케 ᄒᆞ쇼셔.”

부인이 듯기을 다ᄒᆞᄆᆡ 길긔 촉박ᄒᆞ믈 더옥 ᄃᆡ열(大悅)ᄒᆞ여 《임의 염인‖이의 염임(斂衽)》 정금(整襟) ᄃᆡ왈,

“혼구ᄂᆞᆫ 젼일의 임의 갓초온 ᄇᆡ온니 길일ᄃᆡ로 셩네(成禮)ᄒᆞᄉᆞ이다.”

ᄐᆡ우 ᄃᆡ희ᄒᆞ여 이의 쇼져다려 명ᄒᆞ여 남즁을 곤치라 ᄒᆞᆫᄃᆡ, 쇼져 위시게 즙펴 움ᄌᆞᆨ【41】이지 못ᄒᆞ고 다만 슈운이 함집ᄒᆞ고 운빈화안을 슉이고 말이 업더니, 위시 이의 ᄌᆞᆼ탄 왈,

“너을 실ᄉᆞᆫᄒᆞᆫ지 삼ᄉᆞ삭의 ᄉᆡᆼ거쳐을 아지 못ᄒᆞ여 쥬야 ᄆᆞ음이 칼을 숨킨 듯ᄒᆞ더니, 이졔 너의 몸이 무ᄉᆞ하여 다시 상봉ᄒᆞ니 반갑고 깃부기 층양 업거니와, 다만 그ᄯᆡ 젹당을 엇지 피ᄒᆞ엿ᄂᆞᆫ뇨? ᄌᆞ시 일너 나의 마음을 ᄒᆡ셕게 ᄒᆞ라.”

쇼져 죠모의 실덕ᄒᆞ신 바을 ᄉᆡᆼ각ᄒᆞᄆᆡ 엇지 일시ᄂᆞᆫ 술고져 ᄒᆞ난 마음이 잇ᄉᆞ리오마안[ᄂᆞᆫ] 쳔만 시름을 억졔ᄒᆞ고 이의 탄식 염용(斂容) ᄃᆡ왈,

“맛참 남복을 ᄒᆞ여시ᄆᆡ 비록 도적의게 ᄶᅩ치인 ᄇᆡ 되오나, 화을 버셔ᄂᆞ시ᄃᆡ 길을 일코 벽화ᄉᆞᆫ 취월암 혜원을 맛ᄂᆞ 도ᄋᆡᆨ(度厄)ᄒᆞ믈 권ᄒᆞ거날 마지 못ᄒᆞ여 ᄉᆞᆫ문(山門)의 투족(投足)ᄒᆞ오니 죤당을 쳐음으로 니측(離側)ᄒᆞ와, 일야(日夜)의 앙모(仰慕)ᄒᆞᄋᆞᆸᄂᆞᆫ ᄒᆞ졍(下情)을 측냥치 못ᄒᆞ올너니, 이졔야 슬ᄒᆞ의 뵈오니 불초무ᄉᆞᆼ(不肖無狀)ᄒᆞ온 죄 만ᄉᆞ무셕(萬死無惜)이로소이다.”

위시 ᄎᆞ언으 드르ᄆᆡ 쇼져 위방의게 가지 아닌 쥴 알지라.

“지금 가층[칭] 쇼져ᄒᆞ여 위방이 쳔션 갓치 밧드ᄂᆞᆫ ᄌᆞᄂᆞᆫ 뉜고?”

측냥치 못ᄒᆞ여 의려ᄇᆡᆨ츌(疑慮百出)ᄒᆞ나,

(目子) 벌거ᄒᆞ여 흉심이 경긱의 니러나ᄃᆡ, 공교ᄒᆞᆫ 쇠ᄂᆞᆫ 뉴시를 밋지 못ᄒᆞᄂᆞᆫ디라, 뉴시 현잉은 와시ᄃᆡ 쥬영이 업ᄉᆞ믈 보고 쇼져다려 문왈,

“쥬영은 어ᄃᆡ 갓관【43】ᄃᆡ 아니 오고 현잉만 다려왓ᄂᆞ뇨?”

쇼졔 ᄃᆡ왈,

“도젹이 쥬영을 쇼딜(小姪)만 녀여 다려 갓ᄂᆞᆫ지라. 타일 쥬영을 ᄎᆞᆺᄂᆞᆫ 날이면, 도젹의 근본을 아라 쳐치ᄒᆞᆯ 도리 이시ᄃᆡ, 아직 쥬영을 ᄎᆞᆺ지 못ᄒᆞ여시니 젹한(賊漢)이 뉜 줄 모르ᄂᆞ이다.”

뉴시 모녀와 태부인이 듯고 말마다 부쾌[824] 넘노라 믜오믈 ᄎᆞᆷ지 못ᄒᆞᄃᆡ, 급히 ᄒᆡᄒᆞᆯ 긔틀이 업고 혼인이 우명일(又明日)이라 ᄒᆞ니, 졀졀이 통한ᄒᆞ믈 니긔지 못ᄒᆞ고, 위방의게 통ᄒᆞ여, ‘쥬영을 죽여 업시ᄒᆞ여 후일의 쇼문이 나지 아니케 ᄒᆞ라’ 니르고져 ᄒᆞᄃᆡ, 위방이 ᄉᆞ오일 젼의 황금 팔ᄇᆡᆨ냥을 가마니 보ᄂᆡ여 은혜을 샤례ᄒᆞ여시니, 위방의게 쥬영을 죽이라 ᄒᆞᆯ 낫치 업셔 죵용이 뉴시와 의논ᄒᆞ【44】려 ᄒᆞ더라.

날이 져믈ᄆᆡ 쇼졔 모친 침소의 믈너와 녀복을 개장(改裝)ᄒᆞ고, 광텬형제와 구파로 더브러 말ᄉᆞᆷᄒᆞᆯᄉᆡ, 조부인은 혼ᄉᆞ를 쇽쇽(速速)히 지ᄂᆡ게 되니 흔ᄒᆡᆼ(欣幸)ᄒᆞ나 촉쳐(觸處)의 심ᄉᆡ여할(心思如割)ᄒᆞ여, 상셰 ᄌᆞ녀의 혼ᄉᆞ를 보지 못ᄒᆞ믈 ᄀᆡᆨ골통상(刻骨痛傷)ᄒᆞᄂᆞᆫ 디라. 공ᄌᆡ 형졔 위로ᄒᆞ고 구패 위로 왈,

“부인은 슬허 마르시고 쇼져를 ᄎᆞᄌᆞ 셩인(成姻)ᄒᆞ미 극ᄒᆞᆫ 경ᄉᆡ니 무익히 셕ᄉᆞ(昔事)를 ᄉᆡᆼ각지 마르쇼셔.”

부인이 쳑연탄식(慽然歎息)ᄒᆞ고 쇼져의 월패(月牌)를 ᄎᆞᄌᆞ 상ᄒᆡ(傷害)오지 아녀시믈 깃거ᄒᆞ더라

.

824)부화 : 부아. 노엽거나 분한 마음.

공교ᄒᆞᆫ ᄀᆡ묘(奇妙)ᄂᆞᆫ 뉴시게 밋치 못ᄒᆞᆫ지라. 이날 뉴시 지측[척](咫尺)ᄒᆞ여 쇼져의 말을 드르ᄆᆡ 청텬ᄇᆡᆨ일의 벽녁(霹靂)이 두ᄉᆞᆼ(頭上)의 임(臨)ᄒᆞᆫ 듯ᄒᆞ나, 마음을 강ᄌᆞᆨ(强作)ᄒᆞ고 안ᄉᆡᆨ을 화히【42】ᄒᆞ여 말ᄉᆞᆷ을 찬조ᄒᆞ다가, 현잉이 쇼져을 뫼셔 왓시ᄃᆡ 쥬영이 업ᄉᆞ믈 보고 더옥 놀나 이의 쇼져다려 문왈,

“쥬영은 어ᄃᆡ 갓관ᄃᆡ 현잉만 왓ᄂᆞ뇨?”

쇼져 슈용 ᄃᆡ왈,

“도젹이 쥬영을 쇼질로만 역여 다려 갓ᄉᆞ온지라. 타일 주영을 ᄎᆞᆺ난 놀이면, 도젹을 ᄎᆞᄌᆞ 쳐치(處置), 셜분(雪憤)할 거시로ᄃᆡ, 아직 그 거쳐을 아지 못ᄒᆞ오니 통한(痛恨)ᄒᆞ여이다.”

위시와 뉴시 듯는 말마다 부홰[842] 넘노라 급피 ᄒᆡ(害)할 길은 업고 혼ᄀᆡ는 지격(至隔)ᄒᆞ니 분ᄒᆞ믈 이긔지 못ᄒᆞ고, 위방의게 통ᄒᆞ여 쥬영을 쥭여 멸구(滅口)코져 ᄒᆞ다가 다시 ᄉᆡᆼ각고, 일젼의 위방이 황금 ᄇᆡᆨ냥을 가마니 보ᄂᆡ여 쇼져 어든 은혜(恩惠)을 ᄉᆞ례ᄒᆞ여시니 위시 임의 뉴시 모녀을 난화쥬고 업ᄂᆞᆫ지라. 이졔 다시 쥬영을 쥭이라 ᄒᆞ면 말이 막히ᄂᆞᆫ지라. 다시 종용ᄒᆞ믈 타 별게(別計)을 의논코져 ᄒᆞ더라.

날이 져믈ᄆᆡ 쇼져 모부인 침쇼의 일으러 남의(男衣)을 벗고 홍군취삼(紅裙翠衫)을 썰치니 그 현[헌]앙표일(軒昂飄逸)[843]ᄒᆞ던 풍ᄎᆡ 다 스러지고, 션연요라(嬋姸姚娜)[844]한 ᄐᆡ되(態度) 다시 도라오니, 죠부인 광・희 냥 공ᄌᆡ며 구파 크게 깃거 이의 ᄡᅥ낫든 경회을 말ᄉᆞᆷ할 ᄉᆡ, 죠부인니 혼ᄉᆡ(婚事) 슈이 되믈 만심흔열(滿心欣悅)ᄒᆞᄂᆞᆫ 가온ᄃᆡ, 샹셔 여ᄋᆞ의 혼인을 보지 못ᄒᆞ믈 ᄉᆡ로이 슬허ᄒᆞ니, 냥 공ᄌᆡ와 구픿 지ᄉᆞᆷ 호언【43】관위(好言款慰)ᄒᆞ더라.

842)부화 : 부아. 노엽거나 분한 마음.

843)현앙표일(軒昂飄逸) : 당당하고 태평스러운 남자의 아름다운 풍채..

844)션연요라(嬋姸姚娜) : 곱고 아름다운 여성의 용모.

위시 뉴시를 블너 ᄀ마니 닐오ᄃᆡ,

“요괴로온 명ᄋᆡ 피화(避禍)ᄒᆞ기를 긔특이 ᄒᆞ여, 위방의게 쥬영을 보ᄂᆡ고 져ᄂᆞᆫ 산ᄉᆞ의 무ᄉᆞ히 잇다가 도라와 뎡가로 인연을 일우게 【45】 되니, 이 ᄋᆡ둛고 분ᄒᆞᆫ ᄆᆞᄋᆞᆷ을 엇지 견ᄃᆡ리오. 쥬영이 도라오ᄂᆞᆫ 날은 위방의 일이 드러날 거시오, 노모의 과악을 모르리 업ᄉᆞ리니, 아직 다ᄒᆡᆼ이 조시 모녜(母女) 그 도적이 위방인 쥴은 아지 못ᄒᆞ나, 방의게 긔별(寄別)ᄒᆞ여 쥬영을 죽여 쇼문이 업게 ᄒᆞ고 명ᄋᆞ를 다시 겁칙ᄒᆞ라 ᄒᆞ고 시브ᄃᆡ, 져의 금을 다 업시ᄒᆞ여시니 낫치 업셔 아모리 ᄒᆞᆯ 줄 모르리로다.”

뉴시 이윽이 ᄉᆡᆼ각다가 고왈,

“명ᄋᆞ를 급히 업시ᄒᆞᆯ 도리ᄂᆞᆫ 업ᄉᆞ니 비록 뎡가와 셩녜(成禮)ᄒᆞ나 금슬(琴瑟)이 블화(不和)ᄒᆞ여 아조 원슈ᄀᆞᆺ치 ᄆᆡᆫᄃᆞ라, 명ᄋᆞ의 젼졍(前程)을 맛ᄎᆞ면, 다시 위관인의게 도라 보ᄂᆡ거나, 타쳐의 금은을 밧고 팔거나, 각별 됴흔 계교 이시리니, 쳡의 형이 일ᄌᆞ를 두고 【46】 부뷔 구몰(俱沒)ᄒᆞ니 딜ᄌᆞ 몽슉이 혈혈무의(孑孑無依)ᄒᆞ여 어려셔 쳡의게 다려와 기르더니, 나히 칠팔셰 된 후, 상셔(上書) 진광의게 슈흑ᄒᆞ니, 진상셔ᄂᆞᆫ 뎡텬홍의 표숙이오, 집이 춰운산의 잇셔 구몽슉이 ᄋᆞ시로브터 뎡텬홍 등과 졍의(情誼) 후ᄒᆞ고, 몽슉이 비상ᄒᆞᆫ ᄌᆡ죄 이셔 슈년젼(數年前) 긔특ᄒᆞᆫ 도인을 만나 변화ᄒᆞᄂᆞᆫ 술을 ᄇᆡ화 얼굴이 밧괴이고 셩음이 다르ᄂᆞᆫ지라. 쳡의 소견은 몽슉을 쳥ᄒᆞ여 뎡텬홍의 의심을 일위여, 명ᄋᆞ를 함졍(陷穽)의 너흐미 맛당ᄒᆞᆯ가 ᄒᆞᄂᆞ이다.”

위시 왈,

“현부의 디략(智略)은 진유ᄌᆞ(陳孺子)[825]의게 지난지다 밧비 구ᄉᆡᆼ을 쳥ᄒᆞ여 계교(計

825)진유자(陳孺子) : 진평(陳平). ? - BC178. 중국 한(漢)나라 때 정치가. 한 고조 유방(劉邦)를 도와 여섯 번이나 기발한 꾀를 내, 천하를 평정케 함.

이날 위시 조용ᄒᆞᆫ ᄯᆡ을 타 유시다려 왈,

“요괴로온 아ᄒᆡ 능히 피화ᄒᆞ여다가 도라와 무ᄉᆞ이 뎡가의 혼인을 일우게 되니, 이 분ᄒᆞ믈 장ᄎᆞ 엇지 셜(雪)ᄒᆞ리오. 허물며 쥬영 요비(妖婢) 도라오ᄂᆞᆫ 날은 노모의 과악이 창쳔(漲天)ᄒᆞ리니, 위방의게 통ᄒᆞ여 쥬영을 쥭이고 다시 명ᄋᆞ을 겁칙ᄒᆞ라고 십푸건만은[845] 져의 금은을 다 업시ᄒᆞ여시니 장ᄎᆞ 엇지면 조흐리오.”

뉴시 침음양구무언(沈吟良久無言)[846]일너니 늘호여 ᄃᆡ왈,

“명ᄋᆞ을 급히 졔어치 못ᄒᆞ올지라. 명ᄋᆡ 비록 텬홍으로 더부러 결혼할지라도 금실(琴瑟)이 불화(不和)ᄒᆞ여 원슈 갓치 ᄆᆡᆫ들면 반다시 츌뷔(黜婦) 되오리니, 그ᄯᆡ 위가로 다시 보ᄂᆡ거ᄂᆞ, 타쳐의 금은을 만니 밧고 팔거ᄂᆞ 각별 조흔 계교이시리니, 이졔 쳡의 형(兄) 구시랑 부인이 일ᄌᆞ(一子)을 두고 부뷔 구몰(俱沒)ᄒᆞ온지라, 질ᄌᆞ(姪子) 구몽슉이 혈혈무의(孑孑無依)ᄒᆞ여 가형(家兄)이 다려다가 길르더니, 졈졈 ᄌᆞ라 칠팔셰 되ᄆᆡ 상셔(尙書) 진광의게 슈학ᄒᆞ니, 진상셔ᄂᆞᆫ 뎡텬홍의 표슉(表叔)이라. 집이 춰운ᄉᆞ○[의] 잇셔 구몽슉이 아시(兒時)로븟터 뎡쳔홍으로 더부러 졍이 두텁고, ᄯᅩ 구몽슉이 일즉 긔특ᄒᆞᆫ 도인(道人)을 맛ᄂᆞ 변홰무궁(變化無窮)ᄒᆞ여, 경긱의 얼골을 밧고며, 셩음을 변ᄒᆞᄂᆞᆫ 법을 ᄇᆡ화ᄂᆞᆫ지라. 이졔 가【44】마니 져을 쳥ᄒᆞ여 계교(計巧)을 가르쳐 뎡쳔홍의 의심을 일위여, 명ᄋᆞ을 ᄀᆡᆼ춤(坑塹)의 밀치미 엇지 쉽지 아닐가 근심ᄒᆞ리잇고?”

위시 ᄃᆡ희(大喜) 찬왈(讚曰),

“그ᄃᆡ의 지략은 냥평(良平)[847]이 ᄀᆡᆼᄉᆡᆼ(更

845)십푸건만은 : 싶건마는.

846)침음양구무언(沈吟良久無言) : 오랫동안 깊이 생각에 잠겨 말이 없음

847)냥평(良平) : 중국 한(漢)나라 때의 책사(策士) 장량(張良)과 진평(陳平)을 함께 이르는 말.

巧)를 니르고, 뎡텬흥의 금슬이 블합ᄒᆞ여 명ᄋᆞ를 츌거ᄒᆞᄂᆞᆫ 지경이어든 구싱다려 쳡(妾) 삼아 술나 니르【47】라."

뉴시 쇼이 ᄃᆡ왈,

"몽슉이 년긔 십오의 아직 미취젼(未娶前)이니 명ᄋᆞ를 뎡가의셔 바리면 안히라도 삼으리니, 엇지 쳡을 의논ᄒᆞ리잇가"

위시 직촉ᄒᆞ여 구싱을 블너 니르라 ᄒᆞ니, 뉴시 즉시 시녀를 보ᄂᆡ여 몽슉을 블너 오니, 원ᄂᆡ 몽슉 ᄌᆞ(者)ᄂᆞᆫ 니부시랑 구슌의 ᄌᆡ라. 구슌이 청개(淸介)ᄒᆞᆫ 위인으로 명망이 됴야의 드레더니, 일ᄌᆞ를 두고 부체 됴ᄉᆞᄒᆞ니 몽슉을 집금오 뉴공이 다려다가 길너, 칠팔셰 된 후ᄂᆞᆫ 상셔 진공과 금평휘 구공으로 더브러 가장 친절한 붕위라. 그 일ᄌᆡ 혈혈무의(孑孑無依)ᄒᆞ믈 츄연(惆然)ᄒᆞ여 딘상셰 다려다가 교훈ᄒᆞ고, 뎡공이 의식지졀(衣食之節)의 유렴(留念)ᄒᆞ기를 텬흥 등과 ᄀᆞᆺ지 ᄒᆞ여, 뎡·진 냥가로 왕ᄂᆡᄒᆞ여 ᄌᆞ딜ᄀᆞᆺ치 ᄒᆞ고, 몽슉이 용뫼【48】 미려(美麗)ᄒᆞ고 풍치 헌앙(軒昻)ᄒᆞ여, 보기의 ᄉᆞ랑홉고 말ᄉᆞᆷ이 현하지변(懸河之辯)[826]이 이시니, 혹문이 유여(裕餘)ᄒᆞ여 흠ᄉᆡ(欠事) 업ᄉᆞᄃᆡ 일단 심ᄉᆡ(心事) 어지지 못ᄒᆞ여 간교(奸巧)ᄒᆞ더라.

이날 구싱이 슉모(叔母)의 청ᄒᆞ믈 인ᄒᆞ여 윤부의 니르니, 뉴시 좌우를 ᄎᆡ오고 소ᄅᆡ를 가마니 ᄒᆞ여 왈,

"현딜이 뎡텬흥과 졍의 친밀ᄒᆞ니 너의 말을 취듕(取重)ᄒᆞᄂᆞ냐?"

몽슉이 ᄃᆡ왈,

"쇼딜이 텬흥 등과 동긔 ᄀᆞᆺᄐᆞ니 ᄋᆞ시로브터 졍의(情誼) 깁흔지라. 슉뫼 엇지 므르시ᄂᆞ니잇고?"

뉴시 왈,

826)현하지변(懸河之辯) : 물이 거침없이 흐르듯 잘하는 말.

生)ᄒᆞᄂᆞ 엇지 이의 지나리오. 밧비 이 겨[계]교(計巧)을 ᄒᆡᆼᄒᆞ여 일리 일울진ᄃᆡ, 구싱의 쳡을 숨아도 ᄒᆡ롭지 아니리라."

뉴시 쇼이ᄃᆡ왈(笑而對曰),

"구몽슉이 아직 취실(娶室)치 못ᄒᆞ여시니 져 명ᄋᆞ을 어들진ᄃᆡ 졍실(正室)을 숨을지라, 엇지 쳡으로 ᄃᆡ졉ᄒᆞ리잇고?"

위시 더욱 ᄌᆡ촉ᄒᆞᆫᄃᆡ, 뉴시 이의 즉시 시ᄋᆞ(侍兒)을 보ᄂᆡ여 구몽슉을 쳥ᄒᆞ더라. 원ᄂᆡ 구몽슉은 니부시랑 구쥰의 ᄌᆡ니, 시랑이 본ᄃᆡ 강명졍직(剛明正直)ᄒᆞ여 쳥망(淸望)이 조야을 들레더니, 겨유 일ᄌᆞ을 두고 시운(時運)니 불ᄒᆡᆼᄒᆞ여 부쳐 구몰(俱沒)ᄒᆞ니, 직금오 뉴공이 그 고고ᄒᆞᆫ 경ᄉᆞ(情私)을 불ᄉᆞᆼ이[848] 역여 다려다가 기을ᄉᆡ[849], 진샹셔와 금평후 다 시랑으로 교되(交道) 심밀(甚密)ᄒᆞ던 고로, 진공이 거두어 가르치고 평휘 ᄯᅩ한 긔렴(記念)ᄒᆞ믈 기ᄌᆞ(己子) 갓치 ᄒᆞ니, 몽슉이 냥가의 왕ᄂᆡ ᄒᆞ미 ᄌᆞ질 갓고, 용뫼 미려(美麗)ᄒᆞ야 풍치 《현양‖헌앙》ᄒᆞ고 말ᄉᆞᆷ이 《쳔ᄒᆞ지변‖현ᄒᆞ지변(懸河之辨)》니 잇시ᄂᆞ, 일단 심ᄉᆞ 불양(不良)ᄒᆞ고 공교히 악을 감초고 션을 ᄭᅮ미니, ᄉᆞ람이 알니 업ᄉᆞᄂᆞ 진상셔와 평후부ᄌᆡ 엇지 그 ᄒᆡᆼᄉᆞ을 짐족지 못ᄒᆞ리오마ᄂᆞᆫ, 아직 ᄂᆞ히 어린 고로 방종무례(放縱無禮)ᄒᆞ나 ᄂᆞ히 ᄎᆞ면 ᄉᆡ【45】다라 졍도(正道)의 도라갈가 ᄒᆞ여 경게(警戒)ᄒᆞ믈 지극히 ᄒᆞ더라.

이ᄂᆞᆯ 구싱이 슉모(叔母)의 쳥ᄒᆞ믈 듯고 즉시 윤부의 이르니 뉴시 반겨 구싱을 마ᄌᆞ 말ᄉᆞᆷ할 ᄉᆡ, 좌우을 치우고 이의 가만니 문왈,

"현질이 뎡쳔흥으로 더부러 교되 심히 깁흔지라, 네 말을 다 취신(取信)ᄒᆞᄂᆞᆫ냐?"

구싱이 ᄃᆡ왈,

"쇼질이 텬흥으로 더부러 졍의 동긔 갓건니와 슉뫼 엇지 져의 밋으며 아니 밋드믈 무르시ᄂᆞᆫ니잇고?"

뉴시 《반힝‖반향(半晌)[850]》을 말을 아

848)불ᄉᆞᆼᄒᆞ다 : 불쌍하다. 처지가 안되고 애처롭다.

849)기을 ᄉᆡ : 기를 새.

"연즉 뎐홍의 금슬을 작희(作戲)ᄒᆞ고 네 슉녀를 취ᄒᆞᆯ 계교(計巧)를 못ᄒᆞ랴?"

몽슉이 가장 반겨 듯고 ᄃᆡ왈,

"비록 동긔 ᄀᆞᆺ튼 친우지간(親友之間)이나 슉녀(淑女)의 다ᄃᆞ라ᄂᆞᆫ 므ᄉᆞ 일을 못하며, 그 금슬을 희짓지 못ᄒᆞ리잇가."

뉴시 ᄆᆞᆫ득 몽슉의 ᄆᆞᄋᆞᆷ을 요동코져【49】 ᄒᆞ여 기리 탄왈,

"져져(姐姐)의 ᄂᆡ외 계시더면 너의 취쳐ᄒᆞ미 얼현ᄒᆞ리오827)마ᄂᆞᆫ 블힝ᄒᆞ여 너의 부뫼 구몰(俱沒)ᄒᆞ시고, 집이 업셔 아직 뎡·진 냥가의셔 후ᄃᆡᄒᆞ나, 남이란 거ᄉᆞᆫ 다 거즛 거시라. 네 지금 취실(娶室)도 못ᄒᆞ고 문한(文翰)이 니두(李杜)828)를 우슬 거시로ᄃᆡ 등과ᄒᆞᄂᆞᆫ 경ᄉᆡ 업ᄉᆞ니 범ᄉᆞ(凡事) 형셰의 ᄯᅳᆯ오엿ᄂᆞ니, 뎡뎐홍 ᄀᆞᆺ튼 니ᄂᆞᆫ 년유소ᄋᆞ(年幼小兒)로 문무댱원이 되고 만됴거경(滿朝巨卿)의 유녀ᄌᆞ(有女者) 닷토아 셔랑(壻郎)을 삼고져 ᄒᆞᄃᆡ, 뎡공이 허(許)치 아니키로 지금가지 취쳐(娶妻)를 못ᄒᆞ여 슉슉(叔叔) 상셔공(尙書公)의 일녀(一女)를 ᄋᆞ시브터 뎡뎐홍과 뎡약이 잇던지라. 거년셰말(去年歲末)의 친사(親事)를 지ᄂᆡ여실 거슬 도적이 드러 딜녀를 실산(失散)ᄒᆞ기로 삼ᄉᆞ삭(三四朔)을 믈녓다가 딜녀를 ᄎᆞᄎᆞ 도라오ᄆᆡ 길【50】긔(吉期) 계오 일일(一日)이 격ᄒᆞ엿거니와, 딜녀의 만고무비(萬古無比)ᄒᆞᆫ 용화긔질(容華氣質)이 진실노 너 ᄀᆞᆺ튼 옥인ᄌᆡᄉᆞ(玉人才士)와 ᄧᅡᆼ이 되지 못ᄒᆞ고, 뎡가의 며나리 되믈 실노 앗기ᄂᆞ니, 네 모로미 뎡뎐홍의 금슬을 희(戲)지어, 딜녀로ᄡᅧ 뎡가의 온젼이 머므지 못ᄒᆞ여 츌거(黜去)ᄒᆞᄂᆞᆫ 지경

827)얼현ᄒᆞ다 : 어련하다. 따로 걱정하지 아니하여도 잘될 것이 명백하거나 뚜렷하다. 대상을 긍정적으로 칭찬하는 뜻으로 쓰나, 때로 반어적으로 쓰여 비아냥거리는 뜻을 나타내기도 한다

828)니두(李杜) : 중국 당나라 때 시인 이백(李白: 701-762)과 두보(杜甫: 712~770)를 함께 이르는 말.

니티가 이의 우연 탄왈,

"현질이 엇지 슉녀을 뎡가의게 ᄉᆞ양ᄒᆞ고 취할 의ᄉᆡ을 ᄂᆡ지 못ᄒᆞ며, 또 뎐홍의 혼취 금슬을 즉히(作戲)치 못ᄒᆞᄂᆞ뇨?"

구ᄉᆡᆼ이 ᄎᆞ언을 드르ᄆᆡ 본ᄃᆡ 져의 조화ᄒᆞᄂᆞᆫ ᄇᆡ라. 가만니 반겨 왈,

"비록 동긔 갓ᄉᆞ오ᄂᆞ 슉녀 취ᄒᆞ기의 다ᄃᆞ라ᄂᆞᆫ 무ᄉᆞᆫ 일을 ᄉᆞ양ᄒᆞ리잇고?"

뉴시 탄왈,

"져져(姐姐) ᄂᆡ외 게실진ᄃᆡ, 너히 취실ᄒᆞ기을 얼련니851) 갈희시랴마ᄂᆞᆫ, 불힝ᄒᆞ여 네 뎡·진 양가의 의탁ᄒᆞ니, 이졔 너희 문한(文翰)니 니두(李杜)852)의 지나고 풍치 두 ᄉᆞ람을 불워 아닐 거시로ᄃᆡ, 아직 셩명이 ᄂᆞ타ᄂᆞ미 업고 직금 취실도 못ᄒᆞ여시나, 져 뎡뎐홍은 연유쇼아(年幼小兒)로 문무ᄌᆞᆼ원(文武壯元)이 되ᄆᆡ 만조공경(滿朝公卿)이 닷토아 ᄉᆞ회 삼고져 ᄒᆞᄃᆡ, 부형이 너머 갈히기로 셩혼치 아니ᄒᆞ고, 슉슉(叔叔) 상셔공(尙書公)이 일녀로【46】 더부러 졍약ᄒᆞ엿더니, 질녀을 도적의 변을 맛ᄂᆞ 실순(失散)ᄒᆞ기로 혼긔을 믈여더니, 이제야 ᄎᆞᄌᆞ 도라오ᄆᆡ 길긔 게우 일일이 격(隔)ᄒᆞ여건니와, 만고무비(萬古無比)ᄒᆞᆫ 용화ᄌᆡ질(容華才質)노써 너 갓튼 만고ᄌᆡᄌᆞ(萬古才子)의 쌍을 일우지 못ᄒᆞ고, 뎡가의 아인 ᄇᆡ 되믈 통한ᄒᆞᄂᆞ니, 네 모로미 져 금슬을 희지어 질여로 ᄒᆞ여금 츌화(黜禍)을 보게 ᄒᆞ면, 네 틈을 타 당당이 탈취할지라. ᄂᆡ 너을 슉녀 어더쥬고져 ᄒᆞ여 쥬ᄉᆞ야탁(晝思夜度)ᄒᆞ다가 의ᄉᆡ 궁극(窮極)ᄒᆞ여 너다려 일르는니, 네 일즉 환슐(幻術)을 ᄇᆡ화 쇼원을 일우믈 아는니, 비

850)반향(半晌) : 반나절.

851)얼련니 : 어련히. 따로 걱정하지 아니하여도 잘될 것이 명백하거나 뚜렷하게. 대상을 긍정적으로 칭찬하는 뜻으로 쓰나, 때로 반어적으로 쓰여 비아냥거리는 뜻을 나타내기도 한다

852)니두(李杜) : 중국 당나라 때 시인 이백(李白: 701-762)과 두보(杜甫: 712~770)를 함께 이르는 말.

이면, 네 당당이 ᄣᆡ를 타 딜녀를 겁칙ᄒᆞᆯ지니, 나의 너를 위ᄒᆞᆫ 졍이 쥬야(晝夜) 고독ᄒᆞ여 슉녀를 쳔거코져 ᄒᆞᄃᆡ, 맛당ᄒᆞᆫ 곳이 업고 의ᄉᆡ 궁극ᄒᆞ여 이리 니르니, 네 ᄌᆡ죄 경ᄀᆡᆨ의 변화ᄒᆞ여 소원ᄃᆡ로 다 ᄒᆞᆫ다 ᄒᆞ니, 딜녀의 젼졍(前程)을 맛ᄎᆞ며 뎐흥으로ᄡᅧ 의심케 ᄒᆞ기ᄂᆞᆫ 네 손의 이시니, 일이 졍되 아니나 뇨됴슉녀(窈窕淑女)ᄂᆞᆫ 셩인도 오ᄆᆡ샤복(寤寐思服)ᄒᆞ샤 젼젼반측(輾轉反側)ᄒᆞ시니, ᄒᆞ믈며 풍뉴랑(風流郞)이냐?”

몽슉이 쳥미반(聽未半)의 깃브고 즐거오【51】미 윤시를 져의 긔물(奇物)을 삼으니 ᄀᆞᆺᄐᆞ여 년망(連忙)이 샤례 왈,

“슉뫼 쇼딜을 위ᄒᆞ샤 졀ᄉᆡᆨ미인을 쳔거ᄒᆞ시니 블승감은ᄒᆞ이다 뎡뎐흥의 금슬을 희지어 윤시로ᄡᅧ 츌화를 보게 ᄒᆞ믄 쇼딜의 손의 이시니 슉모ᄂᆞᆫ 아모려나 윤시로ᄡᅧ 쇼딜의 가인이 되도록 ᄒᆞ쇼셔.”

뉴시 언언(言言)이 고개 좃고 몽슉을 ᄌᆡ삼 당부ᄒᆞ여,

“어셔 가셔 뎡ᄉᆡᆼ을 놀ᄂᆡ여 미리 의심을 동케 ᄒᆞ라.”

몽슉이 슈명(受命)ᄒᆞ고 도라가ᄆᆡ, 《ᄉᆞ의 규규‖사어(私語) 밀밀(密密)》ᄒᆞ여 알니 업더라.

뎡부의셔 길일이 님ᄒᆞ니 혼슈를 출히며 태부인과 뎡공 부뷔 두굿기믈 니긔지 못ᄒᆞ고, 뎡한님도 슉녀의 만고무비(萬古無比)ᄒᆞᆫ 용화긔질(容華氣質)을 친히 본 ᄇᆡ라, ᄇᆡᆨ냥(百輛)[829]으로 취(娶)ᄒᆞ여 관져지락(關雎之樂)을 일울 의ᄉᆡ(意思) 잇ᄂᆞᆫ지라. 각별 다른 념녀 업【52】더니, 홀연 몽슉이 쳥듁헌의 니르러 한님 형뎨로 말슴ᄒᆞ다가, 닌흥공ᄌᆡ

829)ᄇᆡᆨ냥(百輛) : ‘백대의 수레’라는 뜻으로, 『시경(詩經)』 「소남(召南)」 편, <작소(鵲巢)>시의 ‘우귀(于歸) 백량(百輛)’에서 유래한 말이다. 즉 옛날 중국의 제후가(諸侯家)에서 혼례를 치를 때, 신랑이 수레 백량에 달하는 많은 요객(繞客)들을 거느려 신부집에 가서, 신부을 신랑집으로 맞아와 혼례를 올렸는데, 이 시는 이처럼 혼례가 수레 백량이 운집할 만큼 성대하게 치러진 것을 노래하고 있다.

록 졍되(正道) 안니ᄂᆞ 요조슉녀(窈窕淑女)ᄂᆞᆫ 셩인도 오ᄆᆡᄉᆞ복(寤寐思服)ᄒᆞ시ᄂᆞᆫ ᄇᆡ라. 너희 ᄉᆡᆼ각이 엇더ᄒᆞ뇨?”

구ᄉᆡᆼ이 쳥미파(聽未罷)의 깁부고 즐거오미 발셔 윤쇼져로쎠 져의 긔물(奇物)을 삼은 듯 연망(連忙)이 칭ᄉᆞ 왈,

“슉뫼 쇼질을 위ᄒᆞᄉᆞ 이러틋 교계(教誡)ᄒᆞ시니 불승황감(不勝惶感)ᄒᆞ온지라. 뎐흥으로 ᄒᆞ여금 츌쳐(黜妻)ᄒᆞᄂᆞᆫ 지경의 이르게 ᄒᆞ기ᄂᆞᆫ 소질의 손의 침밧고 긔약(期約)ᄒᆞ오리니, 복원 슉모ᄂᆞᆫ 이런 졀세슉녀(絶世淑女)로 소질의 실인(室人)니 되도록 ᄒᆞ쇼셔.”

뉴시 슌슌 고ᄀᆡ 죱다[853]가 {오즛근불어져} 왈,

“셩ᄉᆞᄂᆞᆫ ᄂᆡ게 이시니 져의 의심만 요동ᄒᆞ여 겨교(計巧)을 ᄒᆡᆼᄒᆞ라.”

양인의 《ᄉᆞ의‖ᄉᆞ어(私語)》 밀밀(密密)ᄒᆞ여 알니 업더라.

ᄎᆞ셜 뎡부의셔 길일이 임ᄒᆞᄆᆡ 한님이 ᄯᅩ한 쇼져의 셩덕광염(聖德光艷)을 친히【47】 보아 쇼망(所望)의 가득ᄒᆞ여, 장ᄎᆞ 뉵녜(六禮)[854]을 가초고 ᄇᆡᆨ냥(百輛)[855]으로 마즈랴 ᄒᆞ더니, 홀연 구ᄉᆡᆼ이 청슉헌의 이르

853)죱다 : 좃다. 조아리다. 끄덕이다.

854)뉵녜(六禮) : 우리나라 전통혼례의 여섯 가지 의례. 납채(納采), 문명(問名), 납길(納吉), 납폐(納幣), 청기(請期), 친영(親迎)을 이른다.

855)ᄇᆡᆨ냥(百輛) : ‘백대의 수레’라는 뜻으로, 『시경(詩經)』 「소남(召南)」 편, <작소(鵲巢)>시의 ‘우귀(于歸) 백량(百輛)’에서 유래한 말이다. 즉 옛날 중국의 제후가(諸侯家)에서 혼례를 치를 때, 신랑이 수레 백량에 달하는 많은 요객(繞客)들을 거느려 신부집에 가서, 신부을 신랑집으로 맞아와 혼례를 올렸는데, 이 시는 이처럼 혼례가 수레 백량이 운집할 만큼 성대하게 치러진 것을 노래하고 있다.

안흐로 드러가고 한님만 이시믈 보고, 몽슉이 문왈,

"나ᄂᆞᆫ 바히830) 몰낫더니 윤명쳔 녀ᄌᆞ로 혼ᄉᆞ를 뎡약이 잇다 ᄒᆞ던 ᄇᆡ라. 규슈 실산타 ᄒᆞ더니 타쳐(他處)의 취실(娶室)ᄒᆞᄂᆞ냐?"

한님 왈,

"실산ᄒᆞ엿던 규슈를 ᄎᆞᄌᆞ시므로 구약(舊約)을 셩젼(成全)코져 ᄒᆞ미라. 형이 엇지 므로ᄂᆞ뇨831)?"

몽슉이 ᄎᆞ언을 듯고 변ᄉᆡᆨ 왈,

"형의 츌셰(出世)ᄒᆞᆫ 풍뉴신광(風流身光)과 문한ᄌᆡ덕(文翰才德)으로ᄡᅧ ᄇᆡ우(配偶)를 ᄀᆞᆯ희ᄆᆡ, 반ᄃᆞ시 님ᄉᆞ(姙似)832)의 셩덕(聖德)이 잇ᄂᆞᆫ 슉녀 아니면 가치 아니ᄒᆞ니, 형이 능히 ᄇᆡ필을 ᄋᆞ람다이 만나○○[다 ᄒᆞ]랴?"

한님은 구ᄉᆡᆼ을 ᄉᆞ괴미 깁흐나 그 위인을 블취(不取)ᄒᆞᄂᆞᆫ디라, 이런 말을 드러도 가장 공교로이 넉여 답지 아니코, 셔안의 ᄎᆡᆨ을 드러 명낭(明朗)이 닑ᄂᆞᆫ지【53】라. 몽슉이 말ᄉᆞᆺ츨 ᄂᆡ미 도로혀 무류(無聊)ᄒᆞᄃᆡ, 한님의 거동을 시험코져 ᄒᆞ므로, 한님의 닑ᄂᆞᆫ ᄎᆡᆨ을 앗고 소ᄅᆡ를 나즉이 ᄒᆞ여 왈,

"쇼뎨 심듕의 픔은 ᄇᆡ 이시ᄃᆡ 발셜홈도 실노 어렵고, 아니ᄒᆞᆫ 즉 내 알고 형을 긔이며, 흉참ᄒᆞᆫ 일을 모르시고 혼ᄉᆞ를 지ᄂᆡ고져 ᄒᆞ시니, 놀납고 ᄎᆞ악ᄒᆞ믈 견ᄃᆡ지 못ᄒᆞᄂᆞ니, 쇼뎨 형가(兄家)의 슈은(受恩)ᄒᆞ기를 젹게ᄒᆞ여시면, 이런 듕대ᄒᆞᆫ 말을 ᄂᆡ고져 ᄒᆞ리오마ᄂᆞᆫ, 녕대인 바라오믈 부형 ᄀᆞᆺ치 ᄒᆞ고 형등으로 더브러 골육 ᄀᆞᆺᄐᆞᆫ 고로, 잠잠치 못ᄒᆞ미라. 형은 듯고 스ᄉᆞ로 잘 쳐치ᄒᆞ여, 이런 일이 힝혀도 쇼뎨 닙으로 난 줄 타인다려 니르지 말나."

인ᄒᆞ여, 윤시 실산ᄒᆞ여시미 다른 연괴 아니라 젼ᄌᆞ의 윤태우 문ᄀᆡᆨ ᄆᆡᆼ환으로 유졍ᄒᆞ

830)바히 : 바이. 아주 전혀.

831)므로ᄂᆞ뇨 : 묻느뇨.

832)님ᄉᆞ(姙似) : 중국 주(周)나라 현모양처(賢母良妻)인 문왕의 어머니 태임(太姙)과 무왕(武王)의 어머니 태사(太姒)를 함께 일컫는 말.

려 한님의 겻히 ᄉᆞ람 업ᄉᆞ믈 보고 조용히 문왈,

"형의 혼ᄉᆡ 격일(隔日)ᄒᆞ다 ᄒᆞ니, 젼일 윤가 녀ᄌᆞ와 졍약이 잇다가 그 규슈 실ᄉᆞᆫ(失散)ᄒᆞ믈 들어더니, 이졔 타쳐의 취실(娶室)ᄒᆞ미 잇ᄂᆞᆫ냐?"

한림 왈,

"우연니 실ᄉᆞᆫ하엿다가 도로 ᄎᆞᄌᆞᆫ 고로 구약(舊約)을 셩젼(成全)ᄒᆞ노라."

몽슉이 쳥미필(聽未畢)의 짐짓 차악(嗟愕)ᄒᆞᆫ ᄉᆞᄉᆡᆨ(辭色)을 짓고 냥구(良久)의 탄왈,

"형 갓치 츌뉴풍ᄎᆡ(出類風彩)와 문ᄌᆞᆼᄌᆡ덕(文章才德)으로ᄡᅧ 빙우(聘偶)을 갈힐진ᄃᆡ 반다시 님ᄉᆞ지덕(姙似之德)856)과 반쇼(班昭)857)의 ᄌᆡ조을 겸ᄒᆞᆫ 후야 가ᄒᆞ리니, 이졔 극히 ᄇᆡ필을 아름다이 만나다 ᄒᆞ랴?"

한림이 졀노 더부러 교게(交契) 깁흐나 또한 그 위인을 아는 고로 ᄎᆞ언을 극히 공교히 역여 묵연부답(默然不答)ᄒᆞ고, 안상(案上)의 ᄎᆡᆨ을 취ᄒᆞ여 을푼ᄃᆡ, 구ᄉᆡᆼ이 무류(無聊)ᄒᆞ나 다시 시험코져 ᄒᆞ여 한림의 보ᄂᆞᆫ ᄎᆡᆨ을 앗고 쇼ᄅᆡ을 낫초아 왈,

"소졔 므른 말이 발셜ᄒᆞ기 즁난ᄒᆞ나 아닌즉 이ᄂᆞᆫ 형을 외ᄃᆡ(外待)ᄒᆞ미라. 쇼졔 형의 집의 슈은(受恩)ᄒᆞ미 호ᄃᆡ(浩大)ᄒᆞ여 ᄃᆡ인의 덕망{홈}과 형등을 알오미 실노 부ᄌᆞ형졔와 다름이 업거날, ᄎᆞ마 엇지 명ᄇᆡᆨ히 아ᄂᆞᆫ 바로ᄡᅧ 은휘(隱諱)ᄒᆞ리오. 윤가 규슈 실ᄉᆞᆫᄒᆞ미 이 다른 연괴 안니라, 일즉 그 집 문ᄀᆡᆨ ᄆᆡᆼ환으로 유졍(有情)ᄒᆞ엿다가, 길일이 임박ᄒᆞᄆᆡ【48】 ᄆᆡᆼ환이 거즛 명화젹(明火賊)인체

856)님ᄉᆞ지덕(姙似之德) : 중국 주(周)나라 현모양처(賢母良妻)인 문왕의 어머니 태임(太姙)과 무왕(武王)의 어머니 태사(太姒)의 부덕(婦德)을 함께 일컫는 말.

857)반쇼(班昭) : 45~116. 중국 후한(後漢) 시대의 시인. 자는 혜희(惠姬). 반고(班固)의 여동생. 남편이 죽은 후 궁정에 초청되어 황후・귀인의 스승이 되었으며, 조대가(曹大家)로 불리었다. 반고의 유지(遺志)를 이어 ≪한서≫를 완성하였으며, 저서에 ≪조대가집≫이 있다.

엿【54】더니, 길일이 님박ᄒᆞᄆᆡ ᄆᆡᆼ환이 거즛 명화적인 쳬ᄒᆞ고 강경의 가 윤쇼져를 겁칙ᄒᆞ여 취월암의 ᄀᆞᆷ초고, 음비(淫鄙)ᄒᆞᆫ 졍젹(情迹)이 무상ᄒᆞᄃᆡ, 오히려 ᄆᆡᆼ환이 윤쇼져의 비상(臂上) ᄋᆡᆼ혈을 머므러 아직 이셩의 친을 일우지 아녀시나, 뜻이 금셕(金石) ᄀᆞᆺᄐᆞ여 부부의 은졍이 무궁ᄒᆞ믈 니르며, ᄆᆡᆼ환이 용맹이 졀뉸(絶倫)ᄒᆞ여 즉금 칼 ᄀᆞᆺᄐᆞᆫ ᄆᆞᄋᆞᆷ을 가져시니, 뎡문의 화란이 두리오믈 금즉이 져히ᄂᆞᆫ지라.

한님이 듯기를 다 못ᄒᆞ여셔 ᄎᆞ악ᄒᆞ여 스ᄉᆞ로 믈너안ᄌᆞ, 그 말을 듯지 아냐 왈,

“내 비록 군ᄌᆡ 아니나 비례물청(非禮勿聽)833)이니 형은 그만 긋치라. 다만 윤시ᄂᆞᆫ 만고음녀(萬古淫女)라 닐너도 셕년의 대인이 윤명천으로 더브러 구든 뎡약을 두어계시니 엇지 ᄇᆡ반ᄒᆞ리오. 텬하의 흔ᄒᆞᆫ 거시 【55】 녀ᄌᆡ니 윤시를 취ᄒᆞ여 ᄒᆡᆼ실이 음비ᄒᆞᆯ진ᄃᆡ 츌거(黜去)ᄒᆞ고 다른 안ᄒᆡ를 어들 거시니 현마 어이ᄒᆞ리오. 아모 당ᄉᆞ(壯士) 놈이라도 인명을 간ᄃᆡ로 살ᄒᆡ(殺害)치 못ᄒᆞᆯ지라. 므어시 두리오리오.”

언파의 슉연뎡좌(肅然正坐)ᄒᆞ여 도로 ᄎᆡᆨ을 ᄌᆞᆷ심(潛心)ᄒᆞ여 보ᄂᆞᆫ지라. ᄉᆞᄉᆡᆨ(辭色)이 여화츈풍(如和春風)이로ᄃᆡ, ᄀᆡ위(氣威) 엄슉뎡대(嚴肅正大)ᄒᆞ여 다시ᄂᆞᆫ 말 븟치기 어려오니, 몽슉이 크게 무류ᄒᆞ고 ᄯᅩᄒᆞᆫ 통완ᄒᆞ여 그 심지(心志)를 여어볼834) 길히 업ᄉᆞ니, 거즛 칭찬 왈,

“어질고 명쾌ᄒᆞ미 진실노 밋ᄎᆞ리 업ᄉᆞ리로다. 쇼뎨ᄂᆞᆫ 이 말을 드르ᄆᆡ 한심ᄒᆞ여 형다려 닐너 쳐치콰져 ᄒᆞ엿더니, 형의 말이 이러ᄐᆞᆺ ᄒᆞ니, 쇼뎨 탄복ᄒᆞ믈 니긔지 못ᄒᆞᄂᆞ니, 타일의 이런 말을 형이 블츌구외(不出口外)ᄒᆞ【56】여 쇼뎨 니르믈 아모다려도 젼(傳)치 말나.”

한님이 완이쇼왈(莞爾笑曰)835),

ᄒᆞ고 강경의 윤쇼져을 겁칙ᄒᆞ여 취월암의 감초고, 음비(淫鄙)ᄒᆞᆫ 졍젹(情迹)이 낭ᄌᆞ(狼藉)ᄒᆞᄃᆡ, 특별이 비홍(臂紅)을 머무러 두믄 후일을 염여(念慮)ᄒᆞ미라. 부부 되랴 ᄒᆞᄂᆞᆫ 즁경(重情)은 금셕(金石) 갓고, ᄒᆞ물며 녀력(膂力)이 졀윤ᄒᆞ여 칼을 품엇ᄂᆞ니, 필연 비ᄉᆞᆼ변괴(非常變故) 이실가 두리ᄂᆞᆫ ᄇᆡ라.”

한림이 청파(聽罷)의 그 말을 ᄒᆡ연(駭然)이 역여, 졍ᄉᆡᆨ고 물너 안ᄌᆞ 왈,

“ᄂᆡ 비록 군ᄌᆞ 못되나 비례물청(非禮勿聽)은 ᄯᅩ한 아ᄂᆞᆫ니, 형이 엇지 비례의 말을 타연니 ᄒᆞᄂᆞ뇨? 셜ᄉᆞ 윤시 어지지 못ᄒᆞ나 ᄃᆡ인이 일즉 윤공과 ᄆᆡᆼ약(盟約)이 구드시니 엇지 변ᄀᆡ(變改)ᄒᆞ미 잇시며, 셩혼 후 과연 누ᄒᆡᆼ(陋行)이 이실진ᄃᆡ 츌거(黜去)ᄒᆞ미 늣지 아니리라.”

언파의 슉연졍좌(肅然正坐)ᄒᆞ여 다시 ᄎᆡᆨ을 보ᄆᆡ ᄀᆡ위엄슉(氣威嚴肅)ᄒᆞ여 다시 말이 업ᄉᆞ니 구ᄉᆡᆼ이 그 심지(心志)을 층양(測量)치 못ᄒᆞ여 거즛 칭찬 왈,

“형은 진짓 명달(明達)ᄒᆞᆫ 군ᄌᆡ라. 쇼제ᄂᆞᆫ 그 일을 드르ᄆᆡ 형을 위ᄒᆞ여 심한골경(心寒骨驚)ᄒᆞ기로 마지 못ᄒᆞ여 젼ᄒᆞ미러니, 형언을 드르ᄆᆡ 쇼제 언경(言輕)ᄒᆞ믈 ᄭᆡ다라 형의 고견(高見)을 탄복ᄒᆞᄂᆞ니, 다ᄒᆡᆼ이 이 말을 불츌구외(不出口外)ᄒᆞ여 쇼제로 ᄒᆞ여금 화(禍)을 면케 ᄒᆞ라.”

한림이 미쇼 왈,

833)비례물청(非禮勿聽) : 예(禮)가 아닌 말은 듣지 않는다는 뜻.

834)여어보다 : 엿보다.

835)완이쇼왈(莞爾笑曰) : 빙그레 웃으며 말하다. ‘완이(莞爾)’는 빙그레 웃는 모양. “夫子莞爾笑曰割鷄

"형이 쇼뎨를 과쟝(誇張)ᄒᆞ미 이ᄃᆡ도록 ᄒᆞ여 쇼뎨로 ᄒᆞ여금 치신무디(置身無地)[836] 케 ᄒᆞ미로다. 형의 젼ᄒᆞᄂᆞᆫ 말을 아모다려도 니르지 아니리니 념녀치 말나."

몽슉이 말이 업셔 이윽이 안잣다가 진부로 가ᄂᆞᆫ지라. 한님이 단좌(端坐) ᄉᆞ량(思量) ᄒᆞᄆᆡ,

"윤시의 빗나며 고으믄 니르도 말고 됴코 ᄆᆞᆰ은 긔운이 츄텬졔월(秋天霽月)[837]이라. ᄒᆞ믈며 미우(眉宇)의 셩덕이 낫타나고 안광(眼光)의 어진 긔운이 가득ᄒᆞ며 만면(滿面)이 슉덕영복지상(淑德榮福之相)이라. 내 ᄉᆞ오셰로부터 글을 닑어 십셰의 문후(問候)[838]를 능통치 아닌 곳이 업셔, 윤시 만일 그런 음비(淫鄙)ᄒᆞᆫ 졍젹(情迹)이 이시면 그 얼골이 반ᄃᆞ시 고은 가온ᄃᆡ 됴치 아닌 【57】 곳이 이실 듯ᄒᆞᄃᆡ, 아모리 보아도 션연츌범(嬋娟出凡)ᄒᆞ니, 엇지 구싱의 공교로온 말을 군ᄌᆡ 취신(取信)ᄒᆞ리오. 윤시의 시ᄋᆡ(侍兒) 말을 아라드를 만치[839] ᄒᆞ여 졔 듀인을 힘ᄒᆞᄂᆞ니 이시믈 빗최니, 반ᄃᆞ시 윤시를 믜워ᄒᆞᄂᆞᆫ ᄌᆡ 몽슉을 촉(促)ᄒᆞ여 내 귀예 흉참ᄒᆞᆫ 말을 젼ᄒᆞ미라. 윤시를 취(娶)ᄒᆞ여 일튁지상(一宅之上)의셔 그 거동을 보면 알니니, 미리 념녀ᄒᆞᆯ ᄇᆡ 아니라."

의ᄉᆡ(意思) 이에 밋쳐ᄂᆞᆫ 단연이 다른 념녀 업셔, ᄎᆞ야의 닌흥 등 졔뎨(諸弟)로 청듁헌의셔{셔} 슉침ᄒᆞ더니, 반야(半夜)의 크게 소ᄅᆡᄒᆞ고 칼노 ᄉᆞ창(紗窓)을 지르ᄂᆞ니 잇거ᄂᆞᆯ, 한님이 희미히 눈을 ᄯᅥ보니, ᄎᆞ시 망간(望間)[840]이라, 명월이 만방의 빗최고 창외의 신댱이 팔쳑이나 ᄒᆞᆫ 댱ᄉᆞ 셧ᄂᆞᆫ지라. 한님 【58】 이 분연이 니러나 문을 ᄲᅡ시ᄂᆞᆫ 칼

焉用牛刀"『論語』

836)치신무디(置身無地) : 몸 둘 곳이 없음.

837)츄텬졔월(秋天霽月) : 비가 갠 가을하늘의 밝은 달.

838)문후(問候) : 웃어른의 안부를 묻는 일. 여기서는 안부를 묻는 과정에서 상대방의 표정, 기분, 선악, 심리상태 등을 읽어내는 능력을 말한 것. '후(候)' 자에는 '염탐하다'의 뜻이 있다.

839)아라드를 만치 : 알아들을 만큼.

840)망간(望間) : 음력 보름께.

"형이 너모 과쟝(誇張)ᄒᆞ니 몸 둘 고지 업ᄂᆞᆫ지라. 젼언(傳言)을 긋타여 졔긔(提起)치 아니리니 염녀치 말지여다."

구싱이 ᄉᆞ례(謝禮)ᄒᆞ고 이시히 안ᄌᆞ다가 진부로 가거날, 한림이 독좌(獨坐)하여 상냥(商量) 왈,

"윤시 ᄒᆞᆫ갓 셩ᄌᆞ광 【49】 염(聖姿光艶) 분 아니라, 놉흔 ᄯᅳᆺ과 징쳥(澄淸)ᄒᆞᆫ 졍신니 츄ᄉᆞᆼ빙옥(秋霜氷玉) 갓트여, 만면(滿面)의 슉덕명ᄒᆡᆼ(淑德名行)이라. 만일 져런 음비지ᄉᆡ(淫鄙之事) 잇실진ᄃᆡ, 미목긔ᄉᆡᆨ(眉目氣色)이 반다시 뵈미 이실거시로ᄃᆡ, 아모리 보아도 츌뉴비범(出類非凡)ᄒᆞ든지라, 구아의 교언(巧言)니 엇지 족히 취신(取信)ᄒᆞ며, 허믈며 윤시 시아의 말이 제 쥬인을 ᄒᆡᆷᄒᆞᄂᆞᆫ니 잇시믈 아라 드릴만치 비치든 거시니, 반다시 ᄒᆡᆷ혼든 ᄌᆡ 구싱을 촉(促)ᄒᆞ여 ᄂᆡ 귀을 현난(絢爛)ᄒᆞ미니 혼취(婚娶) 후 ᄌᆞ시 보면 ᄌᆞ연 알지라. 미리 염예(念慮)할 ᄇᆡ 아니로다."

인ᄒᆞ여, 인흥 등 제제(諸弟)로 더부러 청쥭헌의셔 슉침할 ᄉᆡ, 야심(夜深) 후 홀연 일인니 크게 소ᄅᆡᄒᆞ고 칼을 들어 ᄎᆞᆼ을 바로 질너 ᄇᆡᆨ인(白刃)이 셤셤(閃閃)ᄒᆞ거날[858], 한림이 눈을 들어 슬필 ᄉᆡ, 잇ᄯᅦ 졍히 ᄉᆞᆷ츈망간(三春望間)[859]니라. 월ᄉᆡᆨ(月色)이 만ᄎᆞᆼ(滿窓)한ᄃᆡ 영한(獰悍)ᄒᆞᆫ ᄌᆞᆼᄉᆞ(壯士)의 그름ᄌᆡ 비쳐거날, 한림이 분연이 이러 ᄎᆞᆼ을 열치고 ᄂᆡ다르니, 기인니 몸을 흔드러 공즁의 쇼ᄉᆞ며 고셩ᄃᆡᄆᆡ(高聲大罵) 왈,

858)셤셤(閃閃)ᄒᆞ다 : 빛 따위가 번쩍이다.

859)ᄉᆞᆷ츈망간(三春望間) : 음력 3월 보름께.

흘 앗고 문을 열치고 닉다르니 기인이 경긱의 공듕으로 소ᄉᆞ며 왈,

"뎡텬흥아 네 나의 쳔금미인(千金美人)을 감히 아ᄉᆞ 취ᄒᆞ려 ᄒᆞ거니와 나 밍환이 일셰를 혼일(混一)ᄒᆞᄂᆞᆫ 지죄이시며, 두 팔 가온딕 만인브뎍지용(萬人不敵之勇)이 이시니, 네 머리 열히라도 보젼치 못ᄒᆞ리니 ᄀᆞ장 조심ᄒᆞ라."

이리 니르며 간 바를 아디 못ᄒᆞ니, 한님이 ᄎᆞ경(此景)을 당ᄒᆞ여 ᄎᆞ악 경히ᄒᆞ고, 제공ᄌᆡ(諸公子) 다 ᄭᆡ여 놀나믈 마디 아니니, 한님이 도로 드러와 벼개의 누으며 왈,

"어딕셔 괴이ᄒᆞᆫ 도젹놈이 와셔 형젹(形迹)을 뵈고 도망ᄒᆞ니, 져를 두리ᄂᆞᆫ 거시 아니라 긴 혀를 놀녀 욕셜이 비경(非輕)ᄒᆞ니 그런 통완ᄒᆞᆫ 일이 업도다."

삼공ᄌᆞ 셰흥이 나히 어린지라. 심니【59】의 분완(憤惋)ᄒᆞ고 놀납기를 니긔지 못하여 왈,

"그 도젹이 언닉(言內)의 져의 미인을 형댱이 아ᄉᆞ려 ᄒᆞᆫ다 ᄒᆞ니 긔 엇진 말이니잇고? 부모와 태모긔 알외여 혼인을 못지닉게 ᄒᆞ쇼셔."

한님이 개연(蓋然) 쇼왈,

"비록 팔셰 쇼ᄋᆡ나 식견이 이딕도록 쳔단(淺短)ᄒᆞ뇨? 윤시 혹ᄌᆞ 그런 일이 이셔도 윤명쳔과 대인이 엇던 친우간이며, 져 윤개 엇던 법문이오, 윤시 일시 실산ᄒᆞ미 이시나 그 ᄋᆡ회(厄會) 블힝ᄒᆞ미오, 음분도주(淫奔逃走)ᄒᆞᆫ 일은 아닐 거시니 두고 보면 알녀니와, 그 도젹의 말을 미들 거시 아니라. 도젹이 진실노 날을 죽이려 와시면 내 졔 손의 죽을 니ᄂᆞᆫ 업ᄉᆞ나, 반ᄃᆞ시 가마니 드러와 히홀 거시오. 졔 힘이 브족ᄒᆞ여 도망ᄒᆞ여도 잠잠고 갈 거시지,【60】 엇지 흉ᄒᆞᆫ 소릐를 낭ᄌᆞ히 니를 니 이시리요. 너ᄂᆞᆫ 이런 말을 부모긔 고치 말나. 이 밤이 ᄉᆡ면 길일이니, 어이 혼인을 믈니리오."

"역츅(逆畜) 뎡쳔흥아, 네 감히 나의 미인을 아ᄉᆞ 취코ᄌᆞ ᄒᆞ건니와, 이 밍환이 일세을 흔들 지죄와 두 팔의 만부부당지용(萬夫不當之勇)[860]이 잇시니, 네 감히 머리 여러히ᄂᆞ 당치 못ᄒᆞ리니, 가ᄌᆞᆼ 조심ᄒᆞ라."

니르며, 간 곳지 업거날, 한림이 ᄎᆞ악경히ᄒᆞ고, 인흥 공ᄌᆞ 더옥 놀나니, 한림이 방즁의 드러와 볘ᄀᆡ의 누으며 왈,

"어딕셔 쥐 갓튼 도젹이 형젹(形迹)만 뵈고 도망ᄒᆞ니, 져을 두【50】리미 아니로딕 욕셜이 이럿틋 ᄒᆞ니, 쏘한 분완(憤惋)ᄒᆞ미 깁도다."

ᄉᆞᆷ공ᄌᆞ 세흥이 연유ᄒᆞ니 더옥 놀나고 분ᄒᆞ여 왈,

"그 도젹이 져의 미인을 형ᄌᆞᆼ이 아ᄉᆞ련다 ᄒᆞᄂᆞᆫ지라. ᄎᆞᄉᆞ을 됸당(尊堂)의 알외여 혼ᄉᆞ을 물니미 가할가 하ᄂᆞ니다."

한림이 어로만져 왈,

"네 비록 팔셰 소ᄋᆡ나 엇지 식견이 쳔당[단](淺短)ᄒᆞ뇨? 윤시 엇던 법가여ᄌᆞ(法家女子)며 윤공과 딕인니 엇던 교되(交道)시뇨? 윤시 비록 실슨(失散)ᄒᆞ미 이시ᄂᆞ, 그 ᄋᆡ회(厄會)을 당ᄒᆞ미요, 음분(淫奔)ᄒᆞ미 안니라. 차후 두고 보면 ᄌᆞ연 알거시오, 도젹이 진실노 날을 히코져 할진딕, 반다시 가마니 와실 거시오. 졔 힘니 부족ᄒᆞ여 도망할진딕 쏘한 즘즘코 갈 거시여날, 낭ᄌᆞ(狼藉)히 픈포할[861] 니 잇시리오. 네 이런 즁ᄂᆞᆫ(重難)한 말을 경션(輕先)이 존당긔 고치 말나. 《인가‖윤가》 딕ᄉᆞ(大事)[862] 계유 이 밤이 격(隔)ᄒᆞ여시니 엇지 퇴혼하리오."

860)만부부당지용(萬夫不當之勇) : 남자 만명이 대항해도 당하지 못할 용력(勇力).
861)픈포ᄒᆞ다 : 퍼뜨리다. 널리 퍼지게 하다.
862)딕ᄉᆞ(大事) : 혼인(婚姻).

ᄎᆞ공ᄌᆞ 닌흥이 ᄇᆡᆨ시의 명달ᄒᆞᆫ 말ᄉᆞᆷ을 듯고 심심(深深) 탄복 왈,

"형댱의 원대ᄒᆞ신 지식이 이러틋 ᄒᆞ시니, 아모 어려온 일을 당ᄒᆞ신들 두려온 일이 이시리오. 명일 지ᄂᆡᆯ 혼ᄉᆞ를 믈니ᄌᆞ ᄒᆞ믄 비록 어린 ᄋᆞ희 말이나 블통(不通)ᄒᆞ미 심ᄒᆞᆫ디라. 다만 의혹(疑惑)건ᄃᆡ 윤가의셔 뉘 져ᄃᆡ도록 규슈를 믜워ᄒᆞᄂᆞᆫ고, 아지못ᄒᆞᆯ 일이로소이다."

한님이 탄왈,

"인심(人心)은 블가측(不可測)[841]이니 뉘 그리 ᄒᆞᄂᆞᆫ 줄 알니오마ᄂᆞᆫ, 윤시를 그러타 ᄎᆡ오기ᄂᆞᆫ[842] 나ᄂᆞᆫ 못ᄒᆞᆯ노다."

셰흥이 쇼왈,

"형댱 말ᄉᆞᆷ도 맛당ᄒᆞ시거니와 윤가의셔 엇던 놈을 보ᄂᆡ여 그리ᄒᆞᆯ ᄌᆡ【61】 이시리잇가?"

냥뎨의 말을 듯고 한님이 당부ᄒᆞ여 이런 말을 블츌구외(不出口外)ᄒᆞ라 ᄒᆞ니, 삼공ᄌᆡ 나히 어리나 셩되(性度) 과격ᄒᆞᆫ지라, 능히 ᄎᆞᆷ지 못ᄒᆞ여 명일 신셩(晨省) 후, 가듕이 ᄌᆞ연 소요(騷擾)ᄒᆞ여 대연을 진셜(陳設)ᄒᆞ고 ᄂᆡ외빈ᄀᆡᆨ(內外賓客)을 청ᄒᆞ니, 태부인긔ᄂᆞᆫ 더옥 고ᄒᆞᆯ 틈이 업셔, 모친이 협실(夾室)의 드러가신 ᄯᆡ를 타, ᄯᆞ라 드러가 작야변(昨夜變)을 일일히 고ᄒᆞ니, 진부인이 텬셩이 단엄ᄆᆡᆼ녈(端嚴猛烈)ᄒᆞ여 본ᄃᆡ 비의블법(非義不法)을 용납지 아니ᄒᆞ고, 만ᄉᆞ 쳐신이 녜뫼(禮貌) 가ᄌᆞᆨᄒᆞ여 규식(規式)이 도ᄒᆞᆨ유ᄌᆡ(道學儒者)로ᄃᆡ, 화열ᄒᆞ며 유슌ᄒᆞᆫ 픔질이 잠간 브족ᄒᆞ여 창ᄒᆡ(滄海)ᄀᆞᆺ치 너르지 못ᄒᆞᆫ지라. ᄎᆞ언을 듯고 발연대로(勃然大怒)ᄒᆞ여 경ᄒᆡ(驚駭)ᄒᆞ믈 니긔지 못ᄒᆞ나, 금일이 길일이니 여러 이목듕(耳目中) 비루ᄒᆞᆫ 쇼문을【62】 ᄂᆡ지 못ᄒᆞ여, 삼공ᄌᆞ를 당부ᄒᆞ여 이런 말을 다시 말나 ᄒᆞ나, 듕심의 통ᄒᆡᄒᆞ미 가득ᄒᆞ니 ᄌᆞ연 안식이 블화(不和)ᄒᆞᆫ지라. 금평휘 곡졀(曲折)을 모르고 일가친쳑과 닌니졔

841)블가측(不可測) : 헤아릴 수 없음.

842)ᄎᆡ오다 : 치다. 지목하다. 어떠한 상태라고 인정하거나 사실인 듯 받아들이다.

ᄎᆞ공ᄌᆞ 인흥이 형ᄌᆞᆼ(兄丈)의 통달ᄒᆞᆫ 말을 탄복 왈,

"형ᄌᆞᆼ이 원ᄃᆡᄒᆞ신 식견니 엿ᄎᆞ하오시니 아모 난쳬지ᄉᆡ(難處之事)라도 당ᄒᆞ시면, 엇지 두려오미 잇ᄉᆞ리오. 명일 혼ᄉᆞ을 물니ᄌᆞ ᄒᆞ믄 유졔(幼弟)의 불통(不通)ᄒᆞᆫ 말ᄉᆞᆷ이연니와, 다만 의혹건ᄃᆡ, 윤부의셔 뉘 그ᄃᆡ도록 규슈을 미워ᄒᆞᄂᆞᆫ지 아지 못ᄒᆞ리로소이다."

한림니 탄왈,

"타인의 집 일을 뉘 그런 ᄌᆞᆯ 알니오마ᄂᆞᆫ 윤시을 그러히 지목(指目)ᄒᆞ믄 ᄎᆞ마 못할 ᄇᆡ로다."【51】

셰흥 공ᄌᆡ 소왈,

"형ᄌᆞᆼ 말ᄉᆞᆷ도 맛당ᄒᆞ시건이와, 윤부의 엇던 슈인(讎人)니 잇셔, 혼긔 격일(隔日)한ᄃᆡ 도적을 보ᄂᆡᆯ ᄌᆡ 이시리잇가?"

한림니 냥졔을 당부ᄒᆞ여 이 말ᄉᆞᆷ을 불츌구회[외](不出口外) ᄒᆞ라 ᄒᆞᆫᄃᆡ, ᄉᆞᆷ공ᄌᆡ 연소과격(年少過激)ᄒᆞᆫ 고로 능히 ᄎᆞᆷ지 못ᄒᆞ여, 명조(明朝) 신셩(晨省)할 ᄯᆡ의 가즁이 ᄇᆡ야흐로[863] 연셕(宴席)을 ᄇᆡ셜(排設)ᄒᆞ고 빈ᄀᆡᆨ(賓客)을 취회(聚會)ᄒᆞᆯ[864] ᄉᆡ, ᄉᆞᆷ공ᄌᆡ 모부인니 협실(夾室)의 드러가는 ᄯᆡ{을} ᄯᅡ라 드러가, ᄌᆞᆨ야(昨夜) 변고을 일일이 고ᄒᆞᆫ ᄃᆡ, 진부인이 본ᄃᆡ 쳔셩이 단엄ᄆᆡᆼ녈(端嚴猛烈)ᄒᆞ여 빌[비]례불법지ᄉᆞ(非禮不法之事)을 용납지 못ᄒᆞ여, ᄇᆡᆨᄒᆡᆼ례되(百行禮度) 쳥고유ᄌᆞ(淸高儒者) ᄀᆞᆺ튼지라. 금일 쳔만몽ᄉᆞᆼ지외(千萬夢想之外)[865]의 ᄎᆞ언을 들르ᄆᆡ 경ᄒᆡ분완(驚駭憤惋)ᄒᆞ여도 여려[러] 이목(耳目) ᄀᆞ온ᄃᆡ 불미(不美)ᄒᆞᆫ 말을 ᄂᆡ지 못ᄒᆞ고, 공ᄌᆞ을 당부ᄒᆞ여 이런 말을 다시 구외(口外)의 ᄂᆡ지 말ᄂᆞ ᄒᆞᄃᆡ, 즁심(中心)의 불평ᄒᆞ미 가득ᄒᆞ니, ᄌᆞ연 미우(眉宇)의 츄ᄉᆞᆼ(秋霜)이 어ᄅᆡ여시니, 평후ᄂᆞᆫ 곡졀을 모로고 일가친쳑과 모든 붕우을 모호며 두굿기믈 이기지 못ᄒᆞ

863)ᄇᆡ야흐로 : 바야흐로. 이제 한창. 또는 지금 바로.

864)취회(聚會)ᄒᆞ다 : 모으다.

865)쳔만몽ᄉᆞᆼ지외(千萬夢想之外) : 전혀 꿈속에서조차도 생각하지 못할 어떤 일이나 생각.

우(隣里諸友)를 모흐며 두굿기믈 니긔지 못ᄒᆞ다가, 부인의 ᄂᆡᆼ담ᄒᆞᆫ ᄉᆞᄉᆡᆨ(辭色)을 보고 문득 쇼왈,

"부인이 원간 화긔(和氣) 적은 품질이어니와 금일을 당ᄒᆞ여 ᄌᆞ식을 쳐음으로 셩인(成姻)ᄒᆞ며 쳘부셩녀(哲婦聖女)를 엇ᄂᆞᆫ 날이라. 인심의 깃브미 극ᄒᆞ여든 엇지 블호지ᄉᆡᆨ(不好之色)이 잇ᄂᆞ뇨?"

진부인이 강인(强仍)ᄒᆞ여 미쇼무언(微笑無言)이러니, ᄂᆡ외빈ᄀᆡᆨ이 벌 뭉긔ᄃᆞᆺ ᄒᆞᄂᆞᆫ디라. 태부인이 진부인으로 더브러 졔ᄀᆡᆨ을 마ᄌᆞ 좌를 일워 담화ᄒᆞᆯᄉᆡ, 태부인 년긔 뉵슌(六旬)이 되여시ᄃᆡ 쇠로(衰老)ᄒᆞ미 업셔 면뫼(面貌) 츈화(春花)ᄀᆞᄐᆞ여 말ᄉᆞᆷ을 ᄂᆡ미 ᄉᆞ【63】좌(四座)를 감열(感悅)ᄒᆞ니, 인심이 흡연ᄒᆞ여 셩덕을 열복(悅服)지 아니리 업고, 진부인의 삼엄졍숙(森嚴貞淑)ᄒᆞᆫ 미모셩ᄒᆡᆼ(美貌性行)이 공경치 아니리 업ᄂᆞᆫ디라. 일가 족당의 부인ᄂᆡ 져마다 금평후 부부의 복녹을 일ᄏᆞ르며, 한님의 쇼년쳥망(少年淸望)을 흠찬(欽讚)ᄒᆞ여 태부인긔 하례(賀禮)ᄒᆞ니 태부인이 유열(愉悅)이 ᄉᆞ샤왈,

"미망여ᄉᆡᆼ(未亡餘生)이 구ᄎᆞ히 셰상의 머믈며 일ᄌᆞ의 디효(至孝)를 의지ᄒᆞ여 붕셩지통(崩城之痛)을 니ᄌᆞ나 슬히 젹막ᄒᆞ고, 셕년(昔年)의ᄂᆞᆫ 죵일 입을 열 일이 업셔 비상(悲傷)ᄒᆞᆫ 회포 ᄲᅳᆫ이러니, 지금은 텬홍의 형뎨 여러히 용쇽(庸俗)ᄒᆞ믈 면ᄒᆞ여, 진현뷔 회ᄐᆡ(懷胎)ᄒᆞ여 ᄯᅩ ᄉᆞ오삭이니 스ᄉᆞ로 ᄒᆡᆼ열(幸悅)ᄒᆞ믈 니긔지 못ᄒᆞ노라. 녈위졔친(列位諸親)의 셩녀(聖慮)를 힘닙어 손ᄋᆡ 등과ᄒᆞ【64】고, 금일 신부 취(娶)ᄒᆞ기의 당ᄒᆞ여 친젹닌니(親戚隣里) 다 님ᄒᆞ시니 폐샤(弊舍)의 광치 빈승(倍勝)ᄒᆞ도소이다."

졔ᄀᆡᆨ이 공ᄌᆞ 등의 츌범ᄒᆞ믈 만구칭션(萬口稱善)ᄒᆞ여 왈,

다가, 부인의 ᄂᆡᆼ담(冷淡)ᄒᆞᆫ ᄉᆞᄉᆡᆨ(辭色)을 보고 믄득 우어[866] 왈,

"부인이 원간 화긔(和氣) 적은 품질리연니와 금일을 당ᄒᆞ여 ᄌᆞ식을 셩혼ᄒᆞᄆᆡ 슉녀을 엇ᄂᆞᆫ 날리라. 인심니 깃부미 극ᄒᆞ려든 엇지 불열ᄒᆞᆫ ᄉᆞᄉᆡᆨ이 져ᄃᆡ도록 ᄒᆞ시뇨?"

부인니 강인(强忍) 미소무언(微少無言)이러라. 이윽고 여ᄀᆡᆨ(女客)이 운집(雲集)ᄒᆞ니, 화기쥬륜(華駕朱輪)[867]이 곡즁(谷中)의 메【52】엿더라. ᄐᆡ부인니 진부인을 거나려 모든 부인ᄂᆡ로 네필좌졍(禮畢坐定)할 ᄉᆡ, ᄐᆡ부인니 뉵슌(六旬)을 당ᄒᆞ여시되 쇠픠(衰敗)ᄒᆞ미 업셔 면모 연화(蓮花) 갓트여, 유화(柔和)ᄒᆞᆫ 말ᄉᆞᆷ이 ᄉᆞ람을 감열(感悅)ᄒᆞ니, 인심이 흡연흠탄(洽然欽歎)ᄒᆞ여 ᄐᆡ부인 쳥덕과 복녹을 칭하ᄒᆞ고, 진부인 녜모슉ᄒᆡᆼ(禮貌淑行)을 공경치 아니리 업고, 허믈며 금후의 셩덕복녹(盛德福祿)과 한림의 쳥츈아망(靑春雅望)을 져마다 흠탄(欽歎)ᄒᆞ여, ᄐᆡ부인긔 ᄒᆞ례(賀禮)ᄒᆞᄂᆞᆫ 말ᄉᆞᆷ이 긋지 아니 ᄒᆞᄂᆞᆫ지라. ᄐᆡ부인니 겸손 ᄉᆞ왈,

"미망인ᄉᆡᆼ(未亡人生)이 ᄌᆞ식의 지셩을 의지ᄒᆞ여 붕셩지통(崩城之痛)을 거의 이ᄌᆞ나, 슬ᄒᆞ(膝下) 젹막ᄒᆞ여 입열 곳지 업더니 도금(到今)ᄒᆞ여 손ᄋᆡ 여러히 되고, 다ᄒᆡᆼ이 용쇽(庸俗)긔을 면ᄒᆞ고, 진현뷔 ᄯᅩ한 회ᄐᆡ(懷胎) ᄉᆞ오삭(四五朔)이니 경ᄉᆡ 쳡쳡(疊疊)할 분 아냐, 션영(先塋)의 《목우‖묵우(默祐)》ᄒᆞ심과 텬은(天恩)의 호탕(浩蕩)ᄒᆞ시믈 닙ᄉᆞ와, 손ᄋᆡ 연소치몽(年少稚蒙)으로 외람이 문무의 ᄌᆞ직을 밧ᄌᆞᆸ고 금일 취실ᄒᆞ와, 열위 부인ᄂᆡ 욕님(辱臨)ᄒᆞ시오니 오문(吾門)의 광치 빈승(倍勝)토소이다."

졔ᄀᆡᆨ이 일시의 치ᄒᆞ하여 만구칭션(萬口稱善)ᄒᆞ고 졔공ᄌᆞ의 옥슈경님(玉樹瓊林)[868]갓

866)우으다 : 웃다.
867)화기쥬륜(華駕朱輪) : 화려하게 치장한 가마와 붉은 칠을 한 바퀴가 달린 수레.
868)옥슈경님(玉樹瓊林) : 옥같이 아름다운 숲.

"젼일의 ᄋᆞ쇼져를 보앗더니 이졔 거의 ᄌᆞ라실지라. 친쳑 등이야 므ᄉᆞᆷ ᄂᆡ외(內外)ᄒᆞ리잇고 ᄒᆞᆫ번 보게 ᄒᆞ쇼셔."

태부인이 쇼왈,

"져를 구ᄐᆞ여 ᄂᆡ외ᄒᆞ미 아니라 어린 ᄋᆞᄒᆡ 슈치(羞恥)ᄒᆞ기 심ᄒᆞ여 녈위 존젼의 뵈옵기를 어려워 ᄒᆞ거니와, 브ᄃᆡ 보고져 ᄒᆞ실진ᄃᆡ 이졔 블너 현알케 ᄒᆞ리이다."

언파의 혜쥬쇼져를 브르니 슈유(須臾)[843]의 쇼졔 두어 시녀로 더브러 나아오니, 삼촌금년(三寸金蓮)을 ᄌᆞ약히 옴겨 모든 ᄃᆡ 녜ᄒᆞᆯ시 오ᄎᆡ상광(五彩祥光)이 ᄋᆡᄋᆡ(靄靄)ᄒᆞ여 면모를 ᄀᆞ리오고, ᄒᆡᆼᄒᆞᄂᆞᆫ【65】 바의 이향(異香)이 옹비(擁鼻)[844]ᄒᆞ고 보ᄇᆡ로운 긔질과 션연(嬋姸)ᄒᆞᆫ ᄐᆡ되 텬화일지(天花一枝)[845] 옥호(玉壺)의 ᄭᅩᄌᆞ시며, 츄텬명월(秋天明月)이 광ᄎᆡ를 만방의 흘니니, 만좌 졔셩칭찬(齊聲稱讚)[846]ᄒᆞ여 넉슬 일코, 태부인이 두굿기믈 니긔지 못ᄒᆞ고, 쇼졔 빈ᄀᆡᆨ이 무슈(無數)ᄒᆞ믈 보고 즉시 드러가려 ᄒᆞ니, 친쳑 부인ᄂᆡ 손을 잡고 태부인을 향ᄒᆞ여 대찬ᄒᆞ니, 태부인이 쇼왈,

"ᄌᆞ식이 ᄌᆞ연 부모를 담ᄂᆞᆫ디라. 돈ᄋᆞ와 현부의 외모풍ᄎᆡ(外貌風彩)와 긔질셩ᄒᆡᆼ(氣質性行)이 남의 아ᄅᆡ 아니니, 여러 ᄌᆞ식이 ᄒᆞ나토 용우(庸愚)ᄒᆞ니ᄂᆞᆫ 업거니와, 텬흥과 ᄎᆞᄋᆞᄂᆞᆫ 졔 부모의게 지난 위인이라. 나의 ᄉᆞ랑ᄒᆞᄂᆞᆫ 졍이 ᄌᆞ별ᄒᆞ니, 녀ᄌᆞᄂᆞᆫ 일ᄉᆡᆼ 다리고 잇지 못ᄒᆞᄂᆞ니, 나히 ᄎᆞ면 남의 집 사ᄅᆞᆷ이 될지라. 오【66】가(吾家)를 흥긔ᄒᆞᆯ 일도 업고 크게 바라ᄂᆞᆫ 바ᄂᆞᆫ 금일 보ᄂᆞᆫ 신뷔 졔 고모(姑母)[847]만이나 ᄒᆞ면 작ᄒᆞ리잇가."

뎡언간(停言間)의 금평휘 드러오니, ᄂᆡ외ᄒᆞᆯ 부인ᄂᆡᄂᆞᆫ 당ᄂᆡ(堂內)로 들고 원근 친쳑

843)슈유(須臾) : 잠시(暫時). 짧은 시간.

844)옹비(擁鼻) : 향기, 냄새 따위가 코를 찌르다.

845)텬화일지(天花一枝) : 하늘에서 내린 꽃 한 가지. '천화(天花)'는 '눈(雪)' 또는 천상계에서 핀다는 영묘한 꽃을 이르는 말.

846)졔셩칭찬(齊聲稱讚) : 일제히 소리내어 칭찬함.

847)고모(姑母) : 시어머니.

트믈 일카라 왈,

"젼일의 아소져을 보아ᄉᆞᆸ던니 이졔 거의 ᄌᆞ라실지라. 한번 보오믈 원ᄒᆞᄂᆞ이다."

ᄐᆡ부인이 소왈,

"져을 굿ᄐᆞ여 ᄂᆡ가 식이미 아니라 유쇼(幼少)한 아ᄒᆡ 슈졸(羞拙)ᄒᆞ미 심한지라. 보고져 ᄒᆞ【53】실진ᄃᆡ 이졔 불너 현알(見謁)케 ᄒᆞ리다."

ᄒᆞ고 언파의 시여(侍女)을 명ᄒᆞ여 쇼져을 부르니 슈유(須臾)[869]의 혜쥬 소져 ᄇᆡ레(拜禮)할 ᄉᆡ, 오ᄎᆡ상광(五彩祥光)이 요라쇄락(姚娜灑落)ᄒᆞ여 션연(嬋姸)ᄒᆞᆫ ᄐᆡ되 금분(金盆)의 아황(蛾黃)[870]이오, 빙졍요라(氷晶姚娜)ᄒᆞ여 츄천상월(秋天霜月) 갓트니, 쳔고희한(千古稀罕)ᄒᆞᆫ 슉녀라. 졔ᄀᆡᆨ이 눈니 황홀ᄒᆞ고 졍신니 현ᄂᆞᆫ(絢爛)ᄒᆞ여 제셩칭ᄎᆞᆫ(齊聲稱讚)ᄒᆞ믈 마지 안니ᄒᆞ니, ᄐᆡ부인니 ᄉᆡ로이 두굿겨 ᄒᆞ더니, 소져 번요(煩擾)ᄒᆞ믈 슬히역여 협실(夾室)노 드러가고져 ᄒᆞ거날, 졔부인이 닷토아 옥슈(玉手)을 잡고 노흘 쥴을 모로며 다시곰 ᄒᆞ언(賀言)니 분분ᄒᆞ니, ᄐᆡ부인니 소왈,

"ᄌᆞ식이 원간 부모을 담는지라, 돈아와 식부의 외모 츄루(醜陋)치 아닌지라. 텬흥 등과 ᄎᆞ아 ᄒᆞ나토 용우(庸愚)ᄒᆞ믄 업ᄉᆞ니, 노모의 ᄌᆞᄋᆡ ᄯᅩ한 ᄌᆞ별(自別)ᄒᆞ나 여아ᄂᆞᆫ 남의 집 ᄉᆞ람이 되니 깃불게 업ᄉᆞᄃᆡ, 금일 입문할 신뷔 져희 고뫼(姑母)[871]와 갓틀진ᄃᆡ 더옥 한니 업슬가 ᄒᆞ노라."

졍언간(停言間)의 금평후 드러오거날, 지친부녀(至親婦女) 좌즁(座中)의셔 서로 볼ᄉᆡ, 각각 녜필(禮畢)한 후, 금휘 우음[872]을 열어 ᄐᆡ부인게 고왈,

869)슈유(須臾) : 잠시(暫時). 짧은 시간.

870)아황(蛾黃) : 예전에, 여자들이 발랐던 누런빛이 나는 분

871)고뫼(姑母) : 시어머니.

872)우음 : 웃음

부인ᄂᆡ만 셔르 볼ᄉᆡ, 졔부(諸婦) 하례ᄒᆞ니 공이 블감ᄉᆞ샤(不敢謝辭)ᄒᆞ고 우음을 먹음어 태부인긔 고왈,

"금일 텬흥의 길일이니 녀ᄋᆞ는 엇지 규슈로셔 연셕의 나오니잇고?"

태부인이 웃고 졔부인ᄂᆡ 보고져 ᄒᆞ므로 블너시믈 니르고 왈,

"ᄂᆡ 스ᄉᆞ로 손녀를 ᄌᆞ랑ᄒᆞ미 아니로ᄃᆡ 사ᄅᆞᆷ이 다 혜쥬 ᄀᆞᆺ기는 어려오니 신뷔 져의 고모를 계적ᄒᆞᆯ진ᄃᆡ 엇지 깃브디 아니랴."

공이 만면쇼안(滿面笑顔)으로 ᄃᆡ왈,

"윤시는 만고셩녀(萬古聖女)라. 엇디 그 고모의게 비【67】ᄒᆞ리잇고? 보시면 아르시리이다."

태부인이 쇼왈,

"딘현부의 슉덕(淑德)은 진실노 아름다오니라."

뎡공이 쇼이ᄃᆡ왈(笑而對曰),

"너모 과쟝(誇張)치 마르쇼셔."

태부인이 웃고 좌우를 고면(顧眄)848)ᄒᆞ여 빵빵ᄒᆞᆫ 옥동이 개개히 션풍옥골(仙風玉骨)이믈 두굿겨ᄒᆞ고, 공이 녀ᄋᆞ를 팀소(寢所)로 드려보ᄂᆡ고, 날이 느ᄌᆞᄆᆡ 한님이 드러와 길복을 닙을ᄉᆡ, 태부인이 습녜(習禮)ᄒᆞ고 가라 ᄒᆞ니 한님이 미소 ᄃᆡ왈,

"습예(習禮)를 아니하오나 실녜(失禮)ᄒᆞ도록 ᄒᆞ리잇가."

공이 ᄀᆞᆯ오ᄃᆡ,

"실녜ᄒᆞ리라 ᄒᆞᄂᆞᆫ 거시 아니라 ᄌᆞ졍(慈庭)이 보고져 ᄒᆞ시니 샤양치 말나."

한님이 역지 못ᄒᆞ여 늠늠(凜凜)ᄒᆞᆫ 신댱(身長)의 길복을 ᄀᆞᆺ초고, 젼안지녜(奠雁之禮)를 습의(習儀)ᄒᆞ니, 쇄락ᄒᆞᆫ 용모는 남젼

848)고면(顧眄) : 좌고우면(左顧右眄). 이쪽저쪽을 돌아 봄. 또는 앞뒤를 재고 망설임.

"금일 텬아의 길일의 녜졀규슈여날 엇지 좌상의 츰여ᄒᆞ여ᄂᆞ니잇고?"

ᄐᆡ부인니 웃고 제ᄀᆡᆨ이 보고져 ᄒᆞ시ᄆᆡ 불으물 일르고 인ᄒᆞ여 갈오ᄃᆡ,

"셰ᄉᆞᆼ부네 다 혜쥬 갓기 어려【54】올지라. 신뷔 만일 손녀을 ᄃᆡ젹할 슉녈진ᄃᆡ 엇지 오문 복이 아니리오."

금후 소이ᄃᆡ왈(笑而對曰),

"윤아는 만고무ᄊᆞᆼ(萬古無雙)ᄒᆞᆫ 슉녀라. 엇지 ᄒᆞᆫ갓 고뫼의게 비할 ᄯᆞ름이리잇고? 여ᄌᆞ의 용ᄉᆡᆨ은 여ᄉᆞ(餘事)옵건니와, 윤아는 ᄇᆡᆨ미쳔광(百美千光)과 현슉ᄒᆞᆫ 덕되(德度) 현츌외모(顯出外貌)ᄒᆞ니, ᄆᆡ몰ᄒᆞᆫ873) ᄉᆡ어미게 비할 ᄇᆡ 안니로소이다."

ᄐᆡ부인니 소왈,

"진현부의 셩ᄒᆡᆼ슉덕과 난ᄌᆞ혜질(蘭姿蕙質)874)을 뉘 ᄯᅡ르리오."

금후 소이ᄃᆡ왈(笑而對曰),

"ᄌᆞ위 진시을 과ᄌᆞᆼ(誇張)ᄒᆞ시나 그 고쳬(固滯)ᄒᆞᆫ875) 녜뫼 너모 일편되여 져기 너릅지 못ᄒᆞ니이다."

ᄒᆞ더라.

ᄐᆡ부인니 좌우을 고면(顧眄)876)ᄒᆞᄆᆡ 쌍쌍한 손이 ᄀᆡᄀᆡ히 션풍옥골(仙風玉骨)이믈 두굿기고 날이 느지믈 일칼라 ᄇᆡᆨ양우귀(百輛于歸)877)을 지촉ᄒᆞᆫ ᄃᆡ, 금후 여ᄋᆞ을 드러보ᄂᆡ고 한림을 명ᄒᆞ여 즁당(中堂)의셔 길복을 닙힐 ᄉᆡ, 젼안습녜(奠雁習禮)을 ᄒᆞ니 쇄락ᄒᆞᆫ 풍치와 ᄡᆞ혀ᄂᆞᆫ 《봉화‖용화(容華)》는 남젼ᄇᆡᆨ벽(藍田白璧)878)이 ᄐᆞ끌을 씨슨 듯ᄒᆞ고

873)매몰ᄒᆞ다 : 인정이나 싹싹한 맛이 없고 쌀쌀맞다.
874)난ᄌᆞ혜질(蘭姿蕙質) : 여자의 아름다운 자태와 뛰어난 자질을 난초(蘭草)·혜초(蕙草)와 같은 향기로운 꽃에 비유하여 이르는 말
875)고쳬(固滯)ᄒᆞ다 : 고체(固滯)하다. 성질이 편협하고 고집스러워 너그럽지 못하다.
876)고면(顧眄) : 좌고우면(左顧右眄). 이쪽저쪽을 돌아 봄. 또는 앞뒤를 재고 망설임.
877)ᄇᆡᆨ양우귀(百輛于歸) : 백량(百輛)의 수레에 둘러싸여 신부가 처음으로 시집에 들어감.

ᄇᆡᆨ옥(藍田白玉)849)이 뜻글을 ᄡᅵ셔【68】시며, 편편ᄒᆞᆫ 풍뉴는 금당(金塘)850)의 일만 양뉘(楊柳) 춤추는 ᄃᆞᆺᄒᆞ니, 좌긱이 칭찬ᄒᆞ믈 마디 아니더라. 요긱(繞客)851)이 ᄌᆡ촉ᄒᆞ니 한님이 존당 부모긔 하직ᄒᆞ고, 외당의 나와 허다 위의를 거ᄂᆞ려 옥누항으로 향ᄒᆞ니라.

이ᄯᅢ 윤부의셔 쇼져의 셩혼ᄒᆞ기를 당ᄒᆞ니, 태위 션형(先兄)을 ᄉᆡᆼ각고 ᄉᆡ로이 참담ᄒᆞᆫ 심ᄉᆞ를 억졔치 못ᄒᆞ나, 범ᄉᆞ의 졍셩이 가ᄌᆞᆨᄒᆞ니, 비록 쳥검ᄒᆞ기를 위쥬ᄒᆞ나 엇지 혼녜의 셩비(盛備)치 아니리오. 대연을 개댱(開場)ᄒᆞ여 신낭을 마ᄌᆞ며 신부를 보닐ᄉᆡ, ᄂᆡ외 친쳑을 쳥ᄒᆞ여 쥬ᄇᆡ(酒杯)를 날니며 셕ᄉᆞ를 닐너 연연(戀戀)ᄒᆞ믈 마지 아니터니, 날이 느ᄌᆞᄆᆡ 신낭을 쳥ᄒᆞ고 ᄂᆡ헌(內軒)의 드러가 쇼져를 단장ᄒᆞ여 쳥듕(廳中)의셔 습녜(習禮)홀ᄉᆡ【69】 아연ᄒᆞᆫ 텬향(天香)852)과 찬난ᄒᆞᆫ 염광(艶光)이 좌우를 유동(流動)ᄒᆞ니 태양의 빗출 아ᄉᆞᆺ는디라. 만고(萬古)의 무ᄡᅣᆼ(無雙)이오 일ᄃᆡ(一代)의 독보(獨步)ᄒᆞ리러라.

조부인은 녀ᄋᆞ의 길일을 당ᄒᆞ여 혼ᄌᆞ 보믈 ᄀᆞᆨ골통상(刻骨痛傷)ᄒᆞ여 눈믈을 금치 못ᄒᆞ고, 위시의 구밀복검(口蜜腹劍)853)을 짐작고 더옥 ᄎᆞ악ᄒᆞ더라.

이윽고 신낭이 니르러 옥상(玉床)의 홍안(鴻雁)을 젼ᄒᆞ고 텬디(天地)긔 ᄇᆡ례ᄒᆞ기를 맛ᄎᆞᄆᆡ, 시강ᄒᆞᆨᄉᆞ(侍講學士) 셕쥰이 연젼(宴

금당셰류(金塘細柳)879)는 츈풍의 휘돗는880) 듯 봉안졍ᄎᆡ(鳳眼精彩)는 ᄉᆞ좌(四座)881)을 ᄇᆡ야엿고882) 와ᄌᆞᆷ쌍미(臥蠶雙眉)는 강ᄉᆞᆫ슈긔(江山秀氣)을 거【55】두어시니, 쳔고영걸(千古英傑)이라. 됸당부뫼 희기(喜氣) 가득ᄒᆞ고, 좌즁졔긱(座中諸客)이 더옥 졔셩갈치(齊聲喝采)ᄒᆞ더라. 한림니 존당부모게 ᄒᆞ직ᄒᆞ고 위의을 휘동(麾動)ᄒᆞ여 옥누항 윤부로 힝ᄒᆞ니라.

화셜, 윤ᄐᆡᆨ우 만금(萬金) 질여(姪女)의 혼ᄉᆞ을 셩젼ᄒᆞᄆᆡ 깃부미 가득ᄒᆞ여, 깃분 즁 션형(先兄)을 츄모ᄒᆞ여 오ᄂᆡ붕열(五內崩裂)ᄒᆞ는 회포을 금억(禁抑)기 어렵고, 쳔셩이 쳥검을 위쥬ᄒᆞ나 《구부∥숙부(叔父)》 질여(姪女)의 혼사을 당ᄒᆞ여는 엇지 초초(草草)히 ᄒᆞ리오. 이날 ᄃᆡ연을 ᄀᆡ장ᄒᆞ고 ᄂᆡ외 친쳑을 쳥ᄒᆞ여 셩비(盛備)케 할 ᄉᆡ, 운막(雲幕)은 흔[흰]구름이 집(集)회고883) ᄎᆡ병(彩屛)은 금슈벽(錦繡壁)이 되어시니, 졔긱이 운집(雲集)ᄒᆞ여 옥ᄇᆡ(玉杯)을 날니며 셕ᄉᆞ(昔事)를 츄심(推尋)ᄒᆞ여 쳑연감ᄉᆞᆼ(慽然感傷)ᄒᆞ더니, 날이 반오(半午)의 이르ᄆᆡ 션낭(仙郞)을 인도할 ᄉᆡ, 금연보촉(金蓮寶燭)884)은 일ᄉᆡᆨ(日色)을 가리우거날, 젼안지예(奠雁之禮)을 맛고, 신부을 상교(上轎)할 ᄉᆡ 만좌즁빈(滿座衆賓)니 신낭의 쳔일지표(天日之表)와 용봉지ᄌᆡ(龍鳳之材)을 암암칭ᄎᆞᆫ(暗暗稱讚)ᄒᆞ여 졔셩갈치(齊聲喝采)ᄒᆞ니, 조부인의 감ᄉᆞᆼ(感傷)ᄒᆞᆫ 회포(懷抱)는 가히 비할ᄃᆡ 업는지라. 누슈(淚水)을 금치 못ᄒᆞ거날, 위·뉴 이인은 포ᄌᆞᆼ화심(包裝和心)ᄒᆞ여 구밀

849)남젼ᄇᆡᆨ옥(藍田白玉) : 남전산(藍田山)에서 난 백옥(白玉)이란 뜻으로 명문가에서 난 뛰어난 인물을 이르는 말. 남전은 중국(中國) 섬서성(陝西省)에 있는 산 이름으로 옥의 명산지.

850)금당(金塘) : 연꽃이나 버드나무 등을 심어 아름답게 가꾼 연못.

851)요긱(繞客) : 혼인 때에 가족 중에서 신랑이나 신부를 데리고 가는 사람

852)텬향(天香) : 뛰어나게 좋은 향기.

853)구밀복검(口蜜腹劍) : 입에는 꿀이 있고 배 속에는 칼이 있다는 뜻으로, 말로는 친한 척 하나 속으로는 해칠 생각이 있음을 이르는 말.

878)남젼ᄇᆡᆨ벽(藍田白璧) : 남전산(藍田山)에서 난 백옥(白玉)이란 뜻으로 명문가에서 난 뛰어난 인물을 이르는 말. 남전은 중국(中國) 섬서성(陝西省)에 있는 산 이름으로 옥의 명산지.

879)금당셰류(金塘細柳) : 잘 가꾼 연못에 서있는 가지가 매우 가는 버드나무.

880)휘돗다 : 휘둘리다. 흔들이다.

881)ᄉᆞ좌(四座) : 사방(四方)의 좌석.

882)ᄇᆡ앗다 : 빼앗다. 남의 생각이나 마음을 사로잡다.

883)집(集)회다 : 모이다. 끼다.

884)금연보촉(金蓮寶燭) : 미인의 예쁜 걸음걸이와 보석처럼 빛나는 촛불.

前)의 참예ᄒᆞ엿다가 팔미러 좌의 드니, 윤공이 신낭의 손을 잡고 츄연(惆然) 탄왈,

"셕년의 이 당(堂) 가온ᄃᆡ셔 샤곤(舍昆)과 녕엄(令嚴)이 혼ᄉᆞ를 뎡ᄒᆞ시니, 피ᄎᆞ(彼此) 다 유하ᄌᆞ녀(乳下子女)라. 여러 츈츄를 밧고아 슈히 댱셩ᄒᆞ기를 바랄 ᄯᆞᄅᆞᆷ이오, 샤곤이 셔랑을 보시지 못ᄒᆞᆯ 줄은【70】 ᄉᆡᆼ각지 아녓더니, 이제 구약(舊約)을 셩젼(成全)ᄒᆞ니, 쵹ᄉᆞ(觸事)의 상감(傷感)ᄒᆞᆫ 회푀 비ᄒᆞᆯ 곳이 업ᄂᆞᆫ디라. 미약ᄒᆞᆫ 딜녀로ᄡᅧ 챵ᄇᆡᆨ의게 일ᄉᆡᆼ을 의탁ᄒᆞᄆᆡ, 녀ᄌᆞ의 쇼쇼(小小) 허믈이 이시나 챵ᄇᆡᆨ은 관인대톄(寬仁大體)를 슝상ᄒᆞ여 기리 화락ᄒᆞᆯ진ᄃᆡ 엇디 깃브지 아니리오."

한님이 ᄃᆡ왈,

"소ᄉᆡᆼ이 금일 합하의 비창(悲愴)ᄒᆞ신 말ᄉᆞᆷ을 듯ᄌᆞ오니 인심의 츄연(惆然)ᄒᆞ믈 니긔지 못ᄒᆞ옵ᄂᆞ니, 합해(閤下) 비록 쇼ᄉᆡᆼ다려 셰쇄(細瑣)키를 당부ᄒᆞ실지라도, 쇼ᄉᆡᆼ이 텬셩이 소활(疎豁)ᄒᆞ오니, 엇디 녀ᄌᆞ의 쇼쇼 허믈을 아른 쳬ᄒᆞ리잇고? 텬슈(天數)의 뎡ᄒᆞᆫ 팔ᄌᆞ(八字)ᄂᆞᆫ 임의치 못ᄒᆞ려니와, 이런 말ᄉᆞᆷ을 ᄒᆞ실 ᄇᆡ 아니로소이다."

태위 그 옥면호풍(玉面豪風)이 오날 더옥 ᄉᆡ로오믈 크게 두굿겨, ᄉᆞ랑ᄒᆞ미 친셔의 지나미 잇ᄂᆞᆫ디라.【71】 날이 늣고 길히 초간(稍間)[854]ᄒᆞᆫ 고로 신부의 상교를 ᄌᆡ쵹ᄒᆞ니,

854)초간(稍間) : 한참 걸어가야 할 정도로 거리가 조금 멀다.

복검(口蜜腹劍)[885]이니, 거즛 빈ᄀᆡᆨ을 ᄃᆡᄒᆞ여 녯 일을 일카라 《눈발‖눈물》과 코물을 ᄲᅮ리며 소져의 용화긔질을 ᄌᆞ랑ᄒᆞᄂᆞᆫ 형ᄉᆞᆼ【56】이 과도ᄒᆞ여 체면을 일코, 소져을 무마(撫摩)ᄒᆞ며 조부인을 위로ᄒᆞ여, 뉴시의 인ᄌᆞᄒᆞᆫ 거동과 위틔의 흔감(欣感)져은[886] ᄉᆞ랑이 만좌이목(滿座耳目)을 가리오니, 그 ᄉᆞ갈지심(蛇蝎之心)을 알니 업고, 다 어진 부인으로 일캇더라.

틔위 신낭의 손을 즙고 ᄎᆞ셕[석]장탄(嗟惜長歎) 왈,

"셕년의 이 《중 : 당(堂)》즁의셔 ᄉᆞ곤(舍昆)과 영엄(令嚴)이 혼인을 졍망[맹](定盟)할 ᄯᅢ, 너희 피차 유아(乳兒)을 면치 못ᄒᆞᆫ ᄌᆞ녀라. 광음니 어셔 가셔 슈이 ᄌᆞᆼ셩ᄒᆞ믈 바랄 분이오, 형ᄌᆞᆼ이 보지 못ᄒᆞ실 쥴은 ᄉᆡᆼ각지 못ᄒᆞ여더니, 이졔 구약(舊約)을 셩젼(成全)ᄒᆞ니 감ᄉᆞᆼᄒᆞᆫ 비회을 어ᄃᆡ 비ᄒᆞ리오. 미약ᄒᆞᆫ 질여로ᄡᅧ 창ᄇᆡᆨ의게 속현(續絃)ᄒᆞᄆᆡ 군ᄌᆞ의 ᄇᆡᆨ힝이 외람ᄒᆞᆫ지라. 비록 불민ᄒᆞᆫ 허물이 잇시ᄂᆞ 창ᄇᆡᆨ의 관인후덕(寬仁厚德)으로ᄡᅧ 용셔ᄒᆞ여 ᄇᆡᆨ년화락(百年和樂)을 바라노라."

한림니 흠신(欠身) ᄃᆡ왈,

"금일 합ᄒᆞ의 비ᄎᆞᆼ(悲愴)ᄒᆞ시믈 보오ᄆᆡ 인심의 츄연(惆然)ᄒᆞ여 ᄒᆞ올 ᄇᆡ라. 영질(令姪)의 졍ᄉᆞᄂᆞᆫ ᄯᅩᄒᆞᆫ 아옵ᄂᆞ니, 지교(指敎)ᄒᆞ오시미 아니신들 져바리미 잇ᄉᆞ리잇가? 부인의 소소(小小) 허물이 잇신들 소ᄉᆡᆼ이 쳔셩이 소활(疎豁)ᄒᆞ온지라, 세쇄(細瑣)ᄒᆞ오미 업ᄉᆞᆸᄂᆞ니 합ᄒᆞ(閤下)의 염녀 과도ᄒᆞ시도소이다. 슈연(雖然)이오ᄂᆞ 금일 말ᄉᆞᆷ을 근슈교위(謹守敎意)리니 다만 쳔슈(天數)의 정ᄒᆞᆫ 바 화복길흉은 미리 여[예]탁(豫度)지 못ᄒᆞ리로소이【57】다."

틔우 층ᄉᆞ(稱謝)ᄒᆞ고 그 옥모영풍을 ᄉᆡ로이 두굿겨 ᄉᆞ랑이 친ᄉᆡᆼ긔ᄌᆞ(親生己子) 갓더

885)구밀복검(口蜜腹劍) : 입에는 꿀이 있고 배 속에는 칼이 있다는 뜻으로, 말로는 친한 척 하나 속으로는 해칠 생각이 있음을 이르는 말.

886)흔감(欣感)져은 : 기쁘게 여겨 감동해 하는.

태위 안히 드러와 쇼져를 보닐ᄉᆡ 조부인이 녀ᄋᆞ의 단장을 ᄀᆞ초아 나ᄆᆞᆺ출[855] 치오며, 효봉구고(孝奉舅姑)와 승슌군ᄌᆞ(承順君子)를 경계ᄒᆞ매, 구패 쇼져의 손을 잡고 슬프믈 니긔지 못ᄒᆞᄂᆞᆫ디라. 태부인과 뉴시ᄂᆞᆫ 뎡한님의 풍치를 보고 믜오며 분ᄒᆞ여, 명ᄋᆞ의 십삼 소ᄋᆞ를 져ᄀᆞᆺ튼 영쥰호걸의 ᄇᆡ위되여 부귀를 누릴 일이 ᄋᆡ돏고 통완ᄒᆞ여, 구몽숙이 금슬을 작희(作戲)ᄒᆞ여 명ᄋᆞ의 젼졍을 아조 맛고, 쳥등야우(靑燈夜雨)[856]의 홍뉘(紅淚)[857] 뉴미(柳眉)[858]를 잠으고져 ᄒᆞ니, 용심(用心)의 궁흉극악(窮凶極惡)ᄒᆞ미 엇디 비홀 곳이 이시리오. 태우ᄂᆞᆫ 모친과 뉴시모녀의 심장(心臟)을 아지 못ᄒᆞ고 뎔녀의 손을 잡고 경경(哽哽) 왈,

“너의 픔질(稟質)이 하ᄌᆞ(瑕疵)홀 곳이 업ᄉᆞ니【72】 안견(眼見)이 구산(丘山)[859] ᄀᆞᆺ튼 구가라도 미진이 넉일 바ᄂᆞᆫ 업ᄉᆞ려니와 챵빅은 셰ᄎᆞ고 어려온 댱뷔오 뎡가ᄂᆞᆫ 네의 지문이라 모로미 조심ᄒᆞ여 션형의 쳥덕과 슈슈(嫂嫂)의 셩힝으로ᄡᅧ 쏠을 두시ᄆᆡ 사름마다 어질믈 니르게 ᄒᆞ면, 우슉(愚叔)이 엇지 깃브지 아니리오.”

언파의 상연슈루(傷然垂淚)ᄒᆞ니, 쇼졔 옥면이 젹젹(滴滴)[860]ᄒᆞ여 ᄇᆡ샤슈명(拜謝受命)이오, 뉴부인 모녀ᄂᆞᆫ 태위 명ᄋᆞ ᄉᆞ랑ᄒᆞ믈 더옥 믜이 넉이더라. 쇼졔 존당 슉당과 모친긔 하직고 뎡[861]의 들ᄆᆡ, 신낭이 슌금

855)나ᄆᆞᆾ : 주머니. 자루.
856)쳥등야우(靑燈夜雨) : 비 내리는 밤의 푸른 불빛 아래. 쓸쓸한 정서 또는 장면을 표현한 말.
857)홍뉘(紅淚) : 붉은 눈물. 애간장이 타서 나는 눈물.
858)뉴미(柳眉) : 버들강아지 모양의 눈썹.
859)구산(丘山) : ①언덕과 산을 아울러 이르는 말. ②물건 따위가 많이 쌓인 모양을 비유적으로 이르는 말
860)젹젹(滴滴) : 눈물이 방울방울 맺힘.

라. 날이 ᄂᆞᄌᆞᄆᆡ 신부 상교(上轎)을 직쵹ᄒᆞ니 ᄐᆡ우 드러와 소져을 보닐 ᄉᆡ, 조부인이 여ᄋᆞ의 아미(蛾眉)[887]을 그리며 누쉬(淚水) 방방ᄒᆞ여 이의 경계 왈,

“효봉구고(孝奉舅姑)ᄒᆞ며 승슌군ᄌᆞ(承順君子)ᄒᆞ고 화우친쳑(和友親戚)ᄒᆞ여 그르미 업게 ᄒᆞ라.”

구픽 소져의 옥슈을 즙고 셕ᄉᆞ을 감ᄉᆡᆼᄒᆞ여 ᄡᅥᄂᆞ믈 슬허ᄒᆞᄃᆡ, 위·뉴ᄂᆞᆫ 뎡한림이 동탕(動蕩)ᄒᆞᆫ 풍치을 보고 더옥 뮈오며 분ᄒᆞ여, 명ᄋᆞ 십ᄉᆞᆷ 소ᄋᆡ로 풍뉴ᄌᆞᆼ부(風流丈夫)을 ᄇᆡ위(配偶)ᄒᆞ여 명부(命婦)의 부귀을 누릴 쥴이 통ᄒᆡ분완(痛駭憤惋)ᄒᆞ여, 구ᄉᆡᆼ의 ᄌᆞᆨ화(作禍)로 그 젼졍말니(前程萬里)을 아조 맛쳐 쳥등야우(靑燈夜雨)[888]의 홍ᄃᆡ유미(紅黛柳眉)[889]을 좀으고져 ᄒᆞᄂᆞᆫ ᄯᅳ시 븟ᄂᆞᆫ 불 갓고, 경ᄋᆡ ᄯᅩᄒᆞᆫ 명아 뮈워ᄒᆞ미 구슈(仇讐) 갓트니, 진실노 한 무리 악종악물(惡種惡物)일너라. ᄐᆡ우ᄂᆞᆫ 젼연니 아지 못ᄒᆞ고 오즉 소져의 옥슈을 즙아 경게 왈,

“너의 슉요(淑窈)[890]ᄒᆞ미 ᄇᆡᆨᄒᆡᆼ의 미진ᄒᆞ미 업ᄉᆞ나, 뎡문니 녜의지가(禮儀之家)오, 창ᄇᆡᆨ은 걸호ᄌᆞᆼ부(傑豪丈夫)라. 네 소심익익(小心翼翼)ᄒᆞ여 션형ᄌᆞᆼ(先兄丈) 쳥덕과 조슈(曹嫂)의 셩덕을 츄락지 말ᄂᆞ. 이런 즉 우슉(愚叔)이 깃부며 아람답지 아니랴.”

언파의 양항뉘(兩行淚) 긴 슈염(鬚髥)의 ᄂᆞ리니, 소져 《함구‖함누(含淚)》【58】 ᄇᆡᄉᆞ슈명(拜謝受命)ᄒᆞ고, 졔좌(諸座)의 ᄒᆞ직ᄒᆞ고 뎡[891]의 들ᄆᆡ, 한림이 금쇄(金鎖)[892]을 가져 봉교샹마(奉敎上馬)ᄒᆞ여 운손으로

887)아미(蛾眉) : 누에나방의 눈썹이라는 뜻으로, 가늘고 길게 굽어진 아름다운 눈썹을 이르는 말.
888)쳥등야우(靑燈夜雨) : 비 내리는 밤의 푸른 불빛 아래. 쓸쓸한 정서 또는 장면을 표현한 말.
889)홍ᄃᆡ유미(紅黛柳眉) : 연지와 눈썹을 그리는 먹과 눈썹
890)슉요(淑窈) : 맑고 그윽함. 정숙(貞淑)하고 요조(窈窕)함.
891)뎡 : 가마의 일종. 공주나 옹주가 타던 가마.
892)금쇄(金鎖) : 금으로 만든 자물쇠.

쇄약(純金鎖鑰)862)을 가져 봉교(封轎)ᄒᆞ고, 상마(上馬)ᄒᆞ여 취운산으로 도라올ᄉᆡ, 윤·뎡 냥부의 모닷던 바 명공거경이 다 남취녀가(男娶女嫁)의 위의(威儀) 되어, ᄉᆞ마거륜(駟馬車輪)과 벽제쌍곡(辟除雙曲)863)이 대로의 메이고, ᄉᆡᆼ소고악(笙簫鼓樂)이 훤텬(喧天)ᄒᆞᆫ 듕, 신낭의 출뉴(出類)ᄒᆞᆫ 퓽광(風光)【73】이 빅일(白日)의 빗츨 앗고, 뇽봉(龍鳳)의 ᄌᆡ질(才質)과 당당ᄒᆞᆫ 상뫼(相貌) 쳔승(千乘)864)을 긔필(期必)ᄒᆞᆯ지라. 노상관시ᄌᆡ(路上觀視者)865) 윤쇼져의 복되믈 니르더라.

ᄒᆡᆼ(行)ᄒᆞ여 부듕(府中)의 다ᄃᆞ라 쳥듕(廳中)의셔 합환교ᄇᆡ(合歡交拜)866)ᄒᆞᆯᄉᆡ 금쥬션(錦珠扇)867)을 반개(半開)ᄒᆞ미, 남풍녀뫼(男風女貌) 발월특이(發越特異)ᄒᆞ여, 황금빅벽(黃金白璧)이 빗츨 낫토며868) 슈듕교룡(水中蛟龍)이 셔로 희롱ᄒᆞ니, 일월이 병명(竝明)ᄒᆞᆫ 듯ᄒᆞᆫ더라. 듕빈(衆賓)이 숨을 길게 쉬고 밋쳐 말을 못ᄒᆞ여셔, 신낭이 밧그로 나가고 신뷰 단장을 곳쳐 현구고지녜(見舅姑之禮)869)를 일울ᄉᆡ, ᄉᆡᆼ혀난 신댱(身長)의 홍금슈라상(紅錦繡羅裳)870)을 ᄭᅳ을고, 옥슈(玉手)의 폐빅(幣帛)을 밧드러 압히 나아오니, ᄆᆞᆰ은 안ᄎᆡ(眼彩) 먼니 빗최여, 두 쥴 졍광(精光)이 일좌(一座)의 됴요(照耀)ᄒᆞ고, 팔ᄌᆞ

861)뎡 : 가마. 공주나 옹주가 타던 가마.
862)슌금쇄약(純金鎖鑰) : 순금으로 만든 자물쇠.
863)벽졔쌍곡(辟除雙曲) : 혼인 행렬이 지나가는데 방해받지 않도록 잡인의 통행을 금하는 피리나 나팔 등의 악기 소리.
864)쳔승(千乘) : 천승지국(千乘之國). '천 대의 병거(兵車)'라는 뜻으로, 제후를 이르는 말.
865)노상관시ᄌᆡ(路上觀視者) : 길에서 구경하는 사람.
866)합환교ᄇᆡ(合歡交拜) : 전통 혼례식에서 신랑 신부가 서로 잔을 바꾸어 마시는 합근례(合巹禮)와 서로에게 절을 하고 받는 교배례(交拜禮)를 함께 이르는 말.
867)금쥬션(錦珠扇) : 비단으로 폭을 만들고 구슬을 달아 꾸민 부채.
868)낫토다 : 나타내다.
869)현구고지네(見舅姑之禮) : 전통혼례에서 대례를 마친 신부가 폐백을 드리고 처음으로 시부모를 뵙는 의례.
870)홍금슈라상(紅錦繡羅裳) : 붉은 비단에 수(繡)를 놓아 만든 치마

도라올 ᄉᆡ, 거록ᄒᆞᆫ 위의와 신낭의 옥골영풍이 빅일(白日)의 징광(澄光)ᄒᆞ니 노샹관광ᄌᆡ(路上觀光者)893) 만신갈치(萬身喝采)러라.

ᄒᆡᆼ(行)ᄒᆞ여 부즁(府中)의 도라와 쳥샹(廳上)의셔 교ᄇᆡ(交拜)ᄒᆞ고 ᄌᆞᄒᆞ샹(紫霞觴)894)을 ᄂᆞᆫ홀ᄉᆡ 남풍녀뫼(男風女貌) 휘황찬난ᄒᆞ여 황금빅벽(黃金白璧)이 빗출 닷토며, 쳥즁의 일월(日月)이 광ᄎᆡ을 흘님 갓트여 암실(暗室)이 발그니, 졔ᄀᆡᆨ이 밧그로 나가고 신부 단ᄌᆞᆼ(丹粧)을 고쳐 현구고지네(見舅姑之禮)895)을 일울ᄉᆡ, 됸당구괴(尊堂舅姑) 거안지시(擧眼之視)ᄒᆞ니, 신부 《쳐지∥체지(體肢)》 ᄌᆞᆼ단(長短)니 득즁(得中)ᄒᆞ며, ᄒᆡᆼ동거지(行動擧止) 신긔ᄒᆞ고, 월ᄋᆡᆨ아미(月額蛾眉)의 강산명긔(江山明氣)을 ᄯᅳ엿고, 효셩쌍안(曉星雙眼)의 셩덕니 현츌(顯出)ᄒᆞ며, 진쥬(眞珠) 갓튼 귀ᄲᅮᆯ896)과 《졍졀운빙∥정결운빈(淨潔雲鬢)897)》의 보옥(寶玉)이 완젼ᄒᆞ고, 단슌화협(丹脣花頰)의 아황봉미(蛾黃鳳眉)898)의 일쳔ᄌᆞᄐᆡ(一千姿態) 갓초 긔이ᄒᆞ여, 유약(柔弱)ᄒᆞᆫ 체지(體肢) 옥난(玉蘭)899)·혜초(蕙草) 갓트여 오ᄉᆞᆯ 이긔지 못할 듯

893)노샹관광ᄌᆡ(路上觀光者) : 길에서 구경하는 사람.
894)ᄌᆞᄒᆞ샹(紫霞觴) : 자하주(紫霞酒). 자하동(紫霞洞) 신선들이 붉은 노을로 빚어 마신다는 술.
895)현구고지네(見舅姑之禮) : 전통혼례에서 대례를 마친 신부가 폐백을 드리고 처음으로 시부모를 뵙는 의례.
896)귀ᄲᅮᆯ : 귓불. 귓바퀴의 아래쪽에 붙어 있는 살.
897)정결운빈(淨潔雲鬢) : 정결하게 빗어 귀밑으로 드리운 아름다운 머리
898)아황봉미(蛾黃鳳眉) : 화장한 얼굴과 눈썹. 아황(蛾黃)은 예전에 여자들이 발랐던 누런빛이 나는 분(粉).
899)옥난(玉蘭) : 백목련(白木蓮)을 달리 이르는 말.

뉴미(八字柳眉)는 츈산(春山)의 아당(阿黨)흐믈 아쳐흐니[871] 덕긔(德氣) 츌어외모(出於外貌)흐여 쳔만고(千萬古)의 【74】 일인(一人)이라. 슌태부인이 폐빅을 바드며 신부를 바라보는 눈이 어릭고[872] 깃븐 긔운이 면간(面間)의 뉴동(流動)흐여 웃는 입을 쥬리지[873] 못흐니, 뎡공의 만심환열(滿心歡悅)흐미 태부인긔 나리○[미] 업셔 슈려(秀麗)흔 미우(眉宇)의 화긔(和氣) 가득흐더라. 【75】

흐나, 허다(許多) 빅례(拜禮)의 굽으며 페미 진퇴(進退)흐는 예뫼(禮貌) 경슉단아(靜肅端雅)흐여, 진짓 규각(閨閣)의 셩현(聖賢)이오 홍샹분딕(紅裳粉黛)[900]의 스군직(士君子)라. 바라미 정신니 황홀흐고 눈니 아즐흐니, 틱부인이 미우(眉宇)의 희긔 가득흐고,

871)아쳐흐다 : ①아쉬워하다. ②안쓰러워하다. ③싫어하다.

872)어릭다 : 어리다. 황홀하게 도취되거나 상심이 되어 얼떨떨하다.

873)쥬리다 : 줄이다. (입을) 다물다.

900)홍샹분딕(紅裳粉黛) : 붉은 치마를 입고, 분과 먹으로 얼굴과 눈썹을 화장함을 뜻하는 말로, 옷을 곱게 차려 입고 화장을 한 아름다운 여자를 비유적으로 이르는 말.

명듀보월빙 권디칠

화셜 뎡공의 만심환열(滿心歡悅)ᄒᆞ미 태부인긔 나리미 업셔, 슈려ᄒᆞᆫ 미우(眉宇)의 화긔 가득ᄒᆞ니, 딘부인이 도젹의 흉언을 듯고 ᄎᆞ악경심(嗟愕驚心)ᄒᆞ던 ᄇᆡ로ᄃᆡ, 신부를 보ᄆᆡᄂᆞᆫ 의심이 플니고 통완ᄒᆞ던 ᄠᅳᆺ이 ᄉᆞ라져 비로소 즐거오믈 니긔지 못ᄒᆞ니, 일가의 화긔 무르녹앗ᄂᆞᆫ디라.

태부인이 신부의 옥슈를 잡고 운환(雲鬟)[874]을 어로만져 왈,

"신부ᄂᆞᆫ 텬ᄋᆞ의 아시 뎡약이라. 긔특ᄒᆞᆫ 셩화를 닉이 드러시나 이ᄃᆡ도록 츌범ᄒᆞ믄 ᄉᆡᆼ각디 못ᄒᆞ엿더니, 오날놀 노모의 슬히(膝下)되여 용광긔질(容光氣質)이 노모의 본바 쳐음이라. 텬흥이 므슴 복으로 이런 슉녀를 어덧ᄂᆞ뇨."

금평휘 좌【1】를 써나 고왈,

"텬흥은 ᄒᆞᆫ낫 탕ᄌᆡ이어ᄂᆞᆯ 신부ᄂᆞᆫ 만고셩녜(萬古聖女)라. 져의게 외람ᄒᆞᆫ 안ᄒᆡ오, 쇼ᄌᆞ의게 과ᄒᆞᆫ 며나리라. 문호의 흥망이 죵부(宗婦)의게 달녓ᄉᆞᆸᄂᆞ니, 조션(祖先)의 유경(有慶)과 ᄌᆞ졍(慈庭) 젹덕여음(積德餘蔭)으로 이ᄀᆞᆺᄐᆞᆫ 통부(冢婦)를 엇ᄉᆞ오니, 탕ᄌᆞ를 진압ᄒᆞ고 문회(門戶) 챵셩(昌盛)ᄒᆞ여 봉ᄉᆞ봉친(奉祀奉親)을 근심치 아니ᄒᆞ오리니, 엇지 만ᄒᆡᆼ(萬幸)이 아니리잇고?"

태부인이 희블ᄌᆞ승(喜不自勝)ᄒᆞ여 희희(嘻嘻)히 즐겨 왈,

"노모의 박덕으로 이런 셩녀를 슬하의 닐위믄 긔약지 아닌 일이니, 반ᄃᆞ시 션군(先君)의 ᄌᆡ텬지졍(在天之精)이 도으시미오, 문호의 여경(餘慶)이라. 텬ᄋᆞ의 비상ᄒᆞ미 셰ᄃᆡ의 비상ᄒᆞ니, ᄀᆞᆺᄐᆞᆫ ᄡᅣᆼ을 엇지 못ᄒᆞᆯ가 근심ᄒᆞ더니, 구약을 셩젼ᄒᆞᄆᆡ 진짓 텬ᄋᆞ의 ᄡᅣᆼ(雙)이라 엇지 깃브고 긔특지 아니리【2】오."

금평휘 신부를 나호여 ᄋᆡ듕(愛重)ᄒᆞ미 무궁ᄒᆞ니, 홀연 옥누항 ᄇᆡᆨ화헌의셔 그 ᄉᆞ셰유

874)운환(雲鬟) : 여자의 탐스러운 쪽 찐 머리.

진부인니 ᄯᅩ한 신부을 보ᄆᆡ ᄌᆞᆨ야(昨夜) 흉한 변괴【59】로 몽니(夢裏)의도 ᄉᆡᆼ각할 ᄇᆡ 업셔, 구고(舅姑)의 두긋기미 만심(滿心)의 가득ᄒᆞ니,

ᄐᆡ부인니 신부의 운환(雲鬟)[901]을 어로만져 탐혹연ᄋᆡ(耽惑憐愛) 왈,

"신부의 긔특ᄒᆞᆫ 셩화(聲華)을 아시로붓터 익히 드른 ᄇᆡᄂᆞ, 금일 보건ᄃᆡ 듯든 바의 더ᄋᆞ고 소망의 너문지라, 이 가튼 셩녀슉완(聖女淑婉)을 노뫼 무슨 복으로 슬ᄒᆞ(膝下)의 일위엿는뇨."

금평후 피셕 고왈,

"텬아의 호방ᄒᆞᆫ 위인으로써 신부 갓튼 천고슉완(千古淑婉)을 ᄇᆡᆨᄒᆞ니 져의게 외람ᄒᆞᆫ 쳐ᄌᆞ요, 소ᄌᆞ의게 과만ᄒᆞᆫ 며나리라. 젼혀 조션여음(祖先餘蔭)과 ᄌᆞ졍의 젹덕(積德)이 호ᄃᆡ(浩大)ᄒᆞ미로소이다."

ᄐᆡ부인이 갈오ᄃᆡ,

"노모의 박덕(薄德)으로 이런 셩녀을 슬ᄒᆞ의 일으믄 젼혀 조죵신영(祖宗神靈)이 《목우∥묵우(黙祐)》ᄒᆞ시미니, 총부(冢婦)의 이러틋 아름다오니, 문호의 만ᄒᆡᆼ(萬幸)이 아니리오."

금휘 ᄉᆞ레(謝禮)ᄒᆞ고 신부을 날호여 집슈(執手) ᄋᆡ휼(愛恤)ᄒᆞ며, 홀연 셕일 ᄇᆡᆨ화헌의

901)운환(雲鬟) : 여자의 탐스러운 쪽 찐 머리.

녀(四歲幼女)를 보고 명쳔공을 보ᄎᆡ여 혼인 뎡ᄒᆞ던 일을 ᄉᆡᆼ각고, ᄉᆡ로이 망우(亡友)를 츄모(追慕)ᄒᆞ여 츄연상감(惆然傷感) 왈,

"신뷔 금일 오문(吾門)의 니르러 우리 슬히 되ᄃᆡ, 녕션대인(令先大人)이 보지 못ᄒᆞ시니 셕년의 내 신부를 친히보고 뎡혼ᄒᆞ던 ᄯᅢ와 인시 변역(變易)ᄒᆞ니, 상감ᄒᆞ믈 니긔지 못ᄒᆞᄂᆞ니, 신부의 심ᄉᆞᄂᆞᆫ 뭇지 아녀 알녀니와, 내 신부를 구식지간(舅息之間)이나 졍의(情誼) 부녀의 감치 아니니, 초(初)의 너의 실산ᄒᆞ믈 드르ᄆᆡ 놀납고 ᄎᆞ악ᄒᆞ미 엇지 어든 며나리와 다르리오. 다ᄒᆡᆼ이 산문의 편히 머므다가 이졔 셩네ᄒᆞ니 깃브믈 니긔지 못ᄒᆞ리로다."

윤쇼졔 부복문파(俯伏聞罷)의 니러 ᄌᆡᄇᆡ ᄉᆞ샤(再拜謝辭)ᄒᆞ니 효순ᄒᆞᆫ 안ᄉᆡᆨ과 【3】 슉연ᄒᆞᆫ 녜뫼(禮貌) 빈빈(彬彬)ᄒᆞ여 볼ᄉᆞ록 긔이ᄒᆞ니, 엄구의 셕ᄉᆞ를 니르시ᄆᆡ 당ᄒᆞ여ᄂᆞᆫ 팔ᄌᆞ아황(八字蛾黃)의 쳐ᄉᆡᆨ(悽色)이 니러나ᄃᆡ 경근(敬謹)ᄒᆞᄂᆞᆫ 거동과 공경ᄒᆞᄂᆞᆫ 녜뫼(禮貌) 외모의 낫타나니, 금평후의 한업ᄉᆞᆫ ᄉᆞ랑은 비ᄒᆞᆯ 곳이 업셔 귀듕ᄒᆞ미 오히려 ᄋᆞᄌᆞ의 지나고, 좌듕이 비로소 졍신을 가다둠아 하언(賀言)이 분분ᄒᆞ니, 이로 응졉기 어려오ᄃᆡ, 태부인이 좌슈우응(左酬右應)[875]의 샤양치 아니코 공의 부뷔 화열(和悅)이 ᄉᆞ샤ᄒᆞ더라. 태부인이 한님을 블너 뺭으로 안쳐 샹하(上下)치 아니믈 크게 두굿겨 좌상의 ᄌᆞ랑ᄒᆞ여 왈,

"나의 손아와 손부의 긔질이 상젹(相適)ᄒᆞ미 이ᄀᆞᆺᄐᆞ니 진짓 하날이 유의ᄒᆞ신 ᄇᆡ라 엇디 긔특지 아니리오."

졔ᄀᆡᆨ이 닷토아 칭찬ᄒᆞ여 금평후 부부 【4】의 복경(福慶)과 한님의 쳐궁이 유복ᄒᆞ믈 하례ᄒᆞ니 태부인이 한님다려 왈,

"부부ᄂᆞᆫ 오륜(五倫)[876]의 듕ᄉᆡ(重事)오,

875)좌슈우응(左酬右應) : 이쪽저쪽으로 부산하게 상대하고 응함.

876)오륜(五倫) : 유학에서, 사람이 지켜야 할 다섯 가지 도리. 부자유친(父子有親), 군신유의(君臣有義), 부부유별(夫婦有別), 장유유서(長幼有序), 붕우유신(朋友有信)을 이른다

셔 ᄉᆞ셰유아(四歲幼兒)을 졍혼턴 말을 ᄉᆡᆼ각고 불승창도(不勝愴悼) 왈,

"신부 금일 오가의 입문ᄒᆞ여 슬히되니 영션군(令先君)으로 더부러 졍혼ᄒᆞ든 ᄯᅢ을 ᄉᆡᆼ각ᄒᆞ니, 불승감ᄎᆞᆼ(不勝感愴)ᄒᆞ나니, 너히 심ᄉᆞ을 《울어∥물어》 알ᄇᆡ 아니연이와, ᄂᆞ의 신부로 ᄋᆡ통ᄒᆞᄂᆞᆫ ᄯᅳ지 여ᄋᆞ의 더ᄋᆞ미 잇시니, 초에 현뷔 실ᄉᆞᆫᄒᆞ믈 듯고 그 경ᄎᆞᆷ(驚慘) 【60】 ᄒᆞ미 어든 며나리로 다르미 잇시리오. 이졔 다ᄒᆡᆼ이 무ᄉᆞ환귀(無事還歸)ᄒᆞ여 금일 ᄃᆡ례(大禮)을 일우니, 그 다ᄒᆡᆼᄒᆞ믈 이긔지 못ᄒᆞ리로다."

신부 복슈쳥교(伏首聽敎)의 긔이ᄌᆡᄇᆡ(起而再拜)ᄒᆞ니 효슌(孝順)ᄒᆞᆫ 안ᄉᆡᆨ과 공경ᄒᆞᄂᆞᆫ 네뫼(禮貌) 가ᄌᆞᆨᄒᆞ여, 셕ᄉᆞ을 일캇기의 당ᄒᆞ여ᄂᆞᆫ 팔ᄎᆡ봉미(八彩鳳眉)의 츈ᄉᆞᆫ(春山)니 졔졔(濟濟)ᄒᆞᆫ[902] 빗츨 ᄯᅴ엿시ᄃᆡ, 가ᄇᆡ야이 쳬류(涕淚)ᄒᆞ미 업셔 셩ᄌᆞ(聖姿) ᄒᆞ마[903] ᄂᆞ타나니, 금후의 한 업ᄉᆞᆫ 사랑이 심곡(心曲)으로 소ᄉᆞᄂᆞ고 만좌즁빈(滿座衆賓)니 일시의 치ᄒᆞ하여 츔니 갈(渴)할 듯ᄒᆞ니, 금후 부부의 겸손하므로도 ᄉᆞ양치 아니코, ᄐᆡ부인은 더옥 깃분 흥을 이긔지 못ᄒᆞ여 좌즁의 ᄌᆞ랑ᄒᆞ고 위ᄌᆞ(慰藉)ᄒᆞ며 한림을 경게(警戒) 왈,

"금일 신부을 보건ᄃᆡ 진짓 임ᄉᆞ(姙似) 후의 ᄒᆞᆫ ᄉᆞ람이오 고금의 독보할 셩녀슉완이라. 셩인도 슉녀을 오ᄆᆡᄉᆞ복(寤寐思服)ᄒᆞ신 ᄇᆡ라. 이졔 네 복이 놉ᄒᆞ 이 갓튼 현쳐을 어더시니, 가지록 슈힝ᄒᆞ기을 옥갓치 ᄒᆞ여 종신토록 상경ᄉᆞᆼ화(相敬相和)ᄒᆞ여 금일 노모의 말을 잇지 말ᄂᆞ."

902)졔졔(濟濟)ᄒᆞ다 : 삼가고 조심하여 엄숙하다

903)ᄒᆞ마 : 이미. 벌써.

뇨됴숙녀(窈窕淑女)ᄂᆞᆫ 문왕(文王)[877]ᄀᆞᆺᄐᆞᆫ 셩인도 오ᄆᆡᄉᆞ복(寤寐思服)ᄒᆞ시니, 금일 너의 안해 외모 긔질이 고왕금ᄂᆡ(古往今來)의 독보(獨步)ᄒᆞᆫ ᄉᆞᆨ네라. 너희 복이 놉하 이런 현쳐를 어드니 모로미 공경듕ᄃᆡᄒᆞ여 관져지락(關雎之樂)이 가ᄌᆞᆨ게 ᄒᆞ라."

한님이 ᄌᆡᄇᆡ슈명ᄒᆞᆯ ᄲᅮᆫ이오 ᄀᆞᆺᄐᆞ여 말솜이 업ᄉᆞ니, 부공이 ᄌᆡ좌ᄒᆞ시ᄆᆡ 관(冠)을 숙이고 궤슬뎡좌(跪膝正坐)ᄒᆞ여 조심 경근ᄒᆞ니 동용(動容)이 안셔(安舒)[878]ᄒᆞ고 거디(擧止) 단졍ᄒᆞ여 도ᄒᆞᆨ군ᄌᆞ(道學君子) ᄀᆞᆺᄐᆞ나, 기심(其心)이 상쾌ᄒᆞ여 하ᄂᆞᆯ을 밧들며 태산을 넘ᄯᅱᆯ ᄃᆞᆺᄒᆞ니, 미녀셩ᄉᆡᆨ(美女聲色)을 ᄇᆡᆨ이라도 샤양치 아닐 ᄯᅳᆺ이 이시니 맛ᄎᆞᆷᄂᆡ 일쳐로 직흴 위인이 아니라. 딘부인은 ᄋᆞ【5】ᄃᆞᆯ의 굉원(宏遠)ᄒᆞᆫ 녁냥(力量)과 명달ᄒᆞᆫ 디식(知識)을 크게 두굿겨, 신부를 보기 젼 ᄌᆞ긔 ᄉᆞᄉᆡᆨ(辭色)ᄒᆞ던 줄이 도로혀 우은디라. 타의(他意) 업시 즐기다가 일모(日暮)ᄒᆞᄆᆡ 졔ᄀᆡᆨ이 각귀기가(各歸其家)ᄒᆞ고, 금평휘 ᄎᆞᆨ(燭)을 니어 모친을 뫼셔 말숨ᄒᆞᆯᄉᆡ, 신부 숙소를 션월졍의 뎡ᄒᆞ여 보ᄂᆡ고, 한님을 명ᄒᆞ여 신방으로 가라 ᄒᆞ니, 한님이 왕모의 취팀ᄒᆞ시믈 쳥ᄒᆞ고, 부공을 뫼셔 외헌의 나와 공이 취팀ᄒᆞᄆᆡ 비로소 신방으로 드러오더니, 한님의 신소ᄅᆡ를 듯고 션월졍 합장(閤牆)[879] 뒤흐로셔 흉악ᄒᆞᆫ 남ᄌᆡ ᄂᆡ다라, 한님을 ᄒᆡ코져 ᄒᆞ다가 ᄶᅩᆯ니 몸을 ᄠᅱ여 공듕의 소ᄉᆞ니, 한님이 작일의 왓던 도적인 줄 디긔(知機)ᄒᆞᄃᆡ 놀나지 아냐 완완이 거러 방듕의 드러가니,【6】 신뷔 니러 마ᄌᆞ 동셔좌뎡(東西坐定)[880] ᄒᆞᄆᆡ, 쇼져의 텬향월광

877)문왕(文王) : 중국 주나라 무왕(武王)의 아버지. 이름은 창(昌). 기원전 12세기경에 활동한 사람으로 은나라 말기에 태공망 등 어진 선비들을 모아 국정을 바로잡고 융적(戎狄)을 토벌하여 아들 무왕이 주나라를 세울 수 있도록 기반을 닦아 주었다. 고대의 이상적인 성인 군주의 전형으로 꼽힌다.

878)안셔(安舒) : 마음이 편안하고 고요함.

879)합장(閤牆) : 건물 출입문과 연결되어 있는 담장.

880)동셔좌뎡(東西坐定) : 남녀가 한 장소에서 앉을 때는 남자가 동쪽, 여자가 서쪽으로 앉는다.

한림이 피셕슈명(避席受命)ᄒᆞ고 염슬위좌(斂膝危坐)ᄒᆞᆯ 분이오, ᄀᆞᆺᄒᆞ여 말숨이 업ᄉᆞ니, 부친니 ᄌᆡ좌(在坐)ᄒᆞ여시ᄆᆡ 관(冠)을 ᄉᆞᆨ이고 눈을 낫초아 조심경근(操心敬謹)ᄒᆞ여 쳔연ᄒᆞᆫ 도덕군ᄌᆞ(道德君子) 갓튼【61】나, 기심(其心)이 상쾌ᄒᆞ여 하날을 밧들며 ᄐᆡᄉᆞᆫ을 넘ᄯᅱᆯ 듯ᄒᆞᆫ지라. 미녀셩ᄉᆡᆨ(美女聲色)은 ᄇᆡᆨ이라도 ᄉᆞ양치 아닐 ᄯᅳ지 이시니, 마ᄎᆞᆷᄂᆡ 일쳐로 집을 직흴 위인니 아니라. 진부인은 아ᄌᆞ의 굉원(宏遠)한 녁양(力量)과 명달ᄒᆞᆫ 지식을 심니의 크게 두굿겨, 신부을 보기 젼 ᄌᆞ긔 분원(忿怨)ᄒᆞ던 쥴이 도로혀 우은지라. 오직 타의 업시 즐기다가 일모도원(日暮途遠)ᄒᆞ여 파연곡(罷宴曲)을 할 ᄉᆡ, {즐거운 거동으로 ᄎᆞ마 허여져 갈 긔약 져그나 파ᄒᆞ니} 만당빈ᄀᆡᆨ이 취ᄒᆞᆫ 거슬 븟들여 각ᄉᆞᆫ기가(各散其家)ᄒᆞ고, 다시 후을 이어 금평휘 모친을 뫼셔 말숨할 ᄉᆡ, 신부 ᄉᆞᆨ소을 션월졍의 졍ᄒᆞ여 보ᄂᆡ고 한림을 명ᄒᆞ여 신방으로 가라 ᄒᆞ니, 한림이 조모의 취침ᄒᆞ시믈 쳥ᄒᆞ고 부친을 뫼셔 외현[헌](外軒)의 나와, 금휘 침셕의 ᄂᆞ간 후 비로쇼 신방의로 드러오든니, 문득 셩월졍 《합ᄎᆞᆼ‖합ᄌᆞᆼ(閤牆)[904]》 뒤흐로셔 일ᄀᆡ 흉ᄌᆞᆼ(凶壯)한 남ᄌᆡ ᄂᆡ다라 한림을 ᄒᆡ코져 ᄒᆞ다가, 몸을 ᄠᅱ여 공즁의 소ᄉᆞ니, 한림이 ᄌᆞᆨ일(昨日) 왓든 도젹인 쥴 지긔ᄒᆞᄃᆡ 놀나미 업셔 완완(緩緩)니 거러 방즁의 드러가니, 신부 몸을 일어 마ᄌᆞ '동셔(東西)로 분좌(分坐)'[905]ᄒᆞᄆᆡ, 소져의 쳔향월ᄐᆡ(天香月態)[906] 촉ᄒᆞ(燭下)의 바ᄋᆡ고, 만고셔ᄉᆡᆨ(萬古瑞色)이 형형찬

904)합장(閤牆) : 건물 출입문과 연결되어 있는 담장.

905)동셔분좌(東西分坐) : 남녀가 한 장소에서 앉을 때는 남자가 동쪽, 여자가 서쪽으로 앉는다.

906)쳔향월ᄐᆡ(天香月態) : 뛰어나게 좋은 향기와 아름다운 얼굴.

(天香月光)881)이 쵹영지하(燭影之下)의 더옥 긔이ᄒᆞ니, 미우팔치(眉宇八彩)882)와 안모오ᄉᆡᆨ(顔貌五色)883)이 녕녕찬난(昤昤燦爛)884)ᄒᆞ여 가슴 가온ᄃᆡ ᄇᆡᆨ일(白日)이 빗최여시니, 한님이 그 남복 가온ᄃᆡ 춍춍(悤悤)이 보고 흠복ᄒᆞ던 ᄆᆞᄋᆞᆷ이 무궁ᄒᆞ던 ᄇᆡ라. 부운 ᄀᆞᆺ튼 누언과 흉젹의 작난을 믈외(物外)의 더지고, 흔연이 말숨을 펴고져 ᄒᆞ더니, ᄯᅩ 믄득 긴 창으로 문을 뿌시며 소ᄅᆡ질너 왈,

"나의 쳔금 미인을 텬홍 젹ᄌᆡ(賊子) 감히 일방(一房)의 상ᄃᆡᄒᆞ기를 잘ᄒᆞ랴? 이 창으로 뎡연브터 질너 죽이고 텬홍의 머리를 두 조각의 ᄂᆡ리라."

한님이 이런 욕셜이 야야긔 밋ᄎᆞ믈 대로ᄒᆞ여 젹을 잡아 만단(萬端)의 쓧고져 ᄒᆞ여, 문을 열고 나가니 발셔 간 ᄃᆡ【7】 업ᄂᆞᆫ디라. 분완통히(憤惋痛駭)ᄒᆞ믈 니긔지 못ᄒᆞ여 혜오ᄃᆡ, '져 윤시 십여셰 녀ᄌᆞ를 뉘 이ᄃᆡ도록 믜워ᄒᆞ여 이심히 ᄒᆡ코져 ᄒᆞ미 이에 밋쳣ᄂᆞᆫ고? 윤시 외모로 보아ᄂᆞᆫ ᄋᆡᄆᆡ(曖昧)타 ᄒᆞ려니와, 일녀ᄌᆞ(一女子)의 연고로 대인긔 흉언이 밋ᄎᆞ니, 인ᄌᆞ(人子)의 놀나온 ᄇᆡ라.' 분(憤)히ᄒᆞ미 졀노더브러 상ᄃᆡ코져 쓧이 업셔, 이윽이 머므다가 신방을 븨오미 가치 아니타 ᄒᆞ고 다시 드러와 쇼져를 ᄃᆡᄒᆞ니, 쇼졔 쳔만 ᄉᆡᆼ각밧긔 흉참ᄒᆞᆫ 말을 드르니, 비록 하ᄒᆡ지량(河海之量)이오 텬디의 너르미나, 놀납고 ᄎᆞ악ᄒᆞ여 ᄌᆞ긔 일신 젼졍이 볼 거시 업ᄉᆞ믈 ᄉᆡᆼ각ᄒᆞ니, 빙옥 ᄀᆞᆺ튼 ᄒᆡᆼ신이 '그린 썩'885)이 되엿ᄂᆞᆫ디라. 스ᄉᆞ로 죽어

881)텬향월광(天香月光) : 뛰어나게 좋은 향기와 아름다운 얼굴.

882)미우팔치(眉宇八彩) : 눈빛. 눈의 정채(精彩). *미우(眉宇); 이마의 눈썹 근처. *팔채(八彩); 팔(八)자 모양의 눈썹 광채를 뜻하는 말로, 여기서는 눈빛을 대신 나타낸 것이다.

883)안모오ᄉᆡᆨ(顔貌五色) : 여자의 화장한 얼굴에 나타나는 황(黃)·적(赤)·흑(黑)·백(白)·청(靑)의 다섯 가지 색깔. 눈의 검고 흰빛, 연지곤지와 입술의 붉은빛, 눈썹의 푸른빛, 머리칼의 검은빛, 피부의 누런빛과 하얀빛 따위.

884)녕녕찬난(昤昤燦爛) : 광채가 눈이 부시도록 영롱하고 찬란함.

찬(熒熒燦燦)ᄒᆞ니 놉흐며 조흐미 슈【62】졍(水晶)을 닥그며 ᄇᆡᆨ일(白日)이 빗쵬 갓트니, 한림이 그 남복 가온ᄃᆡ 흠복ᄒᆞ든 마음이 무궁ᄒᆞ든 ᄇᆡ라. 부운 갓튼 《누월‖누얼(陋-)907)》과 흉젹의 ᄌᆞᆼᄂᆞᆫ(作亂)을 물외(物外)의 더지고, 흡연니 말숨을 펴고져 ᄒᆞ던니, 믄득 장ᄎᆞᆼ(長槍)으로 ᄆᆞᆫ(門)을 쓔시며 소ᄅᆡ질너 왈,

"ᄂᆞ의 쳔금미인을 뎡텬홍 젹ᄌᆞ 감히 일방의셔 ᄉᆞᆼᄃᆡ홈을 ᄌᆞᆯ홀다? 이 ᄎᆞᆼ으로 뎡연부터 질너 쥭이고 텬홍을 ᄌᆞᆼ검(長劍)으로 두 조각의 ᄂᆡ리라."

한림이 이런 욕셜이 야야긔 밋ᄎᆞ믈 ᄃᆡ로ᄒᆞ여 젹을 ᄌᆞᆸ아 만단의 ᄂᆡ고져 ᄒᆞ야 문을 열고 나아가 보니 발셔 간 고지 업더라. 분완통히ᄒᆞ믈 이긔지 못ᄒᆞ야 심니(心裏)의 헤오ᄃᆡ,

"윤시 십여세예 엇지 결원ᄒᆞ미 잇 지경의 미쳐ᄂᆞᆫ고? 윤시 외모를 보아도 ᄋᆡᄆᆡᄒᆞ련니와 흉언니 ᄃᆡ인긔 미ᄎᆞ니 졀노 더부러 상ᄃᆡ할 쓧지 업도다."

이윽히 《청ᄉᆞ‖청ᄉᆞᆼ(廳上)》의 안져다가 드러와 소져을 보니, 소져 쳔만 ᄉᆡᆼ각 밧 음픠지셜(淫悖之說)을 드르니, 비록 하ᄒᆡ지량(河海之量)이오, 쳔지의 너르미 잇시ᄂᆞ 놀납고 ᄎᆞ악ᄒᆞ여 귀을 영슈(潁水)908)의 씻고 몸을 명[멱]ᄂᆞ슈(汨羅水)909)의 더지고져 ᄒᆞ니, 쉬오리오. 구문(舅門) 입승초일(入承初日)의 ᄎᆞ(此) 《관경‖광경(光景)》을 당ᄒᆞ

907)누얼(陋-) : 더러운 욕이나 흉, 허물. '얼'은 겉에 드러난 흠이나 결함. 허물을 뜻함.

908)영슈(潁水) : 중국 하남성(河南省)을 흐르는 강. 고대 중국의 은자 허유(許由)가 요(堯)임금으로부터 왕위를 물려주겠다는 제안을 받고, 자신의 귀가 더러워졌다며 이 강에서 귀를 씻고 기산(箕山)에 들어가 숨었다는 고사가 전한다.

909)멱ᄂᆞ슈(汨羅水) : 중국 호남성(湖南省) 상음현(湘陰縣)의 북쪽에 있는 강 이름. 중국 전국시대 초나라 시인 굴원(屈原: BC343-277)이 반대파의 모함을 받아 유배되었다가 울분을 못 이겨 이 강물에 빠져 죽었다.

모르고져 ᄒᆞᄃᆡ 능히 엇지 못ᄒᆞ여, 오직 홍슈(紅袖)를 뎡히 ᄭᆞᆺ고 단연【8】위좌(端然危坐)ᄒᆞ여, 문견(聞見)이 업ᄉᆞᆫ ᄃᆞᆺᄒᆞ여, 구ᄐᆞ여 황황경구(遑遑驚懼)홈도 외모의 나타나지 아니니, 무ᄉᆞ무려(無思無慮)ᄒᆞ여 셰상 화식(火食)[886]ᄒᆞᄂᆞᆫ 뉴(類)와 ᄂᆡ도ᄒᆞ고[887] 어리온 ᄐᆡ도와 어엿븐 거동이 텰셕간장을 농쥰홀디라 뎡ᄉᆡᆼ이 야야ᄀᆡ 욕셜이 밋ᄎᆞ믈 분ᄒᆞ여 흉변을 ᄎᆞ악ᄒᆞ던 ᄯᅳᆺ이 ᄉᆞ라지고 즐거온 일이 업ᄉᆞ니 츌뉴ᄒᆞᆫ 화ᄀᆡ와 환흡ᄒᆞᆫ ᄆᆞ음이 감ᄒᆞ여 묵연이 말이 업다가 ᄯᅩ 다시 ᄉᆡᆼ각ᄒᆞᄃᆡ,

"내 임의 져의 ᄋᆡᄆᆡᄒᆞ믈 ᄇᆞᆰ히 알거ᄂᆞᆯ 도젹의 흉언으로ᄡᅧ 통완(痛惋)ᄒᆞᆫ ᄯᅳᆺ을 두어 져를 ᄆᆡ몰이 ᄃᆡ졉ᄒᆞ면, 군ᄌᆞ의 덕이 아니오, 어린 녀ᄌᆞ의 평ᄉᆡᆼ을 져바리미라. 대인ᄀᆡ 욕언이 밋ᄎᆞ미 한심ᄒᆞ나, 져를 ᄒᆡ코져 ᄒᆞᄂᆞᆫ 뉘, 궁극ᄒᆞᆫ 의ᄉᆞ를 ᄂᆡ여 아심(我心)을 요동코져 ᄒᆞᄆᆡ 그러틋 ᄒᆞ미니,【9】흉젹을 잡ᄂᆞᆫ 날 셜분(雪憤)ᄒᆞᆯ 거시오, 이런 일을 블츌구외(不出口外)ᄒᆞ여 져를 편케 ᄒᆞ미 맛당타."

ᄒᆞ여, 이에 말숨을 펴, ᄀᆞᆯ오ᄃᆡ

,

"우리 냥인이 유하(乳下)를 면치 못ᄒᆞ여셔 뎡혼ᄆᆡᆼ약ᄒᆞ여 금셕(金石)의 구드미 잇더니, 블ᄒᆡᆼᄒᆞ여 악댱(岳丈)이 기셰ᄒᆞ시나, ᄌᆞ(子)[888]의 남ᄆᆡ 무ᄉᆞ히 ᄌᆞ라믈 어더 거년셰말(去年歲末)의 친ᄉᆞ(親事)를 일울가 ᄒᆞ엿더니, ᄌᆡ 실산지화를 만나 피화ᄒᆞ시므로 길ᄀᆡ를 허송ᄒᆞ엿더니, 텬연이 ᄀᆡ특ᄒᆞ여 ᄉᆡᆼ이 취월암의 가 ᄌᆞ를 만나니 붕우로 ᄉᆞ괴고져 ᄒᆞᆫ 거시 도로혀 ᄇᆡᆨ년가우(百年佳偶)를 ᄎᆞ즌디라. 금일 오문의 드러오시니 엇디 깃브지 아니리오. 다만 흉적의 말이 아심(我心)을 요동코져 ᄒᆞ여 우리 부부의 금슬을 희짓고

885)그린 ᄯᅥᆨ : 그림의 떡. 아무리 마음에 들어도 이용할 수 없거나 차지할 수 없는 경우를 이르는 말.
886)화식(火食) : 불에 익힌 음식을 먹음. 또는 그 음식.
887)ᄂᆡ도ᄒᆞ다 : 전혀 다르다. 판이(判異)하다.
888)ᄌᆞ(子) : 문어체에서, '그대'를 이르는 말.

여, 홍슈(紅袖)을 단공(端拱)[910]ᄒᆞ야 시쳥(視聽)이 업슴 갓트니, 공구(恐懼)홈도 업고 슈괴(羞愧)홈도 업셔, 무ᄉᆞ무례(無思無慮)ᄒᆞ여 어리온[911] ᄐᆡ도와 어【63】엿분[912] 거동이 쳘셕간ᄌᆞᆼ(鐵石肝腸)을 녹이ᄂᆞᆫ지라. ᄉᆡᆼ이 야야ᄀᆡ 욕이 미ᄎᆞ믈 분ᄒᆞ고, 윤가 변ᄀᆡ을 ᄒᆡ연(駭然)ᄒᆞ여 깃거ᄒᆞ든 ᄯᅳ지 ᄉᆞ라지고 화ᄀᆡ(和氣) 소연(消然)ᄒᆞ여 침묵졍좌(沈默靜坐)ᄒᆞ여 다시 ᄉᆞ량컨ᄃᆡ,

"ᄂᆡ 임의 져의 ᄋᆡᄆᆡᄒᆞ믈 발키 알거날, 도젹의 흉언을 분ᄒᆞᆫ통ᄒᆡ(憤恨痛駭)ᄒᆞ여 기인의 ᄯᅳᆺ즐 맛쳐 져의 평ᄉᆡᆼ을 ᄆᆡ몰케 한 즉, 슉녀의 원(怨)이 깁고 ᄂᆞ의 박ᄒᆡᆼ(薄行)이 심(甚)치 아니리오. ᄃᆡ인게 욕이 미ᄎᆞ미 분ᄒᆞ나 타일 젹을 ᄌᆞᆸᄂᆞᆫ 날 셜분(雪憤)ᄒᆞ리니, 이 일을 맛당이 불츌구외(不出口外)ᄒᆞ고, 져을 위안(慰安)ᄒᆞ미 만젼(萬全)치 아니리오."

쥬의(主義)을 졍ᄒᆞ고 소져을 향ᄒᆞ여 흠신(欠身) 왈,

"우리 부뷔 유ᄒᆞ(乳下)을 면치 못ᄒᆞ야 냥가 ᄃᆡ인의 졍혼ᄒᆞ오신 바로, 불ᄒᆡᆼᄒᆞ여 악장이 기셰ᄒᆞ시ᄂᆞ ᄌᆞ(子)[913]의 남ᄆᆡ 무ᄉᆞ히 ᄌᆞᆼ셩(長成)ᄒᆞ니, 거년의 친ᄉᆞ(親事)을 일우려 ᄒᆞ엿다가 젹화(賊禍)의 실ᄉᆞᆫ(失散)ᄒᆞ여 길ᄀᆡ을 허송ᄒᆞ고, 의외의 취월암의셔 ᄌᆞ로 만ᄂᆞ 붕우로 ᄉᆞ괴고져 ᄒᆞᆫ ᄇᆡ 도로혀 ᄇᆡᆨ년가우(百年佳偶)을 맛ᄂᆞᆫ지라. 금일 뉵녜ᄇᆡᆨ냥(六禮百輛)으로 마ᄌᆞ니 가히 쳔졍ᄀᆡ연(天定奇緣)니여ᄂᆞᆯ, 간젹(奸賊)의 흉언니 ᄃᆡ인ᄀᆡ 간범(干犯)ᄒᆞ니 비록 통ᄒᆡᄒᆞ나 ᄌᆞ의 놉픈 ᄒᆡᆼ실을 발키게 ᄒᆞᄂᆞ니, ᄌᆞᄂᆞᆫ 부운 갓튼 누얼(陋-)을 심두(心頭)의 거리ᄭᅵ지 말고, ᄉᆡᆼ이 일호

910)단공(端拱) : 두 손을 앞으로 모아 포개어 잡고 바르게 앉음.
911)어리롭다 : 아리땁다. 귀엽다.
912)어엿브다 : 애처롭다. 불쌍하다.
913)ᄌᆞ(子) : 문어체에서, '그대'를 이르는 말.

져 ᄒᆞ미어니와, 싱이 비록 블명ᄒᆞ나【10】ᄌᆞ의 고졀청힝(高節淸行)을 모르지 아니ᄒᆞᄂᆞ니, 쇼져ᄂᆞᆫ 부운(浮雲) ᄀᆞᆺᄐᆞᆫ 누언(陋言)을 ᄆᆞ음의 머므르디 마르쇼셔. 싱이 일부분(一部分)이나 고지듯ᄂᆞᆫ가 념녀치 마르쇼셔. 싱이 슈(雖)[889] 무식(無識)이나 엇지 ᄇᆡᆨ셰냥필(百歲良匹)[890]을 지긔(知機)치 못ᄒᆞ리오.”

셜파의 ᄉᆞ긔(辭氣)[891] 화열(和悅)ᄒᆞ여 기심(己心)을 편토록 ᄒᆞ여, 십ᄉᆞ(十四) 쇼ᄋᆞ의 여신ᄒᆞᆫ 총명과 원대ᄒᆞᆫ 디식(知識)이 쳔고(千古)를 녁상(歷想)ᄒᆞ나 쉽지 아닌디라.

쇼졔 젼일 졀노 더브러 언어를 문답ᄒᆞ엿고, 도젹의 흉언을 밋디 아냐 ᄌᆞ긔를 위로ᄒᆞᄂᆞᆫ 말이 이ᄀᆞᆺᄐᆞ니 엇지 감샤ᄒᆞᆫ 뜻인들 업ᄉᆞ리오마ᄂᆞᆫ, ᄌᆞ긔를 이심(已甚)히 히ᄒᆞᄂᆞᆫ 지 남이 아니라, 이 블과 조손슉딜(祖孫叔姪) ᄉᆞ이로조ᄎᆞ 대변을 지어시믈 짐작ᄒᆞᄆᆡ, 망극 히참(駭慚)ᄒᆞ미, 경긱의 죽어 조모의 과악을 곰초고져 뜻이 이시나, 모【11】친이 ᄌᆞ긔 남ᄆᆡ로 위회(慰懷)ᄒᆞ여 남달니 괴롭고 셜운 경계를 촘고 견ᄃᆡ시ᄂᆞᆫ 바를 싱각ᄒᆞ면, ᄌᆞ긔 슈화(水火)라도 살기를 도모ᄒᆞᄂᆞᆫ 거○[시] 올흔지라. 쳔ᄉᆞ만녀(千思萬慮) 《옥장‖오장(五臟)》을 녹이니, 말이 나지 아냐 져두(低頭) 브ᄃᆡ(不對)러니, 한님이 야심(夜深)ᄒᆞ믈 일ᄏᆞ라 촉을 믈니고 쇼져를 븟드러 상요의 나아가고져 ᄒᆞᆫᄃᆡ, 쇼졔 믄득 입을 여러 왈,

“쳡이 명되(命途) 험흔(險釁)ᄒᆞ고 힝실이 비박(菲薄)ᄒᆞ여[892] 실산지화(失散之禍)를 만나 산ᄉᆞ의 뉴락ᄒᆞ고, 셩녜젼(成禮前)의 군ᄌᆞ를 만나 상견슈작(相見酬酌)ᄒᆞ미 녜를 일코 일이 뎡되 아니라. 쳡이 스ᄉᆞ로 누얼(陋-)[893]을 실은 듯ᄒᆞ더니, 신명(神明)이 외오

889)슈(雖) : 비록.
890)ᄇᆡᆨ셰냥필(百歲良匹) : 백년을 해로(偕老)할 배우자(配偶者).
891)ᄉᆞ긔(辭氣) : 늑사색(辭色). 말과 얼굴빛을 아울러 이르는 말.
892)비박(菲薄)ᄒᆞ다 : 변변치 못하다. 천박하고 보잘 것 없다.

(一毫)나 의심ᄒᆞ【64】난가 여기지 말면, 이ᄂᆞᆫ 실노 지긔(知己)라 ᄒᆞ리니, 소조(所遭)ᄒᆞᆫ 슈치(羞恥)로ᄡᅧ 《졔슈‖셰속(世俗)》 부녀의 일을 힝치 마르소셔.”

셜파의 ᄉᆞ긔(辭氣)[914] 십분화열(十分和悅)ᄒᆞ여 소져의 마음이 편토록 ᄒᆞ니, 십ᄉᆞ셰 소년의 여신(如神)ᄒᆞᆫ 총명이면[며] 원ᄃᆡᄒᆞᆫ 식견니 여ᄎᆞ(如此)하믄 진실노 평싱(平生) 일인(一人)일너라.

윤소져 젼일 졀노 더부러 언어을 문답ᄒᆞ엿고, 싱의 쓰지 이러틋 ᄌᆞ가(自家)을 위로ᄒᆞ믈 드르니 감격지 아니미 아니로되, ᄌᆞ가을 이심(已甚)이 히ᄒᆞᄂᆞᆫ 지 남이 안니오, 조손슉질간(祖孫叔姪間)의 이 변(變)을 지으믈 싱각ᄒᆞ니, 골경심한(骨驚心寒)ᄒᆞ여 져 군ᄌᆞ의 말을 ᄃᆡ할 ᄂᆞᆺ치 업고, 얼골 들 의ᄉᆡ ᄉᆞ라져 감히 입을 여지 못ᄒᆞ니, 한림이 야심ᄒᆞ믈 일카라 촉(燭)을 물니고 소져을 붓드러 샹요(牀-)[915]의 ᄂᆞ아○[가]고져 ᄒᆞᄆᆡ 소져 경괴ᄒᆞ여 이의 쌀니 팔을 믈니고 나족이 고왈,

“쳡의 명되(命途) 긔구ᄒᆞ여 십여셰 규녀의 몸으로 ᄉᆞᆫ사(山寺)의 유락(流落)ᄒᆞ여 군ᄌᆞ로 샹견슈ᄌᆞᆨ(相見酬酌)ᄒᆞ미 비례여ᄂᆞᆯ, 안년니[916] 목숨을 도모ᄒᆞ여 다시 군ᄌᆞ의 실즁의 츔녜ᄒᆞ니, 쳔되(天道) 뮈이 역이ᄉᆞ 앙홰(殃禍)을 ᄂᆞ리와 금일 흉픿ᄒᆞᆫ 변괴 존문을 침범ᄒᆞ니, 군ᄌᆞ의 관홍ᄃᆡ덕(寬弘大德)으로ᄡᅧ 쳡의 죄을 용셔ᄒᆞᄉᆞᄆᆡ 우심(愚心)을 비최시

914)ᄉᆞ긔(辭氣) : 늑사색(辭色). 말과 얼굴빛을 아울러 이르는 말.
915)샹요(牀-) : 침상 위에 깔아놓은 요. ‘요’는 사람이 눕거나 앉을 때 바닥에 까는 침구의 하나.
916)안년니 : 안연(晏然)히.

녁이샤 흉젹의 더러온 말이 ᄎᆞ마 사름의 드를 빅 아니라. 군ᄌᆞ의 쳥텬빅일지명(青天白日之明)으로 밋지 아니ᄒᆞ시나, 쳡은 골경【12】심한(骨驚心寒)ᄒᆞ기를 니긔지 못ᄒᆞ고, 흉적(凶賊)을 잡지 못ᄒᆞᆫ 젼은 망극ᄒᆞᆫ 누명(陋名)을 신셜키 어려온지라. 원컨ᄃᆡ 군ᄌᆞᄂᆞᆫ 녀ᄌᆞ의 《미폐‖미셰(微細)》ᄒᆞᆫ ᄉᆞ경을 술피샤, 쳡으로ᄡᅧ 인뉸셰ᄉᆞ(人倫世事)의 급히 참예케 마르시면, 쳡의 누명을 신셜ᄒᆞᆯ 곳이 이실가 바라ᄂᆞ이다."

옥셩봉음(玉聲鳳吟)이 낭낭ᄒᆞ여 금반의 명듀(明珠)를 구을니고, 곳가지의 잉뮈 우ᄂᆞᆫ ᄃᆞᆺ 빅틱쳔광(百態千光)이 볼ᄉᆞ록 긔이ᄒᆞ니, ᄉᆡᆼ이 경복흠ᄋᆡ(敬服欽愛)ᄒᆞ여 은ᄋᆡ(恩愛) 더옥 뉴출(流出)ᄒᆞᄃᆡ, 져의 디셩(至誠)이 부부의 이셩지합(二姓之合)을 원치 아냐, 비샹쥬졈(臂上朱點)을 머므러, 참혹ᄒᆞᆫ 누언을 신셜코져 ᄒᆞ믈 ᄋᆡ련ᄒᆞ여, 븟드러 편히 누이고, 위로 왈,

"텬황디로(天荒地老)[894]ᄒᆞ여도 나 뎡챵빅이 ᄌᆞ의 쳥심셩ᄒᆡᆼ(淸心聖行)을 의심치 아닐 거시오. 존당 인명후덕(仁明厚德)ᄒᆞ시니 쳔만인(千萬人)이【13】 참소ᄒᆞ나, '증모(曾母)의 투져(投杼)'ᄒᆞ미 업ᄉᆞ리니, 구고와 가뷔 녀ᄌᆞ의게 웃듬이니, 안심ᄒᆞ여 브졀업ᄉᆞᆫ 일을 거리끼지 마르쇼셔."

드ᄃᆡ여 이셩지낙(二姓之樂)은 날회나 집슈년침(執手連枕)ᄒᆞ여 여텬디무궁(如天地無窮)ᄒᆞᆫ 졍이 산비히박(山卑海薄)ᄒᆞ니, 이 ᄀᆞᆺ튼 듕졍(重情)을 위시 고식모녜(姑息母女)

893)누얼(陋-) : 더러운 욕이나 흉, 허물. '얼'은 겉에 드러난 흠 또는 결함이나 허물을 뜻한다.

894)텬황디로(天荒地老) : '하늘이 황무지가 되고 땅이 늙는다'는 뜻으로, '오랜 시간의 흐름' 또는 '오랜 시간이 흐른 뒤의 어느 때'를 비유적으로 이르는 말.

나, 쳡의 죄악【65】이 즁ᄎᆞ 어ᄂᆡ 지경의 밋쳐ᄂᆞ니잇가? 쳥컨ᄃᆡ, 군ᄌᆞᄂᆞᆫ 녀ᄌᆞ의 미세(微細)ᄒᆞᆫ 뜻슬 술피ᄉᆞ, 쳡의로 ᄒᆞ여금 인뉸세ᄉᆞ(人倫細事)의 참녜케 마르시면, 혹ᄌᆞ 타일의 누얼을 신셜(伸雪)할가 구구히 바라ᄂᆞᆫ 빅로소이다."

옥음봉셩(玉音鳳聲)이 《양양‖낭낭(朗朗)》화열(和悅)ᄒᆞ여 금반(金盤)의 진쥬을 구을니며, 화지(花枝)의 《심양‖신잉(新鸚)[917]》이 요요(嫋嫋)ᄒᆞᆫ[918] 듯, 빅틱쳔광(百態千光)이 볼ᄉᆞ록 긔이ᄒᆞ니, ᄉᆡᆼ이 심니(心裏)의 더옥 경복흠탄(敬服欽歎)ᄒᆞ여 은ᄋᆡ유츌(恩愛流出)ᄒᆞᄃᆡ, 져의 지셩(至誠)이 부부의 이셩지친(二姓之親)을 원치 아냐, 비샹쥬졈(臂上朱點)을 머므러 일후의 참혹ᄒᆞᆫ 일이 ᄌᆞ연 신셜코져 ᄒᆞ니, ᄋᆡ연(愛戀)한 마음이 십솟 듯ᄒᆞ여 이의 편히 붓드러 누이고 은근 위로 왈,

"쳔황지로(天荒地老)ᄒᆞ고 ᄒᆡ고셕노(海枯石老)[919]하나 ○[나] 뎡챵빅이 ᄌᆞ의 쳥심혜덕(淸心慧德)을 의심치 아닐 거시오. 또한 우리 부모 인명후덕(仁明厚德)ᄒᆞ시니 쳔만인니 비록 춤간(讒干)ᄒᆞᄂᆞᆫ 일이 잇셔도 '증모(曾母)의 투셰[져](投杼)'ᄒᆞ시미 아니 계실 거시니, 구고와 가뷔 여ᄌᆞ의게 웃듬이니 타인이야 가히 일을 것 아니라. ᄌᆞᄂᆞᆫ 모로미 마음을 안심ᄒᆞ여 부졀업시 거리끼지 마르소셔."

드ᄃᆡ여 그 뜻슬 바다 이셩(二姓)의 친(親)을 아니 일위고, 집슈연ᄋᆡ(執手憐愛)ᄒᆞ여 형ᄃᆡ(馨帶)[920]을 졉ᄒᆞ미 이향(異香)이 만신(滿身)ᄒᆞᆫ지라. 여천지무궁(如天地無窮)[921]한 경

917)신잉(新鸚) : 새 앵무새. 어린 앵무새.

918)요요(嫋嫋)ᄒᆞ다 : ①소리가 길고도 간드러지다. ②맵시가 있고 날씬하다.

919)ᄒᆡ고셕노(海枯石老) : 바닷물이 마르고 돌이 나이를 먹어 늙음. 천황지로(天荒地老)와 비슷한 말.

920)형ᄃᆡ(馨帶) : 향주머니를 단 띠. 향기로운 몸.

엇지 작희(作戲)ᄒᆞ리오. 상샹슈리(牀上繡裏)의 ᄡᅡᆼ옥(雙玉)이 완젼ᄒᆞ여 텬뎡일ᄃᆡ(天定一對)[895]오 ᄇᆡᆨ셰냥필(百歲良匹)이라.

태부인이 한님의 유모 셜파를 보ᄂᆡ여 신방을 규시ᄒᆞ라 ᄒᆞ엿더니, 유랑이 한님이 도젹의 흉언을 드르ᄃᆡ, 은근 위유(慰諭)ᄒᆞ여 상샹(床上)의 나아가믈 보고, 경아(驚訝)ᄒᆞ여 도라와 일일히 고ᄒᆞ니, 딘부인이 이날은 태부인을 시침(侍寢)ᄒᆞ엿더니 유랑의 젼어를 듯고 경악ᄒᆞ여 태부인긔 고ᄒᆞᄃᆡ,

“쳡이 금됴의 셰ᄋᆡ 여ᄎᆞ여ᄎᆞ 니【14】르옵거ᄂᆞᆯ 듯ᄉᆞ오미 경히ᄒᆞ믈 니긔지 못ᄒᆞ옵더니, 밋 신부를 보오ᄆᆡ 일분 의심이 나디 아니ᄒᆞ옵고 잔잉히 넉이ᄂᆞᆫ 바, 뉘 윤시를 그ᄃᆡ도록 믜워ᄒᆞᄂᆞᆫ고, 도젹을 잡아 쥬륙(誅戮)ᄒᆞ면 싀훤홀가 시브옵더니, 신방(新房)의 ᄯᅩ 변이 잇다 ᄒᆞ오니 사ᄅᆞᆷ의 ᄎᆞᆷ디 못홀 일이오ᄃᆡ, 텬ᄋᆡ 조금도 곳이 드르미 업ᄉᆞ니 엇지 긔특지 아니리잇고.”

태부인이 경히 왈,

“신부는 만고셩녀(萬古聖女)라. ᄒᆞᆫ갓 외뫼 곱고 빗날 ᄲᅮᆫ 아니라 만면의 어린 거시 다 셩덕이라. 엇지 그런 음비지ᄉᆞ(淫鄙之事)이시리오. 원간 윤시를 믜워ᄒᆞᄂᆞᆫ 지 잇셔 실

895)텬뎡일ᄃᆡ(天定一對) : 하늘이 정하여 준 한 쌍.

이 ᄒᆡ박(海薄)ᄒᆞ여 ‘ᄉᆡᆼ【66】즉동쥬(生則同住) ᄉᆞ즉동혈(死則同穴)’[922]ᄒᆞ여 ᄇᆡᆨ년을 오히려 낫비 녁일 ᄯᅳᆺ지 잇시니, 이 즁졍은 하날이라도 버히기 어려오니, 위시 고식모여(姑媳母女) 비록 흉계을 운동ᄒᆞ여 금슬을 희짓고져 ᄒᆞ나, 엇지 뎡텬흥의 여신(如神)한 총명을 즐 가리오리오. 샹샹슈리(床上繡裏)의 쌍옥(雙玉)이 완젼ᄒᆞ여, 가위(可謂) 쳔○[뎡]일ᄃᆡ(天定一對)오, ᄇᆡᆨ셰양필(百世良匹)이라.

ᄎᆞ시 슌ᄐᆡ부인니 한림의 유모 셜파을 보ᄂᆡ여 가만니 신방을 규시(窺視)ᄒᆞ여 보(報)하라 ᄒᆞ엿더니, 셜유랑이 한림니 신방의 드러와 도적의 흉언을 들으나, 조금도 의심치 아니코 소져을 호언관ᄃᆡ(好言寬待)ᄒᆞ여 은근이 붓드러 샹요(床褥)의 나아가는 양을 보ᄆᆡ, 크게 경악ᄒᆞ여 도라가 일일히 고ᄒᆞᆫᄃᆡ, ᄎᆞ시 진부인니 이ᄂᆞᆯ 침젼으로 도라가지 아니ᄒᆞ고 ᄐᆡ부인을 시측(侍側)ᄒᆞ엿더니, 유랑의 젼ᄒᆞᄂᆞᆫ 말을 듯고 블승경ᄎᆞᆷ(不勝驚慘)ᄒᆞ야 ᄐᆡ부인게 고왈,

“금조의 셰흥니 여ᄎᆞ여ᄎᆞ ᄒᆞ옵거ᄂᆞᆯ ᄎᆞ악경히ᄒᆞ오미 비할 고지 업숩더니, 신부을 보오니 일분도 의심이 ᄂᆞ지 아니ᄒᆞ고, 한갓 잔잉이[923] 여기ᄂᆞᆫ 바ᄂᆞᆫ 어ᄂᆡ 곳의 슈인니 잇셔 윤시을 그ᄃᆡ도록 뮈워○○○[ᄒᆞᄂᆞᆫ고], {즙고} 도적을 즙아 쥬륙(誅戮)하면 ᄒᆡᆨ견(覈見)할 거시오, 신방의 ᄯᅩ 그런 변괴 잇다 ᄒᆞ오니, 식ᄌᆞ(識者)로 이른【67】 즉, 아부(我婦)의 위인으로 ᄇᆡᆨ옥의 ᄐᆡ업ᄉᆞ믈 아올 비로ᄃᆡ, 소연(少年)《여긔∥연긔(年紀)》의 ᄎᆞᆷ지못할 ᄇᆡ여ᄂᆞᆯ, 텬흥이 능히 신부의 츌유탁월(出類卓越)ᄒᆞ믈 지긔ᄒᆞ여, 일호도 경동ᄒᆞ미 업숩ᄂᆞᆫ가 ᄒᆞ오니, 족히 슉녀의 평ᄉᆡᆼ을 져ᄇᆞ리지 아니ᄒᆞ리로소이다.”

ᄐᆡ부인니 졈두 왈,

“연(然)니ᄂᆞ, 윤아의 슉ᄌᆞ혜질(淑姿惠質)

921)여천지무궁(如天地無窮) : 천지의 끝없음과 같음.
922)ᄉᆡᆼ즉동쥬(生則同住) ᄉᆞ즉동혈(死則同穴) : 살아서는 함께 살고 죽어서도 한곳에 묻힌다.
923)잔잉ᄒᆞ다 : 불쌍하다. 가엾다. 안쓰럽다.

산ᄒᆞ기도 흉인의 히ᄒᆞ민가 시브니, 윤의 죵닉 무ᄉᆞᄒᆞ기를 밋지 못ᄒᆞ리니, 엇지 잔잉코 블힝치 아니리오.”

딘부인이【15】 고왈,

“텬홍이 이 일을 발구(發口)치 아니ᄒᆞ오리니 존고ᄂᆞᆫ 아른 쳬 마르쇼셔.”

태부인이 졈두(點頭)ᄒᆞ고 유랑을 당부ᄒᆞ여 션월정 적변을 아모다려도 니르지 말나 ᄒᆞ더라.

명됴(明朝)의 윤쇼졔 신셩(晨省)ᄒᆞ니 존당구괴 무한ᄒᆞᆫ ᄉᆞ랑 쎤이오. 흉적의 패설은 조금도 의심ᄒᆞ미 업셔 혜쥬와 다르미 업고, 닌니친쳑(隣里親戚)과 하류쳔비(下類賤婢) 등이 다 칭찬흠앙(稱讚欽仰)ᄒᆞᄃᆡ ‘셰ᄃᆡ(世代)의 일인(一人)이라’ ᄒᆞ더라.

쇼졔 인뉴구가(因留舅家)ᄒᆞ여 효봉구고(孝奉舅家)ᄒᆞ미 졍셩(精誠)이 동쵹(洞屬)ᄒᆞ며 승슌군ᄌᆞ의 슉녀지덕이 가ᄌᆞᆨᄒᆞ고, 쳔연단엄ᄒᆞ여 ᄉᆞ군ᄌᆞ의 풍치 잇고, 슉ᄆᆡ(叔妹)[896]로 화목ᄒᆞ미 겸손비약(謙遜卑弱)ᄒᆞ여[며] 침묵언희(沈默言稀)ᄒᆞ여, 사ᄅᆞᆷ이 뭇ᄂᆞᆫ 바를 계오 ᄃᆡ답ᄒᆞ고, 죵일 홍슈(紅袖)를 ᄉᆞᆺ고 봉관을 슉여【16】 단슌(丹脣)을 여지 아니니, 만면의 가득ᄒᆞᆫ 화긔ᄂᆞᆫ 삼츈양일(三春陽日)이 다ᄉᆞᄒᆞ여 만믈을 회싱ᄒᆞᄂᆞᆫ 둧, 어엿븐 거동이 볼ᄉᆞ록 긔이ᄒᆞᆫ지라. 태부인이 장듕보옥(掌中寶玉)ᄀᆞᆺ치 ᄉᆞ랑ᄒᆞ여 면젼의 써나믈 앗기고, 금평휘 엄구(嚴舅)의 셔의(齟齬)ᄒᆞ믈[897] 바리고 친부의 ᄌᆞ이를 겸ᄒᆞ여, 대쳬(大體)ᄒᆞᆫ 셩졍이 윤쇼져긔 다ᄃᆞ라ᄂᆞᆫ ᄌᆞ셔(仔細)ᄒᆞ고, 엄슉ᄒᆞᆫ 낫빗치 쇼져를 보면 미우의 츈풍화긔 니러나 웃ᄂᆞᆫ 입을 주리지 못ᄒᆞ니, 일가 도로혀 신부 ᄉᆞ랑이 쥬졉들믈[898] 웃더라. 딘부인은 셩졍이 남달니

---

896)슉ᄆᆡ(叔妹) : 시누이.

897)셔의(齟齬)ᄒᆞ다 : 어긋나다. 서먹하다. ①틀어져서 어긋나다. ②낯이 설거나 친하지 아니하여 어색하다.

898)쥬졉 : 주접. 궁상(窮狀)맞음. 옷차림이나 몸치레

노 이 갓치 히(害)ᄒᆞ난 슈인(讎人)니 잇사니 젹지아닌 근심이라. 맛츰닉 화을 버셔ᄂᆞ기 어려온 즉, 텬아의 ᄯᅳ지 한갈 갓트나 신뷔 엇지 평안ᄒᆞ리오.”

진부인니 ᄯᅩ한 츠연ᄒᆞ믈 이긔지 못ᄒᆞ여 이의 고왈,

“텬홍이 이 일을 몬져 발셜치 아니ᄒᆞ거든 먼져 일으지 말미 올흘가 ᄒᆞᄂᆞ이다.”

틱부인니 올히 녁여 《게슈ᄃᆡ명 ᄒᆞ라‖유랑을 당부ᄒᆞ여 션월정 젹변을 아모다려도 니르지 말나》 ᄒᆞ더라.

명조(明朝)의 신부 신셩(晨省)ᄒᆞ니 말고[924] 조흔 격조와 ᄡᅡ혀ᄂᆞᆫ 쳐지(體肢) 즉일 본 빅ᄂᆞ 시로이 긔히ᄒᆞ니, 됸당구괴 면○[면]니 바라보아 웃ᄂᆞᆫ 입을 쥬리지 못ᄒᆞ고, 황홀(恍惚) 체체ᄒᆞᆫ[925] ᄉᆞ랑이 혜쥬 소져와 간격이 업ᄉᆞ니 어ᄂᆞ 결을의 즉야 흉변을 싱각ᄒᆞ리오.

소져 인ᄒᆞ여 구가의 머므러 효봉구고와 승슌군ᄌᆞ며 화우슉ᄆᆡ(和友叔妹)[926]ᄒᆞ여 《빅향‖빅힝(百行)》이 ᄀᆞᆺ다이 ᄡᅡ혀ᄂᆞ니 ᄉᆞᄉᆞ로 덕을 닷토미 업셔 ᄉᆞ람으로 즙담ᄒᆞ미 업고, 종일토록【68】 쥬슌(朱脣)을 《함홍‖함환(銜環)[927]》ᄒᆞ고, 셩안(星眼)니 ᄂᆞ즉ᄒᆞ여 면뫼 승안(承顔)ᄒᆞᄂᆞᆫ 화긔 츈풍의 빅홰 웃ᄂᆞᆫ 듯ᄒᆞ고, 금분(金盆)의 모란니 취우(翠雨)을 먹음은 듯ᄒᆞ며, 하일(夏日)이 옥난(玉蘭))의 바ᄋᆡᄂᆞᆫ 듯ᄒᆞ니, ᄉᆞ람이 ᄃᆡᄒᆞ미 ᄶᅥ나기 악가온지라. 쌍셩(雙星)을 즘간 흘니고 옥셩을 토ᄒᆞᄂᆞᆫ 빈즉[928], 틱도의 졀인ᄒᆞ미 ᄀᆞᆺ촌 말이 업고 달은 무미(無味)ᄒᆞ니 화

---

924)맑고 : 맑고.

925)체체ᄒᆞ다 : 행동이나 몸가짐이 너절하지 아니하고 깨끗하며 트인 맛이 있다.

926)화우슉ᄆᆡ(和友叔妹) : 시누이들과 우애하며 화목하게 지냄.

927)함환(銜環) : ‘환옥(環玉)을 머금다’라는 뜻으로, ‘함환이보(銜環以報)’에서 온 말. 즉, 옛날 중국의 양보(楊寶)라는 소년이 다친 꾀꼬리 한 마리를 잘 치료하여 살려 보낸 일이 있었는데, 후에 이 꾀꼬리가 양보에게 백옥환(白玉環)을 물어다 주어 보은했다는 고사에서 온 것임.

928)토ᄒᆞᆫ는 빈즉 : ‘토ᄒᆞᆫ는 바인 즉’ 또는 ‘토ᄒᆞᄂᆞᆫ 때면’.

단묵ᄂᆡᆼ엄(端默冷嚴)ᄒᆞᆫ 고로 심ᄂᆡ의 윤시를 ᄋᆡ듕ᄒᆞ여 녀ᄋᆞ와 다르미 업ᄉᆞᄃᆡ, 본 젹마다 황홀탐ᄋᆡᄒᆞ믄 태부인과 금【17】평후만 못ᄒᆞᆫ 듯ᄒᆞ나, 범ᄉᆞ의 긔렴(記念)ᄒᆞ여899) 각별ᄒᆞᆫ ᄆᆞᄋᆞᆷ이 그 몸이 편ᄒᆞ기를 요구ᄒᆞᄂᆞᆫ디라. 윤쇼졔 존당구고의 셩ᄌᆞ혜ᄐᆡᆨ을 ᄀᆞᆨ골감은ᄒᆞ여 츌텬ᄒᆞᆫ 효셩이 갈ᄉᆞ록 더ᄒᆞ며, 쇼고(小姑)900) 혜듀쇼져로 지긔상합(志氣相合)ᄒᆞ여 피ᄎᆞ 동포골육(同胞骨肉)이 아니믈 ᄭᆡ돗지 못ᄒᆞ고, 뎡한님이 윤쇼져 향ᄒᆞᆫ 졍이 여텬디무궁(如天地無窮)901)ᄒᆞ니 구몽슉의 작희(作戱)ᄒᆞ미 므ᄉᆞᆫ ᄒᆡ로오미 이시리오.

쇼져의 몸이 안여반셕(安如磐石)ᄒᆞ여 십삼츈광(十三春光)의 봉관화리(鳳冠花履)로 명부의 존귀를 누리며, 존당 구고의 디극ᄒᆞᆫ ᄌᆞᄋᆡ를 밧ᄌᆞ와 일개(一家) 츄존(推尊)ᄒᆞ며, 냥인의 공경듕ᄃᆡᄒᆞ미 관져(關雎)의 노ᄅᆡ를 화ᄒᆞ니, 그 즐겁고 편ᄒᆞ미 엇지 본부의셔 위·뉴 냥인의 보ᄎᆡ이믈 닙을 졔【18】와 ᄀᆞᆺᄐᆞ리오마는, 흉젹의 음황패셜이 일심(一心)의 거림ᄒᆞ고902), 도라 본부를 ᄉᆡᆼ각ᄒᆞ면 '모친의 고경(苦境)이 어ᄃᆡ 밋쳐시며', '광텬 등은 무ᄉᆞᄒᆞᆫ가' 날마다 문후ᄒᆞᄂᆞᆫ 시ᄋᆡ(侍兒) 왕ᄂᆡᄒᆞ나 조모와 슉모의 허믈을 셔ᄉᆞ(書辭)의 니르지 아니코, 남모르ᄂᆞᆫ 근심이 밤을 당ᄒᆞ면 상연타루(傷然墮淚)ᄒᆞ믈 마지 아니니 셜난 등이 위로ᄒᆞ더라.

가 초라하고 너절한 것.

899)긔렴(記念)ᄒᆞ다 : 기념(記念)하다. 잊지 않고 생각하다.

900)쇼고(小姑) : 시누이.

901)여텬디무궁(如天地無窮) : 천지의 끝없음과 같음.

902)거림ᄒᆞ다 : 꺼림칙하다.

월(花月)노 비기지 못할지라. 일가의 보ᄇᆡ되여 ᄐᆡ부인이 더옥 안젼의 《화긔‖긔화》로 일시 ᄯᅥᄂᆞ지 못ᄒᆞ게 ᄒᆞ며, 금휘 엄구의 존ᄒᆞ므로 친부의 ᄌᆞᄋᆡ을 다ᄒᆞ여 ᄃᆡ쳬(大體)ᄒᆞᆫ 셩졍의ᄂᆞᆫ 윤소져긔 다다라ᄂᆞᆫ ᄌᆞ상ᄒᆞ미 도로혀 병이 되어, 바람이 ᄆᆡ이 부러도 《초풍‖촉풍(觸風)》할가 조리니, 인인(人人)니 다 공의 식부 ᄉᆞ랑이 과ᄒᆞ믈 긔롱ᄒᆞ여 웃고, 진부인은 본ᄃᆡ 셩졍이 단묵(端默)ᄒᆞ니, 본젹마다 탐탐이 ᄋᆡᆨᄋᆡᄒᆞ믄 ᄐᆡ부인과 금후만 갓치 못ᄒᆞ나, 범ᄉᆞ의 긔렴(記念)하야929) 그 일신니 안안(晏晏)토록 ᄒᆞ여 보호ᄒᆞ미 어린 옥갓트니, 더옥 소교(小嬌) 혜쥬소져로 졍의 골육동긔 갓고, 한림의 무궁ᄒᆞᆫ 즁졍이 ᄒᆞᄒᆡ(河海) 갓트여, 관져(關雎)의 낙(樂)이 흡연ᄒᆞ여 날노 ᄋᆡ경(愛敬){식부}ᄒᆞ니 엇지 구몽슉의 ᄌᆞᆨ용을 ᄀᆡ회(介懷)ᄒᆞ미 잇ᄉᆞ리오.

소져 구가(舅家)의 오무로부터 존당구괴의【69】 한업ᄉᆞᆫ 사랑과 군ᄌᆞ의 지극ᄒᆞᆫ 즁ᄃᆡ을 ᄡᅵ여, 일신니 화당금누(華堂金樓)의 안여평셕(晏如平席) 갓고, 십ᄉᆞᆷ츙년(十三沖年)930)의 봉관화리(鳳冠花履)의 영귀ᄒᆞ믈 누리니, 엇지 본부의셔 위ᄐᆡ부인긔 쥬야로 봇치님[임]과 갓트리오. 위ᄐᆡ의 독ᄒᆞᆫ 슈단을 맛날가 쥬쥬야야(晝晝夜夜)의 여림박빙(如臨薄氷)ᄒᆞ고 여좌침샹(如坐針上)ᄒᆞ든 바의 비기리오마는, 소져 일단 병이 된 바ᄂᆞᆫ 흉인의 음ᄑᆡ지셜을 신누(身陋)을 숨아 일심의 ᄆᆡ치인 바의, 도라 본부을 ᄉᆡᆼ각건ᄃᆡ, 모친의 위란(危亂)한 형셰와 냥 공ᄌᆡ의 누란(累卵) 갓튼 신셰 어ᄂᆡ 지경의 밋츨 쥴 모로ᄂᆞᆫ지라. 일일 문후ᄒᆞᄂᆞᆫ 시ᄋᆡ(侍兒) 왕ᄂᆡᄒᆞ나 능히 셔ᄉᆞ로 소회을 통치 못ᄒᆞ믈 뉘 알니오. 존당의 승안회긔을 감(減)치 아니ᄂᆞ ᄉᆞ실(私室)의 물너가 고요한 밤을 당ᄒᆞ면 옥[억]ᄌᆞᆼ(億丈) 근심니[을] 스ᄉᆞ로 ᄉᆞ회니931) 봉침(鳳枕)932)의 누쉬(淚水) 말을 젹

929)긔렴(記念)ᄒᆞ다 : 기념(記念)하다. 잊지 않고 생각하다.

930)츙년(沖年) : 열 살 안팎의 어린 나이.

931)ᄉᆞ회다 : <ᄉᆞᆯ오다 : 사르다>. 불에 태우다.

932)봉침(鳳枕) : 봉황의 모양을 수놓은 베개.

이적은[903] 은듀(殷州)[904]ᄯᅡ히 누년 긔황(饑荒)ᄒᆞ고 ᄌᆞᄉᆡ(刺史)[905] 년ᄒᆞ여 블인ᄌᆡ(不仁者) 나려가니 니민(吏民)[906]이 보ᄎᆡ이여 안돈(安頓)치 못ᄒᆞ니 아조 폐읍(弊邑)이 되엿ᄂᆞᆫ디라. 상이 각별이 안념ᄉᆞ(按廉使)[907]를 ᄐᆡᆨᄒᆞ여 은듀를 슌무(巡撫)ᄒᆞ라 ᄒᆞ시니, 됴경 의논이 태듕태우 윤슈의게 밀위니, 샹이 윤태우를 인견(引見)ᄒᆞ샤 은듀를 슌뮤ᄒᆞ라 ᄒᆞ시니, 태위 샤양치 못ᄒᆞ【19】여 승명(承命)ᄒᆞᄆᆡ, '삼일치ᄒᆡᆼ(三日治行)ᄒᆞ여 가라' ᄒᆞ시니, 본부의 도라와 모친긔 고ᄒᆞ고 집을 ᄯᅥ나ᄆᆡ 근심이 만단(萬端)ᄒᆞ여 모친긔 진졍으로 ᄋᆡ걸 왈,

"쇼ᄌᆡ 은쥐로 향ᄒᆞ오ᄆᆡ 도로 요원(遙遠)ᄒᆞ여 도라오미 쉽지 아니ᄒᆞ오니, 광텬 등이 년유ᄒᆞ오나 슉셩ᄒᆞ오니 외ᄉᆞᄂᆞᆫ 념녀홀 거시 업ᄉᆞ오ᄃᆡ, ᄌᆞ졍이 ᄌᆞᄋᆡ 브족ᄒᆞ시니 ᄌᆞ위 쇼ᄌᆞ를 ᄉᆞ랑ᄒᆞ시거든, 조슈의 모ᄌᆞ를 편히 거나리시면 쇼ᄌᆡ 영ᄒᆡᆼᄒᆞ오리니, 쳔만 바라옵ᄂᆞ니 ᄌᆞ위ᄂᆞᆫ 쇼ᄌᆞ의 지극히 밋고 바라ᄂᆞᆫ 바를 져바리지 마르쇼셔."

903)이적은 : 이적은. 이때는.
904)은듀(殷州) : 중국 하남성(河南省)에 있는 주(州).
905)ᄌᆞᄉᆡ(刺史) : 고려 성종 14년(995)에 둔 지방관(外官)
906) 니민(吏民) : 자방의 아전과 백성.
907)안념ᄉᆞ(按廉使) : 고려·조선 시대에 둔, 각 도의 으뜸 벼슬. 충렬왕 2년(1276)에 안찰사를 이 이름으로 고쳤다.

이 업셔 일만 가지 근심이 뉴미(柳眉)을 잠으니, 시여 등이 위로ᄒᆞ여 시일을 보ᄂᆡ더라.

시시의 은쥬(殷州)[933] 누년을 긔황(饑荒)ᄒᆞ여 ᄇᆡᆨ셩이 이ᄉᆞᆫ(離散)ᄒᆞ여 심히 괴롭고, ᄯᅩᄒᆞᆫ 겸ᄒᆞ여 ᄌᆞᄉᆡ(刺史)[934] 불인탐확(不仁貪虐)ᄒᆞ여 쥰민지고ᄐᆡᆨ(浚民之膏澤)[935]을 능ᄉᆞ(能事)로 ᄒᆞ며, 일경(一境)이 흉흉탄탄ᄒᆞ니 샹이 드르시고 크게 근심ᄒᆞᄉᆞ, 은쥬을 《지슈‖제슈(除授)》ᄒᆞ여 ᄇᆡᆨ셩을 안안(晏晏)○[이] 보젼(保全)코져 ᄒᆞ실 ᄉᆡ, 그 직덕니 가즌【70】 ᄌᆞ로 안찰ᄉᆞ(按察使)[936]을 ᄐᆡᆨᄒᆞ라 ᄒᆞ시니, 조졍의 의논이 ᄐᆡ즁ᄐᆡ우 윤수게 미루ᄂᆞᆫ ᄇᆡ 된지라. 샹이 윤ᄐᆡ우을 면젼의 명초(命招)ᄒᆞᄉᆞ, '은쥐을 슌무ᄒᆞ라' ᄒᆞ시니, 윤ᄐᆡ우 쳔명을 슌슈ᄒᆞ여 ᄉᆞᆷ일치ᄒᆡᆼ(三日治行)ᄒᆞ려 할 ᄉᆡ, 본부의 도라와 모부인긔 이 소유을 고ᄒᆞ고, ○○○○○○[진졍으로 ᄋᆡ걸 왈],

"○○[소ᄌᆡ] 니가(離家)ᄒᆞ여 ᄂᆞᆫ쳐(難處)ᄒᆞ온 바 근심니 만단니오나, ᄒᆞ믈며 군친을 이측(離側)함만 아니라 진실노 광·희 양질ᄋᆞ을 션형(先兄)을 ᄃᆡ신ᄒᆞ여 보호 귀즁ᄒᆞ든 바로ᄡᅧ 바리고 가오믈 심니(心裏)의 슬허ᄒᆞ옵ᄂᆞ니, 바라건ᄃᆡ ᄐᆡᄐᆡᄂᆞᆫ 소ᄌᆡ 은쥬로 향ᄒᆞ오ᄆᆡ 길리 심히 요원(遙遠)ᄒᆞ와, ᄂᆡ왕(來往) 회환(回還)이 일년ᄂᆡ 쉽지 못ᄒᆞ올지라. 광쳔 등이 년유(年幼)ᄒᆞ오나 슉셩슈미(夙成秀美)ᄒᆞ오니 가ᄉᆞᄂᆞᆫ 근심니 업ᄉᆞ오ᄃᆡ, 다만, 모친게셔 심홰(心火) 셩(盛)ᄒᆞ사 만일 광텬 등과 조슈긔 불평지ᄉᆡ(不平之事) 게실진ᄃᆡ, 망형의 영혼니 구원(九原)의 늣길 ᄇᆡ오니, 졀박ᄒᆞ온 염녜 무궁ᄒᆞ온지라. ᄇᆞ라옵ᄂᆞ니 복원 ᄌᆞ위ᄂᆞᆫ 소ᄌᆞ을 ᄉᆞ랑ᄒᆞ실진ᄃᆡ, 조슈와 질아 등을 극히 ᄉᆞ랑ᄒᆞᄉᆞ 편케 ᄒᆞ시면

933)은쥬(殷州) : 중국 하남성(河南省)에 있는 주(州).
934)ᄌᆞᄉᆡ(刺史) : 고려 성종 14년(995)에 둔 지방관(外官)
935)쥰민지고ᄐᆡᆨ(浚民之膏澤) : 백성들의 고혈(膏血)을 짜냄.
936)안찰ᄉᆞ(按察使) : 고려 시대에, 각 도의 행정을 맡아보던 으뜸 벼슬. 현종 3년(1012)에 절도사를 이 이름으로 고쳤다.

태부인이 거즛 함누 왈,

“네 엇지 어미다려 괴이ᄒᆞᆫ 말을 ᄒᆞᄂᆞ뇨? 내 평ᄉᆡᆼ ᄂᆡ외지심(內外之心)이 업ᄉᆞ나 화증이 만하 내 말을 거ᄉᆞ리고 뜻을 어긘즉 심홰 발ᄒᆞ여 혹 수【20】지즐 적이 이시나, 엇지 광텬 등의게 ᄌᆞᄋᆡ 브족ᄒᆞ리오. 너는 괴이ᄒᆞᆫ 념녀를 말고 은춰를 슌무ᄒᆞ여 국ᄉᆞ를 션치ᄒᆞ고 슈히 도라오라.”

태위 기리 탄식고 광텬 등 형뎨를 블너 가ᄉᆞ를 쳑탁ᄒᆞ미, 미지하여(未知何如)오.

어시의 윤태위 샤은퇴됴(謝恩退朝) ᄒᆞ여 본부의 니르러 모젼의 반일(半日) 존후를 뭇ᄌᆞᆸ고 연듕셜화(筵中說話)[908]를 고ᄒᆞᄆᆡ, 쇼쇼 ᄉᆞ정으로뼈 거릴 ᄇᆡ 아니로ᄃᆡ, 도라 가듕형셰를 ᄉᆞᆯ피건ᄃᆡ, 모친의 과도ᄒᆞᆫ 심화와 뉴시의 블냥(不良)ᄒᆞ미 슈슈와 냥공ᄌᆞ를 보호치 아닐더라, ᄉᆡᆼ각이 이에 다ᄃᆞ라는 댱부의 뜻이나 셜셜(屑屑)ᄒᆞᆷ을 니긔지 못ᄒᆞ여, 냥공ᄌᆞ의 손을 잡고, 츄연댱탄(惆然長歎) 왈,

“여뷔(汝父) 국ᄉᆞ로 말ᄆᆡ암아 가듕을 써나ᄆᆡ ᄌᆞ정(慈庭)의 졀박ᄒᆞ심【21】과 ᄋᆞ히 등을 써나 심ᄉᆡ 버히는 ᄃᆞᆺᄒᆞ믄 니르도 말고, 가듕상하의 난(亂)ᄒᆞᆯ 바를 념(念)컨ᄃᆡ 능히 심ᄉᆞ를 버히기 어렵도다. ᄌᆞ위 심홰 남다르시고 뉴시 심ᄉᆡ 션(善)치 아니니, 우슉(愚叔)이 집을 써나ᄆᆡ 반다시 여등 형뎨를 난타(亂打)ᄒᆞ시는 지경이 이시리니, 여등은 모로미 ᄌᆞ보ᄒᆞ여 몸을 상치 아니미 회(孝)라. 쳔금 듕신(千金重身)을 경(輕)히 녀여 금일 여부의 경계를 헛되이 녁이지 말나.”

908)연듕셜화(筵中說話) : 조정(朝廷)에서 논의된 말.

엇지 영힝치 아니리가? ᄇᆞ라는 바 ᄌᆞ위는 쳔만 비옵ᄂᆞ니 소ᄌᆞ의 ᄇᆞ라는 바을 져ᄇᆞ리지 마시미 힝심(幸甚)이로소이다.”

언파의 쳑연 함누ᄒᆞ니, ᄐᆡ부인니 거짓 타루 왈,

“네【71】 엇지 이런 말을 ᄒᆞᄂᆞ뇨? ᄂᆡ 평ᄉᆡᆼ의 ᄂᆡ외을 가작(假作)ᄒᆞ미 업고, 혹 심화나난 ᄶᅥᆨ ᄂᆡ 말을 원ᄒᆞ리 이시며[면], 일시 치칙(治責)ᄒᆞ미 이시ᄂᆞ, 오히려 견집(堅執)ᄒᆞ미 업ᄉᆞ니, 더옥 광·희 냥ᄋᆞ는 문호의 텬니귀(千里駒)[937]라 노뫼 오히○[려] 인정이여든 불평ᄒᆞ미 잇시리오. 너는 가ᄉᆞ을 근심치 말고 원노힝역(遠路行役)을 조심ᄒᆞ여 국ᄉᆞ을 션치ᄒᆞ고, 슈히 도라와 님군의 기ᄃᆞ리시미 업게 ᄒᆞ라.”

ᄐᆡ우 ᄉᆞ례ᄒᆞ고 외당의 나와 냥공ᄌᆞ을 명ᄒᆞ여 경계ᄒᆞ여 왈,

“형ᄌᆞᆼ(兄丈)이 아니 게시고 여등의 형졔을 우슉이 쥬야로 보호 위로ᄒᆞ는 ᄇᆡ러니, ᄂᆡ 이졔 은춰로 가ᄆᆡ 가즁의 타인니 업고 다만 밋는 ᄇᆡ 여등 형졔니, 또한 ᄌᆞ졍(慈庭) 게셔 심회 셩화(盛火)ᄒᆞ시고 뉴시 혼암불명ᄒᆞ니 나의 큰 근심이라. ᄂᆡ 니가(離家) 후 만일 ᄌᆞ위 존슈긔 불평ᄒᆞᆫ ᄉᆞ단(事端)이 게시고 너희을 난타지경(亂打地境)의 일으시거든 ᄃᆡ장즉쥬(大杖則走)[938]ᄒᆞ믈 효측(效

937)텬니귀(千里駒) : 늑천리마(千里馬). 뛰어나게 잘난 자손을 칭찬하여 이르는 말.

938)ᄃᆡ장즉쥬(大杖則走) : 효자가 어버이 에게 벌을 받을 때, 작은 매로 치면 순순히 받을 것이지마는. 크게 화가 나서 몽둥이로 쳐 죽이려 할 때는 달아나서, 어버이가 불의(不義)를 범하지 않도록 함을

냥공ᄌᆡ ᄇᆡ이슈명(拜而受命)ᄒᆞ여 능히 ᄃᆡ치 못ᄒᆞ더라. 태위 츄연ᄌᆞ상(惆然自傷)ᄒᆞ여 냥공ᄌᆞ의 손을 잡고, 현ᄋᆞ쇼져를 나호여 어로만져 경계 왈,

"오ᄋᆞᄂᆞᆫ 하가 며나리라 빙ᄎᆡ(聘采) 문명(問名)은 니르지 말고, 이 필적은 곳 하공의 필적이오, 셰ᄉᆡ난측(世事難測)이니 혹 내 환가(還家) 젼, 아모 권문셰가의셔 너의【22】 셩화(聲華)를 듯고 위셰로 구혼ᄒᆞ미 이실진ᄃᆡ, 여모ᄂᆞᆫ 츄셰니욕(趨勢利慾)의 무든 ᄌᆡ라. 반ᄃᆞ시 너의 졀개를 작희ᄒᆞ여 훼졀케 ᄒᆞ미 이실지라도, 너ᄂᆞᆫ 모로미 졀을 크게 녁여 명텰보신(明哲保身)ᄒᆞᆯ진ᄃᆡ 엇지 아ᄅᆞᆷ답지 아니리오."

쇼졔 취미(翠眉) 나즉ᄒᆞ고 셩안(星眼)이 미미(微微)ᄒᆞ여 능히 ᄃᆡ(對)치 못ᄒᆞ니, 공이 년ᄋᆡ(憐愛)ᄒᆞ믈 니긔지 못ᄒᆞ여, 구파를 향ᄒᆞ여 왈,

"셔모ᄂᆞᆫ 광텬형뎨를 각별 보호ᄒᆞ여 ᄌᆞ위 실덕ᄒᆞ시미 계실진ᄃᆡ, 맛당이 간ᄒᆞ여 ᄌᆡ 나간 ᄉᆞ이 가듕이 무고ᄒᆞᆯ진ᄃᆡ 엇디 감샤치 아니리잇고."

구패 하루 왈,

"쳡이 엇지 샹공의 부탁을 기다려 조부인과 냥공ᄌᆞ를 보호치 아니리잇고마ᄂᆞᆫ 쳡의 힘으로ᄂᆞᆫ 능히 밋지 못ᄒᆞᆯ가 ᄒᆞᄂᆞ니 노쳡(老妾)을 당부치 마르시고【23】 태부인과 뉴부인긔 부탁ᄒᆞ시미 공된(公道)가 ᄒᆞᄂᆞ이다."

則)ᄒᆞ여 스ᄉᆞ로 몸을 보호ᄒᆞ미 회(孝)라. ᄃᆡ슌(大舜)이 만고 셩인니시ᄃᆡ 우물의 겻굼글 두시고, 집 우희 불을 피ᄒᆞ시니939) 여등(汝等)이 이을 효측ᄒᆞ여, 권도(權道)940)로 형졔 샹의ᄒᆞ여 우슉의 멀니셔 염녀ᄒᆞᄂᆞᆫ 졍과 형ᄌᆞᆼ의 후ᄉᆞ(後嗣)을 져바리지 말지여다."

냥 공ᄌᆡ 쳑연 ᄇᆡᄉᆞ슈명【72】할 분이오, 말이 업ᄉᆞ니, ᄐᆡ우 츄연ᄉᆞ상ᄒᆞ여 냥 공ᄌᆞ의 손을 ᄌᆞᆸ고 등을 어로만져 갈오ᄃᆡ,

"너희난 몸을 보즁 보즁ᄒᆞ라."

언파의 다시 여ᄋᆞ을 도라보아 옥슈을 ᄌᆞᆸ아 운환을 쓰다듬어 갈오ᄃᆡ,

"너ᄂᆞᆫ 하시의 ᄉᆞ람이라. 빙ᄎᆡ(聘采) 문명(問名)은 이르지 말고 네 비ᄉᆞᆼ(臂上) 글ᄌᆡ 곳 하공의 필적이라. 셰ᄉᆡ 가히 난측이라, 혹ᄌᆞ 노부(老父) 도라오기 젼의 권문셰가의셔 너희 셩화을 듯고 핍박ᄒᆞ여 구혼ᄒᆞᄂᆞᆫ 일이 이시면, 네 모친니 욕홰무궁(慾火無窮)ᄒᆞ고 츄셰(趨勢)을 더러일지라. 너히 졀ᄀᆡ을 희(戲)질941) 위인이라. 아모조록 조심ᄒᆞ고 쳔방ᄇᆡᆨ게(千方百計)로 피ᄒᆞ여 비록 효을 완젼치 못ᄒᆞ나 졀을 크게 역이라."

소져 취미을 슉이고 쌍셩이 미미히 가느러 능히 ᄃᆡ답지 못ᄒᆞ니, 공이 연ᄋᆡᄒᆞ믈 이긔지 못ᄒᆞ고 구파을 향ᄒᆞ여 갈오ᄃᆡ,

"셔모ᄂᆞᆫ 조슈와 희텬 형졔을 각별 보호ᄒᆞ소셔. ᄌᆞ졍이 실덕ᄒᆞ시ᄂᆞᆫ 일이 게시거든 ᄉᆞ리로 간ᄒᆞᄉᆞ ᄌᆡ(子) 나간 ᄉᆞ이의 가즁의 ᄃᆡ단ᄒᆞᆫ 변괴ᄂᆞᆫ 업시 지ᄂᆡ시물 바라ᄂᆞᆫ ᄇᆡ로소이다."

구픠 눈물을 흘니고 갈오ᄃᆡ,

"상공이 이제 멀니 가시ᄆᆡ 쳡의 심ᄉᆞ 버히ᄂᆞᆫ 듯ᄒᆞᆫ 심회 지향치 못ᄒᆞ리로소이다. 조

이름. 『孔子家語』<卷第四> '六本第十五'에 이와 관련된 순(舜)의 고사가 나온다.

939)슌(大舜)이 … 우물의 겻굼글 두시고, 집 우히 불을 피ᄒᆞ시니 : 『孟子(맹자)』<만장장구상(萬章章句上)>에 이와 관련된 순(舜)의 고사가 나온다.

940)권도(權道) : 목적 달성을 위하여 그때그때의 형편에 따라 임기응변으로 일을 처리하는 방도.

941)희(戲)질 : 희(戲)지을.

언미(言未)의 태부인이 뎡ᄉᆡᆨ 왈,

"조시ᄂᆞᆫ 나의 며나리오, 광ᄋᆞ 등은 취듕(推重)ᄒᆞᄂᆞᆫ 손ᄋᆡ어ᄂᆞᆯ, 네 엇디 남을 당부ᄒᆞ여 구파의 답언이 괴이ᄒᆞ니 엇지 한심치 아니리오. 구파의 언근(言根)이 심히 슈상ᄒᆞ니 고식과 조손의 졍의 완젼키 어려오리로다."

구시 흔연 ᄉᆞ샤 왈,

"천쳡이 감히 부인의 고식조손(姑媳祖孫) ᄉᆞ이를 논난ᄒᆞ리잇고마ᄂᆞᆫ, 공언(公言)으로 의논ᄒᆞ올진ᄃᆡ, 《조∥태》부인의 심화로 말미암아 ᄐᆡ타(笞打)ᄒᆞ미 ᄌᆞ즈니 ᄎᆞᄂᆞᆫ 《조∥태》부인 심쇄 억졔치 못ᄒᆞ미어니와, 그ᄋᆞᆨ이 ᄉᆡᆼ각건ᄃᆡ, 조부인 모ᄌᆞ의 졍ᄉᆞ를 통쵹(洞燭)지 못ᄒᆞ시믈 《민면∥민민(憫憫)》ᄒᆞ옵더니 금일 상공의 원별을 님ᄒᆞ샤 노신의게 부탁ᄒᆞ시ᄂᆞᆫ 고로, ᄌᆞ연 ᄃᆡ답【24】이 여ᄎᆞᄒᆞ미러니, 부인의 ᄎᆡᆨ언을 밧ᄌᆞ오ᄆᆡ 블관(不關)ᄒᆞᆫ 몸이 투ᄉᆡᆼᄒᆞ와 어ᄌᆞ러온 구셜(口舌)노 존위를 ᄐᆞᆷ범ᄒᆞ오니 황괴ᄒᆞ이다."

태부인이 블승통한ᄒᆞ나 태우의 님별의 블호지ᄉᆡᆨ(不好之色)이 가치 아니므로, 묵연ᄒᆞ여 구시를 {치}한(恨)ᄒᆞ더라.

태위 명ᄋᆞ쇼져를 귀녕(歸寧)909)ᄒᆞ여 니별코져 ᄒᆞ나 ᄌᆞ져ᄒᆞ더니910), 뎡한님이 셩네 후 쳐음으로 니르러 악모긔 쳥알ᄒᆞᄆᆡ, 태부인이 ᄒᆞᆫ가지로 볼ᄉᆡ, 뎡ᄉᆡᆼ이 파됴 후 바로 나온디라. ᄃᆡᆨ입ᄂᆡ샤(直入內舍)911)ᄒᆞ여 네필 좌뎡ᄒᆞᄆᆡ, ᄌᆞ포(紫袍)ᄂᆞᆫ 옥산(玉山)912)의 엄연ᄒᆞ고, 오ᄉᆞ(烏紗)ᄂᆞᆫ 월ᄋᆡᆨ(月額)의 한가(閑暇)ᄒᆞ여, 쳑탕(滌蕩)ᄒᆞᆫ 풍광과 엄연ᄒᆞᆫ 긔위(氣威) 호호탕탕(浩浩蕩蕩)ᄒᆞ여 츄텬을 능만ᄒᆞ고 셔리를 압두ᄒᆞ니, 타일 반ᄃᆞ시 일인지

909)귀녕(歸寧) : 늑근친(覲親). 시집간 딸이 친정에 가서 부모를 뵘.
910)ᄌᆞ져ᄒᆞ다 : 주저하다.
911)ᄃᆡᆨ입ᄂᆡ샤(直入內舍) : 곧바로 집의 안채로 들어옴.
912)옥산(玉山) : 외모와 풍채가 뛰어난 사람을 비유적으로 이르는 말.

부인 모ᄌᆞᄂᆞᆫ[룰] 보호ᄒᆞ라 당부ᄂᆞᆫ【73】쳡다려 말으시고 ᄐᆡ부인긔와 뉴부인긔 쳥ᄒᆞ소셔."

ᄐᆡ부인이 졍ᄉᆡᆨ 왈,

"광아 모ᄌᆞᄂᆞᆫ ᄂᆞ의 며나리와 손아라. 굿타여 ᄉᆞ람의 당부ᄒᆞ며 귀즁ᄒᆞ라 이르기을 기ᄃᆞ리리오. 슈의 말이 고히ᄒᆞ여 노모을 의심ᄒᆞ니 구픠 말리 ᄯᅩᄒᆞᆫ 엿ᄎᆞᄒᆞ여 조손과 고식간의 이간키 쉬오니 엇지 통히치 아니리오."

구파 흔연니 ᄉᆞ죄 왈,

"쳡이 엇지 부인 고식간(姑媳間) 시비을 ᄒᆞ오리가 만ᄂᆞᆫ, 공언공근[논]으로 이을진ᄃᆡ ᄐᆡ부인게셔 심쇄 고이ᄒᆞ시고, 조부인긔 지극(至極) 잔잉니 ᄒᆞ시니, 굿타여 ᄐᆡ부인니 부ᄌᆞ(不慈)ᄒᆞ신 것시 아니라, 조부인 비회(悲懷)을 술피시ᄂᆞᆫ 거시고, 광·희 냥 공ᄌᆞ을 화증이 발ᄒᆞ시면 몸이 상토록 즐타(叱打)ᄒᆞ시니, 이런 일니 졀박ᄒᆞ여 샹공 말슴 ᄃᆡ답ᄒᆞ미 그러케 ᄂᆞ온지라. 분탄(粉炭)한 인ᄉᆡᆼ이 구구(區區)히 투ᄉᆡᆼ(偸生)ᄒᆞ와, 이 몸이 무드지942) 아닌 연고로 어ᄌᆞ러온 구셜(口舌)을 놀니오니, 존젼의 황공ᄒᆞ여이다."

ᄐᆡ부인니 불승통히ᄒᆞ되 ᄐᆡ우 임힝시라. 불평한 긔ᄉᆡᆨ을 아니려 다시 말을 아니ᄒᆞ고 흉심을 먹음어 구시을 한(恨)ᄒᆞ더라.

ᄐᆡ우 명ᄋᆞ 소져로 귀령(歸寧)943)ᄒᆞ여 니별코져 ᄒᆞ나 자져ᄒᆞ더니944), 뎡한림니 셩네 후 쳐음으로 일르러 악모긔 쳥알ᄒᆞᄆᆡ, ᄐᆡ부인니 한【74】가지로 볼 ᄉᆡ, 뎡한림니 파조 후 바로 나온지라. 직님ᄂᆡᄉᆞ(直臨內舍)ᄒᆞ여 네필 좌졍ᄒᆞᄆᆡ, ᄌᆞ포(紫袍)ᄂᆞᆫ 옥순(玉山)945)의 엄연ᄒᆞ고, 오ᄉᆞ(烏紗)ᄂᆞᆫ 월ᄋᆡᆨ(月額)의 한가(閑暇)ᄒᆞ여, 쳑탕(滌蕩)한 풍광과 엄연한 긔위(氣威) 호호탕탕(浩浩蕩蕩)ᄒᆞ여 츄쳔을 능만ᄒᆞ고 셔리을 압두ᄒᆞ니, 타일 반다시 일

942)무드다 : 묻히다.
943)귀녕(歸寧) : 늑근친(覲親). 시집간 딸이 친정에 가서 부모를 뵘.
944)자져ᄒᆞ다 : 주저하다.
945)옥순(玉山) : 외모와 풍채가 뛰어난 사람을 비유적으로 이르는 말.

하(一人之下)오, 만인【25】지샹(萬人之上)으로 다시 왕후(王侯)의 귀ᄒᆞ믈 뭇지 아냐 알디라.

조부인이 일즉 셕ᄉᆞ를 츄회(追懷)ᄒᆞ여 쳐연슈루(悽然垂淚)ᄒᆞ여 말ᄉᆞᆷ을 열ᄆᆡ, ᄉᆞ리 온당ᄒᆞ니, 뎡한님이 투목송아(偸目竦訝)ᄒᆞᄆᆡ, 광치 쇼져로 만히 ᄀᆞᄐᆞ나 영복존귀지상(榮福尊貴之相)이 블급(不及)ᄒᆞᄃᆡ, 쳔고의 희한ᄒᆞᆫ ᄉᆡᆨ광긔질(色光氣質)이니 한님이 크게 탄복ᄒᆞ고, 다시 위태부인과 뉴부인을 잠간 살피ᄆᆡ, 태부인이 상두(上頭)의 거ᄒᆞ여 말ᄉᆞᆷ을 가다듬고 안ᄉᆡᆨ을 화려히 ᄒᆞ여 눈믈을 ᄲᅳ리고 고개를 흔드러, 손녀를 귀듕ᄒᆞ여 길너ᄂᆡᆫ 바와 한님의 풍위를 과찬ᄒᆞ고, 깃거ᄒᆞ믈 닐너 셕ᄉᆞ를 슬허ᄒᆞᄂᆞᆫ 쳬ᄒᆞ여 흐르ᄂᆞᆫ 말ᄉᆞᆷ이 능휼(能譎)ᄒᆞ거ᄂᆞᆯ, 다시 뉴부인이 은악양션(隱惡佯善)ᄒᆞ여 민쳡ᄒᆞᆫ 말ᄉᆞᆷ과 겸손ᄒᆞᄂᆞᆫ 거동이 엇지 일분이나【26】 ᄉᆞ오나오미 이시리오마ᄂᆞᆫ, 뎡한님의 ᄒᆞᆫ번 ᄂᆞᆫ을 들ᄆᆡ 사ᄅᆞᆷ의 심쳔(深淺)을 ᄢᅦ보ᄂᆞᆫ913) 안광으로 엇지 져 부인의 은악양션ᄒᆞᄂᆞᆫ 공교로온 거동을 엇지 모르리오. 심니의 경히ᄒᆞ여 혜오ᄃᆡ,

"내 평ᄉᆡᆼ 간교ᄒᆞ여 ᄂᆡ외 다른 ᄌᆞ를 통히 ᄒᆞ더니, 금일 ᄎᆞ인 등을 보니 ᄒᆞ나흔 흉험극악ᄒᆞᆫ 뉘오, 태우부인 뉴시ᄂᆞᆫ 결비현인(決非賢人)914)이라. ᄎᆞ인의 작홰(作禍) ᄎᆞ냥키 어려오리로다. 원간 윤시의 실산을 괴이히 넉엿더니 ᄎᆞ뉴(此類)의 작변이어니와, 아ᄆᆡ의 쳔금귀골(千金貴骨)노뼈 져런 흉험ᄒᆞᆫ 부인의 손부(孫婦)를 삼을진ᄃᆡ, 평ᄉᆡᆼ이 안과키 어렵도다."

져두상냥(低頭商量)의 가장 블열(不悅)ᄒᆞ더니, 안찰공이 쇼왈,

"뎐안삼일(奠雁三日)의 견빙악(見聘岳)ᄒᆞᄂᆞᆫ 녜ᄂᆞᆫ 고인의 니른 ᄇᆡ어ᄂᆞᆯ, 군은 비록 빙악이 계시지【27】 아니나, 슈슈긔 뵈오미 심히 느ᄌᆞ니 엇지 박졍치 아니리오. 연이나 내 이졔 쳔니원별(千里遠別)을 당ᄒᆞ여 결훌ᄒᆞᆫ915) 니졍(離情)을 펴고져ᄒᆞᄂᆞ니 군이 능

913)ᄢᅦ보다 : 꿰뚫어 보다.
914)결비현인(決非賢人) : 결단코 어진 사람이 아님.

인지ᄒᆞ(一人之下)요, 만인지ᄉᆞᆼ(萬人之上)으로 다시 왕후(王侯)의 귀ᄒᆞ믈 뭇지 안여 알지라.

조부인니 일즉 셕ᄉᆞ을 츄회(追懷)ᄒᆞ여 쳑연슈루(慽然垂淚)ᄒᆞ여 말ᄉᆞᆷ을 열ᄆᆡ, ᄉᆞ리온당ᄒᆞ니, 한림니 투목송아(偸目竦訝)ᄒᆞᄆᆡ, 광치 소져로 만히 갓트나 영복존귀지상(榮福尊貴之相)이 불급(不及)ᄒᆞᄃᆡ, 쳔고의 희한한 ᄉᆡᆨ광긔질(色光氣質)이라. 한림이 크게 탄복ᄒᆞ고 다시 위ᄐᆡ부인과 뉴부인을 잠간 살피ᄆᆡ, ᄐᆡ부인니 상두(上頭)의 거ᄒᆞ야 눈물을 ᄲᅮ리고 고ᄀᆡ을 흔드러, 손녀 귀즁ᄒᆞ게 길너ᄂᆡᆫ ᄇᆡ와 한림의 풍위(風威)을 과츤ᄒᆞ고 깃거ᄒᆞ믈 일너, 셕ᄉᆞ을 슬허ᄒᆞᄂᆞᆫ 쳬ᄒᆞ여 흐르ᄂᆞᆫ 말ᄉᆞᆷ이 능휼(能譎)ᄒᆞ거날, 다시 뉴부인의 은악양션(隱惡佯善)ᄒᆞ여 민쳡한 말ᄉᆞᆷ과 겸손ᄒᆞᆫ 거동이 엇지 일분이ᄂᆞ ᄉᆞ오나오미 잇ᄉᆞ리오마난, 뎡한림이 ᄒᆞᆫ번 봉안을 들ᄆᆡ ᄉᆞ람의 심쳔(深淺)을 ᄧᅧ보ᄂᆞᆫ946) 안광으로ᄡᅧ 엇지 져 부인의 은악양션ᄒᆞᄂᆞᆫ 공교로온 거동을 모르【75】리오. 심니의 경히ᄒᆞ여 혜오ᄃᆡ,

"ᄂᆡ 평ᄉᆡᆼ 간교ᄒᆞ여 ᄂᆡ외 다른 ᄌᆞ을 통히ᄒᆞ여 ᄒᆞ던니, 금이 ᄎᆞ인 등을 보니 ᄒᆞᄂᆞ흔 흉험극악한 뉴오, 뉴시ᄂᆞᆫ {결비}현인인 쳬ᄒᆞ나 ᄎᆞ인의 ᄌᆞᆨ홰(作禍) ᄎᆞᆼ냥(測量)키 어려오리로다. 원간 윤시의 실ᄉᆞᆫᄒᆞ미 고히ᄒᆞ더니 ᄎᆞ뉴(此類)의 ᄌᆞᆨ변(作變)니연니와, 아ᄆᆡ의 쳔금귀골(千金貴骨)노ᄡᅧ 져런 흉험한 부인의 손부을 ᄉᆞᆷ을진ᄃᆡ, 평ᄉᆡᆼ이 안과키 어렵도다."

가장 불열ᄒᆞ더니, 안출이 소왈,

"젼안ᄉᆞᆷ일(奠雁三日)의 면빙악(面聘岳)ᄒᆞᄂᆞᆫ 네(禮)ᄂᆞᆫ 고인의 이른 ᄇᆡ여날, 군은 비록 빙악이 계시지 아니ᄂᆞ 슈슈긔 뵈오미 심히 느지니 엇지 박졍치 아니리오. 연니ᄂᆞ ᄂᆡ 이졔 쳔니원별(千里遠別)을 당ᄒᆞ여 심히 결울ᄒᆞ니, 질여로ᄡᅧ ᄲᅧ나ᄂᆞᆫ 졍을 페고ᄌᆞ ᄒᆞ나니 군이 능히 ᄉᆞ오일 귀령을 허ᄒᆞ랴?"

946)ᄧᅧ보다 : 꿰뚫어 보다.

히 ᄉᆞ오일 귀녕(歸寧)을 허ᄒᆞ랴?"

한님이 흠신 샤ᄉᆞ왈,

"봉친시하(奉親侍下)의 관ᄉᆡ다쳡(官事多疊)ᄒᆞ므로 능히 등알(登謁)ᄒᆞ믈 말ᄆᆡ암지 못ᄒᆞ엿더니, 대인의 말ᄉᆞᆷ을 듯ᄌᆞ오니 블민ᄒᆞ믈 ᄌᆞ괴(自愧)ᄒᆞ거니와, 형포(荊布)[916] 귀령은 존당과 가엄이 우ᄒᆡ 계시니, 쇼ᄉᆡᆼ이 감히 ᄌᆞ젼(自專)치 못ᄒᆞ미니, 가엄의 픔(禀)ᄒᆞ와 허(許)ᄒᆞ실진ᄃᆡ 쇼ᄉᆡᆼ이 다만 막지 아니ᄒᆞ리이다."

안찰이 미쇼 왈,

"현셔(賢壻) 블허(不許) 즉, 아딜(我姪)은 녜ᄒᆡᆼ이 슉뎡ᄒᆞᆫ지라. 현셔의 쾌허를 어더 이졔 거마를 출혀 다려오고져 ᄒᆞᄂᆞ니 군은 허ᄒᆞ라."

한님이 ᄃᆡ왈,

"녀ᄌᆞ유ᄒᆡᆼ(女子有行)은 원부모형뎨(遠父母兄弟)라[917]【28】 녕딜이 쇼셔의 집의 드러완 디 일삭이 못ᄒᆞ여 귀근(歸覲)이 너모 밧브고, 쇼ᄉᆡᆼ이 친의(親意)를 아디 못ᄒᆞ고 몬져 허ᄒᆞ미 방ᄌᆞ(放恣)ᄒᆞ므로, 능히 존의를 밧드지 못ᄒᆞ옵ᄂᆞ니, 합ᄒᆡ(閤下) 만일 니졍을 펴고져 ᄒᆞ실진ᄃᆡ 나아가샤 니별ᄒᆞ시미 무방ᄒᆞ니, 구트여 귀령이 깃브지 아닌가 ᄒᆞᄂᆞ이다."

안찰이 대쇼 왈,

"군의 뜻이 아딜의 귀근을 ᄉᆞ리로 밀막으니 쏘ᄒᆞᆫ ᄌᆡ쳥(再請)치 아니커니와 군이 미셰지ᄉᆡ(微細之事)라도 녕엄 긔 다 취픔(就禀)ᄒᆞᄂᆞᆫ가 보리니, 년쇼호방지심(年少豪放之心)의 녕엄을 혹 긔망(欺罔)ᄒᆞ미 이실진ᄃᆡ 젼후 언ᄉᆡ 다를가 ᄒᆞ노라."

한님이 함쇼ᄃᆡ왈,

"일이 권도(權道)와 뎡되(正道) 각각이니

915)결홀하다 : 마음에 아쉽거나 답답한 데가 있어 후련하지 못하다.

916)형포(荊布) : 형차포군(荊釵布裙)의 준말. 가시나무로 만든 비녀와 무명옷이란 뜻으로, 자기의 아내를 남에게 낮추어 일컫는 말.

917)녀ᄌᆞ유ᄒᆡᆼ 원부모형뎨(女子有行 遠父母兄弟) : '여자가 시집가면 부모형제와 멀어진다'는 뜻으로, 『시경(詩經)』 <패풍(邶風)> '泉水'편에 나온다.

한림니 흠신 ᄉᆞ왈,

"봉친시ᄒᆞ(奉親侍下)의 관ᄉᆡ다쳡ᄒᆞ무로 능히 등알(登謁)치 못ᄒᆞ여ᄉᆞᆸ더니, ᄃᆡ인 말ᄉᆞᆷ을 듯ᄉᆞ오니 불민ᄒᆞ오믈 ᄌᆞ괴(自愧)ᄒᆞ옵건니와, 형포(荊布)[947]의 귀령은 존당과 가엄이 우ᄒᆡ 게시오니, 소ᄉᆡᆼ이 감히 ᄌᆞ젼(自專)치 못ᄒᆞ올지라. 가엄게 품(禀)ᄒᆞ와 허(許)ᄒᆞ실진ᄃᆡ 소ᄉᆡᆼ이 막지 아니ᄒᆞ리이다."

안출이 미소 왈,

"현셔 불언(不言) 직(卽), 아질(我姪)은 녜ᄒᆡᆼ이 슉경ᄒᆞᆫ지라, 현셔의 쾌허을 어더시니 이졔 거마을【76】 찰혀 다려오고져 ᄒᆞᄂᆞᆫ니 군은 허ᄒᆞ라."

한림니 ᄃᆡ왈,

"여ᄌᆞ유ᄒᆡᆼ(女子有行)은 원부모형제(遠父母兄弟)라[948], 영질이 소셔의 집의 드러완지 일ᄉᆞᆨ이 못ᄒᆞ여 귀근(歸覲)니 너모 밧부고, 소ᄉᆡᆼ이 친의(親意)을 아지 못ᄒᆞ고 먼져 허ᄒᆞ미 방ᄌᆞ(放恣)ᄒᆞ므로 능히 존의을 밧드지 못ᄒᆞ옵ᄂᆞᆫ니, 합ᄒᆡ(閤下) 만일 이졍(離情)을 펴고져 ᄒᆞ실진ᄃᆡ 나아가ᄉᆞ 니별ᄒᆞ시미 무방ᄒᆞ시니, 굿타여 귀령이 깃부지 아닌가 ᄒᆞᄂᆞ이다.

안출이 ᄃᆡ소왈,

"군의 쓰지 아질의 귀근을 ᄉᆞ리로 밀막으니 또한 ᄌᆡ쳥(再請)치 아니 ᄒᆞ거니와, 군이 미셰지ᄉᆡ(微細之事)라도 영엄긔 취품(就禀)ᄒᆞᄂᆞᆫ가 보리니, 년소호방지심(年少豪放之心)의 영엄을 혹 긔망ᄒᆞ미 잇슬진ᄃᆡ 젼후 인ᄉᆡ《다을가∥다를가》 ᄒᆞ노라."

한림니 미소ᄃᆡ왈,

"일이 권도(權道)와 경되(正道) 각각이오니 엇지 소소한 가ᄉᆞ로써 친의을 불슌(不順)ᄒᆞ리가? 소ᄉᆡᆼ의 호ᄉᆡᆨ호쥬(好色好酒)《ᄒᆞ

947)형포(荊布) : 형차포군(荊釵布裙)의 준말. 가시나무로 만든 비녀와 무명옷이란 뜻으로, 자기의 아내를 남에게 낮추어 일컫는 말.

948)녀ᄌᆞ유ᄒᆡᆼ 원부모형뎨(女子有行 遠父母兄弟) : '여자가 시집가면 부모형제와 멀어진다'는 뜻으로, 『시경(詩經)』 <패풍(邶風)> '泉水'편에 나온다.

엇디 쇼쇼ᄒᆞᆫ 가ᄉᆞ로뼈 다 친의를 블슈(不受)ᄒᆞ리잇고? 쇼ᄉᆡᆼ의 호ᄉᆡᆨ기쥬(好色嗜酒)ᄒᆞ므로 실노 남ᄉᆡ(濫事) 괴이【29】치 아니리니, 합해 이리 니르시나 족히 놀납지 아니토소이다."

언파의 한가히 우으니 화란츈셩(花欄春城)의 만홰징발(萬花爭發)ᄒᆞᆷ ᄀᆞᆺᄐᆞ니 발양ᄒᆞᆫ 긔운이 태산을 넘ᄯᅱᆯ 듯, 츌뉴ᄒᆞᆫ 긔상이 구텬(九天)을 박출 듯ᄒᆞ여, 일호(一毫) 거리ᄭᅵᆯ ᄇᆡ 업ᄉᆞ니, 태위 박쇼왈,

"군이 날노뼈 쳐슉(妻叔)이라 ᄒᆞ여 이러ᄐᆞᆺ 방ᄌᆞᄒᆞ여 호쥬셩ᄉᆡᆨ으로 ᄌᆞ랑ᄒᆞ거니와, 녕엄 면젼의도 이런 긔운을 부리ᄂᆞ냐? 내 녕엄으로 더브러 쥭마고우(竹馬故友)로 관포(管鮑)의 디긔(知己)를 웃더니, 챵ᄇᆡᆨ이 이러ᄐᆞᆺ ᄒᆞ미 가ᄒᆞ냐?"

한님이 ᄉᆞ샤왈,

"쇼ᄉᆡᆼ이 엇지 방ᄌᆞ하여 합ᄒᆡ 부집(父執)918)의 존ᄒᆞ시믈 공경치 아니리잇고마ᄂᆞᆫ, 쇼ᄉᆡᆼ 등의 앙앙(仰仰)ᄒᆞᄂᆞᆫ 졍셩이 슉딜의 나리미 업ᄉᆞ므로뼈 심곡(心曲)을 잠간 진달(進達)ᄒᆞ오미더니, 방ᄌᆞᄒᆞ믈 ᄎᆡᆨᄒᆞ시니 블【30】승황괴(不勝惶愧)ᄒᆞ도소이다."

안찰이 흔연 쇼왈,

"군이 날을 그리ᄒᆞ나 딜녀를 편히 ᄒᆞᆯ진ᄃᆡ 엇지 감샤치 아니리오."

한님이 ᄉᆞ샤ᄒᆞ고 죵용이 답화ᄒᆞᆯᄉᆡ, 조부인이 호쥬셩찬(豪酒盛饌)을 ᄀᆞᆺ초아 관ᄃᆡ(款待)ᄒᆞ니, 한님이 흔연이 쥬ᄇᆡ를 나와 년ᄒᆞ여 거후르고, 옥슈(玉手)의 금져(金箸)를 드러 만반진찬(滿盤珍饌)을 풍화(豐華)히 맛보아 그르시 뷔도록 먹으니, 상을 믈니고 날호여 하직고 도라가니, 조부인이 녀ᄋᆞ를 다려와 ᄌᆞ미(滋味)를 보지 못ᄒᆞ고 가듕형셰(家中形勢)를 도라볼진ᄃᆡ 녀ᄋᆞ의 귀령이 ᄯᅩᄒᆞᆫ 깃브디 아니니, 다만 심ᄉᆞ를 술을 ᄯᆞ름이더라. 안찰이 쳔니힝도(千里行道)의 니친ᄒᆞᄂᆞᆫ 심ᄉᆞᄂᆞᆫ 니르지 말고 가ᄉᆞ를 념녀ᄒᆞ여 심ᄉᆡ 블호(不好)ᄒᆞ더라.

918)부집(父執) : 아버지의 친구로 아버지와 나이가 비슷한 어른의 지위에 있음.

믈∥ᄒᆞ므로》 실노 남ᄉᆡ(濫事) 괴이치 아니리니, 합ᄒᆡ 이리 이르시나 족히 놀납지 아니토소이다."

언파의 한가히 우으니 화란츈풍(花欄春風)의 만홰징발(萬花爭發)함 갓트니, 발양ᄒᆞᆫ 긔운니 ᄐᆡ순을 넘ᄯᅱᆯ 듯, 츌뉴한 긔상이 구쳔(九天)을 밧들 듯ᄒᆞ여, 일호(一毫)도 거리ᄭᅵᆯ ᄇᆡ 업ᄉᆞ니, ᄐᆡ우 박소왈,

"군니 날노셔 쳐슉(妻叔)이라 ᄒᆞ여 이렇듯 방ᄌᆞ하【77】여 호쥬셩ᄉᆡᆨ을 ᄌᆞ랑ᄒᆞ거니와, 영엄 면젼의도 이런 긔운을 부리는냐? ᄂᆡ 영엄으로 더부러 쥭마고우(竹馬故友)로 관포(管鮑)의 지긔(知己)을 웃더니, ᄎᆞᆼᄇᆡᆨ이 이러틋 ᄒᆞ미 가ᄒᆞ랴?"

언파의 호호히 역소ᄒᆞ니, 한림이 ᄉᆞ사 왈,

"소ᄉᆡᆼ이 엇지 방ᄌᆞᄒᆞ여 합ᄒᆡ 부집(父執)949)의 존ᄒᆞ오시믈 공경치 아니리잇고마ᄂᆞᆫ, 소ᄉᆡᆼ이 의앙(依仰)ᄒᆞᄂᆞᆫ 졍셩이 슉질의 ᄂᆞ리미 업ᄉᆞ무로 심곡을 잠간 진달(進達)ᄒᆞ엿습던니, 방ᄌᆞᄒᆞ믈 ᄎᆡᆨᄒᆞ시ᄆᆡ 불승황괴(不勝惶愧)ᄒᆞ도소이다."

안ᄎᆞᆯ이 흔연 소왈,

"군니 말을 그리ᄒᆞ나 다만 질녀을 편히 ᄒᆞᆯ진ᄃᆡ 엇지 감ᄉᆞ치 아니ᄒᆞ리오."

한림니 ᄉᆞᄉᆞᄒᆞ고 조용니 담화ᄒᆞᆯ ᄉᆡ, 조부인니 호쥬셩찬(豪酒盛饌)을 갓초아 관ᄃᆡ(寬待)ᄒᆞ니, 한림이 흔연니 쥬ᄇᆡᆨ을 ᄂᆞ와 연ᄒᆞ여 거우리고 옥슈(玉手)의 금져(金箸)을 드러 만반진ᄎᆞᆫ(滿盤珍饌)을 풍화(豐華)이 맛보아 그릇시 뷔도록 먹으며, 이의 상을 물니고 날호여 ᄒᆞ직고 도라가ᄆᆡ, 조부인니 여ᄋᆞ을 다려와 ᄌᆞ미(滋味)을 보지 못ᄒᆞ고 가즁형셰(家中形勢)을 도라볼진ᄃᆡ, 여ᄋᆞ의 귀령이 ᄯᅩ한 깃부지 아니니, 다만 심ᄉᆞ을 ᄉᆞᆯ올 다름일너라. 안찰이 쳘니힝도(千里行道)의 니친ᄒᆞᄂᆞᆫ 심ᄉᆞ는 이르니 말고 가ᄉᆞ을 염녜ᄒᆞ여 심ᄉᆡ 불호(不好)ᄒᆞ더라.

949)부집(父執) : 아버지의 친구로 아버지와 나이가 비슷한 어른의 지위에 있음.

명일 뎡아(鄭衙)의 니르러 금후로 말숨홀 시 쇼져 보기를 청ᄒᆞ【31】니, 금휘 이에 한님으로 인도ᄒᆞ여 션월졍의 드러가라 ᄒᆞ니, 한님이 공으로 더브러 ᄂᆡ각(內閣)의 니르ᄆᆡ, 쇼졔 계부의 ᄂᆡ림ᄒᆞ시믈 듯고 깃브믈 니기지 못ᄒᆞ여, 하당영지(下堂迎之)ᄒᆞ여 승당ᄇᆡ알(昇堂拜謁)ᄒᆞᄆᆡ 아름다온 광염이 봉관하리 가온ᄃᆡ 졀승ᄒᆞᆫ지라. 태위 흔연 ᄋᆡ지(愛之)ᄒᆞ여 밧비 옥슈를 잡고 왈,

"우숙이 군명을 밧ᄌᆞ와 쳔니의 봉ᄉᆞ(奉仕)ᄒᆞᄆᆡ 니졍(離情)의 훌연ᄒᆞ믈 좃ᄎᆞ 도ᄎᆞ(到此)의919) 니를920) ᄇᆡ 아니어니와, 녀ᄌᆞ유ᄒᆡᆼ(女子有行)은 원부모형뎨(遠父母兄弟)라. 니별이 ᄎᆞ아(嵯峨)ᄒᆞ나921) 블과 팔구삭 지나지 아니리니 너는 가지록 부덕을 닥가 구고를 효봉ᄒᆞ고 군ᄌᆞ를 승슌ᄒᆞ여 부도를 닥그라."

쇼졔 계부의 원별을 결훌홀 ᄲᅳᆫ 아니라 모친과 냥뎨(兩弟)의 외롭고 위ᄐᆡᄒᆞ미 누란(累卵) ᄀᆞᆺ틀 바를 ᄎᆞ악ᄒᆞ여【32】 팔ᄌᆞ츈산(八字春山)의 슈운(愁雲)이 녕녕(盈盈)ᄒᆞ고 효셩냥안(曉星兩眼)의 츄패(秋波) 요동ᄒᆞ믈 ᄭᅢ돗지 못ᄒᆞ여, 유유냥구(悠悠良久)의 날호여 조모존후를 뭇ᄌᆞᆸ고 죵용이 뫼셔 말숨홀 시, 안찰이 셩졍이 걸호뇌락(傑豪磊落)ᄒᆞ여 셰쇄지언(細瑣之言)을 못ᄒᆞᄂᆞᆫ 고로, 년년(戀戀)ᄒᆞᆫ 심ᄉᆞ를 계오 츰아 나아올시, 쇼졔 ᄡᅥ나는 졍이 버히는 듯, ᄋᆡ루(哀淚)를 먹음어 ᄇᆡ별ᄒᆞ니, 슬허ᄒᆞᄂᆞᆫ 거동과 슈우(愁憂)ᄒᆞᄂᆞᆫ ○○[용모] 더옥 긔이ᄒᆞ여, 부용(芙蓉)이 향년(香漣)922)의 소솟고, 명월이 운니(雲裏)의 ᄲᅡ히고져 ᄒᆞ니, 쳔ᄐᆡ만광(千態萬光)이 요요(姚姚)ᄒᆞᆫ지라. 안찰이 거름을 도로혀 다시 집슈 년년 ᄒᆞ여 쳔만 무양(無恙)ᄒᆞ믈 니르니, 한님이 져 슉딜의 년년ᄒᆞᄂᆞᆫ 졍니와 쇼져의 슬허ᄒᆞ믈 심듕의 괴이히 넉여 그 반ᄃᆞ시 나히 어린 연괸가 ᄒᆞ니, ᄎᆞᄂᆞᆫ ᄌᆞ긔 평ᄉᆡᆼ

919)도ᄎᆞ(到此)의 : 이곳에 이르러.
920)니르다 : 이르다. 무엇이라고 말하다.
921)ᄎᆞ아(嵯峨)ᄒᆞ다 : 아득하다. 막막하다.
922)향년(香漣) : 향기로운 연못의 물결.

명일【78】 뎡아(鄭衙)의 이르러 금후로 말숨할 식 소져 보기을 청ᄒᆞᆫ니, 금후 이의 한림으로 인도ᄒᆞ여 션월졍의 드러가라 ᄒᆞ니, 한림니 공으로 더부러 ᄂᆡ각(內閣)의 이르ᄆᆡ 소져 게부(季父)의 ᄂᆡ림ᄒᆞ시믈 듯고 깃부믈 이긔지 못ᄒᆞ여, ᄒᆞ당영지(下堂迎之)ᄒᆞ여 승당ᄇᆡ알(昇堂拜謁)ᄒᆞᄆᆡ, 아름다온 광염이 봉관화리 가온ᄃᆡ 결승ᄒᆞᆫ지라. ᄐᆡ우 흔연 ᄋᆡ지(愛之)ᄒᆞ여 밧비 옥슈을 즙고 왈,

"우슉이 군명을 밧ᄌᆞ와 쳔니의 봉ᄉᆞ(奉仕)ᄒᆞᄆᆡ 이졍(離情)의 훌연ᄒᆞ믈[여] 도ᄎᆞ(到此)950)의 니를951) ᄇᆡ 아니연니와, 녀ᄌᆞ유ᄒᆡᆼ(女子有行)은 원부모형제(遠父母兄弟)라. 니별이 ᄎᆞ아(嵯峨)952)ᄒᆞ나 불과 팔구삭이 지ᄂᆡ지 아니리니, 너는 가지록 부덕을 닥가 구고을 효봉ᄒᆞ고 군ᄌᆞ을 승슌ᄒᆞ여 부도을 닷그라."

소져 게부의 원별을 결훌할 분 아니라, 모친과 양제(兩弟)의 외롭고 위ᄐᆡᄒᆞ미 누란(累卵) 갓틀 바을 ᄎᆞ악ᄒᆞ여, 팔ᄌᆞ츈순(八字春山)의 슈운(愁雲)니 영영(盈盈)ᄒᆞ고 효셩양안(曉星兩眼)의 츄픠(秋波) 동ᄒᆞ믈 ᄭᆡ닷지 못ᄒᆞ여, 유유양구(悠悠良久)의 날호여 조모존후를 뭇ᄌᆞᆸ고 조용히 뫼셔 말숨홀 식, 안출이 셩졍이 걸호뇌락(傑豪磊落)ᄒᆞ여 세쇄지언(細瑣之言)의 밋지 아닛ᄂᆞᆫ ᄇᆡ나, 질여의게 당ᄒᆞ여ᄂᆞᆫ 니졍(離情)이 ᄎᆞ아ᄒᆞᄆᆡ, 엇지 셜셜(屑屑)ᄒᆞ믈 면ᄒᆞ리오. 심ᄉᆞ을 강인ᄒᆞ【79】여 소져을 위로 왈,

"우슉이 이제 니가()離家ᄒᆞᄆᆡ 별회 비록 아득ᄒᆞ나 언마ᄒᆞ여 모드리오. 너ᄂᆞᆫ 모로미 비회을 동ᄒᆞ야 약ᄌᆞᆼ(弱腸)을 상ᄒᆡ(傷害)오지 말ᄂᆞ."

소져 부복쳥교(仆伏聽敎)의 게부의 심회을 돕지 아니려 슬푸믈 억제ᄒᆞ고 이셩화긔로 원노ᄒᆡᆼ역(遠路行役)의 무ᄉᆞ왕반(無事往返)ᄒᆞ오시믈 고할 다름이라. 공이 니윽히 말삼ᄒᆞ다 이러 도라갈 식, 직숨 조히 이시

950)도ᄎᆞ(到此) : 이곳에 이르러.
951)니르다 : 이르다. 무엇이라고 말하다.
952)ᄎᆞ아(嵯峨)ᄒᆞ다 : 아득하다. 막막하다.

심우를 격지 못흔 연괴라. 쇼【33】제 쳔만 강인(强忍)ᄒᆞ여 누슈(淚水)를 거두어, 슈쳔니 힝도의 왕환(往還)이 안강(安康)ᄒᆞ시믈 쳥튝(請祝)ᄒᆞ니, 안딕(按臺)[923]의 년년(戀戀)흔 ᄆᆞ음이며, 쇼져의 간졀이 결홀ᄒᆞ미 상하(上下)키 어렵더라

겨오 분슈(分手)ᄒᆞ여 외당의 니르니 금휘 문왈,

"형이 쳐음으로 니가(離家)ᄒᆞᄆᆡ 아뷔 귀령을 원치 아니터냐?"

안찰이 ᄀᆞᆯ오ᄃᆡ,

"일홈이 구개(舅家)나 형의 심인후덕(深仁厚德)과 존문 셩덕을 힘닙어 일신이 반셕 ᄀᆞᆺ트니, 엇지 구구히 친당을 샤렴ᄒᆞ리오마는, 가쉬(家嫂) 쳐음으로 써나샤 참연하믈 ᄎᆞᆷ지 못ᄒᆞ시므로 거일 챵빅다려 귀령을 쳥ᄒᆞᄆᆡ, 졔 여ᄎᆞ여ᄎᆞ 밀막으니 쇼뎨 형을 보아 지쳥치 아닛ᄂᆞ니, 현형은 모로미 가슈의 졍ᄉᆞ를 고렴ᄒᆞ여 쇼뎨 업ᄉᆞ나 흔번 귀근을 허ᄒᆞ【34】라."

금평휘 그 우ᄋᆡ 이러틋 ᄒᆞ믈 당ᄒᆞ여 명천공을 ᄉᆡᆼ각고 츄연 탄왈,

"형은 녕딜(令姪)을 념녀 말나. 비록 블명용우(不明庸愚)흘지라도 문강형을 ᄉᆡᆼ각ᄒᆞ면 친녀와 다르미 업ᄉᆞ리니, ᄒᆞ믈며 용모긔질과 빅힝ᄉᆞ덕이 쇼뎨 처음 보ᄂᆞᆫ ᄇᆡ라 므어슬 하ᄌᆞ(瑕疵)하리오."

안찰이 ᄉᆞ샤ᄒᆞ고 죵일 담화ᄒᆞ다가 도라갈 ᄉᆡ, 한님은 부친을 뫼셔 문외(門外)로 송별ᄒᆞ믈 일캇더라.

안찰이 도라와 빅화헌의셔 이공ᄌᆞ(二公子)를 다리고 쳔만번 당부ᄒᆞ여 몸을 보젼ᄒᆞ라 ᄒᆞ니, 희텬 공ᄌᆞᄂᆞᆫ 부ᄌᆞ대륜이 뎡ᄒᆞ엿거니와 광텬은 슉딜이 부ᄌᆞ로 다르지 아닌지라, 가듕형셰를 ᄉᆡᆼ각ᄒᆞᄆᆡ 머리를 숙이고 누쉬 삼삼ᄒᆞ여 진【35】진이 늣기니, 공이 어로만져 ᄋᆡ지년지(愛之戀之)ᄒᆞ여 써나는 졍을 니긔지 못ᄒᆞ더라.

시야의 안찰이 희츈각의 드러가 뉴부인을 ᄃᆡ흘ᄉᆡ, 젼ᄌᆞ의 엄슉흔 긔운과 싁싁흔 안식

923)안딕(按臺) : 안찰사(按察使)의 다른 이름.

믈 당부ᄒᆞ고 차마 손을 놋치 못ᄒᆞ니, 소져 빅별ᄒᆞ기을 당ᄒᆞ여는 아모리 심ᄉᆞ을 강인ᄒᆞ나, 유쳬일쌍(流涕一雙)이 셜빈(雪鬢)[953]의 구을믈 면치 못ᄒᆞᄂᆞᆫ지라. 안찰이 심ᄉᆡ 역시 일향(一向)이니 결홀ᄒᆞ미 상ᄒᆞ(上下)키 어렵더라.

겨유 분슈(分手)ᄒᆞ여 외당의 이르니 금휘 문왈,

"형이 쳐음으로 니가ᄒᆞᄆᆡ 아부 귀근을 원치 아니터냐?"

안찰이 소왈,

"일홈이 구가(舅家)나 형의 심인후덕(深仁厚德)과 존문 셩덕을 힘입어 제 일신니 반셕 갓트니 엇지 구구히 친당을 ᄉᆞ렴ᄒᆞ리오마는, 가쉬(家嫂) 쳐음으로 써나ᄉᆞ 참연ᄒᆞ믈 참지 못ᄒᆞ시는 고로, 거일 챵빅다려 질아의 귀령을 쳥ᄒᆞᄆᆡ 제 엿ᄎᆞ엿ᄎᆞ 밀막으니, 소제 형을 보아 지쳥치 아엿ᄂᆞᆫ니 현형은 모로미 가쉬의 졍ᄉᆞ을 고렴【80】ᄒᆞ여 소제 업ᄉᆞ나 흔번 귀근을 허ᄒᆞ라."

금후 그 우ᄋᆡ 이러틋 ᄒᆞ믈 당ᄒᆞ여 명쳔공을 ᄉᆡᆼ각고 츄연탄식ᄒᆞ여 이의 갈오ᄃᆡ,

"형은 영질(令姪)을 염네 말나. 비록 불미용우(不美庸愚)할지라도 문강형을 ᄉᆡᆼ각ᄒᆞ면 친여와 다르미 업ᄉᆞ니, 허물며 용모긔질과 빅힝이 소제 쳐음 본[보]는 ᄇᆡ라. 무어슬 하ᄌᆞ(瑕疵)ᄒᆞ리오."

틱우 ᄉᆞᄉᆞᄒᆞ고 죵일 담화ᄒᆞ다가 도라갈 ᄉᆡ, 한림은 부친을 뫼셔 문외(門外)의 송별ᄒᆞ믈 일컷더라.

틱우 도라와 빅화헌의셔 이공ᄌᆞ(二公子)을 다리고 빅번 당부ᄒᆞ여 몸을 보젼ᄒᆞ라 ᄒᆞ니, 희텬 공ᄌᆞᄂᆞᆫ 부ᄌᆞᄃᆡ륜을 졍ᄒᆞ여건니와 광쳔은 슉질이 부ᄌᆞ로 다르지 안냐 가즁형셰을 ᄉᆡᆼ각ᄒᆞᄆᆡ 머리을 슉이고 누쉬 샴샴ᄒᆞ여 늣기니, 틱위 어로만져 ᄋᆡ지연지(愛之戀之)ᄒᆞ여 써나는 졍이 ᄎᆞᆷ결(慘絶)ᄒᆞ믈 이긔지 못ᄒᆞ더라.

시야의 틱우 희츈각의 드러가 뉴시을 ᄃᆡ흘 ᄉᆡ, 젼ᄌᆞ의 엄숙흔 긔운과 씩씩흔 안식

953)셜빈(雪鬢) : 눈처럼 하얀 귀밑털.

을 곳쳐 유화(柔和)히 말하여 왈,

"복이 이제 군명을 밧ᄌᆞ오ᄆᆡ 능히 ᄉᆞ경과 쇼쇼 가ᄉᆞ를 권렴(眷念)치 못ᄒᆞ여 명일 발힝하니, ᄌᆞ젼의 ᄒᆞᆫ낫 시측ᄒᆞᆯ 동긔 업셔 외로오심과 고젹ᄒᆞ시미 니를 것 업ᄉᆞ신지라. 심ᄉᆡ 버히ᄂᆞᆫ ᄃᆞᆺᄒᆞ거ᄂᆞᆯ 다시 조슈와 냥ᄋᆞ의 외로오미 능히 의지ᄒᆞᆯ ᄃᆡ 업거ᄂᆞᆯ, ᄌᆞ위 심쇄 괴이ᄒᆞ샤 조슈와 냥ᄋᆞ의게 블근인졍(不近人情)ᄒᆞ미 계시리니, 부인은 모로미 ᄌᆞ경의 실덕을 간ᄒᆞ여 냥ᄋᆞ와 조슈를 각별이 보호ᄒᆞ여, 복(僕)의 부탁【36】을 져바리지 아니ᄒᆞᆯ진ᄃᆡ 엇지 깃브고 감샤(感謝)치 아니리오. 광ᄋᆞᄂᆞᆫ 오문의 큰 ᄋᆞ히라 듕ᄒᆞ고 귀ᄒᆞ미 엇지 범연ᄒᆞ리오. ᄆᆡᄉᆞ를 조슈와 의논ᄒᆞ여 명을 어그릇지 말고, 외ᄉᆞᄂᆞᆫ 광의 비록 년쇼치ᄋᆡ(年少稚兒)나 거의 다ᄉᆞ리리니 념녀치 말고, 희텬은 나의 ᄋᆞᄃᆞᆯ이라 모로미 ᄉᆞ랑ᄒᆞ고 년ᄋᆡ(憐愛)ᄒᆞ여 냥녀와 다르미 업게 ᄒᆞ고 조슈, 셤기믈 ᄌᆞ위 버금으로 ᄒᆞ여 복의 금일 부탁을 져바리지 아닐진ᄃᆡ, 도라와 셔르 보ᄆᆡ 낫치 이 실가ᄒᆞ노라."

뉴시 안찰의 ᄌᆞ가를 밋지 아냐 부탁ᄒᆞ며 당부ᄒᆞᄆᆡ 간졀ᄒᆞ믈, 심니의 분한(憤恨) ᄂᆡᆼ쇼(冷笑)ᄒᆞ나 ᄉᆡᆨ지 아니코, 공슌(恭順) ᄉᆞ샤(謝辭) 왈,

"쳡(妾) 슈(雖) 블혜(不慧)나 군ᄌᆞ의 지셩대효와 관인후덕을 져바리지 아니리니,【37】 명공은 소려(消慮)ᄒᆞ쇼셔. 조져(曺姐)의 셩덕현심을 엇지 괄시ᄒᆞ오며, 더옥 광ᄋᆞᄂᆞᆫ 조션의탁(祖先依託)이오, 문호(門戶)의 큰 ᄋᆞ히라. 엇지 친ᄌᆞ의 다르미이시며, 쳡이 목강(穆姜)의 인ᄌᆞᄒᆞ미 업ᄉᆞ나, 엇디 감히 존의를 블봉(不奉)ᄒᆞ여 가변을 닐위리잇고? 군ᄌᆞᄂᆞᆫ 존고긔 간쳥ᄒᆞ시고 쳡을 당부치 마르쇼셔."

언파의 ᄉᆞ긔(辭氣) 타연(泰然)ᄒᆞ니, 공이 다시 ᄒᆞᆯ 말이 업셔 외헌의 나와 냥ᄌᆞ를 어르만져 니졍이 형상키 어렵더라. 임의 야심ᄒᆞᄆᆡ 공이 냥ᄋᆞ를 좌우로 누여 어르만져 귀듕ᄒᆞᄆᆡ 능히 졉목(接目)지 못ᄒᆞ고, 명됴의 경희뎐의 니르러 태부인긔 하직을 고ᄒᆞᆯᄉᆡ,

을 곳쳐 유화(柔和)히 말ᄒᆞ여 왈,

"복(僕0이 이제 군명을 밧ᄌᆞ오ᄆᆡ 능히 ᄉᆞ경과 소소 가ᄉᆞ을 져[권]렴(眷念)치 못ᄒᆞ여 명일 발힝ᄒᆞ니, ᄌᆞ젼(慈殿)게 한갓 시측할 동긔 업셔 외로오심과 고젹ᄒᆞ시미 일을 것 업ᄂᆞᆫ지라. 심ᄉᆞ 버히ᄂᆞᆫ 듯ᄒᆞ거ᄂᆞᆯ, 다시 조【81】슈와 냥아의 외로오미 능히 의지할 ᄃᆡ 업거ᄂᆞᆯ, ᄌᆞ위 심회 고이ᄒᆞᄉᆞ 조슈와 냥아의게 불근인졍(不近人情)ᄒᆞ오시미 게시리니, 부인은 모로미 ᄌᆞ졍의 부도(婦道)을 간ᄒᆞ여 냥아와 조슈을 각별이 보호ᄒᆞ여 복의 부탁을 져바리지 아닐진ᄃᆡ, 엇지 깁부고 감ᄉᆞ(感謝)치 아니리오. 광아ᄂᆞᆫ 오문의 큰 아히라. 즁ᄒᆞ고 귀ᄒᆞ미 엇지 범연ᄒᆞ리오. ᄆᆡᄉᆞ을 조슈와 의논ᄒᆞ여 내 명을 어그릇지 말고, 희텬은 나의 아달이라, 모로미 ᄉᆞ랑ᄒᆞ고 연ᄋᆡᄒᆞ여 냥네와 다름이 업게 ᄒᆞ고, 조슈 셤기믈 ᄌᆞ위 버금으로 ᄒᆞ며, 금일 복의 부탁을 져ᄇᆞ리지 아닐진ᄃᆡ 도라와 셔로 보ᄆᆡ 낫치 잇실가 ᄒᆞ노라."

뉴시 알찰이 ᄌᆞ가을 밋지 아냐 부탁ᄒᆞ며 당부ᄒᆞᄆᆡ 간졀ᄒᆞ믈 심니의 분한(憤恨) ᄂᆡᆼ소(冷笑)ᄒᆞ나 ᄉᆡᆨ지 아니ᄒᆞ고, 공슌(恭順) 사ᄉᆞ(謝辭) 왈,

"쳡(妾) 슈(雖) 불민(不敏)니ᄂᆞ 군ᄌᆞ의 지셩ᄃᆡ효와 관인후덕을 져바리지 아니리니, 명공은 소려(消慮)ᄒᆞ소셔. 조부인의 셩덕현심을 엇지 괄시ᄒᆞ오며, 더욱 광아ᄂᆞᆫ 조션의탁(祖先依託)이오 문호의 큰 아히라, 엇지 친ᄌᆞ의 다르미 잇시며 쳡이 목강(穆姜)의 인ᄌᆞᄒᆞ미 업ᄉᆞ나, 엇지 감히 됸의(尊意)을 불봉(不奉)ᄒᆞ여 가변의 일을 일위리가? 군ᄌᆞᄂᆞᆫ 됸고(尊姑)게 간쳥ᄒᆞ시고 쳡다【82】려 당부치 ᄆᆞ르소셔."

언파의 ᄉᆞ긔(辭氣) 타연(泰然)ᄒᆞ니 공이 다시 할 말이 업셔 외헌의 나와 냥ᄌᆞ을 어로만져 니졍이 형상키 어렵더라. 임의 야심ᄒᆞᄆᆡ 공이 냥아을 좌우로 누이고 등을 어로만져 귀즁ᄒᆞ미 능히 《헤용∥형용》치 못ᄒᆞ여 한 즘을 졉목(接目)지 못ᄒᆞ고, 명조의 경

그 ᄉᆞ이 셩톄안강(聖體安康)ᄒᆞ시며 조슈 삼모ᄌᆞ의 졍ᄉᆞ를 년측(憐惻)ᄒᆞ여 위로ᄒᆞ시믈 간졀이 쳥ᄒᆞ【38】니, 말숨이 상활(爽闊)ᄒᆞ고 ᄉᆞ에 비졀ᄒᆞ여 직삼 ᄋᆡ걸ᄒᆞ니, 대흉(大凶)924)이 깃거 아니나 흐르ᄂᆞᆫ ᄃᆞ시 ᄃᆡ답ᄒᆞ고, 오히려 인심이라 ᄂᆡ졍을 결연ᄒᆞ여 눈믈을 ᄲᅳ리니 안찰이 위로ᄒᆞ여 팔구삭ᄂᆡ(八九朔內) 안강ᄒᆞ시믈 쳥ᄒᆞ고, 도라 조부인긔 직삼 보듕ᄒᆞ시믈 고ᄒᆞ여 ᄇᆡ별ᄒᆞᄆᆡ, 다시 뉴시를 향ᄒᆞ여 왈,

"작야의 임의 ᄒᆞᆫ 말이어니와 부인은 모로미 복의 말을 져바리지 아닐진ᄃᆡ 힝심일가 ᄒᆞ노라."

뉴시 념임(斂衽) ᄉᆞ샤ᄒᆞ여 무ᄉᆞ 왕반ᄒᆞ시믈 일ᄏᆞᆺ더라. 공이 다시 경ᄋᆞ를 경계 왈,

"셕낭이 너를 박ᄃᆡᄒᆞ나 너ᄂᆞᆫ 오ᄃᆡᆨ 부도를 닷가 가부를 원치 말고, 져의 쳥ᄒᆞ미 잇거든 ᄌᆞ로 왕ᄂᆡᄒᆞ여 여부(汝夫)의 말을 경히 넉이지 말나."

경【39】ᄋᆡ ᄇᆡ샤슈명이러라.

안찰이 냥공ᄌᆞ를 어르만져 됴히 이시믈 쳔만 당부ᄒᆞ고 문의 날ᄉᆡ, 냥공ᄌᆡ 강외의 송별코져 ᄒᆞ니 공이 먼니 오지 말나 ᄒᆞᄆᆡ, 냥공ᄌᆡ 역명치 못ᄒᆞ여 문외의 ᄇᆡ별ᄒᆞ니, 거하(車下)의 졀ᄒᆞ여 도로의 왕환이 안강ᄒᆞ시믈 쳥ᄒᆞᄆᆡ, 츄슈봉목(秋水鳳目)925)의 징패(澄波) ᄌᆞ로 ᄯᅥ러져 ᄇᆡᆨ년용화(白蓮容華)를 잠으니 안찰이 더옥 년ᄋᆡ(憐愛) 취듕(取重)ᄒᆞ고, 울울ᄒᆞᆫ ᄂᆡ졍을 능히 억제치 못ᄒᆞ여 손을 잡아 직삼 보듕ᄒᆞ믈 닐너 ᄎᆞ마 손을 노치 못ᄒᆞ다가, 일식이 느ᄌᆞᄆᆡ 가(駕)를 두로혀 예궐샤은(詣闕謝恩)ᄒᆞ온ᄃᆡ, 샹이 인견ᄒᆞ샤 어온(御醞)을 반샤 ᄒᆞ시고, 유음(兪音)926)을 나리오셔 은쥐를 복고(復古)ᄒᆞ고

924)대흉(大凶) : 위태부인을 지칭한 말.
925)츄슈봉목(秋水鳳目) : 가을 물처럼 맑은 눈.
926)유음(兪音) : 신하의 말에 대하여 임금이 내리는 대답.

희젼의 이르러 ᄐᆡ부인게 하직을 고할 ᄉᆡ, 그 ᄉᆞ이 쳬후만강(體候萬康)ᄒᆞ오시믈 고ᄒᆞ고, 조슈의 숨모ᄌᆞ의 졍ᄉᆞ을 연칙(憐惻)이 역이ᄉᆞ954) 위로ᄒᆞ시믈 간졀이 쳥ᄒᆞ니, 말숨이 샹활(爽闊)ᄒᆞ고 ᄉᆞ어 비졀ᄒᆞ여 직숨 ᄋᆡ걸ᄒᆞᄆᆡ, ᄃᆡ흉(大凶)955)이 깃거 아니ᄂᆞ 흐르ᄂᆞᆫ 다시 ᄃᆡ답ᄒᆞ고, 오히려 인심이라 ᄂᆡ졍을 결연ᄒᆞ여 눈물을 ᄲᅮ리니, 안찰이 조흔 말숨으로 위로ᄒᆞ고 팔구삭ᄂᆡ(八九朔內) 만강ᄒᆞ오시믈 쳥ᄒᆞ고, 도라 조부인긔 직숨 셩톄안강보즁(安康保重)ᄒᆞ시믈 《일컷러∥일커러》 ᄇᆡ별ᄒᆞ고, 뉴시을 {도라보아} 향ᄒᆞ여 왈,

"ᄌᆞ야의 임의 한 말이연니와 부인은 모로미 복의 말을 져ᄇᆞ리지 말지여다."

다시 경ᄋᆡ을 경게 왈,

"셕낭이 비록 박ᄃᆡᄒᆞ나 너ᄂᆞᆫ 가지록 부도을 닷가 가부을 원치 말고, 만일 쳥ᄒᆞ미 잇거든 ᄌᆞ로 왕ᄂᆡᄒᆞ여 여부(汝夫)의 말을 경히 역이지 말나."

경ᄋᆞ ᄇᆡᄉᆞ슈명일러라.

ᄐᆡ우 냥【83】 공ᄌᆞ을 어로만져 조히 잇시믈 쳔만당부ᄒᆞ고 문의 날 ᄉᆡ, 냥 공ᄌᆡ 강외의 송별코져 ᄒᆞ니 공이 멀니 ᄂᆞ오지 말나 ᄒᆞᄆᆡ 냥 공ᄌᆞ 역명치 못ᄒᆞ여 문외의셔 ᄇᆡ별헐 ᄉᆡ, 거(車)ᄒᆞ의 졍ᄒᆞ여 도로의 왕환을 안강이 ᄒᆞ시믈 쳥ᄒᆞ며 츄슈봉목의 징픠 ᄌᆞ로 ᄯᅥ러져 ᄇᆡᆨ년용화(白蓮容華)을 즘으니, ᄐᆡ위 더옥 연ᄋᆡ(憐愛) 취즁(取重)ᄒᆞ믈 이기지 못ᄒᆞᄂᆞᆫ 즁, 울울ᄒᆞᆫ ᄂᆡ졍을 능히 억제치 못ᄒᆞ여 손을 잡아 직숨 보즁ᄒᆞ믈 일너 ᄎᆞ마 손을 놋치 못ᄒᆞ다가, 일식이 느지ᄆᆡ 가(駕)을 두 두루혀 예궐ᄉᆞ은(詣闕謝恩)ᄒᆞ온ᄃᆡ, 상이 인견ᄒᆞᄉᆞ 어온(御醞)을 반ᄉᆞᄒᆞ시고, 옥음을 나리ᄉᆞ 은쥐의[를] 복고(復古)○○[ᄒᆞ고] ᄉᆡᆼ민을 안무ᄒᆞ여 슈히 도라오믈 이르ᄉᆞ 각별 은영(恩榮)이 게시니, ᄐᆡ우 고두ᄉᆞ은(叩

954)역이ᄉᆞ : 여기시어.
955)ᄃᆡ흉(大凶) : 위태부인을 지칭한 말.

ᄉᆡᆼ민을 안무ᄒᆞ여 슈히 도라오믈 니르샤, 각별 ○○[은영(恩榮)]을 뵈【40】시니, 안찰이 고두샤은(叩頭謝恩)ᄒᆞᄆᆡ, 퇴됴ᄒᆞ여 위의를 두로혀 문외로 나오니, 졔붕친위(諸朋親友) 쥬호(酒壺)를 닛글고 별당(別章)을 지어 문외예 송별ᄒᆞ니, 어ᄉᆡ(御使) 면면이 사례ᄒᆞ여 뎡한님의 손을 잡고 평후를 고시(顧視) 왈,

"쇼뎨 이제 군명으로 쳔니의 봉ᄉᆞᄒᆞᄆᆡ 북당편위(北堂偏位)927)예 ᄒᆞᆫ낫 시측ᄒᆞᆯ 동긔(同氣)928) 업셔 외로이 의려지망(倚閭之望)929)을 깃치니, 울울ᄒᆞᆫ 심ᄉᆞ를 억제키 어려온 듕, 광텬등의 외로온 심ᄉᆞ를 위로ᄒᆞ리 업ᄉᆞ니 도라셔ᄂᆞᆫ 심회를 것ᄌᆞᆸ기 어렵도다. 형은 녕윤(令胤)으로쎠 됴회 길히 오가(吾家)의 ᄌᆞ로 왕ᄂᆡᄒᆞ여 냥ᄋᆞ(兩兒)의 외로온 심ᄉᆞ를 위로케 ᄒᆞ라."

금휘 흔연 왈,

"형이 니르지 아니나 쇼뎨 엇디 광텬 등 위ᄒᆞ미 형으로 다르리오, 형은 소려(消慮)ᄒᆞ고 국【41】ᄉᆞ를 션티(善治)ᄒᆞ고 슈히 도라오라."

어ᄉᆡ ᄉᆞ샤 왈,

"쇼뎨 만일 샤ᄇᆡᆨ(舍伯)이 계실진ᄃᆡ 가ᄉᆞ로쎠 념녀ᄒᆞ미 이ᄃᆡ도록 ᄒᆞ리오마ᄂᆞᆫ, 쇼뎨ᄂᆞᆫ 남과 다른 고로 냥ᄋᆞ를 위ᄒᆞ여 녕윤을 ᄌᆞ로 왕ᄂᆡ코져 ᄒᆞ미로다."

금휘 탄왈,

"뉘 동긔지졍(同氣之情)을 ᄉᆞ랑치 아니리오마ᄂᆞᆫ, 명강ᄀᆞᆺ치 셰월이 오랄ᄉᆞ록 비한(悲恨)이 층가(層加) ᄒᆞᄂᆞ니ᄂᆞᆫ 업술지라. 쇼뎨

頭謝恩)ᄒᆞ고 퇴조ᄒᆞᄆᆡ, 위의을 두루혀 문외의 ᄂᆞ오니 제붕(諸朋)이 쥬호을 잇쓸어 별ᄌᆞᆼ(別章)을 지어 문외의 송별ᄒᆞ니, 어ᄉᆞ(御使) 면면니 ᄉᆞ례ᄒᆞ고, 도라 뎡한림의 옥슈을 ᄌᆞᆸ고 평후을 고시(顧視) 왈,

"소제 이제 군명을 밧ᄌᆞ와 쳔니의 봉ᄉᆞᄒᆞᄆᆡ 북당편친(北堂偏親)956) 압히 뫼셔 잇슬 동긔(同氣)957) 한낫 업셔 외로이 의려지망(倚閭之望)958)을 씨치니 울울한 심ᄉᆞ을 억졔키 어려온 즁, 광텬 등의 외로온 심ᄉᆞ을 위로ᄒᆞ리 업ᄉᆞ니 도라셔도 심화을 억제【84】키 어렵도다. 형은 영윤(令胤)으로써 조회 길의 오가의 ᄌᆞ로 왕ᄂᆡᄒᆞ여 냥아(兩兒)의 외로온 심ᄉᆞ을 위로케 ᄒᆞ믈 밋노라."

금후 흔연 왈,

"형이 이르지 아니ᄂᆞ 소제 엇지 광텬 등 위ᄒᆞ미 형만 못ᄒᆞ리오. ᄎᆞᄉᆞᄂᆞᆫ 물우소려(勿憂消慮)ᄒᆞ고 국ᄉᆞ을 션치(善治)ᄒᆞ여 슈히 도라오라."

안찰이 ᄉᆞᄉᆞ왈,

"소제 만일 ᄉᆞᄇᆡᆨ(舍伯)이 게실진ᄃᆡ 가ᄉᆞ을 염네ᄒᆞ미 이ᄃᆡ도록 ᄒᆞ리오만ᄂᆞᆫ, 소제ᄂᆞᆫ 타인과 다른 고로 냥아을 위ᄒᆞ여 영윤으로 ᄒᆞ여금 ᄌᆞ로 왕ᄂᆡ코져 ᄒᆞ미로다."

언파의 기리 장탄슈루(長歎垂淚)ᄒᆞ여 《안항∥양항(兩行)》 누슈(淚水) 긴 슈염의 ᄂᆞ리믈 ᄭᆡ닷지 못ᄒᆞ니, 금후 탄석(歎惜) 위로 왈,

"뉘 동긔지졍(同氣之情)을 ᄉᆞ랑치 아니리오만ᄂᆞᆫ, 명강갓치 세월이 오릴ᄉᆞ록 비환(悲歡)이 층가(層加)ᄒᆞᄂᆞᆫ 니ᄂᆞᆫ 업술지라. 돈아

927)북당편위(北堂偏位) : 편모(偏母). 북당(北堂)은 집안의 북쪽에 있는 당(堂)이란 뜻으로, 집안의 주부가 이곳에 거처하였기 때문에 '어머니'를 지칭하는 말로 쓰였다. 북당(北堂)=자당(慈堂).

928)동긔(同氣) : 형제와 자매, 남매(男妹)를 통틀어 이르는 말.

929)의려지망(倚閭之望) : 집 나간 자녀가 돌아오기를 초조하게 기다리는 부모의 마음.

956)북당편친(北堂偏親) : 편모(偏母). 북당(北堂)은 집안의 북쪽에 있는 당(堂)이란 뜻으로, 집안의 주부가 이곳에 거처하였기 때문에 '어머니'를 지칭하는 말로 쓰였다. 북당(北堂)=자당(慈堂).

957)동긔(同氣) : 형제와 자매, 남매(男妹)를 통틀어 이르는 말.

958)의려지망(倚閭之望) : 집 나간 자녀가 돌아오기를 초조하게 기다리는 부모의 마음.

드를 젹마다 감챵ᄒᆞ믈 니긔기 어렵도다. 돈ᄋᆞ(豚兒)로 존부의 왕닉ᄒᆞ미 므어시 어려오리오.”

윤공이 기리 초창(悄愴)ᄒᆞᆫ 심ᄉᆞ를 금억(禁抑)기 어려오ᄃᆡ 마지 못ᄒᆞ여 졔붕(諸朋)을 샤례ᄒᆞ고, 금후 부ᄌᆞ로 니별ᄒᆞᆯᄉᆡ, 안찰이 샹마(上馬)ᄒᆞ여 허다 위의를 휘동ᄒᆞ여 은쥐로 향ᄒᆞ니라.

션시의 쥬영이 위방의【42】게 겁칙930)ᄒᆞ믈 닙어 위가의 도라와 쇼져의 목젼대화(目前大禍)931)를 졔방(制防)ᄒᆞᄆᆡ, 쥬야로 ᄉᆡᆼ풍(生風)932)ᄒᆞᆫ 호령과 만단즐욕(萬端叱辱)이 블가형언(不可形言)이로ᄃᆡ, 위젹이 윤부 태부인 말을 일일히 젼ᄒᆞ여 ᄌᆡ삼 ᄋᆡ걸ᄒᆞᄃᆡ, 쥬영이 위방이 갓가이 온 즉, 믄득 칼과 노흘 가져 졔방ᄒᆞ니 위방이 감히 갓가이 오도 못ᄒᆞ여, 이러틋 삼사삭이 되니, 일일은 나갓다가 드러와 뎡ᄉᆡᆨ즐목(正色叱目)933) 왈,

“나ᄂᆞᆫ 쇼져를 윤상셔《년‖녀》진가 ᄒᆞ엿더니, 오날 맛춤 군문의 군ᄉᆞ를 훈련ᄒᆞᆯᄉᆡ 한님혹ᄉᆞ 호위댱군 뎡텬흥은 곳 명텬공의 동상(東床)이라 ᄒᆞ니, 내 당당이 태부인 명으로 너를 다려왓더니 기간 반ᄃᆞ시 곡졀이 이실 거시오. 네 반ᄃᆞ시 윤시 아닌가 ᄒᆞᄂᆞ니 섈니【43】ᄌᆞ셰 니르라.”

쥬영이 듀야 쇼져의 존몰(存沒)을 몰나 심원(心源)934)이 초갈(焦渴)ᄒᆞ기의 밋쳣더니 ᄎᆞ언을 듯고 크게 깃거 발연대즐(勃然大叱)왈,

“위가 쇼튝(小畜)은 드르라. 네 반야(半夜)의 상문규슈(相門閨秀)를 겁칙ᄒᆞ여 와 이러틋 핍박ᄒᆞ니, 그 죄 만ᄉᆞ무셕이요 쳔ᄉᆞ

930)겁칙 : 겁측. 폭행이나 협박을 하여 강제로 부녀자와 성관계를 갖는 일.
931)목젼대화(目前大禍) : 눈앞의 큰 위험.
932)ᄉᆡᆼ풍(生風) : '매섭게 차가운 바람'이란 뜻으로, 성격이나 행동 따위가 정이나 붙임성이 없이 차갑거나 쌀쌀맞음을 이르는 말.
933)뎡ᄉᆡᆨ즐목(正色叱目) : 얼굴에 매우 엄정한 빛을 띠고 성난 눈으로 바라봄.
934)심원(心源) : 불교에서, 모든 법(法)의 근원이라는 뜻에서 '마음'을 이르는 말.

(豚兒)을 존부의 왕닉ᄒᆞ미 무어시 어려오리오.”

윤공이 기리 초충(悄愴)ᄒᆞᆫ 심ᄉᆞ을 금억(禁抑)기 어려오ᄆᆡ 마지 못ᄒᆞ여 제우(諸友)을 ᄉᆞ례ᄒᆞ고 금후 부ᄌᆞ을 니별ᄒᆞ고, 안찰이 상마(上馬)ᄒᆞ여 허다 위의을 휘동ᄒᆞ여 은쥬로 힝ᄒᆞ니라.

션시의 쥬영이 위방의 겁칙959)ᄒᆞ믈 입어 위가의 도라와 소져의 목젼ᄃᆡ화(目前大禍)960)을 졔방(制防)ᄒᆞᄆᆡ, 쥬야로 ᄉᆡᆼ풍(生風)961)ᄒᆞᆫ 호령과 만단즐욕(萬端叱辱)이 불가형언(不可形言)이라. 위젹이 윤가 ᄐᆡ흥의 말을 일일이 젼ᄒᆞ여 ᄌᆡ숨【85】ᄋᆡ걸ᄒᆞ되, 쥬영이 위방이 갓가이 온 즉, 믄득 칼과 노흘 가져 졔방ᄒᆞ니 위방이 감히 갓가이 오도 못ᄒᆞ니, 이러틋 ᄒᆞ기을 숨ᄉᆞ삭이 되니, 일일은 위방이 ᄂᆞ갓다가 드러오며, 졍ᄉᆡᆨ즐목(正色叱目)962) 왈,

“ᄂᆞ난 진즛 소져을 상셔의 녀진가 ᄒᆞ엿더니 오날 군문의 마참 군ᄉᆞ을 훈련할 ᄉᆡ 한림학ᄉᆞ 호위중군 뎡텬흥은 곳 명쳔공의 동숭이라 ᄒᆞ니, ᄂᆡ 당당니 ᄐᆡ부인 명으로 너을 다려왓더니, 기간 반다시 곡졀이 이실진ᄃᆡ 네 반다시 윤시 아닌가 ᄒᆞᄂᆞ니 네 쌜니 ᄌᆞ시 이르라.”

영이 쥬야 소져의 존문(存聞)을 몰나 심원(心源)963)니 초갈(焦渴)ᄒᆞ기의 ᄆᆡ쳐던니 ᄎᆞ언을 듯고, 크게 깃거 발연ᄃᆡ즐(勃然大叱) 왈,

“위가 소츅(小畜)은 드르라. 네 반야(半夜)의 상문규슈(相門閨秀)을 겁칙ᄒᆞ여 와 이러틋 핍박ᄒᆞ니, 네 죄ᄂᆞᆫ 만ᄉᆞ무셕이오, 쳔

959)겁칙 : 겁측. 폭행이나 협박을 하여 강제로 부녀자와 성관계를 갖는 일.
960)목젼ᄃᆡ화(目前大禍) : 눈앞의 큰 위험.
961)ᄉᆡᆼ풍(生風) : '매섭게 차가운 바람'이란 뜻으로, 성격이나 행동 따위가 정이나 붙임성이 없이 차갑거나 쌀쌀맞음을 이르는 말.
962)졍ᄉᆡᆨ즐목(正色叱目) : 얼굴에 매우 엄정한 빛을 띠고 성난 눈으로 바라봄.
963)심원(心源) : 불교에서, 모든 법(法)의 근원이라는 뜻에서 '마음'을 이르는 말.

유경이라. 머리를 동문의 달고 시신을 유확(油鑊)[935]의 너치 못ᄒᆞ미 오히려 통한ᄒᆞᄂᆞᆫ ᄇᆡ어ᄂᆞᆯ, 이제 ᄯᅩ 날노ᄡᅧ 윤시 아니라 ᄒᆞᄂᆞᆫ다?"

위방이 욕ᄒᆞ믄 쇼ᄉᆡ(小事)오 그 윤시라 ᄒᆞ믈 깃거, 년망(連忙)이 ᄉᆞ샤 왈,

"내 원간 윤태위 괴로와 윤부의 가지 아냐 혼ᄉᆞ 지ᄂᆡ믈 아지 못ᄒᆞ엿더니, 앗가 대댱군 《슌ᄉᆞ‖슌시(巡視)》의 뎡ᄌᆞ의 ᄌᆡᄌᆞ와 풍치 쳔만인을 압두ᄒᆞ니, 모다 금평후의 ᄉᆡᆼᄌᆞ의 비상ᄒᆞ믈 일컷고, 윤명쳔의 ᄉᆡᆼ시 ᄐᆡᆨ셔 잘ᄒᆞ믈【44】 일ᄏᆞᆺᄂᆞᆫ 고로, 하 괴이ᄒᆞ여 므르미니 노치 마르쇼셔."

쥬영이 ᄉᆡᆼ각ᄒᆞᄃᆡ,

"내 듀인의 ᄃᆡ신(代身)으로 오ᄅᆡ 이시면 아듀(我主)의 빙옥신상(氷玉身上)이 욕되고 내 욕을 방비ᄒᆞ미 괴로오니 쾌히 도적을 욕ᄒᆞ고 가리라."

ᄒᆞ여, 시야의 위방이 대취ᄒᆞ여 인ᄉᆞ를 출히지 못ᄒᆞ거ᄂᆞᆯ 영이 졸연이 닙더나 뎡셩대즐(正聲大叱) 왈,

"소튝아 내 말을 ᄌᆞ시 드르라 네 눈이 이시나 망울이 업셔 귀쳔존비를 아디 못ᄒᆞ나 내 엇지 윤쇼졔리오. 윤쇼져ᄂᆞᆫ 샹문 쳔금 귀쇼제라. 엇지 너 쳔가의 와 누삭(累朔) 머물미 이시리오. 나는 곳 윤쇼져의 시비 쥬영이라. 듀인의 위급지시를 당ᄒᆞ매 분개ᄒᆞ믈 니긔지 못ᄒᆞ여 ᄃᆡ신ᄒᆞ엿더니, 네 과연 망지[936] 업셔 몰나보니 엇디 가쇼롭디【45】 아니리오. 내 텬졍(天廷)[937]의 등문고(登聞鼓)[938]를 울녀 너 죄상을 고ᄒᆞ여 머리를 동문의 다라 분한을 쾌히 플 거시로ᄃᆡ,

935)유확(油鑊) : 기름이 끓는 가마.
936)망ᄌᆞ(-子) : 망울. 눈망울.
937)텬졍(天廷) : 천자국(天子國)의 조정(朝廷).
938)등문고(登聞鼓) : ①중국에서 제왕이 신하들의 충간(忠諫)이나 원통함을 듣기 위하여 매달아 놓았던 북. 진(晉)나라에서 시작하여 당나라, 송나라, 명나라 때도 두었다. ②조선 시대에, 임금이 백성의 억울한 사정을 듣기 위하여 매달아 놓았던 북. 태종 원년(1401)에 처음으로 두었다가 이후 '신문고(申聞鼓)'로 이름을 고쳤다.

ᄉᆞ유경이라. 네 머리을 동문의 달고 시신을 유확(油鑊)[964]의 너치 못ᄒᆞ미 오히려 통한ᄒᆞᄂᆞᆫ ᄇᆡ여ᄂᆞᆯ, 이제 ᄯᅩ 날노ᄡᅧ 윤시 아니라 ᄒᆞᄂᆞᆫ다?"

위방이 욕ᄒᆞ문 소ᄉᆡ(小事)오 윤시라 ᄒᆞ믈 깃거 연망(連忙)이 ᄉᆞ례 왈,

"ᄂᆡ 원간 윤ᄐᆡ우을 괴로워 ᄒᆞᄂᆞᆫ 고로 윤부의 가지 안냐 혼사 지ᄂᆡ다 ᄒᆞ나 아지 못ᄒᆞ엿더니, 앗가 ᄃᆡ즁군 슌○[시](巡視)의 뎡ᄌᆞ의 ᄌᆡ조풍치【86】 쳔만인[965]을 압두ᄒᆞ니 모다 금평후 ᄉᆡᆼᄌᆞ 즐ᄒᆞ여시믈 일컷고 윤명텬의 ᄉᆡᆼ시 ᄐᆡᆨ셔 즐ᄒᆞ믈 일르ᄂᆞᆫ 고로 ᄒᆞ고히ᄒᆞ여 무르미니 소져ᄂᆞᆫ 노치 마르소셔."

쥬영이 ᄉᆡᆼ각ᄒᆞᄃᆡ,

"ᄂᆡ 쥬인의 ᄃᆡ신(代身)으로 오ᄅᆡ 이곳의 잇시면 우리 아쥬(我主)의 빙옥 갓튼 신ᄉᆞᆼ이 욕되고, ᄂᆡ 역시 욕을 방비ᄒᆞ기 괴로오니 니제 쾌히 도적을 욕ᄒᆞ고 가리라."

ᄒᆞ여, 시야의 위관[방]이 ᄃᆡ취ᄒᆞ여 인ᄉᆞ을 ᄎᆞ리지 못ᄒᆞ거날 쥬영이 졸연니 일써ᄂᆞ 졍셩ᄃᆡ질(正聲大叱) 왈,

"이 소츅아 ᄂᆡ 말을 ᄌᆞ시 드르라. 네 눈이 잇시ᄂᆞ 망울이 업셔 귀쳔존비을 아지 못ᄒᆞ니 엇지 우읍지 아니랴? ᄂᆡ 엇지 윤소제리오. 우리 소져ᄂᆞᆫ 상문 쳔금 귀소져시라. 엇지 이런 쳔가의 와 누ᄉᆞᆨ(累朔)을 머믈너 게시리오. 나ᄂᆞᆫ 곳 윤소져의 시ᄋᆞ 쥬영이라. 우리 쥬인의 위급지시을 당ᄒᆞ시ᄆᆡ ᄂᆡ 분한 통히하믈 이긔지 못ᄒᆞ여 ᄃᆡ신ᄒᆞ여더니, 네 과연 망ᄌᆞ[966]가 업셔 몰나보니 엇지 가소롭지 아니리오. ᄂᆡ 맛당이 쳔졍(天廷)[967]의 등문고(登聞鼓)[968]을 울녀 너의 죄ᄉᆞᆼ을 고

964)유확(油鑊) : 기름이 끓는 가마.
965) 영인과정에서 쪽수 編次에 오류가 있다. 즉 '창셜(87쪽)-쳔만인(88쪽)' 순으로 되어 있는데 이를 '쳔만인(87)-창셜(88)'순으로 바로잡아야 한다.
966)망ᄌᆞ(-子) : 망울. 눈망울.
967)쳔졍(天廷) : 천자국(天子國)의 조정(朝廷).
968)등문고(登聞鼓) : ①중국에서 제왕이 신하들의 충간(忠諫)이나 원통함을 듣기 위하여 매달아 놓았던 북. 진(晉)나라에서 시작하여 당나라, 송나라, 명나라 때도 두었다. ②조선 시대에, 임금이 백성의 억울한 사정을 듣기 위하여 매달아 놓았던 북.

ᄎᆞ마 못ᄒᆞᄂᆞᆫ 바ᄂᆞᆫ 우리 태부인의 허물을 만인 듕 챵셜치 못ᄒᆞ미니, ᄎᆞ후나 방ᄌᆞ음욕(放恣淫慾)지 말나."

셜파의 크게 웃고 원문으로 ᄂᆡ다르니 위방이 극취(極醉)ᄒᆞ여 말을 드르나 분ᄒᆞ여 욕인 줄 몰나, 다만 윤쇼져 시비라도 ᄌᆞ식이 이시므로 두고져 ᄒᆞ나, 닷기를 ᄲᆞᆯ니 ᄒᆞ니 사름마다 쳣즘을 깁히 드럿ᄂᆞᆫ디라. 위방이 계오 긔여 ᄯᅥ라나오다가 층층ᄒᆞᆫ 셤 아릐 나려지니, 계오 취몽셩(醉夢聲)으로 사름을 블너 윤시를 ᄎᆞᄌᆞ나 간 곳이 업ᄉᆞ니, 크게 놀나 ᄲᆞᆯ니 윤부의 니르러, ᄃᆡ강을 고ᄒᆞ고 ᄇᆡ알ᄒᆞᆷ을 청ᄒᆞ니, 뉴시 밧비 말녀 왈,【46】

"졔 반ᄃᆞ시 뎡가 혼ᄉᆞ를 듯고 왓실 거시니 황금 팔ᄇᆡᆨ냥이 도ᄎᆞ(到此)의 어려오니 존고ᄂᆞᆫ 여ᄎᆞ여ᄎᆞ 답ᄒᆞ쇼셔."

위시 올히 넉여 젼어(傳語) 왈,

"손녀로ᄡᅧ 너의게 도라보ᄂᆡ고져 ᄒᆞ미 본ᄃᆡ 됴흔 ᄯᅳᆺ이로ᄃᆡ, 블초 손네 노모의 말을 듯지 아니코 쳔비로 ᄃᆡ신ᄒᆞ고, 져ᄂᆞᆫ 산ᄉᆞ의 숨엇다가 도라오니 구약을 임의 일워 뎡가의 잇ᄂᆞᆫ디라. 노뫼 통한ᄒᆞᆷ을 니긔지 못ᄒᆞ나, 네 일을 그릇ᄒᆞ고 졔 능히 몸을 곰초앗던 거시니 ᄒᆞᆯ일 업ᄂᆞᆫ지라. 너ᄂᆞᆫ 모로미 ᄃᆡ신으로 간 쳔비를 죽여 흔적을 업시ᄒᆞ고, 후일을 기다릴진ᄃᆡ 다시 도모ᄒᆞ여 주리라. 연이나 젼일 강경의 드럿던 도적을 엄힉(嚴覈)ᄒᆞᄂᆞ니 너ᄂᆞᆫ ᄉᆞ긔(事機)를 패루(敗漏)치 말【47】나. 금일 번거ᄒᆞ여 보지 못ᄒᆞᄂᆞ니 후일 청ᄒᆞ리라."

시네 방의게 젼ᄒᆞ니, 방이 다시 쥬영의 도쥬ᄒᆞᆷ을 고ᄒᆞ니, 위시 대경실ᄉᆡᆨᄒᆞᆫᄃᆡ, 뉴시 다시 젼어 왈,

"쥬영을 일허시니 임의 ᄒᆞᆯ 일이 업ᄉᆞᆫ지라, 안심믈녀(安心勿慮)ᄒᆞ여 도라가라."

ᄒᆞ여, 네 머리을 동문의 달아 시신도 남기지 안코 술을 졈졈이 ᄶᅡᆨ가 분한을 씨츨 거시로ᄃᆡ, ᄎᆞ마 못ᄒᆞᄂᆞᆫ ᄇᆡᄂᆞᆫ 우리 ᄐᆡ부인의 허물을 만인 총즁의【87】 창셜치 못ᄒᆞ밀너니, ᄎᆞ후나 소심익익(小心翼翼)ᄒᆞ여 ᄒᆡᆼ실을 닥가 방ᄌᆞ음욕(放恣淫慾)지 말나."

셜파의 크게 웃고 원문을 ᄂᆡ다라 가니 ○[니]ᄶᅥ 위방이 극취(極醉)ᄒᆞ여 말을 드르나 분ᄒᆞ며 욕인 쥴을 몰나 다만 윤소져의 시비라도 ᄌᆞ식이 잇시믈오 잡아두고져 ᄒᆞᄂᆞ 닷기을 ᄲᆞᆯ이 ᄒᆞ니 ᄉᆞ람마다 쳣 즘을 깁피 드럿ᄂᆞᆫ지라. 위방이 게우 긔여 ᄯᅡᆯ아나오다가 층층ᄒᆞᆫ 셤ᄒᆞ의 나려지니, 겨우 취몽셩(醉夢聲)으로 ᄉᆞ람을 불너 윤시을 ᄎᆞᄌᆞ나 간 곳시 업ᄂᆞᆫ지라. 위방이 분ᄒᆞ고 놀나 ᄲᆞᆯ니 윤부의 이르러 ᄃᆡ강을 고ᄒᆞ고 ᄇᆡ알ᄒᆞᆷ 청ᄒᆞ니 뉴시 밧비 말여 왈,

"제 반다시 뎡가의 혼ᄉᆞ을 듯고 왓실 거시니 황금 팔ᄇᆡᆨ양이 도ᄎᆞ(到此)의 어려오니, 죤고ᄂᆞᆫ 엿ᄎᆞ엿ᄎᆞ 답ᄒᆞ여 보ᄂᆡ소셔."

위시 올히 역여 젼어(傳語) 왈,

"손녀로ᄡᅧ 너의게 도라보ᄂᆡ고져 ᄒᆞ미 본ᄃᆡ 조흔 ᄯᅳᆺ시로ᄃᆡ, 불초 손녀 노모의 말을 듯지 아니코 쳔비로 ᄃᆡ신ᄒᆞ고 져ᄂᆞᆫ 산ᄉᆞ의 숨엇다가 도라와 임의 구약을 일워 뎡가의 잇ᄂᆞᆫ지라. 노뫼 통한ᄒᆞᆷ 이긔지 못ᄒᆞ나니, 네 일을 그릇ᄒᆞ고 제 능이 몸을 감초왓든 거시니 하[할] 일 업ᄂᆞᆫ지라. 너ᄂᆞᆫ 모로미 ᄃᆡ신 간 쳔비을 쥭여 흔젹을 업시ᄒᆞ고 후일을 기ᄃᆞ릴진ᄃᆡ, 다【88】시 도모ᄒᆞ여 쥬리라. 연니ᄂᆞ 젼일 강경의 드럿든 도젹을 엄힉(嚴覈)ᄒᆞᄂᆞᆫ니 너ᄂᆞᆫ ᄉᆞ긔(事機)을 픽루(敗漏)치 말나. 금일은 번거ᄒᆞ여 보지 못ᄒᆞᄂᆞᆫ니, 후일 청ᄒᆞ리라."

신여(侍女) 방의게 젼ᄒᆞ니 방이 다시 쥬영의 도망ᄒᆞᆷ 고ᄒᆞᆫᄃᆡ, 위시 ᄃᆡ경실ᄉᆡᆨᄒᆞ니 뉴시 젼언 왈,

"쥬영이 도쥬ᄒᆞ엿다니 임의 할 일 업ᄉᆞᆫ지

태종 원년(1401)에 처음으로 두었다가 이후 '신문고(申聞鼓)'로 이름을 고쳤다.

위시 뉴시로 더브러 쥬영의 도쥬홈과 명ᄋᆞ쇼져의 신상이 반셕 ᄀᆞᆺᄐᆞ믈 분한절치ᄒᆞ여 브ᄃᆡ 안ᄃᆡ(按臺)의 도라오기 젼, 조부인 삼모ᄌᆞ를 ᄒᆞᆫ 칼히 ᄧᅳᆺ고져 ᄒᆞ니 아디못게라 ᄎᆞ 삼인이 능히 득의(得意)ᄒᆞᆫ가.

태위 은쥐로 나간 후 다만 조부인 삼모ᄌᆞ를 업시키를 도모ᄒᆞ여, 구파를 믜워 조부인 히코져 ᄒᆞᄂᆞᆫ ᄆᆞ음과 다르지 아니ᄒᆞ더니, 어ᄉᆡ 나간 후 ᄉᆞ오일이 넘지 못ᄒᆞ여셔 구패 그【48】 모상을 만나 졀강으로 나려가 상장(喪葬)을 보려 ᄒᆞ니, 위부인 고식(姑媳)이 만심환열ᄒᆞ나 조부인 삼모ᄌᆞ의 결훌ᄒᆞᆫ 심ᄉᆡ 디향치 못ᄒᆞᆯ지라. 님별의 뉴쳬(流涕)ᄒᆞ기를 마지 아니니, 구패 망극듕(罔極中)이나 조부인 모ᄌᆞ를 념녀ᄒᆞ여 더옥 슬프믈 니긔지 못ᄒᆞᄃᆡ, 마지 못ᄒᆞ여 그 딜ᄌᆞ를 다리고 나려가니, 조부인이 훌연ᄒᆞᆫ 심ᄉᆡ 가히 업더라.

쥬영이 위방의 집을 ᄯᅥ나 그 아ᄌᆞᄆᆡ 집의가 오눅일을 머므러, 취운산 뎡부를 ᄎᆞᄌᆞ 쇼졔 구가의 잇ᄂᆞᆫ 줄 알고, 뎡부 힝각의 드러가 현잉을 만나ᄆᆡ, 반기믈 니긔지 못ᄒᆞ여 밧비 닛글고 션월졍의 드러오니, 쇼졔 존당의 시측ᄒᆞ여 나오지 아냐시므로 감히【49】 현알치 못ᄒᆞ고, 오ᄃᆡᆨ 모녀형뎨(母女兄弟) ᄃᆡᄒᆞ여 태부인 용심을 니르고, 위방의 ᄒᆞ던 거동을 니르며 ᄉᆞ오삭 니졍을 니르더니, 쇼졔 존당의 혼뎡을 파ᄒᆞ고 쵹을 잡혀 팀소(寢所)의 도라오ᄆᆡ, 쥬영이 ᄇᆡ알ᄒᆞᄂᆞᆫ디라. 반가오미 넘ᄶᅵ고 깃브미 극ᄒᆞ여 무ᄉᆞ히 적혈(賊穴)의 버셔난 연고를 므르니, 쥬영이 위방의 젼혀 의심치 아니ᄒᆞ고 져를 쇼져로 아다가, ᄯᅥ나오던 날 한님이 윤부 동상이라 ᄒᆞ여 져다려 뭇던 말과 ᄉᆞ오삭을 듀야로 위방을 쳠욕ᄒᆞ던 말이며, 올 제(際) 쇼져의 시녠 줄 니르고 와시믈 고ᄒᆞ니, 쇼졔 조모의 흉심을 모르지 아니ᄃᆡ 드를ᄉᆞ록 ᄎᆞ악ᄒᆞ여, 기리 탄식 왈,

"너ᄂᆞᆫ 됴히 도적의 집을【50】 ᄯᅥ낫거니

라. 《향심‖안심》 물녀(勿慮)ᄒᆞ여 도라가라"

ᄒᆞ다. ᄃᆡ흉이 뉴간으로 더부러 쥬영의 도망함과 명ᄋᆞ 소져의 신ᄉᆞᆼ이 반셕 갓치 잇시믈 불승분ᄒᆞᆫᄒᆞ여, 부ᄃᆡ 조부인 삼모ᄌᆞ을 한칼의 ᄉᆢᆺ고져 ᄒᆞ니, 아지 못게라. ᄎᆞ 삼인니 능히 득의(得意)ᄒᆞᆫ가?

ᄐᆡ우 은쥬로 나간 후, 다만 조부인 ᄉᆞᆷ모ᄌᆞ을 업시키을 도모ᄒᆞ며, 구파을 뮈워ᄒᆞ미 조부인 히코져 ᄒᆞᄂᆞᆫ 마음과 다르지 아니 ᄒᆞ더니, 안찰이 ᄂᆞ간 후 ᄉᆞ오일이 넘지 못ᄒᆞ여셔, 구파 그 모ᄉᆞᆼ(母喪)을 당ᄒᆞ여 졀강으로 나려가 ᄉᆞᆷ상(三喪)을 지ᄂᆡ려 ᄒᆞ니, 위흉과 뉴간은 시훤니 역이고 조부인 신세 고단ᄒᆞ믄 더옥 심ᄒᆞ더라.

어시의 쥬영이 위방 젹ᄌᆞ을 버셔ᄂᆞ 그 아ᄌᆞ미 집의 가 오눅일을 머므러, 취운ᄉᆞᆫ 뎡부을 ᄎᆞ져 물어 소져 구가의 인ᄂᆞᆫ 쥴 알고, 바로 뎡부 힝각의 드러가 현잉을 맛ᄂᆞᄆᆡ 반기믈 이긔지 못ᄒᆞ여 밧비 잇쓸고 션월졍의 드【89】러오니, 소져ᄂᆞᆫ 존당의 시측ᄒᆞ여 ᄂᆞ오지 아엿시므로 현알치 못ᄒᆞ고, 오직 모여형제(母女兄弟) ᄃᆡᄒᆞ여 ᄐᆡ부인 용심을 이르며 위방의 ᄒᆞ든 거동을 일일이 말ᄒᆞ여 ᄉᆞ오삭 니졍(離情)을 일르더니, 소져 존당의 혼졍을 파ᄒᆞ고 촉을 ᄌᆞᆸ펴 침소의 도라오ᄆᆡ 쥬영이 ᄇᆡ알ᄒᆞᄂᆞᆫ지라. 반가오미 넘씨고 깃부미 극ᄒᆞ여 무ᄉᆞ이 젹혈(賊穴)의 버셔나오믈 무르니, 쥬영이 위방의 젼혀 의심치 아니ᄒᆞ고 져을 소져로 아다가, ᄯᅥᄂᆞ오던 날 한림니 윤부 동샹이라 ᄒᆞ여 져다려 뭇든 말과 ᄉᆞ오ᄉᆞᆨ을 쥬야로 위방을 쳠욕ᄒᆞ던 말이며, ᄂᆞ올 제(際) 소져의 시녀로라 이르고 왓시믈 일일이 고ᄒᆞ니, 소제 조모의 흉심을 모로지 아니ᄃᆡ 들을 ᄉᆞ록 ᄎᆞ악경심ᄒᆞ여 기리 탄식 왈,

"너ᄂᆞᆫ 조히 도젹의 집을 버셔ᄂᆞᆺ시ᄂᆞ 우리

와 우리집 쇼문이 사ᄅᆞᆷ을 들념즉지 아니니네 이런 말을 블츌구외ᄒᆞ라. 혹 뭇ᄂᆞ니 잇거든 병 드럿다가 나으ᄆᆡ 왓노라 ᄒᆞ라."

쥬영이 슈명ᄒᆞ더라.

유랑 왈,

"구파랑이 작일의 졀강으로 나려가시다 ᄒᆞ니 부인과 냥공ᄌᆡ 위ᄐᆡ로오시미 더옥 누란(累卵) ᄀᆞᆺᄐᆞ리로다."

쇼졔 상연(傷然) 타루 왈,

"내 몸이 이곳의 편히 이시나 본부를 생각ᄒᆞ면 심담이 마르ᄂᆞᆫ디라. 계뷔 은쥐로 가신 후 더옥 착급ᄒᆞᆫ 념녀 쥬야 황황ᄒᆞ더니, 구조뫼 모상을 만나 향니로 가시미 일마다 공교로와 모친과 냥뎨의 ᄋᆡᆨ회(厄會) 심ᄒᆞ미라. 출하리 괴롭고 셜우믈 ᄒᆞᆫ가지로 격ᄂᆞ니만 ᄀᆞᆺ지 못ᄒᆞᆯ디라. 놀나온 ᄀᆡ별을 드【51】를가 졀박ᄒᆞᆫ 졍이 어ᄃᆡ 비ᄒᆞ리오"

셜난 왈,

"듯지 아니며 보디 아니타 모르리잇가? 노애 나가시ᄆᆡ 흔흔ᄌᆞ득(欣欣自得)ᄒᆞ여 뉴부인이 태부인을 뫼셔 쥬야 우리 쇼져와 부인 냥공ᄌᆞ ᄒᆡᄒᆞ기를 도모ᄒᆞᄂᆞ이다."

쇼졔 다시 말 아니ᄒᆞ고 눈물을 금치 못ᄒᆞ니 유랑 등이 좌우의셔 위로《ᄒᆞᄂᆞᆫ디라∥ᄒᆞ더라》.

이 날 한님이 존당 혼뎡을 파ᄒᆞ고 부공이 취팀ᄒᆞ신 후 션월졍의 드러가니, ᄉᆞ창(紗窓)의 촉영이 명낭ᄒᆞ고 노듀(奴主)의 어셩이 긋지 아니ᄒᆞᄂᆞᆫᄃᆡ, 쇼져의 비읍ᄒᆞᄂᆞᆫ 소ᄅᆡ 잇거ᄂᆞᆯ ᄀᆞ장 의괴ᄒᆞ여 족용을 듕지ᄒᆞ여 드르ᄆᆡ, 이 믄득 도적의게 잡혀 갓던 시녀 도라와 노쥐 문답ᄒᆞᄂᆞᆫ 듕, 위·뉴 냥흉의 과악이【52】 드러나고 쇼져ᄂᆞᆫ 모친과 냥뎨를 위ᄒᆞ여 슬허ᄒᆞᄂᆞᆫ디라. 듯기를 맛ᄎᆞᄆᆡ 쇼져의 남모르ᄂᆞᆫ 근심이 다쳡ᄒᆞ믈 그윽이 년셕(憐惜)ᄒᆞ나, 원간 셩졍이 셰쇄지ᄉᆞ(細瑣之事)를 알녀 아니ᄒᆞᄂᆞᆫ디라. 창밧긔셔 기츰ᄒᆞ고 일실ᄒᆞ니 쇼졔 니러 마ᄌᆞ 좌뎡ᄒᆞᄆᆡ, 한님이 슬허ᄒᆞ던 형젹이 잇ᄂᆞᆫ가 봉안을 흘녀 보기를 이시(移時)히[939] ᄒᆞᄃᆡ, 미우화기(眉

집 소문니 ᄉᆞ람으로ᄒᆞ여금 들렴즉지 아니니 이런 말을 불츌구외 ᄒᆞ라. 혹 뭇ᄂᆞᆫ니 잇거든 병드러다 ᄂᆞ으ᄆᆡ 왓노라 ᄒᆞ여라."

쥬영이 슈명ᄒᆞ고 유랑이 왈,

"구파랑이 작일의 졀강으로 가시다 ᄒᆞ니 부인과 냥 공ᄌᆞ의 위ᄐᆡᄒᆞ오시미 누란(累卵) 갓트시리니다."

소져 상연(爽然) 타루 왈,

"ᄂᆡ 몸이 이곳의 편히 잇스나 본부을 도라 ᄉᆡᆼ각ᄒᆞ【90】면 심담이 마르ᄂᆞᆫ지라. 게부 은쥬로 가신 후 더옥 착급ᄒᆞᆫ 염녜 쥬야 황황ᄒᆞ더니, 구조뫼 모상을 맛ᄂᆞ 향니로 가시미 일마다 공교ᄒᆞ여 모친과 양제(兩弟)의 ᄋᆡᆨ회(厄會) 심ᄒᆞ미라. 찰ᄒᆞ리 괴롭고 셜우믈 한가지로 격ᄂᆞᆫ 이만 갓지 못한지라. 놀나온 ᄀᆡ별을 들을가 졀박ᄒᆞᆫ 졍이 어ᄃᆡ 비ᄒᆞ리오."

셜난 왈,

"듯지 아니며 보지 아니ᄂᆞ 모로리잇가? 노야 나가시ᄆᆡ 흔흔ᄌᆞ득(欣欣自得)ᄒᆞ여 뉴부인이 ᄐᆡ부인을 뫼셔 쥬야 우리 소져와 부인 냥 공ᄌᆞ ᄒᆡᄒᆞ기을 도모ᄒᆞᄂᆞᆫ이다."

소져 다시 말을 아니코 눈물을 금치 못ᄒᆞ니, 유랑 등이 좌우의 뫼셔 위로ᄒᆞ더라.

이날 한림이 존당의 혼졍을 파ᄒᆞ고 부공이 취침ᄒᆞ신 후 션월졍의 이르니, ᄉᆞ창(紗窓)의 촉영(燭影)이 휘황ᄒᆞ고 노주의 언셩이 긋지지 아니ᄒᆞᄂᆞᆫᄃᆡ, 소져의 비읍ᄒᆞᄂᆞᆫ 소ᄅᆡ 갓것날, 가즁 의괴ᄒᆞ여 족용을 즁지ᄒᆞ여 드르ᄆᆡ 이 문득 도젹의게 즙혀갓든 신녀(侍女) 도라와 노쥐 문답ᄒᆞᄂᆞᆫ 즁, 위·뉴의 완악(頑惡)이 드라ᄂᆞ고 소져ᄂᆞᆫ 모친과 냥졔(兩弟)을 위ᄒᆞ여 슬허ᄒᆞᄂᆞᆫ지라. 듯기을 맛ᄎᆞᄆᆡ 소져의 남 모로ᄂᆞᆫ 근심이 다쳡(多疊)ᄒᆞ믈 그윽이 연셕(憐惜)ᄒᆞᄂᆞ, 원간 셩졍이 세쇄지ᄉᆞ(細瑣之事)을 알【91】여 아닌ᄂᆞᆫ지라. 창 밧긔셔 기침ᄒᆞ고 입실ᄒᆞ니, 소져 이러 맛져 좌졍ᄒᆞᄆᆡ 한림이 슬허ᄒᆞ든 형젹이 잇ᄂᆞᆫ가 ᄒᆞ여, 봉안을 흘여 보기을 이시(移

字和氣)ᄂᆞᆫ 츈양(春陽)이 무르녹고 안ᄉᆡᆨ은 도화ᄀᆞᆺᄐᆞ여 져슈단좌(低首端坐)ᄒᆞ여시니, 위의 츄텬이 놉흐며 상월이 늠늠ᄒᆞᆫ 듯, ᄒᆞ히지량(河海之量)을 가져시니, 그 심쳔(深淺)을 가히 탁냥(度量)치 못ᄒᆞᆯ지라. 한님이 심니의 더옥 탄복ᄒᆞ여 짐즛 문왈,

"ᄉᆡᆼ이 앗가 드러오미 당외의 보지 못ᄒᆞ던 비직 이시니 어ᄃᆡ셔 왓ᄂᆞ니잇고?"

쇼제 나즉이【53】 ᄃᆡ왈,

"이ᄂᆞᆫ 쳡의 유모의 쇼ᄉᆡᆼ인 고로 옥누항의셔 금일이야 오미로소이다."

한님이 졈두ᄒᆞ여 그 아ᄂᆞᆫ 바를 은닉ᄒᆞ믈 우이 억이나 ᄉᆞᄉᆡᆨ지 아니코, 야심ᄒᆞᄆᆡ, 쇼져로 더브러 상요의 나아가고져 ᄒᆞ니, 쇼제 조모의 흉심을 모르지 아니ᄒᆞᄂᆞᆫ 고로, ᄌᆞ긔 비홍(臂紅)을 완젼ᄒᆞ여 타일 조모의 본 ᄇᆡ 된 즉, 오히려 분긔 덜ᄒᆞ려니와 블연 즉 급화를 브르미라, 이에 믄득 ᄀᆞᆯ오ᄃᆡ,

"쳡이 ᄉᆞ문규슈로 산ᄉᆞ의 뉴락ᄒᆞᆷ과 반야의 흉젹의 난셜(亂說)이 하슈(河水)[940]를 기우리나 씻지 못ᄒᆞᆯ지라. 만일 타일 몸의 흉누(凶陋)를 버셔나미 이실진ᄃᆡ, 녜ᄉᆞ 말과 ᄀᆞᆺ기를 원ᄒᆞᄂᆞ니, 군ᄌᆞᄂᆞᆫ 녀ᄌᆞ의 미셰ᄒᆞᆫ ᄉᆞ졍을 슬피쇼셔."

한님이 젼일【54】은 위태부인의 흉ᄉᆞ를 아지 못ᄒᆞ고 쇼져의 쳥ᄒᆞ미 구가를 위ᄒᆞ민가 ᄒᆞ엿더니, 금일 그 노듀의 문답을 드른 후 위태부인을 통한ᄒᆞᄃᆡ, 쇼제 그 조모를 두려 이러ᄐᆞᆺᄒᆞ믈 미온ᄒᆞ여 뎡ᄉᆡᆨ 왈,

"남ᄌᆞ 셩졍이 괴이ᄒᆞ여 혹 쳐실을 원거(遠居)ᄒᆞ믄 드르미 이시나, 녀ᄌᆞ 가부(家夫)의 후졍(厚情)을 막줄나 말만흐믄 ᄌᆞ(子) ᄀᆞᆺᄐᆞ니 업슬디라. 도젹의 흉언패셜은 내 임의 고지 드르미 업고, 존당 부뫼 ᄌᆞ를 의심ᄒᆞ시미 업셔, 임의 구고와 가뷔 ᄇᆞᆰ히 아ᄂᆞᆫ ᄇᆡ어ᄂᆞᆯ 엇디 이러ᄐᆞᆺ 괴려ᄒᆞ뇨? 만일 ᄆᆡ양 이

939)이시(移時)히 : 때[時]가 넘도록, 한참 동안.

940)하슈(河水) : 황하수(黃河水). 중국 청해성(淸海省)의 곤륜산맥(崑崙山脈)에서 발원하여 5,460여km를 흘러 발해만으로 흘러든다.

時)히[969] ᄒᆞ되, 소제 미우(眉宇)의 화긔ᄂᆞᆫ 츈양(春陽)이 무르녹고 안ᄉᆡᆨ은 도화 갓트여 져슈단좌(低首端坐)ᄒᆞ여시니, 위의 츄천(秋天)니 놉흐며 샹월(霜月)이 늠늠ᄒᆞᆫ 듯, 하히지량(河海之量)을 가졋시니, 그 깁기을《불과‖불가(不可)》 탁냥(度量)이라. 한림이 심니의 더옥 탄복ᄒᆞ야 짐즛 문왈,

"ᄉᆡᆼ이 악가 드러오다 보ᄆᆡ 보지 못ᄒᆞ든 비직 잇시니 어ᄃᆡ셔 왓ᄂᆞᆫ니잇고?"

소져 나즉이 ᄃᆡ왈,

"쳡의 유모의 소ᄉᆡᆼ인고로 옥누항의셔 금일이야 오미로소이다."

한림이 졈두ᄒᆞ여 그 아ᄂᆞᆫ 바을 은익ᄒᆞ믈 우이 역이ᄂᆞ ᄉᆞᄉᆡᆨ지 아니코, 야심ᄒᆞᄆᆡ, 소져로 더부러 상요의 나아가고져 ᄒᆞ니, 소져 조모의 흉심을 모로지 아니ᄒᆞᄂᆞᆫ 고로, 자긔 비홍을 완젼ᄒᆞ여 타일 조모 본 ᄇᆡ 된 즉, 오히려 분긔 《들‖덜》ᄒᆞ련니와 불연 즉 급화을 볼지라. 문득 갈오ᄃᆡ,

"쳡이 ᄉᆞ문규슈로 ᄉᆞᆫᄉᆞ의 유락함과 반야의 흉젹의 난셜(亂說)이 하슈을 기우러도 씨지 못할지라. 만일 타일 몸의 흉누을 버셔ᄂᆞ미 잇실진ᄃᆡ, 녜ᄉᆞ 말과 갓기을 원ᄒᆞᄂᆞᆫ니, 군ᄌᆞᄂᆞᆫ 여ᄌᆞ의 미셰ᄒᆞᆫ 졍ᄉᆞ을【92】 슬피소셔."

한림이 젼일은 ᄐᆡ부인의 흉ᄉᆞ을 아지 못ᄒᆞ고, 다만 소져의 쳥ᄒᆞ미 구가을 위ᄒᆞ민가 ᄒᆞ엿더니, 금일 노쥬의 문답을 드른 후, ᄐᆡ부인을 통히ᄒᆞᄃᆡ, 소져 그 조모을 두려 이러틋 ᄒᆞ믈 보고 문득 졍ᄉᆡᆨ 왈,

"남ᄌᆞ 셩졍이 고히ᄒᆞ여 혹 쳐실을 원거(遠居)ᄒᆞ문 드러시ᄂᆞ, 녀ᄌᆞ 가부의 후졍(厚情)을 막줄나 말 만흐믄 ᄌᆞ 갓트니ᄂᆞᆫ 업술지라. 도젹의 흉언ᄑᆡ셜은 ᄂᆡ 임의 고지드르미 업고, 존당구괴 ᄯᅩ한 ᄌᆞ을 의심ᄒᆞ시미 업ᄉᆞ시니, 임의 구고와 가뷔 발히 아ᄂᆞᆫ ᄇᆡ여날, 엇지 이럿틋 《괴례‖괴려(乖戾)》ᄒᆞ뇨? 만일 ᄆᆡ양 이러틋 ᄒᆞᆯ진ᄃᆡ ᄉᆡᆼ과 다못 ᄌᆞ(子) 녹발이 쇠ᄒᆞ여 ᄇᆡᆨᄉᆞ(白絲)을 드리올 시졀의도 각거(各居)ᄒᆞ여 비홍을 머무러 두

969) 이시(移時)히 : 때[時]가 넘도록, 한참 동안.

러틋 홀딘디 싱과 다못 지(子) 녹발이 쇠호여 빅亽(白絲)를 드리올 시졀의도 각거(各居)호여 비홍을 머므러 두랴? 싱이 비록 용우호【55】나 당당훈 팔쳑대댱뷔(八尺大丈夫)라. 일녀주(一女子)의 졀제를 바다 구구치 아니리니, 모르미 부녀의 도를 휴손(虧損)치 말디어다."

언파의 미위(眉宇) 싁싁호여 츄상이 번득이고 亽긔 숙엄호여 댱녈(壯烈)훈 거동과 쥰위(峻威)훈 형상이 견주로뼈 한츌텸빈(汗出沾背)홀 빈라. 쇼졔 만시 뜻 굿지 못홈과 군주의 이러툿 호믈 크게 븟그려 옥면이 취홍호고 셩안이 미미히 가나라 다시 말을 못호니, 승졀훈 용안과 어리온 틱되 싱불(生佛)이라도 도라셔고, 텰셕댱심(鐵石壯心)이 농쥰(濃蠢)호믈941) 면치 못홀지라. 한님이 심니(心內)의 황홀긔익호믈 니긔지 못호여, 훈가지로 금니(衾裏)의 나아가미, 하히(河海) 엿고 태산이 나준 둧호여, 공경듕대호니 십亽 쇼년남오의【56】 춍명특달호미 이 굿더라. 한님이 추후 션월경 숙침이 빈빈호더라.

한님이 평싱 호식지심을 주억(自抑)지 못호여 미취젼(未娶前) 오창(五娼)을 유정호니, 굴온 형아·녹빈·치란·영월·향미라. 샹이 금평후의 튱효대지를 툥익(寵愛)호샤, 미창(美娼) 亽십을 샤급호시나, 뎡공이 미녀셩식을 블관이 아디 셩은이라 샤양치 못호여 후원 익월누를 곳쳐 졔창을 두엇더라.

추셜, 동평댱亽 양필광은 고문셰족(高門勢族)으로 사름되오미 개셰군지(蓋世君子)오, 튱현댱뷔(忠賢丈夫)라. 텬퉁이 만됴를 기우리고 됴애 츄앙호더라. 샤듕(舍中)의 부인 화시는 뇨됴유한(窈窕有閑)훈 숙네라. 부덕이 흡흡(洽洽)호니 평댱이 공경듕디호여 댱옥(璋玉)942)이 션션(詵詵)호여 여러 주녀를 두어시니, 녀오【57】 난염이 빈혀 솟기

941)농쥰(濃蠢) : 생각이나 욕구 따위가 왕성하게 꿈틀거림.

942)댱옥(璋玉) : '구슬'이란 뜻으로 '아들'을 달리 이르는 말. '구슬을 희롱하는 경사'라는 뜻의 농장지경(弄璋之慶)은 아들을 낳은 경사를 말한다.

랴? 싱이 비록 용우호나 당당훈 팔쳑디중부(八尺大丈夫)라. 일 여주의 졀제을 바다 구구치 아니리니 모로미 부여의 도을 《후손∥휴손(虧損)》 치 말지여다."

언파의 미위(眉宇) 썩썩호여 츄숭이 늠늠호고 亽긔 숙엄호여 《샹열∥쟝녈(壯烈)》훈 거동과 쥰위(峻威)훈 형숭이 견주로써 훈츌쳠비(汗出沾背)할 비라. 소져 만식 뜻 갓지 못함과 군주의 이러틋호믈 크게 붓그려 옥면니 취홍호고, 셩안이 미미히 가는[느]러 다시 말을 못호니, 승졀한【93】 용안과 어리러온 틱되 싱불(生佛)이라도 도라셔고, 쳘셕중심(鐵石壯心)이 농쥰(濃蠢)970) 호믈 면치 못할지라. 싱이 심니(心內)의 황홀긔익호믈 이긔지 못호여, 한가지로 금니(衾裏)의 나아가니, 하히(河海)엿고 틱순(泰山)니 누즌 듯호여 공경즁디호니, 십亽세 소연남아(少年男兒)의 총명특달호미 여추호더라.

한림이 추후는 션월당 숙침이 빈빈호며 평싱 호심(好心)971)을 주억(自抑)지 못호여 미취젼(未娶前) 오충(五娼)을 유졍호니, 갈온 형아·녹빙·치란·영월·향미라. 상이 금평후의 츙효디지을 총익호亽 미충(美娼) 亽십명을 亽급호시누, 뎡공이 미여셩식(美女聲色)을 불관이 아되, 셩은이라 밧즙다.

추시 양부의셔 혼인을 직촉호니 뎡공이 亽양치 안냐 신부예 비범할 쥴 혀아리고 허혼(許婚) 납빙(納聘)호니 길긔 지격(至隔)호니 슈슌(數旬)이라. 임의 길일이 다드르미 양공이 비록 텬금익녀(千金愛女)로 남의 호위의 굴(屈)호미 져기972) 저연(齟然)973)호나, 뎡주(鄭子) 갓튼 영쥰의 지실이 용용속

970)농쥰(濃蠢) : 생각이나 욕구 따위가 왕성하게 꿈틀거림.

971)호심(好心) : 호색지심(好色之心).

972)져기 : 적이. 꽤 어지간한 정도로.

973) 저연(齟然)하다】저어(齟齬)하다. 서어(齟齬)하다. 뜻이 맞지 아니하여 조금 서먹하다.

의943) 밋ᄎᆞ니, 옥모염ᄐᆡ(玉貌艶態) 뇨뇨작작(姚姚灼灼)ᄒᆞ여 텬궁(天宮) 다람홰944)오 츄공망월(秋空望月)945)이라. 공이 과ᄋᆡᄒᆞ여 너비 가셔(佳壻)를 ᄐᆡᆨᄒᆞ다가, 뎡한님 텬흥의 걸츌뇌락(傑出磊落)ᄒᆞ믈 흠션과듕(欽羨過重)ᄒᆞ여, ᄌᆡ실을 혐의치 아니ᄒᆞ고 구혼ᄒᆞ기를 간절이 ᄒᆞ니 금휘 쾌허ᄒᆞᆫ지라. 뎡한님의 풍신ᄌᆡ화(風神才華)를 과ᄋᆡ(過愛)ᄒᆞ고, 금후ᄂᆞᆫ ᄋᆞᄌᆞ의 호신(豪身)을 도도미 블가ᄒᆞ고 쳔금ᄌᆞ부의 뎍인(敵人)을 모호미 깃브지 아니나, 쇼져의 긔특ᄒᆞ미 뎍인을 무ᄉᆞ히 거나릴 거시오, 양공의 튱효여ᄆᆡᆨ(忠孝餘脈)이 비범ᄒᆞᆯ 줄 헤아리고, 허혼납빙(許婚納聘)ᄒᆞ니, 길긔지격슈슌(至隔數旬)이라. 임의 길일이 다ᄃᆞ르ᄆᆡ 양공이 비록 쳔금ᄋᆡ녀(千金愛女)로 남의 하위에 굴ᄒᆞ미 져기 괴연(怪然)ᄒᆞ나, 뎡ᄌᆞ ᄀᆞᆺᄐᆞᆫ 영쥰(英俊)의 ᄌᆡ【58】실이 용용속ᄌᆞ(庸庸俗子)의 원비의 비기지 못ᄒᆞᆯ디라. 만심쾌열(滿心快悅)ᄒᆞ여 혼구를 셩비ᄒᆞ여 길일을 ᄃᆡ후(待候)ᄒᆞ더라.

임의 길일이 님ᄒᆞ니 금휘 대연을 개장(開場)ᄒᆞ고 한님을 다리고 ᄂᆡ당의 드러와 길복(吉服)을 닙힐ᄉᆡ, 부인 왈,

"윤현부 취ᄒᆞᆯ ᄯᆡ 닙던 길복을 닙으라."

ᄒᆞ니, 좌우 빈ᄀᆡᆨ이 쇼왈,

"혼인의 길복을 ᄒᆞᆫ번 닙으면 다시 ᄡᅳ디 아니커ᄂᆞᆯ 엇디 낡은 길복을 ᄡᅳ리오."

부인이 쇼이답왈,

"그 관ᄃᆡ(冠帶)946) ᄉᆡᆨ(色)시 변치 아녀시니 이를 닙고 가미 무방토다."

한님이 ᄃᆡ왈,

"ᄒᆡᄋᆞ(孩兒)의 관복을 ᄆᆡ양 ᄌᆞ정의 념녀ᄒᆞ실 ᄇᆡ 아니니이다."

943)비녀 꽂기에 이르다 : 여성의 성년례인 계례(笄禮)를 행할 나이가 됨. 예전에, 여자가 15세가 되거나 약혼을 하게 되면 땋았던 머리를 풀고 쪽을 찌어 '계례'를 행하였다

944)다람화 : 다람쥐꽃.

945)츄공망월(秋空望月) : 맑은 가을하늘에 떠오른 보름달.

946)관ᄃᆡ(冠帶) : 관디. 전통혼례에서 신랑이 입는 예복.

ᄌᆞ(庸庸俗子)의 원비(元妃)의게 비기지 못ᄒᆞᆯ지라. 만심쾌열(滿心快悅)ᄒᆞ여 혼슈을 셩비ᄒᆞ여 길일을 ᄃᆡ후(待候)ᄒᆞ더라.

임의 길일리 임ᄒᆞᄆᆡ ᄃᆡ연을 ᄀᆡ증ᄒᆞ고 빈ᄀᆡᆨ을 취회할 ᄉᆡ, 날이 즁ᄎᆞ【94】 반오의 금휘 한림을 다리고 ᄂᆡ당의 드러와 길복을 입필 ᄉᆡ, 부인 왈,

"윤현부 취ᄒᆞᆯ ᄯᆡ 입든 길복을 입으라."

ᄒᆞ니, 좌즁 빈ᄀᆡᆨ이 소왈,

"혼인의 길복을 한번 입으면 다시 쓰지 아니커ᄂᆞᆯ 엇지 날근 길복을 쓰리오."

부인니 소이 답왈,

"그 관ᄃᆡ 츄ᄉᆡᆨ지 아냐시니 이을 입고 가미 무방토다."

한림니 ᄃᆡ왈,

"ᄒᆡᄋᆡ의 길복을 ᄆᆡ양 ᄌᆞ정의 염녜ᄒᆞ오실 ᄇᆡ 아니니이다."

딘부인이 쇼왈,

“너의 길의(吉衣)를 념녀ᄒᆞ미 아니라, 길복이 상치 아녀시니 또 ᄉᆡ거슬 아니ᄒᆞ엿노라.”

ᄒᆞᆯ ᄎᆞ(次), 쇼졔 유랑을 명【59】ᄒᆞ여 길복을 밧드러 좌듕의 노흐니, 태부인이 친히 ᄂᆡ여 좌듕의 ᄌᆞ랑 왈,

“나의 손부ᄂᆞᆫ 녀듕셩녀(女中聖女)라. 녀ᄌᆞ의 투긔ᄂᆞᆫ ‘칠거(七去)의 되(罪)’[947]어니와 엇지 ᄇᆡᆨᄉᆞ(百事)의 이러틋 신능(神能)ᄒᆞ여 사ᄅᆞᆷ이 밋쳐 ᄉᆡᆼ각지 못ᄒᆞᆯ 셩덕이 이실 줄 아라시리오. 텬흥이 므ᄉᆞᆷ 복으로 고왕금ᄂᆡ(古往今來)의 희한(稀罕)ᄒᆞᆫ 셩녀슉완(聖女淑婉)을 취ᄒᆞ엿ᄂᆞ뇨?”

좌듕 빈ᄀᆡᆨ이 졔셩갈치(齊聲喝采)ᄒᆞ여 하언(賀言)이 분분ᄒᆞ니 금휘 한가히 댱염(長髥)을 어로만져 쇼왈,

“ᄋᆞ부ᄂᆞᆫ 녀듕공ᄆᆡᆼ(女中孔孟)[948]이라 녀공지ᄉᆞ(女工之事)의 극진ᄒᆞ믈 족히 의논ᄒᆞ리오.”

태부인의 흔흔이 두굿기믈 마지 아니코 금휘 쇼져를 명ᄒᆞ여 한님의 길복을 ᄀᆞᆺ초아 보ᄂᆡ라 ᄒᆞᆫᄃᆡ, 쇼졔 슈명ᄒᆞ고 길복을 밧드러 봉관을 슉여 좌우를 감히 술피지【60】 못ᄒᆞ니, 한님이 몸을 움즉여 길복을 바들ᄉᆡ, 부뷔 갓가이 ᄃᆡᄒᆞᄆᆡ 신댱톄디(身長體肢) ᄂᆡ도ᄒᆞ나, 한님의 츄텬(秋天) ᄀᆞᆺᄐᆞᆫ 긔상과 쇼져의 난ᄌᆞ봉질(鸞姿鳳質)[949]이 더옥 초츌특이(超出特異)ᄒᆞ니 듕목(衆目)이 관광ᄒᆞ여 칭찬ᄒᆞ더라.

쇼졔 존젼의셔 한님의 관복(官服)[950]을 닙히ᄆᆡ 난안슈괴(赧顔羞愧)[951]ᄒᆞ믈 니긔지

947)칠거(七去)의 죄(罪) : 칠거지악(七去之惡). 예전에, 아내를 내쫓을 수 있는 이유가 되었던 일곱 가지 허물. 시부모에게 불손함(不順舅姑), 자식이 없음(無子), 행실이 음탕함(淫行), 투기함(嫉妬), 몹쓸 병을 지님(惡疾), 말이 지나치게 많음(多言), 도둑질을 함(竊盜) 따위이다.

948)녀듕공ᄆᆡᆼ(女中孔孟) : 여자 가운데 공자(孔子)・맹자(孟子)와 같은 성인.

949)난ᄌᆞ봉질(鸞姿鳳質) : 난새의 자태와 봉황의 기질.

950)관복(官服) : 관디. 옛날 벼슬아치들이 입던 공복(公服)이었는데, 이것을 혼례 때 신랑이 입었다.

진부인 소왈,

“너의 길의을 염네ᄒᆞ미 아니라, 길복이 상치 안냐시니 또 ᄉᆡ것술 무엇ᄒᆞ리 ᄒᆞ여 안니 ᄒᆞ엿노라.”

ᄒᆞᆯ ᄎᆞ, 소져 유랑을 명ᄒᆞ여 길복을 밧드러 좌중의 노흐니, ᄐᆡ부인이 친히 ᄂᆡ여 좌즁의 ᄌᆞ랑ᄒᆞ여 왈,

“나의 손부ᄂᆞᆫ 녀즁셩네(女中聖女)라. 녀ᄌᆞ의 투긔ᄂᆞᆫ ‘칠거(七去)의 죄(罪)’[974]연이와, 엇지 ᄇᆡᆨᄉᆞ(百事)의 이러틋 신능(神能)ᄒᆞ여 ᄉᆞ람의 밋쳐 ᄉᆡᆼ각지 못ᄒᆞᆯ 셩덕이 잇실 쥴 아라시○[오]. 텬흥이 무슴 복으로 고왕금ᄂᆡ의(古往今來) 희한(稀罕)한 셩네슉완(聖女淑婉)을 취ᄒᆞ엿ᄂᆞᆫ뇨?”

만ᄀᆡᆨ이 졔셩갈치(齊聲喝采)ᄒᆞ여 ᄒᆞ언(賀言)니 분분ᄒᆞ니 금후 한○[가]히 즁염(長髥)을 어로만져 소왈,

“아부ᄂᆞᆫ 녀즁공ᄆᆡᆼ(女中孔孟)[975]이라. 녀공지ᄉᆞ(女工之事)의 극진ᄒᆞ믈 족히 의논ᄒᆞ리오.”

ᄐᆡ부인이 흔흔히 두굿기믈 마지 아니코 금후 소졔을 명ᄒᆞ여 한림의 길【95】복을 갓초아 보ᄂᆡ라 한ᄃᆡ, 소져 슈명ᄒᆞ고 길복을 밧드러 봉관(鳳冠)을 슉여 좌우을 감히 술피지 못ᄒᆞ니, 한림이 몸을 움즉여 길복을 바들ᄉᆡ, 부뷔 갓가이 ᄃᆡᄒᆞᄆᆡ 신즁쳐지(身長體肢) ᄂᆡ도ᄒᆞ나, 한림의 츄쳔(秋天) 갓튼 긔샹(氣像)과 소져의 ᄂᆞᆫᄌᆞ봉질(鸞姿鳳質)[976]이 더옥 초츌특이(初出特異)ᄒᆞ니, 즁목(衆目)이 관광ᄒᆞ여 칭츤ᄒᆞ더라.

소져 존젼의셔 한림의 관복(官服)[977]을 입힐 ᄉᆡ ᄂᆞᆫ안슈괴(赧顔羞愧)[978]ᄒᆞ믈 이긔지

974)칠거(七去)의 죄(罪) : 칠거지악(七去之惡). 예전에, 아내를 내쫓을 수 있는 이유가 되었던 일곱 가지 허물. 시부모에게 불손함(不順舅姑), 자식이 없음(無子), 행실이 음탕함(淫行), 투기함(嫉妬), 몹쓸 병을 지님(惡疾), 말이 지나치게 많음(多言), 도둑질을 함(竊盜) 따위이다.

975)녀즁공ᄆᆡᆼ(女中孔孟) : 여자 가운데 공자(孔子)・맹자(孟子)와 같은 성인.

976)ᄂᆞᆫᄌᆞ봉질(鸞姿鳳質) : 난새의 자태와 봉황의 기질.

977)관복(官服) : 관디. 옛날 벼슬아치들이 입던 공복(公服)이었는데, 이것을 혼례 때 신랑이 입었다.

못ᄒᆞ여, 셩안(星眼)이 나즉ᄒᆞ고 취미졔졔(翠眉齊齊)[952]ᄒᆞ여 슈식(羞色)이 뉴츌(流出)ᄒᆞ니, 팔ᄌᆞ츈산(八字春山)이 졔졔(齊齊)히 나즉ᄒᆞ고 취홍(醉紅)ᄒᆞ믈 띄여시니, 어리온 거동이 더옥 ᄲᅢ혀나고 아름다오니, 졔빈(諸賓)이 흠복ᄒᆞ믄 니르지 말고 한님의 긔ᄃᆡ허심(期待許心)ᄒᆞ믄 ᄌᆡ기듕(在其中)이라.

쇼제 임의 길복 셤기기를 맛ᄎᆞᄆᆡ 한님이 존당부모긔 하딕ᄒᆞ고, 금안빅ᄆᆞ(金鞍白馬)[953]의 허다요ᄀᆡᆨ(許多繞客)을 거ᄂᆞ려 고악(鼓樂)이 훤텬(喧天)ᄒᆞ여 양【61】부의 니르니, 이 날 양평댱 부듕의셔 대연을 진셜ᄒᆞ고 빈ᄀᆡᆨ을 취회(聚會)ᄒᆞ니 화려ᄒᆞ미 뎡부와 다르미 업더라.

한님이 옥상(玉床)의 홍안(鴻雁)을 젼ᄒᆞ고 신부의 샹교(上轎)를 기다릴ᄉᆡ, 슈랑(秀朗)ᄒᆞᆫ 풍치와 쇄락ᄒᆞᆫ 용홰 볼ᄉᆞ록 긔이ᄒᆞ니, 만당제빈이 졔셩갈치ᄒᆞ여 쾌셔 어드믈 하례ᄒᆞ니, 공이 슌슌 응답ᄒᆞ더라 신뷔 금뉸(金輪)의 오르니 한님이 금쇄(金鎖)를 드려 봉교(封轎)ᄒᆞ기를 맛고, 본부의 도라와 쳥듕의셔 합환교빅(合歡交拜)[954]ᄒᆞ고 신뷔 조뉼(棗栗)을 밧드러 구고존당의 딘헌(進獻)홀ᄉᆡ 이 ᄯᅩᄒᆞᆫ 세속홍분(世俗紅粉)의 범범ᄒᆞᆫ 미ᄉᆡᆨ(美色)이 아니라. 뉴미월익(柳眉月額)의 셩안화험[협](星眼花頰)이오 단슌호치(丹脣皓齒) 교결(皎潔)ᄒᆞ니 존당구괴 대열ᄒᆞ여 녜파의 금평휘 흔연 무ᄋᆡ(撫愛) 왈,

"신부ᄂᆞᆫ 고문대【62】가의 ᄉᆡᆼ츌(生出)노 부덕이 가작홀디라. 돈ᄋᆞ의 원비 윤시 셩힝슉덕이 [955]고ᄌᆞ(古者) 셩녀(聖女)의 븟그럽지 아니니, 셔로 화우ᄒᆞ고 금일 쳐음으로 보ᄂᆞᆫ 녜를 일치 말나."

신뷔 ᄌᆡ빅슈명ᄒᆞ고 윤쇼져를 향ᄒᆞ여 ᄌᆡ빅

---

951)난안슈괴(赧顔羞愧) : 부끄럽거나 창피하여 얼굴색이 붉어짐.

952)취미졔졔(翠眉齊齊) : 푸른 눈썹이 가지런함.

953)금안빅ᄆᆞ(金鞍白馬) : 금으로 꾸민 안장(鞍裝)을 두른 흰말.

954)합환교빅(合歡交拜) : 대례에서 신랑신부가 합환주(合歡酒)를 마시는 의례와 교배(交拜)를 하는 의례를 함께 이르는 말.

955)고ᄌᆞ(古者) : 옛날.

못ᄒᆞ여 셩안(星眼)니 ᄂᆞ족ᄒᆞ고 취미졔졔(翠眉齊齊)[979]ᄒᆞ여 슈식(羞色)이 유츌(流出)하니 팔ᄌᆞ츈ᄉᆞᆫ(八字春山)이 ᄂᆞ족ᄒᆞᄃᆡ, 옥면(玉面)이 취홍(醉紅)ᄒᆞ믈 띄엿시니 어려온 거동이 더옥 ᄲᅢ혀ᄂᆞ고 아람다온지라, 제빈(諸賓)니 흠복ᄒᆞ믄 니르지 말고 한림의 긔ᄃᆡ허심(期待許心)ᄒᆞ믄 ᄌᆡ긔즁(在其中)이라.

소져 임의 길복을 셤기기을 맛ᄎᆞᄆᆡ, 한림이 존당부모긔 하직고 금안빅마(金鞍白馬)[980]의 허다요ᄀᆡᆨ(許多繞客)을 거ᄂᆞ려 양부의 이르니, 이날 양평장 부즁의셔 ᄃᆡ연을 진셜(陳設)ᄒᆞ고 빈ᄀᆡᆨ(賓客)을 취회(聚會)ᄒᆞ니 화려ᄒᆞ미 뎡부와 다르미 업더라.

한림이 옥샹(玉床)의 홍안(鴻雁)을 젼ᄒᆞ고 신부의 샹교(上轎)을 기ᄃᆞ릴 ᄉᆡ, 쇄락(灑落)ᄒᆞᆫ 풍치 볼ᄉᆞ록 긔히ᄒᆞ니, 만당졔빈니 졔셩갈치ᄒᆞ여 쾌셔 어드믈 ᄒᆞ례(賀禮)ᄒᆞ니, 공이 슌슌응답ᄒᆞ더라. 신부 금윤(金輪)의 오르니 한림이 금쇄(金鎖)을 드러 봉교(封轎)ᄒᆞ기을 맛고, 본부의 도라와 청즁의셔 합환교빅(合歡交拜)[981]ᄒᆞ고 신부 다시 단중을 곳쳐 조율(棗栗)을 밧드러 존당구고게 현알(見謁)홀ᄉᆡ, 이 ᄯᅩ한 세속홍분(世俗紅粉)의 범범한 미ᄉᆡᆨ이 아니라. 뉴미셜익(柳眉雪額)의 셩안화협(星眼花頰)이오 단슌호치(丹脣皓齒) 교결(皎潔)ᄒᆞ니 존당구괴 ᄃᆡ열ᄒᆞ여 녜파(禮罷)의 금평휘 흔연 무ᄋᆡ(撫愛) 왈,

"신부ᄂᆞᆫ 고문ᄃᆡ가의 ᄉᆡᆼ츌(生出)노 부덕이 가족ᄒᆞᆫ지라. 돈아의 원비 윤시 셩힝슉덕이 셩녀(聖女)의 붓그럽지 아니니, 셔로 화우ᄒᆞ고 금일 쳐음으로 보ᄂᆞᆫ 네(禮)을 일치 말나."

신뷔 ᄌᆡ비 슈명ᄒᆞ고 윤시을 힝ᄒᆞ여 ᄌᆡ빅

---

978)ᄂᆞᆫ안슈괴(赧顔羞愧) : 부끄럽거나 창피하여 얼굴색이 붉어짐.

979)취미졔졔(翠眉齊齊) : 푸른 눈썹이 가지런함.

980)금안빅ᄆᆞ(金鞍白馬) : 금으로 꾸민 안장(鞍裝)을 두른 흰말.

981)합환교빅(合歡交拜) : 대례에서 신랑신부가 합환주(合歡酒)를 마시는 의례와 교배(交拜)를 하는 의례를 함께 이르는 말.

하니, 윤쇼졔 답네ᄒᆞ고 태부인이 깃브믈 니긔지 못ᄒᆞ여 신부를 나아오라 ᄒᆞ여 어로만져 칭찬 왈,

"여등(汝等)이 ᄉᆞ문녀ᄌᆞ(士門女子)로 텬ᄋᆞ의 빅위 되여 외모긔질이 노모의 바란 밧기라. 윤현부ᄂᆞᆫ 상두의 거ᄒᆞ여 아황(娥皇)[956]의 놉흔 셩덕을 본밧고, 양쇼부ᄂᆞᆫ 녀영(女英)[957]의 온슌ᄒᆞ믈 효측ᄒᆞ여 셔로 화목ᄒᆞ라."

이인이 복슈쳥교(伏首聽敎)의 빅샤슈명ᄒᆞ니 신부ᄂᆞᆫ 더옥 연연작작(娟娟灼灼)ᄒᆞ여 츈원(春園)의 도리홰(桃李花) 미개(未開)흠 ᄀᆞᆺ트여 셰샹ᄉᆞ를 아ᄂᆞᆫ 듯【63】 모로ᄂᆞᆫ 듯, 윤쇼져의 츄텬이 의의(儀儀)ᄒᆞ고 졔월(霽月)이 쇄쇄(灑灑)ᄒᆞ여 츄샹텬(秋霜天)을 낫게 넉이고, 츈공운(春空雲)의 곱지 못ᄒᆞ믈 나모라니, 아룸답고 ᄊᆡ혀나미 ᄉᆞ군ᄌᆞ(士君子) 녈댱부(烈丈夫)로 흡ᄉᆞᄒᆞ니, 신부의 미려(美麗)ᄒᆞ믈 보ᄃᆡ, 힝혀 ᄌᆞ긔 ○○[투긔] 아니믈 ᄉᆞ식(辭色)ᄒᆞ여 예셩(譽聲)을 ᄌᆞ구(自求)치 아냐, ᄉᆞ긔(辭氣) 타연ᄒᆞ고[958] 안식이 여일(如一)ᄒᆞ여 여화츈풍(如和春風)이라. 신부의 션연뇨라(嬋妍姚娜)ᄒᆞ미 셰고무비(歲古無比)ᄒᆞ나, 엇지 윤쇼져의 빅미쳔염(百美千艶)의 셩ᄌᆞ광휘를 바라리오. 빈긱이 제셩갈치ᄒᆞ여 존문늉복을 일ᄏᆞ라 복복칭찬(卜卜稱讚)[959]ᄒᆞ니, 태부인과 금후 부뷔 좌슈우응(左酬右應)의 흔연 화답ᄒᆞ여, 일모(日暮)의 졔긱이 각귀(各歸)ᄒᆞ미, 신부 숙소를 션월졍 ᄀᆞᆺᄀᆞ온 ᄃᆡ 셜미졍의 뎡ᄒᆞ다.

956)아황(娥皇) : 순임금의 비(妃). 요임금의 딸로 동생 여영(女英)과 함께 순임금에게 시집가 서로 투기하지 않고 화목하게 잘 살았으며, 순임금이 창오(蒼梧)에서 죽자 함께 소상강(瀟湘江)에 빠져 죽었다.

957)녀영(女英) : 순임금의 비(妃). 요임금의 딸로 언니 여영(女英)과 함께 순임금에게 시집가 서로 투기하지 않고 화목하게 잘 살았으며, 순임금이 창오(蒼梧)에서 죽자 함께 소상강(瀟湘江)에 빠져 죽었다.

958)타연ᄒᆞ다 : 태연(泰然)하다.

959)복복칭찬(卜卜稱讚) : 여기저기서 어지럽게 칭찬이 끊이지 않음. '복복(卜卜)'은 딱따구리가 나무를 쪼는 소리를 흉내 낸 말.

ᄒᆞ니, 윤소져 답네ᄒᆞ고 틱부인이 깃부믈 이긔지 못ᄒᆞ여 신부을 나오라 ᄒᆞ여 어로만져 칭츤 왈,

"여등(汝等)이 ᄉᆞ문녀(士門女)로 텬아의 빅위되미 외모긔질이 노모의 바란 밧긔라. 윤현부ᄂᆞᆫ 상두의 거ᄒᆞ여 아황(娥皇)[982]의 놉흔 셩덕을 본밧고, 양소부ᄂᆞᆫ 여영(女英)[983]의 온슌ᄒᆞ믈 효측ᄒᆞ여 셔로 화우ᄒᆞ여 지닉라."

이인니 빅ᄉᆞ슈명ᄒᆞ니, 신부ᄂᆞᆫ 더옥 연연작작(娟娟灼灼)ᄒᆞ여 츈원(春園)의 도리홰(桃李花) 미기(未開)함 갓트여 셰숭ᄉᆞ을 아ᄂᆞᆫ 듯 모로ᄂᆞᆫ 듯, 윤소져의 츄쳔이 의의(儀儀)ᄒᆞ고 제월(霽月)이 《픠픠‖퍼퍼(表表)》ᄒᆞ여 츄샹쳔(秋霜天)을 낫게 역이고, 추공운(秋空雲)의 곱지 못ᄒᆞ믈 나모라 ᄒᆞ니, 아람답고 ᄲᅢ혀나미 ᄉᆞ군ᄌᆞ(士君子) 열증부(烈丈夫)로 흡ᄉᆞᄒᆞ니, 신부의 미려(美麗)ᄒᆞ믈 보ᄃᆡ, 힝혀 ᄌᆞ긔 투긔 아니믈 ᄉᆞ식(辭色)ᄒᆞ여 에셩(譽聲)을 ᄌᆞ구(自求)치 아냐, ᄉᆞ긔(辭氣) 타연ᄒᆞ고[984] 안식이 여일(如一)ᄒᆞ여 여화츈풍(如和春風)이라. 신부의 션연요라(嬋妍姚娜)ᄒᆞ미 세고무비(歲古無比)ᄒᆞ나, 엇지 윤소져의 빅미쳔염(百美千艶)의 셩ᄌᆞ광휘을 바라리오. 빈긱이 제셩갈치ᄒᆞ여 존문융복을 일커러 복복칭찬(卜卜稱讚)[985]ᄒᆞ니, 틱부인이 좌슈우응(左酬右應)의 츄호을 ᄉᆞ양치 아니ᄒᆞ고 평후 부부 화열ᄉᆞᄉᆞ(和悅謝辭)ᄒᆞᄃᆡ 쥬인의 질김과 제긱의 ᄒᆞ언(賀言)니 빗치 잇셔 종일진환(終日盡歡)ᄒᆞ여 날이 느즌 쥴 모로고 분분ᄒᆞ고, 깁부미 일실의 가득ᄒᆞ여

982)아황(娥皇) : 요임금의 딸로 동생 여영(女英)과 함께 순임금에게 시집가 서로 투기하지 않고 화목하게 잘 살았으며, 순임금이 창오(蒼梧)에서 죽자 함께 소상강(瀟湘江)에 빠져 죽었다.

983)여영(女英) : 순임금의 비(妃). 요임금의 딸로 언니 아황(蛾黃)과 함께 순임금에게 시집가 서로 투기하지 않고 화목하게 잘 살았으며, 순임금이 창오(蒼梧)에서 죽자 함께 소상강(瀟湘江)에 빠져 죽었다.

984)타연ᄒᆞ다 : 태연(泰然)하다.

985)복복칭찬(卜卜稱讚) : 여기저기서 어지럽게 칭찬이 끊이지 않음. '복복(卜卜)'은 딱따구리가 나무를 쪼는 소리를 흉내 낸 말.

시야의【64】 한님이 셜ᄆᆡ졍의 니르러 양쇼져의 졀셰무비(絶世無比)ᄒᆞ믈 보고 흔연이 말ᄉᆞᆷ을 펴 왈,

“ᄉᆡᆼ은 브ᄌᆡ박덕(不才薄德)이어ᄂᆞᆯ 악댱의 지우(知遇)를 닙ᄉᆞ와 ᄌᆞ(子)로ᄡᅧ ᄌᆡ취의 나ᄌᆞ믈 혐의치 아니시니, 지우지은(知遇之恩)을 감샤ᄒᆞ고, ᄉᆡᆼ의 조강(糟糠)[960]이 ᄀᆞ장 현슉ᄒᆞ니 나의 ᄂᆡ조(內助)를 빗닐디라. 엇지 다ᄒᆡᆼ치 아니리잇고.”

양쇼졔 슈용뎡금(修容整襟)ᄒᆞ여 묵연브답(黙然不答)ᄒᆞ니 쳔연ᄂᆡᆼ담(天然冷淡)ᄒᆞᆫ 거동이 옥ᄆᆡ(玉梅) 납셜(臘雪)[961]을 씌여시며, 호월(晧月)이 상빙(霜氷)의 빗쵬 ᄀᆞᆺᄐᆞ니 ᄉᆡᆼ이 기리 함쇼ᄒᆞ여, 야심ᄒᆞᄆᆡ ᄒᆞᆫ가지로 나위(羅幃)예 나아가니 은ᄋᆡ(恩愛) 취듕(取重)ᄒᆞ더라. 양쇼졔 머믈ᄆᆡ 슉흥야ᄆᆡ(夙興夜寐)ᄒᆞ고 화우슉ᄆᆡ(和友叔妹)ᄒᆞ여 윤쇼져ᄂᆞᆫ 샹빈(上賓) ᄀᆞᆺ치 ᄒᆞ고, 양시【65】ᄂᆞᆫ 엄ᄒᆞᆫ ᄉᆞᄉᆡᆼ[962] ᄀᆞᆺ치 ᄒᆞ여 공경ᄒᆞ고 친ᄋᆡᄒᆞ더라. 한님이 냥개(兩個) 슉녀를 공경듕ᄃᆡᄒᆞ고 양시를 ᄋᆡ듕ᄒᆞ나, ᄀᆡ위(氣威) 심침(深沈)[963]ᄒᆞᆫ 고로 ᄉᆞᄉᆡᆨ의 낫타나미 업ᄉᆞ니, 양쇼졔 ᄉᆞ실의 ᄃᆡᄒᆞ나 엄ᄒᆞᆫ 군신 ᄀᆞᆺ치 ᄒᆞ니, 존당과 부뫼 깃거ᄒᆞ나, 다만 윤쇼져의 간졀ᄒᆞᆫ 심우(心憂)와 졀박ᄒᆞᆫ 념녜(念慮) 옥뉘(玉淚) 방

960)조강(糟糠) : 조강지처(糟糠之妻). 지게미와 쌀겨로 끼니를 이을 때의 아내라는 뜻으로, 몹시 가난하고 천할 때에 고생을 함께 겪어 온 아내를 이르는 말. ≪후한서≫의 <송홍전(宋弘傳)>에 나오는 말이다.

961)납셜(臘雪) : 납일(臘日)에 내리는 눈. 납일은 민간이나 조정에서 조상이나 종묘 또는 사직에 제사 지내던 날. 동지 뒤 셋째 미일(未日)에 지냈다.

962)스싱 : 스승.

963)심침(深沈) : 깁숙하고 조용함.

일모(日暮)ᄒᆞᄂᆞᆫ 쥴 ᄭᆡ닷지 못ᄒᆞ고, 소져의 ᄇᆡᆨ염ᄌᆞᄐᆡ(百艶姿態)을 복복탄샹(卜卜歎賞)ᄒᆞ여 ᄒᆞᄀᆡᆨ(賀客)이 분분ᄒᆞ니, 금후 좌슈우응(左酬右應)○○[하여] ᄒᆞ언을 조금도 ᄉᆞ양치 아니며 흔연 화답ᄒᆞ고, 임의 일ᄉᆡᆨ이 셔령[령](西嶺)의 기울ᄆᆡ, 신부 슉소을 션월졍 갓가온 셜ᄆᆡ졍의 졍ᄒᆞ여 보ᄂᆡ니, 한림이 셜ᄆᆡ졍의 이르러 양소져의 졀셰ᄒᆞᆫ ᄀᆡ질을 보ᄆᆡ 흔연이 말을 펴 갈오ᄃᆡ,

“ᄉᆡᆼ은 용우ᄌᆡ박(庸愚才薄)으로 무일가취(無一可取)여ᄂᆞᆯ 악즁의 지우(知遇)을 입ᄉᆞ와 ᄌᆡ실을 혐의치 아니시고 ᄌᆞ(子)로ᄡᅧ 좌ᄎᆞ(座次) ᄂᆞ지믈 도라보지【98】 아니시고 동ᄉᆞᆼ(東床)을 허ᄒᆞ시니, 지우지은(知遇之恩)을 감ᄉᆞᄒᆞ고, ᄉᆡᆼ의 조강(糟糠)[986]이 현슉ᄒᆞ니 ᄉᆡᆼ의 ᄂᆡ조(內助)을 빗닐지라. 엇지 다ᄒᆡᆼ치 아니리오.”

양소져 슈용졍금(修容整襟)ᄒᆞ야 묵연부답(黙然不答)이여ᄂᆞᆯ, ᄉᆡᆼ이 ᄀᆡ리 함소ᄒᆞ고 야심ᄒᆞᄆᆡ ᄒᆞᆫ가지로 나위(羅幃)의 ᄂᆞ아가니 은졍이 여산약ᄒᆡ(如山若海)ᄒᆞᆫ지라. 양시 인ᄒᆞ여 슉흥야ᄆᆡ(夙興夜寐)ᄒᆞ여 윤소져을 ᄯᅥ러지지 아냐, 윤소져 위ᄒᆞᄂᆞᆫ 마음이 존고 버금이오, 친ᄋᆡᄒᆞᄂᆞᆫ 졍인 즉 동복친형졔(同腹親兄弟) 갓고, 윤소져 ᄯᅩᄒᆞᆫ 양시 위ᄒᆞᆫ 마음이 혈심ᄋᆡᄃᆡ(血心愛待) ᄒᆞ야 샹비(湘妃)[987]의 화목ᄒᆞᄂᆞᆫ 풍치○○[잇셔], 규문이 ᄆᆞᆰ기 징쳥(澄淸)ᄒᆞ고 화ᄒᆞ미 츈풍 갓트니, 뎡한림이 슉여(淑女)을 쌍으로 두고 금슬우지(琴瑟友之)[988]의 죵고낙지(鐘鼓樂之)[989]ᄒᆞᄆᆡ 윤시

986)조강(糟糠) : 조강지처(糟糠之妻). 지게미와 쌀겨로 끼니를 이을 때의 아내라는 뜻으로, 몹시 가난하고 천할 때에 고생을 함께 겪어 온 아내를 이르는 말. ≪후한서≫의 <송홍전(宋弘傳)>에 나오는 말이다.

987)샹비(湘妃) : 순임금의 두 비(妃) 아황(娥皇)과 여영(女英)을 말함. 순임금이 창오에서 죽은 뒤 상수(湘水)에 빠져 죽어 ‘상비’라 이르기도 한다.

988)금슬우지(琴瑟友之) : ‘거문고와 비파를 타며 서로 사귄다’는 뜻으로 『시경』<국풍> ‘관저(關雎)’편에 나오는 시구.

989)죵고낙지(鐘鼓樂之) : 종과 북을 치며 서로 즐긴다는 뜻으로 『시경』<국풍> ‘관저(關雎)’편에 나오는 시구.

방(滂滂)이 화싀(花顋)[964]를 적실 ᄯᅳᆫ이더라.

어시의 위시 ᄋᆞᄌᆞ와 구시 업ᄉᆞ니 가듕 ᄂᆡ외의 가찰(苛察)ᄒᆞᆫ 호령과 싀호ᄉᆞ셩(豺虎嗄聲)으로 ᄂᆡ외를 총단(總斷)ᄒᆞ며 뉴시의 묘ᄒᆞᆫ ᄭᅬ와 긔특ᄒᆞᆫ ᄌᆡ조로 일비지력(一臂之力)을 도으ᄆᆡ 요음(妖淫)ᄒᆞᆫ 계괴 아니 밋츤 곳이 업셔, 음식의 독약을 너허 냥공ᄌᆞ를 먹으라 ᄒᆞᆫᄃᆡ, 냥공ᄌᆞ의 신명예텰(神明睿哲)ᄒᆞ므로 모르지 아니 【66】 ᄒᆞᄃᆡ 엇디 감히 거역ᄒᆞ리오. 마지 못ᄒᆞ여 먹고 즉시 나와 ᄒᆡ독약(解毒藥)을 먹어 구토(嘔吐)ᄒᆞ고 인ᄒᆞ여 ᄉᆞ오일 신음ᄒᆞ다가 ᄌᆞ연 나아 신셩의 참예ᄒᆞ니, 위흉과 뉴녀의 통한분노(痛恨憤怒)ᄒᆞ미 ᄀᆡᆼ가일층(更可一層)이라. 출하리 조르고 두려 ᄌᆞ딘(自盡)키를 ᄇᆞ라ᄂᆞᆫ디라. 평일 조부인을 굿ᄐᆞ여 난타ᄒᆞᄂᆞᆫ 일은 업더니, 뉴녜 존고를 도도아 온가지로 참소ᄒᆞ여 일마다 악힝을 도으니, 위시 졈졈 흉포ᄒᆞ여 태우와 구패 나간 후 일삭이 계오 디나ᄆᆡ, 친히 ᄆᆡ를 들고 조부인긔 다라드러 차마 못ᄒᆞᆯ 말노 욕ᄒᆞ며 치기를 낭ᄌᆞ(狼藉)히 ᄒᆞ니, 쳐음은 광텬형뎨 아지 못ᄒᆞ더니 여러 번이 되ᄆᆡ 엇지 모르리오. 태부인이 조부인의 운발을 ᄭᅳ러잡고 금 【67】 쳑(金尺)을 드러 두골노브터 나리치며 슈죄(數罪)ᄒᆞᆫᄃᆡ, 간부를 드러와 화락ᄒᆞ고 상셔의 죽으믈 슬허 아닛ᄂᆞᆫ다 ᄒᆞ며, 광텬과 희텬은 윤시 골육이 아니오 간부의 ᄌᆞ식이라 ᄒᆞ여, ᄎᆞ마 듯지 못ᄒᆞᆯ 말을 무슈히 ᄒᆞᄂᆞᆫ디라.

공ᄌᆡ 맛ᄎᆞᆷ 드러와 ᄎᆞ경을 보고 모친을 븟드러 실셩톄읍ᄒᆞ며, 희텬은 조모의 손을 잡아 모친의 두발을 플녀ᄒᆞᄆᆡ, 광텬은 금쳑을 공경ᄒᆞ며 양시을 ᄋᆡ중ᄒᆞ여 은졍이 깁흐나, ᄉᆞ람되오미 엄위쥰열(嚴威峻烈)ᄒᆞ여 속마음을 밧긔 나타ᄂᆡ지 아니무로, 윤·양 이 소져 더옥 조심ᄒᆞ여 ᄉᆞ실의 거ᄒᆞ여 녜모(禮貌)을 잡으미 군신간 갓트니, 존당구괴 크게 두굿겨 양부(兩婦)을 ᄉᆞ랑ᄒᆞ미 조금도 친여(親女)의 나리지 아냐 은은ᄋᆡ즁(殷殷愛重)ᄒᆞ더라.

어시의 윤부의셔 ᄐᆡ부인이 ᄐᆡ우 나가고 구파 업ᄉᆞ니 ᄯᅢ을 어더ᄂᆞᆫ지라. 뉴시로 더부러 흉심이 극악ᄒᆞ여 계교(計巧) 《아닌‖아니 밋촌》 곳지 업셔, 음식 가온ᄃᆡ 독약을 너허 냥 공ᄌᆞ을 먹이니, 냥 공ᄌᆡ의 총명이 신긔ᄒᆞ미 능 【99】 히 긔싀을 스치고 음식의 독이 잇시믈 아라 먹지 아니려 ᄒᆞ나, 위·뉴의 강박ᄒᆞ여 먹이ᄆᆡ 부득이 먹고 즉시 ᄂᆞ와 ᄒᆡ독약(解毒藥)을 먹으ᄆᆡ, 문득 비위(脾胃) 거ᄉᆞ려 ᄃᆡ통(大痛)ᄒᆞ고, ᄉᆞ오일을 고통ᄒᆞ여 능히 니러나지 못ᄒᆞ다가 잠간 {ᄃᆡ셔} ᄂᆞ으ᄆᆡ 신혼셩졍(晨昏省定)을 폐(廢)치 아니니, 위ᄐᆡ와 뉴시 실계(失計)ᄒᆞ고 분완통히ᄒᆞ여, ᄎᆞ라리 못견ᄃᆡ도록 봇치여 ᄌᆞ진키을 바라ᄂᆞᆫ지라. 평일 조부인은 굿ᄒᆞ여 난타(亂打)ᄒᆞ미 업더니, 뉴간(柳奸)[990]이 존고을 온 가지로 ᄭᅬ오고 도도와 일마다 악힝을 도도니, 위ᄐᆡ 졈졈 흉완ᄒᆞ여 ᄐᆡ우와 구파 ᄂᆞ간지 일ᄉᆞᆨ이 게오지ᄂᆡᄆᆡ, 위흉이 친히 ᄆᆡ을 들고 조부인긔 드리다라 온가지로 슈죄(數罪)ᄒᆞ고 치기을 낭ᄌᆞ(狼藉)히 ᄒᆞ니, 쳐음은 광텬 형졔 아지 못ᄒᆞ다가 여러 번이 되ᄆᆡ 엇지 모로리오. 잇ᄯᅢ ᄐᆡ부인니 조부인의 운발(雲髮)을 써드러 즙고 금쳑을 드러 두골노븟터 나리《울리며‖치며》 슈죄(數罪)ᄒᆞᄃᆡ, '간부을 ᄉᆞ통ᄒᆞ여 화락ᄒᆞ고 상셔의 쥭으믈 슬허 아닌ᄂᆞᆫ다' ᄒᆞ여, 광텬 형졔 윤시 골육이 아니요, 간부의 ᄌᆞ식이라 ᄒᆞ며, ᄎᆞ마 듯지 못ᄒᆞᆯ 더러온 말이 무슈ᄒᆞᆫ지라.

ᄎᆞ시 공ᄌᆡ 형졔 마ᄎᆞᆷ 드러오다가 이 경상 【100】 을 보고, 모친을 븟드러 실셩쳬읍ᄒᆞ

964)화싀(花顋) : 꽃처럼 예쁜 뺨.

990)뉴간(柳奸) : 윤수의 처 유(柳)씨를 달리 일컫는 말.

(金尺)을 아사 더지고, 분분훈 사식이 업지 아냐 왈,

"대뫼(大母) 비록 포려(暴戾)ᄒᆞ시나 ᄌᆞ위 하류쳔인이 아니어ᄂᆞᆯ 계부 님힝의 이런 일을 마르쇼셔 천번이나 간걸(懇乞)ᄒᆞ시니, 대뫼 흐르ᄂᆞᆫ ᄃᆞ시 ᄃᆡ답ᄒᆞ시더니, 계뷔 나가션지 일삭(一朔)이 못ᄒᆞ여 가듕의 ᄌᆡ변을 니르혀고져 ᄒᆞ시【68】니, 아지못거이다, 우리 모ᄌᆡ ᄉᆞ라셔 대모긔 므ᄉᆞᆫ ᄒᆡ로온 일이 잇ᄂᆞ니잇고? 대뫼 목강(穆姜)의 인ᄌᆞᄒᆞ믈 본밧지 아니시고 패도(覇道)를 슝상ᄒᆞ시니, 쇼손 등이 즉긱의 죽어 대모의 ᄆᆞ음을 맛치고져 ᄒᆞ오나, ᄎᆞ마 못ᄒᆞᄂᆞᆫ 바ᄂᆞᆫ ᄌᆞ모의 외로온 졍니와 계부의 ᄌᆞ익를 져바리지 못ᄒᆞ고 조션혈식(祖先血食)965)을 긋지 못ᄒᆞ여 구구히 ᄉᆞᆯ기를 바라ᄂᆞᆫ ᄇᆡ라. 대뫼 일분도 덕을 닥지 아니시고 졈졈 이 디경(地境)이 밋ᄎᆞ시니, 우리 집 변고ᄂᆞᆫ 블가ᄉᆞ문어타인(不可使聞於他人)966)이라. 일가(一家)의 며나리 유죄ᄒᆞᄆᆡ 영츌(永黜)ᄒᆞᄂᆞᆫ 법은 잇거니와, 친히 쇠와 남굴 혜지 아냐 혈육이 상ᄒᆞ도록 난타ᄒᆞ믄 대모긔 쳐음으로 난 법이라. ᄌᆞ뫼팔ᄌᆡ 괴이ᄒᆞ샤, 남의 업슨【69】 지통을 품으시나 셩효덕힝이 무흠ᄒᆞ시거ᄂᆞᆯ, 무죄훈 며나리를 이리ᄒᆞ시미 대모의 태악(太惡)이 ᄎᆞ악(嗟愕)지 아니리잇가?"

언파의 머리를 두다려 실셩통곡ᄒᆞ니 ᄇᆡᆨ년용화(白蓮容華)의 누싊(淚水) 삼삼ᄒᆞ여 옷ᄉᆞᆯ 젹시고 쳐졀훈 곡셩은 셕목이 감동ᄒᆞᆯ디라. 태부인이 희텬은 ᄌᆞ긔 손을 잡아 그 모친 두발을 프러ᄂᆡ고 쳬읍익걸(涕泣哀乞)ᄒᆞ여 ᄌᆞ모 ᄃᆡ신의 죄 닙어지라 쳥ᄒᆞ거ᄂᆞᆯ, 광텬의 분격훈 말숨이 ○○[ᄌᆞ긔] 심폐를 닐너 두리미 젹으믈 보니, 대로대분(大怒大憤)ᄒᆞ여 부인을 노코 광텬의게 다라드러 겻틔 칙상을 드러 광텬을 무슈 난타ᄒᆞ니, 공ᄌᆡ 가듕

며 희텬은 조모의 손을 잡아 모친의 두발을 즙아 풀녀ᄒᆞ고, 광텬은 금편(金鞭)을 아사 더지고 분분훈 사식이 업지 안냐 갈오ᄃᆡ,

"대뫼 비록 포험(暴險)ᄒᆞ시ᄂᆞ 모친이 ᄒᆞ류쳔인니 아니여ᄂᆞᆯ 이러틋 난타ᄒᆞ시오니, 슉부 임힝의 염녀(念慮)ᄒᆞᄉᆞ 부탁ᄒᆞ시니 대뫼 흐르난드시 ᄃᆡ답ᄒᆞ시고, 이졔 슉뷔 ᄂᆞ아 가신지 일ᄉᆞᆨ이 못ᄒᆞ여 가즁의 변괴을 이르혀고져 ᄒᆞ시니, 아지 못거이다. 우리 모ᄌᆡ ᄉᆞ라셔 ᄃᆡ모의게 무슴 ᄒᆡ로온 일리 잇ᄂᆞᆫ니잇고? ᄃᆡ뫼 목강(穆姜)의 인ᄌᆞᄒᆞ미 업시 부덕(不德)과 픽도(覇道)을 슝승ᄒᆞ시니, 소손 등이 맛당이 즉긱의 쥭어 ᄃᆡ모의 마음을 맛치고져 ᄒᆞ오나, ᄎᆞ마 못ᄒᆞᄂᆞᆫ 바ᄂᆞᆫ ᄌᆞ모의 외로온 졍니와 슉부의 ᄌᆞ익을 져바리지 못ᄒᆞ고 죠션혈식(祖先血食)991)을 ᄉᆞᆺ치지 못ᄒᆞ여 구구히 ᄉᆞᆯ기을 바라ᄂᆞᆫ ᄇᆡ라. ᄃᆡ모 일분도 셩덕을 닥그시지 아니시고 졈졈 이 지경의 밋ᄎᆞ시니 우리집 변괴ᄂᆞᆫ 불가ᄉᆞ문어타인(不可使聞於他人)992)이라. 인가(人家)의 며ᄂᆞ리 슈죄(數罪)ᄒᆞᄆᆡ 영【101】츌(永黜)ᄒᆞᄂᆞᆫ 규구(規矩)난 잇거니와, 쇠와 남그로 친히 난타ᄒᆞ시문 쳐음 대모게 ᄂᆞᆫ 법이라. ᄌᆞ뫼 팔ᄌᆞ(八字) 고히ᄒᆞᄉᆞ 남의 업ᄉᆞᆫ 지통을 품으시ᄂᆞ, 셩효와 ᄉᆞ덕이 겸비ᄒᆞ시거ᄂᆞᆯ 무죄훈 며나리을 이리 ᄎᆞ목(慘酷)히 치시니, ᄃᆡ모의 픽힝(悖行)이 ᄎᆞ악(嗟愕)지 아니리잇가?"

언파의 머리을 두다려 실셩통곡ᄒᆞ니 ᄇᆡᆨ년(白蓮) 갓튼 용화의 말근 누싊 숨숨ᄒᆞ여 옷깃ᄉᆞᆯ 젹시고, 쳐졀훈 곡셩은 셕목(石木)을 움즉이니, 위틱 흉심의 통한훈 즁, 희텬은 ᄌᆞ긔 손을 즙아 그 모친 두발(頭髮)을 푸러ᄂᆡ고 쳬읍익걸(涕泣哀乞)ᄒᆞ여 ᄌᆞ뫼 유죄할지라도 소손이 ᄃᆡ신ᄒᆞ여 죄입어지라 쳥ᄒᆞ거ᄂᆞᆯ, 《관텬‖광텬》은 《혹노‖폭노》ᄒᆞᄂᆞᆫ 말이 ᄌᆞ긔 심폐을 거울 갓치 비최여 두리미 업ᄉᆞ믈 보고, ᄃᆡ로ᄃᆡ분(大怒大憤)ᄒᆞ여 조부

965)조션혈식(祖先血食) : 조상의 제사를 받듦.
966)블가ᄉᆞ문어타인(不可使聞於他人) : 남이 알게 할 수 없음.

991)죠션혈식(祖先血食) : 조상의 제사를 받듦.
992)불가ᄉᆞ문어타인(不可使聞於他人) : 남이 알게 할 수 없음.

형셰를 망극ᄒᆞ여 통곡ᄒᆞ더니, 칙상이 몬져 두 엇게를 울히니 ᄲᅨ【70】《바이지ᄂᆞᆫ‖바아지ᄂᆞᆫ》 ᄃᆞᆺᄒᆞ고 알프미 극ᄒᆞᄃᆡ, ᄌᆞᄀᆡ 몸의 이런 일은 변괴 아니라. 날호여 ᄀᆞᆯ오ᄃᆡ,

"쇼손 등이 유죄ᄒᆞᆯ딘ᄃᆡ 시노(侍奴)로 장칙ᄒᆞ시미 맛당ᄒᆞ거ᄂᆞᆯ 친히 ᄆᆡ를 드러 셩후(聖候)를 닛브게 ᄒᆞ시ᄂᆞ니잇고?"

태부인이 시노를 블너 공ᄌᆞ를 듕타(重打)코져 ᄒᆞ더니, 현ᄋᆞ쇼졔 침소의셔 곡셩을 듯고 ᄀᆞ장 놀나 급히 존당의 드러가, 조모의 거동과 광텬 등의 잔잉히 마ᄌᆞᆷ을 보고, ᄎᆞ악경히ᄒᆞ여 칙상을 아ᄉᆞ 먼니 노코, 누슈를 흘니며 ᄀᆞᆯ오ᄃᆡ,

"야애 나가션 지 슈삭이 못ᄒᆞ여 가듕의 이런 일이 이시니, 현뎨 등이 보젼치 못ᄒᆞ리로다. 아지 못게라 조뫼 므슨 연고로 현뎨 등을 믜워ᄒᆞ시미 그 몸이 상ᄒᆞ기의 《니르시ᄂᆞᆫ고‖니르시ᄂᆞ뇨?》."

인ᄒᆞ여 실셩톄읍ᄒᆞ여 스ᄉᆞ로 죽어【71】보지 말고져 ᄒᆞᄂᆞᆫ디라. 태부인이 ᄭᅮ지져 왈,

"너ᄂᆞᆫ 엇지 광텬 등을 그ᄃᆡ도록 귀히 녁여 한믜 외롭고 슬픈 심ᄉᆞ를 모르ᄂᆞ뇨? 져 놈의 모지 날을 죽이려 도모ᄒᆞᄂᆞ니 어린 ᄋᆞ히 므어슬 아ᄂᆞᆫ 쳬ᄒᆞᄂᆞ뇨?"

쇼졔 톄읍 왈,

"광텬 등이 엇지 조모를 히ᄒᆞᆯ 뜻을 두리잇고? 대뫼 야애 나가신 ᄯᅢ를 타 져회를 못견ᄃᆡ도록 ᄒᆞ시미로소이다."

태부인이 노왈,

인을 놋코 바로 광텬의게 다라드러, 겻ᄐᆡ 노힌 칙숑을 집어 광텬을 무슈히 두다리니, 공ᄌᆡ 압푸기ᄂᆞᆫ 여ᄉᆞ(餘事)오, 가즁 형세을 ᄉᆡᆼ각ᄒᆞ니 통곡이 졀노 ᄂᆞ고, 칙상이 두 억ᄀᆡ을 울니니 ᄲᅨ 바아지ᄂᆞᆫ 듯 알프미 극ᄒᆞᄃᆡ, ᄌᆞᄀᆡ 몸의 이런 일은 여ᄉᆞ라. 날호여 고왈,

"소손 등이 유죄ᄒᆞᆯ진ᄃᆡ 시노(侍奴)로 ᄒᆞ여금 즁칙ᄒᆞ시미【102】맛당ᄒᆞ거ᄂᆞᆯ 친히 그릇슬 드르ᄉᆞ 셩체을 잇부게 ᄒᆞ시ᄂᆞᆫ니잇고?"

위ᄐᆡ 분분ᄒᆞ여 시노을 부르라 ᄒᆞ더니, 현ᄋᆞ소져 침쇼의셔 곡셩을 듯고 급피 존당의 드러가 조모의 거동을 보니, 갈호와 일희 가튼 셩이 바야흐로 놉하고 광텬 등의 《악ᄉᆞ을‖마ᄌᆞᆷ》 보고, ᄎᆞ악경히(嗟愕驚駭)ᄒᆞ여 칙상을 아ᄉᆞ 멀니 녹코 옥안의 누쉬 연낙ᄒᆞ여 갈오ᄃᆡ,

"부친이 ᄂᆞ가신 지 달이 임지 못ᄒᆞ여 가즁○[이] 이러ᄒᆞ니, 조뫼 《문숨‖무숨》 일노 번뇌ᄒᆞ시ᄂᆞᆫ잇고?"

공ᄌᆞ다려 이로ᄃᆡ,

"현제 등이 스ᄉᆞ로 쳔금지신(千金之身)을 앗기지 아니코 말숨을 간범ᄒᆞ미 잇ᄂᆞ냐? 비록 조뫼 실덕ᄒᆞ셔도 나즉이 간ᄒᆞ미 인ᄌᆞ의 도리라. 즁차 이러ᄒᆞ고 엇지 보젼ᄒᆞ리오."

인ᄒᆞ여 실셩쳬읍ᄒᆞ니, 위ᄐᆡ 눈을 멀거케 ᄯᅳ고 머리을 ᄭᅳ덕이며 왈,

"너ᄂᆞᆫ 엇지 광텬 흉ᄒᆞᆫ 놈을 엇지 그리 귀히 역여, 한미의 외롭고 슬픈 심회을 모르ᄂᆞᆫ다? 네 아비 업ᄉᆞᄆᆡ 져놈의 모ᄌᆡ 날을 죽이려 도모ᄒᆞ나니, 아히 비록 《힘‖헴》이 ᄎᆞ지 못ᄒᆞ여시ᄂᆞ 엇지 모로ᄂᆞᆫ뇨?"

소졔 더옥 체읍 ᄃᆡ왈,

"광텬은 효슌ᄒᆞᆫ 아히오【103】니 엇지 ᄃᆡ모을 《긔슬지심‖욕술지심(慾殺之心)》을 두리잇고? ᄃᆡ뫼 부친 나아가신 ᄯᅢ을 타 져회을 보치시려 ᄒᆞ시미로소이다."

ᄐᆡ부인이 ᄃᆡ로 왈,

“네 이런 못ᄒᆞᆯ 말을 ᄒᆞ니 반ᄃᆞ시 날을 죽여 업시코져 ᄒᆞ미 광텬 등과 일반이라.”

뎡언간의 경이 비로소 침소의셔 나와 모르던 체ᄒᆞ고 거즛 태부인 노긔를 풀며, 조부인의 머리 상ᄒᆞ여시믈 놀나ᄂᆞᆫ 쳬ᄒᆞ여, ‘광텬 등과 조부인을 그만ᄒᆞ여 믈너가 쉬게 ᄒᆞ쇼셔’ ᄒᆞ니,【72】 태부인이 비록 욕살지심(慾殺之心)이 급ᄒᆞ나, 일시의 져 삼모ᄌᆞ를 다 죽이긔 못ᄒᆞᆯ 거시므로, 잠간 노긔를 진뎡ᄒᆞ나 현ᄋᆞ쇼져를 ᄌᆡ삼 ᄭᆞ지져 광텬 등의 당이라 ᄒᆞ니, 쇼졔 한심하여 다시 말을 아니고 날호여 침소의 드러가니, 공ᄌᆞ 등이 놀나온 ᄆᆞ음을 진뎡ᄒᆞ여 모친을 뫼셔 ᄒᆡ월누로 도라오니, 부인이 침금의 머리를 지혀 공ᄌᆞ를 칙왈,

“존괴 일시 과거(過擧)를 힝ᄒᆞ시나 너의 ᄒᆞᄂᆞᆫ 말이 자손의 효슌(孝順)ᄒᆞᆫ 도리 아니라. 므슴 유익ᄒᆞ미 이시며 네 몸이 만금의 지나미 잇거ᄂᆞᆯ, 언ᄉᆡ 크게 젼ᄌᆞ의 바라던 ᄇᆡ 아니라. ᄎᆞ후는 조모 명이어든 슌슈ᄒᆞ고 비록 실덕ᄒᆞ시미 계실지라도 죵용이 간ᄒᆞ여 블초죄인(不肖罪人)이 되지 말나.”

공ᄌᆡ 비【73】옵 왈,

“쇼ᄌᆞ등이 혈육이 상ᄒᆞ는 듕상을 더으셔도 놀납지 아니ᄃᆡ, 자위긔 그런 거죄 밋ᄎᆞ시니 엇지 망극ᄒᆞᆫ 변괴 아니리잇고? 계뷔 나가션 지 슈삭이 못ᄒᆞ여 가듕이 이러틋 어ᄌᆞ러오니 장ᄎᆞ 슷치 누르지[967] 못ᄒᆞᆯ가 ᄒᆞᄂᆞ이다.”

부인이 늣기며 함구무언(緘口無言)ᄒᆞ라 당부하더라. ᄎᆞ후 위·뉴 냥부인이 조부인 삼모ᄌᆞ를 보면 니를 갈고 흉험ᄒᆞᆫ 거동이 바로 보기 어렵거ᄂᆞᆯ, 뉴시ᄂᆞᆫ 가만ᄒᆞᆫ 듕 희텬을 조르고 보ᄎᆡ여 만단 괴로오미 측냥키 어려워, 태우와 구패 나간 후 조부인 삼모ᄌᆞ의 의식지졀(衣食之節)이 더옥 괴로와 악쵸구(惡草具)[968] 일긔(一器) 곳 아니면, ᄆᆡ듁

967)누르다 : 누르다. 마음대로 행동하지 못하도록 힘이나 규제를 가하다.

“네 이런 못ᄒᆞᆯ 말을 ᄒᆞ니, 반다시 날을 쥭여 업시코ᄌᆞ ᄒᆞ니 광텬 등과 ᄒᆞᆫ가지로다.”

졍언간의 경이 ᄂᆞ와 가ᄌᆞᆼ 몰나던 체ᄒᆞ고 거즛 ᄐᆡ부인 노을 풀며, 조부인을 물너가게 ᄒᆞ시믈 간쳥ᄒᆞᄂᆞᆫ 체ᄒᆞ니, 위흉이 비록 ᄉᆞᆷ인 쥭일 ᄯᅳᆺ시 급ᄒᆞ나 일시의 ᄉᆞᆷ모ᄌᆞ을 다 쥭이든 못할 것시므로 ᄌᆞᆷ간 노을 진졍ᄒᆞᄂᆞ, 현아 소져을 ᄌᆡᄉᆞᆷ ᄭᆞ지져 광텬의 당이라 ᄒᆞ니, 소져 한심코 ᄋᆡ달르믈 이긔지 못ᄒᆞ여 다시 답지 아니코, 날호여 몸을 이러 침소로 도라가니, 공ᄌᆞ 등이 놀ᄂᆞᆫ 마음을 진졍ᄒᆞ여 모친을 뫼셔 ᄒᆡ월누의 도라오니, 부인니 침금의 지혀 ᄌᆞᆼ공ᄌᆞ을 칙왈,

“조뫼 일시 과거(過擧)을 힝ᄒᆞ시ᄂᆞ 너희 ᄒᆞᄂᆞᆫ 말이 ᄌᆞ손의 효슌(孝順)ᄒᆞᆫ 도리 아니라. 졈졈 고식조손간(姑媳祖孫間) 의ᄉᆞᆼ(義傷)ᄒᆞ고 네 몸이 만금의 지ᄂᆡ거ᄂᆞᆯ 언ᄉᆡ 젼ᄌᆞ의 바라던 ᄇᆡ 아니라. ᄎᆞ후ᄂᆞᆫ 조심ᄒᆞ여 조뫼 명이여든 다 슌슈ᄒᆞ고, 비록 실덕ᄒᆞ시드【104】ᄅᆡ도 조용히 간ᄒᆞ여 불초죄인(不肖罪人)이 되지 말ᄂᆞ.”

공ᄌᆡ 비읍 왈,

“소ᄌᆞ 등이 혈육이 ᄉᆞᆼᄒᆞᄂᆞᆫ 즁ᄌᆞᆼ(重杖)을 더으셔도 감슈지칙(甘受之責) ᄒᆞ오련이와 모친 존체의 그런 ᄌᆞᆼ칙을 미ᄎᆞ시니 인ᄌᆞ의 ᄎᆞ마 견ᄃᆡ리잇가? 슉부 나가신 지 달이 넘지 못ᄒᆞ여셔 가즁이 이러틋 어즈러오니, 팔구삭ᄂᆡ(八九朔內)의 ᄃᆡ변니 ᄂᆞ리로소이다.”

부인이 냥ᄌᆞ(兩子)을 어로만져 위로ᄒᆞ여 ᄌᆞ긔 압푼 거ᄉᆞᆫ 고ᄉᆞᄒᆞ고, 광아의 즁ᄉᆞᆼᄒᆞ믈 슬허 눈물이 호슈 갓트니, 냥 공ᄌᆞᄂᆞᆫ 모친의 두골이 ᄭᆡ여져시믈 경황망극(驚惶罔極)ᄒᆞ여 약을 ᄊᆞᄆᆡ이고 이러 단니지 마르시믈 간쳥ᄒᆞ며, 쥬야 불호(不好)ᄒᆞ여 일슌이 지ᄂᆡ니, 조부인의 ᄎᆞᆼ쳐(瘡處) 젹이 ᄂᆞ으나, 공구(恐懼)한 《금심‖근심》니 일시도 마음을 노치 못ᄒᆞ고, ᄐᆡ부인은 ᄉᆞᆫ즁(山中)의 악회(惡虎) 고기을 무럿다가 ᄎᆡ 먹지 못함과 갓

(麥粥)과 ᄌᆡ강969)이라.

젼일 조부인이 가ᄉᆞ를 다ᄉᆞ려 봉친봉ᄉᆞ(奉親奉祀)와 ᄃᆡᄀᆡᆨ졀목(對客節目)을 밧들고 다ᄉᆞ리더니,【74】 샹셰 별셰 후 태부인이 가권(家權)을 아ᄉᆞ 뉴부인으로 가음알게 ᄒᆞ니, 태우다려ᄂᆞᆫ 니르ᄃᆡ, 조시 슬픈 심ᄉᆞ의 번극ᄒᆞᆫ 가ᄉᆞ를 다ᄉᆞ릴 길 업ᄉᆞ니, 마지 못ᄒᆞ여 대지졀목(大之節目)만 조부인다려 믓고, 범ᄉᆞ를 태부인이 뉴시로 쳐치케 ᄒᆞ엿노라 ᄒᆞ니, 태위 엇지 감히 조부인 듕임을 쳔ᄌᆞ(擅恣)코져 ᄒᆞ리오마ᄂᆞᆫ, ᄯᅩᄒᆞᆫ 조부인 심ᄉᆡ 그러타 ᄒᆞ여, 뉴시를 쳔만 당부ᄒᆞ여 범샤를 슈시(嫂氏) 명ᄃᆡ로 ᄒᆞ라 ᄒᆞ미러라.【75】

968)악쵸구(惡草具) : : 악식(惡食). '초구(草具)'는 풀로 마련한 음식이라는 뜻.
969)ᄌᆡ강 : 술찌끼. 술을 거르고 남은 찌기.

치, 조부인과 냥 공ᄌᆞ을 보면 니을 응셩그러[려]993) 물고 흉측ᄒᆞᆫ 거동이 ᄎᆞ마 바로 보기 어렵거ᄂᆞᆯ, 유간은 남모르게 희텬을 조르고 봇치여 못 견ᄃᆡ도록ᄒᆞ며, 조부인 슴모ᄌᆞ의 의식지졀이 악초구(惡草具)994) 일긔(一器) 아니면 거츤 ᄆᆡᆨ쥭(麥粥)과 ᄌᆡ강995)이라.

젼일은 조부인이 가ᄉᆞ을 ᄉᆞᆯ펴 봉ᄉᆞ○[봉]친(奉祀奉親)과 ᄃᆡᄀᆡᆨ슈응(對客酬應)이 다【105】 친집(親執)ᄒᆞᄂᆞᆫ 빌너니, 상셔 망(亡)ᄒᆞᆫ 후로ᄂᆞᆫ ᄐᆡ부인이 가권(家權)을 아ᄉᆞ, 식ᄉᆞ지졀(食事之節)을 다 뉴시을 맛기고, ᄐᆡ우다려ᄂᆞᆫ 조현부 망극ᄒᆞᆫ 심ᄉᆞ의 번다ᄒᆞᆫ 가ᄉᆞ을 ᄉᆞᆯ피기을 깃거 아니ᄒᆞ니, 마지 못ᄒᆞ여 뉴시을 맛기고 ᄃᆡ쳬지졀목(大體之節目)은 조부인을 맛겻다 ᄒᆞ니, ᄐᆡ우도 그 흉심을 모로고 오직 뉴시을 당부ᄒᆞ여, '만ᄉᆞ을 조부인과 의논ᄒᆞ여 존슈의 말ᄃᆡ로 ᄒᆞ라' ᄒᆞ니, 뉴시 ᄒᆞ르ᄂᆞᆫ 다시 ᄃᆡ답고, ᄐᆡ우 보ᄂᆞᆫ ᄃᆡᄂᆞᆫ 조금도 ᄉᆞ오나온 거동을 아니 ᄒᆞ니, 비록 어진 부인이 아니 쥴은 아ᄂᆞ {엇지} 지요지간(至妖至奸)인 쥴은 아득히 모르니 엇지 이답지 아니리오. 기탄 분이로다.

갑인 칠월 슌슴일 등셔 ᄒᆞᄂᆞ니 운무즁 단문ᄒᆞ여 외셔 낙ᄌᆞ 만ᄉᆞ오니, 보시ᄂᆞᆫ 니 물니로 보시고 글시 망측다 흉보시지 마시옵.

993)응셩그려 : 으르렁거리며.
994)악초구(惡草具) : 악식(惡食). '초구(草具)'는 풀로 마련한 음식이라는 뜻.
995)ᄌᆡ강 : 술찌끼. 술을 거르고 남은 찌기.

명듀보월빙 권디팔

화셜 션시의 윤태위 뉴시를 쳔만 당부ᄒᆞ여 범ᄉᆞ를 슈시(嫂氏) 명ᄃᆡ로 ᄒᆞ라 ᄒᆞᆫᄃᆡ, 뉴시 ᄒᆞ르ᄂᆞᆫ ᄃᆞ시 ᄃᆡ답ᄒᆞ여 태우의 압희셔ᄂᆞᆫ ᄆᆡᄉᆞ를 조부인긔 품ᄒᆞ니 태위 비록 어진 부인으로 아지{아지} 아니나 엇지 이런 줄이야 몽ᄆᆡ(夢寐)의나 ᄉᆡᆼ각ᄒᆞ리오. 님힝의 힝혀 태부인의 심화로 말ᄆᆡ암아 블평ᄒᆞ미 이실가 지삼 간걸(懇乞)ᄒᆞ여시나 엇지 이러틋 과악이 쳔고의 무빵ᄒᆞᆫ 줄이야 알니오.

ᄎᆞ고로 흉괴 조부인 모ᄌᆞ 삼인을 ᄒᆞᆫ 칼의 죽여 ᄋᆞᄌᆞ와 구패 도라오나 의심을 ᄌᆞ가의게 도라보ᄂᆡ디 아니려 극악포려(極惡暴戾)ᄒᆞᆫ 거동과 싀험(猜險)ᄒᆞ기 더옥 심ᄒᆞ니, 조부【1】인이 ᄌᆞ긔 몸은 대식 아니어니와, 힝혀 냥ᄌᆡ 병날가 근심ᄒᆞ나, 일쳑포(一尺布)와 일승미(一升米)도 실노 쥬변이 업ᄂᆞᆫ지라. 비록 조부의셔 오ᄂᆞᆫ 금은과 미곡, 필빅이 뼈ᄂᆞᆫ 디경이라도 다 아ᄉᆞ 고듕(庫中)을 치오니, 조부인 삼모ᄌᆞ의 간괴(艱苦) 만단이나 뉘 잇셔 근심ᄒᆞ리오.

광텬공ᄌᆞᄂᆞᆫ ᄆᆡᆨ쥭(麥粥) ᄌᆡ강을 념(厭)치 아녀 됴흔 것ᄀᆞᆺ치 염어(厭飫)ᄒᆞᄃᆡ, ᄎᆞ공ᄌᆞᄂᆞᆫ 강인(强忍)ᄒᆞ여 년명(延命)ᄒᆞ려 절곡(絶穀)튼 아니나, 쎡쎡 비위(脾胃) 거ᄉᆞ려 슈월디ᄂᆡ(數月之內)의 화풍이 소삭(蕭索)ᄒᆞ고, 표연청고(飄然淸高)ᄒᆞᆫ 긔상이 우화(羽化)ᄒᆞᆯ 듯ᄒᆞ니, 조부인이 볼 적마다 심간(心肝)이 마르기를 면치 못ᄒᆞ니, 태위 미급환가(未及還家)의 대변이날가 두리거ᄂᆞᆯ, 뉴부인은 밤인즉 니를 가라 공【2】ᄌᆞ 죽기를 죄오니, 대한(大旱) 칠년의 운예(雲霓)[970]도곤 더ᄒᆞ더라.

희텬공ᄌᆞ의 사ᄅᆞᆷ되오미 밧기 《슌녀∥슈려(秀麗)》ᄒᆞ여 ᄆᆞᆰ기 슈졍(水晶) ᄀᆞᆺ고 견고ᄒᆞ미 금옥(金玉) ᄀᆞᆺᄐᆞ니, 사ᄅᆞᆷ의 ᄎᆞᆷ지 못ᄒᆞᆯ 경계(境界)를 당ᄒᆞ여 츌텬대효(出天大孝)로

명쥬보월빙 권지ᄉᆞ

시시의 ᄐᆡ부인의 흉험ᄒᆞ믄 그 소ᄉᆡᆼ이라도 아지 못ᄒᆞ고 한갓 심회 발한 즉 조부인게와 냥ᄋᆞ의게 ᄒᆡ로올가 ᄒᆞ여, 쥬야로 가ᄌᆞᆨᄒᆞᆫ 마음이 간졀ᄒᆞ더라.

---

970)운예(雲霓) : 비가 올 징조인 구름과 무지개를 아울러 이르는 말.

뼈 그 양모의 허믈을 티의(致意)ᄒᆞ여 엇디 친소(親疎)를 달니 ᄒᆞ리오. 뉴시를 우러는[971] 디셩대효(至誠大孝) 오히려 싱모의 더ᄒᆞᆫ 듯, 셕혹ᄉᆞ부인 우공(友恭)ᄒᆞᄂᆞᆫ 졍셩이 뎡한님 부인긔 나리미 업ᄉᆞᄃᆡ, 뉴시 모녀의 졀치통한ᄒᆞ믄 이럴ᄉᆞ록 깅가일층(更可一層)ᄒᆞ니, ᄎᆞ공지 더옥 조심ᄒᆞ며 효우ᄒᆞᄃᆡ 텬셩이 팀묵단듕(沈黙端重)ᄒᆞᆫ 고로, 그 쳔만비원(千萬悲願)을 비록 그 모친 조부인이라도 아디 못ᄒᆞ게 ᄒᆞ나, 엇디 모르리오마ᄂᆞᆫ 그 허믈을 간ᄃᆡ로 젼(傳)치 못ᄒᆞ믄, 【3】 혹 양모의 허믈을 희텬이 드른 즉, 눈믈을 드리워 쳬읍 듀왈(奏曰),

"쇼ᄌᆞ 블초무상ᄒᆞ와 양모긔 셩회(誠孝) 쳔단(淺短)ᄒᆞ온 고로, 태태(太太) 문득 양ᄌᆞ위(養慈闈) 허믈을 소ᄌᆞ다려 니르시니, 히ᄋᆡ(孩兒) 만일 태태의 쇼싱이 아니오, 양ᄌᆞ위예 싱ᄒᆞ신 빈 즉, 엇디 ᄌᆞ위 이런 말ᄉᆞᆷ을 ᄒᆞ시리잇고? 일노조ᄎᆞ 쇼ᄌᆞ의 거두(擧頭)ᄒᆞ미 어렵도소이다."

ᄒᆞ여, 진실노 허믈을 듯고져 아니니, 조부인이 ᄯᅩᄒᆞᆫ 팀묵(沈黙)ᄒᆞᆫ 고로 굿ᄐᆞ여 니르미 업더라.

ᄎᆞ시 구몽슉이 옥누항의 ᄌᆞ로 왕ᄂᆡᄒᆞ여 명ᄋᆞ쇼져의 음비지ᄉᆞ(淫鄙之事)를 한님이 곳이듯도록[972] ᄒᆞᆷ과 두번 도젹이라 ᄒᆞ여 칼 들고 여ᄎᆞ여ᄎᆞᄒᆞᄃᆡ, 금슬은졍(琴瑟恩情)[973]이 아모란 줄 외인이 엇지 알니오.

뉴시 쇼져의 시ᄋᆞ 곳 오면 한님의 유졍(有情)을 알고 【4】 져 ᄒᆞᄃᆡ, 시녜 모르므로 뼈 ᄃᆡᄒᆞ니 초조ᄒᆞ더니, 한님이 양시 취ᄒᆞ믈 알고 반ᄃᆞ시 쇼져를 념박(厭薄)ᄒᆞ여 ᄌᆡ취ᄒᆞ니라 ᄒᆞ여 징그럽기[974] 가려온 ᄃᆡ를 긁ᄂᆞᆫ 듯ᄒᆞ여, 만일 영출(永黜)ᄒᆞ면 '너의 긔믈을 삼으리라' ᄒᆞᆫᄃᆡ, 몽슉이 환열응낙(歡悅應諾)ᄒᆞ더라.

---

971)우러ᄂᆞᆫ : 우러러 받들기는.

972)곳이듯다 : 곧이듣다. 남의 말을 듣고 그대로 믿다.

973)금슬은졍(琴瑟恩情) : 부부간의 사랑.

974)징그럽다 : 재미있다. 고소하다. 미운 사람이 잘못되는 것을 보고 속이 시원하고 재미있다.

시시(時時)의 셕혹싀 그읏이 윤시의 브즈(不慈)ᄒᆞ믈 념고(厭苦)ᄒᆞ여 윤부의 후리쳐두고[975], 쳐ᄉᆞ 오윤의 쳐를 취ᄒᆞ여 듕ᄃᆡᄒᆞ고 경ᄋᆞᄂᆞᆫ 힝노(行路)[976]ᄀᆞᆺ치 ᄒᆞ니, 뉴시 모녀 쳥등야우(靑燈夜雨)의 홍뉘(紅淚) 귀밋츨 잠으니 태부인이 역시 셕싱을 분한졀치ᄒᆞ나 ᄯᅩᄒᆞᆫ 엇지ᄒᆞ리오.

태위 니가(離家)ᄒᆞᆫ 쎡를 타 아모커나 현ᄋᆞ로뼈 고문셰벌(高門世閥)의 가셔(佳壻)를 턱ᄒᆞ여 일싱을 쾌히 ᄒᆞ고져 ᄒᆞᄃᆡ, 더브러 의논ᄒᆞ리 업ᄉᆞ믈 탄ᄒᆞ더니, 일【5】일은 집금오(執金吾) [977]뉴공이 니르니, 뉴시 댱녀 셕혹ᄉᆞ의 박ᄃᆡᄎᆞ악(薄待嗟愕)[978]홈과 현ᄋᆞᄂᆞᆫ 유시(幼時)의 일시 희언으로뼈 슈졸(戍卒)[979]과 결혼코져 ᄒᆞ니, ᄌᆞ긔 다만 냥개 녀ᄋᆞ를 두어 졍ᄉᆞ의 비고(悲苦)홈과 졍니의 ᄎᆞ아(嵯峨)ᄒᆞ믈 닐너, 브ᄃᆡ 각별ᄒᆞᆫ 고문셰가의 아름다온 부셔(夫壻)를 턱ᄒᆞ여 녀ᄋᆞ의 평생을 쾌히 ᄒᆞ고져 ᄒᆞᄃᆡ, ᄯᅩ 샤혼은지(賜婚恩旨)를 어더 태우로뼈 브득이ᄒᆞ믈 알게ᄒᆞ여지라 ᄒᆞ니, 뉴공의 셩졍이 용우무식(庸愚無識)ᄒᆞ여 ᄉᆞ오납든 아니나 녜의를 ᄉᆞᄆᆞᆺ지[980] 못ᄒᆞᄆᆞ로, 그 ᄆᆡᄌᆞ(妹者)의 말을 드르ᄃᆡ 그른 줄 아지 못ᄒᆞ여 흔연 위로 왈,

975)후리쳐두다 : 후려다 두다. 팽개쳐 두다. 방치(放置)하다. 사람이나 사물 따위를 인정 없이 한 곳에 버려두고 돌보지 않다.

976)힝노(行路) : ≒힝노인(行路人). 오다가다 길에서 만난 사람이라는 뜻으로, 아무 상관이 없는 사람을 이르는 말.

977)집금오(執金吾) : ≒금오(金吾). 중국 한나라 때에, 대궐 문을 지켜 비상사(非常事)를 막는 일을 맡아보던 벼슬.

978)박ᄃᆡᄎᆞ악(薄待嗟愕) : 박대가 매우 심함.

979)수졸(戍卒) : 변방에서 수자리 서는 군사.

980)ᄉᆞᄆᆞᆺ다 : 사무치다. 통(通)하다. 훤히 잘 알다.

잇쎠 셕학ᄉᆞ 등과ᄒᆞᆫ 후, 쳐사 오윤의 녀을 취ᄒᆞ여, 경ᄋᆞᄂᆞᆫ 아조 힝노인(行路人)[996] ᄀᆞᆺ치 윤부의 더져두어시니[997], 뉴시 모녀 심간(心肝)의 기름이 다 마르고 타나 할 일업시 쳥등야우(靑燈夜雨)의 홍뉘(紅淚) 뉴미(柳眉)을 좀으니, ᄐᆡ부인이 경ᄋᆞ의 박명을 셜워ᄒᆞ더라.

ᄐᆡ위 ᄂᆞ간 ᄉᆞ이 현ᄋᆞᄂᆞ 부귀한 집의 혼ᄉᆞ을 일우고 하가(河家)ᄂᆞᆫ 결단코 퇴혼(退婚)하려 ᄒᆞ니, 뉴시ᄂᆞᆫ 의ᄉᆡ 공교롭고 간능(奸能)ᄒᆞ여 가만ᄒᆞᆫ 가온ᄃᆡ 모게(謀計)을 졀ᄒᆞᄂᆞᆫ 흉ᄒᆞᆫ 간물(奸物)이라. ᄒᆞ로ᄂᆞᆫ 그 거거(哥哥) 《직금오‖집금오(執金吾)[998]》 뉴공을 쳥ᄒᆞ여 눈물을 흘여 왈,

"소ᄆᆡ(小妹) 팔ᄌᆞ 긔괴ᄒᆞ여 한낫 ᄌᆞ식이 업고 경ᄋᆞ 형졔을 두어 셕학ᄉᆞ의 박ᄃᆡ을 밧게 ᄒᆞ고 홍안ᄌᆞ[지]환(紅顔之患)이 어미 간쟝을 녹이거늘, 현ᄋᆞᄂᆞᆫ 가군(家君)이 역젹 하가의 졍혼ᄒᆞ여시니 가군 고집이 고아(高雅)ᄒᆞ고 셩힝이 남달나, 붕우유신(朋友有信)을 ᄯᆞᆯ으고져 ᄒᆞ나 ᄌᆞ식의 젼졍을 도라보지 아니ᄒᆞ여, 촉지슈졸(蜀地戍卒)[999]의 계집을 숨아 ᄉᆡᆼ니ᄉᆞ별(生離死別)[1000]의 슬품과 현아의 일ᄉᆡᆼ간고(一生艱苦)ᄒᆞ믈 보지 안냐 알지라. 소ᄆᆡ 차마 원광을 ᄉᆞ회 숨지 못ᄒᆞ리니, 소ᄆᆡ의 슬푼 졍ᄉᆞ을 ᄉᆞᆯ펴 혼ᄉᆞ을 졍【1】하되, 별(別)한 권문셰가을 갈희여 ᄉᆞ혼(賜婚)ᄒᆞ시ᄂᆞᆫ 은지을 어더 우리 슬희여도 마지 못ᄒᆞ여 지ᄂᆡᄂᆞᆫ 듯시 ᄒᆞ여야, 어ᄉᆞ 도라와도 ᄂᆡ 탓슬 아니 ᄒᆞ리니, 거거ᄂᆞᆫ 착념(着念)ᄒᆞ여 혼쳐을 광구(廣求)ᄒᆞ소셔."

뉴공이 그 누의쳐로 극악공교(極惡工巧)튼 안이ᄂᆞ, 어지리 훈도ᄒᆞ면 허물이 업슬

996)힝노인(行路人) : 오다가다 길에서 만난 사람이라는 뜻으로, 아무 상관이 없는 사람을 이르는 말.

997)더져두다 : 던져두다. 내버려두다. 사람이나 물건 따위를 버려둔 채 그대로 두고 돌아보지 않다.

998)집금오(執金吾) : ≒금오(金吾). 중국 한나라 때에, 대궐 문을 지켜 비상사(非常事)를 막는 일을 맡아보던 벼슬.

999)수졸(戍卒) : 변방에서 수자리 서는 군사

1000)ᄉᆡᆼ니ᄉᆞ별(生離死別) : 살아 있을 때에는 멀리 떨어져 있고 죽어서는 영원히 헤어짐.

"ᄆᆡᄌᆞᄂᆞᆫ 념녀치 말나. 명강이 셩졍이 고집ᄒᆞ여 그 ᄌᆞ식의 젼졍(前程)을 념녀치 아냐 젹은 신(信)을 직희니 현ᄆᆡ의 슬픈 심ᄉᆡᆨ 괴이【6】치 아니토다. 우형(愚兄)이 맛당이 아름다온 가셔(佳壻)와 샤혼됴디(賜婚詔旨)ᄅᆞᆯ 어더 현ᄆᆡ를 위로ᄒᆞ고 명강으로 그릇 녁이믈 막으리라."

ᄒᆞ고 도라가 넙이 구혼ᄒᆞᄆᆡ, 시임(時任)981) 니부툥ᄌᆡ(吏部冢宰) 김후의 댱ᄌᆞ 김듕광이 시년이 십ᄉᆞ로ᄃᆡ 그 소집(所執)이 괴(怪)ᄒᆞ여 브ᄃᆡ 신부를 보고 취ᄒᆞ려 ᄒᆞ니 어나 사ᄅᆞᆷ이 규슈를 ᄂᆡ여 뵐 ᄌᆡ 이시리오. ᄎᆞ고(此故)로 십ᄉᆡ(十四) 되도록 취실치 못ᄒᆞ엿더라. 윤태우의 ᄎᆞ녀로 구혼ᄒᆞ믈 듯고 김니뷔(金吏部) 뉴공을 청ᄒᆞ여 규슈의 현부(賢否)를 므르니, 금외(金吾) ᄌᆞ시 젼ᄒᆞᆫᄃᆡ 김니뷔 대희ᄒᆞ여 허코져 ᄒᆞ거ᄂᆞᆯ, 듕광이 ᄒᆞᆫ 번 보아 허혼ᄒᆞᆯ 뜻을 고ᄒᆞᆫᄃᆡ, 김휘 웃고 금오를 ᄃᆡᄒᆞ여 기ᄌᆞ(其子)의 말을 젼ᄒᆞ고 우왈(又曰),

981)시임(時任) : 현임(現任). 현재의 관원.

거시로ᄃᆡ, 견고치 못ᄒᆞ고, 부허(浮虛)ᄒᆞ기 심ᄒᆞᆫ지라. 그 ᄆᆡ져(妹姐)의 말을 듯고 왈,

"져져(姐姐)의 비ᄉᆞ고어(悲辭苦語)을 들으니 일리 그러한지라. 명강이 고집불통ᄒᆞ여 ᄌᆞ식의 젼졍(前程)을 염녀치 아니ᄒᆞ고 젹은 신(信)을 직희니, ᄂᆡ 맛당이 못 녁이ᄃᆡ 우리《일히‖익히》 아오ᄆᆡ, 소견이 소통ᄒᆞ고 유리ᄒᆞ여 지뫼 긔특ᄒᆞ니, ᄂᆡ 도라가 광구ᄒᆞ여 ᄉᆞ혼ᄒᆞ시ᄂᆞᆫ 은젼을 어드리라."

뉴시 ᄌᆡ삼 청ᄒᆞ여,

"권문셰가을 구ᄒᆞᄃᆡ 신낭의 얼골은 옥 갓고 풍ᄎᆡᄂᆞᆫ 두목지(杜牧之)1001)·여동빈(呂洞賓)1002) 갓고, 문ᄌᆞᆼ은 조식(曹植)의 칠보시(七步詩)1003)로[를] 일울 ᄌᆡ조을 구ᄒᆞ소셔."

뉴금오 언언(言言)니 응답고 도가라 광구ᄒᆞ니, 맛초아 뉴시의 소원 갓타여 니부총ᄌᆡ(吏部冢宰) 김후의 ᄌᆞᆼ자 김쥰관이 시년니 십ᄉᆞ셰(十四歲)의 풍ᄎᆡ문한(風彩文翰)니 일ᄃᆡ의 유명ᄒᆞ고, 허믈며 국구(國舅)1004)의 종손이라 부귀호화을 어이 다 이르리오. ᄌᆞᆼ안ᄌᆞᄆᆡᆨ(長安紫陌)의 유녀ᄌᆡ 츄셰ᄒᆞᄂᆞᆫ 뉴ᄂᆞᆫ 다토아 구혼ᄒᆞ야 ᄆᆡ파 문외의 들네되, 김공ᄌᆡ의 쓰시 ᄒᆞ늘 가트여 만고의 희ᄒᆞᆫᄒᆞᆫ 슉녀을 구활뿐 아니【2】라, 친히 보고야 어드리라 ᄒᆞ니, 뉘 ᄯᆞᆯ을 ᄂᆡ여 외간남ᄌᆞ을 보라 할 ᄌᆡ 이시리오. 이럿틋 십ᄉᆞ세 되도록 취쳐치 못ᄒᆞ엿더니, 윤ᄐᆡ우의 ᄎᆞ녀 당혼(當婚)ᄒᆞ여 가랑(佳郎)을 구ᄒᆞ믈 듯고 김후 뉴금오을 청ᄒᆞ여 윤소져의 현부을 무러 긔특ᄒᆞ믈 ᄌᆞ시 알고 허코져 한 즉, 즁관니 제 눈으로 한번

1001)두목지(杜牧之) : 803~852. 이름은 두목(杜牧). 당나라 만당(晩唐)때 시인. 미남자로, 두보(杜甫)에 상대하여 '소두(小杜)'라 칭하며, 두보와 함께 '이두(二杜)'로 일컬어지기도 한다.

1002)여동빈(呂洞賓) : 중국 당나라 도사(道士). 이름은 여암(呂嵒). 자 동빈. 중국 도교 8선(八仙) 가운데 하나. <금화총서(金華叢書)에 그의 작품들이 들어 있다.

1003)조식(曹植)의 칠보시(七步詩) : 위(魏)나라 조조(曹操)의 아들 조식(曹植 : 192~232)이 일곱 걸음만에 시를 지어 죽음을 모면하였다는 고사가 담긴 시.

1004)국구(國舅) : 임금의 장인.

"녕딜이 만일 긔특ᄒᆞᆯ진ᄃᆡ ᄒᆞᆫ번【7】 보미 므어시 어려오리오."

ᄒᆞᆫᄃᆡ, 금외,

"ᄆᆡ데를 보아 의논ᄒᆞ여 회보ᄒᆞ리라."

ᄒᆞ고, 바로 윤부의 니르러 김후의 말을 ᄌᆞ시 젼ᄒᆞ고, 신낭의 소집을 니르니, 뉴시 김후의 부귀를 흠모ᄒᆞ여 왈,

"혼쳐ᄂᆞᆫ 극히 맛당ᄒᆞᄃᆡ 다만 신낭의 소집을 드르니, 녀ᄋᆡ 비록 특이ᄒᆞ나 결단코 신낭을 뵈여 나모라 ᄒᆞ면 대욕(大辱)이오, 이ᄌᆞᄂᆞᆫ 녀ᄋᆡ 결단코 볼 니 업ᄉᆞ리니 맛당치 아니토다."

경ᄋᆡ 잠쇼 왈,

"엇디 젹은 일노 큰 일을 폐ᄒᆞ리잇고? 김지(金者) 만일 브ᄃᆡ 보고져 ᄒᆞᆯ진ᄃᆡ 여ᄎᆞ여ᄎᆞᄒᆞ여 그 잠간 뵈미 무방ᄒᆞᆯ 거시오. 져 김개 비록 안고태산(眼高泰山)이나 현ᄋᆞᄂᆞᆫ 결단코 나모라디 아니리니, 모친은 념녀치 마르쇼셔."

뉴시 그러히 넉여 김가(金家)의 가 이리이리 ᄒᆞ【8】라 ᄒᆞᆫᄃᆡ, 금외 즉시 김부(金府)의 나아가,

"규각의 외간남ᄌᆡ 왕ᄂᆡ키 어려오ᄃᆡ 녕윤의 쇼집(所執)이 괴(怪)ᄒᆞ미 마디 못ᄒᆞ여 허ᄒᆞᄂᆞ니, 명공은 녕낭(令郎)으로 음양(陰陽)을 잠간 밧고미 엇더ᄒᆞ뇨?"

보고온 후 허락ᄒᆞ련노라 ᄒᆞ니, 김후 웃고 뉴금오을 ᄃᆡᄒᆞ여 일오ᄃᆡ,

"영질이 ᄌᆡᄉᆡᆨ(才色)이 기특ᄒᆞᆯ진ᄃᆡ 잠간 뵈여도 무방ᄒᆞ리라"

ᄒᆞᆫᄃᆡ, 금오 왈,

"ᄆᆡ져다려 무러보아 회보ᄒᆞ리라."

ᄒᆞ고 즉시 윤부로 와 뉴시을 보아 일오ᄃᆡ, 김이부(金吏部)의 장ᄌᆡ 잇셔 츅인ᄒᆞ믈 이르고 신낭의 소원이 규슈을 친히 보고야 혼인을 결단ᄒᆞ려노라 ᄒᆞ믈 이르니, 뉴시 김국구의 부귀을 흠모ᄒᆞ여 이로ᄃᆡ,

"혼쳐ᄂᆞᆫ 맛당ᄒᆞ나 신낭의 소원이 가ᄌᆞᆼ 고이ᄒᆞᆫ지라. 여ᄋᆞ을 ᄂᆡ여 뵐 도리 업슬지라. 현ᄋᆡ 결단코 제 몸을 어이 외간 남ᄌᆞ을 보리오. 가ᄌᆞᆼ ᄂᆞᆫ처(難處)ᄒᆞ도소이다."

경ᄋᆡ 겻ᄐᆡ 잇다가 웃고 갈오ᄃᆡ,

"이 가ᄌᆞᆼ 쉬온 일이로소이다. 현아 규법(閨法)을 직희여 가ᄌᆞᆼ 현슉ᄒᆞ니, 져다려 바로 일르면 슌종치 아니리니, 현아을 그[긔]이고 김가 공ᄌᆞ을 변복ᄒᆞ여 녀의(女衣)을 기착(改着)ᄒᆞ고 시녀의 무리의 셧겨 화각(花閣)의 즘간 보게 ᄒᆞ소셔."

뉴시 ᄃᆡ락 왈,

"녀ᄋᆞ을 보고 나무라면 엇지 ᄒᆞ리오. 혼인이 되지 못【3】하고 ᄎᆞᆷ괴(慙愧)ᄒᆞ리니 김공ᄌᆞ 눈의 들기을 바라리오."

경ᄋᆡ 소왈,

"김ᄌᆡ 눈이 고ᄉᆞᆫ 갓트여 월궁(月宮)을 구경ᄒᆞ엿시며 봉ᄂᆡ(蓬萊)을 보아셔도 현ᄋᆞᄂᆞᆫ 나무랄 곳지 업ᄉᆞ리니, 모친은 ᄌᆞ져(趑趄)치 마르쇼셔. 김공ᄌᆡ 보면 황홀갈ᄎᆡ(恍惚喝采)ᄒᆞ리이다."

뉴시 그러히 역여 김가의 여ᄎᆞ여ᄎᆞ하라 ᄒᆞ니, 금오ᄂᆞᆫ 다만 가라치ᄂᆞᆫ ᄃᆡ로 김가의 ᄂᆞ아가 김후을 보고 이르ᄃᆡ,

"ᄉᆞᄆᆡ(舍妹) ᄎᆞ혼을 맛당이 녁이되 실노 여ᄋᆞᄂᆞᆫ ᄂᆡ여보기 어려워 ᄒᆞᆯ 분 아니라, 질ᄋᆡ 규법이 슉연ᄒᆞ여 발ᄌᆞ최 지게 밧글 나지 아니ᄒᆞ고 가즁 비복도 그 얼골을 ᄒᆞᆫ○[이] 보지 못ᄒᆞᆫ다 ᄒᆞ오니, 녕낭(令郎)을 뵐 길이

니뷔(吏部) 싱을 블너 므르딕, 싱이 환희 허락ᄒᆞ니, 뉴금외 깃거 윤부의 희보ᄒᆞ니, 희라! 뉴시 또ᄒᆞᆫ ᄉᆞ문여믹(士門餘脈)이어ᄂᆞᆯ 탐니츄셰(貪利趨勢)ᄒᆞ여 인륜대졀을 안연이 ᄌᆞ멸(自滅)코져 ᄒᆞ니 죄를 강상(綱常)[982]의 엇고 눈긔(倫紀)예 난(亂)ᄒᆞᆯ 힝ᄉᆡ(行事)믈 가히 알니러라.

ᄎᆞ시의 현ᄋᆞ쇼졔 존당부모긔 삼시 문안밧ᄌᆞ최 디방(地枋)[983]을 넘지 아냐, 오딕 팀소의셔 비ᄌᆞ 벽난의 영오혜일(穎悟慧逸)ᄒᆞ미 족히 샹문규슈(相門閨秀)를 압두ᄒᆞᆯ 긔딜이 잇셔, 만ᄉᆡ 혜일능통(慧逸能通)ᄒᆞ여 문ᄌᆞ를 관통ᄒᆞ니, 쇼졔 노듀의 의와 향규(香閨)의 마역[984] 【9】을 겸ᄒᆞ여 일즉 써나지 아냐 가듕ᄉᆞ(家中事)를 몽니의 븟쳤더니, 뉴금외 빈빈왕ᄂᆡ(頻頻往來)ᄒᆞ니 ᄎᆞ공ᄌᆡ 괴이히 녁여 일일은 그 뒤흘 좃ᄎᆞ 시좌ᄒᆞ니, 금오ᄂᆞᆫ ᄆᆡ져의 양ᄌᆡ(養子)니 심복이라 ᄒᆞ여, 믄득 김듕광의 음양을 변톄ᄒᆞ고 와 현ᄋᆞ 뵈기를 낭ᄌᆞ(狼藉)히 의논ᄒᆞ니, 뉴시 민망ᄒᆞ여 어렴프시 딕답ᄒᆞ여 공ᄌᆞ를 나가 독셔ᄒᆞ라 ᄒᆞ니, 공ᄌᆡ 블감역명(不敢逆命)ᄒᆞ여 나오며, 민민블호(憫憫不好)ᄒᆞ여 그 작희ᄒᆞ미 ᄆᆡ져의 츄상졀의를 완젼치 못ᄒᆞᆯ 줄 혜아리ᄆᆡ, 뎡(正)히 ᄎᆞ악ᄒᆞ여 아모리 ᄒᆞᆯ 줄 모르더니, 금외 도라가니 문ᄂᆡ(門內)의 ᄇᆡ숑(拜送)ᄒᆞᆯᄉᆡ 넌ᄌᆞ시 뭇ᄌᆞ오딕,

업ᄉᆞ니, ᄉᆡᆼ각건딕, 녕낭으로 변복ᄒᆞ야 음양(陰陽)을 밧고와, 윤가 비ᄌᆞ 즁 셧겨 질아를 즘간 보고 오미 엇더니잇고?"

김공이 만ᄉᆞ을 기ᄌᆞ(其子)의 말딕로 ᄒᆞᄂᆞᆫ 지라. 직시 아달을 불너 뉴금오의 말을 이르고 뜻즐 무르니, 즁관니 딕희ᄒᆞ여 날을 맛초고 그리ᄒᆞ기을 결단ᄒᆞ여 슈일이 지닌 후 뉴금오 집 시인(侍兒) 체ᄒᆞ고 윤부로 가려ᄒᆞ니, 뉴시 금오로 더부러 밀밀이 의논ᄒᆞ고 즁관이 오거든 여ᄋᆞ의 침소로 보닉려 ᄒᆞ니, 가히 긔괴ᄒᆞᆫ 요간물(妖奸物)일너라.

잇ᄯᆡ 현ᄋᆞ소져 신혼셩○[정]을 맛친 후ᄂᆞᆫ 문 밧글 ᄂᆞ지 안냐 고요히 침소의셔 예긔을 잠심ᄒᆞᄂᆞᆫ 즁, 명ᄋᆞ소져 갓튼 지긔의 종형(從兄)을 니별ᄒᆞᆫ 후로 결홀ᄒᆞ미 【4】 일흔 거시 잇ᄂᆞᆫ 듯ᄒᆞ고, 경ᄋᆡᄂᆞᆫ 친형제나 쓰시 ᄉᆞᆼ합(相合)지 못ᄒᆞᆫ 고로 ᄎᆞᄌᆞ미 드물고, 오즉 시ᄋᆞ 벽논이 청의 가온딕 용속(庸俗)ᄒᆞ미 업고 상문(相門) 규슈을 압두할 긔질과 문ᄌᆞ을 달통ᄒᆞ니, 소져 노쥬의 의로 《향슈‖향규》마역(香閨莫逆)[1005]을 겸ᄒᆞ여 일ᄉᆡᆼ을 써나지 아니ᄒᆞ고, 쥬야 침션(針線) 여공(女工)[1006]과 학문(學問)을 상의ᄒᆞ여 지닉니, 모형(母兄)의 악ᄉᆞ을 알니오. 아득히 모로ᄂᆞᆫ 빅 되엿더라. 희텬 공ᄌᆡ 뉴금오의 온 ᄯᆡ을 당ᄒᆞ여 히츈누의 드러가니, 금오ᄂᆞᆫ 눈치을 모르고 희텬을 뉴시 아ᄌᆞ라 ᄒᆞ여 이 일을 굿타여 긔이지 아닛ᄂᆞᆫ 쥴노 알고, 김ᄉᆡᆼ의 변복ᄒᆞ고 드러와 현아 소져 뵐 의논을 낭ᄌᆞ(狼藉)히 의논ᄒᆞ니, 뉴시 가즁 민망(憫惘)ᄒᆞ여 어럼푸시 딕답ᄒᆞ고, 공자를 도라보아 셔당의 가 독셔 아닌다 ᄭᅮ지ᄌᆞ니, 공ᄌᆡ 감히 거술이지 못ᄒᆞ여 ᄂᆞ오나 뉴공의 말을 드르ᄆᆡ, 한심경히(寒心驚駭)ᄒᆞ여 소져의 졀긔 완젼치 못할가 근심이 가득ᄒᆞ여, 도라 샹냥(商量)ᄒᆞ딕 조흔 묘칙이 업ᄉᆞ니, 민민불낙(憫憫不樂)ᄒᆞ여 아모리 할 쥴 모러더니,

982)강상(綱常) : 삼강(三綱)과 오상(五常)을 아울러 이르는 말. 곧 군위신강(君爲臣綱)·부위자강(父爲子綱)·부위부강(夫爲婦綱)의 삼강과 부자유친(父子有親)·군신유의(君臣有義)·부부유별(夫婦有別)·장유유서(長幼有序)·붕우유신(朋友有信)의 오륜(五倫) 곧 오상을 이른다

983)디방(地枋) : 문지방(門地枋). 출입문 밑의 두 문설주 사이에 마루보다 조금 높게 가로로 댄 나무.

984)마역 : 막역(莫逆)의 한글표기. ≒막역지우(莫逆之友). 허물없는 사이. 또는 서로 거스름이 없고 허물이 없는 아주 친한 친구를 이르는 말.

1005)향규마역(香閨莫逆) : '규방(閨房)의 막역지우(莫逆之友)'라는 뜻으로, 여성들 사이의 서로 거스름과 허물이 없는 아주 친한 친구를 이르는 말.

1006)여공(女工) : 예전에, 부녀자들이 하던 길쌈질.

“김개 언졔 오ᄂᆞ니잇고”
답왈
“금야의 오ᄂᆞ니라.”

공ᄌᆡ ᄎᆞ악ᄒᆞ고 져져(姐姐)의 모르믈 더욱 우민ᄒᆞ여 미화당의 니르【10】니 쇼졔 셔안의 녈녀젼을 잠심ᄒᆞ다가 공ᄌᆞ를 보고 안ᄌᆞ믈 닐너 죵용이 말ᄉᆞᆷᄒᆞᆯᄉᆡ 쇼져다려 왈,

“져졔 금오대인의 왕ᄂᆡ(往來)ᄒᆞ시믈 아르시ᄂᆞ니잇가?”
쇼졔 답왈,
“신뎡(新正)시의 뵈온 밧 근간 왕ᄂᆡ는 아디 못ᄒᆞ노라.”

공ᄌᆡ 소ᄅᆡ를 낫초아 ᄌᆞ위와 금오의 ᄒᆞ시던 말ᄉᆞᆷ을 일일히 고ᄒᆞ니, 쇼졔 쳥미필(聽未畢)의 만심경ᄒᆡ(滿心驚駭)ᄒᆞ여 묵연냥구(默然良久)의 츄연 탄왈,

“ᄌᆞ위 블초녀(不肖女)를 념녀ᄒᆞ샤 실덕이 이에 밋ᄎᆞ시니, ᄎᆞ희(嗟噫)라! 모친이 비록 날노ᄡᅧ 살과져 ᄒᆞ시미 도로혀 일명을 ᄌᆡ쵹ᄒᆞ시ᄂᆞᆫ도다. 내 드러가 죽기로ᄡᅧ 닷토리라.”
공ᄌᆡ 말녀 왈,
“블가ᄒᆞ이다 ᄌᆞ위 일을 시작ᄒᆞ시ᄆᆡ ᄭᅳᆺ치 잇ᄂᆞ니 야야의 하가 결혼을 분노ᄒᆞ샤 궁극히 구혼ᄒᆞ시미니 져졔 비록【11】닷토시나 일을 챵누ᄒᆞᆯ ᄲᅳᆫ이니 쇼뎨 여ᄎᆞ여ᄎᆞᄒᆞ리니 원컨ᄃᆡ 져져ᄂᆞᆫ 잠간 피ᄒᆞ쇼셔.”

이윽ᄒᆞ여 뉴공이 도라갈 ᄉᆡ, 곡졀(曲折)이ᄂᆞ ᄌᆞ시 알고ᄌᆞ ᄒᆞ여 문밧게 ᄂᆞ와 ᄇᆡ송ᄒᆞ며 가만니 뭇ᄌᆞ오ᄃᆡ,
“김즁관니 어ᄂᆡ 날 이리 오난니잇가?”
금오 왈,
“ᄂᆡ 이제 김부(金府)로 가ᄂᆞᆫ니 금야의 김ᄌᆡ 즘간 와 단여가리라.”
ᄒᆞᆫᄃᆡ, 공ᄌᆞ 쳥미파(聽未罷)의 불승ᄎᆞ악경히(不勝嗟愕驚駭)ᄒᆞ여 금오을 ᄇᆡ별하【5】{ᄒᆞ}여 보ᄂᆡ고, 심즁의 ᄎᆞ악ᄒᆞᆫ심(嗟愕寒心)ᄒᆞᆫ 심ᄉᆞ 아득ᄒᆞᆫ 즁, ᄆᆡ져(妹姐)ᄂᆞᆫ 모로고 이시믈 민망ᄒᆞ여 이의 미화당의 이르니, ᄎᆞ시 현아 소져 셔안의 열녀젼을 즘심ᄒᆞ다가 공ᄌᆞ을 보고 안ᄌᆞ라 ᄒᆞ거ᄂᆞᆯ, 공ᄌᆡ 근이좌(近而坐)ᄒᆞ고 갈오ᄃᆡ,
“져져 요ᄉᆞ이 뉴금오 슉부의 왕ᄂᆡ을 아르시ᄂᆞᆫ니잇가?”
소져 답왈,
“금년 신졍(新正)의 뵈온 후 다시 뵈ᄋᆞᆸ지 못ᄒᆞ엿시니 근간 왕ᄂᆡ ᄒᆞ시믈 아지 못ᄒᆞ노라.”
공ᄌᆡ 소ᄅᆡ을 낫초아 모친과 금오의 의논ᄒᆞ던 말을 일일이 젼ᄒᆞ고 왈,
“일이 급ᄒᆞ여 금야의 온다ᄒᆞ오니, ᄆᆡ져ᄂᆞᆫ 모로고 잇셔 얼골 뵈기 쉬오니, ᄇᆞ라ᄂᆞ니 ᄆᆡ져ᄂᆞᆫ 소졔의 오ᄉᆞᆯ 밧고와 입으시고, 소제ᄂᆞᆫ 져져의 오ᄉᆞᆯ 입어 김가 흉젹을 보고져 ᄒᆞᄂᆞ이다.”
소져 ᄎᆞ언을 드르ᄆᆡ 골경신히(骨驚身駭)ᄒᆞ여 묵연반향(默然半晑)의 탄식 왈,
“모친이 날을 쥭이려 ᄒᆞ시ᄂᆞ, ᄂᆡ 이제 모친게 드러가 쥭기로 다토아 이런 비례지ᄉᆞ(非禮之事)을 아이의[1007] 못ᄒᆞ시게 ᄒᆞ리라.”

공ᄌᆡ 말녀 왈,
“가(可)치 아니토소이다. 모친이 고집이 게시고 일을 시즉ᄒᆞ시ᄆᆡ 부ᄃᆡ ᄭᅳᆺ슬 여물고 마르시ᄂᆞᆫ니, ᄃᆡ인이 하가의 결혼ᄒᆞ시믈 분노ᄒᆞᄉᆞ 혼쳐을 궁극히 듯보시니, ᄆᆡ져 비록

1007)아이의 : 아예. 일시적이거나 부분적이 아니라 전적으로. 또는 순전하게.

쇼졔 분개훈 눈믈이 옥면의 가득ᄒᆞ여 댱탄왈,

"ᄌᆞ위 야야의 듕탁(重託)을 져바려 쳔고의 업순 힝ᄉᆞ를 ᄌᆞ임ᄒᆞ시니 오문(吾門) 쳥덕을 일노좃ᄎᆞ 츄락ᄒᆞ리로다."

공ᄌᆡ 위로 왈,

"비록 그러나 일이 급ᄒᆞ여시니 쌜니 피ᄒᆞ쇼셔. 쇼뎨 져져(姐姐)의 옷을 닙어 흉음젹ᄌᆞ(凶淫賊子)를 뵈리이다."

언파의 즉시 나와 황혼의 《셰원 ‖ 셰월》 등이 문의 나와 김가의 오기를 기다려 바로 미화당으로 다려가ᄌᆞ ᄒᆞᄂᆞ디라. 공ᄌᆡ 블승분히(不勝憤駭)ᄒᆞ여 나ᄂᆞᄃᆞ시 미각의 와 쇼져의 일습의복(一襲衣服)을 닙고 쇼져ᄂᆞᆫ 협실노 드러가고 벽난은 촉을 붉혀 잇더니, 이윽고 비영 등이 지게 밧긔【12】 와 부인 말ᄉᆞᆷ으로 젼어 왈,

"금외 일비ᄌᆞ를 보ᄂᆡ여 너의게 샤환ᄒᆞ라 ᄒᆞ시니 두고 시브거든 두고 블합ᄒᆞ거든 즉시 보ᄂᆡ라 ᄒᆞ시더이다."

김튝을 벽난으로 인도ᄒᆞ여 드려보ᄂᆡ니, 김싱이 흔흔ᄌᆞ득(欣欣自得)ᄒᆞ여 드러가 눈을 드러보니, 쇼졔 셔안을 비겨시니 홍일(紅日)이 산두(山頭)의 걸닌 듯, 광휘요일(光輝曜日)ᄒᆞ고 보광(寶光)이 황황ᄒᆞ여 곱고 긔이ᄒᆞ믄 남젼ᄇᆡᆨ옥(藍田白玉)을 가다듬아 치식을 메엿ᄂᆞᆫ 둣, 일견쳠시(一見瞻視)의 긔이황홀(奇異恍惚)ᄒᆞ여 눈을 드러 다시금 바라보ᄆᆡ, 아룸답고 고으미 흠 업사ᄃᆡ, 다만 긴 눈셥이 텬창(天窓)985)을 썰쳣고 난봉안(鸞鳳眼)과 와줌미(臥蠶眉) 너모 기러 미인의 염ᄐᆡ(艷態) 잠간 적으나, 그 ᄉᆡᆨ광으로 니

985)텬창(天窓) : '눈'을 달리 표현한 말.

쥭기로 닷토나 존의을 두로혀지 못ᄒᆞ고 ᄆᆡ져 모로ᄂᆞᆫ 가온ᄃᆡ, 부ᄃᆡ 김가을 뵈실 거시니 금일은 소제(小弟) 와 권도(權道)로 《녜복 ‖ 녀복》을 닙고 김ᄌᆞ을 보리라."

소져 분긔훈 눈【6】물이 옥면의 가득ᄒᆞ여 ᄃᆡᄒᆞ여 왈,

"모친이 ᄃᆡ인 임힝의 부탁을 다 이ᄌᆞ시고 ᄌᆞ식을 훼절훈 게집을 만들고져 ᄒᆞ시니, 이런 망극훈 일이 어ᄃᆡ 잇ᄉᆞ리오. 금일은 ᄂᆡ 모로ᄂᆞᆫ 체 할 거시니, 현제 의논 ᄃᆡ로 ᄒᆞ련이와 모친이 ᄉᆡᆼ각 밧 져런 변괴을 니르혀고져 ᄒᆞ시니, ᄂᆡ 진실노 쥭어 모로고져 ᄒᆞ노라."

공ᄌᆡ 도로혀 위로ᄒᆞ고 도로 ᄂᆞ와 신긔히 술피ᄃᆡ 장공ᄌᆞ(長公子)다려도 이런 말을 아니 ᄒᆞ더니, 날이 임의 어둡긔의 당ᄒᆞ여, 게월·비영 등으로 밧문의 나와 가만니 숫두어리고 ᄎᆞ공ᄌᆡ 가만니 드르니 김공ᄌᆞ 왓시니 미화당으로 가ᄌᆞ ᄒᆞᄂᆞᆫ지라, 경히 분완ᄒᆞ미 비할 곳 업ᄉᆞ나, 굿지 춤고 나ᄂᆞᆫ 다시 ᄆᆡ져 쳐소의 이르러 소져 여벌(餘 -)1008) 옷슬 입고 소져ᄂᆞᆫ 협실노 드러간 후 벽ᄂᆞᆫ니 소져을 뫼셔 촉을 발히고 안ᄌᆞ더니, 이윽고 비영 등이 지게 밧게 와 벽ᄂᆞᆫ을 불너 소져게 뉴부인 말ᄉᆞᆷ으로,○○○[젼어 왈]

"금오게셔 비ᄌᆞ 일인을 보ᄂᆡ여 너을 쥬라 ᄒᆞ시니, ᄆᆞ음의 들거든 당ᄒᆞ의 두고 슬커든 도로 보ᄂᆡ도 히롭지 아니타 ᄒᆞ시더니다."

하고, 김ᄌᆞ을 벽ᄂᆞᆫ과 훈가지로 드러가라 ᄒᆞ니, 듕관니 흔흔낙낙(欣欣樂樂)ᄒᆞ여 급히 방즁의 드러가 소져을 보니 츄월이 즁천의 ᄂᆡ왓ᄂᆞᆫ 듯, 왕뫼(王母)1009) 요지(瑤池)1010)을 써ᄂᆞᆫ 듯 고흔 용화ᄂᆞᆫ 남젼ᄇᆡᆨ벽(藍田白璧)을 다듬아시며, 잠미봉안(蠶眉鳳眼)의 와

1008)여벌(餘 -) : 입고 있는 옷 이외에 여유가 있는 남은 옷.

1009)왕뫼(王母) : 서왕모(西王母). 중국 신화에 나오는 신녀(神女)의 이름. 불사약을 가진 선녀라고 하며, 음양설에서는 일몰(日沒)의 여신이라고도 한다

1010)요지(瑤池) : 중국 곤륜산에 있다는 못. 신선이 살았다고 하며, 주나라 목왕이 서왕모를 만났다는 이야기로 유명하다.

를진ᄃᆡ 져의 본 바 쳐음이라. 【13】김ᄌᆡ 황홀ᄒᆞ여 바라보ᄂᆞᆫ 눈이 ᄯᅮ러질 ᄃᆞᆺᄒᆞ니 공ᄌᆡ 심니의 분ᄒᆡ(憤駭)ᄒᆞ여 벽난으로 젼어 왈,

"쇼네(小女) 비ᄌᆡ 만흐니 브졀업ᄉᆞᆫ 고로 보ᄂᆡᄂᆞ이다."

벽난을 ᄌᆡ촉ᄒᆞ여 듕광을 다려ᄂᆡ여가라 ᄒᆞ니, 김개 쇼져로 아라 ᄯᅥ나미 셥셥ᄒᆞ나 쇼졔 ᄌᆡ촉ᄒᆞ니, 마디 못ᄒᆞ여 비영으로 더브러 나오니, 셰월 등이 인도ᄒᆞ여 밧문으로 나가니, 원간 김ᄉᆡᆼ의 오믈 뉴시 어려이 넉이ᄃᆡ 경ᄋᆡ 힘ᄡᅧ 드러왓ᄂᆞᆫ디라. 쇼져를 본가 넉일지언졍 공ᄌᆞ의 됴화ᄂᆞᆫ 젼혀 블각(不覺)ᄒᆞ고, 나갈 ᄯᆡ 잠간 여어보니 풍ᄎᆡ 쥰아ᄒᆞ고 미목(眉目)이 쳥슈ᄒᆞ니 ᄀᆞ장 결혼ᄒᆞ믈 원ᄒᆞ니 무식 무디ᄒᆞ미 여ᄎᆞᄒᆞ더라.

공ᄌᆡ 김툭을 ᄂᆡ여보ᄂᆡ고 즉시 녀복을 버셔 후리치고 져져다려 왈,

"평ᄉᆡᆼ 공교ᄒᆞᆫ 일을【14】 아니ᄒᆞ더니 금야의 마지 못ᄒᆞ여 음양을 밧고아 김툭을 속엿거니와, ᄑᆡᄌᆡ(悖者) 오가를 업슈히 넉이미 여ᄎᆞᄒᆞ여 규ᄂᆡ 여어보기를 안연이 ᄒᆞ니 일관(一觀)이 통ᄒᆡ(痛駭)ᄒᆞᆫ지라 급히 가 져놈을 난타ᄒᆞ여 후일을 경계ᄒᆞ리니 져져ᄂᆞᆫ 놀나지 마르쇼셔."

언파의 밧그로 나가니 쇼제 모친의 ᄒᆡᆼᄉᆞ를 한심골경ᄒᆞ고 분완(憤惋)ᄒᆞ믈 니긔지 못ᄒᆞ여 답지 못ᄒᆞ더라.

ᄌᆞᆷ미(臥蠶眉)ᄂᆞᆫ 천ᄎᆞᆼ(天窓)[1011]【7】을 ᄯᅥᆯ쳐시며, 영긔발월(靈氣發越)ᄒᆞ여 잠간 아리ᄡᅡ온 거시 부족ᄒᆞᄃᆡ, ᄉᆡᆨ광인즉 본 ᄇᆡ 쳐음이라. 김ᄌᆡ ᄃᆡ열황홀ᄒᆞ여 눈이 ᄯᅮ러지고 망울이 ᄡᅡ지도록, 눈을 옴기지 안니코 소져을 ᄇᆞ라보ᄂᆞᆫ지라. 공ᄌᆡ 분완통ᄒᆡᄒᆞ여 김가 ᄑᆡᄌᆞ을 일시ᄂᆞ ᄆᆡ져 침소의 머물이기 측ᄒᆞ여, 벽ᄂᆞᆫ으로 ᄒᆞ여금 모친게 고하되,

"소여 시녀 오륙인니 잇셔 부족지 아니ᄒᆞ오니 시비을, 더ᄒᆞ여 무엇ᄒᆞ리잇고? 이러무로 도로 보ᄂᆡ나니이다."

ᄒᆞ여 즁관을 보ᄂᆡ라 ᄒᆞ니, 김즁관니 소져의 ᄇᆡᆨ옥(白玉) 갓튼 호치(皓齒)와 연화(蓮花) 갓튼 용모와 표연(飄然)한 긔질이 볼ᄉᆞ록 쇄락ᄒᆞ니, ᄎᆞ마 ᄯᅥ날 ᄯᅳᆺ시 업ᄉᆞ나, 어셔 도라가 밧비 뉵네(六禮)로 마즈려 ᄒᆞᄂᆞᆫ지라. ᄯᅩ한 마음의 진짓 소져로 아라 ᄒᆞᆫ 말을 못ᄒᆞ고 벽ᄂᆞᆫ으로 더부러 나오ᄆᆡ, 게월·비영 등이 김ᄉᆡᆼ을 인도ᄒᆞ여 밧문으로 ᄂᆡ여 보ᄂᆡ니, 원간 뉴시ᄂᆞᆫ 김즁관을 규방의 드려보ᄂᆡ기 어려워 ᄒᆞ되, 경ᄋᆡ 힘ᄡᅧ 권ᄒᆞ여 현아을 뵈게 ᄒᆞ니, 공ᄌᆡ 녀복을 입고 김ᄌᆞ을 본 쥴은 몽니(夢裏)의도 모로고, 즁관을 미화당으로 보ᄂᆡ엿다 즉시 나아가믈 뉴시 모녀 창틈으로 여어보니, 풍신용화 여복(女服) 가온ᄃᆡ 쥰슈한지라. 가즁 깃거 현ᄋᆞ을 눈의 들어 결혼ᄒᆞ믈 원ᄒᆞ니 무지불식(無知不識)함과 츄세(趨勢)ᄒᆞ미 이러틋 ᄒᆞ더라.

ᄎᆞ시【8】 윤공ᄌᆞ 즁관을 ᄂᆡ여 보ᄂᆡ고 즉시 녀복을 버셔 후리치고 ᄆᆡ제을 보아 갈오ᄃᆡ

"소제 평ᄉᆡᆨ의 공교ᄒᆞᆫ 거술 깃거 아니 ᄒᆞ더니 금야의ᄂᆞᆫ 마지 못ᄒᆞ여 음양을 밧고아 김ᄌᆞ을 속여거니와, ᄑᆡᄌᆡ(悖者) 우리집을 업슈히 녀여 감히 규방의 드러와 ᄆᆡ져을 보려 ᄒᆞ미 통ᄒᆡ(痛駭)ᄒᆞᆫ지라. 소제 급히 ᄶᅩᆺᄎᆞ가셔 져놈을 한번 ᄂᆞᆫ타ᄒᆞ리로소이다."

1011)천ᄎᆞᆼ(天窓) : '눈'을 달리 표현한 말.

ᄎᆞ시 윤쇼졔 모친의 힝ᄉᆞ를 ᄉᆡᆼ각고 김가 튝ᄉᆡᆼ의 무례ᄒᆞ믈 분완통히ᄒᆞ여 아의 말을 밋쳐 답지 못ᄒᆞ여셔 공지 쐴니 나가니 오히려 념네 업지 아니ᄒᆞ여 김튝(畜)의게 상ᄒᆞᆯ가 념녀만복(念慮滿腹)ᄒᆞ더라.

공지 텬셩이 단듕(端重)ᄒᆞᄃᆡ 김ᄉᆡᆼ 통한ᄒᆞ믈 니긔지 못ᄒᆞ여, 개연이 밧긔【15】 나와 긴 옷슬 버셔 후리치고, 급히 문을 ᄂᆡ다라 듕광을 ᄯᆞᆯ을ᄉᆡ, 뇽힝호보(龍行虎步)의 신쇽ᄒᆞ미 구름이 힝ᄒᆞ고 별이 흐르는 ᄃᆞᆺᄒᆞ니, 엇지 듕광의 뒤흘 ᄯᆞᆯ오지 못ᄒᆞ리오. ᄎᆞ시 뎡히 황혼이라, 초ᄉᆡᆼ미월(初生眉月)이 몽농ᄒᆞ고 네거리 큰 길의 왕ᄂᆡᄒᆞᄂᆞᆫ 사ᄅᆞᆷ이 가득ᄒᆞᆫ 듕, 듕광이 듕인 가온ᄃᆡ 셧겨 가니 엇지 아라보리오마ᄂᆞᆫ ᄇᆞᆰ은 안광이 엇지 김가 젹ᄌᆞ를 분간치 못ᄒᆞ리오 임의 만나ᄆᆡ 발연이 다라드러 듕광의 머리를 ᄭᅳ드러 잡고 ᄌᆞ긔 신을 버셔 그 ᄲᅡᆷ을 치며 슈죄 왈,

"네 반ᄃᆞ시 셩현셔(聖賢書)를 닑어실 거시어ᄂᆞᆯ 음양을 변톄ᄒᆞ여 구ᄎᆞ히 규방의 드러와 규슈를 여어보아 업슈히 녁이니, 네 눈으로 보고 구혼ᄒᆞ렷노라【16】 ᄒᆞ미 긔므슴 말고? 윤쇼져를 구혼코져 ᄒᆞ나 하시의 사ᄅᆞᆷ이라. 네 집은 니르지 말고 텬ᄌᆞ의 됴셰 나려도 타문을 ᄉᆡᆼ각지 못ᄒᆞᆯ 거시니 셔어(齟齬)ᄒᆞᆫ ᄠᅳᆺ을 두지 말나."

이리 니르며 대로의 구울니며 힘을 다ᄒᆞ여 무슈히 치니, 졔인이 쥐 숨ᄃᆞᆺ 다라나고 업ᄂᆞᆫ디라. 듕광이 부귀ᄌᆞ뎨로 의복을 치례ᄒᆞ고 음식을 고찰ᄒᆞᆯ ᄲᅮᆫ이오, 약ᄒᆞ미 셰류(細柳) ᄀᆞᆺᄐᆞ여 운공ᄌᆞ의 강ᄆᆡᆼᄒᆞ믈 당ᄒᆞᆯ 길 업고, 졔 압히 굽으므로 일언을 못ᄒᆞ고 참혹히 마즐 ᄲᅮᆫ이니, 슌시군ᄉᆡ 곳곳이 단니ᄂᆞᆫ 디라, 윤공지 일시 분이나 플녀시므로 슌나군을 만나면 말ᄒᆞ기 괴로워, 두 불노 ᄎᆞ바리고 표연(飄然)이 도라오니라.

이ᄯᅴ 뎡공지 ᄆᆞ침 침젼의셔【17】 갓 믈너와 아이 업ᄉᆞ믈 괴이히 녁이더니 져른[986] 옷슬 닙고 분긔 가득ᄒᆞ여 방듕으로 드러오믈 보고 갓던 곳을 므르니, 공지 비로소 셜

986)져르다 : 짧다

소져ᄂᆞᆫ 모친의 일을 ᄉᆡᆼ각ᄒᆞᄆᆡ 골경신히(骨驚身駭)ᄒᆞ여 밋쳐 답지 못ᄒᆞ여셔 ᄂᆞ아가니, 오히려 염네 업지 아니ᄒᆞ여 향[행]혀 김젹의게 상할가 두리더라.

공ᄌᆞ 즁관을 분(憤)ᄒᆞ미 극ᄒᆞ여 가연니 밧게 나와 문을 나 급히 즁관의 뒤흘 ᄶᅡ르니, 용힝호보(龍行虎步)의 신긔로오미 엇지 ᄶᅡ르지 못ᄒᆞ리오. 여러 ᄉᆞ람 즁의 셧겻시니 미월(微月)이 희미ᄒᆞ여 ᄉᆞ람을 아라보기 어려온지라. 공ᄌᆞᄂᆞᆫ 즁관을 아라 ᄶᅡ르니 발연니 다라드러 즁관의 머리을 ᄭᅳ드러 줍고 자긔 신을 버셔 ᄲᅡᆷ을 나라ᄂᆞ게 쳐 왈,

"네 셩현셔(聖賢書)을 보고 ᄉᆞ류의 관을 쓰고 식견이 업지 아닐 거시여ᄂᆞᆯ, 음양을 변체ᄒᆞ고 규방의 드러와 상문규슈을 보려ᄒᆞ니 죄당만ᄉᆡ(罪當萬死)라. 네 친히 보고 구혼ᄒᆞ여 ᄒᆞ여도 윤소져ᄂᆞᆫ 하씨의 ᄉᆞ람이라, 네 집은 이르지 말고 텬ᄌᆞ의 위엄이라도 곤치지 못ᄒᆞ리니, 셔어(齟齬)ᄒᆞᆫ ᄠᅳᆺ슬 두지 말나."【9】

이리 일으며 ᄃᆡ로상(大路上)의 구을니매 힘을 다ᄒᆞ여 ᄆᆡ이치거ᄂᆞᆯ, 시녀 숨ᄉᆞ인니 쥐 숨듯 다라나고 아모도 구ᄒᆞ리 업ᄂᆞᆫ지라. 즁관니 부귀호치(富貴豪侈)로 ᄌᆞ라 의복을 치레ᄒᆞ고 옥식(玉食)으로 고출(考察)할 분이니, 약ᄒᆞ미 셰류(細柳) 갓트여 윤공ᄌᆞ의 강ᄆᆡᆼᄒᆞᆫ 힘을 당할 길 업고, ᄯᅩᄒᆞᆫ 제 압피 굽으므로 놀나미 극ᄒᆞ여 일언을 못ᄒᆞ고, 참혹히 마즐 분이니, 슌시군ᄉᆞ 곳곳이 단ᄂᆞᆫ지라, 공ᄌᆞ 일시 분니ᄂᆞ 프러시니 발노 ᄎᆞ 더지고 집으로 도라오니, 장공지 모친 침젼의셔 물너와 ᄎᆞ공지 업ᄉᆞ믈 고히 녁이더니, 졀은[1012] 오슬 입고 분긔 가득ᄒᆞ여 드러오믈 보고 갓던 곳을 무르니, ᄎᆞ 공ᄌᆞ 비로소 즁

1012)져르다 : 짧다.

화를 니르ᄆᆡ 댱공ᄌᆡ 분연통히ᄒᆞ여 왈,

"네 엇지 날다려 니르지 아니ᄒᆞᄂᆞ뇨? 그 놈을 죽여야 슉모의 셔랑(壻郎) 바라시ᄂᆞᆫ 바를 ᄉᆞᆺ출거ᄉᆞᆯ 네 약ᄒᆞ여 잠간 치고온 거시야 무ᄉᆞᆷ 유익ᄒᆞ미 이시리오. 슉뫼 계뷔 오시기 젼 ᄆᆡ져를 타문의 보ᄂᆡ고 ᄒᆞᆫ갓 계부긔 고ᄒᆞᆯ 말ᄉᆞᆷ이 업ᄉᆞᆯ쁜 아니라, 하가의 빙치와 져져의 비샹 글ᄌᆡ 하공의 필젹이니, 엇지려 ᄒᆞ시며 ᄆᆡ졔 결단코 듯지 아니시리니, 반ᄃᆞ시 일장을 요란ᄒᆞᆯ 거시오, 져졔 집의 머므르시기 어려오리라."

ᄎᆞ공ᄌᆡ 탄식 왈,

"김 【18】 가 튝ᄉᆡᆼ(畜生)의 방ᄌᆞᄒᆞ미 엇디 ᄉᆞᆯ오고져 의ᄉᆡ 이시리잇고마ᄂᆞᆫ, 인명이 디듕(至重)ᄒᆞ니 우리 십셰쇼ᄋᆞ로 살인ᄒᆞ기를 됴흔 일ᄀᆞᆺ치 ᄒᆞ고 적앙(積殃)을 엇디ᄒᆞ리오. 그러므로 죽이지 못ᄒᆞ미오, 듕광이 죽다 ᄒᆞ여도 다시 권문셰가의 신낭을 구ᄒᆞ실 거시오, 쇼뎨(小弟) 소견은 져졔(姐姐) 잠간 집을 ᄯᅥ나시미 올ᄒᆞᆯ가 ᄒᆞᄂᆞ이다."

댱공ᄌᆡ 분연 통히ᄒᆞᄃᆡ ᄒᆞᆯ 일 업셔 ᄌᆞ리의 나아가 가듕형셰(家中形勢)를 ᄉᆡᆼ각고 ᄎᆞ악ᄒᆞ여 아모리 ᄒᆞᆯ 줄 모르더라.

뉴부인이 광텬형뎨를 다 ᄂᆡ여보ᄂᆡ고 현ᄋᆞ의 혼ᄉᆞ를 지ᄂᆡ고져 ᄒᆞᄆᆡ, 태부인을 쵹ᄒᆞ여 여ᄎᆞ여ᄎᆞ ᄒᆞ쇼셔 ᄒᆞᆫᄃᆡ, 태부인이 명일의 냥공ᄌᆞ를 블너 닐【19】오ᄃᆡ,

"가듕의 용되 번다(煩多)ᄒᆞ고 형셰 졈졈 탕진ᄒᆞ여 슈습기를 잘못ᄒᆞ여ᄂᆞᆫ 필경 개걸(丐乞)ᄒᆞ기 쉬오리니, 광텬은 항쥐 가 ᄆᆡᆨ곡(麥穀)을 거두어 션노(船路)로 가져오고, 희텬은 남양 가 그곳의 약간 젼퇴(田土) 이시니 아조 화ᄆᆡ(貨賣)ᄒᆞ여 갑슬 가져오면 됴셕 용되(用度) 슈월이나 졀급(切給)기를 면ᄒᆞᆯ가 ᄒᆞ노라."

희텬공ᄌᆞᄂᆞᆫ 머리를 숙여 밋쳐 답디 못ᄒᆞ여셔 광텬 왈,

"가ᄉᆡ 탕딘(蕩盡)ᄒᆞ여 비록 젼일과 ᄀᆞᆺ지 못ᄒᆞ오나, 금은이 아직 군급(窘急)ᄒᆞᆫ 일은 젹으니 블시의 엇디 젼토를 화ᄆᆡ(貨賣)ᄒᆞ오

관이 왓던 말과 자긔 치고 온 말을 일으니, 장공ᄌᆡ ᄃᆡ경통히ᄒᆞ여 왈,

"네 엇지 날다려 이르지 아니ᄂᆞᆫ뇨? 그 놈을 쥭여야 슉뫼 셔랑을 바리시믈 ᄉᆞᆺ출 거ᄉᆞᆯ 약간 치고 오니 무ᄉᆞᆷ 유익ᄒᆞ미 잇ᄂᆞᆫ뇨? 슉뫼 계부게셔 도라오시기 젼의 ᄆᆡ졔을 타문의 보ᄂᆡ고 한갓 슉부의 고할 말이 업ᄉᆞᆯ 분 아니라, 하가의 빙치문명과 《ᄆᆡ제∥ᄆᆡ저(妹姐)) 팔 우히 글ᄌᆞ 하공의 필젹이니 ᄆᆡ져 결단코 슌슈치 아니리니, 반다시 일ᄌᆞᆼ풍파(一場風波)을 일의혀리니 져져 집의 머물기 어려오리로다."

ᄎᆞ공ᄌᆞ 기리 탄식 왈,

"즁관의 음흉방ᄌᆞ(淫譎放恣)ᄒᆞ미 ᄉᆞᆯ지무셕(殺之無惜)이ᄂᆞ 인명이【10】 지즁(至重)ᄒᆞ고 우리 칠팔세 소아로 ᄉᆞᆯ인ᄒᆞ기을 조흔 일 갓치 ᄒᆞ고 엇지 적악(積惡)이 업ᄉᆞ리잇고? 그러므로 쥭이지 못ᄒᆞ오미오, 즁관이 업셔도 다른 권문셰가의 신낭을 구할 거시니, 소제(小弟) 소견은 져져(姐姐) 집을 ᄯᅥ나시ᄂᆞᆫ 거시 올흘가 ᄒᆞᄂᆞ니이다."

장 공ᄌᆞ 졈두(點頭)ᄒᆞ고 형졔 ᄌᆞ리의 ᄂᆞ아가ᄂᆞ 가즁위란(家中危亂)을 ᄉᆡᆼ각ᄒᆞ니 좀이 오지 아니니 ᄌᆞᆼ탄식(長歎息) 분일너라.

뉴시 광텬형제을 다 ᄂᆡ여 보ᄂᆡ고 현아 소져의 혼인을 지ᄂᆡ고져 ᄒᆞ여 ᄐᆡ부인을 촉ᄒᆞ여 여ᄎᆞ여ᄎᆞᄒᆞ소셔 ᄒᆞ니, 위ᄐᆡ 응낙고 명일 냥 공ᄌᆞ을 불너 일오ᄃᆡ,

"가즁의 용되 번다(煩多)ᄒᆞ고 형세 졈졈 탕갈(蕩竭)ᄒᆞ여 슈습기을 줄 못ᄒᆞ여ᄂᆞᆫ 필경 ᄀᆡ결(丐乞)ᄒᆞ기 쉬오리니, 광텬은 항쥐의 가 미곡(米穀)을 거두어 션노(船路)로 가져오고, 희텬은 담양의 가 그곳의 약간 젼퇴(田土) 이시니, 아조 ᄆᆡᄆᆡᄒᆞ여 갑슬 가져오면, 조석 용되(用度) 졀급(切給)기을 슈월이ᄂᆞ 면ᄒᆞᆯ가 ᄒᆞ노라."

ᄒᆞᆫᄃᆡ, ᄎᆞ공ᄌᆞᄂᆞᆫ 머리을 슉여 밋쳐 답지 못ᄒᆞ여셔 장공ᄌᆞ ᄃᆡ왈,

"가ᄉᆡ 탕진(蕩盡)ᄒᆞ여 젼일과 갓지 못ᄒᆞ나 금은이 아직 군핍(窘乏)할니도 업습고, ᄯᅩ 엇지 졸지(猝地)의 환ᄆᆡ(換買)ᄒᆞ오며, 소

며 쇼손 등이 셰亽를 아지 못ᄒᆞ오니 모ᄆᆡᆨ(麰麥)[987]을【20】 잘 거둘 길히 업亽오니 출하리 틍근ᄒᆞᆫ 노복을 냥쳐(兩處)의 보ᄂᆡ여 착실이 모ᄆᆡᆨ을 거두고 젼토를 화ᄆᆡᄒᆞ여 오라 ᄒᆞ쇼셔."

태부인이 뎡식 왈,

"고듕의 냑간 금은과 미곡이 이시나 누ᄃᆡ봉亽(累代奉祀)의 간략히 뼈도 핍졀ᄒᆞ미 만흐니 너희 헴 업시 이러틋 ᄒᆞᄂᆞ뇨? 여등이 가기를 괴로워 홀딘ᄃᆡ 일긔 극열(極熱)이나 노뫼 친히 갈 거시니 너희 ᄇᆡ힝(陪行)은 마디 못ᄒᆞ리라."

이리 니르며 뉴시를 도라보아 힝니(行李)를 출히라 ᄒᆞ고 가려 ᄒᆞ니, 희텬공ᄌᆡ 슌셜(脣舌)이 무익ᄒᆞ믈 ᄭᆡᄃᆞ라 일언을 아니코 광텬공ᄌᆡ 다시 고코져 ᄒᆞ더니, 조부인이 뎡식왈,

"너희 두 곳의 단녀오미 블과 일삭(一朔)이어놀 므어시 어려워 존괴 친히 가시게 ᄒᆞ리오 금일이라도 발힝ᄒᆞ라."

냥공ᄌᆡ ᄃᆡ왈,

"히ᄋᆞ 등이 가【21】기를 어려워ᄒᆞ미 아니라 대모의 쳐치 괴이ᄒᆞ시니 실노 민박(憫迫)ᄒᆞ여 ᄒᆞᄂᆞ이다."

태부인이 대로 왈,

"노모의 쳐치 엇디ᄒᆞ여 괴이타 ᄒᆞᄂᆞ뇨? 네 아ᄌᆞ뷔 나가고 노복이 내 녕을 두리지 아니니, 출하리 너희 나려가 착실히 ᄒᆞ여 일치 아니미 올흐니, 범亽의 블슌ᄒᆞ고 亽오나와 노모의 근력(筋力)을 쓰게 ᄒᆞᄂᆞ디라. 네 가기 슬희여도 내 갈 졔 ᄇᆡ힝을 엇지 말니오."

희텬공ᄌᆡ 온화히 ᄃᆡ왈,

"왕뫼 이런 일의 엇지 근노ᄒᆞ시리잇가? 쇼숀 등이 금일이라도 나려가올 거시니 셩열(盛熱)을 당ᄒᆞ여 원노의 엇지 친힝ᄒᆞ시리잇고."

---

987)모ᄆᆡᆨ(麰麥) : 보리.

손 등이 세亽을 칙 아지 못ᄒᆞ오니 묘ᄆᆡᆨ(苗脈)[1013]을 졸 ᄒᆞ여 거둘 길이 업亽오니, 출하리 츙근ᄒᆞᆫ 노복을 냥쳐의 보ᄂᆡ여 《묘ᄆᆡᆨ ‖ 모ᄆᆡᆨ(麰麥)[1014]》을 거두고 젼토을 환ᄆᆡᄒᆞ여 오라 ᄒᆞ亽이다."【11】

위ᄐᆡ 정식 왈,

"고즁(庫中)의 약간 미곡과 금은이 잇시ᄂᆞ 누ᄃᆡ봉亽(累代奉祀)의 간약히 써도 핍졀ᄒᆞ미 만흐니 너희 희 혐[헴]이 업亽미 이러틋 ᄒᆞ도다. 여등이 가기을 괴로워 할진ᄃᆡ 일긔 비록 졈졈 극열(極熱)ᄒᆞ나 노모 친히 갈거시니 너희 ᄇᆡ힝(陪行)은 ᄒᆞ리라."

언파의 뉴시을 도라보아 힝니(行李)을 ᄎᆞ리라 ᄒᆞ고 스亽로 가랴 ᄒᆞ니, 희텬 공ᄌᆞ 슌셜(脣舌)이 무익ᄒᆞ믈 ᄭᆡ다라 일언 아니코, 광텬 공ᄌᆞ 다시 쥬코져 ᄒᆞ니, 조부인이 정식 왈,

"너희 둘이 두 곳의 단녀오미 불과 일삭(一朔)이나 되리니, 무어시 어려워 됸괴(尊姑) 친히 가시게 ᄒᆞ리오. 금일이라도 발힝ᄒᆞ라."

즁공ᄌᆞ ᄃᆡ왈,

"소ᄌᆞ 등이 가기을 어려워 ᄒᆞᄂᆞᆫ 거시 아니오라 조모의 쳐치 고히ᄒᆞ亽 진실노 이승《하시더니다 ‖ 하시니이다》."

위ᄐᆡ ᄃᆡ로 왈,

"노뫼 쳐식 엇지 고이타 ᄒᆞᄂᆞᆫ뇨? 네 아ᄌᆞ비 ᄂᆞ가고 노복이 ᄂᆡ 명을 두리지 아니 ᄒᆞ니 찰ᄒᆞ리 너희 나려가 측실이 ᄒᆞ여 일치 아니미 올커놀, 여등이 범亽의 불슌ᄒᆞ고 亽오나와 노모의 근력(筋力)을 쓰게 ᄒᆞ니, 여등이 비록 가기 슬흐여도 ᄂᆡ 나려가ᄂᆞᆫᄃᆡ ᄇᆡ힝을 엇지 아니리오?"

ᄎᆞ 공ᄌᆞ 온화히 ᄃᆡ왈,

"조뫼 이런 일을 다 근노케 ᄒᆞ오시리잇고?"

1013)묘ᄆᆡᆨ(苗脈) : 일의 실마리. 또는 일이 나타날 단서

1014)모ᄆᆡᆨ(麰麥) : 보리.

태부인이 노를 잠간 도로혀 닐오ᄃᆡ,

"금일노 발힝ᄒᆞ라."

ᄒᆞ니, 광텬공직【22】 화우(華宇)988)를 찡긔고 퇴ᄒᆞ여 외헌의 나오니, ᄎᆞ공직 ᄯᆞ라 오거ᄂᆞᆯ, 댱공직 왈,

"조뫼 거즛 아둥을 져히노라 친히 가렷노라 ᄒᆞ셔도 그 말ᄉᆞᆷ이 진졍이 아니오, 우리 아니 가면 블과 쟝칙을 더으실 ᄲᅳᆫ이오, 죽이든 아니시리니, 네 엇디 단녀오기를 결ᄒᆞᆫ다?"

ᄎᆞ공직 탄왈,

"조뫼 결단코 ○○○[우리을] 집의 머므르지 아닐 ᄉᆞ단(事端)이 계시니, 형댱과 쇼뎨 샤양ᄒᆞ여 도망ᄒᆞᆯ 길히 《업셔‖업게》 브ᄃᆡ 가도록 ᄒᆞ시○[리]니, 여러 말 닷토아 므엇ᄒᆞ리잇고?"

댱공직 도로혀 잠쇼 왈,

"친ᄉᆞ를 지ᄂᆡ려 ᄒᆞ시므로 아둥을 다 ᄂᆡ여 보ᄂᆡ려 ᄒᆞ시거니와, 나는 항쥐 가지 아니려 ᄒᆞᄂᆞ니 현뎨도 남양을 가지 말나."

ᄎᆞ공직 ᄃᆡ왈,

"쇼뎨도 이 ᄯᅳᆺ이 업디 아니커니【23】와 맛당이 보ᄂᆡ염즉ᄒᆞᆫ 노ᄌᆞ를 ᄉᆡᆼ각ᄒᆞ쇼셔."

냥공직 셔동 혜쥰과 샹셔의 유뎨(乳弟) 계튱을 블너 두 곳으로 보ᄂᆡ려 ᄒᆞᆯᄉᆡ, 범ᄉᆞ를 다 분부ᄒᆞ여 왈,

"만일 어긋나면 큰 일이 나리라."

ᄒᆞ고 비로소 태부인긔 드러가 하딕을 고ᄒᆞ니, 부인이 흔흔열열(欣欣悅悅)ᄒᆞ여 됴히 가 단녀오라 ᄒᆞ고, 남양 젼토를 팔나 ᄒᆞ여 문셔를 ᄂᆡ여 주니, 냥공직 말을 아니코 오딕 ᄇᆡ샤(拜辭)ᄒᆞ고, 냥공직 희월누의 드러가 모부인긔 고왈,

"쇼ᄌᆞ 둥이 항쥬와 남양으로 가는 일이 업셔 강졍으로 가려 ᄒᆞ오니, ᄌᆞ졍은 믈녀ᄒᆞ쇼셔. 왕뫼 못견ᄃᆡ도록 구르시거든 피ᄒᆞ여 강졍으로 나오쇼셔."

부인이 놀나 왈,

988)화우(華宇) : 이마. '우(宇)'는 얼굴에서 '이마'를 뜻함, 즉 '눈썹 주위의 이마'를 미우(眉宇)'라 함.

ᄒᆞᆫᄃᆡ, 위ᄐᆡ 노을 잠【12】간 푸러 니로ᄃᆡ,

"금일노 발힝ᄒᆞ라."

ᄒᆞ니, ᄃᆡ공ᄌᆞ 냥미(兩眉)을 ᄶᅵᆼ그여1015) 《외현‖회헌(外軒)》의 나오니, ᄎᆞ공ᄌᆞ ᄯᅡ라 ᄂᆞ오거ᄂᆞᆯ 장공직 왈,

"조뫼 거짓 져히노라1016) 친히 가시려노라 ᄒᆞ셔도 그 말ᄉᆞᆷ이 되지 못할 일이오, 우리 안니 가면 불과 중칙을 더으실 분이지 쥭이시든 못ᄒᆞ시려든, 네 엇지 가기을 결단ᄒᆞᆫ다?"

ᄎᆞ 공직 탄왈,

"조뫼 우리을 결단코 집의 머무르지 아닐 ᄉᆞ단(事端)니 겨시니, 형즁이 아모리 아니 가시려 ᄒᆞ셔도 면치 못ᄒᆞ시리니, 여러 말ᄉᆞᆷ 다토아 무엇ᄒᆞ{오}리잇고?"

장공ᄌᆞ 도로혀 웃고 일오ᄃᆡ,

"친ᄉᆞ을 지ᄂᆡ려 ᄒᆞ시무로 《여둥‖아둥(我等)》을 다 ᄂᆡ보시거니와, ᄂᆞ는 형쥐로 아니 가려 하ᄂᆞ니 현졔도 담양을 가지 말나."

ᄎᆞ 공직 ᄃᆡ왈,

"소졔도 이 ᄯᅳ지 잇ᄂᆞ니 맛당이 보ᄂᆡ염즉ᄒᆞᆫ 노ᄌᆞ을 ᄉᆡᆼ각ᄒᆞ소셔."

장공ᄌᆞ 셔동 혜준과 상셔 유제(乳弟) 계츙을 불어 두 곳을 보ᄂᆡ려 할 ᄉᆡ, 범ᄉᆞ을 다 분부ᄒᆞ고 비로소 ᄐᆡ부인긔 드러가 ᄒᆞ직을 고ᄒᆞ니, 위ᄐᆡ 흔흔낙낙(欣欣樂樂)ᄒᆞ여 조히 가 단여오라 ᄒᆞ고, 담양 문셔을 ᄂᆡ여쥬니, 냥 공직 슈명ᄇᆡᄉᆞ(受命拜辭) ᄒᆞ직고 냥 공직 희월누의 드러가 모친긔 고왈,

"소ᄌᆞ 둥이 항쥬 담양으로 아니 가옵고 바로 강졍으로 나가 믈너 잇다 오려ᄒᆞ오니, ᄌᆞ졍은 염네치 마르소셔."

ᄒᆞ거ᄂᆞᆯ, 부인니 놀나 왈,

1015)ᄶᅵᆼ그리다 : 찡그리다.
1016)져히다 : 저히다. 두렵게하다. 위협하다.

"너희 존고를 이러툿 속이고 엇지려【24】 ᄒᆞᄂᆞ뇨?"

공ᄌᆡ 바로 고왈,

"혜쥰과 계튱을 냥쳐로 보ᄂᆡ옵ᄂᆞ니 두 노ᄌᆞ 바로 강졍으로 올 거시니, 져희 오ᄂᆞᆫ 날 쇼ᄌᆞ 등도 드러오리이다."

부인이 묵묵히 슬허ᄒᆞ고[니], ○…결락20자…○[냥공ᄌᆡ 화셩유어(和聲柔語)로 위로ᄒᆞ여 이의 ᄒᆞ직고 ᄂᆞ올 ᄉᆡ], ᄎᆞ공ᄌᆡᄂᆞᆫ 현ᄋᆞ 쇼져를 ᄃᆡᄒᆞ여 ᄌᆞ위 혼인을 강박ᄒᆞ시거든 무인심야(無人深夜)의 집을 써나 강졍(江亭)으로 나오기를 당부ᄒᆞ고, {히월누의 가} 총총이 하딕ᄒᆞ고 강졍으로 나가ᄃᆡ, 태부인과 뉴시 능히 아지 못ᄒᆞ더라.

ᄎᆞ시 김듕광이 윤공ᄌᆞ의게 참혹히 맛고 반ᄉᆡᆼ반ᄉᆞ(半生半死)ᄒᆞ여 노변의 느러져시니, 져희 시녀 등이 비로소 모다 밧드러 부듕의 드러오니, 김니뷔 ᄋᆞ둘의 오기를 기다려 문알패 셧다가 이 경상을 보고 대경ᄎᆞ악ᄒᆞ여, 머리브터 나리 아니 마ᄌᆞᆫ【25】 곳이 업셔 면상(面相)이 혈흔이 가득지 아닌 곳이 업ᄂᆞᆫ디라. 밧비 븟드러 팀소의 누이고 잔인ᄒᆞ고[989] 슬프믈 니긔지 못ᄒᆞ여 곡졀을 므르니, 듕광이 정신을 출혀 길히 오다가 모르ᄂᆞᆫ 사ᄅᆞᆷ이 여ᄎᆞ여ᄎᆞ 니르고 치더라 ᄒᆞ며, 시녀빅도 드미러[990] 보도 아니코 ᄒᆞ마 죽을 번ᄒᆞ믈 니르며, 윤쇼졔의 만고무비(萬古無比)ᄒᆞᆫ 용ᄉᆡᆨ(容色)을 젼ᄒᆞ여 죽어가ᄂᆞᆫ 가온ᄃᆡ도 황홀ᄒᆞ믈 니긔지 못ᄒᆞ니, 김후부뷔 경심ᄎᆞ악ᄒᆞ여 왈,

"뉘 너를 그ᄃᆡ도록 믜워ᄒᆞ여 변복ᄒᆞ고 윤부의 가시믈 타인이 알니 업거ᄂᆞᆯ, 윤시 하가의 뎡혼ᄒᆞ여 ᄆᆡᆼ약이 이시믈 뉴금외 슈일젼 니르거ᄂᆞᆯ 드럿더니, 너다려 슈죄ᄒᆞ고 치던 ᄌᆡ 윤가 사ᄅᆞᆷ이 아니【26】면 하가 사ᄅᆞᆷ이라. 윤가ᄂᆞᆫ 너의 장쇽ᄒᆞ고 간 줄 아랏거니와 하가ᄂᆞᆫ ᄎᆞᆨ의셔 알 길히 업ᄉᆞ리니, 긔 엇진 일이뇨?"

듕광이 울며 왈,

989)잔인ᄒᆞ다 : 잔잉ᄒᆞ다. 가엾다. 불쌍하다.
990)드밀다 : 들이밀다. 바싹 갖다 대다.

"너희 조뫼을 이리 속이고 엇지려 ᄒᆞᄂᆞᆫ뇨?"

공ᄌᆡ 고ᄒᆞᄃᆡ, 혜쥰·계츙은 신근(愼謹)ᄒᆞᆫ지라. 냥쳐의 보ᄂᆡ려 ᄒᆞ믈 고ᄒᆞ니, 부인니 묵묵히 슬허ᄒᆞ니, 냥공【13】ᄌᆡ 화셩유어(和聲柔語)로 위로ᄒᆞ여 이의 ᄒᆞ직고 ᄂᆞ올 ᄉᆡ, ᄎᆞ공ᄌᆡ 현ᄋᆞ 소져을 ᄃᆡᄒᆞ여 만일 모친이 혼인을 강박ᄒᆞ시거든 심야의 강졍으로 오믈 당부ᄒᆞ고, 강졍으로 ᄂᆞᄋᆞ가ᄂᆞᆫ 위·유ᄂᆞᆫ 아지 못ᄒᆞ더라.

어시의 김즁관이 공ᄌᆞ의게 ᄎᆞᆷ혹히 맛고 반ᄉᆡᆼ반ᄉᆞ(半生半死)ᄒᆞ여 노변의 느러져시니, 시여 등이 븟드러 신고ᄒᆞ여 부즁의 도라오니, 김휘 아들이 도라오기을 기ᄃᆞ리고 문외의 셧다가 이 경ᄉᆞᆼ을 보고, ᄃᆡ경ᄎᆞ악ᄒᆞ여 보니 머리부터 ᄂᆡ리 면ᄉᆞᆼ(面相)이 ᄊᆡ여져 혈흔이 가득ᄒᆞᆫ지라. 밧비 븟드러 침소의 누이고 ᄌᆞᆫ잉코 슬픈지라. 눈물을 흘여 곡졀을 무르니 즁관이 정신을 ᄎᆞ려 고하되, 길의 오다가 모르는 ᄉᆞ람이 여ᄎᆞ여ᄎᆞ 이르고 치더라 ᄒᆞ며, 시녀빅도 드리미러[1017] 보지 안니코 하마 쥭을 번 ᄒᆞ믈 이르고, 윤소져의 만고무비ᄒᆞᆫ 용ᄉᆡᆨ을 일너 쥭어가도 그 즁의 황홀ᄒᆞ믈 이긔지 못ᄒᆞ니, 김공 부부 경심ᄎᆞ악ᄒᆞ여 갈오ᄃᆡ,

"뉘 너을 그ᄃᆡ도록 미워ᄒᆞ며 변복ᄒᆞ고 윤부의 가시믈 타인니 알 이 업거ᄂᆞᆯ, 윤·ᄒᆞ가의 졍혼ᄒᆞ여 구든 언약○[이] 이시믈 뉴금오 슈일 젼 니르거날 드러더니, 너을 슈죄ᄒᆞ고 친 ᄌᆡ 윤가 ᄉᆞ람이 아니면 ᄒᆞ가 ᄉᆞ람이라. 윤가ᄂᆞᆫ 너희 변복ᄒᆞ믈 아라건니와 ᄒᆞ가ᄂᆞᆫ ᄎᆞᆨ의셔 알 길이 업ᄉᆞ리니, 그 엇진 일이뇨?"

즁관이 울며 왈,

"소ᄌᆡ 유익ᄒᆞ여 일시【14】 몸을 ᄉᆞᆼ히온

1017)드리밀다 : 들이밀다. 디밀다. 바싹 갖다 대다.

"쇼지 유익ᄒᆞ여 일시 몸을 상ᄒᆡ온 거시야 엇지ᄒᆞ리잇고? 이러 말솜을 뉴금오다려도 니르지 마르시고 아모려나 샤혼셩디(賜婚聖旨)를 어더 윤시를 취(娶)케 ᄒᆞ쇼셔."

김휘 ᄋᆞ돌의 음ᄒᆡᆼ무도(淫行無道)ᄒᆞ믈 아지 못ᄒᆞ고, 윤시를 보고 황홀ᄒᆞ여 취ᄒᆞ려 ᄒᆞ믈 가장 깃거, 어로만져 위로ᄒᆞ고 보긔(補氣)ᄒᆞᆯ 듁음을 먹이며 슈히 니러 단니기를 ᄇᆞ라더니, 슈일후 뉴금외 왓난디라. 듕광이 졔 아비를 보ᄎᆡ여 허혼ᄒᆞ여 ᄐᆡᆨ일을 직쵹ᄒᆞ고, 일변(一邊) 귀비(貴妃)긔 통ᄒᆞ여 샤흔은 【27】 지를 엇게 ᄒᆞ라 ᄒᆞ니, 김휘 듕광의 말이면 거역지 못ᄒᆞ고 윤시의 긔특ᄒᆞ믈 다힝ᄒᆞ여, 뉴금오를 ᄃᆡᄒᆞ여 ᄋᆞ돌의 상ᄒᆞ믈 니르지 아니ᄒᆞ고 ᄐᆡᆨ일을 슈히 ᄒᆞ라 당부ᄒᆞ니, 금외 깃거 도라와 뉴부인다려 니르고 길월냥신을 굴희더니, 셩샹 젼디 나려 '태듕태우 은쥐 안찰ᄉᆞ 윤슈의 녀로 니부통직 김후의 ᄌᆞ와 셩친ᄒᆞ라' ᄒᆞ여 계시니, 원ᄂᆡ 황상은 기간 곡졀을 모르시고 귀비 간졀이 고ᄒᆞ여 '그 딜ᄌᆞ와 윤슈의 녀로 샤혼케 ᄒᆞ쇼셔' ᄒᆞ고, ᄒᆞ믈며 하가의 뎡약이 이시믈 모르시는지라 오직 냥가의 은영을 뵈시미러라.

태부인과 뉴시 샤혼젼디(賜婚傳旨)를 어드ᄆᆡ 흔흔ᄌᆞ득ᄒᆞ여 즉시 길일을 ᄐᆡᆨᄒᆞ니, 지격슈슌(只隔數旬)이 【28】 라. ᄂᆡ외 진동ᄒᆞ여 혼슈를 출히며 쇼져다려도 니르지 아니코 김가의 길일을 보ᄒᆞ며, 김상셔 부인이 날마다 뉴부인긔 젼어ᄒᆞ여 인친지개(姻親之家) 되여시믈 깃거ᄒᆞ며, 혼슈를 므러 패산지뉴(貝珊之類)의 긔특ᄒᆞᆫ 보ᄇᆡ를 미리 보ᄂᆡ여, 긔구의 풍화ᄒᆞᆷ과 부귀의 혁혁ᄒᆞ미 일셰의 웃듬이라.

뉴시와 태부인이 깃브미 극ᄒᆞ여 역시 김부의 비자를 보ᄂᆡ여 년신(連信)ᄒᆞ며, 졍의 각별ᄒᆞ미 진짓 친옹(親翁) 셕부의 비치 못ᄒᆞᆯ지라.

거시니 엇지 ᄒᆞ리잇고? 이런 말솜을 뉴금오다려도 마르시고 아모려나 ○[샤]혼셩지(賜婚聖旨)을 어더 윤시을 취케 ᄒᆞ쇼셔."

김후 아달의 말ᄃᆡ로만 ᄒᆞᄂᆞᆫ지라. 윤시의 용화(容華)을 보고 황홀ᄒᆞ여 어셔 혼인ᄒᆞ려 ᄒᆞ믈 가즁 깃거, 어로만져 위로ᄒᆞ고 보미[1018]을 먹이며 슈히 이러ᄂᆞ기을 이르더니, 뉴금외 왓ᄂᆞᆫ지라. 즁관니 졔 아비을 보ᄎᆡ여 허혼ᄒᆞ여 ᄐᆡᆨ일을 직촉ᄒᆞ니 《일번∥일변(一邊)》 귀비의게 통ᄒᆞ여 ᄉᆞ혼은지(賜婚恩旨)을 엇게 ᄒᆞ라 직촉ᄒᆞ니, 김후ᄂᆞᆫ 즁관의 말이면 거역지 못ᄒᆞᄂᆞᆫ지라. 윤시의 긔특ᄒᆞ믈 다ᄒᆡᆼᄒᆞ여, 뉴금오을 ᄃᆡᄒᆞ여 아들의 상ᄒᆞ믈 니르지 아니ᄒᆞ고 ᄐᆡᆨ일을 슈히ᄒᆞ라 당부ᄒᆞ니, 금오 깃거 도라와 뉴시다려 이르고 길일을 ᄐᆡᆨᄒᆞ라 ᄒᆞ더니, 셩샹 젼지 나리ᄉᆞ 'ᄐᆡ즁ᄐᆡ우 은쥐 안찰사 윤슈의 녀로 니부총지 김후의 아들과 셩친ᄒᆞ라' ᄒᆞ시니, 원ᄂᆡ 황상은 기간 곡졀은 모로시고 귀비 간졀이 고ᄒᆞ여 '그 질ᄌᆞ을 윤슈지녀로 ᄉᆞ혼케 ᄒᆞ소셔' ᄒᆞ고, 하가의 졍혼ᄒᆞ믄 모로시고 오직 양가의 은영을 뵈시미러라.

위·뉴 냥흉이 ᄉᆞ혼젼지(賜婚傳旨)을 드르ᄆᆡ 흔흔ᄌᆞ득ᄒᆞ여 즉일 길일을 ᄐᆡᆨᄒᆞ니 지격(至隔)ᄒᆞ여[1019] 슈순(數旬)이라. ᄂᆡ외 진동ᄒᆞ여 혼슈을 출이며 소져다려도 일르지 아니코 김가의 길일을 보ᄒᆞ니, 김후 부인니 날마닥 뉴시긔 젼어ᄒᆞ며 인친지 【15】 게[개](姻親之家) 되어시믈 깃거ᄒᆞ여 픽산지뉴(貝珊之類)의 긔특ᄒᆞᆫ 보물을 미리 보ᄂᆡ여 냥인(良人)[1020]을 뎡ᄒᆞ여 윤부로 보ᄂᆡ니, 긔구의 풍화함과 부귀의 혁혁ᄒᆞ미 일세의 웃듬이러라.

뉴시와 ᄐᆡ부인이 깃부미 극ᄒᆞ여 김부의 비ᄌᆞ을 보ᄂᆡ여 연신(連信)ᄒᆞ며 졍의 각별ᄒᆞ미 진짓 친옹(親翁) 셕부의 비치 못ᄒᆞ리러

1018)보미 : ᄂᆞ미음(米飮). 쌀에 물을 충분히 붓고 푹 끓여 체에 걸러 낸 걸쭉한 음식. 흔히 환자나 어린아이들이 먹는다.
1019)지격(至隔) : 정하여진 날이 가까이 닥쳐 있음.
1020)냥인(良人) : 선량한 사람.

쇼제 벽난으로 ᄒᆞ여금 모친과 조모의 ᄒᆞᄂᆞᆫ 일을 낫나치 탐청ᄒᆞ고 ᄒᆡ연ᄎᆞ악(駭然嗟愕)ᄒᆞ여 ᄋᆡ듧고 분ᄒᆞ믈 니긔디 못ᄒᆞ니, 일일은 경희뎐의 가 조모와 모친이 ᄒᆞᆫ 곳의 안ᄌᆞ시믈 보고 믄득 소ᄅᆡ를 나즉이 ᄒᆞ여 ᄀᆞᆯ오ᄃᆡ,

“요ᄉᆞ이【29】 가듕(家中)이 소요(騷擾)ᄒᆞ여 금옥장인(金玉匠人)과 쵹단금슈(蜀緞錦繡) 파ᄂᆞᆫ 장ᄉᆡ[991] 무슈히 모드니 긔 엇진 일이니잇고?”

태부인이 흔흔 쇼왈,

“네 나히 이뉵(二六)이라, 셰ᄉᆞ를 엇지 알니오. 근간의 가ᄂᆡ 소요ᄒᆞ믄 다른 연괴 아니라 너희 혼슈를 출히ᄂᆞ니, ᄋᆞᄒᆡ ᄆᆞᄋᆞᆷ의 녀공(女工)의 젼일(專一)ᄒᆞ여 젼졍(前程)을 념녀ᄒᆞᆯ 줄 모르거니와, 여모와 노뫼 듀야의 너를 위ᄒᆞ여 일ᄉᆡᆼ이 영화롭기를 도모ᄒᆞ여 니부통ᄌᆡ(吏部冢宰) 김후의 ᄋᆞᄃᆞᆯ과 뎡혼ᄒᆞ엿ᄂᆞ니, 이 곳 김국구의 종손(宗孫)이오, 황상의 통ᄋᆡᄒᆞ시ᄂᆞᆫ 바 김귀비 딜ᄌᆡ라. 부귀호치 당ᄃᆡ의 뎨일이라. 너를 그집 며나리를 삼을진ᄃᆡ 유복ᄒᆞ믈 보지 아냐 알디라. ᄒᆞ믈며 셩디(聖旨) 계샤 사ᄅᆞᆷ의 엇기 어려은 영홰라, 엇지 깃브고【30】 즐겁지 아니리오.”

뉴시ᄂᆞᆫ 녀ᄋᆞ의 졀개를 아ᄂᆞᆫ 고로 아조 ᄒᆞᆯ 일업셔 ○○○[ᄒᆞᄂᆞᆫ 줄] 니르려 ᄒᆞ여 ᄀᆞᆯ오ᄃᆡ,

991)장새 : 상인(商人)

라.

ᄎᆞ시 소져 벽ᄂᆞᆫ으로 ᄒᆞ여금 모친과 조모의 ᄒᆞᄂᆞᆫ 일을 세세히 탐청ᄒᆞ고 《ᄒᆡ만∥ᄒᆡ연(駭然)》ᄒᆞ믈 이긔지 못ᄒᆞ여 ᄋᆡ달고 분ᄒᆞ믈 충냥(測量)치 못ᄒᆞ더라. 일일은 경희젼의 가 조모와 모친니 ᄒᆞᆫᄃᆡ 안ᄌᆞ 무슘 의논니 분운(紛紜)ᄒᆞ물 보고, 문득 소ᄅᆡ을 나즉이 ᄒᆞ여 가로ᄃᆡ,

“요ᄉᆞ이 가즁(家中)이 소요(騷擾)ᄒᆞ며 금옥ᄌᆞᆼ인(金玉匠人)과 쵹단금수(蜀緞錦繡)을 파ᄂᆞᆫ ᄌᆞᆼᄉᆡᆨ 무슈 되ᄂᆞ드니 그 어인 일이 잇고?”

ᄐᆡ부인이 흔흔히 우으며 소져을 어로만져 ᄀᆞᆯ오ᄃᆡ,

“네 ᄂᆞ히 이륙이라. 세ᄉᆞ을 엇지 알니오. 근간의 가ᄂᆡ 소요ᄒᆞ믄 다른 연괴 아니라 너희 혼슈을 ᄎᆞ리ᄂᆞᆫ니, ᄂᆡ 아ᄒᆡᄂᆞᆫ 마음의 여공(女工)과 학문의 젼일(專一)ᄒᆞ여 젼졍을 염네(念慮)할 쥴 모로련니와, 여모와 노뫼 너을 위ᄒᆞ여 쥬야의 근심ᄒᆞ여 일ᄉᆡᆼ이 영화롭기을 도모ᄒᆞ여, 니부총ᄌᆡ(吏部冢宰) 김후의 아달과 졍혼ᄒᆞ엿ᄂᆞᆫ니, 이곳 김국구의 종손(宗孫)이로 황상의 총ᄋᆡᄒᆞ시ᄂᆞᆫ 김귀비 질ᄌᆞ라. 부귀호치 당세의 제일이니 너을 그 집 며나리을 ᄉᆞᆷ을진ᄃᆡ, 쥬옥(珠玉) 보ᄇᆡᄂᆞᆫ ᄉᆞᆫ(山) 갓틀 거시오, 팔진경장(八珍瓊漿)[1021]을 념녜ᄒᆞ리오. 유복ᄒᆞ믈 보【16】지 안냐 알지라. 하믈며 셩상 젼지(傳旨) 게오시니 은총이 ᄉᆞ람의 엇기 어려온 영홰라. 엇지 깁부고 즐겁지 아니리오.”

뉴시ᄂᆞᆫ ᄯᅡᆯ의 졀긔을 아ᄂᆞᆫ 고로 아조 ᄭᆡ쳐 이르려 ᄒᆞᄂᆞᆫ지라. 다시 일너 왈,

1021)팔진경장(八珍瓊漿) : 팔진지미(八珍之味)와 옥액경장(玉液瓊漿)을 함께 이르는 말로, 아주 잘 차린 음식상에나 갖춘다고 하는 여덟 가지 진귀한 음식과, 맑고 고운 빛깔과 좋은 향을 갖추어 신선들이 마신다고 하는 술을 뜻한다. *팔진지미는 순모(淳母), 순오(淳熬), 포장(炮牂), 포돈(炮豚), 도진(擣珍), 오(熬), 지(漬), 간료(肝膋)를 이르기도 하고 용간(龍肝), 봉수(鳳髓), 토태(兎胎), 이미(鯉尾), 악적(鶚炙), 웅장(熊掌), 성순(猩脣), 수락(酥酪)을 이르기도 한다.

"네 부친이 신의를 직희려 ᄒᆞ시미 그르지 아니니, 우리는 타쳐를 ᄉᆡᆼ각지 아니ᄒᆞ더니, 천만 ᄉᆡᆼ각밧 샤혼셩디(賜婚聖旨) 엄ᄒᆞ샤 김가의 셩흔치 아니면 네 부친을 뎍거튱군(謫居充軍)ᄒᆞ라 ᄒᆞ시니, 슬희여도 마지 못ᄒᆞᆯ 일이라. 존고는 그집 부귀를 깃거ᄒᆞ시나 나는 실노 하가만 못ᄒᆞ여 구약(舊約)을 져바리니 심히 블평ᄒᆞ도다."

쇼졔 분개ᄒᆞ믈 니긔지 못ᄒᆞ여 안ᄉᆡᆨ이 ᄂᆡᆼ녈(冷烈)ᄒᆞ고 셩음이 강개ᄒᆞ여 ᄀᆞᆯ오ᄃᆡ,

"조모와 모친이 쇼녀를 유셰(誘說)ᄒᆞ샤 김가 더러은 부귀를 니르시고, 쇼져의 명명대졀(明明大節) 【31】을 희지으려 ᄒᆞ시니 인ᄉᆡᆼ이 살기를 원치 아니ᄒᆞ고, 죽으미 도라감 ᄀᆞᆺ트니 이뉵쳥츈(二六青春)이 늣거오나 현마 엇지ᄒᆞ리잇고? ᄒᆞᆫ번 죽을 ᄯᆞ름이라. 셩디(聖旨) 엄ᄒᆞ시믈 져히시나, 님군이 신ᄌᆞ의 인뉸을 산난(散亂)ᄒᆞ여 셩디를 블봉(不奉)ᄒᆞ면 기부(其父)를 뎍거튱군ᄒᆞ미 대역(大逆)의 연좌(連坐) 쓰듯 ᄒᆞ리오. 쇼녜(小女) 격고등문(擊鼓登聞)ᄒᆞ여 대인을 무ᄉᆞᄒᆞ시게 ᄒᆞ리니, 조모와 모친은 놀나온 말숨 마르시고, 김개 비록 구혼ᄒᆞᆯ지라도 하가의 뎡약이 구더, 납폐문명(納幣問名)이 이시믈 니르시고 ᄎᆞ혼을 아조 거졀ᄒᆞ쇼셔."

언파의 노긔(怒氣) ᄀᆞ득ᄒᆞ여 통완ᄒᆞ믈 춤지 못ᄒᆞ니, 태부인은 됴흔 말노 다릐고 뉴시는 즐왈,

"네 블과 십슈셰 규녀로 므어슬【32】아노라 ᄒᆞ고 이러틋 어ᄌᆞ러이 구ᄂᆞ뇨? 어미 ᄌᆞ식을 위ᄒᆞᆫ 졍이 등한(等閒)ᄒᆞ며 너를 타쳐의 구혼코져 ᄒᆞ미 업더니, 샹명(上命)으로 마지 못ᄒᆞ여 친ᄉᆞ(親事)를 지닐지라. 하가나 김가나 너는 규녜니 어버이 ᄒᆞ는 ᄃᆡ로 잇셔, 혼인의 아른 쳬 아니미 가ᄒᆞ거ᄂᆞᆯ, 스ᄉᆞ로 죽기를 니르며, 하가 위ᄒᆞᆫ ᄆᆞ옴이 어미 위ᄒᆞᆫ 졍의셔 더ᄒᆞ니 긔 므슴 일이뇨?"

쇼졔 한심ᄒᆞ여 옥뉘 화싀(花顋)예 구으러 ᄀᆞᆯ오ᄃᆡ,

"ᄌᆞ위 어린 ᄌᆞ식으로뻐 ᄎᆞ마 실졀(失節)

"우리 타쳐의 혼인 할 의향이 업더니, 쳔만 ᄉᆡᆼ각 밧 ᄉᆞ혼셩지(賜婚聖旨)을 엄히 ᄒᆞᄉᆞ 너을 김가의 셩혼치 아니면 네 부친을 젹거츙군(謫居充軍)ᄒᆞ라 ᄒᆞ시니, 슬희여도 마지 못할 일리라. 존고는 그 집 부귀을 깃거ᄒᆞ시ᄂᆞ 나는 실노 하가만 못ᄒᆞ여 구약(舊約)을 져ᄇᆞ리니 심히 불평ᄒᆞ도다."

소져 분긔ᄒᆞ믈 이긔지 못ᄒᆞ여 안ᄉᆡᆨ이 ᄂᆡᆼ열ᄒᆞ고 셩음이 강긔ᄒᆞ여 ᄃᆡ왈,

"조모와 모친니 일명(一命)을 위ᄒᆞᄉᆞ 더러온 부귀을 이르시고, 소여(小女)의 명졀을 희지으려 ᄒᆞ시니, 인ᄉᆡᆼ이 슬기을 원치 아니ᄒᆞ고 쥭으미 도라감 갓트니, 이륙쳥츈(二六青春)의 비록 늣거오ᄂᆞ 현마 엇지 ᄒᆞ오리가. 셩ᄉᆞᆼ의 젼지 엄ᄒᆞ시믈 져히시ᄂᆞ 님군이 신ᄒᆞ의 인윤(人倫)을 ᄉᆞᆯ는(散亂)케 ᄒᆞ시며 셩지을 밧드지 아닛는다 ᄒᆞ여 기부(其父)을 츙【17】군ᄒᆞ는 법이 어ᄃᆡ 잇시리오. 소여(小女) 격고등문(擊鼓登聞)ᄒᆞ여 ᄃᆡ인을 무고(無故)ᄒᆞ시게 ᄒᆞ리니, 조모와 모친은 놀나온 말숨을 마르시고, 김가의셔 비록 구혼할지라도 하가의 졍약(定約)이 구더, 납폐문명(納幣問名)이 잇시믈 이르시고 혼ᄉᆞ을 아조 거졀ᄒᆞ쇼셔."

언파의 노긔 가득ᄒᆞ여 셜상한ᄆᆡ 갓트니 틔부인은 조흔 말노 달ᄂᆡ고 뉴시는 즐왈,

"네 불과 십세 갓너문 규슈로 무어슬 아노라 ᄒᆞ고 이러틋 말만히 구는뇨? 어미 ᄌᆞ식을 위한 졍이 엇지 등한(等閒)ᄒᆞ며 너을 타쳐의 구혼코ᄌᆞ ᄒᆞ미 업더니, 상명으로 마지 못ᄒᆞ여 친ᄉᆞ(親事)을 지닐지라. 하가ᄂᆞ 김가ᄂᆞ 너는 규슈의 몸이니 어버이 ᄒᆞ는 ᄃᆡ로 잇셔 혼인의 아른체 아니미 가ᄒᆞ거ᄂᆞᆯ, 스ᄉᆞ로 쥭기을 이르ᄆᆡ, ᄒᆞ가 위ᄒᆞᆫ 마음이 어미 위ᄒᆞᆫ 마음의셔 더으니 규녀의 졍졍ᄒᆞᆫ 되 아니라."

칙ᄒᆞ니, 소져 조모와 모친의 한심ᄒᆞᆫ 말을 드르ᄆᆡ 옥뉘 화싀(花顋)을 젹셔 왈,

"모친이 ᄌᆞ식으로 ᄒᆞ여금 실졀ᄒᆞᆫ 더러온

ᄒᆞᆫ 더러온 계집을 삼으려 ᄒᆞ시나, 쇼녀의 비샹 글지 완연ᄒᆞ거ᄂᆞᆯ, 하가를 밧고아 김가로 도라보ᄂᆡ려 ᄒᆞ시니, 쇼네 하쉬(河水) 머러 귀를 씻지 못ᄒᆞᄆᆞᆯ 한ᄒᆞᄂᆞ니, 규녀의 도리 혼(婚)을 간예ᄒᆞ미 블가ᄒᆞᄆᆞᆯ 모르지 아니ᄒᆞ오나, 스ᄉᆞ【33】로 입을 함봉(緘封)ᄒᆞ여 소회(所懷)를 모르시게 ᄒᆞ고 죽으미 블회 심ᄒᆞ고 분연ᄒᆞᄆᆞᆯ 니긔지 못ᄒᆞ여, 금일 심곡소희(心曲所懷)를 여ᄂᆞ이다. 하개(河家) 비록 참화를 닙어시나, 야애(爺爺) 언약이 금셕의 구드ᄆᆞᆯ 효측(效則)고져 ᄒᆞ샤 납폐문명을 바드시니, 녀지 임의 빙치를 바든 후ᄂᆞᆫ 닙신(立身) 못ᄒᆞᆫ 션비 ᄀᆞᆺᄐᆞ여, 비록 화쵹(華燭)의 네(禮)992)를 일우미 업ᄉᆞ나, 맛ᄎᆞᆷᄂᆡ 그 집 사ᄅᆞᆷ이오, 신히 님군의 은혜를 닙으미 업ᄉᆞ나 죵신토록 그 나라 신히니, 님군의 은혜 닙으미 업다 ᄒᆞ고 엇지 두 님군을 셤기오며, 녀ᄌᆞ 두번 빙치를 밧ᄂᆞᆫ 거시 이셩(二姓)을 셤기나 다르지 아니ᄒᆞ오니, 오개 셰ᄃᆡ로 엇더ᄒᆞᆫ 네의지문(禮儀之門)이니잇고? 쇼녀 ᄒᆞᆫ 사ᄅᆞᆷ이 부귀를 흠모ᄒᆞ여 션셰문풍(先世門風)을【34】 츄락ᄒᆞ고, 하가를 비반ᄒᆞ여 난뉸패도(亂倫悖道)의 음녀ᄂᆞᆫ 결단ᄒᆞ여 되지 못ᄒᆞᆯ지니, 이뉵쳥츈(二六青春)의 죽으미 늣거오나, 이 ᄯᅩᄒᆞᆫ 명애(命也)라 현마 엇지ᄒᆞ리잇고?"

뉴시 녀ᄋᆞ의 강녈ᄒᆞ미 ᄇᆡᆨ가지로 달ᄂᆡ여도 듯지 아닐 거시오. ᄯᅩᄒᆞᆫ 위엄으로 구속지 아니ᄒᆞᆯ 줄 모르지 아니ᄒᆞᄃᆡ, 혹ᄌᆞ ᄠᅳᆺ을 두로혈가 ᄒᆞ여 발연작식(勃然作色)ᄒᆞ고 독ᄒᆞᆫ 눈을 놉히 ᄯᅳ고 즐왈,

"규네 혼ᄉᆞ의 간예(干與)ᄒᆞ미 엇지 남을 들니리오."

언파의 ᄉᆞ식(辭色)이 발발(勃勃)ᄒᆞ니 쇼제 가지록 셩음이 ᄆᆡᆼ녈ᄒᆞ고 싁싁ᄒᆞ여 ᄀᆞᆯ오ᄃᆡ,

992)화촉(華燭)의 네(禮) : 신랑신부가 신방에서 첫날밤을 함께 하여 이성(二姓)의 친(親)을 맺는 것을 뜻하며, 혼례(婚禮)를 달리 이르는 말로도 쓰인다.

계집을 만들여 ᄒᆞ시ᄂᆞ, 소여 팔우히 글지 완연ᄒᆞ거ᄂᆞᆯ 타가로 보ᄂᆡ려 ᄒᆞ시니, 소여 ᄒᆞ쉬(河水) 머러 귀을 씻지 못ᄒᆞᄆᆞᆯ 한ᄒᆞᄂᆞ이다.【18】 규녀 혼인을 간녀ᄒᆞ미 불가ᄒᆞᄃᆡ 소회을 고치 아니ᄒᆞ고 쥭으미 불효 심ᄒᆞᆫ 고로, 혹ᄌᆞ 소여의 《약셤∥약셕》지언(藥石之言)1022)을 출납《ᄒᆞ셔도∥ᄒᆞ실가》 ○[고]ᄒᆞᄂᆞᆫ니, 하가 참화을 입어시ᄂᆞ ᄃᆡ인의 언약이 금셕 가트시고, 납페문명을 미리 바드시니, 여직 임의 빙ᄎᆡ을 바든 후ᄂᆞᆫ 그 집 ᄉᆞ람이라. 션비 비록 녹을 먹지 아니ᄒᆞ여시ᄂᆞ 그 나라 신ᄌᆡ(臣子)요, 게집이 화쵹(華燭)의 네(禮)1023)을 일우지 아녀시ᄂᆞ 빙치을 바다시니 그 집 ᄉᆞ람이라. 빙치 두 번 문의 이르믄 조션을 츄탁ᄒᆞ고 부모을 욕먹이미니, 오문이 세ᄃᆡ거족으로 츄락명풍(墜落名風)ᄒᆞ믄 소녀 일인의 죄라. 결단코 실졀(失節)한 계집이 되지 아니리니, 이륙쳥츈(二六青春)의 쥭으미 늣겁지 아니ᄂᆞ, ᄯᅩ한 명야(命也)라, 현마 엇지ᄒᆞ리오."

뉴시 여아의 강강녈녈ᄒᆞ미 ᄇᆡᆨ 갓지로 달ᄂᆡ도 듯지 아닐 거시오, ᄯᅩ한 위엄으로 구속지 아닐지라. 다만 발연즈식(勃然作色)ᄒᆞ고 독한 눈을 괴1024)갓치 ᄯᅳ고 ᄃᆡ즐 왈,

"규녀 혼ᄉᆞ을 간녀ᄒᆞ여 닷토미 남드르미 ᄎᆞᆷ괴한지라. 여뫼 소견니 너만 못ᄒᆞ리오."

노긔 발발ᄒᆞ거ᄂᆞᆯ 소져 가지록 셩【19】

1022)약셕지언(藥石之言) : 약으로 병을 고치는 것처럼 남의 잘못된 행동을 훈계하여 그것을 고치는 데에 도움이 되는 말

1023)화촉(華燭)의 네(禮) : 신랑신부가 신방에서 첫날밤을 함께 하여 이성(二姓)의 친(親)을 맺는 것을 뜻하며, 혼례(婚禮)를 달리 이르는 말로도 쓰인다.

1024)괴 : 고양이.

“쇼녀의 당흔 빅 긔괴ᄒᆞ여 졀의를 보젼치 못ᄒᆞ게 되여시니 흔갓 남들니기를 니르지 말고 격고등문(擊鼓登聞)ᄒᆞ여도 대인 틍군을 아니시게 ᄒᆞ고, 쇼녀도 도장[993] 쇽의셔 일【35】싱을 편히 ᄒᆞ여 ᄆᆞ옴을 붉히고져 ᄒᆞᄂᆞ니, 텬ᄌᆞ 명녕이 머리를 버히렷노라 ᄒᆞ셔도 훼졀음부(毁節淫婦)ᄂᆞᆫ 되지 아니리니 모친은 아모리나 ᄒᆞ쇼셔.”

언ᄉᆡ 녈녈ᄒᆞ여 빙상졀개(氷霜節槪)를 낫게 넉이ᄂᆞᆫ지라. 태부인과 뉴시 쇼져의 슌죵치 아니믈 분완(憤惋)ᄒᆞ여 반일을 ᄭᅮ짓기를 마지 아니ᄒᆞ되, 쇼졔 입을 다다 움즉이지 아니ᄒᆞ니, 경ᄋᆡ 눈믈을 먹음어 니르되,

“네 엇지 태태 지극ᄒᆞ신 ᄌᆞᄋᆡ를 모르고 흔갓 고집을 ᄂᆡ여 되지 못흘 졀을 일ᄏᆞ라 이리ᄒᆞᄂᆞ뇨? 만일 하원광으로 화촉의 녜를 일워시면 하시의 사ᄅᆞᆷ이로라 ᄒᆞ미 맛당ᄒᆞ거니와, 뷘 치례(采禮)[994]를 의빙(依憑)ᄒᆞ여 졀을 직희미 가쇠(可笑)라. ᄌᆞ위 두낫 골육을 두샤 우져(愚姐)ᄂᆞᆫ 셕가(昔家)의 기인(棄人)을 삼으시고 쥬야 통원ᄒᆞ시ᄂᆞᆫ【36】가온되, 현데나 아름다이 셩혼코져 ᄒᆞ시ᄂᆞ니 하가ᄂᆞᆫ 화가여죵(禍家餘宗)이라 나모라 바리미 아니오, 김가를 구ᄒᆞ미 아니로되, 김가의 인연이 잇ᄂᆞᆫ 탓ᄉᆞ로 셩디 엄ᄒᆞ시니, 감히 샤양치 못흘지라. 황명으로 김가의 입문ᄒᆞ믈 하개 엇지ᄒᆞ리오. 모로미 괴이흔 거동을 말고 규녀의 도리를 상히오지 말나.”

쇼졔 분연 왈,

“져졔(姐姐) ᄉᆞ리로 개유ᄒᆞ여 우흐로 부훈을 삼가고 아ᄅᆡ로 쇼ᄆᆡ를 더러온 계집을 삼지 말거시어늘, 모친의 패덕(悖德)을 더으샤 블의지ᄉᆞ(不義之事)로 가ᄅᆞ치니 쇼ᄆᆡ 블

993)도장 : ≒규방(閨房). 부녀자가 거처하는 방.
994)치례(采禮) : ≒납폐. 혼인할 때에, 사주단자의 교환이 끝난 후 정혼이 이루어진 증거로 신랑 집에서 신부 집으로 예물을 보냄. 또는 그 예물. 보통 푸른 비단과 붉은 비단을 혼서와 함께 함에 넣어 신부 집으로 보낸다.

음이 밍녈ᄒᆞ여 옥용(玉容)이 찬 옥 갓트여 다시 고ᄒᆞ되,

“소녀의 당흔 빅 긔괴ᄒᆞ여 졀의을 보젼치 못ᄒᆞ게 되ᄆᆡ 한갓 남들니기을 일위지 마르소셔. 격고등문(擊鼓登聞)ᄒᆞ여도 부친의 젹거ᄂᆞᆫ 아니시게 ᄒᆞ리니, 소녀ᄂᆞᆫ 도장[1025] 속의셔 마음을 발히고져 ᄒᆞᄂᆞ니, 텬ᄌᆞ의 명령이 비록 지엄ᄒᆞ시나, 소녀의 머리ᄂᆞᆫ 버혀도 《홰졀‖훼졀》흔 게집은 되지 아니리다.”

언파의 강직녈녈흔 말솜이 츄상을 능만(凌慢)ᄒᆞ니, 위틱의 노흡ᄒᆞ므로도 달닐 길이 업고, 뉴시의 간음(奸淫)ᄒᆞ미라도 억졔치 못ᄒᆞ여 반일을 ᄭᅮ짓ᄂᆞᆫ 말마다 소져 귀을 가리와 요동치 아니니, 경ᄋᆡ 눈물을 먹음어 일오되,

“네 엇지 모친의 지극ᄒᆞ신 ᄌᆞᄋᆡ을 모로ᄂᆞᆫ고? 한 갓 고집을 ᄂᆡ여 일홈 업ᄂᆞᆫ 졀을 이르ᄂᆞᆫ뇨? 만일 하원광으로 화촉의 네을 일워시면 하시의 ᄉᆞ람이로라 ᄒᆞ미 올커이와 뷘 치례(采禮)[1026]을 의빙(依憑)ᄒᆞ여 슈졀ᄒᆞ면 극히 가소로온지라. 모친이 두낫 골육을 두ᄉᆞ 날 셕가(昔家)의 기인(欺人)을 숨으ᄉᆞ 쥬야 통원ᄒᆞ시ᄂᆞᆫ 가운되, 현졔ᄂᆞᆫ ᄉᆞ람다이 셩혼코ᄌᆞ ᄒᆞ시니 하가ᄂᆞᆫ 화가여싱(禍家餘生)이라 바랄게 업고, 김가ᄂᆞᆫ 우리가 구【20】하미 아니로되, 김가의 인연니 잇던지 엄ᄒᆞ신 셩지 ᄂᆞ리오시니 신진 감히 ᄉᆞ양치 못할지라. 황명으로 김가의 입문ᄒᆞ믈 하가 엇지 원ᄒᆞ리오. 모로미 고이흔 거동을 말고 규슈의 쳬모(體貌)을 일치 말ᄂᆞ.”

소졔 닝소 왈,

“져져(姐姐) ᄉᆞ리오 기유ᄒᆞ노라 ᄒᆞ시ᄂᆞ, 우흐로 부훈을 져ᄇᆞ리고 아ᄅᆡ로 소졔을 더러온 계집을 숨으려 모친의 픽덕(悖德)을 도으ᄉᆞ 불의지ᄉᆞ(不義之事)을 힝케 ᄒᆞ시니

1025)도장 : ≒규방(閨房). 부녀자가 거처하는 방.
1026)치례(采禮) : ≒납폐. 혼인할 때에, 사주단자의 교환이 끝난 후 정혼이 이루어진 증거로 신랑 집에서 신부 집으로 예물을 보냄. 또는 그 예물. 보통 푸른 비단과 붉은 비단을 혼서와 함께 함에 넣어 신부 집으로 보낸다.

승ᄎᆞ악(不勝嗟愕)ᄒᆞ이다. ᄆᆞ옴을 ᄒᆞᆫ번 뎡ᄒᆞᆫ 후ᄂᆞᆫ ᄉᆞᄉᆡᆼ지졔(死生之際)의 요동ᄒᆞᆯ ᄇᆡ 업고, 모친과 조뫼 쇼ᄆᆡ를 죽이실 법은 잇거니와 졀은 앗지 못ᄒᆞ실 거시니, 브졀업슨 말숨 마르쇼셔."

언파의 니러 침소의【37】 도라와 벼개의 ᄒᆞᆫ번 누으ᄆᆡ 금금(錦衾)으로 낫출 덥혀 식음을 젼폐ᄒᆞ고 ᄌᆞ분필ᄉᆞ코져 ᄒᆞ더라

위시와 뉴시 흔흔낙낙히 혼슈를 출히며 셔르 깃거ᄒᆞ더니, 의외의 현ᄋᆞ쇼져의 녈녈ᄒᆞᆫ 간ᄌᆡᆼ(諫爭)과 필경(畢竟) ᄌᆞ분필ᄉᆞ(自憤必死)코져 ᄒᆞᄂᆞᆫ 거동을 보ᄃᆡ, 뉴시와 경ᄋᆡ 오히려 놀나디 아냐 길일이 블원(不遠)ᄒᆞ니 위력으로 보치려 ᄒᆞᄂᆞᆫ지라. 쇼졔 벽난으로 ᄒᆞ여금 ᄉᆞᄀᆡ를 규찰(窺察)ᄒᆞᄆᆡ, ᄌᆞᄀᆡ 피치 아니ᄒᆞ면 맛ᄎᆞᆷᄂᆡ 면치 못ᄒᆞᆯ 줄 알고, 님시(臨時)ᄒᆞ여 탈신코져 ᄒᆞ더니, 다시 ᄉᆡᆼ각ᄒᆞ니 김가 납빙을 집의 드리미 더러은지라. 출하리 납폐젼 집을 써나려 ᄒᆞ여, 길일이 ᄉᆞ오일은 격ᄒᆞ여 명일은 치례 문의 님(臨)ᄒᆞᆯ지라. 위·뉴 냥부인이 경ᄋᆞ로 더브러 쇼져 침소의 니르러 식음을 권ᄒᆞ며, 만단(萬端)【38】 유셰(誘說) ᄒᆞᄃᆡ, 쇼졔 작슈(勺水)를 먹지 아냐 죽으렷노라 ᄒᆞ니, 뉴시 통완ᄒᆞ여 손의 드럿던 반긔(飯器)를 쇼져긔 던지고 즐왈,

"블초녜 죽기ᄂᆞᆫ 임의로 ᄒᆞ려니와 네 부친의 뎍거튱군(謫居充軍)을 엇지려 ᄒᆞ고, 하가 역적놈의 집을 위ᄒᆞ여 거즛 졀(節)이라 일ᄏᆞᆺᄂᆞ뇨."

쇼졔 모친의 더지ᄂᆞᆫ 그릇시 무심결의 가숨을 마ᄌᆞ 알프기 극ᄒᆞ고 밥이 허여져995) 금금의 가득ᄒᆞᄃᆡ 알픈 거슬 ᄎᆞᆷ고 ᄂᆡᆼ쇼 왈,

"쇼뎨 죽으미 늣겁고996) 슬프거니와 야애 뎍거튱군ᄒᆞ실 니 업ᄉᆞ니 괴이ᄒᆞᆫ 말숨 마르쇼셔. 야애 아니 나가 계시면 이런 일이 업고, 김가놈의 부귀를 귀히 녀여 하가를 식

995)허여지다 : 흩어지다.
996)늣겁다 : 느껍다. 어떤 느낌이 마음에 북받쳐서 벅차다.

소제 불승ᄎᆞ악(不勝嗟愕)ᄒᆞᄂᆞ니, 마음을 한번 정ᄒᆞᆫ 후ᄂᆞᆫ ᄉᆞᄉᆡᆼ(死生)의 요동ᄒᆞᆯ ᄇᆡ 업ᄉᆞ니, 소졔을 쥭이실 법은 잇거니와 절의ᄂᆞᆫ 엇지 못할 거시니, 부졀 업산 말솜을 마르소셔."

언파의 이러 침소의 도라와 베ᄀᆡ의 ᄒᆞᆫ 번 누으ᄆᆡ 금금(錦衾)으로 머리가지 덥고 식음을 젼폐ᄒᆞ여 ᄌᆞ분필ᄉᆞ코져 ᄒᆞ더라.

직셜, 위ᄐᆡ와 뉴시 혼슈을 ᄎᆞ리노라 흔흔열낙ᄒᆞ다가, 현아소져의 녈녈ᄒᆞᆫ 간ᄌᆡᆼ(諫爭)과 필년(必然) ᄌᆞ분필ᄉᆞ(自嗔必死)ᄒᆞᄂᆞᆫ 거동을 보ᄃᆡ, 뉴시 모녀 놀나지 안냐, 길일이 머지 안냐시니 위력으로 ᄒᆞ려 ᄒᆞᄂᆞᆫ지라. 소져 벽ᄂᆞᆫ으로 ᄒᆞ여금 ᄉᆞᄀᆡ을 규출(窺察)ᄒᆞᄆᆡ, ᄌᆞᄀᆡ 피치 아니면 맛ᄎᆞᆷᄂᆡ 면치 못할 쥴 알고 임시(臨時)ᄒᆞ여 탈【21】신코져 ᄒᆞ더니, 김가의 납빙을 《문외∥문ᄂᆡ》의 드리미 욕된지라. 납페 젼 집을 써ᄂᆞ려 ᄒᆞ여, 길일이 ᄉᆞ오일이 격ᄒᆞ여 위·뉴 냥 부인니 경ᄋᆞ로 더부러 소져 침소ᄋᆡ 와, 식음을 권ᄒᆞ여 달ᄂᆡ며 ᄉᆞ지져 만단(萬端) ᄀᆡ유(開諭)ᄒᆞ되, 소져 쟉슈을 불음ᄒᆞ니, 뉴시 ᄃᆡ로 즐 왈,

"불초여 쥭기ᄂᆞᆫ 임으로 ᄒᆞ련니와, 너의 부친의 젹거츙군(謫居充軍)은 엇지려 ᄒᆞᄂᆞ뇨? 하가 녁적놈의 집을 위ᄒᆞ여 절의라 ᄒᆞᄂᆞ뇨?"

언파의 권하든 ᄀᆡᆼ(羹)그릇슬 소져의게 더지니, 소져의 가숨을 마져 업쳐져 음식이 허여져1027) 가숨의 가득ᄒᆞᄂᆞ, 소져 불변안식(不變顔色)ᄒᆞ고 ᄃᆡᄒᆞᄃᆡ,

"소녀 비록 쳥츈의 쥭긔ᄂᆞᆫ 늣겹거니와1028) ᄃᆡ인은 젹거츙군ᄒᆞ실 일이 업ᄉᆞ리니 고히ᄒᆞᆫ 말숨을 마르소셔. 소여 일ᄉᆡᆼ을 영화롭고져 ᄒᆞ시다가, 소녀의 신쳬을 비겨 울으

1027)허여지다 : 흩어지다.
1028)늣겁다 : 느껍다. 어떤 느낌이 마음에 북받쳐서 벅차다.

로이 욕ᄒᆞ시니, 요괴로온 귀비와 블인무상ᄒᆞᆫ 국구놈이 므어시 긔특ᄒᆞ여, 김후의 ᄉᆞ오납기 외간의 유명ᄒᆞ니 져의【39】 ᄉᆞᆼ고ᄒᆞᆫ 작위 헌신이나 다르며, 쥬옥보패(珠玉寶貝) 흙이나 다르리잇가? ᄌᆞ위 부귀를 그ᄃᆡ도록 탐ᄒᆞ시니 우리 집이 션조뷔(先祖父) 공휘(公侯)시고 션ᄇᆡᆨ뷔(先伯父) 니부텬관(吏部天官)이시며, 대인이 즉금 됴졍의 샤환ᄒᆞ시니 타일의 현마 져 김가만 못ᄒᆞᆯ 거시라 작녹을 ᄂᆞᆸ히 넉이시며, 호부(豪富)ᄒᆞ믈 됴히 넉이시ᄂᆞ니잇고? 우리집 고듕(庫中)의 금은미곡(金銀米穀)과 ᄌᆡ뵈(財寶) 일ᄉᆡᆼ안과(一生安過)ᄒᆞᆯ만은 ᄒᆞ니, 모친의 닌ᄌᆡ(吝財)997)ᄒᆞ시미 큰 병이니이다.”

뉴시 비록 ᄯᆞᆯ의 말이나 이의 밋쳐ᄂᆞᆫ 어히업셔 묵연이 안ᄌᆞᆺ더니 날호여 니러 드러가며 니ᄅᆞᄃᆡ,

“어미를 업슈히 넉여 말을 이러틋 ᄒᆞ거니와 길일의 신낭이 ᄇᆡᆨ냥(百輛)으로 호송ᄒᆞ여 김부로 갈 거시니 타일의 어믜 졍을 알니라.”

쇼졔 심니(心裏)의 더러이 넉여 ᄃᆡ답도 아니【40】ᄒᆞ고, 빙폐 오기 젼의 써나려 ᄒᆞ여 가마니 노듀의 일습남의(一襲男衣)를 일워 건복(巾服)을 개착ᄒᆞ고, 시야(是夜)의 ᄒᆞᆫ댱 셔간을 이루어 경ᄃᆡ 가온ᄃᆡ 너흐ᄆᆡ, 반야삼경(半夜三更)의 벽난의 손을 닛그러 뒤쟝원을 인ᄒᆞ여 운제(雲梯)998)를 빗기 셰오고 급급히 넘어가니, 쇼져ᄂᆞᆫ ᄉᆡᆼ셰지후(生世之後)의 대로상을 쳐음으로 ᄇᆞᆲ으니, 강졍도 ᄎᆞᄌᆞ갈 길히 업ᄉᆞᄃᆡ, 벽난이 쇼져를 닛글고 순나군(巡邏軍)을 ᄎᆡ여999) 힝ᄒᆞ여 남문의 다ᄃᆞ라 효괴(曉鼓)1000) 동(動)ᄒᆞ고 셩문을 여ᄂᆞᆫ디라. 벽난이 크게 깃거 쇼져를 뫼셔 강졍의 니르러, 노복을 ᄊᆡ오지 아니ᄒᆞ고 동산 담을 신고(辛苦)히 넘어 드러가니, 이공ᄌᆡ 집을 써나 이곳의 드런 지 일망(一

997)닌ᄌᆡ(吝財) : 재물을 아끼고 탐(貪)함.
998)운제(雲梯) : 높은 사다리.
999)ᄎᆡ다 : 비끼다. 피하다.
1000)효괴(曉鼓) : 새벽을 알리는 북소리.

실 날이 머지 아니시리라. 부친니 아니 계신 고로 가변니 여ᄎᆞᄒᆞ니 날ᄀᆡ 업셔 은쥬(殷州)1029)로 날아가지 못ᄒᆞ믈 한ᄒᆞᄂᆞᆫ니, 모친은 김가의 부귀을 츄셰(趨勢)ᄒᆞᄉᆞ 하가을 ᄉᆡ로이 욕ᄒᆞ시ᄂᆞ, 요괴로온 귀비와 불인무상ᄒᆞᆫ 국구 놈을 ᄉᆞᆼ의(商議)ᄒᆞ여 여ᄎᆞ ᄑᆡ【22】악지ᄉᆞ(悖惡之事)을 ᄒᆞ시니, 필경은 문호의 큰 욕이 당도ᄒᆞ올지라. 엇지 ᄋᆡ달고 ᄒᆞᆫ홉지 아니 ᄒᆞ오리오. 어셔 쥭어 모친의 실덕ᄒᆞ시믈 보지 말고져 ᄒᆞᄂᆞ이다.”

언파의 옥뫼 ᄎᆞᆫ 옥 갓타여 일호도 구겁지 아니ᄒᆞ여, 다만 말근 징ᄑᆡ(澄波) 굴너 옥안을 적실 분니라. 뉴시 노긔 등등ᄒᆞ여 왈,

“불쵸ᄋᆡ 쥭기ᄂᆞᆫ 쉬오련이와 김가 빙ᄎᆡᄂᆞᆫ 면치 못ᄒᆞ리라.”

언흘(言訖)의 ᄌᆞ긔 침쇼로 도라가거ᄂᆞᆯ, 소제 심니(心裏)의 ᄉᆡᆼ각ᄒᆞ되, 만일 ᄌᆞ긔 피(避)치 아니면 욕을 면치 못ᄒᆞᆯ지라. 가연니 몸을 일어 노쥬 남의을 ᄀᆡ착(改着)ᄒᆞ고 시야(是夜)의 한ᄌᆞᆼ 셔간을 일워 경ᄃᆡ 우희 놋코, ᄉᆞᆷ경(三更)1030) ᄊᆡ 벽ᄂᆞᆫ의 손을 ᄌᆞᆸ고 후원 문을 넘어가니, 소제 ᄉᆡᆼ셰지후(生世之後)로 ○○○○[쳐음으로] ᄯᅡ흘 드듸여, 벽ᄂᆞᆫ으로 더부러 힝ᄒᆞ여 남문의 다ᄃᆞᄅᆞ니, 셩문을 열고 ᄉᆡ벽 북이 우ᄂᆞᆫ지라. 벽ᄂᆞᆫ니 깃거 소제을 뫼셔 강졍의 이르러 노복을 ᄊᆡ우지 아니ᄒᆞ고, 동ᄉᆞᆫ 담을 넘머 드러가니 잇ᄊᆡ 공ᄌᆡ 이리온지 일망이라. 가즁(家中) 소식을 아지 못ᄒᆞ여 쥬야 근심ᄒᆞ더니, ᄆᆡ제을 만ᄂᆞ 반기고 놀나 모친의 안영(安寧)ᄒᆞ시믈 뭇고, 김가의【23】 ᄉᆞ혼이 ᄉᆞ오일 격ᄒᆞ믈 드르

1029)은쥬(殷州) : 중국 하남성(河南省)에 있는 주(州) 이름.
1030)ᄉᆞᆷ경(三更) : 하룻밤을 오경(五更)으로 나눈 셋째 부분. 밤 열한 시에서 새벽 한 시 사이이다.

望)[1001]이나 가듕 소식을 아지 못ᄒᆞ여 듀야 근심ᄒᆞ더니, ᄆᆡ져를 보고 밧【41】비 조모와 모친의 긔운을 뭇줍고, 김가의 뎡혼날이 지격(至隔) ᄉᆞ오일 ᄒᆞ믈 듯고 ᄎᆞ악ᄒᆞ여 골오ᄃᆡ,

"져졔 건복이 블가ᄒᆞᄃᆡ 혹ᄌᆞ 알니 잇셔도 녀복을 닙지 마르시고, 강졍 노복과 비ᄌᆞ의 무리 젼ᄌᆞ(前者) 져져와 벽난을 보니 드물고, 쳔인의 안견이 음양을 밧고아시ᄆᆡ 의심홀 거시 아니로ᄃᆡ, 셰월·비영 등이 강졍의 나오ᄂᆞᆫ 일이 이시면 반ᄃᆞ시 알기 쉬오리니, 깁히 계샤 아모라도 보지 말게 ᄒᆞ쇼셔."

쇼졔 기리 탄식 왈,

"모친긔 은쥬(殷州)[1002]로 가노라 ᄒᆞ여시니 방방곡곡이 ᄌᆞ최를 심방홀 거시니, 이곳의셔ᄂᆞᆫ 몸을 범연이 곰초지 못홀 거시니, 그윽ᄒᆞᆫ 당ᄉᆞ(堂舍)를 갈ᄒᆞ여 머물미 엇더ᄒᆞ뇨?"

이공ᄌᆡ(二公子) 즉시 벽셔당이란 곳의 쇼져를 잇게 홀ᄉᆡ, 노복【42】과 비ᄌᆞ 등다려 니르기를, 냥공ᄌᆞ의 친위(親友)러니 강졍이 고요타 ᄒᆞ여 유혹ᄒᆞ련다 ᄒᆞ니, 벽난이 냑간(若干) 보빅와 은냥을 가져와시므로, 냥찬(糧饌)의 갑슬 넉넉이 주니 강졍 비복이 곡졀을 모르고, 냥찬의 갑시 풍죡ᄒᆞ여 칠팔일 머므ᄂᆞᆫ 거시 타인의 슈년 냥ᄌᆡ 되믈 더욱 깃거 ᄃᆡ졉ᄒᆞ믈 공ᄌᆞ와 ᄀᆞᆺ치ᄒᆞ고, 냥공ᄌᆡ 엄히 분부ᄒᆞ여 벽셔당의 손이 이시믈 옥누항의 젼치 말나 ᄒᆞ고, ᄒᆞ로 두 ᄢᅥᆨ 문을 여러 식반을 드린 밧 쥬렴을 ᄒᆞᆫ번 것ᄂᆞᆫ 일이 업고 문을 ᄌᆞ로 여ᄂᆞᆫ 일이 업ᄉᆞ니, 완연이 뷘집 모양이오, 원간 벽셔졍이 깁고 그윽ᄒᆞ여 강졍의 싼 집 ᄀᆞᆺᄐᆞ니 사름의 ᄌᆞ최 업ᄂᆞᆫ디라. 쇼졔 듀야 벽난을 다리고 죵용이 잇셔 김가의 욕을 버셔난【43】 줄 깃거ᄒᆞ나, 모친과 조모의 거동이 므ᄉᆞᆫ 일을 닐 ᄃᆞᆺᄒᆞ던 일을 ᄉᆡᆼ각고 근심이 극ᄒᆞ여, 야야의 슈히 환가ᄒᆞ시믈 원ᄒᆞ여 냥공ᄌᆡ 아직 강졍의 머믜, 경악ᄒᆞ믈 이긔지 못ᄒᆞ여 니르되,

"건복(巾服)이 불가ᄒᆞᄃᆡ, 강졍노복이 졔졔(姐姐)의 얼골 아ᄂᆞᆫ니 드무ᄂᆞ, 셰월·비영 등이 혹시 아오면 들니기 쉬오니 깁피 계ᄉᆞ 사람을 일금(一禁)ᄒᆞ소셔."

소져 기리 탄식 왈,

"모친게 은쥐로 가노라 ᄒᆞ여시니 ᄌᆞ최을 방방곡곡이 심방ᄒᆞ리니 이곳의셔ᄂᆞᆫ 몸을 감초기 오ᄅᆡ지 못할지라. 그윽한 곳슬 갈히라."

한ᄃᆡ 공ᄌᆡ 벽셩졍이란 곳의 가 수쇄(收刷)ᄒᆞ고 소제을 잇게 ᄒᆞ고 노복과 비ᄌᆞ 등을 다려 이로ᄃᆡ, '공ᄌᆞ의 친우러니 이곳ᄃᆡ 독셔ᄒᆞ러 왓난니라' ᄒᆞ고 벽ᄂᆞᆫ이 약ᄀᆞᆫ 은ᄌᆞ을 가져왓더니, 낭츤(糧饌)의 갑슬 넉넉이 쥬니 노복 등이 공ᄌᆞ와 갓치 밧드더라.

공ᄌᆡ 졔노을 분부ᄒᆞ여 벽셔당의 손이 와 잇시믈 옥누항 비복다려 젼치 말나 ᄒᆞ고 하로 두 ᄡᅥᆨ식 문을 열어 반(飯)을 드린 후의ᄂᆞᆫ 쥬렴을 ᄒᆞᆫ번도 것ᄂᆞᆫ 일리 업고, 문을 여ᄂᆞᆫ 일리 업ᄉᆞ니 완연니 빈집 갓고 ᄉᆞ람의 ᄌᆞ쵀 임치 아니ᄒᆞᄆᆡ 소져 벽ᄂᆞᆫ으로 더부러 고요히 잇셔 김가의 욕을 버셔ᄂᆞ믈 깃거 ᄒᆞᄂᆞ, 모친과 조모의 거동이 일을 닐 듯ᄒᆞ여 근심이【24】《옥중‖오중(五臟)》을 술와 부친의 도라오시믈 쥬야 츅슈ᄒᆞ더라.

얼푸시 슌일(旬日)리 지ᄂᆡ여 게츈이 항쥐 모ᄆᆡᆨ(麰麥)을 싯고 도라왓ᄂᆞᆫ지라. 광텬 공ᄌᆡ 먼져 집으로 도라갈 ᄉᆡ, 종남ᄆᆡ 셔로 니별ᄒᆞᄂᆞᆫ 졍니 의의ᄒᆞ여 가즁 ᄉᆞ셰을 ᄉᆡᆼ각ᄒᆞ여 심간(心肝)이 붕녈(崩裂)ᄒᆞ더라.

1001)일망(一望) : 한 보름동안. 15일
1002)은쥬(殷州) : 중국 하남성(河南省)에 있는 주(州) 이름.

므니 셔로 위회ᄒᆞ여 지ᄂᆡ더니, 슌일지ᄂᆡ(旬日之內)의 혜쥰이 항쥐 모ᄆᆡᆨ을 싯고 도라와 시니 댱공ᄌᆡ 몬져 도라갈ᄉᆡ, 남ᄆᆡ 분슈ᄒᆞᄂᆞᆫ 졍이 셔로 의의ᄒᆞ여 ᄒᆞᆫ갓 결울ᄒᆞᆫ 졍 ᄲᅮᆫ아니라, 가듕형셰를 ᄎᆞ악ᄒᆞ여 타루(墮淚)ᄒᆞ기를 마지 아니ᄒᆞ더라.

어시의 뉴부인이 녀ᄋᆞ의 고집을 통완ᄒᆞ고, 절절이 ᄌᆞ긔 뜻과 다르믈 ᄋᆡ들나 위력으로 핍박ᄒᆞ여 김가의 혼ᄉᆞ를 뎡ᄒᆞ려 결단ᄒᆞ고 봉치(封采)[1003]를 바들 긔구를 출히며, 태부인이 친히 식반을 들니고 미화당의 니르니, 쇼져와 벽난의 그림ᄌᆞ도 업ᄉᆞ니 대경ᄎᆞ악ᄒᆞ여 뉴부인【44】과 경ᄋᆞ를 브르고 두로 어드ᄃᆡ 간 바를 아지 못ᄒᆞ고, 동산 담을 인ᄒᆞ여 운뎨를 셰윗ᄂᆞᆫ디라. 태부인이 뉴시를 도라 보아 놀나온 가슴이 벌덕여 일쳔 진납이 넘노ᄂᆞᆫ ᄃᆞᆺᄒᆞ고, 만심(滿心)이 ᄎᆞ악ᄒᆞ여 경ᄃᆡ(鏡臺) 우희 노힌 셔간을 보지 못ᄒᆞ여 망지소위(罔知所爲)[1004]러니, 경ᄋᆡ 봉셔를 어더 써혀보니, ᄉᆞ의(辭意) 비절(悲絶)ᄒᆞ여,

“명명(明明)ᄒᆞᆫ 대절을 잡으ᄆᆡ 모친의 념녀ᄒᆞ시ᄂᆞᆫ 졍을 도라보지 못ᄒᆞ고 님별의 하직을 고치 못ᄒᆞ고 규리약질(閨裏弱質)이 벽난 일비(一婢)를 다리고 은쥐 슈천니를 발셥(跋涉)ᄒᆞ니, 하날이 도아 일명을 보젼ᄒᆞ면 힝혀 싱젼 뵈오려니와 블연즉 도로의셔 죽어도 실절ᄒᆞᆫ 더러온 계집이 되지 못ᄒᆞᆯ지라. 셔ᄉᆞ(書辭)를 일우ᄆᆡ 압히 어둡고 목이 메여ᄀᆞᆺ초 베프지 못ᄒᆞ오니, 왕【45】모(王母)의 심화를 도도지 마르시고 가ᄂᆡ를 안온이 ᄒᆞ여, ᄇᆡᆨ모(伯母)를 편히 밧들고 변고를 ᄌᆞ아ᄂᆡ지 마르《시믈‖쇼셔.》”

1003)봉치(封采) : ≒봉치. 혼인 전에 신랑 집에서 신부 집으로 채단(采緞)과 예장(禮狀)을 보내는 일. 또는 그 채단과 예장.

1004)망지소위(罔知所爲) : 어찌해야 할 바를 알지 못함.

어시의 뉴시 녀ᄋᆞ의 고집을 통한ᄒᆞ고 결결리 ᄌᆞ긔 뜻즐 어긔믈 ᄋᆡ달ᄂᆞ 위력으로나 핍박ᄒᆞ여 보ᄂᆡ려 김가 빙치(聘采)[1031] 바들 긔구을 ᄎᆞ리노라 분운(紛紜)ᄒᆞ고 ᄐᆡ부인이 친히 식반을 들니고 미화당의 이르러 지게을 열고 보니, 방안니 황연니 비여 소져와 벽ᄂᆞᆫ의 그름ᄌᆞ도 업ᄂᆞᆫ지라. 위ᄐᆡ ᄃᆡ경실ᄉᆡᆨᄒᆞ여 유시와 경ᄋᆞ을 부르고 ᄋᆡ고ᄋᆡ고ᄒᆞ니, 누시 모녀 업더지며 ᄌᆞᆺ바지며 허둥지둥 궁글며 가보니, 현아 노쥬 그림ᄌᆞ도 업ᄂᆞᆫ지라. ᄐᆡ부인니 뉴시모녀로 더부러 방방곡곡이 두로 ᄎᆞ지나 어ᄃᆡ가 잇ᄉᆞ리오. 다만 동산 담으로 운제(雲梯)[1032]을 노하ᄂᆞᆫ지라. 위ᄐᆡ 뉴시을 보아 왈,

“이을 어이하리오.”

셰ᄉᆞ람의 가슴이 놀나 일텬 진ᄂᆞ비 넘노ᄂᆞᆫ 듯ᄒᆞ여, 경ᄃᆡ(鏡臺) 우희 노인 셔간을 어더 써혀 보이, ᄉᆞ의(辭意) 비절(悲絶)ᄒᆞ여,

“명명(明明)이 졀기을 즙으ᄆᆡ 모친의 염염(念念)한 졍을 도라보지 못하고, 임별의 하직을 고치 못하여 규리(閨裏)의 ᄌᆞ쳐【25】병[벽]난 일인을 다리고 슈쳘이(數千里) 은쥐로 발셥(跋涉)ᄒᆞ니, 명쳔(明天)이 《도야‖도와》 일명을 보존하면 힝혀 싱젼 슬하의 졀하오련이와, 그려치 못하면 도로의셔 죽여[어] 실결한 계집이 되지 아니리니, 셔사(書辭)을 《이로ᄆᆡ‖이루ᄆᆡ》 압히 여[어]둡고 목이 ᄆᆡ여 다 볘푸지 못하나이, ᄃᆡ모ᄂᆞᆫ ○○○[심화를] 간ᄃᆡ로 발치 마르사 가ᄂᆡ을 평안이 하ᄉᆞ ᄇᆡᆨ모을 편히 거ᄂᆞ리시고 만슈무강ᄒᆞ소셔.”

1031)빙치(聘采) : ≒봉치. 혼인 전에 신랑 집에서 신부 집으로 채단(采緞)과 예장(禮狀)을 보내는 일. 또는 그 채단과 예장.

1032)운제(雲梯) : 높은 사다리.

○○[ᄒᆞ고], 쳥ᄒᆞ여 법다온 말솜과 어진 품되 디샹(紙上)의 버러시니, 완젼ᄒᆞ며 쥬옥이 년낙ᄒᆞᄂᆞᆫ 필젹이 난봉이 쒸노ᄂᆞᆫ 듯, 묵광이 안모의 어룽지니 뉴부인이 기셔를 달나 ᄒᆞ여 ᄒᆞᆫ번 보고 통흉돈죡(痛胸頓足)[1005] 왈,

“쳔니애각(千里涯角)의 졔 엇지 득달ᄒᆞᆯ 길히 이시리오. 노비(路費)와 냥ᄌᆞ(糧資)도 못 가져가실 거시니 긔ᄉᆞ(饑死)ᄒᆞ미 호흡간(呼吸間)[1006]이라, 엇지 ᄎᆞ악지 아니리오.”

경ᄋᆡ ᄀᆞᆯ오ᄃᆡ,

“셔의(齟齬)ᄒᆞᆫ 의ᄉᆞ로 은쥐를 가시나, 길히 나면 두렵고 어려워 도로 드러오기도 쉽거니와, 노복을 혯쳐 어셔 뒤흘 ᄯᆞ라 다려오라 ᄒᆞ쇼셔.”

냥부인이 일시의 노복을 명ᄒᆞ여 은쥐 가ᄂᆞᆫ 길히 여러 곳을 둘너 만【46】나거든 다려오라 ᄒᆞ고, 눈물이 비오듯ᄒᆞ여 간장이 일긱(一刻)의 다 타ᄂᆞᆫ디라. 조부인이 태부인 호령으로 혼슈의 슈치와 침션의 골몰ᄒᆞ여 ‘안비(眼鼻)를 막지(莫知)’[1007]러니, 야간의 쇼졔 업ᄉᆞ믈 듯고 실식ᄒᆞ나, 졀의를 일치 아니믈 가장 깃거ᄒᆞ며, 혹ᄌᆞ 강졍의 갓ᄂᆞᆫ가 의심ᄒᆞ나 발셜치 아니코, 쇼져 침소의 모다[1008] 놀나믈 일캇더라.

뉴시 녀ᄋᆞ의 거쳐를 모로ᄂᆞᆫᄃᆡ 김가 빙폐(聘幣)를 밧지 못ᄒᆞᆯ 거시므로, 뉴금오긔 급히 통ᄒᆞ여 녀ᄋᆞ를 실산ᄒᆞ여시니 이말을 김부의 젼ᄒᆞ라 ᄒᆞ고, 간악대독(奸惡大毒)이로ᄃᆡ 흥황(興況)이 업셔 심담이 ᄡᅥ러지ᄂᆞᆫ 듯ᄒᆞ니, 현ᄋᆡ 비록 죽기를 져히나 엇지 야반의 나갈 줄이야 ᄉᆡᆼ각ᄒᆞ여시리오. 길일이 님ᄒᆞ거든 ᄌᆞ연 죽도 못【47】ᄒᆞ고 김부의 나아가 부부를 ᄆᆡᄌᆞ면, ᄌᆞ연 화락ᄒᆞ여 살가 ᄒᆞ다가 바라미 긋쳐 져 계괴 그릇된지라.

1005)통흉돈죡(痛胸頓足) : 가슴을 아프게 치고 발을 구르고 하며 안타까워 함.
1006)호흡간(呼吸間) : 숨을 한번 내쉬고 들이마시는 사이. 아주 짧은 시간.
1007)안비막지(眼鼻莫知) : 눈코 뜰 사이 없이 바쁨.
1008)모다 : 모여.

ᄒᆞ엿더라.

뉴시 글을 달나 ᄒᆞ여 보기을 다 못ᄒᆞ여 돈죡(頓足)[1033] 실셩뉴쳬(失性流涕) 왈,

“혈혈약녀(孑孑弱女) 쳘이ᄋᆡᄀᆡᆨ(千里涯角)의 엇지 득달ᄒᆞᆫ 슈 잇ᄉᆞ리오. 노비(路費)와 냥ᄌᆡ(糧資)도 못가져 가시니 길의셔 긔ᄉᆞ(饑死)ᄒᆞ리로다.”

경ᄋᆡ 왈,

“셔어(齟齬)ᄒᆞᆫ 의ᄉᆞ을 ᄂᆡ여 은쥐로 향ᄒᆞ나, 길히 나셔ᄂᆞᆫ 두렵고 무셔워 도로 드러오기 쉬온니, 노복을 혜쳐 어셔 뒤을 ᄯᅡ르소셔.”

위·뉴 즉시 노복을 발졈(發點)[1034]ᄒᆞ여 은쥐로 가는 길을 여러 곳시니 다 보아, 만ᄂᆞ거든 다려오라 ᄒᆞ고, 간즁이 ᄡᅥᆨ어 무너질 듯ᄒᆞᄂᆞᆫ[여] 눈물리 비오듯 ᄒᆞᄂᆞᆫ지라. 조부인은 위ᄐᆡ의 호령으로 김가의 혼○○[슈의] 슈치와 침션을 ᄒᆞ노라 골몰ᄒᆞ여 안비막지(眼鼻莫知)[1035]러니, 야간의 쇼져 업ᄉᆞ믈 듯고 실식ᄒᆞ나, 졀의을 일치 아니믈 다행ᄒᆞ고 혹시 강졍의ᄂᆞ 갓나 의심ᄒᆞ되【26】 발셜치 아니코, 쇼져 침소의 모다[1036] 놀나믈 위로터라.

뉴시 녀ᄋᆞ의 거쳐을 모로ᄂᆞᆫᄃᆡ, 김가 빙페(聘幣)을 밧지 못할 거시무로 뉴금오의게 급히 통ᄒᆞ여 녀ᄋᆞ(女兒)을 실손ᄒᆞ여시니 거쳐을 ᄎᆞᄌᆞ 다려온 후 길녜을 일워도 아직은 빙페을 밧지 못ᄒᆞ겟시니 이 말을 김부의 젼ᄒᆞ라 ᄒᆞ고, ᄃᆡ간ᄃᆡ악(大奸大惡)이로ᄃᆡ 심담이 ᄡᅥ려져, 현ᄋᆞ 비록 쥭기을 져히나 도쥬할 쥴은 쳔만의외라. 길일이 다ᄃᆞᆺ거든 우김질노 보ᄂᆡ여 부부의 양졍(兩情)이 합ᄒᆞ면 자연 화락ᄒᆞ여 ᄉᆞᆯ니라 ᄒᆞ엿더니, 도금(到今)ᄒᆞ여 바라미 ᄭᅳᆫ쳐시니, 녀ᄋᆞ을 위ᄒᆞ여 금옥

1033)돈족(頓足) : 발을 구름.
1034)발졈(發點) : 점고(點考)를 함. 즉 명부에 일일이 점을 찍어 가며 사람의 수를 조사함.
1035)안비막지(眼鼻莫知) : 눈코 뜰 사이 없이 바쁨.
1036)모다 : 모여.

녀ᄋᆞ를 위ᄒᆞ여 금옥패산(金玉貝珊)과 촉단나릉(蜀緞羅綾)을 각별이 션틱ᄒᆞ여 의상을 일우고, 보화를 가득이 빠하 노코, 하가의 고초ᄒᆞ믈 나모라 ᄇᆞ리고, 궁극히 구ᄒᆞ여 니부텬관(吏部天官)의 당ᄌᆡ오, 국구의 종손(宗孫)이믈 됴히 넉여, ᄯᆞᆯ을 몬져 뵈고 듕광의 눈의 든 줄 깃거, 태우의 님힝당부(臨行當付)도 다 져ᄇᆞ리고, 태부인을 도도아 조부인 삼모ᄌᆞ를 업시키를 착급(着急)히 바야며, 현ᄋᆞ의 일ᄉᆡᆼ이 영화롭고져 ᄒᆞ고, ᄀᆡ특ᄒᆞᆫ 지혜로 셕혹ᄉᆞ ᄌᆡ실 오시가지 셔르져 업시ᄒᆞᆫ 후, 경ᄋᆞ로 셕ᄉᆡᆼ의 후ᄃᆡ를 밧게 뎡ᄒᆞ엿다가, 현ᄋᆞ를 일야지간(一夜之間)의 실니ᄒᆞ니, 일【48】ᄀᆡᄂᆞᆫ 졈졈 극열(極烈)이오, 뇨슈(潦水)[1009]ᄂᆞᆫ 지리ᄒᆞᆫᄃᆡ, 빙ᄌᆞ옥질(氷姿玉質)이 일ᄉᆡᆼ을 호화듕(豪華中)의 ᄉᆡᆼ댱(生長)ᄒᆞ여 괴롭고 슬프믈 아지 못ᄒᆞ다가, 벽난 일비(一婢)를 다리고 은귀를 발셥(跋涉)ᄒᆞ믈 ᄉᆡᆼ각ᄒᆞ니, 냥ᄌᆞ(糧資)와 반젼(盤纏)[1010]은 엇지ᄒᆞ여 가며, 이ᄯᅴ의 어ᄃᆡ 가 잇ᄂᆞᆫ고? 쳔녀만통(千慮萬痛)이 오ᄂᆡ여할(五內如割)ᄒᆞ고, 도라 태우의 셩품을 혜아리미, ᄌᆞᄀᆡ 뜻을 욱여 녀ᄋᆞ를 위력으로 김가의 셩혼ᄒᆞ려다가 실산ᄒᆞᆷ 곳 드르면, 더옥 졀치분완(切齒憤惋)ᄒᆞ여 ᄌᆞ가를 믜워ᄒᆞᆯ지라. ᄋᆡ닯고 분완ᄒᆞ미 심장이 초갈(焦渴)ᄒᆞ여 침실의 도라와 머리를 ᄡᆞ고 누어, 눈물이 강하(江河)를 보틸 듯, 살고져 의ᄉᆞ 젹거ᄂᆞᆯ, 태부인 역시 눈믈을 금치 못ᄒᆞ여 왈,

"이러ᄐᆞᆺ ᄒᆞᆯ 줄 아더면 졔【49】 뜻ᄃᆡ로 김가의 믈니치고 편히 집의 잇게 ᄒᆞᆯ 거ᄉᆞᆯ, ᄋᆞ히 나히 어리니 일ᄉᆡᆼ을 못 ᄉᆡᆼ각ᄒᆞ미라 ᄒᆞ여, 욱여 지ᄂᆡ려 ᄒᆞ다가, 일이 이ᄃᆡ도록 뜻ᄀᆞᆺ지 못ᄒᆞᆯ 줄 어이 알니오. 졔 아뷔 곳으로 가노라 ᄒᆞ여도 슈쳔니를 득달치 못ᄒᆞ고 도로의 만단고초와 낭패ᄒᆞ미 만흐리니, ᄋᆞᄌᆡ 도라오ᄂᆞᆫ 날 현ᄋᆞ를 어ᄃᆡ 가고 업다 ᄒᆞ리오."

1009)뇨슈(潦水) : 장맛비.

1010)반젼(盤纏) : 늑노자(路資). 먼 길을 떠나 오가는 데 드는 비용.

픠ᄉᆞᆫ지물(金玉貝珊之物)과 촉단ᄂᆞ릉(蜀緞羅綾)을 셩틱(盛擇)ᄒᆞ여 {일우고} 의ᄉᆞᆼ을 일우고 보화을 가득이 ᄡᅡᄒᆞ놋코, 하가의 고초ᄒᆞ믈 웃더니, 쥬독(主櫝)의 바람이 들고, 혼쳐을 궁극히 구하여 니부쳔관의 장ᄌᆡ오 국구의 종손이믈 황홀ᄒᆞ여, ᄯᆞᆯ을 김즁관을 뵈이고 즁관의 눈의 든 쥴을 깃거ᄒᆞ며, ᄐᆡ우 임힝부탁(臨行付託)은 초ᄀᆡ(草芥)갓치 녁여, ᄐᆡ부인을 도도와 조부인 ᄉᆞᆷ모ᄌᆞ을 업시키을 굴지게○[일](屈指計日)○○[ᄒᆞ여] 조이고, 현ᄋᆞ의 일ᄉᆡᆼ이 영화로올 바을 질겨ᄒᆞ며, 셕학ᄉᆞ ᄌᆡ실 오시가지 셔르져 업시ᄒᆞᆫ 후 경ᄋᆞ로 셕ᄉᆡᆼ의 후ᄃᆡ을 밧게, 이리 졍ᄒᆞ엿다가, 현ᄋᆞ을 일야지간(一夜之間)의 실니ᄒᆞ니, 일ᄀᆡᄂᆞᆫ 극녈(極烈)ᄒᆞ고 요슈(潦水)[1037]ᄂᆞᆫ【27】 지리한ᄃᆡ, 빙ᄌᆞ약질(氷姿弱質)이 금누화당(金樓華堂)의 ᄉᆡᆼ즁ᄒᆞ여 발이 셤아리ᄂᆞ리미 업다가, 벽ᄂᆞᆫ 일비(一婢)을 다리고 은귀을 발셥(跋涉)ᄒᆞ믈 ᄉᆡᆼ각ᄒᆞᄆᆡ, 반젼(盤纏)[1038]은 엇지ᄒᆞ며, 어ᄃᆡ가 잇ᄂᆞ고? 쳔염만ᄉᆞᆼ(千念萬想)이 오ᄂᆡ(五內)을 ᄲᅧ흐ᄂᆞᆫ 듯, 도라 ᄐᆡ우의 셩품을 ᄉᆡᆼ각ᄒᆞ니 ᄌᆞᄀᆡ 부탁을 져바리고 녀ᄋᆞ을 위격[1039]으로 김가의 셩혼하려다가 실ᄉᆞᆫᄒᆞ믈 드르면 더옥 졀치분원ᄒᆞ여 ᄉᆡᆼ시의 부부지은졍(夫婦之恩情)을 바라지 못ᄒᆞ리라. 두루 마련ᄒᆞ니[1040] ᄋᆡ달고 분ᄒᆞ여 침소의 도라와 ᄇᆡᄀᆡ의 누어 눈물이 《장슈 : 강슈(江水)》을 봇틸너라.

ᄐᆡ부인 녁시 눈물이 비오듯ᄒᆞ여 왈,

"이러할 쥴 아더면 제 뜻ᄃᆡ로 김가을 물니치고 편히 집의 잇게 할 것ᄉᆞᆯ 아ᄒᆡ 나히 어리니 졔 일ᄉᆡᆼ을 ᄉᆡᆼ각지 못ᄒᆞ미라. 혼인을 위력으로 지ᄂᆡ려다가 일이 이의 밋ᄎᆞᆯ 쥴 알이오."

ᄒᆞ고 경ᄋᆞ다려 왈,

"네 부친니 셔촉슈졸과 결혼ᄒᆞ여 일ᄉᆡᆼ이 쳔ᄒᆞᆫ 곳의 보ᄂᆡ려 ᄒᆞ거○[ᄂᆞᆯ] 골돌이 ᄋᆡ답

1037)요슈(潦水) : 장맛비.

1038)반젼(盤纏) : 늑노자(路資). 먼 길을 떠나 오가는 데 드는 비용.

1039)위격 : 우격. 억지로 우김.

1040)마련ᄒᆞ다 : 헤아리다. 헤아려서 갖추다.

경ᄋᆡ 심신이 경히ᄒᆞ여 위로 왈,

"조뫼 마ᄌᆞ 이러틋 ᄒᆞ시니 ᄌᆞ위 더옥 비회를 진뎡치 못ᄒᆞ시니 복원 조모ᄂᆞᆫ 소려ᄒᆞ쇼셔 졔 반ᄃᆞ시 도로 드러오리이다."

태부인이 일됴의 흥이 ᄉᆞ라져 역시 식음의 맛술 모로고 잠이 업셔 오뉵일을 울울히 보ᄂᆡ니, 길긔를 속졀업시 허숑ᄒᆞ고 여러 노복이 무류히【50】 도라○[와], 쇼져와 벽난의 그림ᄌᆞ도 보디 못ᄒᆞ믈 고ᄒᆞ니, 뉴시 듀야 상도(傷悼)ᄒᆞ여 눈믈이 마를 적이 업ᄉᆞ니, 경ᄋᆡ 우러 왈,

"모친이 현ᄋᆞ를 위ᄒᆞ여 이러틋 ᄒᆞ시니 므ᄉᆞᆫ 유익ᄒᆞ미 잇ᄂᆞ니잇고? ᄆᆞ음을 널니 ᄒᆞ샤 져희 ᄌᆞ최를 심방ᄒᆞ여 다시 김가의 인연을 의논ᄒᆞ미 올치 아니ᄒᆞ리잇가?"

뉴시 기피 늣겨 왈,

"내 팔ᄌᆡ 괴이ᄒᆞ여 ᄒᆞᆫ낫 ᄋᆞ들을 두지 못ᄒᆞ고, 너희 형뎨를 두어 만금의 듕ᄒᆞᆷ과 텬눈의 ᄌᆞᄋᆡ 타인의 모녀간과 다르미 만커ᄂᆞᆯ, 너를 셕쥰과 셩친ᄒᆞ여 셕ᄉᆡᆼ의 무신박졍이 너를 무죄히 박ᄃᆡᄒᆞ고 ᄌᆡ취ᄒᆞ여 즐기니 ᄉᆡᆼ각ᄒᆞᆯᄉᆞ록 심신이 타ᄂᆞᆫ ᄃᆞᆺᄒᆞ거ᄂᆞᆯ, 네 부친이 ᄌᆞᄋᆡ지졍(自愛之情)이 박ᄒᆞ여 너를 잔잉히 넉【51】이ᄂᆞᆫ ᄆᆞ음이 업고, 현ᄋᆞ를 마ᄌᆞ 셔촉 슈졸과 결혼ᄒᆞ니, 그 일ᄉᆡᆼ을 ᄋᆡ둘나 김개 부귀ᄒᆞ고 신낭이 아ᄅᆞᆷ다오니 ᄆᆞ음의 맛당ᄒᆞ여 궁극히 도모ᄒᆞ여 셩디를 어더 친ᄉᆞ를 일우고, 네 부친이 도라와 내 탓슬 삼지 못ᄒᆞ여 하가의 실약ᄒᆞ믈 탄ᄒᆞ나, 녀ᄋᆡ 발셔 김가의 사ᄅᆞᆷ이 된 후ᄂᆞᆫ ᄒᆞᆯ일업셔 말을 못ᄒᆞ고, 불쾌히 넉이다가도 일월이 오ᄅᆡ면 ᄌᆞ연 녀셔(女壻)의 화락을 두굿기고 나의 원녀를 항복ᄒᆞᆯ가 넉엿더니, ᄋᆞ히 어믜 졍을 모로고 졔 목슘이 진ᄒᆞᆯ지라도 언약을 직희련다 ᄒᆞ니, 은쥐로 간다 ᄒᆞ여시나 다힝이 무ᄉᆞ 득

고, 김가 부귀ᄒᆞ고 신낭이 아름다오니 마음의 맛당ᄒᆞ여, 궁극히 도모ᄒᆞ여 셩질(聖旨)을 어더 ᄉᆞ혼ᄒᆞ여 친ᄉᆞ을 일우고, 네 부친이 도라와 ᄂᆡ탓술 삼지 못ᄒᆞ게 ᄒᆞ여, 여ᄋᆞ 발셔 김가의 ᄉᆞ람이 되엿시면 네 부친이라도 신의을 탄ᄒᆞ실지언졍, ᄉᆞ혼ᄒᆞ시믈 할일 업셔 할 거술, 고이ᄒᆞᆫ 아히 엄이[1041] 졍을 모로고, 졔 목슘이 진(盡)할지라도 젹은【28】 언약을 직희여 은쥬로 가노라 ᄒᆞ여시니, 다힝이 득달ᄒᆞ면 깃부리로다."

1041)엄이 : 어미. 어머니의 낮춤말.

달ᄒᆞ여 네 부친을 만나○[나], 나의 혀물과 하가를 빅젹ᄒᆞ미 네【52】 부친이 항상 통완ᄒᆞ던 빅어늘, ᄒᆞ물며 녀ᄋᆞ의 졀을 아ᄉᆞ 김가의 셩혼ᄒᆞ려 ᄒᆞ던 줄 대로 홀지라. 녀ᄋᆡ 은쥐로 가지 못ᄒᆞ고 도로의 뉴락(流落)ᄒᆞ여 거쳐를 모로ᄂᆞᆫ 일이 잇셔도, 네 부친이 날을 원슈로 알 거시니, 이 일을 엇지ᄒᆞ잔 말고."

경ᄋᆡ 다만 위로 왈,

"태태 이ᄃᆡ도록 과려ᄒᆞ시고 젼ᄌᆞ의 도모ᄒᆞ던 일은 다 니ᄌᆞ시니, 희텬 둥이 도라와도 무ᄉᆞ히 두어 편ᄒᆞ미 반셕 ᄀᆞᆺᄐᆞ리니, 엇지려 ᄒᆞ시ᄂᆞ니잇고?"

뉴시 경ᄋᆞ의 말을 올히 넉여 조부인의 삼모ᄌᆞ를 업시ᄒᆞ고 명ᄋᆞ쇼져의 젼졍을 맛친 후, 양미토긔(揚眉吐氣)1011)ᄒᆞ랴 결단ᄒᆞ니, 만고의 희한ᄒᆞᆫ 악인이러라.

ᄎᆞ시 김부의셔 미리 보닉【53】엿던 바패산지물(貝珊之物)을 도로 도라보닉고, 김통지 부인긔 젼어(傳語)ᄒᆞ여 녀ᄋᆞ를 실산ᄒᆞ여 친ᄉᆞ를 일우지 못ᄒᆞ믈 슬혀ᄒᆞᆫᄃᆡ, 김부의셔 뉴금오의 말을 듯고 대경실ᄉᆡᆨ홀 ᄲᅳᆫ 아니라, 듕광이 윤공ᄌᆞ의게 즛맛고 상체 오히려 쾌소(快蘇)치 못ᄒᆞ여시ᄃᆡ, 길일을 손곱아 등ᄃᆡᄒᆞ다가, 윤쇼져의 실산ᄒᆞ믈 듯고 ᄆᆞ음이 밋칠 듯ᄒᆞ여 능히 진뎡치 못ᄒᆞᄂᆞᆫ지라. 역시 노복을 헷쳐 은쥐 길흘 막ᄌᆞ르ᄃᆡ, 거쳐를 모로고 길긔를 혀숑ᄒᆞ니 실셩홀 ᄃᆞᆺᄒᆞ더니, 윤태우부인이 보옥쥬패(寶玉珠佩)를 환숑ᄒᆞ고, 후일 녀ᄋᆞ를 ᄎᆞᄌᆞ면 길○○[ᄉᆞ(吉事)1012)를] 일우ᄌᆞ ᄒᆞ니, 어린 ᄯᅳᆺ의 일분이나 바라고 잇셔, 쥬야의【54】 윤쇼져의 션풍월광(仙風月光)을 못니져 병이 되어시니, 부모와 조부뫼 위로ᄒᆞ고 타쳐의 혼인을 듯보더라.

광텬공지 집의 도라와 조모와 모친긔 빅알ᄒᆞ니 그 ᄉᆞ이 존후를 뭇ᄌᆞ오며, 태부인이

경아 위로ᄒᆞ며 온갓 말노 부촉ᄒᆞ니, 뉴시 이 말을 올히 역여 입ᄶᅥ나1042) ᄉᆡᆼ각ᄒᆞᄃᆡ, 조부인 삼모ᄌᆞ을 업시ᄒᆞ고 명ᄋᆞ소져의 젼졍을 맛츤 후ᄂᆞᆫ, ᄎᆞ마 분한니○○○○○○[풀니리라, ᄒᆞ여] 골돌ᄒᆞ더라.

ᄎᆞ셜 광텬 공지 도라와 조모긔 빅알ᄒᆞ고 ○[그] 《ᄉᆞ리 로후∥ᄉᆞ이 존후(尊候)》을 뭇ᄌᆞ오니, ᄐᆡ부인이 현○[ᄋᆞ]의 실ᄉᆞᆫᄒᆞ믈 이르고, 김가의셔 위력으로 친ᄉᆞ을 일우려 ᄒᆞ니, 현ᄋᆞ 은쥐로 갓다 ᄒᆞ며, 항쥐 《묘믹

1011)양미토긔(揚眉吐氣) : '눈썹을 치켜뜨고 기를 토한다'는 뜻으로, 기를 펴고 활개를 치는 것을 이르는 말.

1012)길ᄉᆞ(吉事) : 혼사(婚事).

1042)입ᄶᅥ나다 : 닐ᄶᅥ나다. 벌떡 일어나다.

현ᄋᆞ쇼져의 실산ᄒᆞᆷ믈 니르고 김개 위력으로 친ᄉᆞ를 일우려 ᄒᆞ기로 쇼졔 은쥐로 가다 ᄒᆞ며, 항쥐 모ᄆᆡᆨ을 ᄇᆡ의 시러온가 므르니, 공ᄌᆡ 갓던 드시 일일히 ᄃᆡ답ᄒᆞ고, 쇼져의 실산ᄒᆞᆷ믈 조뫼 구ᄎᆞ히 ᄉᆞ미시ᄂᆞᆫ 줄 한심ᄒᆞ여, 고왈,

"텬ᄌᆞ도 필부(匹夫)의 ᄯᅳᆺ을 앗지 못ᄒᆞᄂᆞ니 김개 셰엄1013)이 댱(壯)ᄒᆞ나, ᄌᆡ상가 규슈를 핍박ᄒᆞ여 위력으로 친ᄉᆞ를 일우지 못ᄒᆞ오리니, 졔 비록 구혼ᄒᆞᆯ지라도 하가의 혼셰빙폐(婚書聘幣) 이시믈 닐너 물니치던【55】들 져져(姐姐)의 실산이 업술낫다소이다."

태부인 왈,

"우리도 아이예 혼인을 ᄶᅦ쳣더니 김개 샤혼셩디(賜婚聖旨)를 어더 욱임질노 지ᄂᆡᄌᆞ ᄒᆞ니, 샹교(上敎)를 거역ᄒᆞ엿다가 네 아ᄌᆞ비게 죄 이실가 두려 마지 못ᄒᆞ여 길일을 틱ᄒᆞ고 혼인을 지ᄂᆡ려 ᄒᆞ더니, 현ᄋᆡ 일야지간의 간 곳이 업ᄉᆞ니 길긔를 허숑(虛送)ᄒᆞ엿노라."

공ᄌᆡ 여러 말이 브졀업셔 조모와 슉모를 위로ᄒᆞ고, ᄎᆞ셕의 모친긔 쇼졔 강졍의 이시믈 고ᄒᆞ니 조부인이 빈미(顰眉) 왈,

"현ᄋᆞ의 졀의ᄂᆞᆫ 아름답거니와 가ᄉᆡ(家事) ᄉᆞ인대참(使人大慙)1014)이니 이런 불힝이 어ᄃᆡ 이시리오."

공ᄌᆡ 탄식 묵연이러라.

ᄉᆞ오일 후 계튱이 남양젼토를 화ᄆᆡ(貨賣)ᄒᆞ여 은ᄌᆞ를 바다 몬져 강졍으로 와시니 ᄎᆞ공ᄌᆡ【57】 마ᄌᆞ 집으로 드러갈ᄉᆡ, 쇼졔 하루 왈,

"현뎨 마ᄌᆞ ᄯᅥ나가니 외롭고 위틱로이 ○[이]셔 이 심ᄉᆞ를 엇지 견ᄃᆡ리오."

공ᄌᆡ 위로 왈,

"뎡져져(鄭姐姐)1015)ᄂᆞᆫ 삼ᄉᆞ삭을 산ᄉᆞ의

1013)셰엄 : '셰다'의 명사형. 세력. 힘이나 기세 따위가 강함.

1014)ᄉᆞ인대참(使人大慙) : 사람을 크게 부끄럽게 만듦.

1015)뎡져져(鄭姐姐) : 윤명아를 말함. 정천흥에게 시

ㅣ모ᄆᆡᆨ(麰麥)》을 슈로로 실어온다 무르니, 공ᄌᆡ 갓든 다시 일일이 ᄃᆡ답ᄒᆞ고 현ᄋᆞ의 실ᄉᆞᆫᄒᆞᆷ믈 조뫼 구ᄎᆞ히 ᄉᆞ미ᄂᆞᆫ 쥴 한심ᄒᆞ여 갈오ᄃᆡ,

"텬ᄌᆞ도 일부(一夫)의 ᄯᅳᆺ슬 앗지 못ᄒᆞ엿ᄂᆞᆫ니 김ᄌᆡ 비록 위엄이 즁ᄒᆞ나, 상문규슈을 핍박ᄒᆞ여 위력으로 친ᄉᆞ을 일우지 못ᄒᆞ리니, 졔 비록 구혼할지라도 하가의 혼셔빙폐(婚書聘幣) 잇시믈 일너 물니치던들, ᄆᆡ져의 실ᄉᆞᆫᄒᆞ미 업술 듯ᄒᆞ여ᄂᆞᆫ니다."

위틱 왈,

"우리도 아이의1043) 혼인을 ᄶᅦ쳐더니, 김ᄌᆡ《ᄉᆞ은ㅣᄉᆞ혼(賜婚)》ᄒᆞ시ᄂᆞᆫ 젼지을 어더 우김질노 지ᄂᆡ려 ᄒᆞ니, 상명을 거역지 못ᄒᆞ믄 향(幸)혀 네 아ᄌᆞ비 죄 입을가 두려 마지 못ᄒᆞ여 길일을 틱ᄒᆞ고 혼인을 지ᄂᆡ려 ᄒᆞ다가, 현아 일야지간의 간 곳 업ᄉᆞ니 길긔을 허송(虛送)ᄒᆞ엿ᄂᆞᆫ니라."

공ᄌᆞ 여려[러] 말이 무익ᄒᆞ여 조모와 슉모을 위로 ᄒᆞ【29】고 모친긔 뵈올 ᄉᆡ, 가마니 ᄆᆡ져 강졍의 잇시믈 보ᄒᆞ니, 조부인이 미우을 ᄶᅵᆼ긔여 갈오ᄃᆡ,

"현ᄋᆞ의 졀의ᄂᆞᆫ 아름답거니와 가즁지ᄉᆡ불가ᄉᆞ문어타인(家中之事不可使聞於他人)1044)이라. 불힝ᄒᆞ미 ᄶᅡᆨ이 업도다."

공ᄌᆡ 탄식 묵연일너라.

ᄉᆞ오일 후 게츙이 담양젼토을 환ᄆᆡᄒᆞ여 강졍으로오니, ᄎᆞ공ᄌᆡ 마ᄌᆞ 집으로 드러갈ᄉᆡ, 소져 악슈뉴체 왈,

"현졔마ᄌᆞ 가면 소ᄆᆡ 외롭고 위틱ᄒᆞ여 엇지 견ᄃᆡ리."

공ᄌᆡ 위로 ᄃᆡ왈,

"뎡 ᄆᆡ져도 산ᄉᆞ의 숨ᄉᆞ슥을 견ᄃᆡ여시니

1043)아이의 : 아예.

1044)가즁지ᄉᆡ불가ᄉᆞ문어타인(家中之事不可使聞於他人) : 집안 일이 차마 남에게 알게 할 수 없을 만큼 좋지 않다.

도 뉴락ᄒᆞ여 계시니 이곳은 내 집이니 므어시 위틱ᄒᆞ미 이시리잇고? 쇼뎨 등이 틈을 타 ᄌᆞ로 단니리이다."

인ᄒᆞ여 젼토 화믹ᄒᆞᆫ 은ᄌᆞ 오빅냥의셔 삼십냥을 ᄲᅧ혀 쇼져를 맛져 왈,

"져제 혹 칠팔삭닉(七八朔內)의 드러가지 못ᄒᆞ셔도, 은ᄌᆞ를 머므ᄂᆞ니 냥ᄌᆞ(糧資)를 삼게 ᄒᆞ쇼셔."

쇼졔 샤양치 아냐 바다 두고, 결연(缺然)ᄒᆞᆫ 회푀 무궁ᄒᆞ나, 마지 못ᄒᆞ여 남믹 분슈(分手)ᄒᆞᄃᆡ 강경의 비복의 무리 붕위(朋友)인 줄 아더라.

공ᄌᆡ 집의 도라와 존당과 두 모친긔 뵈옵고 젼토 화믹(貨賣)ᄒᆞ믈 고ᄒᆞ니, 태부인이 【57】 은ᄌᆞ를 혜여 밧고, 뉴시 녀ᄋᆞ의 거쳐 모로믈 슬픈 가온ᄃᆡ나, 공ᄌᆞ의 쇄락(灑落)ᄒᆞ미 날노 ᄉᆡ로오믈 밉고 분ᄒᆞ여, 태부인을 도도아 못 견ᄃᆡ도록 보ᄎᆡ기를 시작ᄒᆞ니, 냥공ᄌᆞ를 즐타(叱咤)ᄒᆞ기ᄂᆞᆫ 니르지 말고, 긔괴ᄒᆞᆫ 쳔역(賤役)이 말ᄌᆡ[1016] 셔동의셔 더으니, 측간(厠間)[1017]과 마구(馬廐)[1018]를 ᄎᆡ이고[1019], ᄉᆡ초(柴草)[1020]를 식이며 강경의 미곡을 날나오라 ᄒᆞ고, 우마졔양(牛馬猪羊)을 보살펴, 한헐(閑歇)ᄒᆞ믈 엇지 못ᄒᆞ게 ᄒᆞ며, 됴셕 음식은 ᄆᆡᆨ반(麥飯)을 날이 반오의 일긔식 주어 먹으라 ᄒᆞ며, 밤이면 삿[1021]츨 ᄭᅩ이고 초리(草履)[1022]를 삼겨 쳔역의 일분이나 염고(厭苦)ᄒᆞ미 이시면 틱장(笞杖)을 시작ᄒᆞ여 긔진(氣盡)ᄒᆞ여 죽기를 죄오니, 조부인의 심장이 ᄉᆞ회ᄂᆞᆫ 듯ᄒᆞ기를 면ᄒᆞ리오마ᄂᆞᆫ, 태부인이 온【58】가지로 보ᄎᆡ니, 히월누 문을 잠으고 조부인을 협실의 두고 쥬야 조르니, 공ᄌᆞ형데 작인이 비상ᄒᆞ고 지죄 만ᄉᆞ의 신긔ᄒᆞ므로 괴이ᄒᆞᆫ 쳔역이

집갔기 때문에 '정씨 누이'라 한 것임.

1016)말ᄌᆡ : 말째. 순서에서 맨 끝에 차지하는 위치.

1017)측간(厠間) : 늑변소(便所). 대소변을 보도록 만들어 놓은 곳.

1018)마구(馬廐) : 마구간(馬廐間). 말을 기르는 곳.

1019)ᄎᆡ이다 : 치우게 하다.

1020)ᄉᆡ초(柴草) : 땔나무로 쓰는 풀.

1021)삿 : 삿기. 새끼.

1022)초리(草履) : 짚신.

이ᄂᆞᆫ ᄂᆡ집이라. 무숨 위틱ᄒᆞ미 이시리오. 소제 등이 틈을 타 ᄌᆞ로 오리라."

인ᄒᆞ여 젼토환믹한 은ᄌᆞ 오빅양의셔 슴십냥을 ᄲᅧ여 소져을 쥬어 왈,

"혹 칠팔ᄉᆞᆨ지ᄂᆡ의 드러오지 못ᄒᆞ여도 일노 양ᄌᆞ을 슴으소셔."

소져 ᄉᆞ양치 안냐 바다 두고, 결연(缺然)ᄒᆞᆫ 심회 무궁ᄒᆞ나, 마지 못ᄒᆞ여 남믹 분슈(分手)ᄒᆞᄃᆡ, 강경 비복은 공ᄌᆞ의 붕운(朋友)쥴노 아더라.

ᄎᆞ공ᄌᆞ 집의 도라와 두 모친긔 뵈옵고 젼토 환믹(換買)ᄒᆞ여 왓시물 고ᄒᆞ니, 위틱ᄂᆞᆫ 은ᄌᆞ을 ᄌᆞ시 헤여보고, 뉴시ᄂᆞᆫ 현ᄋᆞ을 ᄉᆡᆼ각고 슬픈 간즁이 녹ᄂᆞᆫ 듯ᄒᆞᆫ 즁, 광텬형졔의 날노 슈발ᄒᆞ믈 보믹 더옥 밉고 분ᄒᆞ여, 틱부인을 도도와 못견ᄃᆡ도록 ᄒᆞ기을 시즉ᄒᆞ니, 냥공ᄌᆡ을 날마다 즐타(叱咤)ᄒᆞ문 일오지 말고 긔괴ᄒᆞᆫ 쳔역이 말좌(末座) 셔동의 더으니,【30】 측간(厠間)[1045]과 마구(馬廐)[1046]을 치이며[1047] ᄉᆡ초(柴草)[1048]을 식이며, 강경의 미곡을 날나오라 ᄒᆞ고, 우마졔양(牛馬猪羊)을 먹여 ᄒᆞᆫ ᄢᅵ도 쉴 ᄉᆞ이 업ᄂᆞᆫ 즁, 조셕식(朝夕食)을 쥬ᄂᆞᆫ 일이 업셔 더러온 ᄆᆡᆨ반(麥飯)을 먹이고, 쥭기을 죄오니, 조부인의 심간(心肝)니 녹을 ᄯᆞ름이라. 위틱부인니 조부인을 밤이라도 침소의 가지 못ᄒᆞ게 ᄒᆞ여 협실의 두고 쥬야로 봇ᄎᆡ고 졸으니, 공ᄌᆡ 형졔 쳔ᄉᆡᆼ즉인(天生作人)이 비승ᄒᆞ고, 만ᄉᆞ의 신긔ᄒᆞ여 못할 쳔역이라도 본ᄃᆡ 익이 ᄒᆞ든 ᄉᆞ람 갓치 ᄒᆞ여, 시포(猜暴)ᄒᆞᆫ 호령이 ᄂᆞ지 아냐셔 못 밋츨 드시 슌슈(循守)ᄒᆞ나, 모친의 쳔단곡경(千端曲境)을 슬허ᄒᆞ여 형졔 밤을 당ᄒᆞ면 모친을 위ᄒᆞ여 체루비읍(涕淚悲泣)ᄒᆞ믈 마지 못ᄒᆞᄂᆞᆫ 즁, 쥬야 근심이 집안 형편니 엇지 될 쥴 모르더라.

1045)측간(厠間) : 늑변소(便所). 대소변을 보도록 만들어 놓은 곳.

1046)마구(馬廐) : 마구간(馬廐間). 말을 기르는 곳.

1047)치이다 : 치우게 하다.

1048)시초(柴草) : 땔나무로 쓰는 풀.

라도 본ᄃᆡ 닉은 사ᄅᆞᆷ ᄀᆞᆺᄐᆞ여 ᄉᆡ포(猜暴)ᄒᆞᆫ 호령이 나지 아냐셔 못미출ᄃᆞ시ᄒᆞ나, 모친의 쳔단곡경(千端曲境)을 슬허 형데 밤을 당ᄒᆞ면 쳬루비읍(涕淚悲泣)ᄒᆞ기를 마지 아니ᄒᆞᄃᆡ, ᄒᆡᆼ혀도 조모와 슉모를 원망ᄒᆞᄂᆞᆫ ᄇᆡ 업ᄂᆞᆫ디라. ᄎᆞ공ᄌᆞᄂᆞᆫ 더옥 두 곳으로 보ᄎᆡ이니 보젼ᄒᆞ기 어려오ᄃᆡ, 텬신이 보호ᄒᆞ여 냥공ᄌᆞ 죽ᄂᆞᆫ 환이 업ᄉᆞ니, 뉴시 착급ᄒᆞ여 존고를 도도아 광텬 등을 무죄히 ᄎᆡᆨ벌(責罰)ᄒᆞ여 피육(皮肉)이 후란(朽爛)[1023]ᄒᆞ더라.

일일은 냥공ᄌᆞ를 명ᄒᆞ여 강외 십니의 미곡을 져오라 ᄒᆞ니 냥공ᄌᆡ 고왈,

"쇼ᄌᆞᆫ 등이 년일 곡식【59】을 날나시니 명일 져오리이다."

ᄒᆞᆫᄃᆡ, 위시 호령ᄒᆞ여 밧비 져오라 ᄒᆞ니 냥공ᄌᆡ ᄒᆞᆯ일업셔 미곡을 져오니, 날이 어둡기의 니르ᄆᆡ, 긔아(饑餓)를 니긔지 못ᄒᆞ여 허한(虛汗)이 구슬 구으[1024] ᄃᆞᆺᄒᆞ여 잘 것지 못ᄒᆞ더니, 하일대위(夏日大雨) 무상이 급ᄒᆞ니 미곡이 다 젓ᄂᆞᆫ지라. 조모의 호령을 ᄉᆡᆼ각고 진ᄉᆞ력(盡死力)[1025]ᄒᆞ여 다름질노 오더니, 곡구(谷口)의 느러진 벽졔(辟除)[1026] 도상(道上)을 ᄎᆡ오니, 댱공ᄌᆞᄂᆞᆫ 오히려 긔운이 산악을 넘쮤 ᄃᆞᆺᄒᆞᆫ 고로 급히 오더니, 길 건너지 말나 ᄒᆞ믈 듯고 심증(心症)이 불니듯ᄒᆞ여 미곡을 진ᄎᆡ 하리를 일비로 밀치니, 즌길의 헷것 ᄀᆞᆺ치 너머지거ᄂᆞᆯ, ᄎᆞ공ᄌᆞ를 압셰워 길흘 건너 드리다르니, 뇽ᄒᆡᆼ호뵈(龍行虎步) 신긔ᄒᆞᆫ지라. 이젹[1027]의 금평후 뎡공이 친우를 보고 날이 져【60】므러 운산으로 가지 못ᄒᆞ고, 표죵형(表從兄) 슌참졍 부듕의셔 일야를 지ᄂᆞᆫ고져 가더니, 시ᄌᆞ(侍者)를 짐진 ᄋᆞᄒᆡ 밀치고 집으로 드러가믈 보고, 졔리(諸吏) 대로ᄒᆞ여 기ᄋᆞ를

1023)후란(朽爛) : 썩고 문드러짐.
1024)구으다 : 구르다.
1025)진ᄉᆞ력(盡死力) : 죽을힘을 다함.
1026)벽졔(辟除) : 지위가 높은 사람이 행차할 때, 구종(驅從) 별배(別陪)가 잡인의 통행을 금하던 일.
1027)이젹 : 이적. 이때. 현재(現在)

일일은 장 공ᄌᆞ을 명ᄒᆞ여 강교(江郊) ᄉᆞ십니졍노(四十里程路)의 가 미곡을 져오라 ᄒᆞ니, 즁 공ᄌᆞ 고ᄒᆞᄃᆡ,

"연일 미곡을 날ᄂᆞ 각녁(脚力)이 진(盡)ᄒᆞ여ᄉᆞ오니, ᄒᆞ로을 쉬여 ᄌᆡ명간(再明間)[1049] 가셔 져오리다."

위티 ᄃᆡ로ᄒᆞ여 호령이 ᄉᆡᆼ풍(生風)ᄒᆞ거날 냥공ᄌᆡ 억지로 강교의 ᄂᆞ아가 미곡을 지고 오더니, 여름 날의 비가 급히 붓드시 오니 미곡이 반니ᄂᆞ 져졋거ᄂᆞᆯ, 위티의계 ᄯᅩ 즁한 ᄆᆡ을 마즐가 ᄒᆞ여 급급히 지고 오더니, 문득 느러진 벽졔소【31】ᄅᆡ ᄂᆞ며 하리(下吏) 분분니 길을 치우거ᄂᆞᆯ, 공ᄌᆡ 오기 급ᄒᆞ여 길을 건너더니, 잇ᄯᆡ 금평휘 한림을 다리고 친우의 반혼(返魂)[1050]을 보고 취운ᄉᆞᆫ으로 가려더니, ᄂᆞᆯ이 져믈어 옥누항 표죵(表從) 슌참졍 집으로 향ᄒᆞᄆᆡ 문득 옥 갓튼 두 아히 무거온 짐을 지고 용ᄒᆡᆼ호뵈(龍行虎步) ᄂᆞᄂᆞᆫ 듯시 ᄒᆞ리(下吏)을 밀치고 닷거ᄂᆞᆯ, 하리 범법ᄒᆞ믈 ᄃᆡ로ᄒᆞ여, 냥공ᄌᆞ을 ᄌᆞᆸ아 ᄃᆡ령ᄒᆞ려 할 ᄉᆡ, 길 치우든 ᄒᆞ리의 ᄌᆞᆸ으믈 보고 ᄒᆞᆫ 번 ᄎᆞ 더지고 두 번 궁글여 치기을 ᄂᆞᆫ만니 ᄒᆞ고 윤부로 드러가거ᄂᆞᆯ, ᄒᆞ리 ᄶᅩᆺᄎᆞ가 ᄌᆞᆸ아 분을 풀고져 하다가, 다시 ᄉᆡᆼ각ᄒᆞ니 갓다가 ᄯᅩ 마즐가 ᄒᆞ여, 관원의게 고ᄒᆞ고 크게 다ᄉᆞ리려 급급히 와 고ᄒᆞ니, 한림이 길히셔 광텬 등을 아라 보아시ᄂᆞ 아른 체

1049)ᄌᆡ명간(再明間) : 명일(明日)이나 재명일(再明日) 사이. 내일이나 모레 사이.
1050)반혼(返魂) : =반우(返虞). 장례 지낸 뒤에 죽은 이의 신주(神主)를 집으로 모셔 오는 일.

잡아다가 듕치ᄒᆞ믈 청ᄒᆞ니, 한님은 부공 뒤ᄒᆡ 좃ᄎᆞ시나 안광이 타별(他別)ᄒᆞ므로, 일혼(日昏)이나 기ᄋᆡ 윤공ᄌᆞ 등이믈 아라보고 금후ᄂᆞᆫ 윤공ᄌᆞ 등이믈 모르고, 하리의 말을 듯고 잡아 슌부로 ᄃᆡ령ᄒᆞ라 ᄒᆞ니, 한님이 죵시(終始)를 ᄎᆡ보려 묵연ᄒᆞ여 다만 부공을 뫼셔 슌부로 드러왓더니, 이윽ᄒᆞ여 짐진 ᄋᆞᄒᆡ를 잡으라 갓던 하리 ᄉᆞ오인이 옷슬 발발이 다 ᄡᅳᆺ고 ᄡᅣᆷ이 붓도록 맛고, 그져 도라와 고ᄒᆞᄃᆡ,

"짐진 ᄋᆞᄒᆡ를 잡으려 ᄒᆞ니 ᄒᆞ나흔 윤【61】부로 몬져 드러가고, 쳐음의 하리를 밀치던 ᄋᆞᄒᆡᄂᆞᆫ 쇼인 등을 즛두다려 ᄒᆞ마 죽을 번ᄒᆞ고 계오 도라왓ᄂᆞ이다."

뎡공이 ᄀᆞ장 경아(驚訝) 왈,

"ᄒᆞᆫ 아ᄒᆡ를 너희 ᄉᆞ오인이 못니긔여 져ᄃᆡ도록 마ᄌᆞᆺᄂᆞ뇨?"

하리 브복 ᄃᆡ왈,

"감히 허언(虛言)을 쥬츌(做出)ᄒᆞ미 아니오니 윤부로 짐진 하리 ᄒᆞ나히 드러갓ᄉᆞ오니 이졔 하리를 보ᄂᆡ샤 블너 하문ᄒᆞ여 보쇼셔."

슌참졍이 윤부 격닌의 잇셔 광텬 등 형뎨 강(江)의 미곡을 나르고, ᄉᆡ초(柴草) 지고단니믈 아ᄂᆞᆫ지라. 평후를 도라보아 웃고 왈,

"이 반ᄃᆞ시 윤가 냥ᄌᆡ라. 내 이곳의 올만지 오라지 아니ᄒᆞ거니와 근간의 기ᄋᆞ(其兒) 등이 조모의 녕으로 쳔역을 다ᄒᆞ니, 잠간 보건ᄃᆡ 문강의【62】 ᄋᆞᄃᆞᆯ이라. 기ᄋᆞ 등이 굿ᄐᆞ여 붓그리지 아니ᄒᆞ고 잇다감 쳥ᄒᆞᆫ 즉, ᄌᆡ상의 집의 년유쇼ᄋᆡ()年幼小兒) 왕ᄂᆡᄒᆞᆯ 일 업셰라 ᄒᆞ고, 괴이ᄒᆞᆫ 쳔역을 다ᄒᆞᆯ지언졍 맛ᄋᆞᄒᆡ(兒孩)ᄂᆞᆫ 영웅쥰걸의 긔상이오, 기뎨(其弟)ᄂᆞᆫ 셩현군ᄌᆞ지풍(聖賢君子之風)이라. 윤보ᄂᆞᆫ 인친지개(姻親之家)오 동긔(同氣) ᄀᆞᆺ튼 지위(至友)어ᄂᆞᆯ 윤ᄌᆞ(尹子) 등의 잔잉ᄒᆞᆫ 형셰를 괄시ᄒᆞᄂᆞ뇨?"

뎡공이 대경 왈,

"문강이 일즉 죽고 명강이 쳥검ᄒᆞ여 집이 부요(富饒)치 못ᄒᆞ거니와 본ᄃᆡ 후ᄇᆡᆨ지개(侯伯之家)라 긔업(基業)이 빈한치 아니려든

아니하믄 나죵 거동을 보고져 ᄒᆞ미요, 금평후ᄂᆞᆫ 아지 못ᄒᆞ엿더니, ᄒᆞ리의 되잡혀 맛고 오믈 경의(驚疑)ᄒᆞ여 왈,

"너희 ᄉᆞ오인니 ᄒᆞᆫ 아ᄒᆡ을 이긔지 못ᄒᆞ고 되쥽펴 맛도록 ᄒᆞ리오. 그 아ᄒᆡ 용역이 긔히 ᄒᆞ도라."

슌 ᄎᆞᆷ졍 우셔 갈오ᄃᆡ,

"ᄂᆡ 집이 갓 올마왓시ᄂᆞ 윤부와 격인(隔隣)○[인] 고로 그 집 소문을 ᄃᆡ강 드르니, 그 집 ᄐᆡ부인이 냥손ᄋᆞ(兩孫兒)로 ᄒᆞ여곰 날마다 쳔역을 시긔며 미곡을 져온다 ᄒᆞ드【32】니 이 아ᄒᆡ 기로다. 기아(其兒) 등이 조모의 영을 거슬지 아니ᄒᆞ고 ᄯᅩᄒᆞᆫ 쳔역을 붓그리지 아니ᄒᆞ여 노복의 쳔역을 ᄌᆞ로 한다 ᄒᆞᄆᆡ, ᄂᆡ 문강의 아ᄌᆡ(兒子)믈 보고져 ᄒᆞ여 쳥ᄒᆞᆫ 즉, ᄌᆡᄉᆞᆼ가의 연유소ᄋᆡ(年幼小兒) 갈 일이 업다 ᄒᆞ고 아니오고, 맛 아희[1051]ᄂᆞᆫ 튱년ᄌᆞᆼ긔(沖年壯氣) 우쥬을 밧들 듯ᄒᆞ고 그 아오ᄂᆞᆫ 공ᄆᆡᆼ안ᄌᆞᆼ(孔孟顔曾)[1052] 갓튼 인물이라 ᄒᆞ더라.

1051)아희 : 아해(兒孩). 아이.

1052)공ᄆᆡᆼ안ᄌᆞᆼ(孔孟顔曾) : 孔子 孟子 顔子 曾子를 함께 이르는 말.

텬만금을 주고 亽지 못홀 냥乙를 쳔역을 식이고 박딕ᄒᆞ믄 의외라. 형언이 도로혁 허언인가 ᄒᆞ노라.”

슌공 왈,

“윤보ᄂᆞᆫ 의려(疑慮)치 말나. 남의 집 일이니 乙셔히 아든 못ᄒᆞ딕 일삭 젼의 규슈【63】를 실산ᄒᆞ고, ᄎᆞ乙라 단니기를 무궁히 ᄒᆞ더니 죵시 ᄎᆞᆺ지 못ᄒᆞ고, 윤명강의 모친과 그 부인이 쥬야 상도(傷悼)ᄒᆞᆫ다 말이 닌니(隣里)의 乙로 들니고, 윤문강의 부인은 그 고모(姑母)긔 乙로 구타ᄒᆞ믈 닙ᄂᆞᆫ다 ᄒᆞ니 그 윤부인 친개(親家) 엇지 그리 괴이ᄒᆞ뇨?”

금평휘 듯ᄂᆞᆫ 말마다 히연(駭然)ᄒᆞ니 도로혀 웃고 왈,

“쇼뎨ᄂᆞᆫ 윤개 이러ᄐᆞᆺ 어乙러오믈 아디 못ᄒᆞ엿더니 형이 가장 乙셔히 아라 계시도다.”

한님이 날호여 ᄀᆞᆯ오딕,

“앗가 얼프시 짐진 ᄋᆞ히를 보오니 광텬의 형뎨로딕 지상가 공지 그럴 니(理) 업셔 ᄀᆞ장 의아ᄒᆞ옵더니, 슉부의 말솜을 듯ᄌᆞᆸ건딕 히악(駭愕)ᄒᆞ믈 니긔지 못ᄒᆞ리로소이다.”

부젼의 고왈,

“소지 이의 왓亽오니 잠간 가셔 윤ᄋᆞ 등을 보고 오리이다.”

평휘 졈두【64】ᄒᆞ니 즉시 하리 이인을 다리고 윤부의 니르니, 바로 셔헌(書軒)의 니르딕 공乙형뎨 업고, ᄂᆡ헌(內軒)의셔 지져괴ᄂᆞᆫ 소릭 진동ᄒᆞᄂᆞᆫ디라. 한님이 스亽로 몸이 요동ᄒᆞ믈 �ᄃᆞᆺ지 못ᄒᆞ여 셔헌 협문을 인ᄒᆞ여 합장 뒤히 가 잠간 볼亽, ᄎᆞ시 윤공乙 형뎨 ᄡᆞᆯ을 지고 급히 오다가, 길히셔 ᄎᆡ오ᄂᆞᆫ 하리를 밀치고 문의 들게 되엿더니, 잡으라 온 하리 욕ᄒᆞ믈 보고 ᄎᆞ공乙를 몬져 드려보ᄂᆡ고 댱공지 졔리(諸吏)를 난타ᄒᆞ여 일시 분을 플고 드러오니, 경ᄋᆞ와 뉴시 태부인을 도도아 미곡을 더딕 져오기의 비를 마ᄌᆞᆺ다 ᄒᆞ고, 부인을 눈주어 듕타(重打)ᄒᆞ라 ᄒᆞ니, 태부인이 이공乙를 듕히 치려 ᄒᆞᆫ딕, 냥공지 왈,

"길히셔 비를 만나 다름으로 왓습ᄂᆞ니 【65】 엇지 더딕온 일이 잇ᄉᆞ오리잇가. 금일은 듕장을 더으시면 긔진(氣盡)ᄒᆞ여 죽을 듯시브니 명일 다ᄉᆞ리쇼셔."

말을 맛고 닉셔헌의 와 누어 응치 아니ᄒᆞ니, 태부인이 대로ᄒᆞ여 친히 닉셔헌의 와 냥공ᄌᆞ를 결박ᄒᆞ여 시노(侍奴)로 ᄒᆞ여금 듕장을 더을ᄉᆡ, 시뇌 ᄎᆞ마 듕장을 더으지 못ᄒᆞ여 참연블승(慘然不勝)ᄒᆞ니 태부인이 시노(侍奴) 등을 믈니치고, ᄌᆞ긔는 쳘편을 들고 난타ᄒᆞ며 뉴시는 쳘여의(鐵如意)를 드러 희텬을 두다릴ᄉᆡ, 두 부인의 힘이 약ᄒᆞ지 아니ᄒᆞ거놀 경ᄋᆞ는 겻틱셔 금쳑(金尺)을 드러 광텬을 ᄉᆞᄉᆞ로이 치는 바의 피흘너 옷술 즘으니, 희텬공ᄌᆞ는 일언을 아니ᄒᆞ고 댱공ᄌᆞ는 하날을 우러러 기리탄식 왈,

"아등의 혈육이 과히 상ᄒᆞ믄 【66】 오히려 놀납지 아니딕 태모와 슉모의 실덕을 어나 곳의 ᄡᅡᄒᆞ리오. 출하리 죽음만 ᄀᆞᆺ지 못ᄒᆞ도다. 내 므ᄉᆞᆷ 죄 잇ᄂᆞ뇨?"

태부인이 대로ᄒᆞ여 드리ᄃᆞ라 돌을 가져 그 입을 치며 니르딕,

"나와 뉴시 므ᄉᆞᆷ 일노 실덕ᄒᆞᆫ다 ᄒᆞᄂᆞ뇨? 너희는 윤시 골육이 아니오, 조시 간부를 어더 나흔 거시니, 시노 등과 엇지 다르리오."

ᄒᆞᄂᆞᆫ지라.

이ᄯᅢ 뎡한님이 ᄎᆞ경(此境)을 목견ᄒᆞᄆᆡ ᄒᆞᆫ갓 놀납고 ᄎᆞ악ᄒᆞᆯ ᄲᅳᆫ아니라, ᄌᆞ긔 집이 관인후덕을 슝상ᄒᆞ여 하쳔비복이라도 져딕도록 ᄒᆞᆫ 일이 업고, ᄉᆡᆼᄂᆡ(生來)의 보지 못ᄒᆞ던 경ᄉᆡᆨ이니 경긱의 목슘이 진ᄒᆞᆯ ᄃᆞᆺᄒᆞᆫ지라. 만일 약질이면 진(盡)ᄒᆞᆯ지라, 만신(滿身)이 ᄯᅥᆯ니고 스ᄉᆞ로 노발(怒髮)이 지관(指冠)ᄒᆞ고 목ᄌᆞ진녈(目眥盡裂)[1028]ᄒᆞ여 경긱의 드리다 【67】라 뉴부인과 경ᄋᆞ며 태부인을 ᄌᆞᆺ밟고 이공ᄌᆞ를 구ᄒᆞ고져 의ᄉᆡ 이시나, ᄌᆞ긔 외인이니 남의 집 부녀를 손으로 상히오지 못ᄒᆞᆯ 거시오, 져 부인 등을 가마니 두기는

1028)목ᄌᆞ진녈(目眥盡裂) : 눈초리가 다 찢어질 정도로 사납게 흘겨보는 모양.

통히훈지라. 문무지략이 겸젼ᄒᆞ여 일셰의 츄앙ᄒᆞᄂᆞᆫ 빅나 나힌 즉 이칠이라, 훈번 져 부인 등을 ᄆᆡ이 상히오려 뜻이 급ᄒᆞ니, 즉시 도로 나와 ᄂᆡ셔헌 장(牆) 밧긔 큰 소남기[1029] 잇셔 넙히 당ᄒᆞ니 사ᄅᆞᆷ이 올나가도 몰나보ᄂᆞᆫ디라. 장원(牆垣)의 돌을 ᄲᆡ혀 ᄉᆞᄆᆡ의 너코 급히 소남그로 치다르니 뉘 알니오.

급히 남긔 올나 안ᄌᆞ 뉴부인 모녀와 태부인을 넉넉히 구버보니 그 흉독흉포(凶毒凶暴)훈 거동이 결단ᄒᆞ여 사ᄅᆞᆷ을 죽이고 날듯ᄒᆞ니, 두 손의 돌을 가로 드러 몬져 태부인을 치고 버거 뉴부인 모녀를 향【68】ᄒᆞ여 돌흘 더지ᄆᆡ, 신긔훈 직죄 맛기를 엇지 버셔나리오. 돌이 가ᄂᆞᆫ 바의 위태부인과 경ᄋᆞᄂᆞᆫ 니마를 마ᄌᆞ ᄭᆡ여지고, 뉴시ᄂᆞᆫ 가슴을 맛고 ᄋᆡ고 소ᄅᆡ 진동ᄒᆞ니, 광텬공지 결박훈 거슬 그르지 아냐 몸을 훈번 움즉이ᄆᆡ ᄆᆡᆫ거슬 버셔바린지라. 급히 조모와 슉모를 븟드러 경악ᄒᆞ믈 니긔지 못ᄒᆞ니, ᄎᆞ공ᄌᆞᄂᆞᆫ 혼혼(昏昏)ᄒᆞ여 죽엄 ᄀᆞᆺ치 느러져시니, 한님이 나리미러보고 ᄎᆞ악ᄒᆞ여 츄연ᄒᆞ믈 니긔지 못ᄒᆞ고, 댱공ᄌᆞᄂᆞᆫ 피흘너 옷슬 즘으고 살이 셩훈 ᄃᆡ 업ᄉᆞ나, 시녀로 조모와 슉모를 븟드러 침뎐으로 드리게 ᄒᆞ니, 모든 양낭(孃娘)이 븟드러 침소로 가고, ᄎᆞ공ᄌᆞᄂᆞᆫ 그 유모 경유랑이 ᄆᆡᆫ 거슬 그르고 쥐믈너 ᄂᆡ셔헌의 누이고 약물노 구호ᄒᆞ더라.

뎡【69】한님이 그 거동을 다 보고 공ᄌᆞ를 블너도 나와 보미 쉽지 아니ᄒᆞ고, ᄌᆞ긔 일을 혹ᄌᆞ 의심ᄒᆞ리 이실가 즉시 나려 밧그로 나와 하리를 다리고 도로 슌부로 가ᄃᆡ, ᄒᆡᆼᄉᆞ(行事) 능녀(凌厲)ᄒᆞ고 윤부 비복의 무리 다 황황(惶惶)ᄒᆞ여 ᄂᆡ당의 이시니, 한님의 왓던 줄 아니[1030] 업ᄉᆞᆫ지라. 평휘 한님을 보고 므러 왈,

"윤ᄋᆞ 등을 보고 온다?"

한님이 복슈 ᄃᆡ왈,

"윤태부인이 냥ᄋᆞ를 결댱(決杖)훈다 ᄒᆞ니

1029)소남기 : 소나무.
1030)아니 : 아는 이. 알 이.

밧긔셔 기다리지 못ᄒᆞ고 그져 오과이다.”
평휘 ᄎᆞ악 잔잉ᄒᆞ여 슌참졍다려 왈,
“형은 윤부 소식을 엇지 그리 잘 아르시ᄂᆞ잇가? 비졀ᄒᆞᆫ 바ᄂᆞᆫ 윤문강의 쳔금귀ᄌᆞ(千金貴子)로 부미(負米)[1031]를 식이고, ‘민텬(旻天)의 우름’[1032]을 겸ᄒᆞ여 십셰도 못ᄒᆞᆫ ᄋᆞ히 간익(艱厄)을 져리 겻그니 단명(短命)ᄒᆞᆯ 증죄(徵兆)오. ᄒᆞ물【70】며 광텬은 쇼녀(小女)와 뎡혼ᄒᆞ여 금셕 ᄀᆞᆺᄐᆞᆫ ᄆᆡᆼ약이 이시니, 져집 변괴 ᄌᆞ식의 일ᄉᆡᆼ이 불평ᄒᆞᆯ지라, 엇지 ᄎᆞ악지 아니리오.”
슌참졍이 요두(搖頭) 왈,
“ᄉᆞᄉᆡᆼ화복(死生禍福)이 하날의 달녓거니와 윤뷔 져 집의 ᄯᆞᆯ을 결혼코져 ᄒᆞ기ᄂᆞᆫ 뇽담호구(龍潭虎口)의 녀흐미라. ᄎᆞᆯ하리 일ᄉᆡᆼ을 공규(空閨)의 늙혀도 브졀업시 년혼(連婚)ᄒᆞᆯ 의ᄉᆞ를 말나.”
평휘 미우를 ᄶᅵᆼ긔여 말을 아니ᄒᆞ고 명됴의 도라가니라.
위태부인과 뉴시 흉완험독(凶頑險毒)을 다ᄒᆞ여 냥공ᄌᆞ를 즛두다려 슈히 죽기를 죄오더니, 쳔만 긔약지 아닌 돌의 머리 마ᄌᆞ ᄭᆡ여지고 가슴이 터질듯 압흐고 부어오르니, 반ᄉᆡᆼ반ᄉᆞ(半生半死)ᄒᆞ여 각각 침소에 도라오ᄆᆡ, 조부인이 대경ᄒᆞ여 태부인을 븟드러 약을 바【71】르고 구호ᄒᆞ믈 지셩으로 ᄒᆞ며, 댱공지 뉴부인 구호ᄒᆞ믈 태부인과 달니 아니ᄒᆞ여 ᄌᆞ딜(子姪)의 셩효를 다ᄒᆞ니, 뉴시 도로혀 괴이히 녁이고, 존고와 ᄌᆞ긔 모녀를 치미 혹ᄌᆞ 귀신의 됴홰가 두리온 ᄯᅳᆺ이 업지 아냐 ᄒᆞ나, 분ᄒᆞ고 노(怒)홉기[1033]를 니긔지 못ᄒᆞᄃᆡ, 지향ᄒᆞ여 아뫼 ᄒᆞ엿다 말을 못ᄒᆞ고 블승통완ᄒᆞ여, 태부인은 분명 귀신이 ᄌᆞ긔 등을 블인지ᄉᆞ(不仁之事)로 벌ᄒᆞ민가 머리털이 숫그러ᄒᆞ니[1034], 흉험대악ᄎᆞ시 위・뉴 양인니 냥공ᄌᆞ을 두다려 쥭이려 ᄒᆞ더니, 신명(神明)이 ᄉᆞᆯ피ᄉᆞ, 쳔만 긔약지 아인 돌덩이 날아와 두골(頭骨)을 앗속[1053] ᄭᆡ치니, 두 눈의 불이 ᄂᆞ고 가슴을 마ᄌᆞ 부어 턱밋가지 ᄎᆞ니, 반ᄉᆡᆼ반ᄉᆞ(半生半死)ᄒᆞ여, 위・뉴 간신○[이] 긔여 각각 침소의 도라와 졍신을 ᄎᆞ리지 못ᄒᆞ난지라. 조부인이 ᄃᆡ경실ᄉᆡᆨ(大驚失色)ᄒᆞ여 ᄐᆡ부인을 붓드러 피흐르ᄂᆞᆫ 머리을 동히고, 소음[1054]의 불을 붓쳐 지지니, ‘ᄋᆡ고고 ᄉᆞᆯ아지라’ ᄒᆞ며 궁글며 우ᄂᆞᆫ 소ᄅᆡ 극흉한지라. 조부인니 뫼셔 구호ᄒᆞ며 위로ᄒᆞ니, 뉴시 ᄯᅩ한 졍신을 진졍ᄒᆞ여 ᄉᆡᆼ각ᄒᆞ되, ‘귀신의 조홰가’ 두리옴이 업지 아니코 지향(指向)ᄒᆞ여, 뉘 그리ᄒᆞ엿다 못ᄒᆞ고 알푸믈 견ᄃᆡ지 못ᄒᆞ더라.
ᄐᆡ부인은 반향(半餉) 후 졍신을 ᄎᆞ려 ᄉᆡᆼ각건ᄃᆡ, 졍영(丁寧) ᄉᆞ람의 일이 아니오 귀신니 그리한 쥴 알어, 마음이 숫그려ᄒᆞ니[1055], 흉완ᄃᆡ악(凶頑大惡)이ᄂᆞ 그 즁의도

1031)부미(負米) : 쌀을 등짐으로 져서 나르는 일.
1032)민텬(旻天)의 우름(號泣) : ‘하늘을 향해 소리 내어 운다’는 뜻으로, 옛날 중국의 순(舜)임금이 어버이에게 사랑을 받지 못함을 원망하여 밭에 나가 하늘을 향해 울었던 고사에서 유래된 말.
1033)-홉다 : -스럽다. ‘그러한 성질이 있음’의 뜻을 더하는 접미사.

1053)앗속 : 아싹. 어떤 물체가 다른 물체에 맞거나 부딪칠 때 나는 소리.
1054)소음 : 솜.

이로되 공교롭고 요괴롭기는 뉴시만 못ᄒᆞ더라.

ᄎᆞ공지 인ᄉᆞ를 출혀 니러나, 모친과 조모의 듕상ᄒᆞ시믈 놀나고 ᄎᆞ악ᄒᆞ여 세 곳으로 단니며 구호ᄒᆞ니, 졍셩의 동촉ᄒᆞ미 엇지 조금이나 긔츌(己出)과 다르리오마는, 뉴시는 조부인 삼모ᄌᆞ【72】의 남달니 긔특ᄒᆞ믈 써리고 깃거 아냐 칼 ᄀᆞᄐᆞᆫ ᄆᆞᄋᆞᆷ이 가지록 더ᄒᆞ니, 이 ᄯᅩ 공ᄌᆞ의 명되 긔구ᄒᆞ미 귀신이 식이는 바를 능히 버셔나지 못ᄒᆞ여, 냥공ᄌᆞ의 초년익경이 무궁ᄒᆞ니 엇지 가셕(可惜)지 아니리오.

일망이 지난 후, 위·뉴 냥부인이 ᄎᆞ경의 잇셔 쥬야 뉴시 태부인을 도도아 조부인 삼모ᄌᆞ를 보치며, 명ᄋᆞ쇼져의 셩혼 ᄉᆞ오삭의 뎡부의셔 출거ᄒᆞ는 일이 업ᄉᆞ니 부부의 금슬 후박을 몰나 구가의 온젼이 머므는 줄 분한졀치(憤恨切齒)ᄒᆞ여 다려와 흉음지ᄉᆞ(凶淫之事)를 뎡한님으로 ᄒᆞ여금 의심업시 뵈고져 ᄒᆞ여, 뎡부 딘부인긔 쇼져의 귀령을 간졀이 쳥ᄒᆞ되, 죵시 허치 아니니 ᄋᆡ둛고 분ᄒᆞ믈 니긔지 못ᄒᆞ여, 구몽슉을 ᄌᆞ로 블너【73】 뎡한님의 의심을 닐위고, 윤시의 젼졍을 맛ᄎᆞ 영츌ᄒᆞ는 지경이 되여 《쇼뎔의 긔물을 삼기를 튝원ᄒᆞ되 ‖ 그 긔물(奇物)을 삼기를 쵹(囑)ᄒᆞ되》, ○○○[몽숙 왈]

"뎡개(鄭家) 지금 윤시를 ᄂᆡ치지 아니ᄒᆞ고, 텬홍이 음비지ᄉᆞ를 드르면 더러오믈 일ᄏᆞ라 발셜치 못ᄒᆞ게 ᄒᆞ니, 뎡히 아모리 ᄒᆞᆯ 줄 모로ᄂᆞ이다."

뉴부인 왈, "네 몸을 변화ᄒᆞ여 간뷔(姦夫)쳬ᄒᆞ고, 뎡텬홍을 죽이거나 뎡연을 ᄆᆡ이 듕상케 ᄒᆞ나, 각별ᄒᆞᆫ 계교를 ᄂᆡ여 뎔녀의 젼졍(前程)을 맛ᄎᆞ라."

몽슉이 ᄃᆡ왈,

"쇼뎔이 용녁과 변화ᄒᆞ는 지죄 이시되 뎡텬홍을 가ᄇᆡ야이 히치 못ᄒᆞ기는 ᄋᆞ시로브터 그 위인을 ᄂᆡᆨ이 아ᄂᆞ니, 그 신긔ᄒᆞ미 우흐

그릇ᄒᆞᆫ 거술 후【33】회 ᄒᆞ더라.

ᄎᆞ공지 반일 만의 졍신을 ᄎᆞ려 ᄃᆡ모와 모친과 ᄆᆡ졔의 즁승ᄒᆞ믈 경녀(驚慮)ᄒᆞ여 셰 쳐소로 단니며 구호ᄒᆞ니, 졍셩의 동쵹(洞屬)ᄒᆞ미 엇지 조곰이ᄂᆞ ᄌᆞ긔 몸의 ᄌᆞᆼ칙(杖責)을 염녀ᄒᆞ리오. 동동쵹쵹(洞洞屬屬)ᄒᆞ되 뉴시는 이럴ᄉᆞ록 칼 갓튼 마음이 더ᄒᆞ니, 이 ᄯᅩ한 공ᄌᆞ의 ᄋᆡ[ᄋᆡᆨ]운이라. 쳡쳡ᄒᆞᆫ ᄋᆡᆨ회 다다ᄒᆞ니 엇지 슬푸고 ᄌᆞ[ᄌᆞᆫ]잉치 아니리오.

일망(一望)이 지ᄂᆡᆫ 후 고식손(姑媳孫) 슴흉괴 ᄎᆞ도(差度)을 어더 이러ᄂᆞ니, 다시 ᄯᅩ 악심이 발발(勃勃)ᄒᆞ여, 명ᄋᆞ 소져을 구가의셔 츌거(黜去)ᄒᆞ는 일이 업ᄉᆞ니 분ᄒᆞ고 졀치(切齒)ᄒᆞ며, 고식(姑媳)이 모게(謀計)ᄒᆞ고, 진부인긔 젼어(傳語)ᄒᆞ여 간졀이 소져의 귀령(歸寧)을 쳥ᄒᆞ되, 뎡부의셔 종시 허치 아닌되, ᄋᆡ달고 분ᄒᆞ여 구몽슉을 불너 뎡한림을 의심을 일위고져 ᄒᆞᄂᆞ 득지 못ᄒᆞ더라.

몽숙을 가라쳐 몸을 변ᄒᆞ여 명ᄋᆞ의 간뷔(姦夫)쳬 ᄒᆞ고 뎡텬홍을 쥭이거나 뎡연을 즁승케 ᄒᆞ거ᄂᆞ 아모 게교(計巧)라도 질ᄋᆞ의 젼졍을 맛치라 ᄒᆞᆫ듸, 몽숙이 ᄃᆡ왈,

"소질이 용녁과 변화ᄒᆞ는 지죄 등ᄒᆞᆫ치 아니ᄒᆞ되, 텬홍을 가바야이 히치 못ᄒᆞ기는 아시로부터 그 위인을 아옵ᄂᆞ니, 텬지 변화와

1034)숫그러ᄒᆞ다 : 곤두서다. 쭈뼛하다. 무섭거나 놀라서 머리카락이 꼿꼿하게 일어서는 듯한 느낌이 들다.

1055)숫그려ᄒᆞ다 : 곤두서다. 쭈뼛하다. 무섭거나 놀라서 머리카락이 꼿꼿하게 일어서는 듯한 느낌이 들다.

로 텬문의 지조와 셩슈(星數)[1035]의 ᄉᆞ뭇지 못홀 곳이 업ᄉᆞ니, 스ᄉᆞ로 길흉과 화복을 추졈【74】ᄒᆞ여 상법의 붉으며 용밍이 졀뉸ᄒᆞ니 쇼뎔이 혹ᄌᆞ 일을 그룻ᄒᆞ여 잡히는 쾌이신 즉 능히 ᄉᆞ지 못홀 거시니 이러므로 ᄆᆞ음ᄃᆡ로 못ᄒᆞᄂᆞ이다."

뉴시 탄식 왈,

"져 뎡가놈이 그ᄃᆡ도록 갓게[1036] 삼겻는고, 통완지(痛惋哉)로다!"

ᄒᆞ더라.【75】

일월셩슈(日月星數)며 쳔문지리와 화복길흉을 아는거시 공명(孔明)[1056] 갓트니, 이런 ᄉᆞ람을 셔어(齟齬)히 히ᄒᆞ다가 도로혀 즙히면 솔고져 ᄒᆞ○[나] ᄉᆞ지지 못ᄒᆞ리니, ᄂᆡ 간뷘 체ᄒᆞ고 임으【34】로 왕ᄂᆡ치 못ᄒᆞ리로소이다."

뉴시 탄왈,

"어인 놈이[의] 용역과 신통이 잇는고?

1035)셩슈(星數) : 늑운수(運數).이미 정하여져 있어 인간의 힘으로는 어쩔 수 없는 천운(天運)과 기수(氣數).

1036)갓다 : 갖다. 갖추다. 필요한 능력 자질 등을 고루 갖추고 있음.

1056)공명(孔明) : 제갈량(諸葛亮). 181-234. 중국 삼국시대 촉한(蜀漢)의 정치가. 자 공명(孔明). 시호 충무(忠武). 뛰어난 군사 전략가로, 유비를 도와 오(吳)나라와 연합하여 조조(曹操)의 위(魏)나라를 대파하고 파촉(巴蜀)을 얻어 촉한을 세웠다.

명듀보월빙 권디구

어시의 뉴부인이 구몽슉의 말을 듯고 기리 탄식 왈,

"져 뎡가놈이 그듸도록 갓게 삼겻는고. 통완지로다. 명으를 영출(永黜)ᄒᆞ는 일이 업ᄉᆞ미 반드시 의심치 아니민가 ᄒᆞ노라."

몽슉 왈,

"뎡가는 관인후문(寬仁侯門)이라 윤시를 비록 의심홀지라도 안즌 돗기[1037] 덥지 아냐 츌거튼 아닐 듯ᄒᆞ니, 타일을 보쇼셔."

뉴시 쳔만당부(千萬當付)ᄒᆞ여

"명으의 음힝지ᄉᆞ를 지어니여 뎡한님과 구슈(仇讐) ᄀᆞᆺ게 ᄒᆞ라."

몽슉이 응낙ᄒᆞ고 도라가더라.

금평휘 윤공ᄌᆞ 등을 일념의 밋쳐 혜쥬쇼져의 젼졍을 념녀ᄒᆞ고, 망우를 ᄉᆡᆼ각ᄒᆞ여 츄연ᄒᆞ기를 마디 아냐, 한님을 명ᄒᆞ여 도회길 【1】 ᄒᆡ 옥누항을 왕니ᄒᆞ여 광텬 등을 보라 ᄒᆞ니, 한님이 뉴시와 위태부인을 듕상(重傷)ᄒᆞ이고 ᄆᆞᄋᆞᆷ의 일분 노를 프러시나, 공ᄌᆞ형뎨를 댱구히 구홀 길 업ᄉᆞ니 쥬야 참연ᄒᆞ미 밋쳤더니, {윤쇼져는 이런 일을 아지 못ᄒᆞ고} 부명을 밧드러 잇다감 옥누항의 나아가 냥공ᄌᆞ를 보ᄆᆡ, 그 의복이 남누(襤褸)ᄒᆞ고 용뫼 환탈ᄒᆞ엿더라.

일일은 냥공지 빅화헌의셔 ᄆᆡ듁을 가져 바야흐로 먹을 졔, 한님이 드러가니 그르슬 믈니지 못ᄒᆞ여 한님의 본 ᄇᆡ되니, 참괴홀 거시로ᄃᆡ 녜필한훤(禮畢寒暄)의 댱공지 그르슬 드러 마시기를 가장 유미(有味)히 ᄒᆞᄃᆡ, ᄎᆞ공ᄌᆞ는 마지 못ᄒᆞ여 먹으ᄃᆡ 아니ᄭᅩ아 ᄒᆞ는 거동이라. 한님이 그르슬 아ᄉᆞ 혼 【2】 번 마셔 보ᄆᆡ 온갓 괴이혼 ᄂᆡ음ᄉᆡ 코홀 거ᄉᆞ리고 것츨기 심ᄒᆞ니, 목이 알파 넘기지 못ᄒᆞ고 그 맛시 흉참(凶慘)혼디라. 믄득 낫빗츨 곳치고 왈,

1037)돗기 : 돗자리. 자리.

명아을 영출(永黜)ᄒᆞ는 일이 업ᄉᆞ니, 의심 아니[닛]는가 ᄒᆞ노라."

몽슉이 ᄃᆡ왈,

"뎡가는 관인후덕(寬仁厚德)혼 ᄉᆞ람이라. 안즌 돗긔[1057] 덥지 아니 ᄒᆞ여셔 츌거튼 아니리니 더 두고 보소셔."

뉴시 쳔만당부(千萬當付)ᄒᆞ여 명ᄋᆞ ᄒᆡ키을 당부ᄒᆞ더라.

금평후 일염(一念)의 윤ᄌᆞ(尹子) 등을 비렴지심(庇念之心)[1058]이 간졀ᄒᆞ여 한림을 명ᄒᆞ여 조회 길의 옥누항의 ᄌᆞ로 드러가 공ᄌᆞ 등을 보라 ᄒᆞ니, 한님이 위ᄐᆡ와 뉴시 모녀을 즁히 상(傷)히오고 일시 분을 푸러시나, 댱구(長救)할 길이 업는지라. 일념의 ᄉᆡᆼ각이 간졀ᄒᆞ되, 냥공지 빅화헌의셔 보리쥭을 먹을 제 한림이 드러오니, 먹든 거슬 감츄지 못ᄒᆞ여 한림이 본 ᄇᆡ 되니, 냥 공지 네필 후 먹든 거슬 마지 못ᄒᆞ여 마시거늘, 한림이 그 먹는 그릇슬 아ᄉᆞ 마슬 보니 온갓 고히혼 ᄂᆡ음ᄉᆡ 코을 거ᄉᆞ리고, 거츤게[1059]도 드러거늘 한림이 어히 업셔 갈오ᄃᆡ,

1057)돗긔 : 돗자리. 자리.
1058)비렴지심(庇念之心) : 염려하여 감싸고 보호하는 마음.
1059)게 : 겨. 벼, 보리, 조 따위의 곡식을 찧어 벗겨 낸 껍질을 통틀어 이르는 말.

"군개(君家) 비록 부요치 못ᄒᆞ나 빈한치 아니커늘, 이거슬 엇지 감식ᄒᆞ여 비위를 상히오ᄂᆞ뇨?"

댱공지 한가히 웃고 답왈,

"한신(韓信)은 긔식어표모(寄食於漂母)[1038]ᄒᆞ고 슈욕어과하(受辱於跨下)[1039]ᄒᆞ며, 졔갈냥(諸葛亮)은 궁경남양(躬耕南陽)[1040]ᄒᆞ니, ᄌᆞ고(自古) 영웅쥰걸도 곤궁ᄒᆞᆫ ᄢᅴ 업지 아니니, 쇼뎨 등이 므ᄉᆞᆫ 사람이완ᄃᆡ 부귀호화를 도모ᄒᆞ리잇고? 악의악식(惡衣惡食)이 금의진찬(錦衣珍饌)을 족히 당ᄒᆞ리니, 쇼뎨ᄂᆞᆫ 원간 이런 음식이 구미(口味)의 블합(不合)ᄒᆞᆫ 줄 모르고 먹기를 잘 ᄒᆞ니, 시러곰 가듕의 용되(用度) ᄉᆞᆺ쳐진 ᄢᅥ면 ᄌᆞ연 ᄒᆞᄂᆞᆫ ᄇᆡ나, ᄆᆡ양 엇지 이런 거슬 먹【3】으리잇고."

한님이 댱공ᄌᆞ의 쾌ᄒᆞᆫ 말을 드르ᄆᆡ 도로혀 웃고 다시 문왈,

"내 드르니 너의 형뎨 강외의 부미(負米)ᄒᆞ고 싀초(柴草)를 간간이 ᄒᆞᆫ다 ᄒᆞ니, 너의 몸이 그 엇지 귀듕ᄒᆞ뇨? 스ᄉᆞ로 쳔역을 감심ᄒᆞ여 몸이 상키를 ᄉᆡᆼ각지 아니ᄒᆞᄂᆞ뇨?"

댱공지 ᄌᆞ약히 웃고 ᄃᆡ왈,

"쇼뎨등이 십셰 동치(童穉)로 ᄋᆞ히(兒孩) 노릅의 므ᄉᆞᆫ 노름을 못ᄒᆞ리잇고? 과연 강외(江外)의 부미(負米)[1041]도 ᄒᆞ고 싀초(柴草)도 ᄒᆞ여 보니, 고인(古人)이 ᄇᆡᆨ니(百里)의 부미(負米)[1042]ᄒᆞ며 조어치군[순](釣魚採筍)[1043]ᄒᆞ니 아둥이 힘과 졍셩을 다ᄒᆞ고져

1038)긔식어표모(寄食於漂母) : 한신(韓信)이 출세 전, 회수(淮水)에서 낚시를 하며 곤궁하게 지내던 때에 표모(漂母)에게 밥을 얻어먹었던 고사를 말함.

1039)슈욕어과하(受辱於跨下) : 한신(韓信)이 젊었을 때, 무모한 싸움을 피하기 위해 그를 조롱하는 폭력배의 가랑이 사이로 기어나가는 수모를 겪었던 고사를 말함.

1040)궁경남양(躬耕南陽) : 제갈량의<출사표(出師表)>에 나오는 말로, 그가 포의(布衣)로 있을 때, '남양 땅에서 몸소 밭을 갈며 살았던' 것을 말한 것

1041)부미(負米) : 쌀을 등에 져 나름.

1042)ᄇᆡᆨ니부미(百里負米) : 공자의 제자 자로(子路)가 백리 밖까지 쌀을 져 나르는 품을 팔아 어버이를 봉양하였던 고사를 말함.

1043)조어치순(釣魚採筍) : 고기 잡고 죽순[나물] 캐는 일.

"너희 집이 비록 부귀타 못ᄒᆞ나 엇지 거친 것과 보리쥭을 먹도록 ᄒᆞ리오."

증공지 웃고 왈,

"한신(韓信)은 긔식어포모(寄食於漂母)[1060]ᄒᆞ고 슈욕어과하(受辱於跨下)[1061]ᄒᆞ며, '제갈(諸葛)은 남양(南陽)의 밧출 가라시니'[1062], ᄌᆞ고(自古) 영웅쥰걸도 곤궁ᄒᆞᆫ ᄢᅥ 업지 아니ᄒᆞ니, 소제 등은 무슴 ᄉᆞ람이완ᄃᆡ 금의옥식(錦衣玉食)을 ᄒᆞ리잇고? 용되 ᄰᅳ어진 ᄢᅥ면 혹 이런 거슬 ᄒᆞ여 먹으나 ᄆᆡ일 이러케 먹ᄂᆞᆫ 일이 업ᄂᆞ이다."

한림이 공ᄌᆞ의 쾌달(快達)ᄒᆞᆫ 말을 드르ᄆᆡ 도로혀 웃고 일오ᄃᆡ,

"ᄂᆡ 드르니 너희드리 강외의 가 미곡을 지고 단니고 싀초을 ᄒᆞ려 단닌다 ᄒᆞ니, 너희 집 종ᄉᆞ(宗嗣)의 즁한 몸으로 몸이 ᄉᆞᆼᄒᆞᆷ을 ᄉᆡᆼ각지 안니 ᄒᆞᄂᆞ뇨?"

냥공지 ᄌᆞ약히 웃고 왈,

"소제 등이 십세 동치(童穉)로 무ᄉᆞᆫ 노름을 못ᄒᆞ리오. 어룬 아니 계시니 ᄌᆞᆨᄂᆞᆫᄒᆞ여 보미로소이다. 고셔의 녯 ᄉᆞ람은 'ᄇᆡᆨ니(百里)의 부미(負米)'[1063]도 ᄒᆞ엿ᄂᆞ니 아둥이 힘이 나ᄂᆞᆫ ᄢᅥ라. 규녀의 몸가지듯 ᄒᆞ리잇고?"

1060)긔식어표모(寄食於漂母) : 한신(韓信)이 출세 전, 회수(淮水)에서 낚시를 하며 곤궁하게 지내던 때에 표모(漂母)에게 밥을 얻어먹었던 고사를 말함.

1061)슈욕어과하(受辱於跨下) : 한신(韓信)이 젊었을 때, 무모한 싸움을 피하기 위해 그를 조롱하는 폭력배의 가랑이 사이로 기어나가는 수모를 겪었던 고사를 말함.

1062)제갈(諸葛)은 남양(南陽)의 밧출 가라시니 : 촉한의 제갈량(諸葛亮)이 포의(布衣)로 있을 때, '남양에서 몸소 밭을 갈며 살았던' 것을 말한 것.

1063)ᄇᆡᆨ니부미(百里負米) : 공자의 제자 자로(子路)가 백리 밖까지 쌀을 져 나르는 품을 팔아 어버이를 봉양하였던 고사를 말함.

ᄒᆞ미라. 아모 일이라도 몸의 병이 업ᄉᆞ면 긔운이 하날의도 오를 ᄃᆞᆺᄒᆞ니이다."

한님이 그 답언의 여ᄎᆞᄒᆞ믈 보고 짐즛 듕난ᄒᆞᆫ 곳의 그 ᄃᆡ답을 보고져 ᄒᆞ여 웃고 왈,

"쇼【4】문이 참담(慘憺)ᄒᆞ여 어ᄉᆞ합히(御使閤下) 먼니 나가시므로 너희 곡경이 만단(萬端)이오, 민텬(旻天)의 우름과 ᄌᆞ로(子路)의 부미(負米)를 겸ᄒᆞ여, 혈육이 상ᄒᆞᄂᆞᆫ 듕샹을 ᄉᆞᆺ츨 ᄉᆞ이 업다 ᄒᆞ여, 아름답지 아닌 쇼문이 모르리 업ᄉᆞ니, 너희 셩효ᄂᆞᆫ 빗나나 가변(家變)을 블가ᄉᆞ문어타인(不可使聞於他人)이라 그 엇진 일이뇨?"

댱공ᄌᆞ 미쇼 왈,

"셰상이 위험ᄒᆞ여 원간 괴이ᄒᆞᆫ 말이 나거니와, 형은 디효(至孝)의 군ᄌᆞ(君子)라. 엇지 이런 말을 신쳥(申請)ᄒᆞ여 아둥다려 므르시ᄂᆞ뇨? 십셰동몽(十歲童蒙)의 듁마(竹馬)를 닛글고 긔형괴상(奇形怪狀)의 거죄 잇셔도 족가홀[1044] 거시 아니어ᄂᆞᆯ 도로혀 민텬(旻天)의 우름[1045]으로ᄡᅧ 비기니, 향ᄌᆞ(向者)의 형으로 이러케 아니 아랏더니 ᄀᆞ장 한심ᄒᆞ이다."

ᄎᆞ공ᄌᆞ ᄀᆞᆯ오ᄃᆡ,

"아둥이 다만 외로운 두 몸과 ᄆᆡ져 ᄒᆞᆫ 사름【5】이라. 귀듕ᄒᆞᆫ 졍이 타인 남ᄆᆡ와 다르고, 형의 관후(寬厚)ᄒᆞ미 쇼뎨 등을 ᄋᆡᄃᆡ(愛待)ᄒᆞ여 친동긔 ᄀᆞᆺᄐᆞ니, 의앙지졍(依仰之精)이 범연치 아니ᄒᆞ고, 쇼뎨 등의 어리고 미거ᄒᆞ믈 거의 아르실지라. 아둥이 허믈이 이시면 붕우칙션(朋友責善)으로 쥰졀(峻截)이 니르ᄂᆞᆫ 거시 올커ᄂᆞᆯ, 대슌(大舜)은 엇던 셩인(聖人)이시완ᄃᆡ 아둥을 비기며, '민텬의 우름'이 잇다 ᄒᆞ시고, 고슈(瞽瞍)[1046]와 상모(象母)[1047]ᄂᆞᆫ 그 엇던 포학지인(暴虐之人)

1044)족가ᄒᆞ다 : 시비(是非)하다. 따지다.

1045)민텬(旻天)의 우름 : '하늘을 향해 소리 내어 운다'는 뜻으로, 옛날 중국의 순(舜)임금이 어버이에게 사랑을 받지 못함을 원망하여 밭에 나가 하늘을 향해 울었던 고사에서 유래된 말.

1046)고슈(瞽瞍) : 중국 순임금의 아버지의 별명. 어리석어 아들 '순(舜)'을 죽이려했기 때문에 '눈먼 노인'이란 별명이 붙여졌다 함.

1047)상모(象母) : 중국 순임금의 계모. 상(象)의 생

한림이 그 ᄃᆡ답이 뉴슈(流水) 갓튼 즁, 그 가변을 가리우믈 뮈이 역여 ᄯᅩ 가로ᄃᆡ,

"너희 힘을 ᄌᆞ랑ᄒᆞ여 쳔역을 조히 역여 그리ᄒᆞ나, 소문(所聞)이 고히ᄒᆞ여 어ᄉᆞ합ᄒᆞ(御使閤下) 가즁을 ᄯᅥ나심으로븟터 너히 '《빈쳔‖민쳔(旻天)》의 우름'[1064]과 ᄌᆞ로(子路)의 부미(負米)을 《격‖겸》ᄒᆞ여 혈육이 ᄉᆞᆼᄒᆞᄂᆞᆫ 즁ᄌᆞᆼ(重杖)이 ᄉᆞᆺ칠 ᄉᆞ이 업다 ᄒᆞ니, 소문을 모로리 업다 ᄒᆞᄂᆞᆫ지라. 너희 효셩은 빗ᄂᆞ고 너히 집 가변은 불가ᄉᆞ문어타인(不可使聞於他人)일너라."

즁공ᄌᆞ 미소 왈,

"셰ᄉᆞᆼ이 남의 부언쥬ᄌᆞᆨ(浮言做作)을 즐ᄒᆞᄂᆞ니, 형은 ᄉᆞ리을 통달하ᄂᆞᆫ 군ᄌᆞ라. 엇지 와젼(訛傳)을 고지 드르시ᄂᆞ뇨? 현형을 앙망ᄒᆞ든 ᄇᆡ 아니로소이다."

ᄎᆞ 공ᄌᆞ 졍ᄉᆡᆨ단좌(正色端坐)ᄒᆞ여 갈오ᄃᆡ,

"우리 동치의 ᄌᆞᆨᄂᆞᆫ[1065]이 흑과 돌을 져노【36】ᄂᆞᆫ 거동이 여ᄉᆞ(例事)여ᄂᆞᆯ 형의 말ᄉᆞᆷ이 만히 우[1066]을 범(犯)ᄒᆞ여, 민쳔(旻天)의 우름의 비기시니, 이ᄂᆞᆫ 형졔의 의양(依仰)ᄒᆞ던 ᄇᆡ 아니라. 붕우칙션(朋友責善)니 아니오, 오문(吾門)의 고슈(瞽瞍)[1067] 상뫼(象母)[1068] 업ᄉᆞ니 엇지 일르심인고 의혹ᄒᆞ믈 이긔지 못ᄒᆞ며, 아둥의 평일 바라든 ᄇᆡ

1064)민쳔(旻天)의 우름(號泣) : '하늘을 향해 소리 내어 운다'는 뜻으로, 옛날 중국의 순(舜)임금이 어버이에게 사랑을 받지 못함을 원망하여 밭에 나가 하늘을 향해 울었던 고사에서 유래된 말.

1065)ᄌᆞᆨᄂᆞᆫ : 장난. 주로 어린아이들이 재미로 하는 짓. 또는 심심풀이 삼아 하는 짓.

1066)우 : 위. 존전(尊前).

1067)고슈(瞽瞍) : 중국 순임금의 아버지의 별명. 어리석어 아들 '순(舜)'을 죽이려했기 때문에 '눈먼 노인'이란 별명이 붙여졌다 함.

1068)상모(象母) : 중국 순임금의 계모. 상(象)의 생모. 남편 고수(瞽瞍)와 아들 상과 함께 전처소생인 순(舜)을 죽이기 위해 갖은 악행을 자행했다.

이완ᄃᆡ 오가(吾家)의 그 변괴(變怪) 잇다 ᄒᆞ시ᄂᆞ뇨? 아둥이 크게 바라던 ᄇᆡ 아니로소이다."

한님이 댱공ᄌᆞ의 언변과 ᄎᆞ공ᄌᆞ의 《뎡ᄉᆡᆨ단좌(正色端坐)ᄒᆞ여 ‖ 정ᄃᆡ한 말을》 ○○○[드르ᄆᆡ], 그 어린 나히 디회(至孝) 여ᄎᆞ(如此)ᄒᆞ믈 탄복ᄒᆞ여 함소 왈,

"내 듯기를 그릇ᄒᆞᆫ가 ᄒᆞ거니와 쇼문(所聞)이 한심ᄒᆞ여 너희다려 니르미라. 그런 일이 업【6】ᄉᆞ면 엇지 다ᄒᆡᆼ치 아니리오."

냥공ᄌᆡ 졍히 한담ᄒᆞ더니, 태부인 녕이 잇셔 강의 가 미곡을 져오라 ᄒᆞᄂᆞᆫ디라. 한님이 ᄌᆞ긔 하리(下吏)로 ᄒᆞ여금 미곡을 가져오라 ᄒᆞᆫᄃᆡ, 냥공ᄌᆡ 샤양ᄒᆞ여 친히 가려 ᄒᆞ니, 이ᄂᆞᆫ 태부인이 한님의 하리 미곡을 가져오믈 드르면 반ᄃᆞ시 대변을 닐디라. 한님이 냥공ᄌᆞ의 참담ᄒᆞᆫ 신셰를 츄연잔잉ᄒᆞ믈 니긔지 못ᄒᆞ여 문왈,

"원간 강외 미곡을 져올 거○[시] 얼마나 ᄒᆞ뇨."

이공ᄌᆡ 몽농이 답왈,

"블과 오십여 셕이라 구ᄐᆡ여 아둥이 다 운젼ᄒᆞᆯ 거시 아니라 노복이 틈이 이시면 가져오리라."

ᄒᆞ고 가고져 ᄒᆞ거ᄂᆞᆯ, 한님이 다ᄅᆡ여 겻ᄐᆡ 안치고, 하리를 명ᄒᆞ여 두어 슈ᄅᆡ를 어더【7】 미곡을 가져오라 ᄒᆞ고 죵용이 담화ᄒᆞᆯᄉᆡ, 태부인이 뎡ᄉᆡᆼ의 왓ᄂᆞᆫ 줄 모르고 광텬형데로 미곡을 가져오라 ᄒᆞ엿더니, 뎡한님 와시믈 듯고 ᄀᆞ장 블쾌히 넉이고, 뉴시 더옥 놀나 태부인을 ᄎᆞᆨᄒᆞ여 뎡한님을 청ᄒᆞ여 명ᄋᆞ의 귀근을 청ᄒᆞ라 ᄒᆞ니, 태부인이 일죵 뉴부인 말ᄃᆡ로 ᄒᆞᄂᆞᆫ디라. 한님을 드러오라 ᄒᆞ여 셔르 볼ᄉᆡ, 한님이 흉인을 보미 괴로오나 마지 못ᄒᆞ여 드러가 태부인 삼고식(三

모. 남편 고수(瞽瞍)와 아들 상과 함께 전처소생인 순(舜)을 죽이기 위해 갖은 악행을 자행했다.

아○[니]로소이다."

한림이 장공ᄌᆞ의 ᄶᅦ치믈 보고 ᄎᆞ공ᄌᆞ의 정ᄃᆡ한 말을 드르ᄆᆡ 그 어린 ᄂᆞ희 ᄃᆡ효(大孝) 이러틋 ᄒᆞ믈 탄복ᄒᆞ여 함소 왈,

"ᄂᆡ 와젼(訛傳)을 그릇 들러시ᄂᆞ, 소문(所聞)이 ᄒᆞ 고히ᄒᆞ여 너희다려 이르밀너니, 그런 일이 업ᄉᆞ면 너희 집 가ᄒᆡᆼ(家行)이 가히 《보ᄇᆡ염 즉 ‖ 본받음 즉》 ᄒᆞ여 가ᄌᆞᆼ 긔특ᄒᆞ도다."

냥 공ᄌᆡ 한림의 비우스믈 모로리오마ᄂᆞᆫ, 못 듯ᄂᆞᆫ 듯ᄒᆞ여 다른 말노 담소ᄒᆞ더니, ᄐᆡ부인 명으로 강외의 가 미곡을 ᄯᅩ 져오라 ᄒᆞᄂᆞᆫ지라. 한림이 ᄃᆡ소왈,

"너ᄒᆡ 십셰 소ᄋᆡ ᄌᆞᆼ는ᄒᆞ여 힘 익히미 ᄐᆡ부인 덕이로다. 그러ᄂᆞ 금일은 ᄂᆡ 하리(下吏)을 보ᄂᆡ여 가져오미 엇더ᄒᆞ뇨?"

공ᄌᆞ 이 말을 가리올 길이 업셔 머리을 슉여 말이 업거ᄂᆞᆯ, 한림○[이] 댱공ᄌᆞ 신셰을 ᄌᆞᆫ잉 연셕ᄒᆞ여 우문 왈,

"원간 강외의 미곡 가져올 거시 얼마ᄂᆞ ᄒᆞ뇨?"

공ᄌᆡ ᄃᆡ 왈,

"불가 만치 안여 오십여셕 되ᄂᆞ이다."

한림이 ᄒᆞ리을 명ᄒᆞ여 슈레 두엇[1069]슬 엇고 윤부 가졍을 암녕(押領)ᄒᆞ여 강교(江郊)의 가 미곡을 시러오라 ᄒᆞ니, 댱 공ᄌᆡ ᄐᆡ부인 변니 날가 공구【37】ᄒᆞ되, 한림이 구지 잡고 안ᄌᆞ실 분 아니라, 앗가 말과 다르니 뎡한림 가기만 죄이더라.

위ᄐᆡ부인이 뎡한림 온쥴은 모로고 젼어(傳語)ᄒᆞ엿다가 뉘우쳐 ᄒᆞ니, 뉴시 고왈,

"존괴 뎡ᄒᆞᆫ림을 청ᄒᆞ여 보시고 명ᄋᆞ을 보ᄂᆡ라 ᄒᆞ소셔."

ᄒᆞ니, ᄐᆡ부인은 일종을 뉴시 지휘ᄒᆞᄂᆞᆫ ᄃᆡ로 ᄒᆞᄂᆞᆫ지라. 한림을 드러오라 ᄒᆞ여 셔로

1069)두엇 : 둘쯤.

姑媳)을 ᄎᆞ례로 ᄇᆡ알ᄒᆞ고, 강인(强忍)ᄒᆞ여 말ᄉᆞᆷ을 여러 존후를 뭇ᄌᆞ온ᄃᆡ, 태부인이 안ᄉᆡᆨ을 화히 ᄒᆞ고 소ᄅᆡ를 ᄉᆔᆫ히 ᄒᆞ여, 노렴(老炎)1048)이 지리ᄒᆞ니 셔증(暑症)의 달호여1049) 젼일 실족ᄒᆞᆫ 두골이 상ᄒᆞ엿던 바를 누루(累累)히 베프니,【8】 한님이 심듕의 긔괴(奇怪)코 우으며 뫼오믈 니긔지 못ᄒᆞ나, 거즛 놀나오믈 일ᄏᆞ라,

"ᄉᆔᆫ히 됴보(調保)ᄒᆞ쇼셔"

ᄒᆞ니, 부인이 뎡공ᄌᆞ를 도라보아 웃고 왈,

"금일은 져뷔(姐夫) 와시니 가다듬고 안ᄌᆞ 쳔역을 아니ᄒᆞᄂᆞ냐? 너희 형뎨 죵용이 셔당의셔 독셔나 착실이 ᄒᆞᄂᆞᆫ 거시 아니라, ᄌᆞ고 ᄭᆡ면 강외의 미곡을 지라 단니고 온갓 긔괴ᄒᆞᆫ 쳔역을 다ᄒᆞ니, 어나 시졀의 닙양(立揚)1050)ᄒᆞ기를 바라리오."

냥공지 말이 업셔 뎡공ᄌᆞᄂᆞᆫ 도로혀 호치현츌(皓齒顯出)케 우을 ᄲᅳᆫ이오, 뎡ᄉᆡᆼ이 태부인의 능휼(能譎)ᄒᆞ미 이곳ᄐᆞ믈 보ᄆᆡ 더욱 믜오믈 니긔지 못ᄒᆞ여 잠간 허리를 굽혀 왈,

"쇼ᄉᆡᆼ은 외인이라 존부 냥손의 ᄒᆡᆼ디(行止)를 시비홀 ᄇᆡ 아니오나, 어ᄉᆞ합히(御使閤下) 은쥐로 향ᄒᆞ【9】신 후, 져 냥인이 인가 말ᄌᆡ 셔동과 노복의 소임을 다ᄒᆞᆫ다 ᄒᆞ오니, 져희 비록 즐겨홀지라도 존당과 악뫼 엄금(嚴禁)ᄒᆞ샤미 올흐니, 금일도 강외의 미곡을 지라 가려 ᄒᆞ거놀, 쇼ᄉᆡᆼ이 블승한심ᄒᆞ여 ᄉᆔᄅᆡ를 어더 보ᄂᆡ엿ᄉᆞ오니, 즉긱의 운젼(運轉)ᄒᆞ오려니와, 악댱이 아니 계시고 어ᄉᆞ합히 나가신 ᄉᆞ이 그ᄃᆡ도록 가다듬지 못ᄒᆞ오니 쇼ᄉᆡᆼ이 위ᄒᆞ여 ᄎᆞ셕(嗟惜)ᄒᆞ옵ᄂᆞ니, 합

1048)노렴(老炎) : 늦더위.
1049)달호다 : 달구다. 데우다. 조리하다. 붉히다..
1050)닙양(立揚) : 입신(立身) 양명(揚名)을 줄여 이른 말. 즉 출세하여 이름을 세상에 드날림.

볼 ᄉᆡ, 한림이 흉인을 ᄃᆡᄒᆞ여 보기 괴로오ᄂᆞ, 위ᄐᆡ ᄌᆡ삼 쳥ᄒᆞ니 마지 못ᄒᆞ여 드러가 삼고식(三姑媳)긔 ᄇᆡ알ᄒᆞ고 강잉ᄒᆞ여 말ᄉᆞᆷ을 열러 존후을 뭇ᄌᆞ오니, 위ᄐᆡ 안ᄉᆡᆨ이 화열ᄒᆞ고 말ᄉᆞᆷ이 부드러워 갈오ᄃᆡ, '노신(老身)이 셩ᄒᆞᆫ ᄯᅢ 드무더니 거일(去日)의 실족ᄒᆞ여 낙ᄉᆞᆼ(落傷)ᄒᆞ여 두골이 ᄭᆡ여졋던 바을 구구히 이르니', 한림이 심즁의 우으ᄃᆡ, 거짓 놀ᄂᆞ난 쳬ᄒᆞ고,

"지금은 관겨치 아니시니 영행이로소이다"

ᄒᆞᆫ ᄃᆡ, ᄐᆡ부인니 공ᄌᆞ들을 도라보아 왈,

"금일은 한림이 왓시니 가다듬고 안ᄌᆞ 쳔역ᄌᆞᆼ난을 아니 ᄒᆞᄂᆞ냐? 너희 형졔 셔당의 안ᄌᆞ 글이나 익ᄂᆞᆫ 거시 아니라, 자고 ᄭᆡ면 ᄉᆞᆼ(常)업슨1070) ᄌᆞᆨ난으로 강외의 가, 미곡을 노복 등이 슈운(輸運)ᄒᆞ여 오ᄂᆞᆫ 것슬 다 지고 온다 ᄒᆞ여 ᄒᆞ도 셔도ᄆᆡ, ᄂᆡ 금ᄒᆞ다 못ᄒᆞ여 금일은 짐짓 가라 ᄒᆞ엿던니라. 어ᄂᆞ 시졀의ᄂᆞ ᄉᆞ람이 되어 입ᄌᆞᆼ(入丈)ᄒᆞ기을 바라리오."

ᄒᆞ니, 냥 공ᄌᆞᄂᆞᆫ 묵연경좌【38】 ᄒᆞ엿고, 한림은 ᄐᆡ부인의 능휼(能譎)ᄒᆞ믈 보ᄆᆡ 더욱 흉한ᄒᆞ여 이의 즘간 허리을 굽혀 갈오ᄃᆡ,

"소ᄉᆡᆼ은 외인이라 존부 소아ᄇᆡ(小兒輩)의 ᄒᆡᆼ지(行止)을 시비홀 ᄇᆡ 업ᄉᆞ오ᄃᆡ, 어ᄉᆞ합ᄒᆞ(御使閤下) 은쥐로 향ᄒᆞ신 후, 져 양ᄋᆡ 최말(最末) 비복ᄋᆡ 쳔역을 다 한다 ᄒᆞ오니 져희 비록 즐겨 할지라도 존당과 악뫼 엄금ᄒᆞᄉᆞ 못ᄒᆞ게 ᄒᆞ시미 올ᄉᆞ오니다. 금일도 강외의 가 미곡을 지러가랴 ᄒᆞ옵기 소ᄉᆡᆼ이 불승ᄒᆞᆫ 심ᄒᆞ여 슈레을 어더 보ᄂᆡᄉᆞ오니, 즉긱의 운젼(運轉)ᄒᆞ여 오려니와, 악ᄌᆞᆼ이 아니 게시고 어ᄉᆞ합ᄒᆞ 나아가신 ᄉᆞ이 그ᄃᆡ도록 가다듬지 못ᄒᆞ오니, 소ᄉᆡᆼ이 크게 앗기옵ᄂᆞ니 합ᄒᆞ 도라오시거든 본 바을 다 젼ᄒᆞ여 엄히 게칙(戒責)ᄒᆞ시게 ᄒᆞ리이다."

1070)ᄉᆞᆼ(常)업다 : 상(常)없다. 보통의 이치에서 벗어나 막되고 상스럽다.

히 도라오시거든 본 바를 다 젼ᄒᆞ여 엄칙ᄒᆞ시게 ᄒᆞ려 ᄒᆞᄂᆞ이다."

태부인이 뎡ᄉᆡᆼ이 곳이 드르믈 ᄀᆞ장 깃거ᄒᆞ나, 어ᄉᆡ 도라오거든 니르렷노라 ᄒᆞ믈 그ᅌᅳᆨ이 불평ᄒᆞ여, 공ᄌᆞ다려 니르ᄃᆡ,

"한님이 비록 너의 져뷔나 윤·뎡 냥문 셰ᄃᆡ졍분(世代情分)과 셔랑의 관인【10】후덕ᄒᆞ미, 여등(汝等)을 디셩으로 아름답과져 ᄒᆞ니 엇지 감샤치 아니리오. ᄎᆞ후나 슈신셥힝(修身攝行)ᄒᆞ라."

ᄎᆞ공ᄌᆞ ᄇᆡ샤슈명ᄒᆞ고 당공ᄌᆞᄂᆞᆫ 옥면셩모(玉面星眸)의 우음을 ᄯᅴ여 드를 ᄲᅳᆫ이오, 조부인은 머리를 숙여 츄연ᄒᆞᆯ ᄲᅳᆫ이니, ᄉᆡᆼ이 블인을 오ᄅᆡ ᄃᆡᄒᆞ미 아니ᄭᅩ아 니러나 하직고 가려 ᄒᆞ니, 부인이 ᄌᆡ삼 쳥뉴ᄒᆞ여 쥬찬을 ᄃᆡ졉ᄒᆞ고, 인ᄒᆞ여 눈믈을 흘니며 비ᄉᆞ고어(悲辭苦語)로 손녀의 귀녕을 쳥ᄒᆞ여, 슬하의 일시 ᄯᅥ나지 못ᄒᆞ다가 만금보옥(萬金寶玉)으로 아던 바의, 실산지환(失散之患)으로 삼ᄉᆞ삭을 상니(相離)ᄒᆞ여 집의 도라오ᄆᆡ 즉시 셩혼ᄒᆞ여 보ᄂᆡ고, 못닛ᄂᆞᆫ 졍과 그리온 ᄆᆞ음이 극ᄒᆞ고 음용이 안져(眼底)의 삼삼ᄒᆞ믈 닐너, 비졀ᄒᆞᆫ 말ᄉᆞᆷ이 녕인감동(令人感動)[1051]ᄒᆞᆯ ᄇᆡ로ᄃᆡ, 뎡한님【11】의 됴심경안광(照心鏡眼光)이 져 부인의 악ᄉᆞ를 보지 아녀실 젹도 지긔ᄒᆞ던 바의, ᄒᆞ믈며 공ᄌᆞ 등을 참혹히 두다리몰 목견ᄒᆞ여시니 쳔ᄇᆡᆨ(千百) 가지로 어진 쳬ᄒᆞᆫ들 곳이 드르리오. 다만 ᄃᆡ왈,

"졍니(情理) 이ᄀᆞᆺᄐᆞ시나 슬하지인(膝下之人)이 니측(離側)지 못ᄒᆞ올지라. 후일 존명ᄃᆡ로 ᄒᆞ리이다."

언파의 ᄇᆡ샤(拜謝)ᄒᆞ고 편편(翩翩)이 거러 나가니, 태부인이 뮙고 분ᄒᆞ나 ᄒᆞᆯ일업고 ᄎᆞ야의 히츈누의 와 뉴시로 상의 왈,

"뎡텬흥이 광텬 등의 쳔역을 노뫼 식인

ᄐᆡ부인니 뎡한림의 고지 드르믈 가즁 깃거 헷우슴ᄒᆞ여 눈을 벌거케 ᄯᅳ고 긴 턱을 ᄭᅳ덕이며, 냥공ᄌᆞ을 ᄀᆡ걸ᄒᆞ여 왈,

"한림이 너희 졔부(姐夫)ᄂᆞ 윤·뎡 양가의 졍분(情分)이 형졔 갓고, 한림의 관인후덕이 너희 등을 지셩으로 아름답고져 ᄒᆞ니 엇지 감격지 아니리오. ᄎᆞ후나 슈신셥힝(修身攝行)ᄒᆞ여 인뉴의 ᄒᆞ풍이 되지 말나."

ᄎᆞ공ᄌᆞᄂᆞᆫ ᄇᆡᄉᆞ슈명ᄒᆞ고 즁공ᄌᆞᄂᆞᆫ 옥면 셩모(玉面星眸)의 우음을 ᄯᅴ여 응명ᄒᆞ니, 조부인은 머리을 슉여 츄연할 분이라. 한림이 흉픽ᄒᆞᆫ 불인을 오ᄅᆡ ᄃᆡᄒᆞ미 아니ᄭᅩ와 몸을 이러 ᄒᆞ직ᄒᆞ니, 위ᄐᆡ ᄌᆡᄉᆞᆷ 쳥ᄒᆞ여 쥬츤(酒饌)을 ᄂᆡ여 ᄃᆡ졉ᄒᆞ【39】고 불근 눈의 눈물이 쥬츌(做出)ᄒᆞ여 비ᄉᆞ고어(悲辭苦語)로 소져의 귀령을 쳥ᄒᆞᆯ ᄉᆡ, 노뫼 손아을 쳣 ᄉᆞ랑으로 귀ᄒᆞ미 만금보옥(萬金寶玉)의 비치 못ᄒᆞ여 슬ᄒᆞ의 일시을 ᄯᅥᄂᆞ지 못할 쥴노 아던 바의, 실손지환(失散之患)으로 삼ᄉᆞ삭을 ᄉᆞᆼ니(相離)ᄒᆞ여, 집의 도라오ᄆᆡ 즉시 셩혼ᄒᆞ여 보ᄂᆡ니 못닛ᄂᆞᆫ 졍과 그리온 마음이 안젼의 졔 음용(音容)이 숨숨ᄒᆞ니 ᄭᅮᆷ을 비러 만나ᄂᆞ 훌훌(欻欻)이 ᄭᆡ면 몽혼을 놀ᄂᆡᄂᆞᆫ지라. '한림은 비졀(悲絶)ᄒᆞᆫ 졍니을 슬펴 손여을 귀령케 하쇼셔.'○○[ᄒᆞ니], 한님이 조심경안광의 엇지 불인의 악ᄉᆞ을 모을[를]젹도 아라 보아거든, ᄒᆞ믈며 광텬 등 다ᄉᆞ리믈 목도ᄒᆞ여시니 일호ᄂᆞ 그 어진 쳬ᄒᆞ믈 고지 들을니 잇ᄉᆞ리오마는, 다만 흠신 ᄃᆡ왈,

"존당 졍니 이갓ᄐᆞ시ᄂᆞ 소ᄉᆡᆼ의 ᄐᆡ뫼 근간 질환이 ᄯᅥᄂᆞ지 아니시니 슬하지인(膝下之人)니 이측(離側)지 못ᄒᆞ올지라. 후일이나 존명을 밧ᄌᆞ오리이다."

언파의 면면(面面)니 ᄇᆡᄉᆞᄒᆞ고 쳔쳔니 거러 나가니, ᄐᆡ부인니 뮙고 분ᄒᆞᄂᆞ ᄒᆞ[ᄒᆞᆯ]일 업셔 ᄎᆞ야의 히츈누ᄋᆡ 와 뉴시로 의논ᄒᆞ여 왈,

"텬흥이 광텬 등의 쳔역(賤役)을 노뫼 시기ᄂᆞᆫ 쥴은 모르고 져히 즐겨 ᄒᆞ는 쥴노 알

1051)녕인감동(令人感動) : 사람을 감동케 함.

줄 아지 못ᄒᆞ고, 져희 즐겨 ᄒᆞᄂᆞᆫ 줄을 아라 말이 그러틋 ᄒᆞ고, 미곡(米穀)을 슈릐로 운젼ᄒᆞ여 우리 허물이 업술가 ᄒᆞ노라."

뉴시의 간흉ᄒᆞ미 승어고뫼(勝於姑母)오, 춍민(聰敏)ᄒᆞ미 승(勝)ᄒᆞᆫ지라. 뎡싱의 말츼[1052]를 아라듯고 뎡히 통히홀 ᄎᆞ, 【12】 존고의 말숨을 듯고 뎡히 우셔 왈,

"존괴 엇지 사ᄅᆞᆷ의 언싀(言色)[1053]을 모르시ᄂᆞ잇고? 뎡싱이 비록 우리를 ᄉᆞ오납다 당면ᄒᆞ여 바로 니르지 아니ᄒᆞ나, 상공이 도라온 후 니르렷노라 ᄒᆞ미 우리 흔극(釁隙)을 드러ᄂᆡ려 ᄒᆞ미라. 능휼춍명(能譎聰明)ᄒᆞ미 만ᄉᆡ 신긔ᄒᆞ여 광텬과 방불ᄒᆞᆫ 놈이라. 상공이 환가ᄒᆞ면 뎡가놈의 입으로좃ᄎᆞ 곱지 아닌 말이 날 거시니, 쳡이 바야흐로 ᄋᆡ듋고 분ᄒᆞ여 아모려나 뎡싱가지 업시코져 ᄒᆞᆫ들 밋ᄎᆞ리잇가?"

태부인이 츈몽이 의연(依然)ᄒᆞ여 답왈,

"그ᄃᆡ 말이 사ᄅᆞᆷ의 심쳔을 쎼[1054]보미라 노모ᄂᆞᆫ 이런 줄 아디 못ᄒᆞ고 뎡개 내게 속은가 ᄒᆞ엿더니, 우리 ᄇᆞ덕을 졔 몬져 아라시니 엇지 통완치 아니리【13】오."

경ᄋᆡ 왈,

"뎡싱이 조모를 어지리 못 녁여도 감히 히치 못ᄒᆞ리니 그ᄂᆞᆫ 무셥지 아니ᄃᆡ, 일월만 쳔연ᄒᆞ고 광텬 등을 죽이지 못ᄒᆞ니 이거시 절박ᄒᆞ이다."

뉴시 탄왈,

"이리 니르지 말나 허물을 사ᄅᆞᆷ의게 뵐 거시 아니라, 초(初)의 ᄇᆞ졀업시 강외의 미곡을 날니고 ᄉᆡ초를 식이니, 져히 효셩은 빗나고 우리 ᄇᆞᄌᆞᄒᆞ믄 득명(得名)ᄒᆞ게 되니, ᄎᆞ후ᄂᆞᆫ 고요히 가ᄂᆡ의 쳔역과 험악ᄒᆞᆫ 장칙을 더어 ᄌᆞ진(自盡)토록 ᄒᆞ미 올흐니라."

1052)말츼 : 말치. 말의 뜻. 남의 말의 뜻을 그때그때 상황을 미루어 알아낸 것.
1053)언싀(言色) : 늑말츼. 말의 속뜻.
1054)쎼다 : 꿰다. 꿰뚫다.

고 말이 그럿틋ᄒᆞ고, 미곡(米穀)을 슈레의 운젼ᄒᆞ니 우리 허믈은 모로ᄂᆞᆫ가 ᄒᆞ노라."

뉴시ᄂᆞᆫ 간흉(奸凶)ᄒᆞ미 승어고모(勝於姑母)[1071]요 춍명ᄒᆞ미 ᄯᅩᄒᆞᆫ 셩(盛)ᄒᆞᆫ지라. 뎡싱의 말을 아라듯고 졍히 【40】 분완 통히할 ᄎᆞ 존고의 말숨을 듯고, 도로혀 우셔 왈,

"존괴 엇지 ᄉᆞ람ᄋᆡ 긔ᄉᆡᆨ(氣色)과 말치[1072]을 그리 모로시ᄂᆞᆫ니잇고? 뎡싱이 우리을 흉히 녁여도 당면ᄒᆞ여ᄂᆞᆫ 바로 이르지 아니할 거시니오, 짐짓 ᄉᆞᆼ공다려 이르렷노라 말이 우리 흔극(釁隙)이 드러가게 ᄒᆞ미라. {ᄆᆡᄉᆡ(每事) 다 조씨긔거라 즐 숨겨숩고} 《근∥그》놈의 《능흉∥능휼(能譎)》 춍명하미 만ᄉᆡ 신긔ᄒᆞ며, 인물이 광텬과 만히 방불(彷彿)ᄒᆞᆫ 놈이오, 상공이 환가{하}ᄒᆞ면 뎡가 놈 입으로 곱지 아닌 말이 날 거시니, 쳡이 분ᄒᆞ여 바야흐로 ᄋᆡ달고, 아모려ᄂᆞ 뎡가 흉ᄒᆞᆫ 놈가지 업시코져 ᄒᆞᄂᆞᆫ이다."

ᄐᆡ부인니 츈몽이 의연(依然)ᄒᆞ여 ○[왈],

"그ᄃᆡ 말이 ᄉᆞ람의 심쳔을 쎄ᄯᅮ러 보미라. 노모ᄂᆞᆫ 그런 즐 아지 못ᄒᆞ고 뎡싱이 ᄂᆡ게 속은가 ᄒᆞ더니, 우리 그른 거슬 졔 몬져 알라시니, 엇지 통한치 아니리오."

경ᄋᆡ 왈,

"뎡싱이 조모을 어지리 못 역여도 감히 히할 니ᄂᆞᆫ 업ᄉᆞ리니 그런 놈은 무셥지 아니ᄒᆞ되, 일만 쳔연ᄒᆞ고 우리 묘게(妙計)로 광텬 등을 쥭이지 못ᄒᆞ니 이거시 절박ᄒᆞ이다."

뉴시 탄왈,

"이리 이르지 말나. 허물이란 거시 ᄉᆞ람을 뵐 거시 아니라. 쳐음의 부졀 업시 미곡을 날니며 ᄉᆡ초을 식이니, 져희 효셩은 빗ᄂᆞ고 우리 그른 거슨 드러나니, ᄎᆞ후ᄂᆞᆫ 고요히 가ᄂᆡ의 두고 조르고 쳔역과 즁증을 더어 ᄌᆞ진(自盡)케 ᄒᆞ미 올흘가 ᄒᆞ노라."

1071)승어고모(勝於姑母) : 시어머니 보다도 더하다.
1072)말치 : 말의 뜻. 남의 말의 뜻을 그때그때 상황을 미루어 알아낸 것.

흉고(兇姑)1055)는 뉴녀의 말인즉 진평(陳平)・제갈량(諸葛亮)으로 녁이는지라. 그리ᄒᆞᄌᆞ ᄒᆞ고 공ᄌᆞ 등의 믜오미 날노 더ᄒᆞ고 시(時)로 심ᄒᆞ니, 냥ᄋᆡ 셕목(石木)이 아니라 보젼키 어려오ᄃᆡ 각각 복녹을 댱원(長遠)이 타나시니 대단 【14】ᄒᆞᆫ 질양(疾恙)을 닐위지 아니터라.

뎡싱이 윤가 미곡을 하리로 ᄒᆞ여곰 슈ᄅᆡ로 운젼ᄒᆞ여 주고 도라와, 광텬 등 못니ᄌᆞ미 일심(一心)의 ᄆᆡ쳣더라.

위시 슌태부인긔 간쳥ᄒᆞ여 손녀의 십여일 귀령을 청ᄒᆞ니, 딘부인이 존고긔 고ᄒᆞ고 평후로 의논ᄒᆞ여 쇼져를 보ᄂᆡ고져 ᄒᆞ거늘, 한님이 고왈,

"녀ᄌᆞ유힝(女子有行)이 원부모형뎨(遠父母兄弟)오, 윤태부인이 진정으로 손녀를 보고져 ᄒᆞ미 아니니, ᄌᆞ졍은 칭탁(稱託)고 보ᄂᆡ지 마르쇼셔."

윤쇼졔 시좨(侍坐)러니, 태부인이 그 무류(無聊)ᄒᆞ믈 위로코져 쇼왈,

"너도 한미를 두어시니 남인들 조손간이 엇지 범연ᄒᆞ리오. 녀ᄌᆡ 남ᄌᆞ와 ᄀᆞᆺ지 못ᄒᆞᆫ들 ᄉᆞ졍(私情)좃ᄎᆞ 아조 버히랴."

한님이 함소 대왈,

"왕모의 셩ᄌᆞ인덕(聖慈仁德)으로 져 흉험【15】ᄒᆞᆫ 위부인긔 비길 ᄇᆡ 아니라. 져 위부인은 싀호ᄉᆞ갈(豺虎蛇蝎)의 모질기를 겸ᄒᆞ여 맛츰ᄂᆡ 인ᄆᆡ골(人魅骨)을 ᄲᅧ시나, 그 듕심인즉 괴이ᄒᆞ니 쇼ᄌᆡ 잇다감 옥누항의 왕ᄂᆡᄒᆞ여 보온 즉 놀나미 심(甚)터이다."

평휘 뎡식 왈,

"너희 ᄒᆡᆼ실이 이러ᄐᆞᆺ 경박ᄒᆞ여, 남의 부인ᄂᆡ 허물 니르기를 능ᄉᆞ로 아라, 일분 조심ᄒᆞᄂᆞᆫ 도리 업ᄉᆞ니 엇지 한심치 아니리오. ᄋᆞ부ᄂᆞᆫ 아직 귀령이 급지 아니니 보ᄂᆡ지 말나 ᄒᆞᆯ ᄯᆞ름이라. 남의 흔단(釁端)을 닐너 므엇ᄒᆞ리오."

흉괴(兇姑)1073)【41】ᄂᆞᆫ 뉴여의 말인 직 진평(陳平)・제갈(諸葛)만치 역이ᄂᆞᆫ지라. 그리ᄒᆞᄌᆞ ᄒᆞ고 냥공ᄌᆞ 뮈우미 날노 더ᄒᆞ고 시(時)로 심ᄒᆞ니, 냥공ᄌᆡ 셕목(石木)이 아니라 보젼키 어려오ᄃᆡ, 각각 슈복을 ᄌᆞᆼ원(長遠)이 타 ᄂᆞᆺ스므로 오히려 ᄃᆡ단ᄒᆞᆫ 질양(疾恙)을 일우지 아니ᄒᆞ더라.

한림이 윤가 곡식을 ᄒᆞ리로 ᄒᆞ여금 운젼ᄒᆞ여 쥬고 도라와 냥공ᄌᆞ 못 니ᄌᆞ미 극ᄒᆞ더라.

위ᄐᆡ부인이 슌ᄐᆡ부인긔 글월을 붓쳐 십여일 소져의 귀령을 허ᄒᆞ라 ᄒᆞᆫᄃᆡ, 평후 ᄌᆞ교(慈敎)을 쏫ᄎᆞ 보ᄂᆡ믈 허ᄒᆞᄂᆞᆫ지라. 한림니 겻ᄒᆡ 뫼셔 잇더니 이의 고ᄒᆞ되,

"녀ᄌᆞ유힝(女子有行)은 원부모형제(遠父母兄弟)라 ᄒᆞ옵ᄂᆞ니, 윤가 ᄐᆡ부인니 손녀을 진정으로 보고ᄌᆞᄒᆞ오미 아니오니, ᄌᆞ졍은 연고 잇셔 못 보ᄂᆡ무로 답간을 ᄒᆞ여 보ᄂᆡ쇼셔."

윤쇼져 이의 ᄌᆡ좌(在坐)ᄒᆞ엿ᄂᆞᆫ지라. 슌ᄐᆡ부인이 쇼져ᄋᆡ 무류(無聊)ᄒᆞ믈 위로코ᄌᆞᄒᆞ여 소왈,

"너도 한미을 두어시니 남인들 조손간이 엇지 범연ᄒᆞ리오. 녀ᄌᆞᄂᆞᆫ 남ᄌᆞ와 달ᄂᆞ 갓지 못ᄒᆞᆫ들 ᄉᆞ졍조ᄎᆞ 버히랴?"

한림이 함쇼 ᄃᆡ왈,

"죠모의 셩ᄌᆞ인덕(聖慈仁德)ᄒᆞ시므로쎠 져 흉험ᄒᆞᆫ 위ᄐᆡ부인게 비교하실 ᄇᆡ 아니라, 져 위ᄐᆡ부인의 흉험픽악지ᄉᆞ을 모로시《리이다∥미니다》."

1055)흉고(兇姑) : 흉악한 시어미. 여기서는 위태부인을 지칭한 말.

1073)흉괴(兇姑) : 흉악한 시어미. 여기서는 위태부인을 지칭한 말.

한님이 황공ᄒᆞ여 말을 긋치고, 쇼졔 비록 하ᄒᆡ지량(河海之量)이나 ᄉᆡᆼ의 말이 발셔 조모의 악ᄒᆡᆼ을 아라시믈 대참(大慙)ᄒᆞ여, 봉관을 숙이고 옥면이 취홍(醉紅)ᄒᆞ니 감히 좌우를 ᄉᆞᆯ피지 못ᄒᆞᄂᆞᆫ지라.【16】 존당구괴 ᄉᆡ로이 년ᄋᆡ귀듕(憐愛貴重)ᄒᆞ여 기졍(其情)을 츄연ᄒᆞ고, ᄃᆡ부인이 ᄌᆞᄋᆡ 녀ᄋᆞ의 지나더라. 태부인이 한님의 말ᄃᆡ로 ᄉᆞ괴이셔 못보ᄂᆡ믈 회답ᄒᆞ고, 평휘 쳐음의 귀령을 허코져 ᄒᆞ더니, ᄋᆞᄌᆞ의 말이 올흐믈 ᄭᆡᄃᆞ라 보ᄂᆡ지 아니니라.

ᄒᆞ거ᄂᆞᆯ, 쇼져 한림의 말이 발셔 조모의 ᄑᆡ악(悖惡){ᄒᆡᆼ}을 아【42】라시믈 ᄃᆡ참(大慙)ᄒᆞ여 봉관이 졀노 숙으믈 면치 못ᄒᆞ고, 옥면니 취홍(醉紅)ᄒᆞ니 왕모도화일쳔졈(王母桃花一千點)이 취우(驟雨)의 져졋ᄂᆞᆫ 듯, 팔ᄌᆞ츈산(八字春山)의 져문 ᄂᆡ[1074] 이러ᄂᆞ고 아황봉미(蛾黃鳳眉)의 슈괴ᄒᆞ믈 ᄯᅳ여시니, 교슈현혀(嬌羞顯兮)여 미옥변혜(美玉變兮)라[1075]. 존당구고의 ᄋᆡ지연지(愛之憐之)ᄒᆞ믄 니르지 말고, 한림의 즁ᄃᆡ(重待) 여산약히(如山若海)ᄒᆞ더라. ᄐᆡ부인니 소져 니[일]을 츄연ᄒᆞ여 손아의 말ᄃᆡ로 ᄉᆞ괴 잇셔 보ᄂᆡ지 못ᄒᆞ믈 회답ᄒᆞ여 보ᄂᆡ니라.

ᄎᆞ시 평후 아부의 귀령을 허코져 ᄒᆞ더니, 아ᄌᆞ의 말이 올흐믈 ᄭᆡ다라 보닐 의ᄉᆞ 업더라.

ᄎᆞ야의 한님이 셕월졍의 드러가니, 이ᄯᆡ 윤쇼졔 본부 ᄎᆞ악ᄒᆞᆫ 경상(景狀)을 ᄉᆡᆼ각ᄒᆞ여, 잠연(潛然)이 누쉬 화싀(花顋)예 니음ᄎᆞᆺ더니, 한님의 족용(足容)을 듯고 즉시 눈믈을 거두어 니러 마ᄌᆞ니, ᄉᆡᆼ이 좌뎡ᄒᆞᄆᆡ 묵연이라가, 날호여 문왈,

한림이 ᄎᆞ야의 셕월졍의 드러가니, 소져 본부 ᄎᆞ환을 도라보ᄂᆡ고 슈괴(羞愧)ᄒᆞᆷ과 난안(赧顔)ᄒᆞ미 겸비ᄒᆞ여 옥뉘(玉淚) ᄉᆞᆼ연(傷然)이 ᄯᅥᆯ러지믈 면치 못ᄒᆞ더니, 한림의 드러오ᄂᆞᆫ 소ᄅᆡ을 듯고 누흔(淚痕)을 엄젹(掩迹)ᄒᆞ고 몸을 이러 맛ᄌᆞ니, 한림이 좌졍ᄒᆞᄆᆡ 굿타여 말이 업셔 묵연졍좌러니, 날호여 문왈,

“ᄌᆞ의 거동이 은위만복(隱憂滿腹)ᄒᆞ여 우슈울억(憂愁鬱抑)ᄒᆞ니 유하ᄉᆞ괴(有何事故)[1056]오? 내 비록 미셰ᄒᆞ나 ᄌᆞ(子)의게 쇼텬이어ᄂᆞᆯ 말을 드르ᄃᆡ ᄂᆡᆼ안멸시(冷眼蔑視)ᄒᆞ여 블응(不應)ᄒᆞ믄 하ᄉᆡ(何事)[1057]며, 내 집이 구경지하(具慶之下)[1058]의【17】 별무우환(別無憂患)[1059]ᄒᆞ니 근심ᄒᆞᆯ ᄇᆡ 업ᄂᆞᆫ지라. 녀ᄌᆡ 엇지 화긔(和氣)를 일허 무복(無福)ᄒᆞᆫ 거동을 남을 뵈ᄂᆞ뇨?”

쇼졔 뎡금(整襟) ᄃᆡ왈,

“쳡은 명되(命途) 긔구ᄒᆞ여 어려서 가엄을 여희고, 뉵아지통(蓼莪之痛)[1060]이 ᄆᆡᆺ쳐

“ᄌᆞ의 거동이 《은의‖은우(隱憂)》만복(滿腹)ᄒᆞ엿시니 무숨 연괴 잇ᄂᆞ니잇고? ᄂᆡ 비록 미셰ᄒᆞ나 ᄌᆞ(子)의게ᄂᆞᆫ 소쳔(所天)이여ᄂᆞᆯ, 빈쥬(賓主) 소회을 한번도 펴미 업ᄉᆞ니, 엇지 긔 부부라 ᄒᆞ리잇가? 오문(吾門)이 구경지ᄒᆞ(具慶之下)[1076]의 별단 우괴(憂故) 업ᄉᆞ니 ᄌᆞ의 근심할 ᄇᆡ 업난지라. 여ᄌᆞ 엇지 화긔을 일허 무복(無福)ᄒᆞᆫ 거동을 남을 뵈리오.”

소져 슈용졍금(修容整襟) ᄃᆡ왈,

“쳡은 명되(冥途) 긔구ᄒᆞ여 가엄을 일즉 여희옵고 뉵아지통(蓼莪之痛)[1077]이 ᄆᆡ쳐시

1056)유하ᄉᆞ괴(有何事故) : 무슨 까닭이냐? 무슨 사고라도 있느냐?
1057)하ᄉᆡ(何事) : 무슨 일. 무슨 까닭.
1058)구경지하(具慶之下) : 부모가 모두 살아 있음. 또는 그런 기쁨 가운데 있음.
1059)별무우환(別無憂患) : 특별한 우환이 없음.

1074)ᄂᆡ : 연기.
1075)교슈현혀(嬌羞顯兮)여 미옥변혜(美玉變兮)라 : 부끄러움 띤 아리따운 자태여 미옥(美玉)의 변함이로다.
1076)구경지ᄒᆞ(具慶之下) : 부모가 모두 살아 있음. 또는 그런 기쁨 가운데 있음.

시니 주연 즐거운 사름과 굿지 못ᄒᆞ여 화긔 젹으니, 금일 식로이 은위만복ᄒᆞ다 곡졀을 므르시나 구트여 근심이 업ᄉᆞ오니, 딕홀 말솜이 업ᄂᆞ이다."

싱이 한가히 우어 왈,

"녕존당 태부인이 ᄀᆞ장 험포지인(險暴之人)이라. 신혼초야의 도적의 흉언패셜(凶言悖說)을 쾌히 씌돗ᄂᆞ니, ᄌᆞ(子)를 히ᄒᆞᄂᆞᆫ 지 위태부인과 윤어ᄉᆞ 부인긔 지나지 아니ᄒᆞ리라."

이에 다ᄃᆞ라ᄂᆞᆫ 참괴ᄒᆞ미 더으니 딕왈,

"조모와 슉뫼 남다른 셩덕(盛德)이 업ᄉᆞ시나 쳡을 히홀 니ᄂᆞᆫ 업술지라. 쳡이 힝실이 미(微)【18】ᄒᆞ고 조물의 믜이물 닙어 누명을 므릅쓰나 조손슉딜간(祖孫叔姪間) 의심홀 빅 아니니, 군ᄌᆞ의 말솜이 너모 이러ᄒᆞ시믈 쳡이 그윽이 블복ᄒᆞᄂᆞ이다."

한님이 쇼왈,

"혼인을 작희ᄒᆞ고 도적을 불너드린 용심(用心)이 그곳 작난ᄒᆞ미 괴이치 아니코, 광텬 등을 죽이랴 ᄒᆞ믈 보아ᄂᆞᆫ 아모 극흉지ᄉᆞ(極凶之事)라도 어려워 아닐지라. ᄒᆞᆫ갓 ᄌᆞ의 집을 위ᄒᆞ여 놀날 ᄲᅮᆫ 아니라, 아믹(我妹)의 젼졍을 념녀ᄒᆞ여 엇지 방심ᄒᆞ리오. 출하리 태부인이나 슈히 별셰(別世)ᄒᆞ면 나으렷마ᄂᆞᆫ, 그 상뫼 빅셰를 그음ᄒᆞ리니[1061], 희텬

1060)뉵아지통(蓼莪之痛) : 어버이가 죽어서 봉양하지 못하는 효자의 슬픔을 이르는 말. 중국 전국시대 진(晋)나라 사람 왕부(王裒)가 아버지가 비명(非命)에 죽은 것을 슬퍼하여 일생 묘 앞에 여막(廬幕)을 짓고 살며 추모하였는데, 『시경』 <육아편(蓼莪篇)>을 외우며, 그 때마다 아버지를 봉양치 못하는 자신의 처지를 슬퍼하여 눈물을 흘렸다는데서 유래한 말.

1061)그음ᄒᆞ다 : 끝을 내다. 한계나 기한 따위를 정

니,【43】즐거온 《아름 ‖ 사름》과 갓지 못ᄒᆞ여 화긔 젹으니, 군ᄌᆞ의 고히 녁이믈 당ᄒᆞ오니 불승미안(不勝未安)ᄒᆞ여이다. 금일 식로이 은위만복(隱憂滿腹)다 ᄒᆞ시문 의외라, 별단 무솜 소회 이시리잇가?"

한림이 슉시양구(熟視良久)의 한가히 우어 왈,

"ᄌᆞ의 조모 위틱부인니 가장 고이ᄒᆞᆫ 험포지인(險暴之人)이라. 신혼 초일야의 도젹이 흉언픽셜(凶言悖說)을 {ᄌᆞᄂᆞᆫ 일싱짓더니} 닉 이제ᄂᆞᆫ 쾌히 씨다라ᄂᆞᆫ니 ᄌᆞ을 히ᄒᆞᄂᆞᆫ 지 위틱부인과 뉸어ᄉᆞ의 부인의게 ᄂᆞ지 아니ᄒᆞ롸."

소져 이의 다ᄃᆞ라ᄂᆞᆫ 낫치 더우니 무어시라 딕답ᄒᆞ리오. 잠간 쥬져ᄒᆞ여 딕왈,

"죠모와 슉뫼 비록 다른 셩덕이 업ᄉᆞ나 쳡을 히할니ᄂᆞᆫ 업ᄉᆞ오니 이런 의심은 너모 이심(已甚)치 아니리잇가? 군직 보지 안인 일을 억탁ᄒᆞ시믄 실노 향종(向從)치 아니ᄒᆞᄂᆞ이다. 쳡이 《긔신 ‖ 디신(持身)》ᄒᆞ믈 녜다히 못ᄒᆞ고, 신명이 믜이 역이ᄉᆞ 조물이 희롱ᄒᆞ미니, 누명을 무릅쓰나 조손슉질간(祖孫叔姪間)을 의심할 빅 아니오니, 너모 《억뉴 ‖ 억탁(臆度)》ᄒᆞᄉᆞ 만히 홀딕(忽待)ᄒᆞ시니 그윽이 불복ᄒᆞᄂᆞ이다."

한림이 쳥미파의 빙소 왈,

"손녀의 혼인을 죽히ᄒᆞ고 도젹을 불어드리니 그 흉심이 무엇술 못ᄒᆞ며 불의악식 어ᄂᆞ 지경의 갈 쥴 알니오. 직 아모리 가리고져 ᄒᆞ여도, 닉 옥누항의 가 친히 본 빅 잇ᄂᆞᆫ니, 광텬 형데 그 날 나곳 아니런들 장하(杖下)의 맛출 번 ᄒᆞ여ᄂᆞᆫ니, ᄒᆞᆫ갓 ᄌᆞ의 집을 위할 분 아니라, 쟝닉(將來)을 염녜ᄒᆞ여【44】아믹(我妹)로 ᄒᆞ여금 근심이 젹지

1077)뉵아지통(蓼莪之痛) : 어버이가 죽어서 봉양하지 못하는 효자의 슬픔을 이르는 말. 중국 전국시대 진(晋)나라 사람 왕부(王裒)가 아버지가 비명(非命)에 죽은 것을 슬퍼하여 일생 묘 앞에 여막(廬幕)을 짓고 살며 추모하였는데, 『시경』 <육아편(蓼莪篇)>을 외우며, 그 때마다 아버지를 봉양치 못하는 자신의 처지를 슬퍼하여 눈물을 흘렸다는데서 유래한 말.

등의 ᄋᆡ경이 ᄡᅡ홀 곳이 업ᄉᆞᆯ가 ᄒᆞ노라."

쇼졔 한님의 말이 조모의 악ᄉᆞ를 반ᄃᆞ시 친견ᄒᆞ고 져리 니르믈 ᄭᆡ다라, 져두무언(低頭無言)ᄒᆞ여 【19】팔ᄌᆞ아황(八字娥皇)의 슈운(愁雲)이 녕녕(盈盈)ᄒᆞ고, 쳔만비한(千萬悲恨)이 흉격(胸膈)의 가득ᄒᆞ여 아모리 ᄒᆞᆯ 줄 모르ᄂᆞᆫ 형상이라. 한님이 쇼이 문왈,

"ᄌᆞ의 죵뎨(從弟) 하공 집과 뎡혼ᄒᆞᆫ 규슈ᄂᆞᆫ 어ᄃᆡ로 가며 엇지 실산타 ᄒᆞᄂᆞ뇨?"

쇼졔 모부인 셔ᄉᆞ로 인ᄒᆞ여 현ᄋᆞ 강졍의 이시믈 아랏ᄂᆞᆫ지라 오직 ᄃᆡ왈,

"져적의 실산타 ᄒᆞᆫ 후 긔별(奇別)을 듯지 못ᄒᆞ니 지금 거쳐를 모르ᄂᆞᆫ가 ᄒᆞᄂᆞ이다."

ᄉᆡᆼ왈,

"ᄌᆞ의 집 버르ᄉᆞᆫ 규슈마다 미혼젼(未婚前) ᄒᆞᆫ번식 실산ᄒᆞᄂᆞᆫ가 시브거니와, 쇼문이 블미ᄒᆞ여 뉴부인이 하가(河家)를 ᄇᆡ반(背反)ᄒᆞ고 기녀를 김가(金家)의 결(結)코져 ᄒᆞᄆᆡ 규쉬 슈졀도쥬(守節逃走)ᄒᆞ다 ᄒᆞ니, 뉴부인은 츄셰ᄒᆞᄂᆞᆫ 녹녹ᄒᆞᆫ 녀ᄌᆡ어니와 김가놈의 집은 아모 졔라도 내 손의 패망ᄒᆞᆯ 거시니, 【20】 내 아직 작위 낫고 형셰(形勢) 업셔 겨우지 아니하여 ᄎᆞᆷ고 잇ᄂᆞ니, 김개 망멸(亡滅)ᄒᆞᄂᆞᆫ 날 하가ᄂᆞᆫ 신원(伸寃)ᄒᆞ리니, 내 주야졀치(晝夜切齒)ᄒᆞ고 김후의 손가락을 내 낭듕의 너코 잇ᄂᆞ니, 뉴부인이 다욕(多慾)ᄒᆞ여 친옹(親翁)이 되려 ᄒᆞ던 일이 만히 속앗ᄂᆞ니라."

하여 무슨 일을 하다.

아니니 엇지 방심ᄒᆞᆯ ᄇᆡ이리오. ᄎᆞ라리 그 위ᄐᆡ부인니 슈히 별셰ᄂᆞ ᄒᆞ여시면 조흐련만은 그 상을 보ᄆᆡ 슈ᄒᆞᆫ(壽限)니 쟝원(長遠)ᄒᆞ미 일ᄇᆡᆨ셰을 그음ᄒᆞ리니[1078] 광텬 등의 ᄋᆡ경이 썩힐 고지 업ᄉᆞᆯ가 ᄒᆞ노라."

소져 한림의 말을 드르ᄆᆡ 그 친히 목도(目睹)ᄒᆞ믈 ᄭᆡ다라 더옥 욕ᄉᆞ무지(欲死無地)[1079]ᄒᆞ여 유ᄉᆞ지심(有死之心)ᄒᆞ고 무ᄉᆡᆼ지긔(無生之氣)라. 다만 아황(蛾黃)의 슈운(愁雲)니 영영(盈盈)ᄒᆞ고, 츄파쌍셩(秋波雙星)이 미미(微微)히 가ᄂᆞ라 쳔만비환(千萬悲歡)이 《옥즁‖오장(五臟)》을 ᄉᆞᆯ오니 다만 묵연단좌ᄒᆞ여 《그름‖그림》의 ᄉᆞ람 갓치 말이 업ᄉᆞ니, 한림 우문왈,

"ᄌᆞ의 죵제(從弟) ᄒᆞ공 집과 졍혼ᄒᆞᆫ 규슈 어ᄃᆡ로 갓ᄂᆞ뇨? 무ᄉᆞᆷ 곡졀노 실ᄉᆞᆫᄒᆞ다 ᄒᆞ던니잇가?"

소져 모친 셔ᄉᆞ(書辭)로 조ᄎᆞ 현ᄋᆞ 강졍의 잇시믈 아ᄂᆞᆫ 고로 오직 ᄃᆡᄒᆞ여 왈,

"쳡이 이곳의 잇시니 엇지 알이잇고. 다만 강졍의 피졉(避接)ᄒᆞ여 그리로 가민가 ᄒᆞᄂᆞ이다."

한림이 역소 왈,

"ᄌᆞ의 집 《가품‖가풍(家風)》은 이ᄉᆞᆼ도 ᄒᆞ도다. 규슈마다 미혼 젼 실ᄉᆞᆫᄒᆞᄂᆞᆫ가 십부거이와, 소문○[이] 만히 불미(不美)ᄒᆞ여 뉴부인니 하가(河家)을 ᄇᆡ약ᄒᆞ고 기여(其女)을 김가(金家)의 결혼코자 ᄒᆞᄆᆡ, 그 규슈 수졀도쥬(守節逃走)ᄒᆞ엿다 ᄒᆞ니, 뉴부인의 츄셰ᄒᆞ믄 이르지도 말고, 김가ᄂᆞᆫ 아직 쟉직(爵職)이 ᄉᆞᆼ고ᄒᆞ나 오ᄅᆡ지 아냐 빙ᄉᆞᆫ(氷山)니 문어지리라. ᄂᆡ 아직 쟉직이 놉지 못ᄒᆞ고 형셰(形勢) 셔허(齟齬)히 겨우지 못ᄒᆞ나[여] 참고 잇건니와, 필경은 ᄂᆡ손의 망멸(亡滅)ᄒᆞ리니, 김가 망ᄒᆞᆫ【45】ᄂᆞᆫ 날은 하가ᄂᆞᆫ 신원ᄒᆞ리니, ᄂᆡ 쥬야의 졀치부심(切齒腐心)하고 김후의 손ᄭᅡ락이 ᄂᆡ 낭즁(囊中)의 그져 감

1078)그음ᄒᆞ다 : 끝을 내다. 한계나 기한 따위를 정하여 무슨 일을 하다.

1079)욕ᄉᆞ무지(欲死無地) : 죽으려고 하여도 죽을 만한 곳이 없음.

언필의 웃기를 마지 아니니, 쇼졔 구트여 믓지 아니ᄒᆞ더라.

야심ᄒᆞᄆᆡ 쇼져를 청ᄒᆞ여 츅을 물니고 나위(羅幃)의 나아가니 공경듕ᄃᆡᄒᆞ여 흡연ᄒᆞᆫ 듕졍(重情)이 교칠(膠漆) ᄀᆺ더라. 명됴의 한님은 됴당의 가고 쇼졔 뎡당의셔 존당구고를 뫼시고 슉ᄆᆡ(叔妹)로 화긔를 ᄯᅴ여시니, 풍완호질(豊婉好質)이 《찬비무 ‖ 찬란무비(燦爛無比)》ᄒᆞ여 ᄇᆡᆨ만광염(百萬光艶)이 듕듕(衆中)의 특츌(特出)ᄒᆞ여 실듕의 됴요ᄒᆞ니 존당구괴 ᄉᆡ로이 긔ᄋᆡ귀【21】듕(奇愛貴重)ᄒᆞ고 좌듕이 흠탄경복(欽歎敬服)ᄒᆞ더라.

한님이 샤군찰임(事君察任) 뉵칠삭의 긔졀언논(氣節言論)이 쥰심굉위(峻深宏偉)ᄒᆞ여 ᄒᆞᆫᄀᆺ 경악(經幄)의 근시(近侍)ᄒᆞ여 ᄉᆞ긔를 초ᄒᆞᄂᆞᆫ 문필ᄒᆞᆨᄉᆡ(文筆學士) 아니라, 이윤(伊尹)1062) 녀망(呂望)1063)의 튱(忠)과 졔갈(諸葛)의 신긔지모(神奇智謀)를 겸ᄒᆞ여 만ᄉᆡᄀᆺ초 비상ᄒᆞ니, 튱텬지긔(衝天之氣) 츌뉴발양(出類發揚)ᄒᆞ여 군젼(君前)의도 소견을 은닉지 아니코, 텬위진노(天威嗔怒)ᄒᆞ신 ᄯᅴ라도 일호 구겁ᄒᆞ미 업셔, 당당ᄒᆞᆫ 대의와 늠늠ᄒᆞᆫ 덕화로 ᄉᆞ군(事君)ᄒᆞ여 풍녁(風力)1064)과 딕졀(直節)이 상셜(霜雪)을 능만(淩慢)ᄒᆞ니, 샹통이 늉셩ᄒᆞ고 만됴의 공경긔탄(恭敬忌憚)ᄒᆞ미 진신명ᄉᆞ(縉紳名士)로 아지 아녀 황각(黃閣)1065)의 큰 그르시며, 동냥(棟樑)의 직목으로 아라, 나히 년쇼ᄒᆞ믈 닛고 호를 《촉 ‖ 쥭쳥》션싱이라 ᄒᆞ여, 덕망【22】이 산두(山斗)1066)와 상칭(相稱)ᄒᆞ니, ᄉᆞ류

1062)이윤(伊尹) : 중국 은나라의 전설상의 인물. 이름난 재상으로 탕왕을 도와 하나라의 걸왕을 멸망시키고 선정을 베풀었다.

1063)녀망(呂望) : 중국 주(周)나라 초기의 정치가. 태공망(太公望)의 다른 이름. 여(呂)는 그에게 봉해진 영지(領地)이며, 상(尙)은 그의 이름이다. 강태공(姜太公).· 여상(呂尙) 등의 다른 이름으로도 불린다.

1064)풍력(風力) : 사람의 위력(偉力).

1065)황각(黃閣) : 행정부의 최고기관인 의정부(議政府)를 달리 이르는 말.

초앗ᄂᆞ니, 뉴시 부인의 ᄃᆡ혹ᄒᆞᆫ 친옹(親翁)이 ᄂᆡ게 만히 속아ᄂᆞᆫ지라.”

ᄒᆞ며 웃기을 마지 아니ᄒᆞ되, 소져ᄂᆞᆫ 굿ᄒᆞ여 뭇지 아니 ᄒᆞ더라.

한림이 ᄉᆞ군{훌}찰님(事君察任)과 긔졀언논(奇節言論)이 즁엄굉위(重嚴宏偉)ᄒᆞᆷ과 ᄒᆞᆫᄀᆺ 경익(經幄)의 근시ᄒᆞ여 《명필학실할 ‖ 문필학사(文筆學士)일》분 아니라, 장졸을 어거(馭車)ᄒᆞ여 문무의 굉위(宏偉)ᄒᆞ미 이윤(伊尹)1080) 곽광(霍光)1081)의 《통츙 ‖ 졍츙(貞忠)을 겸ᄒᆞ여 쟝구령(張九齡)1082) 급암(汲黯)1083)을 ○○○[직절(直節)을] 압도ᄒᆞ니, 당당ᄒᆞᆫ ᄃᆡ의와 늠늠ᄒᆞᆫ 덕힝이 츌어범인(出於凡人)니오, ᄉᆞ군(事君)ᄒᆞ미 풍녁(風力)1084)과 직졀(直節)이 고인을 묘시(藐視)ᄒᆞ니, 상춍이 날노 융융ᄒᆞ고 만조 ᄇᆡᆨ뇨의 공경긔ᄃᆡ(恭敬期待)ᄒᆞ미 진신명ᄉᆞ(縉紳名士)로 아지 아냐, 황각(黃閣)1085)의 큰 그릇시며 동양(棟樑)의 《듬지목 ‖ 직목》으로 아

1080)이윤(伊尹) : 중국 은나라의 전설상의 인물. 이름난 재상으로 탕왕을 도와 하나라의 걸왕을 멸망시키고 선정을 베풀었다.

1081))곽광(霍光) : ?~B.C.68. 중국 전한(前漢)의 장군. 무제를 섬기다가 무제가 죽자 실권을 장악하여 권력을 누렸다.

1082)쟝구령(張九齡) : 673~740. 중국 당나라의 정치가·시인. 현종의 신임을 받았고, 당시(唐詩)의 부흥에 힘썼다.

1083)급암(汲黯) : ?~B.C.112. 중국 전한(前漢) 무제 때의 직신(直臣) 자는 장유(長孺). 성정이 엄격하고 직간을 잘하였다.

1084)풍력(風力) : 사람의 위력(偉力).

1085)황각(黃閣) : 행정부의 최고기관인 의정부(議政府)를 달리 이르는 말.

의 츄앙(推仰)ᄒᆞᄂᆞᆫ 빈오, ᄉᆞ방의 진동(振動)ᄒᆞ여 작위 졉졉 놉하 간의태우 문연각 태흑ᄉᆞ 표긔댱군을 ᄒᆞ이시니, 평휘 ᄋᆞᄌᆞ의 지덕을 두굿기나 년쇼 듕망이 놉흐믈 두리며, 셩만(盛滿)ᄒᆞ믈 공구(恐懼)ᄒᆞ여 ᄆᆡ양 공검졀ᄎᆞ(恭儉切磋)ᄒᆞ믈 경계ᄒᆞ더라.

이러구러 하츄(夏秋)[1067]를 다 지ᄂᆡ고 초동(初冬) 십월이라. 뎐부인이 잉ᄐᆡ 십일삭의 쏫ᄎᆞ로 삭이고 옥으로 무은 일개 녀ᄋᆞ를 ᄉᆡᆼᄒᆞ니, 뎡공이 오ᄌᆞ일녀(五子一女)를 브족히 녁이다가, ᄒᆡᆼ희(幸喜)ᄒᆞ여 명을 아쥐라 ᄒᆞ고, ᄉᆞ랑ᄒᆞ미 텬디만물(天地萬物)의 비치 못ᄒᆞ여 귀듕ᄒᆞ미 측냥치 못ᄒᆞ고, 태부인이 과ᄋᆡᄒᆞ믄 손ᄋᆞ(孫兒)○[를] 처음 본 듯ᄒᆞ더라.

지셜【23】 은쥐 아듕(衙中)의 윤어시 황명을 밧드러 은쥐를 다ᄉᆞ리ᄆᆡ, 어진 덕이며 쳥검ᄒᆞᆫ ᄒᆡᆼ실과 티송결옥(治訟決獄)의 명쾌ᄒᆞᆫ 졍ᄉᆡ 지공무ᄉᆞ(至公無私)ᄒᆞ여 평(平)ᄒᆞᆫ 져울과 ᄇᆞᆰ은 거울 ᄀᆞᆺᄐᆞ여, 간활(奸猾)ᄒᆞᆫ 관니(官吏)와 블인(不仁)ᄒᆞᆫ 듀현(州縣)이 감히 속이지 못ᄒᆞ여, 슌무ᄒᆞ연 지 오뉵삭의 인심이 크게 뎡(定)ᄒᆞ여, 도젹이 화ᄒᆞ여 냥민이 되고 블효지 효도ᄒᆞ며 간악ᄒᆞᆫ 계집이 온슌ᄒᆞ며 형뎨 블목(不睦)ᄒᆞ던 지 우공(友恭)ᄒᆞ니, 인물이 밧고이며 시졀이 풍등(豐登)ᄒᆞ여 오곡이 셩(盛)ᄒᆞ고 우슌풍됴(雨順風調)ᄒᆞ니 ᄒᆡ포[1068] 바렷던 젼토(田土)를 긔경(起耕)ᄒᆞ여, 비로소 남네 소임을 출혀 향위(鄕儒) ᄒᆞᆨ교의 모다 유학(儒學)을 힘쓰며, 용댱(勇壯)ᄒᆞᆫ 녁ᄉᆞ(力士)ᄂᆞᆫ 무비(武備)를 슝상ᄒᆞ고, 도로의【24】 상고(商賈)ᄂᆞᆫ 흥니(興利)를 시작ᄒᆞ여, 셔로 징경(爭廷)[1069]ᄒᆞ미 업고, 야블폐문(夜不閉門)[1070]ᄒᆞ니 완(完)이 다른 디방이 되엿ᄂᆞᆫ지라.

1066)산두(山斗) : 태산북두(泰山北斗)의 줄임말로 태산과 북두성을 아울러 이르는 말.
1067)하츄(夏秋) : 여름과 가을을 아울러 이르는 말.
1068)ᄒᆡ포 : 한 해가 조금 넘는 동안.
1069)징경(爭廷) : 관청에서 시비를 다툼.
1070)야블폐문(夜不閉門) : 밤에 문을 닫지 않음.

라, ᄂᆞ히 최소ᄒᆞ나 별호을 듁청션ᄉᆡᆼ이라 ᄒᆞ고, 덕망이 산두(山斗)[1086] 갓트니 ᄉᆞ류의 츄양ᄒᆞ미 일셰의 읏듬이러라, 위(位) 졈졈 놉ᄒᆞᆫ 간의ᄐᆡ우 문연각 ᄐᆡ학ᄉᆞ로 표긔쟝군을 ᄒᆞ이시니, 금평후 아ᄌᆞ의 지덕을 두굿기ᄂᆞ 연소 즁망을 두리며, 벼슬이 바라ᄂᆞᆫ 바의 너믄지라, 그 셩만(盛滿)ᄒᆞ믈 두려 ᄆᆡ양 공구(恐懼)ᄒᆞ믈 경게(警戒)ᄒᆞ더라.

이러구러 하츄(夏秋)[1087]을 보ᄂᆡ고 초동(初冬)의 진부인니 슈ᄐᆡ(受胎)ᄒᆞ여 십일ᄉᆞᆨ(十一朔)만의 쏫ᄎᆞ로 ᄉᆞ이고 옥으로 무은【46】 듯ᄒᆞᆫ 일기 녀ᄋᆞ을 ᄉᆡᆼᄒᆞ니, 뎡공이 오ᄌᆞ일녀을 부족히 녁이다가 희ᄒᆡᆼ(喜幸)ᄒᆞ여 명을 아쥐라 ᄒᆞ고 과ᄋᆡᄒᆞ시믄 손아을 처음 보신 듯하더라.

지셜 윤어ᄉᆞ 황명을 밧드러 은쥐을 다ᄉᆞ리ᄆᆡ 졍ᄉᆡ(政事) 갈ᄉᆞ록 더옥 명쾌ᄒᆞ여 지공무ᄉᆞ(至公無私)ᄒᆞ여 ᄋᆡ증쳬결(愛憎締結)이 업ᄉᆞ며 발근 거울 갓타여 원근의 진동ᄒᆞ더니, 불인(不仁)한 쥬현(州縣)이 감히 소임을 ᄐᆡ만이 못ᄒᆞ연지 오륙ᄉᆞᆨ의, 인심이 후ᄒᆞ고 도젹이 화ᄒᆞ여 양민이 되고 불효ᄌᆞᄂᆞᆫ 효을 쥬(主)ᄒᆞ며 요악ᄒᆞᆫ 계집은 온슌ᄒᆞᄆᆡ 불화ᄒᆞ든 지 《유공∥우공(友恭)》ᄒᆞ기의 이르니, 인심이 ᄐᆡ평ᄒᆞ며 시졀이 풍등(豐登)ᄒᆞ니, 오곡이 셩만(盛滿)ᄒᆞ고 우슌풍조(雨順風調)ᄒᆞ여, 남녀 소임을 ᄎᆞ리고 ᄉᆞ류ᄂᆞᆫ 문학을 슉습(熟習)ᄒᆞ며 인심이 크게 풍우(豊優)ᄒᆞ더라.

1086)산두(山斗) : 태산북두(泰山北斗)의 줄임말로 태산과 북두성을 아울러 이르는 말.
1087)하츄(夏秋) : 여름과 가을을 아울러 이르는 말.

어시 하ᄉᆞ월의 니가ᄒᆞ여 동십월이 되니 북으로 가는 기러기를 챵망(悵望)ᄒᆞ여 군친(君親)을 영모(永慕)ᄒᆞ미 극ᄒᆞ고, ᄯᅩᄒᆞᆫ 가ᄉᆞ를 념녀(念慮)ᄒᆞ미 간졀ᄒᆞ여 ᄌᆞ딜(子姪)을 싱각고 회픠(懷抱) 만단(萬端)이나 ᄒᆞᄃᆡ, 녁편(驛便)1071)으로 본부 소식을 드르니 모친이 안강ᄒᆞ시고 합문(閤門)이 무ᄉᆞ타 ᄒᆞᄃᆡ, 구패 모상(母喪)을 당ᄒᆞ여 졀강으로 가다 ᄒᆞ니, 조부인 모ᄌᆞ를 보호ᄒᆞ리 업ᄉᆞ믈 더옥 념녀ᄒᆞ여, 임의 국ᄉᆞ를 션치ᄒᆞᄆᆡ, 십일월 긔망(旣望)의 하리 츄죵을 거ᄂᆞ려 상경ᄒᆞᆯᄉᆡ, 은쥐 니민(吏民)이 다 눈믈을 흘녀 니별을 슬허, 적지(赤子) 부모를 상니(相離)홈 ᄀᆞᆺᄐᆞ여【25】 곳곳이 탁쥬마육(濁酒馬肉)을 가져 젼별(餞別)ᄒᆞᄂᆞᆫ지라. 안ᄃᆡ(按臺) 졔민(齊民)을 디극히 무위(撫慰)ᄒᆞ고 쥬육(酒肉)을 흔연이 맛보아 그 졍셩을 물니치지 아니ᄒᆞ고, 속힝 샹경ᄒᆞ여 궐하의 복명ᄒᆞ니, 샹이 인견 샤쥬ᄒᆞ시고 은쥐를 복고ᄒᆞ여 인심을 딘뎡ᄒᆞ고 졍식 명졍ᄒᆞ믈 칭찬ᄒᆞ샤, 벼슬을 도도아 츄밀ᄉᆞ(樞密使)를 ᄒᆞ이시니 어시 지삼 고샤브득(固辭不得)ᄒᆞ고 샤은 퇴됴ᄒᆞ여 총총(悤悤)이 집으로 도라오니라.

어ᄉᆞ ᄒᆞᄉᆞ월의 이가ᄒᆞ여 즁동 엄혼을 당ᄒᆞ니, 북을 바라고 군친(君親)을 영모(永慕)ᄒᆞ미 극ᄒᆞ고, 도라 가ᄉᆞ을 염네ᄒᆞ미 간졀ᄒᆞ여 혈혈(孑孑)ᄒᆞᆫ ᄌᆞ질(子姪)을 ᄉᆞ렴ᄒᆞ니 회포(懷抱) 만단(萬端)이ᄂᆞ ᄒᆞ더니, 영[역]편(驛便)1088)으로 본부 셔간을 보ᄆᆡ 합졀(閤節)1089)이 무ᄉᆞ타 ᄒᆞ믈 깃거ᄒᆞᄂᆞ, 구픠 친송(親喪)을 맛나 졀강으로 가믈 드르니, 조부인 모ᄌᆞ을 보익(輔翊)ᄒᆞ리 업ᄉᆞ믈 크게 염네ᄒᆞ여, 국ᄉᆞ을 브런니 션치ᄒᆞᆫ 후 십일월 긔망(旣望)의 위의(威儀)을 두루혀 은쥐을 써날 식, 니민이 옵흘 막아 유ᄌᆡ(幼子) 어미을 써남 갓치【47】 셜워ᄒᆞ고, 탁쥬마육(濁酒馬肉)으로써 젼별ᄒᆞ니, 어ᄉᆞ 졔민(齊民)을 지극히 위로ᄒᆞ여 쥬육(酒肉)을 맛보아 그 정셩을 물리치지 아니코 호언으로 위로ᄒᆞᆫ 후, 쥬야 ○○○[힝ᄒᆞ여] 경ᄉᆞ의 이르러 궐ᄒᆞ의 봉명(復命)ᄒᆞ니, 상이 반기ᄉᆞ 밧비 인견ᄒᆞ시고 은쥐을 복구ᄒᆞ여 인심을 진졍ᄒᆞ며 정ᄉᆞ{을} ○○○[명졍ᄒᆞ]믈 칭촌ᄒᆞᄉᆞ, 벼술을 도도와 츄밀ᄉᆞ(樞密使)을 ᄒᆞ이시니, 어ᄉᆞ 직숨 고ᄉᆞᄒᆞ되 상이 불윤(不允)ᄒᆞ시니 어ᄉᆞ 마지못ᄒᆞ여 ᄉᆞ은(謝恩) 퇴조ᄒᆞ여 집으로 도라오니라.

ᄎᆞ셜 션시의 윤부 태부인이 뉴시모녀로 더브러 일야 조부인 삼모ᄌᆞ를 업시키를 도모ᄒᆞᄃᆡ, 공ᄌᆞ 곤계(昆季) 사ᄅᆞᆷ의 먹고 견ᄃᆡ지 못홀 거시라도 잘 견ᄃᆡ고, 일일 ᄒᆞᆫ쎡 편홀 ᄇᆡ 업고 겨울을 당ᄒᆞᄃᆡ 헌 뵈옷시 빅결(百結)ᄒᆞ여【26】 살흘 가리오지 못ᄒᆞ고, 언 지강과 찬 조밥의 쁜 소금이 입의 들ᄆᆡ, 어름을 먹은 듯ᄒᆞ고 닝실의 블김1072)을 못ᄒᆞ고 쥬야 기괴ᄒᆞᆫ 쳔역이 '안비(眼鼻)를 막기(莫開)'1073)ᄒᆞ니 쳔금귀골(千金貴骨)이 만신(滿身)의 ᄒᆞᆫ 조각 온긔 업셔 깁 ᄀᆞᆺᄐᆞᆫ 가족이 어러 터지기를 면치 못ᄒᆞ고, 북풍이 놉고 대셜이 ᄲᅡ히ᄂᆞᆫᄃᆡ ᄆᆡ온 셔리 쳠가ᄒᆞ여,

시시의 윤가 ᄐᆡ부인니 뉴시 모녀로 더부러 쥬야 조부인 ᄉᆞᆷ모ᄌᆞ을 업시키을 도모ᄒᆞᄃᆡ, 공자 형졔{을} 못견딜 바을 다 ᄌᆞᆯ 견듸ᄂᆞ 병드지 아니코 ᄌᆞ진치 아냐, 임의 하츄(夏秋)을 다 보니고 겨을을 당ᄒᆞ여 뵈옷슬 벗지 못ᄒᆞ고, 긔괴ᄒᆞᆫ 쳔역은 불가형언이오, 옥 갓튼 긔부(肌膚)와 깁 갓튼 가족1090)이 어러 터지거날, 위틱 가지록 극심흉악(極甚凶惡)ᄒᆞ여, 눈 우히다 쑬니고 일쥬야(一晝夜)을 움즉이지 못ᄒᆞ게 ᄒᆞ니, ᄎᆞ 공ᄌᆞᄂᆞᆫ 젹숭(積傷)ᄒᆞ여 토혈(吐血)ᄒᆞ니, ᄌᆞᆼ 공ᄌᆞ ᄯᅩᄒᆞᆫ 옥면이 청옥(靑玉)갓트여 거의 진탈(盡脫)할 듯ᄒᆞ니, 조부인이 ᄎᆞᆷ지 못ᄒᆞ여 냥ᄌᆞ을 붓들

1071)녁편(驛便) : 역(驛)을 이용한 통신 편.
1072)불김 : 불기(- 氣). 불의 뜨거운 기운.
1073)안비막개(眼鼻莫開) : 눈코 뜰 사이가 없다는 뜻으로, 일이 몹시 바쁨을 이르는 말.

1088)역편(驛便) : 역(驛)을 이용한 통신 편.
1089)합졀(閤節) : 늑합내(閤內). 주로 편지글에서, 남의 가족을 높여 이르는 말.
1090)가족 : 가죽.

디우하쳔(至愚下賤)1074)의 녕한(獰悍)ᄒᆞᆫ 뉴(類)라도 치우믈1075) 견ᄃᆡ지 못ᄒᆞ거ᄂᆞᆯ, 흉괴 냥공ᄌᆞ를 눈 우희 ᄭᅮᆯ니고 슈죄(數罪)ᄒᆞ여 일쥬야(一晝夜)를 움즉이지 못ᄒᆞ게 ᄒᆞ니, ᄎᆞ공ᄌᆡ 젹상(積傷)ᄒᆞ여 피를 토ᄒᆞ고 것구러져 엄엄(奄奄)히1076) 인ᄉᆞ를 모로고, 댱공ᄌᆞᄂᆞᆫ 옥면이 쳥옥 ᄀᆞᆺᄐᆞ여 거의 딘(盡)ᄒᆞᆯ ᄃᆞᆺᄒᆞ니, 조부인이 ᄎᆞᆷ지 못ᄒᆞ여 냥공ᄌᆞ를 븟【27】들고 실셩오열(失性嗚咽)ᄒᆞ여 위부인긔 ᄋᆡ걸 왈,

"져희 죄상은 유죄무죄간 눈 우희 아조 진케 되여시니 원컨ᄃᆡ 존고ᄂᆞᆫ 쇼쳡을 죽이시고 져희 목숨을 빌니쇼셔."

태부인이 팔을 ᄲᅩᆷᄂᆡ며 다라드러 조부인 삼모ᄌᆞ(三母子)를 즛두ᄃᆞ리려 ᄒᆞᆯ ᄎᆞ, 믄득 어ᄉᆞ의 드러오ᄂᆞᆫ 션셩(先聲)이 니르러 명일 입경(入京)ᄒᆞᆫ다 ᄒᆞᄂᆞᆫ디라. 태부인이 눈을 뒤룩여 이리 보고 져리 보아, 어린 ᄃᆞᆺ 긴 톡1077)을 들며 반ᄇᆡᆨ두(半白頭)를 그덕이고, 반가온 ᄃᆞᆺ 황홀ᄒᆞᆫ ᄃᆞᆺ, 명일 ᄋᆞᄌᆞ 볼 일은 ᄀᆞ장 탐탐(耽耽)ᄒᆞᄃᆡ1078), 져의 고식(姑息)의 과악(過惡)이 ᄀᆞ득ᄒᆞ니 브지쇼위(不知所爲)1079)어ᄂᆞᆯ, 뉴시 노복을 호령ᄒᆞ여 ᄇᆡᆨ화헌을 졈화(點火)ᄒᆞ고 신신(新新)ᄒᆞ고 ᄃᆞᆺ거온 식옷ᄉᆞᆯ ᄂᆡ여 냥공ᄌᆞ를 개착게 ᄒᆞ고, 어ᄉᆞ【28】를 마ᄌᆞ라 ᄒᆞ며, 태부인을 당의 오르쇼셔 ᄒᆞ여 ᄀᆞ마니 희월누 문을 여러 조부인을 드러가게 ᄒᆞ라 ᄒᆞᆫᄃᆡ, 태부인이 즉시 조시를 믈너가라 ᄒᆞ고 희월누의 나와 이공ᄌᆞ 등을 식옷ᄉᆞᆯ 닙게 ᄒᆞᄃᆡ, ᄎᆞ공ᄌᆞᄂᆞᆫ 인ᄉᆞ를 바려 구러져시니, 뉴시 착급히 시녀로 붓드러 졔 방으로 드리고, 댱공ᄌᆞᄂᆞᆫ 졍신을 출혀 믈너 식옷ᄉᆞᆯ 곳치고 안의 드러와 ᄋᆞ1080)

1074)디우하쳔(至愚下賤) : 지극히 어리석고 낮고 천함.
1075)치움 : <칩다 : 춥다>. 추움. 추위.
1076)엄엄(奄奄)하다 : 숨이 곧 끊어지려 하거나 매우 약한 상태에 있다.
1077)톡 : 턱.
1078)탐탐(耽耽)ᄒᆞ다 : 몹시 즐거워하다.
1079)브지쇼위(不知所爲) : 어찌해야 할 바를 알지 못함.

고 실셩오열(失性嗚咽)ᄒᆞ여 틱부인게 비러 왈,

"져희 죄지경즁(罪之輕重)은 모르옵건니와, 이제 두 목슘이 일시의 진(盡)케 되오엿ᄉᆞ오니 복망 존고ᄂᆞᆫ 쳡을 쥭이시믈 명【48】ᄒᆞ시고 져 두 ᄌᆞ식의 목슘을 빌니소셔."

ᄋᆡ걸ᄒᆞ니, 위틱 청파(聽罷)의 팔을 ᄲᅩᆷᄂᆡ며 다라드러 조부인 ᄉᆞᆷ모ᄌᆞ을 질타코자 할 즈음의, 문득 어ᄉᆞ의 션셩(先聲)이 이르러 명일 입셩ᄒᆞᆫ다 ᄒᆞ니, 뉴시 노복을 분부ᄒᆞ여 ᄇᆡᆨ화헌을 졈아[화](點火)ᄒᆞ고, 두터운 신의(新衣) 두벌을 ᄂᆡ여 댱 공ᄌᆞ을 입혀 어ᄉᆞ을 마지라 ᄒᆞ며, 틱부인을 당의 오르소셔 ᄒᆞ며 ᄯᅩᄒᆞᆫ 희월누 문을 열[여]러 조부인을 드러가게 ᄒᆞ나, ᄎᆞ공ᄌᆡᄂᆞᆫ 인ᄉᆞ을 버려 것구러져 그[긔]졀(氣絶)ᄒᆞ여시니, 뉴시 착급(着急)ᄒᆞ여 시녀로 붓드러 졔 방으로 다려가니, 장공ᄌᆞᄂᆞᆫ 졍신을 게우 슈습ᄒᆞ야 옷ᄉᆞᆯ 가라 입고 아이1091)을 ᄲᅡᆯ라 드러와 구호ᄒᆞ며 심ᄉᆞ 버히ᄂᆞᆫ 듯ᄒᆞ더니, ᄎᆞ 공ᄌᆞ 오ᄅᆡ게야 인ᄉᆞ을 ᄎᆞ려 눈을 써 보니, ᄌᆞ긔 몸이 희츈누의 누어시믈 가ᄌᆞᆼ 고히 역이더니, 뉴시 ᄂᆞ아가 안ᄌᆞ 어ᄉᆞ의 드러오믈 이르고,

○…**결락 1,081자**…○ [어셔 니러나라 ᄒᆞ며 일긔미듁(一器糜粥)을 가져 냥공ᄌᆞ를 난화 먹이며, 경ᄋᆡ 머리를 ᄡᅳ다듬고 눈셥을 ᄶᅵᆼ긔여,

"현ᄋᆞ의 거톄 업ᄉᆞ믈 젼치 아냐시니 야야긔 므어시라고 ᄒᆞ리오?"

일공ᄌᆞᄂᆞᆫ 옷ᄉᆞᆯ 가라 닙고 ᄌᆞ긔 등의 졍ᄉᆞ(情事)를 계부긔 고치 아니려 ᄒᆞ나, 경ᄋᆞ의 근심ᄒᆞ믈 심니(心裏)의 실쇼(失笑)ᄒᆞ여 긔괴(奇怪)히 넉이고, ᄎᆞ공ᄌᆞᄂᆞᆫ 대인의 도라오시믈 황홀이 반갑기ᄂᆞᆫ 니르지 말고 양모의 실덕(失德)이 무궁ᄒᆞ니, 야애 도라오샤 블평ᄒᆞᆫ

1091)아이 : 아우.

을 구호ᄒᆞ여, 반일의야 눈을 ᄯᅥ 좌우를 술피고, ᄒᆡ츈누의 드러와 누어시믈 괴이히 넉이거늘, 뉴시 나아 안ᄌᆞ 어ᄉᆞ의 도라오믈 니르고, 어셔 니러나라 ᄒᆞ며 일긔미듁(一器糜粥)을 가져 냥공ᄌᆞ를 난화 먹이며, 경ᄋᆡ 머리를 긁져기고 눈셥을 ᄶᅵᆼ긔여, 【29】

"현ᄋᆞ의 거쳬 업ᄉᆞ믈 젼치 아냐시니 야야긔 므어시라고 ᄒᆞ리오?"

일공ᄌᆞ는 옷술 가라 닙고 ᄌᆞ긔 등의 졍ᄉᆞ(情事)를 계부긔 고치 아니려 ᄒᆞ나, 경ᄋᆞ의 근심ᄒᆞ믈 심니(心裏)의 실쇼(失笑)ᄒᆞ여 긔괴(奇怪)히 넉이고, ᄎᆞ공ᄌᆞ는 대인의 도라오시믈 황홀이 반갑기는 니르지 말고 양모의 실덕(失德)이 무궁ᄒᆞ니, 야애 도라오샤 블평ᄒᆞᆫ ᄉᆞ단(事端)이 이실가 근심이 만단이라. 번연이 니러나 알픈 거술 강인ᄒᆞ고 어득ᄒᆞᆫ 졍신을 뎡ᄒᆞ여 듁음을 나오고, 밧긔 나와 개복(改服)ᄒᆞᆯᄉᆡ 일공ᄌᆡ 왈,

"계뷔 도라오신 후 강졍 ᄆᆡ져를 다려오ᄃᆡ 아직은 계부긔 고치 말나."

ᄎᆞ공ᄌᆡ 뎡ᄉᆡᆨ 왈,

"대인이 팔구삭 니가(離家)의 도라오시ᄆᆡ 존당의 봉ᄇᆡ(奉拜)ᄒᆞ시고 우리 【30】 형뎨 남ᄆᆡ를 반기고져 ᄒᆞ실 ᄇᆡ어늘, ᄆᆡ져(妹姐)를 강졍의 ᄀᆞᆷ초아 가듕의 블평ᄒᆞᆫ ᄉᆞ단(事端)을 닐위미 됴흐리잇가? 형댱은 쇼뎨(小弟)로 무ᄉᆞ코져 ᄒᆞ거든 우리 쳔역고초 겻그믈 대인긔 ᄉᆞᄉᆡᆨ지 마르쇼셔."

일공ᄌᆞ 믄득 탄왈,

"낸들 엇지 그 ᄉᆞ이 고경(苦境)이야 계부긔 고ᄒᆞ리오마는 져져를 아직 강졍의 두고져 ᄒᆞ미, 조모와 슉뫼 ᄆᆡ양 절박ᄒᆞ믈 경계ᄒᆞ샤 홀노 두면 실노 의혹ᄒᆞᆯ가 ᄒᆞ미러니, 네 말이 올흐니 엇지 막으리오. 다만 ᄆᆡ졔 강졍의 머므던 바를 므어시라 고(告)코져 ᄒᆞᄂᆞ뇨?"

공ᄌᆡ 왈,

"조모와 ᄌᆞ위(慈闈) 바야흐로 ᄆᆡ져 실산지ᄉᆞ를 대인긔 젼ᄒᆞᆯ 말ᄉᆞᆷ이 업셔 절박히 넉이시니, 여ᄎᆞ여ᄎᆞ ᄒᆞᆯ진ᄃᆡ 구ᄐᆞ여 아둥의 죄

1080)ᄋᆞ : 아우. 동생.

ᄉᆞ단(事端)이 이실가 근심이 만단이라. 번연이 니러나 알픈 거술 강인ᄒᆞ고 어득ᄒᆞᆫ 졍신을 뎡ᄒᆞ여 듁음을 나오고, 밧긔 나와 개복(改服)ᄒᆞᆯᄉᆡ 일공ᄌᆡ 왈,

"계뷔 도라오신 후 강졍 ᄆᆡ져를 다려오ᄃᆡ 아직은 계부긔 고치 말나."

ᄎᆞ공ᄌᆡ 뎡ᄉᆡᆨ 왈,

"대인이 팔구삭 니가(離家)의 도라오시ᄆᆡ 존당의 봉ᄇᆡ(奉拜)ᄒᆞ시고 우리 형뎨 남ᄆᆡ를 반기고져 ᄒᆞ실 ᄇᆡ어늘, ᄆᆡ져(妹姐)를 강졍의 ᄀᆞᆷ초아 가듕의 블평ᄒᆞᆫ ᄉᆞ단(事端)을 닐위미 됴흐리잇가? 형댱은 쇼뎨(小弟)로 무ᄉᆞ코져 ᄒᆞ거든 우리 쳔역고초 겻그믈 대인긔 ᄉᆞᄉᆡᆨ지 마르쇼셔."

일공ᄌᆞ 믄득 탄왈,

"낸들 엇지 그 ᄉᆞ이 고경(苦境)이야 계부긔 고ᄒᆞ리오마는 져져를 아직 강졍의 두고져 ᄒᆞ미, 조모와 슉뫼 ᄆᆡ양 절박ᄒᆞ믈 경계ᄒᆞ샤 홀노 두면 실노 의혹ᄒᆞᆯ가 ᄒᆞ미러니, 네 말이 올흐니 엇지 막으리오. 다만 ᄆᆡ졔 강졍의 머므던 바를 므어시라 고(告)코져 ᄒᆞᄂᆞ뇨?"

공ᄌᆡ 왈,

"조모와 ᄌᆞ위(慈闈) 바야흐로 ᄆᆡ져 실산지ᄉᆞ를 대인긔 젼ᄒᆞᆯ 말ᄉᆞᆷ이 업셔 절박히 넉이시니, 여ᄎᆞ여ᄎᆞ ᄒᆞᆯ진ᄃᆡ 구ᄐᆞ여 아둥의 죄 되지 아니코, 태모와 ᄌᆞ졍이 깃거ᄒᆞ시리이다."

일공ᄌᆡ 올히 넉여 형뎨 ᄒᆞᆫ가지로 존당의 드러가 고ᄒᆞᄃᆡ,

"작일 벽난이 왓더니잇가?"

태부인과 뉴시 황홀ᄒᆞ여 답왈,

"벽난은 현ᄋᆞ를 좃ᄎᆞ 가시니 엇지 와시믈 뭇ᄂᆞ뇨?"

냥공ᄌᆡ 흠긔 ᄃᆡ왈,

"쇼손 등이 작일 문밧긔셔 벽난을 만나 남복(男服)을 ᄒᆞ여시ᄆᆡ 면목이 닉으나 챵졸의 ᄭᆡ듯지 못ᄒᆞ니, 제 몬져 니르ᄃᆡ 이졔는 노애 도라오시니 쇼져를 뫼셔 오렷노라 ᄒᆞ옵거늘, 져져의 계신 곳을 므르니 은쥐 반이나 나려가 노듕의셔 져졔 득질ᄒᆞ여 듀인을 잡아 오뉵삭(五六朔)이나 머므다가, 대인 도라오시는 션셩(先聲)을 듯고, ᄆᆡ져는 바로 샹경ᄒᆞ여 강졍의 와 계시다 ᄒᆞ거늘, 반ᄃᆞ시 조모와 ᄌᆞ위긔 고ᄒᆞ여시므로 아옵고, 작일 셩뇌진쳡(聖怒震疊)ᄒᆞ시니 감히 고치 못ᄒᆞ과이다."

태부인 고식(姑媳)이 쳥미(聽未)의 깃브미 등텬(登天)ᄒᆞᆯ ᄃᆞᆺ 좌블안졉(座不安接)[1092]ᄒᆞ고, 평ᄉᆡᆼ 쳐음으로 냥공ᄌᆞ를 ᄃᆡᄒᆞ여 웃는 얼굴노 집슈년망(執手連忙)[1093] 왈,

"우리는 작일 벽난을 보지 못ᄒᆞ여시니 모로미 너희 이졔 가 녀ᄋᆞ를 다려오라."

ᄎᆞ공ᄌᆡ 왈,

"져져 실산은 {대인은} 대인이 아지 못ᄒᆞ여 계시니, 도라오신 후 김개(金家) 혼인을 핍박ᄒᆞ여 샤혼ᄒᆞ신 됴디(詔旨)를 미더 셩화ᄒᆞ니, ᄇᆞ득이 ᄐᆡᆨ일ᄒᆞ여 보ᄂᆡ고 빙치젼(聘采前) 져져를 실산ᄒᆞ다 펴지오고 ᄀᆞᆷ초므로ᄲᅧ 고ᄒᆞ고, 쇼ᄌᆞ 등도 항쥐 보ᄂᆡ엿던 말 마르시고, 항쥐 모믹은 혜쥰이 거두어 오고 담양 젼토(田土)는 계튱이 파라오다 ᄒᆞ쇼셔."

1092)좌블안졉(座不安接) : 자리에 편안히 앉아있지 못함.

1093)집슈년망(執手連忙) : 바삐 손을 잡음.

되지 아니코, 태모와【31】 ᄌᆞ졍이 깃거ᄒᆞ시리이다."

일공ᄌᆡ 올히 넉여 형뎨 ᄒᆞᆫ가지로 존당의 드러가 고ᄒᆞᄃᆡ,

"작일 벽난이 왓더니잇가?"

태부인과 뉴시 황홀ᄒᆞ여 답왈,

"벽난은 현ᄋᆞ를 좃ᄎᆞ 가시니 엇지 와시믈 뭇ᄂᆞ뇨?"

냥공ᄌᆡ ᄒᆞᆷᄭᅴ ᄃᆡ왈,

"쇼손 등이 작일 문밧긔셔 벽난을 만나 남복(男服)을 ᄒᆞ여시ᄆᆡ 면목이 닉으나 창졸의 ᄭᆡᄃᆞᆺ지 못ᄒᆞ니, 졔 몬져 니르ᄃᆡ 이졔ᄂᆞᆫ 노애 도라오시니 쇼져를 뫼셔 오렷노라 ᄒᆞ옵거늘, 져져의 계신 곳을 므르니 은쥐 반이나 나려가 노듕의셔 져졔 득질ᄒᆞ여 듀인을 잡아 오뉵삭(五六朔)이나 머므다가, 대인 도라오시ᄂᆞᆫ 션셩(先聲)을 듯고, ᄆᆡ져ᄂᆞᆫ 바로 샹경ᄒᆞ여 강졍의 와 계시다 ᄒᆞ거늘, 반ᄃᆞ시 조모와【32】 ᄌᆞ위긔 고ᄒᆞ여시므로 아옵고, 작일 셩뇌진쳡(聖怒震疊)ᄒᆞ시니 감히 고치 못ᄒᆞ과이다."

태부인 고식(姑媳)이 쳥미(聽未)의 깃브미 등텬(登天)ᄒᆞᆯ 듯 좌블안졉(座不安接)1081)ᄒᆞ고, 평ᄉᆡᆼ 쳐음으로 냥공ᄌᆞ를 ᄃᆡᄒᆞ여 웃는 얼굴노 집슈년망(執手連忙)1082) 왈,

"우리ᄂᆞᆫ 작일 벽난을 보지 못ᄒᆞ여시니 모로미 너희 이졔 가 녀ᄋᆞ를 다려오라."

ᄎᆞ공ᄌᆡ 왈,

"져져 실산은 {대인은} 대인이 아지 못ᄒᆞ여 계시니, 도라오신 후 김개(金家) 혼인을 핍박ᄒᆞ여 샤혼ᄒᆞ신 됴디(詔旨)를 미더 셩화ᄒᆞ니, 브득이 ᄐᆡᆨ일ᄒᆞ여 보ᄂᆡ고 빙ᄎᆡ젼(聘采前) 져져를 실산ᄒᆞ다 퍼지오고 ᄀᆞᆷ초므로ᄲᅧ 고ᄒᆞ고, 쇼ᄌᆞ 등도 항쥐 보ᄂᆡ엿던 말 마르시고, 항쥐 모【33】ᄆᆡᆨ은 혜즁이 거두어 오고 담양 젼토(田土)ᄂᆞᆫ 계듕이 파라오다 ᄒᆞ쇼셔."

냥부인이 만심 흔희(欣喜) 왈,

냥부인이 만심 흔희(欣喜) 왈,

"너희 말이 올컷마ᄂᆞᆫ 현ᄋᆡ 실상을 스ᄉᆞ로 고ᄒᆞᆯ가 ᄒᆞ노라."

ᄎᆞ공ᄌᆡ 왈,

"이졔 가 져져긔 소유를 고ᄒᆞ여 집의 ᄀᆞᆷ초엿던 줄노 ᄒᆞ게 ᄒᆞ리이다."

냥부인이 깃브고 즐거오미 극ᄒᆞ여 어ᄉᆡ 도라와도 무한(無恨)이라. 공ᄌᆞ 등의 현효(賢孝)를 긔특이 넉이나 원ᄂᆡ 그 남다른 효슌과 만ᄉᆡ 과인(過人)ᄒᆞ믈 질오(嫉惡)ᄒᆞ여 업시코져 ᄒᆞ니 기심(其心)이 니검(利劍)이라.]

1081)좌블안졉(座不安接) : 자리에 편안히 앉아있지 못함.

1082)집슈년망(執手連忙) : 바삐 손을 잡음.

"너희 말이 올컷마는 현ᄋᆡ 실상을 ᄉᆞᄉᆞ로 고ᄒᆞᆯ가 ᄒᆞ노라."

ᄎᆞ공ᄌᆡ 왈,

"이졔 가 져져긔 소유를 고ᄒᆞ여 집의 ᄀᆞᆷ초엿던 줄노 ᄒᆞ게 ᄒᆞ리이다."

냥부인이 깃브고 즐거오미 극ᄒᆞ여 어ᄉᆡ 도라와도 무한(無恨)이라. 공ᄌᆞ 등의 현효(賢孝)를 긔특이 넉이나 원ᄂᆡ 그 남다른 효슌과 만ᄉᆡ 과인(過人)ᄒᆞᆷ을 질오(嫉惡)ᄒᆞ여 업시코져 ᄒᆞ니 기심(其心)이 니검(利劍)이라.

냥공ᄌᆡ를 ᄌᆡ쵹ᄒᆞ여 쇼져를 다려오라 ᄒᆞ니 희텬은 ᄉᆞ지골졀(四肢骨節)이 다 녹는 듯ᄒᆞ나, 강인ᄒᆞ여 형뎨 ᄒᆞᆫ가지로 강졍의 나와 ᄆᆡ져를 보고, 야애 명일 드러오【34】실 거시니 ᄌᆞ긔 등이 조모와 모친긔 여ᄎᆞ여ᄎᆞ 고ᄒᆞ여시니, 져져는 말ᄉᆞᆷ을 ᄀᆞᆺ게 ᄒᆞ고 야야긔는 집의 잇던 줄노 고ᄒᆞ여 가ᄂᆡ 화평ᄒᆞᆷ을 쳥ᄒᆞ니, 쇼졔 냥뎨의 디현디효(至賢至孝)를 감동ᄒᆞ여 기리 탄왈,

"조모와 ᄌᆞ위 김가 부귀를 흠모ᄒᆞ샤 날을 핍박ᄒᆞ시던 일을 ᄉᆡᆼ각ᄒᆞ면 ᄒᆞᆫ 일인들 대인긔 은닉(隱匿)ᄒᆞ리오마는, 현뎨 등의 말이 올코 지회 감격ᄒᆞᆫ디라 내 엇지 효도를 넓위지 못ᄒᆞ고 부모의 화긔를 일흐시게 ᄒᆞ리오. 다만 강졍 비복이 나의 녀진 줄 알면 ᄒᆞ츄동(夏秋冬) 셰 졀(節)을 이곳의셔 지ᄂᆡᆷ을 옥누항의 알욀진ᄃᆡ 엇질고?"

공ᄌᆡ 쇼왈,

"이는 엄히 당부ᄒᆞᆫ 즉 므ᄉᆞ 일 고ᄒᆞ리잇고?"

쇼졔 ᄎᆞ공ᄌᆞ 주던 은ᄌᆞ 삼십냥【35】이 그져 잇는지라. 강졍 비복을 난화 주고 ᄌᆞ개 이곳의 잇던 줄 고치 말나 ᄒᆞ니, 비복이 비로소 쇼졘 줄 알고 놀나며 금을 바다 감격ᄒᆞᆷ을 니긔지 못ᄒᆞ여, ᄎᆞᄉᆞ를 블츌구외(不出口外) ᄒᆞ더라.

쇼졔 즉시 벽난으로 더브러 도라올ᄉᆡ, 이공ᄌᆡ 쇼져의 ᄎᆡ교(彩轎)를 호ᄒᆡᆼ(護行)ᄒᆞ여 부듕의 니르니 날이 거의 어둡고져ᄒᆞ고, 태

두 공ᄌᆞ을 ᄌᆡ쵹ᄒᆞ여 소져을 다려오라 ᄒᆞ니, ᄎᆞ 공ᄌᆞ는 오히려 골졀(骨節)이 녹는 드시 알푸나 마지 못ᄒᆞ여 형졔 ᄒᆞᆫ가지로 강졍의 ᄂᆞ아가 소져을 보고,

"야야 ᄒᆡᆼᄎᆞ 명일 드러오시는 고로 조모와 ᄌᆞ위게 여ᄎᆞ여ᄎᆞ 고하엿시니, ᄆᆡ져는 말ᄉᆞᆷ을 ᄎᆞ착업시 ᄒᆞ시고 야야긔는 집의 잇든 바 갓치 ᄒᆞ여 집안니 화평케 ᄒᆞ소셔."

○○○○[ᄒᆞ니, 쇼졔] 공ᄌᆞ 등의 지셩지효(至誠至孝)을 감동ᄒᆞ여, 길【49】이 탄왈,

"조모와 모친니 김가 부귀을 흠모ᄒᆞᄉᆞ 날을 핍박ᄒᆞ시던 일을 ᄉᆡᆼ각ᄒᆞ면 일분이나 ᄃᆡ인긔 은익ᄒᆞ리오 만은, 너희 말을 드르ᄆᆡ 감격무지ᄒᆞ고 ᄂᆡ 또ᄒᆞᆫ 효는 못ᄒᆞ나 부뫼 불화ᄒᆞ시게 ᄒᆞ리오. 나의 달포 이곳의 잇시믈 강졍 비복이 옥누항의 고할가 두리노라."

냥 공ᄌᆞ 소왈,

"이는 엄히 당부ᄒᆞ면 무슴 이리 잇ᄉᆞ리잇고?"

소져 공ᄌᆞ의 쥬던 은 슴십냥이 그져 인는 고로, 이곳 비복 들을 ᄂᆞᆫ화쥬고 ᄌᆞ긔 이곳의 잇던 쥴을 본부의 곳치 말나 ᄒᆞ니, 비복이 비로소 소져믈 알고 져마다 놀ᄂᆞ며 금을 바다 감격ᄒᆞ여 ᄎᆞᄉᆞ을 불츌구외(不出口外) ᄒᆞ더라.

소져 즉시 도라올ᄉᆡ 냥 공ᄌᆡ 호ᄒᆡᆼ(護行)ᄒᆞ여 부즁의 이르ᄆᆡ, 날이 져믈고져 ᄒᆞᄆᆡ 쌀니 ᄒᆡᆼᄒᆞ여 님의 부즁의 일으니, ᄐᆡ부인과

부인과 조·뉴 냥부인이 마조 나와 쇼져를 닛그러 당의 오르믹, 쇼져 노쥐 남의를 곳치지 못ᄒᆞ엿더라. 냥부인이 쇼져의 졀을 기다리지 못ᄒᆞ여 각각 좌우로 붓들고 우ᄂᆞᆫ지라. 냥공지 위로ᄒᆞ며 쇼졔 슈루(愁淚)를 먹음어 왈,

"은쥐 칠쳔니(七千里)를 삼쳔니를 힝ᄒᆞ여 위질을 어더 거의 죽게 되니 야야긔 【36】도 가지 못ᄒᆞ고 경ᄉᆞ도 아으라ᄒᆞ여 이뉵쳥츈(二六靑春)의 원혼이 구원(九原)의 도라갈 진ᄃᆡ 층쳡(層疊)ᄒᆞᆫ 셜움이 운소(雲霄)의 빗겨 부모긔 블효ᄂᆞᆫ 니르도 말고, 긴 명을 즈레 ᄭᅳᆫ쳐 김가로 ᄒᆞ여금 혼빅이라도 원귀(寃鬼) 될너니, 요힝 사ᄅᆞᆷ이 잇셔 목숨을 술와 닉고 ᄉᆡᆼ블(生佛)의 대은으로 지셩 구호ᄒᆞ여 ᄎᆞ경(差境)을 어ᄃᆞ니, 대인이 도라오신다 ᄒᆞ믈 듯좁고 작일 강졍으로 오ᄃᆡ, 집으로 못 오기ᄂᆞᆫ 야애 밋쳐 도라오지 못ᄒᆞ여 계시니, 모친이 ᄯᅩ 므ᄉᆞᆫ 작변으로 쇼녀의 졀을 난ᄒᆞ실가 두려ᄒᆞ미러니, 냥뎨 벽난의 말을 듯고 ᄎᆞᄌᆞ와시니 대인이 명일 환가ᄒᆞ신다 ᄒᆞ오ᄆᆡ 방심ᄒᆞ여 드러왓숩ᄂᆞ니, 모친은 이졔나 블의비법(不義非法)을 마르시고 【37】 회과슈덕(悔過修德)ᄒᆞ시믈 ᄇᆞ라ᄂᆞ이다."

벽난이 가의 셔셔 노쥐 무궁(無窮)ᄒᆞᆫ 고경(苦境)을 니언(利言1083))이 베퍼, 도즁의셔 쇼졔 병이 만분(萬分)의 위악(危惡)던 바와 일승냥미(一升糧米)도 업셔 초초히 걸식왕닉ᄒᆞ던 말을 보ᄂᆞᆫ ᄃᆞ시 고ᄒᆞ여, 일호(一毫) 허언을 ᄭᅮᆷ임1084) ᄀᆞᆺ지 아니니, 냥부인이 잔잉코 슬프미 골졀(骨節)이 녹ᄂᆞᆫ ᄃᆞᆺ 쇼져를 붓들고 우러 왈,

"녀ᄋᆡ 엇지 그ᄃᆡ도록 어미를 속이고 갈 줄 알니오. 우리 집의 무ᄉᆞ히 잇셔도 너를 ᄉᆡᆼ각ᄒᆞᄆᆡ 셩질(成疾)ᄒᆞᆯ ᄃᆞᆺᄒᆞ거ᄂᆞᆯ 너ᄂᆞᆫ 도로의 극열(極熱)과 엄한(嚴寒)을 다 겻그니, 오즉ᄒᆞ리오마ᄂᆞᆫ 그려도 얼골이 슈패(瘦敗)치 아녀시니 텬우신됴(天佑神助)ᄒᆞ미로다.

뉴시, 조부인니 바로 나와 소져을 붓드러 당의 올으ᄆᆡ, 소져 노쥐 밋쳐 남의을 벗지 못ᄒᆞ엿더라. 위·뉴 냥인이 소져을 붓드러 밋쳐 그 졀을 밧지 못ᄒᆞ○[여]셔 일ᄌᆞᆼ을 통곡ᄒᆞ니, 냥공지 유언(柔言)으로 위로ᄒᆞ니, 소져 슈류(垂淚)을 졔어(制御)치 못ᄒᆞ여 왈,

"소녀 은쥬 칠쳔니(七千里)을 힝ᄒᆞ여 위질을 어더 거의 쥭게 되니, 야야(爺爺)게도 가지 못ᄒᆞ고 즁도의셔 멈츄어 잇더니, 병이 졈졈 더ᄒᆞ여 막[맥](脈)이 ᄉᆞ라ᄂᆞ지 못할너니, 쳥츈 원혼이 구원(九原)의 도라가 【50】 오나 쳡쳡유한(疊疊遺恨)이 민멸치 아닐 빅오, 더옥 김가로 ᄒᆞ여금 긴 명이 즈레 ᄭᅳᆫ칠너니, 요힝 구ᄒᆞᄂᆞᆫ ᄉᆞ람이 잇셔 술와닉고 ᄉᆡᆼ불의 ᄃᆡ은을 입어 ᄉᆡᆼ도의 드러숩더니, ᄃᆡ인니 드러오신다 ᄒᆞ므로, 먼져 강졍으로 작일 드러 왓ᄉᆞ오나, 바로 못오기ᄂᆞᆫ 야야 밋쳐 오시지 아냐시니, 모친니 무숨 ᄌᆞᆨ변(作變)으로 소녀의 졀(節)을 ᄂᆞᆫ(亂)할가 두려ᄒᆞ오밀러니, 냥졔ᄂᆞᆫ 벽난의 말을 듯고 소녀을 ᄎᆞ져 왓ᄉᆞ오나, ᄃᆡ인이 명일 드러오신다 ᄒᆞ므로 방심ᄒᆞ와 드러왓ᄉᆞ오니, 모친은 이졔ᄂᆞ 불의비법(不義非法)을 ᄉᆡᆼ각지 마르쇼셔."

1083)니언(利言 : 상황에 따라 자기에게 유리하게 지어내거나 실속 없이 번드르르하게 하는 말.
1084)ᄭᅮᆷ임 : 꾸밈.

구ᄐᆞ여 너의 졀을 작희(作戲)ᄒᆞ미 아니라 샹명(上命)을 위월(違越)치 못ᄒᆞ미러니, 네 죽기로 슈졀ᄒᆞ고 네 부친이【38】 도라오시니, 네 원ᄃᆡ로 ᄒᆞᆯ 거시니 괴이ᄒᆞᆫ 념녀를 두지 말나."

쇼졔 조모와 모친의 힝악(行惡)을 ᄀᆞᆨ골이 ᄋᆡ돌와ᄒᆞ고 구모지여(久慕之餘)의 친안(親顔)을 득승(得承)ᄒᆞ니, 반가온 듕 블평ᄒᆞᆫ 말을 못ᄒᆞ고, 조부인이 면ᄉᆡᆨ(面色)이 환탈(換奪)ᄒᆞ여 듕병 지닌 사ᄅᆞᆷ ᄀᆞᆺᄐᆞ믈 보고 놀나 뭇ᄌᆞ오ᄃᆡ,

"빅뫼 엇지 이ᄃᆡ도록 슈패(瘦敗)ᄒᆞ여 계시니잇고?"

부인이 탄왈,

"일명이 완악(頑惡)ᄒᆞ미 셕목 ᄀᆞᆺᄐᆞ니 엇지 질양(疾恙)인들 이시리오마ᄂᆞᆫ 스ᄉᆞ로 쇠패(衰敗)ᄒᆞ미라."

쇼졔 조모의 악ᄉᆞ로 져ᄀᆞᆺ치 쇠ᄒᆞ시믈 ᄭᆡᄃᆞ라 ᄎᆞ악경히(嗟愕驚駭)ᄒᆞ믈 마지 아니터라.

ᄎᆞ야의 뉴시 현ᄋᆞ를 다리고 침소의셔 오ᄅᆡ 일코 못ᄎᆞᄌᆞ 슬허ᄒᆞ던 졍을 니르며, 어ᄉᆡ 도라오나 녀ᄋᆞ의 거쳐를 니를 말【39】이 업셔 ᄋᆡ쓰던 바를 닐너, '일졀 집의 잇던 줄노 고ᄒᆞ라' ᄒᆞ니, 쇼졔 기리 읍탄 왈,

"ᄌᆞ위 실덕은 터럭을 ᄲᆡ혀도 혜지 못ᄒᆞᆯ지라. ᄒᆞᆫ갓 쇼녀의 졀을 작희ᄒᆞ믄 니르지 말고 조모의 패덕을 도도아 빅모를 못견ᄃᆡ도록 ᄒᆞ시고, 광뎨 등을 참혹히 보치시미 강경 비복 젼셜(傳說)의도 히연(駭然)ᄒᆞᆫ지라. 쇼녜 작일 잠간 와 드러도 조모와 모친 과악이 형상(形象)키 어려오니, 냥뎨 그 엇지 귀듕ᄒᆞᆫ 몸이니잇고? 《브ᄃᆡ‖무죄(無罪)》히 혈육이 상ᄒᆞᄂᆞᆫ 듕장(重杖)을 더으시며, 망측(罔測)ᄒᆞᆫ 쳔역을 식이시며 보젼치 못ᄒᆞ도록 히ᄒᆞ시니, 이런 망극ᄒᆞᆫ 대변이 잇ᄂᆞ니잇가? 쇼녜 모젼(母前)의셔 ᄒᆞᆫ번 죽어 타일 망극ᄒᆞᆫ 죄과의 ᄲᆡ지시믈 보지 말고져 ᄒᆞᄂᆞ이【40】다. 셰샹의 모녀 ᄉᆞ이 ᄀᆞᆺ치 친ᄒᆞ고 동복져ᄆᆡ간(同腹姐妹間)ᄀᆞᆺ치 허물업ᄉᆞ니 이시리오마ᄂᆞᆫ 모친과 셕져(昔姐)ᄂᆞᆫ ᄆᆡᄉᆞ의 다

소져 쏘한 은졍이 융흡(隆洽)ᄒᆞ여 불평ᄒᆞᆫ 말을 ᄂᆡ지 아니코, 조부인 신ᄉᆡᆨ(身色)이 환탈(換奪)ᄒᆞ여시믈 보고 놀나 뭇ᄌᆞ오ᄃᆡ,

"《슉모‖빅뫼》 엇지 이ᄃᆡ도록 슈ᄑᆡ(瘦敗)ᄒᆞ여 게신니잇가?"

조부인니 탄왈,

"명완(命頑)ᄒᆞ미 비록 셕목(石木) 가트나 질양(疾恙)이 업ᄉᆞ리오. 실노 쇠ᄑᆡ(衰敗)ᄒᆞ미라."

ᄒᆞᆫᄃᆡ, 소져 심하(心下)○[의] 혜오ᄃᆡ 조모의 악ᄉᆞ로 져갓치 ᄑᆡ(敗)하여시믈 ᄎᆞ악경히(嗟愕驚駭)ᄒᆞ더라.

ᄎᆞ야의 뉴시 현ᄋᆞ을 다리고 침소의 도라와 달포 그리던 말과, 어ᄉᆞ 도라오나 거쳐을 일울 길 업셔 ᄋᆡ쓰던 바을 일너, 왈,

"네 집이 잇던 쥴노 고ᄒᆞ라."

ᄒᆞ니, 쇼져 기리 탄왈,

"모친 실덕(失德)으로써 소녀의 실슌ᄒᆞ믄 일르지 말고, 조모의 실덕을 도도아 빅모을 못견듸게 보치시니 강경의 비복이 젼셜(傳說)ᄒᆞᄂᆞᆫ ᄇᆡ 다 히연(駭然)ᄒᆞ더니다. 소【51】녀 찰ᄒᆞ리 듯지 말고ᄌᆞ ᄒᆞ{니}나, 이제 광・희 양아의 몸이 그 엇더ᄒᆞᆫ 터히니잇고? 조션(祖先) 흥망이 다 져의게 밋ᄂᆞᆫ ᄇᆡ니 무죄(無罪)히 혈륙이 상ᄒᆞᄂᆞᆫ 즁ᄉᆞᆼ을 더으고 망측ᄒᆞᆫ 쳔녁을 시기시니, 만일 양ᄋᆡ 보젼치 못ᄒᆞ올진ᄃᆡ 망극ᄒᆞᆫ ᄃᆡ변니 어ᄃᆡ 잇시리오. 소녀 ᄲᆞᆯ니 쥭어 타일 모친이 죄과을 바드시믈 보지 아니려 ᄒᆞᄂᆞ이다. 셰ᄉᆞᆼ의 모여 ᄉᆞ이 갓치 친친ᄒᆞ고 종요로오미 업고, 동복졔ᄆᆡ(同腹姐妹) 갓치 허물업ᄉᆞ니 잇ᄉᆞ리오마ᄂᆞᆫ, 모친과 셕졔[져](昔姐)ᄂᆞᆫ ᄆᆡᄉᆞ을 다 소녀을 은휘ᄒᆞ시니, 말ᄉᆞᆷ이 발ᄒᆞ오ᄆᆡ 쏘 셜

쇼녀를 은휘ᄒᆞ시고, 말ᄉᆞᆷ이 발ᄒᆞᄆᆡ 이제야 고ᄒᆞᄂᆞ니, 김듕광으로 변복ᄒᆞ여 쇼녀의 곳의 드려보ᄂᆡ시기를 참아 못ᄒᆞᆯ 일을 안연이 ᄒᆞ시니, ᄋᆞᄒᆡ 비록 하가 뎡약이 업ᄉᆞᆯ지라도 외간 남ᄌᆞ를 쳥ᄒᆞ여 규슈를 뵈고 셩친ᄒᆞᄂᆞᆫ 네 어ᄃᆡ 잇ᄂᆞ니잇고? 맛참 벽난 ᄀᆞᆺᄐᆞᆫ 영오ᄒᆞᆫ 비ᄌᆡ 잇셔 ᄉᆞ긔를 ᄉᆞᆺ치ᄆᆡ 쇼녀 김가 보지 아니코 난을 ᄃᆡ신ᄒᆞ엿거니와, 졀졀이 ᄉᆡᆼ각ᄒᆞ면 골경신ᄒᆡ(骨驚身駭)ᄒᆞ니 모친 ᄒᆡᆼᄉᆡ 엇지 이ᄀᆞᆺᄐᆞ시니잇고."

쇼제 희텬을 녀복(女服) 식여 김가 뵈믈 고치 아니믄 모친이 공ᄌᆞ를 더옥 ᄆᆡ워ᄒᆞᆯ가 념ᄒᆞ여 벽난을 뵈엿노라【41】 ᄒᆞ미라. 뉴시 비록 ᄯᆞᆯ의 말이나 그 악ᄉᆞ를 니르ᄆᆡ 당ᄒᆞ여ᄂᆞᆫ 참괴(慙愧)ᄒᆞ여 모녀의 ᄯᅳᆺ이 다르믈 ᄋᆡ돌와ᄒᆞ나, 일코 슬허ᄒᆞ던 바로ᄡᅧ ᄭᅮ짓지 못ᄒᆞ고, 출하리 ᄂᆡ웃ᄂᆞᆫ ᄃᆞ시 ᄒᆞ여 그 ᄆᆞᄋᆞᆷ을 누이고져 ᄒᆞ여, 녀ᄋᆞ의 등을 어로만져 울며 왈,

"너ᄀᆞᆺᄐᆞᆫ 어진 ᄯᆞᆯ이 아니면 어ᄆᆡ 과악을 ᄂᆡ 니르리오. 강경 비복의 뎐셜(傳說)은 허언(虛言)이어니와, 존고 심홰(心火) 괴이ᄒᆞ여 광ᄋᆞ 등을 혹 ᄐᆡᄐᆞ(笞打)할 적이 이시나 내 찬됴(贊助)ᄒᆞ미 아니로ᄃᆡ, 존괴 범ᄉᆞ의 날노ᄡᅧ 취듕(取重)ᄒᆞ시므로, 남이 내 ᄉᆞ오나와 그런가 넉이니 너도 오히려 아지 못ᄒᆞ거든 ᄂᆡ 알니. 다만 김듕광 드리기ᄂᆞᆫ 여형여모(汝兄汝母)[1085]의 허믈이니 ᄎᆞ후 개심슈덕(改心修德)ᄒᆞ여 너의 념녀를 깃치○[지] 아니리라."

쇼제 쳑연 탄식ᄒᆞ【42】여 말이 업더라.

명일 《시뉴∥뉴시》 쥬찬(酒饌)을 ᄀᆞᆺ초고 가듕(家中)을 ᄉᆡ로이 쇄소(灑掃)ᄒᆞ여 어ᄉᆞ를 기다리며, 독악(毒惡)ᄒᆞᆫ 소ᄅᆡ와 간험(姦險)ᄒᆞᆫ 낫빗츨 곳쳐 이공ᄌᆞ를 진찬(珍饌)으로 됴반을 먹이고, 희텬이 참혹히 슈쳑(瘦瘠)ᄒᆞ믈 민망(憫惘)ᄒᆞ여 속으로 무러 먹고져 ᄒᆞ나 밧그로 ᄌᆞ모(慈母)의 도를 다ᄒᆞ니, 조부인은 일마다 ᄂᆡ외 다르믈 한심ᄒᆞ여

1085)여형여모(汝兄汝母) : 네 형과 네 어미.

파ᄒᆞ옵건니와 엇지 김즁관으로 변복ᄒᆞ여 소여 곳ᄃᆡ ᄎᆞ마 드려보ᄂᆡ시기을 안연니 ᄒᆞ시니잇가? 소녀 비록 하가로 졍약이 업ᄉᆞ올지라도 외간 남ᄌᆞ을 쳥ᄒᆞ여 규녀을 뵈고 셩친치 못ᄒᆞ려든 수빙(受聘)ᄒᆞᆫ 졍약(定約)을 이르리오. 마ᄎᆞᆷ 벽ᄂᆞᆫ 갓튼 영오한 비ᄌᆡ 잇셔 ᄉᆞ긔을 ᄉᆞᆺ치ᄆᆡ 소녀 김가을 보지 아니코 ᄂᆞᆫ을 ᄃᆡ신ᄒᆞ엿거니와 ᄉᆡᆼ각ᄉᆞ록 골경신ᄒᆡ(骨驚身駭)ᄒᆞ니, 엇지 슬푸고 ᄋᆡ달지 아니ᄒᆞ오리잇고?"

언파의 옥뉘 방방ᄒᆞ여 화협(花頰)을 적실다름이오, 희쳔 공ᄌᆞ 녀복(女服)ᄒᆞ여 김가을 뵈다 ᄒᆞ면 모친니 더옥 공ᄌᆞ을 뮈워할 바을 ᄉᆡᆼ각ᄒᆞ여 벽ᄂᆞᆫ을 ᄃᆡ신하엿노라 하이, 뉴시 비록 그 ᄯᆞᆯ의 말이나 제 악사을 당하여 이【52】르문 참괴무안(慙愧無顔)하고, 이르되,

"ᄎᆞ후난 ᄀᆡ심슈덕(改心修德)하리라."

하이, 쇼져 다만 쳑연탄식ᄒᆞ고 말이 업더라.

명일 뉴시 가졍을 소쇄(掃灑)ᄒᆞ고 쥬찬을 셩비(盛備)히 ᄒᆞ여 어ᄉᆞ을 기다리며, 포악ᄒᆞᆫ 소ᄅᆡ와 간험(姦險)ᄒᆞᆫ 낫빗츨 곳쳐 두 공ᄌᆞ을 진츤(珍饌)으로 조반을 먹이고, 희쳔이 참혹히 슈쳑(瘦瘠)ᄒᆞ여시믈 민망ᄒᆞ여, 속으로ᄂᆞᆫ 잡아 먹고ᄌᆞ ᄒᆞ나 것ᄎᆞ로 염녜을 마지 아니니, 조부인이 그 ᄂᆡ외 가ᄌᆞᆨ지 못ᄒᆞ믈 ᄀᆡ탄ᄒᆞ고, 타일을 념녜ᄒᆞ야 은위만쳡(隱憂萬疊)이나 ᄒᆞ더라. 오ᄌᆞᆨ 지각업순 《조부인

타일을 념녀ᄒᆞ여 근심이 극ᄒᆞᄃᆡ, 모로ᄂᆞᆫᄃᆞᆺ 오직 태부인 ᄒᆞ라 ᄒᆞᄂᆞᆫ ᄃᆡ로 슌슈(循守)ᄒᆞ고, 뉴시의 간악을 귀먹고 눈어두운 ᄃᆞᆺ 쳔연(天然)이 모로ᄂᆞᆫ ᄃᆞᆺ, 기량(器量)이 여ᄒᆡ(如海)ᄒᆞ여 가바야이[1086] 구셕[1087]과 가[1088]ᄒᆞᆯ 여어볼 ᄇᆡ 아니라. 뉴시 조부인 만ᄉᆡ 져의 ᄇᆞ라지 못ᄒᆞᆯ 줄을 더옥 ᄆᆡ이 넉이더라.

어ᄉᆡ 임의 승품(陞品)ᄒᆞ여 도라오ᄆᆡ 냥공ᄌᆡ 밧문의 마ᄌᆞ ᄇᆡ현ᄒᆞᆯ【43】ᄉᆡ, 팔구삭ᄂᆡ의 가듕이 대단ᄒᆞᆫ ᄉᆞ괴 업ᄉᆞ믈 듯고, 신당은 ᄂᆡ도히 ᄌᆞ라시나 ᄎᆞ공ᄌᆡ 풍광(風光)이 슈쳑ᄒᆞ여 옥보[부]빙골(玉膚氷骨)만 남아시니, 츄밀이 대경ᄒᆞ여 밧비 집슈 문왈,

"광ᄋᆞᄂᆞᆫ 얼골이 초췌(憔悴)ᄒᆞ여시나 희ᄋᆞᄂᆞᆫ 더옥 몰나보게 쳑골(瘠骨)[1089]ᄒᆞ여시니 이 엇진 일이뇨?"

냥공ᄌᆡ 반가오미 모양(模樣)ᄒᆞ여 비ᄒᆞᆯ ᄃᆡ 업고, ᄉᆡ훤코 샹쾌ᄒᆞ미 일만댱 굴헝의 ᄉᆡᆨ겻다가 운무를 ᄡᅳ리치고 쳥텬의 비등(飛騰)ᄒᆞᄂᆞᆫ ᄃᆞᆺ ᄇᆡᆨ옥면모(白玉面貌)의 웃ᄂᆞᆫ 빗츨 동ᄒᆞ여, 십여일 신음ᄒᆞ기로 풍한(風寒)의 촉상(觸傷)ᄒᆞ여 슈패(瘦敗)ᄒᆞ오나 관겨치 아니믈 고ᄒᆞ니, 츄밀이 더옥 놀나 밧비 안흐로 드러오며, 모친 긔운을 몬져 뭇ᄌᆞᆸ고 거름이 년망(連忙)ᄒᆞ여 경희뎐의 봉ᄇᆡ(奉拜)ᄒᆞ고 슈숙(嫂叔)과 부뷔 상녜필(相禮畢)의 경ᄋᆞ【44】형뎨 ᄇᆡ례(拜禮)ᄒᆞ니, 공이 면면이 반가오믈 ᄡᅧ여 ᄌᆞ위의 누월(累月) 존후를 뭇ᄌᆞᆸ고, 투목(偸目)으로 조부인을 잠간 보오ᄆᆡ 경아(驚訝)ᄒᆞ믈 니긔지 못ᄒᆞ여 뭇ᄌᆞ오ᄃᆡ,

"팔구삭ᄂᆡ(八九朔內)의 가듕이 무ᄉᆞᄒᆞ믈 듯고 왓습더니 엇지, 존슈(尊嫂)와 희텬이 더옥 몰나보게 환탈(換奪)ᄒᆞ엿ᄂᆞ니잇고?"

인ᄒᆞ여 뎡부 딜녀의 평부를 밧비 뭇ᄌᆞᆸ고, '그 ᄉᆞ이 귀령이나 ᄒᆞ엿더니잇가' 뭇ᄌᆞ오니, 태부인이 조시 모ᄌᆡ(母子) ᄌᆞ로 유질(有疾)

은‖태부인이》 식히ᄂᆞᆫ ᄃᆡ로 다 조촐 분니오, 뉴시의 간악을 즁청폐ᄆᆡᆼ(重聽廢盲)[1094] 갓치 아른 쳬 아니니, 기량(器量)이 여ᄎᆞᄒᆞ미 하ᄒᆡ지량(河海之量)을 남이 아지 못ᄒᆞ더라.

어ᄉᆞ 임예 승직(陞職)ᄒᆞ여 도라오ᄆᆡ 냥공ᄌᆡ 문외의 마ᄌᆞ ᄇᆡ현할 ᄉᆡ, 팔구ᄉᆞᆨ 만의 신즁은 ᄂᆡ도히 ᄌᆞ라시ᄂᆞ ᄎᆞ공ᄌᆡ 풍광(風光)이 슈쳑(瘦瘠)ᄒᆞ여 옥보[부]빙골(玉膚氷骨)만 ᄂᆞ마시니, 츄밀이 ᄃᆡ경ᄒᆞ여 급히 집슈 문왈,

"광ᄋᆞᄂᆞᆫ 얼골이 초체(憔悴)ᄒᆞ여시ᄂᆞ 희ᄋᆞᄂᆞᆫ 더옥 몰나보게 쳘[쳑]골(瘠骨)ᄒᆞ여시니 엇진 일리뇨?"

두 공ᄌᆞ 반가오미 형용ᄒᆞ여 비할 ᄃᆡ 업셔 ᄉᆡ원코 ᄉᆞᆼ쾌ᄒᆞ미 일만 ᄌᆞᆼ 구렁의 ᄲᆞᄌᆞ다가 운무을 ᄡᅳ리친 듯 청쳔의 오른 것 갓타여, 만면화긔로 ᄃᆡ왈, '풍한의 촉ᄉᆞᆼ(觸傷)ᄒᆞ여 ᄌᆞ연 슈ᄑᆡ(瘦敗)ᄒᆞ엿시믈 고【53】ᄒᆞ니, 츄밀이 더옥 놀나 안흐로 드러올 ᄉᆡ, 경희젼의 다ᄃᆞ라 모친긔 뵈ᄋᆞᆸ고 숙[슈]숙부뷔(嫂叔夫婦) 녜을 필ᄒᆞᄆᆡ 경ᄋᆞ 형졔 ᄇᆡ례ᄒᆞ니, 공이 면면(面面)니 반가오믈 ᄡᅳ여 슈월 존후을 뭇ᄌᆞᆸ고, 투목(偸目)으로 조부인을 잠간 보ᄆᆡ, 경ᄋᆞ(驚訝)ᄒᆞ믈 이긔지 못ᄒᆞ여 뭇ᄌᆞ오ᄃᆡ,

"팔구ᄉᆞᆨ간(八九朔間)의 가즁이 ᄃᆡ단ᄒᆞᆫ ᄉᆞ괴ᄂᆞᆫ 업ᄉᆞ오ᄃᆡ 엇지 됸슈(尊嫂)와 희텬이 더옥 환탈ᄒᆞ여 몰나보게 되엇난니잇고?"

인ᄒᆞ여 뎡명ᄋᆞ 평부을 뭇ᄌᆞᆸ고 그 ᄉᆞ이 귀령이ᄂᆞ ᄒᆞ엿든가 뭇ᄌᆞ오니, ᄐᆡ부인니 조시 모ᄌᆞᄂᆞᆫ ᄌᆞ로 유병(有病)ᄒᆞ여 쳑골(瘠骨)[1095]

1086)가바야이 : 가벼이.
1087)구셕 : 구석. 모퉁이의 안쪽.
1088)가 : 가. 경계에 가까운 바깥쪽 부분.
1089)쳑골(瘠骨) : 훼척골립(毁瘠骨立)의 줄임말. 몸이 바짝 마르고 뼈가 앙상하게 드러남.

1094)즁청폐ᄆᆡᆼ(重聽廢盲) : 귀가 어두워서 잘 듣지 못하고, 눈이 멀어 잘 보지 못함.
1095)쳑골(瘠骨) : 훼척골립(毁瘠骨立)의 줄임말. 몸이 바짝 마르고 뼈가 앙상하게 드러남.

ᄒᆞ여 쳑골(瘠骨)ᄒᆞ여시믈 닐너, 근간 잠간 나아시믈 니언(利言)이 젼ᄒᆞ고, 명ᄋᆞ는 귀근(歸覲)ᄒᆞ믈 쳔번이나 쳥ᄒᆞᄃᆡ 뎡부의셔 보ᄂᆡ지 아니믈 한(恨)ᄒᆞ고, 김개(金家) 샹명으로 현ᄋᆞ의 혼인을 핍박ᄒᆞ니 브득이 현ᄋᆞ를 일타1090) 챵셜(唱說)ᄒᆞ고 곰초앗던 말이며, 광·희 냥ᄋᆡ 어식 나간 후는 ᄒᆞᆫᄌᆞ 글을【45】 보지 아니코 상(常)업ᄉᆞᆫ1091) 노름과 노복을 쪌와단니며 괴이ᄒᆞᆫ 쳔역을 ᄌᆞ미ᄂᆡ여 혜지르던 말을, 못밋쳐 ᄒᆞᆯ ᄃᆞ시 ᄉᆞ이ᄉᆞ이 션우음1092)치고 긴 턱을 흔더거리며 읇므럿던 니를 펴고, ᄀᆞ장 어진 쳬ᄒᆞ는 거동이 블인뎡시(不忍正視)1093)라 공이 쳥필(聽畢)의 번연(翻然)이1094) 깃거 아냐 ᄀᆞᆯ오ᄃᆡ,

“텬ᄋᆞ 등이 나히 어리니 상업기야 괴이ᄒᆞ리잇고마는, 다만 쳔역(賤役)이란 말이 ᄀᆞ장 괴이ᄒᆞ이다. 김휘 당시의 권문이나 혼인은 냥가의 됴흔 일이라 엇지 가댱(家長)이 나간 ᄉᆞ이 겁박ᄒᆞᆯ ᄂᆡ 이시리오. 쇼직 김후를 만나거든 ᄒᆞᆫ ᄎᆞ례 명빅히 므러, 공연이 내 집이 원치 아닛는 혼인을 핍박ᄒᆞ여시면, 아모리 셰권이 듕ᄒᆞ나 쾌히 분을 프러 일장대욕(一場大辱)을 ᄒᆞᆯ 거시니, 기간의 필유ᄉᆞ고(必有事故)ᄒᆞ미로소이다.”

위시【46】 빅ᄉᆞ의 다 뉴시를 벗기려 ᄒᆞ는지라 희희(喜喜)히 쇼왈,

“노뫼 그릇ᄒᆞ여 쳐음 ᄆᆡ패 쳥촉ᄒᆞᆯ 적 몽농히 허혼ᄒᆞ고, 현부다려 므르니 하가 빙폐를 임의 바다시니 타쳐를 향의(向意)치 못ᄒᆞ리라 ᄒᆞ고, 쎄치거ᄂᆞᆯ 김가는 우리 칭탁ᄒᆞ는 줄노 아라 샤혼셩디(賜婚聖旨)로 핍박ᄒᆞ니, 졀박ᄒᆞ믈 니긔지 못ᄒᆞ여 현ᄋᆞ를 실산(失散)ᄒᆞ다 ᄒᆞ엿노라.”

공이 ᄒᆡ연(駭然) ᄃᆡ왈,

1090)일타 : 잃다.
1091)상(常)업다 : 상(常)없다. 보통의 이치에서 벗어나 막되고 상스럽다.
1092)션우음 : 선웃음. 우습지도 않은데 꾸며서 웃는 웃음.
1093)블인뎡시(不忍正視) : 차마 바로 보기 어려움.
1094)번연(翻然)이 : 갑작스럽게.

ᄒᆞ엿다 이르고, 명ᄋᆞ는 귀령(歸寧)을 쳔번이ᄂᆞ 간쳥ᄒᆞ여도 뎡부의셔 아니 보ᄂᆡ여시믈 ᄒᆞᆫᄒᆞ고, 김가(金家)의셔 ᄉᆞᆼ명(上命)으로 현ᄋᆞ을 셩혼ᄒᆞ려 피박ᄒᆞᄆᆡ 부득이 현ᄋᆞ을 일타1096) 창셜(唱說)ᄒᆞ고 감초앗든 말이며, 광·희 양ᄋᆡ 어ᄉᆞ 나간 후 ᄒᆞᆫᄌᆞ 글도 펴보지 아니ᄒᆞ고 ᄉᆞᆼ(常)업ᄉᆞᆫ1097) 노름과 노복을 ᄶᅡ라단니며 고히ᄒᆞᆫ 쳔역을 ᄌᆡ미로 역여 히즈르든1098) 말을 못 밋칠 드시 ᄉᆞ이ᄉᆞ이 션우음1099)을 치고 긴턱을 흔득거리며 입을 열고 가ᄌᆞᆼ 어즐고 슌ᄒᆞᆫ 체ᄒᆞ는 거동이 불인졍이[시](不忍正視)1100)라. 공이 청필의 번연(翻然)1101)이 깃거 아닌는 ᄉᆞᄉᆡᆨ(辭色)이 가득ᄒᆞ여 갈오ᄃᆡ,

“텬ᄋᆞ 등이 ᄂᆞ히 어리ᄆᆡ 혹 ᄉᆞᆼ업ᄉᆞᆫ 노름이야 무슘 고히 ᄒᆞ오리가만는,【54】 다만 쳔녁(賤役)이란 말슴이 가ᄌᆞᆼ 고히ᄒᆞ여이다. 김휘는 비록 당시의 권문이ᄂᆞ 혼인은 냥가의 조흔 일이라. 엇지 가ᄌᆞᆼ이 ᄂᆞ간 ᄉᆞ이 겁박할 니 잇ᄉᆞ오리잇가? 소지 김후을 만ᄂᆞ거든 명빅히 무러보아 공연니 ᄂᆡ집의셔 원치 아닌는 혼인을 핍박ᄒᆞ여 셩혼ᄒᆞ려던가, 졔 비록 권(權)니 즁ᄒᆞ나 쾌히 분을 푸러 일ᄌᆞᆼ ᄃᆡ욕을 ᄒᆞ리로소이다. ᄉᆡᆼ각건ᄃᆡ 필유ᄉᆞ고(必有事故) 인는가 ᄒᆞᄂᆞ이다.”

1096)일타 : 잃다.
1097)상(常)업다 : 상(常)없다. 보통의 이치에서 벗어나 막되고 상스럽다.
1098)히즈르다 : 헤지르다. 이리저리 허둥지둥 내달리다.
1099)션우음 : 선웃음. 우습지도 않은데 꾸며서 웃는 웃음.
1100)불인정시(不忍正視) : 차마 바로 보기 어려움.
1101)번연(翻然)이 : 갑작스럽게.

"쇼ᄌᆡ 팔구삭을 니가 ᄒᆞ엿다가 도라오오ᄆᆡ 상모(相慕)ᄒᆞ던 하졍(下情)을 펴올 거시오, 이런 어ᄌᆞ려온 말슴은 날호여 ᄒᆞᄉᆞ이다."

셜파의 냥안(兩眼)을 기우려 뉴시를 보ᄂᆞᆫ 눈이 ᄀᆞ장 됴치 아니니, ᄎᆞ공ᄌᆡ 그윽이 졀민(切憫)ᄒᆞ여 양모의 악ᄉᆞ를 아르실가 우려ᄒᆞ미 ᄌᆞ긔 신상의 대죄를 지으니 ᄀᆞᄐᆞ여, 블안ᄒᆞ【47】믈 니긔지 못ᄒᆞ니 텬셩대효(天性大孝)의 동쵹(洞屬)ᄒᆞ미 이ᄀᆞᆺ더라.

뉴시ᄂᆞᆫ 공ᄌᆞ의 현효(賢孝)ᄒᆞ믈 더옥 분ᄒᆞ여 츄밀이 오기 젼 셔릇지 못ᄒᆞ믈 한ᄒᆞ고, 이졔ᄂᆞᆫ 졸연이 하슈(下手)키 어려오니, 졀졀(切切)이 쇼원(所願)과 ᄀᆞᆺ지 못ᄒᆞ믈 대분졀치(大憤切齒)ᄒᆞ여 심장이 초갈(焦渴)ᄒᆞ니 간인(奸人)의 악심이 이ᄀᆞᆺ더라.

믄득 뎡태우 셕혹ᄉᆡ 와시믈 고ᄒᆞ니 공이 크게 반겨 바로 ᄂᆡ실노 쳥ᄒᆞᆯᄉᆡ, 경ᄋᆞ 형뎨ᄂᆞᆫ 피ᄒᆞ고 조·뉴 이부인이 ᄒᆞᆫ가지도 볼ᄉᆡ, 냥인이 드러와 모든ᄃᆡ 빅례ᄒᆞ고 츄밀을 향ᄒᆞ여 션치국ᄉᆞ(善治國事)와 무ᄉᆞ힝도(無事行途)의 쟉품(爵品)이 슝고(崇高)ᄒᆞ시믈 치하(致賀)ᄒᆞᆯᄉᆡ, 뎡ᄉᆡᆼ의 출뉴(出類)ᄒᆞᆫ 긔상(氣像)과 셕ᄉᆡᆼ의 준슈(俊秀)ᄒᆞᆫ 풍ᄎᆡ(風彩) ᄉᆡ로이 아름다오니, 공이 집슈흔연(執手欣然)ᄒᆞ여 별ᄂᆡ(別來)를 니르고 슈작(酬酌)ᄒᆞᄆᆡ, 셕ᄉᆡᆼ은 공이 츌【48】샤(出師) ᄒᆞᆫ 후 ᄒᆞᆫ번 왓다가 냥공ᄌᆞ의 참혹ᄒᆞᆫ 쥬졔[1095] 살흘 가리오지 못ᄒᆞ고, ᄉᆡ초를 가득이 지고 오ᄂᆞᆫ 양을 보고, 위·뉴 냥부인의 악심을 ᄇᆞᆰ히 지긔(知機)ᄒᆞ고 참잔(慘殘)ᄒᆞ믈 니긔지 못ᄒᆞ여, 그 악당을 보거든 브ᄃᆡ 니르려 별넛던지라. 도라 냥공ᄌᆞ를 보고 미미히 쇼왈,

"금일은 하일(何日)이완ᄃᆡ 광텬의 형뎨 화복ᄎᆡ의(華服彩衣)로 셰초[1096]를 도도아 고루ᄎᆡ각(高樓彩閣)의 한가히 안ᄌᆞᆺᄂᆞ뇨? 악댱이 발셔 오시더면 너희 존듕(尊重)ᄒᆞᆯ낫

1095)쥬졔 : 주제. 변변하지 못한 몰골이나 몸치장.

1096)셰초 : 족두리. 부녀자들이 예복을 입을 때에 머리에 얹던 관의 하나. 위는 대개 여섯 모가 지고 아래는 둥글며, 보통 검은 비단으로 만들고 구슬로 꾸민다. 여기서는 남자의 건(巾)을 말함인 듯.

졍언간의 시노 드러와 뎡한림과 셕학ᄉᆡ 왓시믈 고ᄒᆞ니, 공이 크게 반겨 바로 ᄂᆡ당으로 쳥할ᄉᆡ, 경아 형제ᄂᆞᆫ 피ᄒᆞ고 죠·뉴 이부인은 갓치 볼 ᄉᆡ, 양ᄉᆡᆼ이 드러와 모든ᄃᆡ 빅례하고 추밀을 {ᄃᆡ}ᄃᆡᄒᆞ여 션치국사(善治國事)와 무사힝도(無事行途)의 ᄌᆞᆨ품(爵品)이 도도어심을 치하(致賀)할 ᄉᆡ, 뎡ᄉᆡᆼ의 츌뉴(出類)한 긔상(氣像)과 셕ᄉᆡᆼ의 쥰슈(俊秀)한 풍ᄌᆡ[ᄎᆡ](風彩) ᄉᆡ로이 아름다운이, 공이 흡[집]슈흔연(執手欣然)ᄒᆞ여 별ᄂᆡ(別來)을 이르고 슈ᄌᆞᆨ(酬酌)하ᄆᆡ, 셕ᄉᆡᆼ이 공이 츌사(出師)한 후 한변[번] 왓다가 냥공ᄌᆞ의 참혹한 옷기○[시][1102] 살을 가리오지 못하고, ᄉᆡ초(柴草)을 가득히 져오는 상을 보고, 위·뉴의 악심을 지긔ᄒᆞᄆᆡ 참혹히 역여 그 악장을 보거든 부ᄃᆡ 이르려 별넌난지라. 이의 냥공ᄌᆞ을 도라보고 미미히 쇼왈,

"금일은 하일(何日)이관【55】ᄃᆡ 광텬 형졔가 《화류쳐의∥화복ᄎᆡ의(華服彩衣)》로 셰초[1103] ᄃᆡ(帶)을 도도고 고루화각의 한가히 안ᄌᆞᄂᆞ뇨? 악ᄌᆞᆼ(岳丈)이 발셔 오시드면

1102)옷기시 : 옷깃이.

1103)셰초 : 족두리. 부녀자들이 예복을 입을 때에 머리에 얹던 관의 하나. 위는 대개 여섯 모가 지고 아래는 둥글며, 보통 검은 비단으로 만들고 구슬로 꾸민다. 여기서는 남자의 건(巾)을 말함인 듯.

다.”

뎡태위 옥면화협(玉面花頰)의 의의(依依)ᄒᆞᆫ1097) 우음을 ᄯᅴ여 ᄀᆞᆯ오ᄃᆡ,

“ᄌᆞ안은 엇지 남의 절박(切迫)히 넉이ᄂᆞᆫ 말을 ᄒᆞᄂᆞ뇨? 내 잇다감 이곳의 왕ᄂᆡᄒᆞ여 ᄂᆡ당의 현알ᄒᆞᄆᆡ, 존당이 광텬 등을 제어(制御)치 못ᄒᆞ여【49】 괴이ᄒᆞᆫ 쳔역을 다ᄒᆞᄃᆡ 금(禁)치 못ᄒᆞ시고 민망ᄒᆞ여라{ᄒᆞ여라} ᄒᆞ시니, 내 소견의도 하 긔괴(奇怪)ᄒᆞ여 여러번 니르니, ‘한신(韓信)은 긔식어표모(寄食於漂母)ᄒᆞ고 제갈(諸葛)은 남양(南陽)의 밧출 가니 ᄌᆞ고(自古) 영웅쥰걸(英雄俊傑)도 일시 곤궁(困窮)은 면치 못ᄒᆞᆯ ᄇᆡ’라 ᄒᆞ여 고ᄉᆞ(故事)를 인증(引證)ᄒᆞ고, 극열(極熱)의 것츤 ᄆᆡ듁(麥粥)을 감식(甘食)ᄒᆞ고, 극한(極寒)의 언 ᄌᆡ강1098)을 즐겨 먹으니 텬품셩질(天稟性質)이 그런 후ᄂᆞᆫ ᄒᆞᆯ일업더라.”

셕ᄒᆞᆨᄉᆡ 쇼왈,

“챵ᄇᆡᆨ은 광텬 등의 ᄉᆡ초(柴草) 지고 단니ᄂᆞᆫ 양을 아니보앗ᄂᆞ냐? 비록 영웅쥰걸이 되려 브러 짐즛 그리ᄒᆞᆯ지라도 과연 듕난(重難)ᄒᆞ여 뵈더라.”

뎡태위 미쇼왈,

“ᄉᆡ초 지고 단닐 젹은 보지 아녀시나 극열취우듕(極熱驟雨中) 강외(江外)의 미곡 지고【50】 오다가, 길 ᄎᆡ운다 하고 하리를 밀치고 닷거ᄂᆞᆯ, 우리ᄂᆞᆫ 광텬인 줄 아지 못ᄒᆞ고 가엄(家嚴)이 잡으라 보ᄂᆡ시니, 하리 ᄉᆞ오인을 난타ᄒᆞ고 옷술 발발이 쯔졋거ᄂᆞᆯ, 보앗노라.”

ᄎᆞ시 뉴시 뎡·셕 냥인의 입을 쥬여지르지1099) 못ᄒᆞ고, 츄밀의 노긔(怒氣)를 혜아리ᄆᆡ 대담대악(大膽大惡)이나 놀나온 숨이 벌덕이기를 면치 못ᄒᆞ고, 광텬은 오히려 놀나지 아니ᄃᆡ 희텬은 양모(養母)의 과악이 드러날 바를 ᄉᆡᆼ각ᄒᆞ니, 황황ᄎᆞ악(惶惶嗟愕)ᄒᆞ여 아모리ᄒᆞᆯ 줄 모르ᄂᆞᆫ디라. 공이 냥셔(兩

1097)의의(依依)하다 : 성(盛)하다. 가득하다.
1098)ᄌᆡ강 : 재강. 술찌끼. 술을 거르고 남은 찌끼.
1099)쥬여지르다 : 쥐어지르다. 주먹으로 힘껏 내지르다.

그 쳔역(賤役)을 아닐ᄂᆞᆺ다.”

뎡한림이 화협의 우음을 ᄯᅴ여 갈오ᄃᆡ,

“ᄌᆞ안은 엇지 절박히 넉이ᄂᆞᆫ 말을 ᄒᆞ뇨? ᄂᆡ 잇다감 이곳의 이르면 존당이 광텬 등을 졔어(制御)치 못ᄒᆞ여 고이ᄒᆞᆫ 쳔역을 다ᄒᆞ되 금(禁)치 못ᄒᆞ고 민망ᄒᆞ여라 ᄒᆞ시니, ᄂᆡ 소견의도 ᄒᆞ 긔괴(奇怪)ᄒᆞ여 여러번 그리 말나 이른 즉 광·희 냥ᄋᆡ 답ᄒᆞ되, ‘한신(韓信)은 긔식어표모(寄食於漂母)ᄒᆞ고 제갈(諸葛)은 남양(南陽)의 밧츨 가라시니, ᄌᆞ고(自古) 영웅호걸(英雄豪傑)도 일시 곤궁(困窮)은 면치 못ᄒᆞᆫ ᄇᆡ라’ ᄒᆞ여 고ᄉᆞ(故事)을 인증(引證)ᄒᆞ고, 극열(極熱)의 거친 ᄆᆡ쥭(麥粥)과 극한(極寒)의 ᄎᆞᆫ ᄌᆡ강1104)을 질겨 먹으니 쳔품셩질(天稟性質)이 그런 후ᄂᆞᆫ 할 일 업더라.”

ᄒᆞᆫᄃᆡ, 셕학ᄉᆡ 함소왈,

“창ᄇᆡᆨ은 광텬 등의 졸니ᄂᆞᆫ 거ᄉᆞᆯ 아니 보아ᄂᆞᆫ냐?”

○○○○○○[뎡태위 미쇼왈],

“영웅쥰걸이라 짐지고 단일젹은 보지 못ᄒᆞ여 거니와, 극녈취우즁(極熱驟雨中)의 강외의 가 미곡을 지고 오다가 ᄒᆞ리(下吏)을 밀치고 닷거ᄂᆞᆯ, 우리ᄂᆞᆫ 광텬인 쥴 엇지 알니오. 그 불슌ᄒᆞ믈 쾌심니 역여 가엄이 잡으러 보ᄂᆡ시니, ᄒᆞ리 ᄉᆞ오인을 난타ᄒᆞ고 오ᄉᆞᆯ 발발이 다 쯧던 냥을 보앗노라.”

ᄒᆞ니, ᄎᆞ시 뉴시 뎡【56】·셕 양인의 입을 쥐여쯧지1105) 못ᄒᆞ고, 츄밀의 노긔을 ᄉᆡᆼ각ᄒᆞ니 비록 ᄃᆡ담ᄃᆡ악(大膽大惡)이ᄂᆞ 놀ᄂᆞ온 슘이 벌덕이거ᄂᆞᆯ, 광텬은 오히려 놀나지 아니ᄂᆞ 희텬은 냥모의 과악이 드러날가 ᄉᆡᆼ각ᄒᆞ니 긔ᄉᆡᆨ이 황황(遑遑)ᄒᆞᆫ지라. 공이 뎡·셕 냥ᄉᆡᆼ의 말을 드르ᄆᆡ 분발(憤髮)이 상지(上指)ᄒᆞ고 노목(怒目)이 진녈(盡裂)ᄒᆞ여, ᄉᆡᆼ각건ᄃᆡ ᄌᆞ긔 나간 ᄉᆞ이 긔괴ᄒᆞᆫ 일이 만흔

1104)ᄌᆡ강 : 재강. 술찌끼. 술을 거르고 남은 찌끼.
1105)쥐여쯧다 : 쥐어뜯다. 단단히 쥐고 뜯어내다.

壻)의 말을 드르믹, 분발(憤髮)이 상지(上指)ᄒᆞ고 목ᄌᆞ진녈(目眥盡裂)ᄒᆞ기를 니긔지 못ᄒᆞ여, 반ᄃᆞ시 ᄌᆞ긔 나간 ᄉᆞ이 긔괴ᄒᆞᆫ 일이 만턴 바를 ᄉᆡᆼ각ᄒᆞ니, 냥ᄋᆞ 잔잉ᄒᆞᆫ ᄆᆞᄋᆞᆷ이 ᄌᆞ긔 몸이 【51】 알픈지라. 냥인다려 문왈,

"ᄌᆞ안과 챵빅이 냥ᄋᆡ 그리코 단니ᄂᆞᆫ 양을 몃번이나 보앗ᄂᆞ뇨?"

셕ᄉᆡᆼ이 ᄃᆡ왈,

"쇼ᄉᆡᆼ은 악댱 가신 후 ᄒᆞᆫ번 왓더니 그 의복이 살흘 가리오지 못ᄒᆞ고 ᄉᆡ초를 가장 만히 졋더이다."

뎡태위 쇼이ᄃᆡ왈(笑而對曰),

"쇼ᄉᆡᆼ은 됴회 길히 존부를 지나믹 ᄌᆞ로 왕ᄂᆡᄒᆞ오니 그런 거동 보미 엇지 슈를 혜아리리잇가."

츄밀이 면ᄉᆡᆨ이 ᄌᆞ연 프르락 붉으락 ᄒᆞ여 분노를 니긔지 못ᄒᆞᄂᆞᆫ 거동이라. 《내ǁ추》공ᄌᆞ 혜오ᄃᆡ,

"내 몸을 맛ᄎᆞ도 ᄎᆞ마 부모의 블화ᄒᆞ시ᄂᆞᆫ 거동을 보지 못ᄒᆞ리라. 우리 고상1100)을 녁경ᄒᆞ미 ᄒᆞᆫ갓 양모의 과실 ᄲᅮᆫ 아니라, 존당의 과실도 업지 아니ᄃᆡ, 대인의 노ᄒᆞ시믄 일편 【52】 도이 양ᄌᆞ위(養慈闈)긔 이시니, 내 엇지 ᄌᆞ위긔 블평ᄒᆞ시믈 닐위리오."

의ᄉᆞ(意思) 이의 밋ᄎᆞ믹 착급ᄒᆞ여 뎡·셕 냥인 보ᄂᆞᆫᄃᆡ 광기를 ᄂᆡ여 쳔역을 실히오고져1101) ᄒᆞ여, 쳐음은 고요히 안잣더니 그 형을 지삼 눈주고 홀연 닓더나1102), 닙은 옷술 발블이 ᄧᅳ져바리고 긔긔괴괴(奇奇怪怪)ᄒᆞᆫ 잡셜(雜說)을 ᄲᅮ어리며 블을 벗고 셜상(雪上)으로 다름질을 ᄒᆞ여 밧그로 나가니, 일공ᄌᆞ 그 ᄯᅳᆺ을 지긔(知機)ᄒᆞ나, ᄌᆞ긔 좃ᄎᆞ 양광(佯狂)ᄒᆞ미 우은지라. 좌를 동치 아니코 늠연뎡좌(凜然正坐)ᄒᆞ여 알플 볼 ᄲᅮᆫ이오, 희텬의 거동을 ᄎᆡ 보고져 ᄒᆞ더니, ᄎᆞ공ᄌᆞ 옷술 다 버셔 후리치고 노복 등의 헌옷술 어

바을 ᄉᆡᆼ각ᄒᆞ니, 냥 공ᄌᆞ 불ᄉᆞᆼᄒᆞᆫ1106) 마음이 ᄌᆞ긔 몸이 압푼지라. 뎡·셕 이인(二人)다려 문왈,

"ᄌᆞ한과 창빅이 광텬 등 그리ᄒᆞ고 단이ᄂᆞᆫ 상을 멧 번이나 보아ᄂᆞ뇨?"

셕ᄉᆡᆼ이 ᄃᆡ 왈,

"소ᄉᆡᆼ은 악즁 가신 후 한번 왓숩더니 그 의복이 술을 가리오지 못ᄒᆞ고 ᄉᆡ초을 가즁 만히 졋던니다."

뎡한님이 소이ᄃᆡ왈(笑而對曰),

"소ᄉᆡᆼ은 조회 길의 존부을 지ᄂᆡ믹 ᄌᆞ로 드러오믹 슈 업시 보앗ᄂᆞ이다."

ᄒᆞᆫᄃᆡ, 츄밀이 면ᄉᆡᆨ이 푸르락 불그락 ᄒᆞ여 분노을 이긔지 못ᄒᆞᄂᆞᆫ 거동이라. ᄎᆞ 공ᄌᆞ 혀오ᄃᆡ,

"ᄂᆡ 몸을 맛ᄎᆞ도 ᄎᆞ마 부모의 불화ᄒᆞ시믈 보지 못ᄒᆞ리라. 우리 고ᄉᆡᆼ(苦生)을 경녁ᄒᆞ미 한갓 냥모의 과실 분 아니라 조모의 과실도 업지 아니ᄃᆡ, 부친의 노ᄒᆞ시문 일편도이 냥모의 탓만 ᄒᆞ실지니, ᄂᆡ 엇지 냥모의게 불평ᄒᆞ시물 일위리오."

으ᄉᆞ(意思) 이의 밋쳐ᄂᆞᆫ 뎡·셕 냥ᄉᆡᆼ 보ᄂᆞᆫᄃᆡ 냥광(佯狂)을 발ᄒᆞ려 그 형을 눈쥬더니, 문득 일써나 【57】 입은 오술 발발이 ᄶᅵ져 바리고 긔긔괴괴(奇奇怪怪)ᄒᆞᆫ 즙셜(雜說)노 구두더리며1107) 발을 벗고 셜ᄉᆞᆼ(雪上)으로 다름질ᄒᆞ며 밧그로 ᄂᆞ아가니, 장공ᄌᆞ 그 ᄯᅳᆺ슬 알고 ᄯᅩ ᄌᆞ긔조ᄎᆞ 양광(佯狂)ᄒᆞ리오. 다만 좌을 동치 아니코 늠연단좌(凜然端坐)ᄒᆞ여 압흘 볼 분이오, 희텬의 거동을 보려 ᄒᆞ드니, ᄎᆞ공ᄌᆞ 옷슬 다 버셔 후리치고 노복의 헌 오술 입고 돌을 쥬어 지고 드러오니, ᄎᆞ시 츄밀이 ᄎᆞ 광경을 목도ᄒᆞ믹, 냥안

1100)고상 : 고생(苦生). 어렵고 고된 일을 겪음. 또는 그런 일이나 생활.

1101)실히오다 : 실제로 해보이다. 사실로 알게 하다.

1102)닓더나다 : 벌떡 일어나다.

1106)불ᄉᆞᆼᄒᆞ다 : 불쌍하다. 처지가 안되고 애처롭다.

1107)구두더리다 : 구두덜거리다. 못마땅하여 혼자서 자꾸 군소리를 하다

더 몸의 걸치고 돌흘 지고 드러오더니, 츄밀이 ᄎᆞ【53】광경을 목도ᄒᆞᄆᆡ 냥안이 두렷ᄒᆞ고 ᄎᆞ악한심(嗟愕寒心)ᄒᆞ믈 니긔지 못ᄒᆞ여, 오ᄅᆡ 말을 못ᄒᆞ고, 뎡・셕 냥인은 그 양광이믈 아라 ᄌᆞ긔 등이 브졀업시 경셜(輕說)ᄒᆞ믈 뉘웃쳐 역시 말을 아니ᄒᆞ더니, 공이 태부인긔 뭇ᄌᆞ오ᄃᆡ,

"ᄎᆞᄋᆞ의 거동이 ᄒᆡ참(駭慘)ᄒᆞ오니 긔 엇진 일이니잇고."

태부인이 희텬의 거동이 극히 놀나오ᄃᆡ 말ᄒᆞᆯ 핑계 긔특(奇特)ᄒᆞᆫ지라 믄득 눈믈을 흘니고 기리 탄왈,

"광ᄋᆞ 등의 상셩(喪性)ᄒᆞᆫ 말을 니르려 ᄒᆞ면 가슴이 답답ᄒᆞᆯ디라. 네 간 후 슈월(數月)이 못ᄒᆞ여 광·희 냥ᄋᆡ 무고히 광증(狂症)을 어더 만신(滿身)의 분즙(糞汁)을 뭇치고 뜰의 뒤구을며 패언잡셜(悖言雜說)을 무궁히 ᄒᆞ거늘, 노모와 제 어미 븟들고 왼가지[1103]로 다【54】ᄅᆡ고 쑤지ᄌᆞᄃᆡ 듯지 아니ᄒᆞ고, 인ᄒᆞ여 실셩발광(失性發狂)이 망측지경(罔測之境)의 밋ᄎᆞ니, 뎡・셕 냥셔랑(兩壻郞)을 쳥ᄒᆞ여 의치(醫治)나 ᄒᆞ고져 ᄒᆞᄃᆡ, 취실(娶室)치 못ᄒᆞᆫ ᄋᆞᄒᆡ들이 비록 녀ᄌᆞ와 다르나 발광지셜(發狂之說)이 블가ᄒᆞ여 ᄎᆞ셩(差成)키를 바라더니, 광ᄋᆞᄂᆞᆫ 십여일 젼브터 ᄆᆡ이 나아 여젼ᄒᆞᄃᆡ, 희ᄋᆞᄂᆞᆫ 지금 낫디 못ᄒᆞ여시니, 희ᄋᆡ 그 ᄉᆞ이를 ᄎᆞᆷ지 못ᄒᆞ니 져 병을 엇지하즌 말고."

뉴시 눈믈을 금치 못ᄒᆞ여 념녀ᄒᆞ고 슬허ᄒᆞ미 현어외모(顯於外貌)[1104]ᄒᆞᄃᆡ, 조부인이 단연위좌(端然危坐)ᄒᆞ여 말을 아니ᄒᆞᄂᆞᆫ디라. 공이 조부인긔 뭇ᄌᆞ오ᄃᆡ.

"이ᄋᆡ 어ᄃᆡ를 알타가 이리 ᄒᆞ니잇가?"

부인이 머리를 숙여 즉시 ᄃᆡ치 못ᄒᆞ더니 날호여 ᄃᆡ왈,

"쳡이【55】 졍신이 혼모(昏暮)ᄒᆞ여 앗ᄎᆞᆷ 일을 져녁의 ᄭᆡᄃᆞᆺ지 못ᄒᆞ니, 더옥 누월젼(累月前) 일을 엇지 ᄉᆡᆼ각ᄒᆞ리잇가."

말ᄉᆞᆷ이 몽농(朦朧)ᄒᆞ여 곡졀(曲折)을 ᄒᆡ셕

1103)왼가지 : 온 가지. 온갖. 온갖 종류.
1104)현어외모(顯於外貌) : 외모에 나타남.

(兩眼)니 두렷ᄒᆞ냐[야] ᄎᆞ악ᄒᆞ믈 익의지[1108] 못ᄒᆞ여 ᄒᆞᆫ 말도 못ᄒᆞᄂᆞᆫ지라. 시의 뎡・셕 양인니 ᄎᆞ 공ᄌᆞ의 거동을 보고 그 양광실셩(佯狂失性)인 쥴 아라 ᄌᆞ긔 등이 부졀 업시 젼셜(傳說)ᄒᆞ믈 뉘웃쳐 말이 업ᄉᆞ니, 공이 ᄐᆡ부인게 뭇ᄌᆞ오ᄃᆡ,

"ᄎᆞ아의 거동이 ᄒᆡᄎᆞᆷ(駭慘)ᄒᆞ오니 그 어인 일리오니잇가?"

ᄐᆡ부인이 희텬의 거동이 극히 놀나오ᄃᆡ, 말할 핑계 업ᄂᆞᆫ지라. 문득 눈물을 흘니고 기리 탄ᄒᆞᄂᆞᆫ 쳬ᄒᆞ여 왈,

"광ᄋᆡ ᄉᆞᆼ셩(喪性)한 말을 이르려 ᄒᆞ면 가슴이 답답ᄒᆞᆫ지라. 네 ᄂᆞ간 후 슈월이 못ᄒᆞ여 광・희 냥ᄋᆡ 모월야(某月夜)의 광증(狂症)으로 드리다라, ᄑᆡ언잡셜(悖言雜說)이 무궁ᄒᆞᄆᆡ, 쥬야 약을 다ᄉᆞ려 낫기을 바라더니, 광아ᄂᆞᆫ 십여일버텀[1109] ᄆᆡ히 낫고 희ᄋᆞᄂᆞᆫ 지금것 낫지 못ᄒᆞ니 져 병을 엇지ᄒᆞ즌 말고."

ᄒᆞ며 우ᄂᆞᆫ 쳬ᄒᆞ니,

1108)익의지 : 이기지.
1109)버텀 : 부터.

(解釋)지 아니니 공이 의아(疑訝)ᄒᆞ여 왈,

"존슈의 춍명이 미셰지ᄉᆞ(微細之事)라도 닛지 아니시던 바로, 엇지 광ᄋᆞ 등의 실셩ᄒᆞ던 일을 니ᄌᆞ시니잇고?"

조부인이 답지 못ᄒᆞ여셔 태부인이 왈,

"조현뷔 병이 괴(怪)ᄒᆞ여 졍신이 어리고, 식음(食飮)이 거ᄉᆞ려 하츄동(夏秋冬) 삼졀(三節)을 신음ᄒᆞ다가 온가지로 구호ᄒᆞ여 잠간 나핫ᄂᆞ니라."

공은 경악(驚愕)ᄒᆞ기를 마지 아니코, 조부인은 어히업셔 입이 이시나 업슴만 ᄀᆞㅈ지못ᄒᆞ믈 도로혀 우이 넉이고 말을 아니니, 공이 친히 나려가 희ᄋᆞ를 압셰워 당의【56】오르려 ᄒᆞ니, 공ᄌᆡ 손을 ᄲᅳ리치고 나ᄂᆞᄃᆞ시 밧그로 나가더니, 또 남글 만히 지고 드러오ᄂᆞᆫ디라. 공은 본ᄃᆡ 잔 념녀와 호의(狐疑)를 두지 아니ᄒᆞ고, 사ᄅᆞᆷ을 샤곡(邪曲)[1105]히 츼오지[1106] 못ᄒᆞ니, 태부인의 허언을 ᄭᅮ미며 희ᄋᆡ 양모를 위ᄒᆞ여 양광ᄒᆞ믈 몽니(夢裏)의도 ᄉᆡᆼ각지 못ᄒᆞ고, 뎡·셕 냥인이 져런 거동을 보고 히참(駭慘)ᄒᆞ여, 《젼ᄒᆞ민 : 양광(佯狂)인》 줄 아ᄂᆞᆫ지라. 공의 춍명이 홀노 ᄎᆞᄉᆞ를 ᄭᆡᄃᆞᆺ지 못ᄒᆞ미 냥공ᄌᆞ의 ᄋᆡᆨ회(厄會) 듕(重)ᄒᆞ미러라.

뎡·셕 냥인이 ᄒᆞᄃᆡ고 도라갈ᄉᆡ 공 왈,

"갓 도라와 희ᄋᆞ의 병으로 심신(心身)이 ᄎᆞ악ᄒᆞ여 담화를 못ᄒᆞᄂᆞ니, 명일 됴회 길히 다시 오기를 ᄇᆞ라노라."

냥인이 응ᄃᆡᄒᆞ고 밧긔 나와 셔로 우어 왈,

"아등의 말이 유익든【57】아니코 희텬의 병을 어더주니 그런 뉘웃븐 일이 업도다."

셕ᄉᆡᆼ 왈,

"츄밀공이 그 곡졀을 ᄉᆞᄆᆞᆺ지[1107] 못ᄒᆞ미 블명(不明)ᄒᆞᆫ디라. 내 일댱(一場)을 히비(駭

뎡·셕 냥인이 하직고 도라 갈ᄉᆡ, 공이 갈오ᄃᆡ,

"ᄂᆡ 갓드러와 희아의 병을 보【58】니 심신이 ᄎᆞ악ᄒᆞ야 죵용이 담화도 못하엿시니, 명일 조회 길의 다시 오기을 바라노라."

냥인이 응ᄃᆡ하고 밧긔 나와, 뎡ᄉᆡᆼ은[이]

1105)샤곡(邪曲) : 요사스럽고 교활함.
1106)츼오다 : 치다. 치우다. 어떠한 상태라고 인정하거나 사실인 듯 받아들이다.
1107)ᄉᆞᄆᆞᆺ다 : 사무치다. 통하다. 깨닫다.

備)[1108]히 토셜(吐說)코져 ᄒᆞ딕 희텬이 죽으려 셔둘디라 고로 못ᄒᆞ노라."
뎡태위 왈,
"광텬 등의 디셩대회(至誠大孝) 난가(亂家)를 뎡(整)히 ᄒᆞ고 포한(暴悍)ᄒᆞᆫ 부인을 회심케 ᄒᆞ리니, 아등이 함구블언(緘口不言)ᄒᆞ여 모ᄌᆞ조손간(母子祖孫間)을 시비치 말거시라."
셕혹식 분연 왈,
"형언이 가(可)커니와 인심의 통히(痛駭)키를 춤지 못ᄒᆞ리니, 내 각별이 간인(奸人)의 졍틱(情態)를 술펴 잔잉ᄒᆞᆫ 희텬 등을 ᄉᆞ디의 드지 말고져 ᄒᆞ노라."
뎡태위 과도ᄒᆞ믈 니르고 각각 부듕으로 도라가니라.
츄밀이 희텬을 ᄊᆞ라 그 허리【58】를 믹여 태부인 방의 와 압히 안치고 눈믈을 흘녀 왈,
"실셩발광(失性發狂)이란 거시 상시(常時) 허박(虛薄)ᄒᆞᆫ 셩졍이 간간이 니믹망냥(魑魅魍魎)을 들녀, 광담허셜(狂談虛說)을 뿌어리고[1109] 단니거니와 내 아히ᄂᆞᆫ 나히 어리나 금옥(金玉)의 견고홈과 듕산(重山)의 무거오미 잇셔 노셩군ᄌᆞ(老成君子)를 압두(壓頭)ᄒᆞᆯ너니 이 엇진 거조뇨?"

공지 드른 쳬 아니코 잡담을 슈업시 ᄒᆞ며 뇝더나 다르려[1110] ᄒᆞᆫ들 츄밀이 그 허리를 믹여시므로 니러셔지 못ᄒᆞ고, ᄆᆞ음을 뎡치 못ᄒᆞ여 브딕잇고, 혹 웃고, 혹 우러, 거동이 ᄎᆞ악ᄒᆞ니, 공이 광텬다려 왈,
"네 역시 이러터라 ᄒᆞ니, 엇지ᄒᆞ여 진뎡ᄒᆞ며, 발광ᄒᆞᆯ 젹은 엇더ᄒᆞ여 이러ᄒᆞ더뇨?"
공지 심니의 가쇼(可笑)로오믈 니긔지 못ᄒᆞ【59】딕, 오직 딕왈,
"형뎨 ᄒᆞᆫ가지로 발광ᄒᆞ여 단니더니 유ᄌᆞ(猶子)[1111]ᄂᆞᆫ 십여일 젼브터 스ᄉᆞ로 진뎡ᄒᆞ

1108)히비(賅備) : 고루 잘 갖추어져 있음.
1109)뿌어리다 : 씨부렁거리다. 쓸데없는 말을 자꾸 지껄이다.
1110)다르려 : 닫다. 뛰어나가려.
1111)유ᄌᆞ(猶子) : 조카. ①자식과 같다는 뜻으로, '조

"모ᄌᆞ죠숀간을 시비치 말니라."

ᄒᆞ거늘 , 셕싱이 분연 왈,
"형언이 올흐딕, 인심이 ○[이]의 통한커늘 춤기 어려오니, ᄂᆡ 각별이 간인(奸人)의 졍틱(情態)을 술며 잔잉한 희쳔 등의 ᄉᆞ지(死地)을 버셔ᄂᆞ게 ᄒᆞ리라."
뎡틱우 과도ᄒᆞ믈 이르더라. 인ᄒᆞ여 각각 부즁으로 도라가니라.
ᄎᆞ시 츄밀이 희텬을 ᄊᆞᆯ아 허리을 믹여 틱부인 압히 안치고 눈물을 흘녀 왈,

"실셩발광(失性發狂)이란 거시 ᄉᆞᆼ시(常時)의 허박(虛薄)ᄒᆞᆫ 셩정(性情)이{야} 간간이 이믹망냥(魑魅魍魎)을 들여, 광담허셜(狂談虛說)을 《쑥쑥‖쑤군》거리고[1110] 단이건이와, ᄂᆡ 아히ᄂᆞᆫ 나히 어리나 금옥의 견고함과 틱순의 무거오미 잇셔, 노셩군ᄌᆞ(老成君子)도 밋지 못할넌이, 엇지 여ᄎᆞ 괴질을 어더 병될 쥴 뜻하리요."

1110)쑤군거리다 : 수군거리다. 남이 알아듣지 못하도록 낮은 목소리로 자꾸 가만가만 이야기하다

여 단니던 일이 우은지라. 아은 지금 낫지 못ᄒᆞ니 엇지 졀민치 아니리잇고? 져런 씨는 ᄆᆞ옴이 쥬(主)ᄒᆞᆫ 거시 업셔 우마(牛馬)의 먹는 거시라도 념고(厭苦)ᄒᆞ믈 모로고, 아모 쳔역(賤役)이라도 심히 즐겁고, 드러 안ᄌᆞ시려 ᄒᆞ면 녈홰(熱火) 니러나 그 옷슬 ᄠᅳᆺ지 아니면 심증(心症)을 니긔지 못ᄒᆞ여 다 ᄡᅳ져 살이 드러나야 싀훤ᄒᆞ더이다."

공이 쳑연ᄌᆞ상(慽然自傷)ᄒᆞ여 댱탄 왈,

"션형(先兄)이 아니 계시나 여등 형뎨 특츌ᄒᆞ니 문호를 흥긔(興起)ᄒᆞᆯ가 바라더니, 엇지 여ᄎᆞ 괴질을 어들 줄 ᄯᅳᆺᄒᆞ여시리오."

뎡언간의 친붕졔우(親朋諸友)의 모드믈 보(報)ᄒᆞ니 공이 광텬으로 아【60】을 븟드러시라 ᄒᆞ고 외헌으로 나가니, 조부인이 뎡싀고, 공ᄌᆞ를 칙왈,

"인ᄌᆡ(人子) 화긔이셩(和氣怡聲)으로 열친(悅親)이 맛당ᄒᆞ거놀, 슉슉이 누월상니(累月相離)의 환가ᄒᆞ시미, 네 ᄒᆞ졍(下情)을 펴지 아니코 블의(不意) 양광실셩(佯狂失性)ᄒᆞ여 슉슉을 경동(驚動)ᄒᆞ미 그 엇진 일이뇨? 나는 사ᄅᆞᆷ이 ᄒᆞᆫ갈 ᄀᆞᆺ트믈 구ᄒᆞ고 져러ᄐᆞᆺ 괴이ᄒᆞ믈 실노 한심(寒心)ᄒᆞ여, ᄉᆞᄉᆞ(事事)의 ᄌᆞ식 두믈[미] 남다르믈 ᄎᆞ셕(嗟惜)ᄒᆞᄂᆞ니, ᄆᆡᆼ모(孟母)1112)는 엇던 사ᄅᆞᆷ이완ᄃᆡ 삼쳔지교(三遷之教)1113)ᄒᆞ시고, 여모(汝母)는 ᄌᆞ식의 뎡대치 못ᄒᆞ미 양광실셩(佯狂失性)ᄒᆞ기의 밋쳣ᄂᆞ뇨?"

일공ᄌᆡ 니어 왈,

"평일 나의 뎡대치 못ᄒᆞ믈 니르더니, 금ᄌᆞ(今者) 네 거동을 화상을 그려 우엄 즉ᄒᆞ니 엇지 ᄯᅳᆺ잡기를 이러ᄐᆞᆺ 그릇ᄒᆞ엿ᄂᆞ뇨? 효셩이란【61】 거시 힘을 다ᄒᆞ고 졍셩을 극진히 ᄒᆞᆯ ᄲᅮᆫ이라. 실셩ᄒᆞ여든 긔특ᄒᆞ리오. 다

카'를 달리 이르는 말. ②편지글에서, 글 쓰는 이가 나이 많은 삼촌에게 자기를 이르는 일인칭 대명사.

1112)ᄆᆡᆼ모(孟母) : 맹자의 어머니. 아들의 교육을 위하여 세 번이나 이사를 하고 베틀의 베를 끊어 보여 현모(賢母)의 귀감으로 불린다.

1113)삼천지교(三遷之教) : 맹자의 어머니가 아들을 가르치기 위하여 세 번이나 이사를 하였음을 이르는 말.

졍언간의 친붕제우(親朋諸友) 모드믈 고하거날 공이 광쳔으로 아을 붓들나 하고 외현[헌]으로 나오이[니], 됴부인이 졍싀고 공ᄌᆞ을 칙왈,

"인ᄌᆡ(人子) 화셩유어(和聲柔語)로 열친하미 《한갓을커날∥한결갓을거날》 슉슉이 여러 달 니가(離家)하사 비로쇼 환가ᄒᆞ시미, 네 하졍(下情)을 펴치 안코 불의(不意)예 발광실셩(發狂失性)으로 슉슉의 근심을 더으문 어진 ᄯᅳᆺ지뇨? 나는 ᄉᆞ람이【59】 할갈갓트믈 취ᄒᆞ고 져러ᄐᆞᆺ 고히ᄒᆞ믈 실노 한심(寒心)ᄒᆞ여, ᄉᆞᄉᆞ(事事)의 ᄌᆞ식두믈 ᄎᆞ셕(嗟惜)ᄒᆞᄂᆞ니, ᄆᆡᆼ모(孟母)1111)는 엇던 ᄉᆞ람이관ᄃᆡ 숨쳔지교(三遷之教)1112)ᄒᆞ시고 여모(汝母)는 엇더ᄒᆞ여 ᄌᆞ식이 양광실셩(佯狂失性)ᄒᆞ게 밋쳐ᄂᆞᆫ뇨?"

ᄃᆡ공ᄌᆞ 이어 왈,

"평일 네 나의 뎡ᄃᆡ치 못ᄒᆞ믈 이르더니 금일 네 거동은 그림 그려 우음즉 ᄒᆞ니, 엇지 ᄯᅳᆺ즙기을 이러ᄐᆞᆺ 그릇ᄒᆞᄂᆞᆫ뇨? 효셩이란 거시 힘으로 다ᄒᆞ여 졍셩을 극진할 분이라. 실셩하여든 그[긔]특ᄒᆞ리오. 다만 나의 의혹하는 빈 ᄂᆡ 젼후(前後)의 너가치 미친 일이 업거날 ᄃᆡ뫼 우리 형졔 함긔 실셩ᄒᆞ엿다

1111)ᄆᆡᆼ모(孟母) : 맹자의 어머니. 아들의 교육을 위하여 세 번이나 이사를 하고 베틀의 베를 끊어 보여 현모(賢母)의 귀감으로 불린다.

1112)숨쳔지교(三遷之教) : 맹자의 어머니가 아들을 가르치기 위하여 세 번이나 이사를 하였음을 이르는 말.

만 나의 의혹ᄒᆞᄂᆞᆫ 바ᄂᆞᆫ, 내 젼후(前後)의 너ᄀᆞᆺ치 밋친 일이 업거ᄂᆞᆯ 조뫼 우리 형뎨 흠긔 실셩ᄒᆞ엿다 ᄒᆞ시니, 아지못게라 발광을 언졔 ᄒᆞ엿던고? 그윽이 괴이ᄒᆞ나 계뷔 곡졀(曲折)을 므르시니, 태모 말ᄉᆞᆷ과 ᄀᆞᆺ치ᄒᆞ려 짐즛 밋쳣든 쳬ᄒᆞ엿거니와, 엇지 우읍지 아니리오."

태부인 호령이 빅ᄉᆞ(百事)의 밍호ᄀᆞᆺᄐᆞ나 조부인 모ᄌᆞ의 말을 드르ᄆᆡ 참괴ᄒᆞ미 업지 아니코, 뉴시ᄂᆞᆫ 희텬의 양광으로 츄밀이 노긔를 발치 아닐 줄만 다힝ᄒᆞ나, 그 ᄉᆞ이 조시 삼모ᄌᆞ를 업시치 못ᄒᆞᄆᆞᆯ ᄋᆡ돌은 눈믈이 진진(津津)ᄒᆞ여 왈,

"광ᄋᆞ 등을 미【62】곡을 날니며 쳔역을 식이미 젼혀 내 탓시 아니엇마ᄂᆞᆫ, 상공은 본ᄃᆡ 날을 믜워ᄒᆞᄆᆡ 일마다 내 죄를 삼을거시니 출하리 죽어 셜우믈 니ᄌᆞ리라."

셜파의 옥장도(玉粧刀)1114)를 어로만져 거동이 괴이ᄒᆞ니, 희텬이 빅옥용화(白玉容華)의 누쉬(淚水) 삼삼ᄒᆞ여 뉴시 슬하의 고두비읍(叩頭悲泣) 왈,

"ᄋᆞ히 블초무상(不肖無狀)ᄒᆞ오나 결단ᄒᆞ여 ᄋᆞ히 연고로 대인 블평ᄒᆞ시믈 닐위지 아니ᄒᆞ오리니, 원컨ᄃᆡ ᄌᆞ졍은 이런 놀나온 말ᄉᆞᆷ을 마르쇼셔."

현ᄋᆞ쇼졔 울며 모친을 븟드러 왈,

"패덕(悖德)과 비법(非法)을 힝ᄒᆞ실 제, 야얘 도라오실 줄 니져 계시더니잇가? 희뎨 양광(佯狂)ᄒᆞ니 야얘 진짓 실셩(失性)으로 아르시ᄂᆞᆫ지라. 모친 허믈을 족히 가리올 거【63】시니, ᄎᆞ후나 개심슈덕ᄒᆞ샤 희텬의 대효를 감동ᄒᆞ샤, 늀샹(倫常)의 대변(大變)을 닐위지 마르쇼셔."

뉴시 간악질독(奸惡疾毒)이나 말을 ᄃᆡ(對)치 못ᄒᆞ여 흔갓 눈믈이 하슈(河水) ᄀᆞᆺᄐᆞᆯ ᄲᅮᆫ이오. 태부○○[인이] 뉴시를 위로 왈,

"희ᄋᆡ 양광(佯狂)이 아닌들 노뫼 우연이 져희를 쳔역 식이미 므ᄉᆞᆫ 놀나오미 이시리오. 오ᄋᆡ 현부의 죄를 삼을 거시 아니니, 현하시이[니], ᄂᆡ 언졔 발광하엿든고? 그윽히 고히ᄒᆞ나, 슉부 곡졀을 모르시이[니], ᄃᆡ모 말ᄉᆞᆷ 갓치 ᄒᆞ려 짐짓 밋친 쳬ᄒᆞ여건이와, 엇지 우웁지 아니랴."

ᄒᆞ더라.

1114)옥장도(玉粧刀) : 자루와 칼집을 옥으로 만들거나 꾸민 작은 칼.

부는 안심ᄒᆞ라.”

뉴시 함한쳑비(含恨慽悲)ᄒᆞ여 침소로 도라가거늘, 희텬이 ᄯᅡᆯ와 슬하의 시좌(侍坐)ᄒᆞ니 온화ᄒᆞᆫ 낫빗과 효슌ᄒᆞᆫ 거동이 셕목간장(石木肝腸)이라도 어엿브믈 니긔지 못ᄒᆞᆯ 거시로ᄃᆡ, 뉴시ᄂᆞᆫ 못ᄌᆞᆨ이믈 졀박히 ᄒᆞᆫᄒᆞ여, 현ᄋᆞᄂᆞᆫ 조모긔 잇고 좌우의 경ᄋᆞ만 잇ᄂᆞᆫ 고로, 독ᄒᆞᆫ 눈을 브릅ᄯᅳ고 공ᄌᆞ의 가【64】슴의 졔 머리를 브ᄃᆡ이져 왈,

“간악ᄒᆞᆫ 거시 양광(佯狂)은 어이하뇨? 어리고 졈즉ᄒᆞᆫ[1115] 윤공은 네 말이면 다 착히 넉이ᄂᆞ니, 요괴로온 말노 날을 함히(陷害)ᄒᆞ여 죽이라. 셕쥰과 뎡텬흥이 네 쳥을 드러 흉언을 무슈히 ᄭᅮ미니, 너 보ᄂᆞᆫ ᄃᆡ셔 출하리 결ᄒᆞ여 네 모ᄌᆞ의 ᄆᆞ음을 싀훤케 ᄒᆞ리니, ᄲᆞᆯ니 니르라 내 네게 므ᄉᆞᆫ 원쉬 잇ᄂᆞ뇨?”

공ᄌᆞ의 가슴이 울히도록 브ᄃᆡ이ᄌᆞ며 조르니, 공ᄌᆡ 황황망극(遑遑罔極)ᄒᆞ여 쳬읍ᄋᆡ걸ᄒᆞ며 이런 거조를 마르쇼셔 ᄒᆞᄃᆡ, 그 흉독지심(凶毒之心)을 능히 졔어치 못ᄒᆞ여, 운발을 쥐여ᄯᅳ드며 몸을 므러 ᄯᅦ쳐 곳곳이 피소ᄉᆞ나니, 이런 경계ᄂᆞᆫ 고금의 드므나 공ᄌᆞᄂᆞᆫ 일분 원심이 업셔, 셩회 브족【65】ᄒᆞ여 감동치 못ᄒᆞ민가 슬허ᄒᆞᆯ ᄲᅳᆫ이라.

츄밀이 외당의 손을 ᄃᆡ졉ᄒᆞ여 도라보ᄂᆡ고 드러와 공ᄌᆞ를 브르니, 이ᄯᅢᄂᆞᆫ 진뎡ᄒᆞᄂᆞᆫ 쳬ᄒᆞ여 싀옷살 닙고 부젼의 뵈니, 공이 겻ᄐᆡ 안치고 쳔만가지로 경계ᄒᆞ니, 공ᄌᆡ 그런 ᄯᅢᄂᆞᆫ 아모란 줄 몰나 헤지르던[1116] 줄노 고ᄒᆞ니, 공이 크게 우려ᄒᆞ여 즉시 의ᄌᆞ(醫子)를 브르고 약뉴를 의논ᄒᆞ여 ᄋᆞᄌᆞ의 병을 곳치려 ᄒᆞ미 ᄀᆞ장 분분ᄒᆞᆫ지라. 의ᄌᆡ 슈플ᄀᆞᆺ치 모다 진ᄆᆡᆨᄒᆞ니 ᄆᆡᆨ되(脈度) 안온ᄒᆞ여 광증(狂症)이 업ᄉᆞᄃᆡ, 츄밀이 광병이라 ᄒᆞ여 의치(醫治)를 착실히 ᄒᆞ니, 의슐이 고명ᄒᆞᆫ 뉴ᄂᆞᆫ 분명 광증이 업ᄉᆞ믈 아ᄃᆡ 감히 양광(佯狂)이라 못ᄒᆞ고, 오직 보긔(補氣)ᄒᆞᆯ 약을 ᄡᅳ고 진심(鎭心)ᄒᆞᆯ 지료를 너치 못ᄒᆞ더라.

1115)졈즉ᄒᆞ다 : 점직하다. 멋쩍다. 어색하다.
1116)헤지르다 : 이리저리 허둥지둥 내달리다.

공이 환【66】가 후 여러 날이로ᄃᆡ ᄋᆞᄌᆞ의 병을 근심ᄒᆞ여 됴참밧근 ᄋᆞᄌᆞ를 븟들고 안ᄌᆞ시니, 공ᄌᆡ 간간이 나은 ᄶᅵᆨ 이셔 녜ᄉᆞ(例事)로올 적은 경근지녜(敬謹之禮)를 잡아 젼일과 다르미 업다가도, 광증을 거즛 발ᄒᆞ여 긔괴ᄒᆞᆫ 쳔역을 시작ᄒᆞ면 우읍기를 니긔지 못ᄒᆞᆯ지라.

뎡·셕 이인이 ᄌᆞ로 왕ᄂᆡᄒᆞ여 공긔 ᄇᆡ현ᄒᆞ며 공ᄌᆞ의 병을 므를ᄉᆡ, 일일은 뎡태위 츄밀긔 고왈,

"쇼ᄉᆡᆼ이 광증의 긔특ᄒᆞᆫ 약을 어더 와시니 시험ᄒᆞ여 희텬의게 ᄡᅧ보샤이다."

츄밀 왈,

"요ᄉᆞ이 여러 의ᄌᆡ 약을 ᄡᅳ니 잠간 나은 듯ᄒᆞ거니와 챵ᄇᆡᆨ이 므ᄉᆞᆫ 약을 가져왓ᄂᆞ뇨?"

태위 쇼왈,

"딘광환(鎭狂丸)이란 약이 블과 셰환(三丸)이나 쇼ᄉᆡᆼ이 극구(極求)ᄒᆞ여 작일 계오 어더왓ᄂᆞ이다."

인ᄒᆞ여 ᄉᆞᄆᆡ【67】로좃ᄎᆞ 약을 ᄂᆡ여 공의 알패 노코 희텬을 보아지라 ᄒᆞ나, 공ᄌᆡ 안ᄒᆡ 잇셔 나오지 아니니, 뎡태위 고왈,

"합해(閤下) 드러가셔 희텬을 ᄂᆡ여보ᄂᆡ시면 이 약을 삼다(蔘茶)의 화ᄒᆞ여 ᄒᆞᆷ긔 먹이리이다."

공이 응낙고 드러가 공ᄌᆞ를 ᄂᆡ여보ᄂᆡ니 태위 옷ᄉᆞᆯ 잡아 안치고 왈,

"너의 광증이 우리 언경(言輕)ᄒᆞᆫ 탓시라, 쳔만 뉘웃ᄂᆞ니, 비록 녕존당(令尊堂)을 위ᄒᆞᆫ 일이나 녕엄(令嚴)이 갓 도라오샤 널노ᄡᅧ 근심ᄒᆞ시니, 셩효(誠孝)란 거시 부모긔 간격ᄒᆞᆯ ᄇᆡ 아니라. 녕존당(令尊堂) 위ᄒᆞᆫ ᄆᆞ음으로ᄡᅧ 녕대인(令大人) 념녀(念慮)ᄒᆞ시믈 ᄉᆡᆼ각ᄒᆞ라. 모로미 그만ᄒᆞ여 딘졍(鎭靜)ᄒᆞ미 가ᄒᆞ니라."

공ᄌᆡ 져두무언(低頭無言)이러니 일공ᄌᆡ 왈,

이 ᄶᅵᆨ 졍·셕 냥ᄉᆡᆼ이 ᄌᆞ로 왕ᄂᆡᄒᆞ여 공게 문후ᄒᆞ더이[니], 일일은 졍ᄐᆡ우 츄밀공게 공ᄌᆞ 병을 뭇고 왈,

"소셔(小壻) 광증의 신효(神效)한 약을 어더 왓ᄉᆞ오이 ᄡᅧ보사이다."

추밀이 탄왈,

"여러 의ᄌᆞ(醫子)의 약을 만히 ᄡᅧ, 잠간 나하건이와 츙ᄇᆡᆨ이 무산 약을 가져왓나요[뇨]?"

ᄐᆡ후[우] ᄃᆡ왈,

"일홈은 진광환(鎭狂丸)이니 난득지물(難得之物)이라. 쇼셰 극구(極求)하여 셰환(三丸)을 어더 왓사오이[니] 희쳔을 불너 머기사이【60】다."

언파의 약을 공의 압히 녹코 공ᄌᆞ을 부르니, 공ᄌᆡ ᄂᆡ당의 잇셔 뎡·셕 이인 보기을 참괴(慙愧)ᄒᆞ여 응치 아니니, ᄐᆡ우 공경 고왈,

"합ᄒᆞ 친히 드러가오셔 희텬을 ᄂᆡ어 보ᄂᆡ쇼셔. ᄉᆞᆷ다(蔘茶)의 화(和)ᄒᆞ여 셰 낫칠[츨] 다 먹이ᄉᆞ이다."

ᄒᆞᆫᄃᆡ, 공이 그러이 역여 ᄂᆡ당의 드러가 공ᄌᆞ을 ᄂᆡ여 보ᄂᆡ니, ᄐᆡ우 그 손을 ᄌᆞᆸ아 겻ᄒᆡ 안치고 갈오ᄃᆡ,

"네 광증을 발ᄒᆞ믄 아등의 언셩[경](言輕)ᄒᆞ미연니와, 효도ᄂᆞᆫ 간격이 업ᄂᆞᆫ니, 네 어제 존당(尊堂)을 위ᄒᆞ여 짐짓 ᄒᆞᄂᆞᆫ ᄇᆡᄂᆞ, 다시 ᄉᆡᆼ각건ᄃᆡ 녕ᄃᆡ인(令大人)니 달포 니가(離家)의 갓 도라오ᄉᆞ, 너희 힝ᄉᆞ을 진짓 병으로 아라 쥬야 심예(心慮)ᄒᆞ시니, 그 무ᄉᆞᆷ 효(孝)라 이르리오. 모로미 그만 진졍(鎭靜)ᄒᆞ라."

언파의 약을 쥬어 먹게 ᄒᆞ니, 공ᄌᆡ 묵연져두(黙然低頭)ᄒᆞ여 그 말을 못 듯ᄂᆞᆫ 듯ᄒᆞ

"형이 양광(佯狂)으로 의심ᄒᆞ믄 엇지오?"

태위 쇼왈,【68】

"비록 양광이라도 긔운을 붓들고져 ᄒᆞ미라. 진광환이 아니오, 보신탕(補身湯)이라."

ᄎᆞ공ᄌᆡ 약을 마시고 말을 아니ᄒᆞ더니, 공이 즉시 나와 이런 ᄯᆡᄂᆞᆫ 딘뎡(鎭靜)ᄒᆞ여시믈 깃거ᄒᆞ니, 뎡태위 심니(心裏)의 실쇼ᄒᆞ나,

"딘광환을 먹어시니 오란 광증이 아니오 일시 밋쳐시니 슈히 딘뎡ᄒᆞ리이다."

공이 ᄀᆞ장 깃거 태우로 더브러 담화ᄒᆞ다가 날이 져믈ᄆᆡ 태위 도라가니라.

이러구러 ᄒᆡ 밧괴여 명년 신졍(新正)을 만나니, ᄎᆞ공ᄌᆡ 쾌히 거근(去根)ᄒᆞᆫ디라. 공의 깃브믄 비길 곳 업더라. 환가ᄒᆞ연지 월여(月餘)로ᄃᆡ, ᄋᆞᄌᆞ의 병으로 ᄇᆡᆨᄉᆞ를 믈외(物外)1117)의 더져시니, ᄎᆞᆨ지로셔 하가 노ᄌᆡ 니르러 셔간을 올리니, 공이 반겨 ᄯᅥ혀보니 하공이 거【69】년 츄구월의 ᄲᅡᆼ개(雙個) 긔린(騏驎)1118)을 어드니 젹막ᄒᆞᆫ 심ᄉᆞ를 위로ᄒᆞ나, ᄎᆞᆨ쳐(觸處)1119) 비회(悲懷) 무궁(無窮)ᄒᆞ믈 베플고, ᄋᆞᄌᆡ 댱셩ᄒᆞ여 미진ᄒᆞ미 업ᄉᆞ니 임의 뎡혼(定婚)·납빙(納聘)ᄒᆞᆫ 길ᄉᆞ(吉事)라. 신쇽히 ᄐᆡᆨ일(擇日)ᄒᆞ여 쇼져를 다리고 나려와 셩녜(成禮)ᄒᆞ믈 간졀이 쳥ᄒᆞ엿ᄂᆞᆫ디라. 공이 견필(見畢)의 츄연ᄒᆞ여 됴부인 슌산ᄉᆡᆼ남(順産生男)ᄒᆞ믈 긔특ᄒᆞ여 하공의 셔간을 들고 드러와 태부인긔 뵈옵고 친ᄉᆞ(親事)를 슈히 일우려 ᄒᆞ니, 태부인 고식(姑媳)이 쇼져의 졀의를 다시 작희(作戲)ᄒᆞᆯ 의ᄉᆡ 업셔 ᄒᆞᆫ갓 앙앙(怏怏)이1120) 공을 한ᄒᆞᆯ ᄲᅳᆫ이라.

1117)믈외(物外) : 구체적인 현실 세계의 바깥세상. 또는 세상의 바깥. 여기서는 '관심 밖의 일'.

1118)긔린(騏驎) : 하루에 천 리를 달린다는 말. 여기서는 천리마처럼 뛰어난 사내 아이라는 뜻.

1119)ᄎᆞᆨ쳐(觸處) : 눈길 닿는 곳마다.

1120)앙앙(怏怏) : 앙앙히. 매우 마음에 차지 아니하거나 야속하게 생각함.

고, 약을 ᄉᆞ양치 안냐 바다 먹으니, ᄌᆞᆼ공ᄌᆡ 미소왈,

"형이 희졔의 병이 양광으로 ᄒᆞ여 약을 쓰믄 엇진 일리뇨?"

ᄐᆡ우 답왈,

"이ᄂᆞᆫ 졔 긔운을 돕고져 ᄒᆞ여 보신(補身)으로 먹여ᄂᆞᆫ이라."

할ᄎᆞ, 공이 츌외(出外)ᄒᆞ여 공ᄌᆡ 고이 안ᄌᆞ시믈 보고, 이런 ᄯᆡᄂᆞᆫ 진졍ᄒᆞ더라 ᄒᆞ니, 뎡·셕 양인니 심니(心裏)의 실소(失笑)ᄒᆞᄂᆞ 거짓 위로 왈,

"병이 오ᄅᆡ지 아엿고 신약(神藥)을 먹엇ᄉᆞ오니, 이졔ᄂᆞᆫ 쾌이 ᄂᆞ흐리이다."

ᄒᆞ니, 공이 깃거 냥ᄉᆡᆼ으로 종일 담화ᄒᆞ다 일모셔산ᄒᆞ니 이인니 하직고 도라가니라.

이러구러 ᄒᆡ【61】 밧고여 신졍(新正)을 당ᄒᆞ여더니, 공ᄌᆡ 쾌히 광긔을 거근(去根)ᄒᆞᄆᆡ 공이 쳔만환희ᄒᆞ고, 환가ᄒᆞ여 달포 되ᄂᆞ 공ᄌᆡ의 병으로 만ᄉᆞ을 물외(物外)1113)의 더져 두니, 일일은 촉지로셔 하부 노ᄌᆡ 이르러 셔간을 올니거늘, 공이 반겨 ᄀᆡ간(開看)ᄒᆞᄆᆡ, 하공이 즉년 츄구월의 쌍ᄀᆡ(雙個) 긔린(騏驎)1114)을 어더 젹막ᄒᆞ믈 위로ᄒᆞ노라 ᄒᆞ고, 아ᄌᆞ 장셩ᄒᆞ여 취실(娶室)이 밧부믈 일너 ᄐᆡᆨ일(擇日)ᄒᆞ여 소져을 다리고 나려와 셩녜(成禮)ᄒᆞ기을 간졀히 베퍼시니, 공이 견필(見畢)의 조부인 슌산(順産)ᄒᆞ여시물 깃거ᄒᆞᄂᆞ, 그 심ᄉᆞ을 츄연(惆然)ᄒᆞ고 ᄯᅳᆺ즐 결ᄒᆞ여 친ᄉᆞ(親事)을 슈히 일우려 ᄒᆞ니, 위·뉴 고식(姑媳)이 다시 겨교(計巧)을 힝치 못ᄒᆞ고, 공을 한ᄒᆞ여 쳔금옥녀(千金玉女)로ᄡᅧ 촉지(蜀地) 슈졸(戍卒)의 안ᄒᆡ 숨무믈 원망ᄒᆞ고, 원간 뉴간(柳奸)의 간악이 남달나 두 ᄯᆞᆯ을 ᄉᆞ랑ᄒᆞ믄 병된 고로, 시러금 두 공ᄌᆞ을 업시코 ᄌᆡᄉᆞᆫ(財産)을 두 ᄯᆞᆯ을 다 쥬고져 ᄒᆞᆫ ᄇᆡ러니, 가지록 제 소원과 달ᄂᆞ 경ᄋᆞᄂᆞᆫ 셕ᄉᆡᆼ이 박ᄃᆡ 졈졈 더으고, ᄎᆞ녀ᄂᆞᆫ 만니 타향

1113)물외(物外) : 구체적인 현실 세계의 바깥세상. 또는 세상의 바깥. 여기서는 '관심 밖의 일'.

1114)긔린(騏驎) : 하루에 천 리를 달린다는 말. 여기서는 천리마처럼 뛰어난 사내 아이라는 뜻.

공이 즉시 길월냥신(吉月良辰)을 퇵ᄒᆞ여 혼긔 듕츈회간(仲春晦間)이니 가장 급박ᄒᆞᆫ 지라. 쳔금 약질을 다리고 험노(險路)의 급히【70】 힝ᄒᆞ기 어려오ᄃᆡ, 공이 기모(其母)의 심긔를 념녀○○[ᄒᆞ여], 녀ᄋᆞ의 친ᄉᆞ를 타쳐의 향의(向意)ᄒᆞᆯ가 블승통한(不勝痛恨)ᄒᆞ니, 급히 셩혼ᄒᆞ여 잡의ᄉᆞ(雜意思)를 못ᄂᆡ게 ᄒᆞ려, 하공의 셔간을 본 후 오뉵일을 치힝(治行)ᄒᆞ여 졍월 샹원 후, 샹긔 삼ᄉᆞ삭 말ᄆᆡ를 어더 녀ᄋᆞ를 다리고 쵹디로 향ᄒᆞᆯ ᄉᆡ, 현아 쇼졔 강졍의셔 도라온 지 계오 일삭이 남거ᄂᆞᆯ, 누쳔니(累千里) 원별의 심ᄉᆡ 버히ᄂᆞᆫ ᄃᆞᆺ, 철옥간장(鐵玉肝腸)이라도 참지 못ᄒᆞᆯ지라. 옥뉘(玉淚) 화싀(花顋)의 구슬 구으듯 ᄒᆞ니, 뉴시 간독(奸毒)이 남다르나 냥녀 ᄉᆞ랑은 병되여, 더옥 희텬을 업시코, 져 ᄌᆡ산보화(財産寶貨)를 이녀를 주려 ᄒᆞ거ᄂᆞᆯ, 댱녀ᄂᆞᆫ 셕싱이 박ᄃᆡ 태심ᄒᆞ고 ᄎᆞ녀ᄂᆞᆫ 쵹디 슈졸의 쳐를 삼게 ᄒᆞ【71】니, 엿흔 혬의 하ᄌᆞ(河子)의 비상ᄒᆞᆷ은 아지 못ᄒᆞ고, 일마다 쇼원이 못되믈 ᄀᆡᆨ골분원(刻骨忿怨)ᄒᆞ여 식음을 믈니치고 셩질(成疾)ᄒᆞ기의 밋ᄎᆞ니, 희텬이 쥬야 위로ᄒᆞ고 쇼졔 ᄌᆞ긔 슬픈 심회를 강인ᄒᆞ여 모친을 위로ᄒᆞ며, ᄎᆞ후 회과슈덕(悔過修德)ᄒᆞ시믈 간걸(懇乞)ᄒᆞ니, 뉴시 눈믈이 하슈 ᄀᆞᆺᄐᆞ여 왈,

"녀ᄋᆞᄂᆞᆫ 어믜 졍을 아지 못ᄒᆞ여도 나ᄂᆞᆫ 너희 두낫 골육을 어더, 쳔금보옥(千金寶玉)으로 아라 귀듕ᄒᆞᄃᆡ, 여형(汝兄)은 셕가(昔家) 기인이오, 너ᄂᆞᆫ 화가여싱(禍家餘生)의 슈졸(戍卒)과 결혼ᄒᆞ니, 일싱이 무광(無光)ᄒᆞ고 고초ᄒᆞᆷ은 니르도 말고, 누쳔니 관산(關山)의 애각(崖脚)이 즈음치고[1121] 히슈(海水) 망망(茫茫)ᄒᆞ니, ᄒᆞᆫ번 나려가ᄆᆡ 싱니ᄉᆞ별(生離死別)이라. 피ᄎᆞ 싱존을 셔로 통ᄒᆞᆯ 길히 업ᄉᆞ니, 이 슬픔과【72】 이 졍을 엇지 참으라 ᄒᆞᄂᆞ뇨?"

현아쇼졔 참연오열(慘然嗚咽)ᄒᆞ여 답지 의 니별을 ᄒᆞ게 되니, 심ᄌᆞᆼ(心腸)이 여할(如割)ᄒᆞ여 셩병(成病)케 되엇더라.

공이 ᄂᆞ라히 슈ᄉᆞᆨ(數朔) 말ᄆᆡ을 쳥ᄒᆞᆫ 후 틱일(擇日) 발힝(發行)ᄒᆞᆯ ᄉᆡ, 뉴시 소져을 어로만져 탄왈,

"누쳔리 관ᄉᆞᆫ(關山)의 ᄋᆡᄀᆡᆨ(涯角)이 즈음치고[1115] 히슈(海水) 망망(茫茫)ᄒᆞ니 ᄒᆞᆫ번 ᄂᆞ려가면 싱이ᄉᆞ별(生離死別)이라. 피ᄎᆞ 싱존을【62】 ᄌᆞ로 통치 못ᄒᆞ리니, 슬푸을 [믈] 엇지 ᄎᆞᆷ으라 ᄒᆞᄂᆞ뇨?"

소져 ᄎᆞᆷ연오열(慘然嗚咽)ᄒᆞ여 밋쳐 답지

1121)즈음치다 : 가로막히다. 격(隔)하다.

1115)즈음치다 : 가로막히다. 격(隔)하다.

못ᄒᆞ여셔, 시ᄋᆡ 구ᄉᆡᆼ의 와시믈 고ᄒᆞ니, 뉴시 드러오라 ᄒᆞ여 볼ᄉᆡ, 쇼졔 피코져 ᄒᆞ니 뉴시 나상을 다ᄅᆡ여 겻ᄐᆡ 안쳐, 왈,

"몽슉은 날노 더브러 모ᄌᆞ(母子) ᄀᆞᄐᆞ나 슉딜이니 네 엇지 ᄂᆡ외ᄒᆞ리오, 딜ᄋᆡ ᄆᆡ양 셔로 보고져 ᄒᆞᄃᆡ, 네 고집히 ᄉᆞ양ᄒᆞ니 브르지 아니터니, 금일은 이에 이시니 구ᄐᆞ여 피치 말나."

쇼졔 나즉이 고왈,

"구 거거를 젼일 본 ᄇᆡ 업ᄉᆞ니, 이졔 보나 일가지의(一家之義) ᄉᆞ로이 친친(親親)ᄒᆞᆯ ᄇᆡ 아니로소이다."

언필의 몸을 니러 피코져 ᄒᆞ니 몽슉이 지게를 여ᄂᆞᆫ지라. 쇼졔 크게 블열ᄒᆞ여 브득이 먼니셔 네ᄒᆞ니, 구ᄉᆡᆼ이 눈을 드러【73】 ᄒᆞᆫ번 보ᄆᆡ 오ᄎᆡ광염(五彩光艷)이 일실의 됴요(照耀)ᄒᆞ여, 홍일(紅日)이 오운(五雲)[1122]을 멍에ᄒᆞ여 텬궁(天宮)의 오로ᄂᆞᆫ ᄃᆞᆺᄒᆞ거ᄂᆞᆯ, 황홀여취(恍惚如醉)ᄒᆞ여 년망(連忙)이 답ᄇᆡ(答拜)ᄒᆞ고 우음을 ᄯᅴ여, 부인긔 고왈,

"쇼딜이 ᄌᆞ로 슉모긔 ᄇᆡ현ᄒᆞ여 셕ᄆᆡ(昔妹)ᄂᆞᆫ 죵죵 상견ᄒᆞᄂᆞᆫ ᄇᆡ오나, ᄎᆞᄆᆡᄂᆞᆫ 금일 초면(初面)이라 져러틋 슉셩긔이(夙成奇異)ᄒᆞ믈 아라시리잇고?"

뉴시 탄왈,

"ᄋᆞ히 남의 아ᄅᆡ 아니라, 졍니(情理) 브ᄃᆡ ᄀᆞᄐᆞᆫ ᄇᆡ우를 빵ᄒᆞ고져 ᄒᆞ더니, 가군(家君)의 고집이 괴(怪)ᄒᆞ여, 하원광 곳 아니면 사ᄅᆞᆷ이 업ᄉᆞᆫ 줄노 아라, 쵹디로 나려가 셩친ᄒᆞ려 명일 발힝ᄒᆞᄂᆞᆫ디라. 모녀의 년년ᄒᆞᆫ 졍을 엇지 니르리오."

구ᄉᆡᆼ이 눈을 두려시 ᄯᅳ고 왈,

"슉뷔 쳐ᄉᆡ 얼현[1123]【74】치 아니려니와, 죵ᄆᆡ 져ᄀᆞᆺ치 특이ᄒᆞ므로ᄡᅧ 쵹슈(蜀戍) 하원광을 위셔(爲壻)[1124]ᄒᆞ시믄 망계(妄計)

1122)오운(五雲) : 오색구름.

1123)얼현ᄒᆞ다 : 어련하다. 따로 걱정하지 아니하여도 잘될 것이 명백하거나 뚜렷하다. 대상을 긍정적으로 칭찬하는 뜻으로 쓰나, 때로 반어적으로 쓰여 비아냥거리는 뜻을 나타내기도 한다.

1124)위셔(爲壻) : 사위를 삼음.

못ᄒᆞ여셔, 시녀 구ᄉᆡᆼ 왓시믈 통ᄒᆞ니, 뉴시 드러오라 ᄒᆞ여 볼 ᄉᆡ, 소져 피코져 ᄒᆞ니, 뉴시 말여 겻희 안쳐 왈,

"몽슉은 모ᄌᆞ(母子) 가튼 슉질이라. 네 엇지 ᄂᆡ외ᄒᆞ리오. ᄆᆡ양 너을 보고져 ᄒᆞ되 너희 고집히 ᄉᆞ양ᄒᆞ므로 불으지 아냐더니, 금일은 예 잇시니 굿ᄒᆞ여 피ᄒᆞ리오."

소져 ᄂᆞ즉이 ᄃᆡ왈,

"구 거거을 젼일 보미 업ᄂᆞᆫᄃᆡ 엇지 이제 ᄉᆡ로이 지친(至親)이라 ᄒᆞ여 친친할 ᄇᆡ 아니로 소이다."

언필의 피코ᄌᆞ ᄒᆞ더니, 몽슉이 급히 문을 여ᄂᆞᆫ지라. 소져 크게 불힝ᄒᆞᄂᆞ 이의 마지 못ᄒᆞ여 먼니셔 예ᄒᆞ니, 몽슉이 급히 눈을 드러보니 오ᄎᆡ광염(五彩光艷)이 일실의 조요(照耀)ᄒᆞ여 홍일(紅日)이 부ᄉᆞᆼ(扶桑)[1116]의 오름 갓트니, 황홀ᄒᆞ미 여취여광(如醉如狂) 즁 연망(連忙)이 답ᄇᆡ(答拜)ᄒᆞ고 우음을 ᄯᅴ여 부인게 고왈,

"소질이 ᄌᆞ로 슉모긔 ᄇᆡ현ᄒᆞ여 셕ᄆᆡ(昔妹)ᄂᆞᆫ ᄌᆞ조 ᄉᆞᆼ견ᄒᆞ온 ᄇᆡ나, ᄎᆞᄆᆡᄂᆞᆫ 금일 초면이라. 져러틋 슉셩긔히(夙成奇異)ᄒᆞ믈 엇지 아라시리잇고?"

뉴시 ᄐᆞᆫ왈,

"오ᄋᆡ ᄒᆞ등이 아닌 고로 부뫼 졍니(情理)의 져와 갓튼 ᄇᆡ우을 바랏더니, 가군의 고집이 고히ᄒᆞᄉᆞ 하원광 곳 아니면 그 쌍이 아니라 ᄒᆞ여, 이졔 촉지로 녀ᄋᆞ을 다리고 ᄂᆞ려가 셩친ᄒᆞ려 ᄒᆞ시니, 곳 명일의【63】 발힝ᄒᆞᄂᆞᆫ 고로 모여(母女)의 유유(悠悠)ᄒᆞᆫ 졍을 다 어이 이르리오."

구ᄉᆡᆼ이 눈을 두렷시 ᄯᅳ고 답왈,

"슉시(叔氏) 쳐ᄉᆡ 범연(凡然)ᄒᆞ실 ᄇᆡ 아니연니와, 종ᄆᆡ(從妹) 져갓치 특이ᄒᆞ므로ᄡᅧ 촉지 하원광을 우[위]셔(爲壻)[1117] ᄒᆞ문 망게(妄計)라. 하가 맛ᄎᆞᆷᄂᆡ 셩쥬(聖主)의 호ᄉᆡᆼ지덕(好生之德)으로 슈형(受刑)○○○[의 목숨]을 보젼ᄒᆞᄂᆞ, 참화여ᄉᆡᆼ(慘禍餘生)이오,

1116)부ᄉᆞᆼ(扶桑) : 해가 뜨는 동쪽 바다.

1117)위셔(爲壻) : 사위를 삼음.

라. 하개 맛ᄎᆞᆷᄂᆡ 셩듀(聖主)의 호ᄉᆡᆼ지덕(好生之德)으로 슈형(受刑)○○○[의 목숨]을 보젼ᄒᆞ나, 참화여ᄉᆡᆼ(慘禍餘生)이오, 하원경은 대역(大逆)으로 장하(杖下)의 맛ᄎᆞ미 오히려 뉼(律)이 낫고 법이 셔지 못ᄒᆞ믈, 이졔도 됴졍의논이 분분ᄒᆞ여 하진을 죽이ᄌᆞ ᄒᆞᄂᆞ니 만커ᄂᆞᆯ, ᄎᆞ마 엇지 결혼ᄒᆞ시리잇가?"

뉴시 츄밀을 원망ᄒᆞ며 슬허ᄒᆞ기를 마지 아니ᄒᆞ더라.【75】

하원경은 ᄃᆡ역(大逆)으로 ᄌᆞᆼ하(杖下)의 맛ᄎᆞ미 오히려 뉼(律)이 ᄂᆞᆺ고 법이 셔지 못ᄒᆞ믈, 이졔가지 이러 쥭이ᄌᆞ ᄒᆞᄂᆞᆫ니 만커ᄂᆞᆯ, 엇지 결친(結親)ᄒᆞ리잇가?"

뉴시 츄밀을 원(怨)ᄒᆞ여 슬허ᄒᆞ기을 마지 아니ᄒᆞ니,

명듀보월빙 권디십

ᄎᆞ셜 뉴시 몽숚의 말을 듯고 더옥 츄밀을 원망ᄒᆞ고 슬프믈 니긔지 못ᄒᆞ니, 몽숚이 말을 ᄒᆞ며 눈을 옴기지 아냐 바라보ᄂᆞᆫ지라. 쇼졔 옥면의 슈ᄉᆡᆨ(愁色)이 은영(隱映)ᄒᆞ여 팔ᄌᆞ츈산(八字春山)을 나즉이 ᄒᆞ고, 츄파명목(秋波明目)이 미미히 가ᄂᆞ라, ᄇᆡᆨ년용화(白蓮容華)의 훈ᄉᆡᆨ(暈色)을 ᄯᅴ여시니, 졀셰ᄒᆞᆫ ᄐᆡ도와 션연(嬋姸)ᄒᆞᆫ 긔질이 난쵀(蘭草) 유곡(幽谷)의 쁠니며, 금분(金盆)의 화왕(花王)[1125]이 향긔를 토ᄒᆞᄂᆞᆫ 둧, 어엿븐 거동과 어리로온 ᄐᆡ되 셕목(石木)을 요동(搖動)ᄒᆞ고 금불(金佛)이 도라셜지라. 몽숚이 십뉵년 ᄂᆡ의 이런 ᄉᆡᆨ광(色光)은 몽외(夢外)의도 귀경[1126]치 못ᄒᆞ여시니, ᄎᆞ【1】인을 도모ᄒᆞ여 긔물(己物)을 삼을진ᄃᆡ 댱부의 쾌ᄉᆡ(快事) 아니리오. 숚뫼 뎡텬흥의 쳐를 칭찬ᄒᆞ시고 날노뼈 금슬 작희ᄒᆞ라 ᄒᆞ시나, 뎡싱이 요동치 아녀 츌거(黜去)ᄒᆞᄂᆞᆫ ᄇᆡ 업ᄉᆞ니 나의 정녁이나 허비ᄒᆞᆯ 쁜이오, 윤시 취ᄒᆞᆯ 길히 업ᄉᆞ니, 출하리 쾌히 보고 ᄆᆞ음의 흡연ᄒᆞᆫ ᄎᆞ인을 취하리라. 욕홰 대발ᄒᆞ여 웃고 숚모긔 고왈,

“숚뷔 죵ᄆᆡ 다려 명일 발힝ᄒᆞ시면, 쇼딜이 션셰능침(先世陵寢)이 셔촉의 계시ᄃᆡ 인마냥ᄌᆞ(人馬糧資)를 출힐 길히 업셔, ᄒᆞᆫ번 묘소의 나아가 ᄇᆡ알치 못ᄒᆞ엿더니, 숚부 힝도(行途)의 ᄯᆞᆯ오고져 ᄒᆞᄃᆡ 존의를 아지 못ᄒᆞᆯ소이다.”

뉴시 왈,

“이 ᄀᆞ장 쉬은 일이니, 딜ᄋᆞ(姪兒) 상【2】공긔 고ᄒᆞᆫ 즉, 반드시 ᄒᆞᆫ가지로 가ᄌᆞ ᄒᆞ실지라. 힝듕(行中) 인ᄆᆡ(人馬) 넉넉ᄒᆞ고 노ᄌᆡ(路資) 죡ᄒᆞ니, 너의 ᄒᆞᆫ몸 가기 므어시 어려오리오.”

몽숚이 ᄒᆡᆼ희(幸喜) 샤례(謝禮)ᄒᆞ고 눈이

1125)화왕(花王) : ‘꽃의 왕’이라는 뜻으로, ‘모란꽃’을 달리 이르는 말.

1126)구경 : 구경. 흥미나 관심을 가지고 봄.

몽숚이 입으로 말을 ᄒᆞᄂᆞ 눈을 옴기지 아니코 소져을 바라보니, 소져 옥면의 슈ᄉᆡᆨ(愁色)이 은영(隱映)ᄒᆞ여 팔ᄌᆞ츈ᄉᆞᆫ(八字春山)니 ᄂᆞ즉ᄒᆞ고 츄파면목(秋波面目)이 미미히 가ᄂᆞ라 ᄇᆡᆨ년용화(白蓮容華)의 훈ᄉᆡᆨ(暈色)을 ᄯᅴ여시니, 승졀(勝絶)ᄒᆞᆫ ᄐᆡ도와 션연(嬋姸)ᄒᆞᆫ 긔질이 ᄂᆞᆫ쵀(蘭草) 옥게(玉溪)의 쁠니며, 금분(金盆)의 모란이 화긔(和氣)을 토ᄒᆞᄂᆞᆫ 둧, 어여분 거동과 어리러온 ᄐᆡ되 《셩목‖셕목(石木)》을 요동ᄒᆞ고 금불(金佛)이 도라셜지라. 몽숚이 십뉵○[년] ᄂᆡ예 이런 ᄉᆡᆨ광(色光)이 쳐음 보ᄂᆞᆫ ᄇᆡ라. 황홀ᄒᆞᆫ 마음이 흉(凶)ᄒᆞ기의 밋쳐ᄂᆞᆫ, ᄎᆞ인을 도모ᄒᆞ여 졔 긔물(己物)을 숨을진ᄃᆡ 중부(丈夫)의 쾌ᄉᆞ(快事)라 할 거시오. 숚뫼 뎡텬흥 쳐을 칭춘ᄒᆞ여 날노셔 금슬을 즉희ᄒᆞ라 ᄒᆞ엿시ᄂᆞ, 텬흥이 요동치 안냐 츌거ᄒᆞᄂᆞᆫ ᄇᆡ 업ᄉᆞ니 ᄂᆡ의 정【64】녁이 허비할 분이오, 윤시을 취할 길히 업ᄉᆞ니 출ᄒᆞ리 쾌히 보고 ᄆᆞ음의 흡연ᄒᆞᆫ ᄎᆞ인을 취ᄒᆞ리라. 욕홰 ᄃᆡ발ᄒᆞ여 웃고 숚모긔 고왈,

“숚시 종ᄆᆡ(從妹)을 다리고 명일 발힝ᄒᆞ시면 소질이 션셰능침(先世陵寢)이 셔촉의 겨시ᄃᆡ, 인ᄒᆞ여 노ᄌᆞ(路資)을 출힐 길이 업셔 ᄒᆞᆫ 번도 뫼소(墓所)의 못 갓습더니 긔회(期會) 묘ᄒᆞ오니, 숚부 힝도(行途)의 ᄯᆞᆯ르고져 ᄒᆞ오나 존의을 아지 못ᄒᆞ리로소이다.”

뉴시 왈,

“가중 쉬온 일리니 질ᄋᆞ(姪兒) ᄉᆞᆼ공긔 고ᄒᆞᆫ 즉 반다시 ᄒᆞᆫ가지로 가ᄌᆞ ᄒᆞ실지라. 힝즁(行中) 인ᄆᆡ(人馬) 넉넉ᄒᆞ고 노량(路糧)이 풍족ᄒᆞ니, 네 몸 ᄒᆞ나 더 가기 무어시 어려오리오.”

몽숚이 ᄒᆡᆼ희(幸喜)ᄒᆞ여 ᄉᆞ례(謝禮)ᄒᆞ고 슈즉ᄒᆞᄆᆡ, 눈니 소져 신ᄉᆞᆼ의 쏘히ᄂᆞᆫ지라. 소져 그 긔ᄉᆡᆨ을 보고 그윽키 흉히 역여 이러 침소로 도라가니, 몽숚이 일흔 거시 인ᄂᆞᆫ 둧

쇼져 신상의 뽀앗ᄂᆞᆫ디라. 쇼제 져 긔ᄉᆡᆨ을 ᄉᆞᆯ피ᄆᆡ ᄎᆞ악ᄒᆞᆫ디라. 즉시 니러 팀소로 도라가니 몽숙이 여유소실(如有所失)[1127]ᄒᆞᄃᆡ 뉴시 ᄀᆞ장 춍명ᄒᆞ니, 혹ᄌᆞ 져의 거동을 아라볼가 두려, ᄆᆞ음의 업ᄉᆞᆫ 담쇼(談笑)를 이윽히 ᄒᆞ다가 밧긔 나와, 츄밀긔 고왈,

"쇼딜이 앗가 듯ᄌᆞ오니 숙뷔 쵹으로 ᄒᆡᆼᄒᆞ신다 ᄒᆞ니, 쇼딜이 션셰묘쇠(先世墓所) 쵹디의 이시ᄃᆡ, 녕졍고고(零丁孤孤)ᄒᆞ여 간괴(艱苦) 심ᄒᆞ니, 원노험디(遠路險地)의 나려갈 길히 업ᄉᆞᆫ 고로 지금 ᄇᆡ알(拜謁)치 못ᄒᆞ엿ᄉᆞᆸ더니, 숙부 ᄒᆡᆼ도의 ᄯᆞᆯ【3】와가기를 ᄇᆞ라ᄂᆞ이다. 허락ᄒᆞ시믈 어드리잇가?"

츄밀은 휴휴댱뷔(休休丈夫)[1128]오, 사ᄅᆞᆷ의 잔잉ᄒᆞᆫ 졍ᄉᆞ를 츄연ᄒᆞ여 쳔금을 앗기지 아니ᄒᆞᄂᆞᆫ디라. 구몽숙의 흉심을 아지 못ᄒᆞ고 가연이 허락 왈,

"인ᄆᆞ(人馬)와 노비(路費) 브족지 아니니 현딜이 가면 ᄒᆡᆼ듕(行中)의 십분 든든ᄒᆞ리로다. 명됴의 발ᄒᆡᆼᄒᆞ려 ᄒᆞᄂᆞ니 ᄒᆞᆫ가지로 츌ᄒᆡᆼ(出行)케 ᄒᆞ라."

몽숙이 ᄇᆡ샤ᄒᆞ고 ᄎᆞ야를 윤부의셔 지ᄂᆡ고 명일 동ᄒᆡᆼᄒᆞ니 아지못게라 구몽숙의 궁흉극악ᄒᆞᆫ 의ᄉᆡ 어나 디경의 밋ᄎᆞ며 윤쇼제 쵹디의 나려가 신혼초일의 작희ᄒᆞ미 업ᄂᆞᆫ가 하회를 셕남ᄒᆞ라.

화셜 윤츄밀이 명일의 쵹으로 향ᄒᆞᆯᄉᆡ 금평후긔 딜녀를 귀근【4】을 쳥ᄒᆞ니, 금휘 츄밀의 녀ᄋᆞ 쵹으로 가ᄆᆡ 회환지쇽(回還遲速)을 뎡치 못ᄒᆞᆯ 고로, ᄌᆞ부(子婦)의 종형뎨(從兄弟) 니별을 펴고져 ᄒᆞ여 슈일 귀령을 허ᄒᆞ니, 윤부의셔 거교(車轎)를 보ᄂᆡ여 다려갈ᄉᆡ, ᄎᆞ시 태우ᄂᆞᆫ 됴당의셔 도라오지 못ᄒᆞ엿ᄂᆞᆫ디라. 쇼제 구고긔 허락을 밧ᄌᆞ와시나 태우긔 고치 못ᄒᆞ고 그져 가기를 쥬져ᄒᆞᆯ ᄎᆞ, 태위 도라오ᄆᆡ 문젼(門前)의 ᄎᆡ교(彩轎)를 노ᄒᆞᆺᄂᆞᆫ디라. 의아ᄒᆞ여 ᄉᆞᆯ피니 윤부 노복이 가득이 모혓ᄂᆞᆫ디라, 쇼져의 귀령을 지긔

1127)여유소실(如有所失) : 잃은 바가 있는 것 같음.
1128)휴휴댱뷔(休休丈夫) : 사소한 일에 얽매이지 않아 도량이 크고 마음이 편한 대장부.

ᄒᆞᆯ연ᄒᆞ믈[1118] 이긔지 못ᄒᆞ여 이윽히 담소ᄒᆞ다 밧긔 ᄂᆞ와 츄밀긔 고왈,

"소질이 숙뷔 촉으로 ᄒᆡᆼᄎᆞᄒᆞ신다 ᄒᆞ오니, 소질의 션셰묘소(先世墓所) 촉지의 잇시ᄃᆡ 영졍고고(零丁孤孤)ᄒᆞ여 간고(艱苦) 심ᄒᆞᆫ 고로, 험노원지(險路遠地)의 나려갈 길이 업ᄉᆞ와 지금것 ᄇᆡ알치 못ᄒᆞ여ᄉᆞᆸ더니, 숙부 ᄒᆡᆼ도의 인마(人馬)을 어더 가와 ᄌᆞ손의 졍니을 펴올가 ᄒᆞᄂᆞ니, 감히 허락ᄒᆞ시리잇가?"

츄밀은 훤훤[1119] ᄌᆞᆼ부(丈夫)라. 남의 졍ᄉᆡ라도 측은(惻隱)이 역【65】이니 몽숙의 흉심은 조금도 ᄉᆡᆼ각지 못ᄒᆞ고 가연니 허락ᄒᆞ여 왈,

"인마노ᄌᆡ(人馬路資) 부족지 아니니 현질이 가면 ᄒᆡᆼ즁(行中)이 십분 든든ᄒᆞ리로다. 명조의 발ᄒᆡᆼᄒᆞ려 ᄒᆞᄂᆞ니 함긔 츌ᄒᆡᆼ(出行)케 ᄒᆞ라."

몽숙이 ᄇᆡᄉᆞᄒᆞ고 ᄎᆞ야을 윤부의셔 지ᄂᆞ고 명일 동ᄒᆡᆼᄒᆞ려 ᄒᆞ니, 아지 못게라. 몽숙의 궁흉극악ᄒᆞᆫ 의ᄉᆡ 어ᄂᆞ 지경의 밋ᄎᆞ며 윤소져 촉지의 나려가 신혼 초일의 ᄌᆞᆨ희ᄒᆞ미 업ᄂᆞᆫ가 ᄒᆞ회을 볼지어다.

◎[1120]차셜 이 ᄯᆡ 윤츄밀이 촉으로 ᄒᆡᆼ할ᄉᆡ, 금평후긔 질녀 귀근을 쳥ᄒᆞ니, 금후어[의] 심(心)의 츄밀의 여ᄋᆞ 촉으로 가ᄆᆡ, 회환(回還)할 지속(遲速)을 졍치 못ᄒᆞ고, ᄌᆞ부의 죵형제(從兄弟) 니별을 펴이고져 ᄒᆞ여

1118)ᄒᆞᆯ연ᄒᆞ다 : 허전하다. 무엇을 잃거나 의지할 곳이 없어진 것같이 서운한 느낌이 있다
1119)훤훤하다 : 탁 트여 시원시원하다.
1120)◎ : 필사자가 선행본의 권 경계를 나타내기 위해 앞 권에 이어 필사하는 권의 시작부분에 첨가해놓은 표점. '박본'의 필사자는 100권100책의 선행본을 35권35책으로 분책하여 필사하면서 한 책에 선행본 2-4권씩을 별도의 권 표시 없이 이어 필사하고 있다. 예를 들면 권28은 선행본 3권을 한데 묶어 필사하였는데, 그 두 번째 권과 세 번째 권의 시작부분에 이 표점을 해놓고 있다. 그러나 그 밖의 곳에는 이 표점이 있는 경우도 있으나, 없는 경우가 훨씬 더 많다.

ᄒᆞ고 ᄌᆞ긔게 품치 아니믈 미온이 녁이나, ᄉᆞ식지 아니코 바로 존당의 드러가니, 태부인 왈,

"윤추밀 부네 금일 ᄎᆞᆨ으로 간다 ᄒᆞ고 ᄋᆞ부의 귀령을 청ᄒᆞ니, 마지못ᄒᆞ여 허락ᄒᆞ엿ᄂᆞᆫ디라.【5】 식뷔 시방(時方)[1129] 도라가려 ᄒᆞ나 너의 명을 듯지 못ᄒᆞᆫ 고로 가지 못ᄒᆞᄂᆞᆫ가 시브니, 모로미 허락ᄒᆞᆯ지어다."

태위 ᄃᆡ왈,

"대인이 허ᄒᆞ신즉 쇼ᄌᆡ ᄉᆞᄉᆞ소견(私私所見)이 이시리잇고? 다만 져의 조뫼 져를 못보아 병이 되여셰라 ᄒᆞ고 눈믈을 흘니며 그리워 ᄒᆞ더니, 가면 반가와 ᄉᆡ로이 ᄉᆞ랑ᄒᆞ오려니와 잘못ᄒᆞ면 그 모진 슈단(手段)의 ᄀᆞ장 슈고로올 법 이시니 삼가 조심ᄒᆞ라 ᄒᆞ쇼셔."

금휘 쇼져다려 일즉이 가 슈히 단녀오라 ᄒᆞ니, 쇼졔 태우의 말을 드르ᄆᆡ 블안ᄒᆞ여 가지 말고져 ᄒᆞ나, 존귀(尊舅) 직ᄎᆞᆨᄒᆞ시니 브득이 존당 구고긔 빈샤ᄒᆞ고 양시와 숙ᄆᆡ(叔妹)로 작별ᄒᆞᄆᆡ, 침소의 물너와 샹교(上轎)코져 ᄒᆞ더니 태위 밧그로 나가며 왈,

"윤시 가ᄂᆞᆫᄃᆡ ᄯᆞ라가【6】 므엇ᄒᆞ리오. 네 맛당이 윤시다려 니르라. '그 어질고 슌ᄒᆞᆫ 조모의 귀듕ᄒᆞ믈 미더 몸을 화의 ᄲᅢ지지 말고 오ᄅᆡ 이실 의ᄉᆞ를 말나' ᄒᆞ라. 내 말ᄃᆡ로 아녓다가 무ᄉᆞ치 못ᄒᆞ면 낫들고 오지 못ᄒᆞ리라."

혜쥬와 쇼졔 블과 셔너거름 동안을 ᄶᅧ여 가니 그 말을 다 듯ᄂᆞᆫ지라. 불안ᄒᆞ미 출하리 귀령을 아님만 ᄀᆞᆺ지 못ᄒᆞᄃᆡ, 브득이 옥

1129)시방(時方) : 지금.

슈일 귀령을 허ᄒᆞ니, 윤부의셔 거교(車轎)을 보ᄂᆡ여 다려갈 ᄉᆡ, ᄎᆞ시 ᄐᆡ우ᄂᆞᆫ 조당의셔 도라오지 못ᄒᆞ여ᄂᆞᆫ 고로, 소져 구고 허락을 밧ᄌᆞ와시ᄂᆞ ᄐᆡ우의게 고치 못ᄒᆞ여 가기을 쥬져할 차, ᄐᆡ우 파조(罷朝)ᄒᆞ여 도라올 ᄉᆡ, 문젼(門前)의 ᄎᆡ교(彩轎)을 보고 의아ᄒᆞ여 ᄉᆞᆯ피니, 윤부 노복이 가득히 모혓ᄂᆞᆫ지라. 소져의 귀령을 지긔ᄒᆞ고 ᄌᆞ가의게 품청(稟請)치 아니ᄒᆞ믈 미온이 역이ᄂᆞ, ᄉᆞ식지 아니ᄒᆞ고 바로 존당의 드러가니, ᄐᆡ부인니 갈오ᄃᆡ,

"윤츄밀 부녀 금일 ᄎᆞᆨ으로 간다 ᄒᆞ고 아부을 친히 귀령ᄒᆞ니 마지 못ᄒᆞ여 허락ᄒᆞᆫ지라. 식부 지금 도【66】라가려 ᄒᆞᄂᆞ 아직 너히[의] 명을 듯지 못ᄒᆞᆫ 고로 가지 못ᄒᆞᄂᆞᆫ가 시부니 너ᄂᆞᆫ 모로미 허락ᄒᆞ라."

ᄐᆡ위 빅ᄉᆞ 왈,

"ᄃᆡ인니 허락ᄒᆞ오신 즉 소ᄌᆞ ᄉᆞᄉᆞ소견(私私所見)이 어이 이시리잇가? 다만 져의 조모 져을 못보아 병되여라 ᄒᆞ고 눈물을 {즛} 흘니며 그리워 ᄒᆞ시니, 가면 금직이[1121] 반가와 ᄉᆡ로이 ᄉᆞ랑ᄒᆞ오련니와, 즐못ᄒᆞ면 그 모진 슈단의 가ᄌᆞᆼ 슈고로올 법 잇ᄉᆞ오니, ᄉᆞᆷ가 조심ᄒᆞ라 ᄒᆞ소셔."

휘 소져다려 일직 가라 ᄒᆞ니, 소져 ᄐᆡ우의 말을 드르ᄆᆡ 무안(無顔)ᄒᆞ여 가지 말고져 ᄒᆞ나, 존귀(尊舅) 직촉ᄒᆞ시니 부득이 존당구괴게 빅ᄉᆞᄒᆞ고 양씨와 졔ᄆᆡ로 빅별ᄒᆞ고, 침소의 물너와 상교(上轎)코져 ᄒᆞ여 션월졍으로 향ᄒᆞ니, 혜쥬 ᄯᆞᆯ아가거ᄂᆞᆯ ᄐᆡ우 밧긔로 나가며 부친이 못 아라 드르실만치 갈오ᄃᆡ,

"너ᄂᆞᆫ 다ᄉᆞ이 ᄯᆞᆯ아단니ᄂᆞᆫ뇨? 연니ᄂᆞ 윤시다려 '그 어질고 슌한 조모의 흠읏시 반겨 귀즁ᄒᆞ믈 미더 몸이 화의 ᄲᅡ지지 말고 오ᄅᆡ 잇실 의ᄉᆞ을 말나'○○[ᄒᆞ라]. ᄂᆡ 말을 고지 듯지 안녓다가ᄂᆞᆫ 무ᄉᆞ치 못ᄒᆞ면 붓그러온 낫ᄉᆞᆯ 들고 날을 못 볼지어다."

ᄒᆞ니, 혜쥬 소져 젼ᄒᆞᆯ 나위 업시 윤씨 ᄌᆞ시 드러ᄂᆞᆫ지라. 불안절박ᄒᆞ미 출하리 귀령을 아님만 갓지 못ᄒᆞ되 혜쥬 소져 위로ᄒᆞ여

1121)금직이 : 끔찍이. 정도가 지나쳐 놀랍게.

누항의 니르러 조모 숙당과 모친긔 빈알ᄒᆞ니, 셩혼후 쳐음으로 귀령ᄒᆞ니 그 ᄉᆞ이 텬싱특용(天生特容)이 만고무비(萬古無非)홈과 봉관화리(鳳冠花履)의 빗나미 일신 위의(威儀)를 도아시니, ᄒᆞ믈며 년긔 이팔(二八)을 당ᄒᆞᄆᆡ, 츄틱향년(秋澤香蓮)이 쳥엽의 소ᄉᆞ시며, 벽공신월(碧空新月)[1130]이 두렷고져 ᄒᆞ니, ᄇᆡᆨ틱만광(百態萬光)이 찬【7】난ᄒᆞ미 식로이 긔이ᄒᆞ여, 오릭 보지 못ᄒᆞ엿던 눈이 황홀케 ᄒᆞᄂᆞᆫ지라. 조부인의 반기고 슬프며 귀듕ᄒᆞᆫ 쯧이 모양치 못ᄒᆞ나, 사룸되오미 만식 쳔연ᄒᆞᆫ 고로 오직 손을 잡아 두굿길 ᄲᅮᆫ이오. 태부인 과익와 반기믄 측냥업순 형상을 니르기 어렵고, 뉴시 가작(假作)ᄒᆞᄂᆞᆫ 경의를 쏘 엇지 형상ᄒᆞ리오. 츄밀이 다만 웃ᄂᆞᆫ 입을 쥬리지[1131] 못ᄒᆞ여 ᄀᆞᆯ오딕,

"거년츈(去年春)의 셩혼ᄒᆞ여 금년 신졍이 되여시니 이졔야 귀령ᄒᆞ미 네 구개 며나리 ᄉᆞ졍(私情)을 모로미 심치 아니랴?"

쇼졔 나즉이 말솜을 여러 조모와 모친 존후를 뭇좁고, 오릭 결울(結鬱)턴 하졍(下情)을 잠간 펴ᄆᆡ, 태부인이 급급히 쇼져의 팔흘 잡아【8】 홍슈(紅袖)를 거두치고 쥬졈(朱點)을 상고ᄒᆞᄆᆡ 임의 흔젹이 업ᄂᆞᆫ지라. 분심(忿心)이 더ᄒᆞ나 츄밀이 직좌(在坐)ᄒᆞ므로 ᄉᆞ식(辭色)지 못ᄒᆞ고, 희희(喜喜)히 쇼왈,

"금슬이 박지 아니믄 닐노ᄲᅧ 알디라."

쇼졔 조모 거동을 식로이 한심ᄒᆞᄃᆡ ᄉᆞ식지 아니코, 죵용이 ᄉᆞᄆᆡ를 다릭여 팔흘 덥흐니, 공은 모친의 힝ᄉᆞ를 단졍치 아니케 녁이나 말을 아니코 날호여 나아가니, 경ᄋᆞ 현ᄋᆞ 냥공ᄌᆞ로 반기ᄂᆞᆫ 경이 ᄀᆞ득ᄒᆞ나, 경ᄋᆞᄂᆞᆫ 심니의 믜오미 원슈ᄀᆞᆺ고 현ᄋᆞᄂᆞᆫ 원별(遠別)을 아득ᄒᆞ여 쳑비(慽悲)ᄒᆞ믈 마지 아니ᄒᆞ더라. ᄎᆞ야를 경희뎐의셔 모녀조손과 형뎨남ᄆᆡ 촉을 니어 써낫던 회포를 니르며 보ᄂᆡᄂᆞᆫ 경을 닐너 야심ᄒᆞ믈 ᄭᆡ듯지 못ᄒᆞ다가,

1130)벽공신월(碧空新月) : 푸른 하늘에 뜬 초승달.
1131)쥬리다 : 줄이다. 여기서는 '다물다'는 뜻.

보ᄂᆡᄂᆞ 심ᄉᆡ 불쾌ᄒᆞ더라. 힝ᄒᆞ여 옥누항의 이르러 조모 숙당과 모친긔 빈알ᄒᆞ니, 셩혼 후 쳐【67】음으로 귀령할 분 아니라, 구고존당의 ᄌᆞ익(慈愛)을 바다 몸이 반셕 갓트니, 비록 모친과 냥졔을 위ᄒᆞ여 심회경경(耿耿)ᄒᆞᄂᆞᆫ 우(憂)을 품어시ᄂᆞ 긔뷔(肌膚) 윤틱ᄒᆞ고, 겸ᄒᆞ여 봉관화리(鳳冠花履)의 빗ᄂᆞ미 용화긔질(容華氣質)을 도아시니 영풍(英風)이 쇄락(灑落)ᄒᆞ고 셰요(細腰) 완실(完實)ᄒᆞ여 안뫼(顏貌) 풍완(豊婉)ᄒᆞ니, 달이 보름을 당ᄒᆞ고 쏫치 봄을 만ᄂᆞᆫ 듯 광휘 찰ᄂᆞᆫᄒᆞ니, 조부인니 반기믈 이긔지 못ᄒᆞ나 쳔품이 온듕ᄒᆞᄆᆡ 황홀이 반겨ᄒᆞᄂᆞᆫ 형상은 일필난긔(一筆難記)[1122]라. 뉴시 가죽(假作)으로 반겨ᄒᆞ믈 어이 쏘 형상ᄒᆞ리오. 다만 츄밀이 진졍으로 반갑고 실노이 귀듕ᄒᆞ여 오즉 웃난 압을 쥬리지[1123] 못ᄒᆞ여 갈오ᄃᆡ,

"거연츈(去年春)의 셩혼ᄒᆞ여 금년 신졍의야 귀령ᄒᆞ미 ○…결락 12자…○[네 구개 며나리 ᄉᆞ졍(私情)을 모로미]심ᄒᆞ도다."

소져 나즉이 말숨을 여러 조모와 모친 존후을 뭇좁고, 오릭 니측ᄒᆞ여 결훌ᄒᆞᆫ 졍을 잠간 페ᄆᆡ, 틱부인이 급급히 소져의 손을 잡고 홍수(紅袖)을 거두치ᄆᆡ, 쥬졈(朱點)이 흔젹도 업ᄉᆞ믈 보이[니], 미운 분심(忿心)이 더옥 나나, 츄밀이 직좌ᄒᆞ므{으}로 사식지 아이[니]코, 다만 희희(喜喜) 소왈,

"금슬이 부죡지 아니믈 일노써 알니로다."

쇼졔 죠모의 거동을 식로이 한심하되 ᄉᆞ식지 아이하고 온자히 화긔을 곳치지 아이[니] {아이}하여 죠용이 ᄉᆞᄆᆡ을 다릭여 팔흘 덮흐이[니] 츄밀은 모친 힝사의 단졍치 아이[니]심을 미안하【68】나, 말을 아이[니]코 날호여 츌외하이[니], 쇼졔 경아 형졔와 두 공자로 반기난 졍이 가득하나 경아는 심이[니](心裏)의 미옴미 원슈 갓고, 현

1122)일필난긔(一筆難記) : 한 붓으로 이루 다 적을 수 없다는 뜻으로, 내용이 길거나 복잡하여 간단히 기록하기 어려움을 이르는 말.
1123)쥬리다 : 줄이다. 여기서는 '다물다'는 뜻.

옥쳠(屋簷)의 【9】 금계(金鷄) 식빅를 보ᄒᆞ고, 츄밀이 니러나 발힝긔구(發行器具)를 출혀 닉외(內外) 분요(紛擾)ᄒᆞ더니, 동방이 긔빅(旣白)ᄒᆞ미 됴반을 파ᄒᆞ고 치교를 드려 졍하(庭下)의 노하 쇼져 들기를 직쵹ᄒᆞ며, 공이 모젼의 빅샤ᄒᆞᆯᄉᆡ 일좌(一座)의 비풍(悲風)이 니러나고, 셰위 쌘려 태부인과 뉴시 분앙(憤怏)ᄒᆞ믈 겸ᄒᆞ여, ᄯᆞᆯ을 죽이라 보님과 다르지 아니ᄒᆞ고, 냥공ᄌᆞ와 뎡·셕 이 쇼졔 별한(別恨)이 무궁ᄒᆞᄃᆡ 오딕 츄밀이 직쵹이 셩화 ᄀᆞᆺᄐᆞ여, ᄉᆞ졍을 니르지 못ᄒᆞ게 ᄒᆞᄂᆞᆫ디라. 뉴시 녀ᄋᆞ를 안고 실셩비읍(失性悲泣) 왈,

“원노험지(遠路險地)의 므ᄉᆞᆷ 즐거온 일이라, 어미를 바리고 누쳔니(累千里) 궁향(窮鄕)을 ᄎᆞᄌᆞ가ᄂᆞ뇨? 녀ᄌᆞ유힝(女子有行)이 원부모형뎨(遠父母兄弟)라 ᄒᆞ나, 셩혼지시(成婚之時)의 너ᄀᆞᆺ치 구ᄎᆞᄒᆞ니 어ᄃᆡ 이시리오. 하가 【10】 곳 아니면 신낭이 업ᄉᆞᆯ 거시라 ᄯᆞᆯ을 공연이 십삼 쳥츈의 셔촉 뎍거죄슈(謫居罪囚)를 삼으라 가ᄂᆞ뇨?”

공이 바야흐로 녀ᄋᆞ를 직쵹ᄒᆞ다가 어히업셔 도로혀 닝쇼(冷笑) 왈,

“텬하의 신낭이 업ᄉᆞᆯ 거ᄉᆞᆫ 아니로ᄃᆡ, 실노 하원광 ᄀᆞᆺᄐᆞ니 업ᄉᆞᆯ 거시오. 현ᄋᆞ의 일ᄉᆡᆼ으로 닐너도, 그 불인ᄒᆞᆫ 어미를 ᄯᅥ나 대군ᄌᆞ를 마ᄌᆞ라 가ᄂᆞᆫ 거시, 셔촉 아냐 만니라도 ᄀᆞ장 즐거온 일이니, 언참(言讖)1132)을 너모 복 젹게 말나. 하개 비록 젹거(謫居)ᄒᆞ여시나 녀ᄌᆞ조ᄎᆞ 《귀향‖귀양1133)》 갈 일 아니오, 셩도(成都)1134) 쵹디(蜀地) 험쥰ᄒᆞ나 셩혼(成婚)의 명공거경(名公巨卿)의 위요(圍繞)ᄒᆞᄂᆞᆫ 부려(富麗)ᄒᆞᆫ 영광이 업ᄉᆞ나, 냥가 부뫼 셔로 뎡약(定約)ᄒᆞ여 친ᄉᆞ(親事)를

아ᄂᆞᆫ 명일 원별을 아득하여 비쳑하믈 마지 아니니, 차야을 경회젼의셔 죠손과 형제 남ᄆᆡ 촉을 이어 ᄶᅥ낫든 회포와 ᄶᅥ나ᄂᆞᆫ 졍을 일너 야심토록 ᄭᆡ닷지 못하다가, 옥쳠(屋簷)의 금계(金鷄) 식빅을 보하ᄆᆡ, 츄밀이 이러나 발힝긔구(發行器具)을 ᄎᆞ리니, 닉외 분분요요(紛紛擾擾)할 사이, 동방이 긔빅[빅](旣白)ᄒᆞ여 죠반을 파하고, ᄎᆡ교을 난간의 녹코 쇼져 힝도(行途)을 베풀ᄉᆡ, 공이 모친게 하직하고 소져을 직쵹하이[니], ᄐᆡ부인과 뉴시 악연ᄒᆞ여 흐르난 누쉬(淚水) 창ᄒᆡ(蒼海)을 보ᄐᆡ고, ᄂᆞᆺ기ᄂᆞᆫ 소ᄅᆡᄂᆞᆫ 방인(傍人)을 경동ᄒᆞ니, 뎡·셕 이소져와 공ᄌᆞ 형졔 창연ᄒᆞᆫ 회푀 그음 업거날, 뉴시 여ᄋᆞ을 안고 실셩비읍(失性悲泣) 왈,

“원노험지(遠路險地)의 무ᄉᆞᆷ 질거운 길이라, 어미을 바리고 누쳔니(累千里) 궁향(窮鄕)을 ᄎᆞ져 가ᄂᆞᆫ뇨. 녀ᄌᆞ유힝(女子有行)니 원부모형졔(遠父母兄弟)라 ᄒᆞ나, 셩혼지시(成婚之時)의 너 갓치 구ᄎᆞᄒᆞ니 어ᄃᆡ 잇ᄉᆞ리오. 하가 곳 아니면 실낭(新郎)이 업ᄉᆞᆯ 거시라 쳔금 갓튼 ᄯᆞᆯ을 공연니 십ᄉᆞᆷ 쳥츈의 셔쵹 젹거죄슈(謫居罪囚)을 ᄉᆞᆷ으려 가ᄂᆞᆫ고.”

ᄒᆞ며 광픽지셜(狂悖之說)이 무궁ᄒᆞᆫ지라.

1132)언참(言讖) : 미래의 사실을 꼭 맞추어 예언하는 말.

1133)귀양 : 고려·조선 시대에, 죄인을 먼 시골이나 섬으로 보내어 일정한 기간 동안 제한된 곳에서만 살게 하던 형벌.

1134)셩도(成都) : 중국 사천성(四川省)의 성도(省都).

일우니 의법유신(依法有信)ᄒᆞ여 구ᄎᆞᄒᆞ미 업ᄉᆞ니, 하 괴히 구지 【11】 말나.”

언파의 좌우로 쇼져를 붓드러 교ᄌᆞ의 너흐라 ᄒᆞ니, 쇼○[졔] 조모와 ᄇᆡᆨ모긔 녜ᄒᆞ고 모친긔 ᄇᆡ별ᄒᆞᄆᆡ, 셕·뎡 이쇼졔 손을 잡고 ᄎᆞ마 ᄯᅥ나지 못ᄒᆞ여 년년(戀戀)ᄒᆞᄂᆞᆫ지라. 공이 과도ᄒᆞ믈 닐너 쇼졔 교ᄌᆞ의 들ᄉᆡ, 뉴시 시녀 십여인과 긔용즙믈(器用什物)을 무슈히 닉여 몰긔 시르라 ᄒᆞ니, 공이 다 믈니치고 오직 금침(衾枕)과 ᄒᆞᆫ벌 패산지뉴(貝珊之類)를 초초(草草)히 너흐며, 시녀ᄂᆞᆫ 벽난 소잉 등 ᄉᆞ인을 힝거의 좃ᄎᆞ라 ᄒᆞ고, 보믈과 샤치를 원슈ᄀᆞᆺ치 ᄒᆞ니, ᄌᆡ보(財寶) 누거만(累巨萬)이나 므어시 ᄡᅳ며, ᄌᆞ장패산(資粧貝珊)[1135]과 금슈의상(錦繡衣裳)이 현ᄋᆞ의게ᄂᆞᆫ 그림속 ᄯᅥᆨ ᄀᆞᆺᄐᆞ니, 뉴시 ᄉᆞᄉᆞ의 애[1136] ᄆᆡ여지고 통한이 각골ᄒᆞ여 흉격(胸膈)이 막힐 ᄃᆞᆺᄒᆞᄃᆡ, 츄밀은 흔연ᄒᆞ여 경샤의셔 셩녜홈 【12】 ᄀᆞᆺᄐᆞ니 짐즛 뉴시를 ᄶᅵᆨ지르ᄂᆞᆫ ᄯᅳᆺ이라.

임의 일힝이 문을 나ᄆᆡ 이공ᄌᆡ 강외(江外)의 숑별홀ᄉᆡ, 공은 셩녜 후 도라오려니와 남ᄆᆡ 분슈ᄒᆞᄂᆞᆫ 졍이 의의참연(依依慘然)ᄒᆞ여 누쉬(淚水) 환난(汍亂)ᄒᆞ니, 공이 공ᄌᆞ 등을 경계ᄒᆞ여 그ᄉᆞ이 됴히 이시라 ᄒᆞ고, 녀ᄋᆞ의 ᄎᆡ교를 호힝ᄒᆞ여 구몽슉을 다리고 셔(西)로 향ᄒᆞ니, 이공ᄌᆡ 분슈 환가ᄒᆞᄆᆡ 뉴시 통졀비도(痛切悲悼)ᄒᆞ여 녀ᄋᆞ를 죽임과 다르지 아니ᄒᆞ니, 공ᄌᆞ 등이 위로ᄒᆞ고 태부인과 경ᄋᆞᄂᆞᆫ 쇼져 원별ᄒᆞᆫ 슬프믄 니져바리고, 명ᄋᆞ쇼져의 비홍이 터업고 명부위의(命婦威儀) 가즉ᄒᆞ여 영광이 무흠(無欠)ᄒᆞ믈 보ᄆᆡ, ᄋᆡ듧고 분ᄒᆞ여 각별ᄒᆞᆫ 계교를 힝ᄒᆞ여 업시코져 【13】 ᄒᆞᄃᆡ, 뉴시 머리ᄡᆞ고 누어시니 태부인이 친히 ᄒᆡ츈누의 가 뉴시를 집슈위로 왈,

“현마 엇지ᄒᆞ리오. 하개(河家) ᄆᆡ양 셔쵹

공이 불쾌히 역여 소져을 ᄌᆡ쵹ᄒᆞ여 상교(上轎)ᄒᆞ라 ᄒᆞ니, 소져 부득이 상교할 【69】 ᄉᆡ, 뉴씨 시녀 십여인과 긔용집믈(器用什物)을 무슈히 닉여 말게 실니라 ᄒᆞ니, 공이 다 물니치고 오즉 금침(衾枕)과 약간 의복을 가져 가게 ᄒᆞ고, 시녀ᄂᆞᆫ 벽ᄂᆞᆫ 소잉 등 ᄉᆞ인을 쏫게 ᄒᆞ여 소져 일힝이 문을 나니, 냥 공ᄌᆞᄂᆞᆫ 강외의 ᄇᆡ별할 ᄉᆡ, 츄밀은 즉시 도라오련이와 소져ᄂᆞᆫ 도라올 지속이 업ᄉᆞ니, 남ᄆᆡ의 ᄯᅥᄂᆞ난 졍이 유유(悠悠)ᄒᆞ여 슬픈 심회 ᄎᆞ아(嗟峨)ᄒᆞ니, 누쉬 ᄯᅥ러지기을 분분이 ᄒᆞ니, 공이 두 공ᄌᆞ을 당부경계(當付警戒)ᄒᆞ여 그 ᄉᆞ이 즐 잇시라 ᄒᆞ고, 이의 분슈(分手)ᄒᆞ여 소져 거교을 호힝(護行)ᄒᆞ여 구몽슉을 거ᄂᆞ려 셔(西)흐로 길을 향ᄒᆞ니, 냥 공ᄌᆡ 그 가ᄂᆞᆫ 곳을 바라보고 슬푸믈 참지 못ᄒᆞ나 《하일‖할일》 업셔 부즁(府中)으로 도라오니라.

1135)ᄌᆞ장패산(資粧貝珊) : 여자가 화장하는 데 쓰는 물건들과 산호(珊瑚), 호박(琥珀) 따위로 만든 값진 물건.

1136)애 : 초조한 마음 속.

슈졸(戍卒)이 되지 아니리니, 현의 영화로이 도라오는 날은 즐거올지라. 현부는 심스를 널니 ᄒᆞ여 과상(過傷)치 말나."

뉴시 쳬읍 ᄃᆡ왈,

"쳡이 명되(命途) 긔박(奇薄)ᄒᆞ와 두낫 녀식을 두어 경ᄋᆞ는 쇼년명부 허명을 가져시나 셕낭과 남이오, 현ᄋᆞ는 화가여싱(禍家餘生)을 ᄇᆞ라고 십삼유의 셔촉 험디로 가는 바를 싱각ᄒᆞ오니, 쳡의 심시 비여텰셕(非如鐵石)[1137]이라, 슬프믈 참으리잇가? 져를 위ᄒᆞ여 쥬옥보패(珠玉寶貝)와 금슈나릉(錦繡羅綾)을 별튁(別擇)ᄒᆞ여 장만ᄒᆞᆫ 거시 가득ᄒᆞ거늘, 다 바리미 의【14】돏고 분ᄒᆞ거늘, 시녀조ᄎᆞ 삼ᄉᆞ인을 다려가 져의 의복지졀과 시비 브죡ᄒᆞ미 심ᄒᆞ여, ᄉᆞᄉᆞ의 어ᄂᆞ곳의 ᄆᆞ음을 펴리잇고? 하개(河家) 쵹(蜀)의나 이시면 도로혀 깃브렷마는, 도졍 의논이 ᄆᆡ양 하진을 죽이ᄌᆞ ᄒᆞᆫ다니, 위틱ᄒᆞ고 념녀로오믈 니긔지 못ᄒᆞᆯ소이다."

태부인이 지삼 위로ᄒᆞ고, 귀의 다혀 밀밀셰어(密密細語) 왈,

"명의 왓는 ᄉᆞ이 히(害)ᄒᆞ미 맛당ᄒᆞ나 그ᄃᆡ 져리코 이시니, 만ᄉᆡ무렴(萬事無念)ᄒᆞ여 노뫼 됴흔 모칙(謀策)을 엇지 못ᄒᆞᆯ노다."

뉴시 넓더[1138] 안ᄌᆞ 여ᄎᆞ여ᄎᆞ(如此如此) ᄒᆞᄌᆞ ᄒᆞ니 태부인이 박장낙왈(拍掌諾曰)[1139],

"ᄎᆞ계 묘ᄒᆞ다."

뉴시 소ᄅᆡ를 낫초아 ᄀᆞᆯ오ᄃᆡ,

"존고는 ᄉᆞ긔를 비밀히 ᄒᆞ시고 ᄒᆞᆫ갈ᄀᆞᆺ치 ᄉᆞ랑ᄒᆞ믈 뵈쇼셔."

태부인이 고개를 그덕여【15】 즐기믈 마지 아니터라.

뉴시 셰월과 비영을 쳔금을 주어 괴이ᄒᆞᆫ 약뉴를 만히 ᄉᆞ드리니, 일이 비밀ᄒᆞ여 알니 업더라.

태부인이 뎡쇼져 ᄉᆞ랑이 과도ᄒᆞ여 뎡부의

1137)비여텰셕(非如鐵石) : 쇠나 바위가 아니다.

1138)넓더 : 벌떡. 눕거나 앉아 있다가 조금 큰 동작으로 갑자기 일어나는 모양.

1139)박장낙왈(拍掌諾曰) : 크게 만족하여 손뼉을 치며 응낙하여 말함

◎[1124]ᄎᆞ시 뉴시 셰월·비영으로 쳔금을 쥬어 고히한 약뉴을 만히 ᄉᆞ드리니, 일리 비밀ᄒᆞ여 알니 업더라.

ᄐᆡ부인이 뎡소져을 과도히 ᄉᆞ랑ᄒᆞ는 체ᄒᆞ고, 뎡부의셔 슈숨일만 묵어오라 ᄒᆞ여시니

1124)◎ : 필사자가 선행본의 권 경계를 나타내기 위해 앞 권에 이어 필사하는 권의 시작부분에 첨가해놓은 표점.

셔 슈삼일만 머므러 도라오라 ᄒᆞ여시니 그 ᄉᆞ이 므슨 연괴 이시믈 뜻ᄒᆞ리오마ᄂᆞᆫ, 윤쇼졔 옥누항의 니르므로브터 심식 ᄌᆞ로 놀납고 긔운이 불평ᄒᆞ여, ᄌᆞ연 미워 펴이지 못ᄒᆞᄂᆞᆫ지라. 조부인이 ᄀᆞ마니 연고를 므르니 쇼졔 심긔 스ᄉᆞ로 경동(驚動)ᄒᆞ믈 고ᄒᆞ고 쥬영은 태부인 뵈기를 슬히 넉여, 오직 유모 셜난과 현잉만 다려왓ᄂᆞᆫ디라. 쇼졔 수삼일 머ᄆᆞᄂᆞᆫ ᄉᆞ이나 현잉으로 침소 댱후(帳後)의 ᄆᆡ양 직히여 써나지 못ᄒᆞ게 ᄒᆞ더니, 일야ᄂᆞᆫ 태부인이 화【16】미셩찬(華味盛饌)을 포셜(鋪設)ᄒᆞ여 조부인 모녀를 블너 먹으라 ᄒᆞ고, 져와 뉴시도 상을 바닷ᄂᆞᆫ지라. 조부인 모녜 의심이 동ᄒᆞ여 쇼져ᄂᆞᆫ 복통이 급ᄒᆞ여 먹지 못ᄒᆞ믈 일캇고, 조부인은 쥬져(躊躇)홀 ᄉᆞ이 태부인이 좌우 시녀를 다 먹이니, ᄎᆞ시 밤이 장ᄎᆞᆺ 반이 된지라. 냥공ᄌᆞᄂᆞᆫ 외헌의셔 좀이 깁헛고 비복이 다 믈너가시듸 오직 셰월 비영 등과 셜난이 ᄌᆞ지 아니코 조부인을 뫼셔왓더니, 태부인 주ᄂᆞᆫ 쥬찬을 무심히 바다 먹으니 셰월 비영등 먹ᄂᆞᆫ 거ᄉᆞᆫ 약을 셕지 아녓고, 셜난은 말못ᄒᆞᄂᆞᆫ 약을 너허 먹여시니, 쥬찬이 계오 후셜(喉舌)을 너므며 벙어리 된지라. 입을 벙웃벙웃1140)ᄒᆞ고 말을 못ᄒᆞ니 조부인 모녀ᄂᆞᆫ ᄎᆞ경을 보지 못ᄒᆞ나, 오직 쥬찬【17】을 먹지 아냐 의심을 니긔지 못ᄒᆞ니, 태괴(太姑) 뎡싀고 조부인을 대칙(大責)ᄒᆞ니 부인이 졀민ᄒᆞ나 마디 못ᄒᆞ여 두어번 햐져(下箸)1141)의 엇지 벙어리 되기를 면ᄒᆞ리오. 쇼져다려 므ᄉᆞᆫ 말을 ᄒᆞ고져 ᄒᆞ듸 ᄌᆞᆼ시 못ᄒᆞ고 거동이 창황(蒼黃)ᄒᆞ여 면ᄉᆡᆨ(面色)이 괴이ᄒᆞ니, 쇼져ᄂᆞᆫ 조뫼 ᄉᆞ지져도 먹지 아녓ᄂᆞᆫ지라. 모친 거동을 보고 대경ᄒᆞ여 년망(連忙)이 니러 부인을 븟들고져 ᄒᆞ니, 흉괴(兇姑) 조부인을 모라 협실의 너흐니 쇼졔 ᄯᆞ와들녀 ᄒᆞ니, 경ᄋᆡ 나ᄂᆞᆫ ᄃᆞ시 문을 잠으고, 위·뉴 냥인

1140)벙웃벙웃 : 벙긋벙긋. 입을 소리 없이 벌렸다 오므렸다 하는 모양.

1141)햐져(下箸) : 젓가락을 댄다는 뜻으로, 음식을 먹음을 이르는 말.

그 ᄉᆞ이 무숨 변괴 잇시믈 뜻ᄒᆞ여시리오마ᄂᆞᆫ, 윤소져 옥누항의 이른 후로븟텀 공연니 심혼니 ᄌᆞ로 놀납고 긔운이 불평ᄒᆞ여, ᄌᆞ연 미우을 펴지 못ᄒᆞᄂᆞᆫ지라. 조부인니 가만니 연고을 무르니 소져 스ᄉᆞ로 심긔 경동(驚動)ᄒᆞ믈 고ᄒᆞ더라. 쥬영은 틱부인 보기을 슬히역여 오죽 유모 셜난과 현잉만 다리고 왓ᄂᆞᆫ지라. 소져 슈숨일【70】 머무ᄂᆞᆫ ᄉᆞ이 현잉으로 침소 장후(帳後)의 ᄆᆡ양 직희여 써ᄂᆞ지 말나 ᄒᆞ더니, 일야ᄂᆞᆫ 위틱부인니 진촌(珍饌)을 ᄒᆞ여 가득히 버리고 조부인 모여을 불너 먹으라 ᄒᆞ며, 져히 고식은 발셔 승을 바다ᄂᆞᆫ지라. 조부인 모녀 의심이 동ᄒᆞ여 소져ᄂᆞᆫ 복통이 급ᄒᆞ여 멋지 못ᄒᆞ믈 일컷고, 조부인은 쥬져(躊躇)할 ᄉᆞ이, 위틱 또한 좌우 시녀을 다 먹이니, 있듸 밤이 즁ᄎᆞ 반이 된지라. 냥공ᄌᆞᄂᆞᆫ 외현[헌](外軒)의셔 잠이 깁고 비복이 다 믈너가시니 오죽 셰월·비영 등이 셜ᄂᆞᆫ과 ᄌᆞ지 아니코, 셜난이 조부인을 뫼셔 왓드니, 흉한 구고 쥬ᄂᆞᆫ 찬을 바다 무심이 먹으니, 셰월·비열 등 먹ᄂᆞᆫ 거ᄉᆞᆫ 약이 업고, 셜난은 약을 너허 먹이니, 쥬육이 게유 후셜(喉舌)을 넘으며 벙어리 되어 당외의셔 입을 벙긋벙긋ᄒᆞ다가 말을 못ᄒᆞ니, 조부인니 의심ᄒᆞ여 음식을 먹지 아니 ᄒᆞ니, 위틱 경ᄉᆡᆨ고 칙ᄒᆞ니, 조부인니 인ᄉᆞ의 졀박ᄒᆞ여 마지 못ᄒᆞ여 두어번 ᄒᆞ져(下箸)1125)ᄒᆞ니 또ᄒᆞᆫ 벙어리 되ᄂᆞᆫ지라. 소져 다려 무슨 말을 ᄒᆞ고져 ᄒᆞ다가 죵시 못 ᄒᆞ고 거동이 창황(蒼黃)ᄒᆞ여 면ᄉᆡᆨ(面色)이 고이ᄒᆞ니, 소져ᄂᆞᆫ 조모 ᄉᆞ지져도 아직 아니 먹어ᄂᆞᆫ지라. 모친의 거동을 보고 ᄃᆡ경ᄒᆞ여 이러 부인을 붓들고져 ᄒᆞ니, 위틱 밧비 조부인을 모라 협실의 넛커ᄂᆞᆯ 소져 망극ᄒᆞ여 ᄯᆞᆯ아들【71】고져 할 젹, 경ᄋᆡ ᄂᆞ난드시 문을 잠으고 위·뉴 양인니 셰월·비영 등으로 소져을 달아드러 제쳐1126) 누이고 경ᄋᆡ 유리죵(琉璃鍾)1127)의 약을 푸러 소져의 입

1125)ᄒᆞ져(下箸) : 젓가락을 댄다는 뜻으로, 음식을 먹음을 이르는 말.

1126)제치다 : 늑젖히다. 뒤로 젖히다.

이 셰월 비영 등으로 ᄒᆞ여금 쇼져긔 다라드러 져쳐1142) 누이고 경의 뉴리죵(琉璃鍾)1143)의 약을 프러 쇼져 입의 브으려 ᄒᆞ니, 쇼졔 목젼의 흉참(凶慘)ᄒᆞᆫ 거동을 보ᄆᆡ 비록 조모와 슉모 죵형의 일이나 비분통히(悲憤痛駭)ᄒᆞ여 셩음(聲音)이 격녈강ᄀᆡ(激烈慷慨)ᄒᆞ여 왈,

"조모와 슉모【18】와 져졔 텬디간의 업ᄉᆞᆫ 패덕을 힝ᄒᆞ여 모친을 경ᄀᆡᆨ(頃刻)의 병인을 ᄆᆡᆫ들고 날을 마ᄌᆞ 죽이려 ᄒᆞ니, 무인심야(無人深夜)의 알니 업다 ᄒᆞ여 이런 악ᄉᆞ를 힝ᄒᆞ나, '야텬(夜天)이 됴림(照臨)ᄒᆞ고 신명(神明)이 ᄌᆡ방(在傍)ᄒᆞ니'1144) 스ᄉᆞ로 두렵지 아니니잇가?"

삼흉(三凶)이 대로ᄒᆞ여 위력으로 약을 퍼붓고져 ᄒᆞᄃᆡ 쇼졔 약ᄒᆞ기 신뉴(新柳) ᄀᆞᆺᄐᆞᄂᆞ 격녈(激烈) 석석ᄒᆞ고 강녁(强力)이 ᄯᅩᄒᆞᆫ 업지 아니니, 맛츰ᄂᆡ 입을 버리지 아냐 약을 밧지 아니니, 흉괴 뉴시 모녀와 비영 셰월노 더브러 쇼져의 슈족과 몸을 나리누르며 ᄉᆞ이ᄉᆞ이 쥬머괴1145)로 치기를 ᄆᆡ이 ᄒᆞ더니, 경의 골홈1146)의 ᄎᆡ인1147) 삼촌단검(三寸短劍)을 ᄲᆡ혀 조모를 준ᄃᆡ, 쇼졔 ᄎᆞ경을 보【19】고 진녁ᄒᆞ여 니러나 광텬 등을 ᄡᅵ오고져 ᄒᆞ더니, 흉괴 그 다리를 급히 지르니 쇼졔 ᄒᆞᆫ 소ᄅᆡ를 늣기고 엄홀(奄忽)ᄒᆞ니, 뉘 잇셔 구ᄒᆞ리오. 경의 승승(乘勝)ᄒᆞ여 입을 어긔고1148) 독약을 퍼 너흘ᄉᆡ, 긔운이 막혀 약물이 후셜을 넘지 못ᄒᆞᄃᆡ, 위·뉴 등이 창황급급(蒼黃急急)히 셔르져 업시ᄒᆞ려 ᄒᆞᄂᆞᆫ 고로, 약이 못 드러가는 줄도 ᄭᆡᄃᆞᆺ

1142)져처 : <젖다 : 젓다>. 젖혀. 뒤로 기울여.
1143)뉴리죵(琉璃鍾) : 모양이 종처럼 생긴 유리 그릇.
1144)'야텬(夜天)이 됴림(照臨)ᄒᆞ고 신명(神明)이 ᄌᆡ방(在傍)ᄒᆞ'다 : 밤하늘이 위에서 굽어보고 신령이 곁에서 지켜보고 있다.
1145)쥬머괴 : 주먹.
1146)골홈 : 옷고름. 저고리나 두루마기의 깃 끝과 그 맞은편에 하나씩 달아 양편 옷깃을 여밀 수 있도록 한 헝겊 끈.
1147)ᄎᆡ이다 : 채우다. 물건을 몸이나 옷 등에 묶거나 끼워서 지니다
1148)어긔다 : 억지로 벌리다.

의 부으려 ᄒᆞ니, 소져 목젼 흉ᄎᆞᆷ(凶慘)ᄒᆞᆫ 거동을 보ᄆᆡ 비록 조모 슉모 종형의 ᄒᆞ난 비ᄂᆞ 통ᄒᆡ분완(痛駭憤惋)ᄒᆞ여 셩음(聲音)이 격졀강ᄀᆡ(激切慷慨) 왈,

"ᄉᆞᆷᄃᆡ(三代)가 쳔지간 업ᄉᆞᆫ 악ᄉᆞ을 힝ᄒᆞ여 모친을 경각의 병인을 만들고, 소녀을 마ᄌᆞ 쥭이려 ᄒᆞ시니, 무인심야(無人深夜)의 알니 업다 ᄒᆞ여 긔탄(忌憚)치 아니시니, 져 '야쳔(夜天)이 조림(照臨)ᄒᆞ시고 신명(神明)이 ᄌᆡ방(在傍)'1128)ᄒᆞ니 스ᄉᆞ로 두렵지 아니신니잇가?"

위·뉴·셕 악인 ᄉᆞᆷ인니 ᄃᆡ로ᄒᆞ여 더옥 급히 약을 퍼 너흐려 ᄒᆞ나, 소져 약ᄒᆞ기 심ᄒᆞ나 용녁이 ᄯᅩᄒᆞᆫ 업지 아니니, 마ᄎᆞᆷᄂᆡ 입을 버리지 안냐 약을 밧지 아니니, 악녀들리[이] 축급(着急) ᄃᆡ로(大怒)ᄒᆞ여 일시의 ᄶᅡᆯ라안ᄌᆞ1129) 모진 쥬먹으로 치기을 난만(爛漫)니1130) ᄒᆞ드니, 경의 고름1131)의 ᄎᆞ힌1132) ᄉᆞᆷ촌검(三寸劍)을 ᄲᆡ혀 위노1133)을 쥬거ᄂᆞᆯ 소져 ᄎᆞ경을 보고 평ᄉᆡᆼ 힘을 다ᄒᆞ여 이러ᄂᆞ 공ᄌᆞ들을 부르고져 ᄒᆞ더니, 위ᄐᆡ 그 다리을 급히 질너 ᄉᆞ으니, 소져 ᄒᆞᆫ ᄆᆞᄃᆡ 늣기는 소ᄅᆡ의 엄홀(奄忽)ᄒᆞ니, 슬푸고 ᄋᆡ달을ᄉᆞ, 뉘 잇셔 구ᄒᆞ리오. 경의 승승(乘勝)ᄒᆞ여 그 입을 버리고 독약을 ᄡᅥ 너흐니, 소져 비록 긔운니 막혀시ᄂᆞ 마ᄎᆞᆷᄂᆡ 약물이【72】 후셜을 넘지 못ᄒᆞ니, 위·뉴 등이 창황급급(蒼黃急急)히 셔르져 업시ᄒᆞ려는 고로, 약을

1127)유리죵(琉璃鍾) : 모양이 종처럼 생긴 유리 그릇.
1128)'야텬(夜天)이 됴림(照臨)ᄒᆞ고 신명(神明)이 ᄌᆡ방(在傍)ᄒᆞ'다 : 밤하늘이 위에서 굽어보고 신령이 곁에서 지켜보고 있다.
1129)ᄶᅡᆯ라 안ᄌᆞ : ᄶᅡᆯ아 안ᄌᆞ. 깔고 앉아.
1130)난만(爛漫)니 : 난만히. 무수히.
1131)고름 : 옷고름. 저고리나 두루마기의 깃 끝과 그 맞은편에 하나씩 달아 양편 옷깃을 여밀 수 있도록 한 헝겊 끈.
1132)ᄎᆞ힌 : 채운. 채워둔.
1133)위노 : 위태부인.

지 못ᄒᆞ고, 한업시 펴 너허 옷술 젹시며, 간간이 옥면화협(玉面花頰)과 응지셜부(凝脂雪膚)를 모진 손으로 쥬여쓰더 곳곳이 붉은 피 돌지어 흐르고, 쇼졔 엄홀ᄒᆞ여 숨을 닉두르지[1149] 못ᄒᆞ고 일신 슈족(手足)이 어름 ᄀᆞᆺ트니 분명 죽엇ᄂᆞᆫ 줄 아라, 큰 피농(皮籠)[1150]을 드려 쇼져를 녀흘ᄉᆡ, 셰월이 그 쵹금샹(蜀錦裳)을 벗기고 비영이 그 머리의 슈식보화(修飾寶貨)를 다 쓰더 가지고, 뉴시 그 옷술 마ᄌᆞ 벗기려 ᄒᆞᆯ 씨, 【20】 현잉이 쇼졔 오ᄅᆡ 나오지 아니믈 괴이히 넉여, ᄀᆞ마니 경희뎐의 와 족젹을 가마니ᄒᆞ여 합장(閤牆) 뒤히셔 여어보니 이 경상이라. 대경망극(大驚罔極)ᄒᆞ여 통곡고져 ᄒᆞ나 졔마ᄌᆞ 잡힌 즉 쇼져 시신도 ᄎᆞ즐 길 업셔, 밧비 냥공ᄌᆞ를 보아 고코져하여 다르니, 텬디 어두온 가온ᄃᆡ 듕문(中門)을 다다 긴긴히 좀가시니, 착급(着急)ᄒᆞ여 젼문(前文)을 바리고 뒤흐로 좃ᄎᆞ 동산문을 나올ᄉᆡ, 거름이 창황ᄒᆞ고 압히 어두어 셔헌(書軒)으로 나오노라 ᄒᆞᆫ 거시 대로상으로 나온지라. 가슴을 치고 도로 더듬어 가려 ᄒᆞ더니, 홀연 먼니 바라보니 횃불이 낫 ᄀᆞᆺ고 허다츄죵(許多追從)이 일위 명관을 옹위ᄒᆞ여 바로 옥누항으로 향ᄒᆞᄂᆞᆫ디라. 잉이 어득ᄒᆞᆫ 눈으로 바라보니 이곳 져의 듀군(主君) 뎡태위라. 영힝ᄒᆞ【21】믈 니긔지 못ᄒᆞ여 급ᄒᆞᆫ 소식을 고코져 ᄒᆞᄃᆡ 태위 상시(常時) 엄위(嚴威)ᄒᆞ여 비복이 몬져 말숨을 발치 못ᄒᆞ므로, 짐즛 태위 아라듯게 길거리의 셔셔 실셩호읍(失性號泣)ᄒᆞ니, 태위 쇼져를 친경의 보ᄂᆡ고 념녀를 노치 못ᄒᆞᄃᆡ, 위·뉴 보기를 괴로와 윤부의 가지 아녓더니, ᄎᆞ일 친우 태혹ᄉᆞ 경츈긔 친상을 만나 발인ᄒᆞ여 졀강으로 가ᄂᆞᆫ 고로, 작일 경부의 와 범ᄉᆞ를 술펴 디극ᄒᆞᆫ 경이 친쳑의 지ᄂᆞᆫ지라. 경혹ᄉᆞ 감은ᄒᆞ고 피ᄎᆞ(彼此) 니졍(離情)이 결울ᄒᆞ더니, 홀연 태위 신긔 불평ᄒᆞ고 먹은 거술 구토(嘔吐)ᄒᆞ고 눅눅ᄒᆞ믈 뎡치 못ᄒᆞ니, 금평후와 슌참

1149)닉두르다 : 내두르다. 내쉬다.
1150)피농(皮籠) : 가죽으로 만든 농.

한업시 펴 너허 옷슬 다 젹시며, 화협(花頰)과 셜부(雪膚)을 쥐여 쓰더 곳곳이 홍혈(紅血)이 돌츌ᄒᆞ고 슈족이 어름 갓트니, 분명 죽어ᄂᆞᆫ 쥴노아라 소져을 피농(皮籠)[1134]의 너흘 ᄉᆡ, 셰월이 그 촉금ᄉᆞᆼ(蜀錦裳)을 벗기고 비영은 그 머리의 슈식(修飾)을 쓰더 가지고 뉴시ᄂᆞᆫ 그 오슬 벗기려 할 씩, 현잉이 소져 오ᄅᆡ 나오지 아니믈 고히 역여 《종젹‖족젹》을 가만니 ᄒᆞ여 합ᄎᆞᆼ(閤窓) 뒤히셔 여어보니, 여ᄎᆞ 경상이라. ᄃᆡ경망극(大驚罔極)ᄒᆞ여 통곡고져 ᄒᆞ나, 졔 말이 소져을 구치 못할지라. 밧비 냥공ᄌᆞ을 보아 고코져 ᄒᆞ여 다르니, 즁문(中門)의 밋쳐ᄂᆞᆫ 긴긴히 문을 감가시니, ᄎᆞᆨ급ᄒᆞ여 젼문(前文)을 바리고 뒤흐로 조ᄎᆞ 동ᄉᆞᆫ 문《을오‖으로》 나올 ᄉᆡ, 거름이 창황ᄒᆞ고 압히 어두어 셔현(書軒)으로 나오려 ᄒᆞᆫ 거시, ᄃᆡ로상(大路上)으로 나온지라. 가슴을 치고 도로 더듬어 가려 ᄒᆞ더니, 홀연 홰불이 낫갓고 허다츄종(許多追從)이 일위 명관을 옹위ᄒᆞ여 바로 옥누항을 향ᄒᆞᄂᆞᆫ지라. 잉이 어득ᄒᆞᆫ 눈을 드러 바라보니, 이 곳 져의 쥬군 뎡ᄐᆡ우라. 반가오믈 형상치 못할 즈음의, ᄐᆡ우 먼져 잉을 불너 문왈,

1134)피농(皮籠) : 가죽으로 만든 농.

경이 다 경부의 모다 힝상(行喪)ᄒᆞ믈 보려 ᄒᆞ다가, 태우의 불평ᄒᆞ믈 놀나, 평휘 왈,

"내 하·진 이형으로 더브러 상구(喪柩) 발ᄒᆞ【22】믈 보리니 너는 윤부의 가 됴호ᄒᆞ라."

태위 대단치 아니믈 고ᄒᆞ나 가장 념녀ᄒᆞ여 ᄌᆡ삼 니르ᄆᆡ 태위 ᄇᆞ득이 도라올ᄉᆡ, 경혹ᄉᆞ를 당부ᄒᆞ여 녕구(靈柩)를 뫼셔 무ᄉᆞ히 힝ᄒᆞ라 ᄒᆞ고, 갓가온 옥누항의 오더니, 노변의셔 현잉이 망망참졀(茫茫慘切)이 우ᄂᆞᆫ지라. 반야삼경(半夜三更)의 대로듕(大路中)의와 져러ᄐᆞᆺ ᄒᆞ믈 경히(驚駭)ᄒᆞ여 좌우로 잉을 브르라 ᄒᆞ며, 윤부 밧문의 다ᄃᆞ라ᄂᆞᆫ 말을 나려 문 열나 말을 아니ᄒᆞ고, 몬져 잉다려 문왈,

"윤부의 므슨 연괴 이시며 비ᄌᆡ 엇지 우ᄂᆞ뇨."

잉이 읍읍(泣泣)ᄒᆞ고 모든 하리듕(下吏中) ᄎᆞ마 ᄃᆡ고치 못ᄒᆞ여 쥬져ᄒᆞ니, 태위 짐작고 하리를 명ᄒᆞ여 믈을 가지고 아모ᄃᆡ 가 밤을 지ᄂᆡ고 오라 ᄒᆞ고, 심복노ᄌᆞ(心腹奴子) 연듕을 머므르고 므르니, 잉이 급히 젼후ᄉᆞ를 고ᄒᆞᆫᄃᆡ, 태위【23】 만신이 셔늘ᄒᆞ여 잉다려 왈,

"네 밧비 드러가 여어보아 여듀(汝主)의 시신을 엇지ᄒᆞᄂᆞᆫ고 보라."

잉이 슈명ᄒᆞ고 오던 길노 드러가니, ᄎᆞ시 위·뉴 이인이 쇼져의 시신을 피농의 너허 계명(鷄鳴)의 심복노ᄌᆞ로 먼니갓다가 무드라 ᄒᆞᆫᄃᆡ, 젼문(前門)으로 가믄 어려워 원문(園門)으로 가라 ᄒᆞ니, 형봉은 셰월의 가뷔오, 위·뉴의 악ᄉᆞ를 돕는 노ᄌᆡ(奴子)라. 피농을 단단이 봉(封)ᄒᆞ여 달나 ᄒᆞ니, 이ᄯᆡ 조부인은 협실의셔 벙어○[리] 되엿고, 셜난은 쟝외(帳外)의 잇ᄂᆞᆫ 거술 비영이 모라다

"윤부의 무ᄉᆞᆫ 연고 잇시며 비ᄌᆞ 엇지 우ᄂᆞᆫ뇨?"

잉이 읍 ᄃᆡ왈,

"급홰(急禍) 목젼(目前)ᄒᆞ와 부인 시신도【73】 찻지 못ᄒᆞ게 되어ᄂᆞᆫ니이다."

ᄐᆡ우 경문 왈,

"ᄎᆞ 어언야아? 엇지 부인의 신체라 ᄒᆞ나뇨?"

잉이 모든 ᄒᆞ리 즁 직고치 못ᄒᆞ여 쥬져ᄒᆞ니, ᄐᆡ우 짐ᄌᆞᆨ고 이의 ᄒᆞ리을 명ᄒᆞ여 왈,

"너희 물나 갓다가 명조의 본부로 ᄃᆡ령ᄒᆞ라."

ᄒᆞ고 심복 노ᄌᆞ 연츙만 머므르고 밧비 므르니 잉이 비로소 곡졀을 고ᄒᆞᄆᆡ, ᄐᆡ우 청ᄑᆞ의 심신니 다 셔늘ᄒᆞ여 잉다려,

"밧비 여허보아 여주(汝主)의 시신을 엇지 ᄒᆞᄂᆞᆫ고 보고 와 고하라."

잉이 슈명ᄒᆞ고 밧비 나오던 길노 나아가더니, ᄎᆞ시 위·뉴 양 악흉이 소져의 시신을 피농의 너허 게[계]셩(鷄聲)의 심복 노ᄌᆞ 형봉으로 멀니 가 무드라 ᄒᆞᆯ ᄉᆡ, ᄃᆡ문이 어려오니 원문(園門)으로 가라ᄒᆞ니, 형봉은 세월의 가뷔라. 농을 단단니 봉ᄒᆞ여 달나 ᄒᆞ니, 잇ᄯᆡ 조부인은 협실의 ᄒᆞᆫ 벙어리 되여고 셜난은 모라 그윽한 고ᄃᆡ 넛코 문을 즘으니, 소져의 ᄉᆞ환(死患)을 하늘과 귀신

가 그윽ᄒᆞᆫ 방의 너코 문을 즘으니, 쇼져의 ᄉᆞ화를 하날과 귀신밧근 알니 업ᄉᆞ믈 흔흔ᄒᆞ여 ᄒᆞ더라. 형봉이 피농을 츄이ᄌᆞ며1151) 나오니 잉은 형봉을 아라보고 피농의 분명이 쇼져의 시신을 담은 줄 알고,【24】 급히 돌쳐1152) 도라와 태우ᄭᅴ 고ᄒᆞ니, 태위 연듕을 다리고 나는 ᄃᆞ시 힝ᄒᆞ여 원문의 와 본 즉, 형봉이 큰 피농을 츄이ᄌᆞ며 혼ᄌᆞ말노 니르ᄃᆡ

“어ᄃᆡ셔 계셩(鷄聲)이 나는듯 ᄒᆞᄃᆡ 엇지 분명치 아니ᄒᆞ고 날이 치우니 즌져리 치인다.”

ᄒᆞ며, 듕어리니 태위 ᄎᆞ언을 듯고 분발(憤髮)이 지관(指冠)ᄒᆞ여 노목(怒目)이 진녈(盡裂)ᄒᆞ여 ᄉᆡᆼ각ᄒᆞᄃᆡ 윤시 만일 죽어시면 ᄎᆞ적(此賊)을 죽여 흉물(凶物) 등을 놀ᄂᆡ리라 ᄒᆞ고, 급히 원비(猿臂)1153)를 느리혀 좌슈로 형봉의 상토를 잡고 우슈로 농을 녑히 ᄭᅵ고, 소ᄅᆡ를 엄히 ᄒᆞ여 왈,

“네 ᄒᆞᆫ 소ᄅᆡ나 ᄒᆞ엿다가는 즉ᄀᆡᆨ의 머리를 버혀 육장(肉醬)을 ᄆᆡᆫ들 거시니 입을 닷치고 이시라.”

ᄒᆞ고, 뇽ᄒᆡᆼ호보(龍行虎步)로 원문을 ᄂᆡᄃᆞ르니, 형봉이 쳔만 념외(念外)의 뎡태우를 만나 제 머리를 ᄭᅳ을고 농을 녑【25】히 ᄲᅧ 가니, 놀납고 금즉ᄒᆞ미1154) 쳥텬ᄇᆡᆨ일(青天白日)의 벽녁(霹靂)을 당ᄒᆞᆫ 둧, 험포흉녕(險暴凶獰)ᄒᆞᆫ 놈이나 ᄯᅥᆯ기를 마지아냐, 다만 가마니 ᄋᆡ고 소ᄅᆡ ᄲᅮᆫ이라.

태위 대로상의 나와 맛당이 감 즉ᄒᆞᆫ 곳이 업셔 ᄉᆡᆼ각ᄒᆞ니, 유모 셜유랑의 아ᄌᆞ미 십ᄌᆞ가(十字街)의셔 살므로, 유뫼 슈일젼 취운산

1151)츄이ᄌᆞ다 : 추다. 추어올리다. 추켜올리다. 업거나 지거나 한 것을 치밀어서 올리다.
1152)돌쳐 : 돌아서서, 뒤돌아서.
1153)원비(猿臂) : 원숭이의 팔이라는 뜻으로, 길고 힘이 있어 활쏘기에 좋은 팔을 이르는 말.
1154)금즉ᄒᆞ다 : 진저리가 쳐질 정도로 두렵다.

밧근 알니 업사믈 흔흔자득(欣欣自得)ᄒᆞ여 농을 봉ᄒᆞ여 형봉을 쥬며 쥬츤을 만이 먹이니, 형봉이 피농을 취ᄒᆞ여 지고 원문의 와 게[계]셩(鷄聲)을 기다리고 안져더니, 현잉이 오다가 맛ᄂᆞ나 형봉은 타의 업시 계셩만 기다리고 안ᄌᆞ, 이다감 농을 드러보아 “그리 무겁지ᄂᆞ 아니ᄒᆞᆫ가” 혼ᄌᆞ말노 ᄒᆞ노라니, 잉의 오는 쥴 모로고, 잉은 형봉을 아라보아 져 농이 소져의 신체 담【74】아시믈 알아 가연이 몸을 돌쳐1135) 도라와 ᄐᆡ우ᄭᅴ 고ᄒᆞ니, ᄐᆡ우 분히ᄒᆞ여 연츙을 다리고 나는 다시 힝ᄒᆞ여 원문의 와 본 즉 형봉이 큰 농을 압히 놋코 혼ᄌᆞ말노 갈오ᄃᆡ,

“어ᄃᆡ셔 게[계]셩(鷄聲)이 나는 듯ᄒᆞ나 분명치 아니니 날이 치우무로 진져리치인다.”

ᄒᆞ거늘, ᄐᆡ우 이 말을 드르미 노발(怒髮)이 츙관(衝冠)ᄒᆞ고 노목(怒目)이 진열(盡裂)ᄒᆞ여, 급히 나아가 원비(猿臂)1136)을 늘희여 좌슈로 형봉의 ᄉᆞᆼ토을 풀쳐 즙고 우슈로 농을 미러 엽히 ᄭᅵ고 소ᄅᆡ을 엄히 ᄒᆞ여 왈,

“네 ᄒᆞᆫ 소ᄅᆡᄂᆞ ᄒᆞ엿다가는 즉ᄀᆡᆨ의 머리을 버히리니, 입을 닷치고 잇스라.”

ᄒᆞ고, 용힝호뵈(龍行虎步) ᄂᆞ난 듯ᄒᆞ여 원문을 나니, 형봉이 쳔만 의외의 뎡ᄐᆡ우을 만ᄂᆞ 제 머리을 ᄭᅳ을고 농을 엽히 ᄶᅧ 가니, 놀납고 금즉ᄒᆞ미1137) 쳥쳔ᄇᆡᆨ일(青天白日)의 ○○○[벽력(霹靂)이] 만신(滿身)을 분쇄ᄒᆞ는 듯, 몸이 ᄯᅥᆯ니기을 마지 아니니, 가만니 ᄋᆡ고할 분이라.

ᄐᆡ우 농을 ᄭᅵ고 나와 맛당이 갈 곳을 ᄉᆡᆼ각ᄒᆞ니 유모 셜유랑의 아ᄌᆞ미 십ᄌᆞ가(十字街)의 ᄉᆞ는 고로, 유모 취운순의셔 슈일 젼 단닐너 왓시므로 알고 ᄂᆞ난다시 십ᄌᆞ가로

1135)돌쳐 : 돌아서서, 뒤돌아서.
1136)원비(猿臂) : 원숭이의 팔이라는 뜻으로, 길고 힘이 있어 활쏘기에 좋은 팔을 이르는 말.
1137)금즉ᄒᆞ다 : 진저리가 쳐질 정도로 두렵다.

의 단니라 와시므로 아랏던지라. 이의 나ᄂᆞᆫ ᄃᆞ시 십ᄌᆞ가의 힝ᄒᆞ니, 년튱이 농을 져지라1155) ᄒᆞᄃᆡ 드른 쳬 아니코, 다만 형봉을 ᄡᅳ어 쌜니 힝ᄒᆞ여 십ᄌᆞ가 마관인 집의 니르러 손으로 잠은 문을 여러 급히 안흐로 드러가니, 원ᄂᆡ 마관인은 금평후의 군관(軍官)이오, 기쳐 셜시ᄂᆞᆫ 유랑의 슉뫼니, 뎡부 비ᄌᆡ라. 관인(官人)은 평후긔 신임(信任)ᄒᆞ여 도라올 젹이 드믈고, 셜시 두어 녀식을 다리고 이시니 집이 부요ᄒᆞ【26】나 번잡지 아닌지라, 태위 비로소 형봉을 《녕튱‖년튱》다려 잡아시라 ᄒᆞ고, 유모를 브르니, 유뫼 잠을 깁히 드럿다가 태우의 소ᄅᆡ를 듯고 대경ᄒᆞ여, 슉딜이 쵹을 ᄇᆞᆰ히고 됴흔 ᄌᆞ리를 들고 나오거놀, 태위 어셔 방을 슈쇄(收刷)1156)ᄒᆞ라 ᄒᆞ니 유뫼 곡절을 몰나 급히 방을 셔릇고1157) ᄉᆡ ᄌᆞ리를 편 후 드러오기를 청ᄒᆞ니, 태위 농을 들고 드러와 열고 보니 쇼졔 나상과 슈식을 다 업시ᄒᆞ고 단삼과 니의(裏衣)를 닙엇ᄂᆞᆫ디라. 청운(靑雲) ᄀᆞᆺᄐᆞᆫ 두발이 헛틀고 옥면이 ᄯᅳᆺ기여 젹혈(赤血)이 가득ᄒᆞ여시니, 옥각(玉脚)의 칼노 질니엿ᄂᆞᆫ지라. 태위 ᄎᆞ경을 보ᄆᆡ 참연경악(慘然驚愕)ᄒᆞ미 비홀ᄃᆡ 업셔, 븟드러 ᄂᆡ여 편히 누이니, 쇼졔 긔운이 막혓다가 그ᄉᆞ이 오린 고로 약물노 구호ᄒᆞ미 업ᄉᆞ나, 요ᄒᆡᆼ(僥倖)【27】 독약이 후셜을 너므미 업ᄂᆞᆫ 고로 ᄌᆞ연 ᄭᆡᄃᆞ라 눈을 ᄯᅥ보며 슘을 ᄂᆡ쉬ᄂᆞᆫ지라. 그 죽든 아냐시믈 만심ᄒᆡᆼ희(滿心幸喜)ᄒᆞ여 낭듕(囊中)의 약을 ᄂᆡ여 프러 입의 드리오니, 유랑 슉딜이 ᄎᆞ경을 보고 면ᄉᆡᆨ이 여회(如灰)ᄒᆞ여 가마니 현ᄋᆡᆼ다려 므른ᄃᆡ ᄋᆡᆼ이 다만 참화(慘禍)를 만나다 ᄒᆞ고, ᄌᆞ시 니르지 아닛ᄂᆞᆫ지라. ᄯᅥᆯ니고 눈믈이 비 ᄀᆞᆺᄐᆞ니 태위 유모다려 '요란이 구지 말나' ᄒᆞ고, 쇼져의 손을 잡아 왈,

"능히 인ᄉᆞ를 아라, 사ᄅᆞᆷ을 분변ᄒᆞ여 이

향ᄒᆞ니, 연츙이 농을 제가 지고 가믈 고ᄒᆞᆫᄃᆡ, ᄐᆡ우 드른 체 아니코 형봉을 ᄡᅳᆯ고 현ᄋᆡᆼ 년츙을 조ᄎᆞ라 ᄒᆞ고, 쌜니 십ᄌᆞ가 관인(官人)의 집의 니르러, 좁은 문을 열고 급히 드러가니, 원ᄂᆡ 마관인은 금평후 군관이오 기쳐(其妻) 셜시ᄂᆞᆫ 유랑의 슉뫼라. 본ᄃᆡ 뎡부 비【75】ᄌᆡ라, 관인은 평후긔 신임하여 올 젹도 드물고 셜시 두어 여식을 다리고 이시ᄃᆡ, 집이 부요하나 번잡지 아닌지라. ᄐᆡ후[우] 비로쇼 형봉을 녹코 연츙다려 단단이 좁아시라 ᄒᆞ고, 유모을 브르이[니], 유뫼 잠이 깁혀다가 ᄐᆡ우의 쇼ᄅᆡ을 듯고 ᄃᆡ경ᄒᆞ여 연망이 ᄃᆡ답하고, 급히 슉질이 이려[러] 쵹을 발히이[니] ᄐᆡ우 급히 방을 치우라 하이[니], 유모 슉질이 곡졀을 모르고 급히 방을 셔르즌 후, 드려오시기을 청하이[니], ᄐᆡ위 농을 들고 드려와 열고 보ᄆᆡ, 쇼져 나ᄉᆞᆼ(羅裳)과 슈식을 다 업시하고 단ᄉᆞᆷ(單衫) 이의(裏衣)만 입엇난지라. 두발이 허틀고 옥면을 ᄯᅳᆺ기여 젹혈(赤血)이 가득이 괴여시며, 젼신의 불근 피 잠겻난지라. ᄐᆡ위 이 경상을 보ᄆᆡ 참연경악(慘然驚愕)ᄒᆞ여 븟드혀 ᄂᆡ셔 편이 누이고 살피이[니], 쇼져 긔운이 엄홀ᄒᆞ여 그 ᄉᆞ이 오ᄅᆡ된 고로, ○…결락12자…○[약물노 구호ᄒᆞ미 업ᄉᆞ나 ᄌᆞ연] ᄭᆡ기 《업‖잇》난지라. 요ᄒᆡᆼ(僥倖) 독약이 후셜을 넘지 아인[닌] 덕이라. ᄐᆡ위 ᄒᆡᆼ희하여 낭즁의 약을 ᄂᆡ여 푸러 드리오이[니] 유랑 슉질이 ᄎᆞ경을 보고 면ᄉᆡᆨ이 여토(如土)하여 《가아‖가만》이 곡졀을 ᄋᆡᆼ다려 무르이[니], 다만 참화을 만나다 하고 자셔이 이르지 아이코 ᄯᅥᆯ기을 면치 못하여 울거날, ᄐᆡ위 요란이 구지 말나 하고 쇼져의 손을 잡아 인ᄉᆞ을 ᄎᆞ리난 모양을 보고 무【76】러 왈,

"ᄌᆡ(子) 이리된 곡졀을 아ᄂᆞᆫ이닛가?"

1155)져지라 : 자진하여 지겠다고 하다.

1156)슈쇄(收刷) : ≒수습(收拾). 흩어진 재산이나 물건을 거두어 정돈함.

1157)셔릇다 : 거두어 치우다. 정리하다. 없애다. 죽이다

리 된 곡졀을 아르시ᄂᆞ냐?”

쇼제 만신이 다 알프고 칼히 질니인 다리 더옥 알프고 저려 혼고(昏苦)1158)ᄒᆞᆫ 듕 태위 구호ᄒᆞᄂᆞ 소ᄅᆡ를 듯고 더옥 경황(驚惶)ᄒᆞ여 능히 답지 못ᄒᆞ니, 태위 그 죽든 아닐 줄 알고 유모와 현잉을 당부ᄒᆞ여 극진 구호ᄒᆞ【28】고 잡인을 드리지 말나 ᄒᆞ고, 벽샹의 관인의 댱검을 ᄲᆡ혀 들고 ᄲᆞᆯ니 나와 형봉을 슈죄 왈,

“네 블측(不測)ᄒᆞᆫ 쥬모와 악ᄉᆞ를 ᄀᆞᆺ치ᄒᆞ니 죄당쥬륙(罪當誅戮)1159)이나 피농의 시신을 엇지ᄒᆞ려 ᄒᆞ더뇨?”

형봉이 부복(仆伏) 왈,

“태부인과 뉴부인이 쇼져의 시신을 먼니 갓다 무드라 ᄒᆞ시ᄆᆡ 쇼복(小僕)이 봉명(奉命)ᄒᆞᆯ ᄯᆞ름이오, ᄌᆞ작지죄(自作之罪)ᄂᆞᆫ 업ᄂᆞ이다.”

태위 한셜(閑說)이 무익ᄒᆞ여 ᄒᆞᆫ 칼노 형봉의 머리를 버혀들고 연튱으로 시신을 업시ᄒᆞᆫ 후, 나ᄂᆞᆫ ᄃᆞ시 옥누항의 오니 오히려 ᄃᆞᆰ이 우지 아녓더라. 태위 바로 댱원을 너머 ᄂᆡ헌(內軒)으로 ᄉᆞᄆᆞᆺᄎᆞ1160) 드러가니 죡젹(足跡)도 업ᄂᆞᆫ디라.

ᄎᆞ시 위·뉴 등이 조부인을 마ᄌᆞ 죽이고 비영지녀(之女) 츈월노 쇼져를 ᄃᆡ신ᄒᆞ여 뎡가로 보ᄂᆡᄌᆞ ᄒᆞ여 다 뉴시의 ᄭᅬ라. 태흉(太兇)【29】이 칭찬ᄒᆞ더니, 뎡태위 《녁ᄃᆡᄒᆞᆫ‖역귀(役鬼)1161)ᄒᆞᄂᆞᆫ》 술(術)과 《졔히‖제히풍운(除害風雲)1162))ᄒᆞᄂᆞᆫ ᄌᆡ조를 ᄂᆡ여, 효월(曉月)이 희미ᄒᆞᆫᄃᆡ 흑운(黑雲)과 녈풍

1158)혼고(昏苦) : 정신이 흐릿하고 고통스러움.
1159)죄당쥬륙(罪當誅戮) : 죄가 사형에 처해야 할 큰 죄에 해당함.
1160)사몿다 : 사무치다. 통(通)하다.
1161)역귀(役鬼) : 귀신을 부림.
1162)제히풍운(除害風雲) : 바람과 구름을 일으켜 해로운 것들을 제거함.

소져 만신(滿身)니 다 압푸고 칼의 질인 다리 져리고 알히어 졍신니 혼혼(昏昏)ᄒᆞᆫ1138) 즁 ᄐᆡ우의 구호ᄒᆞᄂᆞᆫ 소ᄅᆡ을 드르ᄆᆡ, 경황참괴(驚惶慙愧)ᄒᆞ여 능히 답지 못ᄒᆞ니, ᄐᆡ우 그 ᄉᆞ라시믈 깃거 유모 슉질과 현잉을 당부ᄒᆞ여 잡인(雜人)을 드리지 말고 극진이 구호ᄒᆞ라 ᄒᆞ고, 벽ᄉᆞᆼ의 걸인 관인의 장검을 ᄲᅢ혀 들고 나와 형봉을 슈죄ᄒᆞ여 왈,

“네 쥬인의 불측(不測)ᄒᆞᆫ 일을 ᄉᆡᆼ각지 못ᄒᆞ고 악ᄉᆞ을 조흔 일 갓치 ᄒᆞ니 그 죄당쥬륙(罪當誅戮)1139)이라. 농의 든 시신을 엇지ᄒᆞ려 ᄒᆞ던뇨?”

형봉이 《복직‖복지(伏地)》 ᄃᆡ왈,

“소복(小僕)은 봉명(奉命)할 다름이오, ᄌᆞ작지죄(自作之罪)ᄂᆞᆫ 업ᄂᆞᆫ이다.”

ᄐᆡ우 ᄃᆡ로(大怒)ᄒᆞ여 좌슈로 머리을 ᄌᆞᆸ고 우슈로 《창검‖장검》을 들어 경각의 머리을 버히니, 젹혈이 쏘다지고 머리 써러지니 연츙은 썰고 참아 바로보지 못ᄒᆞ나, ᄐᆡ우ᄂᆞᆫ 타연ᄒᆞ여 시신을 연츙다려 셔르져 업시 ᄒᆞ라 ᄒᆞ고, 바로 옥누항의 이르니, 오히려 닥이 울지 아냐더라. ᄐᆡ우 구차히 원문으로 가지 아니코 바로 장원을 ᄎᆞ져 너머 ᄂᆡ당의 이르나 날ᄂᆞ미 ᄎᆡ봉(彩鳳) 갓트니 종젹(蹤迹)이 업ᄂᆞᆫ지라.

차시 위·뉴 양악(兩惡)이 ‘조부인을 마ᄌᆞ 죽이고 비영을 ᄀᆡ용단(改容丹)을 먹여 조부인 ᄃᆡ신ᄒᆞ고, 츈월노 명ᄋᆞ의 ᄃᆡ신을 하【77】여 뎡가의 보ᄂᆡᄌᆞ’ ᄒᆞ니, 긔묘한 ᄌᆡ모(才謀)ᄂᆞᆫ 다 뉴간(奸)의 ᄉᆡᆼ각이라. 위뇌(老) 《친춘‖칭찬》ᄒᆞ며 셔로 질기더라.

시시의 뎡ᄐᆡ우 역귀(役鬼)1140)ᄒᆞ난 ᄌᆡ조와 졔히풍운(除害風雲)1141)ᄒᆞᄂᆞᆫ 슐을 ᄂᆡ여

1138)혼혼(昏昏)ᄒᆞ다 : 정신이 가물가물하고 희미하다.
1139)죄당쥬륙(罪當誅戮) : 죄가 사형에 처해야 할 큰 죄에 해당함.
1140)역귀(役鬼) : 귀신을 부림.
1141)제히풍운(除害風雲) : 바람과 구름을 일으켜 해

(熱風)을 모라 경희뎐으로 향케 ᄒᆞ고, 황면흑면(黃面黑面)의 칠귀(七鬼)를 뎐문(前門) 알패 셰우고, ᄌᆞ긔ᄂᆞᆫ 안연이 거려가ᄃᆡ, 흑긔(黑氣) 가득ᄒᆞ여 사ᄅᆞᆷ이 몰나보ᄂᆞᆫ디라. 지게를 열치고 형봉의 머리를 그것들 안즌ᄃᆡ 드리쳐 왈,

"여등(汝等)이 무인심야(無人深夜)의 악ᄉᆞ(惡事)를 낭ᄌᆞ(狼藉)히 ᄒᆞ고 알니 업다 ᄒᆞ여 즐기거니와, 텬신이 진노ᄒᆞ여 황건녁ᄉᆞ(黃巾力士)[1163]로 너희 죄를 므르려 와시니, 만일 ᄀᆡ과쳔션(改過遷善)을 아닌 즉 일각의 다 죽이리라."

흉고고식모네(兇姑姑媳母女)[1164] 셰월 비영으로 더브러 모진 바ᄅᆞᆷ과 안개를 보고, 병쟝(屛帳)을 두룬 가온ᄃᆡ 아니ᄭᅩ은 긔운이 드러오니 괴이히 넉일 ᄎᆞ의, 칠귀 좌우로 셔고 사ᄅᆞᆷ의 머【30】리를 드리치며 소ᄅᆡ질너 슈죄(數罪)ᄒᆞ니, 대담대악(大膽大惡)이나 일시의 것구러져 실식ᄒᆞᄃᆡ, 만고악죵요물(萬古惡種妖物) 뉴녀ᄂᆞᆫ 오히려 엄홀치 아냐 왈,

"졔발 ᄉᆞᆯ오쇼셔. 이졔란 악ᄉᆞ를 아니ᄒᆞ리이다."

ᄒᆞ거ᄂᆞᆯ, 태위 즉시 지게를 닷치고 풍운과 귀신을 헷쳐 ᄌᆞ최를 업시ᄒᆞ고, 도로 댱원(牆垣)을 쒸여너머 십ᄌᆞ가(十字街)로 오니 비로○[쇼] 식빅 북이 동ᄒᆞ고 계셩이 ᄌᆞᆺ더라.

태위 옷ᄉᆞᆯ ᄎᆞᄌᆞ 닙고 안히 드러가 쇼져를 볼ᄉᆡ, 작셕(昨夕)의 신긔 블안ᄒᆞ더니 용긔를 분발ᄒᆞ여 다름질을 만히ᄒᆞ고, 옥누항의 가 노고고식(老姑姑媳)을 놀ᄂᆡ며 ᄌᆞ긔 알픈 거ᄉᆞᆯ 니져바리고 분분다ᄉᆞ(紛紛多事)히 괴이ᄒᆞᆫ 일을 만히 지ᄂᆡ니, ᄯᅩᄒᆞᆫ 우읍기를 니긔지 못ᄒᆞ나, 쇼져의 상쳐를 념녀ᄒᆞ여【31】

1163)황건녁ᄉᆞ(黃巾力士) : 신장(神將)의 하나. 힘이 세다고 함.

1164)흉고고식모네(兇姑姑媳母女) : 흉고 위태부인과 그 며느리 유씨, 그리고 유씨의 딸 경아를 함께 이른 말.

진언(眞言)[1142]을 염(念)ᄒᆞᄆᆡ, 한월(寒月)이 히미ᄒᆞᆫ ᄃᆡ, 흑운(黑雲)과 열풍(熱風)을 휘미려 경희젼을 힝케 ᄒᆞ고 황면흑면(黃面黑面)의 칠귀(七鬼)을 경희젼의 셰우고, ᄌᆞ긔ᄂᆞᆫ 안연니 거러 드러가되, 흑긔(黑氣) 아득ᄒᆞ여 ᄉᆞ람을 몰나 보ᄂᆞᆫ지라. 지게을 열치고 형봉의 머리을 위·뉴 안진ᄃᆡ[1143] 드리치고 슈죄(數罪)ᄒᆞ고,

도라와 소져을 보니, 정신을 완구(完救)히 차려시나 눈을 감아거ᄂᆞᆯ, 계ᄐᆡ ᄂᆞ아가 소져의 옥슈을 어로만져 왈,

로운 것들을 제거함.

1142)진언(眞言) : 신비하고 초월적인 능력을 가진다고 생각하는 신성한 말(구절·단어·음절).

1143)안진ᄃᆡ : 앉아있는 곳에

겻틱 나아가, 문왈,

"그스이 정신을 거두어 이리 온 일을 아르시느냐?"

쇼졔 추시 정신이 요연(瞭然)ᄒᆞ여[1165] 셜유랑 슉딜과 모든 시비로 븟그러 눈을 쓰지 아니코 잇더니, 태우의 므르믈 당ᄒᆞ니 참괴ᄒᆞ미 욕ᄉᆞ무디(欲死無地)라. 그러나 그 셩졍이 경(輕)치 아니ᄒᆞ니 브답(不答)ᄒᆞ미 괴이ᄒᆞ여 미미히 딕왈,

"심혼(心魂)이 아득ᄒᆞ니 이곳의 온 곡졀을 아디 못ᄒᆞᄂᆞ이다."

태위 본딕 셰쇄(細瑣)ᄒᆞᆫ 말을 아닛ᄂᆞᆫ 고로 다만 니르딕,

"ᄌᆞ의 익경(厄境)이 ᄎᆞ악ᄒᆞ여 남의 업ᄉᆞᆫ 변고를 당ᄒᆞ니 참혹ᄒᆞ믈 어이 다 니르리오. 젼혀 귀령(歸寧)의 히(害)라. 오히려 일명을 니어시니 현마 어이ᄒᆞ리오."

쇼졔 모친의 병인(病人)된 바를 싱각고 옥뉘방방(玉淚滂滂)ᄒᆞ여 그ᄉᆞ이 독슈를 바다 맛촌【32】가 슬프믈 춤지 못ᄒᆞ니, 태위 현잉을 윤부 근쳐의 보닉여 날이 붉거든 ᄉᆞ긔를 탐디ᄒᆞ라 ᄒᆞ고, 쇼져를 위로ᄒᆞ며 하리 등을 슌부로 딕령(待令)ᄒᆞ라 ᄒᆞ여시니, 됴참(朝參)이 느즌가 ᄒᆞ여 유모로 ᄒᆞ여금 술을 가져오라 ᄒᆞ여 거후로고, 일긔미듁(一器糜粥)을 구ᄒᆞ여 쇼져를 권ᄒᆞ여 먹이기를 다ᄒᆞ미, 춍춍(悤悤)이 슌부로 향ᄒᆞ니, 쳐ᄉᆞ의 신능ᄒᆞ미 이러틋 ᄒᆞ더라.

유랑 등은 태위 경긱의 형봉 버히믈 보고 모발(毛髮)이 구숑(懼悚)ᄒᆞ여 바로 보기를 두리더라.

어시의 위시 고식(姑媳)과 경잉 냥비로 더브러 실식(失色)[1166]ᄒᆞ엿다가 씨니, 뉴시 ᄒᆞᆫ 구셕의 쩔며 업딕여시니, 마음을 단단이 잡아 일시의 니러나 대골[1167]을 보니 형봉이라, 젹혈이【33】 방듕의 쓰리여시니 위

"지 이리 된 곡졀을 알며 지금은 정신이 엇더 ᄒᆞ시뇨?"

ᄒᆞᆫ딕, 소져 틱우 보기도 붓그려 눈도 쓰지 아냐더니, 싱의 문ᄂᆞᆫ 바을 당ᄒᆞ여 욕ᄉᆞ무지(欲死無地)ᄂᆞ 그 딕답 아니미 고이ᄒᆞ여, 나즉이 딕왈,

"숨혼(三魂)[1144]니 어득ᄒᆞ여 이곳의 온 곡졀을 아지 못ᄒᆞᄂᆞ이다."

싱이 본딕 잔말을 아닛ᄂᆞᆫ 고로 다만 이로딕

"그딕 운익(運厄)이 공참(孔慘)ᄒᆞ여 남의 업ᄉᆞᆫ 변고을 당ᄒᆞ미오, 그 참혹ᄒᆞᆫ 경ᄉᆞᆼ을 엇지 다 이르리오. 젼혀 귀령(歸寧)ᄒᆞᆫ 타시나, 오히려 일명(一命)이 이시니 현마 엇지 ᄒᆞ리오."

{소}소져 모친의 병인(病人)된 바을 싱각고 화협(花頰)의 옥뉘방방(玉淚滂滂)ᄒᆞ여 그ᄉᆞ이 독슈(毒手)을 바다 맛츤가 슬푸믈 참지 못ᄒᆞ니, 틱우 형[현]잉으로 ᄒᆞ여금 윤부 근쳐의 가 날【78】리[이] 박커든[1145] ᄉᆞ긔을 탐청ᄒᆞ여 조부인 존망을 알라오라 ᄒᆞ고, ᄒᆞ리츄종(下吏追從)을 본부로 딕령ᄒᆞ라 ᄒᆞ여시므로 조츰(朝參)이 느즐가 ᄒᆞ여, 유모로 ᄒᆞ여금 슐을 가져오라 ᄒᆞ여 슈빅(數盃)을 거후르고, 일긔미쥭(一器糜粥)으로 소져을 권ᄒᆞ여 먹기을 파ᄒᆞ미, 총총(悤悤)이 윤부로 향ᄒᆞ니, 거름이 ᄂᆞᄂᆞᆫ 듯ᄒᆞ니, 그 쳐ᄉᆞ을 층냥(測量)치 못할너라.

어시의 위·뉴·경잉 양비(兩婢)로 더부러 실식(失色)[1146]ᄒᆞ여다가 씨니, 뉴시ᄂᆞᆫ ᄒᆞᆫ 구셕의 쩔며 업듸여 마음을 단단이 잡고 일시의 이러ᄂᆞ 그 딕골[1147]을 보니 형봉이라.

1165)요연(瞭然)ᄒᆞ다 : 분명하고 또렷하다.
1166)실식(失色) : 늑실신(失神). ①놀라서 정신을 잃음. 또는 ②놀라서 얼굴빛이 달라짐.
1167)대골 : 머리.

1144)숨혼(三魂) : 사람의 마음에 있는 세 가지 영혼. 태광(台光), 상령(爽靈), 유정(幽精)을 이른다.
1145)박커든 : 밝거든.
1146)실식(失色) : 늑실신(失神). ①놀라서 정신을 잃음. 또는 ②놀라서 얼굴빛이 달라짐.
1147)딕골 : 머리.

흉과 뉴시모녀의 경악ᄒᆞ믄 니르도 말고, 셰월이 망극ᄒᆞ여 방셩통곡(放聲痛哭)ᄒᆞ려 ᄒᆞ거늘, 비영이 븟드러 말니고 위시 고식이 반ᄃᆞ시 귀신의 됴화(調和)로 아라 무셥고 두리오믈 니긔지 못ᄒᆞ나, 위시 뉴시모녀를 븟들고 왈,

"노뫼 힝년(行年) 늑십의 이런 변을 못보앗ᄂᆞ니 아지 못게라, 이 귀신의 작용이냐? 사름의 일이냐?"

뉴시 왈,

"쳡이 잠간 보ᄆᆡ 흑운악풍듕(黑雲惡風中)의 황면칠귀(黃面七鬼) 문 알패 버러시니 사름의 일이 아니니이다."

위흉 왈,

"장ᄎᆞ 엇지ᄒᆞ리오?"

뉴시 왈,

"쳡이 앗가 귀신의 ᄭᅮ짓ᄂᆞᆫ 소ᄅᆡ를 응ᄒᆞ여 개결[과]쳔션(改過遷善)ᄒᆞ믈 ᄋᆡ걸(哀乞)ᄒᆞ여 귀ᄆᆡ(鬼魅) 믈너나시나, 형봉의 머리 ᄯᅩ로 나시니 그 피농을 귀 【34】 신이 엇지ᄒᆞᆫ고? 조시 노듀를 마ᄌᆞ 죽이면 귀신이 두리오니 도로 말ᄒᆞᄂᆞᆫ 약을 먹여 살인지죄를 밧지 아닐 거시오, 명ᄋᆞᄂᆞᆫ 임의 죽어시니 쳐음 의논ᄃᆡ로 츈월노 개용단(改容丹)을 먹여 뎡가의 보ᄂᆡᄂᆞᆫ 거시 올흐니, 이후 셰셰히 보아가며 계교를 도모ᄒᆞᄆᆡ 늣지 아니니이다."

위시 붉은 눈이 산(山)[1168]밧긔 븨여져 황황(惶惶)ᄒᆞ여 뉴녀의 입만 ᄇᆞ라고 머리슛치 쥽볏쥽볏[1169]ᄒᆞ니, 뉴시ᄂᆞᆫ 대간(大奸)이라. 그 악ᄉᆞ를 ᄀᆞᆷ초려 셰월을 쳔만 위로ᄒᆞ고, 황금 삽십냥을 주어 형봉의 머리를 쟝(葬)ᄒᆞ라 ᄒᆞ고, 비영으로 츈월을 브르니 니르거늘 범ᄉᆞ를 다 ᄀᆞᄅᆞ쳐 개용단을 먹이ᄆᆡ, 이윽고 용쇽(庸俗)ᄒᆞ고 간ᄉᆞ(奸邪)ᄒᆞᆫ 당하쳔비(當下賤婢) 변ᄒᆞ여 찬난쇄락(燦爛灑落)ᄒᆞᆫ 윤쇼졔 되니, 호리(毫釐) 【35】 도 다르미 업ᄂᆞᆫ디라, 현ᄋᆞ의 ᄒᆞᆫ벌 의상(衣裳)을 닙히고 운환(雲鬟)을 ᄭᅮ며 외면회단(外面回丹)을 금

1168)산(山) : 팔자춘산(八字春山), 곧 화장한 눈썹.
1169)쥽볏쥽볏 : 주뼛주뼛. 쭈뼛쭈뼛. 무섭거나 놀라, 머리카락이 자꾸 꼿꼿하게 일어서는 듯한 느낌.

적혈이 방즁의 방즁의 ᄲᅮ려시니 위흉과 뉴녀 모녀(母女)의 경악ᄒᆞ믄 이로도 말고, 세월이 망극ᄒᆞ여 방셩통곡(放聲痛哭)ᄒᆞ려 ᄒᆞ거늘 비영이 븟드러 말니고, 위・뉴 양악(兩惡)은 반다시 귀신의 조화로 알라 무셥고 두려ᄒᆞ며, 위뇌 뉴녀 모녀을 븟들고 왈,

"노뫼 향년(享年) 늑슌의 이런 변은 못 보앗ᄂᆞᆫ니 아지 못게라. 이 귀신의 족용이냐? ᄉᆞ람의 일이냐?"

뉴녀 왈,

"쳡이 즘간 보ᄆᆡ 흑운(黑雲)의 악풍(惡風)이 츰츰ᄒᆞᆫ[1148] 즁 황면칠귀(黃面七鬼) 문압희 버려시니, ᄉᆞ람의 일이 아니니다."

위흉 왈,

"장ᄎᆞ 엇지ᄒᆞ리오."

뉴녀 왈,

"쳡이 귀신의 ᄭᅮ짓ᄂᆞᆫ 소ᄅᆡ을 응ᄒᆞ여 ᄀᆡ과쳔션(改過遷善)ᄒᆞ믈 ᄋᆡ걸(哀乞)ᄒᆞ여 귀ᄆᆡ(鬼魅) 믈너가고 형봉의 머리 ᄶᅡ로 낫시니 그 피농을 귀신니 엇지 ᄒᆞᆫ고? 조시 노쥬(奴主)을 마ᄌᆞ 쥭이면 귀신니 두려오니, 도로 말ᄒᆞᄂᆞᆫ 약을 먹여 술인지죄(殺人之罪)을 밧지 말 거시오. 명ᄋᆞᄂᆞᆫ 임의 쥭어시니 쳣 의논ᄃᆡ로 츈월노 ᄀᆡ용단(改容丹)을 먹여 뎡가의 보ᄂᆡᄂᆞᆫ 거시 올흐니, 이후 셰셰히 보아가며 계교(計巧)ᄒᆞᄆᆡ 늣지 아니니다."

위뇌 불근 눈니 ᄉᆞᆫ(山)[1149]박긔 비여져 황황(惶惶)ᄒᆞ여 뉴녀의 입만 바라고 머리슷치 쒑벳쒑벳[1150]ᄒᆞ나, 뉴녀ᄂᆞᆫ ᄃᆡ간(大奸)이라, 그 악ᄉᆞ을 감초려 세월을 쳔만 위로ᄒᆞ고 황금 ᄉᆞᆷ십양(三十兩)을 쥬어 형봉의 머리을 ᄌᆞᆼ(葬)ᄒᆞ라 ᄒᆞ고, 비영으로 츈월을 부르니, 월이 이르거늘 범ᄉᆞ을 다 가르쳐 ᄀᆡ용단을 먹이ᄆᆡ, 이윽고 간ᄉᆞᄒᆞᆫ 쳔비 변ᄒᆞ여 찰ᄂᆞᆫ쇄락(燦爛灑落)ᄒᆞᆫ 윤소져 되어 호리(毫釐)도 다르지 아닌지라. 현ᄋᆞ의 ᄒᆞᆫ 벌 의ᄉᆞᆼ(衣裳)을 입히고, 운환을 ᄲᅮ며 놋코 외면

1148)츰츰ᄒᆞ다 : 침침(沈沈)하다. 어두컴컴하다.
1149)산(山) : 팔자춘산(八字春山), 곧 화장한 눈썹.
1150)쒑벳쒑벳 : 주뼛주뼛. 쭈뼛쭈뼛. 무섭거나 놀라, 머리카락이 자꾸 꼿꼿하게 일어서는 듯한 느낌.

낭(錦囊)의 너허 속고름의 취오고, 니르듸,

"뎡부의 가 슈일만 잇다가 쳥의(靑衣)[1170]를 가라 닙고 회면회단(回面回丹)을 먹어 빅쥬(白晝)의 이리 와도 알니 업ᄉ리니 슈삼일닉(數三日內)의 취졸(醉拙)을 닉지 말나."

ᄒ고, 조부인긔 하직(下直)흘 졔 여ᄎ여ᄎ ᄒ라 ᄒ니, 월이 슌슌 응듸ᄒ고 위시 협실문을 열고 경익 촉을 가져 조부인을 보니, ᄒ갓 말못ᄒᄂ 암약(瘖藥) 쁜 아니라 경신이 흐리고 인ᄉ블셩(人事不省)ᄒᄂ 약을 먹여시므로 낫빗치 찬직 ᄀᄐ여시니, 회싱단(回生丹)과 개쳥환(開晴丸)을 가라 입의 드리오고, 비영을 명ᄒ여 셜난을 쏘 ᄡ와 구호ᄒ고, 방듕을 셔르져 형봉 머리의셔 쁜린 피를 업시 ᄒ고 가장【36】 분분이 셔도라[1171] 슈쇄를 극진히 ᄒ니, 셰월이 형봉의 머리를 ᄎ마 손으로 드지 못ᄒ여 궤의 담아 가지고 힝각(行閣)[1172]으로 나오듸 흔 소릭 통곡을 못ᄒ고 날이 붉거든 시신을 어드려 ᄒ더라.

뉴시 조부인 구호ᄒ믈 극진히 ᄒ여 계명(鷄鳴)이 ᄌ즌 후, 인ᄉ를 출혀 가슴이 답답다 ᄒᄂ디라. 도로혀 다힝ᄒ여 븟드러 방의 누이고 구호ᄒ며, 비영이 셜난을 구ᄒ여 완연여구(完然如舊)ᄒ니, 난이 공연이 말못ᄒ고 경신이 어득던 바를 이상이 넉이니, 비영이 다만 닐오듸,

"실셩(失性)ᄒ엿더니라."

젼ᄒ니, 냥공직 드러와 신셩(晨省)ᄒ믜, 간인들이 밤을 ᄉ와 놀나기를 금즉이 ᄒ고, 조부인이 경희뎐의 누엇ᄂ디라. 냥공직 대경ᄒ여 연고를 므른듸 위흉【37】이 답왈,

"작야의 노뫼 심ᄉ 울억(鬱抑)ᄒ여 침소의 못가고 이의셔 경야(經夜)ᄒ니라."

1170)청의(靑衣) : 푸른 빛깔의 옷. 예전에 천한 사람이 입었던 옷.

1171)셔돌다 : 서두르다. 서둘다.

1172)힝각(行閣) : 행랑(行廊). 예전에, 대문 안에 죽 벌여서 지은, 주로 하인이 거처하던 방.

회단(外面回丹)은 금낭의 너허 속고름의 취오고, 왈,

"뎡부의 가 슈일만 잇다가 쳥의(靑衣)[1151]을 가라입고 외면회단을 먹어 빅쥬(白晝)의 이리와도 알니 업ᄉ리니, 슈일 동안이라도 너의 취졸(醉拙)을 닉지 말나."

ᄒ고, 조부인긔 ᄒ직(下直)할 졔 여ᄎ여ᄎ ᄒ라. 월이 슌슌응낙ᄒ고 위틱 협실문을 열고 경익 촉을 가져 조부인을 보니, 한갓 말못ᄒᄂ 암약(瘖藥) 분 아니라 졍신니 흐리고 인ᄉ을 불셩(不省)ᄒᄂ 약을 먹여시므로, 낫빗치 츤 직 갓트여시니 회싱단(回生丹)과 기쳥환(開晴丸)을 가라 입의 드리오고, 비영으로 셜난을 ᄡ와 구호ᄒ라 ᄒ고, 방즁을 셔르져 형봉의【80】 머리의셔 ᄲ린 피을 소쇄(掃灑)ᄒ고 가즁 분분이 셔도라[1152], 쇽죄(贖罪) 극하이[니], 셰월이 ᄎ마 형봉의 머리을 손으로 드지 못ᄒ여 궤(櫃)에 담어 가지고 힝각(行閣)[1153]으로 나오듸 한 소릭 통곡을 못하고, 날이 발거든 시신을 어드려 하더라.

뉴녀 죠분[부]인 구호을 극진이 하여 계셩(鷄聲)이 ᄌ즌 후, 인사을 차려 가슴이 답답다 ᄒ는지라, 도로혀 다힝하여 방의 븟드려 누이고 구호하며, 비영이난 셜난을 구하여 완인을 밍그니, 난이 공연이 말 못하고 경신이 어득하든 바을 이상이 역이니, 비영이 다만 이르듸,

"실셥(失攝)하엿더니라."

하더니, 냥 공자 드러와 신셩(晨省)ᄒ믜, 간인들이 밤을 ᄉ와 놀닉기을 금즉이 하고 죠부인이 경희젼의 누엇난지라. 장공직 듸경하여 연고을 무른 듸, 홍[흉]긔 답왈,

"작야의 노뫼 심ᄉ 울억(鬱抑)하여 고모와 명아 등을 불너더니, 여모ᄂ 신긔 불안ᄒ여 침소의 못 가고, 이의셔 경야(經夜)ᄒ

1151)청의(靑衣) : 푸른 빛깔의 옷. 예전에 천한 사람이 입었던 옷.

1152)셔돌다 : 서두르다. 서둘다.

1153)힝각(行閣) : 행랑(行廊). 예전에, 대문 안에 죽 벌여서 지은, 주로 하인이 거처하던 방.

냥공쥐 심니의 큰 ᄉᆞ괴 잇던 줄 헤아려 놀나믈 니긔지 못ᄒᆞ고, 모친을 붓드러 ᄒᆡ월누로 도라올ᄉᆡ, ᄆᆡ져(妹姐)의 거동이 젼과 달나 ᄒᆡᆼ동이 유법지 못ᄒᆞ여 가장 괴이(怪異)ᄒᆞ니, ᄎᆞ공ᄌᆡ 더옥 보기를 ᄌᆞ로 ᄒᆞᄆᆡ 뉴녀ᄂᆞᆫ 간특(姦慝)ᄒᆞᆫ 녕물(靈物)이라 ᄉᆞ긔 패루(敗漏)ᄒᆞᆯ가 두려, 월의 나상(羅裳)을 다리여 겻ᄐᆡ 안쳐 왈,

"현딜이 ᄉᆡ도록 몸을 쎗쳐시니[1173] 져져 구호ᄒᆞ기ᄂᆞᆫ 광ᄋᆞ 등이 ᄒᆞ리니, 이곳의셔 잠간 쉬라."

월이 ᄉᆞ양치 아니코 ᄒᆞᆫ 모ᄒᆡ 눕거ᄂᆞᆯ, 공ᄌᆡ 더옥 의혹ᄒᆞ나 모친 블평ᄒᆞ시믈 념녀ᄒᆞ여 뫼셔 ᄒᆡ월누로 ○○[가니], 경ᄋᆡ 조부인이 쥬찬을 먹고 인ᄉᆞ 모르던 바를 냥공ᄌᆞ다【38】려 ᄒᆞᆯ가 ᄒᆞ여 경잇ᄂᆞᆫ 쳬ᄒᆞ고 ᄯᆞ라오니, 부인이 침소의 와 편히 누으ᄆᆡ 작일 경상(景狀)을 측냥치 못ᄒᆞ여, ᄌᆞ긔ᄂᆞᆫ 말못ᄒᆞᄂᆞᆫ 병인을 ᄆᆡᆫ둘고 녀ᄋᆞᄂᆞᆫ 위·뉴와 경ᄋᆡ 모도 허리를 안고 손을 잡아 협실의 못들게 ᄒᆞ던 일이 흉참긔괴(凶慘奇怪)ᄒᆞ여, 셜난을 블너 므르니 난이 작야 실ᄉᆡᆨ(失色)ᄒᆞ엿던 바를 고ᄒᆞᄆᆡ, 부인과 공ᄌᆡ 경ᄒᆡ(驚駭)ᄒᆞ니 경ᄋᆡ 이시므로 말을 못ᄒᆞ더니, 날이 ᄇᆞᆰ고져 ᄒᆞ고 밧긔 금평후 뎡공이 ᄂᆡ림ᄒᆞ믈 젼ᄒᆞ니 냥공ᄌᆡ 밧비 나와 마ᄌᆞ 당의 오르ᄆᆡ, 평휘 왈,

"작야의 돈ᄋᆡ 이의 왓더냐?"

공ᄌᆞ 등이 보지 못ᄒᆞ믈 ᄃᆡᄒᆞ니, 휘 왈,

"경부 발인(發靷)의 모다 갓더니, 돈ᄋᆡ 심히 블평ᄒᆞ여 ᄒᆞ거ᄂᆞᆯ 이리 보ᄂᆡ엿더니 아니 와시면 반ᄃᆞ【39】시 슌부로 가미라. 내 밧바 오부(吾婦)를 보지 못ᄒᆞ고 가ᄂᆞ니, 슌부의 가 거교(車轎)를 어더 보ᄂᆡᆯ 거시니 취운산으로 오라 젼ᄒᆞ라."

언필의 총총이 슌부로 가니, 태위 원ᄂᆡ 무병ᄒᆞ고 ᄉᆡᆼᄂᆡ(生來) 음식을 거ᄉᆞ려 보지 아녓더니, 작일 그러ᄒᆞ믄 하날이 쇼져를 구

1173)쎗치다 : 빠치다. 일에 시달리어서 몸이나 마음이 몹시 느른하고 기운이 없어지다

니라."

냥 공ᄌᆡ 심니의 큰 ᄉᆞ괴 잇던 쥴 헤아려 놀나 모친을 붓드러 ᄒᆡ월누로 도라올 ᄉᆡ, ᄆᆡ져(妹姐)의 거동이 젼과 달나 ᄒᆡᆼ동이 당황ᄒᆞ여 가ᄌᆞᆼ 고히ᄒᆞ니[1154], ᄎᆞ공ᄌᆡ 더옥 보기을 ᄌᆞ로ᄒᆞ니, 뉴녀 간특(姦慝)ᄒᆞᆫ 영물(靈物)이라, ᄒᆡᆼ혀 ᄉᆞ긔 픽루(敗漏)할가 두려 월의 금상(錦裳)을 다리여 겻ᄐᆡ 안쳐 왈,

"현즐[질]이 ᄉᆡ도록 ○○[몸을] 쎗쳐시니[1155] 져져 구호ᄒᆞ기ᄂᆞᆫ 광아 등이 ᄒᆞ리니 이곳의셔 잠간 쉬라."

ᄒᆞᆫᄃᆡ, 월이 ᄉᆞ양치 아냐 ᄒᆞᆫ 곳의 눕거ᄂᆞᆯ, 공ᄌᆡ 더옥 의혹ᄒᆞᄃᆡ 모친 불평ᄒᆞ시믈 염녀ᄒᆞ여 뫼셔 ᄒᆡ월누로 가니, 경ᄋᆡ 로[조]부인긔[이] 쥬찬을 먹{이}고 인ᄉᆞ 모르든 바을 냥 공ᄌᆞ다려 할가 ᄒᆞ여, 가ᄌᆞᆼ 경 인○[ᄂᆞᆫ] 쳬ᄒᆞ고 ᄯᆞ라오니, 부인니 침소의 와 편니 누으ᄆᆡ 즉일 경ᄉᆞᆼ(景狀)을 측냥치 못ᄒᆞ여, ᄌᆞ긔ᄂᆞᆫ 말 못ᄒᆞ던 병든 ᄉᆞ람을 망글고[1156], 여ᄋᆞᄂᆞᆫ 위·뉴·경ᄋᆡ 손을 모도 즙고 허리을 쪄안아 협실의 못들게 ᄒᆞ든 바을 ᄉᆡᆼ각ᄒᆞ니, 흉츰긔괴(凶慘奇怪)ᄒᆞ여 셜난을 불너 무르니, 난이 작야의 실ᄉᆡᆨ(失色)ᄒᆞ여든 바을 고하니, 부인과 공ᄌᆞ 등이 경ᄒᆡ(驚駭)ᄒᆞ나 경ᄋᆞ 이시무로 말을 못ᄒᆞ던니, 날이 발그ᄆᆡ 밧게 금평후 왓시믈 고하니, 공ᄌᆞ 밧긔 ᄂᆞ와 마ᄌᆞ 당의 오르ᄆᆡ, 평후 왈,

"즉야의 돈아 이의 왓드냐?

공ᄌᆞ 등이 보지 못ᄒᆞ믈 ᄃᆡᄒᆞ니, 휘 왈,

"경부 발인(發靷)의 모다 갓더니, 오ᄋᆡ 심히 불평ᄒᆞ여 ᄒᆞ거날 이리 보ᄂᆡ던니 아니 왓시면 반다시 슌부로 가미로다. ᄂᆡ 밧바 아부(我婦)도 보지 못ᄒᆞ고 가니 슌부의 가 겨교(車轎)을 보ᄂᆡ리니, 아부을 취운ᄉᆞᆫ으로 보ᄂᆡ라."

ᄒᆞ고, 언필의 총총이 슌부로 ᄒᆡᆼᄒᆞ더라. ᄐᆡ

1154)고히ᄒᆞ다 : 괴이(怪異)하다. 이상야릇하다.

1155)쎗치다 : 빠치다. 바치다. 무엇을 위하여 모든 것을 아낌없이 내놓거나 쓰다.

1156)망글다 : 만들다.

케 ᄒᆞ미어ᄂᆞᆯ, 뎡공은 그 병을 념녀ᄒᆞ여, 경가 상귀(喪柩) 강가지 가믈 보고, 바로 윤부의 와 ᄋᆞ직 업ᄉᆞᄆᆡ 슌부의 니르니, 태위 십ᄌᆞ가{로}의셔 이의 와 슌혹ᄉᆞ 등이 ᄭᆡ지 아녀시므로, ᄌᆞ긔도 졉목고져 옷슬 벗고 슌싱 등의 금침(衾枕)을 들치고 누으니, 슌혹ᄉᆡ 놀나 ᄭᆡ여 보고 웃고 ᄭᅮ지져 왈,

“어ᄃᆡ 가 휘ᄃᆞᆯ너 단니다가 언살흘 사ᄅᆞᆷ의 몸의 다히ᄂᆞ뇨?”

태위 쇼왈,

“경부 발인(發靷)보려 갓다가 신긔 블안【40】ᄒᆞ여 왓ᄂᆞ이다.”

슌싱 등이 ᄒᆡᆼ상(行喪)ᄒᆞ믈 므르니 아지 못ᄒᆞ믈 니르고, 벼개를 취ᄒᆞ여 즉시 잠드럿더니, ᄇᆞᆰᄂᆞᆫ 줄 ᄭᆡ돗지 못ᄒᆞ니 슌싱 등이 몬져 니러나 구ᄐᆞ여 ᄭᆡ오지 아녓더니, 금휘 ᄂᆡ림(來臨)ᄒᆞ믈 듯고 태우를 흔드러 ᄭᆡ오며 마ᄌᆞᆯᄉᆡ, 태위 년망(連忙)이 니러나 옷슬 닙으며 머리의 관을 드러 언고 하당영지(下堂迎之)ᄒᆞᄆᆡ, 슌참경이 ᄒᆞᆫ가지로 드러오며 문왈,

“딜ᄋᆡ 작일 블평(不平)ᄒᆞ미 경(輕)치 아니터니 금됴(今朝)ᄂᆞᆫ 엇더ᄒᆞ뇨?”

태위 나으므로뻐 ᄃᆡᄒᆞ고 승당(昇堂) 좌뎡(坐定)ᄒᆞᄆᆡ, 평휘 날호여 ᄆᆡᆨ을 보니 긔운이 튱텬ᄒᆞ고 ᄆᆡᆨ휘 냥실(良實)ᄒᆞ니, 죰병은 념녀롭지 아닌지라 눈을 드러 그 얼굴을 보니 녹빈(綠鬢)[1174] 방텬(方天)[1175]의 두발(頭髮)을 허트르고 관(冠)을 바로 못ᄒᆞ여시니 깃【41】거ᄉᆞ린 봉(鳳)이오, 날개 버린 학(鶴)이라. 년화냥협(蓮花兩頰)의 뉴셩쌍안(流星雙眼)이 나즉ᄒᆞ고, 동용(動容)이 안셔(安舒)ᄒᆞ고 부젼(父前)의 경근지녜(敬謹之禮)를 잡으ᄆᆡ, 산악(山嶽)을 넘쬘 긔운을 ᄀᆞᆷ초아, 온화(溫和)ᄒᆞᆫ 낫빗과 유열(愉悅)ᄒᆞᆫ 거동이 인심의 ᄉᆞ랑호오믈 츰지 못ᄒᆞ니, 엇지

1174)녹빈(綠鬢) : 윤기 나는 고운 귀밑머리.
1175)방텬(方天) : 네모난 이마. 천(天)은 천정(天庭) 곧 얼굴의 ‘이마’를 뜻한다.

우 원ᄂᆡ 무병ᄒᆞ고 상시 음식을 거ᄉᆞ려 보지 아냣더니, 작일 그러ᄒᆞ믄 하날이 소져을 구케 ᄒᆞ미여ᄂᆞᆯ, 평후난 그 병을 염네ᄒᆞ야 경가의 상귀(喪柩) 강외가지 가믈 보고, 바로 윤부의 와 업【82】ᄉᆞᄆᆡ 슌부의 이르니, ᄐᆡ우 십ᄌᆞ가{로}셔 이의 와 슌학ᄉᆞ 등이 ᄭᆡ지 아냐시무로 ᄌᆞ긔도 졉목고져 오슬 벗고 슌싱 등의 금금(錦衾)을 들밀치고 누으니, 슌학ᄉᆞ 놀나 ᄭᆡ여 보고 웃고 ᄭᅮ지져 왈,

“어듸 가 휘달여 단니다가 언술을 남의 몸의 다히ᄂᆞᆫ뇨?

ᄐᆡ우 소왈,

“경부 발인(發靷)을 보려 갓다가 신긔 불평ᄒᆞ여 왓ᄂᆞ이다.”

슌싱 등이 ᄒᆡᆼᄉᆼ위의(行喪威儀)을 무르니, 《아직∥아지》 못ᄒᆞ믈 이르고 즉시 ᄌᆞᆷ드러 발도록[1157] ᄭᆡᆯ 쥴 모르니, 슌싱 등이 이러ᄂᆞ더니, 금평후 입문(入門)ᄒᆞ믈 듯고 ᄐᆡ우을 흔드러 ᄭᆡ오며 모다 마즐ᄉᆡ, ᄐᆡ우 연망(連忙)이 이러나 옷슬 입으며 머리의 관을 드러 언고 하당영지(下堂迎之))할ᄉᆡ, 슌참경이 ᄒᆞᆫ가지로 드러오며 문왈,

“질ᄋᆡ 작일 불평ᄒᆞ미 경(輕)치 아니터니 금일은 엇더ᄒᆞ뇨?”

ᄐᆡ우 나으므로 ᄃᆡᄒᆞ여 승당(昇堂) 좌졍(坐定)ᄒᆞᄆᆡ, 평휘 날호여 그 ᄆᆡᆨ을 보니, 긔운이 츙텬ᄒᆞ고 ᄆᆡᆨ휘 장실(壯實)ᄒᆞ여 좀 병으로ᄂᆞᆫ 염네롭지 아닌지라. 그 얼골을 보ᄆᆡ 녹빈(綠鬢)[1158] 방텬(方天)[1159]의 두발이 허틀고 관을 바로못ᄒᆞ엿시니, 깃 거슬린 봉(鳳)이오, 날ᄀᆡ 버린 학(鶴)이라. 연화양협(蓮花兩頰)의 유셩쌍안(流星雙眼)니 나즉ᄒᆞ고, 조용히 안ᄌᆞ 부젼(父前)의 승슌(承順)ᄒᆞ난 녜모(禮貌)을 잡으며 산악(山嶽)을 넘쬘 긔운을 감초아 온화(溫和)하니, 엇지 반야지간(半夜之間)의 머리을 버히며 풍운(風雲)을

1157)발도록 : 밝도록.
1158)녹빈(綠鬢) : 윤기 나는 고운 귀밑머리.
1159)방텬(方天) : 네모난 이마. 천(天)은 천정(天庭) 곧 얼굴의 ‘이마’를 뜻한다.

반야지간의 사름의 머리를 버히며 풍운(風雲)을 모호고 귀신을 브려 허다흔 작용이 능녀흐믈 뉘 알니오. 슌공이 크게 스랑흐여 손을 잡고 쇼왈,

"만뢰 다 너를 뎡엄(正嚴)코 어렵다 흐여 두려흐나, 이곳치 온유흔 거동을 보면 셕목간장(石木肝腸)이라도 농쥰(濃蠢)흐리니 네 부친이 무슨 복으로 이런 긔주(奇子)를 두엇느뇨?"

금평휘 쇼왈,

"형댱이 오으를 쳐음 보미 아니어늘 엇지 식로이 과찬흐느뇨?"

슌공이 소왈,

"부지 흔딕 모다시믈【42】 보니 맛치 노듀 곳트니, 윤보는 용속기를 잠간 면흐여시나 텬으의게 비기믹 만블급(萬不及)이라. 싱주(生子) 잘 흐니는 윤보 곳트니 업슬가 흐노라."

금휘 잠쇼 왈,

"기주(其子)를 승어뷔(勝於父)라 흐면 기뷔(其父) 열지(悅之)라[1176] 흐나 텬의 므어시 쇼뎨도곤 나으리오."

슌공이 쇼왈,

"주식이 비록 말을 못흐나, 현딜(賢姪)을 윤보의셔 낫지 아니타 흐면 엇지 원억(冤抑)지 아니랴."

평휘 잠쇼흐고 거교를 빌니라 흐여 주부(子婦)를 다려가렷노라 흐니, 태위 윤부 변고를 고코져 흐다가, 싱각흐딕 거교를 윤부의 보닉면 므어슬 신뷔라 흐고 담아 보닉는고 보려 흐여, 잠잠흐고 관소(盥梳)[1177]를 맛추믹 됴회의 드러가니, 평후는 거교를 윤부【43】로 보닉고 취운산으로 오니라.

차셜. 윤공지 뎡공을 보닉고 드러와 모친

1176)기주(其子) 승어뷔(勝於父) 기뷔(其父) 열지(悅之) : 그 아들이 아버지 보다 낫다고 하면 그 아버지가 기뻐한다는 뜻.

1177)관소(盥梳) : 관세(盥洗)와 소세(梳洗)를 아울러서 이르는 말. 관세는 손을 씻는 것, 소세는 머리를 빗고 얼굴을 씻는 것을 말함.

모흐고 귀신을 부려 허다흔 즉용을 알니오. 슌공【83】이 크게 스랑흐여 집슈(執手) 왈,

"만죄 너을 엄졍(嚴正)코 어렵다 흐여 두려흐나, 이갓치 온유(溫柔)흔 거동을 보면 셕목간중(石木肝腸)이라도 농쥰(濃蠢)흐리니, 딕기 얼골이 고으면 남즁일쉭(男中一色)이라. 네 부친이 무순 복으로 이런 긔주을 두엇는뇨?"

금평휘 소왈,

"오아을 쳐음 보미 아니여늘 엇지 식로온 말을 흐는뇨?"

슌공이 소왈,

"부지 한딕 모다시믈 보니 맛치 노쥬 갓트여 윤보는 용속(庸俗)흐기을 잠간 면흐엿시느 텬아의게 비흐면 반불급(半不及)이라 아달 줄 나흐이(니)는 윤보 갓트니 업슬가 흐노라."

금평후 잠소왈,

"기주(其子)을 승어부(勝於父)[1160]라 흐면 그 아비 깃거흔다 흐나, 텬의 무어시 소져[제]보다 나으리오."

슌공이 소왈,

"주식이 비록 말을 못흐나 현질(賢姪)을 윤보의셔 낫지 아니타 흐면 엇지 원억지 아니랴?"

금평후 함소흐고 날오여 거교을 빌니라 흐며 주부(子婦)을 다려 가렷노라 흐니, 틱우 윤부의 변고을 고코져 흐다가, 싱각흐되 거교을 윤부의 보닉면 무어술 신부라 흐고 담아 보닉는고 보고주 흐여, 잠잠흐고 관소(盥梳)[1161]을 맛추믹 조회의 드러가고, 평후는 거교을 윤부로 보닉고 취운순으로 온니라.

츠셜, 윤공지 금평후을 보닉고 드러와 모친긔 믹져을 보닉라 고한딕, 부인니 심회

1160)기주(其子) 승어부(勝於父) : 아들이 아버지 보다 더 뛰어남.

1161)관소(盥梳) : 관세(盥洗)와 소세(梳洗)를 아울러서 이르는 말. 관세는 손을 씻는 것, 소세는 머리를 빗고 얼굴을 씻는 것을 말함.

ᄀᆡ ᄆᆡ져를 이졔 보ᄂᆡ라 ᄒᆞ던 말을 고ᄒᆞᆫᄃᆡ, 부인이 심회 유유(儒儒)1178)ᄒᆞ여 말을 아니고 잇더니, 이ᄋᆞᆨ고 거륜이 왓거ᄂᆞᆯ, 위시 고식(姑媳)이 츈월을 신신당부(申申當付)ᄒᆞ여 삼ᄉᆞ일만 잇다가 오라 ᄒᆞ고, 즉시 보ᄂᆡᆯᄉᆡ, 월이 엄연(儼然)이 쇼젼 쳬ᄒᆞ고 ᄒᆡ월누의 가 조부인ᄀᆡ 하직ᄒᆞ며, 눈믈을 쓰려 왈,

"가듕ᄉᆞ세(家中事勢) 모친이 안과(安過)ᄒᆞ시기 어려울디라. 원컨ᄃᆡ 쳔만 보듕ᄒᆞ쇼셔."

어음(語音)이 낭낭(朗朗)ᄒᆞ여 쇼져 셩음과 다르미 업ᄉᆞ나, 거동이 ᄂᆡ도ᄒᆞ여 녀듕○○[군ᄌᆞ](女中君子) ᄀᆞᆺᄐᆞᆫ 풍ᄎᆡ 업ᄉᆞ니, 부인이 경아(驚訝)ᄒᆞ여 말ᄉᆞᆷ을 펴고져 ᄒᆞ더니, 태부인이 와 뎡부 가졍(家丁)이 밧바ᄒᆞ믈 니르【44】고 ᄌᆡ촉ᄒᆞ니, 월이 총총 ᄇᆡ별(拜別)ᄒᆞᆫᄃᆡ, 조부인이 홀연(忽然) 셥셥ᄒᆞ믄 업고 놀나온 듯, 괴이ᄒᆞᆫ 듯, 냥공ᄌᆞ 져져(姐姐)의 경ᄉᆡᆨ(景色)이 경박(輕薄)ᄒᆞ믈 블평(不平)ᄒᆞᄃᆡ 말을 못ᄒᆞ고 급히 분슈(分手)ᄒᆞ니 심ᄉᆡ 울울ᄒᆞ더라.

월이 화교ᄎᆡ륜(華轎彩輪)의 단장을 어ᄅᆡ게 ᄒᆞ고 셜난과 졔시녀를 거ᄂᆞ려 운산의 니르니, 존당구괴 반기미 극ᄒᆞ여 ᄎᆡ교(彩轎)를 바로 졍하(庭下)의 노코 혜쥬와 양시ᄂᆞᆫ 난간 밧긔 마ᄌᆞᆯᄉᆡ, 셜난이 쥬렴을 것고 쇼져를 뫼셔 당의 올니니 월이 ᄉᆞᄉᆞ로 경황(驚惶)ᄒᆞ믈 니긔지 못ᄒᆞ나, ᄯᅩᄒᆞᆫ 별물(別物)이라. 젼일 뎡부의 왕ᄂᆡᄒᆞ여 ᄎᆞ례를 아라시므로 녜모(禮貌)를 의디(依支)ᄒᆞ여 대단ᄒᆞᆫ 실톄(失體)를 면ᄒᆞ니, 태부인이 손을 잡고 반기믈 마디 아니코 혜【45】쥐 쇼왈,

"져제(姐姐) 친당의 가샤 니졍(離情)을 펴시매 쇼ᄆᆡ 등을 니ᄌᆞ시려니와, 쇼ᄆᆡ와 양형은 그 ᄉᆞ이라도 져져 ᄉᆞ모ᄒᆞ미 무궁(無窮)ᄒᆞ여이다."

월이 쇼왈,

"쳡인들 엇지 쇼져와 양부인을 니ᄌᆞ리잇가? 쇼져 등이 쳡을 향ᄒᆞ신 졍이 그러ᄐᆞᆺ ᄒᆞ시니 쳡이 ᄯᅩᄒᆞᆫ 친ᄉᆡᆼ동ᄀᆡ(親生同氣)와 다르

1178)유유(儒儒)ᄒᆞ다 : 모든 일에 딱 잘라 결정을 내리지 못하고 어물어물한 데가 있다.

요요(搖搖)ᄒᆞ여1162) 말을 아니코 잇더니, 이ᄋᆞᆨ고 거륜(車輪)이 왓거날, 위·뉴 츈월을 당부ᄒᆞ여 숨사일만 잇다가 오라 ᄒᆞ고 즉시 보ᄂᆡᆯ ᄉᆡ,【84】 월이 엄연니 소젼쳬 ᄒᆞ고 ᄒᆡ월누의 가 조부인ᄀᆡ ᄒᆞ직ᄒᆞ며 눈물을 쌔려 왈,

"가즁ᄉᆡ(家中事) 모친이 당ᄒᆞ시기 어려온지라, 원컨ᄃᆡ 모친은 쳔만 보즁ᄒᆞ소셔."

어언(語言)니 낭낭(朗朗)ᄒᆞ여 소져 셩음과 다르미 업ᄉᆞ나, 거동이 ᄂᆡ도ᄒᆞ여 여즁군ᄌᆞ(女中君子) 갓튼 풍ᄎᆡ 업ᄉᆞ니, 부인니 의아ᄒᆞ여 말숨을 펴고져 ᄒᆞ더니, 위ᄐᆡ 뎡부 가졍(家丁)이 밧바ᄒᆞ믈 이르고 ᄌᆡ촉ᄒᆞ니, 월이 총총이 ᄇᆡ별ᄒᆞᆫ ᄃᆡ, 조부인니 훌연(欻然)1163) 셥셥ᄒᆞ믄 업고 놀나온 듯 고히한 듯 심ᄉᆡ 요요황ᄂᆞᆫ(搖搖遑亂) ᄒᆞ여 말을 안니코, 공ᄌᆞ 등이 ᄯᅩ한 져져의 ᄒᆡᆼ동이 경박(輕薄)ᄒᆞ믈 경ᄒᆡ(驚駭)ᄒᆞ되 말을 아니ᄒᆞ고, 급히 분슈(分手)ᄒᆞ니, 심ᄉᆡ 울울ᄒᆞ더라.

월이 화교(華轎)의 단장을 어리게 ᄒᆞ고 셜난과 제 시녀을 거ᄂᆞ려 취운ᄉᆞᆫ의 이르니, 존당구괴 반기며 ᄎᆡ교을 바로 청ᄒᆞ(廳下)의 ᄂᆞᆺ코 혜쥬와 양시 난간 밧긔 마즐 ᄉᆡ, 셜난이 쥬렴을 것고 뫼셔 당의 오르니, 월이 스ᄉᆞ로 경황ᄒᆞ여 공구(恐懼)ᄒᆞ믈 이긔지 못ᄒᆞ나, ᄯᅩ한 별물(別物)이라. 젼일 뎡부의 왕ᄂᆡᄒᆞ여 ᄎᆞ례을 아ᄂᆞᆫ 고로, 녜모(禮貌)을 의지ᄒᆞ여 ᄃᆡ단ᄒᆞᆫ 실쳬(失體)을 면ᄒᆞ니 ᄐᆡ부인이 손을 즙고 반기믈 마지 못ᄒᆞ고, 혜쥬 소왈,

"현형은 친당의 가ᄉᆞ 이졍(離情)을 펴시ᄆᆡ 소졔 등을 이지시련이와1164) 소져와 양형은 그 ᄉᆞ이라도 져져(姐姐) ᄉᆞ모ᄒᆞ미 무궁ᄒᆞ여이다."

월이 소왈,

"쳡인들 엇지 소져와 양부인을 이지리잇

1162)요요(搖搖)ᄒᆞ다 : 마음이 흔들려 안정되지 아니하고 들뜨다.

1163)훌연(欻然) : 어떤 일이 생각할 겨를도 없이 급히 일어나는 모양.

1164)이지시련이와 : 잊으시었으려니와.

미 업더이다."

ᄒᆞ니, 윤쇼져ᄂᆞᆫ 본ᄃᆡ 존젼의 말ᄉᆞᆷ이 만치 아냐, 혜쥬 므르미 이시면 ᄃᆡ답이 나즉ᄒᆞ더니, ᄎᆞ일 양양이 즛ᄂᆡ고[1179] 소ᄅᆡ를 태부인과 구괴(舅姑) 다 아라듯게 ᄒᆞ고, 얼굴과 모양은 일호(一毫) 다르미 업ᄉᆞ나 힝디 십분 비쳔ᄒᆞ니, 구괴 웃ᄂᆞᆫ 용화를 거두고 괴이히 넉이더니, 태위 됴회ᄒᆞ고 도라와 바로 ᄂᆡ당으로 드러오니, 월이 일단 음졍(淫情)을 ᄂᆡ여, 태우로 더브러【46】'운우(雲雨)의 경(情)'[1180]을 ᄆᆡᆺ고 쇼져의 ᄌᆞ리를 웅거(雄據)ᄒᆞ여 태우의 듕궤(中饋)[1181]를 님찰(臨察)ᄒᆞ고 양시를 졀졔코져 의ᄉᆡ 나ᄂᆞᆫ디라. 태우의 드러오믈 보고 나삼(羅衫)을 쩔치고 금상(錦裳)을 움즉여 몬져 니러셔니, 혜쥬와 양시 우이 넉여 '윤시 엇지 이ᄃᆡ도록 변ᄒᆞᆫ고?' 블승한심(不勝寒心)ᄒᆞ더니, 태위 당의 올나 눈을 들ᄆᆡ 윤시 ᄀᆞᆺ튼 녀지 홍슈(紅袖)를 뎡히 ᄉᆞᆺ고 ᄌᆞ긔를 바라보니, ᄒᆡ연망측(駭然罔測)ᄒᆞᄃᆡ, 안ᄉᆡᆨ을 브동(不動)ᄒᆞ고 태모와 모젼의 야ᄅᆡ(夜來) 존후(尊候)를 뭇ᄌᆞᆸ고, 엄젼(嚴前)의 고왈,

"윤부의 거교를 보ᄂᆡ시니 므어ᄉᆞᆯ 담아 보ᄂᆡ엿더니잇가?"

금휘 그 말을 슈상히 넉여 태우를 슉시냥구(熟視良久)의 왈,

"ᄋᆞ부를 다려왓거ᄂᆞᆯ, '므어슬 담아 왓더뇨?' 말이 시하언야(是何言也)오?[1182]"

가? 소져 등이 다졍ᄒᆞ여 ᄒᆞ신 졍이 그러【85】 틋ᄒᆞ시니 쳡이 ᄯᅩ한 친ᄉᆡᆼ형제(親生兄弟)나 다름이 업더이다."

ᄒᆞ니, 윤소져ᄂᆞᆫ 본ᄃᆡ 존젼의 말ᄉᆞᆷ이 크지 아냐 혜쥬 므르면 ᄃᆡ답이 나즉ᄒᆞ더니, ᄎᆞ일은 윤시 양양이 즛ᄂᆡ고[1165] 소ᄅᆡ을 구고와 ᄐᆡ부인니 다 아라듯도록 크게 ᄒᆞ니, 얼골 모양은 일호도 다르미 업ᄉᆞ나 힝지(行止) 심이 우어뵈고, 형상이 고히[1166] 비쳔ᄒᆞ여 뵈ᄂᆞᆫ지라. 구고가 옷ᄂᆞᆫ 모양을 다 두루혀고[1167] 고히 ᄒᆡ괴(駭怪)ᄒᆞ믈 이긔지 못ᄒᆞ더니, 이윽고 ᄐᆡ우 파조 후 도라와 바로 존당의 드러오니, 월이 일단 음졍(淫情)을 ᄂᆡ여 ᄐᆡ우로 더부러 운우(雲雨)의 졍(情)[1168]을 ᄆᆡᆺ고, 소져의 ᄌᆞ리을 웅거ᄒᆞ여 ᄐᆡ우의 즁궤(中饋)[1169]을 임출(臨察)ᄒᆞ여 양시을 졀졔코져 의ᄉᆞ 나ᄂᆞᆫ지라. ᄐᆡ우의 드러오믈 보고 몸을 움즉여 먼져 이러셔니, 혜쥬 소져와 양시 우이 녁여, '윤시 엇지 이다이 변ᄒᆞᆫ고?' 불승ᄒᆞᆫ심히 고희[히] 역이더니, ᄐᆡ우 당의 올나 츄슈양안(秋水兩眼)을 들ᄆᆡ, 문득 윤시 갓튼 여ᄌᆞ 홍슈(紅袖)을 졍희 ᄉᆞᆺ고 ᄌᆞ긔을 바라보ᄂᆞᆫ 눈니 ᄯᅮ러질 듯ᄒᆞ니, ᄐᆡ우 일견(一見)의 ᄒᆡ연망측(駭然罔測)ᄒᆞ되 안ᄉᆡᆨ을 부동ᄒᆞ고 ᄃᆡ모(大母)와 모친의 존후(尊候)을 뭇ᄌᆞᆸ고 엄젼(嚴前)의 고왈,

"윤부의 거교을 보ᄂᆡ시다 ᄒᆞ시니, 윤부의셔 무어ᄉᆞᆯ 담아 보ᄂᆡ든잇가?"

금휘 그 말을 슈상이 녁여 이윽이 ᄐᆡ우을 보다가 일오ᄃᆡ,

"아부을 다려 왓거ᄂᆞᆯ, '무어슬 담아왓든

1179)즛ᄂᆡ다 : 떠들썩하게 지껄이다.

1180)운우(雲雨)의 경(情) : 구름 또는 비와 나누는 정이라는 뜻으로, 남녀의 정교(情交)를 이르는 말. 중국 초나라의 회왕(懷王)이 꿈속에서 어떤 부인과 잠자리를 같이했는데, 그 부인이 떠나면서 자기는 아침에는 구름이 되고 저녁에는 비가 되어 양대(陽臺) 아래에 있겠다고 했다는 고사에서 유래한다.

1181)듕궤(中饋) : =주궤(主饋). 안살림 가운데 음식에 관한 일을 책임 맡은 여자.

1182)시하언야(是何言也)오 : 이것이 무슨 말이냐?

1165)즛ᄂᆡ다 : 떠들썩하게 지껄이다.

1166)고히 : 괴이(怪異).

1167)두루혀다 : 돌이키다. 거두다.

1168)운우(雲雨)의 졍(情) : 구름 또는 비와 나누는 정이라는 뜻으로, 남녀의 정교(情交)를 이르는 말. 중국 초나라의 회왕(懷王)이 꿈속에서 어떤 부인과 잠자리를 같이했는데, 그 부인이 떠나면서 자기는 아침에는 구름이 되고 저녁에는 비가 되어 양대(陽臺) 아래에 있겠다고 했다는 고사에서 유래한다.

1169)즁궤(中饋) : =주궤(主饋). 안살림 가운데 음식에 관한 일을 책임 맡은 여자.

태위 피셕(避席) ᄃᆡ왈,

"ᄒᆡᄋᆡ 작야의 긔변(奇變)을【47】 보고 대인이 윤부의 거교를 보ᄂᆡ시ᄃᆡ, 져집이 엇지ᄒᆞᄂᆞᆫ고 보고져 앗ᄎᆞᆷ의 고치 못ᄒᆞ엿ᄉᆞᆸ더니, 사ᄅᆞᆷ의 얼굴이란 거ᄉᆞᆫ 텬셩을 타 난 후ᄂᆞᆫ 변ᄒᆞ고 곳치지 못ᄒᆞᄋᆞᆸᄂᆞ니, 쇼ᄌᆡ(小子) 진짓 윤시ᄂᆞᆫ 마삼의 집의 두엇ᄉᆞᆸᄂᆞ니, ᄎᆞ좌(此坐)의 언연(偃然)이 안ᄌᆞᆫ ᄌᆞᄂᆞᆫ 뉘니잇고?"

태부인으로브터 일좨(一座) 대경(大驚)ᄒᆞ여 말을 못ᄒᆞ고 면면상고(面面相顧)[1183]ᄒᆞ더니, 태위 우쥬(又奏) 왈,

"ᄒᆡᄋᆡ 엄젼(嚴前)의셔 사ᄅᆞᆷ 치죄(治罪)ᄒᆞᄋᆞᆸ기 황공ᄒᆞ오니, 믈너가 간졍(奸情)을 획실(覈實)ᄒᆞ여지이다."

언필의 좌우로 윤시란 ᄌᆞ를 결박ᄒᆞ여 잡아오라 ᄒᆞ니, 셜난이 ᄎᆞ언을 듯고 졔 듀인을 이리ᄒᆞ믈 망극황황(罔極遑遑)ᄒᆞ나 어ᄃᆡ가 태우 면젼의 어른겨나 보리오. 월이 태우의 말을 듯고 오ᄂᆡ(五內) 쒸놀고 일신이 쩔녀 면ᄉᆡᆨ(面色)【48】이 여토(如土)ᄒᆞ여 믄득 발명(發明)코져 ᄒᆞ여 우러 왈,

"상공이 쳡을 믜워ᄒᆞᆯ진ᄃᆡ 영츌(永黜)이 가(可)ᄒᆞ거ᄂᆞᆯ 구박(驅迫)ᄒᆞ여 ᄂᆡ라 ᄒᆞ미 이 므ᄉᆞᆷ 도리뇨?"

태위 드른 체 아니코 좌우를 호령ᄒᆞ여 잡아 션월정으로 오라 ᄒᆞ니, 평휘 ᄋᆞᄌᆞ를 블너 니르ᄃᆡ,

"노뷔 ᄒᆡᆼ년ᄉᆞ십(行年四十)[1184]의 이런 변고ᄂᆞᆫ 보다 못ᄒᆞ여시니, 간졍을 ᄉᆞᄒᆡᆨ 젼 ᄋᆞ부의 ᄉᆞ화(死禍)를 몬져 니르라."

태위 윤시를 시녀로 단단이 ᄃᆡ희라 ᄒᆞ고, 부젼의 윤시 시신(屍身)을 피농의 너허 원문(園門)의 두엇다 하거ᄂᆞᆯ, ᄌᆞ긔 년틈으로ᄒᆞ

1183)면면상고(面面相顧) : 아무 말도 없이 서로 얼굴만 물끄러미 바라봄.

1184)ᄒᆡᆼ년ᄉᆞ십(行年四十) : 지금까지 살아온 나이가 사십 세라는 말.

냐?' 말이 {무【86】ᄉᆞᆯ 담아 왓든야 말이} 무ᄉᆞᆷ 말고?"

ᄐᆡ위 피셕(避席) ᄃᆡ왈,

"ᄒᆡᄋᆡ 작야의 괴변(怪變)을 보ᄋᆞᆸ고 ᄃᆡ인이 윤부의 거교을 보ᄂᆡ시ᄃᆡ 져 집이 엇지ᄒᆞᄂᆞᆫ고 보고져 아ᄎᆞᆷ의 고치 아냐ᄉᆞᆸ더니, ᄉᆞ람이 얼골이란 거ᄉᆞᆫ 쳔셩(天性)으로 타ᄂᆞᆫ 거ᄉᆞᆫ 변ᄒᆞ고 고치지 못ᄒᆞ고, ᄯᅩ한 ᄉᆞ람이 ᄂᆞᆫᄒᆞ여[1170] 두 ᄉᆞ람이 못되ᄋᆞᆸᄂᆞᆫ니, 소ᄌᆡ 진짓 윤시ᄂᆞᆫ 마ᄉᆞᆷ의 집의 두어ᄉᆞᆸᄂᆞᆫ니, ᄎᆞ좌(此坐)의 언언(偃偃)니 안ᄌᆞᄂᆞᆫ 윤시ᄂᆞᆫ 뉘니잇가?"

ᄐᆡ부인으로부터 일좨(一座) ᄃᆡ경(大驚)ᄒᆞ여 면면상고(面面相顧)[1171]ᄒᆞ더니, ᄐᆡ우 ᄯᅩ 쥬왈,

"ᄒᆡᄋᆡ 엄젼(嚴前)의셔 ᄉᆞ람 치죄(治罪)ᄒᆞᄋᆞᆸ기 황송ᄒᆞ오니 물너가 간졍(奸情)을 획실(覈實)ᄒᆞ리이다."

언필의 좌우로 윤시을 결박ᄒᆞ라 ○○[ᄒᆞ니] 셜난이 ᄎᆞ언을 듯고 어졔 일을 아라 쳔지망극(天地罔極)ᄒᆞ여 황황(惶惶)ᄒᆞ나 어ᄃᆡ가 ᄐᆡ우 면젼의 어르쎠나 보리오. 월이 ᄐᆡ우의 말을 듯고 오ᄂᆡ(五內) 쒸놀고 일신니 쩔여 면ᄉᆡᆨ이 여토(如土)ᄒᆞ여 문득 발명코져 ᄒᆞ여 울어 갈오ᄃᆡ,

"상공이 쳡을 뮈워할진ᄃᆡ 영츌(永黜)이 가(可)ᄒᆞ거ᄂᆞᆯ 구박(驅迫)ᄒᆞ여 ᄂᆡ라 ᄒᆞ니 이 무ᄉᆞᆷ 도리뇨?"

ᄐᆡ우 드른 쳬 아니코 좌우을 호령ᄒᆞ여 션월정으로 오라 ᄒᆞ니, 평휘 아ᄌᆞ을 불너 왈,

"노뷔 ᄒᆡᆼ연ᄉᆞ십(行年四十)[1172]의 이런 변괴ᄂᆞᆫ 보지 못ᄒᆞ엿시니 《가졍∥간졍(奸情)》 ᄉᆞᄒᆡᆨ 젼 아부의 ᄉᆞ화곡절(死禍曲折)을 먼져 이르라."

ᄐᆡ우 시녀로 윤시을 단단니 직희라 ᄒᆞ고 부젼의 쥬ᄒᆞ되,

"윤【87】씨 시신을 노의 너허 원문의

1170)ᄂᆞᆫᄒᆞ다 : <난호다 : 나누다>. 나누다.

1171)면면상고(面面相顧) : 아무 말도 없이 서로 얼굴만 물끄러미 바라봄.

1172)ᄒᆡᆼ년ᄉᆞ십(行年四十) : 지금까지 살아온 나이가 사십 세라는 말.

여금 운젼ᄒᆞ여 십ᄌᆞ교(十字橋)의 와보니 그 상체(傷處) 대단ᄒᆞ믈 고ᄒᆞ고, 형봉을 죽이며 위·뉴를 놀ᄂᆡ믄 ᄉᆞ식(辭色)지 아니니, 뎡공이 그 작용을 모르고, 참졀경악(慘絶驚愕)ᄒᆞ믈 니긔지 못ᄒᆞ여 왈,

“농의 시신을【49】 농의 담아노코 딕희니 업더냐? 뉘 너다려 니르더뇨?”

태위 ᄃᆡ왈,

“현잉이 제 듀모(主母)의 ᄉᆞ화를 니르거놀 친히 가보오니 피농을 원문(園門) 안히 노코 슈딕(守直)ᄒᆞ니 ᄉᆡ기를 기다려 쳐치코져 ᄒᆞ던가 시브더이다.”

공이 블승통히ᄒᆞ고 일좨(一座) 눈믈을 금치 못ᄒᆞ니, 태위 과도ᄒᆞ시믈 간ᄒᆞ고, 션월정의 나오니 졔시녜 윤시를 ᄆᆡ여 정하의 쑬니ᄆᆡ, 태위 묵묵ᄒᆞᆫ 노긔 셜풍이 늠늠ᄒᆞ여 봉안(鳳眼)을 놉히 쓰고 잠미(蠶眉)를 거ᄉᆞ리니, 위풍이 규규(赳赳)ᄒᆞ여 정셩엄문(正聲嚴問) 왈,

“네 오형(五刑)을 면코져 ᄒᆞ거든 간졍(奸情)을 딕초(直招)ᄒᆞ여 일명(一命)을 도모ᄒᆞ라. 너를 져리ᄒᆞ여 보ᄂᆡᆫ 지 이시리니, 결단코 ᄌᆞ작지죄(自作之罪)[1185] 아닐 거시니, 근본이 쳔인이라, 하고(何故)[1186]로 윤부인 얼굴이 되【50】엿ᄂᆞ뇨?”

월이 ᄶᅥᆯ며 발명ᄒᆞ여 윤신 체ᄒᆞ니, 태위 대로ᄒᆞ여 엄형국문(嚴刑鞫問)ᄒᆞ려 ᄒᆞ니, 월이 울며 딕고(直告)ᄒᆞ올 거시니 일명을 빌니쇼셔.

태위 왈,

“너희 죄악이 대단치 아니면, 구ᄐᆞ여 죽이지 아니리라.”

월이 발명ᄒᆞ여 면ᄒᆞᆯ 길히 업고 목숨이나 술고져 ᄒᆞ여, 고왈,

“쇼비는 쳔비 츈월이라 우리 태부인과 뉴부인이 조부인 모ᄌᆞ녀(母子女)를 도모ᄒᆞ고

1185)ᄌᆞ작지죄(自作之罪) : 스스로 지은 죄.
1186)하고(何故) : 무슨 까닭.

두엇다 ᄒᆞ옵기로, 연츙으로 운젼ᄒᆞ여 십ᄌᆞ가의 가 보오니, 그 상쳬 ᄃᆡ단ᄒᆞ고 긔운이 막혀가가 ᄭᆡ여 나니 쥭을 염녜는 업ᄉᆞ오나, ᄃᆡ단ᄒᆞ믈 고ᄒᆞ고 형봉을 버혀 위·뉴 놀ᄂᆡ믄 ᄉᆞ식(辭色)지 아니니, 공이 그 ᄌᆞᆨ용은 모로고 참졀(慘絶)《경박∥경악(驚愕)》ᄒᆞ여 왈,

“농의 시신을 담아놋코 직희니 업더냐? 뉘 너더러 ᄌᆞ시 이르더뇨?”

ᄐᆡ우 ᄃᆡ왈,

“현잉이 제 주모(主母)의 ᄉᆞ화(死禍)을 이르거ᄂᆞᆯ 친희가 보오니 원문(園門) 안의 놋고 슈직ᄒᆞ여 ᄉᆡ기을 기다려 쳐치코져 ᄒᆞ던가 십푸더니다.”

휘 불승통히경심(不勝痛駭驚心)ᄒᆞ고 일좨(一座) 그 참악을 놀ᄂᆡ 눈물을 금치 못ᄒᆞ니, ᄐᆡ우 과도ᄒᆞ시믈 간ᄒᆞ고 션월정의 나오니, 제시녀 윤시을 ᄆᆡ여 졍ᄒᆞ의 쑬이ᄆᆡ, ᄐᆡ우 묵묵한 노긔 셜풍이 늠늠ᄒᆞ여 봉안을 놉히 쓰고 좀이(蠶眉)을 거ᄉᆞ리고 위풍이 규규(赳赳)ᄒᆞ여 고ᄃᆡ ᄉᆞ람을 쥭일 듯ᄒᆞ여 이에 엄문(嚴問) 왈,

“네 오형을 면코져 ᄒᆞ거든 간졍(奸情)을 직고(直告)ᄒᆞ여 일명을 도모ᄒᆞ라. 너을 져리ᄒᆞ여 보ᄂᆡᆫ 지 이시리니 결단코 네 자ᄌᆞᆨ지죄(自作之罪)[1173] 안닐 거시니, 근본니 쳔인이라 무숨 연고로 윤부인 얼골이 되엿ᄂᆞ뇨?”

월이 ᄶᅥᆯ며 윤신 쳬ᄒᆞ고 발명ᄒᆞ니, ᄐᆡ우 ᄃᆡ로ᄒᆞ여 엄형국문(嚴刑鞫問)ᄒᆞ려 ᄒᆞ니, 월이 울며 고왈,

“월이 직고ᄒᆞ오리니 일명을 빌니소셔.”

ᄐᆡ우 왈,

“너의 죄악이 ᄃᆡ단치 아니면 굿ᄒᆞ여 쥭이지 아니【88】 ᄒᆞ리라.”

월이 발명ᄒᆞ여 면할 길이 업고 목슘이ᄂᆞ 술고져 ᄒᆞ여 고왈,

“소비ᄂᆞᆫ 쳔비 츈월이라, 우리 ᄐᆡ부인과 뉴부인이 상시 조부인 모ᄌᆞ녀을 도모하시더니, 노야 촉ᄒᆡᆼ(蜀行)ᄒᆞ시고 소져 귀근(歸覲)

1173)자ᄌᆞᆨ지죄(自作之罪) : 스스로 지은 죄.

져 ᄆᆡ양 졀치(切齒)ᄒᆞ시더니, 노애 쵹힝(蜀行)ᄒᆞ시고 쇼졔 귀근(歸覲)ᄒᆞ시니, 브ᄃᆡ 셔르져 업시코져 ᄒᆞ여, 음식의 말못ᄒᆞᄂᆞᆫ 암약(瘖藥)[1187]과 정신 흐리ᄂᆞᆫ 약을 《어더 ‖ 너허》 작야의 조부인과 쇼져를 권ᄒᆞ시니, 의심ᄒᆞ여 하져치 아니시니, 태부인이 조부인을 ᄃᆡ칙ᄒᆞ시ᄆᆡ 조부인이 셔너번 햐져의 블시의 벙어리 되여 블【51】셩인ᄉᆞ(不省人事)ᄒᆞ시고, 셜난이 ᄯᅩ ᄒᆞᆫ가지로 먹고 인ᄉᆞ를 모르니, 모다 깁히 ᄀᆞᆷ초고, 쇼져ᄂᆞᆫ 졉구(接口)치 아니시니, 위·뉴 이부인과 셕흑ᄉᆞ 부인이 일시의 즛닉이고[1188] 독약을 펴부어 농의 너허 노ᄌᆞ 형봉을 맛지고, 다시 조부인과 유랑을 죽이려 ᄒᆞ더니 귀신이 형봉의 머리를 버혀 방안의 드리치고 가다 ᄒᆞ여, 위·뉴 냥부인이 두려 조부인과 셜난을 히치 아니시고 인ᄉᆞ 출히ᄂᆞᆫ 약을 먹여 도로 ᄭᆡ여나고, 쇼비ᄂᆞᆫ 여의개용단(如意改容丹)을 먹여 쇼져의 얼골이 되니, 명부복식(命婦服色)으로 이리 왓ᄂᆞ이다."

태위 더옥 분(憤)히 ᄒᆞ여 왈,

"조부인과 쇼져를 다 죽이고 엇지ᄒᆞ려 ᄒᆞ더뇨?"

ᄃᆡ왈,

"쇼비 어미 지아비 업고 혼ᄌᆞ 이시니 개용단을 먹여 조부인을 ᄃᆡ신ᄒᆞ고, 쇼비【52】ᄂᆞᆫ 이리 보ᄂᆡ기로 뎡ᄒᆞ니이다. 형봉이 죽지 아녓더면 조부인이 ᄉᆞ지 못ᄒᆞᆯ너니이다."

태위 ᄯᅩ 므르ᄃᆡ,

"너를 여긔 댱구히 이시라 ᄒᆞ며, 여모도 조부인 ᄃᆡ신을 길ᄂᆡ[1189] ᄒᆞᆯ너냐?"

월이 ᄃᆡ왈,

"쇼비ᄂᆞᆫ 뉴부인이 슈삼일만 잇다가 회면회단(回面回丹)을 먹고 청의(靑衣)를 닙고 도라오라 ᄒᆞ시고, 조부인은 어미로 ᄃᆡ신ᄒᆞ엿다가 냥공ᄌᆞ를 죽이고 면회단(面回丹)을

1187)암약(瘖藥) : 벙어리가 되게 하는 약.
1188)즛닉이다 : 짓이기다. 함부로 두드리고 썰고 짓찧어서 마구 이기다.
1189)길ᄂᆡ : 길래. 오래도록 길게.

ᄒᆞ시니, 부ᄃᆡ 셔르져 업시코져 음식의 말못ᄒᆞᄂᆞᆫ 약과 정신 흐리ᄂᆞᆫ 약을 너허 작야의 조부인과 소져을 권ᄒᆞ시니, 의심ᄒᆞ여 하져치 안니신다 ᄒᆞ고 조부인을 ᄃᆡ칙(大責)ᄒᆞ시니, 조부인니 셔너번 하져의 불시의 벙어리 되어 인ᄉᆞ을 불셩(不省)ᄒᆞ시고, 셜낭이 ᄯᅩ 속아 ᄒᆞᆫ가지로 먹고 인ᄉᆞ(人事)을 모르니, 모다 깁히 감초고 소져ᄂᆞᆫ 졉구(接口)치 아니신다고 위·뉴 이부인니 셕학ᄉᆞ 부인으로 일시의 즛치고[1174] 독약을 퍼부어 농의 너허 노ᄌᆞ 형봉으로 맛기고, 다시 조부인과 유랑을 쥭이려 ᄒᆞ더니, 귀신이 형봉의 머리을 버혀 방안의 드리치고 가다 하여, 위·뉴 양부인이 두려 조부인과 셜난을 히치 아니시고 인ᄉᆞ ᄎᆞ리ᄂᆞᆫ 약을 먹여 도로 ᄭᆡ여나고, 소비ᄂᆞᆫ '여의기용단(如意改容丹)'을 먹여 소져의 얼골이 되어 명부복식(命婦服色)을 ᄒᆞ여 이리 왓ᄂᆞᆫ니다."

ᄐᆡ우 더옥 분히ᄒᆞ여 왈,

"조부인과 소져을 다 쥭이고 엇지려 ᄒᆞ던뇨?"

ᄃᆡ왈,

"소비 어미 지아비 업고 혼ᄌᆞ 잇시니 기용단을 먹여 조부인 ᄃᆡ신ᄒᆞ고, 소비ᄂᆞᆫ 소져 ᄃᆡ신 이리 보ᄂᆡ려 졍ᄒᆞ여ᄂᆞᆫ이다. 형봉이 쥭지 안녀더면 조부인을 ᄉᆞᆯ니지 못ᄒᆞᆯ너이다."【89】

ᄐᆡ우 우문 왈,

"너을 여긔 장구(長久)히 잇시라 ᄒᆞ시며 네 모ᄂᆞᆫ 조부인 ᄃᆡ신을 길ᄂᆡ[1175] 할너냐?"

월이 ᄃᆡ왈,

"소비ᄂᆞᆫ 뉴부인긔셔 슈슴일 잇다 '면회단(面回丹)'을 먹고 청의(靑衣)을 입고 도라오라 ᄒᆞ시고, 어미ᄂᆞᆫ 조부인 ᄃᆡ신ᄒᆞ여 잇다 냥공ᄌᆞ을 쥭이고 면회단을 먹고 조부인은 음분도쥬(淫奔逃走)ᄒᆞ다 퍼지여 노야도 ᄒᆞ[ᄒᆞᆯ]일 업게 ᄒᆞ시게 ᄒᆞ다가 귀신니 슈죄ᄒᆞ

1174)즛치다 : 짓치다. 함부로 마구 치다.
1175)길ᄂᆡ : 길래. 오래도록 길게

먹고, 조부인이 냥공ᄌᆞ를 죽이고 음분도쥬(淫奔逃走)ᄒᆞ다 말을 펴지워, 노야(老爺)도 홀일업셔 ᄒᆞ시게 ᄒᆞ려다가, 귀신이 슈죄ᄒᆞᆫ 연고로 조부인 히ᄒᆞᆯ 뜻을 긋쳣ᄂᆞ이다."

태위 드를ᄉᆞ록 흉참분연(凶慘奮然)ᄒᆞ여 왈,

"네 면회단을 ᄂᆡ라."

월이 금낭의 ᄎᆞᆺ던 환약(丸藥)을 ᄂᆡ여 ᄎᆞ의 ᄀᆞ라 먹으니 경긱의 찬난쇄락ᄒᆞ던 윤쇼제 변ᄒᆞ【53】여 간특ᄒᆞᆫ 츈월이 되ᄂᆞᆫ지라. 태위 시노(侍奴)를 명ᄒᆞ여 월을 결박ᄒᆞ고 형장을 드려 ᄆᆡᆼ타ᄒᆞ여 옥의 나리올ᄉᆡ, 옥니를 분부ᄒᆞ여 착실히 슈딕ᄒᆞ라 ᄒᆞ며 타일 ᄎᆞᆺ기를 기다리라 ᄒᆞ고, 쥬영으로 쇼져의 금침과 의상을 가져 십ᄌᆞ가로 가라 ᄒᆞ고, 뎡당의 드러가니 발셔 월의 딕초를 일일히 고ᄒᆞ엿ᄂᆞᆫ지라. 슌태부인 이하로 일문샹히(一門上下) 윤부 변고를 흉히 넉여 《위녀‖위뉴》 고식(姑媳)을 통히ᄒᆞ고, 귀신의 슈죄타 ᄒᆞ믈 괴이히 넉여 태우다려 므르니, 태위 ᄌᆞ긔 일을 고치 아니믄 부훈(父訓)을 두리므로 불츌구외(不出口外)ᄒᆞ더라.

금휘 왈,

"윤가 변괴 망측ᄒᆞ니 츈월을 가도앗다가 명강이 도라오거든 져쥬게[1190] ᄒᆞ미 올흔가 ᄒᆞ노라."【54】

태위 왈,

"엄괴 맛당ᄒᆞ시나 간인의 악ᄉᆡ '곳비 길ᄆᆡ ᄌᆞ연 드딜[1191]지라,'[1192] 다른 길노 발각ᄒᆞᆫ 후 월을 도라보ᄂᆡ미 올흐니, 윤공이 도라온 후라도 우리ᄂᆞᆫ 좀좀ᄒᆞ고 모로ᄂᆞᆫ드시 ᄒᆞ미 올흐니, 흉인으로 ᄒᆞ여금 측냥(測量)치 못ᄒᆞ여 잠간 조심ᄒᆞᆯ 도리 이실 ᄲᅮᆫ 아니라, 쇼ᄆᆡᄂᆞᆫ 죵시(終是)[1193] 폐륜(廢倫)치 못ᄒᆞ리니, 광텬과 셩친(成親)ᄒᆞ올지라. 냥가 화긔

1190)져쥬다 : 형문(刑問)하다. 신문(訊問)하다.
1191)드듸다 : 디디다. 밟다. 밟히다.
1192)고삐가 길면 밟힌다 : 나쁜 일을 아무리 남모르게 한다고 해도 오래 두고 여러 번 계속하면 결국에는 들키고 만다는 것을 비유적으로 이르는 말. *드대다 : 디디다. 밟다. 밟히다.
1193)죵시(終是) : 끝내.

[ᄒᆞᆫ] 연고로 조부인 히할 뜻즌 긋쳐ᄂᆞ이다."

ᄐᆡ우 《분여‖분연(奮然)》 왈,

"너희 면회단을 ᄂᆡ라."

월이 금낭으로 조ᄎᆞ 환약(丸藥)을 ᄂᆡ여 ᄎᆞ의 갈아 먹으니 경긱의 출ᄂᆞᆫ쇄락던 윤부인이 변ᄒᆞ여 간특ᄒᆞᆫ 츈월이 되ᄂᆞᆫ지라. ᄐᆡ우 시노을 명ᄒᆞ여 월을 결박ᄒᆞ고 형벌을 ᄆᆡᆼ타ᄒᆞ여 옥의 나리올 ᄉᆡ, 옥니을 분부ᄒᆞ여 타일 찾기을 기ᄃᆞ리라 ᄒᆞ고, 쥬영으로 소져의 금침과 의복을 가지고 십ᄌᆞ가로 가라 ᄒᆞ고, 존당의 드러가니, 발셔 월의 직초을 일일이 고ᄒᆞ엿ᄂᆞᆫ지라. 슌ᄐᆡ부인 이ᄒᆞ고 일문 상히 윤부 변고을 《홍‖흉(凶)》히 역여, ᄐᆡ우다려 무르니, ᄐᆡ우 자긔 일을 고치 아니믄, 부훈(父訓)을 두리고 타문 부인을 놀ᄂᆡ미 가치 아닌 고로 불츌구외(不出口外) ᄒᆞ더라.

평후 왈,

"윤가 변괴 망측ᄒᆞ니 츈월을 가도아다가 명강이 도라오시거든 져쥬게[1176] ᄒᆞ미 올흔가 ᄒᆞ노라."

ᄐᆡ우 왈,

"엄교 맛당ᄒᆞ오나 간인의 악ᄉᆡ 곳비 길면 ᄌᆞ【90】연 드딜지라. 그[다]른 길노 발각ᄒᆞᆫ 후 월을 도라보ᄂᆡ미 올흐니 윤공이 도라온 후라도 우리ᄂᆞᆫ 잠잠ᄒᆞ고 모로ᄂᆞᆫ 듯ᄒᆞ미 올흐니 흉인으로 ᄒᆞ려금 측냥치 못ᄒᆞ여 잠간 조심할 분 아니라, 소ᄆᆡᄂᆞᆫ 종시 펴[폐} 륜치 못ᄒᆞ리니 광텬과 셩친할지라. 냥가 화긔을 먼져 상히와 흉인의 원을 일우ᄂᆞᆫ 거시 조치 아니 ᄒᆞ오니, 윤공이 도라와도 보시고 여ᄎᆞ지ᄉᆞ을 ᄉᆞ싁지 말르소셔."

1176)져쥬다 : 형문(刑問)하다. 신문(訊問)하다.

(和氣)를 몬져 상(傷)킈와 흉인의 원을 닐위ᄂᆞᆫ 거시 됴치 아니ᄒᆞ오니, 윤공을 보셔도 ᄎᆞᄉᆞ를 ᄉᆞ싀지 마르쇼셔."

공이 쳥필(聽畢)의 ᄋᆞᄌᆞ의 원녀디식(遠慮知識)의 ᄌᆞ가로 ᄂᆡ도ᄒᆞ믈 두굿겨 왈,

"여언(汝言)이 울커니와 녀ᄋᆞ를 공규(空閨)의셔 늙히고져 ᄒᆞ노라."

진부인이 식부의 일을 챵한(愴恨)ᄒᆞ여 왈,

"녀ᄋᆞ 혼ᄉᆞᄂᆞᆫ 타일 의논ᄒᆞ려니와, 목금(目今) ᄋᆞ부의 상체 대단【55】ᄒᆞ다 ᄒᆞ니 급히 다려와 구호ᄒᆞ라."

태위 ᄃᆡ왈,

"임의 ᄉᆞ디(死地)를 버셔나시니 마삼의 집이 가장 죵용ᄒᆞ온지라, 피우(避寓) 겸ᄒᆞ여 잠간 됴리ᄒᆞ여 다려오고져ᄒᆞᄂᆞ이다."

휘 왈,

"내 ᄋᆞ부를 보고져 ᄒᆞ나 다른 병과 달나 제 집 연고로 상(傷)ᄒᆞ여 날 보기를 블안이 넉이리니, 모로미 약을 착실히ᄒᆞ여 슈히 ᄎᆞ셩(差成)케 ᄒᆞ라."

태위 ᄇᆡ샤슈명(拜謝受命)ᄒᆞ고 태부인과 진부인이 과려(過慮)ᄒᆞ여 보긔(補氣)ᄒᆞᆯ 찬션(饌膳)과 듁음(粥飮)을 ᄀᆞᆺ초아 셜난을 보ᄂᆡ여 태우다려 가기를 직쵹ᄒᆞ니, 태위 함쇼고왈(含笑告曰),

"간인이 월을 보ᄂᆡ고 ᄉᆞ긔를 알녀 비ᄌᆞ를 보ᄂᆡ여 뭇ᄂᆞᆫ 체ᄒᆞᆯ 거시니, ᄌᆞ경이 친쳑집의 일삭(一朔)이나 머믄다 ᄒᆞ시고, 우리 젼혀 의심 업ᄉᆞ므로 알게 ᄒᆞ쇼셔."

태부인이 쇼왈,

"오ᄋᆡ 빙가(聘家) 두리【56】믄 녀ᄌᆞ의 구가(舅家)ᄀᆞᆺ치 ᄒᆞ니 도로혀 가쇼롭도다."

태위 쇼이쥬왈(笑而奏曰[1194]),

"간흉을 두리미 아니오라 흉계로 사름을 히ᄒᆞ오니, 쇼직 슈고롭기 비상(非常)ᄒᆞ와 작야 윤시를 계오 구ᄒᆞ엿ᄂᆞ이다."

좌우 다 웃고 금휘 그 힝ᄉᆞ를 두굿기고 살인(殺人)ᄒᆞ믄 몽니(夢裏)의도 모르더라.

태위 셜난·쥬영을 몬져 보ᄂᆡ고 날호여

1194)쇼이쥬왈(笑而奏曰 : 웃으면서 아뢰기를.

휘 쳥파의 흔연 왈,

"여언(汝言)이 올커니와 녀ᄋᆞ을 공규(空閨)의 늘히코져[1177] ᄒᆞᄂᆞᆫ도다."

진부인니 식부의 일을 참안(慙安)ᄒᆞ여 왈,

"여ᄋᆞ의 혼ᄉᆞᄂᆞᆫ 타일 의논ᄒᆞ려이와 목금 아부의 장쳐 ᄃᆡ단ᄒᆞ다 ᄒᆞ니 급히 다려와 구호ᄒᆞ게 ᄒᆞ라."

ᄐᆡ우 ᄃᆡ왈,

"임의 ᄉᆞ지(死地)을 버셔낫시니 마ᄉᆞᆷ의 집이 가ᄌᆞᆼ 조용한지라. 피란(避亂) 겸ᄒᆞ여 잠간 조리ᄒᆞ여 다려오고져 ᄒᆞᄂᆞ이다."

휘 왈,

"ᄂᆡ 아부을 가 보고져 ᄒᆞ나, 졔 집 연고로 상ᄒᆞ여 날 보기을 불안이 넉이리니, 모로미 의약을 측실이 ᄒᆞ여 슈이 ᄎᆞ도(差度)케 ᄒᆞ라."

ᄐᆡ우 ᄇᆡᄉᆞ슈명(拜謝受命)ᄒᆞ고 ᄐᆡ부인 진부인니 과려(過慮)ᄒᆞ미 보긔(補氣)할 찬션(饌膳)과 향긔로온 과품(菓品)을 갓초아 셜난을 보ᄂᆡ며, ᄐᆡ우 가기을 직촉ᄒᆞ니 ᄐᆡ우 함소(含笑) 왈,

"간인니 월을 보ᄂᆡ고 ᄉᆞ긔을 알여 비ᄌᆞ을 보ᄂᆡ여 뭇ᄂᆞᆫ 체ᄒᆞ올 거시니, ᄌᆞ경은 친히 친쳑의 집의 가 일삭이나 머문다 ᄒᆞ시고 우리ᄂᆞᆫ 젼혀 의심 업ᄉᆞ무로 ᄒᆞ소셔."

ᄐᆡ부인니 우어 왈,

"오ᄋᆡ 빙가(聘家) 두리미 여ᄌᆞ 구가(舅家) 갓치 ᄒᆞ니 도로혀 가소롭도다."

ᄐᆡ우 미소 ᄃᆡ왈,

"간흉을두리오미 아니오라 흉게로 ᄉᆞ람을 히ᄒᆞ오니, 소지 슈고롭기 비ᄉᆞᆼᄒᆞ와 작야 윤시을 게우 구ᄒᆞ여ᄂᆞᆫ니다."

좌위 다 웃고 평후 그 힝ᄉᆞ을 두굿기고, 솔인(殺人)ᄒᆞ믄 몽니(夢裏)의도 모로더라.

ᄐᆡ우 셜난·쥬영 양비(兩婢)을 먼져 보ᄂᆡ

1177)늘히코져 : 늙히고자.

나아가니, 셜난・쥬영이 쇼져긔 뵈고 월의 초ᄉᆞ를 고ᄒᆞ니, ᄌᆞ긔 몸이 면ᄉᆞ(免死)ᄒᆞ나 본부(本府) 악식 드러나니 참한(慙恨)ᄒᆞ고, 쵹쳐(觸處)의 야애(爺爺) 아니 계시기로 가변이 점점 ᄎᆞ악ᄒᆞ믈 슬허 눈믈이 년낙(連落)ᄒᆞ더니, 태위 드러와 집슈간ᄆᆡᆨ(執手看脈)ᄒᆞ고, 시녀로 그 다리의 금창약(金瘡藥)1195)을 ᄡᅥᄆᆡ고 오ᄅᆡ 말이 업더니, 좌위 믈너난 후, 우어 왈,

"ᄌᆞ의 집 노ᄌᆞ 형봉이 ᄌᆞ의 시신을【57】 농의 너허 지고 여ᄎᆞ여ᄎᆞ ᄲᅮ어려 계셩(鷄聲)을 고ᄃᆡᄒᆞ더니, 져를 참ᄒᆞ여 위・뉴의 가장 취신(取信)ᄒᆞᄂᆞᆫ 심복이라 ᄒᆞᄆᆡ, 그 얼골이나 보게 경희던 방안의 드리치고 왓더니, 엇지 ᄒᆞᆫ지 쇼문이 업ᄉᆞ니 심히 굼거온지라, 현잉이 아니 왓더니잇가?"

쇼졔 입이 ᄲᅧ 말이 나지 아니니 오직 탄식무언(歎息無言)이라. 태위 종용이 쇼져를 ᄃᆡᄒᆞ여 젼일 윤부의 가, 위・뉴의 머리 ᄶᅵ이던 말을 니르고 박쇼(拍笑) 왈,

"그ᄶᅴ 돌노 쳐 아조 죽엿더면 이런 변괴 업슬 거슬 머리만 ᄶᅵ엿기로 악심(惡心)이 업지 아니니 그런 ᄋᆡᆨ돌을 일이 어ᄃᆡ 이시리오. ᄎᆞ후ᄂᆞᆫ 악댱 졔ᄉᆞ를 당ᄒᆞ여도 그ᄃᆡ 조모와 슉뫼 죽지 아닌 젼은 귀근ᄒᆞᆯ 의ᄉᆞ를 말나."

쇼졔 듯ᄂᆞᆫ 말마다 한심ᄒᆞ여 츄연타루(惆然墮淚) 왈,【58】

"쳡의 집 변고ᄂᆞᆫ 블가ᄉᆞ문어타인(不可使聞於他人)이라. 하면목(何面目)으로 사ᄅᆞᆷ을 ᄃᆡᄒᆞ리잇가? 다만 조모와 슉뫼 인(仁)치 못ᄒᆞ시나, 쳔인(賤人)이 아니라 ᄌᆡ상(宰相)의 ᄌᆞ뫼(慈母)오, 팔좌명부(八座命婦)1196)의 위

1195)금창약(金瘡藥) : 칼, 창, 화살 따위로 생긴 상처에 바르는 약. 석회를 나무나 풀의 줄기와 잎에 섞어 이겨서 만든다.

1196)팔좌명부(八座命婦) : 팔좌(八座)에 오른 고위 관리의 부인. 팔좌는 중국 수나라・당나라 때에, 좌우 복야와 영(令)과 육상서를 통틀어 이르던 말.

고 날호여 나아가니, 셜ᄂᆞᆫ・쥬영이 소져게 뵈옵고 월의 초ᄉᆞ을 고하니, 소져 그 몸이 쥭긔을 면ᄒᆞ나 본부 악ᄉᆞ 표표(表表)히 드러나니, 참안(慙安)ᄒᆞ고, 쵹쳐(觸處)의 부친니 아니 게시니 가변이 졈졈 ᄎᆞ악ᄒᆞ믈 슬허ᄒᆞ더니. ᄐᆡ우 드러와 소져의 옥슈을 잡아 ᄆᆡᆨ을보고 시녀로 그 다리의 금ᄎᆞᆼ약(金瘡藥)1178)을 써ᄆᆡ고 오ᄅᆡ 말이 업더니, 좌우 물너ᄂᆞᆫ 후 비로소 우어 왈,

"ᄌᆞ의 집 노ᄌᆞ 형봉이 ᄌᆞ의 시신을 농의 너허 압히 노코, 그놈이 쥭으려 ᄒᆞ고, ᄌᆞ연니 혼ᄌᆞ 말을 쑤어리고, 게명(鷄鳴)을 고ᄃᆡᄒᆞ거ᄂᆞᆯ, ᄂᆡ 통한ᄒᆞ여 그 머리을 버혀 그ᄃᆡ 조모와 슉모, 형봉 노ᄌᆞ의 얼골이나 붓들고 안ᄌᆞ 든든이 역이게 ᄒᆞ노라고, 머리을 경희젼 방안의 드리치고 왓더니, 엇지 ᄒᆞᆫ지 곡졀을 몰나 심히 궁거온지라. 현잉이 지금 도라오지 아냐ᄂᆞᆫ냐?"

소져 쳥미파(聽未罷)의 입이 ᄡᅧ ᄃᆡ답이 ᄂᆞ지 아니ᄒᆞ니, 오직 탄식무언(歎息無言)이라. ᄐᆡ우 고요히 소져를 ᄃᆡᄒᆞ여 마음이 ᄒᆞᆫ가ᄒᆞᆫ지라. 젼일 윤부의 가 위흉에 머리 ᄶᅵ친 말을 ᄒᆞ고【92】 박소(拍笑) 왈,

"그ᄶᅴ 돌노 ᄌᆞᆺ쳐 아조 쥭여던들 ᄌᆞ의게 이번 변괴 업슬 거슬 머리만 ᄶᅵ쳐기○[로] 악심이 ᄶᅵ지 아녀시니 그런 통히ᄒᆞᆫ 일이 어ᄃᆡ 잇ᄉᆞ리오. ᄎᆞ후ᄂᆞᆫ 악장의 긔일(忌日)이라도 옥누항 왕ᄂᆡᄒᆞᆯ 의ᄉᆞ 업ᄉᆞ라."

소졔 말마다 ᄒᆞᆫ심ᄒᆞ여 츄연(惆然) ᄃᆡ왈,

"쳡의 집 변고ᄂᆞᆫ 불가형언(不可形言)이라. 쳡이 ᄒᆞ면목(何面目)으로 《지인∥ᄃᆡ인(對人)》 ᄒᆞ리오마는, 다만 조모와 슉뫼 어지지 못ᄒᆞ시나 하류쳔인(下類賤人)이 아니시라. ᄌᆡᄉᆞᆼ(宰相)의 ᄌᆞ모(慈母)오 명부(命婦)의 위 잇거ᄂᆞᆯ, 군ᄌᆡ 돌노 상(傷)히오며 형봉의 머리을 조모 침젼의 더지고 오시니잇고?"

1178)금ᄎᆞᆼ약(金瘡藥) : 칼, 창, 화살 따위로 생긴 상처에 바르는 약. 석회를 나무나 풀의 줄기와 잎에 섞어 이겨서 만든다.

(位) 잇거놀, 군지 상(常)도이 돌노 상히와 남녀의 네 이시믈 싱각지 아니시고, 형봉을 버히샤 위엄은 댱ᄒᆞ시나 텬하의 ᄯᅳ히 너르니 그 머리를 어나 곳의 바리지 못ᄒᆞ샤, 구ᄐᆞ여 쳡의 집의 가 조모 침뎐의 더지고 오시리잇가?"

태위 쇼왈,

"ᄇᆡ은망덕(背恩忘德)을 ᄒᆞᄂᆞᆫ도다. 내 아니면 ᄌᆞ(子) ᄉᆞ지 못ᄒᆞᆯ 거시오, 형봉의 머리를 태부인 침뎐의 드리치지 아냐시면, 악뫼 ᄉᆞ지 못ᄒᆞ여 계시리니, ᄌᆞ금 이후ᄂᆞᆫ 날을 ᄌᆡ싱은인(再生恩人)으로 감골명심(感骨銘心)ᄒᆞ여 평싱 닛지 말나."【59】

언필(言畢)의 발ᄒᆞᆫ 긔운이 조금도 위시 고식을 긔탄치 아니니, 쇼졔 한셜이 무익ᄒᆞ고 츈월의 초ᄉᆞ(招辭)를 드른 즉, 형봉의 머리 더지믈 보고 귀신의 됴홰 줄노 아라 모친을 구ᄒᆞ다 ᄒᆞ니, 태우의 말이 비록 희롱이나 실노 은혜 업다 못ᄒᆞᆯ지라. 가변을 븟그리고 구고존당(舅姑尊堂)을 뵈올 낫치 업셔 탄식묵연이러니, 현잉이 옥누항의 가 죵일 긔식을 탐관(探觀)ᄒᆞ고, 틈을 타 됴부인긔 쇼졔 죽게 되엿던 바와, 태위 구ᄒᆞ여 ᄉᆞ경(死境)을 면(免)ᄒᆞ여시믈 고ᄒᆞ고, 십ᄌᆞ가로 도라가니, 태위 악모 긔운을 뭇고 가듕경ᄉᆡᆨ(家中景色)을 므르며, 우음을 ᄯᅴ여 왈,

"형봉의 죽어시믈 보고 망극통달(罔極痛怛)1197)ᄒᆞ여 니러 악ᄲᅳᆯ 경황도 업도다."

쇼【60】져ᄂᆞᆫ 모친이 ᄉᆞ경을 면ᄒᆞ시믈 다힝ᄒᆞ여, 슬픈 듯 태위 구호ᄒᆞ미 극진ᄒᆞᆯ ᄲᅮᆫ 아냐 의슐이 고명ᄒᆞ니, 상쳐의 냥졔(良劑)를 긔특이 아라 ᄡᅳ며, 운산의셔 문병ᄒᆞᄂᆞᆫ 시네 낙역(絡繹)ᄒᆞ여, 진부인이 찬션을 친히 보ᄂᆡ며 슈히 ᄎᆞ셩ᄒᆞᆷ을 당부ᄒᆞ니, 쇼졔 황공감샤(惶恐感謝)ᄒᆞ여 슈히 니러나고져 ᄒᆞ나, 칼히 질니인 ᄃᆡ 쥬야로 알힌지라. 옥골이 툐췌(憔悴)ᄒᆞ고 화용이 슈쳑(瘦瘠)ᄒᆞ여 우화등션(羽化登仙)ᄒᆞᆯ 듯ᄒᆞ니, 태위 져의 인ᄉᆞ(人事)출힌 후ᄂᆞᆫ 상쳐를 친히 보지 아냐 시녀로 ᄡᅳᄆᆡ이러니, 일일은 태위 본부의셔

1197)망극통달(罔極痛怛) : 몹시 놀람.

ᄐᆡ우 소왈,

"ᄇᆡ은망덕(背恩忘德)이란 말이 ᄌᆞ 가튼 ᄉᆞ람의게 이르미로다. ᄂᆡ 아니면 ᄌᆡ ᄉᆞ지 못ᄒᆞᆯ 거시오, 형봉의 머리을 그ᄃᆡ 조모 침젼의 더지믄 우션 미우니 놀나여 악모을 구ᄒᆞ여 겁이ᄂᆞ게 ᄒᆞ미라"

하더라.

ᄐᆡ우 ○○[져의] 인ᄉᆞ(人事) 차린 후ᄂᆞᆫ 상쳐을 친히 보지 아녀 시녀로 약을 ᄡᅳ미이더니, 일일은 ᄐᆡ우 본부의셔 어두온 후 이르니, 두 유랑과 시녀 등의게 븟들여 통셩

어두온 후 니르니, 쇼졔 유랑과 시녀 등의게 븟들녀 안ᄌᆞ 통셩이 ᄭᅳᆺᄎᆞ락니으락ᄒᆞ니, 유뫼【61】 그 통쳐(痛處) ᄆᆞ른ᄃᆡ 다리 심히 알프믈 니르ᄂᆞᆫ디라. 태위 챵밧긔셔 잠간 듯고 날호여 드러가며, 쵹을 ᄇᆞᆰ히라 ᄒᆞ고 좌○[ᄒᆞ]니, 유랑 등이 쇼져를 누이고 쵹을 ᄇᆞᆰ힌 후 퇴ᄒᆞ니, 태위 나아가 ᄆᆞ르ᄃᆡ,

“ᄌᆞ의 면부(面部)ᄂᆞᆫ 나아시ᄃᆡ 지금 니지 못ᄒᆞ믄 엇지뇨?”

쇼졔 칼히 질니인 ᄃᆡ 알패라 ᄒᆞ기는 참괴ᄒᆞ여, 오직 ᄀᆞᆯ오ᄃᆡ,

“일신이 긔진(氣盡)ᄒᆞᆯ ᄃᆞᆺᄒᆞ니 니러나지 못ᄒᆞ미로소이다.”

태위 묵연이러니 쵹을 나호여 노코, 그 상쳐를 보고져 ᄒᆞ니 쇼졔 욕ᄉᆞ무디(欲死無地)ᄒᆞ여 진졍으로 보지 말기를 쳥ᄒᆞ니, 태위 왈,

“상쳐의 됴흔 약을 붓치나 시녀 등이 잘못 붓쳐 검독이 크게 발ᄒᆞ미라. 잠간 보기 므어시 유ᄒᆡ(有害)ᄒᆞ리오.”

언필의 우격으로[1198] 상쳐【62】를 보니, 옥각(玉脚)이 프르고 검어 뉴혈(流血)이 뭉치여 부엇ᄂᆞᆫ지라. 즉시 낭듕(囊中)으로조ᄎᆞ 침을 ᄂᆡ여 검독 든 곳을 ᄢᅵ여 악혈(惡血)을 다 ᄲᆡ히고, 약을 붓치고 믈너안ᄌᆞ니, 쇼졔 만면이 취홍(醉紅)ᄒᆞ여, 침상의 머리를 박고 참괴(慙愧)ᄒᆞ미 비길 ᄃᆡ 업ᄉᆞ니, 태위 흔연ᄋᆡ지(欣然愛之)ᄒᆞ여 침변(枕邊)의 누어, 그 옥슈쳬지(玉手體肢)를 어로만져 은졍이 무궁ᄒᆞ나, 위·뉴의 심용(心用)은 졀졀통ᄒᆡ(切切痛駭)ᄒᆞ더라.

이러구러 일삭(一朔)이 지나ᄃᆡ, 쇼졔 쾌소(快蘇)치 못ᄒᆞ니, 태위 친측 ᄯᅥ나미 졀박ᄒᆞ나 마지 못ᄒᆞ여, 낫은 본부의 잇고 밤이면 십ᄌᆞ가의와 지ᄂᆡ고, 입번ᄒᆞᆯ ᄣᅵ면 닌홍공직ᄒᆞ로 ᄒᆞᆫ ᄣᅵ식 밧긔와 약을 ᄃᆡ후ᄒᆞ여 갈ᄉᆞ록 극진ᄒᆞ니, 임의 ᄉᆞ십일이나 된 후 쇼졔 져기 나은지라. 존당구괴 운산으로【63】 나오기를 직쵹ᄒᆞ니, 모친긔 슈셔로 현잉을 보ᄂᆡ여 답간을 맛게 ᄒᆞ나, 냥뎨는 조모와 슉

1198)우격으로 : 억지로 우겨.

(痛聲)이 ᄭᅳᆫ치락 이으락 ᄒᆞ니, 유모 그 알ᄂᆞᆫ 곳을 무른 ᄃᆡ, 다 ᄂᆞ흐나 다리 심히 압흐믈 이르ᄂᆞᆫ지라. ᄐᆡ우 창밧긔셔 잠간 듯고 날호여 드러가 촉을 발히라[1179] 하니, 유랑 등이 소져을 누이고 촉을 발히고 퇴ᄒᆞ니 ᄐᆡ우 나아가 무르되,

“ᄌᆞ의 면부(面部)ᄂᆞᆫ 나아시ᄃᆡ 지금것 이러나지 못ᄒᆞ믄 엇지뇨?”

소져 칼의 질인 ᄃᆡ 압하라 ᄒᆞ기ᄂᆞᆫ ᄎᆞᆷ괴ᄒᆞ여 ᄃᆡ왈,

“일신니 싀진(澌盡)ᄒᆞᆯ[1180] 듯ᄒᆞ니 이러ᄂᆞ지 못ᄒᆞ미로소이다.”【93】

ᄐᆡ우 묵연이러니 촉을 날호여 노코 그 다리의 상쳐을 보고져 ᄒᆞ니, 소져 욕ᄉᆞ무지(欲死無地)ᄒᆞ여 진졍으로 보지 말기을 쳥ᄒᆞ니, ᄐᆡ우 왈,

“창쳐의 조흔 약을 붓치나 시녀 등이 ᄌᆞᆯ못 부쳐 검독(劍毒)이 발ᄒᆞ미라. 잠간 보미 무어시 유ᄒᆡ(有害)ᄒᆞ리오.”

언파의 우김질[1181]노 창쳐을 보니 옥각(玉脚)이 푸르고 검어 유혈이 뭉쳐 부엇ᄂᆞᆫ지라. 즉시 낭즁의 침을 ᄂᆡ여 검독 든 곳즐 질너 악혈(惡血)을 ᄲᆡ히고, 약을 붓치고 물너 안ᄌᆞ니, 소져 만면이 취홍(醉紅)ᄒᆞ여 침ᄉᆞᆼ의 머리을 박고 ᄎᆞᆷ괴ᄒᆞ미 비할 ᄃᆡ 업셔ᄒᆞ니, ᄐᆡ우 흔연(欣然)니 침변의 누어 그 옥슈체지(玉手體肢)을 어로만져 은졍이 무궁ᄒᆞ나 위·뉴의 심용(心用)을 졀졀통ᄒᆡ(切切痛駭)ᄒᆞ더라.

이러구러 일ᄉᆞᆨ(一朔)이 지나ᄆᆡ 소져 쾌소치 못ᄒᆞ니, ᄐᆡ우 친측 ᄯᅥᄂᆞ미 졀박ᄒᆞ여 마지 못ᄒᆞ야 낫즌 본부의 잇고 밤이면 십ᄌᆞ가의 와 지ᄂᆡ고, 입번시(入番時)의ᄂᆞᆫ 인홍 공직{이} ᄒᆞ로 한ᄣᅵ식 박긔와 약을 ᄃᆡ후ᄒᆞᄆᆡ 구호ᄒᆞ미 갈ᄉᆞ록 극진ᄒᆞ니, 임의 ᄉᆞ십일이나 된 후 소져 젹이나흔지라. 존당구괴 운

1179)발히다 : 밝히다.
1180)싀진(澌盡)ᄒᆞ다 : 기운이 빠져 없어지다.
1181)우김질 : 우기는 짓

모를 두려 와보지 못ᄒᆞ니, 기리 탄식ᄒᆞ여 동긔지졍(同氣之情) 폘 길 업ᄉᆞ믈 슬허ᄒᆞ더라. 태위 위의를 출혀 쇼져를 거교의 들나ᄒᆞ고 몬져 본부로 나아가니, 쇼졔 유랑 시녀 등을 거ᄂᆞ려 운산으로 향홀ᄉᆡ, 옥누항이 지근(至近)ᄒᆞᄃᆡ 모친과 공ᄌᆞ 등을 보지 못ᄒᆞ믈 슬허ᄒᆞ고, 구고와 존당의 뵈올 낫치 업셔 ᄉᆞᄉᆞ(事事)의 조모의 과악(過惡)을 탄ᄒᆞ더라.

쇼져의 ᄎᆡ괴(彩轎) 부문(府門)의 님ᄒᆞ니 비복 등이 이제야 진짓 윤부인이 오신다 ᄒᆞ고 셜유랑과 셜난의 깃거ᄒᆞ믄 모양치 못ᄒᆞ고, ᄎᆡ교를 태원던 알패 노코 쥬렴을 거드미 쇼졔 삼촌금년을 ᄌᆞ약히 옴겨 나아오니, 일신광【64】ᄎᆡ 신월(新月)이 산두(山頭)의 오르ᄂᆞᆫ 둧, 이향(異香)이 욱욱(郁郁)ᄒᆞ여 1199)함젼(檻前)의 다ᄃᆞ라ᄂᆞᆫ 쥬져ᄒᆞ여 오르지 아니ᄒᆞ고 셩녀 깃치오믈 쳥죄ᄒᆞ니, 태부인과 공이 오르기를 명ᄒᆞ고, 공의 묵묵ᄒᆞ므로도 미우의 츈풍화긔를 동ᄒᆞ여 좌우를 명ᄒᆞ여 븟드러 올니니, 쇼졔 역명치 못ᄒᆞ여 승당 ᄇᆡ현ᄒᆞ니, 태부인이 과히 념녀ᄒᆞ던 바를 니르고 집슈년ᄋᆡ(執手憐愛)ᄒᆞ믈 니긔지 못ᄒᆞ며, 진부인이 녀ᄋᆞ를 구가(舅家)의 보ᄂᆡ엿다가, 화(禍)를 만나 도라옴ᄀᆞᆺ치 깃브믈 니긔지 못ᄒᆞ고, 혜쥬와 양시의 반기는 졍이 말ᄉᆞᆷ 밧긔 낫타나ᄂᆞᆫ지라. 평휘 쇼져를 나호여 탄왈,

"ᄋᆞ부의 화익이 놀납더니 그만치 ᄎᆞ셩(差成)ᄒᆞ니 ᄆᆞᄋᆞᆷ을 진뎡ᄒᆞ거니와, 현부 ᄃᆡ신의 온 비ᄌᆞ를 가도앗다가 명강【65】이 오거든 보ᄂᆡ려 ᄒᆞ더니, ᄋᆞ지 여ᄎᆞ여ᄎᆞ 니르니 그 말이 유리ᄒᆞᆫ 고로 내 집으로 져 윤부 변고를 들쳐ᄂᆡ지 아니리니, ᄎᆞ후ᄂᆞᆫ 귀령을 아조 긋쳐 ᄉᆞ졍(私情)이 비록 졀박ᄒᆞ나 몸을 조심ᄒᆞ여 참화(慘禍)를 밧지 말나."

쇼졔 브복쳥교(仆伏聽敎)의 ᄌᆡᄇᆡ(再拜) 쳥죄(請罪) 왈,

"쇼쳡이 브릉누질(不能陋質)1200)노 존문

순으로 오기을 ᄌᆡ촉ᄒᆞ니, 소졔 모친긔 슈셔을 써 현잉으로 ᄒᆞ여 옥누항의 보ᄂᆡ고, ᄐᆡ우 위의을 ᄎᆞ려 소져을 다리고 운손으로 올ᄉᆡ, 소져 유랑시녀 등을 거ᄂᆞ려 운손으로 향홀 ᄉᆡ, 옥누항이 지근(至近)ᄒᆞ되 모친과 공ᄌᆞ 등을 보지 못ᄒᆞ믈 오ᄂᆡ(五內) 버히ᄂᆞᆫ 듯ᄒᆞ더라.

소져 ᄎᆡ교(彩轎) 부문(府門)의 이르니 비복【94】 등이 마ᄌᆞᄆᆡ 소져 교ᄌᆞ의 나려 네필의 쳥죄ᄒᆞ니, 평후 흔연 과ᄋᆡᄒᆞ여 아름다오믈 이긔지 못ᄒᆞ여 그 집 변고을 ᄎᆞ탄ᄒᆞ고, ᄐᆡ부인이 황홀ᄋᆡ즁ᄒᆞ여 ᄎᆞ후ᄂᆞᆫ 더옥 일시을 써ᄂᆞ믈 어려워 ᄒᆞ니, 소져 쏘한 밤 박근 물너오미 업더라.

1199)함젼(檻前) : 난간(欄干) 앞.

1200)브릉누질(不能陋質) : 능력이 부족하고 성질이

의 입승(入承)ᄒᆞ와 ᄒᆞᆫ일도 사ᄅᆞᆷ의게 들념즉지 아니타가, 미급긔년(未及朞年)1201)의 ᄒᆞᆫ번 귀령(歸寧)ᄒᆞ오ᄆᆡ 괴이ᄒᆞᆫ 화익으로 쳔질(賤疾)이 유유(悠悠)ᄒᆞ와 존당구고긔 셩녀를 깃치오니, 됴셕의 죄를 혜아려 황공ᄒᆞ오니 오ᄃᆡᆨ 엄하의 다ᄉᆞ리시믈 바라ᄂᆞ이다."

옥셩(玉聲)이 낭낭ᄒᆞ고 봉음(鳳吟)이 화평ᄒᆞ여 존젼의 여러 말ᄉᆞᆷ이 처음이라. 평휘 흔연과이(欣然過愛)ᄒᆞ여 아름다오믈 니긔지 【66】 못ᄒᆞ니, 도로혀 명천공을 ᄉᆡᆼ각고 그 집 변고를 탄ᄒᆞ여 왈,

"문강형은 어진 군ᄌᆡ오, 명강은 소탈 댱뷔라. 명강이 맛ᄎᆞᆷᄂᆡ 인명ᄌᆞ상(仁明仔詳)ᄒᆞ여 ᄇᆡᆨ스를 온젼히 ᄒᆞ나, 망형(亡兄)을 밋지 못ᄒᆞ므로 변난(變亂)이 여ᄎᆞᄒᆞᆫ지라. 셕ᄉᆞ를 ᄉᆡᆼ각ᄒᆞ니 더옥 감쳑(感慽)지 아니랴. 현부ᄂᆞᆫ 날로ᄡᅧ 구부로 셔어(齟齬)히 아지 말나."

쇼졔 ᄇᆡ샤ᄒᆞ여 다시 말ᄉᆞᆷ을 못ᄒᆞ고 감은쳑연ᄒᆞ믈 니긔지 못ᄒᆞ니, 태부인이 황홀 ᄋᆡ듕ᄒᆞ여 ᄎᆞ후ᄂᆞᆫ 더옥 일시 ᄯᅥ나믈 어려워 ᄒᆞ니, 쇼졔 ᄯᅩᄒᆞᆫ 밤밧근 믈너오미 업더라.

션시의 조부인이 녀ᄋᆞ의 거지(擧止) 괴이ᄒᆞ믈 측냥치 못ᄒᆞ여, 구가로 도라보ᄂᆡ나 근심ᄒᆞ믈 마지 아니터니, 현잉이 밀밀이 ᄒᆞᄂᆞᆫ 말을 드르미 녀ᄋᆡ 농듕시신(籠中屍身)【67】이 되여 태위 구ᄒᆞ여 ᄂᆡ믈 듯고, 뎡부로 간 거ᄉᆞᆫ 아뫈 줄 몰나 흉괴ᄎᆞ악(凶怪嗟愕)ᄒᆞ믈 니긔지 못ᄒᆞ더니, ᄎᆞ후 현잉 셜난 등이 가마니 왕ᄂᆡᄒᆞ여 츈월이 발각ᄒᆞ여 가도아시믈 고ᄒᆞ며, 쇼졔 십ᄌᆞ가의셔 구병ᄒᆞᆫ다 ᄒᆞᄃᆡ 냥공ᄌᆞ도 나아가 볼 의ᄉᆞ를 못ᄒᆞ고, 삼모ᄌᆡ(三母子) 쥬야 공구(恐懼)ᄒᆞ미 박빙침셕(薄氷針席)1202)이라. 부인이 냥ᄌᆞ를 당부ᄒᆞ여 조심ᄒᆞ라 ᄒᆞ고, 공ᄌᆞ 등은 ᄌᆞ긔 몸은 둘ᄌᆡ오 모친을 념녀ᄒᆞ여 형뎨 돌녀가며 히월누의 가더니, 구패 모상을 맛고 유질(有疾)ᄒᆞ여 즉시 오지 못ᄒᆞ고 ᄎᆞ셩(差成)ᄒᆞᆫ 후

ᄎᆞ시 조부인니 녀ᄋᆞ의 거지ᄒᆡᆼ동(擧止行動)이 고히ᄒᆞ믈 경괴(驚怪)ᄒᆞ더니, 현잉의 밀밀ᄒᆞᆫ 말을 드르ᄆᆡ 녀ᄋᆞ 농즁시신(籠中屍身)이 되어 퇴우 구호ᄒᆞ믈 듯고, 졍부로 간 거ᄉᆞᆫ 아뫈 쥴 몰나 흉괴ᄎᆞ악(凶怪嗟愕)ᄒᆞ믈 이긔지 못ᄒᆞ더니, 현잉 셜ᄂᆞᆫ 등이 가만니 왕ᄂᆡᄒᆞ여 츈월이 일이 발각ᄒᆞ여 옥의 가도아시믈 고ᄒᆞ며, 소져 십ᄌᆞ가의셔 구병ᄒᆞᆫ다 ᄒᆞ되 냥 공ᄌᆞᄂᆞᆫ 나가 볼 의ᄉᆞ을 못ᄒᆞ고 삼모ᄌᆡ(三母子) 쥬야 공구(恐懼)ᄒᆞ미 박빙침셕지ᄉᆞᆼ(薄氷針席之狀)1182)이라. 부인니 냥ᄌᆞ을 더옥 당부ᄒᆞ여 조심ᄒᆞ라 ᄒᆞ고, 공ᄌᆞ 등은 ᄌᆞ긔 몸은 둘ᄌᆡ오, 모친을 념녀ᄒᆞ여 형졔 돌녀가며 히월누의 가더니, 구픠 모상(母喪)을 맛고 유질(有疾)ᄒᆞ여 즉시 오지 못ᄒᆞ고 ᄎᆞ셩(差成)ᄒᆞᆫ 후 도라오니, 위·뉴 등은 크게 불쾌ᄒᆞ나 조부인은 의지을 어더 반긔물

비천함.

1201)미급긔년(未及朞年) : 만 1년도 못됨.

1202)박빙침셕(薄氷針席) : 여림박빙 여좌침석(如臨薄氷 如坐針席)의 줄임말. 불안하기가 살얼음을 밟는 듯 하고, 바늘방석에 앉은 것 같음을 나타낸 말.

1182)박빙침셕지ᄉᆞᆼ(薄氷針席之象) : 살얼음 위에 서있고 바늘 방석 위에 앉아 있는 것과 같은 불안한 상태.

도라오니, 위시 고식은 크게 블쾌ᄒᆞ나 조부인은 의지를 어든듯 반기믈 니긔지 못ᄒᆞ고, 구패 부인 삼모직 보젼ᄒᆞ여 시믈 깃거 지난 바를【68】 몰나 ᄒᆞ나, 조부인이 니르지 아니터라.

셰월은 형봉의 시신을 두르 ᄎᆞᆺ다가 못ᄒᆞ여 머리만 뭇고, 동뉴(同類)의게도 븟그러워 형봉이 무고히 나갓다가 화를 만나다 챵셜(唱說)ᄒᆞ고, 위시 고식은 날이 져믈면 황건칠귀(黃巾七鬼) 뵈는 ᄃᆞᆺᄒᆞ고, 형봉의 머리 어른기ᄂᆞᆫ ᄃᆞᆺ 무셥고 놀나와 밤이면 경계증(驚悸症)1203)을 어더시나, 간특(姦慝)ᄒᆞᆫ 뉴녀ᄂᆞᆫ 진뎡(鎭靜)ᄒᆞ기를 잘ᄒᆞ여 무셔온 거술 잘 ᄎᆞᆷ아도, 조부인 모ᄌᆞ 보치기를 어려워 텬신이 ᄯᅩ 므ᄉᆞᆫ 벌을 나리올가 두리온 고로, 칼ᄀᆞᆺ치 믜워ᄒᆞᄃᆡ ᄎᆞᆷ고 존고를 도도지 못ᄒᆞ여, 츈월을 슈삼일 후 도라오라 ᄒᆞ엿더니 긔약이 너므니 괴이ᄒᆞ여, 비영으로 가 보아 도라【69】오라 ᄒᆞ엿더니, 뎡부 샹히 여츌일구(如出一口)1204)로 쇼졔 친쳑집의 가시니 일삭 후 오리라 ᄒᆞ니, 비영이 경괴(驚怪)ᄒᆞ여 회보ᄒᆞ니 뉴시 괴이ᄒᆞ믈 결울(決鬱)1205)치 못ᄒᆞᄃᆡ, 악ᄉᆡ 패루(敗漏)ᄒᆞ믄 모로고 일삭 후 ᄯᅩ 쇼져의 안부 뭇ᄂᆞᆫ 쳬ᄒᆞ고 비영을 보ᄂᆡ니, 쇼졔 오히려 오지 아녓ᄂᆞᆫ지라, 그 후 십여 일만의 ᄯᅩ 보ᄂᆡ니 쥬영 등이 쇼졔ᄂᆞᆫ 존당의 드러갓다 ᄒᆞᄂᆞᆫ지라. 비영은 엿튼 ᄉᆡᆼ각이 졔 ᄯᆞᆯ이 쇼져의 ᄌᆞ리의 웅거ᄒᆞ여 명부(命婦)의 부귀를 누리ᄂᆞᆫ가 다힝ᄒᆞ여, 죵일 쇼져의 나오기를 기다려 밤이 된 후 쇼졔 혼뎡을 파ᄒᆞ고 ᄉᆞ침의 도라오니, 비영이 츈월노 아라 ᄀᆞ마니 말ᄒᆞ고져 ᄒᆞᄃᆡ ᄉᆞᄉᆞ로 두립고 어려워 반기ᄂᆞᆫ 졍이 나지 아【70】니코, 무셔온 ᄆᆞᄋᆞᆷ이 동ᄒᆞ니, 괴이ᄒᆞ여 혜오ᄃᆡ, ᄯᆞᆯ을 ᄉᆞ십일을 남아1206)

1203)경계증(驚悸症) : 걸핏하면 잘 놀라고 가슴이 두근거리는 증상.

1204)여츌일구(如出一口) : 한 입에서 나오는 것처럼 여러 사람의 말이 같음을 이르는 말.

1205)결울(決鬱) : 막힌 것을 트다. 마음이나 가슴이 답답한 상태에서 벗어남.

1206)남아 : 넘게.

이기지 못ᄒᆞ고, 구파ᄂᆞᆫ 조부인 ᄉᆞᆷ모ᄌᆞ 보젼ᄒᆞ여시믈 깃거 지난 바을 무르나, 조부인은 이리[르]지 아니터라.

셰월은 형봉의 시신을 두로 ᄎᆞᆺ다 못ᄒᆞ여 머리만 뭇고 동유(同類)의게도 븟그러워 형봉이 무고이 나가다 충셜(唱說)ᄒᆞ고, 위, 뉴 모여(母女)ᄂᆞᆫ 날노 날이 져물면 움쥭움쥭ᄒᆞ여1183) 황면칠귀(黃面七鬼) 뵈ᄂᆞᆫ ᄃᆞᆺ 형봉의【95】 흉한 머리 어룽써리ᄂᆞᆫ1184) 모양이 무셥고 놀나와 밤이면 경계증(驚悸症)1185)을 어더시나, 간특(姦慝)ᄒᆞᆫ 뉴녀ᄂᆞᆫ 진졍(鎭靜)ᄒᆞ기을 즐ᄒᆞ여 무셔온 거술 ᄎᆞᆷ으니, 조부인 모ᄌᆞ 봇치기을 어려워 ᄒᆞ날과 귀신이 무ᄉᆞᆫ 벌이 ᄂᆞ리올가 두리온 고로, 칼갓치 뮈온 마음을 쥬리잡아 ᄎᆞᆷ고, 존고을 도도지 못ᄒᆞ여, 츈월을 당부ᄒᆞ여 뎡부의 가 슈ᄉᆞᆷ일 후 직시 도라오라 ᄒᆞ엿더니 《긔악‖긔약(期約)》이 넘도록 오지 아니 ᄒᆞ니, 고히 역여 비영으로 가 보라 ᄒᆞ고 도라오기을 직촉ᄒᆞ엿더니, 뎡부 상히 다 일구여츌(一口如出)1186)노 소졔 친쳑집의 가시니 일ᄉᆞᆨ 후 오리라 ᄒᆞ니, 비영이 경괴(驚怪)ᄒᆞ여 회보ᄒᆞᆫᄃᆡ, 뉴시 고히ᄒᆞ믈 결을(決鬱)1187)치 못ᄒᆞᄃᆡ, 악ᄉᆡ 픠루ᄒᆞᆫ 모르고 일ᄉᆞᆨ 후 ᄯᅩ 소져 안부을 뭇ᄂᆞᆫ 체ᄒᆞ고, 영을 보ᄂᆡ니 소져 오히려 오지 아엿ᄂᆞᆫ지라, 그 후 십여일만의 ᄯᅩ 보ᄂᆡ니, 쥬영 등이 ᄯᅩ 소져 존당(尊堂)의 드러갓다 ᄒᆞᄂᆞᆫ지라. 비영은 엿튼 ᄉᆡᆼ각의 제 ᄯᆞᆯ이 소져의 ᄌᆞ리의 거ᄒᆞ여 명부의 부귀을 누리ᄂᆞᆫ가 다힝ᄒᆞ여 종일 소져 나오기을 기ᄃᆞ려, 밤이 된 후 소져 혼졍을 파ᄒᆞ고 ᄉᆞ침(私寢)의 도라오니, 비영이 츈월노 아라 가

1183)움쥭움쥭 : 움죽움죽. 몸의 한 부분을 움츠리거나 펴거나 하며 잇따라 움직이는 모양.

1184)어룽써리다 : 어른거리다.

1185)경계증(驚悸症) : 걸핏하면 잘 놀라고 가슴이 두근거리는 증상.

1186)일구여츌(一口如出) : 한 입에서 나오는 것처럼 여러 사람의 말이 같음을 이르는 말.

1187)결울(決鬱) : 막힌 것을 트다. 마음이나 가슴이 답답한 상태에서 벗어남.

못보앗더니 이졔 보믹 반가온 듯ᄒᆞ딕, 공구ᄒᆞᆫ 의싀 나고 ᄉᆞ랑호온 뜻은 업ᄉᆞ니 엇진 일인고? 비록 ᄌᆞ식이나 져ᄂᆞᆫ 당당ᄒᆞᆫ 귀인이오, 나ᄂᆞᆫ 하류를 면치 못ᄒᆞ여시니 그런가? 아모란 상을 몰나 ᄒᆞᆫ 모히셔 뉴부인 젼어(傳語)를 예ᄉᆞ로이 ᄒᆞ딕, 쇼졔 드를쁜이오 눈을 드지 아니니, 이윽고 태위 드러오믹 졔인이 퇴ᄒᆞ므로 비영이 믈너갓더니, 쇼져와 태위 취침ᄒᆞ니 ᄒᆞᆫ 말도 못ᄒᆞ고, 계초명(鷄初鳴)1207)의 쇼져ᄂᆞᆫ 니러 존당의 드러가고, 태우ᄂᆞᆫ 오히려 누어시니 눌다려 므ᄉᆞᆷ 말을 ᄒᆞ리오.

마니 말ᄒᆞ고져 ᄒᆞ되 스ᄉᆞ로 두렵고 어려워 반기ᄂᆞᆫ 졍은 나지 아니코, 무셔운 마음이 동ᄒᆞ니 닉심의 고히ᄒᆞ여 혜오딕, '쏠을 ᄉᆞ십여일을 못 보아 ᄒᆞ더니, 이제 보믹 반가올 듯ᄒᆞ딕 공구(恐懼)ᄒᆞᆫ 의ᄉᆞᄂᆞᆫ 나고 ᄉᆞ랑ᄒᆞᆫ 쓰즌 업ᄉᆞ니, 엇진 이런고? 비록 ᄌᆞ식이ᄂᆞ 져ᄂᆞᆫ 당당ᄒᆞᆫ 귀인이오 나ᄂᆞᆫ 하【96】류을 면치 못ᄒᆞ여시니 그런가?' ᄒᆞ여 아모란 상을 몰나 한 모의 셔셔 뉴부인 젼어을 여ᄉᆞ(例事)로이 ᄒᆞ니, 소져 드를 분니오 눈을 드지 아니니, 이윽고 틱우 드러오믹 제인(諸人)이 피ᄒᆞ므로 영이 쏘한 물너 갓더니, 소져와 틱우 취침ᄒᆞ니 한 말도 못ᄒᆞ고 게초명(鷄初鳴)의 소져ᄂᆞᆫ 니러 존당의 드러가고 틱우ᄂᆞᆫ 오히려 누어시ᄂᆞ 눌다려 무ᄉᆞᆷ 말을 ᄒᆞ리오.

셜난이 비영다려 닐오딕,

"그딕 이곳의 이시려 왓ᄂᆞ냐?"

영 왈,

"엇지 이시리오. 쇼져긔 고ᄒᆞᆯ 말이 잇셔 왓【71】더니 틈을 엇지 못ᄒᆞ니 그져 가리로다."

쥬영이 닉다라 왈,

"쇼졔 말을 왕반(往返)치 말나 ᄒᆞ시니, 그 연고를 니르지 아니시더라."

ᄒᆞ니, 영이 심니(心裏)의 혜오딕, 월이 져를 ᄌᆞ로 보아 담화ᄒᆞ면 일이 패루ᄒᆞᆯ가 두려오지 말나 ᄒᆞ민 줄노 알고, 즉시 도라오나 슬프미 심ᄒᆞ여 눈믈을 흘니고 혼ᄌᆞ말노 니르딕,

"ᄌᆞ식이 거즛 거시로다. 어버이 ᄆᆞ옴과 ᄀᆞᆺ지 못ᄒᆞ여, 져는 쇼져의 ᄌᆞ리를 아ᄉᆞ 명부(命婦)의 부귀를 누리며, 날을 외딕ᄒᆞ여 반기ᄂᆞᆫ ᄉᆞ싀(辭色)이 업ᄉᆞ니 그딕도록 무졍(無情)ᄒᆞ뇨?"

ᄒᆞ며 도라와 위·뉴의게 본딕로 고ᄒᆞ고 월이 무졍ᄒᆞ믈 한ᄒᆞ니, 태부인이 쇼왈,

"월이 쳥의듕(靑衣中) 영오(穎悟)ᄒᆞᆫ지라. 너를 보고 믹믹ᄒᆞ믄1208) 무졍(無情)ᄒᆞ미 아

설ᄂᆞᆫ 왈,

"그딕 이곳의 잇스려 왓ᄂᆞᆫ다?"

영이 소왈,

"엇지 잇시리오, 소져긔 말ᄉᆞᆷ을 고할 이리 이셔 왓더니 틈을 엇지 못ᄒᆞ여 그져 가리로다."

쥬영이 닉다라 왈,

"소져긔 말을 왕반치 말나 ᄒᆞ시니 그런 고로 이르지 아니《시리라∥시더라》."

ᄒᆞ니, 영이 심니(心裏)의 혀오딕, 월이 져을 ᄌᆞ로 보아 담화ᄒᆞ면 일이 픽루(敗漏)할가 두려 오지 말나 ᄒᆞ엿ᄂᆞᆫ 쥴 알고, 즉시 도라오나 슬푸미 심ᄒᆞ여 눈물을 흘니고 혼ᄌᆞ 말노 이로딕,

"ᄌᆞ식이 거짓 거시라, 어미 이 마음과 갓지 못ᄒᆞ여 져ᄂᆞᆫ 소져의 ᄌᆞ리을 아ᄉᆞ 명부(命婦)의 부귀을 누리매, 날을 외딕(外待)ᄒᆞ여 반기ᄂᆞᆫ 사싀(辭色)이 업ᄉᆞ니 그딕도록 무졍(無情)ᄒᆞ뇨?"

ᄒᆞ며 도라와 위·뉴의게 본딕로 고ᄒᆞ며 월이 무졍ᄒᆞ믈 한ᄒᆞ니, 위·뉴 소왈,

"월이 쳥의즁(靑衣中) 영오(穎悟)ᄒᆞᆫ지라, 너을 보고 믹믹ᄒᆞ믄1188) 무졍ᄒᆞ미 아니라. ᄉᆞ긔 픽루할가 두리미라."

1207)계초명(鷄初鳴) : 첫닭울음소리.

1208)믹믹ᄒᆞ다 : 생각이 잘 돌지 아니하여 답답하다.

1188)믹믹ᄒᆞ다 : 생각이 잘 돌지 아니하여 답답하다.

니라 ᄉᆞ긔 패루(敗漏)홀가 두리미【72】라."

뉴시 머리를 숙이고 냥구(良久)히 상냥ᄒᆞ다가, 심니의 깃거아냐 왈,

"월이 쳥의듕 춍아(聰雅)ᄒᆞ나, 뎡낭의 듕궤를 소임ᄒᆞ여 명부의 위를 쳔ᄌᆞ(擅恣)치 못ᄒᆞ려든, 그러틋 즐거이 지ᄂᆡ믄 아모리 ᄉᆡᆼ각ᄒᆞ여도 가(可)치 아닌지라. ᄀᆞ장 놀나오니 나는 츈월이라 말을 못ᄒᆞ노라."

비영이 또 쥬영이 뎡부의 이시믈 고ᄒᆞ니, 위·뉴ㅣ 더옥 놀나 골오ᄃᆡ,

"우리는 영의 거쳐를 몰나 위방의게셔 다라난가 ᄒᆞ엿더니 명이 뎡부의 ᄀᆞᆷ초앗다?"

여러가지 의심이 발ᄒᆞ여 울울불낙(鬱鬱不樂)ᄒᆞ더라.

화셜 윤츄밀이 녀ᄋᆞ를 다리고 구몽슉으로 더브러 셔촉을 향ᄒᆞᄆᆡ 험쥰ᄒᆞᆫ 길이 녀ᄌᆞ의 ᄒᆡᆼ되(行途) 극난(極難)ᄒᆞ더라.【73】

뉴시 머리을 슉이고 양구히 《사랑‖사량(思量)》ᄒᆞ다가 심니의 깃거 아냐 왈,

"월이 쳥의 즁 총아(聰雅)ᄒᆞ나 뎡낭의 즁궤을 소임ᄒᆞ야 명부 위을 총찰(總察)치 못ᄒᆞ려든, 그【97】러틋 질거이 지ᄂᆡ문 아모리 ᄉᆡᆼ각ᄒᆞ여도 가치 아니니, 가ᄌᆞᆼ 놀나오니, 나는 츈월이라 못ᄒᆞ리로다."

비영이 또한 쥬영이 뎡부의 잇시믈 고하니, 위·뉴 더옥 경(驚) 왈,

"우리는 영의 거쳐을 몰나 위방의게{잇}셔 《닷토는가‖다라난가》 하엿더니, 명ᄋᆞ 년니[1189] 뎡부의 감초아 두엇다."

고 의심이 발ᄒᆞ여 울울불낙(鬱鬱不樂)ᄒᆞ더라.

화셜 윤추밀이 여ᄋᆞ을 다리고 몽슉으로 더부러 셔촉을 향ᄒᆞ여 험쥰ᄒᆞᆫ 길이 녀ᄌᆞ의 《길이‖ᄒᆡᆼ되(行途)》 극난(極難)ᄒᆞᆫ지라.

1189)년 : 여자를 낮잡아 이르는 말.

명듀보월빙 권디십일

화셜 션시의 윤츄밀이 녀으를 다리고 몽숚으로 더브러 셔쵹(西蜀)으로 향ᄒᆞᄆᆡ, 험쥰ᄒᆞᆫ 길히 녀ᄌᆞ의 힝되(行途) 극난(極難)ᄒᆞᆫ디라. 월여(月餘)의 길긔(吉期)를 삼ᄉᆞ일을 격ᄒᆞ고 쵹디의 니르니, 본읍 태슈 한흡이 십니졍(十里程)[1209]의 영접ᄒᆞ여 관아(官衙)로 가믈 청ᄒᆞᆫᄃᆡ, 츄밀이 샤양ᄒᆞ고 하부 겻ᄐᆡ 햐쳐(下處)[1210]를 잡아달나 하고, 하공의 잇ᄂᆞᆫ 곳을 므르니 한태쉬 셩(城) 남문(南門) 밧긔 이시믈 ○[고(告)]ᄒᆞ고, 그 겻ᄐᆡ 광활ᄒᆞᆫ 햐쳐를 잡아 일힝을 안둔(安屯)ᄒᆞᆯ시, 공이 시녀를 명ᄒᆞ여 쇼져를 써나지 말고 뫼셔시라 ᄒᆞ고, 즉시 하부(河府)를 ᄎᆞᄌᆞ가니, 써 즁츈회간(仲春晦間)이라. 빙셜(氷雪)이 스러지고【1】 방쵸(芳草)ᄂᆞᆫ 쳐음으로 프르고져 ᄒᆞ니, 만믈이 싱긔를 밍동(萌動)[1211]ᄒᆞᄂᆞᆫ디라. 하공 쳐소의 싀문(柴門)[1212]이 ᄌᆞᄌᆞ며[져][1213] 사람이 브븨여[1214] 계오 츌입ᄒᆞᆯ만ᄒᆞ고, 모옥(茅屋)이 소조(蕭條)ᄒᆞ여 ᄡᅥᆨ히 븟텃ᄂᆞᆫ디라, 칠쳑댱신(七尺長身)이[을] 용납지 못ᄒᆞ니 공이 쳘셕댱뷔(鐵石丈夫)나 기리 한탄ᄒᆞ고 타루(墮淚)ᄒᆞ믈 ᄭᆡᄃᆞᆺ지 못ᄒᆞ여 광슈(廣袖)로 제어(制御)ᄒᆞ고, 시ᄌᆞ(侍者)로 사름을 블너 왓시믈 통ᄒᆞ니, 하공 부ᄌᆡ 외실(外室)의 잇다가 반겨 공ᄌᆞ로 마ᄌᆞ 드러올ᄉᆡ, 하공의 뎍거ᄒᆞ연 지 어ᄂᆞ덧 삼ᄌᆡ(三載) 되여 공ᄌᆡ 십삼츈광(十三春光)을 ᄒᆞᆫ디라. 츄포갈건(麤布葛巾)[1215]의 관네(冠禮)[1216]를

1209)십니졍(十里程) : 십리쯤 되는 거리.
1210)햐쳐(下處) : 느사처. 손님이 길을 가다가 묵음. 또는 묵고 있는 그 집
1211)밍동(萌動) : ①초목의 싹이 틈. ②어떤 생각이나 일이 일어나기 시작함
1212)싀문(柴門) : 사립문. 싸리문. 싸리나무가지를 엮어 만든 문
1213)ᄌᆞᄌᆞ지다 : 잦아지다. 닳다. 오래 사용해서 낡아지거나, 크기나 두께 따위가 줄어들다.
1214)브븨다 : 비비다. 좁은 틈을 비집거나 헤집다.
1215)츄포갈건(麤布葛巾) : 발이 굵고 거칠게 짠 베옷과 칡베로 만든 두건(頭巾).
1216)관네(冠禮) : 예전에, 남자가 성년에 이르면 어

길일(吉日)을 숨ᄉᆞ일 격ᄒᆞ고 쵹지의 일으니, 본읍 ᄐᆡ슈 한흡이 십니졍(十里程)[1190]의 나와 마ᄌᆞ 관아(官衙)로 가믈 청ᄒᆞᆫᄃᆡ, 츄밀이 ᄉᆞ양ᄒᆞ고 하부 겻히 하쳐(下處)[1191]을 좁아달나 ᄒᆞ고, 하공의 잇ᄂᆞᆫ 곳을 무르니 ᄐᆡ슈 셩(城) 남문(南門) 박긔 이시믈 고(告)ᄒᆞ고, 그 겻히 광활(廣闊)ᄒᆞᆫ 집을 좁아 일힝을 안돈(安頓)할 ᄉᆡ, 공이 시녀로 명ᄒᆞ여 소져을 써나지 말고 뫼셔시라 ᄒᆞ고, 즉시 하공의 집을 ᄎᆞᄌᆞ가니, 츈 이월 회간(晦間)이라. ᄇᆡᆨ셜(白雪)이 슬어지고 방초(芳草)ᄂᆞᆫ 쳐음으로 푸르고져 ᄒᆞ니, 만물이 ᄉᆡᆼ긔(生氣)을 유동(流動)ᄒᆞᄂᆞᆫ지라. 하공 쳐소의 싀문(柴門)[1192]이 ᄌᆞᄌᆞ져[1193] ᄉᆞ람이 부븨여[1194] 계우 츌입할만ᄒᆞ고, 모옥(茅屋)이 소조(蕭條)ᄒᆞ야 쇠즌ᄒᆞᆫ지라. 칠쳑장신(七尺長身)니 용납지 못할 듯ᄒᆞ니, 공이 쳘셕장부(鐵石丈夫)나 기리 한탄ᄒᆞ고 눈물 써러지믈 ᄭᆡ닷지 못ᄒᆞ여 광슈(廣袖)로 눈믈을 제어(制御)ᄒᆞ고 시ᄌᆞ(侍者)로 ᄉᆞ람을 《부려‖불너》 왓시믈 통ᄒᆞ니, 하공 부ᄌᆡ 외실(外室)의 잇다가 청파(聽罷)의 크게 반겨 공ᄌᆞ을 명【98】하여 마ᄌᆞ 들어올ᄉᆡ, 하공의 젹거(謫居)ᄒᆞ연지 어너덧 숨ᄌᆡ(三載)되여, 공ᄌᆞ 십숨츈광(十三春光)을 당ᄒᆞᆫ지라. 츄포갈건(麤布葛巾)[1195]의 관네(冠禮)[1196]을 갓 일워 완연(完然)ᄒᆞᆫ

1190)십니졍(十里程) : 십리쯤 되는 거리.
1191)햐쳐(下處) : 느사처. 손님이 길을 가다가 묵음. 또는 묵고 있는 그 집.
1192)싀문(柴門) : 사립문. 싸리문. 싸리나무가지를 엮어 만든 문.
1193)ᄌᆞᄌᆞ지다 : 잦아지다. 닳다. 오래 사용해서 낡아지거나, 크기나 두께 따위가 줄어들다.
1194)부븨다브븨다 : 비비다. 비집다. 좁은 틈을 비집거나 맞붙은 데를 벌리어 틈이 나게 하다.
1195)츄포갈건(麤布葛巾) : 발이 굵고 거칠게 짠 베옷과 칡베로 만든 두건(頭巾).

갓 일워 완연(完然)ᄒᆞᆫ 촌인(村人)이로ᄃᆡ 섁혀난 신댱이 팔쳑이오, 아아(峨峨)ᄒᆞᆫ 냥익(兩翼)은 봉되(鳳鳥)나ᄂᆞᆫ 듯, 일희[1217] 허리의 무ᄉᆡᆨ(無色)ᄒᆞᆫ ᄯᅴ를 두루고, 초리(草履)[1218]를 ᄭᅳ어 윤공을 【2】 영졉ᄒᆞ니, 츄밀이 반가오미 무궁ᄒᆞ여 년망(連忙)이 집슈(執手) 입실(入室)ᄒᆞ여 하공을 보ᄆᆡ, 냥인의 반가음과 슬프미 교집(交集)ᄒᆞ여, 집슈년비(執手連臂)[1219]ᄒᆞ여 일장(一場)을 비읍(悲泣)ᄒᆞ니, 원광이 윤공긔 졀ᄒᆞ고 야야를 위로 왈,

"무익지비(無益之悲)를 과히 ᄒᆞ샤 셩톄(聖體)를 손상치 마르쇼셔."

윤공이 눈믈을 거두고 하공이 쳬읍ᄒᆞ기를 긋치ᄆᆡ, 피ᄎᆞ 졍회(情懷) 탐탐(貪貪)ᄒᆞ니 므ᄉᆞᆫ 말을 몬져 ᄒᆞ리오. 윤공은 공ᄌᆞ 보ᄂᆞᆫ 눈이 ᄉᆡ로이 황홀ᄒᆞ고, 그 의복이 무ᄉᆡᆨᄒᆞᆯᄉᆞ록 풍광은 빗나니, 츄월명광(秋月明光)과 유셩봉안(流星鳳眼)의 일월텬졍(日月天庭)이 쥰녈(峻烈) ᄉᆡᆨᄉᆡᆨᄒᆞ여 대댱부의 ᄒᆡᆼᄉᆞ(行事) 쳥텬ᄇᆡᆨ일(靑天白日) 갓트믈 알니라. 윤공이 기리 탄왈,

"형이 쵹디의 뉴찬(流竄)ᄒᆞᆫ 지 삼년이라 됴운모우(朝雲暮雨)의 【3】 ᄉᆞ상(思想)ᄒᆞᄂᆞᆫ 졍이 챵연(悵然)ᄒᆞ여, 형의 고젹(古跡)을 님ᄒᆞᆯ ᄯᅢᄂᆞᆫ, 회푀 더옥 감챵ᄒᆞ미 일시를 닛지 못ᄒᆞᄃᆡ, 봉친지하(奉親之下)의 관ᄉᆞ(官事) 다쳡(多疊)ᄒᆞ니, 누쳔니(累千里)를 발셥(發涉)ᄒᆞᆯ 길히 업셔, ᄒᆞᆫ갓 심곡(心曲)의 못닛ᄂᆞᆫ 졍이 운위(雲雨) 되엿더니, 녕낭(令郞)의 년긔 이뉵(二六)이 지나고, 쇼녜 동년(同年)이라. ᄉᆞ귀신쇽(事貴迅速)인 고로, 금년의 친ᄉᆞ(親事)를 일우고져, ᄐᆡᆨ일ᄒᆞ여 몬져 형의게 보ᄒᆞ고, 녀ᄋᆞ를 다려 이의 왓ᄂᆞ니, 형의 신관[1220]이 쇠패(衰敗)치 아니ᄒᆞ고, 녕윤의 댱

른이 된다는 의미로 상투를 틀고 갓을 쓰게 하던 의례(儀禮). 유교에서는 원래 스무 살에 관례를 하고 그 후에 혼례를 하였으나 조혼이 성행하자 관례와 혼례를 겸하여 하였다.

1217)일희 : 이리. 늑대.

1218)초리(草履) : ≒초혜(草鞋). 짚신.

1219)집슈년비(執手聯臂) : 손을 잡고 서로 포옹함

촌인(村人)니로ᄃᆡ ᄲᅡ혀ᄂᆞᆫ 신장이 팔쳑이오, 아아(峨峨)ᄒᆞᆫ 양익(兩翼)은 봉죄(鳳鳥) 나ᄂᆞᆫ 듯 일희[1197] 허리의 무ᄉᆡᆨ(無色)ᄒᆞᆫ ᄯᅴ을 두루고 초혀(草鞋)[1198]을 ᄭᅳ어 윤공을 영졉ᄒᆞ니, 츄밀이 반가오미 무궁ᄒᆞ여 연망(連忙)이 손을 잡고 드러와 하공을 보ᄆᆡ, 양인의 반가옴과 슬푸미 교집(交集)ᄒᆞ여 집슈연ᄋᆡ(執手憐愛)ᄒᆞ여 일ᄌᆞᆼ(一場)을 비읍(悲泣)ᄒᆞ니, 원광이 윤공긔 절하고 부친을 위로ᄒᆞ여 왈,

"무익ᄒᆞᆫ 슬푸믈 과이ᄒᆞᄉᆞ 긔쳬(氣體)을 손상치 마르소셔."

윤공이 눈물을 거두고 하공이 쳬읍ᄒᆞ기을 긋치ᄆᆡ, 피ᄎᆞ 졍회(情懷) 쳡쳡(疊疊)ᄒᆞ니 무슴 말을 먼져 ᄒᆞ리오. 윤공은 공ᄌᆞ 보ᄂᆞᆫ 눈니 ᄉᆡ로이 황홀ᄒᆞ고 그 의복이 무ᄉᆡᆨ할 ᄉᆞ록 풍광은 더옥 빗나니, 츄월명광(秋月明光)과 유셩봉안(流星鳳眼)의 ᄐᆡ양 가튼 쳔졍(天庭)과 쥰열(峻烈) ᄉᆡᆨᄉᆡᆨᄒᆞ여 ᄃᆡᄌᆞᆼ부의 ᄒᆡᆼᄉᆞ(行事) 쳥쳔ᄇᆡᆨ일(靑天白日) 갓트믈 알지라. 윤공이 기리 탄왈,

"형이 촉지의 뉴찬(流竄)ᄒᆞᆫ지 ᄉᆞᆷ년이라, 조운모우(朝雲暮雨)의 ᄉᆞ랑ᄒᆞᄂᆞᆫ 졍이 《츤연‖ᄎᆞᆼ연(悵然)》ᄒᆞ여, 눈니 형의 고젹(古跡)을 님ᄒᆞᆫ ᄯᅢᄂᆞᆫ 회포 감창ᄒᆞ여 일시을 능히 잇지 못ᄒᆞ되, 봉친지ᄒᆞ(奉親之下)의 관ᄉᆞ(官事) 다쳡(多疊)ᄒᆞ여, 누쳔니(累千里) 발셥(發涉)할 {길의 상봉할} 길이 업셔 한갓 심곡(心曲)의 ᄆᆡ친 졍이 은결(隱結)ᄒᆞᆫ 병이 되엇더니, 영낭(令郞)의 연긔 이육(二六)이 되어시니 소여(小女)와 동(同年)연이라, 《임‖일》의 신속(迅速)ᄒᆞ미 귀(貴)ᄒᆞᆫ 고로, 【99】 금년의 친ᄉᆞ을 일우고져 ᄐᆡᆨ길(擇日)ᄒᆞ여 몬져 형ᄋᆡ게 보ᄒᆞ고, 녀ᄋᆞ을 다려 니

1196)관녜(冠禮) : 예전에, 남자가 성년에 이르면 어른이 된다는 의미로 상투를 틀고 갓을 쓰게 하던 의례(儀禮). 유교에서는 원래 스무 살에 관례를 하고 그 후에 혼례를 하였으나 조혼이 성행하자 관례와 혼례를 겸하여 하였다.

1197)일희 : 이리. 늑대.

1198)초혀(草鞋) : ≒초리(草履). 짚신.

셩긔이(長成奇異)ᄒᆞ믄 경셩(京城) 고루화각(高樓畵閣)의 부긔를 씌엿ᄂᆞ니의셔 더으니 힝희(幸喜)ᄒᆞ믈 니긔지 못ᄒᆞᆯ디라. 겸ᄒᆞ여 냥개(兩個) 긔린(騏驎)을 엇다 ᄒᆞ니, 하날이 ᄌᆞ안 등의 원ᄉᆞ(寃死)ᄒᆞ믈 측은이 넉이샤 형의게 다시 보ᄂᆡ여 부귀를 엇게 ᄒᆞ미라, 엇지 【4】 긔특지 아니리오."

1220)신관 : 얼굴.

의 왓ᄂᆞᆫ니, 형의 신관1199)니 ᄃᆡ단니 쇠ᄑᆡ(衰敗)치 아니ᄒᆞ고, 영윤의 ᄌᆞᆼ셩긔이(長成奇異)ᄒᆞ믄 경셩(京城) 고루화각(高樓畵閣)의 부귀을 씌여도 이의셔 더ᄒᆞ든 못ᄒᆞ리니, 힝희(幸喜)ᄒᆞ믈 이긔지 못ᄒᆞᄂᆞᆫ 즁, 겸ᄒᆞ여 냥ᄀᆡ(兩個) 긔린(騏驎)을 어더다 ᄒᆞ니, 하날이 ᄌᆞ안 등의 원ᄉᆞ(寃死)ᄒᆞ믈 측은이 역이ᄉᆞ 형의게 다시 보ᄂᆡᄉᆞ 부귀을 밧게 ᄒᆞ시미라. 엇지 긔특지 아니리오. 하공의 ᄃᆡ답을 엇지 한고 하회을 분셕할지여다.

갑인(甲寅:1914년) 동월(冬月) 슌일일(旬一日) 셩공ᄒᆞ여시나, 단문(短文) 셔역(書役) 극ᄂᆞᆫ(極難)ᄒᆞᆫ 즁(中) 졍신 요요(搖搖) 어득ᄒᆞ여 글시 망측망측(罔測罔測). 가락1200) 업시 쎠시나 길○[이] 쎄[써] 일치 말고 오ᄅᆡ오ᄅᆡ 두고 졍(淨)이 보고, 어더다 보시ᄂᆞᆫ 니ᄂᆞᆫ 글시 망칙(罔測)다 ᄎᆡᆨ망(責望)치 말고 물니(文理)로 눌너보시ᄋᆞᆸ소셔. 【100】

1199)신관 : 얼굴.
1200)가락 : 손가락. 여기서는 손재주를 뜻함.

하공이 쳑연(慽然) 샤왈,

"쇼뎨 명완블ᄉᆞ(命頑不死)ᄒᆞ여 남의 업ᄉᆞᆫ 참경을 견ᄃᆡ고 원억(冤抑)ᄒᆞᆫ 망ᄋᆞ(亡兒) 등의 ᄌᆞ최 깁고 머러 녯 사ᄅᆞᆷ이 되엿ᄂᆞᆫ디라. 쇼뎨 아비 되여 《빙념‖빈념(殯殮)》ᄒᆞ믈 보지 못ᄒᆞ고, 님망(臨亡)의 영결(永訣)치 못ᄒᆞ여 밋고 바란 ᄇᆡ 형과 뎡형이라. 하날 ᄀᆞᆺᄐᆞᆫ 대은으로 져희 ᄇᆡᆨ골 궁진(窮塵)의 댱(葬)ᄒᆞᄆᆡ, 쇼뎨 져희를 무드나 다르지 아냐 그 밧 더ᄒᆞᆯ 일이 업ᄂᆞᆫ지라, 감골(感骨)ᄒᆞ여 갑ᄒᆞᆯ ᄇᆡ 업셔, 디하(地下)의 함호결쵸(銜環結草)[1221]ᄒᆞᆯ ᄲᅳᆫ이니, 혼ᄉᆞᄂᆞᆫ 임의 뎡약힝빙(定

1221)함호결쵸(銜環結草) : '남에게 입은 은혜를 꼭 갚는다' 의미를 가진 '함환이보(銜環以報)'와 '결초보은(結草報恩)'이라는 두 개의 보은담(報恩譚)을 아울러 이르는 말로, '남에게 받은 은혜를 살아서는 물론 죽어서까지도 꼭 갚겠다'는 보다 강조된 의미가 담긴 뜻으로 쓰인다. 그런데 이 작품에서는 '함환'을 '함호'로 표기하고 있어 이것이 '함환'의 단순한 오기(誤記)인지, 아니면 다른 뜻을 갖는 말인지를 판단하기가 쉽지 않다. 우선 두 보은담의 유래를 보면, '함환이보'는 중국 후한 때 양보(楊寶)라는 소년이 다친 꾀꼬리 한 마리를 잘 치료하여 살려 보낸 일이 있었는데, 후에 이 꾀꼬리가 양보에게 백옥환(白玉環)을 물어다 주어 보은했다는 남북조 시기 양(梁)나라 사람 오균(吳均)이 지은 『續齊諧記』의 고사에서 유래하였고, '결초보은'은 중국 춘추 시대에, 진나라의 위과(魏顆)가 아버지가 세상을 떠난 후에 서모를 개가시켜 순사(殉死)하지 않게 하였더니, 그 뒤 싸움터에서 그 서모 아버지의 혼이 적군의 앞길에 풀을 묶어 적을 넘어뜨려 위과가 공을 세울 수 있도록 하였다는 『춘추좌전』 <선공(宣公)>15년 조(條))의 고사에서 유래하여, 그 출처가 분명하다. 우리나라에서는 두 고사성어 가운데 '결초보은(줄여서 '결초')'이 널리 쓰여왔고 '함환이보(줄여서 '함환')'는 활발히 쓰여온 말이 아니다. 고소설에서는 '결초보은' 또는 '결초'라는 말이 널리 쓰이는 가운데 이 작품에서처럼 '결초함호' 또는 '함호결초'라는 말이 <윤하정삼문취록><완월회맹연><임화정연><효의정충예행록> 등 여러 작품들에서 많은 예가 검색되고 있는데, '함환이보'나 '함환'은 검색되지 않는다. 따라서 '함호'를 '함환'의 오기라고 단정할 수는 없다. 그렇다면 '함호'와 '함환'은 같은 말로 볼 수밖에 없는데, 이를 전제로 함호의 뜻을 밝혀보면, '함'은 두 말의 음이 같기 때문에 다같이 '銜(함)'자로 보고, '環(환옥 환)'자가 갖고 있는 '玉

ᄎᆞ셜, 하공이 쳑연(慽然) ᄉᆞ왈,

"소졔 명완불ᄉᆞ(命頑不死)ᄒᆞ여 남의 업ᄉᆞᆫ 참쳑(慘慽)을 견ᄃᆡ되 원억(冤抑)ᄒᆞᆫ 망아(亡兒) 등의 ᄌᆞ최 깁고 머러 옛ᄉᆞᄅᆞᆷ이 되엿ᄂᆞᆫ지라. 소졔 아비 되어 염빈(殮殯)ᄒᆞ믈 보지 못ᄒᆞ고, 임망(臨亡)의 영결(永訣)을 못ᄒᆞ여 밋고 바란 ᄇᆡ 다못 형과 뎡형이라. 하날 갓튼 ᄃᆡ은으로 져의 ᄇᆡᆨ골(白骨)을 궁지(窮地)의 장(葬)ᄒᆞᄆᆡ 소졔 져의을 무드나 다르지 아냐 그 밧긔 더ᄒᆞᆫ 일이 업ᄂᆞᆫ지라. 감골(感骨)ᄒᆞ여 ᄒᆞᆫ갓 지하(地下)의 함주결초(含珠結草)[1201]ᄒᆞᆯ ᄲᅳᆫ이니, 혼ᄉᆞ는 임의 졍약힝빙(定

1201)함주결초(含珠結草) : 함호결초(銜環結草). '남에게 입은 은혜를 꼭 갚는다' 의미를 가진 '함환이보(銜環以報)'와 '결초보은(結草報恩)'이라는 두 개의 보은담(報恩譚)을 아울러 이르는 말로, '남에게 받은 은혜를 살아서는 물론 죽어서까지도 꼭 갚겠다'는 보다 강조된 의미가 담긴 뜻으로 쓰인다. 그런데 이 작품에서는 '함환'을 '함주'로 표기하고 있어 이것이 '함환'의 단순한 오기(誤記)인지, 아니면 다른 뜻을 갖는 말인지를 판단하기가 쉽지 않다. 우선 두 보은담의 유래를 보면, '함환이보'는 중국 후한 때 양보(楊寶)라는 소년이 다친 꾀꼬리 한 마리를 잘 치료하여 살려 보낸 일이 있었는데, 후에 이 꾀꼬리가 양보에게 백옥환(白玉環)을 물어다 주어 보은했다는 남북조 시기 양(梁)나라 사람 오균(吳均)이 지은 『續齊諧記』의 고사에서 유래하였고, '결초보은'은 중국 춘추 시대에, 진나라의 위과(魏顆)가 아버지가 세상을 떠난 후에 서모를 개가시켜 순사(殉死)하지 않게 하였더니, 그 뒤 싸움터에서 그 서모 아버지의 혼이 적군의 앞길에 풀을 묶어 적을 넘어뜨려 위과가 공을 세울 수 있도록 하였다는 『춘추좌전』 <선공(宣公)>15년 조(條))의 고사에서 유래하여, 그 출처가 분명하다. 우리나라에서는 두 고사성어 가운데 '결초보은(줄여서 '결초')'이 널리 쓰여왔고 '함환이보(줄여서 '함환')'는 활발히 쓰여온 말이 아니다. 고소설에서는 '결초보은' 또는 '결초'라는 말이 널리 쓰이는 가운데 이 작품에서처럼 '결초함호' 또는 '함호결초'라는 말이 <윤하정삼문취록><완월회맹연><임화정연><효의정충예행록> 등 여러 작품들에서 많은 예가 검색되고 있는데, '함환이보'나 '함환'은 검색되지 않는다. 따라서 '함호'를 '함환'의 오기라고 단정할 수는 없다. 그렇다면 '함호'와 '함환'은 같은 말로 볼 수밖에 없는데, 이를 전제로 함호의 뜻을 밝혀보면, '함'은 두 말의 음이 같기 때문에 다같이 '銜(함)'자로 보고, '環(환옥 환)'자가 갖고

約行聘)ᄒᆞ엿ᄂᆞᆫ디라, 외람ᄒᆞ나 형의 남다른 의긔와 현심을 아ᄂᆞᆫ 고로, 녕ᄋᆞ쇼져(令兒小姐)로 ᄒᆞ여곰 밧비 슬ᄒᆞ의 두고져 ᄯᅳᆺ이 급ᄒᆞ여 ᄉᆞ졍을 고ᄒᆞ엿더니, 형이 즉시 발힝ᄒᆞ여 원노의 무ᄉᆞ 득달【5】ᄒᆞ니, 다힝ᄒᆞ믄 니르도 말고 형의 젼후대덕(前後大德)을 ᄉᆡᆼ각ᄒᆞ니 ○○[엇지] 언어로 다ᄒᆞ리오."

윤공이 츄연 탄왈,

"형이 엇디 이런 말을 ᄒᆞ여 쇼뎨지심을 블안케 ᄒᆞᄂᆞ뇨? 우리 냥가 졍분이 셰ᄃᆡ벌열(世代閥閱)노 ᄌᆞ녀를 밧고ᄂᆞᆫ ᄇᆡ, 피ᄎᆞ 됴흔 일이라 엇지 외람 두자를 일ᄏᆞ라 아심(我心)을 모로ᄂᆞ뇨?"

하공 왈,

"관녜ᄂᆞᆫ 샹원일(上元日)[1222]의 ᄒᆞ고 ᄌᆞᄂᆞᆫ ᄌᆞ의라 ᄒᆞ여시니 촌듕우밍(村中愚氓)[1223]의 ᄌᆞ호를 ᄯᅩᄒᆞᆫ 무엇ᄒᆞ리오."

츄밀이 공ᄌᆞ를 집슈 왈,

"너희 문댱ᄌᆡ화(文章才華)를 모로미 아니로ᄃᆡ 이곳의 온 후, 고요ᄒᆞ믈 타 공부를 착실히 ᄒᆞ여실지라 ᄒᆞᆫ 번 시구(詩句)를 보고져ᄒᆞ노라."

공ᄌᆡ 몸을 굽혀 ᄃᆡ왈,

"참화여ᄉᆡᆼ이 쵹디 슈졸(戍卒)이 되미 만ᄉᆡ여몽(萬事如夢)ᄒᆞ여 경샤의셔 슈혹ᄒᆞ던 일이 츈몽갓【6】ᄉᆞ온지라. 오직 젼야의 호믜를 잡으며 소를 먹여 잠기[1224] 들기를 닉여시니 작시(作詩)ᄒᆞ미 업ᄂᆞ이다."

(옥)'의 뜻을 갖는 글자를 '호'음을 갖는 글자 가운데서 찾아보면 '琥(서옥 호)'자가 있어, 이 '함호'를 '銜琥(함호)'로 볼 수 있지 않을까 하는 추측을 해볼 수 있다. 그러나 이 '銜琥' 또한 각종 사전이나 고문헌 DB자료들에서 검색되지 않는 말이어서 '함호'를 '銜琥'의 표음으로 단정할 수 없다. 이 때문에 교주자는 '함호'를 '銜環'과 같은 뜻을 갖는 말의 표음으로 보아 '함호'로 전사(轉寫)하고 그 본디 말인 한자어는 그 본뜻을 밝혀 '銜環'으로 병기하기로 한다. <명주보월빙> 박순호본에는 '함호결초(銜環結草)'와 함께 '함주결초(含珠結草)'라는 말이 보인다.

1222)샹원일(上元日) : 정월대보름날 곧 1월 15일을 달리 이르는 말.

1223)촌듕우밍(村中愚氓) : 시골의 어리석은 백성.

1224)잠기 : 쟁기. 연장.

約行聘)ᄒᆞ엿ᄂᆞᆫ지라. 외람이 불감ᄒᆞ믈 이긔지 못ᄒᆞ되 형의 남과 다른 의긔와 현심을 아ᄂᆞᆫ 고로, 녕ᄋᆞ 소져로 ᄒᆞ여금 밧비 슬하의 두고져 ᄯᅳᆺ지 급ᄒᆞ여 ᄉᆞ졍을 고ᄒᆞ엿더니, 형이 즉시 발힝ᄒᆞ여 원노의 무ᄉᆞ 득달ᄒᆞ니, 다힝ᄒᆞ믄 니르도 말고 형의 젼후ᄃᆡ덕(前後大德)을 ᄉᆡᆼ각ᄒᆞ니 엇지 언어로 다ᄒᆞ리오."

윤공이 추연 탄왈,

"형이 엇지 이런 말을 ᄒᆞ여 소졔지심을 블안케 ᄒᆞᄂᆞ뇨? 우리 양가 졍분이 세ᄃᆡ벌녈(世代閥閱)노 ᄌᆞ녀을 밧고ᄂᆞᆫ ᄇᆡ, 피ᄎᆞ 조흔 일이라. 엇지 외람 두ᄌᆞ을 일카라 아심(我心)을 모로ᄂᆞᆫ요?"

하공 왈,

"관녜ᄂᆞᆫ 《상월일 ‖ 상원일(上元日)[1202]》의 ᄒᆞ고, ᄌᆞᄂᆞᆫ ᄌᆞ의라 ᄒᆞ여시니, 촌즁우밍(村中愚氓)[1203]의 ᄌᆞ호ᄂᆞᆫ ᄯᅩᄒᆞᆫ 무엇ᄒᆞ리오."

추밀이 공ᄌᆞ의 손을 잡고 왈,

"너의【1】 문장ᄌᆡ화(文章才華)ᄂᆞᆫ 모로미 아니로ᄃᆡ 이곳의 온 후 고요ᄒᆞ믈 타 공부ᄂᆞᆫ 착실이 ᄒᆞ여실지라. ᄒᆞᆫ 번 시구(詩句)을 보고져 ᄒᆞ노라."

공ᄌᆡ 허리을 굽혀 ᄃᆡ왈,

"참화여ᄉᆡᆼ이 촉지 수졸(戍卒)이 되어 만ᄉᆞ 아오라ᄒᆞ여[1204] 경ᄉᆞ의 수학ᄒᆞ든 일이 츈몽 갓ᄉᆞ온지라. 오직 젼야의셔 호뮈을 잡으며 소을 셰워 먹여 잠○[기][1205]들기을 《이져시니 ‖ 익여시니》 작(作)ᄒᆞᆫ 거시 업

있는 '玉(옥)'의 뜻을 갖는 글자를 '호'음을 갖는 글자 가운데서 찾아보면 '琥(서옥 호)'자가 있어, 이 '함호'를 '銜琥(함호)'로 볼 수 있지 않을까 하는 추측을 해볼 수 있다. 그러나 이 '銜琥' 또한 각종 사전이나 고문헌 DB자료들에서 검색되지 않는 말이어서 '함호'를 '銜琥'의 표음으로 단정할 수 없다. 이 때문에 교주자는 '함호'를 '銜環'과 같은 뜻을 갖는 말의 표음으로 보아 '함호'로 전사(轉寫)하고 그 본디 말인 한자어는 그 본뜻을 밝혀 '銜環'으로 병기하기로 한다. <명주보월빙> 박순호본에는 함호결초(銜環結草)와 함께 '함주결초(含珠結草)'라는 말이 보인다.

1202)상원일(上元日) : 정월대보름날 곧 1월 15일을 달리 이르는 말.

1203)촌즁우밍(村中愚氓) : 시골의 어리석은 백성.

1204)아오라ᄒᆞ다 : 아스라하다. 아득하다.

1205)잠기 : 쟁기. 연장.

원닉 공직 쥬야 혹문을 브즈러니 ᄒᆞ딕 일슈 시를 짓지 아니ᄒᆞ고, 독셔의 소릭를 업시ᄒᆞ여 몸가지기를 농부와 다르미 업ᄉᆞ니, 하공이 역시 말니지 아니ᄒᆞ고, 부직 갈건(葛巾)을 버ᄉᆞ면 져른1225) 옷시라.

윤공이 하공의 뺭ᄌᆞ 보기를 청ᄒᆞ니, 공이 즉시 시녀로 냥ᄋᆞ를 닉여오라 ᄒᆞ니, 원닉 됴부인이 거츄(去秋) 긔망(既望) 분산(分産)홀식 몽듕의 문관(文官) 무관(武官)이 손의 빅옥쥬미(白玉麈尾)1226)를 들고 나아와 닐오딕,

"문챵셩(文昌星)1227)과 무곡셩(武曲星)1228)이 비명원ᄉᆞ(非命寃死)ᄒᆞ여시믹 샹텬(上天)1229)긔 발원ᄒᆞ고 셰존(世尊)1230)긔 복을 빌며 북두(北斗)1231)의 슈(壽)를 비러 환도인셰(還道人世)ᄒᆞᄂᆞ니 부인은 삼ᄌᆞ(三子)의 【7】 참ᄉᆞ를 슬허 마르시고 명년의 남챵셩(南昌星)이 마ᄌᆞ 환싱(還生)ᄒᆞ여 부인 슬히 되리니 ᄉᆞᄌᆞ의 무궁ᄒᆞᆫ 영효를 바드라."

언필의 냥학(兩鶴)이 부인 픔으로 나아드ᄂᆞᆫ지라. ᄭᆞᆷ을 ᄭᆡ믹 냥ᄌᆞ를 싱ᄒᆞ니 산실의 향운이 어릭고 부인이 긔운이 싀싀ᄒᆞ여, 몬져난 ᄋᆞ히ᄂᆞᆫ 원경 ᄀᆞᆺ고 후의 난 ᄋᆞ히ᄂᆞᆫ 원보 ᄀᆞᆺᄐᆞ여 대쇠(大小) 다르나 형용이 방불

1225)져르다 : 짧다.

1226)빅옥쥬미(白玉麈尾) : 백옥으로 손잡이를 한 총채 곧 먼지떨이.

1227)문챵셩(文昌星) : 북두칠성의 여섯째 별인 '개양(開陽)'을 달리 이르는 말. 학문을 맡아 다스린다고 한다.

1228)무곡셩(武曲星) : 구성(九星: 탐랑성, 거문성, 녹존성, 문곡성, 염정성, 무곡성, 파군성, 좌보성, 우필성) 가운데 여섯째 별

1229)샹텬(上天) : 천제(天帝). 하늘을 주재하는 신.

1230)셰존(世尊) : '석가모니'의 다른 이름. 세상에서 가장 존귀한 존재라는 뜻이다.

1231)북두(北斗) : 북두칠성(北斗七星). 탐랑(貪狼), 거문(巨門), 녹존(祿存), 문곡(文曲), 염정(廉貞), 무곡(武曲), 파군(破軍) 따위 일곱 개의 별. 인간의 수명을 관장하는 별자리로 이것을 섬기면 인간의 각종 액(厄)과 천재지변 따위를 미리 막을 수 있다고 여겼다.

ᄂᆞ이다."

원닉 공직 학문을 부즈러니 ᄒᆞ되 일수시을 짓지 아니ᄒᆞ고, 독셔의 소릭을 업시ᄒᆞ여 몸가지기을 농부와 다름 업시 ᄒᆞ니, 하공이 역시 말니지 아니ᄒᆞ고, 부직 갈건(葛巾)을 버스면 ᄉᆞ립(蓑笠)1206)이오, 추포(麤布)을 버스면 져른1207) 옷시라.

윤공이 하공의 쌍ᄌᆞ 보기을 청ᄒᆞ니 공이 즉시 시녀로 양아을 닉여 《올라∥오라》 ᄒᆞ니, 원닉 조부인이 겨츄긔망(去秋既望)의 분산(分産)홀 식, 몽듕의 문무관(文武官)이 손의 빅옥주미(白玉麈尾)1208)을 들고 나와 니르되,

"문창셩(文昌星)1209)과 문곡셩(文曲星)1210)이 비명원ᄉᆞ(非命寃死)ᄒᆞ믹 상쳔(上天)1211)긔 발원ᄒᆞ고 셰존(世尊)1212)긔 복을 빌며 북두(北斗)1213)긔 수(壽)을 비러 환도인싱(還道人生)ᄒᆞ엿ᄂᆞ니, 부인은 슴ᄌᆞ의 참ᄉᆞ을 슬허마르시고 명연(明年)의 남창셩(南昌星)이 마ᄌᆞ 환싱(還生)ᄒᆞ여 부인 슬ᄒᆞ 되리니, ᄉᆞᄌᆞ의 무궁ᄒᆞᆫ 영효을 바드리라."

언흘(言訖)의 양학(兩鶴)이 부인 품으로 드ᄂᆞᆫ지라. ᄭᆞᆷ을 ᄭᆡ믹 양ᄌᆞ을 싱ᄒᆞ니 산실의 향운이 어릭고 부인의 긔운이 씩씩ᄒᆞ여 먼져 난 아히ᄂᆞᆫ 완연이 원경 갓고 후의 난 아

1206)ᄉᆞ립(蓑笠) : 도롱이와 삿갓을 아울러 이르는 말.

1207)져르다 : 짧다.

1208)빅옥주미(白玉麈尾) : 백옥으로 손잡이를 한 총채, 곧 먼지떨이.

1209)문챵셩(文昌星) : 북두칠성의 여섯째 별인 '개양(開陽)'을 달리 이르는 말. 학문을 맡아 다스린다고 한다.

1210)문곡셩(文曲星) : 구성(九星: 탐랑성, 거문성, 녹존성, 문곡성, 염정성, 무곡성, 파군성, 좌보성, 우필성) 가운데 넷째 별

1211)샹쳔(上天) : 천제(天帝). 하늘을 주재하는 신.

1212)셰존(世尊) : '석가모니'의 다른 이름. 세상에서 가장 존귀한 존재라는 뜻이다.

1213)북두(北斗) : 북두칠성(北斗七星). 탐랑(貪狼), 거문(巨門), 녹존(祿存), 문곡(文曲), 염정(廉貞), 무곡(武曲), 파군(破軍) 따위 일곱 개의 별. 인간의 수명을 관장하는 별자리로 이것을 섬기면 인간의 각종 액(厄)과 천재지변 따위를 미리 막을 수 있다고 여겼다.

ᄒᆞ니, 공의 부뷔 ᄎᆞ후ᄂᆞᆫ 심ᄉᆞ를 져기 위로ᄒᆞ여 션ᄋᆞ(先兒)ᄂᆞᆫ 원샹이라 ᄒᆞ고 후ᄋᆞ(後兒)ᄂᆞᆫ 원챵이라 ᄒᆞ고 ᄌᆞ를 ᄌᆡ환 ᄌᆡ슌이라 ᄒᆞ여, 그 쥰ᄆᆡ(俊邁)ᄒᆞ미 날노 더으니, 윤공이 냥ᄋᆞ를 보건ᄃᆡ 옥면(玉面) 명안(明眼)의 유미(柳眉) 단슌(丹脣)이 슈려ᄒᆞ여 십분 범ᄋᆞ와 다를 ᄲᅮᆫ 아냐, 원경 원보로 다르미 업셔 황연이 사라옴 ᄀᆞᆺᄐᆞ여, ○…결락 17자…○[윤공이 칭찬왈,

"양아의 비상ᄒᆞ미 이 갓트며] ᄌᆞ안 형뎨 의연이 도라【8】온 ᄃᆞᆺᄒᆞ니, 반드시 환셰ᄒᆞ여 다시 형의 슬해 되고 늣거이 맛ᄎᆞ믈 ○○[슬허] 부귀를 타실디라. ᄌᆞ의 ᄒᆞᆫ 사ᄅᆞᆷ도 타인의 십ᄌᆞ를 불워 아니려든, 냥ᄋᆞ의 쥰슈ᄒᆞ미 이러ᄐᆞᆺ 긔이ᄒᆞ니, 형이 삼슌(三旬)을 갓넘은디라. 댱ᄂᆡ(將來) 복경이 만니 ᄀᆞᆺᄐᆞ니, 디ᄂᆞᆫ 슬프믄 족히 니를 ᄇᆡ 아니로다."

하공이 츄연하루(惆然下淚)ᄒᆞ고 인ᄒᆞ여 몽ᄉᆞ를 니르고 탄왈,

"댱뷔 허탄ᄒᆞᆫ 몽ᄉᆞ를 취신ᄒᆞᆯ ᄇᆡ 아니로ᄃᆡ ᄎᆞᄋᆞ 등이 망ᄋᆞ 등과 다르미 업ᄉᆞ니 본 젹마다 반갑고 슬프미 더으도다."

윤공이 긔이히 넉여 칭하 왈,

"형의 복경이 타일 늉늉(融融)ᄒᆞ믈 일노조ᄎᆞ 알니로다. 셩명(成命)[1232]이 ᄒᆞᆫ번 부운(浮雲)을 헷치고 광치를 토ᄒᆞ면, 형의 원억(冤抑)이 거울ᄀᆞᆺ치 신셜ᄒᆞ리라."

하공이 탄식【9】ᄒᆞ며 삼년 니정(離情)을 펴ᄆᆡ, 금평후와 님시랑의 셔간을 반기미 무궁ᄒᆞᆫ 듕, 님공은 ᄉᆡᆼ녀(生女)ᄒᆞ여 얼골이 망녀(亡女) ᄀᆞᆺᄐᆞᆷ믈 베퍼 기리 슬허ᄒᆞ엿ᄂᆞᆫ디라. 하공이 일마다 몽ᄉᆡ 마ᄌᆞ믈 긔이코 슬허ᄒᆞ여 탄식ᄒᆞ믈 ᄉᆞᆺ지 아니터니, 어둡기를 인ᄒᆞ여 윤공 왈,

1232)셩명(成命) : 임금이 신하의 신상(身上)에 관하여 결정적으로 내리는 명령.

히ᄂᆞᆫ 원보【2】 갓트여 ᄃᆡ○[소](大小)의 다르나 형용이 방불ᄒᆞ니, 공의 부뷔 ᄎᆞ후ᄂᆞᆫ 심ᄉᆞ을 적이 위로{ᄒᆞ로}ᄒᆞ여, 명을 원창이라 ᄒᆞ고 원상이라 ᄒᆞ고 ᄌᆞ을 ᄌᆡ환 ᄌᆡ균이라 ᄒᆞ고 듄ᄃᆡᄒᆞ미 날노 더으니, 윤공이 아을 ᄂᆡ여 오라 ᄒᆞ니 부인이 즉시 ᄂᆡ여 보ᄂᆡ고 윤공의 신의을 감탄ᄒᆞ며 지은(至恩)을 감복ᄒᆞ더라. 하공의 쌍아을 보건ᄃᆡ 옥면(玉面) 명안(明眼)의 뉴미(柳眉) 단슌(丹脣)이 수려ᄒᆞ여 십분 범아와 달을 ᄲᅮᆫ 아니라, 원경・원보로 다르미 업셔 황연이 ᄉᆞ라 옴 갓트니, 윤공이 칭찬 왈,

"양아의 비상ᄒᆞ미 이 갓트며 ᄌᆞ안 형졔 의연이 도라온 듯ᄒᆞ니, 반드시 환셰ᄒᆞ여 다시 형의 슬하 되고 늣겹게 맛ᄎᆞ믈 슬허 부귀을 탓실지라. ᄌᆞ의 ᄒᆞᆫ ᄉᆞᄅᆞᆷ도 타인의 십ᄌᆞ을 부러 아니려든 양ᄋᆞ의 듄수(俊秀)ᄒᆞ미 이러틋 긔이ᄒᆞ니 형이 ᄉᆞᆷ십을 갓 너믄 ᄉᆞᄅᆞᆷ이라, 《작ᄉᆞ ‖ 쟝ᄂᆡ(將來)》의 복경이 만니 갓튼지라. 지ᄂᆞᆫ 슬푸믄 족히 말ᄒᆞᆯ ᄇᆡ 아니로다."

하공이 추연(惆然)이 눈물을 나리오고 인ᄒᆞ여 몽ᄉᆞ을 니르고 탄왈,

"장뷔 몽ᄉᆞ을 취신ᄒᆞᆯ ᄇᆡ 아니로ᄃᆡ ᄎᆞ아 등이 망아로 다르미 업ᄉᆞ니 볼 젹마다 반갑고 슬푸미 더으도다."

윤공이 긔이히 넉여 칭하왈,

"형의 복경이 타일 융융(融融)ᄒᆞ믈 일노 좃ᄎᆞ 알니로다. 셩명(成命)[1214]이 ᄒᆞᆫ번 {ᄇᆡᆨ일이} 부운(浮雲)을 헤치고 광ᄎᆡ(光彩)을 토ᄒᆞ면 형의 원억(冤抑)이 거울 갓치 신셜ᄒᆞ리【3】로다."

하공이 탄식고 ᄉᆞᆷ연(三年) 니졍(離情)을 펴며, 금평후와 님시랑의 셔간을 펴며 반기미 무궁ᄒᆞᆫ 듕, 님공은 ᄉᆡᆼ여(生女)ᄒᆞ여 얼골이 망여(亡女) 갓트물 베퍼 길이 슬허ᄒᆞ엿ᄂᆞᆫ지라. 추밀 왈,

1214)셩명(成命) : 임금이 신하의 신상(身上)에 관하여 결정적으로 내리는 명령.

"ᄋᆞ네 어미를 써나 누쳔니(累千里)의 외로이 니르ᄆᆡ 심ᄉᆡ 즐겁지 못ᄒᆞ리니, 쇼뎨 도라가 명일 다시 모드리라."

공이 써날 뜻이 업ᄉᆞ나 쇼져를 위ᄒᆞ여 햐쳐로 가게 ᄒᆞ고, ᄂᆡ실의 드러와 윤공의 신의를 ᄉᆡ로이 일ᄏᆞᄅᆞ며 초초(草草)히 신부 보ᄂᆞᆫ 녜(禮)를 출히라 ᄒᆞ고, 쵹쳐(觸處)의 감창(感愴)ᄒᆞ믈 니긔지 못ᄒᆞ더라.

추밀이 햐쳐의 도라와 녀ᄋᆞ를 어로만져 셕반을 권ᄒᆞ며, 소탈ᄒᆞ고 잔 걱정 업슨 셩【10】졍이로ᄃᆡ, 녀ᄋᆡ ᄉᆡᆼ댱(生長) 부귀호화ᄒᆞ여 고초를 모로다가 견ᄃᆡ지 못홀가 두려ᄒᆞ여 왈,

"쵸공쥐(楚公主) ᄇᆡᆨ장[1233]의게 하가(下嫁)ᄒᆞ미 이시니, 녀ᄌᆞ의 졀의ᄂᆞᆫ ᄇᆡᆨᄒᆡᆼ지원(百行之元)이라. 구개(舅家) ᄒᆞᆫ갓 빈잔긔아(貧孱飢餓)홀 거시 아니로ᄃᆡ, ᄉᆞᄉᆞ로 참화여ᄉᆡᆼ이로라 ᄒᆞ여 쳐신을 촌인ᄀᆞᆺ치 ᄒᆞ니, 그 거쳐를 니르면, 셕일(昔日) 하부(河府) 우마 ᄆᆡᄂᆞᆫ 곳도 그러치 아니ᄒᆞ고, 음식이 반ᄃᆞ시 ᄎᆡ근(菜根)을 먹으며 모ᄆᆡᆨ(麰麥) 살믄 거시니, 여ᄋᆡ(女兒) 화미진찬(華味珍饌)을 염(厭)ᄒᆞ다가 견ᄃᆡ기 어려오려니와, 입향슌쇽(入鄕循俗)[1234]이오 습여셩경[셩](習與性成)[1235]이라. ᄆᆞᄋᆞᆷ의 ᄎᆞᆷ으려 ᄒᆞ면 못견ᄃᆡᆯ 일이 업고, 호화ᄒᆞᆫ ᄆᆞᄋᆞᆷ을 곳쳐 간초(艱楚)ᄒᆞᆫ ᄃᆡ 머므르고, 고진감ᄂᆡ(苦盡甘來)로 됴흔 시졀이 이【11】실 거시니, 오ᄋᆞ(吾兒)ᄂᆞᆫ 본ᄃᆡ 녀듕군ᄌᆡ(女中君子)라. 여부의 경계를 져바리지 말고 구고를 효봉ᄒᆞ고 군ᄌᆞ를 승슌ᄒᆞ여 슉녀의 ᄉᆞ덕(四德)[1236]을 힘쓰고, 일호(一毫)도 교앙ᄌᆞ득(驕昂自得)[1237]ᄒᆞ기를 말디어다."

1233)ᄇᆡᆨ장 : 백정(白丁).

1234)입향슌쇽(入鄕循俗) : 다른 지방에 들어가서는 그 지방의 풍속을 따름.

1235)습여셩셩(習與性成) : 습관이 오래되면 마침내 천성이 됨.

1236)ᄉᆞ덕(四德) : 여자로서 갖추어야 할 네 가지 덕. 마음씨[婦德], 말씨[婦言], 맵시[婦容], 솜씨[婦功]를 이른다.

1237)교앙ᄌᆞ득(驕昂自得) : 교만하여 뽐내며 우쭐거림.

"아녀 어미을 써나 인ᄒᆞ여 누쳔니 외로이 이르ᄆᆡ 그 심ᄉᆡ 즐겁지 못ᄒᆞ리니, 소졔 도라가 명일 다시 모드리라."

공이 써날 뜻지 업ᄉᆞ나 소졔(小姐)을 위ᄒᆞ여 햐쳐로 가게 ᄒᆞ고 ᄂᆡ실의 드러와 윤공의 신의을 ᄉᆡ로이 니르며 초초(草草)히 신부 맛ᄂᆞᆫ 녜(禮)을 ᄎᆞ리라 ᄒᆞ고, 쵹쳐(觸處) 감상(感傷)ᄒᆞ믈 이긔지 ○[못]ᄒᆞ더라.

추밀이 햐쳐의 도라와 녀ᄋᆞ을 어로만져 식반을 권ᄒᆞ고 녀ᄋᆞ ᄉᆡᆼ장(生長)ᄒᆞ기을 호화부귀 듕의 고초을 모로다가 하부 간고을 견ᄃᆡ지 못홀가 우려ᄒᆞ여 왈,

"초공쥐(楚公主) ᄇᆡᆨ셩의게 ○○[하가(下嫁)]ᄒᆞ미 잇시니, 녀ᄌᆞ의 졀의ᄂᆞᆫ ᄇᆡᆨᄒᆡᆼ지원(百行之元)이라. 지금 너의 구기(舅家) ᄒᆞᆫ갓 빈잔긔아(貧孱饑餓)홀 거시 아니로ᄃᆡ, ᄉᆞᄉᆞ로 참화로 ᄒᆞ여 쳐신을 촌인(村人)갓치 ᄒᆞ니, 그 거쳐을 이르면, 셕일(昔日) 하부(河府) 우마 ᄆᆡᄂᆞᆫ 곳도 그럿치 아니ᄒᆞ고, 음식이 반드시 ᄎᆡ근을 《너흘며∥너흐며》 모ᄆᆡᆨ(麰麥)을 살믈거시니, 녀ᄋᆡ 화미진찬(華味珍饌)을 염(厭)ᄒᆞ다가 견ᄃᆡ기 어려우려니와, 입향슌쇽(入鄕循俗)[1215]이오 습어셩경(習與性成)[1216]이라. 마음의 참으려 ᄒᆞ면 못 견될 일이 업고 ᄇᆡ호려ᄒᆞ면 못 ᄇᆡ홀 일이 업시니, 오아ᄂᆞᆫ 본ᄃᆡ 녀듕군ᄌᆡ(女中君子)라, 여부(汝父)의 경계을 져바리지 말나."

1215)입향슌쇽(入鄕循俗) : 다른 지방에 들어가서는 그 지방의 풍속을 따름.

1216)습여셩셩(習與性成) : 습관이 오래되면 마침내 천성이 됨.

쇼졔 누쳔니 ᄋᆡ각(涯角)의 즈음쳐 아득히 촌사(村舍)의 와 안ᄌᆞ니, 경ᄉᆡ(京師) 망망ᄒᆞ여 쑴이 넉술 인ᄒᆞ여 본부를 볼디언졍, 나라갈 길 업ᄂᆞᆫ디라. 촌인의 봉두귀면(蓬頭鬼面)1238)과 긔괴ᄒᆞᆫ 의복을 보ᄆᆡ 사ᄅᆞᆷ의 모양 ᄀᆞᆺ지 아냐 우ᄆᆡᆼ(愚氓) ᄀᆞᆺᄐᆞ니, 벽난 등이 ᄒᆞ부(河府)를 밧그로 보아 머리를 흔드러 측간이라도 그ᄃᆡ도록 괴이ᄒᆞ믈 보디 아녔노라 말을 드르니, 젼졍(前程)이 무광ᄒᆞ믈 엇디 모로리오마ᄂᆞᆫ, 사ᄅᆞᆷ 되오미 쳔균(千鈞)1239) ᄀᆞᆺ고 견고ᄒᆞ미 금옥 ᄀᆞᆺᄐᆞᆫ디라 ᄉᆞ식을 밧고지 아니터니,【12】 야야의 경계ᄒᆞ시믈 드르ᄆᆡ 오ᄃᆡᆨ ᄇᆡ샤슈명(拜謝受命)ᄒᆞᆯ ᄲᆞᆫ이오, 하가 빈부를 언두의 올니지 아니코 셩녀를 깃치지 아니려, 셕반을 녜ᄉᆞ로이 진식(盡食)ᄒᆞ니 공이 그 효슌ᄒᆞ믈 ᄉᆞ랑ᄒᆞ여 만금(萬金)의 지나더라.

구ᄉᆡᆼ은 윤공으로 더브러 동ᄒᆡᆼᄒᆞᄃᆡ 쇼져를 얼픗도 보디 못ᄒᆞ믄, 공이 구ᄐᆞ여 보라 아니며 ᄒᆡᆼᄒᆞ기를 일즉 나고 어둡게 드러 쇼져를 볼 연괴 업고, 쇼졔 댱신ᄒᆞ믈 극진히 ᄒᆞ여 구ᄉᆡᆼ을 ᄒᆞᆫ번 본 일도 뉘웃ᄂᆞᆫ디라. 임의 니르러ᄂᆞᆫ 몽슉의 션셰묘쇠(先世墓所) 하공 집과 머디 아니ᄒᆞ고 묘소를 슈호ᄒᆞᄂᆞᆫ 노복이 이시니, 윤공긔 묘막으로 가믈 쳥ᄒᆞᆫᄃᆡ 공이 흔연 허지(許之)ᄒᆞ고, 갈 적은 노비 더옥 넉넉【13】ᄒᆞ니 ᄒᆞᆫ가지로 가ᄌᆞ ᄒᆞᆫᄃᆡ, 몽슉이 ᄉᆞ샤ᄒᆞ고 묘쇼의 나아가 《션형∥선영(先塋)》의 ᄇᆡ알ᄒᆞᆯ ᄲᆞᆫ 아냐 윤시를 져의 긔물(奇物) 삼고져 ᄒᆞᄂᆞᆫ디라. 윤공이 신의를 굿이 잡아 녀ᄋᆞ를 다려 츅디가지 와시니 하가의 큰 은혜 되거늘, 하개 슈삼일 격ᄒᆞᆫ 혼인을 스ᄉᆞ로 믈니ᄂᆞᆫ 디경이면 공의 셩되 고격(固激)ᄒᆞ니 반ᄃᆞ시 대로ᄒᆞ여 타쳐의 구혼ᄒᆞᆯ디라. 그ᄣᆡ를 타 내 구혼ᄒᆞ면 취ᄒᆞ리라. 몬져 하가를 격동ᄒᆞ여 혼인을 못ᄒᆞ게 작희(作戲)ᄒᆞ리라 ᄒᆞ고, ᄎᆞ야의 몸을 흔드러 변

1238)봉두귀면(蓬頭鬼面) : 헝클어진 머리와 귀신의 얼굴처럼 험상궂은 모습.

1239)천균(千鈞) : 매우 무거운 무게 또는 그런 물건을 비유적으로 이르는 말. '균'은 예전에 쓰던 무게의 단위로, 1균은 30근이다.

소졔 누쳔니 ᄋᆡ각(涯角)을 즈음쳐 아득히 《혼ᄉᆞ∥촌ᄉᆞ(村舍)》의 와 안즈니, 경ᄉᆡ(京師) 망망ᄒᆞ여 쑴이 넉술 인ᄒᆞ여 본부을 볼【4】지언졍, 날아갈 길이 업ᄂᆞᆫ지라. 촌인의 봉두귀면(蓬頭鬼面)1217)과 긔괴ᄒᆞᆫ 의복을 보ᄆᆡ, ᄉᆞ람의 모양 갓지 아냐 우마(牛馬) 갓트니, 벽난 등이 하부을 밧그로 보아 머리을 흔드러 측간이라도 그ᄃᆡ도록 고이ᄒᆞ믈 보지 아냐노라 말을 드르니, 젼졍(前程)이 무광ᄒᆞ믈 엇지 모로리오마ᄂᆞᆫ, ᄉᆞᄅᆞᆷ이 쳔균(千鈞)1218) 갓고 견고ᄒᆞ미 금옥 갓튼지라. ᄉᆞ식을 밧고ᄂᆞᆫ 일이 업더니, 야야의 경계을 드르ᄆᆡ 오직 ᄇᆡᄉᆞ수명(拜謝受命)ᄒᆞᆯ ᄲᆞᆫ이오, 하가 빈부을 언두의 올니지 아니코 셩녀을 씨치지 아니려, 셕반을 예ᄉᆞ로이 진식(盡食)ᄒᆞ니, 공이 그 너무 효순ᄒᆞ믈 ᄉᆞ랑ᄒᆞ여 만금(萬金)의 지나더라.

구ᄉᆡᆼ은 윤공으로더부러 동ᄒᆡᆼᄒᆞᄃᆡ 소져ᄂᆞᆫ 얼픗도 보지 못ᄒᆞ믄, 공이 굿ᄒᆞ여 보라 아니며 ᄒᆡᆼᄒᆞ기을 일즉 나고 어둡게 들어 소져 볼 연고 업고, 소져 장신ᄒᆞ믈 극진이 ᄒᆞ여 구ᄉᆡᆼ을 ᄒᆞᆫ번 본 일도 뉘웃ᄂᆞᆫ지라, 임의 측의 이르러ᄂᆞᆫ 몽숙이 션셰묘소(先世墓所) 하공 집과 머지 안코 묘소을 슈보ᄒᆞᄂᆞᆫ 노복이 이시니, 윤공긔 묘막으로 가믈 쳥ᄒᆞᆫᄃᆡ 공이 흔연이 허락ᄒᆞ고 갈젹은 노ᄆᆡ(奴馬) 더욱 넉넉ᄒᆞ여 ᄒᆞᆫ가지로 가ᄌᆞᄒᆞᆫᄃᆡ, 몽숙이 ᄉᆞᄉᆞ(謝辭)ᄒᆞ고 묘소의 나아가 《션연∥션영》의 현알ᄒᆞᆯ 분 아냐, 윤ᄆᆡ을 나의 긔물(奇物) ᄉᆞᆷ고져 ᄒᆞᄂᆞᆫ지라. 윤공이 신의을 구지 잡아 녀ᄋᆞ을 다리고 촉지가지 오미 하가의 큰 은혜 되거늘, 《하ᄆᆡ∥하ᄀᆡ(河家)》 수삼일 격ᄒᆞᆫ 혼인을 스ᄉᆞ로 물니ᄂᆞᆫ 지경이면 공의 셩되 과격ᄒᆞ니 반드시 노하【5】여 타쳐의 구혼ᄒᆞᆯ지라. 그 ᄣᆡ을 타 ᄂᆡ 구혼ᄒᆞ면 취ᄒᆞ리라. 몬져 하가을 격동ᄒᆞ여 혼인을 못ᄒᆞ게 작희ᄒᆞ리라. ᄎᆞ야의 몸을 흔드러 흉장(凶壯)

1217)봉두귀면(蓬頭鬼面) : 헝클어진 머리와 귀신의 얼굴처럼 험상궂은 모습.

1218)천균(千鈞) : 매우 무거운 무게 또는 그런 물건을 비유적으로 이르는 말. '균'은 예전에 쓰던 무게의 단위로, 1균은 30근이다.

ᄒᆞ여 흉댱(凶壯)ᄒᆞᆫ 녁ᄉᆡ(力士) 되여 비슈를 ᄢᅵ고 하부 초실 듕의 드러가니, 하공ᄌᆡ 촉을 믈니고 바야흐로 눕고져 ᄒᆞᄂᆞᆫ디라. 몽슉이 칼흘 들고 문을 열치며 녀셩(厲聲) 왈,

"하딘【14】 역츄(逆酋)의 부ᄌᆡ 텬하 영웅 ᄃᆡ공암을 아ᄂᆞᆫ다? 나의 쳔금 미인 윤시현ᄋᆞᄂᆞᆫ 날노 더브러 쳔금 언약을 두ᄆᆡ, 아직 이셩(二姓)의 친(親)을 ᄆᆡᆺ지 못ᄒᆞ여시나 부부의 졍이 오륜대의(五倫大義)를 ᄇᆞᆰ혀시니, 《원ᄂᆡ‖원광》 뎍ᄌᆡ 미인을 앗ᄂᆞᆫ 디경이면, ᄒᆞᆫ 칼노 육장을 ᄆᆡᆫᄃᆞᆯ니라."

언필의 바로 하공ᄌᆞ를 향ᄒᆞ여 지르려 ᄒᆞ니, 공ᄌᆡ 바야흐로 눕다가 분연이 ᄭᆡ더나 원비를 느리혀 칼흘 막을ᄉᆡ, 몽슉이 공ᄌᆞ의 용녁을 모로고 하공을 몬져 햐슈(下手)[1240] ᄒᆞ려 ᄒᆞ더니, 공ᄌᆡ 셤슈(纖手)를 드러 댱검을 아ᄉᆞᄃᆡ 날ᄂᆡ미 신긔ᄒᆞ여 몽슉이 헛도이 노ᄒᆞ바린지라. 공ᄌᆡ 칼흘 아ᄉᆞ 뎡히 지르고져 ᄒᆞ더니 몽슉이 놀나 몸을 소소아 공듕으로 올나가니, 공ᄌᆡ 그 손을 질【15】넛ᄂᆞᆫ디라, 피 흐르ᄃᆡ 몽슉이 요슐이 긔이ᄒᆞ므로 ᄌᆞ최를 ᄀᆞᆷ초니, 공ᄌᆡ 분완ᄒᆞ여 야애 ᄆᆡ이 놀나신가 급히 드러오니, 공이 본ᄃᆡ 긔운이 송ᄇᆡᆨ ᄀᆞᆺ튼디라. 흉젹의 패셜의 대단이 놀나디 아냐 언연이 누엇더니, 공ᄌᆡ 드러와 긔운을 뭇ᄌᆞ오니, 공이 답왈,

"그 사이 긔운 상ᄒᆞᆯ 일이 업ᄉᆞ니 엇디 뭇ᄂᆞ뇨? 다만 흉젹(凶賊)의 패셜(悖說)이 한심ᄒᆞᆫ디라. 반ᄃᆞ시 윤가를 믜워ᄒᆞᄂᆞᆫ ᄌᆡ 혼인을 작희ᄒᆞ미라."

공ᄌᆡ 분완통ᄒᆡᄒᆞ여 ᄒᆞᆫ 칼히 죽이지 못ᄒᆞ믈 한ᄒᆞ며, 부친이 윤가를 믜워ᄒᆞᄂᆞ니 잇셔 혼인을 작희ᄒᆞᆫ다 ᄒᆞ시믈 답답ᄒᆞ여, 출하리 ᄌᆞ긔 몸을 피ᄒᆞ여 윤시를 취치 말고져 ᄒᆞ니, 원광의 신명ᄒᆞ므로 홀노 흉젹의 패셜【16】을 ᄭᆡᄃᆞᆺ지 못ᄒᆞ니, ᄯᅩᄒᆞᆫ 금슬의 희짓ᄂᆞᆫ ᄋᆡᆨ이라, 텬슈를 인력으로 ᄒᆞᆯ ᄇᆡ 아니러라. 공ᄌᆡ 부젼의 고왈,

"윤 연슉(緣叔)의 대은인 즉, 쇼ᄌᆡ 쇄신ᄒᆞ

1240) 햐슈(下手) : 손을 대어 사람을 죽임.

ᄒᆞᆫ 녁ᄉᆡ(力士) 되어 비수을 ᄢᅵ고 하부 소실듕(小室中)의 드러가니, 하공ᄌᆡ 촉을 물니고 바야호로 눕ᄂᆞᆫ지라. 몽숙이 칼을 들고 문을 열치며 여셩(厲聲) 왈,

"하진 역젹(逆賊)의 부ᄌᆡ 너의[희] 쳔하 영웅 진공암을 아는다? 나의 쳔금 미인 윤시 현아ᄂᆞᆫ 날노 더부러 연긔 십세 못ᄒᆞ여셔 피ᄎᆞ 언약을 두ᄆᆡ, 아직 이셩(二姓)의 친(親)을 ᄆᆡᆺ지 못ᄒᆞ엿시나, 부부의 졍이 오륜ᄃᆡ의(五倫大義)을 《별‖발》켜시니, 《원방‖원광》젹ᄌᆡ ᄂᆡ 미인을 앗는지경이면 ᄒᆞᆫ 칼노 육장을 ᄆᆡᆫ들니라."

언필의 바로 하공을 향ᄒᆞ여 지르려 ᄒᆞ니 공이 바야호로 눕고져 ᄒᆞ다가 분연이 일ᄡᅥ나 원비을 늘희여 칼을 막을 ᄉᆡ, 몽숙이 공ᄌᆡ의 용녁을 모로고 하공을 몬져 하수(下手)[1219]ᄒᆞ려 ᄒᆞ더니, 공ᄌᆡ 손으로 장검을 아ᄉᆞ되 날ᄂᆡ미 신긔ᄒᆞ여 몽숙이 헛도이 노ᄒᆞ바린지라. 공ᄌᆡ 칼을 아ᄉᆞ 졍이 지르고져 ᄒᆞ더니, 몽숙이 놀나 몸을 소ᄉᆞ 공듕으로 올나가니, 공ᄌᆡ 그 손을 질너ᄂᆞᆫ지라, 피흐르ᄃᆡ 몽숙의 요술이 긔이ᄒᆞ므로 ᄌᆞ최을 감초니, 공ᄌᆡ 분완ᄒᆞ여 부친이 ᄆᆡ이 놀나신가 급히 드러오니, 공이 본ᄃᆡ 긔운이 송ᄇᆡᆨ 갓튼지라, 흉젹의 ᄑᆡ셜을 ᄃᆡ단이 놀나지 아냐 언연이 누엇더니, 공ᄌᆡ 드【6】러와 긔운을 뭇ᄌᆞ오니 공이 답왈,

"그 ᄉᆞ이 긔운 상ᄒᆞᆯ 일이 업ᄉᆞ니 엇지 뭇ᄂᆞ뇨? 다만 흉젹의 ᄑᆡ셜이 《ᄒᆞ심‖ᄒᆞᆫ심》ᄒᆞᆫ지라. 반다시 윤가을 뮈여ᄒᆞᄂᆞᆫ ᄌᆡ 혼인을 작희ᄆᆞ미라."

공ᄌᆡ 분완통ᄒᆡᄒᆞ여 ᄒᆞᆫ 칼의 죽이지 못ᄒᆞ믈 한ᄒᆞ여 부친이 윤가을 뮈워 혼인을 작희ᄒᆞᄂᆞᆫ 이 잇다ᄒᆞ시믈 답답이 녁여, ᄎᆞ라리 ᄌᆞ긔 몸을 피ᄒᆞ여 윤시을 취치 말고져 ᄒᆞ니, 원광의 신명이 홀노 져의 ᄑᆡ셜을 ᄭᆡ닷지 못ᄒᆞ니, 금슬의 희짓ᄂᆞᆫ ᄋᆡᆨ이라. 쳔수을 인녁으로 ᄒᆞᆯ ᄇᆡ 아닐너라. 공ᄌᆡ 부젼의 고왈,

"윤공 연숙(緣叔)의 ᄃᆡ은인 즉, 소ᄌᆡ 쇄신

1219) 하수(下手) : 손을 대어 사람을 죽임.

여 갑흘 빅오나 도적의 흉언을 드러는, 기녜 대음찰녠(大淫刹女)[1241]줄 알디라. 쇼직 일싱을 환거(鰥居)ᄒᆞ오나 음녀는 취지 못ᄒᆞ올디니, 대인은 윤공을 되ᄒᆞ샤 소유를 니르시고 ᄎᆞ혼을 믈니쇼셔."

하공이 쳥필의 신식(身色)이 ᄎᆞ악ᄒᆞ여 금금(錦衾)을 두로치고 번연이 니러 안ᄌᆞ 탄왈,

"내 너를 평일 ᄀᆞ장 총명 특이ᄒᆞᆫ 줄노 아랏더니 엇디 지식이 쳔단ᄒᆞ고 과격ᄒᆞ미 이되도록 ᄒᆞ뇨? 흉적의 패언을 취신ᄒᆞ여 명강의 쳔금농쥬(千金弄珠)[1242]를 의심ᄒᆞ미 이 ᄀᆞᆺᄐᆞᆯ 알니오. 여뷔 명되 긔구ᄒᆞ여 여형 삼인을 참망【17】ᄒᆞ고, 비록 유ᄋᆞ 냥ᄋᆡ 이시나 오직 너를 밋고 바라미 듕여태악(重如泰岳)[1243]이라. 나히 ᄎᆞ지 못ᄒᆞ여시나 대ᄉᆞ를 특달ᄒᆞᆯ가 ᄒᆞ엿더니, 이 말로 보아는 소견이 돈견(豚犬)이나 다르지 아니ᄒᆞ니 엇지 한심치 아니리오. 오ᄋᆡ 져의게 슈은ᄒᆞᆫ 빅 그 엇더ᄒᆞ며, 명강이 누쳔니 험도(險道)의 그 ᄯᆞᆯ을 다리고 화가여싱을 ᄎᆞᄌᆞ 니르미 신의를 금셕(金石)ᄀᆞᆺ치 ᄒᆞ미라, 셕의 진평(陳平) 쳬 다ᄉᆞᆺ번 개가(改嫁)ᄒᆞ되 평의 듕되ᄒᆞ는 부인이 되어시니, ᄆᆞ음의 비록 측ᄒᆞᆯ지라도[1244] 듕되ᄒᆞ여 그 부형의 은혜를 져바리지 아니미 올코, 윤시 ᄯᅩᄒᆞᆫ 그럴 니 업ᄉᆞ니 네 ᄆᆞ음의 음부로 《알고∥알되》 내 ᄆᆞ음의는 녈녀로 아라 취ᄒᆞᆯ지니, 흉적의 패셜은 놀납지 아니코 너의 블명 용【18】우ᄒᆞᆷ을 경악ᄒᆞ노라."

언파의 긔위(氣威) 늠늠ᄒᆞ니 견시직(見視者) 블감앙시(不敢仰視)[1245]라. 공직 ᄉᆞ려 부교(父敎)를 듯ᄌᆞ오ᄆᆡ 비록 ᄌᆞ가의 소견과 다르나 인ᄌᆞ(人子)의 틔만치 못ᄒᆞᆯ빅라. ᄒᆞ믈며 화란지후의 부모 셩의를 일분이나 어길가 쥬야 동쵹ᄒᆞ는지라, 화긔이셩(和氣怡聲)

1241)대음찰녀(大淫刹女) : 매우 음란한 여귀(女鬼).
1242)쳔금농쥬(千金弄珠) : 천금처럼 귀한 딸.
1243)듕여태악(重如泰岳) : 태산처럼 무거움.
1244)측ᄒᆞ다 : 께름칙하다. 언짢다. 마땅치 않다.
1245)견시직(見視者) 블감앙시(不敢仰視) : 보는 사람이 감히 눈을 들어 바라보지 못함.

ᄒᆞ와 갑흘 빅{아니}오나, 도적의 흉언을 드러는 기녀 되음출년(大淫刹女)[1220] 줄 알지라. 소직 일싱 환거(鰥居)ᄒᆞ오나 음녀는 취치 아니리니 되인은 윤공을 향ᄒᆞᄉᆞ 소유을 니르시고 혼인을 물니소셔."

하공이 쳥필의 신식(身色)이 ᄎᆞ악ᄒᆞ여 금금(錦衾)을 두루치고 번연이 이러 안ᄌᆞ 탄왈,

"ᄂᆡ 너을 평일 총명 특이ᄒᆞᆫ 줄노 아라더니 엇지 지식이 쳔단ᄒᆞ고 부족ᄒᆞ미 이되도록 ᄒᆞ뇨? 흉적의 픽언을 취신ᄒᆞ며 명강의 쳔금쇼교(千金小嬌)을 의심ᄒᆞ미 이 갓트믈 알니오. 여뷔 명도 긔구ᄒᆞ여 여형 숨인을 참망ᄒᆞ고, 비록 양ᄋᆡ 잇시나 오직 너을 밋고 바라미 듕여틱산(重如泰山)[1221]이라. 나히 ᄎᆞ지 못ᄒᆞ엿시나 되ᄉᆞ을 추탁(推託)ᄒᆞᆯ가 ᄒᆞ엿더니, 이 말을 보아는 돈견(豚犬)이나 다르미 업ᄉᆞ니 엇지 ᄒᆞᆫ심치 아니리오. 오ᄋᆡ 져의게 슈은한 빅 그 엇더케【7】ᄒᆞ엿시며 명강이 누쳔니 험노(險路)의 ᄯᆞᆯ을 다리고 화가여싱이[의] 이러ᄒᆞᆫ 되 ᄎᆞᄌᆞ니 신의을 금셕 갓치 ᄒᆞ미라. 셕의 진평(陳平)의 쳐 다ᄉᆞᆺ번 ᄀᆡ가ᄒᆞ되 평의 즁되ᄒᆞ는 부인이 되어시니, 마음의 비록 추(醜)ᄒᆞᆯ지라도 즁되ᄒᆞ여 그 부형의 은혜을 져바리지 아니미 올코, 윤시 ᄯᅩᄒᆞᆫ 그럴니 업ᄉᆞ리니, 네 마음의 음부로 《알고∥알되》 ᄂᆡ 마음의는 녈녀로 알아 취ᄒᆞᆯ지니, 흉적의 픽셜은 놀납지 아니코 너의 불명용우ᄒᆞᆷ을 경악ᄒᆞ노라."

언파의 긔위 엄숙ᄒᆞ고 안식이 늠늠ᄒᆞ니 견시직(見視者) 막감앙시(莫敢仰視)[1222]라. 공직 ᄉᆞ려 부교(父敎)을 드르ᄆᆡ 비록 ᄌᆞ가의 소견과 다르나 인ᄌᆞ(人子)의 틔만치 몽ᄒᆞᆯ{ᄒᆞᆯ}지라. 하물며 화란지후의 부모 셩의을 일분이나 어길가 주야 동촉ᄒᆞ는지라. 화긔이셩(和氣怡聲)으로 직빅 ᄉᆞ죄 왈,

1220)되음찰녀(大淫刹女) : 매우 음란한 여귀(女鬼).
1221)듕여틱산(重如泰山) : 태산처럼 무거움.
1222)견시직(見視者) 막감앙시(莫敢仰視) : 보는 사람이 감히 눈을 들어 바라보지 못함.

으로 지비 샤죄 왈,

"ᄋᆞ히 디식이 쳔단ᄒᆞ와 흉적의 패셜을 분히 녁엿ᄉᆞᆸ더니, 엄괴 디당(至當)ᄒᆞ시니 아득ᄒᆞᆫ 흉치(胸滯) 쾌(快)ᄒᆞ온디라. 삼가 엄교를 밧ᄌᆞ와 다시 블명(不明) 과격(過激)ᄒᆞᆫ 바를 곳쳐 봉힝ᄒᆞ리이다."

하공이 지삼 경계ᄒᆞ여 《과이 ‖ 괴이》ᄒᆞᆫ 뜻을 두지 말나 ᄒᆞ니, 공지 슌슌 슈명ᄒᆞ여 블평ᄒᆞᆫ ᄉᆞ쇡을 두지 아니나 심니의 블승분격(不勝奮激)ᄒᆞ더라.

명일 윤부의 니르러 죵용이 담화ᄒᆞᄃᆡ 【19】 하공이 작야 변고를 니르지 아니ᄒᆞ고, 공지 화긔 젼일ᄒᆞ니 츄밀이 능히 아지 못ᄒᆞ고, 오직 원광을 ᄉᆞ랑ᄒᆞ미 친ᄌᆞ나 다르지 아니ᄒᆞ여, 희텬이 슉셩ᄒᆞ니 슈년 후 혼ᄉᆞ 일우믈 의논ᄒᆞ니, 하공 왈,

"혼인은 임의 뎡약(定約) 힝빙(行聘)ᄒᆞ여시니 됴만간 지ᄂᆡ려니와, 쇼뎨 녕녀(令女)로 신부를 삼고 녕낭을 녀셔(女壻)를 삼아 누인(陋人)으로 ᄒᆞ여금 외람ᄒᆞ미 만흐니 공구ᄒᆞᆫ 념녜 업지 아니타."

ᄒᆞ니, 윤공이 하공의 말이 너모 겸양ᄒᆞ여 친친지의(親親之義) 상ᄒᆞ믈 일ᄏᆞᆺ고 셰월이 뒤이져[1246] 희텬의 입장ᄒᆞ기를 바라더라.

슈일이 지나ᄆᆡ 길녜(吉禮)[1247]를 지닐ᄉᆡ 쵹군 태싂 향관ᄉᆞ유(鄕官士類)로 더브러 나와 위의를 도으니 하공이 ᄉᆞ샤 왈,

"슈졸(戍卒)의 입장(入丈)이 므ᄉᆞᆫ 대ᄉᆡ라, 《공싂 : 토쥬(土主)》 친히 나【20】오샤 누실(陋室)의 광치를 도으시니 블안 감샤ᄒᆞ여이다."

태싂 읍샤 왈,

"쇼관이 스ᄉᆞ로 나와 존공긔 현알홀 거시로ᄃᆡ, 슌슌(巡巡) 과도(過度)ᄒᆞ시니, 톄면의 손상ᄒᆞ시믈 블안ᄒᆞ여 감히 졍셩을 펴지 못ᄒᆞ더니, 금일은 녕윤 공ᄌᆞ의 길셕(吉席)이라 ᄒᆞᆫ번 참여ᄒᆞ믈 폐ᄒᆞ리잇가?"

1246)뒤이지다 : 뒤집히다. 바뀌다.
1247)길녜(吉禮) : 혼례.

"히ᄋᆡ 지식이 쳔단ᄒᆞ와 흉적의 픽셜을 분히 역여ᄉᆞᆸ더니, 엄교 여ᄎᆞᄒᆞ시니, 아득한 흉금(胸襟)이 쇄락ᄒᆞ온지라. 삼ᄀᆞ 엄훈을 밧드와 다시 불명(不明) 과격(過激)ᄒᆞᆫ 바을 곳쳐 봉힝ᄒᆞ리이다."

하공이 지ᄉᆞᆷ 경계ᄒᆞ여 고이ᄒᆞᆫ 뜻즐 두지 말나 ᄒᆞ니 공지 슌슌수명ᄒᆞ여 불경ᄒᆞᆫ ᄉᆞ싀을 두지 아니나 심니의 불승분격(不勝奮激)이러라.

명일 윤부의 이르러 죵용이 담화ᄒᆞ되 작야 변을 니르지 아니코 공지 화긔 젼일ᄒᆞ니, 추밀이 능히 아지 못ᄒᆞ고 오직 원광을 ᄉᆞ랑ᄒᆞ미 친ᄌᆞ와 다르미 업셔, 희천이 숙셩ᄒᆞ니 혼ᄉᆞ 이르물 의논ᄒᆞ니, 하공이,

"혼인은 임의 졍약(定約) 힝빙(行聘)ᄒᆞ엿시니 조만간 지ᄂᆡ려니와, 소졔【8】 영녀을 식부을 ᄉᆞᆷ고 영낭으로 ᄉᆞ회 ᄉᆞᆷ아, 비인(鄙人)으로 ᄒᆞ여금 외람ᄒᆞ미 만흐니 공구ᄒᆞᆫ 념녜 업지 못ᄒᆞ리로다."

윤공이 하상셔의 말이 너무 겸양ᄒᆞ여 친친지의(親親之義) 상ᄒᆞ믈 일카라 셰월이 여류ᄒᆞ여 희천의 입장ᄒᆞ기을 바라더라.

수일이 자ᄂᆡᄆᆡ 길녜(吉禮)[1223]을 지닐 식 쵹군 틱수 《하관수 ‖ 향관ᄉᆞ유(鄕官士類)》로 더부러 나와 위의을 도으니, 하공이 ᄉᆞᄉᆞ 왈,

"《소졸 ‖ 수졸(戍卒)》의 입장(入丈)이 무ᄉᆞᆫ ᄃᆡᄉᆞ완ᄃᆡ, 토주(土主) 친히 누실(陋室)의 광치을 도으시니 불안 감ᄉᆞᄒᆞ여이다."

{하}틱싂 읍ᄉᆞ 왈,

"소관이 스ᄉᆞ로 나와 존공긔 현알홀 거시로ᄃᆡ, 수수(垂手)[1224] 과도ᄒᆞ시니 체면의 손상ᄒᆞ믈 불안ᄒᆞ여, 《비록 ‖ 비루》ᄒᆞᆫ ᄌᆞ최 감히 졍셩을 펴지 못ᄒᆞ더니, 금일 영낭 공ᄌᆞ의 길셕(吉席)이라, ᄒᆞᆫ번 참예ᄒᆞ믈 폐ᄒᆞ리

1223)길녜(吉禮) : 혼례.
1224)수수(垂手) : 손을 드리우고 절을 함. 절을 하여 예를 표함.

하공이 지삼 블감ᄒᆞ믈 ᄉᆞ샤ᄒᆞ고, 날이 느즈믹 원광 공지 길의를 닙을식, 당당ᄒᆞᆫ 녜복을 폐치 못ᄒᆞ나 초초ᄒᆞ며 검소ᄒᆞ여, 엇디 경샤 지상의 입장ᄒᆞᄂᆞᆫ 영광이 이시리오. 태쉬와 닌니 향당이 그 뜻을 아라 츄연이 넉이더라. 태쉬 길복을 닙히기를 맛ᄎᆞ믹 원광 공지 안히 드러가 모부인긔 뵈오니, 됴부인이 ᄋᆞᄌᆞ의 길일을 당ᄒᆞ여 셕ᄉᆞ를 상감(傷感)ᄒᆞ여 슬픈 심ᄉᆞ를 니긔지 【21】 못ᄒᆞ더라.

하공지 위의를 거ᄂᆞ려 윤공 햐쳐의 나아와 옥상(玉床)의 홍안을 젼ᄒᆞ고 닌니향당(隣里鄕黨)이 요긱(繞客)이 되여 신뷔 샹교ᄒᆞ믹 하싱이 봉교(封轎)ᄒᆞ여 도라올식, 윤공이 뒤히 좃ᄎᆞ 힝ᄒᆞ니 위의 뎡졔(整齊)ᄒᆞ더라.

본부의 니르러 닉샤(內舍)의 드러가 교빅ᄒᆞ니 남풍녀치(男風女彩) 발월(發越)ᄒᆞ여 일월(日月)이 공투(共鬪)ᄒᆞ고 쥬옥이 빗츨 ᄉᆞ랑ᄒᆞ여 난봉(鸞鳳)이 여슈(麗水)[1248]의 노ᄂᆞᆫ 듯ᄒᆞ니 [1249]텬뎡일딕(天定一對)며 빅셰가위(百世佳偶)라. 녜파의 하싱은 밧그로 나아가고 벽난 등이 쇼져를 븟드러 현구고지녜(見舅姑之禮)를 힝홀식, 빅틱만광(百態萬光)이 됴요(照耀)ᄒᆞ여 듕츄망월(中秋望月)이 만당의 붉아시며 츈일(春日)이 옥난(玉欄)의 다

1248)여슈(麗水) : 중국의 지명. <천자문> '금생여수(金生麗水)'에서 말한 금(金)의 산지(産地)로 유명.
1249)텬뎡일딕(天定一對) : 하늘이 정해준 한 쌍.

잇가?"

하공이 지숨 ᄉᆞᄉᆞᄒᆞ고 날이 느즈믹 원광 공지 길복을 입을 식, 당당ᄒᆞᆫ 녜복을 폐치 못ᄒᆞ나 초초ᄒᆞ믹 검소ᄒᆞ여 엇지 경ᄉᆞ 지상가 입장ᄒᆞᄂᆞᆫ 영광이 잇시리오. 틱수와 인니 향당이 그 뜻즐 알아 추연이 녁이다가, 틱쉬 길복 입히기을 마ᄎᆞ믹 안의 드러가 모친긔 뵈오니, 조부인이 아ᄌᆞ의 길일을 당ᄒᆞ여 셕ᄉᆞ을 상감(傷感)ᄒᆞ여 슬푼 심ᄉᆞ을 이긔지 못ᄒᆞ더니, 길복 입은 거동을 보고 추연 탄왈,

"숨ᄉᆞ셰도 되지 못ᄒᆞ여 혼인을 언약ᄒᆞ고 수히 ᄌᆞ라 셩취키을 기다릴 분이오, 그 ᄉᆞ이 우리 집이 이딕도록 참화을 당ᄒᆞ여 촉지의 유찬(流竄)ᄒᆞ여 우흐로 숨아의 ᄌᆞ최 간 곳지 업술 줄 《싀각 ‖ 싱각》ᄒᆞ여시리오."

언파의 누쉬여우ᄒᆞ니 슬푸믈 씌닷지 못ᄒᆞ고 모【9】다 위로ᄒᆞ니, 공지 나와 윤추밀 햐쳐로 향ᄒᆞ니, 향당이 요긱이 되고 이르러 홍안을 옥상의 젼ᄒᆞ고, 쳔지긔 빅례을 마ᄎᆞ믹, 벽난 등 비지 소져을 단장ᄒᆞ여 치교(彩轎)의 오르니, 하공지 금쇄봉교(金鎖封轎)의 상마도즁(上馬道中)홀 식, 윤추밀이 뒤흘 좃ᄎᆞ 일시의 하부로 향ᄒᆞ니, 위의 훤쳔(喧天)ᄒᆞ고 신낭의 표치풍광(標致風光)이 의의쇄락(猗猗灑落)ᄒᆞ여 일월 광치을 가려시니, 관광ᄒᆞᄂᆞᆫ 눈이 황홀ᄒᆞ여 칭찬ᄒᆞ는 소릭 훤ᄌᆞ(喧藉)ᄒᆞ더라.

본부의 이르러 교빅ᄒᆞ니 남풍여뫼(男風女貌) 발월특이(發越特異)ᄒᆞ여 형산빅옥(荊山白玉)이요 벽히교룡(碧海蛟龍) 갓트니, 쳔졍가우(天定佳偶)오 빅셰일딕(百世一對)[1225]라. 녜을 파ᄒᆞ믹 하싱이 외당으로 나가고 소져을 붓드러 빅현구고(拜見舅姑)ᄒᆞ믹 빅틱만광(百態萬光)이 죠요찬난(照耀燦爛)ᄒᆞ여 구츄상월(九秋霜月)이 듕쳔의 발가시며 츈화조일(春花朝日)이 옥난(玉欄)의 다ᄉᆞᄒᆞᆫ 듯, 녹파향년(綠波香蓮)이 추수을 무릅쓴 듯, 흐억ᄒᆞᆫ 틱도와 윤틱ᄒᆞᆫ 긔뷔(肌膚) 미옥

1225)빅셰일딕(百世一對) : 백세(百世)를 두고 가장 뛰어난 한 쌍의 부부.

ᄉᆞᄒᆞᆫ ᄃᆞᆺ, 녹파향년(綠波香蓮)이 츄슈를 므릅ᄡᅳᆫ ᄃᆞᆺ, ᄒᆞ억ᄒᆞᆫ ᄐᆡ도와 윤ᄐᆡᆨᄒᆞᆫ 긔뷔(肌膚) 미옥을 ᄎᆡᄉᆡᆨ【22】ᄒᆞ며 명쥬를 다ᄃᆞᆷ은 ᄃᆞᆺ, 팔ᄎᆡ봉미(八彩鳳眉)의 텬ᄌᆡ(天姿) 슈츌(秀出)ᄒᆞᆫ 긔운을 모도화 복녹을 ᄀᆞᆷ초아시며, ᄡᅣᆼ셩츄파(雙星秋波)[1250]ᄂᆞᆫ 슉덕이 츌어외모(出於外貌)ᄒᆞ니 월ᄋᆡᆨ화싀(月額花顋)와 운환무빈(雲鬟霧鬢)이 텬연(天然) 슈려(秀麗)ᄒᆞ며, 뉵쳑향신(六尺香身)의 신듕ᄒᆞᆫ 톄모와 단엄ᄒᆞᆫ 위의(威儀), 쇼쇼ᄋᆞ녀(小小兒女)의 픔질이 아니라. 진션진미(盡善盡美)ᄒᆞᆫ 거동이 득듕(得中)ᄒᆞᆫ지라, 하공 부뷔 대희과망(大喜過望)ᄒᆞ여 폐ᄇᆡᆨ(幣帛)[1251]을 밧고 녜를 맛ᄎᆞᆫ 후, 신부를 나오혀 옥슈를 잡고 운환을 어로만져 ᄉᆞ랑ᄒᆞ믈 니긔지 못ᄒᆞᄂᆞᆫ 듕, 셕년의 혹ᄉᆞ를 입장ᄒᆞ여 님쇼져를 보던 일을 ᄉᆡᆼ각고 인ᄉᆞ의 변역(變易)ᄒᆞᆷ과 긔구(崎嶇)[1252]의 ᄂᆡ도ᄒᆞ믈 슬허, 공이 츄연 탄왈,

“셕ᄌᆞ의 ᄋᆞ부를 삼셰 유ᄋᆞ로 ᄇᆡᆨ화헌 ᄀᆞ온ᄃᆡ셔 내 친히 보고 혼인을 뇌약【23】ᄒᆞ니, 신부의 ᄑᆞᆯ 우희 글ᄌᆞ를 ᄡᅳ고 돈ᄋᆞ와 신부의 ᄌᆞ라기를 기다리더니, 오문이 쳔만 의외의 참화를 만나 촉디의 뉴찬(流竄)ᄒᆞᄃᆡ, 녕존의 의긔 현심이 화가여ᄉᆡᆼ을 바리지 아니ᄒᆞ고 동상(東床)을 삼아 ᄋᆞ뷔 우리 슬하의 님ᄒᆞ니, 외모 긔질이 댱셩ᄒᆞᄆᆡ 더옥 아름다오니 엇디 과망(過望)치 아니리오. 연이나 신뷔 부귀예 ᄉᆡᆼ댱ᄒᆞ여 촉디 슈졸(戍卒)의 며나리와 안히 되니, 일ᄉᆡᆼ이 무광ᄒᆞ믈 ᄎᆞ셕ᄒᆞ노라.”

1250)ᄡᅣᆼ셩츄파(雙星秋波) : 맑고 아름다운 미인의 눈길.

1251)폐ᄇᆡᆨ(幣帛) : 신부가 처음으로 시부모를 뵐 때 큰절을 하고 올리는 물건. 또는 그런 일. 주로 대추나 포 따위를 올린다.

1252)긔구(崎嶇) : 길이 험준함. 세상살이가 순탄하지 못하고 가탈이 많음을 비유적으로 표현한 말.

(美玉)을 ᄎᆡᄉᆡᆨᄒᆞ며 명쥬을 ᄎᆡᄉᆡᆨᄒᆞᆫ 듯, 팔ᄎᆡ뉴미(八彩柳眉)ᄂᆞᆫ 《술출‖수출》ᄒᆞᆫ 긔운을 감초아 복녹이 어리여시니, 쌍안츄파(雙眼秋波)을 흘니ᄆᆡ 말근 영긔와 숙덕ᄒᆡᆼᄉᆡ 출어면모(出於面貌)ᄒᆞ니, 미목의 빗남과 월ᄋᆡᆨ무빈(月額霧鬢)이며 보협(輔頰)이 ᄌᆞᄐᆡ롭고, 봉익초요(鳳翼楚腰)와 뉵쳑향신(六尺香身)의 진듕(鎭重)ᄒᆞᆫ 쳬지(體肢)와 단엄(端嚴)ᄒᆞᆫ 표질(表質)이 소소 아녀의 풍이 아니라. 유한(幽閑)ᄒᆞ되 푸러지지 아니코, 견강(堅剛)ᄒᆞ되 모지지 아냐, 진션진미(盡善盡美)ᄒᆞᆫ 거동이 풍도(風度)을 어더ᄂᆞᆫ지라. 진퇴녜졀(進退禮節)의 유한(幽閑)ᄒᆞᆫ 녜뫼(禮貌) ᄇᆡᆨᄐᆡ졔미(百態齊美)ᄒᆞ여 쳔광(天光)의 바ᄋᆡᄂᆞᆫ지라. 하공부부【10】 ᄃᆡ희과망(大喜過望)ᄒᆞ여 폐ᄇᆡᆨ(幣帛)[1226]을 밧고 팔ᄇᆡᄃᆡ례(八拜大禮)을 ᄒᆡᆼᄒᆞᆫ 후의, 신부을 날호여 옥수을 잡고 운환을 어로만져 깃부며 ᄉᆞ랑ᄒᆞ믈 이긔지 못ᄒᆞ여, 셕년의 혹ᄉᆞ을 입장ᄒᆞ여 님시 신부ᄃᆡ례을 보던 일을 ᄉᆡᆼ각고, 《이ᄌᆞ‖인사(人事)의 변역(變易)ᄒᆞᆷ과 《거수‖긔구(崎嶇)[1227]》의 ᄂᆡ도ᄒᆞ믈 슬허, 공이 추연탄왈,

“셕ᄌᆞ의 아부을 ᄉᆞᆷ셰 유미(幼美)ᄒᆞ엿슬 졔 ᄇᆡᆨ화헌 가온ᄃᆡ셔 ᄂᆡ 친히 보고, 혼인을 뇌약(牢約)ᄒᆞ야 신부 팔 우희 글ᄌᆞ을 쓰고 돈아(豚兒)와 신뷔 ᄌᆞ라 ᄒᆡᆼ녜(行禮)ᄒᆞ기을 바라더니, 오가(吾家) 의외 참화을 만나 촉지의 뉴찬(流竄)ᄒᆞ되, 윤형이 남다른 의긔 현심으로써 원광을 바리지 아니코 동상을 ᄉᆞᆷ으니, 아뷔 우리 슬ᄒᆞ의 임ᄒᆞᄆᆡ 외모긔질이 아시의도 긔특ᄒᆞ믈 아라거니와, 장셩ᄒᆞᄆᆡ 이ᄃᆡ도록 아름다오니 엇지 과망(過望)치 아니리오. 신뷔 부귀 듕 ᄉᆡᆼ중ᄒᆞ여 향촌(鄕村) 수졸(戍卒)의 안히되니 일ᄉᆡᆼ이 무광ᄒᆞ믈 ᄎᆞ셕ᄒᆞ노라.”

1226)폐ᄇᆡᆨ(幣帛) : 신부가 처음으로 시부모를 뵐 때 큰절을 하고 올리는 물건. 또는 그런 일. 주로 대추나 포 따위를 올린다.

1227)긔구(崎嶇) : 길이 험준함. 세상살이가 순탄하지 못하고 가탈이 많음을 비유적으로 표현한 말.

부인이 년ᄋᆡᆨᄒᆞᄂᆞᆫ 가온ᄃᆡ 누하여우(淚下如雨)[1253]ᄒᆞ니 신뷔 인심의 감동ᄒᆞ여 낫빛츨 곳치더라. 하공 부부의 탐혹 과ᄋᆡᆨᄒᆞ미 영쥬쇼져와 일반이오, 작인이 쵸츌비상(超出非常)ᄒᆞ미 견조아 비길 ᄃᆡ 업ᄉᆞ며, 향니촌ᄆᆡᆼ(鄕里村氓)의 무리 윤쇼져 ᄀᆞᆺ튼 용ᄉᆡᆨ을【24】 몽니의나 귀경ᄒᆞ여시리오. 바라보ᄂᆞᆫ 눈이 황홀ᄒᆞ여 졍신을 일흐니, 《됴부인이 참화 이후로 초실의 몌여시니 비ᄌᆞ 등이 좌우로 물니치나 번요ᄒᆞ여‖비ᄌᆞ 등이 번요ᄒᆞ여 좌우로 물니치나 초실의 몌여시니, 됴부인이 참화이후로》 사름 보기를 원치 아니ᄒᆞ고, 혼녜를 지ᄂᆡ나 경황이업셔 닌니를 모호미 업ᄉᆞ니, 《ᄂᆡᄀᆡᆨ은 업ᄉᆞ나 외ᄀᆡᆨ은 업ᄉᆞ나‖ᄂᆡᄀᆡᆨ이 못지 아니코 외ᄀᆡᆨ도 청치 아냐시ᄃᆡ》, 외ᄀᆡᆨ(外客) 군공(郡公)[1254]을 태쉬 거ᄂᆞ려 왓더라.

영쥬쇼졔 신부로 상견ᄒᆞᆯᄉᆡ 쇼졔 방년이 십일셰라. ᄇᆡᆨᄐᆡ쳔광(百態千光)이 빙졍뇨라(氷晶嫋娜)ᄒᆞ여 ᄒᆡ샹 명월이 보광(寶光)을 토ᄒᆞ고 츄ᄐᆡᆨ옥년(秋澤玉蓮)이 봉오리를 버리지 못ᄒᆞ여시니, 황홀ᄒᆞᆫ ᄌᆞᄐᆡ 오히려 신부의 일ᄇᆡ승(一倍勝)이오 화ᄒᆞ고 어위ᄎᆞ고 너르고 유열ᄒᆞ믄 신뷔 두어 층 더은디라. 하공 부뷔 녀부(女婦)[1255]를 슬젼(膝前)의 버리ᄆᆡ 두ᄀᆞᆺ기고 아【25】ᄅᆞᆷ다오믈 니긔지 못ᄒᆞ나, 삼ᄌᆞ와 님시의 옥골션풍을 ᄉᆡᆼ각ᄒᆞ니 흉장(胸臟)의 일만 칼이 결니ᄂᆞᆫ ᄃᆞᆺ 츈풍의 붓치이ᄂᆞᆫ 소장(素帳)과 네낫 목쥐(木主) 볼 젹마다 궁텬원상(窮天寃傷)을 더을 ᄉᆡᆫ이라. 부인은 오열비읍(嗚咽悲泣)ᄒᆞ고 하공은 ᄉᆞ매를 드러 냥항누(兩行淚)를 졔어ᄒᆞ고 밧그로 나가니, 태슈 이히(以下) 대례를 무ᄉᆞ히 디ᄂᆡ믈 하례ᄒᆞ고 윤공이 ᄀᆞᆯ오ᄃᆡ,

"블초녀의 용잔미질(庸孱微質)이 녕윤의

1253)누하여우(淚下如雨) : 눈물이 비 오듯 흘러내림.
1254)군공(郡公) : 고려 문종 때 둔 다섯 등급의 작위(국공·군공, 현후, 현백, 개국자, 현남) 중 하나.
1255)녀부(女婦) : 딸과 며느리.

부인이 말숨을 이어 《연의‖연ᄋᆡᆨ》귀즁ᄒᆞᄂᆞᆫ 뜻즐 펴ᄆᆡ 누수여우(淚水如雨)ᄒᆞ믈 ᄭᆡᄃᆞ[ᄃᆞᆺ]지 못ᄒᆞ며, 신뷔 감창(感愴)ᄒᆞ여 ᄌᆡᄇᆡ ᄉᆞᄉᆞᄒᆞ니 완순(婉順)ᄒᆞᆫ 거동이 말숨 박긔 나타나니, 하공 부부 ᄒᆞᆫ 업ᄉᆞᆫ ᄉᆞ랑이 영주소져의 나리지 아냐, 향여촌ᄂᆡ(鄕與村內)[1228]의 무리 윤소져 갓튼 《용ᄉᆡᆼ‖용ᄉᆡᆨ(容色)》을 몽니의나 구경ᄒᆞ엿시리오. 바라보는 눈이 휜츌ᄒᆞ여[1229] 졍신을 일흐니, 하부 비ᄌᆞ 등이 물니치되 젼후좌우로 초옥을 에워ᄊᆞ스니, 조부인이 참화지후(慘禍之後)로ᄂᆞᆫ ᄉᆞ롬 보기을 원【11】치 아니ᄒᆞ고, 혼녜을 지ᄂᆡ나 즐거오미 업ᄉᆞᆫ 고로 인니(隣里)ᄂᆞᆫ 청치 아냐 ᄂᆡᄀᆡᆨ이 못지 아니코 외ᄀᆡᆨ도 청치 아냐시ᄃᆡ, ᄐᆡ쉬 거ᄂᆞ려온 고로 ᄀᆞᆺᄒᆞ여 말니지 아니터라.

하공이 영주 소져와 신뷔 상견케 ᄒᆞ랴 ᄒᆞ고, 촌녀(村女) 등을 물니치고 녀ᄋᆞ을 나오라 ᄒᆞ여 윤시로 보ᄆᆡ, 소져 방년이 십일셰의 ᄇᆡᆨᄐᆡ쳔광(百態千光)이 빙졍긔려(氷晶奇麗)ᄒᆞ여 ᄒᆡ상명월(海上明月)이 보광(寶光)을 토(吐)ᄒᆞ며, 츄ᄐᆡᆨ옥년(秋澤玉蓮)이 미ᄀᆡ(未開)ᄒᆞᆫ 듯 난ᄌᆞ혜질(蘭姿蕙質)이 황홀ᄒᆞ믄 소져 일ᄇᆡ 승ᄒᆞ고, 어위ᄎᆞ고[1230] 유열(愉悅)ᄒᆞ믄 신뷔 더ᄒᆞᆫ지라. 하공 부부 식부 녀아을 슬젼의 ᄒᆞᆫ가지로 좌ᄒᆞ여 두ᄀᆞᆺ겁고 아름아오믈 이긔지 못ᄒᆞ나, 도라 님시와 ᄉᆞᆷᄌᆞ의 션풍옥골을 ᄉᆡᆼ각ᄒᆞ니 흉장이 머이고[1231] 일만 칼이 질니ᄂᆞᆫ 듯, 츈풍의 부치이ᄂᆞᆫ 소장(素帳)과 네ᄂᆞᆺ 목주(木主)을 볼젹마다 궁쳔원상(窮天寃傷)을 도울 분이라. 조부인은 오열비읍(嗚咽悲泣)ᄒᆞ고 하공은 ᄉᆞᄆᆡ을 드러 양항누(兩行淚)을 씻고 밧그로 나아가니, ᄐᆡ수 등이 ᄃᆡ례 슌셩(順成)ᄒᆞ믈 치하ᄒᆞ고 윤추밀이 ᄀᆞᆯ오ᄃᆡ,

"불초녀의 용우ᄒᆞᆫ 긔질노 영윤의 풍치을

1228)향여촌ᄂᆡ(鄕與村內) : 고을과 마을 안..
1229)휜츌ᄒᆞ다 : 훤칠하다. 막힘없이 깨끗하고 시원스럽다
1230)어위ᄎᆞ다 : 넓고 크다. 너그럽다. 넉넉하다.
1231)머이다 : 메다. 막히다.

풍취를 욕홀가 두리노라."

하공이 샤왈,

"신부의 지용을 쳐음 보미 아니로디 【로디】 즈라믹 슉셩긔이ᄒᆞ믄 ᄋᆞ시의 더은디라. 돈ᄋᆡ 므산 복으로 이ᄀᆞᆺ튼 현쳐를 취ᄒᆞᆫ고 과망ᄒᆞ거늘 형언(兄言)이 의외로다.

츄밀이 블감(不敢) ᄉᆞ샤(謝辭)ᄒᆞ고 만좌 하공의 현부 어듬과 윤공의 쾌셔 어드【26】믈 치하ᄒᆞ여 분분ᄒᆞ디, 하공은 비회 만단이라. 일모도원(日暮途遠)ᄒᆞ미 태슈와 졔긱이 도라가고, 하·윤 냥공이 동슉(同宿)홀ᄉᆡ 하공이 ᄋᆞᄌᆞ를 신방으로 보ᄂᆡ니, ᄉᆡᆼ이 만ᄉᆞ의 친의(親意)를 승슌(承順)ᄒᆞᄂᆞᆫ 고로 슈명ᄒᆞ고, 냥공의 취침ᄒᆞ시믈 보고 안희 드러가 모친긔 뵈옵고, 촉하의셔 냥뎨를 유희ᄒᆞ며 쇼ᄆᆡ로 담논ᄒᆞ여 나갈 뜻이 ᄉᆞ연(捨然)1256)ᄒᆞ니, 부인 왈,

"신뷔 샹문교와(相門嬌瓦)1257)로 초옥모실(草屋茅室)의 쳐음으로 니르러, ᄉᆞ좌(四座)의 친ᄒᆞ니 업고, 약질 귀골이 블안ᄒᆞ리니 편히 쉬게 ᄒᆞ고 녜로 ᄃᆡ졉ᄒᆞ여, 그 부형의 대은을 져바리지 말나."

ᄉᆡᆼ이 묵묵 슈명ᄒᆞ고 신방의 니ᄅᆞ니, ᄎᆞ시 뭉슉이 하공 부ᄌᆞ를 놀ᄂᆡ여 듕히 상히오고져 ᄒᆞ다가 하ᄉᆡᆼ의게 손을 잘니고 패쥬ᄒᆞ여, 묘【27】막(墓幕)으로 도라와 손을 보니, 쟝심(掌心)이 질니여 거의 ᄢᅦ뚜러져시ᄃᆡ, 대간대악(大奸大惡)이 알픈 거ᄉᆞᆯ 춤고 약을 븟쳐 됴리ᄒᆞ며 칭병 불츌이러니, 하부의셔 혼녜를 지ᄂᆡ믈 듯고 통완 분히ᄒᆞ여 하가의

1256)ᄉᆞ연(捨然) : 집착을 버려 어떤 생각이 전혀 없음.

1257)샹문교와(相門嬌瓦) : 재상가의 귀염둥이 딸. '와(瓦)'는 딸을 비유한 말. ☞농와지경(弄瓦之慶).

욕될가 념여ᄒᆞ노라."

하공이 신부의 특이ᄒᆞ믈 만좌의 니르고 추밀을 ᄃᆡᄒᆞ여,

"신부의 아름다오믈 소졔 쳐음 보ᄂᆞᆫ 비 아니로ᄃᆡ, ᄌᆞ란 후 슉셕[셩]긔이(夙成奇異)ᄒᆞ믄 아시의 더은지라. 돈ᄋᆡ 무슴 복으로 《그런∥저런》 숙녀을 취ᄒᆞ미 과망커늘 형의 ○[ᄉᆞ]양ᄒᆞ미 이갓트믄 의외로다."

추밀이 불감ᄒᆞ믈 ᄉᆞᄉᆞ(謝辭)하고 만좌 다 하공의 현부 어드믈 ᄒᆞ례【12】ᄒᆞ고 윤공의 쾌셔 어드믈 치하ᄒᆞ여 분분ᄒᆞ되, 하공이 슬픈 빗출 감초지 못ᄒᆞ고 추밀이 ᄉᆞ오일 후 발힝ᄒᆞ믈 이르니, 하공이 결연ᄒᆞ믈 씌여 더욱 비쳑(悲慽)ᄒᆞ더라. 일모(日暮)ᄒᆞᄆᆡ 졔긱이 도라가고 하·윤 양공이 밤을 지ᄂᆡᆯᄉᆡ, 아ᄌᆞ을 명ᄒᆞ여 신부 쳐소로 가라 ᄒᆞ니 공ᄌᆞ 만ᄉᆞ을 친의을 순수ᄒᆞᄂᆞᆫ지라. ᄇᆡᄉᆞ수명ᄒᆞ고 ᄂᆡ당의 드러와 모친이 취침치 아니시물 보고, 촉하의셔 양아졔(兩兒弟)와 ᄆᆡ졔(妹姐)로 담소ᄒᆞ며 나갈 ᄯᅳᆺ지 소연(消然)1232)ᄒᆞ니, 조부인이 포쳥(庖廳)1233) 마즌 편 일간 방ᄉᆞ(房舍)을 쇄소ᄒᆞ여 신부을 도라 보ᄂᆡ고, 아ᄌᆞ 야심토록 나가지 아니믈 보고 닐오ᄃᆡ,

"신뷔 연연약질(軟軟弱質)노 누쳔니 발셥을 지ᄂᆡᄆᆡ, 잇부미 심ᄒᆞ고 ᄉᆞ좌(四座)의 무친(無親)이라. 편이 쉬게 ᄒᆞ고 그 부형의 ᄃᆡ은을 져바리지 말며, 식부의 긔이ᄒᆞᆫ 혜질(惠質)이 향니의 독보ᄒᆞ믈 ᄉᆡᆼ각ᄒᆞ여 져의 평ᄉᆡᆼ을 안온케 ᄒᆞ라."

ᄉᆡᆼ이 수명홀 분이오 말이 업더니 날호여 신방으로 나아갈 ᄉᆡ, 션시의 몽숙 요물이 하공 부ᄌᆞ을 놀나게 ᄒᆞ여 듕히 상히오려 ᄒᆞ다가 하ᄉᆡᆼ의게 손을 상히오고 픽루ᄒᆞ여 묘막의 도라와 손을 보니, 장심(掌心)이 질니여 씨여지되 ᄃᆡ독간악(大毒奸惡)이라. 압푼 거ᄉᆞᆯ 참고 약을 브치고 칭병ᄒᆞ야 움즉이지 아니터니, 하부의셔 마춤ᄂᆡ 길녜(吉禮) 힝ᄒᆞ믈 듯고 통히ᄒᆞ여 하부 초실의 가 다시 작난코져 ᄒᆞ여 밤든 후 이르러 창외의셔 ᄉᆞ긔

1232)소연(消然) : 씻은 듯이 사라져 없어짐.

1233)포청(庖廳) : 부엌.

다시 작난코져 ᄒᆞ여, 야심 후 하부의 니르러 ᄉᆞ긔를 탐관ᄒᆞᄆᆡ, 윤공이 햐쳐의 도라가지 아니ᄒᆞ고 하공과 동쳐ᄒᆞᄂᆞᆫ디라. 요란이 구다가 패루ᄒᆞ면 츄밀이 죽일가 겁ᄒᆞ여 하공ᄌᆞ의 용녁이 비상ᄒᆞ믈 아랏ᄂᆞᆫ 고로, 금슬이나 회지어 윤시를 ᄂᆡ치도록 ᄒᆞ고져, 의식니러가 윤쇼져의 신방을 ᄎᆞᄌᆞ 화ᄒᆞ여 나ᄂᆞᆫ 식 되여 방의 드러가 벽의 브ᄃᆡ쳣더니[1258] 야심 후 하싱의 드러오ᄂᆞᆫ 양을 보고 몸을 흔드러 흉녕ᄒᆞᆫ 남지 되【28】여 문을 열치고 다라나ᄂᆞᆫ디라. 슈일 젼 셔당의셔 작난ᄒᆞ던 한ᄌᆞ(漢子)[1259] ᄀᆞᆺ튼디라.

분연 대로ᄒᆞ여 밧비 잡고져 ᄒᆞᆯ 졔 믄득 공듕의 치다라 경긱의 블견거쳐(不見去處)러라. ᄒᆡ연망측(駭然罔測)[1260]ᄒᆞ믈 니긔지 못ᄒᆞ여 도로 나가고져 ᄒᆞᄃᆡ, 엄훈(嚴訓)을 디극히 밧ᄌᆞ와시니 감히 나가지 못ᄒᆞ여, 측ᄒᆞᆫ 거ᄉᆞᆯ 셔리담고 분ᄒᆞᆫ 거ᄉᆞᆯ 니긔여 드러와 쇼져를 ᄃᆡᄒᆞ니, 윤시 노쥬(奴主) 무망(無妄)의 흉덕의 ᄡᅱ여나가믈 보니 놀나오믄 니르지 말고, 하싱의 드러오ᄂᆞᆫ ᄣᅵ의 이러ᄒᆞ미 ᄌᆞ긔 젼졍(前程)을 맛ᄂᆞᆫ 쥴 헤아려 블승ᄎᆞ악(不勝嗟愕)ᄒᆞ나 사ᄅᆞᆷ 되오미 하히지량(河海之量)이오 츈풍화긔(春風和氣)라.

ᄉᆞᄉᆞ로 ᄆᆞᄋᆞᆷ이 빙옥ᄀᆞᆺᄐᆞ니 블슈셩ᄉᆡᆨ(不垂聲色)[1261]ᄒᆞ고 하싱을 니러 마ᄌᆞ 동셔분좌(東西分坐)ᄒᆞ니, 싱【29】이 목젼 흉변을 보앗ᄂᆞᆫ 고로 엇디 눈이나 거듧ᄯᅥ 보리오. 늠연뎡좌(凜然正坐)ᄒᆞ여 미위(眉宇) 셜풍이 은은 ᄉᆡᆨᄉᆡᆨᄒᆞ니, 견ᄌᆡ(見者) 한츌쳠ᄇᆡ(汗出沾背)ᄒᆞ더라 냥구 묵묵이러니 날호여 웃옷과 ᄯᅴ를 그르며 쇼져를 향ᄒᆞ여 편히 쉬라 ᄒᆞᄃᆡ, 그 얼골을 ᄉᆞᆯ피미 업셔 타문부녀(他門婦女)를 상견ᄒᆞᆷ ᄀᆞᆺᄐᆞ니, 벽난 등이 우러러

1258)부ᄃᆡ치다 : 부딪치다. 여기서는 '붙다' '붙어있다'의 의미.

1259)한ᄌᆞ(漢子) : 놈. 남자를 낮잡아 이르는 말.

1260)ᄒᆡ연망측(駭然罔測) : 너무 뜻밖이어서 놀랍고 어이가 없다.

1261)블슈셩ᄉᆡᆨ(不垂聲色) : 말소리와 얼굴빛에 당황함을 드러내지 않음.

을 탐관ᄒᆞ니, 윤츄밀이 햐쳐의 도라오지【13】 아니코 하공과 ᄒᆞᆫ가지로 ᄌᆞᄂᆞᆫ지라. 요란이 구다가 발각ᄒᆞ면 윤추밀이 져을 죽일가 겁ᄒᆞ고 원광이 용역이 과인ᄒᆞᆫ 줄 아ᄂᆞᆫ지라. 그 금슬이나 희짓고져 ᄒᆞ여 윤시을 원광이 ᄂᆡ치도록 의식 이르[러]나 윤소져의 방을 ᄎᆞᄌᆞ 날즘싱이 되어 방즁의 드러가 벽의 부터시니 뉘 알니오. 야심 후 하싱이 드러오ᄂᆞᆫ 종젹을 보고 몸을 흔드러 흉ᄒᆞᆫ 남지 되어 문을 열치고 ᄂᆡ다르니, 거동이 수일젼 셔당의셔 진공암이로다 ᄒᆞ고 ᄌᆞ긔 부ᄌᆞ을 희ᄒᆞ려 ᄒᆞ던 놈 갓튼지라.

분연 ᄃᆡ로ᄒᆞ야 밧비 잡고져 ᄒᆞᆯ 젹의 젹이 공듕으로 치다르니 간 바을 모로ᄂᆞᆫ지라. ᄒᆡ연망측(駭然罔測)[1234]ᄒᆞ여 통완ᄒᆞ믈 이긔지 못ᄒᆞ여 즉시 외당으로 나가고져 ᄒᆞ되, 부친의 경게 지극ᄒᆞ여 인ᄌᆞ(人子)의 되 《그릇지∥어긔지》 못ᄒᆞᆯ 바을 ᄉᆡᆼ각ᄒᆞ니, 분을 셔리담고 망측ᄒᆞᆫ 거ᄉᆞᆯ 견ᄃᆡ여 드러갈 ᄉᆡ, 윤시 쳔만 몽외 흉젹이 방즁으로 나가믈 보니, 놀나옴과 금즉ᄒᆞ믈 어ᄃᆡ 비ᄒᆞ리오. 하싱이 드러올 ᄣᅵ을 당ᄒᆞ여 맛초아 이러ᄒᆞ미 ᄌᆞ긔 젼졍(前程)을 맛ᄂᆞᆫ 줄 짐작ᄒᆞ고 ᄎᆞ악ᄒᆞ믈 이긔지 못ᄒᆞ나, ᄉᆞ람되오미 하히지량(河海之量)이오, 츈풍화긔(春風和氣)라,

ᄌᆞ긔 압히 굽지 아니ᄒᆞ고 마음이 빙옥갓트니, 안연ᄒᆞ야 ᄉᆞᄉᆡᆨ을 변치 아니코 하싱을 이러 마ᄌᆞ 동셔로 좌을 졍ᄒᆞᄆᆡ, 싱이 목젼 간부을 보앗ᄂᆞᆫ지라, 일실의 ᄃᆡᄒᆞ여시나 눈을 드러 볼 의식 잇시리오. 늠연이 뎡좌ᄒᆞ여 묵묵ᄒᆞᆫ 위의 셜풍이 ᄆᆡᆼ열ᄒᆞ고【14】 ᄉᆡᆨᄉᆡᆨᄒᆞ여 견ᄌᆞ로 ᄒᆞ여곰 한출쳠ᄇᆡᄒᆞᆯ너라. 양구무언(良久無言)이러니 날호여 웃옷과 ᄯᅴ을 그르고 소져을 향ᄒᆞ여 편이 쉬ᄅᆡ[ᄅᆞ]ᄒᆞ며, 그 얼골도 ᄌᆞ셰 보지 아냐 남의 집 부인을 상ᄃᆡᄒᆞᆷ 갓트니, 벽난 등이 그으이 긔식을 ᄉᆞᆯ피고 흉젹의 연고로 아라 원통코 의[이]다르미 비ᄒᆞᆯ ᄃᆡ 업더라.

1234)ᄒᆡ연망측(駭然罔測) : 너무 뜻밖이어서 놀랍고 어이가 없다.

긔식을 ᄉᆞᆯ피고 원통ᄒᆞ고 ᄋᆡ돌오미 비길 ᄃᆡ 업더라.

ᄉᆡᆼ이 분을 참고 밤을 계오 ᄉᆡ와 ᄉᆡᄇᆡᆨ를 기다려 나가고, 쇼져ᄂᆞᆫ 죵야토록 안ᄌᆞ ᄉᆡ와 구고긔 문안ᄒᆞ니, 공의 부뷔 두굿기믈 형상치 못ᄒᆞ고 하ᄉᆡᆼ은 윤공 셤기믈 야야와 ᄀᆞᆺ치 ᄒᆞ믄 그 은덕을 감격ᄒᆞ미오, 빙악(聘岳)으로 아ᄂᆞᆫ ᄇᆡ 업더라.

하공이 윤공을 청뉴(請留)【30】ᄒᆞ여 일슌을 머므러 날마다 녀ᄋᆞ를 불너 보더니, 일일은 하공이 윤공으로 더브러 신부 침소의셔 죵용이 한담ᄒᆞᆯᄉᆡ, 츄밀이 하공의 ᄌᆞ부 ᄉᆞ랑이 디극ᄒᆞ믈 감샤ᄒᆞ여 오ᄅᆡ도록 말ᄉᆞᆷᄒᆞ고, 하ᄉᆡᆼ은 외당의 잇더니 믄득 ᄒᆞᆫ낫 쳥의 ᄎᆞ환(叉鬟)[1262]이 초실의 드러와 안흘 기웃거려 보며 손의 일봉셔(一封書)를 가졋ᄂᆞᆫ디라. 공ᄌᆡ 문왈,

“네 엇던 ᄋᆞ히완ᄃᆡ 므ᄉᆞᆫ 셔간을 뉘게 젼ᄒᆞ라 왓ᄂᆞ뇨?”

기녜 ᄃᆡ답ᄒᆞ고 머리를 긁젹여 거동이 당황ᄒᆞ여 나갓다가 도로 드러오기를 셔너번이나 ᄒᆞ거ᄂᆞᆯ, ᄉᆡᆼ이 괴이 넉여 우문 왈,

“네 셔간을 눌을 주려ᄒᆞᄂᆞ뇨? 날다려 니르라.”

기ᄋᆡ ᄀᆞᆯ오ᄃᆡ,

“딘상공이 ᄇᆞᄃᆡ 윤부 시녀를 주고 오라 ᄒᆞ【31】여시니 윤부 시녀를 불너 주쇼셔?”

ᄒᆞ니 거동이 미거ᄒᆞ여 인ᄉᆞ를 모르ᄂᆞᆫ 거동이니 ᄉᆡᆼ 왈,

“네 그 셔간을 두고 가면 내 젼ᄒᆞ여 주리라.”

하ᄉᆡᆼ이 분을 ᄎᆞᆷ고 겨유 ᄉᆡᄇᆡᆨ을 기다려 즉시 나오니 소져ᄂᆞᆫ 죵야토록 안져 ᄉᆡ워 구고긔 신셩(晨省)ᄒᆞᄆᆡ, 하공과 조부인이 두굿겁고 귀ᄒᆞ믈 형상치 못ᄒᆞ고, 윤추밀은 외실의셔 하ᄉᆡᆼ을 ᄉᆡ로이 ᄉᆞ랑ᄒᆞ여 수이 써나믈 훌연(欻然)이 녁이니, 하ᄉᆡᆼ이 윤공 셤기믈 지극히 하여 부친긔 나리지 아니믄, 그 ᄉᆞᆷ형《영장∥염장(殮葬)ᄒᆞ여준 은덕을 감격ᄒᆞ여 ᄃᆡ졉ᄒᆞ미오, 빙악(聘岳)으로ᄂᆞᆫ 일호 알미 업ᄉᆞ니, 모로미 윤소져의 젼졍이 엇지 된고?

화셜 윤공이 하상셔 지극 쳥유(請留)ᄒᆞ믈 인ᄒᆞ여 일슌을 머무러 날마다 녀ᄋᆞ을 외실의셔 불너 보더니, 일일은 하공이 츄밀을 다리고 신부 침소의셔 종용이 말ᄉᆞᆷᄒᆞ여, 소져을 압히 두어 츄밀 부녀(父女) 하상셔 구식간(舅息間)의 ᄌᆞ별ᄒᆞᆫ ᄉᆞ랑이 샹ᄒᆞ(上下)치 못ᄒᆞ여 두굿기물 이긔지 못ᄒᆞ니, 이공이 오ᄅᆡ 나오지 못ᄒᆞ더니, 시의 하ᄉᆡᆼ은 외당의 잇더니 홀연 쳥의복ᄉᆡᆨ(靑衣服色) 시ᄋᆡ 드러와 안을 기웃거리며 손의 일봉셔(一封書)을 잡아ᄂᆞᆫ지라, 하ᄉᆡᆼ 문왈,

“네 엇던 시ᄋᆡ완ᄃᆡ 셔간을 뉘게 젼ᄒᆞ려ᄂᆞ뇨?”

기인이 ᄃᆡ답ᄒᆞ고 머리을 극젹이며 거동이 당황ᄒᆞ여【15】 나갓다가 다시 드러오믈 셔너 번 ᄒᆞ거날, ᄉᆡᆼ이 가장 고히 녁여 다시 이르ᄃᆡ,

“네 셔간을 주려ᄒᆞᄂᆞ니을 날다려 이르라.”

기인 왈,

“진상공이 이 셔간을 윤부 시녀을 주라 ᄒᆞ엿시니 윤부 시녀을 불너 달나”

ᄒᆞ고 거동이 망ᄆᆡ(茫昧)ᄒᆞ여 인ᄉᆞ 모로ᄂᆞᆫ 거시라. 하ᄉᆡᆼ 왈,

“네 그 셔간을 두면 윤시긔 젼ᄒᆞ리라.”

1262)ᄎᆞ환(叉鬟) : 주인을 가까이에서 모시는 젊은 계집종.

기ᄋᆡ ᄀᆞ장 머믓거리다가 드리고 가거ᄂᆞᆯ ᄉᆡᆼ이 셔간을 보니 진고암은 윤쇼져 쟝ᄃᆡ 하의 올니노라 ᄒᆞ엿고, ᄉᆞ의 음난 흉패ᄒᆞ니 이의 ᄉᆡᆨ히고, 대개 하진 부ᄌᆞ를 죽이고 윤츄밀을 모로게 산곡의 도망ᄒᆞ여 살믈 도○[모]ᄒᆞᆫ ᄉᆞ연이오, 신혼야(新婚夜)의 하ᄌᆞ를 질너 죽이랴 ᄒᆞ다가 외실의 윤츄밀이 잇기로 놀나 믈러난 ᄉᆞ연이라. 하ᄉᆡᆼ이 간필(看畢)에 불을 가져 소화ᄒᆞ고 본줄을 뉘웃쳐 ᄌᆞ칙 왈,

"비례물시(非禮勿視)[1263]와 비례물청(非禮勿聽)[1264]이 셩교(聖教)의 경계어ᄂᆞᆯ, 음난ᄒᆞᆫ 글을 눈으로 ᄉᆞᆯ피미 ᄒᆡᆼ신이 젼도(顚倒)ᄒᆞ미라. ᄎᆞ후ᄂᆞᆫ 윤시 음녀를 ᄒᆞᆫ 구셕의 드리쳐 아른【32】 쳬 마ᄂᆞᆫ 거시 엄교를 승슌ᄒᆞ미오, 윤공의 은혜를 져바리지 아니미라. 음녀(淫女) 간뷔(姦夫) 아모리 날을 죽이고져 ᄒᆞᆫ들, 내 명이 하날의 달녀시니 졔 손의 이시리오. 출하리 간부놈이 윤시를 다리고 다라나면 측ᄒᆞᆫ ᄆᆞ음이 업ᄉᆞ리로다."

ᄒᆞᄆᆡ, 윤쇼져의긔 은졍(恩情)은 몽ᄆᆡ(夢寐)의도 업고, 더럽고 측히 넉이ᄂᆞᆫ ᄯᅳᆺ ᄲᅮᆫ이라. 믄득 하·윤 냥공이 나오니 ᄉᆡᆼ이 하당영지(下堂迎之)ᄒᆞ여 뫼셔 말ᄉᆞᆷᄒᆞ니, ᄉᆞ긔 여일ᄒᆞ여 윤시를 염ᄒᆞᄂᆞᆫ ᄉᆡᆨ이 업ᄉᆞ니, 추밀이 엇디 알니오. 다만 누쳔니 궁향의 두고 가ᄂᆞᆫ 심ᄉᆡᆨ 비열(悲咽)ᄒᆞᄃᆡ, 대쳬당뷔(大體丈夫)라. 부유(浮儒)의 셜셜ᄒᆞ미 업더라.

구몽슉이 변신ᄒᆞ여 스스로 인가청의(人家青衣) 되여 음참ᄒᆞᆫ 셔간을 가져 하ᄉᆡᆼ을 소기고, 다시 윤쇼져의 셩ᄌᆞ광【33】휘(聖姿光輝)를 구경코져 ᄒᆞ여, ᄑᆞ른 ᄉᆡ 되여 청ᄉᆞ

1263)비례물시(非禮勿視) : 예(禮)가 아닌 것은 보지 않음.

1264)비례물청(非禮勿聽) : 예(禮)가 아닌 말은 듣지 않음.

기ᄋᆡ 심히 지지(遲遲)ᄒᆞ다가 압ᄒᆡ 놋코 가거ᄂᆞᆯ, ᄉᆡᆼ이 봉피(封皮)을 보니 "진고량은 윤소져 좌하의 부치노라" ᄒᆞ엿거ᄂᆞᆯ, 즉시 ᄣᅥ혀보니 ᄉᆞ의 음난 흉참ᄒᆞ여 ᄃᆡ강, 하진 부ᄌᆞ을 죽이고 윤츄밀을 모로게 산곡 즁의 도망ᄒᆞ여 ᄉᆞᆯ기을 도모ᄒᆞ엿고, 시야(是夜)도 하원광을 질너 죽이려 ᄒᆞ엿더니 윤추밀이 외실의 잇기로 놀나 못ᄒᆞ믈 이르고, 경ᄉᆞ의셔 촉지가지 소져을 ᄯᆞ라 이르고 주야 못 잇ᄂᆞᆫ 졍과 분울ᄒᆞᆫ 심ᄉᆞ 셩질ᄒᆞᆫ ᄃᆡ 밋쳐시믈 가초[1235] 베퍼시니 더럽고 추ᄒᆞ미 바로 보기 아니ᄭᅩ은지라. 공ᄌᆡ 불을 가져 소화ᄒᆞ고 쳐음 본 걸 뉘웃텨 왈,

"비례물청(非禮勿聽)[1236] 비례물시(非禮勿視)[1237]ᄂᆞᆫ 셩교(聖教)의 경계여ᄂᆞᆯ, ᄂᆡ 쳐음의 음난ᄒᆞᆫ 비법의 셔간을 눈으로 ᄉᆞᆯ핀 거시 ᄒᆡᆼ실의 비박(鄙薄)ᄒᆞ미라. ᄎᆞ후ᄂᆞᆫ 음녀 윤시을 ᄒᆞᆫ 구셕의 더리쳐[1238] 간부 놈과 화락ᄒᆞᄂᆞᆫ 지경이라도 아른쳬 아닌ᄂᆞᆫ 거시 ᄃᆡ인의 경계을 져바리미 아니라. 간부(姦夫) 놈이 아모리 날을 죽이랴 ᄒᆞ여도, ᄂᆡ 명이 ᄒᆞ날의 날녓고 제게 잇지 아니니 엇지 두리리오. 출ᄒᆞ리 간부 놈이 윤시을 다리고 도망ᄒᆞ면 추【16】ᄒᆞᆫ 마음이 업ᄉᆞ리로다."

의ᄉᆡᆨ 이의 밋쳐ᄂᆞᆫ 윤소져 향ᄒᆞᆫ 졍이 업고 더럽고 추히 녁일 분이라. 이윽고 하·윤 양공이 나오니, ᄉᆡᆼ이 마ᄌᆞ 말ᄉᆞᆷᄒᆞ되 화긔 여일(如一)ᄒᆞ여 조곰도 윤시을 고렴(苦厭)ᄒᆞᄂᆞᆫ 마음이 업ᄂᆞᆫ 듯ᄒᆞ니, 추밀이 더욱 그 마음을 알니오. 다만 녀아을 누쳔니 밧 궁향의 두고 가는 마음이 비렴(悲念)ᄒᆞ되, ᄃᆡ쳬(大體)을 슝상ᄒᆞᄂᆞᆫ 장뷔라, ᄌᆞ약(自若)히 부녀의 셜셜ᄒᆞ미 업더라.

시시의 구몽숙이 변신ᄒᆞ여 일ᄀᆡ 청의(青衣) 되여 음탕ᄒᆞᆫ 셔간으로 하ᄉᆡᆼ을 속이고 다시 윤소져 셩ᄌᆞ 광휘을 구경코져 ᄒᆞ여 하

1235)가초다 : 갖추다.

1236)비례물청(非禮勿聽) : 예(禮)가 아닌 말은 듣지 않음.

1237)비례물시(非禮勿視) : 예(禮)가 아닌 것은 보지 않음.

1238)더리쳐 : 드리쳐<드리치다>. 들이쳐 두어.

(廳舍)의 어른길시 믄득 윤시 겻틱 일위 규슈 병좌ᄒᆞ여시니, 동풍의 웃ᄂᆞᆫ 화왕(花王)과 부상(扶桑)의 돗ᄂᆞᆫ 신월(新月) ᄀᆞᆺᄐᆞ여, 윤틱 슈려(潤澤秀麗)ᄒᆞ여, 윤시의 한업ᄉᆞᆫ 광염은 니르도 말고, ᄋᆞ쇼져ᄂᆞᆫ ᄋᆡᄋᆡ찬난(皚皚燦爛)[1265]ᄒᆞ여 션원(仙苑)의 금봉(禽鳳)[1266] ᄀᆞᆺᄐᆞ니, ᄌᆞ시 살피건ᄃᆡ ᄋᆡᆨ여반월(額如半月)[1267]이며, 미여츈산(眉如春山)[1268]이오, 목여냥셩(目如兩星)[1269]이오, 협여도화(頰如桃花)[1270]오, 슌여단ᄉᆡ(脣如丹砂)[1271]라. 어엿븐 거동이 눈 옴기기 앗갑고 오히려 윤시의게 나은 ᄃᆞᆺᄒᆞ니, 몽슉이 윤쇼져를 독보졀염(獨步絶艶)으로 아랏다가 하쇼져를 보ᄆᆡ 대경 황홀ᄒᆞ여, 즉시 묘막의 도라와 싱각ᄒᆞᄃᆡ 브ᄃᆡ 윤시를 취ᄒᆞ려 ᄒᆞ엿더니 발셔 하원광의게 아이미 되고, 금슬을 희짓고져 ᄒᆞ나 하개 바릴【34】 ᄠᅳᆺ이 업고, 셜ᄉᆞ 윤시를 아ᄉᆞ나 이셩(二姓)을 셤기ᄂᆞᆫ 작[1272]시니 측ᄒᆞᆫ디라.

윤시 겻틱 안ᄌᆞᆫ 모양이 규쉬오, 반ᄃᆞ시 하진의 ᄯᆞᆯ이라. 젼ᄌᆞ의 드르니 하가네 희텬과 뎡혼ᄒᆞ엿다 ᄒᆞ더니, 분명이 그 녀ᄌᆡ라. 각별 묘계로 하시를 겁칙ᄒᆞ여 긔믈(奇物)을 삼고, 하원광이 윤시를 바리ᄂᆞᆫ 일이 잇거든 직취ᄒᆞ미 올타 ᄒᆞ고, 간계 ᄇᆡᆨ츌(百出)ᄒᆞ더니, 맛초아 괴이ᄒᆞᆫ 요졍(妖精)을 만나니, ᄎᆞ(此)ᄂᆞᆫ 셔촉 청셩산 하의 ᄒᆞᆫ 암ᄌᆡ 잇고 일개 녀도ᄉᆡ 이시니 삼쳔년 묵은 여이[1273]라. 젼후의 사ᄅᆞᆷ 잡아먹은 거시 ᄇᆡᆨ이 넘고, 변쇄 블측ᄒᆞ여 사ᄅᆞᆷ의 소원이 이신 즉 원을 좃ᄎᆞ며, 사ᄅᆞᆷ의 화복길흉(禍福吉凶)과 젼졍만니(前程萬里)를 거의 다 아라 크게 신통ᄒᆞᆫ디라.

촉인이 밧들기를 부쳐ᄀᆞᆺ치 ᄒᆞ여【35】

1265)ᄋᆡᄋᆡ찬난(皚皚燦爛) : 몹시 희고 빛남.
1266)금봉(禽鳳) : 봉황새.
1267)ᄋᆡᆨ여반월(額如半月) : 이마가 반달 같음.
1268)미여츈산(眉如春山) : 눈썹이 봄 동산 같음.
1269)목여냥셩(目如兩星) : 눈이 두 별과 같음.
1270)협여도화(頰如桃花) : 뺨이 복숭아꽃과 같음.
1271)슌여단ᄉᆡ(脣如丹砂) : 입술이 단사와 같이 붉음.
1272)작 : 모양. 꼴.
1273)여이 : 여우.

부 ᄂᆡ실 쳥ᄉᆡ(廳舍)의 푸른 ᄉᆡ 되여 어르ᄶᅵᆯ ᄉᆡ[1239], 문득 윤소져 겻ᄒᆡ 일위 규수 《아로쪄 ‖ 아소져(兒小姐)》 병좌ᄒᆞ여시니, 윤시ᄂᆞᆫ 동풍(東風)의 모란 갓고 쇄락수려ᄒᆞ고, 아소져ᄂᆞᆫ 승졀ᄒᆞ여 션원(仙苑)의 봉(鳳)이오 신월(新月)이 미원(彌苑)ᄒᆞ니 의의찬난(猗猗燦爛)ᄒᆞ여 쳔만고(千萬古)의 희한ᄒᆞ니, 어엿분 거동은 눈을 옴기기 앗갑기ᄂᆞᆫ 오히려 윤시게 나흔 듯ᄒᆞ니, 몽숙이 현아 소져을 고왕금ᄂᆡ(古往今來)의 독보미ᄉᆡᆨ(獨步美色)으로 아라더니, 하소져을 보ᄆᆡ ᄃᆡ경황홀ᄒᆞ여 즉시 묘막(墓幕)의 도라와 ᄉᆡᆨ[싱]각ᄒᆞ되, 부ᄃᆡ 윤시을 구ᄒᆞᆯ ᄇᆡ 아니라 ᄒᆞ더라.

1239)어르찌다 : 어른거리다. 어릿대다.

법호(法號)를 금션법ᄉᆡ라 ᄒᆞ고 별호를 신묘랑이라 ᄒᆞ니, 상한쳔뉴(常漢賤流)의 허박(虛薄)ᄒᆞᆫ 무리와 호방(豪放)ᄒᆞᆫ 향환(鄕宦) 녀ᄌᆞ(女子)들이 우환(憂患)을 당ᄒᆞ거나 ᄌᆞ녀를 못보아 ᄒᆞᄂᆞᆫ 무리, 다 신묘랑의게 쳥ᄒᆞ여 효험을 보니, 몽슉의 션묘 슈호ᄒᆞᄂᆞᆫ 노지(奴子) 제 ᄯᆞᆯ이 병드러 오ᄅᆡ 신고(辛苦)ᄒᆞ므로 교ᄌᆞ를 가지고 묘랑을 쳥ᄒᆞ여 제 집으로 다려오니, 몽슉이 겻방의 잇다가 교ᄌᆞ의 누를 다려오ᄂᆞᆫ고 므르니, 노지 묘랑의 긔특ᄒᆞᆫ 말을 일일히 젼ᄒᆞ니, 몽슉이 제 팔ᄌᆞ를 뭇고져 보기를 구ᄒᆞ니, 묘랑이 쳐음은 샤양ᄒᆞ더니 몽슉이 ᄎᆞᆺ던 금장도(金粧刀)를 글너 녜단을 삼으니, 묘랑이 장도의 욕심을 ᄂᆡ여 구싱을 보니 구싱이 ᄉᆞ쥬(四柱)를 닐너 젼졍을 무르니, 묘랑이 손가락을 급작여[1274] 졈복【36】ᄒᆞ더니 눈셥을 삥긔여 왈,

"상공이 유하(乳下)의 냥친을 빵망ᄒᆞ고 일신 의탁이 업셔 남의 문하의셔 ᄌᆞ라 의식은 이시나 고혈무의(孤孑無依)[1275]ᄒᆞ고, 오라지 아냐 쳥운의 올나 어향(御香)을 뽀이려니와 팔자의 화패(禍敗)를 만히 타 나고 풍신ᄌᆡ화(風神才華)ᄂᆞᆫ 하등이 아니로ᄃᆡ 일신의 ᄆᆡ명(罵名)이 무궁ᄒᆞ여, ᄆᆡ게 ᄶᅩᆺ친 쐥 ᄀᆞᆺ고 괴[1276]를 본 쥐 ᄀᆞᆺᄐᆞ니, 남의 덕을 만히 닙으리이다."

몽슉이 셤듥ᄒᆞ여 니르ᄃᆡ,

"어인 팔ᄌᆡ 그리 호화치 못ᄒᆞ여 내 평ᄉᆡᆼ 션(善)을 힘쓰고 악을 피ᄒᆞ거ᄂᆞᆯ ᄆᆡ명을 면치 못ᄒᆞ리라 ᄒᆞ나뇨?"

묘랑이 쇼왈,

"텬디 귀신은 속이려니와 날은 속이디 못ᄒᆞ리이다. 상공이 밧그로 어지르시ᄃᆡ ᄆᆞ음은 칼흘 셔리고 말숨은 빗나ᄃᆡ 의논인 즉 브뎡음일(不正淫佚)ᄒᆞ시니, ᄉᆞ유(士類)의

묘소 수리ᄒᆞᄂᆞᆫ 노지 제 ᄯᆞᆯ이 유질ᄒᆞ여 ᄉᆞ오삭을 낫지 못ᄒᆞ믈 근심ᄒᆞ여 신묘랑을 간신이 쳥ᄒᆞ여 제집으로 다려오니, 몽숙이 겻방의 잇다가 노복다려 문왈,

"교ᄌᆞ의 누을 담아오ᄂᆞ뇨?"

복(僕)이 신묘랑의 거록ᄒᆞᆫ 바을 일일이 고ᄒᆞ니, 몽숙이 제 팔ᄌᆞ을 뭇고져 보기을 쳥ᄒᆞ니 묘랑이 쳐음은 ᄉᆞ양ᄒᆞ다가, 찻던 금장도(金粧刀)을 글너 네단을 숨고 보아지라 ᄒᆞ니, 묘랑이 장도에 욕심을 ᄂᆡ여 몽숙을 보ᄆᆡ 몽슉이 몬져 제 ᄉᆞ주(四柱)을 일너 젼졍을 무르니 묘랑이 길흉을 일을 ᄉᆡ, 스ᄉᆞ로 손을 곱작여 이윽히 졈복ᄒᆞ다가 눈셥을 찡긔여 왈,

"상공이 《유호Ⅱ유하(乳下)》을 면치 못ᄒᆞ여셔 양친을 쌍망ᄒᆞ고, 일신을 의뢰홀 ᄯᅴ 업셔 남의 문ᄒᆞ의셔 ᄌᆞ라나시ᄂᆞ, ᄀᆞᆺᄒᆞ여 의식 근심은 업ᄉᆞ나 고혈(孤孑)ᄒᆞ시고 오라지 나냐 쳥운을 더위잡아 어향(御香)을 쏘이려니와, 원간 환픽(宦敗)을 만이 타나 일신의 ᄆᆡ명(罵名)이 무궁ᄒᆞᆫ 듯ᄒᆞ니, 종시 ᄆᆡ을 당ᄒᆞᆫ 쐥 갓고, 괴을 본 쥐 갓트며 마음을 평치 못ᄒᆞᄂᆞᆫ 형상이로소이다."

몽숙이 ᄃᆡ경(大驚)ᄒᆞ여 왈,

1274)급작여 : 곱작거려.

1275)고혈무의(孤孑無依) : 가족이나 친척이 없어 외롭고 의탁할 데가 없음.

1276)괴 : 고양이.

【37】 의관(衣冠)을 출혀 계시나, 발셔 못 ᄒᆞᆯ 일을 만히 ᄒᆞ엿ᄂᆞ이다."

몽슉이 ᄀᆞ장 신긔히 넉여 문을 닷고 겻ᄐᆡ 나아가 ᄀᆞ마니 닐오ᄃᆡ,

"ᄂᆡ 쇽의 먹은 바를 일우면 머리를 버힐디라도 은혜를 갑고, 경샤의 올나가 샹문귀가로 단녀 놉흔 ᄌᆡ조를 펴게 ᄒᆞ리라."

묘랑이 샤례ᄒᆞ고 나즉이 말ᄒᆞ여 왈,

"샹공이 ᄉᆡᆨ을 탐ᄒᆞ여 남의 금슬을 희지은 듯ᄒᆞ며, 원간 투현질능(妬賢嫉能)ᄒᆞ고 ᄇᆡ은망덕ᄒᆞᆯ 쁫이라. 즉금도 브뎡지ᄉᆞ를 만히 ᄉᆡᆼ각ᄒᆞᄂᆞᆫ 얼골이라. 빈도의 상법과 졈ᄉᆞ(占辭)의 젼졍 길흉을 거울 빗최 듯ᄒᆞ니 ᄀᆞᆷ출 길히 업ᄂᆞ니이다."

몽슉 왈,

"과연 올흐니 원간 나의게 별 ᄌᆡ죄 업ᄂᆞ냐?"

묘랑이 쇼왈,

"엇디 별 ᄌᆡ죄 업ᄉᆞ리오. 반ᄃᆞ시 도법의 변화ᄒᆞᄂᆞᆫ 일이【38】 이시리니, 이러ᄒᆞᄆᆡ ᄆᆡ명(罵名)의 말니 되엿ᄂᆞ이다."

몽슉이 듯기를 다ᄒᆞ고 왈,

"내 변화지ᄌᆡ(變化之才)를 가져시ᄃᆡ 다만 남을 닛그러 공듕의 오르ᄂᆞᆫ 술(術)이 업ᄉᆞ니 사룸을 ᄡᅵ고 공듕의 오로ᄂᆞᆫ 슐을 마ᄌᆞ ᄇᆡ호고져 ᄒᆞ노라."

묘랑이 다만 제 ᄌᆡ죄 텬하의 독보ᄒᆞ고져 ᄒᆞ니 엇지 가르치리오. 웃고 왈,

"빈도ᄂᆞᆫ ᄒᆞᆫ번의 ᄉᆞ오인식 ᄡᅵ고 공듕의 왕ᄂᆡᄒᆞ기와 ᄒᆞ로 쳔니를 ᄒᆡᆼᄒᆞ려니와 남은 가르치지 못ᄒᆞᆯ 일이 잇ᄂᆞ니 상공은 괴이히 넉이지 마르쇼셔."

몽슉이 니러 절ᄒᆞ고 왈,

"내 심곡의 간졀ᄒᆞᆫ 소회 이시니 다른 일이 아니라 지금 슉녀를 만나디 못ᄒᆞ고 평ᄉᆡᆼ 졀ᄉᆡᆨ을 흠모ᄒᆞᄂᆞᆫ ᄇᆡ러니, 맛춤 션셰 능침의 ᄇᆡ알ᄒᆞ라 왓다가 이곳의 뎍거ᄒᆞᆫ 하공의 녀【39】ᄌᆞ를 보ᄆᆡ, 쳔만고(千萬古)의 희한(稀罕)ᄒᆞᆫ ᄉᆡᆨ광(色光)이라. ᄉᆞ뷔 하시를 아ᄉᆞ 날

"그 말이 올흐니 원간 나의게 별 ᄌᆡ조 업나냐?"

묘랑이 소왈,

"도법의 변환ᄒᆞᄂᆞᆫ 일이 잇스니 이 ᄌᆡ죄 ᄆᆡ명(罵名)의 말이 되엿나이다."

몽숙이 듯기을 다ᄒᆞ고 ○[왈],

"ᄂᆡ 변화지ᄌᆡ(變化之才)을 가졋시ᄃᆡ 공즁의 왕ᄂᆡᄒᆞ는 술을 마ᄌᆞ ᄇᆡ호고져 ᄒᆞ노라."

묘랑이 졔 ᄌᆡ조을 타인은 가르치지 안냐, 쳔하의 홀노 각별ᄒᆞᆫ 변화을 가지려 ᄒᆞ니 엇지 가라칠니 잇스리오. 웃고 왈,

"빈도ᄂᆞᆫ ᄒᆞᆫ번 ᄉᆞ오인식 ᄡᅵ고 공즁의 왕ᄂᆡ와 ᄒᆞ로 쳔니을 ᄒᆡᆼᄒᆞ려니와 남은 가르치지 못ᄒᆞᆯ 일이 잇ᄂᆞ니 상공은 고이 녁이지 마르소셔. 아모 일이라도 일우려 ᄒᆞ시거든 《비도‖빈도》다려 이르소셔"

몽숙이 이러 졀ᄒᆞ여 왈,

"ᄂᆡ 심곡의 간졀 소회 잇시니 다른 일이 아니라 지극 숙녀을 만나【18】지 못ᄒᆞ고 평ᄉᆡᆼ 졀ᄉᆡᆨ을 흠모ᄒᆞᄂᆞᆫ ᄇᆡ러니, 마춤 션셰 분묘의 ᄇᆡ알ᄒᆞ라 왓다가 졍ᄇᆡ온 하공의 녀아을 보ᄆᆡ 만고의 희한ᄒᆞᆫ ᄉᆡᆨ광이라. ᄉᆞ○[뷔] 하시을 아ᄉᆞ 날을 주면 은덕을 명심각

을 줄진ᄃᆡ 은덕을 슈심명골(樹心銘骨)ᄒᆞ리라."

묘랑이 드르ᄆᆡ ᄀᆞ장 깃거, 제 ᄌᆡ조로 하시를 겁칙ᄒᆞ여다가 주고 갑술 만히 구ᄉᆡᆨ(求索)고져 ᄒᆞᄃᆡ, 잠간 빗ᄉᆡ와1277) ᄉᆞ양 왈,

"빈되 좀 ᄌᆡ죄 잇ᄉᆞ오나 져 하시를 엇디 가바야이 하슈(下手)ᄒᆞ리잇고."

몽슉이 ᄉᆞ러 빌기를 마지아니ᄒᆞ고 물신토록 은혜를 갑흐마 ᄒᆞ니, 묘랑이 쇼왈,

"하 간쳥ᄒᆞ니 못ᄒᆞ겟다 말은 못ᄒᆞ거니와 하쇼져를 겁칙ᄒᆞ여 어나 곳으로 다려오려 ᄒᆞᄂᆞ니잇가?"

몽슉이 냥구침ᄉᆞ(良久沈思)ᄒᆞ다가 니르ᄃᆡ,

"션산 뒤히 금사강 가의 션조의 일운 졍지 잇ᄂᆞ니, 그곳이 뎡쇄(精灑)ᄒᆞ고 유벽(幽僻)여 사ᄅᆞᆷ이 왕ᄂᆡ치 아니ᄒᆞᄂᆞ니 법사도 거의 드러【40】시리이다. 금사강변의 구셩암 졍ᄌᆞ를 ᄎᆞᄌᆞ면 알니라."

묘랑 왈,

"셔촉 졔강 듕의 금ᄉᆞ강이 웃듬이오. 졍ᄌᆞ뉴(亭子類)의 구노야의 지으신 졍지 뎨일이라. 빈도도 여러번 구경ᄒᆞ여시니 엇디 모로리잇가? 아지 못게라, 어나 날 힝ᄉᆞᄒᆞᆯ고?"

몽슉이 쳔만 샤례ᄒᆞ고 명일노 허락ᄒᆞ고,

"빈되(貧道) 하가의 가셔 잠간 보고 오리이다."

ᄒᆞ고 즉시 변화ᄒᆞ여 공듕의 소ᄉᆞ 올나 하부의 가, ᄂᆡ외 형셰를 ᄌᆞ셰 보니, 하공과 부인이 다 졍긔 범인과 다르고, 하공ᄌᆞᄂᆞᆫ 텬디의 슈츌ᄒᆞᆫ 졍긔와 일월의 광치를 가졋ᄂᆞᆫᄃᆡ, ᄋᆞ쇼져ᄂᆞᆫ 셩녀의 덕이 가ᄌᆞᆨᄒᆞ고 미우(眉宇)의 빗최ᄂᆞᆫ 셩ᄌᆞ 긔믹이오, 윤쇼져의【41】 복덕이 가ᄌᆞᆨᄒᆞ고 셩덕이 ᄌᆞ연(自然)

1277)빗ᄉᆡ와 : <빗ᄉᆡ다 : 비싸다>. 비싸게 굴어. 다른 사람의 요구에 쉽게 응하지 아니하고 도도하게 행동하는 모양.

골(銘心刻骨)ᄒᆞ리라."

묘랑이 드르ᄆᆡ 가장 깃거 제 ᄌᆡ조로 하시을 겁측ᄒᆞ여다 주고 갑슬 만히 밧고져 ᄒᆞ되 잠간 빗ᄉᆡ여1240) 왈,

"빈도의 ᄌᆡ조로 하소져을 다려오기 어려우리마ᄂᆞᆫ 《동향‖궁향(窮鄕)》의 젹거ᄒᆞᆫ 지상의 ᄯᆞᆯ을 겁측ᄒᆞ미 가장 올치 아니토다."

숙이 ᄉᆞ러 빅례 왈,

"하시을 아ᄉᆞ 주면 은혜ᄂᆞᆫ 빅발이 되도록 갑흐리이다."

묘랑이 웃고 왈,

"상공이 이쳐로 간쳥ᄒᆞ시니 못 ᄒᆞᆫ단 말은 나지 아니커니와 하소져을 다려다가 어ᄂᆡ 곳의 두리잇가?"

몽숙이 ○[왈]

"선조 평산 휘(後) 금강가의 졍ᄌᆞ을 일워 계시니 그곳지 가장 졍쇄(精灑)ᄒᆞ고 ᄉᆞ람이 ᄌᆞ로 왕ᄂᆡᄒᆞᄂᆞᆫ 일이 업ᄉᆞ니, 법ᄉᆞᄂᆞᆫ 셔촉 ᄉᆞ롬이니 거의 드러실지라. 강가의 구경암 졍ᄌᆞ을 아니 아라시랴?"

묘랑 왈,

"셔촉 셔강 듕의 금ᄉᆞ강이 웃듬이오. 졍ᄌᆞ 듕 구노야 졍ᄌᆞ 졔일이라. 빈도도 여러번 구경ᄒᆞ엿시니 엇지 모로리오. 빈되 이졔가 하소져을 잠간 보고 오리라"

몽숙이 쳔만 ᄉᆞ례ᄒᆞ니 묘랑이 왈,

"빅주의 ᄉᆞ롬을 씨고 공즁의 오르기 어려우니 명일 야(夜)의 하시을 도적ᄒᆞ여 금ᄉᆞ강으로 가리라."

숙이 언언이 맛당ᄒᆞ믈 이르니, 묘랑이 즉시 몸이 화ᄒᆞ여 벌이 되어 하부의 드러가 ᄂᆡ외 형세을 ᄌᆞ셰이 보니 하공과 부인이 다 졍긔가 범인과 다르고 하싱은 쳔지 수출ᄒᆞᆫ 긔운을 가져 ᄃᆡ군ᄌᆞ 긔상이 당당ᄒᆞ고 아소져ᄂᆞᆫ 셩녀의 덕이 일신의 어릐엿고, 신부ᄂᆞᆫ 부덕이 어릐여 화긔 만면ᄒᆞ여 셩신의 영치

1240) 빗ᄉᆡ여 : <빗ᄉᆡ다 : 비싸다>. 비싸게 굴어. 다른 사람의 요구에 쉽게 응하지 아니하고 도도하게 행동하는 모양.

ᄒᆞ여 ᄒᆞ나토 범인이 아니라. 심하의 놀나믈 마디 아니터라.

ᄎᆞ셜 하부의셔 윤쇼져의 특이ᄒᆞᆫ 효힝과 만젼ᄒᆞᆫ 셩덕이 초츌 비상ᄒᆞ여 구고를 셤기ᄆᆡ 봉영집옥(奉盈執玉)[1278]이 진션진미(盡善盡美)ᄒᆞ여 하공 부뷔 탐혹과ᄋᆡ(耽惑過愛)ᄒᆞ미 친ᄌᆞ녀의 감치 아니코, 녀부(女婦)를 겻ᄐᆡ 두어 비회를 위로ᄒᆞ더니, 일야ᄂᆞᆫ 원상 등의 보치믈 인ᄒᆞ여 부인이 몬져 취침ᄒᆞ고, 영쥬쇼졔 윤쇼져로 담화ᄒᆞ다가 윤쇼졔 ᄉᆞ실노 퇴ᄒᆞ고, 쇼졔 이에 촉을 쟝외로 물니고 시ᄋᆞ 초벽으로 침금을 포셜ᄒᆞ라 ᄒᆞ더니, 쇼졔 믄득 ᄀᆞᆯ오ᄃᆡ,

“금야(今夜)의 심ᄉᆡ 엇지 놀나오뇨?”

초벽이【42】 ᄃᆡ왈,

“이 ᄡᆞ히 거ᄒᆞ신 지 삼ᄌᆡ(三載) 거의로ᄃᆡ 별노 무셔은 일이 업습ᄂᆞᆫᄃᆡ 엇디 심ᄉᆡ 놀나오실 니 이시리잇고? 일족 취침ᄒᆞ쇼셔.”

쇼졔 미급답(未及答)의 홀연 난ᄃᆡ 업ᄂᆞᆫ 호푀(虎豹) 당젼ᄒᆞ여시니, 이 곳 묘랑이라. 묘랑이 슐을 베퍼 큰 범이 되여 ᄲᅱ여드러 쇼져를 업으려 ᄒᆞ니, 초벽이 쇼져를 붓들고 소ᄅᆡ를 놉혀 부인과 쟝외 시녀를 ᄭᆡ오며, 노쥐 혼도(昏倒)ᄒᆞ니, 묘랑이 초벽을 ᄲᅥ르치지 못ᄒᆞ여 ᄒᆞᆫ가지로 두로쳐 업고 ᄂᆡ다르니, 부인이 슈ᄆᆡ듕(睡寐中)의 초벽의 소ᄅᆡ의 놀나 눈을 드러 보니, 대회 녀ᄋᆞ를 당젼ᄒᆞ엿ᄂᆞᆫ디라. 참화지후(慘禍之後) 궁텬디통(窮天之痛)의 원상(寃傷)이 쥬쥬야야(晝晝夜夜)의 칼흘 삼켜 장니(腸裏)를 쾌【43】ᄂᆞᆫ돗, 급

1278)봉영집옥(奉盈執玉) : 효자는 가득찬 물그릇을 받들어 드는 것처럼, 보배로운 옥을 집는 것처럼 조심하고 삼가며 부모를 섬겨야 한다는 뜻. 『예기(禮記)』 <祭儀>편의 “효자여집옥여봉영(孝子如執玉如奉盈)…”에서 나온 말.

을 타시니, ᄒᆞ나도 속셰 용인이 아니라. 몽숙의 쳥을 드러 그 ᄯᅳᆺ슬 일워주려 ᄒᆞ므로 곳곳지 다 도라보고 도라와 몽숙다려 왈,

“하소져ᄂᆞᆫ 진실노 긔특ᄒᆞ나, 공ᄌᆡ 어들진ᄃᆡ 복이 어ᄃᆡ 잇시리오.”

몽숙이 힝열ᄒᆞ여 명일야의 금ᄉᆞ강으로 하소져을 다려오라 ᄒᆞ고 ᄌᆞ긔ᄂᆞᆫ 먼져 강졍으로 가니라.

션시의 하부의셔 조부인이 윤소져로ᄡᅥ 식부을 삼아 오륙일을 두고 보ᄆᆡ 만ᄉᆡ 진션진미ᄒᆞᄆᆡ, 각별ᄒᆞᆫ ᄉᆞ랑이 영주소져긔 나리지 아냐 녀부(女婦)을 압히두고 심회을 위로ᄒᆞ더니, 일야ᄂᆞᆫ 부인이 원상 등 양ᄋᆡ 보치믈 인ᄒᆞ여 먼져 취침ᄒᆞ여 양아(兩兒)을 좌우로 누이고 조으름이 몽농ᄒᆞ다가 윤소져 침소로 도가가ᄆᆡ 촉을 물니고 침금을 포셜ᄒᆞ려 ᄒᆞ더니, 소져 믄득 니로ᄃᆡ,

“금야의 엇지 졍신이 아득ᄒᆞ여 아모란 상(想)이 업ᄉᆞ니 엇지 이러ᄒᆞ뇨?”

시비 ᄃᆡ왈,

“소비 역시 심혼이 요요(搖搖)ᄒᆞ여 연고 업시 놀나오니, 고이ᄒᆞ여이다.”

노쥐 말이 맛지 못ᄒᆞ여셔 신묘랑 발셔 나뷔되여 집 말(末)[1241]네 올나더니, {진힝} 요술을 발ᄒᆞ여 나뷔 변ᄒᆞ여 큰 범이 되어 바로 ᄲᅱ여나려 하소져을 향ᄒᆞ여 물녀ᄒᆞ니, 시비 소져을 붓들고 부인을 부르니 노쥐 ᄒᆞᆫ가지 어우로져 단단【20】이 붓드러 잡아시니, 묘랑이 ᄲᅦᆯ치기 어려워 하소져을 두루쳐 업고 ᄂᆡ다르니, 부인이 그 소ᄅᆡ을 듯고 ○○○○[놀라 보니] 희미ᄒᆞᆫ 《몽∥방》즁의 큰 범이 여ᄋᆞ을 ᄃᆡᄒᆞ엿ᄂᆞᆫ지라. 본ᄃᆡ 심ᄉᆡ 온젼치 못ᄒᆞ고 궁원지통(窮遠之痛)이 주야의 칼을 숨킨 듯ᄒᆞ니, 참화지후(慘禍之後)ᄂᆞᆫ ᄉᆞ름의 급ᄒᆞᆫ 소ᄅᆡ만 드러도 놀나기을 이긔지 못ᄒᆞ던지라. 이 경상(景狀)을 보니 금

1241)말(末) : 끝. 꼭대기. 여기서는 집의 지붕 꼭대기.

ᄒᆞᆫ 소ᄅᆡ를 드르면 혼ᄇᆡᆨ이 경월(驚越)ᄒᆞ던 심ᄉᆞ로뼈 이 경ᄉᆡᆨ을 보ᄆᆡ, 계오 ᄒᆞᆫ 소ᄅᆡ의 '엇진 일이뇨?' ᄒᆞ고 엄홀(奄忽)ᄒᆞ니, 쟝외의 슈개 슉딕 시녜 이 경ᄉᆡᆨ을 보고 크게 소ᄅᆡᄒᆞ여 쇼져와 초벽을 범이 무러가다 혼동(混動)ᄒᆞ니, 촌ᄉᆞ(村舍)의 ᄂᆡ외 년졉ᄒᆞ엿ᄂᆞᆫ 디라. 공의 부ᄌᆞ와 윤공이 ᄎᆞ언을 듯고 경황ᄒᆞ여, 공이 옷술 더듬지 못ᄒᆞ여 심신이 썰니ᄂᆞᆫ디라. 공ᄌᆡ 윤공을 청ᄒᆞ여 부친을 진뎡케 ᄒᆞ고 급급히 ᄂᆡ당의 니르니, 발셔 거체 망망ᄒᆞ고 부인이 엄홀 긔졀ᄒᆞ여시ᄆᆡ, 윤쇼졔 븟드러 구호ᄒᆞᄂᆞᆫ디라. 공ᄌᆡ 창황 망극ᄒᆞ여 노복을 헷쳐 ᄎᆞᄌᆞ보라 ᄒᆞ고, 부인을 구호ᄒᆞ고 윤쇼졔ᄂᆞᆫ 원【44】상 등을 안아 다리더니, 하공이 입ᄂᆡ(入內)ᄒᆞ여 ᄎᆞ경을 보고 더옥 심붕담녈(心崩膽裂)[1279]ᄒᆞ여,

"범을 보냐?"

므르니, 쇼졔 보디 못ᄒᆞ므로뼈 고ᄒᆞ니, 부인이 이의 졍신을 출혀 범이 녀ᄋᆞ의 압헤 안졋던 줄 젼ᄒᆞ고 호곡ᄒᆞ니, 하공이 화란지후로 심원(心源)이 초갈(焦渴)ᄒᆞ엿더니, ᄌᆞ연 셰월이 오ᄅᆡᄆᆡ 냥ᄋᆞ를 완농(玩弄)ᄒᆞ더니, 쳔만몽상지외(千萬夢想之外)의 만금 녀ᄋᆞ를 호표를 맛져 보ᄂᆡ고, 시신도 ᄎᆞᆺ디 못ᄒᆞ게 되ᄆᆡ 신우구한(新憂舊恨)이 격발(激發)ᄒᆞ여 흉장이 쒸놀고 심ᄉᆡ 버히ᄂᆞᆫ둧, 므어ᄉᆡ 비ᄒᆞ리오. 심신이 경월ᄒᆞ여 손을 쳐 골오ᄃᆡ,

"텬호텬호(天乎天乎)여! ᄎᆞ하인야(此何因也)오!"

언파의 방셩대곡(放聲大哭)ᄒᆞ니 공ᄌᆡ 쳔만 슈한(愁恨)이 엇디 부모와 다르리오마ᄂᆞᆫ,

1279)심붕담녈(心崩膽裂) : 마음이 무너지고 담이 찢어짐.

즉ᄒᆞ미[1242] 학ᄉᆞ 등의 죽든 써나 다르지 아냐, 겨유 미(微)ᄒᆞᆫ 소ᄅᆡ로 '이 엇진 일이뇨?' ᄒᆞ며 엄홀(奄忽)ᄒᆞ니, 방 박긔 두어 시녀 직슉ᄒᆞ다가 초벽과 소져을 등의 업고 두 발을 븟드ᄂᆞᆫ 형상을 ᄒᆞ려 문을 열치고 나가니, 시녀 등이 일시의 소ᄅᆡᄒᆞ여 소져와 초벽을 범이 무러 간다 ᄒᆞ니, 집이 젹고 외실이 머지 아닌지라. 공의 부ᄌᆡ와 추밀이 쳣좀이 몽농ᄒᆞ엿더니 이 소ᄅᆡ을 듯고 경황차악ᄒᆞ여 하공이 일신을 썰고 옷술 더듬ᄂᆞᆫ지라. 하ᄉᆡᆼ이 윤츄밀게 청ᄒᆞ여 븟드러 진졍ᄒᆞ믈 고ᄒᆞ고 급급히 안의 드러가니, 발셔 거쳐 망망ᄒᆞ여 ᄌᆞ최도 업ᄂᆞᆫ지라. 일시의 노복을 헤치고 ᄌᆞ긔 쏘ᄒᆞᆫ ᄎᆞ져보려 ᄒᆞ더니, 시의 《비(妣) : 모(母)》 부인이 엄홀(奄忽)ᄒᆞ믈 고ᄒᆞ니 ᄉᆡᆼ이 경황ᄒᆞ여 밧비 방듕의 드러가 모친을 븟드러 구호ᄒᆞᆯ ᄉᆡ, 윤소져ᄂᆞᆫ 급히 이러나 존고을 구호ᄒᆞ다가, 하ᄉᆡᆼ이 드러오ᄆᆡ 잠간 물너 원상 등 양아을 보더라.

소져의 거쳐을 알녀ᄒᆞ나 임의 범이 물고 공듕으로 소ᄉᆞ다 ᄒᆞ니 무어ᄉᆞᆯ 어더 보리요. ᄎᆞ악ᄒᆞ믈 마지아냐 부인을 보고 곡졀이나 뭇고져 방【21】 듕의 드러오니, 부인이 엄홀ᄒᆞ엿다 겨유 ᄭᆡ엿ᄂᆞᆫ지라. 윤시다려,

"범을 보아나냐?"

무른 즉, 소져 물너갓던 바을 고ᄒᆞ고 보지 못ᄒᆞ믈 고ᄒᆞᄂᆞᆫ지라. 조부인이 졍신을 ᄎᆞ려 범이 녀아 압헤 안졋든 바을 젼ᄒᆞ고, 인ᄒᆞ여 통곡ᄒᆞ니, 하공이 ᄎᆞᆷ쳑(慘慽)을 비경(非輕)이 ᄒᆞ되, 오히려 쳔만 몽ᄆᆡ 듕, 아ᄌᆞ와 녀아을 위ᄒᆞ여 셰월을 보ᄂᆡ더니, 의외의 ᄎᆞᆷ경(慘景)을 당ᄒᆞ니 졀졀이 ᄌᆞ긔 팔ᄌᆞ을 혜아리ᄆᆡ 궁흉극악ᄒᆞᆫ지라. ᄉᆡ로이 비황(悲遑)ᄒᆞ여 무궁ᄒᆞᆫ 통원(痛寃)이 일시의 발ᄒᆞ니, 손으로 ᄯᅡ흘 두다려 방셩ᄃᆡ곡(放聲大哭)ᄒᆞ여 긔운이 막힐 듯ᄒᆞ니, 하ᄉᆡᆼ이 부모의 이러ᄒᆞᆫ 경상을 당ᄒᆞ니, 말이 나지 아니ᄒᆞ고, ᄌᆞ긔 역시 오ᄂᆡ(五內) 칼노 ᄊᆞᆫᄂᆞᆫ 듯ᄒᆞ니, 쳔하을 두루 도라○[도] 종ᄂᆡ(終乃) 속 마음의 굿기미[1243] ᄌᆞ긔 《다르니‖갓트니》 업

1242)금즉ᄒᆞ다 : 끔찍하다.

스스로 심【45】신을 뎡ᄒᆞ고 ᄌᆡ삼 츔아 부모를 븟드러, 쳔만 관위(款慰) 왈,

"고금이릐의 나는 범이 이시믄 듯디 못ᄒᆞᆫ ᄇᆡ라. 쇼ᄆᆡ를 믈고 공듕의 오르더라 ᄒᆞ오니, ᄎᆞᄂᆞᆫ 결ᄒᆞ여 호표의 무리 아니오 별물요죵(別物妖種)이라. ᄆᆡᄃᆡ(妹姐)의 일시 ᄋᆡᆨ회(厄會) 비상ᄒᆞ와 요얼(妖孼)이 침노ᄒᆞ오나, 져의 상뫼 범상치 아니ᄒᆞ오니 슈화○[의] 드나 필연 요몰조사(夭沒早死)치 아니ᄒᆞ오리니, 복망(伏望) 야야는 관심비회(寬心悲懷)ᄒᆞ샤 타일 단취(團聚)ᄒᆞᄂᆞᆫ 경ᄉᆞ를 보쇼셔."

공의 부뷔 통상(痛傷)을 긋치지 아니니, 공지 심혼(心魂)이 비월(飛越)ᄒᆞ여 만식 부운 ᄀᆞᆺᄐᆞ나 이셩낙ᄉᆡᆨ(怡聲樂色)ᄒᆞ여 ᄌᆡ삼 간걸(懇乞)ᄒᆞ고, 윤공이 쳥ᄒᆞ믈 인ᄒᆞ여 공이 밧그로 나가니 부인이 통곡ᄒᆞ여 ᄌᆞ분필ᄉᆞ(自憤必死)ᄒᆞ려 ᄒᆞ니, 공지 우황(憂惶)ᄒᆞ여 모【46】친의 손을 밧들고 ᄋᆡ걸 왈,

"쇼ᄆᆡᄂᆞᆫ 복녹이 완젼지상(完全之相)이라, 텬신이 ᄒᆞᆫ가지로 보호ᄒᆞ리니, 복원 ᄌᆞ위ᄂᆞᆫ 심신을 관비(寬庇)ᄒᆞ샤 후일을 보시면 쇼ᄌᆞ의 말ᄉᆞᆷ이 헛되지 아니믈 아르시리이다."

부인이 호곡 왈,

"화가여ᄉᆡᆼ이 명완투ᄉᆡᆼ(命頑偸生)ᄒᆞᄆᆡ 신명이 ᄆᆡ이 넉이미라. ᄎᆞᆯ하리 죽어 셜우믈 니ᄌᆞ리니, 너ᄂᆞᆫ 다시 니르디 말나."

ᄉᆡᆼ이 이의 다다라ᄂᆞᆫ 혈읍비통(血泣悲痛)ᄒᆞ여 읍고(泣告) 왈,

"삼형과 니슈의 참망디시(慘亡之時)의도 오히려 대의를 잡으샤 쇼ᄌᆞ 남ᄆᆡ를 고렴(顧念)ᄒᆞ며 관비ᄒᆞ여 계시니, 도금(到今)ᄒᆞ여 실니지홰(失離之禍) 비록 참졀ᄒᆞ오나 쇼ᄌᆞ와 냥ᄋᆞ를 바리시며, 대인의 쳔비만한(千悲萬恨)이 ᄌᆞ위와 다르시미 업ᄉᆞᆸ거ᄂᆞᆯ, 이러ᄐᆞ시 우(憂)로【47】ᄲᅧ 증(贈)ᄒᆞ시니 태태 셩덕으로ᄡᅧ 엇디 이러ᄐᆞᆺ ᄒᆞ시ᄂᆞ니잇고? 쇼ᄌᆡ 몬져 셰샹을 닛고져 ᄒᆞᄂᆞ이다."

부인이 믁연ᄒᆞ여 벼개를 취ᄒᆞ여 누어 ᄋᆡ곡 쳐졀ᄒᆞ니 공지 만단 ᄋᆡ걸ᄒᆞ여, 츈애 고단(苦短)ᄒᆞ므로 계셩(鷄聲)이 악악ᄒᆞ니, 모든 비복이 ᄌᆞ최를 엇디 못ᄒᆞ고 헛도이 도라

술지라. 마음이 경각의 마촐 듯ᄒᆞ되, 쳔만 강인ᄒᆞ여 부모를 븟드러 위로 왈,

"나는 범 이시믈 듯지 못ᄒᆞ엿ᄉᆞᆸ더니, 소ᄆᆡ을 물어 공즁의 오르다 ᄒᆞ오니, 결단코 범이 아니오 고이ᄒᆞᆫ 요졍(妖精)이라. 소ᄆᆡ ᄋᆡᆨ회(厄會) 고이ᄒᆞ여 요얼(妖孼)의 홀니여 갓ᄉᆞᆸ거니와, 그 상뫼(相貌) 수화듕(水火中)의 드러도 위ᄐᆡ흘 니 업ᄉᆞ오니, 원(願) 야야(爺爺) ᄐᆡᄐᆡ(太太)ᄂᆞᆫ 심ᄉᆞ을 관억ᄒᆞ시고 져의 소식을 기○[다]리미 올ᄉᆞ오니, 이졔 소ᄆᆡ을 불힝이 일은들 소ᄌᆞ와 양아졔(兩兒弟) 잇시니, 이런 말ᄉᆞᆷ은 아니ᄒᆞ셤 즉 ᄒᆞ고, ᄒᆞ믈○[며] ᄃᆡ인의 참통을 도도지 아니시미 더욱 맛당ᄒᆞ온지라. ᄐᆡᄐᆡ의 하히 갓ᄐᆞᆫ 성졍으로ᄡᅧ ᄉᆡᆼ각기을 그릇ᄒᆞ시ᄂᆞᆫ잇가?"

부인이【22】 다시 말을 아니코 벼기을 취ᄒᆞ여 누어 최졀ᄋᆡ곡(摧折哀哭)ᄒᆞ니, ᄉᆡᆼ이 울며 빌기을 만단(萬端)으로 ᄒᆞ니, 츈쇠(春

1243)긋기다 : 고생하다.

왓ᄂᆞᆫ디라. 부인은 쇼져를 브르지져 망망이 ᄯᅳ를 ᄃᆞᆺᄒᆞ고, 공은 희허 비도ᄒᆞ여 ᄋᆞᄌᆞ를 불너 녀ᄋᆞ를 허장(虛葬)1280)ᄒᆞ라 ᄒᆞᆫᄃᆡ, ᄉᆡᆼ이 피셕 궤고(跪告) 왈,

"셩괴(聖敎) 맛당ᄒᆞ시나 허장(虛葬)이 녜 아니라. 《허타∥허탄(虛誕)》 ᄒᆞ오나 상격(相格)을 의논ᄒᆞᆯ진ᄃᆡ, 쇼ᄆᆡ 당당이 귀격달상(貴格達相)이오, 슈한(壽限)이 ᄯᅩᄒᆞᆫ 칠십이 너믈 ᄃᆞᆺᄒᆞ던 거시오니, 진짓 범이 무러가도, 요얼(妖孼)의 작희ᄒᆞ미 이시나, ᄌᆞ연 보응ᄒᆞ미 이시리니, 유익(有厄)ᄒᆞ여【48】 일시 ᄒᆞᆯ녀 갓ᄉᆞ오나, 쇼ᄆᆡ의 태양경긔 온젼ᄒᆞ오니 엇지 범ᄒᆞ리잇고? ᄌᆞ연 ᄉᆡᆼ되 이셔 일년을 긔약ᄒᆞ리이다."

윤공이 니어 ᄀᆞᆯ오ᄃᆡ,

"ᄌᆞ의의 말이 올ᄒᆞ니, 쇼뎨 녕녀를 유시의 ᄌᆞ로 보아시니, 디감(知鑑)이 비록 ᄉᆞ광(師曠) ᄀᆞᆺ디 못ᄒᆞ나, 쳥텬ᄇᆡᆨ일(靑天白日)은 역지기명(亦知其明)이니, 엇디 녕녀의 귀복달슈(貴福達壽)ᄒᆞᆯ 격(格)을 모로리오. ○○○○○○[가졍(家丁)을 ᄉᆞ면의] 헷쳐 심방ᄒᆞ미 올토다."

1280)허장(虛葬) : 오랫동안 생사를 모르거나, 시체를 찾지 못하는 경우에 시체 없이 그 사람의 옷가지나 유품으로써 장례를 치름. 또는 그 장례.

宵) 고단ᄒᆞᆫ지라. 계셩(鷄聲)이 악악ᄒᆞ고 모든 시녀 드러오되 혓도이 도라와 범의 ᄌᆞ최 보지 못ᄒᆞ믈 고ᄒᆞ니, 부인이 소져을 부르지져 망망이 ᄯᅳ르고져 우더니, 하공이 외헌의셔 호언(好言) 관위(寬慰)ᄒᆞ믈 드러 잠간 통곡을 그치더니, 노ᄌᆞ 등이 호표의 ᄌᆞ최도 보지 못ᄒᆞ고 그져 도라오니, 츄밀과 의논ᄒᆞ여 아ᄌᆞ을 불녀 녀ᄋᆞ의 입든 의복을 가져 허장(虛葬)1244)ᄒᆞᆯ 바을 무르니, ᄉᆡᆼ이 갈오ᄃᆡ,

"소ᄆᆡ(小妹) 작인(作人)이 당당이 존귀을 누려 수한이 칠슌을 넘을지라. 셜ᄉᆞ 범이 물어갓셔도 죽을 니 업고, ᄒᆞ믈며 소ᄆᆡ을 후려간 거시 공즁으로 치닷더라니, 결단코 범은 아니오, 일졍(一定) 요졍(妖精)이니, 소ᄆᆡ의 뎡ᄃᆡᄒᆞᆫ 긔운이 요ᄉᆞ(妖邪)을 물니칠 거시오, 귀복지상(貴福之相)이오니, 불과 물의 너어도 위ᄐᆡ치 아냐 ᄌᆞ연 버셔나리니, 일년만 경경(耿耿)ᄒᆞ여 그 ᄉᆡᆼ존ᄒᆞᆫ 소식을 기다리시면 아모려도 깃분 소식이 잇ᄉᆞ리니, 져의 의복으로 허장ᄒᆞ미 심히 ᄉᆞ외로온1245)지라. ᄃᆡ인은 심ᄉᆞ을 관억ᄒᆞ소셔."

윤츄밀이 갈오ᄃᆡ,

"아셔(我壻)의 말이 가장 올흔지라. 소졔는 영녀을 ᄉᆞ오셰 가지 빈빈이 보아시니 비록 지인(知人)ᄒᆞᄂᆞᆫ 안녁(眼力)은 밝지 못ᄒᆞ나, 쳥쳔ᄇᆡᆨ일(靑天白日)은 노예(奴隷)도 역지기명(亦知其明)이라. 당당ᄒᆞᆫ 귀격과 비상ᄒᆞᆫ 품질이 ᄌᆞ연 범안(凡眼)의 아라보이ᄂᆞ니, 영녀(令女)의 오ᄎᆡ상광(五彩祥光)과【23】 덕셩완젼지상(德性完全之相)이 수복을 누릴 거시니, 허장ᄒᆞᆯ 의ᄉᆞᄂᆞᆫ 말고 가졍(家丁)을 ᄉᆞ면의 ᄒᆞ터 소식을 듯보라."

하공이 입이 ᄲᅧ 말이 나지 아니터라. 낙장1246).

1244)허장(虛葬) : 오랫동안 생사를 모르거나, 시체를 찾지 못하는 경우에 시체 없이 그 사람의 옷가지나 유품으로써 장례를 치름. 또는 그 장례.

1245)ᄉᆞ외롭다 : 꺼림칙하다.

1246)필사자가 필사원본에 낙장이 있는 사실을 밝히고 낙장된 부분을 제외한 채로 필사을 이어가고 있는 점과 낙장된 분량이 낙선재본으로 47쪽

하공이 좃ᄎᆞ 허쟝지셜을 긋치나 스ᄉᆞ로 신셰를 한ᄒᆞ여 앙텬통호(仰天痛乎)ᄒᆞᄆᆡ, 누쉬 하슈ᄀᆞᆺᄐᆞ여 댱염(長髯)의 ᄆᆡ줄 ᄉᆞ이 업ᄉᆞ니, 스ᄉᆞ로 탄왈,

"원경 등 삼ᄋᆞ를 참망ᄒᆞ고 일녀를 실니ᄒᆞ니 텬하 궁민이라, 원광 등 삼ᄋᆡ 또ᄒᆞᆫ 두렵디 아니랴?"

윤공이 츄연 위로 왈,

"형의 인의대덕으로뼈 영복이 무흠홀 빅어【49】눌 ᄌᆞ안 등의 참ᄉᆡ 텬디간의 업ᄉᆞᆫ 빅오. 영녀를 실니ᄒᆞ나 ᄌᆞ연ᄒᆞᆫ 셩덕은 신명이 보호ᄒᆞ리니, 형은 모로미 관심(寬心)ᄒᆞ여 텬도의 슌환ᄒᆞ믈 볼디어다."

하공이 톄루(涕淚) 묵묵ᄒᆞ여 답언이 업ᄉᆞ니, ᄉᆡᆼ이 부모를 관위(款慰)ᄒᆞ여 이셩낙ᄉᆡᆨ으로 위로ᄒᆞᄃᆡ, 부인이 회심ᄒᆞ미 업셔 죽기를 원ᄒᆞ니, 공이 ᄒᆡ유ᄒᆞ여 대의로 졀칙 왈,

"셕년의 경ᄋᆞ 등을 참망ᄒᆞ여 내 거두어 풍진(風塵)의 쟝치 못ᄒᆞ고, 셔촉 슈졸이 되여 나려올 젹도 능히 ᄉᆞ랏거ᄂᆞᆯ, 금일 녀ᄋᆞ의 참변이 셕년의 비길 빅 아니라. 다시 빵ᄋᆞ를 어덧고 윤현부의 특이ᄒᆞ미 도로혀 녀ᄋᆞ를 ᄃᆡ신ᄒᆞ여 심ᄉᆞ를 위로ᄒᆞ리니, 이ᄃᆡ도록 과도ᄒᆞ리오. ᄒᆞ믈며 녀ᄋᆞ의 쟉셩ᄀᆡ딜 요몰(夭沒)【50】ᄒᆞ여 호표(虎豹)의 복장(腹臟)을 ᄎᆡ올 빅 아니라. 망망ᄒᆞᆫ 텬슈를 예탁(豫度)기 어려오니 일이 되여가믈 볼지니, 엇디 일녀를 위ᄒᆞ여 몸을 맛ᄎᆞ리오. 원광 부부의 졍ᄉᆞ를 고렴ᄒᆞ며 냥ᄋᆞ의 고고(孤孤)ᄒᆞ믈 념녀치 아냐 셰ᄉᆞ를 져바리고져 ᄒᆞ니, ᄎᆞᄂᆞᆫ 블찰대의(不察大義)로다. 모로미 관심ᄒᆞ여 원광의 초황ᄒᆞᆫ 심ᄉᆞ를 위로ᄒᆞ고, 녀ᄋᆞ의 ᄉᆡᆼ환ᄒᆞ믈 기다려 복(僕)으로 ᄒᆞ여곰 근심을 더으게 마르쇼셔."

부인이 읍읍뉴톄(泣泣流涕)ᄒᆞ여 ᄀᆞᆯ오ᄃᆡ,

"녀ᄋᆞ의 실니ᄒᆞ미 쳡의 팔ᄌᆞ 흉험ᄒᆞ미니, 엇지 원경 등의 원ᄉᆞ(寃死)의 비길 빅리잇고마는, ᄎᆞ후 또 므ᄉᆞᆫ 변고를 볼 줄 모로ᄂᆞ, 이 다 쳡(妾)의 명박궁험(命薄窮險)ᄒᆞ미라. 구구히 투ᄉᆡᆼᄒᆞ믈 원치 아닛ᄂᆞ이다."

공이 탄왈,

○…낙장 10,642자…○ [하공이 좃ᄎᆞ 허쟝지셜을 긋치나, 스ᄉᆞ로 신셰를 한ᄒᆞ여 앙텬통호(仰天痛乎)ᄒᆞᄆᆡ, 누쉬 하슈ᄀᆞᆺᄐᆞ여 댱염(長髯)의 ᄆᆡ줄 ᄉᆞ이 업ᄉᆞ니, 스ᄉᆞ로 탄왈,

"원경 등 삼ᄋᆞ를 참망ᄒᆞ고 일녀를 실니ᄒᆞ니 텬하 궁민이라, 원광 등 삼ᄋᆡ 또ᄒᆞᆫ 두렵디 아니랴?"

윤공이 츄연 위로 왈,

"형의 인의대덕으로뼈 영복이 무흠홀 빅어ᄂᆞᆯ ᄌᆞ안 등의 참ᄉᆡ 텬디간의 업ᄉᆞᆫ 빅오. 영녀를 실니ᄒᆞ나 ᄌᆞ연ᄒᆞᆫ 셩덕은 신명이 보호ᄒᆞ리니, 형은 모로미 관심(寬心)ᄒᆞ여 텬도의 슌환ᄒᆞ믈 볼디어다."

하공이 톄루(涕淚) 묵묵ᄒᆞ여 답언이 업ᄉᆞ니, ᄉᆡᆼ이 부모를 관위(款慰)ᄒᆞ여 이셩낙ᄉᆡᆨ으로 위로ᄒᆞᄃᆡ, 부인이 회심ᄒᆞ미 업셔 죽기를 원ᄒᆞ니, 공이 ᄒᆡ유ᄒᆞ여 대의로 졀칙 왈,

"셕년의 경ᄋᆞ 등을 참망ᄒᆞ여 내 거두어 풍진(風塵)의 쟝치 못ᄒᆞ고, 셔촉 슈졸이 되여 나려올 젹도 능히 ᄉᆞ랏거ᄂᆞᆯ, 금일 녀ᄋᆞ의 참변이 셕년의 비길 빅 아니라. 다시 빵ᄋᆞ를 어덧고 윤현부의 특이ᄒᆞ미 도로혀 녀ᄋᆞ를 ᄃᆡ신ᄒᆞ여 심ᄉᆞ를 위로ᄒᆞ리니, 이ᄃᆡ도록 과도ᄒᆞ리오. ᄒᆞ믈며 녀ᄋᆞ의 쟉셩ᄀᆡ딜 요몰(夭沒)ᄒᆞ여 호표(虎豹)의 복장(腹臟)을 ᄎᆡ올 빅 아니라. 망망ᄒᆞᆫ 텬슈를 예탁(豫度)기 어려오니 일이 되여가믈 볼지니, 엇디 일녀를 위ᄒᆞ여 몸을 맛ᄎᆞ리오. 원광 부부의 졍ᄉᆞ를 고렴ᄒᆞ며 냥ᄋᆞ의 고고(孤孤)ᄒᆞ믈 념녀치 아냐 셰ᄉᆞ를 져바리고져 ᄒᆞ니, ᄎᆞᄂᆞᆫ 블찰대의(不察大義)로다. 모로미 관심ᄒᆞ여 원광의 초황ᄒᆞᆫ 심ᄉᆞ를 위로ᄒᆞ고, 녀ᄋᆞ의 ᄉᆡᆼ환ᄒᆞ믈 기다려 복(僕)으로 ᄒᆞ여곰 근심을 더으게 마르쇼셔."

부인이 읍읍뉴톄(泣泣流涕)ᄒᆞ여 ᄀᆞᆯ오ᄃᆡ,

"녀ᄋᆞ의 실니ᄒᆞ미 쳡의 팔ᄌᆞ 흉험ᄒᆞ미니, 엇지 원경 등의 원ᄉᆞ(寃死)의 비길 빅리잇고마는, ᄎᆞ후 또 므ᄉᆞᆫ 변고를 볼 줄 모로ᄂᆞ,이 다 쳡(妾)의 명박궁험(命薄窮險)ᄒᆞ미라. 구구히 투ᄉᆡᆼᄒᆞ믈 원치 아닛ᄂᆞ이다."

공이 탄왈,

"니른바 텬의(天意)라. 인력으로 밋출 빅 아니니, 변이 온 즉 당ᄒᆞ고, 업ᄉᆞᆫ 즉 관심ᄒᆞ여 술니니, 엇지 구ᄐᆞ여 오지 아닌 변을 니르리오. 슬프미 복으로 더브러 일톄(一體)니, 혹ᄉᆡᆼ이 죽기의 당ᄒᆞ여도 부인이 ᄉᆞᄉᆡᆼ을 ᄀᆞᆺ치 못ᄒᆞ리이다."

부인이 공의 말이 이의 미쳐ᄂᆞᆫ 죽기도 또ᄒᆞᆫ 임의로 못홀디라 오ᄃᆡ 쳬읍 무언ᄒᆞᆫᄃᆡ, ᄉᆡᆼ이 시좌ᄒᆞ여 화셩유어(和聲柔語)로 감히 비ᄉᆡᆨ을 못ᄒᆞ나, 셕년 참화의 간장을 녹이ᄂᆞᆫ 통원이 칼흘 삼킨 ᄃᆞᆺ, 출ᄒᆞ리 벽을 쳐 통곡홈만 ᄀᆞᆺ지 못ᄒᆞ여, 의형(儀形)이 환탈(換奪)ᄒᆞ여 슈일지닉의 옥골이 표연(飄然)ᄒᆞ고, 윤쇼제 ᄒᆞᆫ가의 뫼셔 황황초조(惶惶焦燥)ᄒᆞᄂᆞᆫ 거동이 인심을 감동ᄒᆞᄂᆞᆫ디라. 공이 ᄌᆞ부의 여ᄎᆞ경ᄉᆡᆨ(如此景色)을 잔인ᄒᆞ여[1247] 작화(作和)ᄒᆞ고, 부인이 또ᄒᆞᆫ 고렴ᄒᆞ여 ᄉᆡᆨ음을 나오니 [나] 침와(寢臥)의 위돈(危頓)ᄒᆞ여 ᄌᆞ연이 셰렴이 돈연(頓然)ᄒᆞ더라.

10,642자에 이르는 점으로 보아, 원본의 훼손 정도가 상당히 심각한 상태인 것을 알 수 있다.

1247)잔인ᄒᆞ다 : 자닝하다. 잔잉하다. 애처롭고 불쌍하여 차마 보기 어렵다.

"니른바 텬의(天意)라. 인력으【51】로 밋출 ᄇᆡ 아니니, 변이 온 즉 당ᄒᆞ고, 업ᄉᆞᆫ즉 관심ᄒᆞ여 ᄉᆞᆯ니니, 엇지 구ᄐᆞ여 오지 아닌 변을 니르리오. 슬프미 복으로 더브러 일톄(一體)니, 혹 ᄉᆡᆼ이 죽기의 당ᄒᆞ여도 부인이 ᄉᆞᄉᆡᆼ을 ᄀᆞᆺ치 못ᄒᆞ리이다."

부인이 공의 말이 이의 미쳐ᄂᆞᆫ 죽기도 ᄯᅩᄒᆞᆫ 임의로 못ᄒᆞᆯ디라 오딕 체읍 무언ᄒᆞᆫᄃᆡ, ᄉᆡᆼ이 시좌ᄒᆞ여 화셩유어(和聲柔語)로 감히 비ᄉᆡᆨ을 못ᄒᆞ나, 셕년 참화의 간장을 녹이ᄂᆞᆫ 통원이 칼흘 삼킨 ᄃᆞᆺ, 출ᄒᆞ리 벽을 쳐 통곡ᄒᆞᆷ만 ᄀᆞᆺ지 못ᄒᆞ여, 의형(儀形)이 환탈(換奪)ᄒᆞ여 슈일지ᄂᆡ의 옥골이 표연(飄然)ᄒᆞ고, 윤쇼졔 ᄒᆞᆫ가의 뫼셔 황황초조(惶惶焦燥)ᄒᆞᄂᆞᆫ 거동이 인심을 감동ᄒᆞ는디라. 공이 ᄌᆞ부의 여ᄎᆞ경ᄉᆡᆨ(如此景色)을 잔인ᄒᆞ여[1281] 작화(作和)ᄒᆞ고, 부인이 ᄯᅩᄒᆞᆫ 고렴ᄒᆞ여 식음을 나오니[나] 침【52】와(寢臥)의 위돈(危頓)ᄒᆞ여 ᄌᆞ연이 셰렴이 돈연(頓然)ᄒᆞ더라.

어시의 신묘랑이 하쇼져 비쥬(婢主)를 업고 공듕의 ᄉᆞᄉᆞ오로니 쳐음은 가바야와 아아히 오로더니, 하쇼져의 당당ᄒᆞᆫ 졍긔 요졍을 탈노(綻露)ᄒᆞ니, 두려오미 극ᄒᆞᆫ 가온ᄃᆡ 쇼졔 쳐음은 호표로 아랏더니, ᄌᆞ긔를 업고 공듕으로 오로믈 보니 괴ᄒᆞᆫ 요졍(妖精)인 줄 ᄭᆡᄃᆞ라 일분 구겁ᄒᆞ미 업셔, 묘랑의 등을 쥐여ᄯᅳ더 뉴혈이 님니(淋漓)ᄒᆞ고 므거오미 태산이 누른 ᄃᆞᆺᄒᆞ니, ᄉᆞᄉᆞ로 혜오ᄃᆡ, '하시 블과 심여셰 쇼ᄋᆡ어ᄂᆞᆯ 무어시 그ᄃᆡ도록 무거오리오마ᄂᆞᆫ 대개 셩신(星辰)의 졍긔로 사ᄅᆞᆷ을 일워 그 쥬셩(主星)이 텬듕의 이셔 그 몸을 보호ᄒᆞᄂᆞᆫ 고로 나의 법술을 힝ᄒᆞ미 어렵도다', 거의 노ᄒᆞᄇᆞ릴 ᄃᆞᆺᄒᆞ다가 ᄆᆞᄋᆞᆷ을【53】단단이 ᄒᆞ고 담을 크게 ᄒᆞ여 ᄎᆞᆷ기를 냥구히 ᄒᆞ다가 금ᄉᆞ 강졍(江亭)의 니르니 몽슉이 촉을 붉혀 바야흐로 기다리다가, 쳔만 힝심(幸甚)ᄒᆞ여 방듕의 마ᄌᆞ드리니, 묘랑이 방듕의 노코 몸을 화ᄒᆞ여 녀승이 되여 쇼져의 겻ᄐᆡ 안ᄌᆞ니, 쇼져 비쥐 ᄎᆞ경을 당

1281)잔인ᄒᆞ다 : 자닝하다. 잔잉하다. 애처롭고 불쌍하여 차마 보기 어렵다.

어시의 신묘랑이 하쇼져 비쥬(婢主)를 업고 공듕의 ᄉᆞᄉᆞ오로니 쳐음은 가바야와 아아히 오로더니, 하쇼져의 당당ᄒᆞᆫ 졍긔 요졍을 탈노(綻露)ᄒᆞ니, 두려오미 극ᄒᆞᆫ 가온ᄃᆡ 쇼졔 쳐음은 호표로 아랏더니, ᄌᆞ긔를 업고 공듕으로 오로믈 보니 괴ᄒᆞᆫ 요졍(妖精)인 줄 ᄭᆡᄃᆞ라 일분 구겁ᄒᆞ미 업셔, 묘랑의 등을 쥐여ᄯᅳ더 뉴혈이 님니(淋漓)ᄒᆞ고 므거오미 태산이 누른 ᄃᆞᆺᄒᆞ니, ᄉᆞᄉᆞ로 혜오ᄃᆡ, '하시 블과 심여셰 쇼ᄋᆡ어ᄂᆞᆯ 무어시 그ᄃᆡ도록 무거오리오마ᄂᆞᆫ 대개 셩신(星辰)의 졍긔로 사ᄅᆞᆷ을 일워 그 쥬셩(主星)이 텬듕의 이셔 그 몸을 보호ᄒᆞᄂᆞᆫ 고로 나의 법술을 힝ᄒᆞ미 어렵도다', 거의 노ᄒᆞᄇᆞ릴 ᄃᆞᆺᄒᆞ다가 ᄆᆞᄋᆞᆷ을 단단이 ᄒᆞ고 담을 크게 ᄒᆞ여 ᄎᆞᆷ기를 냥구히 ᄒᆞ다가 금ᄉᆞ 강졍(江亭)의 니르니 몽슉이 촉을 붉혀 바야흐로 기다리다가, 쳔만 힝심(幸甚)ᄒᆞ여 방듕의 마ᄌᆞ드리니, 묘랑이 방듕의 노코 몸을 화ᄒᆞ여 녀승이 되여 쇼져의 겻ᄐᆡ 안ᄌᆞ니, 쇼져 비쥐 ᄎᆞ경을 당ᄒᆞ여 요괴롭고 ᄎᆞ악경심ᄒᆞ더니, 몽슉이 묘랑을 ᄃᆡᄒᆞ여 ᄌᆡᄇᆡ 칭은ᄒᆞ고 쇼져의 겻ᄐᆡ 안ᄌᆞ니, 쇼졔 대경ᄒᆞ여 초벽으로 압흘 가리오니, 몽슉이 이의 말을 펴 왈,

"쇼ᄉᆡᆼ은 경샤 사ᄅᆞᆷ이라. 젼(前) 《산 : 상(相)》 구경암의 손이오, 젼 시랑 구공의 ᄌᆞ라. 쇼져의 셩화를 듯고 비록 일이 뎡되 아니나 신법ᄉᆞ(神法師)를 보ᄂᆡ여 뫼셔 왓ᄂᆞ니, 하날이 인연을 가ᄅᆞ치고 피치 고문벌열이라, 쇼졔 가운이 블니ᄒᆞ여 누얼을 신셜치 못ᄒᆞ여시나, 쇼ᄉᆡᆼ은 ᄋᆡᄆᆡᄒᆞ믈 아라 혐의치 아니코 다만 쇼져를 흠복ᄒᆞᄂᆞ니, 원컨ᄃᆡ 놀난 거슬 딘뎡ᄒᆞ여 ᄉᆡᆼ의 말숨을 드르쇼셔."

이리 니르며 일변 눈을 드러 쇼져를 보니, 쳔교ᄇᆡᆨ미(千嬌百美) 쇄연긔려(灑然奇麗)ᄒᆞ여 계궁소월(桂宮素月)이 운간(雲間)의 광치를 흘니미오, 텬화(天花)[1248] 일지(一枝) 옥호(玉壺)의 ᄭᅩᆺ쳣ᄂᆞᆫ ᄃᆞᆺ, 신ᄎᆡ(身彩) 오오(旿旿)ᄒᆞ고 셔광(瑞光)이 ᄋᆡᄋᆡ(靄靄)ᄒᆞ여 일실(一室)의 도요(照耀)ᄒᆞ니, 몽슉이 정신이 미란ᄒᆞ여 졈졈 갓가이 나오니, 묘랑이 웃고 ᄀᆞᆯ오ᄃᆡ,

"쇼졔 만히 놀나 계시나 빈도ᄂᆞᆫ 도승이라 부쳐의 뎡과(正果)를 어더 사ᄅᆞᆷ의 길흉을 아ᄂᆞ니, 쇼졔 구상공과 텬연이 듕ᄒᆞ니 쇼졔 능히 버셔나지 못ᄒᆞ리이다."

쇼졔 ᄎᆞ언을 드르ᄆᆡ 경악통히(驚愕痛駭)ᄒᆞ믈 니긔지 못ᄒᆞ니, 신묘랑은 각별ᄒᆞᆫ 요졍이라, 하쇼져를 구ᄉᆡᆼ의 쳥으로 다려 와시나 인연을 ᄆᆡᆺ지 못ᄒᆞᆯ 쥴 붉히 알오ᄃᆡ, 짐즛 쇼져를 공동(恐動)ᄒᆞ나 몽슉이 겁박(劫迫)ᄒᆞᆯ ᄠᅳᆺ이 급ᄒᆞ여 묘랑을 눈 준ᄃᆡ, 묘랑이 즉시 나가고 몽슉이 ᄯᅩᄒᆞᆫ 초벽을 나가라 ᄒᆞ니, 하쇼졔 이를 당ᄒᆞ여 죽으미 영화롭고 ᄉᆞᆯ고져 ᄒᆞᆫ즉 목젼의 참욕이 급ᄒᆞ니, ᄎᆞ시 망극 초우ᄒᆞᆫ 심장이 경긱의 ᄉᆞ라져, 도라 ᄉᆡᆼ각건ᄃᆡ 삼형이 함원참망(含怨慘亡)ᄒᆞ고 ᄌᆞ긔 남ᄆᆡ 셔촉 ᄒᆞᆫ가의 부모를 시봉ᄒᆞ여 고젹ᄒᆞ시믈 위로ᄒᆞ거ᄂᆞᆯ, ᄌᆞ개(自己) 블의예 요졍의게 후리여 이곳의 와 유톄(遺體)[1249]를 누합(陋閤)의 더지미 진실노 사ᄅᆞᆷ의 디통(之痛)이라. ᄡᆡ를 냥평(良平)[1250]의게 빌고 디혜를 졔

1248)텬화(天花) : 하늘에서 내리는 꽃이라는 뜻으로, '눈[雪]'을 달리 이르는 말.

1249)유톄(遺體) : 부모가 남겨 준 몸이라는 뜻으로, 자기의 몸을 이르는 말.

1250)냥평(良平) : 중국 한(漢)나라 때의 책사(策士)

ᄒᆞ여 요괴롭고 ᄎᆞ악경심ᄒᆞ더니, 몽슉이 묘랑을 디ᄒᆞ여 지빈 칭은ᄒᆞ고 쇼져의 겻틱 안ᄌᆞ니, 쇼졔 대경ᄒᆞ여 초벽으로 압흘 가리오니, 몽슉이 이의 말을 펴 왈,

"쇼싱은 경샤 사름이라. 젼(前) 《산 : 상(相)》 구경암의 손이오, 젼 시랑 구공의 ᄌᆞ라. 쇼져의 성화를 듯고 비록 일이 뎡되 아니나 신법ᄉᆞ(神法師)를 보ᄂᆡ여 뫼셔 왓ᄂᆞ니, 하날이 인연을 가ᄅᆞ치고 피ᄎᆡ 고문벌열이라, 쇼졔 가운이 블니ᄒᆞ【54】여 누얼을 신셜치 못ᄒᆞ여시나, 쇼싱은 ᄋᆡᄆᆡᄒᆞᆷ믈 아라 혐의치 아니코 다만 쇼져를 흠복ᄒᆞᄂᆞ니, 원컨ᄃᆡ 놀난 거술 딘뎡ᄒᆞ여 ᄉᆡᆼ의 말ᄉᆞᆷ을 드르쇼셔."

이리 니르며 일변 눈을 드러 쇼져를 보니, 쳔교ᄇᆡᆨ미(千嬌百美) 쇄연긔려(灑然奇麗)ᄒᆞ여 계궁소월(桂宮素月)이 운간(雲間)의 광ᄎᆡ를 흘니미오, 텬화(天花)[1282] 일지(一枝) 옥호(玉壺)의 꼿쳣ᄂᆞᆫ 듯, 신ᄎᆡ(身彩) 오오(旿旿)ᄒᆞ고 셔광(瑞光)이 ᄋᆡᄋᆡ(靄靄)ᄒᆞ여 일실(一室)의 도요(照耀)ᄒᆞ니, 몽슉이 경신이 미란ᄒᆞ여 졈졈 갓가이 나오니, 묘랑이 웃고 골오ᄃᆡ,

"쇼졔 만히 놀나 계시나 빈도ᄂᆞᆫ 도승이라 부쳐의 뎡과(正果)를 어더 사름의 길흉을 아ᄂᆞ니, 쇼졔 구상공과 텬연이 듕ᄒᆞ니 쇼졔 능히 버셔나지 못ᄒᆞ리이다."

쇼졔 ᄎᆞ언을 드르ᄆᆡ 경악통ᄒᆡ(驚愕痛駭)ᄒᆞ믈 니긔지 못ᄒᆞ니, 신묘랑은 각【55】별ᄒᆞᆫ 요졍이라, 하쇼져를 구ᄉᆡᆼ의 청으로 다려와시나 인연을 ᄆᆡᆺ지 못ᄒᆞᆯ 쥴 ᄇᆞᆰ히 알오ᄃᆡ, 짐즛 쇼져를 공동(恐動)ᄒᆞ나 몽슉이 겁박(劫迫)ᄒᆞᆯ ᄯᅳᆺ이 급ᄒᆞ여 묘랑을 눈 준ᄃᆡ, 묘랑이 즉시 나가고 몽슉이 ᄯᅩᄒᆞᆫ 초벽을 나가라 ᄒᆞ니, 하쇼졔 이를 당ᄒᆞ여 죽으미 영화롭고 슬고져 ᄒᆞᆫ즉 목젼의 참욕이 급ᄒᆞ니, ᄎᆞ시 망극 초우ᄒᆞᆫ 심장이 경긱의 ᄉᆞ라져, 도라ᄉᆡᆼ각건ᄃᆡ 삼형이 함원참망(含怨慘亡)ᄒᆞ고 ᄌᆞ긔 남ᄆᆡ 셔촉 ᄒᆞᆫ 가의 부모를 시봉ᄒᆞ여

1282)텬화(天花) : 하늘에서 내리는 꽃이라는 뜻으로, '눈[雪]'을 달리 이르는 말.

갈(諸葛)[1251]의게 비러도 ᄉᆞ라 도라갈 길히 업ᄂᆞᆫ디라. 망지소위(罔知所爲)ᄒᆞ여 다만 초벽을 구지 븟들고 눈을 드러 보니 후창(後窓)이 이셔 골희[1252]를 거지 아니ᄒᆞ얏ᄂᆞᆫ디라. 쇼졔 급히 니러 후창을 열고 경홍(鶊鴻)[1253]ᄀᆞᆺ치 ᄂᆡ다ᄅᆞ니, 초벽이 울며 ᄯᅩ 급히 ᄯᆞ로ᄂᆞᆫ디라. 쇼졔 앏뒤흘 슬피지 못ᄒᆞ고 총망이 ᄯᅱ여나니, ᄎᆞ시 월광이 여쥬(如晝)ᄒᆞᆫᄃᆡ, 쇼져 노쥐 죽기는 혜지 아니ᄒᆞ고 젼지도지(顚之倒之)ᄒᆞ여 ᄉᆞ오리를 다ᄅᆞ니, 원ᄂᆡ 이 졍ᄌᆞᄂᆞᆫ 금ᄉᆞ 강변이라. 은은이 프른 물결이 잔잔ᄒᆞ여 흐르ᄂᆞᆫ 소ᄅᆡ 은은ᄒᆞ니, 쇼졔 더옥 닷기를 급히ᄒᆞ여 임의 강변의 다다랏더니, 이ᄯᅢ 몽슉과 요인이 쇼져의 닷ᄂᆞᆫ 양을 보고 심하의 혜오ᄃᆡ 대강이 가려시니 어린 녀ᄌᆡ 어ᄃᆡ로 가리오 ᄒᆞ고, 완완이 웃으며 긴긴히 ᄯᆞᆯ와가며 니르ᄃᆡ,

"쇼져ᄂᆞᆫ 슈고로이 닷지 말나. 승텬입디(昇天入地)를 못ᄒᆞᆫ 즉 이 구ᄉᆡᆼ의 슈단을 면치 못ᄒᆞ리라."

쇼졔 듯ᄂᆞᆫ 말마다 통완ᄒᆞ믈 니긔지 못ᄒᆞ여 보보젼지(步步前之)[1254]ᄒᆞ여 믈가의 다다르ᄆᆡ, 일셩(一聲) ᄋᆡ호(哀呼)[1255]의 물 가온ᄃᆡ ᄯᅱ여드니, 초벽이 크게 울며 ᄯᆞ라 쇼져 ᄂᆡ슈ᄒᆞᆫ ᄃᆡ ᄲᅡ지니, 믄득 슬픈 바름이 쇼쇼ᄒᆞ며 슈셰(水勢) 흉용(洶湧)ᄒᆞ여 경긱의 간 곳이 업ᄉᆞ니, 몽슉이 다다라 ᄎᆞ경을 보ᄆᆡ 어히업셔 강심(江心)을 향ᄒᆞ여 돈족(頓足) 통곡ᄒᆞ기를 마지 아니ᄒᆞ니, 묘랑이 역시 ᄒᆞᆯ일 업셔 도로혀 몽슉을 빅단 위로ᄒᆞ여 졍ᄌᆞ의 도라오니, 쇽졀업시 가ᄉᆞᆷ을 두다려 밤ᄉᆡ도록 ᄋᆡᄲᆞᆯ ᄲᅳᆫ이러라.

어시의 하공이 외당의 나오니 츄밀이 역시 앗기고 경악ᄒᆞ미 어든 며나리와 다르미 이시리오. 냥공이 악슈쳬희(握手涕噫)ᄒᆞ여 죽엄을 겻틱 노흔 듯ᄒᆞ니, 얼픗ᄒᆞᆫ ᄉᆞ이의 날이 가고 밤이 올ᄉᆞ록 샹하(上下)의 비만(悲滿)ᄒᆞᆫ 슈운(愁雲)이 일광을 가리오니, 부인은 침셕(寢席)의 몸을 더○[져] 눈물이 오월댱슈(五月長水)[1256]ᄀᆞᆺᄐᆞ여 밤을 ᄉᆡ와 낫지 니르니, 하ᄉᆡᆼ과 윤쇼졔 감히 좌하를 ᄯᅥ나지 못ᄒᆞ고 ᄆᆞ음의 업ᄉᆞᆫ 한담으로 냥뎨를 유희ᄒᆞ여, 쇼ᄆᆡ의 복녹완젼지상(福祿完全之相)이 요몰(夭沒)치 아닐 바를 고ᄒᆞ여 위로ᄒᆞ더니, 임의 윤공의 환귀지속(還歸持續)이 다ᄃᆞ르니 당ᄎᆞ ᄒᆡᆼ니(行李)를 타졈(打點)ᄒᆞ여[1257] ᄒᆡᆼ도를 바야ᄂᆞᆫ디라. 하공이 녀ᄋᆞ를 실산ᄒᆞ고 만ᄉᆡ 무렴(無念)ᄒᆞᄃᆡ, 윤공으로 더브러 담화ᄒᆞ여 쳔만 비회를 위로ᄒᆞ더니, 금일 니별ᄒᆞᄆᆡ 참연ᄒᆞᆫ 회푀 자동(自動)ᄒᆞ니 능히 금치 못ᄒᆞ더라.

님별의 쇼져를 ᄉᆞ실로 블너 슬ᄒᆞ의 무ᄋᆡᄒᆞ여 니졍을 니르니, 쇼졔 연약ᄒᆞᆫ 촌장(寸腸)이 여삭(如削)ᄒᆞᄃᆡ,

장량(張良)과 진평(陳平)을 함께 이르는 말.

1251)제갈량(諸葛亮) : 181-234. 중국 삼국시대 촉한(蜀漢)의 정치가. 자 공명(孔明). 시호 충무(忠武). 뛰어난 군사 전략가로, 유비를 도와 오(吳)나라와 연합하여 조조(曹操)의 위(魏)나라 를 대파하고 파촉(巴蜀)을 얻어 촉한을 세웠다

1252)골희 : 고리.

1253)경홍(鶊鴻) : 꾀꼬리와 기러기.

1254)보보젼지(步步前之) : 급한 걸음 앞으로 나아감.

1255)ᄋᆡ호(哀呼) : 슬프게 하소연 함.

1256)오월댱슈(五月長水) : 오월 장마로 불어난 큰물.

1257)타졈(打點)ᄒᆞ다 : 준비하다. 꾸리다.

고적ᄒᆞ시믈 위로ᄒᆞ거ᄂᆞᆯ, ᄌᆞ개(自己) 블의예 요정의게 후리여 이곳의 와 유톄(遺體)[1283]를 누합(陋閤)의 더지ᄆᆡ 진실노 사ᄅᆞᆷ의 디통(之痛)이라. ᄡᅬ를 냥평(良平)[1284]의게 빌고 디혜를 제갈(諸葛)[1285]의게 비러도 ᄉᆞ라 도라갈 길히 업ᄂᆞᆫ디라.【56】 망지소위(罔知所爲)ᄒᆞ여 다만 초벽을 구지 븟들고 눈을 드러 보니 후창(後窓)이 이셔 골희[1286]를 거지 아니ᄒᆞ얏ᄂᆞᆫ디라. 쇼졔 급히 니러 후창을 열고 경홍(鶊鴻)[1287]ᄀᆞᆺ치 ᄂᆡ다르니, 초벽이 울며 ᄯᅩ 급히 ᄯᆞ로ᄂᆞᆫ디라. 쇼졔 앞뒤흘 슬피지 못ᄒᆞ고 ᄎᆞᆼ망이 ᄲᅱ여나니, ᄎᆞ시 월광이 여쥬(如晝)ᄒᆞᆫᄃᆡ, 쇼져 노쥐 죽기는 혜지 아니ᄒᆞ고 뎐지도지(顚之倒之)ᄒᆞ여 ᄉᆞ오리를 다르니, 원ᄂᆡ 이 졍ᄌᆞᄂᆞᆫ 금ᄉᆞ 강변이라. 은은이 ᄑᆞ른 물결이 잔잔ᄒᆞ여 흐르ᄂᆞᆫ 소ᄅᆡ 은은ᄒᆞ니, 쇼졔 더옥 닷기를 급히 ᄒᆞ여 임의 강변의 다다랏더니, 이ᄯᅢ 몽슉과 요인이 쇼져의 닷ᄂᆞᆫ 양을 보고 심하의 혜오ᄃᆡ 대강이 가려시니 어린 녀ᄌᆡ 어ᄃᆡ로 가리오 ᄒᆞ고, 완완이 웃으며 긴긴히 ᄯᆞᆯ와가며 니르ᄃᆡ,

"쇼져ᄂᆞᆫ 슈고로이 닷지 말나【57】 승텬입디(昇天入地)를 못ᄒᆞᆫ 즉 이 구ᄉᆡᆼ의 슈단을 면치 못ᄒᆞ리라."

쇼졔 듯ᄂᆞᆫ 말마다 통완ᄒᆞ믈 니긔지 못ᄒᆞ여 보보젼지(步步前之)[1288]ᄒᆞ여 믈가의 다다르ᄆᆡ, 일셩(一聲) ᄋᆡ호(哀呼)[1289]의 물 가온ᄃᆡ ᄲᅱ여드니, 초벽이 크게 울며 ᄯᆞ라 쇼져 ᄂᆡ슈ᄒᆞᆫ ᄃᆡ ᄲᅢ지니, 믄득 슬픈 바ᄅᆞᆷ이 쇼쇼ᄒᆞ며 슈셰(水勢) 흉용(洶湧)ᄒᆞ여 경긱의 간 곳이 업ᄉᆞ니, 몽슉이 다다라 ᄎᆞ경을 보

1283)유톄(遺體) : 부모가 남겨 준 몸이라는 뜻으로, 자기의 몸을 이르는 말.

1284)냥평(良平) : 중국 한(漢)나라 때의 책사(策士) 장량(張良)과 진평(陳平)을 함께 이르는 말.

1285)제갈량(諸葛亮) : 181-234. 중국 삼국시대 촉한(蜀漢)의 정치가. 자 공명(孔明). 시호 충무(忠武). 뛰어난 군사 전략가로, 유비를 도와 오(吳)나라와 연합하여 조조(曹操)의 위(魏)나라 를 대파하고 파촉(巴蜀)을 얻어 촉한을 세웠다

1286)골희 : 고리.

1287)경홍(鶊鴻) : 꾀꼬리와 기러기.

1288)보보젼지(步步前之) : 급한 걸음 앞으로 나아감.

1289)ᄋᆡ호(哀呼) : 슬프게 하소연 함.

엄구와 하ᄉᆡᆼ이 ᄌᆡ좌ᄒᆞ여시니 쳔만 《간인∥강인(强忍)》ᄒᆞ여 나ᄌᆞᆨ이 뫼셔 비ᄉᆡᆨ(悲色)을 ᄀᆞᆷ쵸니, 츄밀이 비록 쾌대(快大)ᄒᆞᆫ 댱뷔나 만금 ᄋᆡ녀(愛女)로ᄡᅧ 누쳔니 타향의 머므르고 가ᄂᆞᆫ 심ᄉᆡ 엇지 쳐챵치 아니리오. 녀ᄋᆞ의 손을 잡고 ᄉᆡᆼ을 도라보아 왈,

"블민ᄒᆞᆫ 쇼녀를 누쳔니의 머므르고 도라가ᄂᆞᆫ 심ᄉᆡ 비졀ᄒᆞ나, 녀ᄌᆞ 일ᄉᆡᆼ이 댱부의게 이시니 ᄌᆞ의ᄂᆞᆫ 모로미 관인후덕(寬仁厚德)ᄒᆞ여 가옹의 눈 어두움과 귀 먹으므로ᄡᅧ 블민ᄒᆞᆫ ᄋᆞ녀의 용둔(庸鈍)ᄒᆞ믈 용샤(容恕)ᄒᆞ여 기리 화락(和樂)ᄒᆞ여 니친ᄒᆞᄂᆞᆫ 심ᄉᆞ를 고렴ᄒᆞ여 금일 나의 구구ᄒᆞᆫ ᄌᆞᄋᆡ를 ᄉᆡᆼ각ᄒᆞ여 져바리지 말디어다."

하ᄉᆡᆼ이 화락(和樂) 두ᄌᆞ를 심니의 우이 넉이나, 공의 츄연ᄒᆞᆫ 낫빗출 보고 심듕의 ᄡᅧ ᄒᆞᄃᆡ, 그 녀ᄋᆞ의 음악ᄒᆞᆫ ᄒᆡᆼᄉᆞ를 아디 못ᄒᆞ고 져러톳 년년ᄒᆞ믈 우으나, ᄉᆞ샤 왈,

"쇼ᄉᆡᆼ이 대인의 텬디 ᄀᆞᆺᄐᆞᆫ 은혜를 슈심명골ᄒᆞᄋᆞᆸᄂᆞ니, 녕녜 셜ᄉᆞ 칠거지악(七去之惡)이 이신들 엇디 블평ᄒᆞ믈 두리잇가? 대인은 물우(勿憂)ᄒᆞ시고 니측(離側)이 어려울진ᄃᆡ, 명년 ᄉᆞ이 다려가시미 무방ᄒᆞ도소이다."

공이 본ᄃᆡ ᄌᆞ상치 못ᄒᆞᆫ디라. 하ᄉᆡᆼ의 언ᄉᆞ를 무심히 듯고 의심치 아냐 ᄀᆞᆯ오ᄃᆡ,

"녀ᄌᆞ유ᄒᆡᆼ(女子有行)이 원부모형뎨(遠父母兄弟)오, 내 엇디 구구ᄒᆞᆫ ᄉᆞ졍으로ᄡᅧ 대의를 폐ᄒᆞ리오. 텬되(天道) 슌환(循環)ᄒᆞᄂᆞ니 복분(覆盆)[1258]의 원(寃)을 신셜ᄒᆞ리니 하문이 샹경ᄒᆞᆯ 날이 이실 거시오, 셜영 귀환이 더딘들 엇지 녀ᄌᆞ로 부도(婦道)를 폐ᄒᆞ리오. ᄉᆞᄉᆞ로 ᄒᆡᆼᄒᆞ여 보리니, ᄌᆞ의ᄂᆞᆫ 군ᄌᆞ대도를 힘ᄡᅳ고 녀ᄋᆞᄂᆞᆫ 부도를 힘ᄡᅧ 삼가 만니의 깃븐 소식을 젼케 ᄒᆞ라."

하공이 결연ᄒᆞᆫ 회푀 도로혀 화긔 ᄉᆞ라져 묵묵무언이러니 홀연 탄식 왈,

"금일 명강으로 활별(闊別)ᄒᆞᄆᆡ 하일 하시의 셔로 보믈 어드리오. 쇼뎨 젹앙(積殃)이 미진ᄒᆞ여 일녀의게 밋쳣ᄂᆞᆫ디라. 녕낭으로 더브러 언약을 뎡ᄒᆞ여시니, 형의 명듀(明珠)와 혼셔(婚書) 협ᄉᆞ(篋笥)의 이시니, 이번 ᄒᆡᆼ도의 ᄎᆞᄌᆞ가려거든 가져가고, 식부ᄂᆞᆫ 누쳔니 애각의 상니(相離)ᄒᆞᄂᆞᆫ 졍이 년년ᄒᆞ려니와, 우뎨 ᄉᆞ랑ᄒᆞ미 엇지 친녀의 다르미 이시며 신상의 블평ᄒᆞ미 잇게 ᄒᆞ리오."

윤공이 답왈,

"블ᄒᆡᆼᄒᆞ여 녕녀(令女)를 실니 ᄒᆞ여시나, 반드시 길신(吉神)이 보호ᄒᆞ여 ᄉᆡᆼ환ᄒᆞᄂᆞᆫ 긔약이 이실 거시오, 돈ᄋᆡ 유튱(幼沖)ᄒᆞ여 취실(娶室)의 됴만(早晩)이 밧브지 아니코, 슈삼년을 기다려 길흉간(吉凶間) 졍녕(丁寧)ᄒᆞ믈 드른 후 다시 상의ᄒᆞ리니, 다만 형은 쾌대ᄒᆞᆫ 댱부의 톄위를 일치 말고 기리 보듕ᄒᆞ라."

하공이 함비칭샤(含悲稱謝)ᄒᆞ고 작별ᄒᆞ기를 인ᄒᆞ여 당의 나리니, ᄉᆡᆼ이 ᄇᆡ알(拜謁) 숑지(送之)ᄒᆞᆯᄉᆡ, 쇼졔 ᄒᆞᆫ가지로 좃ᄎᆞᆫ디라. ᄉᆡᆼ이 ᄒᆞᆫ번 슉시ᄒᆞᄆᆡ, 슉덕 현ᄒᆡᆼ이 현져(顯著)ᄒᆞ니, 그 얼골 본 일이 업더니, 공의 쳬쳬ᄒᆞᆫ[1259] ᄌᆞᄋᆡ 안동(顔動)ᄒᆞᄆᆡ, 심니(心裏)의 혜오ᄃᆡ, 윤

1258)복분(覆盆) : 동이가 뒤집혀진 채로 있어 속을 볼 수 없음을 뜻하는 말로, 죄를 뒤집어쓰고 밝히지 못하고 있음을 나타낸 말.

1259) 체체ᄒᆞ다 : 행동이나 몸가짐이 너절하지 아니

미 어히업셔 강심(江心)을 향ᄒᆞ여 돈족(頓足) 통곡ᄒᆞ기를 마지 아니ᄒᆞ니, 묘량이 역시 홀일 업셔 도로혀 몽슉을 빅단 위로ᄒᆞ여 정ᄌᆞ의 도라오니, 쇽졀업시 가ᄉᆞᆷ을 두다려 밤ᄉᆡ도록 ᄋᆡ쁠 쎤이러라.

어시의 하공이 외당의 나오니 츄밀이 역시 앗기고 경악ᄒᆞ미 어든 며나리와 다르【58】미 이시리오. 냥공이 악슈쳬희(握手涕噫)ᄒᆞ여 죽엄을 겻틔 노흔 ᄃᆞᆺᄒᆞ니, 얼픗 ᄒᆞᆫ ᄉᆞ이의 날이 가고 밤이 올ᄉᆞ록 샹하(上下)의 비만(悲滿)ᄒᆞᆫ 슈운(愁雲)이 일광을 가리오니, 부인은 침셕(寢席)의 몸을 더○[져] 눈물이 오월댱슈(五月長水)1290)ᄀᆞᆺᄐᆞ여 밤을 ᄉᆡ와 낫지 니르니, 하ᄉᆡᆼ과 윤쇼졔 감히 좌하를 써나지 못ᄒᆞ고 ᄆᆞᄋᆞᆷ의 업ᄉᆞᆫ 한담으로 냥데를 유희ᄒᆞ여, 쇼ᄆᆡ의 복녹완젼지상(福祿完全之相)이 요몰(夭沒)치 아닐 바를 고ᄒᆞ여 위로ᄒᆞ더니, 임의 윤공의 환귀지속(還歸遲速)이 다ᄃᆞ르니 댱ᄎᆞ ᄒᆡᆼ니(行李)를 타졈(打點)ᄒᆞ여1291) ᄒᆡᆼ도를 바야ᄂᆞᆫ디라. 하공이 녀ᄋᆞ를 실산ᄒᆞ고 만시 무렴(無念)ᄒᆞᄃᆡ, 윤공으로 더브러 담화ᄒᆞ여 쳔만 비회를 위로ᄒᆞ더니, 금일 니별ᄒᆞᄆᆡ 참【59】연ᄒᆞᆫ 회푀 자동(自動)ᄒᆞ니 능히 금치 못ᄒᆞ더라.

님별의 쇼져를 ᄉᆞ실로 블너 슬ᄒᆞ의 무ᄋᆡᄒᆞ여 니정을 니르니, 쇼졔 연약ᄒᆞᆫ 촌장(寸腸)이 여삭(如削)ᄒᆞᄃᆡ, 엄구와 하ᄉᆡᆼ이 ᄌᆡ좌ᄒᆞ여시니 쳔만 《간인‖강인(强忍)》ᄒᆞ여 나ᄌᆞᆨ이 뫼셔 비ᄉᆡᆨ(悲色)을 곱쵸니, 츄밀이 비록 쾌대(快大)ᄒᆞᆫ 댱뷔나 만금 ᄋᆡ녀(愛女)로뼈 누쳔니 타향의 머므르고 가ᄂᆞᆫ 심ᄉᆡ 엇지 쳐챵치 아니리오. 녀ᄋᆞ의 손을 줍고 ᄉᆡᆼ을 도라보아 왈,

"블민ᄒᆞᆫ 쇼녀를 누쳔니의 머므르고 도라가ᄂᆞᆫ 심ᄉᆡ 비졀ᄒᆞ나, 녀ᄌᆞ 일ᄉᆡᆼ이 댱부의게 이시니 ᄌᆞ의ᄂᆞᆫ 모로미 관인후덕(寬仁厚德)ᄒᆞ여 가옹의 눈 어두움과 귀 먹으므로뼈 블민ᄒᆞᆫ ᄋᆞ녀의 용둔(庸鈍)ᄒᆞ믈 용샤(容恕)ᄒᆞ여 기리 화락(和樂)ᄒᆞ여 니친ᄒᆞᄂᆞᆫ 심ᄉᆞ를 고렴

1290)오월댱슈(五月長水) : 오월 장마로 불어난 큰물.
1291)타졈(打點)ᄒᆞ다 : 준비하다. 꾸리다.

공은 훤대(喧大)ᄒᆞᆫ 댱뷔어ᄂᆞᆯ 기녀의 음악(淫惡)ᄒᆞ믈 모로고 져러틋 ᄒᆞᄂᆞᆫ고? 의ᄉᆡ 이의 밋쳐ᄂᆞᆫ 희음업시1260) 빅안(白眼)을 길게ᄒᆞ여 찰시ᄒᆞ니, 긔상이 화홍(和弘)ᄒᆞ믄 혜풍(惠風)1261)의 화(和)ᄒᆞᆫ 도량이요, 팔ᄌᆞ(八字) 분명(分明)○[ᄒᆞᆷ]은 미우(眉宇)의 둘너 셩덕(聖德)을 일워시니, 유이슈이(幽而秀而)1262)ᄒᆞ여 가히 진션딘미(盡善盡美)ᄒᆞ여시니, 일쳔가지 고은 빗치 ᄡᅢ혀나ᄃᆡ 교치(驕侈)롭지 아니ᄒᆞ여, 탁월ᄒᆞ고 유한(幽閑)ᄒᆞ미 결군(結裙)1263)ᄒᆞᆫ ᄉᆞ군ᄌᆡ(士君子)라. 이 대음(大淫)이 이신 즉 외모의 현츌(顯出)ᄒᆞᆯ 빅어ᄂᆞᆯ, ᄎᆞ인은 엇지ᄒᆞ여 외모의 ᄂᆡ도ᄒᆞ미 여ᄎᆞᄒᆞ뇨? 내 평ᄉᆡᆼ의 디감(知鑑)이 잇고 상법(相法)이 ᄇᆞᆰ으믈 ᄌᆞ부ᄒᆞ더니, ᄎᆞ인이 덕긔 완젼ᄒᆞ고 오복이 구젼ᄒᆞ여 뵈니 이 엇진 연괴오? 신혼 초일(初日)도 ᄎᆞᆷ지 못ᄒᆞ여 음악을 지어 내눈의 현츌(顯出)ᄒᆞ고, 도금ᄒᆞ여 ᄉᆞ긔(辭氣) 완연(完然)ᄒᆞ니 대간대독(大奸大毒)이라. 내 흉(凶)ᄒᆞ여 실기국망기가(失其國亡其家)ᄒᆞᄂᆞᆫ 뉴(類)를 의혹ᄒᆞ더니, ᄎᆞ인(此人)이 엇디 그러ᄒᆞ여 내 아라보지 못ᄒᆞ민가? ᄒᆞ고, 다시 보고 곳쳐 ᄉᆡᆼ각ᄒᆞ여 심니(心裏)의 우환(憂患)이 되여 상셩위광(喪性爲狂)ᄒᆞᆯ ᄃᆞᆺᄒᆞᄃᆡ, 부모를 위ᄒᆞ여 텬ᄉᆡᆼ효의(天生孝義) ᄉᆞᄉᆞ의견(私私意見)이 업ᄉᆞᄃᆡ, 부뫼 음부를 ᄉᆞ랑ᄒᆞ샤 비회를 위로ᄒᆞ시니 엇디 괴이치 아니리오. ᄉᆡᆼ각이 이의 밋쳐ᄂᆞᆫ 도로혀 타연무심(泰然無心)ᄒᆞ더라. ᄌᆡ삼 년년ᄒᆞ다가 피ᄎᆞ 분슈ᄒᆞ니, 거류냥졍(去留兩情)1264)이 의의(依依)ᄒᆞ여 슈거셔(數車書)1265)의 긔록ᄒᆞ기 어렵더라.

ᄎᆞ셜, 하쇼져 노즮 ᄒᆞᆫ번 쳔쳑(千尺) 강심(江心)의 ᄡᅥ러지니 연연약질(軟軟弱質)이 엇지 ᄉᆡᆼ도(生道)를 바라리오. 죽으미 당당ᄒᆞ고 살미 망연(茫然)ᄒᆞ거ᄂᆞᆯ, 하날이 비록 놉고 머러 알오미 업다 ᄒᆞ나 반ᄃᆞ시 길인을 돕ᄂᆞᆫ 도리 덧덧ᄒᆞᆫ디라. 하시 노즮 문득 물의 ᄃᆞ지 아니ᄒᆞ고 ᄒᆞᆫ 조각 널 우히 올나 안ᄌᆞ니, 냥풍(良風)이 슬슬ᄒᆞ고 슈패(水波) 고요ᄒᆞ나 닷기를 살ᄀᆞᆺ치 ᄒᆞ니, 쇼졔 앙텬 탄왈,

"죽고져 ᄒᆞᄃᆡ 엇디 못ᄒᆞ고 널의 의지ᄒᆞ여 이러틋 ᄒᆡᆼᄒᆞ니 나죵이 엇디 될고? 이 ᄯᅩᄒᆞᆫ 신기(神祇) 죄벌을 주시미라."

ᄒᆞ고, 초벽은 하날을 우러러 ᄉᆡᆼ도의 나아가믈 비더라.

츈얘(春夜) 심단(甚短)ᄒᆞ고 날이 ᄇᆞᆰ으ᄃᆡ 흘너 ᄒᆡᆼᄒᆞ니 ᄒᆞ로 언마를 ᄒᆡᆼᄒᆞᄂᆞᆫ 줄 모를너라. 쥬즙(舟楫) ᄒᆡᆼ션(行船)도 만나지 못ᄒᆞ고 이러틋 닷기를 쥬야 다르니1266) 긔갈이 심ᄒᆞ고 졍신이 어즐ᄒᆞ여 여ᄎᆔ여치(如

하고 깨끗하며 트인 맛이 있다.
1260)희음없이 : 하염없이. 시름에 싸여 멍하니 이렇다 할 만 한 아무 생각이 없이.
1261)혜풍(惠風) : 온화하게 부는 봄바람.
1262)유이슈이(幽而秀而) : 그윽하고 빼어남.
1263)결군(結裙) : 치마를 입음.
1264)거류냥졍(去留兩情) : 떠나는 사람과 남는 사람 사이의 이별의 정.
1265)슈거셔(數車書) : 여러 수레에 실을 만큼의 많은 글.
1266)다르다 : <닷다 : 닫다>. 달리다. 차, 배 따위가 빨리 움직이다.

ᄒᆞ여 금일 나【60】의 구구ᄒᆞᆫ ᄌᆞᄋᆡ를 ᄉᆡᆼ각ᄒᆞ여 져바리지 말디어다."

하ᄉᆡᆼ이 화락(和樂) 두ᄌᆞ를 심니의 우이 넉이나, 공의 츄연ᄒᆞᆫ 낫빗출 보고 심듕의 ᄲᅧ ᄒᆞᄃᆡ, 그 녀ᄋᆞ의 음악ᄒᆞᆫ ᄒᆡᆼᄉᆞ를 아디 못ᄒᆞ고 져러틋 년년ᄒᆞ믈 우으나, ᄉᆞ샤 왈,

"쇼ᄉᆡᆼ이 대인의 텬디 ᄀᆞᆺᄐᆞᆫ 은혜를 슈심명골ᄒᆞᄋᆞᆸᄂᆞ니, 녕녜 셜ᄉᆞ 칠거지악(七去之惡)이 이신들 엇디 블평ᄒᆞ믈 두리잇가? 대인은 물우(勿憂)ᄒᆞ시고 니측(離側)이 어려울진ᄃᆡ, 명년 ᄉᆞ이 다려가시미 무방ᄒᆞ도소이다."

공이 본ᄃᆡ ᄌᆞ상치 못ᄒᆞᆫ디라. 하ᄉᆡᆼ의 언ᄉᆞ를 무심히 듯고 의심치 아냐 ᄀᆞᆯ오ᄃᆡ,

"녀ᄌᆞ유ᄒᆡᆼ(女子有行)이 원부모형뎨(遠父母兄弟)오, 내 엇디 구구ᄒᆞᆫ ᄉᆞ졍으로ᄡᅧ 대의를 폐ᄒᆞ리오. 텬되(天道) 슌환(循環)ᄒᆞᄂᆞ니 복분(覆盆)[1292]의 원(寃)을 신셜ᄒᆞ리니 하문이 샹【61】경ᄒᆞᆯ 날이 이실 거시오, 셜영 귀환이 더ᄃᆡᆫ들 엇지 녀ᄌᆞ로 부도(婦道)를 폐ᄒᆞ리오. 스ᄉᆞ로 ᄒᆡᆼᄒᆞ여 보리니, ᄌᆞ의ᄂᆞᆫ 군ᄌᆞ대도를 힘쓰고 녀ᄋᆞᄂᆞᆫ 부도를 힘ᄡᅧ 삼가 만니의 깃븐 소식을 젼케 ᄒᆞ라."

하공이 결연ᄒᆞᆫ 회푀 도로혀 화긔 ᄉᆞ라져 묵묵무언이러니 홀연 탄식 왈,

"금일 명강으로 활별(闊別)ᄒᆞᄆᆡ 하일 하시의 셔로 보믈 어드리오. 쇼뎨 젹앙(積殃)이 미진ᄒᆞ여 일녀의게 밋쳤ᄂᆞᆫ디라. 녕낭으로 더브러 언약을 뎡ᄒᆞ여시니, 형의 명듀(明珠)와 혼셔(婚書) 협ᄉᆞ(篋笥)의 이시니, 이번 ᄒᆡᆼ도의 ᄎᆞᄌᆞ가려거든 가져가고, 식부ᄂᆞᆫ 누쳔니 애각의 상니(相離)ᄒᆞᄂᆞᆫ 졍이 년년ᄒᆞ려니와, 우뎨 ᄉᆞ랑ᄒᆞ미 엇지 친녀의 다르미 이시며 신상의 블평ᄒᆞ미 잇게 ᄒᆞ리오."

윤【62】공이 답왈,

"블ᄒᆡᆼᄒᆞ여 녕녀(令女)를 실니 ᄒᆞ여시나, 반드시 길신(吉神)이 보호ᄒᆞ여 ᄉᆡᆼ환ᄒᆞᄂᆞᆫ 긔약이 이실 거시오, 돈ᄋᆡ 유튱(幼沖)ᄒᆞ여 취

1292)복분(覆盆) : 동이가 뒤집혀진 채로 있어 속을 볼 수 없음을 뜻하는 말로, 죄를 뒤집어쓰고 밝히지 못하고 있음을 나타낸 말.

醉如痴)[1267]ᄒᆞ더니, 뎨삼일의 홀연 ᄒᆞᆫ낫 ᄎᆡ션(彩船)이 비단 풍범(風帆)을 달고 표연(飄然)이 쇼져 안ᄌᆞᆫ 널조각을 향ᄒᆞ여 오ᄂᆞᆫ디라. 비쥬(婢主) 놀나 정신을 뎡ᄒᆞ여 보니 쥬듕(舟中)의 일위 쇼년이 흑ᄉᆞ당건(黑紗唐巾)[1268]을 ᄡᅳ고 쳥ᄉᆞ포(青紗袍)[1269]를 닙어 유ᄉᆡᆼ(儒生)의 거동이로ᄃᆡ, 츄죵(追從)이 부려(富麗)ᄒᆞ고 쇼년의 년긔 이팔(二八)은 ᄒᆞ나 귀격이 당당ᄒᆞ니 ᄎᆞ하인야(此何人耶)[1270]오? 죵남하회(終覽下回)[1271]ᄒᆞ라.

시시(時時)의 간의ᄐᆡ우 문연각태혹ᄉᆞ 표긔댱군 뎡텬홍이 션묘(先墓) 태쥐 송츄(松楸)[1272]의 ᄇᆡ알ᄒᆞ고 도라오ᄂᆞᆫ 길히 금ᄉᆞ강을 지나ᄂᆞᆫ 고로, 슈일을 ᄒᆡᆼ션(行船)ᄒᆞ여 슈심(水心)의 니르럿더니, 믄득 보니 샹뉴(上流)로 좃ᄎᆞ ᄒᆞᆫ 닙 널조각이 살ᄡᅩᆫ ᄃᆞᆺ 나려와 셔로 마조치니, 뎡태위 괴이히 넉여 눈을 드러 살피니 널 우희 냥개 쇼녀ᄌᆡ(小女子) 안ᄌᆞ시ᄃᆡ 면무인ᄉᆡᆼ(面無人生)ᄒᆞ여시나, 일녀ᄌᆞᄂᆞᆫ 홍상ᄎᆡ의(紅裳彩衣)로 나히 십여셰ᄂᆞᆫ ᄒᆞ고, 용뫼(容貌) 가려(佳麗)ᄒᆞ여 션원(仙苑)의 금봉오리 ᄎᆡ 픠지 못ᄒᆞᆫ ᄃᆞᆺᄒᆞ니, ᄒᆞᆫ낫 졀염쇼ᄋᆡ(絶艶小兒)오 일녀ᄌᆞᄂᆞᆫ 인가쳥의(人家青衣) 복ᄉᆡᆨ이로ᄃᆡ ᄌᆡ용(才容)이 소려(昭麗)ᄒᆞᆫ디라. 태위 괴이히 넉여 밧비 연고를 므른ᄃᆡ, 초벽이 울며 고왈,

"천쳡(賤妾)은 셔촉 뎍거ᄒᆞ신 하상셔ᄃᆡᆨ 비ᄌᆞ 초벽이러니, 쇼져를 뫼셔 요졍의 후리인 ᄇᆡ 되여 강심(江心)의 ᄧᅥ러져 죽게 되엿ᄉᆞ오니, 샹공은 대ᄌᆞ대비(大慈大悲)ᄒᆞ샤 ᄉᆞ디(死地)의 구ᄒᆞ시믈 바라ᄂᆞ이다."

태위 쳥필(聽畢)의 대경ᄎᆞ악(大驚且愕)ᄒᆞ여 밧비 구ᄒᆞᆯᄉᆡ, 션인(船人)을 분부ᄒᆞ여 ᄇᆡ를 ᄲᆞᆯ니 져어 널조각을 ᄯᆞ로ᄃᆡ, 널닙히 닷기를 한업시 ᄒᆞ니 션인이 ᄇᆡ를 그ᄀᆞᆺ치 져을 길히 업거ᄂᆞᆯ, 태위 심ᄉᆡ 착급ᄒᆞ여 분연이 웃옷ᄉᆞᆯ 버셔 후리치고 친히 ᄇᆡ를 져으ᄆᆡ, 두 팔 가온ᄃᆡ 만부브당지용(萬夫不當之勇)이 잇고, ᄌᆡ죄 만ᄉᆞ(萬事)의 신이ᄒᆞ니, 션인의 등의 ᄯᆞᆷ이 흐르며 소ᄅᆡ 요란ᄒᆞ여 진력히 ᄇᆡ를 져으ᄆᆡ 비기리오. 경긱의 살 가ᄃᆞᆺ 널닙ᄒᆞᆯ ᄯᆞ라 셔로 다흐니, 뎡태위 하쇼져를 향ᄒᆞ여 졀ᄒᆞ고, ᄀᆞᆯ오ᄃᆡ,

"쇼져의 복ᄉᆡᆨ이 ᄉᆞ문 규슈니 외간 남ᄌᆡ 감히 ᄒᆞᆫ ᄇᆡ의 오로기를 쳥ᄒᆞ미 녜(禮)예 블가ᄒᆞ나, 왕(往)ᄋᆡ[1273], '아ᄌᆞ미 믈의 ᄲᅡ지ᄆᆡ 아ᄌᆞ비 손으로 건지믄 셩인의 니르신 ᄇᆡ라', 쇼ᄉᆡᆼ이 결단코 쇼져긔 유히ᄒᆞᆫ 사ᄅᆞᆷ이 아니오 화란지시(禍亂之時)의 구ᄒᆞ미 혐의로오미 업ᄉᆞᆯ 거시니, 바라건ᄃᆡ 쇼져ᄂᆞᆫ 이 ᄇᆡ의 오로쇼셔."

쇼졔 뎡ᄉᆡᆼ의 비상ᄒᆞᆫ 표치풍광(標致風光)과 어진 말

1267)여취여치(如醉如痴) : 취한 듯 멍한 듯.
1268)흑ᄉᆞ당건(黑紗唐巾) : 검은 비단으로 만든 당건. 당건은 예전에 중국에서 쓰던 관(冠)의 하나로, 당나라 때에는 임금이 많이 썼으나, 뒤에는 사대부들이 사용하였다.
1269)쳥ᄉᆞ포(青紗袍) : 푸른 비단으로 지은 도포(道袍). 도포는 예전에 예복으로 입던 남자의 겉옷.
1270)ᄎᆞ하인야(此何人耶) : 이는 누구인가?
1271)죵남하회(終覽下回) : 하회(下回)를 끝까지 보라.
1272)송츄(松楸) : ①산소 둘레에 심는 나무를 통틀어 이르는 말. 주로 소나무와 가래나무를 심는다. ② '무덤'을 비유적으로 이르는 말.
1273)왕(往)ᄋᆡ : 기왕(既往)에. 이미, 옛날에

실(娶室)의 됴만(早晩)이 밧브지 아니코, 슈삼년을 기다려 길흉간(吉凶間) 졍녕(丁寧)ᄒᆞ믈 드른 후 다시 상의ᄒᆞ리니, 다만 형은 쾌대ᄒᆞᆫ 댱부의 톄위를 일치 말고 기리 보듕ᄒᆞ라."

하공이 함비칭샤(含悲稱謝)ᄒᆞ고 작별ᄒᆞ기를 인ᄒᆞ여 당의 나리니, ᄉᆡᆼ이 ᄇᆡ알(拜謁) 송지(送之)ᄒᆞᆯᄉᆡ, 쇼졔 ᄒᆞᆫ가지로 좃ᄎᆞᆫ디라. ᄉᆡᆼ이 ᄒᆞᆫ번 슉시ᄒᆞᄆᆡ, 슉덕 현ᄒᆡᆼ이 현져(顯著)ᄒᆞ니, 그 얼골 본 일이 업더니, 공의 체체ᄒᆞᆫ[1293] ᄌᆞᄋᆡ 안동(顔動)ᄒᆞᄆᆡ, 심니(心裏)의 혜오ᄃᆡ, 윤공은 훤대(喧大)ᄒᆞᆫ 댱뷔어ᄂᆞᆯ 기녀의 음악(淫惡)ᄒᆞ믈 모로고 져러틋 ᄒᆞᄂᆞᆫ고? 의ᄉᆡ 이의 밋쳐는 ᄒᆡ음업시[1294] ᄇᆡᆨ안(白眼)을 길게ᄒᆞ여【63】 찰시ᄒᆞ니, 긔상이 화홍(和弘)ᄒᆞ믄 혜풍(惠風)[1295]의 화(和)ᄒᆞᆫ 도량이요, 팔ᄌᆞ(八字) 분명(分明)○[흠]은 미우(眉宇)의 둘너 셩덕(聖德)을 일워시니, 유이슈이(幽而秀而)[1296]ᄒᆞ여 가히 진션딘미(盡善盡美)ᄒᆞ여시니, 일쳔가지 고은 빗치 ᄲᆡ혀나ᄃᆡ 교치(驕侈)롭지 아니ᄒᆞ여, 탁월ᄒᆞ고 유한(幽閑)ᄒᆞ미 결군(結裙)[1297]ᄒᆞᆫ ᄉᆞ군ᄌᆞ(士君子)라. 이 대음(大淫)이 이신 즉 외모의 현츌(顯出)ᄒᆞᆯ ᄇᆡ어ᄂᆞᆯ, ᄎᆞ인은 엇지ᄒᆞ여 외모의 ᄂᆡ도ᄒᆞ미 여ᄎᆞᄒᆞ뇨? 내 평ᄉᆡᆼ의 디감(知鑑)이 잇고 상법(相法)이 ᄇᆞᆰ으믈 ᄌᆞ부ᄒᆞ더니, ᄎᆞ인이 덕긔 완젼ᄒᆞ고 오복이 구젼ᄒᆞ여 뵈니 이 엇진 연괴오? 신혼 초일(初日)도 ᄎᆞᆷ지 못ᄒᆞ여 음악을 지어 내 눈의 현츌(顯出)ᄒᆞ고, 도금ᄒᆞ여 ᄉᆞ긔(辭氣) 완연(完然)ᄒᆞ니 대간대독(大奸大毒)이라. 내 흉(凶)ᄒᆞ여 실기국망기가(失其國亡其家)ᄒᆞᄂᆞᆫ 뉴(類)를 의혹ᄒᆞ더니, ᄎᆞ인(此人)이 엇디 그러ᄒᆞ여 내 아라보지 못ᄒᆞ【64】민가? ᄒᆞ고, 다시 보고 곳쳐 ᄉᆡᆼ각ᄒᆞ여 심니(心裏)의 우환(憂患)이 ᄉᆞᆷ을 드르ᄆᆡ 의심이 젹으ᄃᆡ, 오히려 구몽슉의게 속은 심신(心身)이라, 남ᄌᆞ를 무셔이 넉여 져의 셩시와 근본을 모로고 일션(一船)의 올낫다가 ᄯᅩ 므ᄉᆞᆫ 변고를 볼 줄 알니오? ᄒᆞ여 쥬져ᄒᆞ고 답지 아니니, 태위 그 위ᄐᆡᄒᆞ믈 착급ᄒᆞ여, 왈,

"쇼ᄉᆡᆼ은 태우 뎡텬흥이라 ᄉᆡᆼ의 집이 비의(非義)를 원슈ᄀᆞᆺ치 넉이ᄂᆞ니, 텬일(天日)이 ᄌᆡ샹(在上)ᄒᆞ고 신명(神明)이 ᄌᆡ방(在傍)ᄒᆞ엿ᄂᆞ니, ᄉᆡᆼ이 일분도 쇼져긔 ᄒᆡ로온 의ᄉᆡ 업ᄂᆞ이다."

ᄒᆞ며 ᄇᆡ를 져어 널의 다히고 ᄌᆞ긔 ᄇᆡ의 나아가 원비(猿臂)를 느리혀 널ᄌᆡ 붓드러 션창(船艙) 안흐로 가바야이 드리오고, 하리츄죵(下吏追從)을 다 션창 밧그로 ᄂᆡ여 보ᄂᆡ니, 하쇼져 노쥐 널 우ᄒᆡ 올나 뎡태위 위력으로 붓드러 션듕의 드리기를 당ᄒᆞ니, 믈의 ᄲᆞ지지 아니면 피ᄒᆞᆯ 길히 업ᄉᆞᆯ ᄲᅳᆫ 아니라, 뎡텬흥 세 ᄌᆞ(字)를 드르ᄆᆡ 이 분명 금평후의 아ᄃᆞᆯ인 줄 ᄭᆡᄃᆞ라, 오히려 야야(爺爺)의 동긔 ᄀᆞᆺᄐᆞᆫ 친우의 ᄌᆞ뎨(子弟)니, 타인보다가ᄂᆞᆫ 낫고 결약남ᄆᆡ(結約男妹)ᄒᆞ기를 졔 니르니, 혐의(嫌疑)로오미 업ᄉᆞᆯ디라. 붓그러옴과 슬프믈 강인ᄒᆞ여 션듕 안ᄒᆡ 안ᄌᆞ니 슈일을 굴믄 졍신이 어득ᄒᆞ고, 냥일을 널 우ᄒᆡ 올나 일시도 긋칠 ᄉᆞ이 업시 슈파(水波)의 출몰(出沒)ᄒᆞ엿다가, 쳔만 의외의 의긔 군ᄌᆞ의 구활ᄒᆞ믈 닙어 션창 안ᄒᆡ 오로니, 쳐음 투강ᄒᆞᆯ 젹과 달나 어나 ᄯᆡ 잠닉(潛溺)ᄒᆞ여 어별(魚鼈)의 밥이 되여 부모긔 블효를 어나 곳의 ᄲᆞ흘고, 비회 쳔만가지로 촌단(寸斷)ᄒᆞ다가, 편ᄒᆞᆫ 션창(船艙)의 오로ᄆᆡ 쥭을가 념녀ᄂᆞᆫ ᄉᆞ라디고 왼 몸이 알프고 요요(搖搖)ᄒᆞᆫ 심ᄉᆡ 형상키 어려오니, 뎡태위 결약(結約)ᄒᆞ기를 니르며 쇼져의 셩시(姓氏)와 거듀(居住)를 초벽다려 므르니 초벽이 ᄃᆡ왈,

"아듀(我主)ᄂᆞᆫ 셔쵹의 뎍거ᄒᆞ신 하상셔 녀ᄌᆡ라. 일야지ᄂᆡ(一夜之內)의 여ᄎᆞ여ᄎᆞ(如此如此)ᄒᆞᆫ 변을 만나 구몽슉이라 ᄒᆞᄂᆞᆫ 원슈놈을 만나 금ᄉᆞ강의 ᄯᅱ여들ᄆᆡ, ᄀᆞ라안지 아니ᄒᆞ고 널 우ᄒᆡ 올나 두 날과 밤을 디ᄂᆡᄃᆡ 능히 사ᄅᆞᆷ을 만나디 못ᄒᆞ엿더니, 상공의 대은을 닙ᄉᆞ와 노쥐 살 길흘 어덧ᄂᆞ이다."

뎡태위 놀나 낫빗출 곳치고 쇼져를 향ᄒᆞ여 왈,

"녕존당(令尊堂) 년슉대인(緣叔大人)은 가친과 문경지괴(刎頸之交)시니 ᄉᆡᆼ 등의 앙셩(仰誠)이 슉딜(叔姪) ᄀᆞᆺᄐᆞᆫ디라. 일가디친(一家之親)과 다르미 이시리오. 쇼져ᄂᆞᆫ ᄉᆡᆼ으로ᄲᅧ 블인ᄒᆞᆫ 의ᄉᆡ 잇ᄂᆞᆫ가 념녀치 마르시고, 쇼ᄉᆡᆼ이 쇼져를 구ᄒᆞ미 혐의예 갓가오니, ᄆᆡᄌᆞ 남ᄆᆡ(男妹) 되면 친 동긔와 다르미 이시리오."

쇼졔 나히 어리나 뎡태우의 특이ᄒᆞᆫ 위인을 항복ᄒᆞ여 ᄌᆞ긔를 구ᄒᆞ미 잡의ᄉᆡ(雜意思) 업ᄉᆞ믈 ᄭᆡ다라, 누슈(淚水)를 드리워 은혜를 샤례ᄒᆞ고, 즉시 결약남ᄆᆡ 되믈 신명(神明)긔 고ᄒᆞ고, 하쇼졔 뎡태우긔 두번 절ᄒᆞ여 뎨ᄆᆡ(弟妹) 되고 태우ᄂᆞᆫ 형남(兄男)이 되ᄆᆡ 태위 기리 탄ᄒᆞ여 왈,

"하ᄂᆞᆯ이 현ᄆᆡ를 인도ᄒᆞ여 날을 만나게 ᄒᆞ미 우연ᄒᆞᆫ 일이 아니라. 구몽슉자ᄂᆞᆫ 표슉(表叔)이 그 고혈ᄒᆞ믈 잔잉히 넉여 거두어 교학(敎學)ᄒᆞ시고, 가친이 구시랑과 친ᄒᆞ시던 고로 의식을 고휼(顧恤)ᄒᆞ시기를 아등(我等)과 갓치 ᄒᆞ시ᄃᆡ, ᄒᆡᆼ실이 맛ᄎᆞᆷᄂᆡ 블미ᄒᆞ고 뎡딕지 못ᄒᆞ믈 ᄋᆡ돌나 ᄒᆞ시더니, 현ᄆᆡ를 그ᄃᆡ도록 ᄒᆡᄒᆞᆯ 줄 알니오. 이졔 쵹으로 나려가고져 ᄒᆞ나 약질이 험노의 득

1293) 체체ᄒᆞ다 : 행동이나 몸가짐이 너절하지 아니하고 깨끗하며 트인 맛이 있다.
1294)ᄒᆡ음없이 : 하염없이. 시름에 싸여 멍하니 이렇다 할 만 한 아무 생각이 없이.
1295)혜풍(惠風) : 온화하게 부는 봄바람.
1296)유이슈이(幽而秀而) : 그윽하고 빼어남.
1297)결군(結裙) : 치마를 입음.

되여 상셩위광(喪性爲狂)홀 듯ᄒᆞᄃᆡ, 부모를 위ᄒᆞ여 텬싱효의(天生孝義) ᄉᆞᄉᆞ의견(私私意見)이 업ᄉᆞᄃᆡ, 부뫼 음부를 ᄉᆞ랑ᄒᆞ샤 비회를 위로ᄒᆞ시니 엇디 괴이치 아니리오. ᄉᆡᆼ각이 이의 밋쳐ᄂᆞᆫ 도로혀 타연무심(泰然無心)ᄒᆞ더라. 지삼 년년ᄒᆞ다가 피ᄎᆞ 분슈ᄒᆞ니, 거류냥졍(去留兩情)[1298]이 의의(依依)ᄒᆞ여 슈거셔(數車書)[1299]의 긔록ᄒᆞ기 어렵더라.

ᄎᆞ셜, 하쇼져 노쥐 ᄒᆞᆫ번 쳔쳑(千尺) 강심(江心)의 ᄡᅥ러지니 연연약질(軟軟弱質)이 엇지 ᄉᆡᆼ도(生道)를 바라리오. 죽으미 당당ᄒᆞ고 살미 망연(茫然)ᄒᆞ거ᄂᆞᆯ, 하ᄂᆞᆯ이 비록 놉고 머러 알오미 업다 ᄒᆞ나 반ᄃᆞ시 길인을 돕ᄂᆞᆫ 도리 덧덧ᄒᆞᆫ디라. 하시 노쥐 문득 물의 드지 아니ᄒᆞ고 ᄒᆞᆫ 조각 널 우히 올나 안ᄌᆞ【65】니, 냥풍(良風)이 슬슬ᄒᆞ고 슈패(水波) 고요ᄒᆞ나 닷기를 살ᄀᆞᆺ치 ᄒᆞ니, 쇼져 앙텬 탄왈,

"죽고져 ᄒᆞᄃᆡ 엇디 못ᄒᆞ고 널의 의지ᄒᆞ여 이러ᄐᆞᆺ ᄒᆡᆼᄒᆞ니 나죵이 엇디 될고? 이 ᄯᅩᄒᆞᆫ 신기(神祇) 죄벌을 주시미라."

ᄒᆞ고, 초벽은 하ᄂᆞᆯ을 우러러 ᄉᆡᆼ도의 나아가믈 비더라.

츈애(春夜) 심단(甚短)ᄒᆞ고 날이 ᄇᆞᆰ으ᄃᆡ 흘너 ᄒᆡᆼᄒᆞ니 ᄒᆞ로 언마를 ᄒᆡᆼᄒᆞᄂᆞᆫ 줄 모를너라. 쥬즙(舟楫) ᄒᆡᆼ션(行船)도 만나지 못ᄒᆞ고 이러ᄐᆞᆺ 닷기를 쥬야 다르니[1300] 긔갈이 심ᄒᆞ고 졍신이 어즐ᄒᆞ여 여취여치(如醉如痴)[1301]ᄒᆞ더니, 뎨삼일의 홀연 ᄒᆞᆫ낫 ᄎᆡ션(彩船)이 비단 풍범(風帆)을 달고 표연(飄然)이 쇼져 안즌 널조각을 향ᄒᆞ여 오ᄂᆞᆫ디라. 비쥐(婢主) 놀나 졍신을 뎡ᄒᆞ여 보니 쥬듕(舟中)의 일위 쇼년이 흑ᄉᆞ당건(黑紗唐巾)[1302]을

1298)거류냥졍(去留兩情) : 떠나는 사람과 남는 사람 사이의 이별의 정.

1299)슈거셔(數車書) : 여러 수레에 실을 만큼의 많은 글.

1300)다르다 : <닷다 : 닫다>. 달리다. 차, 배 따위가 빨리 움직이다.

1301)여취여치(如醉如痴) : 취한 듯 멍한 듯.

1302)흑ᄉᆞ당건(黑紗唐巾) : 검은 비단으로 만든 당건. 당건은 예전에 중국에서 쓰던 관(冠)의 하나로, 당나라 때에는 임금이 많이 썼으나, 뒤에는 사대부

달키 어렵고, 인심(人心)은 블가측(不可測)이라, 듕노(中路)의셔 변을 만날동 엇디 알니오. 현ᄆᆡ 날과 ᄎᆔ운산의 가 부모긔 뵈ᄋᆸ고 노ᄌᆞ(奴子)를 ᄎᆔ의 보ᄂᆡ여 녕당(令堂)[1274]의 ᄉᆡᆼ존ᄒᆞᆫ 희ᄉᆞ(喜事)를 고ᄒᆞ미 맛당토다."

쇼졔 읍읍(泣泣) 샤례 왈,

"거거의 구활대은(救活大恩)으로 사ᄌᆡ(死者) 부ᄉᆡᆼ(復生)ᄒᆞ여시니 디교(指敎)를 밧드지 아니리오. 다만 부뫼 참쳑(慘慽)을 남의 업시 보신디라. 쇼ᄆᆡ를 일흐시고 과상ᄒᆞ시리니 ᄉᆡᆼ존ᄒᆞ여시믈 급히 통코져 ᄒᆞᄂᆞ이다."

태위 왈,

"이곳이 경샤 ᄉᆞ오일이 격ᄒᆞ여시니 밧비 ᄒᆡᆼᄒᆞ여 우리 부모긔 뵈ᄋᆸ고 ᄎᆔ의 사ᄅᆞᆷ을 보ᄂᆡ여 결약남ᄆᆡᄒᆞ믈 하년슉긔 고ᄒᆞ리라."

쇼졔 ᄉᆞ샤ᄒᆞ고 태위 즉시 님산 니혹ᄉᆞ긔 ᄎᆡ교(彩轎)를 비러 쇼져를 ᄎᆡ교의 올니고 ᄌᆞ긔 호ᄒᆡᆼᄒᆞ여 경샤로 밧비 올나갈ᄉᆡ, 니혹ᄉᆡ 뎡태우를 와 ᄌᆞ고 가라 ᄒᆞ여 쳥ᄒᆞ미 ᄉᆞ오 슌(巡)[1275]의 밋ᄎᆞ니, 태위 ᄒᆡᆼ되 일일이 밧브나 부형의 친위 여러번 쳥ᄒᆞ니 인ᄉᆞ의 마디 못ᄒᆞ여 벽화촌으로 나아가나, 하쇼져 ᄒᆡᆼᄎᆞ와 좃ᄎᆞᆫ 하리 등은 다 집 잡아 머므르게 ᄒᆞ고, ᄌᆞ긔ᄂᆞᆫ 노마(奴馬)만 거나려 니부로 나아오니, 원ᄂᆡ 니혹ᄉᆞᄂᆞᆫ 금평후의 ᄋᆞ시 고귀(故舊)라. 명은 츈이오 ᄌᆞᄂᆞᆫ 덕뵈니 셰ᄃᆡ 명문이러라.

1274)녕당(令堂) : 영자당(令慈堂). 모친(母親).

1275)슌(巡) : 번. 차례.

쓰고 【66】 쳥ᄉᆞ포(青紗袍)[1303]를 닙어 유ᄉᆡᆼ(儒生)의 거동이로ᄃᆡ, 츄죵(追從)이 부려(富麗)ᄒᆞ고 쇼년의 년긔 이팔(二八)은 ᄒᆞ나 귀격이 당당ᄒᆞ니 ᄎᆞ하인야(此何人耶)[1304]오? 죵남하회(終覽下回)[1305]ᄒᆞ라.

시시(時時)의 간의ᄐᆡ우 문연각태혹ᄉᆞ 표긔당군 뎡텬흥이 션묘(先墓) 태쥐 송츄(松楸)[1306]의 ᄇᆡ알ᄒᆞ고 도라오ᄂᆞᆫ 길히 금ᄉᆞ강을 지나ᄂᆞᆫ 고로, 슈일을 ᄒᆡᆼ션(行船)ᄒᆞ여 슈심(水心)의 니르럿더니, 믄득 보니 샹뉴(上流)로 좃ᄎᆞ ᄒᆞᆫ 닙 널조각이 살ᄲᅡᆯ 돗 나려와 셔로 마조치니, 뎡태위 괴이히 넉여 눈을 드러 살피니 널 우희 냥개 쇼녀ᄌᆡ(小女子) 안ᄌᆞ시ᄃᆡ 면무인ᄉᆡᆼ(面無人生)ᄒᆞ여시나, 일녀ᄌᆞᄂᆞᆫ 홍상ᄎᆡ의(紅裳彩衣)로 나히 십여세ᄂᆞᆫ ᄒᆞ고, 용뫼(容貌) 가려(佳麗)ᄒᆞ여 션원(仙苑)의 금봉오리 ᄎᆡ 픠지 못ᄒᆞᆫ ᄃᆞᆺᄒᆞ니, ᄒᆞᆫ낫 졀염쇼ᄋᆡ(絶艷小兒)오 일녀ᄌᆞᄂᆞᆫ 인가쳥의(人家青衣) 복ᄉᆡᆨ이로ᄃᆡ ᄌᆡ용(才容) 【67】 이 소려(昭麗)ᄒᆞᆫ디라. 태위 괴이히 넉여 밧비 연고를 므른ᄃᆡ, 초벽이 울며 고왈,

"쳔쳡(賤妾)은 셔촉 뎍거ᄒᆞ신 하상셔ᄃᆡ 비ᄌᆞ 초벽이러니, 쇼져를 뫼셔 요경의 후리인 ᄇᆡ 되여 강심(江心)의 ᄡᅥ러져 죽게 되엿ᄉᆞ오니, 샹공은 대ᄌᆞ대비(大慈大悲)ᄒᆞ샤 ᄉᆞ디(死地)의 구ᄒᆞ시믈 바라ᄂᆞ이다."

태위 쳥필(聽畢)의 대경ᄎᆞ악(大驚且愕)ᄒᆞ여 밧비 구ᄒᆞᆯᄉᆡ, 션인(船人)을 분부ᄒᆞ여 ᄇᆡ를 ᄲᆞᆯ니 져어 널조각을 ᄯᆞ로ᄃᆡ, 널닙히 닷기를 한업시 ᄒᆞ니 션인이 ᄇᆡ를 그ᄌᆞᆺ치 져을 길히 업거ᄂᆞᆯ, 태위 심ᄉᆡ 착급ᄒᆞ여 분연이 웃옷ᄉᆞᆯ 버셔 후리치고 친히 ᄇᆡ를 져으ᄆᆡ, 두 팔 가온ᄃᆡ 만부브당지용(萬夫不當之勇)이 잇고, ᄌᆡ죄 만ᄉᆞ(萬事)의 신이ᄒᆞ니, 션인

들이 사용하였다.

1303)쳥ᄉᆞ포(青紗袍) : 푸른 비단으로 지은 도포(道袍). 도포는 예전에 예복으로 입던 남자의 겉옷.

1304)ᄎᆞ하인야(此何人耶) : 이는 누구인가?

1305)죵남하회(終覽下回) : 하회(下回)를 끝까지 보라.

1306)송츄(松楸) : ①산소 둘레에 심는 나무를 통틀어 이르는 말. 주로 소나무와 가래나무를 심는다. ② '무덤'을 비유적으로 이르는 말.

의 등의 뽐이 흐르며 소릭 요란ᄒᆞ여 진【68】력히 빅를 져으믹 비기리오. 경긱의 살 가ᄐᆞᆺ 널닙흘 짜라 셔로 다ᄒᆞ니, 뎡태위 하쇼져를 향ᄒᆞ여 졀ᄒᆞ고, ᄀᆞᆯ오ᄃᆡ,

"쇼져의 복식이 ᄉᆞ문 규슈니 외간 남ᄌᆞ 감히 ᄒᆞᆫ 빅의 오로기를 쳥ᄒᆞ미 녜(禮)예 블가ᄒᆞ나, 왕(往)ᄋᆡ1307), '아ᄌᆞ미 믈의 ᄲᅡ지믹 아ᄌᆞ비 손으로 건지믄 셩인의 니르신 빅라', 쇼싱이 결단코 쇼져긔 유히ᄒᆞᆫ 사ᄅᆞᆷ이 아니오 화란지시(禍亂之時)의 구ᄒᆞ미 혐의로오미 업슬 거시니, 바라건ᄃᆡ 쇼져는 이 빅의 오로쇼셔."

쇼제 뎡싱의 비상ᄒᆞᆫ 표치풍광(標致風光)과 어진 말ᄉᆞᆷ을 드르믹 의심이 젹으ᄃᆡ, 오히려 구몽슉의게 속은 심신(心身)이라, 남ᄌᆞ를 무셔이 넉여 져의 셩시와 근본을 모로고 일션(一船)의 올낫다가 또 므【69】ᄉᆞᆫ 변고를 볼 줄 알니오? ᄒᆞ여 쥬져ᄒᆞ고 답지 아니니, 태위 그 위틱ᄒᆞ믈 착급ᄒᆞ여, 왈,

"쇼싱은 태우 뎡텬흥이라 싱의 집이 비의(非義)를 원슈ᄀᆞᆺ치 넉이ᄂᆞ니, 텬일(天日)이 ᄌᆡ샹(在上)ᄒᆞ고 신명(神明)이 ᄌᆡ방(在傍)ᄒᆞ엿ᄂᆞ니, 싱이 일분도 쇼져긔 ᄒᆡ로온 의ᄉᆡ 업ᄂᆞ이다."

ᄒᆞ며 빅를 져어 널의 다히고 ᄌᆞ긔 빅의 나아가 원비(猿臂)를 느리혀 널ᄌᆡ 븟드러 션창(船艙) 안흐로 가바야이 드리오고, 하리츄죵(下吏追從)을 다 션창 밧그로 닉여 보닉니, 하쇼져 노쥐 널 우희 올나 뎡태위 위력으로 븟드러 션듕의 드리기를 당ᄒᆞ니, 믈의 ᄲᅡ지지 아니면 피ᄒᆞᆯ 길히 업슬 ᄲᅮᆫ 아니라, 뎡텬흥 셰 ᄌᆞ(字)를 드르믹 이 분명 금평후의 아ᄃᆞᆯ인 줄 ᄭᆡᄃᆞ라, 오히려 야야(爺爺)의 동긔 ᄀᆞᄐᆞᆫ 친우【70】의 ᄌᆞ뎨(子弟)니, 타인보다가는 낫고 결약남ᄆᆡ(結約男妹)ᄒᆞ기를 졔 니르니, 혐의(嫌疑)로오미 업슬디라. 븟그러옴과 슬프믈 강인ᄒᆞ여 션듕 안ᄒᆡ 안ᄌᆞ니 슈일을 굴믄 졍신이 어득ᄒᆞ고, 냥일을 널 우희 올나 일시도 긋칠 ᄉᆞ이 업시 슈파(水波)의 츌몰(出沒)ᄒᆞ엿다가, 쳔만 의외

1307)왕(往)ᄋᆡ : 기왕(旣往)에. 이미, 옛날에

의 의긔 군ᄌᆞ의 구활ᄒᆞ믈 닙어 션창 안히 오로니, 쳐음 투강홀 젹과 달나 어나 ᄲᅥ 잠닉(潛溺)ᄒᆞ여 어별(魚鼈)의 밥이 되여 부모긔 블효를 어나 곳의 ᄡᆞ흘고, 비회 쳔만가지로 촌단(寸斷)ᄒᆞ다가, 편ᄒᆞᆫ 션창(船艙)의 오로ᄆᆡ 쥭을가 념녀ᄂᆞᆫ ᄉᆞ라디고 왼 몸이 알프고 요요(搖搖)ᄒᆞᆫ 심ᄉᆡ 형상키 어려오니, 뎡태위 결약(結約)ᄒᆞ기를 니르며 쇼져의 셩시(姓氏)와 거듀(居住)를 초벽다려 므르니 초벽이 ᄃᆡ왈,【71】

"아듀(我主)ᄂᆞᆫ 셔촉의 뎍거ᄒᆞ신 하상셔 녀ᄌᆡ라. 일야지ᄂᆡ(一夜之內)의 여ᄎᆞ여ᄎᆞ(如此如此)ᄒᆞᆫ 변을 만나 구몽슉이라 ᄒᆞᄂᆞᆫ 원슈 놈을 만나 금ᄉᆞ강의 ᄯᅱ여들ᄆᆡ, ᄀᆞ라안지 아니ᄒᆞ고 널 우히 올나 두 날과 밤을 ᄃᆞᄂᆡᄃᆡ 능히 사ᄅᆞᆷ을 만나디 못ᄒᆞ엿더니, 상공의 대은을 닙ᄉᆞ와 노쥬 살 길흘 어덧ᄂᆞ이다."

뎡태위 놀나 낫빗출 곳치고 쇼져를 향ᄒᆞ여 왈,

"녕존당(令尊堂) 년슉대인(緣叔大人)은 가친과 문경지교(刎頸之交)시니 ᄉᆡᆼ 등의 앙셩(仰誠)이 슉딜(叔姪) ᄀᆞᆺ튼디라. 일가디친(一家之親)과 다르미 이시리오. 쇼져ᄂᆞᆫ ᄉᆡᆼ으로ᄡᅥ 블인ᄒᆞᆫ 의ᄉᆡ 잇ᄂᆞᆫ가 념녀치 마르시고, 쇼ᄉᆡᆼ이 쇼져를 구ᄒᆞ미 혐의예 갓가오니, ᄆᆡᄌᆞ 남ᄆᆡ(男妹) 되면 친 동긔와 다르미 이시리오."

쇼졔 나히 어리나 뎡태우의 특이ᄒᆞᆫ【72】 위인을 항복ᄒᆞ여 ᄌᆞ긔를 구ᄒᆞ미 잡의ᄉᆡ(雜意思) 업ᄉᆞ믈 ᄭᆡ다라, 누슈(淚水)를 드리워 은혜를 샤례ᄒᆞ고, 즉시 결약남ᄆᆡ 되믈 신명(神明)긔 고ᄒᆞ고, 하쇼졔 뎡태우긔 두번 졀ᄒᆞ여 뎨ᄆᆡ(弟妹) 되고 태우ᄂᆞᆫ 형남(兄男)이 되ᄆᆡ 태위 기리 탄ᄒᆞ여 왈,

"하ᄂᆞᆯ이 현ᄆᆡ를 인도ᄒᆞ여 날을 만나게 ᄒᆞ미 우연ᄒᆞᆫ 일이 아니라. 구몽슉자ᄂᆞᆫ 표슉(表叔)이 그 고혈ᄒᆞ믈 잔잉히 녀여 거두어 교학(教學)ᄒᆞ시고, 가친이 구시랑과 친ᄒᆞ시던 고로 의식을 고휼(顧恤)ᄒᆞ시기를 아등(我等)과 갓치 ᄒᆞ시ᄃᆡ, 힝실이 맛춤ᄂᆡ 블미ᄒᆞ고 뎡딕지 못ᄒᆞ믈 ᄋᆡ돌나 ᄒᆞ시더니, 현ᄆᆡ

를 그딕도록 히홀 줄 알니오. 이졔 쵹으로 나려가고져 ᄒᆞ나【73】 약질이 험노의 득달키 어렵고, 인심(人心)은 블가측(不可測)이라, 듕노(中路)의셔 변을 만날동 엇디 알니오. 현ᄆᆡ 날과 취운산의 가 부모긔 뵈옵고 노ᄌᆞ(奴子)를 쵹의 보ᄂᆡ여 녕당(令堂)1308)의 싱존ᄒᆞᆫ 희ᄉᆞ(喜事)를 고ᄒᆞ미 맛당토다."

쇼졔 읍읍(泣泣) 샤례 왈,

"거거의 구활대은(救活大恩)으로 사ᄌᆡ(死者) 부싱(復生)ᄒᆞ여시니 디교(指敎)를 밧드지 아니리오. 다만 부뫼 참쳑(慘慽)을 남의 업시 보신디라. 쇼ᄆᆡ를 일흐시고 과상ᄒᆞ시리니 싱존ᄒᆞ여시믈 급히 통코져 ᄒᆞᄂᆞ이다."

태위 왈,

"이곳이 경샤 ᄉᆞ오일이 격ᄒᆞ여시니 밧비 힝ᄒᆞ여 우리 부모긔 뵈옵고 쵹의 사름을 보ᄂᆡ여 결약남ᄆᆡᄒᆞ믈 하년슉긔 고ᄒᆞ리라."

쇼졔 ᄉᆞ샤ᄒᆞ고 태위 즉시 님산 니혹ᄉᆞ긔 ᄎᆡ교(彩轎)를 비러 쇼져를 ᄎᆡ교의【74】 올니고 ᄌᆞ긔 호힝ᄒᆞ여 경샤로 밧비 올나갈ᄉᆡ, 니혹ᄉᆡ 뎡태우를 와 ᄌᆞ고 가라 ᄒᆞ여 쳥ᄒᆞ미 ᄉᆞ오 슌(巡)1309)의 밋ᄎᆞ니, 태위 힝되 일일이 밧브나 부형의 친위 여러번 쳥ᄒᆞ니 인ᄉᆞ의 마디 못ᄒᆞ여 벽화촌으로 나아가나, 하쇼져 힝ᄎᆞ와 졸ᄎᆞᆫ 하리 등은 다 집 잡아 머므르게 ᄒᆞ고, ᄌᆞ긔ᄂᆞᆫ 노마(奴馬)만 거나려 니부로 나아오니, 원ᄂᆡ 니혹ᄉᆞᄂᆞᆫ 금평후의 ᄋᆞ시 고귀(故舊)라. 명은 츈이오 ᄌᆞᄂᆞᆫ 덕뵈니 셰ᄃᆡ 명문이러라.【75】

1308)녕당(令堂) : 영자당(令慈堂). 모친(母親).
1309)슌(巡) : 번. 차례.

명듀보월빙 권디십이

익셜(益說) 원닉 니혹스는 금평후의 아시 고귀라. 명은 츈이오, 즈는 덕뵈니, 셰딕 명문이오. 혹식 위인이 청고힉여 쇼년등과힉딕 작녹을 구치 아니힉고, 샤환(仕宦)의 뜻이 낙낙(落落)1310)힉여, 일즉 태혹스를 디닉고 부모상을 만나 션능이 남산인고로 시묘(侍墓) 삼년을 디닉고, 인힉여 됴정이 벼술을 더으딕 죽기로뻐 샤양힉여 나디 아니힉고, 님쳔(林泉)의 한가힌 몸이 되엿더라.

부인 단시는 뇨됴슉녜니 동쥬(同住) 이십년의 일즈 삼녀를 두어시딕 녀직 다 우히라. 댱녀 슈빙과 츳녀 연빙은 쌍틱(雙胎)오, 년긔 십유삼(十有三)의 셩힝(性行)이 가즉힉여 유한뎡졍(幽閑貞靜)힉딕 슈【1】빙은 용뫼 의논홀 빅 아니라. 신댱이 칠쳑을 다힉고 거믄 살이 와셕(瓦石) 곳고, 가월텬졍(佳月天庭)1311)의 일월(日月)1312)○[이] 각이1313) 셔고, 놉흔 코와 거두든 톡1314)이오, 좌우의 드리운 혹이 귀밋틱 잇셔 바로 보기 어려오딕, 다만 일쌍봉안(一雙鳳眼)의 영긔(靈氣) 당당힉여 츄슈(秋水)의 정긔(精氣)를 먹음엇고, 긴 눈셥은 텬창(天窓)을 썰쳐시딕 상활(爽闊)힌 격되(格調) 대댱부(大丈夫)의 틀이 이시니, 혹식 그 위인을 강인힉나 그 상모(相貌)를 우민(憂悶)힉더니, 금년 츈의 두역(痘疫)1315)을 험이 힉여시니 부뫼 더옥 우민힉딕, 츳쇼져 년빙의 텬향이질(天香異質)이 빅틱 긔려힉여 눈 옴기기 앗가온 틱되오, 녀힝(女行)이 온유뎡뎡(溫柔貞靜)힉여 만식 딘션딘미(盡善盡美)힉니, 부

1310)낙낙(落落) : ①남과 서로 어울리지 않다. ②작은 일에 얽매이지 않고 대범하다.
1311)가월텬졍(佳月天庭) : 달처럼 둥근 이마.
1312)일월(日月) : 해와 달처럼 생긴 짝눈.
1313)각이 : 각기. 각각
1314)탁 : 턱.
1315)두역(痘疫) : 천연두(天然痘). 천연두 바이러스가 일으키는 급성의 법정 전염병. 열이 몹시 나고 온몸에 발진(發疹)이 생겨 딱지가 저절로 떨어지기 전에 긁으면 얽게 된다.

【명듀보월빙 권디십이】

익셜(益說) 원닉 니혹스는 금평후의 아시 고귀라. 명은 츈이오, 즈는 덕뵈니, 셰딕 명문이오. 혹식 위인이 청고힉여 쇼년등과힉딕 작녹을 구치 아니힉고, 샤환(仕宦)의 뜻이 낙낙(落落)1276)힉여, 일즉 태혹스를 디닉고 부모상을 만나 션능이 남산인고로 시묘(侍墓) 삼년을 디닉고, 인힉여 됴정이 벼술을 더으딕 죽기로뻐 샤양힉여 나디 아니힉고, 님쳔(林泉)의 한가힌 몸이 되엿더라.

부인 단시는 뇨됴슉녜니 동쥬(同住) 이십년의 일즈 삼녀를 두어시딕 녀직 다 우히라. 댱녀 슈빙과 츳녀 연빙은 쌍틱(雙胎)오, 년긔 십유삼(十有三)의 셩힝(性行)이 가즉힉여 유한뎡졍(幽閑貞靜)힉딕 슈빙은 용뫼 의논홀 빅 아니라. 신댱이 칠쳑을 다힉고 거믄 살이 와셕(瓦石) 곳고, 가월텬졍(佳月天庭)1277)의 일월(日月)1278)○[이] 각이1279) 셔고, 놉흔 코와 거두든 톡1280)이오, 좌우의 드리운 혹이 귀밋틱 잇셔 바로 보기 어려오딕, 다만 일쌍봉안(一雙鳳眼)의 영긔(靈氣) 당당힉여 츄슈(秋水)의 정긔(精氣)를 먹음엇고, 긴 눈셥은 텬창(天窓)을 썰쳐시딕 상활(爽闊)힌 격되(格調) 대댱부(大丈夫)의 틀이 이시니, 혹식 그 위인을 강인힉나 그 상모(相貌)를 우민(憂悶)힉더니, 금년 츈의 두역(痘疫)1281)을 험이 힉여시니 부뫼 더옥 우민힉딕, 츳쇼져 년빙의 텬향이질(天香異質)이 빅틱 긔려힉여 눈 옴기기 앗가온 틱되오, 녀힝(女行)이 온유뎡뎡(溫柔貞靜)힉여 만식 딘션딘미(盡善盡美)힉니, 부뫼 만금의 비기지 못힉나, 댱녀의 험쥰힌 상모는 농부의게 니가(貽嫁)홈도 오히려 블가힉니, 틱셔(擇壻)힉는 뜻이 일시도 한가치 못힉더니, 뎡태위 등과 쇼분힉는 힝되 즈긔를 츳즈보는 고로 그 위인의 관홍홈과 츌범비상힉믈 흠익힉더니, 다시 디경(地境)을 지나다 힉니, 일즉 반기고○[즈] 뜻이 이셔 청닉힉엿더니, 니르러 녜필한훤(禮畢寒喧)의 니공이 쇼왈,

"창빅이 이 싸흘 지나며 즛지 아니힉니 박졍힉믈 거의 알녀니와 졀긴(切緊)힌 소회 잇셔 청힉엿누니 군이 능히 우회(愚懷)를 청납힉랴."

뎡태위 공슈(拱手) 딕왈,

"쇼싱이 비록 블민힉오나 엇지 댱즈지명(長者之命)을 블슈(不受)힉리잇고? 원컨딕 힌번 니르시믈 앗기지 마르쇼셔."

니공이 츳쇼(且笑) 왈,

1276)낙낙(落落) : ①남과 서로 어울리지 않다. ②작은 일에 얽매이지 않고 대범하다.
1277)가월텬졍(佳月天庭) : 달처럼 둥근 이마.
1278)일월(日月) : 해와 달처럼 생긴 짝눈.
1279)각이 : 각기. 각각
1280)탁 : 턱.
1281)두역(痘疫) : 천연두(天然痘). 천연두 바이러스가 일으키는 급성의 법정 전염병. 열이 몹시 나고 온몸에 발진(發疹)이 생겨 딱지가 저절로 떨어지기 전에 긁으면 얽게 된다.

뫼 만금의 비기지 못ᄒᆞ나, 댱녀의 험쥰ᄒᆞᆫ 상모는 【2】 농부의게 니가(貽嫁)홈도 오히려 블가ᄒᆞ니, 틱셔(擇壻)ᄒᆞᄂᆞᆫ 뜻이 일시도 한가치 못ᄒᆞ더니, 뎡태위 등과 쇼분ᄒᆞᄂᆞᆫ 힝되 ᄌᆞ긔를 ᄎᆞᄌᆞ보ᄂᆞᆫ 고로 그 위인의 관홍홈과 츌범비상ᄒᆞ믈 흠이ᄒᆞ더니, 다시 디경(地境)을 지나다 ᄒᆞ니, 일즉 반기고○[ᄌᆞ] 뜻이 이셔 쳥ᄂᆡᄒᆞ엿더니, 니르러 녜필한훤(禮畢寒喧)의 니공이 쇼왈,

"챵빅이 이 싸흘 지나며 ᄎᆞᆽ지 아니ᄒᆞ니 박경ᄒᆞ믈 거의 알녀니와 졀긴(切緊)ᄒᆞᆫ 소회 잇셔 쳥ᄒᆞ엿ᄂᆞ니 군이 능히 우회(愚懷)를 쳥납ᄒᆞ라."

뎡태위 공슈(拱手) ᄃᆡ왈,

"쇼싱이 비록 블민ᄒᆞ오나 엇지 댱ᄌᆞ지명(長者之命)을 블슈(不受)ᄒᆞ리잇고? 원컨ᄃᆡ ᄒᆞᆫ번 니르시믈 앗기지 마르쇼셔."

니공이 ᄎᆞ쇼(且笑) 왈,

"연즉(然卽) 챵빅은 날을 위ᄒᆞ여 슬흔 것 【3】 과 무셔온 거ᄉᆞᆯ ᄎᆞᆷ을진ᄃᆡ 니ᄅᆞ고, 그러치 아닌즉 쳐음 토셜치 아니리라."

태위 그 언ᄉᆡ 슈상ᄒᆞ믈 의혹ᄒᆞ여 ᄃᆡ왈,

"쇼싱이 무셔온 거ᄉᆞᆫ ᄎᆞᆷ으려니와 슬흔 거ᄉᆞᆫ 가히 강인치 못ᄒᆞ리이다."

공이 쇼왈,

"군언(君言)이 시얘(是也)라."

ᄒᆞ고 손을 닛그러 ᄂᆡ당 통ᄒᆞᆫ 협문을 열고 ᄀᆞᄅᆞ쳐 니ᄅᆞᄃᆡ,

"챵빅은 져를 보라."

태위 눈을 드니 젹은 당샤의 일위 규슈 ᄉᆞ창(紗窓)을 디혀 손의 ᄎᆡᆨ을 드러시니, 그 용모의 츄악ᄒᆞ미 본 바 쳐음이라. 톄용이 뎡슉ᄒᆞ고 복덕이 유명ᄒᆞ여 뵈니 태우의 별츌ᄒᆞᆫ 안광으로 엇디 디긔ᄒᆞ미 업ᄉᆞ리오. 즉시 눈을 낫초고 번신퇴좌(翻身退坐)1316) 왈,

"대인이 므ᄉᆞᆷ 연고로 쇼싱을 핍(逼)ᄒᆞ여 ᄂᆡ샤(內舍)를 뵈시니 심니(心裏)의 그윽이 블안ᄒᆞ여이 【4】 다."

공이 쇼왈,

1316)번신퇴좌(翻身退坐) : 몸을 돌이켜 자리에서 일어남.

"연즉(然卽) 챵빅은 날을 위ᄒᆞ여 슬흔 것과 무셔온 거ᄉᆞᆯ ᄎᆞᆷ을진ᄃᆡ 니ᄅᆞ고, 그러치 아닌즉 쳐음 토셜치 아니리라."

태위 그 언ᄉᆡ 슈상ᄒᆞ믈 의혹ᄒᆞ여 ᄃᆡ왈,

"쇼싱이 무셔온 거ᄉᆞᆫ ᄎᆞᆷ으려니와 슬흔 거ᄉᆞᆫ 가히 강인치 못ᄒᆞ리이다."

공이 쇼왈,

"군언(君言)이 시얘(是也)라."

ᄒᆞ고 손을 닛그러 ᄂᆡ당 통ᄒᆞᆫ 협문을 열고 ᄀᆞᄅᆞ쳐 니ᄅᆞᄃᆡ,

"챵빅은 져를 보라."

태위 눈을 드니 젹은 당샤의 일위 규슈 ᄉᆞ창(紗窓)을 디혀 손의 ᄎᆡᆨ을 드러시니, 그 용모의 츄악ᄒᆞ미 본 바 쳐음이라. 톄용이 뎡슉ᄒᆞ고 복덕이 유명ᄒᆞ여 뵈니 태우의 별츌ᄒᆞᆫ 안광으로 엇디 디긔ᄒᆞ미 업ᄉᆞ리오. 즉시 눈을 낫초고 번신퇴좌(翻身退坐)1282) 왈,

"대인이 므ᄉᆞᆷ 연고로 쇼싱을 핍(逼)ᄒᆞ여 ᄂᆡ샤(內舍)를 뵈시니 심니(心裏)의 그윽이 블안ᄒᆞ여이다."

공이 쇼왈,

"그ᄃᆡ 츄용누질(醜容陋質)을 보냐?"

태위 뎡ᄉᆡᆨ 왈,

"쇼싱이 힝신이 독경(篤敬)치 못ᄒᆞ와 규슈를 규견(窺見)ᄒᆞ미 되니 종신누덕(終身陋德)이 되리로소이다."

공이 좌우를 믈니고 태우의 손을 잡고 탄식 왈,

"내 진실노 졀박ᄒᆞᆫ 소회 잇셔 금일 챵빅의게 고ᄒᆞᄂᆞ니, 힝혀 허물치 말고 쳥납(淸納)ᄒᆞ라. 아ᄌᆞ1283) 녀ᄌᆞᄂᆞᆫ 곳 나의 댱녜라. 츄용누질이 여ᄎᆞᄒᆞᆫ 고로 촌부농한(村夫農漢)의 빅위(配位)도 블ᄉᆞ(不似)ᄒᆞᄃᆡ1284) 다만 텬셩이 화열ᄒᆞ고 덕힝이 고인을 흠모ᄒᆞ니, 위부모ᄌᆡ(爲父母者)1285) 그 셩힝을 져바려 용부쇽ᄌᆞ(庸夫俗子)의게 도라 보ᄂᆡ여 규리(閨裏)의 폐치ᄒᆞ미 가련ᄒᆞᆫ지라. 대개 대군ᄌᆞ의 화홍ᄒᆞᆫ 도량 곳 아니면 블가ᄒᆞ고, 또 챵빅을 혜아리미 우흐로 냥위 슉녀를 빙ᄒᆞ여 실듕의 빗출 ᄀᆞᆽ초왓고, 군의 셩졍이 화홍 관대ᄒᆞ니 거의 와룡의 황발부인(黃髮夫人) 후ᄃᆡᄒᆞᄂᆞᆫ 덕냥(德量)이 이실지라. 고로 금일 거조를 힝ᄒᆞ엿ᄂᆞ니, ᄋᆞ녀의 더러오믈 보디 말고, 뎨삼 부빈의 ᄎᆔᄒᆞ면 내 또ᄒᆞᆫ 고인의 결초보은(結草報恩)을 긔약ᄒᆞ리라."

태위 이의 샤례 왈,

"쇼싱의 브ᄌᆡ 박덕을 믈시(勿視)ᄒᆞ시고 동상(東床)을 허코져 ᄒᆞ시니, 디우(知遇)를 감샤ᄒᆞ오나, 쇼싱이 년긔 유미ᄒᆞ거늘, 범ᄉᆡ 과람(過濫)ᄒᆞ여 두번 ᄎᆔ홈도 외람 블안ᄒᆞ거늘, 대인의 쇼교로ᄡᅧ 삼위예 굴ᄒᆞ리잇가? ᄒᆞ믈며 부뫼 ᄌᆡ당(在堂)ᄒᆞ시니 쇼싱이 ᄌᆞ젼(自傳)ᄒᆞᆯ 빈 아니로소이다."

공이 흔연 쇼왈,

"내 구ᄐᆞ여 챵빅으로 더브러 ᄀᆞ마니 혼인을 뎡밍ᄒᆞ고져 ᄒᆞ미 아니라, 녕엄이 허ᄒᆞᆯ진ᄃᆡ 챵빅이 샤양치 아니랴?"

태위 ᄃᆡ왈,

1282)번신퇴좌(翻身退坐) : 몸을 돌이켜 자리에서 일어남.

1283)아ᄌᆞ : 아까. 조금 전.

1284)블ᄉᆞ(不似)ᄒᆞ다 : 닮지 않다. 격에 맞지 않다.

1285)위부모ᄌᆡ(爲父母者) : 부모 된 자.

"그ᄃᆡ 츄용누질(醜容陋質)을 보냐?"

태위 뎡식 왈,

"쇼싱이 힝신이 독경(篤敬)치 못ᄒᆞ와 규슈를 규견(窺見)ᄒᆞ미 되니 죵신누덕(終身陋德)이 되리로소이다."

공이 좌우를 믈니고 태우의 손을 잡고 탄식 왈,

"내 진실노 졀박ᄒᆞᆫ 소회 잇셔 금일 챵빅의게 고ᄒᆞᄂᆞ니, 힝혀 허물치 말고 쳥납(淸納)ᄒᆞ라. 아ᄌᆞ[1317] 녀ᄌᆞᄂᆞᆫ 곳 나의 당네라. 츄용누질이 여ᄎᆞᄒᆞᆫ 고로 촌부농한(村夫農漢)의 ᄇᆡ위(配位)도 블ᄉᆞ(不似)ᄒᆞᄃᆡ[1318] 다만 텬셩이 화열ᄒᆞ고 덕힝이 고인을 흠모ᄒᆞ니, 위부모ᄌᆡ(爲父母者)[1319] 그 셩힝을 져바려 용부속ᄌᆞ(庸夫俗子)의게 도라 보ᄂᆡ여 규리(閨裏)의 폐치ᄒᆞ미 가련ᄒᆞᆫ지라. 대개 대군ᄌᆞ의 화홍ᄒᆞᆫ 도량 곳 아니면 블가ᄒᆞ고, ᄯᅩ 챵빅을 혜아리ᄆᆡ 우흐로 냥위 슉녀를【5】 ᄇᆡᄒᆞ여 실듕의 빗출 ᄀᆞᆺ초왓고, 군의 셩졍이 화홍 관대ᄒᆞ니 거의 와룡의 황발부인(黃髮夫人) 후ᄃᆡᄒᆞᄂᆞᆫ 덕냥(德量)이 이실지라. 고로 금일 거조를 힝ᄒᆞ엿ᄂᆞ니, ᄋᆞ녀의 더러오믈 보디 말고, 뎨삼 부빈의 취ᄒᆞ면 내 ᄯᅩᄒᆞᆫ 고인의 결초보은(結草報恩)을 긔약ᄒᆞ리라."

태위 이의 샤례 왈,

"쇼싱의 브ᄌᆡ 박덕을 물시(勿視)ᄒᆞ시고 동상(東床)을 허코져 ᄒᆞ시니, 디우(知遇)를 감샤ᄒᆞ오나, 쇼싱이 년긔 유미ᄒᆞ거ᄂᆞᆯ, 범ᄉᆡ 과람(過濫)ᄒᆞ여 두번 취ᄒᆞᆷ도 외람 블안ᄒᆞ거ᄂᆞᆯ, 대인의 쇼교로ᄲᅧ 삼위예 굴ᄒᆞ리잇가? ᄒᆞ믈며 부뫼 ᄌᆡ당(在堂)ᄒᆞ시니 쇼싱이 ᄌᆞ젼(自傳)ᄒᆞᆯ ᄇᆡ 아니로소이다."

공이 흔연 쇼왈,

"내 굿ᄐᆞ여 챵빅으로 더브러 ᄀᆞ마니 혼인을 뎡ᄆᆡᆼᄒᆞ고져 ᄒᆞ미 아니라, 녕엄이 허ᄒᆞᆯ진ᄃᆡ【6】 챵빅이 샤양치 아니랴?"

태위 ᄃᆡ왈,

"혼인은 인뉸(人倫) 대관(大關)[1320]이오,

1317)아ᄌᆞ : 아까. 조금 전.

1318)블ᄉᆞ(不似)ᄒᆞ다 : 닮지 않다. 격에 맞지 않다.

1319)위부모ᄌᆡ(爲父母者) : 부모 된 자.

"혼인은 인뉸(人倫) 대관(大關)[1286]이오, 녜의념치(禮義廉恥)ᄂᆞᆫ 풍화(風化)[1287]의 ᄉᆞ유(四維)[1288]니 엇지 몬져 의논ᄒᆞ리잇고? 냥가 존당이 상의ᄒᆞ여 부뫼 명지(命之)ᄒᆞ신 즉 슌슈ᄒᆞᆯ ᄯᆞ름이니, 소싱의게 가부(可否)를 무르시미 가치 아니로소이다."

니공이 년망이 칭샤ᄒᆞ고 죵용이 담화ᄒᆞᆯᄉᆡ 풍화ᄒᆞᆫ 담논이 당강 대희를 것구로침 ᄀᆞᆺᄐᆞ나 긔위(氣威) 침엄(沈嚴)[1289]ᄒᆞ여 졔셰안민(濟世安民)ᄒᆞ며 공개텬하(功蓋天下)ᄒᆞ여 디위(地位) 텬승(千乘)을 긔약ᄒᆞᆯ디라. 니공이 그 낫출 우러러 흠열(欽悅)ᄒᆞ더라.

일식이 느ᄌᆞᄆᆡ 하딕ᄒᆞ고 햐쳐(下處)의 도라와 하쇼져를 ᄇᆡ힝(陪行)ᄒᆞ여 ᄉᆞ오일만의 취운산의 니르러, 쇼져 ᄎᆡ교를 ᄶᅥ지워[1290] 힝케 ᄒᆞ고, ᄆᆞᆯ을 ᄎᆡ쳐 몬져 환가ᄒᆞ여, 승당 ᄇᆡ현ᄒᆞ고 존당 부모긔 존후를 뭇ᄌᆞ온 후 다시 니셕궤고(離席跪告)ᄒᆞ여 하쇼져 만난 셜화와 결약남ᄆᆡ(結約男妹)ᄒᆞ여 다려온 소유를 고ᄒᆞ니, 금평휘 탄식 왈,

"하형의 무궁ᄒᆞᆫ 통원(痛冤)으로ᄲᅧ 다시 일녀를 실니ᄒᆞ니 ᄀᆞ장 잔잉ᄒᆞᆫ디라, 내 엇디 녀ᄋᆞ와 다르미 이시리오."

ᄒᆞ고 뎡히 기다리더니 이윽고 하쇼졔의 거괴 문의 님ᄒᆞ니 양낭으로 청ᄒᆞ여 화교를 정젼(庭前)의 노코, 쥬렴을 거드ᄆᆡ 하쇼졔 동신(動身)ᄒᆞ여 나오니, 일뉸(一輪) 소월(素月)이 부상(扶桑)의 올나 광휘(光輝) 탈휘(奪輝)ᄒᆞ니 상광(祥光)이 애애(靄靄)ᄒᆞ고 셔긔(瑞氣) 요일(繞日)ᄒᆞ여 오운(五雲)을 멍에ᄒᆞ며 듕텬의 오로고져 ᄒᆞ니, 팔ᄌᆞ아황(八字蛾黃)과 츄슈샤일(秋水斜日)의 ᄌᆞ연ᄒᆞᆫ 셩덕문명(聖德文明)이 낫타나니, 금평후 부부의 안고태악(眼高泰岳)ᄒᆞ므로도 번연경동(翻然驚動)ᄒᆞ믈 ᄭᆡ돗지 못ᄒᆞ더라. 이미 승당ᄒᆞᄆᆡ 태부인이 흔연 왈,

"하·뎡 냥문의 셰ᄃᆡ교분(世代交分)으로ᄲᅧ 다시 하쇼져를 결의ᄒᆞ여신 즉 엇지 친싱의 다리미 이시리오. 모로미 졔ᄋᆞ(諸兒)와 냥부(兩婦)를 불너 셔로 보게 ᄒᆞ라."

공이 이의 졔공ᄌᆞ와 냥쇼져를 명ᄒᆞ여 ᄒᆞᆫ가지로 볼ᄉᆡ, 돗글 바로 ᄒᆞ고 하쇼졔 슌태부인과 뎡공 부부를 향ᄒᆞ여 팔ᄇᆡ(八拜)ᄒᆞ여 부모와 조손의 녜를 맛ᄎᆞᄆᆡ, 물너 졔뎡으로 더브러 ᄌᆞᄆᆡ와 형뎨의 녜를 일울ᄉᆡ, 닌흥 공ᄌᆞ의 년이 십삼이라 형이 되고, 셰흥 유흥 윤흥 필흥 삼공ᄌᆞᄂᆞᆫ 두번 절ᄒᆞ여 뎨남(弟男)이 되고, 혜쥬 쇼셔ᄂᆞᆫ 동년(同年)이로ᄃᆡ 하쇼졔 일삭 아ᄅᆡ라. 혜쥐 형이 되여 녜를 일우니, 태위 미쇼 왈,

"쇼ᄆᆡ와 하ᄆᆡᄂᆞᆫ 텬의 유의ᄒᆞ신 ᄌᆞᄆᆡ로다. 내 결의남ᄆᆡᄒᆞᄆᆡ 쇼ᄆᆡ ᄯᅩᄒᆞᆫ 형이 되고 구가(舅家)의 졔ᄉᆡ(娣姒)[1291] 되리니 엇디 각별치 아니리오."

1286)대관(大關) : 큰 관문(關門).

1287)풍화(風化) : 교육이나 정치의 힘으로 풍습을 잘 교화하는 일.

1288)ᄉᆞ유(四維) : 나라를 다스리는 데 지켜야 할 네 가지 원칙. 곧 예(禮)·의(義)·염(廉)·치(恥)를 이른다.

1289)침엄(沈嚴) : 침중(沈重)하고 엄숙(嚴肅)함.

1290)ᄶᅥ지우다 : 처지게 하다. 떨어지게 하다.

1291)졔ᄉᆡ(娣姒) : 형제의 아내 가운데 손아래 동서와

녜의념치(禮義廉恥)ᄂᆞᆫ 풍화(風化)[1321]의 ᄉᆞ위(四維)[1322]니 엇지 몬져 의논ᄒᆞ리잇고? 냥가 존당이 상의ᄒᆞ여 부뫼 명지(命之)ᄒᆞ신 즉 슌슈ᄒᆞᆯ ᄶᅡ름이니, 소ᄉᆡᆼ의게 가부(可否)를 무르시미 가치 아니토소이다."

니공이 년망이 칭샤ᄒᆞ고 죵용이 담화ᄒᆞᆯᄉᆡ 풍화ᄒᆞᆫ 담논이 댱강 대히를 것구로침[1323] ᄀᆞᆺᄐᆞ나 긔위(氣威) 침엄(沈嚴)[1324]ᄒᆞ여 졔셰안민(濟世安民)ᄒᆞ며 공개텬하(功盖天下)ᄒᆞ여 디위(地位) 텬승(千乘)을 긔약ᄒᆞᆯ디라. 니공이 그 낫출 우러러 흠열(欽悅)ᄒᆞ더라.

일ᄉᆡᆨ이 느ᄌᆞᄆᆡ 하딕ᄒᆞ고 햐쳐(下處)의 도라와 하쇼져를 ᄇᆡᄒᆡᆼ(陪行)ᄒᆞ여 ᄉᆞ오일만의 취운산의 니르러, 쇼져 ᄎᆡ교를 ᄶᅥ지워[1325] ᄒᆡᆼ케 ᄒᆞ고, ᄆᆞᆯ을 ᄎᆡ쳐 몬져 환가ᄒᆞ여, 승당ᄇᆡ현ᄒᆞ고 존당 부모긔 존후를 뭇ᄌᆞ온 후 【7】 다시 니셕궤고(離席跪告)ᄒᆞ여 하쇼져 만난 셜화와 결약남ᄆᆡ(結約男妹)ᄒᆞ여 다려온 소유를 고ᄒᆞ니, 금평휘 탄식 왈,

"하형의 무궁ᄒᆞᆫ 통원(痛寃)으로ᄡᅧ 다시 일녀를 실니ᄒᆞ니 ᄀᆞ장 잔잉ᄒᆞᆫ디라, 내 엇디 녀ᄋᆞ와 다르미 이시리오."

ᄒᆞ고 뎡히 기다리더니 이윽고 하쇼졔의 거괴 문의 님ᄒᆞ니 양낭으로 쳥ᄒᆞ여 화교를 졍젼(庭前)의 노코, 쥬렴을 거드ᄆᆡ 하쇼졔 동신(動身)ᄒᆞ여 나오니, 일뉸(一輪) 소월(素月)이 부상(扶桑)의 올나 광휘(光輝) 탈휘(奪輝)ᄒᆞ니 상광(祥光)이 애애(靄靄)ᄒᆞ고 셔긔(瑞氣) 요일(繞日)ᄒᆞ여 오운(五雲)을 멍에ᄒᆞ며 듕텬의 오로고져 ᄒᆞ니, 팔ᄌᆞ아황(八字蛾黃)과 츄슈샤일(秋水斜日)의 ᄌᆞ연ᄒᆞᆫ 셩덕문명(聖德文明)이 낫타나니, 금평후 부부의 안고태악(眼高泰岳)ᄒᆞ므로도 번연경동(翻然

1320)대관(大關) : 큰 관문(關門).

1321)풍화(風化) : 교육이나 정치의 힘으로 풍습을 잘 교화하는 일.

1322)ᄉᆞ위(四維) : 나라를 다스리는 데 지켜야 할 네 가지 원칙. 곧 예(禮)·의(義)·염(廉)·치(恥)를 이른다.

1323)것구로치다 : 거꾸러뜨리다. 압도하다. 세력 따위를 꺾어 힘을 잃게 하거나 무너지게 하다

1324)침엄(沈嚴) : 침중(沈重)하고 엄숙(嚴肅)함.

1325)ᄶᅥ지우다 : 처지게 하다. 떨어지게 하다.

냥쇼졔 셩안(聖顔)이 나죽ᄒᆞ여 슈ᄉᆡᆨ(羞色)이 은영(隱映)ᄒᆞ더라. 금휘 하쇼져를 나호여 무ᄋᆡ(撫愛)ᄒᆞ여 ᄀᆞᆯ오ᄃᆡ,

"금일 부녀의 의를 ᄆᆡᄌᆞᄆᆡ ᄯᅩᄒᆞᆫ 텬뉸의 대의 잇ᄂᆞ니, 너ᄂᆞᆫ 모로미 셔의(齟齬)히 넉이지 말나."

쇼졔 ᄇᆡ이슈명(拜而受命)ᄒᆞᄆᆡ 온공협읍(溫恭協洽)ᄒᆞ미 일월명모(日月明眸)의 가득ᄒᆞ나 언어의 니르미 업더라. 진부인의 녈일단엄(烈日端嚴)ᄒᆞ므로도 하쇼져를 ᄃᆡᄒᆞᄆᆡ 쳬쳬ᄒᆞᆫ ᄉᆞ랑과 무ᄋᆡᄒᆞ믈 긔츌(己出)ᄀᆞᆺ치 ᄒᆞ더라.

이의 장노(長奴)를 명ᄒᆞ여 쵹으로 보낼ᄉᆡ, 금평휘 하공의게 셔간을 보ᄂᆡ여 젼후 소유를 고ᄒᆞ여 이의셔 혼○[인]을 일우고 쵹디의 나려가지 말고, 복분(覆盆)의 원을 신셜ᄒᆞ여 도라오ᄂᆞᆫ 날 부녜 상회(相會)ᄒᆞ믈 니르고, 딘부인이 됴부인긔 글을 븟쳐 아름다온 녀ᄋᆞ를 빌니믈 칭샤ᄒᆞ고 머므르믈 간쳥ᄒᆞ엿더라. 하쇼졔 부모와 거거긔 젼후 소위를 베퍼 셔봉을 깃쳐더라. 태위 다시 분부ᄒᆞ여 길히셔 사름을 만나거든 일졀 이런 일을 누셜치 말나 엄히 당부ᄒᆞ고, 부젼의 궤고(跪告) 왈,

"구몽슉이 셩졍이 교샤(狡詐)ᄒᆞ고 ᄒᆡᆼ실이 ᄒᆞᆫ갓 음샤브뎡(陰邪不正)ᄒᆞ오니, 한심ᄒᆞ오나 닐너 곳칠 ᄌᆡ 아니니 하ᄆᆡ의 ᄉᆡᆼ존을 젼치 마르쇼셔."

ᄒᆞ니 공이 졈두(點頭)ᄒᆞᄆᆡ, 태위 우쥬(又奏) 왈,

"윤츄밀이 하ᄆᆡ 이곳의 이시믈 드른 즉 과히 깃거 젼셜ᄒᆞᆫ 즉 몽슉이 ᄯᅩᄒᆞᆫ 드르니 아딕 영영 긔엿다[1292]가, 《뎡혼∥당혼(當婚)》ᄒᆞ여 상의ᄒᆞ고 혼녜를 일우미 가ᄒᆞᆯ가 ᄒᆞᄂᆞ이다."

금휘 의연(依然)ᄒᆞ여 하쇼져를 슉소의 머므르나 타인이 아디 못ᄒᆞ더라.

일일은 하쇼졔 션월졍의 니르니 윤쇼졔 두 아의[1293] ᄇᆡ필(配匹)이 다 비상ᄒᆞ믈 깃거 니러 마ᄌᆞ, 옥안셩모(玉顔星眸)의 화긔 가득ᄒᆞ여 고금녜악(古今禮樂)을 논문ᄒᆞᆯᄉᆡ 피ᄎᆡ 디심ᄋᆡᄃᆡ(知心愛待)ᄒᆞ여 심곡(心曲)의 바라나니 하쇼졔 윤·뎡 냥쇼져의 문ᄎᆡ를 칭복ᄒᆞ여 왈,

"쳡슈용우(妾雖庸愚)ᄒᆞ오나, 원컨ᄃᆡ 냥 져져ᄂᆞᆫ ᄒᆞᆫ번 가영(歌詠)을 앗기지 마르쇼셔."

윤쇼졔 탄왈,

"쳡은 만ᄉᆡ 혼용(昏庸)ᄒᆞ니 엇디 작시(作詩)ᄒᆞᄂᆞᆫ ᄌᆡ죄 이시리오."

혜쥐 쇼왈,

"녀ᄌᆞ의 가구보댱(佳句寶章)이 아름답지 아닌 고로 다시 쳥치 아닛ᄂᆞ니, 윤○[형]은 너모 외ᄃᆡᄒᆞ시믈 ᄋᆡ둘나 ᄒᆞᄂᆞ이다."

윤쇼졔 미쇼 왈,

"쳡이 엇지 쇼져를 외ᄃᆡᄒᆞ리오. ᄌᆞ유로 졍혼(精魂)이 남다른 고로 혹문의 놉흔 ᄌᆡ조를 널니지 못ᄒᆞ여시니 엇디 시를 졸한(猝翰)[1294]ᄒᆞ리오."

뎡언간(停言間)의 태위 드러오다가 문기고ᄒᆞᆫᄃᆡ, 혜

손위 동서.

1292)긔이다 : 기이다. 어떤 일을 숨기고 바른대로 말하지 않다.

1293)아의 : 아우의. 동생의.

1294)졸한(猝翰) : 갑자기 글을 지음.

驚動)ᄒᆞ믈 ᄭᆡ 【8】 ᄃᆞᆺ지 못ᄒᆞ더라. 이미 승당ᄒᆞᄆᆡ 태부인이 흔연 왈,

"하·뎡 냥문의 셰ᄃᆡ교분(世代交分)으로 뼈 다시 하쇼져를 결의ᄒᆞ여신 즉 엇지 친ᄉᆡᆼ의 다리미 이시리오. 모로미 졔ᄋᆞ(諸兒)와 냥부(兩婦)를 불너 셔로 보게 ᄒᆞ라."

공이 이의 졔공ᄌᆞ와 냥쇼져를 명ᄒᆞ여 ᄒᆞᆫ가지로 볼ᄉᆡ, 돗글 바로 ᄒᆞ고 하쇼졔 슌태부인과 뎡공 부부를 향ᄒᆞ여 팔ᄇᆡ(八拜)ᄒᆞ여 부모와 조손의 녜를 맛ᄎᆞᄆᆡ, 물너 졔뎡으로 더브러 ᄌᆞᄆᆡ와 형뎨의 녜를 일울ᄉᆡ, 닌홍 공ᄌᆞ의 년이 십삼이라 형이 되고, 셰홍 유홍 윤홍 필홍 삼공ᄌᆞᄂᆞᆫ 두번 졀ᄒᆞ여 뎨남(弟男)이 되고, 혜쥬쇼셔ᄂᆞᆫ 동년(同年)이로ᄃᆡ 하쇼졔 일삭 아ᄅᆡ라. 혜쥐 형이 되여 녜를 일우니, 태위 미쇼 왈,

"쇼ᄆᆡ와 하ᄆᆡᄂᆞᆫ 텬의 유의ᄒᆞ신 ᄌᆞᄆᆡ로 【9】 다 내 결의남ᄆᆡᄒᆞᄆᆡ 쇼ᄆᆡ ᄯᅩᄒᆞᆫ 형이 되고 구가(舅家)의 졔ᄉᆡ(娣姒)[1326] 되리니 엇디 각별치 아니리오."

냥쇼졔 셩안(聖顔)이 나즉ᄒᆞ여 슈ᄉᆡᆨ(羞色)이 은영(隱映)ᄒᆞ더라. 금휘 하쇼져를 나호여 무ᄋᆡ(撫愛)ᄒᆞ여 ᄀᆞᆯ오ᄃᆡ,

"금일 부녀의 의를 ᄆᆡᄌᆞᄆᆡ ᄯᅩᄒᆞᆫ 텬눈의 대의 잇ᄂᆞ니, 너ᄂᆞᆫ 모로미 셔의(齟齬)히 넉이지 말나."

쇼졔 ᄇᆡ이슈명(拜而受命)ᄒᆞᄆᆡ 온공협흡(溫恭協洽)ᄒᆞ미 일월명모(日月明眸)의 가득ᄒᆞ나 언어의 니르미 업더라. 진부인의 녈일단엄(烈日端嚴)ᄒᆞ므로도 하쇼져를 ᄃᆡᄒᆞᄆᆡ 쳬쳬ᄒᆞᆫ ᄉᆞ랑과 무ᄋᆡᄒᆞ믈 긔츌(己出)ᄀᆞᆺ치 ᄒᆞ더라.

이의 장노(長奴)를 명ᄒᆞ여 쵹으로 보낼ᄉᆡ, 금평휘 하공의게 셔간을 보ᄂᆡ여 젼후 소유를 고ᄒᆞ여 이의셔 혼○[인]을 일우고 쵹디의 나려가지 말고, 복분(覆盆)의 원을 신셜ᄒᆞ여 도라오ᄂᆞᆫ 날 부녜 상회(相會)ᄒᆞ믈 【10】 니르고, 딘부인이 됴부인긔 글을 붓쳐 아름다온 녀ᄋᆞ를 빌니믈 칭샤ᄒᆞ고 머므르믈 ᄎᆔ 윤시의 겸양ᄒᆞ믈 젼ᄒᆞ니 태위 쇼○[왈],

"졍신이 엄녈(嚴烈)ᄒᆞ니 작시ᄒᆞᆯ 문한(文翰)도 업ᄉᆞ려니와, 원간 ᄋᆞ시로브터 어딘 조모의게 넉술 만히 일허 사ᄅᆞᆷ이 되지 못ᄒᆞ여시니, 현ᄆᆡ 등으로 더브러 논문ᄒᆞ염즉지 아닌지라. 우형이 현ᄆᆡ 등을 위ᄒᆞ여 녀댱○[댱]부(女裝丈夫)를 어더 ᄎᆔ(娶)ᄒᆞ여 규듕ᄉᆞ우(閨中師友)를 삼으리라."

혜쥐 춍명이 여신ᄒᆞᆫ디라. ᄒᆞᆫ갓 희담의 말 ᄒᆞᆷ이 아니라, 오ᄃᆡ[1295] 가 오악(五嶽)[1296]이 구젼(俱全)ᄒᆞᆫ 녀ᄌᆞ를 보아시믈 디긔ᄒᆞ고 냥쇼 왈,

"거거ᄂᆞᆫ 사ᄅᆞᆷ 모호기로 승ᄉᆞ를 삼아 번ᄉᆞ(繁事)를 ᄎᆔᄒᆞ거니와 쇼ᄆᆡ 등은 윤·양 이인 밧 모로ᄂᆞ이다."

태위 쇼왈,

"우형이 쳐실이 만하든 여등(汝等)의게 므슴 유히ᄒᆞ리오. 우형의 사ᄅᆞᆷ 모호믈 구경ᄒᆞᆯ디어다. 어ᄃᆡ 윤·양만 못ᄒᆞᆫ 직 이시리오."

언필의 금평후의 명으로 태우를 부르니, 뎡당의 니르ᄆᆡ 공이 일댱 셔간을 들고 태우ᄃᆞ려 ᄀᆞᆯ오ᄃᆡ,

"님산 니혹ᄉᆞ의 셔봉(書封)이 와시ᄃᆡ ᄉᆞ의 여ᄎᆞ여ᄎᆞᄒᆞ니 ᄎᆞ혼을 허치 말고져 ᄒᆞᄃᆡ, 구교(舊交)의 안면을 아니 보디 못ᄒᆞᆯ디라. 마지 못ᄒᆞ여 허코져 ᄒᆞ나 너의 경박ᄒᆞ미 ᄎᆔᄉᆡᆨ경덕(取色輕德)ᄒᆞ미 이신 즉, 츌ᄒᆞ리 아이의 허치 아님만 ᄀᆞᆺ지 못ᄒᆞᆫ 고로 너의 ᄯᅳᆺ을 알고져 ᄒᆞ미니, 이 셔간을 보라."

태위 임의 아ᄂᆞᆫ 일이라, 공경ᄒᆞ야 밧ᄌᆞ와 믈너 쥬ᄒᆞᄃᆡ,

"향ᄌᆞ(向者)의 니공이 미의(微意)로뼈 쇼ᄌᆞ의게 뵈미 잇거늘, 번ᄉᆞ(繁事)를 ᄡᅥ리고 ᄌᆞ젼(自傳)치 못ᄒᆞ여 믈니쳤ᄉᆞᆸ더니, 만일 대인이 구교(舊交)의 의(義)를 고렴ᄒᆞ샤 허코져 ᄒᆞ실진ᄃᆡ, 쇼ᄌᆡ 엇디 감히 ᄎᆔᄉᆡᆨ경덕ᄒᆞ여 대인의 구교지의를 상히오리잇고?"

금휘 무언ᄒᆞ니 태부인이 ᄀᆞᆯ오ᄃᆡ,

"텬홍이 호일(豪逸)ᄒᆞ여 번ᄉᆞ를 ᄎᆔᄒᆞᆯ ᄃᆞᆺᄒᆞ나 윤·양 등이 임의 슉뇨(淑窈)ᄒᆞ거늘 ᄯᅩ 신ᄎᆔ(新娶)ᄒᆞ여 므엇ᄒᆞ리오."

공이 ᄃᆡ쥬 왈,

"ᄌᆞ괴 맛당ᄒᆞ시나 니ᄋᆡ(李兒) 무염(無艶)의 박ᄉᆡᆨ(薄色)으로 덕을 ᄌᆞ랑ᄒᆞ여 구혼이 간졀ᄒᆞᆫ 바로 물리친 즉 ᄎᆔᄉᆡᆨ경덕ᄒᆞᄂᆞᆫ ᄇᆡ오니, ᄌᆞ(子)의 안면을 구ᄋᆡᄒᆞ미오, 번ᄉᆞ를 ᄎᆔᄒᆞ미 아니로소이다."

태부인이 쇼왈,

"니시 냥션(良善)ᄒᆞᆯ진ᄃᆡ 만ᄒᆡᆼ이어니와 텬홍이 유미디년(幼微之年)의 번ᄉᆡ 션되(善道) 아니로다."

휘 복쥬(伏奏) 왈,

"쇼ᄌᆡ 번ᄉᆞ를 피ᄒᆞ오ᄃᆡ ᄉᆞ이지ᄎᆞ(事已至此)ᄋᆡ 마지 못ᄒᆞ오미니 ᄎᆞ후 ᄉᆞᄎᆔ(四娶)의 니르러ᄂᆞᆫ 블허ᄒᆞ리로소이다."

태위 봉안이 나즉ᄒᆞ여 간예ᄒᆞ미 업ᄉᆞ나 ᄌᆞ긔의 호신ᄒᆞᄂᆞᆫ ᄯᅳᆺ이, 슉녀미희(淑女美姬)를 모화 평ᄉᆡᆼ 호신을 빗ᄂᆡ고져 ᄒᆞ거늘, 야야의 ᄯᅳᆺ이 ᄂᆡ도ᄒᆞ시믄 그윽이 민울ᄒᆞ더라. 금평휘 답셔ᄒᆞ여 쾌허ᄒᆞ니, 니혹ᄉᆡ 대열ᄒᆞ여 급급히 상경ᄒᆞ여 고ᄐᆡᆨ(古宅)의 안둔(安屯)ᄒᆞ고 길

1326)졔ᄉᆡ(娣姒) : 형제의 아내 가운데 손아래 동서와 손위 동서.

1295)오ᄃᆡ : 어데. 어느 곳.

1296)오악(五嶽) : 얼굴의 두 눈과 두 콧구멍, 입을 말함.

간쳥ᄒᆞ엿더라. 하쇼졔 부모와 거거ᄀᆡ 젼후 소위를 베퍼 셔봉을 깃쳐더라. 태위 다시 분부ᄒᆞ여 길히셔 사름을 만나거든 일졀 이런 일을 누셜치 말나 엄히 당부ᄒᆞ고, 부젼의 궤고(跪告) 왈,

"구몽슉이 셩졍이 교샤(狡詐)ᄒᆞ고 힝실이 ᄒᆞᆫ갓 음샤브뎡(陰邪不正)ᄒᆞ오니, 한심ᄒᆞ오나 닐너 곳칠 지 아니니 하ᄆᆡ의 싱존을 젼치 마르쇼셔."

ᄒᆞ니 공이 졈두(點頭)ᄒᆞᄆᆡ, 태위 우쥬(又奏) 왈,

"윤츄밀이 하ᄆᆡ 이곳의 이시믈 드른 즉 과히 깃거 젼셜ᄒᆞᆫ 즉 몽슉이 ᄯᅩᄒᆞᆫ 드르니 아ᄃᆡᆨ 영영 긔엿다[1327]가, 《뎡혼 ‖ 당혼(當婚)》ᄒᆞ여 상의ᄒᆞ고 혼녜를 【11】 일우미 가ᄒᆞᆯ가 ᄒᆞᄂᆞ이다."

금휘 의연(依然)ᄒᆞ여 하쇼져를 슉소의 머므르나 타인이 아디 못ᄒᆞ더라.

일일은 하쇼졔 션월졍의 니르니 윤쇼졔 두 아의[1328] ᄇᆡ필(配匹)이 다 비상ᄒᆞ믈 깃거 니러 마ᄌᆞ, 옥안셩모(玉顔星眸)의 화긔 가득ᄒᆞ여 고금녜악(古今禮樂)을 논문ᄒᆞᆯᄉᆡ 피ᄎᆞ 디심ᄋᆡᄃᆡ(知心愛待)ᄒᆞ여 심곡(心曲)의 바라나니 하쇼졔 윤·뎡 냥쇼져의 문ᄎᆡ를 칭복ᄒᆞ여 왈,

"쳡슈용우(妾雖庸愚)ᄒᆞ오나, 원컨ᄃᆡ 냥 져져는 ᄒᆞᆫ번 가영(歌詠)을 앗기지 마르쇼셔."

윤쇼졔 탄왈,

"쳡은 만ᄉᆡ 혼용(昏庸)ᄒᆞ니 엇디 작시(作詩)ᄒᆞ는 지죄 이시리오."

혜쥐 쇼왈,

"녀ᄌᆞ의 가구보댱(佳句寶章)이 아름답지 아닌 고로 다시 쳥치 아닛ᄂᆞ니, 윤○[형]은 너모 외ᄃᆡᄒᆞ【12】 시믈 이ᄃᆞᆯ나 ᄒᆞᄂᆞ이다."

윤쇼졔 미쇼 왈,

"쳡이 엇지 쇼져를 외ᄃᆡᄒᆞ리오. ᄌᆞ유로 졍혼(精魂)이 남다른 고로 ᄒᆞᆨ문의 놉흔 ᄌᆡ조를 널니지 못ᄒᆞ여시니 엇디 시를 졸한(猝

1327)긔이다 : 기이다. 어떤 일을 숨기고 바른대로 말하지 않다.

1328)아의 : 아우의. 동생의.

일을 보ᄒᆞ니 계오 일삭을 ᄀᆞ렷더라.

시시의 금평후 뎨이ᄌᆞ(第二子) 닌홍공ᄌᆞ의 ᄌᆞ는 후빅이니, 시년(時年)이 십삼이라. 신댱이 팔쳑이오 냥비과슬(兩臂過膝)ᄒᆞ여 남젼ᄇᆡᆨ옥(藍田白玉)을 다듬은 듯, 츄슈봉안(秋水鳳眼)이오, 가월텬창(佳月天窓)의 호비쥬슌(虎鼻朱脣)이라. 놉흔 문댱은 팔두(八斗)[1297]를 기우리고 필법은 종왕(鍾王)[1298]의 죽은 넉슬 놀ᄂᆡ고, 효의 츌인ᄒᆞ여 증삼(曾參)의 후를 니르니 존당 부뫼 긔ᄋᆡᄒᆞ더라.

공ᄌᆞ의 텬픔(天禀)이 온듕단묵(穩重端默)ᄒᆞ고 침묵언희(沈默言稀)ᄒᆞ여 흉듕(胸中)의 졔셰안민디칙(濟世安民之策)과 안방뎡국지슐(安邦定國之術)을 ᄀᆞᆷ쵸아시니, 츄월이 의의ᄒᆞ고 광풍(光風)이 휘이(輝異)ᄒᆞᆫ 듯, 놉흔 긔상은 츄텬의 가 업슴 ᄀᆞᆺᄐᆞ니, 공ᄆᆡᆼ의 도를 니을 옥인군ᄌᆡ라. 공이 그 위인을 츄듕(取重)ᄒᆞ여 너비 현부를 ᄀᆞᆯᄒᆞᆯᄉᆡ, 명공녈후의 녀ᄌᆞ 둔 ᄌᆡ 닷토아 구혼ᄒᆞᄃᆡ, 금평휘 가바야이 허치 아니ᄒᆞ엿더니, 니ᄒᆞᆨᄉᆡ 댱녀의 친ᄉᆞ를 《위ᄒᆞ엿더니 ‖ 위ᄒᆞ여》 뎡부의 니르러 담화ᄒᆞᆯᄉᆡ, 니ᄒᆞᆨᄉᆡ 우연 쇼왈,

"형이 여러 옥윤을 두어시ᄃᆡ ᄂᆡ외ᄒᆞ미 심ᄒᆞ니 엇디 이ᄃᆞᆲ지 아니리오."

금평휘 미쇼ᄒᆞ고 닌홍 등 졔ᄋᆞ를 명소ᄒᆞ니 슈유(須臾)의 응명ᄒᆞ거놀, 공이 니공을 ᄀᆞᄅᆞ쳐 녜ᄒᆞ라 ᄒᆞ니, 셰 공ᄌᆡ 슈명ᄒᆞ고 니공을 향ᄒᆞ여 ᄌᆡᄇᆡ 시립(侍立)ᄒᆞ니, 필공ᄌᆞ는 오셰라, 유미ᄒᆞᄃᆡ 오히려 녜를 일치 아니ᄒᆞ고, 닌홍의 언건(偃蹇)ᄒᆞᆫ 톄형과 빈빈ᄒᆞᆫ 도덕이 교야(郊野)의 긔린(騏驎)이오, 기산(箕山)의 명봉(鳴鳳)이어놀, 졔공ᄌᆞ의 ᄲᅢ혀난 골격이 츌뉴비상ᄒᆞ니, 니공이 ᄎᆞ례로 년치를 뭇고 후를 향ᄒᆞ여 치하 왈,

"녕윤 등의 슈츌ᄒᆞᆫ ᄌᆞ질을 보니 ᄆᆡᆼ시(孟氏)의 방닌(芳驎)과 샤가(謝家)의 옥슈(玉樹)[1299]를 족히 긔특다 못ᄒᆞᆯ디라. 아지 못게라 이랑의 년긔 언마나 ᄒᆞ뇨?"

금휘 미쇼 왈,

"형이 엇디 미돈으로ᄡᅧ 과찬ᄒᆞ시ᄂᆞ뇨? 우데(愚弟) 돈견 등을 두ᄆᆡ 오문을 텸욕ᄒᆞᆯ가 듀야 긍긍업업(兢兢業業)ᄒᆞᄂᆞ니, 형은 용우ᄒᆞᆫ 돈ᄋᆞ 등을 과찬ᄒᆞ여 구교의 졍을 싱각지 아닛ᄂᆞ뇨?"

니공이 잠쇼 우문 왈,

"녕윤이 져러ᄐᆞᆺ 슉셩ᄒᆞ니 작소(鵲巢)[1300]의 가긔(佳期)를 졈복(占卜)ᄒᆞ미 잇ᄂᆞ냐?"

휘 왈,

1297)팔두(八斗) : 중국 위(魏)나라 시인 조식(曹植)의 재주가 뛰어남을 비유적으로 이른 말. 즉 동진(東晋)의 시인 사령운(謝靈運 : 385~433년)이 '천하의 재주를 한 섬으로 볼 때 조식의 재주가 팔두(八斗)을 차지한다'고 한데서 유래했다.

1298)종왕(鍾王) : 중국 위(魏)나라의 서예가 종요(鍾繇 : 151-230)와 진(晉)나라의 서예가 왕희지(王羲之 : 307-365)를 함께 이르는 말.

1299)사가(謝家) 옥수(玉樹) : 사씨 집안의 뛰어난 인물들. 옥수는 용모가 아름답고 재주가 뛰어난 인물을, 사가는 남제(南齊)의 유명한 문인 사조(謝朓)의 집안을 가리킨다.

1300)작소(鵲巢) : 까치 집. '신방(新房)'을 비유적으로 표현한 말.

翰)[1329] ᄒᆞ리오."

뎡언간(停言間)의 태위 드러오다가 문기 고ᄒᆞᆫᄃᆡ, 혜쥐 윤시의 겸양ᄒᆞ믈 젼ᄒᆞ니 태위 쇼○[왈],

"졍신이 엄녈(嚴烈)ᄒᆞ니 작시ᄒᆞᆯ 문한(文翰)도 업ᄉᆞ려니와, 원간 ᄋᆞ시로브터 어딘 조모의게 넉슬 만히 일허 사ᄅᆞᆷ이 되지 못ᄒᆞ여시니, 현ᄆᆡ 등으로 더브러 논문ᄒᆞ염즉지 아닌지라. 우형이 현ᄆᆡ 등을 위ᄒᆞ여 녀댱○[댱]부(女裝丈夫)를 어더 취(娶)ᄒᆞ여 규듕ᄉᆞ우(閨中師友)를 삼으리라."

혜쥐 총명이 여신ᄒᆞᆫ디라. ᄒᆞᆫ갓 희담의 말ᄉᆞᆷ이 아니라, 오ᄃᆡ[1330] 가 오악(五嶽)[1331] 이 구젼(俱全)ᄒᆞᆫ 녀ᄌᆞ를 보아시믈 디긔ᄒᆞ고 냥쇼 왈,

"거거ᄂᆞᆫ 사ᄅᆞᆷ 모호기로 승ᄉᆞ를 삼아 번ᄉᆞ(繁事)를 취ᄒᆞ【13】거니와 쇼ᄆᆡ 등은 윤·양 이인 밧 모로ᄂᆞ이다."

태위 쇼왈,

"우형이 쳐실이 만하든 여등(汝等)의게 므ᄉᆞᆷ 유히ᄒᆞ리오. 우형의 사ᄅᆞᆷ 모호믈 구경ᄒᆞᆯ디어다. 어ᄃᆡ 윤·양만 못ᄒᆞᆫ 지 이시리오."

언필의 금평후의 명으로 태우를 부르니, 뎡당의 니르ᄆᆡ 공이 일댱 셔간을 들고 태우ᄃᆞ려 ᄀᆞᆯ오ᄃᆡ,

"님산 니혹ᄉᆞ의 셔봉(書封)이 와시ᄃᆡ ᄉᆞ의 여ᄎᆞ여ᄎᆞᄒᆞ니 ᄎᆞ혼을 허치 말고져 ᄒᆞᄃᆡ, 구교(舊交)의 안면을 아니 보디 못ᄒᆞᆯ디라. 마지 못ᄒᆞ여 허코져 ᄒᆞ나 너의 경박ᄒᆞ미 취식경덕(取色輕德)ᄒᆞ미 이신 즉, 출ᄒᆞ리 아이의 허치 아님만 ᄀᆞᆺ지 못ᄒᆞᆫ 고로 너의 ᄯᅳᆺ을 알고져 ᄒᆞ미니, 이 셔간을 보라."

태위 임의 아ᄂᆞᆫ 일이라, 공경ᄒᆞ야 밧ᄌᆞ와 믈너 쥬ᄒᆞᄃᆡ,【14】

"향ᄌᆞ(向者)의 니공이 미의(微意)로ᄡᅧ 쇼ᄌᆞ의게 뵈미 잇거ᄂᆞᆯ, 번ᄉᆞ(繁事)를 ᄭᅥ리고

"미돈(迷豚)[1301]이 무용ᄒᆞᆫ 신댱이 ᄌᆞ라시ᄃᆡ 고인(古人)의 유취지년(有娶之年)이 아닌 고로 뎡혼ᄒᆞ미 업ᄂᆞ라."

니공이 쥬져반향(躊躇半晑)의 ᄀᆞᆯ오ᄃᆡ,

"쇼뎨 츄용누질노ᄡᅧ 형의 슬하의 욕되게 ᄒᆞ고 다시 쳥ᄒᆞ미 당돌ᄒᆞ나, 녕윤의 아ᄅᆞᆷ다오믈 탐ᄒᆞ여 감히 발언ᄒᆞᄂᆞ니 형은 슬피라. 댱녀 ᄎᆞ녜 동틔ᄽᅡᆼ아(同胎雙兒)라. 댱ᄋᆞ의 박용 누질은 곳 챵빅의게 쇽ᄒᆞᆫ 비오, ᄎᆞ녀ᄂᆞᆫ 족히 아ᄅᆞᆷ답다 니르지 못ᄒᆞ나 거의 군ᄌᆞ의 건즐을 욕되게 아닐 고로 구구ᄒᆞᆫ ᄉᆞ을 베프ᄂᆞ니 형은 엇더타 ᄒᆞᄂᆞ뇨?"

휘 쇼이 답왈,

"미돈의 용둔ᄒᆞ믈 혐의치 아니ᄒᆞ고 동상을 허코져 ᄒᆞ시니 엇지 감샤치 아니리오. ᄎᆞ이 유미(幼微)ᄒᆞ니 편위(偏闈)예 고ᄒᆞ고 혼ᄉᆞ를 일우미 늣디 아니토다."

니공이 ᄀᆞᆯ오ᄃᆡ,

"ᄉᆞ귀신쇽(事貴迅速)이니 녕존 ᄌᆞ당의 고ᄒᆞ여 허락ᄒᆞ실딘ᄃᆡ 냥ᄋᆡ 동년싱이니 ᄒᆞᆫ가지로 취가(娶嫁)ᄒᆞ리라."

금휘 응낙고 ᄂᆡ당의 드러가 니공의 구혼ᄒᆞ믈 고ᄒᆞ여 허ᄒᆞ시믈 쳥ᄒᆞᆫᄃᆡ, 태부인이 허혼ᄒᆞ거ᄂᆞᆯ, 공이 깃거 외당의 나와 뎡혼ᄒᆞ믈 젼ᄒᆞ니, 니공이 대희ᄒᆞ여 돗 우희셔 퇵일ᄒᆞ니 공교히 태우의 길일과 ᄒᆞᆫ날이라. 쥬긱이 환열ᄒᆞ여 니공이 도라간 후 금휘 ᄎᆞᄌᆞ의 혼긔 ᄀᆞᆺ가오믈 두굿기고 태부인과 딘부인이 신부의 현브(賢否)를 죄오니, 금휘 ᄯᅩᄒᆞᆫ 냥부의 아ᄅᆞᆷ답기를 기다리더니, 이러구러 길일이 다다르ᄆᆡ 금휘 대연을 개장ᄒᆞ고 ᄂᆡ외 빈긱을 모화 신낭을 보ᄂᆡ며 신부를 마줄ᄉᆡ, 졔긱이 태우를 ᄃᆡᄒᆞ여 삼취의 경ᄉᆞ를 하례(賀禮)ᄒᆞ니,]

1329)졸한(猝翰) : 갑자기 글을 지음.

1330)오ᄃᆡ : 어데. 어느 곳.

1331)오악(五嶽) : 얼굴의 두 눈과 두 콧구멍, 입을 말함.

1301)미돈(迷豚) : 어리석은 돼지라는 뜻으로, 아들 달리 이르는 말

ᄌᆞ젼(自傳)치 못ᄒᆞ여 믈니쳤삽더니, 만일 대인이 구교(舊交)의 의(義)를 고렴ᄒᆞ샤 허코져 ᄒᆞ실진ᄃᆡ, 쇼ᄌᆡ 엇디 감히 취실경덕ᄒᆞ여 대인의 구교지의를 상히오리잇고?"

금휘 무언ᄒᆞ니 태부인이 ᄀᆞᆯ오ᄃᆡ,

"텬흥이 호일(豪逸)ᄒᆞ여 번ᄉᆞ를 취ᄒᆞᆯ ᄃᆞᆺ ᄒᆞ나 윤・양 등이 임의 슉뇨(淑窈)ᄒᆞ거ᄂᆞᆯ 또 신취(新娶)ᄒᆞ여 므엇ᄒᆞ리오."

공이 ᄃᆡ쥬 왈,

"ᄌᆞ괴 맛당ᄒᆞ시나 니ᄋᆞ(李兒) 무염(無艶)의 박ᄉᆡᆨ(薄色)으로 덕을 ᄌᆞ랑ᄒᆞ여 구혼이 간졀ᄒᆞᆫ 바로 물리친 즉 취실경덕ᄒᆞᄂᆞᆫ ᄇᆡ오니, 《ᄌᆞᄂᆞ저》의 안면을 구ᄋᆡᆨᄒᆞ미오, 번ᄉᆞ를 취ᄒᆞ미 아니로소이다."

태부인이 쇼왈,

"니시 냥션(良善)ᄒᆞᆯ진ᄃᆡ 만힝이어니와 텬흥이 유미【15】디년(幼微之年)의 번시 션되(善道) 아니로다."

휘 복쥬(伏奏) 왈,

"쇼ᄌᆡ 번ᄉᆞ를 피ᄒᆞ오ᄃᆡ ᄉᆞ이지ᄎᆞ(事已至此)ᄋᆡ 마지못ᄒᆞ오미니 ᄎᆞ후 ᄉᆞ취(四娶)의 니르러ᄂᆞᆫ 블허ᄒᆞ리로소이다."

태위 봉안이 나즉ᄒᆞ여 간예ᄒᆞ미 업ᄉᆞ나 ᄌᆞ긔의 호신ᄒᆞᄂᆞᆫ ᄯᅳᆺ이, 슉녀미희(淑女美姬)를 모화 평ᄉᆡᆼ 호신을 빗ᄂᆡ고져 ᄒᆞ거ᄂᆞᆯ, 야야의 ᄯᅳᆺ이 ᄂᆡ도ᄒᆞ시믄 그윽이 민울ᄒᆞ더라. 금평휘 답셔ᄒᆞ여 쾌허ᄒᆞ니, 니혹ᄉᆡ 대열ᄒᆞ여 급급히 상경ᄒᆞ여 고ᄐᆡᆨ(古宅)의 안둔(安屯)ᄒᆞ고 길일을 보ᄒᆞ니 계오 일삭을 ᄀᆞ렷더라.

시시의 금평후 뎨이ᄌᆞ(第二子) 닌흥공ᄌᆞ의 ᄌᆞᄂᆞᆫ 후ᄇᆡᆨ이니, 시년(時年)이 십삼이라. 신댱이 팔쳑이오 냥비과슬(兩臂過膝)ᄒᆞ여 남뎐ᄇᆡᆨ옥(藍田白玉)을 다ᄃᆞᆷ은 ᄃᆞᆺ, 츄슈봉안(秋水鳳眼)이오, 가월텬창(佳月天窓)의 호비쥬슌(虎鼻朱脣)이라. 놉흔【16】문댱은 팔두(八斗)1332)를 기우리고 필법은 종왕(鍾

1332)팔두(八斗) : 중국 위(魏)나라 시인 조식(曹植)의 재주가 뛰어남을 비유적으로 이른 말. 즉 동진(東晋)의 시인 사령운(謝靈運 : 385~433년)이 '천하의 재주를 한 섬으로 볼 때 조식의 재주가 팔두(八斗)을 차지한다'고 한데서 유래했다.

王)[1333]의 죽은 넉술 놀ᄂᆡ고, 효의 츌인ᄒᆞ여 증삼(曾參)의 후를 니르니 존당 부뫼 긔ᄋᆡᄒᆞ더라.

공ᄌᆞ의 텬픔(天稟)이 온듕단묵(穩重端默)ᄒᆞ고 침묵언희(沈默言稀)ᄒᆞ여 흉듕(胸中)의 졔셰안민디ᄎᆡᆨ(濟世安民之策)과 안방뎡국지슐(安邦定國之術)을 ᄀᆞᆷ쵸아시니, 츄월이 의의ᄒᆞ고 광풍(光風)이 휘이(輝異)ᄒᆞᆫ ᄃᆞᆺ, 놉흔 긔상은 츄텬의 가 업ᄉᆞᆷ ᄀᆞᆺᄐᆞ니, 공ᄆᆡᆼ의 도를 니을 옥인군ᄌᆡ라. 공이 그 위인을 취듕(取重)ᄒᆞ여 너비 현부를 ᄀᆞᆯᄒᆡᆯᄉᆡ, 명공녈후의 녀ᄌᆞ 둔 ᄌᆡ 닷토아 구혼ᄒᆞᄃᆡ, 금평휘 가바야이 허치 아니ᄒᆞ엿더니, 니혹ᄉᆡ 댱녀의 친ᄉᆞ를 《위ᄒᆞ엿더니∥위ᄒᆞ여》 뎡부의 니르러 담화ᄒᆞᆯᄉᆡ, 니혹ᄉᆡ 우연 쇼왈,

"형이 여러 옥윤을 두어시ᄃᆡ ᄂᆡ외ᄒᆞ미 심ᄒᆞ니 엇디 ᄋᆡ돏지 아【17】니리오."

금평휘 미쇼ᄒᆞ고 닌흥 등 졔ᄋᆞ를 명소ᄒᆞ니 슈유(須臾)의 응명ᄒᆞ거ᄂᆞᆯ, 공이 니공을 ᄀᆞᄅᆞ쳐 녜ᄒᆞ라 ᄒᆞ니, 셰 공ᄌᆡ 슈명ᄒᆞ고 니공을 향ᄒᆞ여 ᄌᆡ비 시립(侍立)ᄒᆞ니, 필공ᄌᆞᄂᆞᆫ 오셰라, 유미ᄒᆞᄃᆡ 오히려 녜를 일치 아니ᄒᆞ고, 닌흥의 언건(偃蹇)ᄒᆞᆫ 톄형과 빈빈ᄒᆞᆫ 도덕이 교야(郊野)의 긔린(騏驎)이오, 기산(箕山)의 명봉(鳴鳳)이어ᄂᆞᆯ, 졔공ᄌᆞ의 ᄲᆡ혀난 골격이 츌뉴비상ᄒᆞ니, 니공이 ᄎᆞ례로 년치를 뭇고 후를 향ᄒᆞ여 치하 왈,

"녕윤 등의 슈츌ᄒᆞᆫ ᄌᆞ질을 보니 ᄆᆡᆼ시(孟氏)의 방닌(芳驎)과 샤가(謝家)의 옥슈(玉樹)[1334]를 족히 긔특다 못ᄒᆞᆯ디라. 아지 못게라 이랑의 년긔 언마나 ᄒᆞ뇨?"

금휘 미쇼 왈,

"형이 엇디 미돈으로ᄡᅧ 과찬ᄒᆞ시ᄂᆞ뇨? 우뎨(愚弟) 돈견 등을 두ᄆᆡ 오문을 텸욕【18】ᄒᆞᆯ가 듀야 긍긍업업(兢兢業業)ᄒᆞᄂᆞ니,

---

1333)종왕(鍾王) : 중국 위(魏)나라의 서예가 종요(鍾繇)와 진(晉)나라의 서예가 왕희지(王羲之)를 함께 이르는 말.

1334)사가(謝家) 옥수(玉樹) : 사씨 집안의 뛰어난 인물들. 옥수는 용모가 아름답고 재주가 뛰어난 인물을, 사가는 남제(南齊)의 유명한 문인 사조(謝朓)의 집안을 가리킨다.

형은 용우한 돈ᄋ 등을 과찬ᄒ여 구교의 정을 싱각지 아닛ᄂ뇨?"
니공이 잠쇼 우문 왈,
"녕윤이 져러틋 숙셩ᄒ니 작소(鵲巢)[1335]의 가긔(佳期)를 졈복(占卜)ᄒ미 잇ᄂ냐?"
휘 왈,
"미돈(迷豚)[1336]이 무용ᄒ 신댱이 ᄌ라시ᄃ 고인(古人)의 유취지년(有娶之年)이 아닌 고로 뎡혼ᄒ미 업노라."
니공이 쥬져반향(躊躇半晑)의 ᄀ오ᄃ,
"쇼뎨 츄용누질노ᄡ 형의 슬하의 욕되게 ᄒ고 다시 청ᄒ미 당돌ᄒ나, 녕윤의 아름다오믈 탐ᄒ여 감히 발언ᄒᄂ니 형은 슬피라. 댱녀 ᄎ녀 동틱빵ᄋ(同胎雙兒)라. 댱ᄋ의 박용 누질은 곳 챵빅의게 쇽ᄒ 비오, ᄎ녀는 죡히 아름답다 니르지 못ᄒ나 거의 군ᄌ의 건즐을 욕되게 아닐 고로 구구ᄒ ᄉ을 베프ᄂ니 형은 엇더타【19】 ᄒᄂ뇨?"
휘 쇼이 답왈,
"미돈의 용둔ᄒ믈 혐의치 아니ᄒ고 동상을 허코져 ᄒ시니 엇지 감샤치 아니리오. ᄎᄋ 유미(幼微)ᄒ니 편위(偏闈)예 고ᄒ고 혼ᄉ를 일우미 늣디 아니토다."
니공이 ᄀ오ᄃ,
"ᄉ귀신쇽(事貴迅速)이니 녕존 ᄌ당의 고ᄒ여 허락ᄒ실딘ᄃ 냥ᄋ 동년싱이니 ᄒ가지로 취가(娶嫁)ᄒ리라."
금휘 응낙고 닉당의 드러가 니공의 구혼ᄒ믈 고ᄒ여 허ᄒ시믈 청ᄒᄃ, 태부인이 허혼ᄒ거늘, 공이 깃거 외당의 나와 뎡혼ᄒ믈 젼ᄒ니, 니공이 대희ᄒ여 돗 우희셔 튁일ᄒ니 공교히 태우의 길일과 ᄒ날이라. 쥬긱이 환열ᄒ여 니공이 도라간 후 금휘 ᄎᄌ의 혼긔 ᄀ가오믈 두굿기고 태부인과 딘부인이 신부의 현브(賢否)를 죄오니, 금휘 쏘ᄒ 냥【20】부의 아름답기를 기다리더니, 이러구러 길일이 다다르미 금휘 대연을 개장ᄒ고

1335)작소(鵲巢) : 까치 집. '신방(新房)'을 비유적으로 표현한 말.
1336)미돈(迷豚) : 어리석은 돼지라는 뜻으로, 아들 달리 이르는 말

ᄂᆡ외 빈ᄀᆡᆨ을 모화 신낭을 보ᄂᆡ며 신부를 마즐ᄉᆡ, 졔ᄀᆡᆨ이 태우를 ᄃᆡᄒᆞ여 삼취의 경ᄉᆞ를 하례(賀禮)ᄒᆞ니, 태위 미쇼(微笑) 답왈,

"삼취(三娶)ᄂᆞᆫ 실노 원ᄒᆞᆫ ᄇᆡ 아니니 하언을 엇지 감당ᄒᆞ리잇고."

휘(侯) 냥ᄌᆞ를 명ᄒᆞ여 길복을 닙힐ᄉᆡ, 태부인이 슌참정 부인이 유복(有福)다 ᄒᆞ여 닌흥의 길복을 닙히라 ᄒᆞ니, 슌부인이 공ᄌᆞ를 몬져 댱쇽(裝束)ᄒᆞ여 습녜(習禮)ᄒᆞ기를 맛ᄎᆞᄆᆡ 양시 ᄯᅩᄒᆞᆫ 태우의 길복을 셤기ᄆᆡ 안ᄉᆡᆨ이 온화ᄒᆞ고 동지(動止) 유법ᄒᆞ더라.

태위 공ᄌᆞ로 더브러 위의를 휘동(麾動)ᄒᆞ여 니부의 나아가 옥상의 홍안을【21】 젼ᄒᆞ고 신부의 샹교를 기다릴ᄉᆡ, 니혹ᄉᆡ 만면화긔로 만좌의 ᄌᆞ랑 왈,

"나의 냥 셔랑의 아름다오미 엇더ᄒᆞ뇨."

빈ᄀᆡᆨ이 졔셩ᄒᆞ여 쾌셔(快壻) 어드믈 하례ᄒᆞ고 태우의 친붕명ᄉᆞᄂᆞᆫ 다 웃고 ᄀᆞᆯ오ᄃᆡ,

"ᄎᆞ셔(次壻)ᄂᆞᆫ 일ᄃᆡ 옥인 군ᄌᆡ로ᄃᆡ, 댱셔(長壻)ᄂᆞᆫ ᄐᆡᆨ셔ᄒᆞ시믈 그릇ᄒᆞ신가 ᄒᆞᄂᆞ이다."

니공이 쇼왈,

"ᄋᆞ녀로ᄡᅧ 창ᄇᆡᆨ의 ᄇᆡ필ᄒᆞ미 외람ᄒᆞ거ᄂᆞᆯ 녈위ᄂᆞᆫ 아디 못ᄒᆞ미라."

졔인이 니공의 언ᄉᆞᄅᆞᆯ 괴이히 녁이나 묻

화셜(話說), 뎡ᄐᆡ위 소왈,

"윤·양 갓튼 《현부‖현처》을 두고 호신으로 숨실을 구ᄒᆞ미 아니라. 니부의셔 구ᄒᆞ미 간졀ᄒᆞ여 ᄌᆞ못 물니치지 못ᄒᆞ고 부득이 취ᄒᆞ미로소이다."

뎡공이 명ᄒᆞ여 길복을 닙으라 ᄒᆞ니, ᄐᆡ우의 길복은 윤·양 이소져 ᄃᆡ후ᄒᆞ여 함긔 가져오니, ᄐᆡ부인이 참정부인이 유복(有福)다 ᄒᆞ여 인흥의 길복을 입히라 ᄒᆞ고, ᄐᆡ우의 길복은 양시을 명ᄒᆞ여 입혀보ᄂᆡ라 ᄒᆞ니, 윤부인이 몬져 인흥의 옷슬 입혀 젼안지네을 습녜ᄒᆞᄆᆡ, 공ᄌᆞ의 수려ᄒᆞᆫ 용화와 동탕ᄒᆞᆫ 풍치 니ᄇᆡᆨ(李白)이 부ᄉᆡᆼ(復生)ᄒᆞ고, 반악(潘岳)이 도라오나, 니의 밋지 못ᄒᆞᆯ너라. 부모존당이 두굿기믈 이긔지 못ᄒᆞ며, 양시을 ᄌᆡ촉ᄒᆞ여 ᄐᆡ우의 옷슬 입히라 ᄒᆞ니, 양소져 수명ᄒᆞ고 길의(길衣)을 셤기ᄆᆡ, 안ᄉᆡᆨ이 온화ᄒᆞ여 ᄉᆞ긔유열ᄒᆞ여 반졈 투졍(妬情)을 머무지 아니니 만목이 다 ᄒᆞᆫ가지로 관광ᄒᆞᄆᆡ, 숙녀의 ᄉᆞ덕을 아니 일커르리 업더라.

ᄐᆡ우와 공ᄌᆡ 부모 존당의 ᄒᆞ직ᄒᆞ고 위의을 거ᄂᆞ려 니부로 나아가 옥상의 홍안을 젼ᄒᆞ고 쳔지긔 ᄇᆡ례을 마ᄎᆞᄆᆡ, 좌의 들ᄉᆡ, 혹ᄉᆡ ᄐᆡ우와 인흥의 손을 잡고 만좌의 무러 왈,

"소ᄉᆡᆼ의 양셔랑이 열위 존공 고안(高眼)의 엇더 ᄒᆞ니잇고?"

듕인이 일시의 칭하ᄒᆞ여 쾌셔(快壻) 어들믈 ᄒᆞ【24】례ᄒᆞ고, ᄐᆡ우의 붕당제ᄇᆡ 소년명뉴ᄂᆞᆫ 다 웃셔 왈,

"ᄎᆞ셔(次壻)ᄂᆞᆫ 일셰의 희한ᄒᆞᆫ 옥인군ᄌᆡ라 ᄒᆞ려니와, 장셔(長壻)ᄂᆞᆫ 만히 결승(結繩)을 그릇ᄒᆞᆫ가 ᄒᆞ나이다."

공이 소왈,

"장녀ᄂᆞᆫ 창ᄇᆡᆨ의 숨실 삼음도 가장 외람ᄒᆞ여 ᄒᆞᄂᆞ니, 열위ᄂᆞᆫ 곡졀○[을] 《무‖모》르시ᄆᆡ 이러틋 ᄒᆞ미라. 창ᄇᆡᆨ이 아니면 아녀로 기리 화락ᄒᆞ리 업ᄉᆞ리라."

디 아니터라.

날이 느즈믹 냥인의 봉교ᄒᆞ여 본부의 도라올ᄉᆡ 위의의 댱녀홈과 냥신낭(兩新郞)의 특이ᄒᆞ믈 칭찬ᄒᆞ더라.

부듕의 도라와 합환교ᄇᆡ(合歡交拜)를 파ᄒᆞᄆᆡ, ᄌᆞ하상(紫霞觴)[1337]을 난호고 공작션(孔雀扇)을 기우리ᄆᆡ, 신부의 【22】 박용(薄容)이 듕목(衆目)이 놀나온지라. 좌위 대경ᄒᆞᄃᆡ 태우ᄂᆞᆫ 조곰도 념ᄉᆡᆨ(厭色)ᄒᆞᄂᆞᆫ 일이 업고 흔연이 외당으로 나가니, 샹히 도로혀 괴이히 넉이더라.

ᄎᆞ공지 ᄯᅩᄒᆞᆫ 교ᄇᆡ를 맛ᄎᆞᄆᆡ 만좌 듕목이 밧비 눈을 드러 보니 신부의 화용월ᄐᆡ(花容月態) 찬연쇄락(燦然灑落)ᄒᆞ여 창졸의 형용ᄒᆞ여 니르지 못홀더라. 녜파의 냥신뷔 조뉼(棗栗)을 밧드러 존당 구고긔 헌홀ᄉᆡ 댱쇼져(長小姐)의 박용 누질이 놀나오ᄃᆡ 힝되 유법ᄒᆞ고 셩힝이 ᄌᆞ연ᄒᆞ거늘, ᄎᆞ쇼져의 텬향아ᄐᆡ(天香雅態)로 ᄇᆡᆨ셜(白雪) ᄀᆞᆺᄐᆞᆫ 긔부와 팔ᄌᆞ츈산(八字春山)의 샹셔의 긔운과 덕긔 완젼ᄒᆞ니, 존당 구괴 대열ᄒᆞ여 녜를 맛ᄎᆞᄆᆡ, 태부인이 냥신부를 집슈 년ᄋᆡᄒᆞ며 금후 부부를 도라보아 왈,

"이 【23】 ᄀᆞᆺᄐᆞᆫ 현부를 어드미 조종(祖宗)의 도으시미로다."

휘 ᄇᆡ샤 왈,

"쇼ᄌᆞ의 박덕으로ᄲᅧ 슬하지경(膝下之慶)이 이시믄 다 ᄌᆞ졍의 심인후덕(深仁厚德)과 조종여경지화(祖宗餘慶之和)를 힘닙ᄉᆞ오미니 ᄌᆞ괴(慈敎) 맛당ᄒᆞ도소이다."

뎐부인이 ᄇᆡ샤ᄒᆞ고 셩덕을 일ᄏᆞᆺ더라.

금휘 니쇼져를 명ᄒᆞ여 윤·양 이인을 녜

1337)ᄌᆞ하상(紫霞觴) : 전설에서, 신선들이 술을 마실 때 쓰는 잔. '자하'는 신선이 사는 곳에 서리는 보랏빛 노을이라는 말로, 신선이 사는 선계(仙界)를 뜻한다. 따라서 선계의 신선이 입는 치마를 자하상(紫霞裳), 그들이 마시는 술을 자하주(紫霞酒), 그들이 사는 곳을 자하동(紫霞洞)이라 이른다.

인ᄒᆞ여 날이 느지ᄆᆡ ᄐᆡ위 큰 니시을 ᄇᆡᆨ냥(百輛) 우귀(于歸)ᄒᆞ고, 미좃ᄎᆞ 공지 소니시을 마ᄌᆞ 운산으로 도라올 ᄉᆡ, 허다 요긱이 두 신낭을 호위ᄒᆞ니, ᄉᆡᆼ소고악(笙簫鼓樂)이 헌텬(喧天)ᄒᆞ고 장녀ᄒᆞᆫ 위의ᄂᆞᆫ ᄃᆡ노(大路)의 머여시니 노상 관광지 칙칙칭셩(嘖嘖稱聲)ᄒᆞ더라.

부듕의 도라와 금화ᄎᆡ셕(錦畵彩席)을 포셜ᄒᆞ고 그린촉(麒麟燭)이 휘황ᄒᆞᆫ ᄃᆡ, ᄐᆡ우 ᄃᆡ니시(大李氏)로 합근교ᄇᆡ(合巹交拜)을 다ᄒᆞᄆᆡ, 신부의 금쥐션(錦珠扇: 孔雀扇)을 아ᄉᆞᄆᆡ 괴셕(怪石) 갓ᄐᆞᆫ 얼골과 추악ᄒᆞᆫ 긔질이 만목을 놀ᄂᆡ니, 뎡ᄐᆡ우 쳐음 보미 아니로ᄃᆡ 조곰도 경동ᄒᆞ미 업셔 ᄉᆞᄉᆡᆨ(辭色)이 평상ᄒᆞ여, 날호여 밧긔로 나가ᄆᆡ, 니시을 잠간 지경여[1302] 소니시(小李氏)로 ᄇᆡ현구고(拜見舅姑)ᄒᆞᄂᆞᆫ 녜을 ᄒᆞᆫ가지로 일우려 홀 ᄉᆡ, 인흥 공지 소니시로 화촉하의 교ᄇᆡᄒᆞ니, 만목이 ᄃᆡ니시을 바라고 놀난 졍신을 졍치 못ᄒᆞ여셔, 소니시 그 아오니 오작ᄒᆞ랴 ᄒᆞ엿다가 급히 보니 화용{이}월광(花容月光)이 찬연쇄락(燦然灑落)ᄒᆞ여 창졸의 고으며 뮈오믈 형용치 못ᄒᆞᄂᆞᆫ지라. 신낭의 션풍옥골노 ᄃᆡᄒᆞᄆᆡ 경금(鶊雉)[1303]과 난봉(鸞鳳) 갓트여 남풍여뫼(男風女貌) 셔로 바ᄋᆡ니[1304] 즁긱이 칙칙칭션ᄒᆞ더니, 녜파의 신낭이 박그로 나가고 냥 신뷔 ᄒᆞᆫ가지로 조뉼(棗栗)을 밧드러 현존당구고(見尊堂舅姑) ᄇᆡᄉᆞ묘(拜祠廟)홀 ᄉᆡ, ᄃᆡ니시의 장ᄃᆡᄒᆞᆫ 신장이 칠쳑을 과ᄒᆞ고 허리 여러아름이라. ᄯᅩᄒᆞᆫ 머리털이 흰낫ᄎᆡ 간간이 ᄡᅵ여 운환을 ᄡᅵ엿고, 긴 틱은 코을 향ᄒᆞ고, 양(兩) 혹은 양이(兩耳)의 드리워 월긔탄[1305]을 가리왓고 목하(目下)의 ᄡᅵ여진 금이 열십ᄌᆞ로 분명ᄒᆞ고 만면의 보암즉 한 곳지 업ᄉᆞᄃᆡ, 깁흔 눈이 츄수(秋水)의 ᄉᆡ별이 빗쵠 듯, 양미(兩眉)ᄂᆞᆫ

1302)지경이다 : 지체하다. 말이나 행동 따위를 선뜻 결단하여 행하지 못하고 시간을 끌다.
1303)경금(鶊雉) : 꼬꼬리와 도요새.
1304)바ᄋᆡ다 : 빛나다. 부시다. 눈부시다.
1305)월긔탄 : 귀걸이의 일종.

로뼈 보라 ᄒᆞ니 니시 슈명 ᄇᆡ샤ᄒᆞ고 윤쇼져를 향ᄒᆞ여 ᄌᆡᄇᆡᄒᆞ니, 냥쇼졔 답ᄇᆡᄒᆞ고 ᄎᆞ례로 엇게를 골와 좌를 일우니, 윤쇼져의 안월지광(晏月之光)과 션연지ᄐᆡ(嬋姸之態)ᄂᆞᆫ 만좌홍분(滿座紅粉)이 빗출 아이니, 니시의 츄용누질(醜容陋質)노 항녈(行列)을 니루니, 션원요디(仙苑瑤池)의 청괴야ᄎᆞ(靑怪夜叉) 님ᄒᆞᆫ 돗 더옥 놀나오니 존당 부뫼 텬디됴화(天地造化)의 고로지 못ᄒᆞ믈 탄ᄒᆞ나 ᄒᆡᆼ지의 유법ᄒᆞ믈 깃거 ᄉᆞ랑이 ᄒᆞᆫ갈ᄀᆞᆺ더라.【24】

종일 진환(盡歡)ᄒᆞ고 일모(日暮)의 졔ᄀᆡᆨ이 각산귀가(各散歸家)ᄒᆞᄆᆡ, 신부 슉소를 뎡ᄒᆞ여 보ᄂᆡ고 촉을 니어 혼뎡지녜(昏定之禮)를 파ᄒᆞᄆᆡ, 태우와 공ᄌᆞ를 명ᄒᆞ여 믈너가라 ᄒᆞ니, 냥인이 슈명ᄒᆞ고 각각 신방으로 도라와 태위 니쇼져를 ᄃᆡᄒᆞᄆᆡ, 츄용 박질을 의논홀 ᄇᆡ업ᄉᆞᄃᆡ, 그 덕된 긔상을 심니의 흔열(欣悅)ᄒᆞ여 두어 조(條) 말솜을 펴니, 니시 븟그림도 업고 흔연홈도 업셔 슉연 뎡좌의 믁연브답ᄒᆞ니, 태위 그 상모(相貌)와 톄용(體容)을 우이 넉이나, 위인의 비속(非俗)ᄒᆞ믈

산천의 영긔(靈氣)을 타시며, 츄슈 갓튼 거름이 ᄒᆞᆫ 곳의 션 듯ᄒᆞ되 ᄌᆞ연 나는 듯ᄒᆞ여 녜모힝동이 ᄌᆞ유법도(自有法度)ᄒᆞ니, 흉상험모(凶相險貌) 가온ᄃᆡ ᄉᆞ군ᄌᆞ(士君子)의 틀이 잇고, 소니시ᄂᆞᆫ ᄇᆡᆨ셜이 엉긘 긔부(肌膚)ᄂᆞᆫ ᄇᆡᆨ옥을 다듬어 ᄎᆡ식ᄒᆞ여시며, 반월쳔졍(半月天庭)[1306]은 ᄎᆡ운의 빗겻ᄂᆞᆫ 듯, 팔ᄎᆡ츈산(八彩春山)이 상셔의 긔운을 ᄯᅴ여시며, 안ᄎᆡ(眼彩)ᄂᆞᆫ 효셩(曉星)이 츄수(秋水)의 비최엿시니, 명셩(明聖)ᄒᆞᆫ 덕긔 현출(顯出)ᄒᆞ고, 도화홍협(桃花紅頰)[1307]은 일쳔가지 ᄌᆞᄐᆡ을 머무러시며 요조ᄒᆞᆫ 긔질노 솜촌금연(三寸金蓮)을 ᄌᆞ약히 옴기니, 발아ᄅᆡ 난향이 보옥ᄒᆞ고 뉵쳑향신(六尺香身)의 기단 상(裳)을 ᄭᅳ으러, 진퇴주션(進退周旋)이 영오(穎悟)《빈속‖비속(非俗)》ᄒᆞ야 ᄌᆞ유법도(自有法度)ᄒᆞ니, 쳔고절염(千古絶艶)이고 일ᄃᆡ숙완(一代淑婉)이라. ᄐᆡ부인과 금평후 부부 ᄃᆡ니시의 험악ᄒᆞᆫ 삼모을 놀나나, 소니시의 ᄇᆡᆨᄐᆡ졔미(百態齊美)ᄒᆞ믈 불승희희열열(不勝喜喜悅悅)ᄒᆞ더라.

폐ᄇᆡᆨ을 밧고 팔ᄇᆡᄃᆡ례(八拜大禮)을 맛ᄎᆞᄆᆡ 뎡공이 모친긔 엿ᄌᆞ오ᄃᆡ,

"녀ᄌᆞ의 ᄉᆡᆨ이 신상의 일시 빗날 ᄯᆞ름이오, 유익ᄒᆞ미【26】 업ᄉᆞᄃᆡ, 인흥의 쳐ᄂᆞᆫ 숙덕이 가즌 숙녀오, 쳔흥의 안히 ᄯᅩ 녀듕군ᄌᆡ오니, 규합(閨閤)의 장부(丈夫) 갓흐며 셰속녀ᄌᆡ 아니라, 얼골이 불미ᄒᆞ오나, 유덕유복ᄒᆞ여 가장 어지러 뵈오니, 여ᄎᆞ 희ᄉᆡᆨ 업습ᄂᆞ이다."

인ᄒᆞ여 종일 진환(盡歡)ᄒᆞ고 셕양의 파연(罷宴)ᄒᆞ여 ᄂᆡ외빈ᄀᆡᆨ이 각귀기가(各歸其家)홀 ᄉᆡ, ᄃᆡ니시ᄂᆞᆫ 션ᄌᆞ졍의 소니시ᄂᆞᆫ 션봉졍의 쳐소을 뎡ᄒᆞ여, 각각 붓드러 보ᄂᆡ고, 촉을 이어 조손이 말솜홀 ᄉᆡ, ᄐᆡ우와 인흥을 명ᄒᆞ여 신방을 뷔오지 말나 ᄒᆞ니, 양인이 각각 신방으로 물너가더라.

1306)반월쳔졍(半月天庭) : 반달 모양의 이마.
1307)도화홍협(桃花紅頰) : 복숭아꽃처럼 붉은 뺨.

공경ᄒᆞ여 ᄒᆞᆫ가지로 나위(羅幃)예 나아가ᄆᆡ 은졍이 여산(如山)ᄒᆞ더라.

ᄎᆞ공ᄌᆡ 신방의 니르러 쇼져를 ᄃᆡᄒᆞᄆᆡ 니시의 난ᄌᆞ혜질(蘭姿蕙質)과 션연아ᄐᆡ(嬋姸雅態) 댱부의 취듕ᄒᆞᆯ ᄇᆡ로ᄃᆡ, 텬셩이 뎡내(正大) 호ᄒᆞᆨ(好學)ᄒᆞ고 피ᄎᆡ 년유(年幼)ᄒᆞᄆᆞᆯ 【25】 아쳐ᄒᆞ여 이셩지합(二姓之合)을 날회나, 녜로 권ᄒᆞ여 나위(羅幃)예 나아가ᄆᆡ 은졍이 하ᄒᆡ(河海) ᄀᆞᆺ더라.

이인(二人)이 인ᄒᆞ여 머므러 효봉구고(孝奉舅姑)ᄒᆞ고 승슌군ᄌᆞ(承順君子)의 화우돈목(和友敦睦)ᄒᆞ니 존당 부뫼 깃거 태우의 금슬이 화평ᄒᆞᄆᆞᆯ 두굿기고 ᄎᆞ공ᄌᆞ의 ᄆᆡ몰ᄒᆞᄆᆞᆯ 보ᄆᆡ 혹ᄌᆞ 소원(疎遠)ᄒᆞᆫ가 의려ᄒᆞ더라.

어시의 윤취밀이 일노(一路)의 무ᄉᆞ히 득달ᄒᆞ여 환가ᄒᆞ니, 광텬형뎨 문외예 마ᄌᆞ ᄇᆡ현ᄒᆞᄆᆡ, 공이 집슈 무ᄋᆡ ᄒᆞ여 존당 셩후(聖候)를 므러 밧비 ᄂᆡ당의 니르러, 태부인긔 ᄇᆡ알ᄒᆞ고 구파를 됴샹(弔喪)ᄒᆞᆫ 후 슈슉과 부뷔 녜를 맛ᄎᆞᄆᆡ, 모젼의 시좌ᄒᆞ여 말ᄉᆞᆷᄒᆞᆯ ᄉᆡ 드드여 하공의 녀ᄋᆡ 호표(虎豹)의게 믈녀가ᄆᆞᆯ 고ᄒᆞ고 ᄎᆞ셕(嗟惜)ᄒᆞᄆᆞᆯ 마지 아니ᄒᆞ니, 태부인이 거ᄌᆞᆺ 놀나ᄂᆞᆫ 쳬ᄒᆞ고, 뉴시 녀ᄋᆞ의 셔간을 보니 다【26】만 니친(離親)ᄒᆞᄂᆞᆫ 셜화 ᄯᆞᄅᆞᆷ이오, 각별ᄒᆞᆫ 말ᄉᆞᆷ이 업ᄉᆞ니 오히려 그 고초ᄒᆞᄆᆞᆯ 아디 못ᄒᆞ나, 하공의 실녀(失女)ᄒᆞᄆᆞᆯ 심니의 깃거ᄒᆞ더라.

ᄎᆞ시 구몽슉이 경샤의 니르러 윤부의 나아가 죵용이 뉴뷰인긔 뵈고, 신묘랑의 긔이ᄒᆞᄆᆞᆯ 젼ᄒᆞ여 경샤로 오라 ᄒᆞ여시ᄆᆞᆯ 고ᄒᆞ니, 부인이 대열ᄒᆞ여 조부인 삼모ᄌᆞ와 구파 업시ᄒᆞ미 묘타 ᄒᆞ여 묘랑의 오기를 괴로이 기다리더니, 몽슉의 도라온 십여일의 묘랑이 니르니 몽슉이 다리고 윤부의 니르러 계교를 ᄒᆡᆼᄒᆞ니 나죵이 엇지된고.

ᄎᆞ셜. 뉴시 묘랑을 ᄒᆡ츈누의셔 마ᄌᆞ ᄃᆡ졉ᄒᆞ기를 셩ᄉᆡᆼ 녜로 ᄒᆞ며 말ᄉᆞᆷᄒᆞᆯᄉᆡ, ᄌᆞ긔 부부와 위태부인 ᄉᆡᆼ년월일시를 닐너 팔ᄌᆞ를

이ᄯᆡ 윤추밀이 구몽숙으로 더부러 슈쳔니 ᄒᆡᆼ도을 무ᄉᆞ히 득달ᄒᆞ여 집의 도라오니, 광·희 냥공ᄌᆡ 밧비 나와 원노험지의 무ᄉᆞ득달ᄒᆞ시ᄆᆞᆯ 깃거ᄒᆞ니, 추밀이 집슈무ᄋᆡᄒᆞ여 그 ᄉᆞ이 존당셩후을 뭇ᄌᆞᆸ고 즉시 입ᄂᆡᄒᆞ여 ᄐᆡ부인긔 ᄇᆡ알ᄒᆞ고 구파와 조상(弔喪)ᄒᆞ고, 수숙부부 녜을 마ᄎᆞᄆᆡ, ᄐᆡ부인이 혼녜 무ᄉᆞ이 지ᄂᆡᄆᆞᆯ 무르니, 길녜ᄂᆞᆫ 무ᄉᆞ이 지ᄂᆡ오ᄃᆡ, 하공이 ᄯᆞᆯ을 여ᄎᆞ여ᄎᆞᄒᆞᄆᆞᆯ 고ᄒᆞ고 그런 참졀ᄒᆞᆫ 일이 업ᄉᆞ이다 ○○[ᄒᆞ니], ᄐᆡ부인이 하가 거쳐(居處) 음식(飮食)을 무르니, 추밀이 젼 모양으로 ᄃᆡᄒᆞ고, 초실누쳐(草室陋處)의 추포갈건(麤布葛巾)과 모ᄆᆡᆨ치근(麰麥菜根)으로 괴롭게 지ᄂᆡᄆᆞᆯ 고치 아니터라. 뉴시ᄂᆞᆫ 녀아을 보ᄂᆡ고 그 셔간을 보ᄆᆡ, 다만 니친(離親)ᄒᆞᆫ 회포 ᄯᆞᄅᆞᆷ이라.

구몽숙이 조용히 드러와 뉴부인긔 뵈옵고, 신묘랑의 긔특ᄒᆞᆫ 묘술(妙術)을 니러[르]고, 경ᄉᆞ로 ○○○[오기로] 마초아시물 고ᄒᆞ니, 뉴시 ᄃᆡ열환희ᄒᆞ여【27】 신묘랑 오기을 기다리더라.

므른디 묘랑이 침사냥구(沈思良久)의 ᄀᆞᆯ오디,

"부인과 위【27】태부인이 칠년 후면 미명(罵名)이 이시리라."

뉴시 이 말을 듯고 경히(驚駭)ᄒᆞ여 ᄀᆞᆯ오디,

"사람이 ᄒᆞᆫ번 미명(罵名)을 드른 즉 살기 어려올디라 팔ᄌᆞ 엇더ᄒᆞ여 그러ᄒᆞᄂᆞᇽ?"

묘랑 왈,

"부인과 태부인이 악ᄉᆞ를 슝상ᄒᆞ시고 인의를 피ᄒᆞ시ᄂᆞᆫ 고로 뉵칠년 후면 발각ᄒᆞ리이다."

뉴시 왈,

"내 원간 악ᄉᆞ를 슈창(酬唱)ᄒᆞᆷ도 업지 아니ᄒᆞ거니와 ᄋᆡᆨ회(厄會) 그러ᄒᆞ면 금은을 드려 소ᄋᆡᆨ(消厄)ᄒᆞᆯ 도리 잇ᄂᆞ냐?"

묘랑이 분명 소ᄋᆡᆨᄒᆞᆯ 도리 업ᄉᆞ디, 금은의 욕쇄 ᄉᆡᆼ츌(生出)ᄒᆞ니 웃고 ᄀᆞᆯ오디,

"도ᄋᆡᆨ(度厄)1338)ᄒᆞᄂᆞᆫ 도리 업ᄉᆞ리오."

부인이 이의 냥녀의 ᄉᆞ쥬(四柱)를 닐너 졈복ᄒᆞ니 묘랑이 ᄀᆞᆯ오디,

"댱쇼져ᄂᆞᆫ 셩혼 십삼년을 단장지시(斷腸之詩)를 읇허, 쳥뉘(淸淚) ᄌᆞ라금(紫羅衾)을 젹시디, ᄌᆞ연 화락ᄒᆞ여 ᄌᆞ녀를 ᄉᆡᆼ산ᄒᆞ고 부귀를 누릴【28】 거시오, ᄎᆞ쇼져ᄂᆞᆫ 오년을 단장박명(斷腸薄命) 고쵸 비상ᄒᆞ다가 셩혼 오년의 명부의 존귀를 가져 금슬이 화락ᄒᆞ고, ᄌᆞ녜 슈다(數多)ᄒᆞ여 대귀(大貴)ᄒᆞᆯ 팔ᄌᆞ로소이다."

뉴시 명ᄋᆞ의 시신을 어나 곳의 바린 줄 몰나 쥬야 념녀ᄒᆞᄂᆞᆫ 고로, ᄉᆡᆼ년 월일시를 닐러 ᄉᆞᄉᆡᆼ길흉(死生吉凶)을 므르니, 묘랑이 오리 졈복ᄒᆞ고 니르디,

"초년이 험난ᄒᆞ여 ᄉᆞ오셰의 션별엄친(先別嚴親)ᄒᆞ고 혼ᄉᆞ의 마얼(魔孼)이 이셔, 반ᄃᆞ시 집을 삼삭(三朔)을 써날 거시오, 셩혼 후 금년 츈의 반ᄃᆞ시 대ᄋᆡᆨ이 이셔 ᄉᆞ화(死禍)를 지닐 거시오, 초년 ᄌᆡ앙을 다 지ᄂᆡ면 몸이 일국의 모림(冒臨)1339)ᄒᆞ여 휘젹(后籍)

1338)도ᄋᆡᆨ(度厄) : 액막이. 가정이나 개인에게 닥칠 액을 미리 막는 일.

의 존귀(尊貴)를 누릴 거시오, 가부(家夫)의 듕딕는 여산(如山)ᄒᆞ고, 현명(顯名)은 만셩(萬姓)의 ᄌᆞᄌᆞ(藉藉)ᄒᆞᆯ 거시오, ᄌᆞ손이 션션(詵詵)ᄒᆞ여 만복이 구젼(俱全)ᄒᆞ리로소이다."

뉴시 ᄎᆞ언【29】을 듯고 놀난 가솜이 벌덕여 우문(又問) 왈,

"금츈의 므ᄉᆞᆫ 익을 만나 뉘 능히 구ᄒᆞ며 즉금 어나 곳의 잇ᄂᆞ뇨?"

묘랑 왈,

"금츈 화익이 살기 어려온 거술 빅년군ᄌᆞ(百年君子)1340) 구ᄒᆞ여 니고, 즉금(卽今)1341) 고루화각(高樓畵閣)의 안연이 반셕(盤石) ᄀᆞᆺ트여, 구고 ᄌᆞ익와 가부의 듕딕를 밧거니와, 익회(厄會) 미진ᄒᆞ여시니 또 다시 화란을 지닉려니와, 그런 존귀ᄒᆞᆫ 팔ᄌᆞᄂᆞᆫ 슈화듕(水火中)의 드러도 념녀롭지 아니리이다."

뉴시 경악ᄒᆞ여 간장(肝腸)이 쒸노라 다시 ᄀᆞᆯ오ᄃᆡ,

"그런 팔ᄌᆞᄂᆞᆫ 쳔금만보(千金萬寶)를 드려 박명(薄命)케 ᄒᆞᆯ 도리 잇ᄂᆞ냐."

묘랑이 ᄀᆞᆯ오ᄃᆡ,

"범연ᄒᆞᆫ 팔ᄌᆞᄂᆞᆫ 금은을 드려 임의로 ᄒᆞ거니와 이런 팔ᄌᆞᄂᆞᆫ 즉긱(卽刻) 유확(油鑊)1342)과 도궤(刀机)1343)의 나아가도 ᄌᆞ연 버셔나 복을 죵(終)ᄒᆞ리이다."

뉴시 낙담(落膽) 블힝(不幸)ᄒᆞ여 출하리 뭇지 아님과 ᄀᆞᆺ지【30】 못ᄒᆞ여, 다시 광텬 형데의 팔ᄌᆞ를 므르니 칭찬ᄒᆞ기를 마지 아냐 ᄀᆞᆯ오ᄃᆡ,

"팔ᄌᆞ의 흠이 부안(父顔)을 모를 거시오, 초년이 험악ᄒᆞ나 귀복이 당당ᄒᆞ여 쳔승(千乘)을 긔필(期必)ᄒᆞᆯ 거시오, 둘직ᄂᆞᆫ 만인지

1339)모림(冒臨) : 세력이나 명예 따위가 어떤 집단에서 제일가는 위치에 오름.

1340)빅년군ᄌᆞ(百年君子) : 백년해로(百年偕老)할 군자라는 뜻으로 남편을 말함.

1341)즉금(卽今) : 지금. 바로 지금의 때.

1342)유확(油鑊) : 기름이 끓는 가마 솥

1343)도궤(刀机) : 도마. 칼로 음식의 재료를 썰거나 다질 때에 밑에 받치는 두꺼운 나무토막이나 널조각

샹(萬人之上)이오 위진희닉(威震海內)ᄒᆞ고 덕망이 산두(山斗)의 늉셩ᄒᆞ며 ᄌᆞ손이 만당(滿堂)ᄒᆞ고 오복이 구젼ᄒᆞ리라."

ᄒᆞ니, 뉴시 악연(愕然)ᄒᆞ여 ᄀᆞ마니 ᄌᆞ긔 심ᄉᆞ(心思)를 닐너, 조부인 삼모ᄌᆞ와 명ᄋᆞ를 업시홀 계교를 므르며, 셕혹ᄉᆞ의 지실 오시를 업시ᄒᆞ고 ᄌᆞ긔 녀ᄋᆞ를 듕ᄃᆡ를 밧게 ᄒᆞ면, 금보를 앗기지 아니ᄒᆞ며 은혜를 ᄇᆡᆨ골의 삭이마 ᄒᆞ니, 묘랑이 냥구침ᄉᆞ(良久沈思)ᄒᆞ다가 ᄀᆞᆯ오ᄃᆡ,

"이런 대ᄉᆞ를 급급히 도모홀 ᄇᆡ 아니라 일월을 년타(延拖)[1344]ᄒᆞ여 소원을 일우게 ᄒᆞ리이다."

뉴시 왈,

"ᄂᆡ 팔ᄌᆡ 긔험【31】ᄒᆞ여 맛ᄌᆞᆷᄂᆡ ᄒᆞᆫ낫 남ᄋᆞ를 엇지 못ᄒᆞ여시나, 오히려 ᄉᆡᆼ산의 길흘 바라ᄂᆞᆫ ᄇᆡ어ᄂᆞᆯ, 가군이 계후를 뎡ᄒᆞ여시니, 이ᄂᆞᆫ 나의 비소원이라. 이졔ᄂᆞᆫ 남ᄌᆞ를 엇지 못ᄒᆞ니 엇지 한(恨)홉지[1345] 아니리오."

묘랑 왈,

"부인 팔ᄌᆡ 계후(繼後)ᄒᆞ실 싊(數)니 텬명을 엇지 도망ᄒᆞ리잇고?"

졍언간(停言間)의 비영이 츈월의 ᄉᆡᆼ년월일시를 닐너 졈복ᄒᆞ라 ᄒᆞ니, 묘랑이 냥구침ᄉᆞ의 ᄀᆞᆯ오ᄃᆡ,

"몸 우희 듕형(重刑)을 밧고 옥니고초(獄裏苦楚)[1346]를 바다 쥬쥬야야(晝晝夜夜)의 어미를 블너 우르지져[1347] 쳔일(天日)을 볼 날이 머러시니 ᄀᆞ장 궁극(窮極)ᄒᆞᆫ 팔ᄌᆡ로다."

뉴시 ᄃᆡ경ᄒᆞ고 비영이 누하여우(淚下如雨)ᄒᆞ여 ᄀᆞᆯ오ᄃᆡ,

"월이 만일 ᄋᆡᆨ경을 당ᄒᆞ여실진ᄃᆡ 쇼비 ᄎᆞ마 엇디 견ᄃᆡ리잇고 이런 일이 이시ᄆᆡ 지금 긔쳑[1348]이 업ᄉᆞ니이다."

1344)년타(延拖) : 일을 끌어서 미루어 나감.
1345)한(恨)홉다 : 한(恨)스럽다. -홉다:-스럽다.
1346)옥니고초(獄裏苦楚) : 옥중 고난.
1347)우르짓다 : 울부짖다.
1348)긔쳑 : 누가 있는 줄을 짐작하여 알 만한 소리나 기색.

뉴【32】시 탄 왈,

“계교를 비밀(秘密) 긔묘(奇妙)히 베프딕 하날이 돕지 아니샤 일마다 그릇되엿거니와 이졔 긔특이 신법ᄉ(神法師)를 만나시니 현마 나죵이 업ᄉ리오. 너ᄂ 모로미 슬허 말나.”

비영이 쳬읍ᄒ딕, 셰월이 미쇼탄왈,

“그딕 엇지 쇼쇼지ᄉ(小小之事)를 져딕도록 ᄒ나뇨? 내 오히려 츰ᄂ니 그딕ᄂ 심ᄉ를 슬오지 말고, 일이 되여가믈 보라.”

비영이 슬프믈 강인ᄒ여 악ᄉ 증참(曾參)ᄒ기를 쇠ᄒ더라.

뉴시 신묘랑 어드므로부터 이슈가익(以手加額)1349)ᄒ여 조부인 모ᄌ 업시키를 여반장(如反掌)으로 아라, 묘랑의 구ᄒᄂ 바ᄂ 쳔금만보라도 앗기지 아니ᄒᄂ디라. 묘랑이 그윽ᄒ 곳의 쵸암(草庵)을 일우고 뎨ᄌ를 모호며 부쳐를 공양ᄒ여 법호를 곳쳐, 경샤(京師) 명공거경 부인닉를 다【33】 ᄉ괴여 금은을 모호고져 ᄒ여 뉴시를 딕ᄒ여 ᄀ로딕,

“부인 팔ᄌ를 보니 닉셰의 불공을 크게 ᄒ마 ᄒ고 발원ᄒ여 나 계시니, 쇼쇼ᄒ 거ᄉ로ᄂ 하슈치 못ᄒᆯ 거시니, 황금 오빅냥과 쵹(蜀) 깁 슈빅 필을 어더야 의지나 ᄒ리로소이다.”

뉴시 욕심이 무궁ᄒ여 니셕츄호(利惜秋毫)1350)ᄒ딕 묘랑지언(之言)인 즉, 언쳥계용(言聽計用)1351)ᄒᄂ 고로 협ᄉ(篋笥)를 기우려 다 닉여주니, 묘랑이 다시 경ᄋ다려 은ᄌ 삼빅냥과 능나 ᄉ오빅 필을 닉라 ᄒ고 태부인긔 은ᄌ를 보틱쇼셔 ᄒ니, 경ᄋ 조손이 앗기지 아냐 일일히 모화닉니1352), 묘랑이 샤례ᄒ여 왈,

“빈되 일즉 이 암ᄌ를 일우고 부쳐를 모

1349)이슈가익(以手加額) : 손을 이마에 대거나 얹고 생각함.

1350)니셕츄호(利惜秋毫) : 털끝만한 것이라도 이(利)가 되는 것은 다 아낌.

1351)언쳥계용(言聽計用) : 말과 계략을 하는 대로 다 듣고 씀.

1352)모화닉니 : 모아 주니.

화 안치면 ᄌᆞ연 슈년이 되리니, 암ᄌᆞ를 필역ᄒᆞᆫ 후 귀부의 모다 부인 소원【34】을 일우리이다."

뉴시 암ᄌᆞ 짓ᄂᆞᆫ 곳을 므르니 셔화문 밧 청계산 아릐 보슈암을 짓노라 ᄒᆞ니 뉴시 왈,

"보슈암이란 뜻이 무ᄉᆞᆫ 일고?"

묘랑이 답왈,

"부인이 금빅(金帛)을 만히 ᄂᆡ신 고로 보슈암(報酬庵)이라 ᄒᆞᄂᆞ이다."

뉴시 ᄀᆞ장 깃거 부부와 냥녀를 츅원ᄒᆞ며 조부인 삼모ᄌᆞ를 슈히 쥭여달나 ᄒᆞ니, 묘랑 왈,

"빈되 경셩을 다ᄒᆞ리니 물녀ᄒᆞ쇼셔."

뉴시 직삼 당부ᄒᆞ니, 묘랑이 슌슌응낙ᄒᆞ고 조부인 삼모ᄌᆞ를 히치 못ᄒᆞᆯ 쥴 알오ᄃᆡ 은금의 탐ᄒᆞ여 허락ᄒᆞ고, 셰월 비영 등을 암ᄌᆞ 일우는 곳을 ᄀᆞᄅᆞ치고 ᄎᆞ후 빈빈이 간계를 모의ᄒᆞᄃᆡ, 묘랑이 암ᄌᆞ 일우기의 골몰ᄒᆞ여 악힝(惡行)을 밋쳐 발치 못ᄒᆞ더라.

ᄌᆡ셜. 셔쵹 하부의셔 녀ᄋᆞ를【35】 일코 셰월이 갈ᄉᆞ록 영향(影響)을 찻지 못ᄒᆞ여 공의 부부의 참졀ᄒᆞ미 칼흘 삼킨 듯, 오히려 회푀(懷抱) 관(棺)을 의지ᄒᆞ여 우ᄂᆞ니만 ᄀᆞᆺ지 못ᄒᆞᄃᆡ, 오히려 ᄉᆡᆼ존을 바라미 잇고, ○○○[하공은] 원광 부부와 빵ᄉᆡᆼᄋᆞ를 유희ᄒᆞ여 위로ᄒᆞ는 ᄇᆡ 만흐나, 부인은 간장이 화ᄒᆞ여 ᄌᆡ 되믈 면치 못ᄒᆞ여 상셕(床席)의 위둔(委屯)ᄒᆞ여 쥬야 호읍(號泣)ᄒᆞᄂᆞᆫ 가온ᄃᆡ, ᄌᆞ규(子規)의 슬픈 소ᄅᆡ ᄋᆡ를 술오고, 모쳠(茅簷)의 연작(燕雀)이 필츄당낙(匹雛將落)[1353]ᄒᆞ믈 당ᄒᆞ니 눈물이 피를 화ᄒᆞᄂᆞᆫ디라. ᄉᆡᆼ이 학낭쇼어(謔浪笑語)[1354]로 쇼ᄆᆡ(小妹)를 니즌 듯ᄒᆞ나. 할반(割半)[1355]의 디통(至痛)과 쳑영(隻影)[1356]의 슬픈 한(恨)이

1353)필츄당낙(匹雛將落) : 새끼 한 마리가 땅에 떨어짐.

1354)학낭쇼어(謔浪笑語) : 재미있고 낭만적이면서도 우스운 이야기.

1355)할반지통(割半之痛) : 몸의 반쪽을 베어 내는 고통이라는 뜻으로, 형제자매가 죽었을 때의 슬픔을 비유적으로 이르는 말.

ᄌᆡ셜 쵹지의셔 하상셔 부부 일녀을 일어 수삭이 되도록 시신을 ᄎᆞᆺ지 못ᄒᆞ고 ᄉᆞᄉᆡᆼ을 알 길이 업ᄉᆞ니, 주야의 참졀ᄒᆞᆫ 심ᄉᆡ 비ᄒᆞᆯ ᄃᆡ 업ᄉᆞ니, 오히려 하공은 원광의 부부와 쌍아로 위회ᄒᆞ여 관억ᄒᆞᄂᆞᆫ ᄇᆡ 만으나, 부인은 침셕을 써나지 못ᄒᆞ고 녀ᄋᆞ을 잇지 못ᄒᆞ니, 고질(痼疾)이 피여시니 식음의 맛슬 아지 못ᄒᆞ고, 청등야우(靑燈夜雨)의 흐르ᄂᆞᆫ 눈물이 벽히(碧海)을 보ᄐᆡᄂᆞᆫ지라. 하ᄉᆡᆼ이 화ᄒᆞᆫ 낫빗과 부드러온 말숨으로 위로ᄒᆞ며 냥아졔(兩兒弟)을 유희ᄒᆞ여 소ᄆᆡ을 잇는 듯시 지ᄂᆡ나 심담이 쎠흐는 듯, 가슴 가온ᄃᆡ 슬픈 ᄒᆞᆫ이 돌 갓치 ᄆᆡ쳐 고요히 안즌 즉 양안의 말근 누쉬 숨숨ᄒᆞ여 하날을 우러러 탄식 왈,

"우리 부모의 《셕덕‖셩덕》으로 슴형의 춈망을 보시고 님수가지 업시ᄒᆞᄉᆞ 슬하 츔쳑을 남달니 보시고, 일ᄆᆡ을 마ᄌᆞ 호표의게 일으니, ᄂᆡ 《말일‖만일》 국가죄슈가 아니면 소ᄆᆡ을 위ᄒᆞ여 쳔하을 다 도라 져의 ᄉᆡᆼᄉᆞ을 알 거시로ᄃᆡ, 이을 능히 못ᄒᆞ고 심

구(溝)1357)이 화ᄒᆞ여 혈뉘(血淚) 되기의 밋쳐, 고요ᄒᆞᆫ 밤과 그윽ᄒᆞᆫ 침실의 들ᄆᆡ, 봉안의 츄쉬어ᄅᆡ여 호텬호원(呼天呼怨)1358)ᄒᆞᄂᆞᆫ 바ᄂᆞᆫ 우리 부모【36】의 셩덕으로 가홰 엇지 여긔 밋쳐시며, 쇼ᄆᆡ의 ᄉᆞᄉᆡᆼ존몰(死生存沒)이 엇디 된고? 다른 형뎨 업셔 부모를 효봉치 못ᄒᆞᄂᆞᆫ 고로 원근(遠近)의 죵젹을 심방치 못ᄒᆞ니 동긔지졍(同氣之情)이 구절(俱絶)ᄒᆞ도다 ᄒᆞ여, 쥬야(晝夜) 블식블ᄆᆡ(不食不寐)ᄒᆞ니 금슬(琴瑟)의 화락을 의논치 못ᄒᆞᆯ ᄇᆡ라.

쇼졔 슉ᄌᆞ효ᄒᆡᆼ으로ᄡᅧ 구고를 시봉ᄒᆞᄆᆡ 그 온슌 비약(溫順卑弱)홈과 동동쵹쵹(洞洞屬屬)ᄒᆞᆫ 셩회(誠孝) 신긔를 감동ᄒᆞᆯ ᄇᆡ오, ᄂᆡ친지회(離親之懷)를 모로ᄂᆞᆫ ᄃᆞᆺ, 화긔ᄂᆞᆫ 츈풍을 ᄌᆞ아 만믈을 부흌(扶慉)ᄒᆞᄂᆞᆫ ᄃᆞᆺ, 아름ᄃᆞᆸ고 긔이ᄒᆞᄆᆡ 일무소흠(一無所欠)ᄒᆞ니, 공의 부뷔 ᄌᆞᄋᆡ지졍이 근근쳬쳬ᄒᆞ여, 그 부귀 듕ᄉᆡᆼ댱ᄒᆞ여 고초를 경녁ᄒᆞ믈 가련ᄒᆞ여 더욱 구구히 무ᄋᆡᄒᆞ고 극진히 긔렴ᄒᆞ여 친녀의 더으미 이시ᄃᆡ, ᄉᆡᆼ【37】의 구든 ᄆᆞ음은 감동ᄒᆞᄆᆡ 업셔, 그 효슌ᄒᆞᆫ 셩ᄒᆡᆼ 녜졀을 모로미 아니로ᄃᆡ, 상히 눈을 ᄂᆞᆺ초아 상ᄃᆡᄒᆞᄆᆡ 업ᄉᆞ며, ᄉᆡᆼ의 사름되오미 깁고 머러 규량(規量)1359)을 뵈디 아니ᄒᆞᄂᆞᆫ디라. 공의 부부ᄂᆞᆫ 우환의 침골(沈汨)ᄒᆞᆫ 듕, 쇼년 부뷔 일실의 모드미 희소ᄒᆞ믈 우려ᄒᆞ여, 공이 ᄌᆞ로 ᄂᆡ샤의 슉침ᄒᆞ고 ᄋᆞᄌᆞ를 ᄂᆡ실의 가 혈슉ᄒᆞ라 ᄒᆞᆫ 즉, ᄉᆡᆼ이 슈명ᄒᆞ고 ᄂᆡ침ᄒᆞ나 심ᄂᆡ의 ᄂᆡ도ᄒᆞ여 ᄌᆞ연 미우의 은은ᄒᆞᆫ 노긔 어ᄅᆡ여,

1356)쳑영(隻影) : ①외따로 있는 물건의 그림자. ② '홀로 있는 외로움'을 비유적으로 이르는 말
1357)구(溝) : 도랑. 좁고 작은 개울.
1358)호텬호원(呼天呼怨) : 하늘에 부르짖어 원망함.
1359)규량(規量) : 규모와 도량.

녀만 ᄒᆞ고 일월을 보ᄂᆡ니 동긔지졍이 잇다 ᄒᆞ랴. 참화지즁(慘禍之中)의도 셔로 밋고 부모을 뫼셔 셰월을 보ᄂᆡ미러니, 이졔 삼형의 삼상을 맛지 못ᄒᆞ고 긔괴ᄒᆞᆫ 변이 졔 몸의 밋ᄎᆞ니 ᄂᆡ 심ᄉᆞ을 엇지 견ᄃᆡ리오."

이러틋 슬허ᄒᆞ니 침식의 염이 업고 비ᄒᆞᆫ(悲恨)이 풀닐 젹이 업ᄉᆞ니, 만ᄉᆞ의 경황이 업슬 분 아니라, 윤소져을 음악발부(淫惡潑婦)로 아랏ᄂᆞᆫ지라. 은졍이 몽니(夢裏)의도 업고 그 고은【28】 얼골이 하ᄉᆡᆼ의 눈의ᄂᆞᆫ 낫고 추ᄒᆞ《미∥고》, 조흔 ᄒᆡᆼᄉᆞ와 어진 심식 인뉸의 특이ᄒᆞ되 ᄉᆡᆼ의 《혀아미∥혜아림》에ᄂᆞᆫ 비루ᄒᆞ고 음참(淫僭)ᄒᆞ므로 치어시니, 하공과 부인은 아들의 셩졍을 아지 못ᄒᆞ고 그 부부후박(夫婦厚薄)을 슬피난 일이 업셔, 윤시의 슉ᄌᆞ혜질과 셩심미ᄒᆡᆼ이 비록 유의ᄒᆞ여 허물을 즙고져 ᄒᆞᄂᆞ, ᄒᆡᆼ신(行身) 만ᄉᆞ의 일무소흠(一無所欠)1308)이라.

구고을 밧들며 슈고로오믈 아지 못ᄒᆞ니, 슉흥야ᄆᆡ(夙興夜寐)ᄒᆞ여 구고 면젼의 ᄭᅩᆺ치 웃ᄂᆞᆫ 화긔와 봉영집옥지녜(奉盈執玉之禮)1309)와 경순지도(敬順之道)을 다ᄒᆞ며, 부인의 침셕의 일1310) 젹이 업ᄉᆞ믈로 온닝감지(溫冷甘旨)을 밧드러 가족ᄒᆞᆫ 졍셩이 날로 ᄉᆡ로오니, 공과 부인이 황홀이 ᄉᆞ랑ᄒᆞ여 그 부귀호화듕 ᄉᆡᆼ장ᄒᆞᆫ 몸이 궁형[향]벽쳐(窮鄕僻處)의 고초을 감심ᄒᆞᄂᆞᆫ 바을 더욱 잔잉ᄒᆞ고, ᄂᆡ친ᄒᆞᄂᆞᆫ 졍ᄉᆞ을 연셕무ᄋᆡ(憐惜撫愛)ᄒᆞ미 더으니, 범ᄉᆞ을 긔렴(記念)ᄒᆞ미 친녀와 갓치 ᄒᆞ되, 아ᄌᆞ의 박ᄃᆡᄒᆞ믄 망연부지(茫然不知)ᄒᆞ니, 이ᄂᆞᆫ 하ᄉᆡᆼ이 부모의 명이 잇셔 윤시 침소의 슉침ᄒᆞ라 ᄒᆞᆫ 즉, 조곰도 ᄉᆞ양치 아니코 흔연이 명을 밧들며, 부모 면젼의 셔로 ᄃᆡᄒᆞᆫ 즉 화긔여일ᄒᆞ여 굿타여 윤시

1308)일무소흠(一無所欠) : 한 가지도 흠잡을 것이 없음.
1309) 봉영집옥지녜(奉盈執玉之禮) : 효자가 어버이를 섬기는 예절. 즉 효자가 어버이를 섬길 때는 가득 찬 물그릇을 받들어 드는 것처럼, 보배로운 옥을 집는 것처럼 조심하고 삼가며 부모를 섬겨야 한다는 뜻. 『예기(禮記)』<祭儀>편의 "효자여집옥여봉영(孝子如執玉如奉盈)…"에서 나온 말.
1310)일다 : 일어나다.

셜월(雪月)이 동텬의 북풍이 늠녈훈 듯ᄒᆞ니, 쇼졔 비록 쳔균대량(千鈞大量)이나 엇디 황괴(惶愧)ᄒᆞ여 블안(不安)치 아니ᄒᆞ리오. 드러오기를 원치 아니ᄒᆞ딕 능히 엇지 못ᄒᆞ니 쇼쇼ᄋᆞ네(小小兒女) 쵹도검각(蜀道劍閣)1360)의 뉴락ᄒᆞ여 신혼모졍(晨昏暮定)1361)의 부모를 ᄉᆞ렴【38】ᄒᆞ여 원근을 슬피미 운산(雲山)이 쳡쳡(疊疊)ᄒᆞ고, 잔되(棧道)1362) ᄎᆞ아(嵯峨)ᄒᆞ니 됴운모우(朝雲暮雨)의 ᄉᆞ친ᄒᆞᄂᆞᆫ 회푀 만단이어늘, ᄉᆡᆼ계 고초ᄒᆞ여 초옥누실의 능히 몸이 평안치 못ᄒᆞ고, 조강(糟糠) 《ᄎᆡ빈‖ᄎᆡ반(菜飯)》과 ᄎᆡ상방젹(採桑紡績)1363)이 침션(針線)의 영영무가(營營無暇)1364)ᄒᆞ거늘 가부의 박졍이 날노 더으니, 금슬화락은 바라ᄂᆞᆫ 비 아니로딕 반비(班妃)1365)의 댱신(長信)1366)과 댱강(莊姜)1367)의 빅쥬시(柏舟詩)1368)를 그윽이 불워ᄒᆞᄂᆞᆫ 바ᄂᆞᆫ 그 죄명이 붉으미라. 심니의 한이 밋치이ᄂᆞᆫ 바ᄂᆞᆫ ᄌᆞ긔 빙뎡(氷晶)훈 픔질노뼈 엄부의 명교(明敎)를 밧ᄌᆞ와 슈힝ᄒᆞ믈 옥ᄀᆞᆺ치 ᄒᆞ고 뜻 잡기를 빙셜(氷雪)ᄀᆞᆺ치 훈 바로, 누명이 여긔 미쳐ᄂᆞᆫ 소댱(蘇張)1369)의 부을 보고 즐겨ᄒᆞᄂᆞᆫ 일이 아니로딕, 하공 부부 그 금슬이 즁ᄒᆞ여 조곰도 염박(厭薄)ᄒᆞ미 업슨 줄노 알지라.

이러무로 ᄂᆡ당의 슉침ᄒᆞ고 아ᄌᆞ을 ᄆᆡ양 윤시 침소의 드려 보ᄂᆡ니, 하ᄉᆡᆼ이 추ᄒᆞ고 아니꼬운 거술 견딕여 소져 침소의 왕ᄂᆡ 빈빈ᄒᆞ나 일침지ᄒᆞ(一寢之下)의 연리지락(連理之樂)1311)을 약쉬(弱水)1312) 가려 남의 집 부녀을【29】 딕훈 듯, 간부(姦夫)을 드려 화락ᄒᆞ든 졍틱을 ᄉᆡᆼ각ᄒᆞ면 분완통히ᄒᆞ여 볼 젹 마다 악초구(惡草具)1313)을 먹음은 듯, 투부(妒婦)을 딕훈 듯, 묵묵훈 미우의 찬셔리 ᄊᆡ친 듯, 엄숙훈 빗치 동쳔(冬天)의 훈월(寒月)이 도드며, ᄉᆞ실의ᄂᆞᆫ 입울[을] 열미 업ᄉᆞ니, 윤시 누쳔니(累千里) 궁향의 니친(離親)ᄒᆞ여 초옥누실(草屋陋室)의 간고(艱苦)훈 형셰 ᄉᆡᆼᄂᆡ(生來)의 쳐음이여늘 가부의 박졍이 날노 더으니, 일방의 딕ᄒᆞ나 송연경구(悚然驚懼)ᄒᆞ여 셔어(齟齬)훈 뜻지 시시로 층가(層加)ᄒᆞ고, 일ᄉᆡᆼ을 울어러 금실의 화평훈 졍으로 유ᄌᆞᄉᆡᆼ녀(有子生女)ᄒᆞ고 빅수히로(白首偕老)훌 뜻즌 몽니의도 업슨지라. ᄌᆞ긔 압히 쳥빙옥셜(淸氷玉雪) 갓흐나 발명훌 조각이 업고, ᄉᆡᆼ의 드러이1314) 녁임과 뮈이 녁이ᄂᆞᆫ 긔ᄉᆡᆨ을 스치고 구구히 슬허ᄒᆞ미 업ᄉᆞ딕, ᄌᆞ긔 여ᄉᆡᆼ명졀(餘生名節)이 화듕병(畫中餠)1315)으로 평ᄉᆡᆼ슈신ᄒᆞ던 일이 헛곳의 도라가니 ○[반]쳡여(班婕妤)1316)의

1360)쵹도검각(蜀道劍閣) : 길 이름. 촉(蜀)에 있는 검각(劍閣)이라는 험준한 길.

1361)신혼모졍(晨昏暮定) : 새벽 어두운 때로부터 저녁 잠자리를 펼 때까지.

1362)잔되(棧道) : 험한 벼랑 같은 곳에 나무 따위를 선반처럼 달아서 낸 길.

1363)ᄎᆡ상방젹(採桑紡績) : 뽕잎을 따고 길쌈을 함 .

1364)영영무가(營營無暇) : 일이 몹시 바빠 겨를이 없음.

1365)반비(班妃) : 중국 한(漢)나라 성제(成帝)의 후궁. 시가(詩歌)를 잘하여 성제의 총애를 받았으나 조비연(趙飛燕)에게 참소를 당하여 장신궁(長信宮)에 있으면서 부(賦)를 지어 상심을 노래하였다.

1366)장신(長信) : 중국 한(漢)나라 때 장락궁 안에 있던 궁전. 여기서는 한(漢) 성제(成帝)의 후궁 반첩여(班婕妤)가 이곳으로 물너나 시부(詩賦)로 마음을 달랬던 고사를 말함. 원가행(怨歌行)이란 시가 전한다.

1367)댱강(莊姜) : 중국 춘추시대 위(衛)나라 장공(莊公)의 처. 아름답고 덕이 높았고 시를 잘하였다.

1368)빅쥬시(柏舟詩) : 『시경』<패풍>편에 나오는 시로, 남편에게 사랑받지 못하는 여인의 심정을 노래한 시. 장강(莊姜)이 지은 것으로 전한다.

1369)소댱(蘇張) : 중국 전국 시대의 세객(說客)인 소진(蘇秦)과 장의(張儀)를 아울러 이르는 말.

1311)연리지락(連理之樂) : 부부가 화합하는 즐거움. '연리(連理)'는 연리지(連理枝) 곧 두 나무의 가지가 서로 맞닿아서 결이 서로 통한 것을 뜻하여 화목한 부부나 남녀의 사이를 비유적으로 이르는 말.

1312)약쉬(弱水) : 신선이 살았다는 중국 서쪽의 전설 속의 강. 길이가 3,000리나 되며 부력이 매우 약하여 기러기의 털도 가라앉는다고 한다.

1313)악초구(惡草具) : 고기 없이 푸성귀로만 차린 맛없는 음식.

1314)드러이 : <드럽다 : 더럽다>. 더러이.

1315)화듕병(畫中餠) : 그림속의 떡. 아무리 마음에 들어도 이용할 수 없거나 차지할 수 없는 경우를 이르는 말.

1316)반첩여(班婕妤) : 중국 한(漢)나라 성제(成帝)의 후궁. 시가(詩歌)를 잘하여 성제의 총애를 받았으나 조비연(趙飛燕)에게 참소를 당하여 장신궁(長信

리[1370]와 반마(班馬)[1371]의 부시라도[1372] 용납지 못ᄒᆞ여, 십여년 슈힝이 그린 떡이 되여시니 엇지 비분ᄒᆞᆫ【39】 원이 업ᄉᆞ리오마ᄂᆞᆫ, 사ᄅᆞᆷ되오미 태산(泰山)의 무거음과 하희(河海)의 깁기와 텬디의 그음[1373]업시 너른 도량이 잇ᄂᆞᆫ 고로, 일월셩모(日月星眸)의 츈풍화긔 이연(怡然)ᄒᆞ여 니친ᄒᆞᄂᆞᆫ 회포와 신누(身累)의 ᄎᆞ악ᄒᆞ믈 모로ᄂᆞᆫ ᄃᆞᆺᄒᆞ니, ᄉᆡᆼ은 이럴ᄉᆞ록 념치의 상진(喪殄)ᄒᆞ믈 통히ᄒᆞᄃᆡ ᄒᆞᆯ일 업더니, 일일은 경샤로좃ᄎᆞ 뎡부창뒤(蒼頭) 니르러 셔간을 올니니, ᄉᆡᆼ이 밧비 탁열(坼閱)ᄒᆞᆫ 즉 얼프시 쇼ᄆᆡ의 필젹이 뵈ᄂᆞᆫ디라. 놀나고 반겨 밧비 ᄉᆞ어를 본즉 젼후 셜홰 명명ᄒᆞᆫ디라. 신긔코 다힝ᄒᆞ미 견조아 비ᄒᆞᆯ 곳이 업ᄉᆞ니 셔댱(書狀)을 들고 힝뵈 춍망ᄒᆞ여 ᄂᆡ당의 니르러 ᄆᆡᄌᆞ의 ᄉᆡᆼ존ᄒᆞ여시믈 고ᄒᆞ고 소유를 셜파ᄒᆞ니, 하공 부뷔 숨이며 상시믈 분변치【40】 못ᄒᆞ여 능히 말을 ᄃᆡ치 못ᄒᆞ고, 셔봉을 피열ᄒᆞ며, 부인은 녀ᄋᆞ의 슈찰을 손의 쥐고 도로여 누싊 죵횡ᄒᆞ여, 젼후 ᄉᆞ화와 이졔 평안ᄒᆞ믈 다 안 후, 비로소 심신을 뎡ᄒᆞ여 금평후 부ᄌᆞ의 텬디 대은을 닐너 깃브고 즐거오미 모양치 못ᄒᆞ니, 도로혀 먼니 ᄯᅥ나ᄂᆞᆫ 회포를 니ᄌᆞ미 되어시나, 구몽슉의 흉ᄉᆞ를 드르ᄆᆡ 모골이 구숑ᄒᆞ고, ᄉᆡᆼ은 윤쇼져의 이죵이라 ᄒᆞ니, 쇼져 통히ᄒᆞ미 일층이 더으더라. 슈일 후 회간을 닷가 뎡부노ᄌᆞ를 도라보닐ᄉᆡ 치샤칭은(致謝稱恩)ᄒᆞᄂᆞᆫ ᄉᆞ의(辭意) 층냥치 못ᄒᆞᆯ너라.

장신궁(長信宮)[1317]을 불어ᄒᆞ믄 오히려 그 일흠이 조흔지라. 비록 구고의 ᄌᆞᄋᆡ을 바드나 가부의 염박(厭薄)ᄒᆞ미 극ᄒᆞ니, 즐거온 거ᄉᆞᆫ 업ᄉᆞᄃᆡ 조곰도 부부의 은밀ᄒᆞᆫ ᄉᆞ졍을 마음의 머무르ᄂᆞᆫ ᄇᆡ 업셔, ᄉᆞ긔(辭氣) 츈풍 갓고 담소(談笑) 안연ᄌᆞ약(晏然自若)ᄒᆞ니, 구고도 아지 못ᄒᆞ고, 그 어린 아히 니친(離親)ᄒᆞ엿시되 비열(悲咽)ᄒᆞᆫ ᄉᆞᄉᆡᆨ을 《뷔지 ‖ 뵈지》 아니믈 ᄒᆞᆫ갓 아름다이 넉이고, 하ᄉᆡᆼ은 그럴ᄉᆞ록 염치업시 넉이며, 간부을 ᄌᆞ긔 눈의 뵈고 음흉ᄒᆞᆫ 졍젹(情迹)이 드러나되 화열평상(和悅平常)ᄒᆞᆷ을 고이히 역이나, 힝혀도 언두(言頭)의 음힝을 일카라 칙ᄒᆞ미 업셔, 타일 윤츄밀이 알고 쳐치ᄒᆞ기을 기ᄃᆞ리ᄂᆞᆫ지라. 소ᄆᆡ(小妹)을 일코 주야 참담ᄒᆞᆫ 심【30】ᄉᆡ 여할(如割)ᄒᆞ니, 부모 압ᄒᆞᆯ ᄯᅥ나면 유톄(流涕) 아닐 젹이 업더니, 홀연 경ᄉᆞ(京師)로 좃ᄎᆞ 뎡부 시뇌(侍奴) 이르러 일봉 셔을 드리니, 하ᄉᆡᆼ이 몬져 ᄯᅥ여보니 문득 반가온 셔간이로ᄃᆡ, 구몽숙의 흉ᄉᆞ을 베퍼시니 몽숙 ᄌᆞᄂᆞᆫ 윤소져의 이종(姨從)이라. 더욱 통완(痛惋)ᄒᆞ고 뮈오믈 이긔지 못ᄒᆞ되, 소ᄆᆡ의 ᄉᆡᆼ존ᄒᆞᆫ 희보(喜報)을 드르니 깃부미 밋칠 듯ᄒᆞ여, 밧비 부모긔 금평후 부부의 셔간과 ᄆᆡ졔(妹姐)의 상셔을 올니니, 공과 부인이 보기을 ᄎᆞ 못ᄒᆞ여 깃분 졍신이 쾌활ᄒᆞ고 반가온 ᄯᅳᆺ지 유츌(流出)ᄒᆞ니, 도로혀 몽숙의 ᄉᆞ오나오미 잇치이고 뎡ᄐᆡ우의 은혜와 금평후 부부의 후은을 감격ᄒᆞ미 ᄉᆡ롭고 신긔ᄒᆞ니, 하공과 부인이 이로ᄃᆡ,

"금평후와 진부인이 영쥬로셔 친녀 갓치 ᄉᆞ랑ᄒᆞ여 아름다이 길너 《졍혼 ‖ 셩혼》ᄒᆞ련노라 ᄒᆞ니, 우리 지극ᄒᆞᆫ 졍을 베퍼 뎡공의 ᄯᅳᆺ즐 좃ᄎᆞ미 올타 ᄒᆞ여, 녀ᄋᆞ을 궁향으로 다려오미 도로혀 은혜을 모로미라. 우리 비록 상니ᄒᆞᆫ 졍ᄉᆡ 슬푸나 제 몸이 조히 잇

1370)부리 : 사람의 입을 낮잡아 이르는 말.
1371)반마(班馬) : 중국 전한 시대의 역사가인 사마천(司馬遷)과 후한 초기의 역사가 반고(班固)를 아울러 이르는 말.
1372)부시라도 : 붓이라도.
1373)그음 : 끝. 한정(限定). 기한(期限).

宮)에 있으면서 부(賦)를 지어 상심을 노래하였다.
1317)장신궁(長信宮) : 중국 한(漢)나라 때 장락궁 안에 있던 궁전. 여기서는 한(漢) 성제(成帝)의 후궁 반첩여(班婕妤)가 이곳으로 물너나 시부(詩賦)로 마음을 달랬던 고사를 말함. 원가행(怨歌行)이란 시가 전한다.

부인이 비로소 상요를 써나 심ᄉᆞ를 진뎡ᄒᆞ여 ᄯᅩ 슈ᄐᆡ(受胎)ᄒᆞ미, ᄉᆞ몽비몽간(似夢非夢間)의 딕ᄉᆞ(直士) 원상이 픔의 들며 ᄀᆞᆯ오ᄃᆡ,

“냥형【41】이 임의 모친 복듕을 의탁ᄒᆞ여 ᄉᆡᆼ셰(生世)ᄒᆞ엿ᄉᆞᆸᄂᆞ니, 쇼지 ᄯᅩᄒᆞᆫ 슬하의 뫼시려 ᄒᆞᄂᆞ니 ᄌᆞ위ᄂᆞᆫ 쇼ᄌᆞ 등의 원ᄉᆞ(寃死)ᄒᆞ믈 슬허 마르쇼셔.”

부인이 ᄭᆞᆷ을 ᄭᆡ여 참통 ᄋᆡ졀ᄒᆞ나 삼ᄌᆡ 다 환셰(還世)ᄒᆞ믈 깃거ᄒᆞ고, 원상 등이 날노 슈발특이ᄒᆞ여 션풍옥골이 의연이 혹ᄉᆞ 형데로 완연ᄒᆞᄃᆡ, 댱원ᄒᆞᆫ 픔딜은 나으미 이시니 부뫼 일시도 슬하의 나리오지 아냐 긴 날의 참졀ᄒᆞᆫ 회포를 위로ᄒᆞ며, 윤쇼져의 동촉ᄒᆞᆫ 셩효와 극진ᄒᆞᆫ 녜졀이 날노 더으니, 공의 부부의 탐혹과듕(耽惑過重)ᄒᆞ미 안젼긔화(眼前奇花)를 삼아시니, ᄉᆡᆼ이 승안양디(承顔養志)[1374]ᄒᆞᄂᆞᆫ 셩회 츌텬ᄒᆞ여, 황향(黃香)[1375]의 션팀(扇寢)과 ᄌᆞ로(子路)의 부미(負米)를 본바다, 일마다 부모의 ᄯᅳᆺ을 바다 어긔오미 업【42】ᄉᆞ니 공이 ᄆᆡ양 식부(息婦)를 칭찬ᄒᆞ여 경계ᄒᆞᄃᆡ,

“ᄒᆞᆫ갓 쳐실노 아지 마라 ᄲᅧ 은인으로 ᄃᆡ졉ᄒᆞ라.”

ᄒᆞᆫ 즉, ᄉᆡᆼ이 ᄇᆡ샤슈명ᄒᆞ여 화긔만면ᄒᆞ니

1374)승안양디(承顔養志) : 직접 뵙고 얼굴색을 살펴 어버이의 마음을 즐겁게 하드림.

1375)황향(黃香) : 중국 동한(東漢)의 효자. 편부(偏父)를 지극히 섬겨, 여름에는 아버지의 잠자리에 부채를 부쳐 시원하게 해드렸고 겨울에는 자신의 몸으로 이부자리를 따뜻하게 하여 잠자리를 보살폈으며, 평소 부친의 뜻을 받들어 어기지 않았다.

고 쳐음 호표의게 물여 보ᄂᆡ고도 능히 오날날가지 슬푸믈 견ᄃᆡ엿시니, 누천니 ᄋᆡ각의 그리운 졍을 ᄎᆞᆷ고 뎡부의셔 ᄒᆞ는 ᄃᆡ로 바려두는 거시 올타”

ᄒᆞ여, 영영이 다려올 ᄯᅳᆺ지 업슬 분 아니라, 뎡ᄐᆡ우 셔간의 오륜[륙]년을 그음ᄒᆞ여 혹ᄉᆞ 등의 원ᄉᆞᄒᆞᆫ 누명을 신원ᄒᆞ여 경ᄉᆞ의 환쇄ᄒᆞ믈 긔약ᄒᆞ여시니 하공부ᄌᆡ 더욱 감ᄉᆞᄒᆞ여 타일을 바라미 닛더라.

뎡부 노ᄌᆞ을 수 일 머무러 답간을 닥가 도라보ᄂᆡ고【31】 부인이 비로소 상요을 써나 심ᄉᆞ을 잠간 진졍ᄒᆞ고, ᄯᅩ 수ᄐᆡ(受胎)ᄒᆞ니 ᄉᆞ몽비몽간의 직ᄉᆞ 원숨이 품ᄉᆞ이로 들며 갈오ᄃᆡ,

“냥형이 임의 모친 복듕을 비러 의탁ᄒᆞ여 낫ᄉᆞ오니 소ᄌᆡ ᄯᅩ 복즁의 비러 수복을 타 슬하의 뫼시려 ᄒᆞᄂᆞ니 ᄌᆞ졍은 이졔는 소ᄌᆞ 등의 원ᄉᆞ을 슬허 말으소셔.”

부인이 ᄭᆞᆷ을 ᄭᆡ여 ᄎᆞᆷ통ᄒᆞᆫ 가온ᄃᆡ나 원ᄉᆞᄒᆞᆫ 폐ᄌᆞ(斃子)나 환ᄉᆡᆼ(還生)ᄒᆞ믈 깃거ᄒᆞ고, 원상 등이 날노 수발ᄒᆞ여 옥면션풍이 혹ᄉᆞ 등이나 호리(毫釐) 다르미 업고, 화긔롭고 장원ᄒᆞᆯ 품격이 원경·원보 도곤 나은지라. 쳔신긔 수복을 타 낫시믈 알니러라.

하공이 일시을 슬ᄒᆞ의 나리지 아냐 긴 셰월의 ᄎᆞᆷ졀(慘絶)ᄒᆞᆫ 슬푸믈 위로ᄒᆞ미 되엿시니, 하ᄉᆡᆼ이 그윽이 영희(榮喜)ᄒᆞ여 ᄒᆞ고, 조부인과 하공이 윤소져의 ᄒᆡᆼ신쳐ᄉᆞ(行身處事)을 칭찬ᄒᆞ여 이러틋 세월을 보ᄂᆡ더니, 부인이 윤(閏) 숨월의 수ᄐᆡᄒᆞ여 십이월 초슌의 일긔 옥동을 ᄉᆡᆼᄒᆞ니, 신ᄋᆡ(新兒) 영형수발(英形秀拔)ᄒᆞ여 일쳑(一隻) ᄇᆡᆨ옥이 셩신(星辰)의 영긔와 천지수출(天地秀出)ᄒᆞᆫ 긔운을 타 진실노 봉취(鳳雛)[1318]라. 의형미목(儀形眉目)이 직ᄉᆞ와 다름이 업ᄉᆞ니 공이 환희ᄒᆞ고 부인이 산후 질양(疾恙)이 업시 깅반(羹飯)을 나오고, 숨칠일(三七日)이 지

1318)봉취(鳳雛) : 봉황의 새끼. 예로부터 중국의 전설에 나오는, 상서로움을 상징하는 상상의 새로, 수컷은 '봉', 암컷은 '황'이라고 하는데, 성천자(聖天子) 하강의 징조로 나타난다고 한다.

그 ᄯᅳᆺ을 뉘 알니오. 박브득(迫不得)이 것ᄎᆞ로 부모의 명을 슌슈ᄒᆞ여 힝혀도 윤시 박ᄃᆡᄒᆞ믈 뵈지 아냐, 가작(假作)으로 부모를 긔망ᄒᆞ미 본심이 아니로ᄃᆡ, 긴 셰월의 속이믈 황연(晃然) 무지(無知)ᄒᆞ니, 증분(憎憤)이 쇼져긔 도라가 츌ᄒᆞ리 무인 심야의 간부를 좃ᄎᆞ 은젹(隱迹)ᄒᆞ면 엇디 힝이 아니리오 ᄒᆞ여 죄오니, ᄎᆞ회라 쇼져의 청심혜덕(淸心慧德)으로ᄡᅧ 붉은 군ᄌᆞ를 ᄇᆡᄒᆞ여시ᄃᆡ, 의심이 여긔 밋ᄎᆞ니 엇디 가셕(可惜)디 아니리오. 시ᄋᆞ 등이 듀모의 신셰를 늣겨 셔로 ᄃᆡᄒᆞ여 쳬읍ᄒᆞᆫ 즉, 쇼졔 뎡식 엄졀ᄒᆞ니, 벽난 등이 다시【43】 감히 니르디 못ᄒᆞ더라. 츈해(春夏) 딘ᄒᆞ고 듕츄(中秋)를 당ᄒᆞ니, 혹ᄉᆞ 등 삼긔(三忌)를 맛ᄎᆞᄆᆡ 인간의 참ᄋᆡ(慘哀)ᄒᆞᆫ 거동이 이의 더으ᄂᆞᆫ ᄇᆡ 업더라.

이ᄒᆡ 납신(臘晨)[1376]의 부인이 분산ᄒᆞ여 일쳑(一隻) ᄇᆡᆨ옥(白玉)을 ᄉᆡᆼᄒᆞ니 의형미목(儀形眉目)이 ᄃᆡᆨ사로 다르미 업ᄉᆞ니, 공의 부뷔 비회교집(悲懷交集)ᄒᆞ여 위회(慰懷)ᄒᆞᆯ ᄇᆡ 만흔디라. 산후 질양이 업셔 소셩ᄒᆞ니 ᄉᆡᆼ의 부부의 만심 환열ᄒᆞ미 비ᄒᆞᆯ 곳이 업셔, 승안지졀이 동쵹ᄒᆞ니 공의 부뷔 ᄌᆞ부를 년ᄋᆡᄒᆞ여 셰월을 보ᄂᆡ더라.

어시의 구몽슉이 경샤의 도라온 월여의 청운의 고등ᄒᆞ여 한원(翰苑)의 죵ᄉᆞᄒᆞ니, 뉴금오 딘샹셰 널니 구혼ᄒᆞ여 시듕 양홍의 녀를 취ᄒᆞ니 양시 용(容)이 졀셰ᄒᆞ고 ᄉᆞ덕이 슉뇨(淑窈)ᄒᆞ니 몽슉이【44】 ᄉᆡᆨ을 호ᄒᆞ여 금슬 은졍이 여산(如山)ᄒᆞᆫ디라. 음황디심(淫荒之心)을 져기 진뎡ᄒᆞ여, 뎡태우 부인 겁칙ᄒᆞᆯ 악심을 두디 아니나, 요악궁흉(妖惡窮凶)ᄒᆞ여 투현질능(妬賢嫉能)ᄒᆞᄂᆞᆫ 고로, 붕당(朋黨)을 모호고 권(權)을 촉ᄒᆞ여 간악쇼인(奸惡小人)을 모호니, 뎡·딘 냥문의 홰 장ᄎᆞᆺ 어ᄂᆞ 디경의 갈 줄 모를너라.

ᄎᆞ시의 딘상셰 뉵ᄌᆞ를 두어 삼ᄌᆞ 등과 닙신ᄒᆞᄆᆡ 문댱 긔졀이 일셰를 광거(廣居)ᄒᆞ니, 몽슉이 아쳐ᄒᆞ여 뎡·딘 이문을 히코져 ᄒᆞ니, 딘공이 사긔(事機)를 ᄉᆞᆺ치고 쳐음의 교

1376)납신(臘晨) : 납일(臘日) 새벽.

나고 소셩ᄒᆞ여 이러나니, 하ᄉᆡᆼ과 윤소져 만심환열(滿心和悅)ᄒᆞ여 가지록 화ᄒᆞᆫ ᄂᆞᆺ빗과 유열ᄒᆞᆫ 셩음으로 부모의 ᄯᅳᆺ ᄇᆞᆺ들기을 못 밋출 듯 ᄒᆞ니, 공이 부인으로 더부러 유아를 가【32】ᄎᆞᄒᆞ며[1319] ᄌᆞ부을 두굿겨 통졀ᄒᆞᆫ 심회을 보ᄂᆡ더라.

시시의 구몽슉이 촉지로셔 도라온지 일슉이 못ᄒᆞ여 청운의 고등ᄒᆞ여 즉시 한님원(翰林院)의 ᄲᅵ혀 뉴금오와 진상셔 등이 널리 구혼ᄒᆞ여 시듕 양홍의 녀을 취ᄒᆞ니, 양시 용안이 수려ᄒᆞ야 금분(金盆)의 화왕(花王)[1320] 갓고 셩ᄒᆡᆼ이 숙요(淑窈)ᄒᆞ여 몽숙의 불인간악(不仁奸惡)ᄒᆞ여 《픠루ᄒᆞ미‖픠려홈과》 크게 갓지 아니니, 몽슉이 그 어질믈 깃거 아냐 용ᄉᆡᆨ이 졀셰ᄒᆞ믈 과혹ᄒᆞ여 은졍이 여산ᄒᆞ니, 양시의 ᄉᆡᆨ뫼 비록 윤소져 하소져만 못ᄒᆞ나 희한ᄒᆞᆫ 용ᄉᆡᆨ인 고로, 몽숙이 윤소져 명아을 탈취ᄒᆞᆯ ᄯᅳᆺ지 업셔 음황ᄒᆞᆫ 심졍을 진졍ᄒᆞ고, 등과(登科) 후ᄂᆞᆫ 뎡부의

1319)가ᄎᆞᄒᆞ다 : <가찹다 : 가깝다>. 가까이하다. 사랑하다.

1320)화왕(花王) : '꽃의 왕'이라는 뜻으로, '모란꽃'을 달리 이르는 말.

혹ᄒᆞ며 ᄉᆞ랑ᄒᆞ던 쥴 츄회(追悔)ᄒᆞ여, 금평휘 하쇼져 ᄉᆞ단이 이신 후ᄂᆞᆫ 죡가ᄒᆞ미 불가ᄒᆞᆫ 고로 다시 경계ᄒᆞ미 업ᄉᆞᄃᆡ, 뎡ᄐᆡ위 통히ᄒᆞ믈 니긔지 못ᄒᆞ고, 몽슉이 경악(經幄)의 근시ᄒᆞᄆᆡ 텬안의 아유쳠녕(阿諛諂佞)1377) 【45】ᄒᆞᄂᆞᆫ 경ᄐᆡ를 블인뎡시(不忍正視)ᄒᆞ여 칙ᄒᆞᆫ 즉 것ᄎᆞ로 샤죄ᄒᆞ고 붕우칙선(朋友責善)을 감샤ᄒᆞ믈 일ᄏᆞᆺ더라.

명년 츈의 뎡공의 ᄎᆞᄌᆞ 닌흥이 과갑(科甲)1378)의 고등ᄒᆞᄆᆡ 쇄락ᄒᆞᆫ 풍광은 츄텬졔월(秋天霽月)이오, 농미봉안(龍眉鳳眼)의 ᄲᆡ혀난 긔골과 거여온 격죄 만인의 소ᄉᆞ나거ᄂᆞᆯ, 겸ᄒᆞ여 팔두(八斗)의 가음연1379) 문댱과 죵왕(鍾王)1380)의 놉흔 필법(筆法)이 일셰를 기우려 ᄃᆡ두ᄒᆞ리 업술지라. 텬안(天顔)이 대열ᄒᆞ샤 금평후의 긔ᄌᆞ 두믈 칭찬ᄒᆞ시고 댱원을 계의 올녀 어화 청삼을 주시고 작딕(爵職)을 주샤 금문딕사(金文直士)를 ᄒᆞ이시고 어온(御醞)을 반(頒賜)샤ᄒᆞ시니, 댱원이 텬은을 감튝ᄒᆞ여 년쇼브ᄌᆡ의 쟉딕이 외람ᄒᆞ믈 고샤ᄒᆞᄃᆡ 샹이 블윤ᄒᆞ시니, 마지 못ᄒᆞ여 샤은 퇴됴【46】ᄒᆞ여 부듕의 도라오ᄆᆡ 합샤(闔舍)의 환셩(歡聲)이 믈끌 ᄃᆞᆺᄒᆞ여 깃브믈 니로 긔록지 못ᄒᆞᆯ너라.

삼일유과(三日遊街)를 맛츤 후 ᄉᆞ군찰임(事君察任)ᄒᆞᄆᆡ 언논이 당당ᄒᆞ여 면절정징(面折廷爭)의 급장유(急壯柔)1381)를 병구(併俱)ᄒᆞ여 초심익익(焦心益益)ᄒᆞ고 긍긍업업(兢兢業業)ᄒᆞ니 시인(時人)이 공경츄앙(恭敬推仰)ᄒᆞ여 쇼년명ᄉᆞ(少年名士)로 보디 못ᄒᆞ더라.

1377)아유쳠녕(阿諛諂佞) : 낯빛을 꾸며 남의 비위를 맞추거나 아첨함.

1378)과갑(科甲) : 과거(科擧).

1379)가음열다 : 부유(富裕)하다.

1380)죵왕(鍾王) : 중국 위(魏)나라의 서예가 종요(鍾繇)와 진(晉)나라의 서예가 왕희지(王羲之)를 함께 이르는 말.

1381)급장유(急壯柔) : 급함과 씩씩함과 부드러움.

ᄌᆞ로 ᄇᆡ알ᄒᆞ고 일이 업셔 양시로 화락ᄒᆞᄂᆞᆫ 가온ᄃᆡ, 붕우을 모호ᄂᆞᆫ ᄇᆡ 다 간악 소인의 무리라. 경·진 양가을 그윽히 ᄒᆡ코져 뜻지 만흐니, ᄎᆞᄂᆞ 진상셔 뉵ᄌᆞ을 두어 우흐로 숨ᄌᆡᆨ 등과ᄒᆞᄆᆡ, 옥당금마(玉堂金馬)1321)의 녹인(祿人)이 되어 문장긔졀이 졔 우히 잇고, 뎡ᄐᆡ우ᄂᆞᆫ 문무의 듕망이 상총의 융성ᄒᆞ미 져의 무리 감히 바라지 못ᄒᆞᄂᆞᆫ지라. 궁흉ᄒᆞᆫ 용심이 져만 못ᄒᆞ니날 조아ᄒᆞ고, 져의게 승ᄒᆞ니을 믜워 ᄒᆡ코져 ᄒᆞ더라.

명년 츈숨월의 ᄎᆞ공ᄌᆞ 인흥이 갑과 졔일의 고등ᄒᆞ니, 문장ᄌᆡ화(文章才華)ᄂᆞᆫ 니ᄇᆡᆨ(李白) 《소시 ‖ 소식(蘇軾)1322)》을 우술 ᄇᆡ오, 풍ᄎᆡ신광(風彩身光)은 목지(牧之)1323) 《소옥 ‖ 송옥(宋玉)1324)의 마음을 더러이 녁이ᄂᆞᆫ지라. 젼상젼ᄒᆞ(殿上殿下)의 만목이 다 장원의 신상의 쏘이ᄂᆞᆫ지라. 상이 금평【33】후을 브르ᄉᆞ 옥ᄇᆡ의 어온을 부어 ᄉᆞᄒᆞ시고 긔자을 나ᄒᆞ 줄 가라치믈 일카라시니, 평휘 연망이 밧ᄌᆞ와 불감황공(不敢惶恐)ᄒᆞ믈 이긔지 못ᄒᆞ니, 상이 우어 갈ᄋᆞᄉᆞᄃᆡ,

“쳔흥은 문무겸ᄌᆡ(文武兼材)라. 국가의 주셕고굉(柱石股肱)이오, 인흥은 군ᄌᆞᄃᆡ도와 셩현유풍이 나타나니 타일 안ᄌᆞ셔 ᄐᆡ평을 의논ᄒᆞᆯ 위인이라. 엇지 국가의 만ᄒᆡᆼ이 아니

1321)옥당금마(玉堂金馬) : 중국 한(漢)나라 대궐의 옥당전(玉堂殿)과 금마문(金馬門)을 함께 이르는 말로, 황제를 가까이서 받드는 요직의 벼슬아치들을 뜻한다. 옥당전은 한림원이 있었던 전각의 이름이며 금마문은 전각의 문으로 문 앞에 동마(銅馬)가 있어 붙여진 이름이다. 조선에서는 홍문관을 옥당이라 했다.

1322)소식(蘇軾) : 1036~1101. 중국 북송의 문인. 자는 자첨(子瞻). 호는 동파(東坡). 당송 팔대가의 한 사람으로, 구법파(舊法派)의 대표자이며, 서화에도 능하였다. 작품에 <적벽부>, 저서에 ≪동파전집(東坡全集)≫ 등이 있다

1323)목지(牧之) : 두목지(杜牧之). 이름은 두목(杜牧). 당나라 만당(晩唐)때 시인. 미남자로, 두보(杜甫)에 상대하여 ‘소두(小杜)’라 칭하며, 두보와 함께 ‘이두(二杜)’로 일컬어지기도 한다. 803~852.

1324)송옥(宋玉) : B.C.290?-B.C.222?. 중국 춘추 전국 시대 초나라의 문인. 반악(潘岳)과 함께 중국의 대표적인 미남자로 일컬어짐. <구변(九辯)>, <초혼(招魂)>, <고당부(高唐賦)> 등의 작품이 전하고 있고 굴원(屈原)의 제자로 알려져 있다.

어시의 태위 윤・양・니 삼부인으로 화락ᄒᆞ여 은졍이 여산ᄒᆞᆫ ᄀᆞ온ᄃᆡ나, 윤쇼져를 공경 듕ᄃᆡᄒᆞ미 이인(二人)의 우히니, 사ᄅᆞᆷ되오미 위의(威儀) 침엄뎡슉(沈嚴貞淑)ᄒᆞ여 쳐ᄉᆡ(處事) 광풍졔월(光風霽月) ᄀᆞᆺᄐᆞ여 규리(閨裏)의 구구ᄒᆞ미 업ᄉᆞ니, 존당 부뫼 취듕 긔ᄋᆡᄒᆞ나 그 ᄉᆡᆼ산의 경ᄉᆡ 더ᄃᆡ믈 굼거이 넉이니, 공이 쇼왈,

“텬흥이 아직 이십이 ᄎᆞ지 못ᄒᆞ오니 농장(弄璋)이 그리 밧브리잇가.”

태부인이 역쇼(亦笑)ᄒᆞ더라. 이적의 윤쇼졔 임의 잉ᄐᆡ【47】 팔구삭이러라.

이ᄯᅢ 뎡태우의 쳥현아망(淸賢雅望)이 일셰를 기우리니 금평휘 지죡(知足)의 형셰와 물셩이쇠(物盛而衰)를 두려, ᄌᆞ긔 ᄐᆡᄒᆞᆨᄉᆞ 인슈(印綬)를 드려 혈심으로 치샤(致仕)ᄒᆞ니, 샹이 위유(慰諭) 블윤ᄒᆞ시ᄃᆡ, 휘 쥭기로ᄡᅧ 샤양ᄒᆞᆫᄃᆡ 샹이 마디 못ᄒᆞ샤 대ᄉᆞ도와 태ᄒᆞᆨᄉᆞ 인(印)을 허졔(許除)ᄒᆞ시나, 국가대ᄉᆞ의 참됴(參朝)ᄒᆞ라 ᄒᆞ시니, 공이 셩은을 슉샤(肅謝)ᄒᆞ고 샤은 퇴됴(退朝)ᄒᆞ여 도라오ᄆᆡ, ᄎᆞ후 한가히 집의 이시니 셩은을 더옥 황감

리오. 이의 작직을 더으ᄉᆞ 금문직ᄉᆞ(金文直士)을 하이시니 장원이 젼의 나려 나히 어리고 ᄌᆡ죄 박ᄒᆞ여 ᄉᆞ군보국ᄒᆞᆯ 《지량‖지략(智略)》이 업ᄉᆞ믈 주ᄒᆞ고 벼슬을 ᄉᆞ양ᄒᆞ니, 상이 더욱 ᄋᆡ경ᄒᆞᄉᆞ 슘일유가 후 ᄒᆡᆼ공출직(行公察職)ᄒᆞ라 ᄒᆞ시니, 장원이 ᄒᆞᆯ일 업셔 방ᄒᆞ(榜下)을 거ᄂᆞ려 궐문을 날 ᄉᆡ, 청동쌍ᄀᆡ(靑童雙個)[1325]ᄂᆞᆫ 압흘 인도ᄒᆞ고 허다 위의ᄂᆞᆫ ᄃᆡ노(大路)을 덥허시니, 금안ᄇᆡᆨ마(金鞍白馬)[1326]의 계화청삼(桂花靑衫)으로 취운산의 도라오니, 장원의 표치풍광(標致風光)이 ᄐᆡ양의 빗출 아ᄉᆞ니, 노상 관광ᄌᆡ 칙칙칭션(嘖嘖稱善)ᄒᆞ고 뎡ᄐᆡ우로 더부러 난형난졔(難兄難弟)[1327]라 ᄒᆞ여 금평후의 복되믈 니르더라.

부즁의 도라와 조모와 모친긔 ᄇᆡ현ᄒᆞ니 ᄐᆡ부인의 두굿김과 모부인의 깃거ᄒᆞ문 이르도 말고, 평휘 편ᄋᆡᄒᆞᄂᆞᆫ 아들이라, 등과ᄒᆞ믈 두굿기미 장ᄌᆞ의 등양시의 더ᄒᆞ더라.

1325)청동쌍ᄀᆡ(靑童雙個) : 푸른 옷을 입은 두명의 어린 아이.

1326)금안ᄇᆡᆨ마(金鞍白馬) : 화려하게 꾸민 안장을 단 흰 말.

1327)난형난졔(難兄難弟) : 누구를 형이라 하고 누구를 아우라 하기 어렵다는 뜻으로, 두 사물이 비슷하여 낫고 못함을 정하기 어려움을 이르는 말.

(惶感)ᄒᆞ더라.

ᄎᆞ시 ᄉᆞᄒᆡ 승평ᄒᆞ고 국개 안낙ᄒᆞ여 병혁을 니르혀미1382) 업ᄉᆞᄆᆡ, 간과(干戈)를 쓰지 아니므로 부고(府庫)의 창검은 갑을 오ᄅᆡ 벗디 아녓고, 어마고[구](御馬廐)의 살진 ᄆᆞᆯ은 젼진(戰陣)의 슈고를 아지 못ᄒᆞ【48】엿더니, 운남왕 목딘평이 반ᄒᆞ여 웅병ᄆᆡᆼ댱(雄兵猛將)이 브지슈(不知數)ᄒᆞᄆᆡ, 듕원을 범보 ᄃᆞᆺᄒᆞ여1383) 쥬현을 노략ᄒᆞᄆᆡ 쇼과(所過)의 무뎍(無敵)이라.

졀도ᄉᆞ 오슌이 거병(擧兵) 방뎍(防敵)ᄒᆞ나 뎍병의 봉예(鋒銳)를 져당치 못ᄒᆞ여 변보를 샹달ᄒᆞᄆᆡ, 샹이 대경ᄒᆞ샤 문무 졔신을 모화 퇴병지칙(退兵之策)을 의논ᄒᆞ실ᄉᆡ, 모든 대신과 무신의 의논이 분분ᄒᆞ여 쥬칙(籌策)을 셩(成)치 못ᄒᆞ더니, 셔반(西班) 문무반녈 듕의셔 일위 명ᄉᆡ 츌반 듀왈,

"운남 셔졀구투(鼠竊狗偸)의 무리 감히 텬슈를 아디 못ᄒᆞ고 대국을 침범ᄒᆞ오나, 이 죡히 셩녀의 거리ᄭᅵ실 ᄇᆡ 아니오니 복망 폐ᄒᆞᄂᆞᆫ 물우셩녀(勿憂聖慮)ᄒᆞ시고, 일디병(一枝兵)을 빌니실진ᄃᆡ, 신이 비록 브ᄌᆡ박덕(不才薄德)이오나, 흉뎍을 탕멸(蕩滅)ᄒᆞ와 옥좌의【49】 근심을 덜고 셩은을 만분지일이나 갑ᄉᆞᆸ고져 ᄒᆞᄂᆞ이다."

언쥬파(言奏罷)의 발월ᄒᆞᆫ 풍ᄎᆡ와 학녀청음(鶴唳淸音)의 고상(高爽) 격녈(激烈)ᄒᆞ니, 샹이 밧비 농안을 드러 보신 즉 병부상셔 뎡텬흥이라. 텬안이 흡연이 깃븐 빗출 열으셔 ᄀᆞᆯ오샤ᄃᆡ,

1382)니르혀다 : 일으키다.
1383)범보 ᄃᆞᆺᄒᆞ다 : 호랑이가 먹잇감을 보듯 함.

시의 ○…**결락 42자**…○[운남왕 목딘평이 반ᄒᆞ여 웅병ᄆᆡᆼ댱(雄兵猛將)이 브지슈(不知數)ᄒᆞᄆᆡ, 듕원을 범보 ᄃᆞᆺᄒᆞ여1328) 쥬현을 노략ᄒᆞᄆᆡ 쇼과(所過)의 무뎍(無敵)이라.]

《뉴지풍·하지용‖졀도ᄉᆞ 오슌》이 ○…**결락 85자**…○[거병(擧兵) 방뎍(防敵)ᄒᆞ나 뎍병의 봉예(鋒銳)를 져당치 못ᄒᆞ여 변보를 샹달ᄒᆞᄆᆡ, 샹이 대경ᄒᆞ샤 문무 졔신을 모화 퇴병지칙(退兵之策)을 의논ᄒᆞ실ᄉᆡ, 모든 대신과 무신의 의논이 분분ᄒᆞ여 쥬칙(籌策)을 셩(成)치 못ᄒᆞ더니, 셔반(西班) 문무반녈 듕의셔 일위 명ᄉᆡ] 소ᄅᆡ을 다가듬어 주왈,

"운남의 도젹이 쳔위을 아지 못ᄒᆞ고 군병을 모화 ᄃᆡ역의 뜻즐 두오니 죄악이 관영(貫盈)ᄒᆞ온지라. '쳔무이일(天無二日)이오 민무이왕(民無二王)'1329)이라. 폐ᄒᆡ 만긔을 총출ᄒᆞ시ᄆᆡ 사이번국(四夷藩國)이 귀순치【34】 아니리 업거늘, 홀노 운남의 병난이 극히 통ᄒᆡ분완(痛駭憤惋)ᄒᆞ온지라. '주우신욕(主憂臣辱)이오, 주욕신ᄉᆡ(主辱臣死)'1330)라. 폐ᄒᆡ 일지병(一支兵)을 빌니시면 신이 부ᄌᆡ박덕(不才薄德)이오나 흉젹을 탕멸ᄒᆞ와 폐하의 근심을 《들고‖덜고》 셩은을 만분지일○[이]나 갑ᄉᆞᆸ고져 ᄒᆞᄂᆞ이다."

셩음이 고상격졀(高爽激切)ᄒᆞ니, 상이 밧비 용안을 들어 보시니, ᄎᆞᄂᆞᆫ 병부상셔 용두각 ᄐᆡ혹ᄉᆞ 표긔장군 뎡청[쳔]홍이라. 쳔안이 ᄃᆡ열ᄒᆞᄉᆞ 갈아ᄉᆞᄃᆡ,

1328)범보 ᄃᆞᆺᄒᆞ다 : 호랑이가 먹잇감을 보듯 함.
1329)'쳔무이일(天無二日) 민무이왕(民無二王)' : 하늘에는 해가 둘이 있지 아니하고 백성들에게는 임금이 둘이 있지 않다.
1330)주우신욕(主憂臣辱) 주욕신ᄉᆡ(主辱臣死) : 임금에게 근심이 있으면 신하는 마땅이 이를 치욕으로 생각하여 근심을 없애야 하고, 또 임금에게 치욕이 있으면 신하는 마땅이 죽음으로써 그 치욕을 씻어야 한다.

"국난(國難)의 ᄉᆞ량상(思良相)이라 ᄒᆞ니, 딤이 운남의 반ᄒᆞ믈 드르므로브터 팀좌(寢坐)의 근심을 놋치 못ᄒᆞ여, 녁ᄃᆡ(歷代) 명댱과 현신이 딤의게ᄂᆞᆫ 업스믈 ᄋᆡ들나 ᄒᆞ더니, 이데 경이 쇼년으로 졍벌을 ᄌᆞ원ᄒᆞ니 위국튱셩이 고인을 압두ᄒᆞᆯ디라, 엇디 긔특지 아니ᄒᆞ리오. 딤이 일노좃ᄎᆞ 남녁흘 도라보ᄂᆞᆫ 근심이 업ᄉᆞ리로다."

ᄒᆞ시니 승상(丞相) 이히 일시의 만셰를 브르더라.

샹이 뎡텬홍 ᄀᆞᄐᆞᆫ 동냥지ᄌᆡ(棟梁之材)로ᄡᅥ 운남을 대【50】적ᄒᆞᆯ 원융샹댱(元戎上將)을 삼으시ᄆᆡ 크게 깃그시ᄂᆞᆫ 고로 별은젼(別恩典)으로 하교ᄒᆞ샤ᄃᆡ,

"뎡텬홍이 이데 십칠 쇼년으로ᄡᅥ 국지대ᄉᆞ(國之大事)를 ᄌᆞ원ᄒᆞ여 만니의 나아가ᄆᆡ ᄒᆞᆫ갓 다른 신뇨와 ᄀᆞᆺ치 발힘치 못ᄒᆞ리니, 운남을 삭평ᄒᆞ여 샤딕을 안보ᄒᆞᄂᆞᆫ 튝문(祝文)으로ᄡᅥ 부월(斧鉞)을 맛디며, 대원슈 인을 주어 텬홍의 튱의를 빗ᄂᆡ여 후셰인을 경계ᄒᆞ리라."

ᄒᆞ시니 승샹 이히 맛당ᄒᆞ시믈 듀ᄒᆞ니, 샹이 고텬튝문(告天祝文)ᄒᆞᆯ 긔구를 출히라 ᄒᆞ실ᄉᆡ, 뎡병뷔 지ᄇᆡ 고두 왈,

"신이 브ᄌᆡ박덕으로ᄡᅥ 흉적을 탕멸코져 ᄒᆞ오미 인신의 덧덧ᄒᆞᆫ 되여ᄂᆞᆯ 셩샹이 엇디 이러ᄐᆞᆺ 별은젼(別恩典)을 나리오샤, 신의 몸둘 바를 아디 못ᄒᆞ게 ᄒᆞ시ᄂᆞ니잇고?"

듀파【51】의 ᄇᆡᄇᆡ 고두ᄒᆞ온ᄃᆡ 샹이 더옥 아름다이 녁이샤 ᄀᆞᆯ오샤ᄃᆡ,

"딤이 경의 튱셩을 빗ᄂᆡ고져 ᄒᆞᄂᆞ니 경은 샤양치 말나."

ᄒᆞ시니, 승상 이히 맛당ᄒᆞ시믈 듀ᄒᆞ니, 즉

"가빈(家貧)의 사현처(思賢妻)오, 국난(國難)의 ᄉᆞ양신(思良臣)이라. 짐이 운남의 반ᄒᆞ믈 드른 후로 침좌의 근심을 놋치 못ᄒᆞ더니, 짐의게ᄂᆞᆫ 명장과 현신이 업ᄉᆞ믈 ᄋᆡ달와 ᄒᆞ더니 이졔 경이 져믄 나의 졍벌을 ᄌᆞ원ᄒᆞ여 위국츙셩이 고인을 압두ᄒᆞ니, 엇지 긔특지 아니리오. 짐이 일노좃ᄎᆞ 남방을 도라보ᄂᆞᆫ 근심이 업ᄉᆞ리로다."

ᄒᆞ시고, 만조무[문]뮈(滿朝文武) 일시의 만셰을 부러더라.

상이 뎡쳥[쳔]홍 갓튼 동냥지ᄌᆡ로ᄡᅧ 운남을 ᄃᆡ적ᄒᆞᆯ 원융상장(元戎上將)을 ᄉᆞᆷ으시ᄆᆡ 크게 깃거ᄒᆞ시ᄂᆞᆫ 고로 별은젼(別恩典)으로 ᄒᆞ교ᄒᆞᄉᆞᄃᆡ,

"뎡쳔홍이 지금 십칠셰 소년으로 국가 ᄃᆡᄉᆞ을 ᄌᆞ원ᄒᆞ여 《마니∥만니(萬里)》 젼장의 나아가니 이ᄂᆞᆫ 다른 신요와 갓지 못ᄒᆞ리니, 운남을 삭평ᄒᆞ여 ᄉᆞ직을 안보ᄒᆞᆯ 바을 쳔지긔 고츅(告祝)ᄒᆞ고 쳔홍으로ᄡᅧ ᄃᆡ원수 인을 주며 그 츙의을 빗ᄂᆡ여 후셰인을 징계ᄒᆞ리라."

ᄒᆞ시니, 승상이 상언(上言)이 맛당ᄒᆞ시믈 주ᄒᆞ니, 상이 고졔츅문(告祭祝文)ᄒᆞᆯ 거술 ᄎᆞ리라 ᄒᆞ시니, 뎡병뷔 고두 주왈,

"신이 부ᄌᆡ박덕으로 국은을 ᄒᆞ나토 갑지 모ᄒᆞᄋᆞᆸ【35】고, 외람이 쳔춍(天寵)을 목욕하오믈 황황송늅ᄒᆞᄋᆞᆸ거ᄂᆞᆯ, 이졔 셩상이 남국싱민을 앗기시ᄂᆞᆫ 근심이 옥쳬 용상의 불안ᄉᆞ시니 신이 브ᄌᆡ(不才)로ᄡᅧ 흉적을 탕멸코져 ᄒᆞ오미 인신의 떳떳ᄒᆞᆫ 직분이어ᄂᆞᆯ, 셩상이 엇지 이러탓 별은젼을 나리오ᄉᆞ, 신으로 ᄒᆞ여금 몸둘 바을 아지 못ᄒᆞ게 ᄒᆞ시ᄂᆞᆫ잇가?"

주파의 ᄇᆡᄇᆡ고두ᄒᆞ니, 편편ᄒᆞᆫ 신ᄎᆡᄂᆞᆫ 츄쳔의 신월이 두렷ᄒᆞᆫ 듯, 언건ᄒᆞᆫ 쳬위 늠연쇄락ᄒᆞ여 ᄒᆞᆫ 거름 ᄒᆞᆫ 말ᄉᆞᆷ이 긔특지 아닌 곳지 업ᄂᆞᆫ지라. 상이 더욱 아름다이 넉이ᄉᆞ ᄀᆞᆯ오ᄉᆞᄃᆡ,

"짐이 경의 츙셩을 빗ᄂᆡ고져 ᄒᆞᄂᆞ니 ᄉᆞ양치 말나."

ᄒᆞ시니 승상이 맛당ᄒᆞ시믈 주ᄒᆞ고 쳔의

시 텬의(天意)를 좃ᄎᆞ 구층단(九層壇)을 무으니, 뎨일층샹단(第一層上壇)은 고뎨텬문(告祭天文)ᄒᆞᄂᆞᆫ 단이니 황금으로 ᄭᅮ민 상탁을 버리고, 옥긔(玉器)에 향을 픠워 분향ᄒᆞ게 ᄒᆞ고, 뎨이층단(第二層壇)은 일월황농긔(日月黃龍旗)를 ᄭᅩᆺ고 병부상셔 태흑ᄉᆞ 원융대댱군 뎡텬홍이 올나 분향지빅ᄒᆞ게 ᄒᆞ고, 뎨삼층단(第三層壇)의ᄂᆞᆫ 금ᄌᆞ청농긔(金紫青龍旗)를 ᄭᅩᄌᆞ시며, 뎨ᄉᆞ층단(第四層壇)의ᄂᆞᆫ 금ᄌᆞ홍신긔(金紫紅神旗)를 ᄭᅩᄌᆞ시며, 뎨오층단(第五層壇)의ᄂᆞᆫ 쥬촌긔(朱村旗)를 ᄭᅩᆺ고 금병(金瓶)의 양뉴슈(楊柳水)를 담아 노코, 뎨뉵층단(第六層壇)의ᄂᆞᆫ 븕은 긔를 ᄭᅩᆺ고, 뎨칠층 【52】 단(第七層壇)의ᄂᆞᆫ 표미긔(豹尾旗)를 ᄭᅩᆺ고, 뎨팔층단(第八層壇)의ᄂᆞᆫ 산호병(珊瑚瓶)의 양뉴슈(楊柳水)를 담아노코, 뎨구층단(第九層壇)의ᄂᆞᆫ 거믄 긔를 ᄭᅩᆺ고 호박병(琥珀瓶)의 양뉴(楊柳)를 담아노코, 뎨삼층단의ᄂᆞᆫ 샹이 친히 오로샤 대원슈 뎡텬홍으로ᄡᅧ 뎨이층단의 올나 고졔튝문ᄒᆞ게 ᄒᆞ엿더라. 일월셩신(日月星辰)으로ᄡᅧ ᄉᆞ방후토디신(四方后土之神)으로 다 응ᄒᆞ미니, 임의 튝단(祝壇) 빈댱(拜將)ᄒᆞᆯ 긔구(器具)○[를] 출혀시믈 듀(奏)ᄒᆞ니, 샹이 깃그샤 단의 오르랴 ᄒᆞ실ᄉᆡ, 대원슈를 이층단의 오르라 ᄒᆞ시니, 병뷔 블감(不敢)ᄒᆞ믈 ᄉᆞ샤(謝辭)ᄒᆞ여 빅빅고샤(百拜固辭)ᄒᆞ오니, 샹이 듯지 아니시고 오로믈 지쵹ᄒᆞ시니, 뎡병뷔 지삼 샤양ᄒᆞ다가 마디못ᄒᆞ여 이층단의 오로니, 태흑ᄉᆞ 진영쉬 튝문(祝文)을 닑으니 기문의 왈,

“대송 딘종황뎨 신(臣) 모(某)ᄂᆞᆫ 【53】 함평(咸平)[1384] 십ᄉᆞ년[1385] 츈 졍월의 고텬튝졔(告天祝祭)ᄒᆞᄂᆞ니, 과인이 덕이 박ᄒᆞ여 종시 블안ᄒᆞᆫ ᄯᅢ를 만나 남뎍(南賊) 목딘평이 텬됴의 귀슌치 아니코 벌의 독을 브

1384)함평(咸平) : 중국 송(宋) 진종(眞宗)의 연호(年號). 998-1003.

1385)십ᄉᆞ년 : 진종은 咸平(998-1003), 景德(1004-1007), 大中祥符(1008-1016), 天禧(1017-1021), 乾興(1022) 등 재위기간(998-1022) 동안 5개의 연호를 사용했다. 따라서 함편14년은 역사적 사실에 부합하지 않는다.

(天意)을 조ᄎᆞ 즉시 구층단(九層壇)을 무으니, 졔 일층 단상의ᄂᆞᆫ 고졔츅문ᄒᆞᆯ 곳지니, 황금으로 ᄭᅮ민 상탁을 버리고, 옥긔(玉器)의 향을 픠워 분향ᄒᆞ게 ᄒᆞ고, 졔 이층 단은 일월황농긔(日月黃龍旗)을 ᄭᅩᄌᆞ시며 병부상셔 틱흑ᄉᆞ 원융듸장군 뎡쳥[쳔]홍이 《오날 ‖ 올나》 분향지빅ᄒᆞ게 만드러시며, 졔 ᄉᆞᆷ층의ᄂᆞᆫ 금ᄌᆞ청농긔(金紫青龍旗)을 ᄭᅩᆺ고 상이 친히 오르ᄉᆞ 듸원수 뎡쳔홍으로 바다 고졔츅문ᄒᆞ게 ᄒᆞ고 농듸긔(龍大旗)을 ᄭᅩᄌᆞ시며, 졔 ᄉᆞ층의ᄂᆞᆫ 신요(臣僚) 상(上)을 뫼셧게 만드러시며, 졔 오층의ᄂᆞᆫ 동방을 향ᄒᆞ야 푸른 긔을 ᄭᅩᆺ고 금병의 양뉴수(楊柳水)을 담아놋코, ○…결락 12자…○[졔 뉵층단의ᄂᆞᆫ 븕은 긔을 ᄭᅩᆺ고], 졔 칠층단은 남방을 향ᄒᆞ야 《불근 ‖ 표미(豹尾)긔》을 ᄭᅩᆺ고, ○○○○○○[졔 팔층단의ᄂᆞᆫ] 산호병(珊瑚瓶)의 양뉴수(楊柳水)을 담아놋코, 졔 《팔 ‖ 구》층의ᄂᆞᆫ 북방을 향ᄒᆞ야 흑긔(黑旗)을 ᄭᅩᆺ고 호박병(琥珀瓶)의 양뉴수(楊柳水)을 담아노아시니, 일월셩신(日月星辰)으로ᄡᅧ ᄉᆞ방후토 【36】 지신(四方后土之神)을 응ᄒᆞ엿더라.

츅졔(祝祭)ᄒᆞᄂᆞᆫ 긔구(器具)을 다 ᄎᆞ리믈 주ᄒᆞ니, 상이 깃거[그]ᄉᆞ 《당 : 단》의 오르실 ᄉᆡ, 듸원수 졍쳥[쳔]홍을 이층단의 오르라 ᄒᆞ시니, 병뷔 불감(不敢)○○[ᄒᆞ믈] 고ᄉᆞᄒᆞ여 빅번 ᄉᆞ양ᄒᆞ니, 상이 불쳥ᄒᆞ시고 ○…결락13자…○[오르믈 지쵹ᄒᆞ시니 마디 못ᄒᆞ여] 단 졔 이층의 오르니, 틱흑ᄉᆞ 진명수 축문을 일그ᄆᆡ 기문의 왈,

“송 진종황졔ᄂᆞᆫ 함평[1331] 십ᄉᆞ년 츈졍월의 쳔지게 고축(告祝)ᄒᆞᄂᆞ니, 짐이 박덕ᄒᆞ여 종ᄉᆞ의 불힝ᄒᆞᆫ ᄯᅢ을 만나 남젹(南賊) 목진평이 쳔도의 귀순치 아니코 벌의 독을 품어 싱민을 잔학(殘虐)ᄒᆞ고 황셩을 엿보니, 고로 듸원수 뎡쳔홍으로 보ᄂᆡ여 밋친 도적을 쳐 싱민을 구ᄒᆞ고 종ᄉᆞ을 안보코져 ᄒᆞᄂᆞ니, 한

1331) 송 진종의 연호. 진종은 咸平(998-1003), 景德(1004-1007), 大中祥符(1008-1016), 天禧(1017-1021), 乾興(1022) 등 재위기간(998-1022) 동안 5개의 연호를 사용했다. 따라서 함편14년은 역사적 사실에 부합하지 않는다.

려1386) 싱민을 잔학(殘虐)게 ᄒᆞ고, 병혁(兵革)을 다스려 황셩(皇城)을 엿보ᄂᆞᆫ디라. 고로 대원슈 뎡텬흥으로 ᄒᆞ여곰 웅병ᄆᆡᆼ댱(雄兵猛將)을 거ᄂᆞ려 밋친 도뎍을 쳐 싱민을 구ᄒᆞ고 죵샤를 안보코져 ᄒᆞᄋᆞᆸᄂᆞ니, 복원 텬디셩신(天地星辰)은 ᄒᆞᆫ가지로 숑됴를 도아 남방의 비린1387) ᄯᅳᆺ글을 ᄡᅳ러바리고, ᄒᆞᆫ 북의 개가를 울녀 도라오게 ᄒᆞ쇼셔."

승샹 구쥰(寇準)1388)이 부월을 밧드러 ᄭᅮ러 ᄀᆞᆯ오ᄃᆡ,

"황샹이 부월(斧鉞)노ᄡᅧ【54】 댱군을 주시니 쳥컨ᄃᆡ 힘ᄡᅳᆯ디어다."

원쉬 ᄭᅮ러 밧ᄌᆞ오ᄆᆡ 비로소 상이 황금인을 가져 ᄎᆔ오시고 ᄀᆞᆯ오샤ᄃᆡ,

"딤의 쇼탁(所託)과 경의 쇼임(所任)은 국가의 대ᄉᆡ라. 원컨ᄃᆡ 경은 힘ᄡᅳ고 힘ᄡᅧ ᄒᆞᆫ번 ᄡᅡ홈의 국가 안위와 만방 살싱이 ᄆᆡ여시믈 등한이 싱각지 말나."

원쉬 이날 ᄌᆞ포오ᄉᆞ(紫袍烏紗)로ᄡᅧ 융복(戎服)을 밧고니 몸의 홍금쇄ᄌᆞ갑(紅錦鎖子甲)1389)을 ᄡᅧ닙고 머리의 봉시(鳳翅)투고1390)를 ᄡᅳ며, 허리 아ᄅᆡ 금인(金印)을 빗겨 옥ᄃᆡ(玉帶)를 둘너시니, 풍광이 늠늠 표탕ᄒᆞ여 고은 얼골이 ᄇᆡᆨ홰 웃ᄂᆞᆫ ᄃᆞᆺ, 텬셩이 두렷ᄒᆞ여 옥을 무으고, ᄇᆡᆨ년(白蓮) ᄀᆞᆺ튼 귀밋틔 ᄌᆡ상의 관ᄌᆞ(貫子)1391)를 븟쳐시니, 슈

1386)브리다 : 뿌리다.
1387)비린 : 비린내. 날콩이나 물고기, 동물의 피 따위에서 나는 역겹고 매스꺼운 냄새.
1388)구쥰(寇準) : 961-1023. 중국 송(宋)나라 초(初)의 정치가. 거란(契丹)의 침입을 물리쳐 공을 세웠고 재상에 올랐다. 내국공(萊國公)에 봉작되었다.
1389)홍금쇄ᄌᆞ갑(紅錦鎖子甲) : 갑옷의 일종. 붉은 명주옷에 사방 두 치 정도 되는 돼지가죽으로 된 미늘을 작은 고리로 꿰어 붙여서 만들었다.
1390)봉시(鳳翅)투고 : 봉시(鳳翅)투구. 봉의 깃으로 꾸민 투구. 봉시(鳳翅)는 봉의 깃. 투구는 예전에, 군인이 전투할 때에 적의 화살이나 칼날로부터 머리를 보호하기 위하여 쓰던 쇠로 만든 모자.
1391)관ᄌᆞ(貫子) : 망건에 달아 당줄을 꿰는 작은 단추 모양의 고리. 신분에 따라 금(金), 옥(玉), 호박(琥珀), 마노, 대모(玳瑁), 뿔, 뼈 따위의 재료를 사용하였다.

싸홈의 국가 안위와 만민의 싱술이 달여시니, 복원 쳔지일월셩신(天地日月星辰)은 한가○[지]로 송조을 도아 남방의 비린1332) ᄐᆡ글을 쓸고 ᄒᆞᆫ 북의 ᄀᆡ가을 울녀 도라오게 ᄒᆞ소셔."

익기을 맛ᄎᆞᄆᆡ 네관이 인ᄒᆞ여 상층단의 올니니 원수 셰번 ᄉᆞ양ᄒᆞ다가 올나 북향ᄒᆞ야 셔ᄆᆡ, 승상 구쥰이 부월을 밧드러 ᄭᅮᆯ어 갈오ᄃᆡ,

"상이 부월(斧鉞)노ᄡᅧ 장군을 주시니 쳥컨ᄃᆡ 힘 쓸지어다."

원수 ᄭᅮᆯ어 밧드러 비로소 상이 황금닌을 가져 ᄎᆔ오시고, ○○○○[ᄀᆞᆯ오샤ᄃᆡ],

"짐의 소탁(所託)과 경의 소임ᄌᆞ(所任者)ᄂᆞᆫ 국가 ᄃᆡᄉᆞ라, 원(願) 경은 힘쓰고 힘써 ᄒᆞᆫ번 ᄊᆞ홈의 국지안위와 만방싱살이 ᄆᆡ여시물 싱각ᄒᆞ여 등ᄒᆞᆫ이 말나."

원수 이날 ᄌᆞ포오ᄉᆞ(紫袍烏紗)로ᄡᅧ 융복(戎服)을 밧고니 몸의 홍금(紅錦)갑옷슬 입고 머리의 봉시(鳳翅)투구1333)을 쓰고, 허리의 금인(金印)을 빗기고 옥ᄃᆡ을 둘너【37】시니, 년미십칠(年未十七)의 풍치 늠늠표일ᄒᆞ니, 고은 얼골이 만화(萬花) 웃ᄂᆞᆫ 듯, 쳔졍이 두렷ᄒᆞ여 옥으로 모우고, ᄇᆡᆨ년(白蓮) 갓튼 빈상(鬢上)의 ᄌᆡ상(宰相)의 관ᄌᆞ1334)을 부쳐시니, 수려ᄒᆞᆫ 용홰(容華) 양뉴(楊柳)을 나무라며, 뉵손(陸遜)1335)을 우술지라. 신장

1332)비린 : 비린내. 날콩이나 물고기, 동물의 피 따위에서 나는 역겹고 매스꺼운 냄새.
1333)봉시(鳳翅)투구 : : 봉시(鳳翅)투구. 봉의 깃으로 꾸민 투구. 봉시(鳳翅)는 봉의 깃. 투구는 예전에, 군인이 전투할 때에 적의 화살이나 칼날로부터 머리를 보호하기 위하여 쓰던 쇠로 만든 모자.
1334)관ᄌᆞ(貫子) : 망건에 달아 당줄을 꿰는 작은 단추 모양의 고리. 신분에 따라 금(金), 옥(玉), 호박(琥珀), 마노, 대모(玳瑁), 뿔, 뼈 따위의 재료를 사용하였다.
1335)뉵손(陸遜) : 183-245. 중국 삼국시대 오(吳)나라 정치가. 촉한과 위나라의 침공을 여러 차례 격퇴하여 오나라를 지켜냈으며, 관우를 죽음으로 몰아넣고 유비의 복수를 실패하게 만들었다.

려ᄒᆞᆫ 용광(容光)이 양뉴(楊柳)를 나모라며 뉵손(陸遜)[1392]을 우을디라. 신댱이 댱대ᄒᆞ고 톄위 엄슉ᄒᆞ【55】여 위풍이 상연늠늠ᄒᆞ여 광풍졔월 ᄀᆞᆺᄐᆞ니 호령이 뇽호의 긔습과 한신(韓信) 듀아부(周亞夫)[1393]의 너믄디라. 쇼년 댱군의 영풍쥰골(英風俊骨)이 당셰의 무빵ᄒᆞᆫ 영쥰이라. 단샹단하(壇上壇下)의 가득ᄒᆞᆫ 사ᄅᆞᆷ이 다 눈을 기우려 칙칙칭복(嘖嘖稱福)ᄒᆞ여 혀를 둘너 탄복 갈ᄎᆡᄒᆞ지 아니리 업더라.

뇽안이 희열ᄒᆞ샤 뇽미팔ᄎᆡ(龍眉八彩)의 희긔 ᄀᆞ득ᄒᆞ샤 환궁ᄒᆞ시니, 원쉬 몸을 ᄲᅢ혀 부듕의 니르ᄆᆡ 이ᄯᅢ 태부인이 태우의 ᄌᆞ원츌뎡ᄒᆞ믈 듯고 우려ᄒᆞ믈 마디아니ᄒᆞ더니, 원쉬 ᄂᆡ당의 니르러 존당과 ᄌᆞ젼의 ᄇᆡ알ᄒᆞ고 슈일 존후를 뭇ᄌᆞ오니, 일월셩모의 츈양화긔 ᄆᆞ르녹으니, 태부인이 밧비 손을 잡고 ᄀᆞᆯ오ᄃᆡ,

“네 쇼년 미ᄌᆡ(微才)로 국가의 근심을 덜【56】진ᄃᆡ 엇디 깃브디 아니리오마는, 병디(兵地)는 흉디라. 혹ᄌᆞ 쇼루(疏漏)ᄒᆞ미 이실딘ᄃᆡ 나의 의려(倚閭)의 바라는 심ᄉᆡ 엇더ᄒᆞ리오.”

1392)뉵손(陸遜) : 183-245. 중국 삼국시대 오(吳)나라 정치가. 촉한과 위나라의 침공을 여러 차례 격퇴하여 오나라를 지켜냈으며, 관우를 죽음으로 몰아넣고 유비의 복수를 실패하게 만들었다.

1393)듀아부(周亞夫) : ? - BC143. 중국 전한(前漢) 전기의 무장, 정치가. 오초칠국(吳楚七國)의 난을 평정해 공을 세웠고 승상에 올랐다.

이 장ᄃᆡᄒᆞ고 체위 엄숙ᄒᆞ여 광풍제월 갓튼 긔상의 호령은 용호의 긔습이니, 한신(韓信)·쥬아부(周亞夫)[1336]의 넘은지라. 소년장군의 영풍쥰골(英風俊骨)이 당세의 둘이 업슨 영듄(英俊)이라. 단상단하의 ᄉᆞᄅᆞᆷ이 다 눈을 {다} 기우려 칙칙칭복(嘖嘖稱福)ᄒᆞ며 혀을 돌나 칭찬ᄒᆞ니, 용안이 ᄃᆡ열ᄒᆞ시ᄂᆞᆫ지라. 융복을 가초고 나려 ᄉᆞᄇᆡ숙ᄉᆞ(四拜肅謝)ᄒᆞᄆᆡ 원수의 타ᄂᆞᆫ 술위 ᄉᆞ마(駟馬)[1337]을 가초아 ᄃᆡ후ᄒᆞ니, 상이 권ᄒᆞ여 올니시고 친히 술위을 밀으시니, 영광이 고금의 독보ᄒᆞ고 원수의 술웨을 ᄯᆞ로ᄂᆞᆫ 군병장졸이 도창검극(刀槍劍戟)과 긔치졀월(旗幟節鉞)이 ᄒᆡ을 가리오니, 상이 뒤ᄒᆡ오시며 바라보시고 깃부믈 이긔지 못ᄒᆞ시니, ᄃᆡ노상(大路上)의 ᄐᆡ글이 펴[폐]일(蔽日)ᄒᆞ고 풍뉴소ᄅᆡ 구쳔(九天)의 ᄉᆞ뭇ᄎᆞ니 진실노 남아의 ᄉᆞ업이오, ᄃᆡ장부의 위의러라.

이의 어가 환궁ᄒᆞ시고 뎡원수 군정ᄉᆞ(軍政司)의 이르러 셩[션]봉부장(先鋒部將)을 정ᄒᆞ여 ᄃᆡ오(隊伍)을 부분(部分)ᄒᆞ여 군무을 마ᄎᆞᄆᆡ, 군듕의 영(令)ᄒᆞ여 각각 부모쳐ᄌᆞ을 니별ᄒᆞ고 우명일 진초(辰初[1338])의 ᄃᆡ후ᄒᆞ라 ᄒᆞ고, 총총이 부듕의 도라오니, 슌ᄐᆡ부인이 출정ᄒᆞ믈 크게 놀나 심신을 뎡치 못ᄒᆞ여셔 병뷔 융복으로 존당의 드러와 일일지ᄂᆡ(一日之內)의 존후을 뭇잡고 슬하의 시좌ᄒᆞᄆᆡ, 화ᄒᆞᆫ 낫빗ᄎᆞᆫ 츈【38】양(春陽)이 무루녹고 효순ᄒᆞᆫ 거동은 셕목을 감동ᄒᆞᄂᆞᆫ지라. ᄐᆡ부인 왈,

“네 이졔 십칠 소아로 무ᄉᆞᆫ 웅장ᄒᆞ미 잇셔 운남 만니의 흉적을 소탕ᄒᆞ리오. 병긔ᄂᆞᆫ 흉지라. 혹자 그릇ᄒᆞ미 잇시면 노뫼 너을 보ᄂᆡ고 념녀을 ᄎᆞ마 어리 견ᄃᆡ리오.”

언파의 산[상]연타루ᄒᆞ믈 면치 못ᄒᆞ니, 금평휘 쳔금 갓튼 귀듕아을 만니 위험지지

1336)쥬아부(周亞夫) : ? - BC143. 중국 전한(前漢) 전기의 무장, 정치가. 오초칠국(吳楚七國)의 난을 평정해 공을 세웠고 승상에 올랐다.

1337)ᄉᆞ마(駟馬) : 네 필의 말이 끄는 수레.

1338)진초(辰初 : 진시(辰時 : 오전 7시-9시) 초.

평휘 위로 쥬왈,

"텬흥이 년유브ᄌᆡ로 국가 듕임을 밧ᄌᆞ와 젼진의 봉ᄉᆞᄒᆞᄆᆡ 이 곳 신ᄌᆞ의 ᄃᆡ분이라. ᄉᆞ졍을 도라볼 ᄇᆡ 아니오, 텬흥이 대군ᄌᆞ의 밋디 못ᄒᆞ오나 군무ᄉᆞᄂᆞᆫ 소여(疎慮)치 아니ᄒᆞ오리니 원(願) ᄌᆞ위는 물우(勿憂)ᄒᆞ쇼셔."

원슈 니어 위로ᄒᆞ나 태부인이 오히려 깃거 아니ᄒᆞ더라.

ᄎᆞ야의 원슈 부공을 뫼셔 밤을 디ᄂᆡ려 ᄒᆞ니 금평휘 ᄀᆞᆯ오ᄃᆡ,

"네 만니의 츌뎡ᄒᆞ니 녀ᄌᆡ 가부 위ᄒᆞᆫ 졍은 불경(不輕)ᄒᆞ믄 니르도 말고, 윤현부ᄂᆞᆫ 졍ᄉᆡ 가긍(可矜)ᄒᆞ거ᄂᆞᆯ, 만니 원별을 당ᄒᆞ여 ᄒᆞᆫ번 니별ᄒᆞ미 가ᄒᆞ거ᄂᆞᆯ, 또《ᄒᆞᄂᆞᆫ‖ᄒᆞᆫ》 경ᄉᆞ를 보디 못ᄒᆞ고 니【57】별을 당ᄒᆞ여, 일야를 위로ᄒᆞ미 가ᄒᆞ도다."

원슈 피셕 왈,

"쇼ᄌᆡ 비록 미셰ᄒᆞ오나 국가 듕임을 밧ᄌᆞ와시니 규리(閨裏)의 년년ᄒᆞ믈 셔로 닐너 니별ᄒᆞ미 가치 아닌가 ᄒᆞᄂᆞ이다."

공이 뎡ᄉᆡᆨ 왈,

"네 위험지지의 나아가고 윤현뷔 만삭 듕이니, 셔로 보듕ᄒᆞ믈 닐너 일야를 위로ᄒᆞ미 녜ᄉᆡ(例事)여ᄂᆞᆯ, 스스로 댱부 위풍을 ᄌᆞ랑ᄒᆞ여 인졍을 ᄭᅳᆺ출ᄇᆡ 아니오. 내 비록 용녈ᄒᆞ나 네 아비라 나의 니르ᄂᆞᆫ ᄃᆡ로 ᄒᆞᆯ딘ᄃᆡ 힝

의 보ᄂᆡ믈 념녀치 아니코 ᄐᆡ분[부]인을 위로ᄒᆞ여 갈오ᄃᆡ,

"쳥[쳔]흥이 년유부ᄌᆡ로 외람이 셩은을 입ᄉᆞ와 위거육경(位居六卿)ᄒᆞ오니, 갑ᄉᆞ올 ᄇᆡ 업ᄉᆞ믈 슉야 근심ᄒᆞᄋᆞᆸ더니, 이제 운남의 병이 이시므로 ᄌᆞ원츌졍ᄒᆞ여 천은을 갑고져 ᄒᆞᄋᆞᆸᄂᆞ니, 쳥[쳔]흥이 단묵ᄒᆞ믄 브족ᄒᆞ오나 용역(勇力)인즉 당ᄒᆞ리 드물고 병법의 소여(疎慮)치 아니ᄒᆞ와 ᄉᆞᆷ냑뉵도(三略六韜)을 만이 ᄉᆞᆯ폇ᄉᆞ오니 남젹을 ᄃᆡ젹지 못ᄒᆞᆯ 근심은 업ᄉᆞ오니, ᄌᆞ졍은 일시 상니(相離)을 념여 마르소셔. 타일 승젼ᄒᆞ여 도라오기을 기다리소셔."

부인이 경경ᄒᆞᆫ 념여을 놋치 ○[못]ᄒᆞ고 우ᄉᆡᆨ을 감초지 못ᄒᆞ니 병뷔 팔구삭 ᄂᆡ의 도젹을 삭평ᄒᆞ고 질거이 도라와 친당의 봉ᄇᆡᄒᆞ믈 고ᄒᆞ여, 조모의 심ᄉᆞ을 위로ᄒᆞ더라.

ᄎᆞ야의 병뷔 부친을 뫼셔 듕헌의셔 형데로 밤을 지ᄂᆡ려 ᄒᆞ니, 금평휘 갈오ᄃᆡ,

"이졔 만니의 츌졍ᄒᆞ미 녀ᄌᆞ의 가부위ᄒᆞᆫ 근심은 니르도 말고 윤현부ᄂᆞᆫ 부모구존(父母俱存)ᄒᆞ여 질거온 ᄉᆞ름과 다르니 지금 만삭(滿朔)ᄒᆞᆫ【39】ᄃᆡ ᄉᆡᆼ산ᄒᆞ믈 보지 못ᄒᆞ고 나가니, 부부의 졍으로 그 일야을 침쳐의 머무러 위로ᄒᆞᄂᆞᆫ 거시 맛당ᄒᆞ니, 모로미 션월졍의 가 금야을 지ᄂᆡ고 명일야(明日野)의 부ᄌᆞ형데 니별ᄒᆞᄂᆞᆫ 거시 가ᄒᆞᆯ가 ᄒᆞ노라."

병뷔 피셕 ᄃᆡ왈,

"소ᄌᆡ 비록 미거(未擧)ᄒᆞ오나 몸 우히 장수 금닌(金印)을 빗기고 국사 듕임을 밧ᄌᆞ와 츌졍ᄒᆞ오ᄆᆡ 친측을 ᄯᅥ나옵ᄂᆞ[ᄂᆞᆫ] 하졍(下情)이 버히ᄂᆞᆫ 듯ᄒᆞ오니, 어ᄂᆡ 겨를의 규방을 년년ᄒᆞ여 셜셜(屑屑)이 니별을 일우리잇고? 소ᄌᆞ의 뭇지 아니코 가믈 슬허ᄒᆞ지 아니ᄒᆞ리이다"

평휘 뎡ᄉᆡᆨ 왈,

"윤시 그러ᄒᆞᆯ 거시 아니라. 네 위험지지의 흉봉을 당ᄒᆞ여 나아가니 아뷔 만삭 듕이니 셔로 보듕ᄒᆞ믈 일너 일야을 그 곳의셔 머무르미 부부의 졍이라. 스ᄉᆞ로 장부의 풍치 ᄃᆡ체로오물 ᄉᆞᆼ상ᄒᆞ여 규리(閨裏)의 ᄉᆞ졍

신의 유희ᄒᆞ미 업ᄉᆞ리라."

원슈 황공 샤죄ᄒᆞ고 야심ᄒᆞᄆᆡ 믈너 션월경의 니르니, 윤쇼졔 슈틱 십삭이로ᄃᆡ 히만(懈慢)ᄒᆞ미 업셔, 약딜이 신혼셩졍의 ᄡᅥ지미 업고, 죵일 태부인을 시좌ᄒᆞ여 일분(一分)[1394] 일【58】언(一言)을 다 삼가고 조심ᄒᆞ여 동디(動止) 안상여일(安常如一)ᄒᆞ니 존당 구고의 긔ᄋᆡ(奇愛)ᄒᆞ미 친녀의 디나미 잇더라.

이날 야심 후 ᄉᆞ실의 물너오ᄆᆡ ᄌᆞ연이 혼곤ᄒᆞ여 봉침(鳳枕)을 비겨 슈압(睡壓)이 몽농ᄒᆞ여 원슈의 입실ᄒᆞ믈 모로ᄂᆞᆫ디라. 쵹영지하(燭影之下)의 찬연 쇄락ᄒᆞᆫ 광염이 일실의 됴요ᄒᆞ니, 원슈 비록 싁싁 쥰엄ᄒᆞ나 금당원니(今當遠離)[1395]의 ᄉᆡᆼ산ᄒᆞ믈 보디 못ᄒᆞ고 만니젼진(萬里戰陣)의 가ᄂᆞᆫ 심ᄉᆡ 년년ᄒᆞᆫ디라. 흔연 함쇼ᄒᆞ고 집슈 협좌(夾坐)ᄒᆞ니, 쇼졔 놀나 니러 안ᄌᆞ려 ᄒᆞ니, 원슈 미쇼 왈,

"녀ᄌᆞ 가부를 만니의 니별ᄒᆞ여 ᄉᆡᆼ이 미가분(未可分)이로ᄃᆡ, 근심ᄒᆞ고 념녀ᄒᆞ시미 엇더니잇고? 침상의 안헐(安歇)ᄒᆞ여 ᄭᅮᆷ을 몽니(夢裏)의나 ᄉᆡᆼ각ᄒᆞ시더니잇가?"

1394)일분(일분) : 사소한 부분. 또는 아주 적은 양.
1395)금당원니(今當遠離) : 이제 먼 길을 떠나 이별을 하게 되어.

을 너무 ᄉᆡᆼ각지 아니미 무신박졍(無信薄情)이라, 부질 업시 다른 셩ᄉᆡᆨ연희(聲色宴戲)을 구치 말고 임의 취ᄒᆞᆫ 바 셰 ᄉᆞ룸이 지현(至賢)ᄒᆞ고 슉요(淑窈)ᄒᆞ니 공경듕ᄃᆡᄒᆞ여 관져지덕(關雎之德)을 ᄒᆞᆫ갈갓치 ᄒᆞ라. ᄂᆡ 비록 용녈ᄒᆞ나 곳 네 아비라. 나의 니르ᄂᆞᆫ ᄃᆡ로 ᄒᆞ미 힝신의 ᄒᆡ로오미 업ᄉᆞ리라."

병뷔 황공ᄒᆞ여 ᄌᆡ비 ᄉᆞ례ᄒᆞ고 야심 후 마지 못ᄒᆞ여 션월졍의 이르니, 윤부인이 십삭이 ᄎᆞ시되 분산(分産)ᄒᆞᆯ 긔미 업고 약질이 ᄌᆞ못 수약(瘦弱)ᄒᆞ되 ᄒᆞ로도 신혼뎡셩을 폐ᄒᆞ미 업술 분 아니라, 죵일 ᄐᆡ부인을 뫼셔 잠시을 ᄯᅥ나지 아니니, 존젼의 시좌ᄒᆞᄆᆡ ᄒᆞᆫ【40】 거름과 ᄒᆞᆫ 말솜을 조신(操身)치 아니미 업ᄉᆞᆫᄃᆡ, 갓부며 어려온 ᄉᆞᄉᆡᆨ이 업시 종일 시좌ᄒᆞ엿다가, 야심 후 ᄉᆞ침으로 물너오니, 잠간 봉침(鳳枕)의 비겨 조으름이 몽농ᄒᆞ여 병부의 드러오믈 맛지 못ᄒᆞ여ᄂᆞᆫ지라. 셩네 ᄉᆞ년의 부인의 침묵ᄒᆞᆫ 거동을 쳐음보니, 축영지ᄒᆞ(燭影之下)의 그 옥ᄐᆡ월광이 수려쇄락ᄒᆞ여 암실(暗室)이 현난ᄒᆞ니 봉황미 나작ᄒᆞ고 명목(明目)이 미미ᄒᆞ여 아릿다온 ᄐᆡ도와 염염승졀(艶艶勝絕)ᄒᆞᆫ 용안이 만고(萬古)을 기우려도 희한ᄒᆞ니, 병뷔 비록 씩씩준엄ᄒᆞ기을 주ᄒᆞ나 금당원니(今當遠離)[1339]ᄒᆞ여 그 ᄉᆡᆼ산ᄒᆞ믈 보지 못ᄒᆞ고 만니젼장(萬里戰場)의 가ᄂᆞᆫ 심ᄉᆡ 가장 연연ᄒᆞᆫ지라. 흔연이 우음을 머금고 봉침지상(鳳枕之上)의 ᄒᆞᆫ 가지로 누어 향신을 졉ᄒᆞ고 옥수을 잡아 만단은의[ᄋᆡ](萬端恩愛) 황홀ᄒᆞ니, 윤시 놀나 ᄭᆡ여 눈을 ᄯᅥ보고 이러 안ᄌᆞ려 ᄒᆞ거ᄂᆞᆯ, 병뷔 원비을 늘희여 그 허리을 눌너, 미소 왈,

"부인 녀ᄌᆞ의 심졍이 가부을 만니 젼진의 니별케 되니 ᄉᆡᆼᄉᆞ을 미가분(未可分)이라. 반다시 우렴(憂念)ᄒᆞ미 잇ᄉᆞ리라 ᄒᆞ여, ᄃᆡ인이 드러가 보고 위로ᄒᆞ라 여러번 이르시ᄆᆡ 드러왓더니, 부인은 침상의 잠이 ᄒᆞᆫ가ᄒᆞ여 만ᄉᆞ을 물외(物外)의 더져시니 ᄭᅮᆷ을 몽듕이나

1339)금당원니(今當遠離) : 이제 먼 길을 떠나 이별을 하게 되어.

쇼졔 묵연 무언ᄒᆞ니, 죵용【59】이 취슈(翠袖)를 슈렴ᄒᆞ여 져슈단좌(低首端坐)ᄒᆞ니, 원쉬 시ᄋᆞ 등으로 침금을 포셜ᄒᆞ라 ᄒᆞ고, 촉을 믈니고 침금의 나아가 ᄀᆞᆯ오ᄃᆡ,

"금번 ᄒᆡᆼ도의 승쳡ᄒᆞ여 오리니 부인이 능히 태ᄉᆞ(太姒)의 셩덕을 효측ᄒᆞ리잇가? 그 ᄉᆞ이 옥동을 ᄉᆡᆼᄒᆞ여 ᄉᆡᆼ의 도라오믈 기ᄃᆞ리쇼셔."

쇼졔 믁연이러니 이윽고 계셩(鷄聲)이 악악ᄒᆞ니 ᄉᆡᆼ인이 니러 관소(盥梳)ᄒᆞ고 좌를 나와 집슈 왈,

"부인은 양·니 등과 형셰 다르니 존당을 뫼셔 셩효를 힘쓰고, 녕존당 태부인이 ᄉᆡᆼ셰ᄒᆞ여실 졔는 귀령치 못ᄒᆞ리니, 츄밀공이 오라 ᄒᆞ여도 움즉이디 말고 기리 무양(無恙)ᄒᆞ쇼셔."

쇼졔 나즉이 ᄀᆞᆯ오ᄃᆡ,

"군ᄌᆡ 원융이 되샤 규리의 니별을 니르실 ᄇᆡ 아니니, 원컨ᄃᆡ 군ᄌᆞ는 광구(狂寇)를 소탕ᄒᆞ시고 개가【60】로 도라오샤, 군샹의 셩우를 더르실진ᄃᆡ 쳡 등이 ᄯᅩᄒᆞᆫ 깃브믈 먹음어 하례ᄒᆞ리로소이다."

념녀ᄒᆞ시냐?"

소져 묵연이 말이 업셔 조용히 이러나 봉관을 숙이고 져수단좌(低首端坐)ᄒᆞ니 빅ᄐᆡ 천광이 볼ᄉᆞ록 긔이ᄒᆞ니, 병뷔 장 밧긔 시녀을 불너 침금을 포셜ᄒᆞ라 ᄒᆞ고 촉을 물니ᄆᆡ 부부 상요의 나아갈 ᄉᆡ, 은졍【41】이 여천지무궁ᄒᆞ나 번ᄉᆞ을 취ᄒᆞ여 미인을 모오고져 뜻은 업지 아냐, 웃고 이로ᄃᆡ,

"금번 ᄒᆡᆼ도의 숙녀미희(淑女美姬)을 모화 오고져 ᄒᆞ되, 운남은 인물이 영한(零罕)ᄒᆞ여 미식이 업ᄉᆞᆫ 곳지라, 길이 소항쥬을 지ᄂᆡ며 ᄯᅩ 졀강을 지날지라. 눈의 드는 미인을 거ᄂᆞ려 오려 ᄒᆞ오니 부인은 상두(上頭)의 거ᄒᆞ여 ᄐᆡᄉᆞ(太姒)의 풍화을 일울진ᄃᆡ, 나의 가ᄉᆡ 여화{츈}츈풍(如和春風)ᄒᆞ여 징수(澄水) 갓지 아니리오. 모로미 그 ᄉᆞ이 옥동을 ᄉᆡᆼᄒᆞ여 나의 도라오믈 기ᄃᆞ리라."

부인이 젼후 말의 ᄃᆡ답이 업셔 입을 열지 아니터니, 계명의 부인이 몬져 이러 관소ᄒᆞ고 병부 ᄯᅩᄒᆞᆫ 이러나며 부인으로 ᄒᆞ여금 연슬집수(連膝執手)ᄒᆞ여 갈오ᄃᆡ,

"부인은 양·니 등과는 다르니 ᄂᆡ 나가ᄆᆡ 존당을 밧들고 부모을 뫼셔 더욱 셩효을 힘쓰고 그ᄃᆡ 조모와 슉모 ᄉᆞ라실 졔는 귀령을 못ᄒᆞ리니 윤츄밀이 비록 오라 ᄒᆞ여도 움즉일 의ᄉᆞ을 말고 무양(無恙)ᄒᆞᆯ지어다."

소져 비로소 ᄃᆡ왈,

"이졔 군ᄌᆡ 원융즁임(元戎重任)을 ᄌᆞ원ᄒᆞᄉᆞ 만니 츌졍(出征)을 ᄒᆞ시ᄆᆡ 우희로 친젼(親前)을 니측(離側)ᄒᆞ시는 심ᄉᆞ 결울ᄒᆞ시리니 어ᄂᆡ 결을의 규리의 니별을 이르시는잇가? 하우(夏禹)[1340]는 집문을 지ᄂᆡ셔도 아희 우름이 고고ᄒᆞ믈 드르ᄃᆡ 물입(勿入)ᄒᆞ시니 후셰의 일캇는 ᄇᆡ라, 원컨ᄃᆡ 공은 광풍졔월 갓치 ᄒᆞᄉᆞ 남만(南蠻)을 삭평(削平)ᄒᆞ

1340)하우(夏禹) : 중국 고대 전설상의 임금. 곤(鯀)의 아들로서 치수에 공적이 있어서 순(舜)으로부터 왕위를 물려받아 하(夏)나라를 세웠다고 한다. 치수사업을 하던 중, 자기 집 앞을 지나면서 아이 울음소리를 듣고도, 일이 바쁜 관계로, 문 안으로 들어가 보지 못하고 지나쳤다는 '과문불입(過門不入)' 고사가 전한다.

원쉬 또훈 년년호미 업더라.

슈일이 홀홀호여 원슈의 힝군 발힝호는 날이라. ᄎ일 존당의 모다 하딕을 고호미, 태부인이 니경이 ᄎ아호여 집슈년년(執手戀戀)호여 노치 못호니, 원쉬 직삼 위로호여 써 느ᄌ믈 고호여 ᄌ빅 하직호고, 셩톄 안강호시믈 툭슈호고 도라 모젼의 고별호여 다시 뎨미(弟妹)로 작별홀ᄉ, 하쇼져다려 무ᄉ호믈 직삼 당부호고, 딕ᄉ의 손을 닛그러 나와, 댱ᄉ(壯士) 삼군(三軍)을 거ᄂ려 교외로 나가니, 어기 임의 힝힝(行行)호샤 원슈를 젼송호실ᄉ, 만됴 문무의 거미(車馬) 십니의 니엇고, 금평휘 댱훈 셩가(聖駕)를 호위호여시니, 【61】 상운(祥雲)은 애애(靄靄)호여 어막(御幕)을 둘넛고, 뇽봉일월기(龍鳳日月旗)는 남풍의 화호니, 경운(慶雲)이 사집(四集)호고 셔긔(瑞氣) 은은(殷殷)호여 균텬광악(鈞天廣樂)이 텬디의 드레니 영광이 만됴의 웃듬이라. 원쉬 브복 고두(叩頭)호여 셩은을 슉사(肅謝)호니, 샹이 흔연이 집슈호여 ᄀᆯ오샤딕,

시고 키가(凱歌)을 울니고 도라오시면 쳡 등은 《말관‖말단(末端)》의 【42】 영화을 비러 군ᄌ의 놉흔 직덕을 힝희(幸喜)홀가 호ᄂ이다."

병뷔 부인의 말솜이 이러틋 규구의 합호믈 탄복호여 밧그로 나아가되, 구구히 연연훈 거동이 업셔 긔상이 쳔연호니, 딕장부의 힝식 쳥쳔빅일(青天白日) 갓튼지라. 윤부인이 또훈 조바야이 츌경을 념녀치 아니코 화긔 ᄌ약여상(自若如常)호니, 구고존당이 더옥 아름다이 녁이더라.

홀홀이 수일이 얼픗 되니 뎡원쉬 출정홀ᄉ, 조모와 모친긔 호직을 고호미 틱부인이 손을 잡고 ᄎ마 놋치 못호니, 원수 화셩유어(和聲柔語)로 그 ᄉ이 셩쳬안강호시물 청홀 ᄉ, ᄌ빅 호직호미 금후 비록 근심을 아니나, 셩상이 친히 문외의 젼별호시려 호시고 만조군신을 다 츔네호여 원수을 보ᄂ라 호시니, 국쳬의 마지 못호여 문외의 나가려 호나, 원수을 경계호여 왈,

"네 불과 십칠셰 소년이라, 부ᄌ박덕(不才薄德)이 즁임을 당홀 지략(智略)이 업거놀 외람이 ᄌ원출정호고 셩은이 과도호ᄉ 축단빅장(祝壇配將)1341)호시니, 일마다 열운 복이 과훈지라, 모로○[미] 겸근ᄉ퇴(兼謹辭退)1342)호여 ᄉ졸(士卒)을 무휼(撫恤)호며 술벌(殺伐)을 과히 힝치 말고, 은위(恩威)을 병힝호여 군심(軍心)을 진복(鎭服)호며, 혈긔의 분(奮)을 발호여 과격훈 거죄 업게 호고, 오활(迂闊)치 말지어다. 오날날 아뷔1343) 경계을 져바리지 말고 심곡의 삭이여 소과(所過)의 주현(州縣) ᄌᄉ 풍악과 기녀로 영졉홀 거시【43】니 셩식연희을 물니쳐 음황훈 곳의 ᄊ지지 말며, 숨가고 숨갈지어다."

원수 빅ᄉ 왈,

"아히 불초호오나 엄훈을 숨가 간폐의 삭

1341)축단빅장(祝壇配將) : 장수를 정한 사실을 단(壇)을 쌓고 하늘에 고함.

1342)겸근ᄉ퇴(兼謹辭退) : 겸손하고 삼가며 사양하고 물러남.

1343)아뷔 : 아비.

여 져바리지 아니 ᄒᆞ오리니 복원 ᄃᆡ인은 물우ᄒᆞ소셔"

금평후 국ᄉᆞ을 그릇ᄒᆞᆯ 가 념녀ᄒᆞ미 아니라, {조토록 ᄒᆞ여 지ᄂᆡ믈} ᄌᆞ긔 압ᄒᆞᆯ 써나 만니타국을 왕ᄂᆡᄒᆞ믹 남ᄉᆡ(濫事) {불일이} 《족ᄒᆞᆯ가∥잇실가》 념여ᄒᆞ미러라.

원수 조모와 모친긔 ᄒᆞ직ᄒᆞ고 거름을 두루혀 ᄆᆡ졔(妹弟) 등과 수숙(嫂叔)이 니별ᄒᆞᆯ ᄉᆡ, 하소져을 각별 당부ᄒᆞ여 조히 잇시라 ᄒᆞ고, 윤·양·니 슴부인긔 팔을 들어 읍ᄒᆞ고, 혜쥬을 도라보아 웃고 일오ᄃᆡ,

"현ᄆᆡᄂᆞᆫ 그 ᄉᆞ이 군ᄌᆞ을 마ᄌᆞ ᄇᆡᆨ년ᄃᆡ례(百年大禮)을 일워 아히 변ᄒᆞ여 어룬이 되어 우형을 반기라."

혜쥬소져 응연브답(應然不答)ᄒᆞ고 면모의 슈ᄉᆡᆨ(羞色)이 은영(隱映)ᄒᆞ니, 직ᄉᆞ 함소 왈,

"형장은 소ᄆᆡ의 듯기 슬희여 ᄒᆞᄂᆞᆫ 말을 굿하여 ᄒᆞ시ᄂᆞᆫ이잇가? 다만 윤추밀이 혼ᄉᆞ을 ᄒᆞ 지촉ᄒᆞ니 형장이 도라오실 날을 기다리지 못ᄒᆞᆯ 가 ᄒᆞ나이다."

원수 소왈,

"그러무로 아히 변ᄒᆞ여 어룬이 되엿다가 반기라 이르미라. 엇지 듯기 슬흐리오."

언파의 직ᄉᆞ의 손을 익그러 밧그로 나와 졔졸을 거ᄂᆞ려 바로 문외로 나가니, 만셰황야 나가을 휘동ᄒᆞ여 남문밧긔 나아오ᄉᆞ 원수을 젼송ᄒᆞ실 ᄉᆡ, 만조문무 셩가(聖駕)을 뫼셔 교외로 나아가ᄆᆡ 위의 일노의 휘황ᄒᆞ고 영광이 만조의【44】 웃듬이라. 어막(御幕)을 ᄇᆡ셜ᄒᆞ고 만죄(滿朝) 열좌ᄒᆞ여 셩가을 뫼셔시니, 취막(聚幕)은 운외(雲外)의 의의(依依)ᄒᆞ고 용봉일월긔(龍鳳日月旗)ᄂᆞᆫ 바름의 휘이ᄌᆞ니, 셔긔 은은ᄒᆞ고 홍운(紅雲)이 ᄉᆞ집(四集)ᄒᆞᆫ ᄃᆡ 조쳔광악(朝天廣樂)은 쳔지을 흔들고 팔진경찬(八珍瓊饌)은 상마다 가득ᄒᆞ니 군신이 즐기믈 다ᄒᆞᆯ ᄉᆡ, 원쉬 부복주 왈,

"이졔 미신이 이갓튼 은악(恩渥)을 밧ᄌᆞ와 과도ᄒᆞᆫ 셩은이 열운 복을 손ᄒᆞᆯ가 두려ᄒᆞ옵ᄂᆞ니, 허물며 남만 ᄉᆡᆼ민이 탕화(湯火)의 잇셔 바야흐로 유리실소(遊離失所)ᄒᆞ여 셩

"경이 쇼년 영직로 즈원츌뎡(自願出征)ᄒᆞ니 쳔고의 아름다온 일이라. 경은 남덕을 슈이 평뎡ᄒᆞ고 도라와 딤의 기ᄃᆞ리는 심ᄉᆞ를 위로ᄒᆞ라."

ᄒᆞ시니 원쉬 돈슈 ᄇᆡᄇᆡ 쥬왈,

"신슈브ᄌᆡ(臣雖不才)오나 폐하의 홍복을 의디ᄒᆞ와 남노 쥐무리를 족히 근심치 아니ᄒᆞ오리니 복원 셩샹은 농톄를 번거로이 마르쇼셔."

샹이 흔연이 ᄀᆞᆯ오샤ᄃᆡ,

"경의 웅ᄌᆡ 대략으로ᄡᅧ 남덕을 엇디 근심ᄒᆞ리오."

ᄒᆞ시고, 어쥬 삼ᄇᆡ【62】를 반샤ᄒᆞ신ᄃᆡ, 원쉬 브복ᄒᆞ여 밧ᄌᆞ와 돈슈(頓首)ᄒᆞ여 셩은을 숙샤ᄒᆞ고, 몸을 ᄲᅢ혀 부ᄌᆞ 형뎨 작별 분슈ᄒᆞᆯᄉᆡ, 금휘 집슈 경계 왈,

"네 연유 박덕 브ᄌᆡ로 외람이 듕임을 밧ᄌᆞ와시니 모로미 살벌(殺伐)1396)을 젹게 ᄒᆞ고 ᄉᆞ죨을 무휼ᄒᆞ여 노부(老父)의 의문지망(依門之望)을 위로ᄒᆞ라."

원쉬 ᄇᆡ샤 왈,

"ᄋᆞ히 슈블쵸무상(雖不肖無狀)ᄒᆞ오나, 삼주의 구ᄒᆞ시믈 바라는 눈이 ᄯᅮ러지기의 밋ᄎᆞ오리니, 엇지 풍악을 즐겨 젹ᄌᆞ(赤子)의 급ᄒᆞ믈 더ᄃᆡ게 ᄒᆞ리잇고? 일ᄉᆡᆨ이 임의 느졋시니 신이 오날을 어긔미 셩군이 ᄉᆡᆼ민으로 더부러 ᄋᆡ락을 ᄒᆞᆫ가지로 ᄒᆞ리니, 이러므로 쥬나라 ᄇᆡᆨ셩이 영ᄃᆡ을 즐겨 원망치 아니믄 국군의 만인을 ᄉᆞ랑ᄒᆞᄆᆡ 비로ᄉᆞ미라. 원컨ᄃᆡ 셩상은 주악(奏樂)을 거두시고 신으로 ᄒᆞ여금 ᄒᆡᆼ군을 더ᄃᆡ게 말으소셔."

좌위 ᄀᆡ용치경(改容致敬)ᄒᆞ고 상이 칭찬ᄒᆞ야 갈아ᄉᆞᄃᆡ,

"경은 진짓 인의ᄃᆡ현군ᄌᆞ(仁義大賢君子)요 츙효의 열장부로다."

드드여 옥ᄇᆡ의 향은을 가득 부어 친히 원수을 주시고 위연 왈,

"경을 만나 젼진의 보ᄂᆡᄆᆡ 군부지심이 다 ᄒᆞᆫ 가지로 결연ᄒᆞᆫ 심회을 이긔지 못ᄒᆞᄂᆞ니, 경은 모로미 짐심을 ᄉᆡᆼ각ᄒᆞ여 몸을 보듕ᄒᆞ고 불모이역(不毛異域)의 흉봉(凶鋒)을 소탕ᄒᆞ여 짐의【45】 근심을 덜고 승젼ᄀᆡ가ᄒᆞ여 도라오면, 짐이 다시 이 문의셔 마즈리라."

원수 ᄉᆞ왈,

"숩가 셩교을 쥰ᄒᆡᆼᄒᆞ와 흉젹을 탕멸ᄒᆞ고 일년 ᄂᆡ의 쳔문의 조회ᄒᆞ리이다."

ᄒᆞ고, 드드려 옥ᄇᆡ을 거후르고 다시 이러 ᄉᆞᄇᆡ하직ᄒᆞ니, 상이 지숨 의의ᄒᆞᄉᆞ 무위ᄒᆞ시믈 마지 아니시고 만조열위군공(滿朝列位君公)이 다 원별을 앗기는지라. 원쉬 ᄉᆞᄉᆞᄒᆞ여 제붕친쳑을 상별(相別)ᄒᆞ고 부젼의 ᄒᆞ직ᄒᆞ니, 금평휘 평ᄉᆡᆼ 쳐음으로 원수의 손을 잡아 국지ᄃᆡᄉᆞ(國之大事)을 그르게 말나 당부ᄒᆞᄆᆡ, 숙엄ᄒᆞᆫ 낫빗과 듄졀ᄒᆞᆫ 셩음이 젹이 눅어1344) 부ᄌᆞ의 쳔듄지졍을 감초지 못ᄒᆞ니, 원수 ᄂᆡ친이 쳐음인 고로 더욱 울젹ᄒᆞ여 슬젼의 ᄒᆞ직을 당ᄒᆞ여, 양미(兩眉)의 수운이 모히고 봉안의 츄수 동ᄒᆞ니, 지극ᄒᆞᆫ 쳔성ᄃᆡ효로 능히 참지 못ᄒᆞ니, 직ᄉᆞ ᄯᅩᄒᆞᆫ 연연ᄒᆞ믈 이긔지 못ᄒᆞ여 집수의의ᄒᆞ여 ᄒᆞᆯ연ᄒᆞ믈 긔록기 어려오나, 날이 느자므로ᄡᅧ 방

1396)살벌(殺伐) : 병력으로 죽이고 들이침.

1344)눅다 : 분위기나 기세 따위가 부드러워지다.

가 엄훈을 간폐(肝肺)의 삭여 져바리지 아니ᄒᆞ오리니 복망 대인은 물우셩녀(勿憂聖慮)ᄒᆞ샤 셩톄안강(聖體安康)ᄒᆞ쇼셔."

휘 평싱 쳐음으로 손을 잡아 다시곰 경계ᄒᆞᆯ시, 원쉬 두번 졀ᄒᆞ여 유유히 부안을 우러 거름을 두로혀지 못ᄒᆞ니, ᄃᆡ시 ᄯᅩᄒᆞᆫ ᄉᆞ매를 니어 훌연ᄒᆞ믈 니긔지 못ᄒᆞ고, 인친졔위(姻親諸友) 면면이 위별(爲別)ᄒᆞ여 손【63】을 노치 못ᄒᆞ나, 듕군의 븍이 ᄌᆞ로 동ᄒᆞ니 마디못ᄒᆞ여 셔로 분슈ᄒᆞᄆᆡ, 호통(號筒)1397) 삼ᄎᆞ(三次)의 원쉬 대대인마(隊隊人馬)를 거ᄂᆞ려 남으로 향ᄒᆞᆯ시, 긔치검극(旗幟劍戟)이 삼나(森羅)ᄒᆞ여 일식을 ᄀᆞ리오고, 원쉬 몸의ᄂᆞᆫ 홍금젼포(紅錦戰袍)의 황금쇄ᄌᆞ갑(黃錦鎖子甲)1398)을 ᄡᅧ닙고, 두샹(頭上)의ᄂᆞᆫ 봉시투고를 뎡졔(整齊)ᄒᆞ고, 허리의ᄂᆞᆫ 양디 ᄇᆡᆨ옥ᄃᆡ(兩枝白玉帶)를 두로고, 좌슈의 상방 보검1399)을 잡아시니, 텬일(天日) ᄀᆞᄐᆞᆫ 의표(儀表)와 뇽봉(龍鳳) ᄀᆞᄐᆞᆫ 긔딜(氣質)이 동탕쇄락(動蕩灑落)ᄒᆞ여 하일(夏日)의 두리온 긔상이라. 대대인ᄆᆞ를 휘동ᄒᆞᄆᆡ 쥬아부(周亞夫)의 셰류영(細柳營)과 회음후(淮陰侯)1400)의 진셰(陣勢)라도 이에 더으디 못ᄒᆞᆯ디라. 힝ᄒᆞᄂᆞᆫ 바의 위령(威令)이 슉연ᄒᆞ고 항외(行伍) 유ᄎᆞ(有次)ᄒᆞ여 개셰영웅(蓋世英雄)이오 만고무뎍(萬古無敵)이라. 호령이 일노(一路)의 슉연ᄒᆞ더라.

황【64】애 먼니 가도록 바라보샤 훌연ᄒᆞ시ᄃᆡ, 뫼히 등지고 물이 구뷔져 ᄯᅳᆺ글이 하날을 ᄀᆞ리오니, 샹이 이에 평후를 인견ᄒᆞ

1397)호통(號筒) : ᄂᆞ장명(長鳴). 군중(軍中)에서 불어 호령을 전달하는 데 쓰는 악기.

1398)황금쇄ᄌᆞ갑(黃錦鎖子甲) : 갑옷의 일종. 황색 명주옷에 사방 두 치 정도 되는 돼지가죽으로 된 미늘들을 작은 고리로 꿰어 붙여서 만들었다.

1399)상방보검(尙方寶劍) : 고소설에서 주인공이 대장군 혹은 대원수가 되어 출전할 때 임금이 하사했던 칼의 일종. '상방검(尙方劍)'으로 지칭하는데, 임금의 권위를 상징하는 역할을 하여 부하나 군졸 등이 명을 거역할 때 굳이 임금에게 보고하지 않고 대장군 마음대로 그들의 생사를 마음대로 할 수 있는 권위를 지니는 것을 의미하는 칼이다.

1400)회음후(淮陰侯) : 중국 한(漢)나라 개국공신 한신(韓信)의 작위(爵位).

포숨ᄎᆞ(放砲三次)의 원쉬 졔인을 분수ᄒᆞ고 힝군ᄒᆞᆯ ᄉᆡ, 댱ᄉᆞ(將士)ᄂᆞᆫ ᄐᆡ산의 ᄇᆡᆨ호(白虎) 갓고, 말은 창히의 비룡(飛龍) 갓고, 항오 뎡숙ᄒᆞ고 ᄀᆡ갑이 션명ᄒᆞ며, 졍긔(旌旗) 폐일(蔽日)ᄒᆞ고 검극(劍戟)이 상셜(霜雪) 갓트니, 원쉬 홍금수젼포(紅錦繡戰袍)1345)의 황금쇄ᄌᆞ갑(黃錦鎖子甲)1346)을 입고 머리의 봉시(鳳翅)투구을 쓰고 허리의 양지ᄇᆡᆨ옥ᄃᆡ(兩枝白玉帶)을 둘너시며 황금닌(黃金印)을 빗기ᄎᆞ고 손의 청뇽금(靑龍劍)1347)을 잡고 ᄇᆡᆨ셜청춍만니운(白雪靑驄萬里雲)1348)을 타고 듕군거하(中軍車下)의【46】 힝ᄒᆞ니, 쳔일의표(天日儀表)와 뇽봉지ᄌᆡ(龍鳳之才) 동탕웅위(動蕩雄威)ᄒᆞ여 안광(眼光)이 숨군의 비쵀고 양미(兩眉)ᄂᆞᆫ 산쳔의 경긔을 거두어 문명(文明)이 명명(明明)ᄒᆞ니, ᄒᆞᆫ갓 용모(容貌) 미여관옥(美如冠玉)1349)이오, 풍ᄎᆡ(風彩) 편편(翩翩)ᄒᆞ여 양뉴(楊柳) 갓틀 분 아니라, 엄쥰ᄒᆞᆫ 위의ᄂᆞᆫ 하일의 두려온 거동이 잇ᄂᆞᆫ지라. ᄃᆡᄃᆡ인마(隊隊人馬)을 위[휘]동(麾動)ᄒᆞ여 쥬아부(周亞夫)의 셰류영(細柳營)과 회음후(淮陰侯)1350)의 힝진(行陣)이라도 이의셔 지나지 못ᄒᆞᆯ지라.

황야 멀니 가도록 바라보시고 훌연ᄒᆞ시ᄃᆡ 뫼흘 등지고 물이 구뷔져 틋글이 ᄒᆞ날을 가리오니 상이 평후을 인견ᄒᆞᄉᆞ 친히 어온을

1345)홍금수젼포(紅錦繡戰袍) : 붉은 비단에 화려하게 수를 놓아 지은 전포(戰袍). 전포는 장수가 입던 긴 웃옷.

1346)황금쇄ᄌᆞ갑(黃錦鎖子甲) : 갑옷의 일종. 황색 명주옷에 사방 두 치 정도 되는 돼지가죽으로 된 미늘들을 작은 고리로 꿰어 붙여서 만들었다.

1347)청뇽금(靑龍劍) : 칼 이름.

1348)ᄇᆡᆨ셜청춍만니운(白雪靑驄萬里雲) : 말 이름. 갈기와 꼬리가 파르스름한 백마(白馬)인 청총마(靑驄馬)의 일종.

1349)미여관옥(美如冠玉) : 아름답기가 관옥과 같음. 관옥을 관(冠)의 앞을 꾸미는 옥(玉).

1350)회음후(淮陰侯) : 중국 한(漢)나라 개국공신 한신(韓信)의 작위(爵位).

샤 친히 어온을 잡아, 위로 치하ᄒᆞ샤 왈,

"군신은 부ᄌᆡ 일톄라. 딤이 금일 텬흥을 먼니 젼진의 보ᄂᆡ믹 훌연ᄒᆞᆫ 졍을 니긔지 못ᄒᆞᄂᆞ니, ᄒᆞ믈며 부ᄌᆞ의 유유ᄒᆞᆫ 졍니를 니르리오마ᄂᆞᆫ, ᄒᆡᆼ군긔률(行軍紀律)을 보ᄆᆡ 슉연ᄒᆞᆫ 위의 고셩왕(古聖王)의 댱샹(將相)의셔 븟그럽지 아니니, 딤이 문왕(文王)[1401]의 녀상(呂尙)[1402]과 소렬(昭烈)[1403]의 와룡(臥龍)[1404]으로 병구(竝驅)[1405]ᄒᆞ믈 보ᄆᆡ, 뎡가를 흥긔(興起)ᄒᆞᆯ 쎈 아냐 샤딕의 동냥을 어더시니 딤심이 엇디 깃브지 아니리오. 금일 경의 싱ᄌᆞ의 비상ᄒᆞ믈 하례ᄒᆞ노라."

금휘 년망이 브복ᄒᆞ여 옥빅를 거후【65】로고 돈슈 샤은 왈,

"텬흥이 년쇼브ᄌᆡ(年少不才)로 외람이 셩은을 닙ᄉᆞ와 작위 경상의 니르오니, 신의 부ᄌᆡ 쥬야 우구ᄒᆞ와 갑ᄉᆞ올 바를 아디못ᄒᆞ옵더니, 남뎍(南賊)의 변난을 당ᄒᆞ와 텬흥이 원융(元戎) 듕임을 ᄌᆞ원ᄒᆞ와 츌뎡ᄒᆞ오니, 적은 ᄉᆞ졍으로 니를 빅 아니오라. 국가 대ᄉᆞ를 그른 곳의 ᄊᆡ지올가 우구숑황(憂懼悚惶)ᄒᆞ옵더니 어온을 나리오시고 셩괴 디ᄎᆞ(至此)ᄒᆞ오시니 더옥 숑뉼(悚慄)ᄒᆞ와 쥬ᄒᆞᆯ 바를 아디 못ᄒᆞ리로쇼이다."

잡아 치하 왈,

"군신은 부ᄌᆞ일톄라. 짐이 금일 쳔흥을 만니 젼진의 보ᄂᆡ믹 훌연ᄒᆞᆫ 졍이 견ᄃᆡ지 못ᄒᆞᄂᆞ니, 평후부ᄌᆞ의 졍니을 이르리오마ᄂᆞᆫ, ᄒᆡᆼ군ᄒᆞ여 슉연ᄒᆞᆫ 위의 고ᄌᆞ(古者) 셩왕(聖王)의 장상(將相)으로 븟그럽지 아니니, 문왕(文王)[1351]의 여상(呂尙)[1352]과 소열(昭烈)[1353]의 제갈(諸葛)[1354]이라. 짐이 ᄉᆞ직의 동냥을 어더시니 엇지 깃부지 아니리오."

금휘 연망이 부복돈수빅ᄉᆞ왈,

"청[쳔]흥이 년소부ᄌᆡ(年少不才)로 외람이 셩은을 입ᄉᆞ와 작위 경상의 이르오니, 신의 부ᄌᆡ 주야 우구ᄒᆞ와 갑흘 바을 아지 못ᄒᆞ옵더니, 남젹의 변란을 인ᄒᆞ와 청[쳔]흥이 원융듕임(元戎重任)을 당ᄒᆞ와 ᄌᆞ원츌경(自願出征)ᄒᆞ오니, 이ᄂᆞᆫ 신ᄌᆞ의 되라, 셩교 여ᄎᆞᄒᆞ시니 더욱 송뉼(悚慄)ᄒᆞ와 브지소운(不知所云)[1355]이로소이다."

1401)문왕(文王) : 중국 주나라 무왕의 아버지. 이름은 창(昌). 기원전 12세기경에 활동한 사람으로 은나라 말기에 태공망 등 어진 선비들을 모아 국정을 바로잡고 융적(戎狄)을 토벌하여 아들 무왕이 주나라를 세울 수 있도록 기반을 닦아 주었다. 고대의 이상적인 성인군주(聖人君主)의 전형으로 꼽힌다.

1402)녀상(呂尙) : '태공망(太公望)'의 다른 이름. 여(呂)는 그에게 봉해진 영지(領地)이며, 상(尙)은 그의 이름이고 성은 강(姜)이다. 중국 주나라 초기의 정치가로 무왕을 도와 은나라를 멸하고 천하를 평정하였다. 저서에 ≪육도(六韜)≫가 있다.

1403)소렬(昭烈) : 중국 삼국시대 촉한의 제1대 황제 유비(劉備 : 161~223)의 시호. 자는 현덕(玄德). 황건적을 쳐서 공을 세우고, 후에 제갈량의 도움을 받아 오나라의 손권과 함께 조조의 대군을 적벽(赤壁)에서 격파하였다. 후한이 망하자 스스로 제위에 오르고 성도(成都)를 도읍으로 삼았다. 재위 기간은 221~223년이다.

1404)와룡(臥龍) : 중국 삼국시대 촉한의 정치가 제갈량(諸葛亮 : 181-234)의 별호(別號).

1405)병구(竝驅) : 말 따위를 한꺼번에 나란히 몰다.

1351)문왕(文王) : 중국 주나라 무왕의 아버지. 이름은 창(昌). 기원전 12세기경에 활동한 사람으로 은나라 말기에 태공망 등 어진 선비들을 모아 국정을 바로잡고 융적(戎狄)을 토벌하여 아들 무왕이 주나라를 세울 수 있도록 기반을 닦아 주었다. 고대의 이상적인 성인군주(聖人君主)의 전형으로 꼽힌다.

1352)녀상(呂尙) : '태공망(太公望)'의 다른 이름. 여(呂)는 그에게 봉해진 영지(領地)이며, 상(尙)은 그의 이름이고 성은 강(姜)이다. 중국 주나라 초기의 정치가로 무왕을 도와 은나라를 멸하고 천하를 평정하였다. 저서에 ≪육도(六韜)≫가 있다.

1353)소렬(昭烈) : 중국 삼국시대 촉한의 제1대 황제 유비(劉備 : 161~223)의 시호. 자는 현덕(玄德). 황건적을 쳐서 공을 세우고, 후에 제갈량의 도움을 받아 오나라의 손권과 함께 조조의 대군을 적벽(赤壁)에서 격파하였다. 후한이 망하자 스스로 제위에 오르고 성도(成都)를 도읍으로 삼았다. 재위 기간은 221~223년이다.

1354)제갈(諸葛) : 중국 삼국시대 촉한의 정치가 제갈량(諸葛亮 : 181-234).

1355)브지소운(不知所云) : 말할 바를 알지 못함.

샹이 우 쇼왈,

"디신(知臣)은 막여군(莫如君)이오 디ᄌᆞ(知子)ᄂᆞᆫ 막여뷔(莫如父)라. 경이 엇디 너모 과겸ᄒᆞᄂᆞ뇨?"

인ᄒᆞ여 환궁ᄒᆞ실ᄉᆡ, 만됴 문뮈 셩가를 뫼셔 환궁ᄒᆞ신 후, 각각 부듕으로 도라가니 금휘 딕ᄉᆞ로 더브러 부듕의 도라【66】오ᄆᆡ, 태부인긔 반일 존후를 뭇ᄌᆞᆸ고, 인ᄒᆞ여 원슈의 ᄒᆡᆼ군지ᄉᆞ를 고ᄒᆞ여 소려(消慮)ᄒᆞ시믈 쳥ᄒᆞ나, 슌태부인이 시시로 ᄉᆡᆼ각ᄒᆞ여 일흔 거시잇ᄂᆞᆫ ᄃᆞᆺ, 상연타루(傷然墮淚)ᄒᆞ믈 마지 아니니, 금휘 됴흔 말ᄉᆞᆷ으로 위로ᄒᆞ나, 딕ᄉᆞᄂᆞᆫ 사ᄅᆞᆷ 되오미 돈후단묵(敦厚端默)ᄒᆞ여 희쇼를 블현어ᄉᆡᆨ(不顯於色)ᄒᆞ니 원슈의 흐르ᄂᆞᆫ 언변과 셰샹 졀도지ᄉᆞ(絶倒之事)를 젼ᄒᆞ여 능히 시름ᄒᆞᄂᆞᆫ ᄌᆞ를 즐겁게 ᄒᆞᄂᆞᆫ 픔도의 밋ᄎᆞ리오.

평휘 역시 심니(心裏)의 훌연ᄒᆞ미 비길 곳이 업고, 상(常)히 현현이 ᄌᆞ익ᄒᆞᄂᆞᆫ 빗출 낫토지 아니ᄒᆞ여 일양(一樣)[1406] 엄숙기를 쥬ᄒᆞ나, 그 위인이 능쇼능대(能小能大)ᄒᆞ여 호방낙환(豪放樂歡)ᄒᆞ미 남다른 고로, 엄히 잡죄고져[1407]○○[ᄒᆞᄃᆡ], 면젼의 범ᄉᆞ 슈응(酬應)이 총민ᄌᆞ인(聰敏自認)ᄒᆞ여 ᄌᆞ긔 니르지 아니코 보지 아니나 뜻을 아라【67】 신임ᄒᆞ미 긔특ᄒᆞᆫ디라, 금휘 비록 쳘셕 ᄀᆞᆺᄐᆞ나 두굿기미 졔ᄋᆞ의 더으거ᄂᆞᆯ, 만니 ᄉᆡ외(塞外)의 젼진구치(戰陣驅馳)를 ᄉᆞ상ᄒᆞᄆᆡ 결연(缺然)ᄒᆞᆫ 경이 날로 간졀ᄒᆞ여, 비록 졔ᄋᆞ 등이 이시나 부ᄌᆞ 텬뉸 밧 ᄌᆞ별(自別)ᄒᆞ미[1408] 이ᄀᆞᆺ더라.

시시의 뎡쇼져 혜쥐 상문교와(相門嬌瓦)로 규리(閨裏)의 양셩(養成)ᄒᆞ여 아름다이 댱셩(長成)ᄒᆞ니 ᄭᅩᆺ다온 방년(芳年)이 십삼셰의 밋ᄎᆞ니 텬ᄉᆡᆼ녀질(天生麗質)은 고시(古詩)의 니른바 "회두일쇼ᄇᆡᆨ미ᄉᆡᆼ(回頭一笑百美

1406)일양(一樣) : 한결같이 그대로.

1407)잡죄다 : 잡도리하다. 잘못되지 않도록 아주 엄하게 다잡다.

1408)ᄌᆞ별(自別)ᄒᆞ다. 자별(自別)나다. 본디부터 남다르고 특별하다.

상이 우 소왈,

"지신(知臣)은 막여주(莫如主)오 지ᄌᆞ(知子)ᄂᆞᆫ 막여부(莫如父)라. 경이 엇지 너무 과겸ᄒᆞᄂᆞ뇨?"

ᄒᆞ시고 여러 말ᄉᆞᆷ【47】 ᄒᆞ시다, 환궁ᄒᆞ시니, 금휘 직ᄉᆞ로 더부러 부듕의 도라오ᄆᆡ, ᄐᆡ부인긔 양일 존후을 뭇ᄌᆞᆸ고, 원수의 ᄒᆡᆼ군지ᄉᆞ(行軍之事)을 주ᄒᆞ여 《소물우려‖물우소려(勿憂掃慮)ᄒᆞ소셔.

ᄒᆞ나, ᄐᆡ부인이 시시로 ᄉᆡᆼ각ᄒᆞ여 홀연이 일흔 거시 잇ᄂᆞᆫ ᄃᆞᆺ 산연타누(潸然墮淚)ᄒᆞ믈 마지 아니니, 휘 조흔 말ᄉᆞᆷ으로 위로ᄒᆞ며, 직ᄉᆞᄂᆞᆫ 위인이 돈후단묵(敦厚端默)ᄒᆞ여 희노(喜怒)을 《불형‖불현(不顯)》ᄒᆞ니, 원수의 흐르ᄂᆞᆫ 언변과 셰상 절도지ᄉᆞ(絶倒之事)을 젼ᄒᆞ여 긔담미어(奇談美語) 풍ᄉᆡᆼ운집(風生雲集)ᄒᆞ여 능히 시름ᄒᆞᄂᆞᆫ ᄌᆞ을 즐겁게 ᄒᆞᄂᆞᆫ 풍도의 미ᄎᆞ리오.

평휘 역시 심이(心裏)의 훌연ᄒᆞ미 비길 고지 업고, 상(常)히 졀졀ᄌᆞ익ᄒᆞᄂᆞᆫ 빗츨 나타ᄂᆡ지 아냐 일양(一樣)[1356] 엄숙기을 주ᄒᆞ여, 그 위인이 능ᄃᆡ능소(能大能小)ᄒᆞ여 호방낙환(豪放樂歡)ᄒᆞ미 남다른 고로 엄히 잡죄고져[1357] ᄒᆞ나 면젼의 범ᄉᆞ 수응이 총명ᄒᆞ여, ᄌᆞ긔의 이르지 아니코 보지 아니나, 뜻즐 알아 심선(甚善)ᄒᆞ미 긔특ᄒᆞᆫ지라. 금후 비록 쳘셕심장이나 두굿기미 졔아의 더으거ᄂᆞᆯ, 만니 ᄉᆡ외(塞外)의 젼진구치(戰陣驅馳)을 ᄉᆞ상ᄒᆞ여 《발연‖결연(缺然)》ᄒᆞᆫ 경이 날노 간졀ᄒᆞ니, 비록 졔아 등이 잇시나 부ᄌᆞ쳔뉸 밧 ᄌᆞ별(自別)ᄒᆞ미[1358] 이갓더라.

시시의 뎡소져 혜주 상문교아(相門嬌兒)로 심규의 아름다이 장셩ᄒᆞ니 ᄭᅩᆺ다온 방연이 십숨셰라. 쳔ᄉᆡᆼ여질(天生麗質)은 니른바, "회두일소ᄇᆡᆨ미ᄉᆡᆼ回頭一笑百美生)"의 "뉵궁분ᄃᆡ무안ᄉᆡᆨ(六宮粉黛無顔色)"[1359]이오,

1356)일양(一樣) : 한결같이 그대로.

1357)잡죄다 : 잡도리하다. 잘못되지 않도록 아주 엄하게 다잡다.

1358)ᄌᆞ별(自別)ᄒᆞ다. 자별(自別)나다. 본디부터 남다르고 특별하다.

生)"ᄒᆞ니 "뉵궁분ᄃᆡ무안ᄉᆡᆨ(六宮粉黛無顏色)"[1409]이오 단일셩장(端壹盛莊)ᄒᆞ믄 위후(衛后) 댱강(莊姜)[1410]으로 방블(彷佛)ᄒᆞ고 졍뎡결개(貞靜潔介)ᄒᆞ믄 ᄇᆡᆨ희(伯姬)[1411]의 고집과 경강(敬姜)[1412]의 고졀(高節)이 이시니, 엇디 녹녹히 침어낙안지용(沈魚落雁之容)과 폐월슈화지ᄐᆡ(閉月羞花之態)를 비겨 의논ᄒᆞ리오. 임의 "도지요요(桃之夭夭)ᄒᆞ고 작작기홰(灼灼其華)"[1413] 바야히니 그 부모의 만금 교ᄋᆡᄂᆞᆫ 니르지 말【68】고, 슌태부인의 쳔만 귀듕ᄒᆞ미 비길 ᄃᆡ 업셔, 장샹지쥬(掌上之珠)와 슬샹교ᄋᆡᆼ(膝上嬌鸚) ᄀᆞᆺ거ᄂᆞᆯ, ᄭᅩᆺ다이 ᄌᆞ라믈 보니 밧비 동상(東床)의 봉황셔(鳳凰壻)를 빗ᄂᆡ고져 ᄒᆞ나, 윤부 가란이 범상치 아니니, 쳔금 교ᄋᆞ의 평ᄉᆡᆼ이 엇더ᄒᆞᆯ고 우려ᄒᆞᄂᆞᆫ ᄀᆞ온ᄃᆡ, 광음(光陰)이 믈흐르ᄃᆞᆺᄒᆞ여 녀ᄋᆞ의 졈졈 댱셩ᄒᆞ믈보니, 존당 부뫼 더옥 우려ᄒᆞᄂᆞᆫ디라. 뎡쇼져 혜쥐 {사ᄅᆞᆷ 니론지} 용광ᄉᆡᆨᄐᆡᄂᆞᆫ 니르도 말고, 텬셩이 고요 단묵ᄒᆞ고 유한 ᄉᆡᆨᄉᆡᆨᄒᆞ여, 존당 부모를 뫼신 즉 이슌경근(怡順敬謹)ᄒᆞᄂᆞᆫ 덕이 ᄀᆞ즉ᄒᆞ여 츈풍화긔(春風和氣) 의의(猗猗)ᄒᆞ나, 고요히 쳐ᄒᆞᆫ 즉 ᄽᅣᆼ미제제(雙眉齊齊)ᄒᆞ고

1409)"회두일쇼ᄇᆡᆨ미ᄉᆡᆼ(回頭一笑百美生)" "뉵궁분ᄃᆡ무안ᄉᆡᆨ(六宮粉黛無顏色)": "고개를 돌려 한번 미소하매 온갖 교태 피어나니" "여러 후궁 분단장도 얼굴빛을 잃었구나."라는 뜻으로 중국 당나라 때의 시인 백거이(白居易 : 772-846)의 시 <장한가(長恨歌)>의 한 구절.

1410)위후(衛后) 댱강(莊姜) : 중국 춘추시대 위(衛)나라 장공(莊公)의 처. 아름답고 덕이 높았고 시를 잘하였다.

1411)ᄇᆡᆨ희(伯姬) : 중국 춘추시대 魯(노)나라 宣公(선공)의 딸. 송나라 恭公(공공)에게 시집갔다가 10년 만에 홀로 됐다. 궁궐에 불이 났을 때 관리가 피하라고 했으나 부인은 한밤에 보모 없이 집을 나설 수 없다고 고집해서 결국 불속에서 타 죽었다. 『열녀전(烈女傳)』 <정순전(貞順傳)>'송공백희(宋恭伯姬)' 조(條)에 기사가 보인다.

1412)경강(敬姜) : 중국 춘추시대 노나라 계손씨의 처. 일찍 남편을 사별하였으나 수절(守節)하며 아들을 잘 교육했다. 『열녀전(烈女傳)』 <모의전(母儀傳)> '노계강경(魯季敬姜)' 조(條)에 기사가 보인다.

1413)"도지요요(桃之夭夭)" "작작기홰(灼灼其華)" : "어여쁘다 복숭꽃" "활짝피어 화사하네" 『시경』 <주남(周南)>, '桃夭' 편에 있는 시구.

단열셩장(端烈盛莊)은 위후(衛后) 장강(莊姜)[1360]으로 방불(彷佛)ᄒᆞ고 정정열ᄀᆡ(貞靜烈介)ᄂᆞᆫ ᄇᆡᆨ희(伯姬)[1361]와 경강(敬姜)[1362]의 고집이 이시니, 엇지 녹녹히 침어낙【48】안지용(沈魚落雁之容)과 폐월슈화지ᄐᆡ(閉月羞花之態)을 비겨 의논ᄒᆞ리오. 옥으로 삭이고 ᄭᅩᆺᄎᆞ로 무은 듯ᄒᆞ니, 부모 ᄉᆞ랑이 만금 교아ᄂᆞᆫ 이르도 말고, 죠모 슌ᄐᆡ부인이 귀듕ᄒᆞ미 쳔만 비길ᄃᆡ 업셔 장상지쥬(掌上之珠)와 갓거ᄂᆞᆯ, ᄭᅩᆺ다이 ᄌᆞ라믈 보ᄆᆡ 밧비 동상(東床)의 봉황(鳳凰)《져∥셔(壻)》을 빗ᄂᆡ고져 ᄒᆞ나, 윤부 가란이 범상치 아니니, 쳔금교아의 평ᄉᆡᆼ이 엇지[더]ᄒᆞᆯ고 우려ᄒᆞᄂᆞᆫ 듕, 광음○[이] 신속ᄒᆞ여 녀ᄋᆡ 졈졈 장셩ᄒᆞ믈 보니, 존당부뫼 더욱 우려ᄒᆞᄂᆞᆫ지라. 혜주소져 용광ᄉᆡᆨᄐᆡ(容光色態)ᄂᆞᆫ 이르지 말고, 쳔셩이 유완 ᄊᆡᆨᄊᆡᆨᄒᆞ여[며] 이슌경근(怡順敬謹)ᄒᆞ여 츈풍화긔(春風和氣) 긔이ᄒᆞ나, 고요이 쳐ᄒᆞ면 쌍미제제(雙眉齊齊)ᄒᆞ고 보협(輔頰)[1363]이 적요(寂寥)ᄒᆞ여 ᄉᆞᄅᆞᆷ이 말 부치기 업[어]렵고, 잠간 거두찰시(擧頭察視)ᄒᆞᄆᆡ 기인의 현불초(賢不肖)와 심ᄂᆡ(心內)을 ᄉᆞ못ᄎᆞ 길흉(吉凶)을 짐작ᄒᆞ고 셩음(聲音)을

1359)"회두일쇼ᄇᆡᆨ미ᄉᆡᆼ(回頭一笑百美生)" "뉵궁분ᄃᆡ무안ᄉᆡᆨ(六宮粉黛無顏色)": "고개를 돌려 한번 미소하매 온갖 교태 피어나니" "여러 후궁 분단장도 얼굴빛을 잃었구나."라는 뜻으로 중국 당나라 때의 시인 백거이(白居易 : 772-846)의 시 <장한가(長恨歌)>의 한 구절.

1360)위후(衛后) 댱강(莊姜) : 중국 춘추시대 위(衛)나라 장공(莊公)의 처. 아름답고 덕이 높았고 시를 잘하였다.

1361)ᄇᆡᆨ희(伯姬) : 중국 춘추시대 魯(노)나라 宣公(선공)의 딸. 송나라 恭公(공공)에게 시집갔다가 10년 만에 홀로 됐다. 궁궐에 불이 났을 때 관리가 피하라고 했으나 부인은 한밤에 보모 없이 집을 나설 수 없다고 고집해서 결국 불속에서 타 죽었다. 『열녀전(烈女傳)』 <정순전(貞順傳)>'송공백희(宋恭伯姬)' 조(條)에 기사가 보인다.

1362)경강(敬姜) : 중국 춘추시대 노나라 계손씨의 처. 일찍 남편을 사별하였으나 수절(守節)하며 아들을 잘 교육했다. 『열녀전(烈女傳)』 <모의전(母儀傳)> '노계강경(魯季敬姜)' 조(條)에 기사가 보인다.

1363)보협(輔頰) : 볼. 뺨. 얼굴의 양쪽 관자놀이에서 턱 위까지의 살이 많은 부분.

《보험 ‖ 보협(酺頰)1414)》이 젹뇨(寂廖)ᄒᆞ여 사ᄅᆞᆷ이 더브러 말븟치기 어렵다가, 잠간 거두찰시(擧頭察視)ᄒᆞᄆᆡ 기인(其人)의 현블초(賢不肖)와 심ᄂᆡ(心內)를 ᄉᆞ못ᄎᆞ 길흉을 짐작ᄒᆞ고, 소【69】ᄅᆡ를 드러 혜아리ᄂᆞᆫ지라. 상협(顙頰)1415)의 미흔 우음을 씌어 ᄇᆡᆨ옥(白玉)을 현영(現影)ᄒᆞ여 말숨ᄒᆞᄆᆡ ᄀᆡᄀᆡ 경금미옥(精金美玉)1416)이오 곤산박옥(崑山璞玉)1417)이라. 화안(和顔) 경운(慶雲)의 므르녹아 남풍의 ᄉᆡ로오니, 혜풍화운(蕙風和雲)이[과] 장니보옥(掌裏寶玉)으로 ᄆᆡᆫ든 ᄃᆞᆺᄒᆞ니, 슌태부인이 쟝샹보옥(掌上寶玉)으로 만금의 지나고, 부모의 귀듕이 모양홀 거시 업셔 하쇼져 영쥬로 더브러 댱단(長短) 톄디(體肢) 일톄(一體) ᄀᆞᆺᄐᆞ니, 부뫼 본 젹마다 두굿기고 ᄉᆞ랑ᄒᆞ나, 윤부 위시 고식의 보치이ᄂᆞᆫ 죵이 될 바를 크게 ᄋᆡ돌나, ᄯᆡ를 기다려 셩인(成姻)코져 ᄒᆞ더니, 광텬 등의 댱슉(長夙)ᄒᆞ믈 닐너 혼인을 지촉ᄒᆞ니, 뎡공이 ᄯᅩᄒᆞᆫ 천연 셰월이 무익한 고로 뜻을 결ᄒᆞ여 윤공을 보아 슈히 셩혼ᄒᆞ믈 죄이더라.

윤쇼졔 잉ᄐᆡ【70】ᄒᆞᆫ 지 십이삭 츈 이월의 일개 옥동을 ᄉᆡᆼᄒᆞ니, 산실의 향운이 어ᄅᆡ고 셔광이 찬난ᄒᆞ여 ᄉᆡᆼᄋᆡ(生兒) 비상ᄒᆞᆫ디라. 태부인이 쾌락ᄒᆞ고 평휘 대열ᄒᆞ여 윤쇼져를 극진 구호ᄒᆞ여, 삼일 후 태부인이 ᄌᆞ부로 더부러 션월졍의 니르러 윤시와 신ᄋᆞ를 보니, 이 블과(不過) 슈촌지물(數寸之物)을 일ᄏᆞ라 니를 거시 업ᄉᆞᄃᆡ, 신ᄋᆞ의 영형슈발(英形秀拔)ᄒᆞ미 텬디의 됴화와 산천의 긔이ᄒᆞ믈 오로지 거두어시니, 진짓 샤가(謝家)의 옥쉬(玉樹)오 ᄆᆡᆼ시(孟氏)의 아름다온 ᄭᅩᆺ가지라. 금휘 만면의 경운이 온ᄌᆞᄒᆞ여 손으로 신ᄋᆞ를 어로만져 ᄌᆞ젼의 고왈,

1414)보협(酺頰) : 볼. 뺨. 얼굴의 양쪽 관자놀이에서 턱 위까지의 살이 많은 부분.

1415)상협(顙頰) : 볼. 뺨. 얼굴의 양쪽 관자놀이에서 턱 위까지의 살이 많은 부분.

1416)정금미옥(精金美玉) : 정교하게 다듬은 금과 아름다운 옥이라는 뜻으로, 인품이나 시문이 맑고 아름다움을 이르는 말.

1417)곤산박옥(崑山璞玉) : 중국 곤륜산(崑崙山)에서 나는 옥.

드러 혀아리ᄂᆞᆫ지라. 쌍합[협](雙頰)1364)의 미흔 우음을 씌여 말숨ᄒᆞᄆᆡ ᄀᆡᄀᆡ히 옥수졍금(玉樹正金)1365)이오 곤산ᄇᆡᆨ옥(崑山白玉)1366)이라, 화풍경운(和風慶雲)이 무루녹고 유한졍뎡(幽閑貞靜)ᄒᆞ니 슌ᄐᆡ부인이 장니보옥(掌裏寶玉)으로 만금의 지나고, 부뫼 ᄉᆞ랑이 비홀 ᄃᆡ 업셔, 하소져 명[영]쥬로 더부러 장당[단]쳬지(長短體肢) 일쳬(一體) 갓트니, 부모 본 젹마다 두굿기고 ᄉᆞ랑ᄒᆞ나, 윤문 고식(姑媳)의 보치이ᄂᆞᆫ 죵이 되믈 ᄋᆡ달나, ᄯᅢ을 기다려 셩인(成姻)코져 ᄒᆞ더니, 윤공이 광아의 장숙(長夙)ᄒᆞ믈 일너 혼인을 지촉ᄒᆞᆫ ᄃᆡ, 뎡공이 ᄯᅩᄒᆞᆫ 쳔연세월(遷延歲月)이 무익ᄒᆞ여 뜻즐 결ᄒᆞ여 윤공을 보아 수히 셩혼ᄒᆞ믈 언약ᄒᆞ더라.【49】

윤소져 잉ᄐᆡ 십이삭의 일ᄀᆡ옥동을 ᄉᆡᆼᄒᆞ니 산실의 셔광이 어ᄅᆡ고 향운이 찬난ᄒᆞ여 ᄉᆡᆼ히[ᄋᆡ] 비상ᄒᆞᆫ지라. ᄐᆡ부인이 쾌락ᄒᆞ며 뎡휘 ᄃᆡ열ᄒᆞ여 산부(産婦)을 극진구호ᄒᆞ며, 숨일 후 ᄐᆡ부인이 후로 더부러 션월졍의 이르러 윤시와 신아을 볼ᄉᆡ, ᄉᆡᆼᄋᆞ의 수발ᄒᆞ미 쳔지조화와 산쳔긔이ᄒᆞ믈 오로지 거두어시니 일월면모(日月面貌)와 츄수명목(秋水明目)이 갓초 ᄲᆡ혀나고 아름다오미, 진짓 사가옥수(謝家玉樹)요 ᄉᆞ마(司馬) ᄆᆡᆼ시(孟氏)의 ᄭᅩᆺ가지라. 만면화긔(滿面和氣) 온ᄌᆞᄒᆞ여 소[손]으로 신아을 어로만져 《ᄐᆡ모 ‖ 자전(慈殿)》긔 고왈,

1364)쌍협(雙頰) : 두 볼. 두 뺨. 얼굴의 양쪽 관자놀이에서 턱 위까지의 살이 많은 부분.

1365)옥수정금(玉樹正金) : '아름다운 나무'이거나 '순금'이라는 뜻으로, 재주가 뛰어난 사람을 이르는 말

1366)곤산빅옥(崑山白玉) : 중국 곤륜산(崑崙山)에서 나는 옥.

"ᄌᆞ식이 십삭 ᄐᆡ교의 힘닙ᄉᆞᆸᄂᆞ니 이 ᄋᆞ히 윤시의 ᄉᆡᆼ츌이라.【71】 엇디 범ᄋᆞ와 ᄀᆞᆺᄐᆞ리잇고?"

부인이 희불ᄌᆞ승(喜不自勝) 왈,

"노뫼 윤시의 ᄉᆡᆼ산 더듸믈 념녀ᄒᆞ더니 이졔 닌ᄋᆞ(驎兒)[1418]를 어드니, 하날이 뎡문을 보우ᄒᆞ샤 ᄃᆡᄃᆡ로 영ᄌᆞ긔손(英子奇孫) 나ᄂᆞᆫ디라. 텬ᄋᆡ 셰ᄃᆡ의 무쌍이어ᄂᆞᆯ 신싱이 ᄇᆡ승ᄒᆞ니 오문이 흥긔ᄒᆞᆷ을 가히 알니로다."

평휘 쇼이ᄃᆡ왈(笑而對曰),

"쇼ᄌᆡ 텬흥을 귀듕ᄒᆞ믈 닛지 못ᄒᆞ올너니 ᄎᆞᄋᆞ를 어든 후 다른 념녀 업ᄉᆞ오니, 이 ᄯᅩ ᄒᆞᆫ 셩ᄐᆡᆨ(聖澤)이로소이다."

태부인이 웃고 쇼져를 도라보아 ᄀᆡᆼ반(羹飯)을 권ᄒᆞ여 ᄌᆞ신보조(自身保調)[1419]를 당부ᄒᆞ고, 금휘 친히 진ᄆᆡᆨᄒᆞ여 의약을 다ᄉᆞ리고 범ᄉᆞ를 극진히 ᄒᆞ니, 친부형(親父兄)도 이에 더으디 못ᄒᆞᆯ디라. 쇼졔 일칠후(一七後) 소셩ᄒᆞ니【72】 공이 명ᄒᆞ여 삼ᄉᆞ삭 셩졍(省定)의 블참ᄒᆞ라 ᄒᆞ고, 날마다 션월졍의 드러와 식부와 신손을 ᄉᆞ랑ᄒᆞ며 무ᄋᆡᄒᆞ미 조곰도 엄구의 위의 업ᄉᆞ니, 쇼졔 각골감은(刻骨感恩)ᄒᆞ여 하고, 일개(一家) ᄌᆞ부 ᄉᆞ랑이 병되믈 일ᄏᆞ르니, 공이 웃고 스스로 ᄌᆞᄋᆡ지졍(慈愛之情)을 금치 못ᄒᆞ더라.

화셜 윤공ᄌᆞ 광텬의 ᄌᆞᄂᆞᆫ ᄉᆞ원이니 시년이 바야흐로 십삼츈광(十三春光)이러라.【73】

"ᄌᆞ식이 십삭ᄐᆡ교의 함[힘]입ᄉᆞᆸᄂᆞ니, 이 아히 윤시의 거[긔]츌이라 엇지 범아와 갓트리잇고. ᄎᆞᄋᆡ 쳔흥의 셰번 나으미 잇ᄉᆞ오니 오문의 경ᄉᆡ 아니리잇고?"

부인이 희불ᄌᆞ승 왈,

"노뫼 윤시의 ᄉᆡᆼ산이 더듸믈 념여(念慮)ᄒᆞ더니 이졔 신ᄋᆞ을 어드니 하날이 뎡문을 보존ᄒᆞᄉᆞ ᄃᆡ○[ᄃᆡ]로 영ᄌᆞ긔손(英子奇孫)을 낫ᄂᆞᆫ지라. 쳔ᄋᆡ 셰상의 무쌍이어ᄂᆞᆯ 신싱이 ᄇᆡ승ᄒᆞ여 오문이 흥ᄒᆞᆷ은 가지로다."

금휘 소이ᄃᆡ왈(笑而對曰),

"쳔흥의 귀듕ᄒᆞ미 엇지 못ᄒᆞ올너니 ᄎᆞᄋᆞ을 어든 후 다른 념여ᄂᆞᆫ 업ᄉᆞ니, ᄎᆞ역셩ᄐᆡᆨ(此亦聖澤)이로소이다."

ᄐᆡ부인이 웃고 소져을 도라보아 ᄀᆡᆼ반(羹飯)을 권ᄒᆞ여 극진 보호ᄒᆞᆷ을 당부ᄒᆞ고 금휘 친히 진ᄆᆡᆨᄒᆞ여 의약을 다ᄉᆞ려 범ᄉᆞ을 극진이 ᄒᆞ니, 소져 일칠일후(一七日後) 소셩ᄒᆞᄆᆡ, 휘 명ᄒᆞ여 졍셩(定省)을 블참ᄒᆞ라 ᄒᆞ고, 날마다 션월졍의 드러 식부와 신아을 보아 ᄉᆞ랑ᄒᆞ며 조곰도 엄【50】구의 위의 업ᄉᆞ니, 소져 각골감은ᄒᆞ여, 일ᄀᆞ(一家) 자부 ᄉᆞ랑이 병되믈 금치 못ᄒᆞ더라.

화셜 윤공ᄌᆞ 광쳔의 ᄌᆞᄂᆞᆫ ᄉᆞ원이니 시년이 바야호로

1418)닌ᄋᆞ(驎兒) : 천리구(千里駒). 천리마[騏驎]의 새끼. 뛰어나게 잘난 자손을 칭찬하여 이르는 말.

1419)ᄌᆞ신보조(自身保調) : 스스로 몸을 보호하고 조리함.

명듀보월빙 권디십삼

화셜 윤공ᄌᆞ 광텬의 ᄌᆞᄂᆞᆫ ᄉᆞ원이니 시년이 바야흐로 십삼츈광(十三春光)을 당ᄒᆞ니 신댱이 언건댱슉(偃蹇長夙)ᄒᆞ여 팔쳑 대댱부의 톄위(體位)를 일워시니, 빗난 문댱은 태샤쳔(太史遷)[1420]의 디나고 아름다온 필법은 죵왕(鍾王)[1421]을 묘시ᄒᆞ고 우흐로 텬문과 아ᄅᆡ로 디리를 달통ᄒᆞ며, 녀력(膂力)[1422]이 과인ᄒᆞ여 구뎡(九鼎)[1423]을 가바야이 넉이니, 발호ᄒᆞᆫ 긔상은 태산을 넘쮤 ᄃᆞᆺ, 튱댱ᄒᆞᆫ 긔운이 구텬을 밧들 ᄃᆞᆺ, 빅년대이(白蓮大耳)[1424]와 호비쥬슌(虎鼻朱脣)이며, 일월명목(日月明目)은 츄슈의 브졍(不淨)ᄒᆞ믈 나모라니, 긴 눈셥은 텬창(天窓)을 쎨쳐 【1】 시며, 슈슈과슬(垂手過膝)[1425]ᄒᆞ여 쳔고영걸(千古英傑)이오 일셰군ᄌᆞ(一世君子)라. 보ᄂᆞᆫ ᄌᆞ 황홀 긔이ᄒᆞᄃᆡ 오딕 죠모 위태부인과 뉴시 포흉극악(暴凶極惡)이 ᄡᅥ로 극심ᄒᆞ여 조부인 삼모ᄌᆞ를 업시코져 ᄒᆞ연 지 셰월이 오란디라. 신묘랑을 어더 악ᄉᆞ를 도모ᄒᆞᄃᆡ 묘랑이 조부인 삼모ᄌᆞ를 가바야이 히치 못ᄒᆞᆯ 줄 알고, 거ᄌᆺ 암ᄌᆞ 짓기를 닐너 밀막더니, 임의 역ᄉᆞ(役事)를 필ᄒᆞᄆᆡ 뉴시 묘랑을 쳥ᄒᆞ여 모의(謀議)ᄒᆞ연 디 삼ᄉᆞ츈취(三四春秋)로ᄃᆡ, 실노 젹은 효험을

1420)태샤쳔(太史遷) : 사마천(司馬遷). BC.145-86. 중국 전한(前漢)의 역사가. 태사(太史)는 태사령(太史令)을 지낸 그의 관직명. 자는 자장(子長). 기원전 104년에 공손경(公孫卿)과 함께 태초력(太初曆)을 제정하여 후세 역법의 기초를 세웠으며, 역사책 ≪사기≫를 완성하였다.

1421)죵왕(鍾王) : 중국 위(魏)나라의 서예가 종요(鍾繇)와 진(晉)나라의 서예가 왕희지(王羲之)를 함께 이르는 말.

1422)녀력(膂力) : 힘. 근육의 힘.

1423)구뎡(九鼎) : 중국 하(夏)나라의 우왕(禹王) 때에, 전국의 아홉 주(州)에서 쇠붙이를 거두어서 만들었다는 아홉 개의 큰 솥. 주(周)나라 때까지 대대로 천자에게 전해진 보물이었다고 한다.

1424)빅년대이(白蓮大耳) : 흰 연꽃잎처럼 크고 하얀 귀.

1425)슈슈과슬(垂手過膝) : 뻗어 내린 손이 무릎을 넘는다. 팔이 긴 것을 표현한 말.

십숨츈광(十三春光)의 늠연ᄒᆞᆫ 신장이 언건장슉(偃蹇長夙)ᄒᆞ여 팔쳑장부의 쳬위(體位)을 일워시니, 빗ᄂᆞᆫ 문장은 ᄐᆡᄉᆞ쳔(太史遷)[1367]의 지나고 아름다온 필법은 종왕(鍾王)[1368]을 묘시ᄒᆞ며, 쳔문지리을 달통ᄒᆞ며 여력(膂力)[1369]이 과인ᄒᆞ여 ○○○○○○○ [구경(九鼎)[1370]을 가바야이 넉이니], 발월ᄒᆞᆫ 긔상은 ᄐᆡ산을 넘쮤 듯, 츙장ᄒᆞᆫ 긔운은 구쳔을 밧들 듯, 호비쥬슌(虎鼻朱脣)이며 일월명모(日月明眸)ᄂᆞᆫ 츄수의 졍ᄎᆡ(精彩)오, 긴 눈셥은 쳔창(天窓)을 쩔쳣고, 양비과슬(兩臂過膝)[1371]ᄒᆞ니, 쳔고영웅(千古英雄)이오 일셰군ᄌᆞ(一世君子)라. 《보ᄂᆡ니‖보ᄂᆞᆫ니》 긔ᄃᆡ(期待)ᄒᆞᄃᆡ 오직 조모 위ᄐᆡ부인과 숙모 뉴시 포악이 날노 심ᄒᆞ고, ᄡᅥ로 극ᄒᆞ여 조부인 숨모ᄌᆞ을 업시코져 ᄒᆞ연지 오란지라. 신묘랑을 어더 악ᄉᆞ을 도모ᄒᆞ되 묘랑이 조부인 숨모ᄌᆞ을 경(輕)히 업시치 못ᄒᆞᆯ 줄 아ᄂᆞᆫ 고로, 거즛 암ᄌᆞ을 짓ᄂᆞᆫ다 《말막‖밀막》 더니, 임○[의] 역ᄉᆞ을 필ᄒᆞᄆᆡ 뉴시 묘랑을 쳥ᄒᆞ여 모계(謀計)ᄒᆞ연지 숨ᄉᆞ츈츄(三四春秋)로ᄃᆡ 실노 젹은 효험도 보지 못ᄒᆞ고 금은만 허비ᄒᆞᆯ ᄲᅮᆫ이오, 일무소셩(一無所成)ᄒᆞᄆᆡ 울울불낙(鬱鬱不諾)ᄒᆞᄂᆞᆫ지라. 묘랑이 두로 단이며 고이ᄒᆞᆫ ᄆᆡ골(埋骨)과

1367)ᄐᆡᄉᆞ쳔(太史遷) : 사마천(司馬遷). BC.145-86. 중국 전한(前漢)의 역사가. 태사(太史)는 태사령(太史令)을 지낸 그의 관직명. 자는 자장(子長). 기원전 104년에 공손경(公孫卿)과 함께 태초력(太初曆)을 제정하여 후세 역법의 기초를 세웠으며, 역사책 ≪사기≫를 완성하였다.

1368)종왕(鍾王) : 중국 위(魏)나라의 서예가 종요(鍾繇)와 진(晉)나라의 서예가 왕희지(王羲之)를 함께 이르는 말.

1369)여력(膂力) : 힘. 근육의 힘.

1370)구경(九鼎) : 중국 하(夏)나라의 우왕(禹王) 때에, 전국의 아홉 주(州)에서 쇠붙이를 거두어서 만들었다는 아홉 개의 큰 솥. 주(周)나라 때까지 대대로 천자에게 전해진 보물이었다고 한다.

1371)양비과슬(兩臂過膝) : 두 팔이 무릎을 넘는다. 팔이 긴 것을 표현한 말.

보디 못ᄒᆞ고 금은만 허비ᄒᆞᆯ ᄲᅳᆫ이오, 일무쇼원(一無所願)ᄒᆞᄆᆡ 울울블낙(鬱鬱不樂)ᄒᆞᄂᆞᆫ디라. 묘랑이 두로 단니며 괴(怪)ᄒᆞᆫ ᄆᆡ골(埋骨)과 요괴지믈(妖怪之物)을 모화【2】 뉴시게 헌계ᄒᆞ여, 조부인 침젼과 냥공ᄌᆞ 쳐소의 반야삼경(半夜三更)의 ᄀᆞ마니 힝계ᄒᆞ여 모ᄌᆞ 삼인의 졀명을 쳔디신명의 비러시되, 일이 비밀ᄒᆞᆫ 고로 알 니 업ᄉᆞ니 삼인이 듀야 ᄉᆞᄉᆡᆼ(死生)을 죄오더라.

젼일은 츄밀이 냥공ᄌᆞ를 다리고 ᄇᆡᆨ화헌의셔 ᄌᆞ더니, 방금ᄒᆞ여는 냥공지 댱셩ᄒᆞ고 빈ᄀᆡᆨ이 번거ᄒᆞ므로 독셔의 온젼ᄒᆞ믈 인ᄒᆞ여 운학당의 쳐소ᄒᆞ엿ᄂᆞᆫ디라. 희텬공지 댱공ᄌᆞ로 층등(層等)치 아녀시며 일동일졍(一動一靜)이 녜의를 심ᄉᆞᄒᆞ고 공ᄆᆡᆼ(孔孟)을 ᄉᆞᄉᆡᆼᄒᆞᄂᆞᆫ 셩니도혹군ᄌᆡ(性理道學君子)라. 희로를 블현어ᄉᆡᆨ(不顯於色)ᄒᆞ고 평ᄉᆡᆼ 거름마다 조심ᄒᆞ고 말【3】ᄉᆞᆷ마다 삼가므로, 발연(勃然)ᄒᆞᆫ 노긔와 젼도(顚倒)ᄒᆞᆫ 말ᄉᆞᆷ을 삼쳑(三尺)[1426]도 들니ᄂᆞᆫ 일이 업ᄂᆞᆫ디라. 경운화풍(慶雲和風)과 동일디ᄋᆡ(冬日之愛)[1427] 너그럽고 효슌ᄒᆞ여 효우를 힘ᄡᅳ며 셩니를 슈련ᄒᆞ여 만시 사ᄅᆞᆷ의게 디나니, 댱공ᄌᆞ로 다르미 업ᄉᆞ되 셩경과 위인이 상단(相段)[1428]ᄒᆞ여 대공ᄌᆞᄂᆞᆫ 비록 엄안(嚴顔)을 아디 못ᄒᆞ미 가ᄉᆞᆷ의 ᄆᆡᆺ치인 디통(至痛)이 되여 ᄌᆞ랄ᄉᆞ록 슬프믈 니긔지 못ᄒᆞ고, 조모의 ᄉᆡᆼ험포악(猜險暴惡)과 슉모의 간교요특(奸巧妖慝)ᄒᆞᄆᆡ 반ᄃᆞ시 가란을 일위여 일장대란(一場大亂)이 ᄌᆞ긔 등으로 ᄒᆞ여곰 《인뉴∥인뉸(人倫)》의 온젼ᄒᆞᆫ 사ᄅᆞᆷ이 되디 못ᄒᆞᆯ 바를 념녀ᄒᆞ나, 발호(勃豪)ᄒᆞᆫ 긔운이 하날을【4】 밧들 ᄃᆞᆺ, 구구히 머리를 움쳐 유학(儒學)을 힘ᄡᅳ디 아녀, 복듕의 만권셔와 졔ᄌᆞᄇᆡᆨ가(諸子百家)[1429]를 슐펴 손오양죠

1426)삼쳑(三尺) : 삼척동자(三尺童子) 곧 어린 아이.

1427)동일디ᄋᆡ(冬日之愛) : 겨울 햇살처럼 따뜻한 사랑.

1428)상단(相段) : 서로 구분되는 면이 있음.

1429)졔ᄌᆞᄇᆡᆨ가(諸子百家) : 춘추 전국 시대의 여러 학파. 공자(孔子), 관자(管子), 노자(老子), 맹자(孟子), 장자(莊子), 묵자(墨子), 열자(列子), 한비자(韓

요예지물(妖穢之物)을 모화 뉴시게 헌계ᄒᆞ여, 조부인 침젼과 양공ᄌᆞ 쳐소의 가마니 무더, 모ᄌᆞ 숨인의 졀명을 쳔지신명게 비러시니, 일이 비밀ᄒᆞ여 알니 업ᄉᆞᄆᆡ 숨인의 죽기만 죄오더라.

젼일○[은] 츄밀이 양공ᄌᆞ을 다리고 ᄇᆡᆨ화헌의셔 ᄌᆞ더【51】니, 방금ᄒᆞ여ᄂᆞᆫ 냥공지 {장}《장숙∥장셩(長成)》ᄒᆞ고 빈ᄀᆡᆨ이 번다ᄒᆞ기로, 독셔의 온젼ᄒᆞ믈 인ᄒᆞ여 운학당의 쳐소ᄒᆞ엿ᄂᆞᆫ지라. 냥공지 일양 층등치 아니니, 일동일경의 녜의로 힘ᄡᅳ니, 공ᄆᆡᆼ(孔孟)을 스승ᄒᆞᄂᆞᆫ 도혹군ᄌᆡ(道學君子)라. ᄎᆞ공ᄌᆞᄂᆞᆫ 희노을 불형어ᄉᆡᆨ(不形於色)ᄒᆞ고 평ᄉᆡᆼ거름마다 조심ᄒᆞ고 말숨마다 삼가므로 숨쳑동(三尺童)도 급ᄒᆞᆫ 소ᄅᆡ을 들니미 업ᄂᆞᆫ지라. 당공ᄌᆞᄂᆞᆫ 비록 엄친안모(嚴親顔貌)을 아지 못ᄒᆞ미 흉듕의 ᄆᆡ친 지통과[이] ○…결락15자…○[되여 ᄌᆞ랄ᄉᆞ록 슬프믈 니긔지 못ᄒᆞ고], 조모의 ᄉᆡᆼ험포악(猜險暴惡)이며 슉모의 간교요독(奸巧妖毒)ᄒᆞᆫ 일이 반다시 가란을 일워, 일장풍파로 ᄌᆞ긔 등을 《인류∥인륜(人倫)》의 온젼ᄒᆞᆫ ᄉᆞᄅᆞᆷ이 되지 못ᄒᆞᆯ 바을 ᄉᆞ상ᄒᆞᄆᆡ, 망극ᄒᆞ고 우려ᄒᆞ나 쳔품이 발호ᄒᆞ여 긔운이 하날○[을] 밧들 듯, 구구히 머리을 움쳐 슈학을 힘쓰지 아냐, 부즁의 만여권 셔와 졔ᄌᆞᄇᆡᆨ가(諸子百家)[1372]을 슬펴 손오양져(孫吳穰苴)[1373]의 지략을 흠모

1372)졔ᄌᆞᄇᆡᆨ가(諸子百家) : 춘추 전국 시대의 여러 학파. 공자(孔子), 관자(管子), 노자(老子), 맹자(孟子), 장자(莊子), 묵자(墨子), 열자(列子), 한비자(韓非子), 윤문자(尹文子), 손자(孫子), 오자(吳子), 귀곡자(鬼谷子) 등의 유가(儒家), 도가(道家), 묵가(墨家), 법가(法家), 명가(名家), 병가(兵家), 종횡가(縱橫家), 음양가(陰陽家) 등을 통틀어 이른다.

1373)손오양져(孫吳穰苴) : 중국 전국시대의 대표적 병법가들인 제(齊)의 손무(孫武)와 오(吳)의 오기(吳起), 제(齊)의 사마양저(司馬穰苴). 손무는 『손자(孫子)』, 오기는 『오자(吳子)』, 사마양저는 『사마법(司馬法)』이라는 병서(兵書)를 각각 남겼다.

[져](孫吳穰苴)[1430]의 용병지술(用兵之術)을 흠모ᄒᆞ여 ᄯᅳᆺ이 당ᄒᆞ고 말ᄉᆞᆷ이 쾌ᄒᆞ여, 일즉이 계디(桂枝)[1431]를 썩거 몸이 금누옥궐(金樓玉闕)의 츌입ᄒᆞ여, ᄇᆡᆨ젼ᄇᆡᆨ승(百戰百勝)ᄒᆞ며 멸뎍능토(滅敵凌土)ᄒᆞ여 화형닌각(畵形麟閣)ᄒᆞ고 명슈듁ᄇᆡᆨ(名垂竹帛)ᄒᆞ여, 뎨ᄌᆞ(弟子)의 ᄉᆞ우(師友)로 황각(黃閣)의 깃드려, 냐셔ᄂᆞᆫ 원융샹댱(元戎上將)으로 공을 만니의 드리워 봉후(封侯)를 긔약ᄒᆞᄃᆡ, ᄎᆞ공ᄌᆞᄂᆞᆫ 공ᄆᆡᆼ졍쥬(孔孟程朱)[1432]를 스싱ᄒᆞ여 효ᄂᆞᆫ 증왕(曾王)[1433]의 뒤흘 니으며, ᄐᆞᆼ을 니를진ᄃᆡ 이윤(伊尹)[1434] 부열(傅說[1435])을 ᄯᅩ로고져 ᄒᆞ니, 통고금(通古今) 달ᄉᆞ리(達事理)의【5】 박남만고(博覽萬古)ᄒᆞ여 님취쳔언(立取千言)ᄒᆞ며 귀신을 울닐디라. 담연이 셰샹 물욕(物慾)의 버셔나니, 댱공ᄌᆡ ᄆᆡ양 슈히 입댱(入丈)ᄒᆞ기를 죄이며 실듕의 슉녀미희를 ᄀᆞᆺ초아 댱부의 풍치를 빗ᄂᆡ믈 니ᄅᆞᄃᆡ, ᄎᆞ공ᄌᆡ 형을 간ᄒᆞ여 침엄뎡대(沈嚴正大)ᄒᆞ기를 쳥ᄒᆞᆫ 즉, 댱공ᄌᆡ 쇼왈,

---

非子), 윤문자(尹文子), 손자(孫子), 오자(吳子), 귀곡자(鬼谷子) 등의 유가(儒家), 도가(道家), 묵가(墨家), 법가(法家), 명가(名家), 병가(兵家), 종횡가(縱橫家), 음양가(陰陽家) 등을 통틀어 이른다.

1430)손오양져(孫吳穰苴) : 중국 전국시대의 대표적 병법가들인 제(齊)의 손무(孫武)와 오(吳)의 오기(吳起), 제(齊)의 사마양저(司馬穰苴). 손무는 『손자(孫子)』, 오기는 『오자(吳子)』, 사마양저는 『사마법(司馬法)』이라는 병서(兵書)를 각각 남겼다.

1431)계디(桂枝) : 계수나무 가지. 계수나무는 매우 귀한 나무로 인식되어 사람들의 영광과 성공을 드러내는 뜻으로 쓰였다. 조선시대에 임금이 과거급제자에게 하사한 '어사화(御賜花)'도 종이로 만든 계수나무 꽃이었다. 위 본문에서 '계지를 꺾다'는 '과거에 급제하다'는 뜻을 나타낸 말이다.

1432)공ᄆᆡᆼ졍쥬(孔孟程朱) : 공자(孔子), 맹자(孟子), 정자(程子), 주자(朱子).

1433)증왕(曾王) : 중국의 대표적 효자인 증자(曾子 : BC505-435)와 왕상(王祥 : 184-268)을 함께 이르는 말.

1434)이윤(伊尹) : 중국 은나라의 전설상의 인물. 이름난 재상으로 탕왕을 도와 하나라의 걸왕을 멸망시키고 선정을 베풀었다.

1435)부열(傅說 : 중국(中國) 은(殷)나라 고종(高宗) 때의 재상(宰相), 토목(土木) 공사(工事)의 일꾼이었는 데, 당시(當時)의 재상(宰相)으로 등용(登用)되어 중흥(中興)의 대업을 이루었음

ᄒᆞ여 일즉 계지(桂枝)[1374]을 썩거 몸이 금누오[옥]궐(金樓玉闕)의 츌입ᄒᆞ여 ᄇᆡᆨ젼ᄇᆡᆨ승(百戰百勝)ᄒᆞ고, 벌젹능토(伐敵能土)ᄒᆞ여 화형인각(畵形麟閣)ᄒᆞ고 명슈쥭ᄇᆡᆨ(名垂竹帛)ᄒᆞ여 졔ᄌᆞ(弟子)와 ᄉᆞ우(師友)로 왕각(王閣)의 깃드려, 원융상장(元戎上將)으로 공을 만니의 드리워 봉후(封侯)을 긔약ᄒᆞ며, 실듕(室中)의 숙녀미희(淑女美姬)을 가초아, 장부풍치을 빗ᄂᆡ믈 니르ᄃᆡ, ᄎᆞ공ᄌᆞᄂᆞᆫ 졍인군ᄌᆞ(正人君子)의 풍이라. 형을 간(諫)ᄒᆞ여 침언뎡ᄃᆡ(沈言正大)ᄒᆞ기을 쳥ᄒᆞᆫ 즉, 장공ᄌᆡ 소월[왈](笑曰),

---

1374)계디(桂枝) : 계수나무 가지. 계수나무는 매우 귀한 나무로 인식되어 사람들의 영광과 성공을 드러내는 뜻으로 쓰였다. 조선시대에 임금이 과거급제자에게 하사한 '어사화(御賜花)'도 종이로 만든 계수나무 꽃이었다. 위 본문에서 '계지를 꺾다'는 '과거에 급제하다'는 뜻을 나타낸 말이다.

"비록 동포골육이나 셩졍이 각기소댱(各其所長)이라. 너의 거름마다 조심ᄒᆞ여 나아가ᄆᆡ 것칠1436) 돗ᄒᆞ며 말숨마다 조심ᄒᆞᄂᆞᆫ 픔도를 ᄎᆞ마 답답ᄒᆞ여 엇디 의방(依倣)인들 ᄒᆞ리오. 심ᄂᆡ의 노ᄒᆞ여도 쳔연 강인ᄒᆞ여 현어ᄉᆞ식(顯於辭色)디 아니며 우은 일이 이시나 ᄒᆞᆫ번 뉴미(柳眉)를 움【6】즉이지 아니ᄒᆞ여 못보ᄂᆞᆫ 돗ᄒᆞᆫ은 나의 원이 아니라. 대댱뷔 쳐셰의 힝ᄉᆡ 쳥텬ᄇᆡᆨ일과 광풍졔월ᄀᆞᆺᄐᆞ리니 댱뷔 되여 픔은 바를 엇지 은휘ᄒᆞ리오. 나ᄂᆞᆫᄃᆡ로 ᄒᆞᆯ 거시어ᄂᆞᆯ 엇디 ᄌᆡ조를 ᄀᆞᆷ초고 괴로이 겸퇴(謙退)ᄒᆞ여 허믈을 사ᄅᆞᆷ의게 잡힐 ᄃᆞ시 ᄒᆞ미, 이 부인 녀ᄌᆞ의 ᄒᆞᆯ 비라 대댱부의 일이 아니라."

하니, 이공ᄌᆡ 역쇼ᄒᆞ고 형의 텬셩이 ᄲᅢ혀나고 호긔 과인ᄒᆞ믈 아라 범ᄉᆞ의 단뎡키를 간ᄒᆞ여, 형데 셔로 좃ᄎᆞ 우ᄋᆡ디뎡(友愛之情)이 극ᄒᆞ더라.

ᄎᆞ공ᄌᆞ의 ᄌᆞᄂᆞᆫ ᄉᆞ빈이니 명쳔공이 금국의 나아갈 젹 명(名)ᄌᆞ와 ᄌᆞ(字)를 디어준 ᄇᆡ라. 츄밀이 냥【7】공ᄌᆞ의 날노 댱셩ᄒᆞ믈 두굿겨 ᄉᆞ랑이 만금의 지나고 귀듕ᄒᆞ미 ᄌᆞ의 몸의 디나○[나], 오히려 태부인과 뉴시의 ᄉᆞ오나오믈 ᄭᅴ듯디 못ᄒᆞ니, 냥공ᄌᆡ 괴로운 신셰와 남모로ᄂᆞᆫ 회푀 비길 곳이 업ᄉᆞ나, 태부인의 극악ᄒᆞ미 조부인을 츄밀이 아디 못ᄒᆞ게 보치고 조로며 즐욕이 긋칠 ᄉᆞ이 업고, 침션슈질(針線繡紩)1437)을 슈업시 식이며 밤의도 편히 ᄌᆞ디 못ᄒᆞ게 ᄒᆞᄂᆞᆫ디라.

구패 심니의 블승통히ᄒᆞ여 셰월이 오랄ᄉᆞ록 상셔의 업ᄉᆞᆷ을 ᄀᆞᆨ골 슬허ᄒᆞ여, 조부인 삼모ᄌᆞ의 위란ᄒᆞᆫ 신셰와 참잔(慘殘)ᄒᆞ믈 비열(悲咽)ᄒᆞ여 태부인 미워ᄒᆞ미 구슈(仇讐) ᄀᆞᆺᄐᆞ니,【8】위·뉴 냥흉이 구파를 졀치부심ᄒᆞ미 조부인 삼모ᄌᆞ와 일양이라. 시러곰 젼졔(剪除)ᄒᆞᆯ 길히 업ᄉᆞ니 《듕일‖동일(終日)》 댱야(長夜)의 모녀고식(母女姑媳)이

1436)것치다 : 걸리다. 무엇인가에 걸려 넘어지거나 낭패를 보다.

1437)침션수질(針線繡紩) : 바느질하고 수놓고 깁고 하는 일.

"비록 동포골육이나 셩졍이 각기소장(各其所長)이라. 너무 거름마다【52】 조심ᄒᆞ믄 거동이 ᄎᆞ마 답답ᄒᆞ니 엇지 춤으리오. 심ᄂᆡ의 노ᄒᆞ여도 쳔연 강잉ᄒᆞ여 현어ᄉᆞ싀(顯於辭色)지 아니며, 우은 일이 잇시나 ᄒᆞᆫ번 뉴비[미](柳眉)을 동치아냐 못보ᄂᆞᆫ 듯ᄒᆞ미, 나의 원이 아니라. ᄃᆡ장뷔 쳐셰ᄒᆞᄆᆡ 힝ᄉᆞ(行事) 광풍제월(光風霽月) 갓틀지니, 장뷔되야 품은 바을 엇지 은휘ᄒᆞ리오."

이공ᄌᆡ 역소ᄒᆞ고, 형의 쳔셩이 과인ᄒᆞ여 호긔 ᄲᅢ혀나믈 알아, 범ᄉᆞ의 단졍(端正)키을 간ᄒᆞ며, 형데 셔로조ᄎᆞ 우ᄋᆡ지셩(友愛之情)이 간졀ᄒᆞᆫ지라.

ᄎᆞ공ᄌᆞ의 ᄌᆞᄂᆞᆫ ᄉᆞ빈이니, 명쳥[쳔]공이 금국의 나아갈 젹 일홈과 ᄌᆞ(字)을 지어 쥰ᄇᆡ라. 츄밀이 양공ᄌᆞ의 날노 장셩ᄒᆞ믈 두굿겨 ᄉᆞ랑ᄒᆞ고 귀듕ᄒᆞ미 ᄌᆞ긔 몸의 지나나, 오히려 ᄐᆡ부인과 뉴시의 ᄉᆞ오나믈 ᄭᅢ닷지 못ᄒᆞ니, 양공ᄌᆡ 괴로온 신셰와 남모로ᄂᆞᆫ 회포 비길ᄃᆡ 업ᄉᆞ나, ᄐᆡ부인의 극악ᄒᆞ미 조부인을 츄밀이 아지 못ᄒᆞ게 보치고 조르며 즐욕이 긋칠 ᄉᆞ이 업고 침션수질(針線繡紩)1375) 이[을] 수업시 시기며, 밤의도 편히 ᄌᆞ게 못ᄒᆞᄂᆞᆫ지라.

구픠 심니의 불승통셕ᄒᆞ여 셰월이 오릴ᄉᆞ록 상셔 업ᄉᆞᆷ을 각골ᄒᆞ여 조부인 슴모ᄌᆞ의 위한ᄒᆞᆫ 형셰을 참잔비졀(慘殘悲絶)ᄒᆞ여 ᄐᆡ부인 뮈워ᄒᆞ미 구슈 갓트니, 위·뉴 양흉이 구파을 졀치부심ᄒᆞ미 조부인 슴모ᄌᆞ와 일양이라. 시르[러]금 졀졔(切除)ᄒᆞᆯ 길이 업ᄉᆞ니 종일장야(終日長夜)의 고식(姑媳)이 머리을 마초고 무릅을 다혀 주ᄉᆞ야탁(晝思夜度)ᄒᆞ여 궁모곡계(窮謀曲計)ᄒᆞ미 비길 ᄃᆡ 업더라.

1375)침션수질(針線繡紩) : 바느질하고 수놓고 깁고 하는 일.

머리를 맛초아 므릅흘 다혀 쥬ᄉᆞ야탁(晝思夜度)ᄒᆞ여 궁모곡계(窮謀曲計) 흉완(凶頑)ᄒᆞ미 비길 ᄃᆡ 업더라.

조부인이 냥ᄌᆞ로 더브러 위란ᄒᆞᆫ 근심이 방촌(方寸)1438)이 요란ᄒᆞᄃᆡ 오딕 밋고 바라ᄂᆞᆫ 바ᄂᆞᆫ 슉슉(叔叔) 츄밀공의 디극ᄒᆞᆫ 우ᄋᆡ를 바라미오, 구파의 디셩 보호를 미드나, 발셔 하날이 ᄌᆡ앙을 나리와 군ᄌᆞ슉녀로 ᄒᆞ여곰 만장 비원을 빌니시거ᄂᆞᆯ, 엇디 인력으로 밋ᄎᆞ리오. ᄋᆡ락(哀樂)이 상반(相伴)이라 ᄒᆞ니, 조부인 만상 비원 가온ᄃᆡ 요힝 녀ᄋᆡ덕【9】문명가의 뎡태우 ᄀᆞᆺ튼 영웅군ᄌᆞ를 빅ᄒᆞ여 존당구고의 ᄌᆞᄋᆡ와 슉ᄆᆡ(叔妹) 우공ᄒᆞ며 부뷔 딘듕ᄒᆞ여 임의 농장(弄璋)ᄒᆞᄂᆞᆫ ᄌᆞ미 이시믈 드르니, ᄌᆞ연ᄒᆞᆫ 졍니 엇디 깃브지 아니리오마ᄂᆞᆫ, 부인의 남 모로ᄂᆞᆫ 비원(悲怨)이 시일(時日) 층싱(層生)ᄒᆞ여 어나 결을의 녀ᄋᆞ 부부와 손ᄋᆞ의게 념녜 밋ᄎᆞ리요. 듕야(中夜)의 우슈울억(憂愁鬱抑)ᄒᆞ여 슈미(愁眉)를 ᄰᅥᆯ치지 못ᄒᆞ니, 태흉 고식은 이럴ᄉᆞ록 아모조록 보젼치 못ᄒᆞ여 목젼의 ᄉᆞ화를 보고져 ᄒᆞ니, 엇디 악포별물(惡暴別物)이 아니리오.

ᄎᆞ시 광・희 냥공지 운학당의셔 년일ᄒᆞ여 몽ᄆᆡ(夢寐) 번죱ᄒᆞ고 침쳐(寢處)의 현현(顯顯)이 요ᄆᆡ(妖魅)의 긔운이 이시믈 보고, 형【10】뎨 상의ᄒᆞ여 일일은 밤들기를 기다려 좌우 시인(侍人)이 다 쳣ᄌᆞᆷ이 몽농ᄒᆞ믈 타, 공ᄌᆡ 벽 틈을 ᄠᅳᆺ고 보니 온갓 괴이ᄒᆞᆫ ᄆᆡ골과 흉ᄒᆞᆫ 즘싱의 죽은 거시며 무슈ᄒᆞᆫ 목인(木人)이 창검을 드러 ᄒᆡ인(害人)ᄒᆞᄂᆞᆫ 거동이오, 굿ᄐᆞ여 사ᄅᆞᆷ의 셩명을 ᄡᅳ디 아녀시나 필적인 즉 완연ᄒᆞᆫ 경ᄋᆞ의 필젹이라. 냥공ᄌᆡ 이를 보ᄆᆡ 모골(毛骨)이 구송(懼悚)ᄒᆞ여, 뎡공ᄌᆡ ᄋᆞ의 손을 잡고 쳑연히 냥항누(兩行淚)를 나리와 ᄀᆞᆯ오ᄃᆡ,

"아등이 슈(雖) 쳑동(尺童)이나 명야ᄌᆡ텬(命也在天)1439)이어ᄂᆞᆯ, 믄득 가변이 여ᄎᆞ 망

조부인이 양ᄌᆞ로 더부러【53】 위란ᄒᆞᆫ 근심이 방촌(方寸)1376)을 요란ᄒᆞᄆᆡ, 오직 밋ᄂᆞᆫ ᄇᆡᄂᆞᆫ 추밀공의 우ᄋᆡ을 미드미오, 구파의 지셩 구호을 바라나, 발셔 하ᄂᆞᆯ이 ᄌᆡ앙을 나리와 군ᄌᆞ숙녀로 ᄒᆞ야금 반ᄉᆡᆼ비원(半生悲願)을 빌니시니 엇지 인녁으로 미ᄎᆞ리오마ᄂᆞᆫ, 조부인 반ᄉᆡᆼ비원 듕, 요힝 ○○[녀ᄋᆡ]덕문명가의 뎡한님 갓튼 영웅군ᄌᆞ을 ᄇᆡᆨᄒᆞ여 존당구고의 ᄌᆞᄋᆡ와 숙ᄆᆡ(叔妹) 우공(友恭)ᄒᆞ며 부뷔 진즁ᄒᆞ여 임의 농장(弄璋)ᄒᆞᄂᆞᆫ ᄌᆞ미 이시니, ᄌᆞ연 졍이 엇지 깃부지 아니리오마ᄂᆞᆫ, 남모르ᄂᆞᆫ 비원이 시일노 층가(層加)ᄒᆞ니 어ᄂᆡ 결을의 녀ᄋᆞ의게 념이 미ᄎᆞ리오. 위흉 고식은 이럴 ᄉᆞ록 보젼치 못ᄒᆞ여 목젼 ᄉᆞ화(死禍)을 보고져 ᄒᆞ니 엇지 악포별물(惡暴別物)이 아니리오.

ᄎᆞ시 광・희 양공ᄌᆡ 운ᄒᆞᆨ당의 연일ᄒᆞ여 몽ᄉᆡ 번죱ᄒᆞ고 침젼(寢殿)이 편편(片片)이 요ᄆᆡ(妖魅)의 긔운이 이시믈 보고, 형뎨 상의ᄒᆞ여 일일은 밤든 후, 좌우시인(左右侍人)이 잠이 깁흐믈 타 공ᄌᆡ 벽을 ᄠᅳᆺ고 보니 온갓 고이ᄒᆞᆫ ᄆᆡ골(埋骨)과 즘ᄉᆡᆼ의 죽은 거시며 무수ᄒᆞᆫ 목인(木人)이 창검을 드러 힝잉[ᄒᆡ인(害人)]ᄒᆞᄂᆞᆫ 거동이오, 굿ᄒᆞ여 셩명은 ᄡᅳ지 아냣시나 필젹은 완연이 경ᄋᆞ의 필젹이라. 장공ᄌᆡ ᄎᆞ공ᄌᆞ의 손을 잡고 쳑연이 양항누(兩行淚)을 나리와 왈,

"아등이 슈(雖) 쳑동(尺童)이나 명야 ○[재]쳔야(命也在天耶)1377)여ᄂᆞᆯ, 믄득 가변이

1438)방촌(方寸) : 사람의 마음은 가슴속의 한 치 사방의 넓이에 깃들어 있다는 뜻으로, '마음'을 달리 이르는 말.

1376)방촌(方寸) : 사람의 마음은 가슴속의 한 치 사방의 넓이에 깃들어 있다는 뜻으로, '마음01'을 달리 이르는 말.

측하여 툭ᄉᆞ를 본즉 셕져(昔姐)의 필덕이니, 오문 가변이 블가ᄉᆞ문어닌국(不可使聞於隣國)[1440]이니 아등이 댱춧 엇즈ᄒᆞ며, 모ᄌᆞ【11】슉딜(母子叔姪)과 조손남ᄆᆡ(祖孫男妹) 하일하시(何日何時)의 화평ᄒᆞ리요."

언파의 톄읍힝뉴(涕泣行流)ᄒᆞ니 ᄎᆞ공지 즉시 툭ᄉᆞ(祝辭)를 소화(燒火)ᄒᆞ고 기리 탄왈,

"만ᄉᆡ 명애라 비인력지쇼○[급]얘(非人力之所及也)[1441]니 현마[1442] 엇지 ᄒᆞ리잇고. 형댱은 함구(緘口)ᄒᆞ샤 타일을 보실디니이다. 아등의 셩회(誠孝) 쳔박(淺薄)ᄒᆞ여 출하리 조모와 양모의 외오녁이시믈 어들디언졍, 텬하(天下)의 무블시져부뫼(無不是底父母)[1443]라, 부뫼 ᄌᆞ식을 그릇 넉이심도 ᄌᆞ식이 셩효치 못ᄒᆞᆫ 연괴라. 딘심갈녁(盡心竭力)ᄒᆞ여 삼갈 거시니 형댱은 무익지ᄉᆞ(無益之事)를 근노(勤勞)치 마르쇼셔."

일공지 탄왈,

"오슈블쵸(吾雖不肖)나 엇디 이러ᄒᆞᆫ 줄 모로리오마ᄂᆞᆫ, 가변을 한심골경(寒心骨驚)ᄒᆞ여 슬허【12】ᄒᆞ미어니와, 내 인효(仁孝)의 갓가오믄 엇디 못ᄒᆞ고 인뉸(人倫)의 희한지변(稀罕之變)을 만날가 ᄒᆞ노라."

이공지 비록 형뎨간이나 ᄎᆞ마 뉴부인의 과악을 니르디 못ᄒᆞᆯ ᄇᆡ오, 몸이 텬일디하(天日之下)의 잇셔 양ᄆᆡ(養妹)의 져쥬 일ᄉᆞ를 듯디 말고져 ᄒᆞᄂᆞᆫ디라. 급급히 요예지물(妖穢之物)을 셤의 너허 친히 혜쥰으로 운젼ᄒᆞ여 소화ᄒᆞ고, 혜쥰을 엄히 분부ᄒᆞ여 블츌구외(不出口外) ᄒᆞ라 ᄒᆞ니, 쥰이 승명ᄒᆞ여 블츌구외ᄒᆞ니 가듕이 알 니 업더라.

댱공지 ᄎᆞ공ᄌᆞ다려 왈,

"아등의게 여ᄎᆞ 변괴 이시니, ᄌᆞ졍 침뎐

1439)명야지텬(命也在天) : : 목숨이 하늘의 뜻에 달려 있음.

1440)블가ᄉᆞ문어닌국(不可使聞於隣國) : 이웃과 나라에 듣게 할 일이 아님.

1441)비인력지쇼급얘(非人力之所及也) : 사람의 힘이 미칠 바가 아님.

1442)현마 : 설마. 그럴 리는 없겠지만.

1443)무블시져부뫼(無不是底父母) : (자식을) 옳지 않은 데에 이르게 할 부모는 없다.

여ᄎᆞ 망극ᄒᆞ니 축ᄉᆞ을 본 즉 셕ᄆᆡ(昔妹)의 필젹이니 오문 가변은 '불가사문어타인(不可使聞於他人)'이라. 아등이 장춧 엇지ᄒᆞ며 모ᄌᆞ숙질(母子叔姪)과 조손남ᄆᆡ(祖孫男妹) 하일하시(何日何時)의 화평ᄒᆞ리오."

체읍횡[행]뉴(涕泣行流)ᄒᆞ니, ᄎᆞ공지 【54】 즉시 축ᄉᆞ(祝辭)을 소화(燒火)ᄒᆞ고 기리 탄왈,

"만ᄉᆡ(萬事) 명(命)이오 비인녁소급(非人力所及)[1378]이니 혈마[1379] 엇지ᄒᆞ리오. 형장은 함구(緘口)ᄒᆞᄉᆞ 타일을 보실지이다. 아등이 셩효(誠孝) 쳔박(淺薄)ᄒᆞ여 출ᄒᆞ리 조모와 양모의 믜이 녁이시믈 어들지언뎡, 천ᄒᆞ(天下)의 무불시져부모(無不是底父母)[1380]라. ᄌᆞ식을 그릇 녁이심도 ○○○[ᄌᆞ식이] 인효치 못ᄒᆞᆫ 연괴니 진심갈녁(盡心竭力)ᄒᆞ여 삼갈 거시ᄆᆡ 형장은 무익(無益)히 번뇌치 마르소셔"

장공지 탄왈,

"오슈불초(吾雖不肖)나 엇지 이런 줄 모로리오마ᄂᆞᆫ, 가변을 슬허ᄒᆞ미여니와, ᄂᆡ 인효치 못ᄒᆞ여 인뉸의 희한지변(稀罕之變)을 만날가 ᄒᆞ노라."

이공지 비록 형뎨간이나 ᄎᆞᆷ아 뉴부인의 과악을 니르지 못ᄒᆞᆯ ᄇᆡ오, 몸이 쳔일지ᄒᆞ(天日之下)의 잇셔 양ᄆᆡ(養妹)의 져주 일ᄉᆞ을 듯지 말고져 ᄒᆞᄂᆞᆫ지라. 급히 혜쥰으로 요예지물(妖穢之物)을 운젼ᄒᆞ여 소화ᄒᆞ고 불츌구외(不出口外)ᄒᆞ라 ᄒᆞ다.

장공지 왈,

"아등의게 여ᄎᆞ 변괴 잇시니 ᄌᆞ졍 침젼을 이르리오. 가히 ᄉᆞ피미 올토다."

1377)명야재쳔야(命也在天耶) : 목숨이 하늘의 뜻에 달려 있음.

1378)비인녁소급(非人力所及) : 사람의 힘이 미칠 바가 아님.

1379)혈마 : 설마. 그럴 리는 없겠지만.

1380)무불시져부모(無不是底父母) : (자식을) 옳지 않은 데에 이르게 할 부모는 없다.

을 니르리오. 가히 죵용이 ᄉᆞᆯ피미 올토다."

ᄎᆞ공ᄌᆡ 역시 그러히 넉여【13】 일야ᄂᆞᆫ ᄒᆡ월누의 니르러 죵용이 좌우 침벽을 ᄉᆞᆯ피니, 후창하(後窓下)로 좃ᄎᆞ 좌우 벽간의 요ᄆᆡ(妖魅)의 긔운이 어ᄅᆡ여시니 범안은 모로나 공ᄌᆡ 엇디 모로리오. 댱공ᄌᆡ 친히 밋츨 파며 허다 요예지믈과 튝ᄉᆞ(祝辭)를 어더ᄂᆡ니 부인이 ᄡᅵ여 이를 보고 기리 탄왈,

"여등 형뎨 복듕의 이실 졔도 내 몸의 독약을 시험ᄒᆞ미, 쳔만 간계 아니 밋ᄎᆞᆫ ᄃᆡ 업더니, 이졔 계괴 궁극ᄒᆞ여 무고지ᄉᆞ(巫蠱之事)로 죽기를 죄오ᄂᆞᆫ 의ᄉᆡᆨ ᄇᆡᆨ츌(百出)ᄒᆞ니 엇디 통한치 아니리오."

《이∥장》공ᄌᆡ 온화히 위로 듀왈,

"공교디ᄉᆡᆨ 존젼의 니음ᄎᆞ니 엇디 ᄎᆞ악 경심티 아니리잇고? 사ᄅᆞᆷ의【14】 슈요댱단(壽夭長短)과 화복길흉(禍福吉凶)이 하날의 잇ᄂᆞᆫ ᄇᆡ어ᄂᆞᆯ, 인간의 요특(妖慝)ᄒᆞ미 여ᄎᆞᄒᆞ여 업슈히 넉이믈 초개(草芥)ᄀᆞᆺ치 ᄒᆞ오니, 일관(一觀)이 통ᄒᆡᄒᆞ온디라. 명일 계부 면젼의 고ᄒᆞ여 비복을 엄문ᄒᆞᆫ 즉 거의 죄범ᄌᆡ 죄의 나아가리니 엇디 ᄆᆡ양 모로ᄂᆞᆫ ᄃᆞ시ᄒᆞ여 업슈히 넉이믈 바드리잇고?"

ᄎᆞ공ᄌᆡ 크게 놀나 ᄀᆞᆯ오ᄃᆡ,

"형댱의 니르시ᄂᆞᆫ ᄇᆡ 실시녀외(實是慮外)1444)로소이다. 이 블과 간교ᄒᆞᆫ 비복의 작용이어ᄂᆞᆯ, 믄득 챵셜ᄒᆞ여 대인긔 고ᄒᆞᆫ 즉, 반ᄃᆞ시 대단ᄒᆞᆫ 거죄 잇셔 아름답디 아닌 ᄉᆞ단이 계시리니, 원컨ᄃᆡ 형댱은 일ᄏᆞᆺ지 마르쇼셔."

댱공ᄌᆡ 뎡ᄉᆡᆨ 왈,

"너ᄂᆞᆫ 엇디 이런【15】 말을 ᄒᆞᄂᆞ뇨? 간인의 간계 믄득 디존(至尊)의 범ᄒᆞ니, 위인ᄌᆞ(爲人子)ᄒᆞ여 ᄎᆞᆷ을 것가? 아등이 ᄆᆡ양 작용을 보나 함구ᄒᆞᄆᆡ 간인의 업슈히 넉이미 여ᄎᆞᄒᆞ니, ᄎᆞᄉᆡᆨ 발각ᄒᆞ나 현뎨의게 유ᄒᆡᄒᆞ미 업ᄉᆞ리니, 괴이히 구러 나의 심화를 돕지 말나. 명일 계부대인긔 고ᄒᆞ여 합문 비복을 져쥬어 간계를 ᄒᆡᆨ실ᄒᆞ리라."

1444)실시녀외(實是慮外) : 실로 생각 밖의 일임.

ᄎᆞ공ᄌᆡ 올히 녁여 일야ᄂᆞᆫ ᄒᆡ월누의 이르러 조용히 좌우 침벽을 ᄉᆞᆯ피니 과연 요ᄆᆡ(妖魅)의 긔운이 잇거ᄂᆞᆯ, 양공ᄌᆡ 친히 밋출 파며 허다 요예지물을 어더 ᄂᆡ고, 츅ᄉᆞ(祝辭)ᄒᆞᆫ 글을 보더니, 부인○[이] ᄡᅵ여 이을 보고 장탄 왈,

"여등 형뎨 복즁의 이실 졔ᄂᆞᆫ ᄂᆡ 몸의 독약을 시험ᄒᆞ며 쳔만 간계 아니 미촐 곳지 업더니, 이졔 계교 궁극ᄒᆞ여 무고지ᄉᆞ(巫蠱之事)로 죽기을 죄오니 엇지 통ᄒᆞᆫ치 아니리오."

이공ᄌᆡ 온화히 위로ᄒᆞ고 장공ᄌᆡ 분연 주왈,

"ᄉᆞ람의 수요장단(壽夭長短)이 ᄌᆡ쳔(在天)【55】이어ᄂᆞᆯ, 간인○[의] 요독(妖毒)ᄒᆞ미 여ᄎᆞᄒᆞ여 업수이 녁이믈 초ᄀᆡ(草芥) 갓치 ᄒᆞ니 통ᄒᆡᄒᆞ온지라.○…**결락자**…○[명일 계부 면젼의 고ᄒᆞ여 비복을 엄문ᄒᆞᆫ 즉 거의 죄범ᄌᆡ 죄의 나아가리니] 엇지 ᄆᆡ양 모로ᄂᆞᆫ 드시 ᄒᆞ여 업수이 녁이믈 바드리잇가?

ᄎᆞ공ᄌᆡ ᄃᆡ경 왈,

"형장의 이르시ᄂᆞᆫ ᄇᆡ 실시의외(實是意外)1381)로 소이다. 불과 간인의 작용이어ᄂᆞᆯ 문득 창셜ᄒᆞ여 ᄃᆡ인게 고ᄒᆞᆫ 즉, 반다시 ᄃᆡ단ᄒᆞᆫ 거죄이셔 아름답지 아닐 ᄲᅮᆫ 아니라, ᄋᆡᄆᆡᄒᆞᆫ 비복 등이 형벌을 당ᄒᆞ리니 복원 형장은 일컷지 마르소셔."

장공작 뎡ᄉᆡᆨ 왈,

"너ᄂᆞᆫ 엇지 이런 말을 ᄒᆞᄂᆞ뇨? 간인의 장[간]계 믄득 지존(至尊)의 범ᄒᆞ니 ᄎᆞᄂᆞᆫ 인ᄌᆞ(人子)의 ᄎᆞᆷ을 것가? 아등이 ᄆᆡ양 작용을 보아시나 함구ᄒᆞᄆᆡ, 간인의 업수이 녁이미 여ᄎᆞᄒᆞ니, ᄎᆞᄉᆡᆨ 발각ᄒᆞ나 현뎨의게 유ᄒᆡᄒᆞ미 업ᄉᆞ리니, 너ᄂᆞᆫ 고이히 구러 우형의 심우을 돕지 말나. 합문○○[비복]을 져주ᄒᆞ[어]{야} 간계을 ᄒᆡᆨ실ᄒᆞ리라."

1381)실시의외(實是意外) : 실로 생각 밖의 일임.

ᄎᆞ공ᄌᆞ의 명견 달식으로 엇디 양모의 작용이믈 모로리오. 만일 부젼의 고ᄒᆞᆫ 즉 대변이 이실디라. 망극 한심ᄒᆞ믈 니긔디 못ᄒᆞ여 금번디ᄉᆞ를 물시ᄒᆞ기를 ᄌᆡ삼 간걸(懇乞)ᄒᆞ니, 부인이 그 디셩대효(至誠大孝)를 긔특이 녁이고, 이 또 뉴시 일인의 작용 쁜 아니믈【16】 알디라, 츄연 탄왈,

"간졍(奸情)의 블미ᄒᆞᆫ 쇼문이 널니 젼ᄒᆞ미 깃브디 아닐 거시오, 희ᄋᆞ의 말도 괴이치 아니니 모로미 누셜치 말나. 이 또ᄒᆞᆫ 나의 명되 긔박ᄒᆞ미라 눌을 원ᄒᆞ리오."

이에 시ᄋᆞ를 명ᄒᆞ여 요예지물(妖穢之物)을 다 업시ᄒᆞ라 ᄒᆞ고, 댱공ᄌᆞ를 명ᄒᆞ여 발구치 말나 ᄒᆞᆫᄃᆡ, 공ᄌᆡ 믁연 통히ᄒᆞ믈 니긔지 못ᄒᆞ나, 감히 역명치 못ᄒᆞ여 믁연 슈명ᄒᆞ더라.

조부인 삼모ᄌᆡ 요예디믈을 업시ᄒᆞᄆᆡ 거개(擧家) 평안ᄒᆞ니, 태부인 고식조손(姑媳祖孫)이 졀졀통완ᄒᆞ고 괴이히 녁여 시녀로 탐디ᄒᆞᆫ 즉 ᄆᆡ치(埋置)ᄒᆞᆫ 거ᄉᆞᆯ 파 업시 ᄒᆞ엿ᄂᆞᆫ디라. 시비 놀납고 의괴ᄒᆞ여 이ᄃᆡ로 보ᄒᆞᆫᄃᆡ, 삼인【17】이 슈산돈족(手散頓足)[1445] 왈,

"조녀의 요약홈과 광·희 이축(二畜)의 흉휼(凶譎) 총명(聰明)이 여ᄎᆞᄒᆞ니 엇지 통한치 아니리오."

1445)슈산돈족(手散頓足) : 손을 휘젓고 발을 구름.

ᄎᆞ공ᄌᆞ의 명견달식으로 양모의 작용인줄 모르리오. 만일 부젼의 고ᄒᆞᆫ 즉, ᄃᆡ변이 《이시믈∥이실디라》. 망극ᄒᆞ여 ᄌᆡ삼 물시ᄒᆞ기을 간졀이 쳥ᄒᆞ니, 부인이 그 지셩ᄃᆡ효(至誠大孝)을 긔특이 녁이고 뉴시의 소위[윈] 줄 짐작ᄒᆞᄆᆡ, 츄연 탄왈,

"이 일을 들어닌 즉 간졍(奸情)의 소문이 편힝(遍行)ᄒᆞ고 깃분 일이 아니니 희아의 말이 올흔지라, 모로미 누셜치 말나. ᄎᆞ역(此亦) 나의 명도 긔박ᄒᆞ미라, 슈원슈구(誰怨誰咎)리오."

이의 장공ᄌᆞ을 명ᄒᆞ여 발구치 말나 ᄒᆞ고 요예지물을 업시ᄒᆞ라 ᄒᆞ니, 희쳔공ᄌᆡ ᄆᆡ영 초옥을 명ᄒᆞ여 요예지물을 셔르져 원림(園林) 깁흔 곳의 가 소화ᄒᆞ여 업시ᄒᆞ고【56】 ᄌᆞ경 침젼의 여ᄎᆞ 변괴 드러나믄 여등의 수직ᄒᆞ던 무리로셔 ᄉᆞ죄을 당ᄒᆞᆯ 거시니, 아즉 죄지곡직(罪之曲直)을 불변ᄒᆞ려 ᄒᆞᄂᆞ니, 부졀 업시 긴 혀을 놀여 셜파치 말나. ᄆᆡ영 초옥이 본ᄃᆡ 츙심이 몸을 죽여 갑흘 ᄯᅳᆺ지 잇ᄂᆞᆫ지라, 이런 변을 보ᄆᆡ 일신이 ᄯᅥᆯ니니 상히 조부인 뮈워ᄒᆞ기ᄂᆞᆫ 뉴부인 ᄐᆡ부인 밧긔 나지 아니니 의심의 도라가나 어ᄃᆡ가 ᄒᆞᆫ 말을 ᄒᆞ리오. 다만 눈물이 비오듯 ᄒᆞ여 원통ᄒᆞᆯ 분이라. 양 공ᄌᆡ 요예물을 다 업시ᄒᆞ고 모친의 편이 숙침ᄒᆞ시믈 쳥ᄒᆞᆫ 후, 외헌의 나아와 형뎨 홈긔 잘 ᄉᆡ, 심신이 경황ᄒᆞ여 잠을 일우지 못ᄒᆞ고, 흐르ᄂᆞᆫ 눈물이 벼ᄀᆡ을 젹셔 장ᄂᆡ 변고을 보지 말고 몸이 죽어 모로고져 ᄒᆞ더라.

뉴네 조부인 침소와 운학당의 무고ᄉᆞ을 힝ᄒᆞ연지 일숙이 거의로ᄃᆡ 조부인 슴모ᄌᆞ 유질ᄒᆞᄂᆞᆫ 일이 업ᄉᆞ니, 뉴네 의아ᄒᆞ야 신묘랑을 가마니 불너 요예물 무든 곳을 보라 ᄒᆞ니, 묘랑이 두로 ᄉᆞᆯ펴 보ᄆᆡ, 말셔 파 업시 ᄒᆞ엿ᄂᆞᆫ지라. ᄃᆡ경ᄒᆞ여 뉴부인다려 왈,

"요예물 무든 거ᄉᆞᆯ ᄉᆞ롬이 보니 업거ᄂᆞᆯ 뉘 파셔 업시ᄒᆞ엿ᄂᆞᆫ고, 측냥치 못ᄒᆞ리로다."

뉴시 도도아 ᄀᆞᆯ오ᄃᆡ,

"인듕(人衆)이 승텬(勝天)[1446]이라 ᄒᆞ니, 조시 대간대악(大奸大惡)이나 ᄒᆞᆫ번 ᄉᆞ화(死禍)ᄂᆞᆫ 면치 못ᄒᆞ오리니, 원컨ᄃᆡ 존고ᄂᆞᆫ 물우쇼려(勿憂消慮)ᄒᆞ쇼셔."

이에 묘랑을 쳥ᄒᆞᆫᄃᆡ 묘랑이 니르ᄆᆡ, 경ᄋᆞ 모녀 조손 삼인이 마ᄌᆞ 관ᄃᆡ(款待)ᄒᆞᆯᄉᆡ 묘랑이 몬져 삼인의 존몰을 므ᄅᆞᆫᄃᆡ 위시 고식이 쳑연(慽然) 함누(含淚) 왈,

"ᄉᆞ부ᄂᆞᆫ 니ᄅᆞ지 말나 ᄎᆞ(此) 삼흉의 흉완ᄒᆞ고 모질믄 고ᄌᆞ(古者) 녀무(呂武)[1447]라도 이의 더으디 못ᄒᆞ리니, 텬디신명(天地神明)과 귀신이 흠긔 변(變)ᄒᆞ나[1448] 능히 믈니치지 못ᄒᆞᆯ 요인(妖人)이라. 엇디 망ᄆᆡ지술(魍魅之術)[1449]이 용납ᄒᆞ리【18】오. 아등이 일즉 ᄉᆞ부의 고명ᄒᆞᆫ 신술이 족히 이 사ᄅᆞᆷ들은 쳐치ᄒᆞ여 아심을 위로ᄒᆞᆯ가 ᄒᆞ여, 초(初)의 알오미 텬신과 다ᄅᆞ미 업게 넉엿더니, 방금ᄒᆞ여ᄂᆞᆫ 크게 쳣말과 ᄂᆡ도ᄒᆞ니 이 엇던 일이뇨? 내 초의 스싱을 만나 뼈 ○○[싱각]ᄒᆞᄃᆡ 조녀 삼모ᄌᆞ와 셕싱의 ᄌᆡ실 오시가지 젼졔(剪除)ᄒᆞ여 녀ᄋᆞ와 우리 고식의 계활이 쾌ᄒᆞᆯ가 ᄒᆞ엿더니 이제 ᄒᆞᆫ 사ᄅᆞᆷ도 젼졔치 못ᄒᆞ니 이 므ᄉᆞᆷ 일고?"

묘랑 흔연 위로 왈,

"만ᄉᆡ 다 ᄯᅢ와 날이 잇ᄂᆞ니 부인은 번뇌치 마ᄅᆞ쇼셔. 셕의 쥬(周) 갑ᄌᆞ일(甲子日)의 흥ᄒᆞ고 은왕(殷王)이 갑ᄌᆞ(甲子)의 망ᄒᆞ엿나니 만ᄉᆡ(萬事) 개시텬의(皆是天意)[1450]라 엇디 그 ᄯᅢ를 모로시고 이러ᄐᆞᆺ 번뇌【19】ᄒᆞ시ᄂᆞ뇨? ᄌᆞ고(自古) 명댱(名將)도 뎍국을 소졔ᄒᆞᄆᆡ 승패득실이 블가승언(不可勝言)[1451]

1446)인듕(人衆) 승텬(勝天) : 여러 사람의 힘이 하늘을 이긴다.

1447)녀무(呂武) : 중국의 대표적인 여성권력자인 한(漢)나라 고조(高祖)의 황후 여후(呂后) 여치(呂雉?-BC108)와 당(唐)나라 고종의 황후 측천무후(則天武后) 무조(武曌 : 624-705).

1448)변(變)ᄒᆞ다 : 변(變)을 일으키다.

1449)망ᄆᆡ지술(魍魅之術) : 도깨비장난과 같은 간사한 술수. 망매(魍魅) : 산도깨비와 두억시니를 아울러 이르는 말.

1450)개시텬의(皆是天意) : 모두가 다 하늘의 뜻이다.

뉴네 분연통히 왈,

"우리ᄂᆞᆫ 지극히 비밀ᄒᆞ엿건마ᄂᆞᆫ 조시 숨모ᄌᆞ 궁흉ᄒᆞ고 춍명ᄒᆞ여 지혜 족ᄒᆞ니 계교을 알고 파 업시ᄒᆞ미라. ᄂᆡ ᄉᆞ부을 만나 즁심의 다힝ᄒᆞ고 즐거오미 평ᄉᆡᆼ소원을 일울가 ᄒᆞ엿더니, 일이 이ᄃᆡ록 마음을 좃지 아야 조시의 숨모【57】ᄌᆞ 일인도 죽지 아니코, 셕혹ᄉᆡ ᄌᆡ실 오시을 지금 죽이지 못ᄒᆞ여 아녀로 ᄒᆞ여곰 홍안○[을] 허송○[케]ᄒᆞ니 엇지 슬푸지 아니리오."

묘랑이 위로 왈,

"부인은 번뇌치 미르소셔. 타일 빈도의 ᄌᆡ조을 보시리니, 하날이 조부인 숨모ᄌᆞ을 븟들거니와 지셩(至誠)이면 감쳔(感天)이라, 부인과 빈되 《현심∥혈심(血心)》 진경으로 일을 도모ᄒᆞᄆᆡ 나죵이 쾌ᄒᆞᆯ지라. 소불인즉난ᄃᆡ모(小不忍卽難大謀)[1382]니, 명황(明皇)도 계교을 힝ᄒᆞ여 젹국(敵國)을 소졔(掃除)코져 ᄒᆞ야도, 승픽 ᄌᆞ져 뜻갓지 못ᄒᆞ여ᄂᆞᆫ지라. 슈연(雖然)이나 쥬(周) 무왕(武王)[1383]은 갑ᄌᆞ일(甲子日)의 흥ᄒᆞ고 은(殷)

1382)소불인즉난ᄃᆡ모(小不忍卽難大謀) : 작은 것을 참지 못하면 큰 꾀를 이룰 수 없다.

1383)무왕(武王) : 중국 주나라의 제1대 왕. 성은 희(姬). 이름은 발(發). 은 왕조를 무너뜨리고 주 왕조를 창건하여, 호경(鎬京)에 도읍하고 중국 봉건 제도를 창설하였다. 후대에 현군(賢君)으로 추앙되었다

이라. 이졔 이위 부인은 일개 녀ᄌᆞ로 금장(襟丈)[1452]과 ᄌᆞ딜(子姪)을 젼졔코져 ᄒᆞ시니 ᄒᆞ고로 그리 쉬오리오. 셰월을 쳔연ᄒᆞ나 필경 소원을 일울 ᄯᅢ 이시리이다."

뉴시 함루(含淚) 샤례 왈,

"ᄉᆞ부의 말 ᄀᆞᆺ틀딘ᄃᆡ 나의 심ᄉᆡ 잠간 싀원ᄒᆞ리로다. 연이나 하일하시(何日何時)의 쇼원을 일우리오. ᄉᆞ부ᄂᆞᆫ 안ᄌᆞ셔 만니 밧글 아ᄂᆞ니 ᄇᆞᆰ히 가ᄅᆞ치라."

묘랑이 속여 ᄀᆞᆯ오ᄃᆡ,

"반드시 ᄉᆞ오년 ᄂᆡ의 《쇼년∥쇼원》을 일우리이다."

ᄉᆞ오년 ᄂᆡ 악ᄉᆡ 발각ᄒᆞᆯ 줄 알고 짐ᄌᆞᆺ 이리 니르니, 만일 악ᄉᆡ 발각ᄒᆞᄂᆞᆫ 날이어든 먼니 도망ᄒᆞ려 쥬의를 뎡ᄒᆞ고, 금은옥빅(金銀玉帛)【20】을 징ᄉᆡᆨᄒᆞ여 보슈암의 ᄡᅡ흐니, 뉴시 그 ᄠᅳᆺ을 모로고 다만 견ᄃᆡ려 ᄒᆞᄂᆞᆫ디라. 츄밀공은 대ᄉᆞ(大事)의 강명ᄒᆞ나 쇼ᄉᆞ의 프러져, 내ᄉᆞ(內事)부치[1453]ᄂᆞᆫ 알녀ᄒᆞ미 업ᄉᆞ므로, 금은필빅(金銀疋帛)이 어ᄃᆡ로 가ᄂᆞᆫ 줄 아디 못ᄒᆞᄂᆞᆫ 고로, 위·뉴 악ᄉᆞ를 슈챵(酬唱)ᄒᆞ기의 금은 미곡 필빅을 ᄒᆞᆰᄀᆞᆺ치 녁이ᄂᆞᆫ디라. 묘랑을 어드므로브터 다시 망패(亡敗)ᄒᆞ기의 밋ᄎᆞ니, 뉴시 묘랑의 말을 미더 금은을 줄 ᄲᅮᆫ 아니라, ᄉᆞᄉᆞ로이 젼장(田莊)을 가음아라 냥녀를 호부케 ᄒᆞ고져 ᄒᆞ므로, 젼의ᄂᆞᆫ 고듕의 미곡이 ᄡᅧᆨ더니 당ᄎᆞ시(當此時)ᄒᆞ여ᄂᆞᆫ 합문이 계오 연명ᄒᆞᄂᆞᆫ디라. 츄밀의 월봉과 션복(膳福)[1454]의 드ᄂᆞᆫ[1455] 거ᄉᆞᆫ 다 딜ᄌᆞ【21】 뉴랑을 맛져

1451)블가승언(不可勝言) : 수가 많아서 말로 다 이를 수 없다.

1452)금장(襟丈) : 여성이 남편 형제의 아내를 지칭하여 이르는 말.

1453)-부치 : -붙이. 어떤 물건에 딸린 같은 종류라는 뜻을 더하는 접미사

1454)션복(膳福) : 선물(膳物).

주(紂)[1384]ᄂᆞᆫ 갑ᄌᆞ 일의 망ᄒᆞ엿ᄂᆞ니, 만ᄉᆡ기유쳔(萬事皆有天)[1385]이라, 엇지 그 ᄯᅢ을 아지 못ᄒᆞ시고 이러틋 조급히 구시ᄂᆞ뇨? 이졔 이위 부인은 일기 녀ᄌᆞ로 ᄌᆞ질(子姪)과 금장(襟丈)[1386]을 졀졔코져 ᄒᆞ시ᄆᆡ 엇지 그리 쉬오리잇고? 비록 셰월을 쳔연(遷延)ᄒᆞ나 마ᄎᆞᆷᄂᆡ 소원을 일울 ᄯᅢ 잇시리니 모로미 근심치 마르소셔."

뉴시 눈물을 머금고 ᄉᆞ례ᄒᆞ여 왈,

"ᄉᆞ부의 말 갓틀진ᄃᆡ 나의 초갈(焦渴)ᄒᆞᄂᆞᆫ 심ᄉᆞ 잠간 싀원ᄒᆞ리로다. 연이나 ᄒᆞ월ᄒᆞ시(何月何時)의 소원을 일우리오. ᄉᆞ부ᄂᆞᆫ 안져셔 만니을 보ᄂᆞᆫ 빅니 원컨ᄃᆡ 박게[1387] 가르치라."

묘랑이 문득 소겨 일으ᄃᆡ,

"반다시 ᄉᆞ오년 ᄂᆡ의 소원을 일우리이다."

이ᄂᆞᆫ 분명 ᄉᆞ오년 ᄂᆡ의 악ᄉᆡ 발각ᄒᆞᆯ 줄 아ᄂᆞᆫ 고로 짐짓 이리 이르미니, 만일 악ᄉᆡ 발각ᄒᆞᄂᆞᆫ 날이어든 져ᄂᆞᆫ 멀니 도망ᄒᆞ랴 주의을 정ᄒᆞ고, 금은옥빅(金銀玉帛)을 초[징]ᄉᆡᆨᄒᆞ여 보슈엄[암]의 싸흐니, 뉴시ᄂᆞᆫ 젼혀 그 ᄯᅳᆺ즐[을] 모르고 다만【58】 묘랑의 말을 신션갓치 아ᄂᆞᆫ지라. 츄밀공은 비록 ᄃᆡᄉᆞ의 광명(光明)ᄒᆞ나 소ᄉᆞ(小事)의 푸러져 ᄂᆡ사부치[1388] 일은 알녀ᄒᆞ미 업ᄉᆞ니, 금은필빅(金銀疋帛)이 아모ᄃᆡ로 가ᄂᆞᆫ 줄 모르고, 뉴시 악ᄉᆞ을 도모ᄒᆞ기의 다ᄃᆞ라ᄂᆞᆫ 금빅을 물갓치 흐르며 미곡을 즌흑갓치 녀기ᄂᆞᆫ지라. 여ᄎᆞᄒᆞ여 가ᄉᆞ 탕픽(蕩敗)ᄒᆞ기의 미ᄎᆞ니, ᄐᆡ부인은 슈습(收拾)지 못ᄒᆞ여 그러ᄒᆞ다 ᄒᆞ여, 츄밀을 권ᄒᆞ여 젼토(田土)을 무수히

1384)주(紂) : 중국 은나라의 마지막 임금). 이름은 제신(帝辛). 주(紂)는 시호(諡號). 지혜와 용력이 뛰어났으나, 주색을 일삼고 포학한 정치를 하여 인심을 잃어 주나라 무왕에게 살해되었다.

1385)만ᄉᆡ기유쳔(萬事皆有天) : 모든 일이 다 하늘의 뜻에 달려 있다.

1386)금장(襟丈) : 여성이 남편 형제의 아내를 지칭하여 이르는 말.

1387)박게 : 밝게.

1388)-부치 : -붙이. 어떤 물건에 딸린 같은 종류라는 뜻을 더하는 접미사

젼토를 ᄆᆡ득ᄒᆞ고, 쥬야 근노(勤勞)ᄒᆞᄂᆞᆫ 형상(形狀)으로 누ᄃᆡ봉ᄉᆞ(累代奉祀)ᄒᆞ고 가력(家力)이 업다 ᄒᆞ여, 짐즛 ᄌᆞ긔도 몸을 치례치 아냐 계오 가도(家道)를 출히며, 태부인을 쇡와 노복과 젼토를 파ᄌᆞ ᄒᆞ라 ᄒᆞ니, 츄밀이 혹 그러히 녁일 ᄯᅵ도 이시나 의아ᄒᆞ여 뉴시와 모친긔 연고를 므르면, 태부인 왈,

“셰 손녀의 혼슈의 가산이 탕패(蕩敗)타.”

하며 혹 눈믈을 흘녀 광텬 등의 ᄉᆡᆼ활이 구간(苟艱)ᄒᆞ믈 슬허ᄒᆞᄂᆞᆫ 쳬ᄒᆞ니, 츄밀이 ᄌᆡ리(財利)의 ᄆᆞ음이 업ᄂᆞᆫ 고로 모친의 과도히 슬허ᄒᆞ시믈 졀박ᄒᆞ여 웃고 ᄃᆡ왈,

“ᄌᆡ믈이라 ᄒᆞᄂᆞᆫ 거시 블관ᄒᆞᆫ디라. 광·희 냥ᄋᆡ 비록 젹슈(赤手)로 이시나 【22】 ᄉᆡᆼ계 구간(苟艱)치 아닐 ᄋᆞ히들이오니 물녀(勿慮)ᄒᆞ쇼셔.”

태부인이 ᄀᆞᆯ오ᄃᆡ,

“ᄌᆡ물 유무ᄂᆞᆫ 져의 쉬라 엇디ᄒᆞ리오.”

공이 도로혀 위로ᄒᆞ믈 마디 아니니, 구ᄑᆡ 이런 힝ᄉᆞ를 보고 어히업셔 말을 아니나, 위·뉴 이인의 용심을 궁흉히 녁이더라.

1455)드다 : 들다. 빛이나 물건 따위가 안으로 들어오다.

파라ᄂᆞᆫ지라. 뉴시 ᄒᆞᆫ갓 묘랑을 앗기지 아니코 수업시 긔물(器物)을 줄 분 아니라, 젼토을 파라 추밀이 모로게 젼장(田莊)을 장만ᄒᆞ여 냥녀 일ᄉᆡᆼ을 호부케 ᄒᆞ고져 ᄒᆞ므로, 젼ᄌᆞ의ᄂᆞᆫ 고듕의 미곡이 셕더니, 당ᄎᆞ시(當此時)ᄒᆞ여ᄂᆞᆫ 합문이 겨오 연명ᄒᆞᆯ 만치 남기고, 츄밀의 녹봉과 여러 곳 션물(膳物)이 드ᄂᆞᆫ 족족 신긔히 타쳐로 옴겨, 친질(親姪) 뉴시랑을 맛겨 젼토을 ᄆᆡ득ᄒᆞ고, 주야 근노ᄒᆞᄂᆞᆫ 형상으로 누ᄃᆡ봉ᄉᆞ(累代奉祀)ᄒᆞᆯ 가력(家力)이 업다ᄒᆞ여 졔ᄉᆞ(祭祀)의 탈진ᄒᆞ믈 념녀ᄒᆞ여, 짐짓 ᄌᆞ긔ᄂᆞᆫ 의복을 치레치 아니코 츄밀 보ᄂᆞᆫ ᄃᆡᄂᆞᆫ 식반을 바드나 찬물이 박약ᄒᆞ야 겨오 밥을 너흘만ᄒᆞ며, ᄐᆡ부인을 돌아1389)노복과 젼토을 다 팔게 ᄒᆞ니, 위ᄐᆡ의 흉험 악심이 뉴시 가라치ᄂᆞᆫ ᄃᆡ로 ᄆᆡ양 추밀을 ᄃᆡᄒᆞ여 봉ᄉᆞ졉긱(奉祀接客)ᄒᆞᆯ 길히 업ᄉᆞ믈 일너 가장(家藏)을 다 파ᄌᆞᄒᆞ니, 혹 민망이 녁이난 ᄯᅵ 이시나, 가ᄉᆡᆨ을 둘너보면 고듕(庫中)이 비엿고 용도ᄂᆞᆫ 번다ᄒᆞ니 마지 못ᄒᆞ여 젼토을 팔면 즉시 업셔지고, 졈졈 조셕식(朝夕食)도 간핍(艱乏)ᄒᆞᆫ ᄯᅵ 만으니, 츄밀이 의혹ᄒᆞ여 가ᄉᆡᆨ 이ᄃᆡ도록 ᄑᆡ(敗)ᄒᆞ믈 몰나 모친과 슈시(嫂氏)다려 무르니, ᄐᆡ뇌 경ᄋᆞ로부터 ᄉᆞᆷ손녀의 혼ᄉᆞ로 가ᄉᆡᆨ 탕ᄑᆡᄒᆞ여 젹ᄎᆡᆨ(積債) 여산ᄒᆞ믈 니르며, 혹 눈물을 흘녀 광쳔 등의 ᄉᆡᆼ활이 구간(苟艱)ᄒᆞᆯ 일을 슬허ᄒᆞᄂᆞᆫ 쳬ᄒᆞ니, 츄밀이 졀박ᄒᆞ여 웃고 ᄃᆡ왈,

“ᄌᆡ물이란 거시 불관ᄒᆞᆫ지라. 광쳔 등이 비록 젹수로 잇셔도 ᄉᆡᆼ계 구간ᄒᆞᆯ 아ᄒᆡ 아니라, 부귀지상이 완연ᄒᆞ니 브졀업산 일을 념녀치 마르소셔.”

ᄐᆡ뇌 탄왈,

“져의 조달영귀ᄒᆞ면 계활을 근심ᄒᆞᆯ 거시 아니라, 젼토을 다 파라오니 조션 셔[사]업을 다 업시ᄒᆞ믈 ᄒᆞᆫ○[ᄒᆞ]노라.”

츄밀이 도로혀 위로ᄒᆞ니, 구ᄑᆡ 어[이]런 형셰을 보고 어히업셔 말을 아니ᄒᆞ나, ᄐᆡ노 고식의 용심을 궁흉이 녁이더라.

ᄐᆡ노 노복뉴의도 조부인게 졍셩이 잇ᄂᆞᆫ

1389)돌르다 : 속이다. 훔치다.

태부인이 시녀 노복 등의 조부인긔 졍셩(精誠)이 잇ᄂᆞ니ᄂᆞᆫ 다 파라 업시ᄒᆞ니, 노복 등이 셔로 ᄯᅥ나지 아닐 ᄯᅳᆺ이 잇셔 옥누항 근쳐의 ᄉᆞ라 태부인이 망ᄒᆞ고, 공ᄌᆞ 등이 평안ᄒᆞᆫ 시졀 만나기를 등ᄃᆡᄒᆞ더라.

츄밀이 금평후를 ᄃᆡᄒᆞ여 광텬 등의 댱셩ᄒᆞ믈 닐너 슈히 셩녜ᄒᆞ믈 여러번 ᄌᆡ촉ᄒᆞ니, 금평휘 그 가졍을 알므【23】로 댱ᄂᆡ를 념녀ᄒᆞ나 임의 구약ᄒᆞᆫ 혼ᄉᆡ니 녀ᄋᆞ를 심규의 늙히지 못ᄒᆞᆯ 거시므로 브득이 퇴일ᄒᆞ니, 납빙은 이월 회간(晦間)이오 혼녜ᄂᆞᆫ 듕츄념간(中秋念間)1456)이라. 윤츄밀이 일ᄌᆡ 더ᄃᆡ믈 굼거이 넉이나 길월이 업셔 브득이 기다리고 명쥬 일ᄡᅣᆼ으로ᄡᅥ 힝빙(行聘)ᄒᆞ니, 뎡부의셔 명듀를 보고 뎡공이 츄연ᄒᆞ여, 하공은 보월을 엇고 명쳔공은 명듀를 어더 신긔히 넉이던 바를 ᄉᆡᆼ각고 상감ᄒᆞ더라.

뉴시 광텬공ᄌᆞ의 길월이 ᄉᆞ오삭이 격ᄒᆞ여시니, 그 ᄉᆞ이 혼ᄉᆞ를 져희코져 ᄒᆞᄃᆡ 됴흔 모칙을 엇지 못ᄒᆞ여 민민블낙(憫憫不樂)ᄒᆞ여 냥공ᄌᆞ 죽일 ᄯᅳᆺ이 착급ᄒᆞ여, 구몽슉을 쳥ᄒᆞ【24】여 진졍으로 베퍼 ᄀᆞᆯ오ᄃᆡ,

“현딜은 날노 더브러 명위슉딜(名爲叔姪)이나 실위모ᄌᆡ(實爲母子)라. 심담이 상됴ᄒᆞ니 므ᄉᆞᆷ 말을 못ᄒᆞ리오. 가군이 블명 소활ᄒᆞ여 사ᄅᆞᆷ의 현블쵸(賢不肖)를 아디 못ᄒᆞ고, 딕심(直心)으로 어질 ᄲᅮᆫ이라. 희텬을 계후ᄒᆞ엿거니와 광텬조ᄎᆞ 귀듕ᄒᆞ미 만금의 비ᄒᆞᆯ 빈 아니니, 광텬의 형뎨 일분이나 인효(仁孝)ᄒᆞᆯ진ᄃᆡ, 져의 ᄉᆞ랑ᄒᆞ믈 엇디 감샤치 아니리오마ᄂᆞᆫ, 기악(其惡)이 무비(無比)ᄒᆞ여 밧그로 ᄌᆞ딜의 도를 폐치 아니나, 안흐로 니검(利劍)을 장(藏)ᄒᆞ여 가군을 힝노ᄀᆞᆺ치 ᄒᆞ고, 디어 날노 더브러 모ᄌᆞ 슉딜이 완연ᄒᆞᆫ 구쉬(仇讐)되여, 져희 형뎨 날을 원망ᄒᆞ기를 긋칠 ᄉᆞ이 업【25】고, 브ᄃᆡ 죽이기를 원ᄒᆞᆫ다 ᄒᆞ니, 고인이 운ᄒᆞᄃᆡ ‘녕위계구(寧爲鷄口)언졍 무위우후(無爲牛後)’1457)라 ᄒᆞ여

1456)듕츄념간(中秋念間) : 음력 8월 20일 전후.
1457)녕위계구(寧爲鷄口)언정 무위우후(無爲牛後) :

ᄌᆞᄂᆞᆫ 다 파라 업시ᄒᆞ니, 시녀와 노ᄌᆞ 등이 졔 ᄌᆡ물 잇ᄂᆞᆫ ᄌᆞᄂᆞᆫ 다 속냥(贖良)1390)ᄒᆞ여 ᄐᆡ뇌긔 드리나, 공ᄌᆞ을 ᄯᅥ날 ᄯᅳᆺ지1391) 업셔 옥누항 근쳐의셔 살며 ᄐᆡ○[뇌] 망ᄒᆞ고 공ᄌᆞ 등이 평안ᄒᆞᆫ 시졀을 ○[등]ᄃᆡ ᄒᆞ더라.

츄밀이 금평후을 ᄃᆡᄒᆞ여 광쳔의 장셩ᄒᆞ미 조곰도 미진ᄒᆞᆫ 곳지 업ᄉᆞ니 수히 셩녜ᄒᆞ믈 ᄌᆡ촉ᄒᆞᆫ ᄃᆡ, 금휘 그 가졍을 알므로 녀ᄋᆞ의 장ᄂᆡ을 깁히 념녀ᄒᆞ나 임의 뎡양[약]ᄒᆞᆫ 혼ᄉᆡ니 마지 못ᄒᆞ여 퇴일ᄒᆞᄆᆡ, 납빙은 이월 회간(晦間)이오 혼네ᄂᆞᆫ 즁츄념간(中秋念間)1392)이라. 츄밀이 그 ᄉᆞ이을 더ᄃᆡ게 녁여 ᄒᆞᄃᆡ 길월이【60】 업셔 브득이 팔월을 기다리고, 명주 일ᄊᆞᆼ으로 힝빙(行聘)ᄒᆞ니, 평휘 명주을 보고 심히 추연ᄒᆞ여 남강 션유시의 ᄌᆞ가와 하공은 보월을 엇고 명쳔공은 명주을 어더 신긔히 녁이든 바을 ᄉᆡᆼ각고 친옹이 업ᄉᆞ믈 상감ᄒᆞ더라.

뉴네 광쳔의 길월이 ᄉᆞ오삭이 격ᄒᆞ여시니 그 ᄉᆞ이 혼ᄉᆞ을 마희코져 ᄒᆞ되 조흔 모칙을 엇지 못ᄒᆞ여 두 공ᄌᆞ을 죽일 ᄯᅳᆺ지 착급ᄒᆞ여 민민블낙(憫憫不樂)ᄒᆞ여 구몽숙을 청ᄒᆞ여, 진졍을 베퍼 왈,

“현질은 날노 더부러 명위숙질(名爲叔姪)이나 실위모ᄌᆞ(實爲母子)라. 심담이 상조ᄒᆞ니 무ᄉᆞᆫ 말을 못ᄒᆞ리오. 가군이 불명 소활ᄒᆞ여 사ᄅᆞᆷ의 현불초(賢不肖)을 아지 못ᄒᆞ고 진심으로 어진 ᄯᅳᆺ ᄲᅮᆫ이라. 희쳔은 계후나 ᄒᆞ엿거니와 광쳔을 더욱 귀듕ᄒᆞ야 만금의 비ᄒᆞᆯ 빈 아니라. 광쳔의 형뎨 일분이나 인효ᄒᆞᆯ진ᄃᆡ 져의 ᄉᆞ랑ᄒᆞ믈 감격ᄒᆞ여 아니리오마ᄂᆞᆫ, 간악(奸惡)이 무비(無比)ᄒᆞ니 안으로 니검(利劍)을 장(藏)ᄒᆞ며 밧그로 ᄌᆞ질의 네을 폐치 아니나, 가군을 힝노 갓치 ᄒᆞ고, 지어 날노 더부러ᄂᆞᆫ 모ᄌᆞ숙질(母子叔姪)이 완연ᄒᆞᆫ 구슈(仇讐)되여, 져의 형뎨 날을 원망ᄒᆞ기을 긋칠 ᄉᆞ이 업고, 부ᄃᆡ 죽이기을 도

1390)속냥(贖良) : 몸값을 치르고 노비의 신분에서 풀려나 양민이 됨.
1391)ᄯᅳᆺ지 : 뜻이.
1392)즁츄념간(中秋念間) : 음력 8월 20일 전후.

시니, 내 엇디 져의 ᄒᆡ를 밧고 힘힘히 손을 쏫고 화를 ᄃᆡ령ᄒᆞ리오. 그윽이 ᄉᆡᆼ각건ᄃᆡ, 내 몬져 져희를 업시코져 ᄒᆞᄂᆞ니, 현딜이 변화ᄒᆞᄂᆞᆫ ᄌᆡ조와 칼 ᄡᅳᄂᆞᆫ 신술이 형가(荊軻) 셥졍(聶政)을 우술디라. 날을 위ᄒᆞ여 광·희 냥ᄌᆞ를 일검지하(一劍之下)의 버혀 나의 위태ᄒᆞ믈 업게ᄒᆞᆯ딘ᄃᆡ 엇지 감샤치 아니리오."

몽슉이 금ᄎᆞ지시(今此之時)ᄒᆞ여ᄂᆞᆫ 젼일과 달나 옥당(玉堂)[1458] 한원(翰苑)[1459]의 청현(淸賢)을 ᄌᆞ임ᄒᆞ여 악ᄉᆞ를 아념즉ᄒᆞᄃᆡ, 《모친‖모진》 긔픔이 갈ᄉᆞ록 더ᄒᆞ며 블의를 슝상ᄒᆞ여 투현질능ᄒᆞ니, 냥공ᄌᆞ【26】의 비상ᄒᆞ미 타일 청운을 더위잡아[1460] 경악의 츌입ᄒᆞᄆᆡ, 져희 뉘 감히 우러러 보지 못ᄒᆞ여 뎡텬흥의 당뉘 될디라. 출하리 뉴시의 청을 드러 광텬 등을 어려실적 죽이고져 ᄒᆞ여 이의 ᄃᆡ왈,

"쇼딜이 조고만 용녁이 이시나 엇지 형가 셥졍의 날ᄂᆡ미 이시리잇고마ᄂᆞᆫ, 족히 슉모의 졀박ᄒᆞᆫ 심ᄉᆞ를 위로ᄒᆞ리니, 살인ᄒᆞᆫ 젹악(積惡)이 이시나 마디못ᄒᆞᆯ디라. 칼흘 ᄲᆡ혀 광텬 등의 머리를 ᄯᅥ로 나게 ᄒᆞ리이다."

뉴시 대열ᄒᆞ여 닐오ᄃᆡ,

"현딜이 날을 위ᄒᆞ여 디원(至願)을 일우게 ᄒᆞ면 엇디 ᄒᆞᆫ갓 슉딜의 졍 ᄲᅮᆫ이리오, 은혜 ᄇᆡᆨ골난망(白骨難忘)이로【27】다."

몽슉의 블감ᄒᆞ믈 일ᄏᆞᆺ고 뉴시와 날을 맛초고 도라가니, 의논이 밀밀ᄒᆞ여 경ᄋᆞ밧근 알 니 업더라.

일야ᄂᆞᆫ 광·희 이공지 운학당의셔 삼츈화류(三春花柳)를 응ᄒᆞ여 글을 디어 셔로 화

차라리 닭의 머리가 될지언정 소의 꼬리는 되지 말라는 뜻.

1458)옥당(玉堂) : 조선 시대 홍문관의 별칭. 삼사(三司) 가운데 하나로 궁중의 경서, 문서 따위를 관리하고 임금의 자문에 응하는 일을 맡아보던 관아

1459)한원(翰苑) : 한림원(翰林院). 조선시대 예문관의 별칭. 임금의 명을 짓는 일을 맡아보던 관아.

1460)더위잡다 : ①높은 곳에 오르려고 무엇을 끌어잡다. ②의지가 될 수 있는 든든하고 굳은 지반을 잡다.

모ᄒᆞᆫ다 ᄒᆞ니, 고어의 운ᄒᆞᄃᆡ, '영위계구(寧爲鷄口)언졍 무의우후(無爲牛後)'[1393]라 ᄒᆞ니, 엇지 졔 형뎨 ᄒᆡᄒᆞ믈 밧고 힘힘히 손을 ᄆᆡᄌᆞ 환(患)을 당ᄒᆞ리오. 그윽이 ᄉᆡᆼ각건ᄃᆡ 몬져 져의을 업시코져 ᄒᆞᄂᆞ니, 현질이 변화ᄒᆞᄂᆞᆫ ᄌᆡ조와 칼 쓰ᄂᆞᆫ 법이 형가(荊軻) 셥졍(聶政)의 날ᄂᆡ믈 우술 거시니, 날을 위【61】ᄒᆞ여 광쳔형뎨을 일검(一劍)의 버혀 나의 위ᄐᆡᄒᆞ믈 업게 ᄒᆞ면 감ᄉᆞ치 아니리오."

몽슉이 당ᄎᆞ시(當此時) ᄒᆞ여ᄂᆞᆫ 젼과 달나 금당(禁堂)[1394] ᄒᆞᆫ원(翰苑)[1395]의 청현(淸賢)을 ᄌᆞ임ᄒᆞ여 악ᄉᆞ을 아념 즉 ᄒᆞ되, 표ᄒᆞᆫ(剽悍)ᄒᆞ믈 갈ᄉᆞ록 더ᄒᆞ고 불의을 슝상ᄒᆞ미 극ᄒᆞᆫ지라. 져희 뉘 감히 우러러 보지 못ᄒᆞ여 뎡쳥[쳔]흥의 당뉴 될지라. 출ᄒᆞ리 뉴녀의 청을 드러 어려실 젹 다 죽이고져 ᄒᆞ여 ᄒᆞ여 이의 ᄃᆡ왈,

"소질이 조고만 용녁이 업지 아니ᄒᆞ오나, 엇지 ᄉᆞ름을 풀 버히듯 ᄒᆞ리잇고마는, 숙뫼 졀박히 청ᄒᆞ시니 소질이 비록 젹앙(積殃)은 되오나 칼을 빗ᄂᆡ여 광쳔 등의 머리을 취ᄒᆞ리이다."

뉴녀 ᄃᆡ열 왈,

"현질이 날을 위ᄒᆞ여 원(願)을 일우게 ᄒᆞ면 엇지 ᄒᆞᆫ갓 숙질의 졍 분이리오, 은혜 ᄇᆡᆨ골난망(白骨難忘)이 되리로다."

몽숙이 불감ᄒᆞ믈 일캇고 뉴녀와 날을 맛초고 도라가니 의논이 밀밀ᄒᆞ여 알니 업더라.

일야ᄂᆞᆫ 광쳔 등이 운학당의셔 ᄉᆞᆷ츈화류(三春花柳)을 응ᄒᆞ여 글을 지어 화답ᄒᆞ다가 야심ᄒᆞᄆᆡ 벼ᄀᆡ의 나아갈 ᄉᆡ, ᄎᆞ야의 구몽숙이 비수을 품고 웅장ᄒᆞᆫ 녁ᄉᆡ 되야 뉴녀 가

1393)녕위계구(寧爲鷄口)언졍 무위우후(無爲牛後) : 차라리 닭의 머리가 될지언정 소의 꼬리는 되지 말라는 뜻.

1394)금당(禁堂) : 조선 시대 의금부의 별칭. 임금의 명을 받아 죄인을 신문하는 일을 맡아보던 관아.

1395)ᄒᆞᆫ원(翰苑) : 한림원(翰林院). 조선시대 예문관의 별칭. 임금의 명을 짓는 일을 맡아보던 관아.

답ᄒᆞ다가, 밤이 깁흐ᄆᆡ ᄇᆡ기의 나아가니 이 밤의 구몽슉이 비슈를 ᄭᅵ고 웅댱ᄒᆞᆫ 녁ᄉᆡ 되여 뉴시의 가르치믈 좃ᄎᆞ 운학당의 니르러, 합댱(閤牆) 뒤히셔 냥공ᄌᆞ의 잠들기를 기다리더니, 냥공ᄌᆡ 일침지하(一寢之下)의 힐항(頡頏)[1461]ᄒᆞ여 밤이 반이나 된 후 좀을 드ᄂᆞᆫ디라. 몽슉이 즉시 니검을 번득이며 바로 드러와 광텬 등을 죽이려 ᄒᆞ니, 믄득 냥공ᄌᆞᄂᆞᆫ 【28】 보지 못하고 상샹(床上)의 황뇽과 빅뇽이 셔광(瑞光)을 ᄢᅵ어 누엇는ᄃᆡ, 졔셩(諸星)이 호위ᄒᆞ여시니, 몽슉이 ᄆᆞ음의 스ᄉᆞ로 겁ᄒᆞ여 두 눈이 아득ᄒᆞ니, 어나 거시 광텬이며 희텬이믈 아디 못ᄒᆞ여 칼흘 머추고 눈으로 슬필ᄉᆡ, 광텬이 잠이 깁디 아녓ᄂᆞᆫ 고로 문 여ᄂᆞᆫ 소ᄅᆡ를 듯고 눈을 희미히 ᄯᅥ 잠간 보ᄆᆡ, ᄎᆞ시 삼월 망간이라, 명월이 호호ᄒᆞ여 ᄉᆞ창의 낫ᄀᆞᆺ치 빗최니, ᄒᆞᆫ낫 건댱ᄒᆞᆫ 댱ᄉᆡ 셔리ᄀᆞᆺ튼 비검을 두로며 드러오ᄂᆞᆫ디라. 심ᄂᆡ의 분완ᄒᆞ여 거동을 ᄎᆡ 보려 ᄌᆞᄂᆞᆫ 쳬ᄒᆞ더니, 희텬이 ᄯᅩᄒᆞᆫ 형의 팔흘 다ᄅᆡ여 니러 움즉이고져 ᄒᆞ거늘 광텬이 비로소 흠【29】긔 니러나ᄆᆡ, 몽슉이 바야흐로 간 곳을 몰나 심니의 경혹(驚惑)ᄒᆞ여 ᄉᆡᆼ각ᄒᆞᄃᆡ, 내 앗가 분명이 광텬 형뎨 잠드ᄂᆞᆫ 거동을 보앗더니, 그 ᄉᆞ이 어ᄃᆡ로 간고? 가히 측냥치 못ᄒᆞ리로다. 의ᄉᆡ 분분하여 냥뇽(兩龍)을 ᄌᆞ로 보더니, 홀연 두 뇽이 움즉여 옷슬 닙으려 ᄒᆞᄂᆞᆫ 거슬 보니, 믄득 변ᄒᆞ여 광텬과 희텬이라. 몽슉이 급히 비슈를 드러 몬져 광텬을 향ᄒᆞ여 용녁을 분발ᄒᆞ여 다라드니, 광텬이 팔흘 드러 비슈를 앗고 희텬이 뒤흐로 다라드러 몽슉을 잡으려 ᄒᆞ니, 몽슉이 변화ᄒᆞ여 날증ᄉᆡᆼ이 되고져 ᄒᆞ여 몸을 흔들거ᄂᆞᆯ, 광텬이 봉목(鳳目)을 놉히 ᄯᅳ고 와잠(臥蠶)의 【30】 눈셥을 거ᄉᆞ리고, 몽슉의게 아ᄉᆞᆫ 바 비검을 드러 그 가슴을 빗기[1462] 지르니, 희텬이 말녀 왈,

르치믈 조ᄎᆞ 운학당의 이르러 합장(閤牆) 뒤힝[히]셔, 양공ᄌᆞ의 잠들기을 기ᄃᆞ리더니, 양공ᄌᆡ 일침(一枕)의 힐항(頡頏)ᄒᆞ여 밤이 반은 된 후 잠드ᄂᆞᆫ지라. 몽슉이 니검을 번득이며 바로 드러와 광쳔 등을 죽이려 ᄒᆞ니, 문득 양공ᄌᆞᄂᆞᆫ 보지 못ᄒᆞ고 상상(床上)의 황뇽과 빅뇽이 셔광(瑞光)을 ᄢᅵ여 누【62】엇ᄂᆞᆫᄃᆡ, 졔셩(諸星)이 호위ᄒᆞ엿시니, 몽숙이 마음의 ᄌᆞ겁ᄒᆞ여 두 눈이 아득ᄒᆞ여 칼을 멈추고 눈을 들어 술필 지음의, 광쳔이 잠이 깁지 아냐 문여ᄂᆞᆫ 소ᄅᆡ을 듯고 눈을 ᄯᅥ 보니, ᄎᆞ시 숨월 망간이라, 명월이 호호(晧晧)ᄒᆞ여 ᄉᆞ창의 낫갓치 비최니, 《ᄒᆞᆫ갓 : ᄒᆞᆫ낫》 건장ᄒᆞᆫ 장ᄉᆡ 상인(霜刃)을 두루며 드러오거ᄂᆞᆯ, 심ᄂᆡ의 분완ᄒᆞ여 거동을 ᄎᆡ보려 ᄒᆞ고 ᄌᆞᄂᆞᆫ 쳬ᄒᆞ더니, 희쳔이 ᄯᅩᄒᆞᆫ 형의 팔을 다라여 니러나고져 ᄒᆞ거ᄂᆞᆯ 광쳔이 비로소 함긔 이러나ᄆᆡ, 몽숙이 양공ᄌᆞ의 간곳슬 몰나 심니의 의혹ᄒᆞ더니, 홀연 쌍뇽이 변ᄒᆞ여 광쳔형뎨 되어 옷슬 입으려 ᄒᆞᄂᆞᆫ지라. 몽숙이 급히 비수을 들어 광쳔을 향ᄒᆞ여 다ᄅᆞ드니, 광쳔이 연망이 원비을 드러 칼을 앗고 희텬이 뒤흐로 다라드러 몽숙을 줍으려 ᄒᆞ니, 몽숙이 변ᄒᆞ여 날짐승이 되고져 ᄒᆞ더니, 광쳔이 봉목(鳳目)을 놉히 ᄯᅳ고 와줌미(臥蠶眉)을 거ᄉᆞ리고 칼을 드러 가슴을 지르니, 희쳔이 말녀 왈,

1461)힐항(頡頏) : ①새가 오르락내리락 하며 난다는 뜻으로 서로 정답게 지내는 모양을 이름. ②서로 우열을 가리기 어려움. 비슷함.

1462)빗기 : 비스듬히.

"ᄌᆞ긱의 경상이 통히ᄒᆞ니 엄히 져주어 간경(奸情)을 획실(覈實)ᄒᆞ리니 급히 죽이디 마르쇼셔."

광텬이 몬져 가ᄉᆞᆷ을 지르고 버거 머리를 버히고져 ᄒᆞ더니, ᄎᆞ공ᄌᆞ의 말을 듯고 칼흘 더지고 몽슉의 상토를 풀쳐 손의 감으니, 틍텬ᄒᆞᆫ 긔운을 니긔지 못ᄒᆞ여 발을 드러 ᄎᆞ기를 ᄆᆡ이 ᄒᆞ고, ᄎᆞ공ᄌᆞ로 ᄒᆞ여곰 야명쥬(夜明珠)1463)를 ᄂᆡ여 셔안(書案)의 노ᄒᆞ라 ᄒᆞ니, 이 ᄯᅢ 몽슉이 칼희 가ᄉᆞᆷ을 질녀 피 소ᄉᆞ나ᄂᆞᆫ 바의 알프미 극ᄒᆞ고, 머리를 광텬의 손의 감기여 변화ᄒᆞᄂᆞᆫ 요술도 ᄂᆡ지 못ᄒᆞ고, 황황착급(惶惶着急)【31】ᄒᆞ여 아모리 ᄒᆞᆯ 줄 모로더니, 냥공ᄌᆡ 야명쥬를 빗최고 므러 왈,

"우리 널노 더브러 원슈 업고 본ᄃᆡ 일면브지라. 네 므ᄉᆞᆷ 연고로 반야ᄉᆞᆷ경(半夜三更)의 칼흘 들고 ᄒᆡ코져 ᄒᆞᄂᆞ뇨? ᄲᆞᆯ니 니르디 아니면 경긱의 네 칼노 시험ᄒᆞ리라."

몽슉이 블의디ᄉᆞ(不義之事)를 만히 ᄒᆞ여시ᄃᆡ 금일 ᄀᆞᄐᆞᆫ 적이 업ᄂᆞᆫ디라. 광텬의 하일지위(夏日之威)와 희텬의 단엄ᄒᆞᆫ 긔상이 믁믁ᄒᆞᆫ 노긔를 ᄯᅴ여, 고ᄃᆡ 사ᄅᆞᆷ을 죽일 ᄃᆞᆺᄒᆞ니, 몽슉이 비러 ᄀᆞᆯ오ᄃᆡ,

"향니(鄕里)의 ᄉᆡᆼ댱ᄒᆞ여 인ᄉᆞ를 ᄎᆡ 아디 못ᄒᆞ고 평ᄉᆡᆼ이 금은이 귀ᄒᆞᆫ 줄만 아더니, 윤츄밀 ᄂᆡ상(內相)1464)이 나의 용녁이 이시믈 드르시고 금은을 보ᄂᆡ시며, 시녀로 니르시ᄃᆡ 운【32】학당의셔 ᄌᆞᄂᆞᆫ 공ᄌᆞ 냥인이 원슈의 ᄌᆞ식이러니, 지금 죽이디 못ᄒᆞ여 통한 ᄒᆞᄂᆞ니 냥공ᄌᆞ의 머리를 버혀 드리면 반ᄃᆞ시 만금 상이 이시리라 ᄒᆞ거ᄂᆞᆯ, ᄉᆞ죄를 범코져 ᄒᆞ미러니, 방듕의 드러와 냥공ᄌᆞ를 보ᄆᆡ 의피 하 비상ᄒᆞ시니, 오ᄅᆡ 머뭇거려 칼흘 간ᄃᆡ로 시험치 못ᄒᆞ엿ᄉᆞᆸᄂᆞ니, 빌건ᄃᆡ 일명(一命)을 샤(赦)ᄒᆞ쇼셔."

냥공ᄌᆡ 대로ᄒᆞ여 ᄀᆞᆯ오ᄃᆡ,

1463)야명쥬(夜明珠) : 야광주(夜光珠). 어두운 데서 빛을 내는 구슬.

1464) ᄂᆡ상(內相) : 아내가 집안을 잘 다스림. 또는 그런 아내.

"ᄌᆞ긱이 정상이 통히ᄒᆞ나 엄히 졔[져]주어 간졍을 획실(覈實)ᄒᆞ리니 급히 죽이지 마르소셔."

광쳔이 그 말을 듯고 칼을 더지고 몽슉의 상토을 풀쳐 손의 감으니 츙쳔ᄒᆞᆫ 긔운을 이긔지 못ᄒᆞ여 발노 ᄎᆞ기을 ᄆᆡ오 ᄒᆞ고, ᄎᆞ공ᄌᆞ ᄒᆞ여금 야명주(夜明珠)1396)을 ᄂᆡ여 ᄎᆡᆨ상의 노흐라 ᄒᆞ니, ᄎᆞ시 몽슉이 칼이 가슴의 질녀 피 소ᄉᆞᄂᆞᆫ지라. 압푸미 극ᄒᆞᆯ 분더러 머리을 광쳔의 손의 감기여 요술도 힝치 못ᄒᆞ고 황황착급(惶惶着急)【63】ᄒᆞ여 아모리 ᄒᆞᆯ 줄 모르더니, 양공ᄌᆡ 야명쥬을 빗최고 문왈,

"우리 널노 더부러 원수 업거ᄂᆞᆯ ᄒᆞ고로 반야ᄉᆞᆷ경(半夜三更)의 칼을 ᄶᅵ고 우리을 ᄒᆡ코져 ᄒᆞᄂᆞ뇨? ᄲᆞᆯ니 가르치지 아니면 경각의 칼을 시험ᄒᆞ리라."

몽슉이 불의ᄉᆞ(不義事)을 만히 ᄒᆞ엿시되 금일 갓튼 적이 업ᄂᆞᆫ지라. 광쳔의[이] 늠늠ᄒᆞᆫ 노긔을 ᄯᅴ고 고ᄃᆡ ᄉᆞᄅᆞᆷ을 죽일 듯ᄒᆞ니, 몽슉이 비러 왈,

"향니(鄕里)의 ᄉᆡᆼ장ᄒᆞ여 인ᄉᆞ을 ᄎᆡ 아니 못ᄒᆞ고 평ᄉᆡᆼ의 금은이 귀ᄒᆞᆫ 줄노 알아 윤츄밀 ᄂᆡ상(內相)1397)이 나의 용녁이시믈 드르시고 보ᄂᆡ시며, 시녀로 이르시ᄃᆡ 운학당의셔 ᄌᆞᄂᆞᆫ 공ᄌᆞ 양인이 원슈의 ᄌᆞ식일너니, 지금 죽이지 못ᄒᆞ여 통한ᄒᆞᄂᆞ니 양공ᄌᆞ의 머리을 버혀드리면, 타일의 만금 상이 잇스리라 ᄒᆞ거날, ᄎᆞᄉᆞ을 힝코져 ᄒᆞ미러니, 방듕의 드러와 냥공ᄌᆞ을 보ᄆᆡ 의표 ᄒᆞ 비상ᄒᆞ시니 오ᄅᆡ 머뭇거려 칼을 시험치 못ᄒᆞ엿ᄉᆞ오니, 빌건ᄃᆡ 일명(一命)을 ᄉᆞ(赦)ᄒᆞ소셔."

냥공ᄌᆡ ᄃᆡ노 왈,

1396)야명주(夜明珠) : 야광주(夜光珠). 어두운 데서 빛을 내는 구슬.

1397) ᄂᆡ상(內相) : 아내가 집안을 잘 다스림. 또는 그런 아내.

"네 말을 드르니 더옥 슬오디 못ᄒᆞ리로다. 원간 네 셩명이 므어신고 요패(腰佩)를 잠간 보리라."

언파의 다시 몽슉의 미간(眉間)을 ᄎᆞ니 ᄭᆡ여져 피 흐르ᄂᆞᆫ디라. ᄎᆞ공ᄌᆡ 그 몸을 뒤여 요패를 어드려 ᄒᆞᄃᆡ 찬 일이 업【33】ᄂᆞᆫ디라. 금낭을 ᄲᅢ혀 보니 낭듕의 됴졍 명뉴로 더브러 시ᄉᆞ 챵화ᄒᆞᆫ 것과 뉴부인 셔간이 잇셔, 금야의 ᄌᆞᄀᆡ 등을 죽이라 ᄒᆞ여시니 ᄎᆞ공ᄌᆡ 견파(見罷)의 심골이 경한(驚寒)ᄒᆞ고 가변이 망극ᄒᆞ믈 한심ᄒᆞ니, 머리를 숙이고 밋쳐 말을 못ᄒᆞ여셔, 댱공ᄌᆡ 칼흘 드러 ᄀᆞᆯ오ᄃᆡ,

"네 근본을 아디 못ᄒᆞ거니와 블의디ᄉᆞ를 이ᄀᆞᆺ치 슝상ᄒᆞ니, 젼후의 사ᄅᆞᆷ을 만히 ᄒᆡᄒᆞ여실디라 일명을 샤치 못ᄒᆞ리라. 죄악이 당당히 쥬뉵(誅戮)을 면치 못ᄒᆞᆯ 거시니, 이졔 죽으믈 한치 말나."

이리 니르며 몽슉을 버히려 ᄒᆞ니 십삼쇼년의 위풍이 규규(赳赳)ᄒᆞ며 긔상이 삼엄ᄒᆞ여【34】 바로 보디 못ᄒᆞᆯ디라. 몽슉이 일이 급ᄒᆞ믈 보고 소ᄅᆡ 질너, 왈,

"광텬은 날노 더브러 친쳑이 아니어니와 희텬은 이죵디간(姨從之間)이라. 엇디 날을 죽이며 내 ᄯᅩ 너희를 믜워 죽이려 ᄒᆞᄂᆞᆫ 거시 아니라, 슉모를 네 죽이려 ᄒᆞᄆᆡ, 시고(是故)로 날을 쳥ᄒᆞ여 여ᄎᆞ여ᄎᆞ 죽여달나 ᄒᆞ시니, 내 몸이 옥당금마(玉堂金馬)의 명환(名宦)을 ᄌᆞ임ᄒᆞᄂᆞᆫ 명ᄉᆞ로 혼야(昏夜)의 칼흘 픔고 사ᄅᆞᆷ을 죽이려 ᄒᆞ미 비루(鄙陋)ᄒᆞ고 괴이ᄒᆞᄃᆡ, 슉모의 위탁ᄒᆞ시믈 츄연ᄒᆞ여 너희 ᄀᆞᆺ튼 포악디인(暴惡之人)을 죽여 슉모의 일싱이 편ᄒᆞ시고져 ᄒᆞ미라. 너희 날을 죽이려 ᄒᆞ거든 이졔 슉모를 쳥ᄒᆞ여 ᄒᆞᆫ번【35】 영결(永訣)케 ᄒᆞ라."

댱공ᄌᆡ 더욱 대로 왈,

"우리 슉뫼 여러 딜ᄌᆡ 이셔 빈빈 왕ᄂᆡᄒᆞᄃᆡ 너 ᄀᆞᆺ튼 츅싱(畜生)은 보지 못ᄒᆞ엿ᄂᆞ니, 거즛 슉모의 딜ᄌᆡ로라 ᄒᆞ고, 우리를 눈이 업시 녁이니 ᄉᆞᄉᆞ(事事)의 가살(可殺)이라. 엇디 ᄒᆞᆫ 목슘을 빌니리오."

"여언(汝言)을 드르니 더욱 슬오지 못ᄒᆞ리로다. 원간 네 셩명이 무엇고? 요ᄑᆡ(腰佩)을 잠간 보리라."

언파의 다시 미간(眉間)을 ᄎᆞ니 ᄭᆡ여져 피 흐르ᄂᆞᆫ지라. ᄎᆞ공ᄌᆡ 그 몸을 뒤여 요ᄑᆡ을 어드려 ᄒᆞᆫᄃᆡ, 요ᄑᆡ 업거ᄂᆞᆯ 금낭을 ᄲᅢ혀 보니 낭즁의 조졍 명뉴와 더부러 시ᄉᆞ 창화ᄒᆞᆫ 것과 뉴부인 셔간이 잇셔 금야의 ᄌᆞᄀᆡ 등을 죽이라 ᄒᆞ엿시니, ᄎᆞ공ᄌᆡ 견파(見罷)의 심골이 경한(驚寒)ᄒᆞ고 가변의 망측ᄒᆞ물 ᄒᆞᆫ심ᄒᆞ니, 머리을 숙이고 미쳐 말을 못ᄒᆞ여셔 장공ᄌᆡ 칼을 들어 갈오ᄃᆡ,

"네 근본을 아지 못ᄒᆞ거니와 불의지ᄉᆞ을 이갓치 슝상ᄒᆞ니 젼후의 ᄉᆞᄅᆞᆷ을 만히 ᄒᆡᄒᆞ여실지라. 일명을 ᄉᆞ치 못ᄒᆞ리니 죽으믈 ᄒᆞᆫ치 말나."

언파의 몽숙을 버리혀 ᄒᆞ니, 십ᄉᆞ 소년의 위풍이 늠늠ᄒᆞ며 긔상이 슴엄ᄒᆞ여 바로보지 못ᄒᆞᆯ지라. 몽숙이 일이 급ᄒᆞ믈 보고 소ᄅᆡ질너 왈,

"광천은 날너 더브러 친쳑이 아니여니와 희천은 이종지간(姨從之間)이라. 엇지 날을 죽이며 ᄂᆡ 또 너희을 뮈워 죽이랴 ᄒᆞᄂᆞᆫ 거시 아니라, 숙모을 네 죽이려 ᄒᆞᆫ다 ᄒᆞ시ᄆᆡ, 시고(是故)로 날을 쳥ᄒᆞ여 여ᄎᆞ여ᄎᆞ 죽여달나 ᄒᆞ시니, ᄂᆡ 몸이 옥당금마(玉堂金馬)의 ○○○[명환(名宦)을] ᄌᆞ임ᄒᆞ는 명ᄉᆞ로 혼야(昏夜)의 칼을 품고 무단이 ᄉᆞᄅᆞᆷ을 죽이랴 ᄒᆞ미 비루ᄒᆞ고 괴이ᄒᆞ되, 숙모의 위탁ᄒᆞ시믈 측연(惻然)ᄒᆞ여 너의 갓튼 극악지인을 죽여 슉모의 일싱을 편콰져 ᄒᆞ미라. 너희 날을 죽이랴 ᄒᆞ거든 이졔 숙모을 쳥ᄒᆞ여 ᄒᆞᆫ번 영결(永訣)케 ᄒᆞ라."

장공ᄌᆡ 의논 왈,

"우리 숙뫼 여러 질ᄌᆞ 잇셔 ᄆᆡ양 빈빈 왕ᄂᆡᄒᆞ되 너갓튼 츅싱(畜生)은 보지 못ᄒᆞ엿ᄂᆞ니 거짓 숙모의 질ᄌᆞ로라 ᄒᆞ고 우리을 눈업시 녁이니 ᄉᆞᄉᆞ가살(事事可殺)이라. 엇지 일누(一縷)1398)을 빌니리오."

언파의 몽숚을 버히려 ᄒᆞ니, 댱공지 말을 이리 ᄒᆞ나 몽숚인 줄 딤작ᄒᆞ고 아조 죽여 후의 긴 혀를 놀니ᄂᆞᆫ 후환을 업시코져 ᄒᆞ더니, ᄎᆞ공지 밧비 칼흘 앗고, 몽숚을 향ᄒᆞ여 즐왈(叱曰),

"네 거즛 날과 이죵간(姨從間)이로다 ᄒᆞ거니와, 내 일즉 너를 본 일이 업ᄉᆞ니 엇디 허언이 아니며, 네 감히 그런 흉참ᄒᆞᆫ 말로 우리 ᄌᆞ당【36】을 어침(語侵)ᄒᆞ여, 허언을 ᄭᅮ며 요악ᄒᆞᆫ 혀를 놀녀 어ᄌᆞ러온 말을 ᄒᆞ니, 죄악이 졀졀(切切)이 ᄒᆞᆫ번 죽기를 면치 못ᄒᆞ리라."

몽숚이 답왈,

"나ᄂᆞᆫ 다른 사ᄅᆞᆷ이 아니라 한님학ᄉᆞ 구몽숚이라, 널노 더브러 이죵지의(姨從之義) 업ᄉᆞ리오. 이제 본형을 드러내여 너의 의심을 업시ᄒᆞ리라."

말을 맛츠며 몸을 흔드러 변ᄒᆞ여 두발은 오히려 댱공ᄌᆞ의 손의 감긴 지[1465] 이시ᄃᆡ, 경긱의 흉참ᄒᆞᆫ 댱시 변ᄒᆞ여 옥면뉴풍(玉面柳風)의 ᄌᆡ긔로온 몽숚이라. 미간의 흐르ᄂᆞᆫ 피와 가ᄉᆞᆷ이 질니여 듕상(重傷)ᄒᆞ엿ᄂᆞᆫ디라. 댱공지 요악 간특ᄒᆞ믈 니긔지 못ᄒᆞ여 {공지} 손의 곰앗던 두발(頭髮)을 푸러노코, 낫치 춤바타 ᄀᆞᆯ오ᄃᆡ,【37】

"우리ᄂᆞᆫ 혜아리기를 네 비록 뎡인군ᄌᆞ(正人君子)ᄂᆞᆫ 아니나, ᄌᆡ긔(才氣)로온 인물노, 명가(名家) ᄌᆞ손이니 조션을 욕먹이지 아닐노다 ᄒᆞ엿더니, 너의 공교ᄒᆞ미 요술을 힝ᄒᆞ며 극악ᄒᆞᆫ 힝식 이 디경의 밋ᄎᆞ니, 우리를 히ᄒᆞ려 ᄒᆞ던 줄은 놀납지 아니ᄒᆞᄃᆡ, 네 몸을 위ᄒᆞ여 개연(慨然) ᄎᆞ셕(嗟惜)ᄒᆞᄂᆞ니, 네 우리 모ᄌᆞ 숚딜간을 니간ᄒᆞ여 난상(亂常)[1466]ᄒᆞ믈 보고져 ᄒᆞ여, 망측ᄒᆞᆫ 누명을 숚모의게 씻치니, 죄상이 더옥 술오기 어렵고, 너ᄀᆞᆺ튼 요악쇼인(妖惡小人)이 옥당의 츌입ᄒᆞ여 국녹을 허비ᄒᆞ며, 됴졍 명뉴로 더브

공지 몽숙인 쥴 짐ᄌᆞᆨ고 아조 후환을 업시코져 ᄒᆞ더니, ᄎᆞ공지 밧비 칼을 앗고 몽숙을 향ᄒᆞ여 즐왈(叱曰),

"날노 이종(姨從)이라 ᄒᆞ되 일즉 얼골 본젹이 업ᄉᆞ니 엇지 허언이 아니며, 우리 ᄌᆞ당이 그런 말ᄉᆞᆷ을 ᄒᆞ실니 업거ᄂᆞᆯ 어ᄌᆞ로온 혀을 놀녀 흉참ᄒᆞᆫ【65】말을 ᄭᅮ미니 죄악이 졀졀(切切)이 ᄒᆞᆫ번 죽기을 면ᄒᆞ리오."

몽숙 왈,

"나ᄂᆞᆫ 다른 ᄉᆞᄅᆞᆷ이 아니라 한님학ᄉᆞ 구몽숙이니, 널노 더부러 이종지의(姨從之義) 업ᄉᆞ리오. 이졔 본형을 ᄂᆡ여 너의 의심을 업시 ᄒᆞ리라."

말을 마ᄎᆞ며 몸을 흔드러 변ᄒᆞ니 오히려 두발을 공ᄌᆞ의게 잡힌 ᄎᆡ 경각간 흉참ᄒᆞ든 장식 변ᄒᆞ여 옥면유풍(玉面柳風)의 ᄌᆡ조로온 몽숙이라. 미간의 흐르ᄂᆞᆫ 피와 가ᄉᆞᆷ이 질니여 즁상(重傷)ᄒᆞ여 ᄒᆞᆫ갈갓트니, 장공지 그 ᄎᆞ악 간특ᄒᆞ믈 이긔지 못ᄒᆞ여 손의 {감} 감은 두발(頭髮)을 풀어놋코 낫치 츔 바타 왈,

"우리ᄂᆞᆫ 너을 뎡인군ᄌᆞ(正人君子)로 아랏거니와 ᄌᆡ긔로온 인물노 명가(名家) ᄌᆞ손이미 조션을 욕먹니지 아닐가 ᄒᆞ엿더니, 너의 공교ᄒᆞ미 요ᄉᆞ극악지경(妖邪極惡之境)의 미ᄎᆞ니, 우리을 히ᄒᆞ랴 ᄒᆞ던 ᄇᆡ 놀납지 아니나, 네 몸을 위ᄒᆞ여 ᄀᆡ연(慨然) ᄎᆞ셕(嗟惜)ᄒᆞᄂᆞ니, 네 우리 모ᄌᆞ숙○[질]간을 희지어 난상(亂常)[1399]ᄒᆞ믈 보고져 ᄒᆞ여, 망측ᄒᆞᆫ 누명을 숙모게 ᄶᅵ치니 죄샹이 더욱 ᄉᆞᆯ니기 어렵고, 너 갓튼 요악소인(妖惡小人)이 옥당의 츌입ᄒᆞ여 국녹을 허비ᄒᆞ며 조졍명뉴로 엇기을 갈와 근시군측(近侍君側)ᄒᆞᆷ이 더러오니,

1465)지 : 채. 이미 있는 상태 그대로 있다는 뜻을 나타내는 말.
1466)난상(亂常) : 인륜을 어지럽힘. 상(常)은 오상(五常) 곧 오륜(五倫).

1398)일누(一縷) : 한 오리의 실이라는 뜻으로, 몹시 미약하거나 불확실하게 유지되는 상태를 이르는 말. 여기서는 '한 목숨'을 이르는 말.
1399)난상(亂常) : 인륜을 어지럽힘. 상(常)은 오상(五常) 곧 오륜(五倫).

러 엇게를 ᄀᆞᆯ와 근시(近侍)ᄒᆞ미 측ᄒᆞ고 더러오ᄃᆡ, ᄒᆞᆫ번 쾌히 죽여 흔젹을 업시ᄒᆞ면 가국(家國)【38】의 다ᄒᆡᆼ이로ᄃᆡ, 네 다만 구시랑 일ᄌᆞ로 녕졍단신(零丁單身)이라. 너를 죽일진ᄃᆡ 너의 조션혈식(祖先血食)이 졀ᄒᆞ믈 년측(憐惻)ᄒᆞ노라."

몽슉 왈,

"너의 날을 다ᄅᆡ려 ᄒᆞ거니와 이졔 슉모를 뫼셔 오라. 너의 ᄉᆞ오나온 연고로 슉뫼 타일 너의 ᄒᆡ를 닙을가 두려 몬져 너희를 죽이고져 ᄒᆞ시미니, 내 본ᄃᆡ 너희로 더브러 혐원이 업ᄉᆞ니, 슉모 말ᄉᆞᆷ을 듯디 아냐시면 므ᄉᆞ일 패도(悖道)를 ᄒᆡᆼᄒᆞ리오."

댱공ᄌᆡ 칼흘 드러 즐왈,

"네 감히 긴 혀를 놀녀 슉모를 드노화 우리 모ᄌᆞ 슉딜디간을 어ᄌᆞ러이려 ᄒᆞ니, 죄당쥬륙(罪當誅戮)[1467]이라 너를 ᄒᆞᆫ 칼ᄒᆡ 버혀 셜분(雪憤)ᄒᆞ리라."

ᄎᆞ공ᄌᆡ 말니고, 몽슉이 비러 왈,

"내 말을 잘【39】못ᄒᆞ여시니, ᄉᆞ원은 노ᄒᆞ지 말나. ᄎᆞ후 개과쳔션(改過遷善)ᄒᆞ여 악ᄉᆞ를 다시 ᄒᆡᆼ치 아니리라."

댱공ᄌᆡ 비로소 칼흘 노코 ᄎᆞ공ᄌᆡ 몽슉을 위로ᄒᆞ여 도라가라 ᄒᆞ니, 몽슉이 창황슈괴(蒼黃羞愧)ᄒᆞ여 상쳐를 우희고[1468] 문을 나ᄆᆡ 변신ᄒᆞ여 나ᄂᆞᆫ 즘ᄉᆡᆼ이 되여 도라가니, 혜준이 이 형상을 보고 모골이 숑연ᄒᆞ여 ᄒᆞᆫ가ᄒᆡ 안ᄌᆞᆺ거ᄂᆞᆯ, 냥공ᄌᆡ 이런 쇼문을 ᄂᆡ지 말나 엄히 분부ᄒᆞ고 도로 ᄌᆞ리의 누을ᄉᆡ, 대공ᄌᆡ ᄋᆞ의 손을 잡고 기리 탄왈,

"아등(我等)이 계부의 ᄌᆞᄋᆡ를 밧ᄌᆞ오니 슉뫼 이러ᄐᆞᆺ 죽이고져 ᄒᆞ시미 궁극ᄒᆞᆫ ᄃᆡ경의 밋쳐, 져쥬지ᄉᆞ(詛呪之事)와 금야 변괴 사ᄅᆞᆷ이 ᄉᆡᆼ각지 못ᄒᆞᆯ ᄇᆡ【40】라. 너와 내 어나 ᄯᆡ 가변을 딘뎡(鎭定)ᄒᆞ고 ᄎᆞᆫ효(寸孝)를 다ᄒᆞ여 이위(二位) 존당을 감동ᄒᆞ시게 ᄒᆞ리오."

1467)죄당쥬륙(罪當誅戮) : 죄가 죽음에 해당된다.
1468)우희다 : 움키다. 손가락을 우그리어 물건 따위를 놓치지 않도록 힘 있게 잡다.

한번 쾌이 죽여 흔젹을 업시ᄒᆞ면 공ᄉᆞ(公私)의 ᄒᆡᆼ심이로ᄃᆡ, 네 다만 구시랑의 일ᄌᆞ로 영젼[졍]단신(零丁單身)이라. 너을 죽이면 네 조션혈식(祖先血食)이 《영졍‖영졀(永絶)》ᄒᆞ기로 일명을 용셔ᄒᆞᄂᆞ니, 다시 여ᄎᆞ픠악 흉ᄉᆞ을 말나."

몽숙 왈,

"이ᄂᆞᆫ 나의 ᄒᆞ고져 ᄒᆞ미 아냐, 과연 슉모 나을 권ᄒᆞ여 너의 ᄉᆞ오나온 연고을 이로시고, 타일 너희 ᄒᆡ을 몬【66】져 입을가 두려 너희을 죽이과져 ᄒᆞ미니, ᄂᆡ 본ᄃᆡ 널노 더부러 원쉬 업거ᄂᆞᆯ 숙모 말ᄉᆞᆷ을 듯지 아냐시면 어이 ᄑᆡ도(悖道)을 ᄒᆡᆼᄒᆞ리오."

장공ᄌᆡ 즐왈,

"네 감히 긴혀을 놀녀 슉모을 ᄯᅩ 드노아 모ᄌᆞ숙질간을 크게 어ᄌᆞ러이려 ᄒᆞ니 죄당주륙(罪當誅戮)[1400]이라. 너을 ᄒᆞᆫ 칼의 버혀 셜분(雪憤)ᄒᆞ리라."

ᄒᆞ고 칼을 다시 들거ᄂᆞᆯ, ᄎᆞ공ᄌᆡ 말니고 몽슉이 비러 왈,

"말을 ᄌᆞᆯ 못ᄒᆞ여시니 ᄉᆞ원은 노치 말나. ᄎᆞ후ᄂᆞᆫ ᄀᆡ과쳔션(改過遷善)ᄒᆞ여 악ᄉᆞ을 ᄒᆡᆼ치 아니리라."

장공ᄌᆡ 비로소 칼을 놋코 ᄎᆞ공ᄌᆡ 몽슉을 위로ᄒᆞ여 도라가라 ᄒᆞ니, 몽숙이 창황슈괴(蒼黃羞愧)ᄒᆞ여 상쳐을 우희고[1401] 문을 나 변신ᄒᆞ여 날즘ᄉᆡᆼ이 되어 다라나니, 혜츈[쥰]이 ᄎᆞ경을 보고 모골이 송연ᄒᆞ물 마지 아냐 안ᄌᆞ거ᄂᆞᆯ, 냥골[공]ᄌᆡ 니런 소문을 ᄂᆡ지 말ᄂᆞ 엄히 당부ᄒᆞ고 도로 ᄌᆞ리의 누을ᄉᆡ, 장공ᄌᆡ 아의 손을 잡고 탄왈,

"아등이 슈불초나 죽이고져 ᄒᆞ시미 궁극ᄒᆞᆫ 지경의 미쳐 금야 변괴 ᄉᆞᄅᆞᆷ의 ᄉᆡᆼ각지 못ᄒᆞᆯ ᄇᆡ라. 너와 ᄂᆡ 가변을 진졍ᄒᆞ고 언제 이위(二位) 존당을 감동ᄒᆞ시게 ᄒᆞ리오."

1400)죄당쥬륙(罪當誅戮) : 죄가 죽음에 해당된다.
1401)우희다 : 움키다. 손가락을 우그리어 물건 따위를 놓치지 않도록 힘 있게 잡다.

ᄎᆞ공지 기리 탄식고 ᄀᆞᆯ오ᄃᆡ,

"구튝(寇畜)의 간활무상(奸猾無狀)ᄒᆞᆫ 말을 엇디 미들 거시라 형댱이 이런 말ᄉᆞᆷ을 ᄒᆞ시ᄂᆞ니잇고? 원컨ᄃᆡ ᄌᆞ졍(慈庭)긔도 고치 마르쇼셔."

언파의 초창ᄒᆞ믈 마디 아니니, 댱공지 믁연ᄒᆞ여 다시 말을 ᄒᆞ지 아니ᄒᆞ니, 형뎨 냥인이 은위(隱憂) 만복ᄒᆞ여 만ᄉᆞ의 흥황이 업ᄂᆞᆫ디라. 셔로 심회를 위로ᄒᆞ며 가변을 경심ᄎᆞ악ᄒᆞ여 시일을 보ᄂᆡ나, 명되 긔구ᄒᆞ고 신셰 험난ᄒᆞ미 이ᄀᆞᆺᄐᆞ니, 만일 명쳔공 유령이 알오미 이실틘ᄃᆡ 엇디 앗기지 아니리오. ᄎᆞ역(此亦) 운건(運蹇)1469)ᄒᆞ미러라.

ᄎᆞ셜, 구몽슉【41】이 가슴과 미간을 듕상ᄒᆞ여 집의 도라와 양시다려도 바로 니르지 못ᄒᆞ여 거즛 낙상(落傷)ᄒᆞ믈 니르며, 의약을 착실히 ᄒᆞ여, 소찰(小札)로 뉴시긔 고ᄒᆞ여 광텬 등을 죽이려 갓다가 밋쳐 죽이지 못ᄒᆞ고 도로혀 광텬의게 잡히여 반ᄉᆡᆼ반ᄉᆞ(半生半死)ᄒᆞ여 일신을 셩한 곳 업시 즛맛고1470) 와시믈 통ᄒᆞᄃᆡ, 허언을 ᄐᆡ반이나 보ᄐᆡ여 뉴시를 놀나게 ᄒᆞ니, 뉴시 모녜 몽슉의 셔간을 보고 만신이 쩔니기를 면치 못ᄒᆞ니, 독ᄒᆞᆫ 셩과 급ᄒᆞᆫ 분이 불 니러나 ᄃᆞᆺᄒᆞ여 눈믈이 낫치 가득ᄒᆞ여 쳬읍ᄒᆞ니, 경ᄋᆡ 위로 왈,

"모친은 과도히 슬허마르쇼셔."

뉴시 기리 늣겨 왈,

"내 허다 심녁을 허비【42】ᄒᆞ여 광텬 등 삼모ᄌᆞ를 죽이고져 ᄒᆞᄃᆡ, ᄒᆞᆫ 일도 ᄆᆞᄋᆞᆷ과 ᄀᆞᆺ지 못ᄒᆞ고 곳곳이 나의 ᄉᆞ오나옴만 드러날 ᄲᅳᆫ이니, 하날이 날을 돕지 아니시미 이러ᄐᆞᆺ 심ᄒᆞᆯ 줄 엇디 알니오."

경ᄋᆡ 역시 슬허 텬도를 원ᄒᆞ며 졈졈 칼 ᄀᆞᆺᄐᆞᆫ ᄆᆞᄋᆞᆷ이 날노 층가ᄒᆞ여, 뉴시 희텬을 고요히 ᄃᆡᄒᆞ면 니를 가라 고ᄃᆡ 칼노 지르고져 ᄒᆞᄃᆡ, 츄밀의 냥공ᄌᆞ ᄉᆞ랑ᄒᆞ믄 졈졈 더으니 이 거동을 본 즉 더옥 믜오믈 형상치 못ᄒᆞ나, 은악양션(隱惡佯善)ᄒᆞ여 ᄉᆞ오나온

1469)운건(運蹇) : 운수가 막힘.

1470)즛맛다 : 짓두들겨 맞다. 마구 두들겨 맞다.

ᄎᆞ공지 탄왈,

"몽슉의 무상(無狀)ᄒᆞᆫ 말을 어이 밋을 거시라 형장이 말ᄉᆞᆷ을 이리 ᄒᆞ시ᄂᆞᆫ잇고? 원컨ᄃᆡ 함묵ᄒᆞᄉᆞ ᄌᆞ졍(慈庭)게 고치 마르소셔."

장공지 다시 말을 아니나 형뎨 조심이 극ᄒᆞ더라.

구몽슉이 듕상ᄒᆞ여 집의 도라와 양시다려도 바로 이르지 못ᄒᆞ고 거즛 낙상ᄒᆞ믈 니르고 약을 착실이 ᄒᆞ고, 소찰(小札)노 뉴시의 고ᄒᆞ여 광쳔을 죽【67】이려 갓다가 죽이지 못ᄒᆞ고 도로혀 잡히여 반ᄉᆡᆼ반ᄉᆞ ᄒᆞ여 일신을 셩ᄒᆞᆫ 곳 업시 즛맛고 오믈 고ᄒᆞᆫᄃᆡ, 허언을 ᄐᆡ반이나 보ᄐᆡ여 뉴시을 놀나게 ᄒᆞ니, 뉴시 모녀 몽슉의 셔간을 보고 만신을 쩔고 돌돌ᄒᆞᆫ 셩과 급ᄒᆞᆫ 분이 불니듯 ᄒᆞ여 눈믈이 낫치 가득ᄒᆞ니, 경ᄋᆡ 위로ᄒᆞᆫᄃᆡ, 뉴녀 기리 늣겨 왈,

"허다 심녁을 허비ᄒᆞ고 금은을 앗기지 아냐 광쳔 모ᄌᆞ을 히ᄒᆞ려 ᄒᆞ연지 셰월이 오ᄅᆡᄃᆡ, ᄒᆞᆫ 일도 일우지 못ᄒᆞ고 《고고∥곳곳》의 나의 ᄉᆞ오나옴만 드러날 분이니 하날이 날을 돕지 아니시미 심ᄒᆞ도다."

경ᄋᆡ 역시 쳔도을 원ᄒᆞ며 졈졈 칼 갓튼 마음이 날노 층가ᄒᆞ여, 희쳔을 고요히 만나면 니을 갈며 고ᄃᆡ 칼노 질으고져 ᄒᆞ되, 츄밀이 양공ᄌᆞ 샤랑ᄒᆞ믈 본 즉 더옥 뮈오믈 형상치 못ᄒᆞ니, 은악(隱惡) 《방변∥양선(佯善)》ᄒᆞ여 ᄉᆞ오나온 거ᄉᆞᆯ 오ᄅᆡ 픔으ᄆᆡ, 화증이 날노 셩ᄒᆞ여 ᄶᅴᄶᅴ 왼몸이 압픈 듯 광쳔 등 히코져 마음이 불 갓트여, 일일은 추

거ᄉᆞᆯ 오ᄅᆡ 픔으ᄆᆡ, 화증이 날노 셩ᄒᆞ여 ᄡᅥᆨᄡᅥᆨ 왼 몸이 알픈 듯, 광텬 등을 죽이고져 ᄒᆞᄂᆞᆫ ᄆᆞ음이 블 니듯ᄒᆞ여, 일일은 츄밀이 맛참 친우의 집의 나【43】아가고, 댱공ᄌᆡ 외가의셔 조공이 금능셔 와시{시}므로 ᄇᆡ현코져 조부로 가시ᄆᆡ, ᄎᆞ공ᄌᆡ 홀노 셔ᄌᆡ의 잇다가 안히 드러와 뉴시긔 뵈오니, 부인이 바야흐로 공ᄌᆞ 등을 죽이고져 ᄒᆞᄂᆞᆫ ᄆᆞ음 칼흘 픔은 듯, 스ᄉᆞ로 억졔ᄒᆞᄆᆡ 만신이 번열ᄒᆞ여 찬 물의 슈족을 ᄌᆞᆷ으고 안목이 벌거ᄒᆞ여 안ᄌᆞᆺ더니, 공ᄌᆡ 낫빗출 화히 ᄒᆞ고 소ᄅᆡ를 낫초아 긔운을 뭇ᄌᆞ온ᄃᆡ, 뉴시 블분시비(不分是非)ᄒᆞ고 겻ᄐᆡ 노혓던 옥연갑(玉硯甲)을 드러 공ᄌᆞ의 머리를 향ᄒᆞ여 더지고, 다라드러 엇게를 므러ᄯᅥ히니 피 소ᄉᆞ나 옷ᄉᆡ ᄉᆞ못고 머리 ᄭᆡ여져 붉은 피 소ᄉᆞ나ᄂᆞᆫ디라. 공ᄌᆡ 불변 안ᄉᆡᆨᄒᆞ고 죵용이 한삼을 ᄡᅥ혀 머리의【44】 피를 ᄲᅡᆺ고 날호여 ᄉᆞ러 뭇ᄌᆞ오ᄃᆡ,

"쇼ᄌᆡ 유죄ᄒᆞᄆᆡ 반ᄃᆞ시 시노를 명ᄒᆞ여 칙벌ᄒᆞ실디니, 엇디 셩톄를 넛브게 ᄒᆞ시ᄂᆞ니잇가."

뉴시 희텬의 현효(賢孝)ᄒᆞ믈 더옥 믜이 넉이ᄂᆞᆫ디라, 의법히 시노로 쟝칙ᄒᆞᆯ 줄 모로지 아니ᄒᆞᄃᆡ, 구파의 알오미 되여 츄밀긔 젼ᄒᆞᆯ가 두리므로, 여러 이목 가온ᄃᆡᄂᆞᆫ 감언(甘言)ᄒᆞ여 ᄉᆞ랑ᄒᆞᄂᆞᆫ 쳬ᄒᆞ다가, ᄌᆞ긔 침소의 죵용이 ᄃᆡᄒᆞᆫ 즉, 악악ᄒᆞᄆᆡ 아니 밋촌 곳이 업ᄂᆞᆫ디라. 이날도 간독(奸毒)ᄒᆞᆫ 셩을 연고업시 발ᄒᆞ여, 공ᄌᆞ를 것미러[1471] 협실의 너코 텰편(鐵鞭)을 드러 머리로브터 두다리니, 공ᄌᆡ 알픈 거ᄉᆞᆯ ᄎᆞᆷ고 ᄋᆡ걸ᄒᆞ며 ᄀᆞᆯ오ᄃᆡ,

"ᄌᆞ경은 셩톄를【45】 넛부게 마르시고, 시노로 다ᄉᆞ리시기 요란ᄒᆞᄋᆞᆸ거든, 시녀 듕 용녁 잇ᄂᆞ니로 ᄐᆡ쟝을 더으쇼셔."

뉴시 비로소 셰월을 불너 협실의 드려 공ᄌᆞ를 셰오고 ᄐᆡ벌ᄒᆞᆯ ᄉᆡ, 슈를 혜○[지] 아니코 술히 무더나기를 그음ᄒᆞ니, 공ᄌᆡ 막힐 듯 ᄒᆞᄃᆡ 옥각(玉脚)을 놉히 것고 ᄒᆞᆫ 소ᄅᆡ를 요동치 아니코, 졈누(點淚)를 먹음지 아니ᄃᆡ

1471)것밀다 : 걷밀다. 함부로 밀치다.

밀이 맛춤 친구의 집의 나가고 장공ᄌᆡ ᄯᅩᄒᆞᆫ 조공이 금능으로 왓스ᄆᆡ ᄇᆡ현코져 조부의 가고 ᄎᆞ공ᄌᆡ 홀노 셔ᄌᆡ의 잇다가 안의 드러와 뉴시긔 뵈오니, 부인이 바야흐로 공ᄌᆞ 등 죽이믈 골돌ᄒᆞ다가 스ᄉᆞ로 억졔ᄒᆞᄆᆡ 만신이 번열ᄒᆞ여 찬물의 수족을 담으고 안목(眼目)이 벌거ᄒᆞ여 안ᄌᆞᆺ더니, 공ᄌᆡ 낫빗출 화히 ᄒᆞ여 소ᄅᆡ을 나초아 문후ᄒᆞ온 ᄃᆡ, 부인이 물문시비(勿問是非)ᄒᆞ고 겻희 노혓던【68】 옥연갑(玉硯甲)을 들어 공ᄌᆞ의 머리을 향ᄒᆞ야 더지고, 다라드러 엇기을 무러ᄯᅳ드니 피 소ᄉᆞ나 옷ᄉᆡ ᄉᆞ못고 머리 ᄭᆡ여져 홍혈이 돌츌ᄒᆞᄂᆞᆫ지라, 공ᄌᆡ 안ᄉᆡᆨ불변ᄒᆞ고 조용히 한삼을 ᄡᅥ혀 머리의 피를 씻고 날호여 뭇ᄌᆞ오ᄃᆡ,

"아ᄒᆡ 유죄ᄒᆞᄆᆡ 반ᄃᆞ시 시노로 칙벌ᄒᆞ시지 아니시ᄂᆞ니잇가?"

뉴시 희천의 현효(賢孝)ᄒᆞ믈 더욱 뮈이 넉이ᄂᆞᆫ지라. 의법히 시노로 칙장(責杖)ᄒᆞᆯ 줄 모로지 아니ᄃᆡ, 저 구파 알고 츄밀게 젼ᄒᆞᆯ가 두려므로, 여러 이목 즁의ᄂᆞᆫ 강인ᄒᆞ여 ᄉᆞ랑ᄒᆞᄂᆞᆫ 쳬ᄒᆞ다가, ᄌᆞ긔 침소의셔 조용히 ᄃᆡᄒᆞᆫ 즉, 악악ᄒᆞᄆᆡ 아니 미출 고지 업ᄂᆞᆫ지라. 이날도 간독(奸毒)ᄒᆞᆫ 성을 무고이 발ᄒᆞ여 공ᄌᆞ을 것모라[1402] 협실의 넛코 쳘편(鐵鞭)을 들어 머리로부터 나리 두다리니 공ᄌᆡ 압흔 거ᄉᆞᆯ ᄎᆞᆷ고 ᄋᆡ걸 왈,

"ᄌᆞ경은 성후을 잇부게 마르시고 시노로 다ᄉᆞ리미 요란커든 시녀로 ᄐᆡ장을 더으소셔."

뉴시 비로소 계월을 불너 협실의셔 공ᄌᆞ을 ᄐᆡ벌ᄒᆞᆯ ᄉᆡ, 수을 혜지 아니코 술이 무너나기을 그음ᄒᆞ니, 공ᄌᆡ 막힐 듯ᄒᆞᄃᆡ 소ᄅᆡ도 아니코 졈누(點淚)을 먹음지 아니코 ᄭᆡ여진 머리 어질ᄒᆞ며 억ᄀᆡ의 모진 니자옥[1403]의

1402)것몰다 : 걷몰다. 거듬거듬 빨리 몰아치다.

쒸여진 머리 어즐ᄒᆞ고 엇게의 모진 니ᄌᆞ곡의 피 한업시 소ᄉᆞ나며, 옥각이 칼노 뼈흐ᄂᆞᆫ 둣ᄒᆞᄃᆡ, ᄆᆞᄋᆞᆷ을 굿게 ᄎᆞᆷ아 긋치기를 기다리더니, 경익 부친이 경희뎐의 와시물 고ᄒᆞ니, 뉴시 비로소 긋치고 등을 미러 ᄀᆞᆯ오ᄃᆡ,

"어리고 졈즉ᄒᆞᆫ 윤공이 와시니 네 온가지로 참소【46】ᄒᆞ여 날을 죽이도록 도모ᄒᆞ라."

공ᄌᆞ 츄연이 낫빗출 곳쳐 ᄀᆞᆯ오ᄃᆡ,

"ᄋᆞᄒᆡ 비록 블초무샹(不肖無狀)ᄒᆞ오나 엇디 대인긔 ᄎᆞᆷ소ᄒᆞ미 이시리잇고 괴이ᄒᆞᆫ 의심을 마르쇼셔."

뉴시 니를 갈며 어셔 나가라 ᄒᆞ니, 공ᄌᆞ 의ᄃᆡ를 슈습ᄒᆞ고 대인이 못보시게 운학당으로 나오나, 힝보를 이루지 못ᄒᆞ여 계오나와 벼개를 의디ᄒᆞ여 고요히 누엇더니, 츄밀이 모친긔 뵈ᄋᆞᆸ고 공ᄌᆞ를 보디 못ᄒᆞ여 운학당으로 나오니, 공ᄌᆞ 년망이 몸을 움즉여 니러나니 공이 그 머리 쒸여져 상ᄒᆞ여시믈 보고 연고를 므른ᄃᆡ, 공ᄌᆞ ᄃᆡ왈,

"셤의 실족ᄒᆞ이다."

공이 미우를 찡긔고 상쳐의 약을 ᄡᆞ미고 ᄀᆞᆯ오ᄃᆡ,【47】

"네 본ᄃᆡ 족용듕(足容重)1472)ᄒᆞ여 그릇드될 니 업거ᄂᆞᆯ, 금일 이러틋 상ᄒᆞ미 젹은 익이 아니라. 조심ᄒᆞ여 됴리ᄒᆞ고 나단니지 말나."

당부ᄒᆞ며 편히 누으라 ᄒᆞᄃᆡ 부젼이라 감히 눕디 못ᄒᆞ니, 츄밀이 ᄋᆞᄌᆞ의 눕기를 위ᄒᆞ여 나오ᄃᆡ 경녀ᄒᆞ믈 마디 아니ᄒᆞ나, 뉴시 젼일의ᄂᆞᆫ 두상을 상히오디 아녀시므로 츄밀이 아디 못ᄒᆞ고 금일 실족ᄒᆞ므로 아나, 앗기고 념녀ᄒᆞ미 ᄌᆞ긔 몸이 알픈 둣ᄒᆞᄃᆡ, 엇디 뉴시의게 마ᄌᆞ 상ᄒᆞ민 줄 알니오. 공ᄌᆞ ᄒᆞᆫ갓 머리 상홀 ᄲᅮᆫ 아냐, 뎔편으로 마즌 다리 촌보를 움즉이지 못ᄒᆞ고 누어 ᄌᆞ긔 팔ᄌᆞ를 혜아리건ᄃᆡ, 부ᄌᆞ텬윤(父子天倫)의 면목 모로ᄂᆞᆫ 슬프미 뉵아(蓼莪)1473)의 밋【48】

1472)족용듕(足容重) : 발걸음을 내딛기를 매우 조심스럽게 함.

피 소ᄉᆞ나며, 옥각이 칼노 쎠혼 듯ᄒᆞ되, 마음을 굿게 춤아 그치기을 기ᄃᆞ리더니, 경익 부친이 경희당의 왓시믈 고ᄒᆞ니, 뉴시 비로소 긋치고 등 미러 갈오ᄃᆡ,

"어리고 졈즉ᄒᆞᆫ 윤공이 왓시니 네 온가지로 춤소ᄒᆞ여 날을 죽이도록 ᄒᆞ라."

공ᄌᆞ 낫츨 곳쳐 왈,

"아ᄒᆡ 비록 불초무상(不肖無狀)ᄒᆞ오나 엇지 ᄃᆡ인긔 춤소【69】ᄒᆞ리오. 의심치 마르소셔."

부인이 이을 갈며 어셔 나가라 ᄒᆞ니, 공ᄌᆞ 의관을 슈습ᄒᆞ고 부친이 못 보시게 운학당의 나오나, 힝보을 일우지 못ᄒᆞ여 겨유 나와 벼ᄀᆡ을 의지ᄒᆞ엿더니, 추밀이 모친긔 뵈ᄋᆞᆸ고 공ᄌᆞ을 보려 운학당의 오니, 공ᄌᆞ 이러나니 공이 그 머리 쒸여져 상ᄒᆞ믈 보고 그 연고을 무른ᄃᆡ, 공ᄌᆞ ᄃᆡ왈,

"셤의셔 실족ᄒᆞ여이다."

공이 미우을 찡긔고 상쳐의 약을 부쳐 왈,

"네 본ᄃᆡ 족용(足容)1404)이 듕(重)ᄒᆞ여 그릇홀 니 업거ᄂᆞᆯ 금일 이러틋 상ᄒᆞ미 젹은 익회 아니라. 풍상(風傷)치 말고 조심ᄒᆞ여 조리ᄒᆞ라."

ᄒᆞ고 나오나 경녀ᄒᆞ기을 마지 아니니, 뉴시 젼일은 두상을 상히오지 아니므로 추밀이 아지 못ᄒᆞ고, 금일도 실족ᄒᆞ므로 아나, 앗기고 ᄉᆞ랑ᄒᆞ미 ᄌᆞ긔 알푸믈 쒸듯지 못ᄒᆞ니 엇지 뉴시의 상ᄒᆞ민 줄 알니오. 공ᄌᆞ ᄒᆞᆫ갓 머리 분 아냐 쳘편으로 마즌 다리 촌보을 움즉이지 못ᄒᆞ고, 고요히 누어 ᄌᆞ긔 팔ᄌᆞ을 혀아리건ᄃᆡ, 부ᄌᆞ천뉸(父子天倫)의 면목을 모로ᄂᆞᆫ 슬푸미 뉵아(蓼莪)1405)의 ᄆᆡ쳣

1403)니자옥 : 이빨자국.
1404)족용(足容) : 발걸음을 내딛는 모양.
1405)뉵아(蓼莪) : 육아지통(蓼莪之痛). 어버이가 이미 돌아가시어 봉양할 길이 없는 효자의 슬픔. 『시경(詩經)』《소아(小雅)》편 <곡풍(谷風)>장 가운

거늘, 싱모의 위란혼 신셰 호혈(虎穴)의 드러심과 다르지 아니코, 양모의 극악ᄒᆞ미 감화키 어려온디라. ᄌᆞ긔 형뎨 반ᄃᆞ시 효도의 온젼혼 사름이 되기 어렵고 가변의 ᄎᆞ악ᄒᆞ미 어나 디경의 갈 줄 아디 못홀디라. 쥬야로 조모와 양모의 감화키를 바라고 셩효를 갈진(竭盡)ᄒᆞ나, 포악혼 호령과 독혼 칙벌이 긋칠 ᄉᆞ이 업셔 혈육이 셩홀 씩 업ᄉᆞ니, 아모리 ᄒᆞ여도 됴흔 모칙이 업셔 근심이 만단이나, 조곰도 양모를 원ᄒᆞᄂᆞᆫ 뜻이 업고 ᄌᆞ긔 효셩이 브족ᄒᆞ여 외오 녁이시믈 어든가 ᄌᆞ칙ᄒᆞ고, 싱모와 양부의 디극혼 졍을 도라보디 아니면 출하리 흔번 죽어【49】 가듕변난(家中變亂)을 보디 말고져 ᄒᆞ나, {경신이위대홈과} ᄌᆞ긔 죽ᄂᆞᆫ 날이면 양모의 패덕이 더옥 드러날 고로, 빅단 괴로오믈 견듸여 슬프믈 곰초고, 오딕 명도를 탄ᄒᆞ며 가지록 효우를 힘뼈, ᄌᆞ모와 양모의 감화ᄒᆞ기를 바라더라. 댱공지 도라와 모친과 슉당의 뵈옵고 운학당의 도라와 ᄎᆞ공ᄌᆞ의 누어시믈 보고 놀나 알ᄂᆞᆫ 곳을 뭇다가, 두샹(頭上)이 상ᄒᆞ여시믈 보고 반ᄃᆞ시 뉴시의 일인 줄 짐작고 골오딕,

"금일은 하고(何故)로 머리를 싸리ᄂᆞᆫ 죄벌(罪罰)이 잇더뇨?"

ᄎᆞ공지 믁연 브답이어놀, 댱공지 슬프고 잔잉ᄒᆞ믈 니긔지 못ᄒᆞ여 임의 혼뎡(昏定)을 파ᄒᆞ엿ᄂᆞᆫ 고로 의디를 히【50】탈ᄒᆞ고 누을시, ᄎᆞ공지 오히려 옷슬 벗지 아냐시니 댱공지 옷슬 벗고 편히 누으믈 권ᄒᆞ딕, 움즉이지 아니ᄒᆞ니 댱공지 친히 옷슬 글너 골오딕

"옷슬 닙고 누으면 더옥 편치 아니리라."

ᄒᆞ니, ᄎᆞ공지 형이 ᄌᆞ긔 상쳐를 볼가 민망ᄒᆞ여 죵시 벗지 아니니, 댱공지 위력으로 옷슬 그르민 엇게의 상쳐와 옥각의 살히 무어져시믈 보고, 참담이상(慘憺哀傷)ᄒᆞ여 븟

1473)뉵아(蓼莪) : 육아지통(蓼莪之痛). 어버이가 이미 돌아가시어 봉양할 길이 없는 효자의 슬픔. 『시경(詩經)』《소아(小雅)》편 <곡풍(谷風)>장 가운데 있는 '륙아(蓼莪)'시에서 온 말.

374)잔잉ᄒᆞ다 : 불쌍하다. 가엾다. 안쓰럽다.

거놀, 싱모의 위란ᄒᆞ미 호혈(虎穴)의 머무나 다르지 아니ᄒᆞ고, 양모의 극악ᄒᆞ미 감화키 어려운지라. ᄌᆞ긔 형데ᄂᆞᆫ 반다시 효도의 온젼혼 ᄉᆞ름이 되지 못ᄒᆞ고 타일의 가변이 ᄎᆞ악홀지라. 쥬야로 조모와 양모 감화키을 바라고 셩효을 갈진(竭盡)ᄒᆞ나 포악혼 호령과 독혼 칙벌(責罰)이 써나지 아냐, 혈육이 상키을 혜지 못ᄒᆞ니, 아모리 ᄒᆞ여도 조흘 줄 몰나 ᄒᆞᄂᆞᆫ 듕, 조양모(祖養母)을 원ᄒᆞᄂᆞᆫ 의식○○○[ᄂᆞᆫ 업고] 오【70】히려 ᄌᆞ긔 죽지 못ᄒᆞ여 외오 녁이시믈 어든가 ○○○○[자칙ᄒᆞ여], 출ᄒᆞ리 싱모와 양부의 지극혼 졍을 도라보지 아니면 흔번 죽어 가듕변란(家中變亂)을 보지 말고져 ᄒᆞ나, {경신이위딕홈과} ᄌᆞ긔 죽ᄂᆞᆫ 날이면, 양모의 악덕이 더욱 들어날 고로, 빅만 괴로옴과 슬푸믈 감초고 오직 명도을 탄ᄒᆞ며 가지록 효우을 숨가1406) 조모와 양모 회심ᄒᆞ기을 바라나 밋지 못ᄒᆞ고, ᄎᆞ일 죄 어든 후 장공ᄌᆞ 도라와 모친과 숙당의 뵈옵고 운학당의 와 ᄎᆞ공ᄌᆞ의 누어시믈 보고, 놀나 알ᄂᆞᆫ 곳을 뭇다가 두상이 숭ᄒᆞ믈 보고 반다시 뉴시의 일인 줄 짐죽고 왈,

"금일은 ᄒᆞ고로 머리을 ᄯᆞ리ᄂᆞᆫ 죄벌이 잇더냐?"

공지 묵연 브답이어놀, 장공지 슬푸고 잔잉ᄒᆞ믈 이긔지 못ᄒᆞ여 임의 혼뎡을 파한 후 ○[라], 의관을 히탈ᄒᆞ고 누울 식, ᄎᆞ공지 옷슬 벗지 아니커놀, 장공지 벗기을 권ᄒᆞ딕 ᄎᆞ공지 그 형이 상쳐을 볼가 민망ᄒᆞ여 벗지 아니니, 장공지 위력으로 옷슬 그르믹 엇기의 상쳐와 옥각의 상쳐 뮈여져시믈 보고 참담이상(慘憺哀傷)ᄒᆞ여 븟들고 눈물을 흘녀 왈,

데 있는 '륙아(蓼莪)'시에서 온 말.

374)잔잉ᄒᆞ다 : 불쌍하다. 가엾다. 안쓰럽다.

1406)숨가다 : 몸가짐이나 언행을 조심하다.

듣고 눈물을 흘녀, 골오딗,

"즈식이 유죄ᄒᆞ미 부뫼 칙장(責杖)ᄒᆞ시미 예ᄉᆡ로ᄃᆡ, 조모와 슉뫼 아등 칙벌ᄒᆞ시믄 죄벌 유므를 니르디 아니시고 혈육이 상키를 그음ᄒᆞ시니, 진실노 보젼키 어려온디라, 나ᄂᆞᆫ 오히려 긔운이 댱셩ᄒᆞ거니와【51】 너ᄂᆞᆫ 약질의 쟝칙이 써날 적이 업ᄉᆞ니, 반ᄃᆞ시 죽으미 쉬올디라. 뎨슌(帝舜)이 대셩(大聖)이샤ᄃᆡ, '쇼장즉슈(小杖則受)ᄒᆞ고 대쟝즉쥬(大杖則走)'1474)라 ᄒᆞ시니, 너의 몸을 스ᄉᆞ로 보젼ᄒᆞᄂᆞᆫ 거시 슉모긔 효되오, 부모의 바라시ᄂᆞᆫ 바를 씃지 아니미라. 이제 독ᄒᆞᆫ 쟝칙을 더으시ᄃᆡ 혈읍ᄋᆡ걸(血泣哀乞)ᄒᆞ여 듯디 아니시거든, 피ᄒᆞ여 밧긔 나와 여러 사ᄅᆞᆷ이 모든 후 드러가 뵈옵ᄂᆞᆫ 거시 올흐니, ᄒᆞᆫ갓 경슌(敬順)ᄒᆞ여 목슘을 씃ᄎᆞ미 도로혀 조모와 슉모긔 한업ᄉᆞᆫ 누덕을 씻치미니, ᄂᆡ이 ᄉᆡᆼ각ᄒᆞ여 우형(愚兄)의 말이 그르디 아니믈 알나."

공지 탄식 무언ᄒᆞ니, 일공지 슬프믈 니긔지 못ᄒᆞᄃᆡ 감히 츄밀긔 이런【52】 ᄉᆞᄉᆡᆨ을 뵈디 못ᄒᆞ고, 형뎨 년침(連枕)의 톄읍ᄒᆡᆼ뉴(涕泣行流)ᄒᆞ여 가화(家禍)로뼈 댱ᄂᆡ를 우려ᄒᆞ여 잠을 일우디 못ᄒᆞ더라.

이러틋 젼젼블ᄆᆡ(輾轉不寐)ᄒᆞ여 금계(金鷄) ᄉᆡ빅를 보ᄒᆞ니, 광텬공지 희텬의 손을 잡아 안심 됴호ᄒᆞ믈 지삼 니르고 존당의 문안 홀ᄉᆡ, 희텬이 유질ᄒᆞ여 신셩의 블참ᄒᆞ믈 고ᄒᆞ니, 위태부인이 엇디 모로리오마ᄂᆞᆫ 거즛 놀나 념녀ᄒᆞ믈 마디 아니니, 츄밀공이 또ᄒᆞᆫ 경녀ᄒᆞ여 골오ᄃᆡ,

"희ᄋᆡ 뎐일 족용이 신듕ᄒᆞ더니 실족ᄒᆞ여 듕상ᄒᆞ미 상쳬 대단ᄒᆞᆫ디라 브졀업시 츌입디 말나."

ᄒᆞ고 친히 의약을 다ᄉᆞ려 보호ᄒᆞ미 극진ᄒᆞ니, 뉴시 더옥 날노【53】 보치미 더ᄒᆞ니 보젼키 어렵더라.

이ᄯᆡ 황태지 뎡비(正妃) 박시로 은졍이 블합ᄒᆞ샤 후비를 간션ᄒᆞ실ᄉᆡ, 뉴시 뎡히 광

1474)'쇼장즉슈(小杖則受)ᄒᆞ고 대쟝즉쥬(大杖則走)' : 작은 매는 맞되 큰 매는 도망하여 피함.

"부뫼 즈식을 유죄타 칙벌ᄒᆞ시믄 당연커니와 혈육이 상케 ᄒᆞ시니 아등이 실노 보젼키 어려온지라. ᄂᆞᄂᆞᆫ 오히려 긔운이 장셩커니와 너는 약질의 장칙이 씃칠 젹이 업ᄉᆞ니 반다시 오라지 아냐 죽기 쉬운지라, 졔슌(帝舜)이 ᄃᆡ성인(大聖人)이ᄉᆞᄃᆡ, '소장즉슈(小杖則受)ᄒᆞ고 ᄃᆡ장즉주(大杖則走)'1407)ᄒᆞ라 ᄒᆞ시니, 네 몸을 보젼ᄒᆞᄂᆞᆫ 거시 숙【71】 부모긔 효도오, 바라시ᄂᆞᆫ 바을 씃지 아니미라. 이졔 독ᄒᆞᆫ 장칙을 더으시ᄃᆡ 혈읍ᄋᆡ걸(血泣哀乞)ᄒᆞ여 듯지 아니시거든, 피ᄒᆞ여 밧긔 와 여러 ᄉᆞᄅᆞᆷ이 모든 후 드러가 뵈옵ᄂᆞᆫ 거시 올흐니, ᄒᆞᆫ갓 경슌(敬順)ᄒᆞ기을 쥬ᄒᆞ여 목숨을 끈ᄎᆞ면 도로혀 조모와 숙모게 ᄒᆞᆫ 업ᄉᆞᆫ 누덕을 ᄭᅵ치미니, 익이 ᄉᆡᆼ각ᄒᆞ여 우형(愚兄) 말이 그르지 아니믈 알나."

이공지 탄식무언이니, 장공지 슬푸믈 이긔지 못ᄒᆞ나 감히 추밀긔 이런 ᄉᆡᆨ을 뵈지 못ᄒᆞ고 형뎨 연침(連枕)의 쳬루횡뉴(涕淚橫流)ᄒᆞ여 가화(家禍)로써 장ᄂᆡ을 우려ᄒᆞ여 잠을 일우지 못ᄒᆞ더라.

이러틋 여러 날이 되ᄆᆡ 강질(强疾)ᄒᆞ여 단이다가 젹상(積傷)ᄒᆞ여 토혈(吐血)이 무상(無狀)ᄒᆞ고 옥골이 초연ᄒᆞ니 추밀이 근심ᄒᆞ야 의약을 다ᄉᆞ리나, 뉴시 보치미 날노 더으니 장ᄎᆞ 보젼키 《어려온지라‖어렵더라》.

이ᄯᆡ 황틱ᄌᆞ 곽비로 은정이 불합ᄒᆞ여 후비을 간션ᄒᆞ시니, 뉴녀 광쳔의 혼ᄉᆞ을 즉회

1407)'소장즉슈(小杖則受)ᄒᆞ고 ᄃᆡ장즉주(大杖則走)' : 작은 매는 맞되 큰 매는 도망하여 피함.

텬의 ᄒᆞᆫ시 셩젼ᄒᆞᆯ 바를 통한ᄒᆞ다가 ᄶᅵ를 공교히 어든디라. 뉴황휘 뉴시로 ᄌᆡᄌᆞᆼ간(再從間)1475)인 고로 궐듕 통신이 이시ᄃᆡ, ᄌᆞ긔 바로 고ᄒᆞ믄 블가ᄒᆞ여 ○○○[뉴금오] 부인을 쵹ᄒᆞ여 밀셔를 올녀, 금평후 뎡연의 녜 만고 졀ᄉᆡᆨ이믈 ᄀᆞᆺ초 고ᄒᆞ여, 비록 타쳐의 빙믈을 바다시나 동방 화쵹의 녜를 일우미 업ᄉᆞ니 아ᄉᆞ 후궁을 뎡ᄒᆞ쇼셔 ᄒᆞ여시니, 황휘 그러히 넉이시나 셩덕이 명슉ᄒᆞ신 고로 어려이 넉이샤 샹긔 고ᄒᆞ샤

,

"댱안(長安) ᄌᆞᄆᆡᆨ(紫陌)의 ᄒᆡᆼ빙(行聘)ᄒᆞᆫ 녀ᄌᆡ○○[라도 간션의 다 드리라 ᄒᆞᄉᆞ, 만일 블【54】참ᄒᆞᆫ 즉 부형을 뎍거(謫居) 튱군(充軍)ᄒᆞ리라 ○○○[ᄒᆞ쇼셔]."

○○○○○[샹이 이대로 ᄒᆞ됴]ᄒᆞ시니, 뉘 감히 아니 들니오. 금평휘 ᄯᅩᄒᆞᆫ 녀ᄋᆞ를 드려보ᄂᆡ며 골오ᄃᆡ,

"녀ᄌᆞᄂᆞᆫ 효졀(孝節)이 읏듬이어니와, 만일 두 가지를 보젼치 못ᄒᆞᆯ 형셰 즉, 아녀의 ᄉᆡᆨ용으로ᄡᅧ 닷토아 훼졀ᄒᆞᆫ 녀ᄌᆡ 되지 말나. 샹휘(上后)1476) ᄒᆞᆫ번 보신 즉, ᄂᆡ여보ᄂᆡ믈 엇지 못ᄒᆞ리니 죽기로ᄡᅧ 닷토아 보라."

쇼졔 ᄇᆡ이슈명(拜而受命)ᄒᆞ고 간션(揀選)1477)ᄒᆞᄂᆞᆫ 날 입궐ᄒᆞ니, 댱안 ᄌᆞᄆᆡᆨ의 규슈 무슈히 궐졍의 모다시나, 웅쟝셩식(雄壯盛飾)과 분면홍ᄉᆡᆨ(粉面紅色)이 ᄭᅩᆺ슈플을 일워시니, 샹휘 ᄌᆞ시 술피시나 다 셩심의 블합ᄒᆞ시니 유유ᄒᆞ샤 먼니 바라보시니, 셕녁 ᄎᆡ셩[셕](彩席)의 ᄒᆞᆫ 녀ᄌᆡ 듕인 듕의 셔【55】시ᄃᆡ, 만고의 독보ᄒᆞ고 일ᄃᆡ의 무쌍ᄒᆞᆯ 형용이 ᄇᆡᆨ일이 쳥텬의 오른 ᄃᆞᆺ, ᄆᆞᆰ은 골격은 태양이 만방의 빗최고, 하날 ᄭᅩᆺ치 진셰 듕 ᄯᅥ러져 ᄇᆡᆨ화 듕의 향긔를 비양(飛揚)ᄒᆞᆷ ᄀᆞᆺᄐᆞ니, 어위촌 도량과 아름다온 거동이

1475)ᄌᆡᄌᆞᆼ간(再從間) : 6촌 형제 사이.
1476)샹휘(上后) : 황상(皇上)과 황후(皇后).
1477)간션(揀選) : 간택(揀擇).조선 시대에, 임금·왕자·왕녀의 배우자를 선택함. 또는 그 행사. 여러 후보자들을 대궐 안에 모아 놓고, 임금 이하 왕족 및 궁인들이 나아가 직접 보고 적격자를 뽑았다.

치 못ᄒᆞ여 가장 분분ᄒᆞ다가 ᄶᅵ을 묘히 어든지라. 뉴황휘 뉴시로 ᄌᆡ종형뎨 ᄉᆞ이라. 궐듕의 통ᄒᆞ미 잇시ᄃᆡ, ᄌᆞ긔ᄂᆞᆫ 바로 고ᄒᆞ미 가치 아닌 고로, 뉴금오 부인을 촉ᄒᆞ여 황후긔 밀셔을 올녀, 금평후 뎡연의 ᄯᆞᆯ이 만고의 희한ᄒᆞᆫ ᄉᆡᆨ이믈 고ᄒᆞ고, 타쳐의 빙치을 바다시나 만승지위로ᄡᅧ 그 젼안화촉지녜(奠雁華燭之禮)을 일운 일이 업ᄉᆞ니, 아ᄉᆞ ᄐᆡᄌᆞ 후비을 삼으소셔 ᄒᆞᆫᄃᆡ, 황후ᄂᆞᆫ 성덕이 명숙ᄒᆞ신 고로 뎡연의 ᄯᆞᆯ○[을] 아ᄉᆞ 드리기을 어려이【72】 넉이시나, 부득이 상긔 고ᄒᆞᄉᆞ,

"장안ᄌᆞᄆᆡᆨ(長安紫陌)의 ᄒᆡᆼ빙(行聘)ᄒᆞᆫ 녀ᄌᆞ라도 간션의 다 드리라 ᄒᆞᄉᆞ, 만일 황명을 위월ᄒᆞ면 그 부형을 적거츙군(謫居充軍)ᄒᆞ리라 ○○○[ᄒᆞ쇼셔]"

ᄒᆞ시니, ᄒᆡᆼ빙ᄒᆞᆫ 녀ᄌᆞ라도 다 드러갈 ᄉᆡ, 금평후 ᄯᅩᄒᆞᆫ 녀ᄋᆞ을 드려보닐 ᄉᆡ, 니르ᄃᆡ,

"○○○[녀ᄌᆞᄂᆞᆫ] 효졀(孝節)이 읏듬이여니와 두 가지을 완젼치 못ᄒᆞ량이면, 졀이 읏듬이니 이졔 너의 얼골노ᄡᅧ 상이 ᄒᆞᆫ 번 술피시면 반드시 슌이 나오지 못ᄒᆞ리니, 죽기로ᄡᅧ 훼졀(毁節)ᄒᆞᄂᆞᆫ 녀ᄌᆡ 되지 말나."

소져 ᄌᆡᄇᆡ 수명ᄒᆞ고 간ᄐᆡᆨ(揀擇)1408) 날 입궐ᄒᆞᆯ ᄉᆡ 장안 ᄌᆞᄆᆡᆨ의 규녀들이 무수히 모다 상후(上后)1409)긔 조현(朝見)ᄒᆞ니, 웅장셩식과 녹빈홍안이 ᄭᅩᆺ슈풀이 되어 좌우의 가득ᄒᆞ니, 상후 ᄌᆞ셰 술피ᄉᆞ 긔특ᄒᆞᆫ ᄉᆞ룸을 ᄡᆡ려 ᄒᆞ실 ᄉᆡ 모든 미녀 듕 혹 부풍누질(痡風陋質)이 잇시며 박식평상(薄色平常)ᄒᆞᆫ 뉴도 잇고 ᄌᆞ미운치(姿美韻致) 졀셰ᄒᆞᆫ 뉴도 이시ᄃᆡ, 셔녁 치[ᄎᆡ]셕(彩席)의 ᄒᆞᆫ 녀ᄌᆡ 만흔 ᄉᆞ룸 듕의 셧겻시나, 만고무쌍(萬古無雙)이오, 일ᄃᆡ독보(一代獨步)ᄒᆞᄂᆞᆫ 풍용(風容)이 만물의 비ᄒᆞᆯ 거시 업고, 다만 말근 광치 산두의 오르ᄂᆞᆫ 듯, ᄇᆡᆨ일이 《청청∥청천(靑

1408)간택(揀擇) : 조선 시대에, 임금·왕자·왕녀의 배우자를 선택함. 또는 그 행사. 여러 후보자들을 대궐 안에 모아 놓고, 임금 이하 왕족 및 궁인들이 나아가 직접 보고 적격자를 뽑았다.
1409)상후(上后) : 황상(皇上)과 황후(皇后).

졍신이 어리ᄂᆞᆫ디라. 샹이 크게 흠탄ᄒᆞ샤 좌우 궁녀로 셩시와 부명을 무르라 ᄒᆞ시니, 좃ᄎᆞᆫ 시녜 고 왈,

“금평후 뎡연의 녜로소이다.”

궁녜 이ᄃᆡ로 회쥬ᄒᆞ오니, 황휘 금오부인의 말ᄉᆞᆷ이 올흐믈 ᄀᆞ장 깃그샤 인견ᄒᆞ시니, 뎡쇼졔 샹명을 응ᄒᆞ여 삼촌 금년(金蓮)을 셰셰히 옴겨 뎐하의 다ᄃᆞ라 산호팔ᄇᆡ(山呼八拜)ᄒᆞ니, 먼니셔 나아올 젹은 홍일이【56】 부상의 걸님ᄀᆞᆺ더니, 졈졈 갓가이 다ᄃᆞ르ᄆᆡ 셔광(瑞光)이 ᄋᆡᄋᆡ(靄靄)ᄒᆞ고 오ᄎᆡ(五彩) 요일(繞日)ᄒᆞ여, 챵졸의 고하를 뎡치 못홀디라. 텬안이 희열ᄒᆞ샤 흔연이 옥음을 여러 ᄀᆞᆯ오샤ᄃᆡ,

“금평후 뎡연이 텬흥과 닌흥ᄀᆞᆺ튼 긔ᄌᆞ를 두고 ᄎᆞ인 ᄀᆞᆺ튼 녀ᄋᆞ를 두어시니, 엇디 아름답지 아니리오.”

ᄒᆞ시고, 드ᄃᆡ여 뎐폐의 갓가이 니르ᄆᆡ, 옥셩을 여러 산호만셰ᄒᆞ니 봉음(鳳吟)이 쇄락ᄒᆞ여 옥반의 진쥬를 구을니ᄂᆞᆫ ᄃᆞᆺ, 산협(山峽)의 유봉(有鳳)이 브르지지ᄂᆞᆫ ᄃᆞᆺᄒᆞ니, 뎐샹 뎐히 쇄연역ᄉᆡᆨ(灑然易色)ᄒᆞ고, 뎨와 휘 블승대희(不勝大喜)ᄒᆞ샤, 태ᄌᆞ 후비(后妃)를 뎡ᄒᆞ라 ᄒᆞ시니 뎡쇼졔 옥셩이 녈녈(烈烈)ᄒᆞ여 듀왈,

天)》의 구름 버슨 명월이라. ᄒᆞᆫ날 ᄭᅩᆺ치 진셰의 ᄯᅥ러져 ᄇᆡᆨ화춍즁(百花叢中)의 셧겻ᄂᆞᆫ ᄃᆞᆺ 쇄연이 션풍도골(仙風道骨)이라. 눈이 바히고[1410] 졍신이 어리니 상휘 흠찬 경이 ᄒᆞᄉᆞ 궁녀로 ᄒᆞ여곰 셩시와 부명을 무르라 ᄒᆞ시니, 뎡소져 ᄃᆡ왈,

“금평후 뎡연의 녀로○[소]이다.”

궁녀 이ᄃᆡ로 주ᄒᆞ니, 상휘 뉴금오 부인 말이 올흐믈 니르시고 가장 긔특이 넉이ᄉᆞ 갓가이 인견ᄒᆞ실 ᄉᆡ, 뎡소져 황명을 인ᄒᆞ여 ᄉᆞᆷ촌 연보(蓮步)을 가비야이 움ᄌᆞᆨ여 난향젼ᄒᆞ의 다ᄃᆞ라 산호팔ᄇᆡ(山呼八拜)ᄒᆞ니, 멀니셔 나아올 젹은 홍일이 부상(扶桑)의 걸님 갓더니, 졈졈 갓가히 오ᄆᆡ 셔광이 ᄋᆡᄋᆡ(藹藹)ᄒᆞ고 오ᄎᆡ요일(五彩繞日)ᄒᆞ여 창졸의 그 고으믈 졍치 못홀지라. 상과 휘 불각경동(不覺驚動)ᄒᆞᄉᆞ ᄌᆞ셰 ᄉᆞᆯ펴보신ᄃᆡ, 아아ᄒᆞᆫ 봉익(鳳翼)의 촉나삼(蜀羅衫)[1411]을 착ᄒᆞ고 일쳑셰요(一尺細腰)의 홍초상(紅綃裳)[1412]을 ᄆᆡ여시니, 나[1413]흐로 좃ᄎᆞ 명월이 ᄎᆡ 둥그지 못ᄒᆞ엿시나, 어리로온 ᄌᆞᄐᆡ와 덕된 긔운이 현츌(顯出)ᄒᆞ여 흡연이 팔ᄇᆡᆨ년 쥬실을 흥케ᄒᆞ던 셩여(聖女) 사시(姒氏)[1414]와 방불ᄒᆞᆫ지라. 젼상젼희(殿上殿下) 일견쳠망(一見瞻望)의 훌훌이 넉슬 일코, 뉵궁분ᄃᆡ(六宮粉黛) ᄉᆡᆨ을 아이니 쳔안이 흔연ᄒᆞᄉᆞ 옥음을 열어 갈ᄋᆞᄉᆞᄃᆡ,

“금평후 뎡연이 쳔흥과 인흥 갓튼 긔ᄌᆞ을 두고 ᄯᅩ ᄎᆞ인 갓튼 녀ᄋᆞ을 두어시니 엇지 아름답지 아니리오.”

칭창[찬](稱讚)ᄒᆞ믈 마지 아니시고 드ᄃᆡ여 젼지ᄒᆞᄉᆞ ‘ᄐᆡ자비을 졍ᄒᆞ라’ ᄒᆞ시니, 뎡

1410)바히다 : 바이다. 빛나다. 부시다. 빛이나 색채가 강렬하여 마주 보기가 어려운 상태에 있다.

1411)촉나삼(蜀羅衫) : 촉(蜀)나라 비단으로 지은 저고리.

1412)홍초상(紅綃裳) : 붉은 비단으로 지은 치마.

1413)나 : 나이.

1414)사시(姒氏) : 중국 주(周)나라 문왕(文王)의 비(妃) 태사(太姒)의 성씨. 주나라의 창건자인 무왕(武王)의 어머니로, 정숙한 덕성을 가져 성녀(聖女)로 추앙된다. 『시경』 <관저(關雎)>편은 바로 문왕과 태사 부부의 사랑을 노래한 시다.

"신쳡은 비록 심【57】규(深閨) 녀직오나 윤가의 빙례를 바닷ᄌᆞ오니, 복원(伏願) 폐하는 살피샤 신쳡의 졀의를 온젼케 ᄒᆞ시면 셩덕이로소이다."

샹이 ᄀᆞᆯᄋᆞ샤ᄃᆡ,

"경은 빈 문명(問名)을 의디ᄒᆞ여 졀을 완젼코져 ᄒᆞ미 우읍도다. 경이 년쇼ᄒᆞ나 거동이 유튱(幼沖)ᄒᆞ기의 버셔나시니 엇디 괴이ᄒᆞᆫ 의ᄉᆞ로 되지 못ᄒᆞᆯ 훼졀(毁節) 두 ᄌᆞ를 드놋ᄂᆞ뇨?"

뎡쇼졔 뎡식 듀왈,

"폐해 신쳡으로ᄡᅧ 년긔 유튱ᄒᆞ여 셰ᄉᆞ를 모로리라 ᄒᆞ시고, 신의 아비 이런 일노ᄡᅧ 긔휘ᄒᆞᄂᆞᆫ가 의심ᄒᆞ시니, 신쳡이 다시 듀ᄒᆞᆯ 바를 아디 못ᄒᆞ오나, 텬하의 흔ᄒᆞᆫ 거시 녀직라. 태ᄌᆞ 후비를 간션ᄒᆞ실딘ᄃᆡ, 어나 곳의 업술 거시라【58】 굿ᄐᆞ여 빙믈 바든 신쳡을 위력으로ᄡᅧ 협졔(脅制)코져 ᄒᆞ시ᄂᆞ니잇고? 신이 초로 갓ᄉᆞ온 일명을 앗겨 훼졀ᄒᆞᆫ 더러온 계집이 되고, 셩군이 음악ᄒᆞᆫ 녀ᄌᆞᄡᅧ 후비를 뎡ᄒᆞ시리잇고? 폐해 동방(洞房)의 녜를 일우미 업다 ᄒᆞ시나, 녀직 문명을 바든 후ᄂᆞᆫ 곳 그집 사ᄅᆞᆷ이라. 션ᄇᆡ 비록 녹을 먹디 아니나 다른 님군을 셤기지 아닛ᄂᆞ니 튱신은 블ᄉᆞ이군(不事二君)1478)이오 녈녀ᄂᆞᆫ

1478)블ᄉᆞ이군(不事二君) : 두 임금을 섬기지 않음.

소져 믄득 셤셤셰요(纖纖細腰)을 굽히고 옥셩이 녈녈(烈烈)ᄒᆞ여 주 왈,

"신쳡의 아비 황명을 위월치 못ᄒᆞ여 소신을 드려보ᄂᆡ오ᄆᆡ, 불혜누질(不慧陋質)이 간션의 츰네ᄒᆞ옴도 외람ᄒᆞ옵고, 겸ᄒᆞ와 윤가의 빙치(聘采)을 밧ᄌᆞ와 젹인(適人)ᄒᆞᆫ 녀ᄌᆞ로 다르지 안닌지라, 신쳡이 무례ᄒᆞ와 별당의 머무와도 폐히 훼졀ᄒᆞᆫ 쳔녀(賤女)을 엇지 ᄐᆡᄌᆞ후비을 ᄉᆞᆷ으시리잇가? 신쳡이 부월의 쥬ᄒᆞ고 뎡확(鼎鑊)의 삼길지라도 상교을 밧줍지 못ᄒᆞ【74】리로소이다."

언파의 ᄉᆞ긔 씩씩열일ᄒᆞ여 ᄒᆞᆫ 녀직로ᄃᆡ ᄃᆡ의군ᄌᆞ(大義君子)의 틀을 가져 ᄂᆡ엄ᄒᆞᆫ 연골(軟骨)이 셜상의 한월이 비최고, 송ᄇᆡᆨ(松柏)이 졀긔을 직혀, 위엄의 구속지 아닐지라. 상이 소왈,

"네 나히 십숨이니 반다시 아지 못ᄒᆞ리라. 졀이란 거산 동방화촉지네(洞房華燭之禮)을 일운후 젹인ᄒᆞᆫ 작시니, 지아비을 위ᄒᆞ여 타셩(他姓)을 셤기지 못ᄒᆞᆯ ᄇᆡ라. 너ᄂᆞᆫ 그와 달나 빈 치례(采禮)1415)와 두어 줄 혼셔을 의지ᄒᆞ여 졀을 일카러니 우은 일이라. 네 나히 어리나 거동이 유츙ᄒᆞ기을 버셔낫스니 엇지 고이ᄒᆞᆫ 의ᄉᆞ로 되지 못ᄒᆞᆯ 훼졀(毁節) 이ᄌᆞ을 드놋ᄂᆞ뇨?"

소져 뎡식 주왈,

"폐히 신쳡의 년긔 유츙ᄒᆞ므로ᄡᅧ 셰ᄉᆞ을 아지 못ᄒᆞ리라 ᄒᆞ시고, 아비 가르치므로 의심ᄒᆞ시니 신이 다시 주ᄒᆞᆯ ᄇᆡ 업삽거니와 ○○[텬하]의 흔ᄒᆞᆫ 거ᄉᆞᆫ 《녜치∥녀직》라, 굿ᄒᆞ여 납빙(納聘)ᄒᆞ온 신쳡을 위력으로 ᄐᆡᄌᆞ비을 간ᄐᆡᆨᄒᆞᄉᆞ, 신쳡의 초로잔명(草露殘命)이 무ᄉᆞᆫ ᄃᆡᄉᆞ로 훼졀ᄒᆞᆫ 더러온 계집이 되리잇고? ᄒᆞ물며 ᄐᆡᄌᆞ 후비을 ᄉᆞᆷ으시미 불가ᄒᆞ오며 폐히 동방화촉지네을 일운 ᄇᆡ 업다ᄒᆞᄉᆞ 졀이라 ᄒᆞᆷ을 우읍다 ᄒᆞ시거니와 녀직 혼셔납빙(婚書納聘)ᄒᆞᆫ 후ᄂᆞᆫ 비컨ᄃᆡ 닙신못ᄒᆞᆫ 션ᄇᆡ 갓ᄐᆞ니, 국녹을 먹지 못ᄒᆞ고 님

1415)치례(采禮) : 신랑가에서 납채(納采) 시에 보낸 예물(禮物). 보통 혼서(婚書)와 예단(禮緞) 등을 넣은 함(函)을 보냈다.

블경이부(不更二夫)1479)라 ᄒᆞ엿ᄉᆞ오니, 폐해 맛당이 만민의 부뫼 되샤 녜졀을 권댱ᄒᆞ샤미 올숩거늘, 이졔 신쳡이 졀을 딕희ᄆᆡ 위엄으로 관쇽고져 ᄒᆞ시니, 엇디 만민의 부뫼 되샤 셩ᄃᆡ치화(聖代治化)라 니르리잇고? 신은 다만【59】 샹교(上教)1480)를 위월ᄒᆞ온 죄 부월의 쥬(誅)ᄒᆞ오나 무한이로소이다."

언쥬파(言奏罷)의 ᄉᆞ의 강개격졀(慷慨激切)ᄒᆞ니 문ᄉᆞ 명공의 면졀졍징(面折廷爭)이나 이에셔 더으지 못ᄒᆞᆯ디라. 긔운이 츄상 ᄀᆞᆺ고 말솜이 녈녈ᄒᆞ여 ᄉᆞ군ᄌᆞ의 풍이라. 샹과 휘 더옥 긔특이 넉이시고 태지 흠션(欽羨) ᄋᆡ경(愛敬)ᄒᆞ샤 브ᄃᆡ 후비를 삼고져 ᄒᆞ실ᄉᆡ, 샹이 믄득 옥ᄉᆡᆨ(玉色)이 엄녈(嚴烈)ᄒᆞ샤, ᄀᆞᆯ오샤ᄃᆡ,

"딤이 만승의 존ᄒᆞ믈 가져 텬하 ᄉᆡᆼ녕을 총졔ᄒᆞ니, 경이 만일 뎍인(適人)ᄒᆞ여실진ᄃᆡ 딤의 실덕과 졀개를 죽기로 닷토미 올커니와, 이는 일홈 업슨 문명을 딕희여 텬명을 위월(違越)ᄒᆞ니, {기}기죄(其罪) 등한치 아닌디라. 만일 다시 방ᄌᆞᄒᆞᆯ딘ᄃᆡ 여뷔 ᄯᅩ【60】ᄒᆞᆫ 죄를 면치 못ᄒᆞ리라."

쇼졔 ᄌᆡᄇᆡ 돈슈 왈,

"폐해 만기를 총찰ᄒᆞ샤 억만 창ᄉᆡᆼ의 목숨이 달녓ᄉᆞ오니 ᄒᆞᆯ로 신부를 니르리잇고? 뎡시 일문을 멸ᄒᆞ시나 감히 원ᄒᆞ며 한ᄒᆞ리잇가? 슈연(雖然)이나, 당뇨(唐堯)ᄂᆞᆫ 디셩(至聖)이샤ᄃᆡ, 텬ᄌᆞ도 블탈필부디심(不奪匹夫之心)1481)이라 ᄒᆞ엿숩ᄂᆞ니, 신쳡이 폐하의 위엄을 위월ᄒᆞ오미 ᄉᆞ죄라, 살 ᄯᅳᆺ이 업ᄉᆞ오니, 감쳥기죄(敢請其罪)1482)로소이다. 님군이 되샤 녜졀을 권댱ᄒᆞ실 ᄇᆡ어늘, 신쳡이 미셰ᄒᆞ오나 졀을 딕희ᄆᆡ 믄득 위엄을 관쇽ᄒᆞ여 그 아비로 죄 주믈 져히시니, 셩샹의 일월지덕으로 실졀ᄒᆞᆫ 녀ᄌᆞ를 드려 후비를 삼으시미

1479)블경이부(不更二夫) : 두 지아비를 섬기지 않음.
1480)샹교(上教) : 임금의 명령.
1481)텬ᄌᆞ도 블탈필부디심(不奪匹夫之心) : 천자라 할지라도 한 사내의 마음을 빼앗지 못한다.
1482)감쳥기죄(敢請其罪) : 감히 그 죄를 청함.

군의 은혜을 입지 못ᄒᆞ나, 그 나라 신ᄒᆞ로 타국의 옴지 못ᄒᆞ옵ᄂᆞ니, 녀ᄌᆞ 비록 ᄇᆡᆨ냥ᄃᆡ례(百輛大禮)1416)을 일운 일 업셔도 혼셔납빙ᄒᆞᆫ 후ᄂᆞᆫ 죵신토록 그 셩명을 직희옵ᄂᆞ니, 신쳔[쳡]이 비록 유미(幼微)ᄒᆞ온 소아(小兒)오나 ᄯᅩᄒᆞᆫ ᄉᆞ족(士族)이라, 오직 《상뉴∥사뉴(士類)》의【75】 ᄀᆡ졀ᄒᆞᄂᆞᆫ 힝실은 아니리니, 오직 상교(上敎)1417)을 위월ᄒᆞᆫ 죄로 죽기을 기ᄃᆞ릴 ᄲᅮᆫ이로소이다."

언셩이 강열ᄒᆞ여 문ᄉᆞ명공(文士名公)의 격징(激諍)ᄒᆞᄂᆞᆫ 풍이 이셔 긔운이 츄쳔 갓트여 님ᄒᆞᄉᆞ군ᄌᆞ(林下士君子)의 거동이라. 상이 더욱 긔특이 넉이시며 ᄐᆡᄌᆞ 황홀경의(恍惚敬意)ᄒᆞᄉᆞ 부ᄃᆡ 후비을 숨으려 ᄒᆞ실ᄉᆡ, 상이 위엄으로 구속고져 ᄒᆞᄉᆞ 쳔안(天顔)이 문득 엄졀ᄒᆞᄉᆞ 왈,

"짐이 만승지존으로 쳔ᄒᆞ ᄉᆡᆼ민을 총영(總領)ᄒᆞ니 당당이 젹인(適人)ᄒᆞᆫ 녀ᄌᆞ라도 감히 ᄉᆞ양치 못ᄒᆞ려든, ᄒᆞ물며 너ᄂᆞᆫ 혼셔납빙이 잇시나 화촉지녜을 일우○[지] 아얏거늘 엇지 훼졀ᄒᆞᆫ ᄇᆡ리오. 황명을 슌수치 아니면 네 아비가지 죄주리니 고이ᄒᆞᆫ 의ᄉᆞ로 아비을 욕지 말ᄂᆞ."

소져 일호도 겁지 아니코 고두 주왈,

"폐히 만긔을 총출ᄒᆞᄉᆞ 억만 ᄉᆡᆼ영(生靈)의 목숨이 다 폐ᄒᆞ긔 달녀숩ᄂᆞ니, ᄒᆞᆫ 것 신부(臣父)을 이르시리잇가? 뎡가 일문을 멸ᄒᆞ셔도 ᄒᆞᆫ지 못ᄒᆞ고 원치 못ᄒᆞ려니와 당뇨(唐堯) 지성(至聖)이ᄉᆞᄃᆡ 조례(條例) 잇ᄂᆞᆫ 쳔지 필부의 ᄯᅳᆺ즐 앗지 못ᄒᆞ오믄 예로부터 일너숩ᄂᆞ니, 신쳡의 폐하교령을 위월ᄒᆞ오미, '살니라' 능히 ᄉᆡᆼ의(生意) 못ᄒᆞ옵거니와, 셩군이 효로 치쳔하(治天下)ᄒᆞ시고 녜의로 권당ᄒᆞ시나니, 신쳡이 미셰ᄒᆞ오나 수졀코져 ᄒᆞ오믄, 일ᄌᆞᄂᆞᆫ 츈궁이 훼졀ᄒᆞᆫ 더러온 계집으로 후비을 숨지 못ᄒᆞ게 ᄒᆞ오미오, 기ᄎᆞᄂᆞᆫ 신쳡의 몸을 흐리옵지 아니미오니, 굿ᄒᆞ여 죄로 더을 ᄇᆡ 업숩거늘, 폐히 아비을 연좌

1416)ᄇᆡᆨ냥ᄃᆡ례(百輛大禮) : 혼례(婚禮).
1417)샹교(上敎) : 임금의 명령.

큰 실덕이신【61】가 ᄒᆞ옵ᄂᆞ니, 폐ᄒᆡ 만세의 누덕(累德)이 되시고 신의 아비 일노좇ᄎᆞ 굿길진ᄃᆡ, 신의 죄 블튱블회(不忠不孝)니 만ᄉᆞ유경(萬死猶輕)이오 쳔ᄉᆞ무셕(千死無惜)이로소이다.”

쥬파의 옥셩이 ᄆᆡᆼ녈ᄒᆞ고 ᄉᆞ긔 츄텬 ᄀᆞᆺᄐᆞ니 샹(上)과 휘(后) 크게 ᄋᆡ경ᄒᆞ샤, 이의 ᄀᆞᆯ오샤ᄃᆡ,

“뎡녜 군젼의셔 말숨을 방ᄌᆞ히 ᄒᆞ여 군신의 톄위 업ᄉᆞ니 별궁(別宮)의 보ᄂᆡ지 말고 ᄋᆡᆨ졍(掖庭)[1483]의 두어 ᄐᆡᆨ일ᄒᆞ여 후비를 봉ᄒᆞ리라.”

ᄒᆞ시고 궁인을 맛지시니, 허다 궁녜 인도ᄒᆞ여 드러올ᄉᆡᆨ, 쇼져의 셩ᄌᆞ아질(聖姿雅質)을 황홀ᄒᆞ여 흠복지 아니 리 업더라. 쇼졔 분요(紛擾)ᄒᆞ믈 더옥 괴로이 넉여 셩안을 낫초고 쥬슌을 기리 다다 입을 여지 아니코, 오시ᄋᆞ(五侍兒)【62】를 알패 두어 져슈단좌(低首端坐)ᄒᆞ여 작슈(勺水)를 블음(不飮)ᄒᆞ니 모든 궁인이 민망ᄒᆞ여 이 소유를 냥젼(兩殿)의 쥬ᄒᆞ니 샹이 ᄯᅩᄒᆞᆫ 경녀ᄒᆞ여 젼디(傳旨) 왈,

“경이 괴이ᄒᆞᆫ 고집을 발ᄒᆞ여 되지 못ᄒᆞᆯ 졀을 일ᄏᆞᄅᆞ니 딤슈블명(朕雖不明)이나 모쳠텬위(冒添天位)[1484]예 만민을 녜졀로 권장ᄒᆞᄂᆞ니, 엇디 올치 아닌 바로ᄡᅧ 경을 권ᄒᆞ리오. 경이 화쵹(華燭)의 녜(禮)를 일우미

1483)ᄋᆡᆨ졍(掖庭) : 액정국(掖庭局). 고려 시대에, 왕명의 전달 및 궁궐 관리를 맡아보던 관아. 성종 14년(995)에 액정원을 고친 것으로, 충선왕 복위년(1308)에 내알사로 고쳤다가 1년 뒤 복구하였으며, 충선왕 2년(1310)에 항정국으로 고쳤다가 고려 말에 다시 환원하였다.

1484)딤슈블명(朕雖不明) 모쳠텬위(冒添天位) : ‘내가(황제가) 비록 현명하진 못해도, 천자의 지위를 무릅쓰고 있으면서’의 뜻

(連坐)【76】ᄒᆞ여 죽기로 져이시고 신쳡을 구속ᄒᆞ오시미, 셩상 치화(治化)의 흠ᄉᆡᆨ 되오리니, 쳔지 부모의 일월지명(日月之明)으로ᄡᅧ 일녀ᄌᆞ의 졀을 아ᄉᆞ시며, 그 아비 죄주기을 일카라ᄉᆞ 효의(孝義)를 상ᄒᆡ오시니, 신쳡은 원통이 죽ᄉᆞ오려니와, 폐ᄒᆡ 만셰의 누덕(累德) 되시고, 신의 아비 일노좇ᄎᆞ 죽을진ᄃᆡ 신의 불츙불효지죄(不忠不孝之罪) 만ᄉᆞ무셕(萬死無惜)이로소이다.”

주파의 옥안이 ᄆᆡᆼ녈ᄒᆞ고 ᄉᆞ긔 츄쳔 갓트니 상휘(上后) 크게 ᄋᆡ경ᄒᆞᄉᆞ, 이의 갈오ᄉᆞᄃᆡ,

“《뎐∥뎡》녜 군젼의 말숨을 방ᄌᆞ히 ᄒᆞ여 군신의 쳬위 업ᄉᆞ니, 별궁의 보ᄂᆡ○[지] 말고 ᄋᆡᆨ졍(掖庭)[1418]의 두어 ᄐᆡᆨ일ᄒᆞ여 후비을 봉ᄒᆞ리라.”

ᄒᆞ시고 궁인을 막기시니, 허다 궁녜 인도ᄒᆞ여 드러올 ᄉᆡᆨ, 소져 쳥ᄌᆞ아질(聖姿雅質)을 황홀ᄒᆞ여 흠복지 아니리 업더라. 소져 분요(紛擾)ᄒᆞ물 더욱 괴로이 녁여 셩안을 낫초고 쥬슌을 기리 다ᄃᆞ 입을 여지 아니코, 홍션 등을 압ᄒᆡ 두고 날을 보닐 ᄉᆡᆨ, 궁즁의 이시므로부터 조셕식반을 물니쳐 시시로 청수(淸水)을 어더 목을 젹시니, 상궁 빅시 황명으로ᄡᅧ 소져을 직희니 ᄌᆞ지 못ᄒᆞ고 먹지 아니나, ᄌᆞ리치지[1419] 아니코 죽기을 결단ᄒᆞ믈 민망ᄒᆞ여 상후긔 이 ᄉᆞ연을 고ᄒᆞᆫᄃᆡ, 상휘 가장 념여ᄒᆞᄉᆞ 상방어찬(尙房御饌)을 ᄌᆞ로 보ᄂᆡ시고 젼교ᄒᆞᄉᆞᄃᆡ,

“경이 이졔 되지 못ᄒᆞᆯ 고집을 발ᄒᆞ여 절의을 일카르나, 짐이 만민의 부뫼되여 올치 아닌 일을 결단코 신민을 권치 아니리니, ᄐᆡᆨ자 후비되여 금누옥당(金樓玉堂)의 부귀을 누리고 부모을 영화롭게 ᄒᆞ미【77】맛당ᄒᆞ거늘, 스ᄉᆞ로 죽기을 달게 녁이여 십숨

1418)ᄋᆡᆨ졍(掖庭) : 액정국(掖庭局). 고려 시대에, 왕명의 전달 및 궁궐 관리를 맡아보던 관아. 성종 14년(995)에 액정원을 고친 것으로, 충선왕 복위년(1308)에 내알사로 고쳤다가 1년 뒤 복구하였으며, 충선왕 2년(1310)에 항정국으로 고쳤다가 고려 말에 다시 환원하였다.

1419)ᄌᆞ리치다 : 자리를 펴다. 자리에 눕다.

업시, 훈낫 공물(空物)1485)노 만승의 후비 되여 금누옥궐(金樓玉闕)의 부귀를 누리고 부모 동기로 ᄒᆞ여곰 영화롭게 ᄒᆞ미 ᄯᅩᄒᆞᆫ 회(孝)라. 이졔 스ᄉᆞ로 아ᄉᆞ(餓死)를 달게 넉여 십삼 츈광의 인셰를 하직ᄒᆞ여, 《젼죄(全罪) 경부(卿父)의게 밋촌 즉, 뎍거튱군(謫居充軍)ᄒᆞ여 블튱【63】 블효를 ᄌᆞ임코져 ᄒᆞ니‖죄가 경부(卿父)의게 이르러 젹거츙군(謫居充軍)을 면치 못ᄒᆞ게 ᄒᆞ니》, 경이 비록 년쇼치녀(年少稚女)나 이런 일을 모로지 아니리니, 괴이ᄒᆞᆫ 의ᄉᆞ를 ᄂᆡ여 텬위를 범치 말나."

뎡쇼졔 브복ᄒᆞ여 샹교를 듯ᄌᆞᆸ고 즉시 회듀(回奏) 왈,

"신쳡이 무상ᄒᆞ와 셩교를 블봉(不奉)ᄒᆞ오니 다만 ᄉᆞ죄를 쳥홀 ᄯᆞᄅᆞᆷ이라. 엇지 다시 듀홀 ᄇᆡ 잇시리잇고마ᄂᆞᆫ, 신의 어런 소견의 그윽이 ᄉᆡᆼ각건ᄃᆡ, 계집이 되여 졀의를 보젼ᄒᆞ여 죽으미, 구ᄐᆞ여 ᄃᆡ역이 아니오니 엇디 부형의게 년좌(連坐)ᄒᆞᄂᆞᆫ 뉼(律)이 이시리잇고마ᄂᆞᆫ, 이 ᄯᅩᄒᆞᆫ 셩명(聖明) 쳐치시니, 현마 어이ᄒᆞ리잇고? 다만 ᄉᆞ죄를 기다릴 ᄲᅳᆫ이로소이다."

샹이 그 ᄯᅳᆺ이 구드믈 어려이 넉이샤 도로【64】 ᄂᆡ여보ᄂᆡ고져 ᄒᆞ시ᄃᆡ, 츈궁(春宮)1486)이 ᄂᆡ여보ᄂᆡ믈 앗겨, 젼지 왈,

"경이 죽기로ᄡᅧ 절(節)을 직희렷노라 ᄒᆞ나, 졀이란 거시 일흠이 잇ᄂᆞ니, 빈 치례(采禮)1487)를 위ᄒᆞ여 거즛 칭탁 졀의ᄒᆞ여 텬명을 봉힝(奉行)치 아니ᄒᆞ니, 그 ᄯᅳᆺ이 ᄀᆞ장 방ᄌᆞᄒᆞᆫ디라, 금평후 입됴 수십년의 ᄒᆞᆫ번도 블튱이 업더니, 경 ᄀᆞᄐᆞᆫ 녀ᄌᆞ를 두어 황명을 블봉 ᄒᆞᄂᆞᆫ 죄로 하옥ᄒᆞ여, 태ᄌᆞ 후비를 일후ᄂᆞᆫ 날, 노화 셩연의 참예케 ○○[ᄒᆞ라]."

ᄒᆞ고, 후비 길일을 퇵ᄒᆞ여 슌일이 ᄀᆞ렷다

1485)공물(空物) : 공것. 주인이 없는 물건.
1486)츈궁(春宮) : =동궁(東宮). '황태자'나 '왕세자'를 달리 이르던 말.
1487)치례(采禮) : 신랑가에서 납채(納采) 시에 보낸 예물(禮物). 보통 혼서(婚書)와 예단(禮緞) 등을 넣은 함(函)을 보냈다.

쳥츈의 인셰을 ᄒᆞ직고져 ᄒᆞ니, 죄괘 네 부모의게 이르러 젹거츙군(謫居充軍)을 면치 못ᄒᆞ게 ᄒᆞ니, 어린 녀ᄌᆡ 엇지 이히궁달(利害窮達)을 아지 못ᄒᆞᄂᆞ뇨?"

소져 상교을 듯ᄌᆞᆸ고 즉시 회주(回奏) 왈,

"신쳡이 무상ᄒᆞ와 셩교을 봉힝치 못ᄒᆞ오니 다만 ᄉᆞ죄을 쳥ᄒᆞ옵고, 다시 주ᄒᆞ올ᄇᆡ 업ᄉᆞ오나 ᄉᆡᆼ각ᄒᆞ오니, 계집이 졀의을 셰우고져 ᄒᆞ오믄 ᄃᆡ역부도의 죄 아니라, 그 아버지가지 연좌ᄒᆞ실 줄은 아지 못ᄒᆞ엿습더니 셩교 여ᄎᆞᄒᆞ시니 아비 신 갓튼 불초을 두와 무죄히 츙군을 당ᄒᆞ온들 엇지 ᄒᆞ오리잇고?"

상이 그 ᄯᅳᆺ지 굿으믈 어려이 역여 도로 ᄂᆡ여 보ᄂᆡ고져 ᄒᆞ시ᄃᆡ, ᄐᆡᄌᆡ 그 긔이ᄒᆞᆷ믈 앗기미 극ᄒᆞᆫ지라. 상궁으로 상교을 나리오미 슈십번의 ᄎᆞ일 ᄯᅩ 니르ᄉᆞᄃᆡ,

"빈 빙치을 졀이라 홀 거시 업거ᄂᆞᆯ 상교을 역ᄒᆞ니 그 ᄯᅳᆺ지 가장 외람ᄒᆞᆫ지라. 경의 뷔 입조 수십년의 ᄒᆞᆫ 번도 그르믈 뵈지 아니ᄆᆡ 옥니(獄裏)의 곤ᄒᆞ미 업더니, 이졔 경 갓튼 ᄯᆞᆯ을 두어 황명을 역ᄒᆞᆫ 죄, 그 아비 잘 가라치지 못ᄒᆞᆫ ᄇᆡ라, 일노ᄡᅧ ᄒᆞ옥ᄒᆞ고 후비의 녜을 힝ᄒᆞᆫ 후 츌옥ᄒᆞ여 연셕의 참예케 ᄒᆞ라."

ᄒᆞ시고, 길일을 틱ᄒᆞ시니 슌일이 격ᄒᆞ엿다 ᄒᆞᄂᆞᆫ지라. 소져을 온 가지로 위협ᄒᆞᄃᆡ ᄉᆞ의(辭意) 여일정숙(如一貞淑)ᄒᆞ여 젼교을 미양 부복ᄒᆞ여 듯ᄌᆞᆸ고, 일양 ᄉᆞ죄을 쳥ᄒᆞ고 아비 ᄒᆞ옥은 원억ᄒᆞ믈 일카라, 요슌지ᄌᆞ(堯舜之子)도 불초ᄒᆞ오니, 신쳡(臣妾)의 어지지

ᄒᆞ시니, 뎡쇼졔 ᄒᆞᆫ갈ᄀᆞᆺ치 ᄉᆞ긔 녈녈ᄒᆞ미 츄상 ᄀᆞᆺᄐᆞ【65】여 젼교를 듯ᄌᆞ온 즉, 다만 ᄉᆞ죄(死罪)를 일ᄏᆞᆺ고 아비를 하옥ᄒᆞ미 원민(冤悶)ᄒᆞ믈 쥬(奏)ᄒᆞ여 요슌지ᄌᆞ(堯舜之子)도 블쵸(不肖)ᄒᆞ오니, 신쳡의 어지지 아니미 아비 죄 아니믈 일ᄏᆞ라 말ᄉᆞᆷ이 온당 쾌활ᄒᆞ여 명공녈ᄉᆞ(明公烈士)의 딕졀(直節)이 이시니, 텬위 비록 엄ᄒᆞ시나 그 ᄯᅳᆺ을 아ᄉᆞᆯ 길히 업셔 ᄂᆡ여보ᄂᆡ고져 ᄒᆞ시니, 태ᄌᆞ 간왈(諫曰),

"블가ᄒᆞ이다. 뎡녀ᄂᆞᆫ 쳔고의 희한ᄒᆞᆫ 녈뷔라, 이런 녀ᄌᆞ로 ᄒᆞ여금 후비를 삼을진ᄃᆡ, 태임(太姙)[1488]의 교화를 여러 족히 듀실 팔빅년 흥긔ᄒᆞ믈 효측ᄒᆞ올디라. 신은 그럴ᄉᆞ록 ᄎᆞ마 ᄂᆡ여보ᄂᆡ기를 앗기옵ᄂᆞ【66】니, 슌여일(旬餘日) 더 머므러 두시고 날마다 그 ᄯᅳᆺ을 보시미 맛당ᄒᆞᆯ가 ᄒᆞᄂᆞ이다."

샹이 ᄀᆞᆯ오샤ᄃᆡ,

"강녈ᄒᆞᆫ 녀ᄌᆞ ᄉᆞᄉᆡᆼ을 초개ᄀᆞᆺ치 넉여 죽기를 임의로 ᄒᆞ리니 심히 녈녀롭도다."

태ᄌᆞ 다시 간듀(懇奏) 왈,

"뎡녀ᄂᆞᆫ 규리약녜(閨裏弱女)라 고금을 치아디 못ᄒᆞ고, ᄒᆞᆫ갓 쇼혹(小學)을 의방ᄒᆞ여 튱신 녈녀를 본밧고져 ᄒᆞ오나, 이ᄂᆞᆫ 어린 녀ᄌᆞ 의리를 모로ᄂᆞᆫ 일이라. 급히 ᄂᆡ여보ᄂᆡ지 마르시고 여ᄎᆞ여ᄎᆞ 엄디(嚴旨)로 칙ᄒᆞ샤 다시 그 말을 드러보시미 맛당ᄒᆞ이다."

뎨휘 마디 못ᄒᆞ샤 칙교(責敎)ᄒᆞ샤ᄃᆡ,

"황명을 좃시 블슈(不受)ᄒᆞ면 금평후를 대리【67】시(大理寺)[1489]의 나리와 문죄ᄒᆞ리라."

ᄒᆞ시니 뎡쇼졔 셩교를 듯ᄌᆞᆸ고 블변안식ᄒᆞ고 일댱 혈소를 디어 텬졍의 올니고 오딕 ᄉᆞ죄를 청ᄒᆞ여시니, ᄉᆞ의 강녈ᄒᆞ여 언언이

1488)태임(太姙) : 중국 주(周)나라 문왕(文王)의 어머니. 부덕(婦德)이 높아 며느리 태사(太姒: 문왕의 비)와 함께 성녀(聖女)로 추앙된다.

1489)대리시(大理寺) : 고려 시대에, 형옥(刑獄)을 맡아보던 관아. 성종 14년(995)에 전옥서를 고친 것으로, 문종 때에 다시 전옥서로 고쳤다.

못ᄒᆞ므로써, 【78】 아뷔 죄 아니믈 주ᄒᆞ여 일기 소녀ᄌᆞ 명인열ᄉᆞ직졀(明人烈士直節)이 이시니, 쳔위 엄ᄒᆞ나 능히 그 ᄯᅳᆺ을 아ᄉᆞᆯ 길이 업셔, 상과 휘 ᄂᆡ여보ᄂᆡ고져 ᄒᆞ시니, ᄐᆡᄌᆞ 간왈(諫曰),

"져ᄂᆞᆫ 희한(稀罕)ᄒᆞᆫ 셩녀쳘부(聖女哲婦)라. 이런 녀ᄌᆞ로 후비을 ᄉᆞᆷ을진ᄃᆡ ᄐᆡᄉᆞ(太姒)[1420]의 풍화을 니어 국가을 흥긔ᄒᆞ올지라, 신은 ᄂᆡ여보ᄂᆡ기을 앗기옵ᄂᆞ니, 슌일을 더 머무러ᄉᆞ 날마다 그 ᄯᅳᆺ즐 시험ᄒᆞ여 보ᄉᆞ이다."

상 왈,

"짐의도 뎡녀의 어질믈 앗기미 ᄯᅩᄒᆞᆫ 그러ᄒᆞᄃᆡ 강녈ᄒᆞ여 제 ᄉᆞ상[ᄉᆡᆼ]을 초ᄀᆡ 갓치 녁여 입궐ᄒᆞ므로부터 절곡ᄒᆞ니 아ᄉᆞᄒᆞ미 쉬울가 념녀ᄒᆞ노라."

ᄐᆡᄌᆞ 다시 주 왈,

"뎡네 입궐ᄒᆞ온지 오ᄅᆡ지 아니니 아직 아ᄉᆞᄒᆞᆯ 염여 업솝고, 그 녀ᄌᆞ 오복구젼지상(五福[1421]俱全之相)이니 더 머르소셔."

상이 ᄐᆡᄌᆞ의 지극ᄒᆞᆫ 마음을 아쳐ᄒᆞᄉᆞ 상궁으로 ᄒᆞ여금 뎡소져을 즐 달ᄂᆡ여 보라 ᄒᆞ신ᄃᆡ, 상궁이 승명ᄒᆞ고 가[나]아가 쳔ᄉᆞ만언으로 달ᄂᆡ고 져히기을 마지 아니ᄒᆞ니, 소져 므[믄]득 품으로셔 일봉 소표을 ᄂᆡ여 상궁을 주며 왈,

"ᄂᆡ 비록 여염의 ᄉᆡᆼ장ᄒᆞ여 부귀을 보지 못ᄒᆞ여시나 죽기로써 상교을 밧드지 못하리

1420)ᄐᆡᄉᆞ(太姒) : 중국 주(周)나라 문왕의 비. 현모양처(賢母良妻)로 추앙되는 인물.

1421)오복(五福) : 유교에서 이르는 다섯 가지의 복. 보통 수(壽), 부(富), 강녕(康寧), 유호덕(攸好德), 고종명(考終命)을 이른다.

졀의를 일ᄏᆞ라 언논이 당당ᄒᆞ니, 엇지 시쇽 홍분(紅粉) ᄀᆞ온ᄃᆡ 쇼녀ᄌᆞ의 쇼작이라 ᄒᆞ리오. 샹이 어람ᄒᆞ시ᄆᆡ 번연 치경ᄒᆞ샤 소를 후긔 미러 ᄀᆞᆯ오샤ᄃᆡ,

“남ᄌᆞ도 공ᄆᆡᆼ(孔孟)의 덕을 니을 직 업거ᄂᆞᆯ 뎡녜 십삼 쇼녀지 님군의 실덕을 간ᄒᆞ며, 졀의를 굿게 잡아 소ᄉᆞ(疎辭)의 긔특ᄒᆞ미 이ᄀᆞᆺᄐᆞ니, 이런 녀ᄌᆞ를 ᄂᆡ여보ᄂᆡ디 아닌즉 ᄎᆞᄂᆞᆫ 딤의 실덕이 아니리오.”

휘 또ᄒᆞᆫ 뎡【68】시의 소봉(疏封)을 보시고 흠탄ᄋᆡ경(欽歎愛敬)ᄒᆞ샤, 샹긔 듀왈,

“신이 평ᄉᆡᆼ 녀ᄌᆞ의 명졀을 아름다이 넉이ᄂᆞᆫ ᄇᆡ라. 이제 뎡녜 고왕금ᄂᆡ(古往今來)의 희한ᄒᆞᆫ 녜졀이 잇ᄉᆞ오니, 만일 그 뜻을 아ᄉᆞ면 님군의 되(道) 아니로소이다.”

니, 지어부형(至於父兄)이 ᄒᆞ옥(下獄)ᄒᆞ여 불툐비경(不肖非輕)ᄒᆞ나, 뜻들 곳치지 못ᄒᆞ거ᄂᆞᆯ 상궁이 비록 소장(蘇張)[1422]의 구변이 잇시나 쳡심을 엇지 두루혀리오. 인ᄉᆡᆼ의 술기 손갓고 죽으미 도라감 갓튼지라. 쳡의 졍유(情由)ᄂᆞᆫ 소즁(疏中)의 다ᄒᆞ엿시니 상궁은 ᄒᆞᆫ셜(閑說)을 날회고 소표(疏表)을 바치소셔.”

상궁이 도라와 표(表)을 올닌ᄃᆡ, 상이 표을 어람ᄒᆞ실 ᄉᆡ, 쳑ᄌᆞ쳑언(隻字隻言)이 금슈주옥(錦繡珠玉)이라. 님군의 주ᄉᆡᆨᄉᆞ치경계지심(酒色奢侈警戒之心)과 여[예]의풍도츙효직졀(禮儀風道忠孝直節)을 일카라 주상의 실덕ᄒᆞ시믈 ᄌᆞᄌᆞ히 고ᄒᆞ여, 아비을 위ᄒᆞ여 궁즁의 드러와 원통이 죽으니, 아비게 화을 연좌치 마르시믈 ᄋᆡ걸ᄒᆞ여 말ᄉᆞᆷ이 간졀ᄒᆞ니 셕목을 감동ᄒᆞ고, 소ᄉᆞ(疎辭)의 격녈ᄒᆞ미 ᄉᆞᄅᆞᆷ으로 ᄒᆞ여금 녜의염치(禮儀廉恥)을 경계ᄒᆞ여 언논이 여상(如霜)ᄒᆞ니, 늠늠이 쳥송갓고 츙셩이 겸발ᄒᆞ믄 졔갈(諸葛)의 츌ᄉᆞ표(出師表)와 가의(賈誼)[1423]에 만언소(萬言疏)을 비길 거시오, 말ᄉᆞᆷ이 황[화(和)]ᄒᆞ고 의ᄉᆡ 너르믄 셩인(聖人)의 도통(道統)이라. 쳔안이 크게 경탄ᄒᆞᄉᆞ 소표을 후게 뵈고 왈,

“셰잔덕쇠(世殘德衰)ᄒᆞ여 남ᄌᆞ도 공ᄆᆡᆨ[ᄆᆡᆼ]지덕(孔孟之德)이 업거ᄂᆞᆯ 십ᄉᆞᆷ소녀지(十三小女子) 님군의 실덕을 간ᄒᆞ고 졀의을 굿게 잡아 소ᄉᆞ(疎辭)의 긔이ᄒᆞ미 일셰의 무쌍ᄒᆞ니, 이런 셩녀(聖女)을 훼졀ᄒᆞ여 궐듕의 아ᄉᆞ(餓死)○[케] ᄒᆞᆯ진ᄃᆡ, 짐의 실덕의 크지 아니리오.

휘 왈,

“쳡이 평ᄉᆡᆼ의 녀ᄌᆞ의 명졀을 아름다이 녁

1422)소장(蘇張) : 중국 전국 시대의 세객(說客)인 소진(蘇秦)과 장의(張儀)를 아울러 이르는 말.

1423)가의(賈誼) : B.C.200-168. 중국 전한(前漢) 문제 때의 학자·정치가. 문제(文帝)를 섬기며 유학과 오행설에 기초를 한 새로운 제도의 시행을 주장하였다. 저서에 ≪좌씨전훈고(左氏傳訓詁)≫, ≪복조부(鵩鳥賦)≫ 따위가 있다.

ᄒᆞ시고 뎡시를 명소(命召)ᄒᆞ시니, 쇼졔 뎐하(殿下)의 다드라 죽기를 쳥ᄒᆞ고 뎐의 오로지 아니ᄒᆞ니, 황휘 궁녀로 ᄒᆞ여곰 븟드러 올녀 좌를 주시고, 샹이 돈유ᄒᆞ샤 왈,

“군신은 부ᄌᆞ 일체라 경이 비록 쇼녀지나 궐듕의 여러 날 머무러시니, 딤을 셔어(齟齬)히 아디 말나.”

이ᄂᆞᆫ ᄇᆡ라. 이졔 뎡녀 고금의 희한ᄒᆞᆫ 녈졀과 츙의 잇셔 셰속녀ᄌᆞ의 힝ᄉᆡ 여ᄎᆞᄒᆞ니 그 뜻즐 훼졀ᄒᆞᆯ진ᄃᆡ 반다시 아ᄉᆞ(餓死)ᄒᆞ리니, 소표로써 츈궁(春宮)을 뵈시고 뎡녀을 수히 츌궐(出闕)케 ᄒᆞ소셔.”

상이 ᄐᆡᄌᆞ을 부르ᄉᆞ 소표을 뵈시고 ○[왈],

“뎡녀 일양(一樣) 졀의을 ᄀᆡ(改)치 아냐 지ᄉᆞ위한(至死爲限)ᄒᆞ니, 비록 임ᄉᆞ(姙似)의 덕이 잇시나 너의 후비ᄂᆞᆫ 숩지 못ᄒᆞ리라. 소표을 인ᄒᆞ여 ᄒᆞ궐(下闕)○[케]ᄒᆞ리니, 너【80】ᄂᆞᆫ 유심(留心)치 말나.”

츈궁이 소져의 긔이ᄒᆞ믈 심복ᄒᆞ나 상궁 등의 젼어(傳語)을 드러ᄂᆞᆫ 회심(悔心)ᄒᆞᆯ 길이 업고, 상교 이의[1424] 여ᄎᆞᄒᆞ시니 이의 ᄒᆞᆯ일 업셔 피셕 쥬왈,

“뎡녀의 츌셰ᄒᆞᆫ 위인을 흠모ᄒᆞ와 ᄒᆞᆫ갓 그 용모을 취ᄒᆞ옵ᄂᆞᆫ 게 아녀 덕힝이 녀듕군ᄌᆡ(女中君子)라. 후비을 숩아 《소싱‖소ᄌᆞ》의 긔특ᄒᆞ믈 엇고져 ᄒᆞ오미러니, 져의 졍심(貞心)이 일양 변ᄒᆞ미 업ᄉᆞ오니, 황야 만민의 부뫼 되ᄉᆞ 열녀을 원억히 맛지 못ᄒᆞ시리니, 수히 하궐케 ᄒᆞ소셔.”

상이 흔연 왈,

“ᄂᆡ 츈궁의 셩명ᄒᆞ미 이갓트믈 몰나더니 이러틋 짐의 덕을 돕고 녀ᄌᆞ의 졀의을 온젼케 ᄒᆞ니 타일의 치쳔하(治天下)ᄒᆞ나 근심이 업ᄉᆞ리로다.”

ᄐᆡᄌᆡ 불감ᄒᆞ○○[믈 주ᄒᆞ]시고, 상이 즉시 궁인을 명ᄒᆞᄉᆞ 소져을 부러라 ᄒᆞ시니, 소져 소표을 올니고 셩상쳐분을 기다려, 마츰ᄂᆡ 훼졀○[케] ᄒᆞ실진ᄃᆡ, 쾌히 검ᄒᆞ경혼(劍下驚魂)이 되려 ᄒᆞ더니, 믄득 상명을 인ᄒᆞ여 궁인○[을] ᄯᆞ라가 황후 뎡젼의 나아가 ᄇᆡ알ᄒᆞ온ᄃᆡ, 휘 아름다오믈 이긔지 못ᄒᆞᄉᆞ 젼의 오르기을 허(許)하신ᄃᆡ, 소져 황공ᄒᆞ믈 일카라 듕계(中階)의 부복ᄒᆞᆫ ᄃᆡ, 휘 궁아로 소져을 븟드러 올닌 후, 상 왈,

“군신은 부ᄌᆞ일쳬(父子一體)라. 비록 녀지나 궁듕의 여러 날을 거ᄒᆞ엿시니 짐과 후을

1424)이의 : ᄂᆢ이믜. 이미.

뎡쇼졔 ᄌᆡᄇᆡ샤은(再拜謝恩)ᄒᆞ고 뎐말(殿末)의 오로니, 휘 나아오라 ᄒᆞ샤 옥슈를 잡아 ᄀᆡ이히 넉이시【69】믈 마디 아니시니, 샹이 위유(慰諭)ᄒᆞ샤 왈,

“남ᄌᆞᄂᆞᆫ 튱회(忠孝) ᄇᆡᆨᄒᆡᆼ의 웃듬이요, 녀ᄌᆞᄂᆞᆫ 녜졀이 뎨일이나, 경은 동방 화쵹의 녜를 일우미 업ᄂᆞᆫ 고로, 딤이 당당이 태ᄌᆞ 후비를 삼으려 ᄒᆞ엿더니, 경의 소회 아름다오미 고인의 지ᄂᆞᆫ디라. 딤이 만민의 부뫼 되여 교화를 ᄇᆞᆰ히고, 녀ᄌᆞ의 효졀을 온젼코져 ᄒᆞ여 ᄂᆡ여보ᄂᆡᄂᆞ니, 경은 안심물녀(安心勿慮)ᄒᆞ고 딤을 한(恨)치 말나.”

뎡쇼졔 ᄌᆡᄇᆡ 샤은 왈,

“셩듀(聖主)의 일월혜ᄐᆡᆨ(日月惠澤)이 이ᄀᆞᆺᄌᆞ오시니 ᄀᆡᆨ골명심(刻骨銘心)ᄒᆞ와, 쥬ᄒᆞᆯ 바를 아디 못ᄒᆞ오니 비록 년유 쇼녀지 아ᄂᆞᆫ 거시 업ᄉᆞ오나 엇디 감히 셩샹 치화지ᄐᆡᆨ(治化之澤)을 아디【70】못ᄒᆞ리잇고?”

휘 그 문쟝의 고명ᄒᆞ믈 ᄌᆡ삼 칭찬ᄒᆞ시고 즉시 ᄇᆡᆨ옥ᄡᅡᆼ봉ᄌᆞᆷ(白玉雙鳳簪)과 금난(金蘭) 일됴(一條)를 주어 ᄀᆞᆯ오샤ᄃᆡ,

“곤강○○[미옥](崑岡美玉)의 ᄐᆡ 업ᄉᆞᆫ 격됴(格調)ᄂᆞᆫ 너의 졀개로 방블ᄒᆞ고 황금을 단련ᄒᆞ믄 너의 견고ᄒᆞ므로 흡ᄉᆞᄒᆞᆫ 고로, 딤이 각별이 상샤(賞賜)ᄒᆞ노라.”

뎡쇼졔 슌슌 샤은ᄒᆞ니 뉴휘 또ᄒᆞᆫ 녀ᄌᆞ의 ᄌᆞ장지믈(資粧之物)을 가득이 샹샤ᄒᆞ시고 그 용화 셩덕을 앗기시믈 마디 아니시나, 마디 못ᄒᆞ여 상궁 ᄇᆡᆨ시로 호송(護送)ᄒᆞ여 취운산의 다려다가 두고 오라 ᄒᆞ시며, ᄌᆡ삼 년년ᄒᆞ여 ᄀᆞᆯ오샤ᄃᆡ,

“궁금이 디엄ᄒᆞ여 연고업시 녀ᄌᆡ 드러오디 못ᄒᆞ나, 딤이 경을 ᄉᆞ랑ᄒᆞ미 범연ᄒᆞᆫ ᄃᆡ 비기지 못ᄒᆞ리【71】니, 딤의 뜻을 닛지 말고 궐듕의 오기를 긔약ᄒᆞ면, 연셕지시(宴席

엄하무로 과히 수습지 말나.”

소져 ᄌᆡᄇᆡᄉᆞ은(再拜謝恩)ᄒᆞ고 젼말(殿末)의 님ᄒᆞᄆᆡ, 휘(后) 나아오라 ᄒᆞᄉᆞ 그 옥수을 잡고 긔ᄋᆡ(奇愛)ᄒᆞ믈 마지 아니시며, 상이 칭찬ᄒᆞ시ᄃᆡ,

“남ᄌᆞ도 츙효 두 가지ᄂᆞᆫ【81】 ᄇᆡᆨᄒᆡᆼ의 근원이오, 녀ᄌᆞᄂᆞᆫ 효졀노 본을 ᄉᆞᆷᄂᆞ니, 네 화촉지네을 ᄒᆡᆼᄒᆞᆫ 일이 업시 윤가 공물(空物)[1425]이여날, 납빙을 일카라 빙옥의 견고ᄒᆞᆫ 졀의을 ○○○[잡으니], 짐이 모로미 아니로ᄃᆡ, 너의 덕ᄒᆡᆼ을 ᄉᆞ모ᄒᆞᄉᆞ[여] ᄐᆡᄌᆞ비을 ᄉᆞᆷ고져 ᄒᆞ더니, 네 송쥭(松竹)의 긋드믈 감심(甘心)ᄒᆞ니, 짐이 만인의 부모 되여 치화(治化)을 밝히ᄆᆡ, 녈녀의 졍심을 아[앗]지 못ᄒᆞ므로 하궐ᄒᆞ믈 허(許)ᄒᆞᄂᆞ니, 너ᄂᆞᆫ 안심물녀(安心勿慮)ᄒᆞ고 짐을 ᄒᆞᆫ치 말나.”

소져 ᄌᆡᄇᆡ ᄉᆞᄉᆞ 왈,

“폐ᄒᆞ의 일월지덕(日月之德)이 신쳡의 민(悶)ᄒᆞᆫ 심폐(心肺)을 통쵹ᄒᆞᄉᆞ 졀의을 블히시니 불승황공감은(不勝惶恐感恩) ᄒᆞᄋᆸᄂᆞ니 비록 미소녀ᄌᆡ(微少女子)오나, 엇지 감히 성상 치화을 한ᄒᆞ리잇가?”

상이 그 문장의 긔이ᄒᆞ믈 ᄌᆡᄉᆞᆷ 칭찬ᄒᆞᄉᆞ ᄇᆡᆨ옥쌍봉잠(白玉雙鳳簪)과 금난(金蘭) 일주(一株)을 주ᄉᆞ 왈,

“곤산미옥(崑山美玉)이 ᄐᆡ업시 말그니 너의 졀긔의 방불ᄒᆞ고 녀수연금(麗水鍊金)이 너의 견고하므로 흡ᄉᆞᄒᆞ니, 졔(諸) 공주 ᄌᆞ장(資裝)의도 옥품(玉品)과 졍금(精金)이 이갓트미 흔치 아닌지라. 너와 갓튼 보물노 각별이 상ᄉᆞᄒᆞ노라.”

소져 슌슌ᄉᆞᄉᆞ(順順謝辭)ᄒᆞ고 황휘 ᄉᆡ로이 그 용화긔질(容華氣質)이[을] 연ᄋᆡᄒᆞᄉᆞ ᄒᆞ궐ᄒᆞ믈 실노 앗기시나, 마지 못ᄒᆞ여 상궁 ᄇᆡᆨ시로 ᄒᆞ여금 취운산가지 ᄇᆡ송(陪送)ᄒᆞ라 ᄒᆞ시고, 또 소져ᄃᆞ려 왈,

“여염(閭閻) 여ᄌᆡ 무고이 궐즁의 츌입ᄒᆞᄂᆞᆫ ᄇᆡ 업ᄉᆞ나, 짐이 너을 ᄉᆞ랑ᄒᆞᄆᆡ 범연ᄒᆞᆷ의 비기지 못ᄒᆞ리니, 짐의(朕意)을 잇지 말

1425)공물(空物) : 공것. 주인이 없는 물건.

之時)의 브르리라."

쇼졔 고두샤은(叩頭謝恩) 왈,

"폐하와 낭낭의 일월 혜틱으로 신쳡의 졀의를 보젼케 ᄒᆞ시고, 잔명을 샤ᄒᆞ시ᄂᆞᆫ 셩은이 여ᄎᆞᄒᆞ오시니, 신쳡이 쇄신 분골ᄒᆞ와도 다 갑지 못ᄒᆞ올디라. 타일 금궐 농탑(龍榻)하의 됴현ᄒᆞ기를 원치 아니ᄒᆞ오리잇가마ᄂᆞᆫ, 녀염(閭閻) 쳔누(賤陋)ᄒᆞ온 ᄌᆞ최 금누 옥궐의 츌입ᄒᆞ옵기 방ᄌᆞᄒᆞ온지라, 하졍(下情)과 ᄀᆞᆺ습지 못ᄒᆞ올가 ᄒᆞᄂᆞ이다."

언쥬파의 향신을 움즉여 팔빅 고두의 하딕 빅샤ᄒᆞ니, 샹이 ᄀᆞᆯ오샤ᄃᆡ,

"딤이 경의 명힝과 쳥졀을 가히 민【72】멸ᄒᆞ기 앗가온디라. 튱효 녈졀을 권쟝ᄒᆞᆷ은 님군의 덧덧ᄒᆞᆫ 도리니, 맛당이 졍문포댱(旌門褒奬)ᄒᆞ여 셰인으로ᄡᅧ ᄇᆞᆰ히 알게 ᄒᆞ리니, 경은 디실(知悉)ᄒᆞ라."

뎡쇼졔 고샤ᄒᆞ여 열운 복이 손ᄒᆞᆯ 바를 듀ᄒᆞ여 샤양ᄒᆞ오니, 샹이 못ᄂᆡ ᄉᆞ랑ᄒᆞ시더라. 쇼졔 하딕고 퇴궐ᄒᆞᄆᆡ, 샹이 후를 도라보아 ᄀᆞᆯ오샤ᄃᆡ,

"뎡녀의 힝실이 아름다오니 딤이 뎡문포댱코져 ᄒᆞ노라."

황휘 ᄯᅩᄒᆞᆫ 맛당ᄒᆞ시믈 일ᄏᆞᄅᆞ시더라.【73】

고 궐듕의 오기을 긔약ᄒᆞ면 연셕지시(宴席之時)의 브르리라."

소져 빅ᄉᆞ 왈,

"폐하와 낭낭의 쳔지지은(天地之恩)을 신쳡이 쇄신분골(碎身粉骨)【82】ᄒᆞ오나 다 갑습지 못ᄒᆞ올지라. 타일의 조현ᄒᆞ기을 원ᄒᆞ오나 여염쳔누(閭閻賤陋)ᄒᆞᆫ ᄌᆞ최 옥누금궐(玉樓禁闕)의 츌입이 방ᄌᆞ(放恣)ᄒᆞ온지라. 하졍(下情)과 갓습지 못ᄒᆞᆯ가 ᄒᆞᄂᆞ이다."

언파의 ᄒᆞ직 빅례ᄒᆞ니 상 왈,

"너의 명힝졀ᄀᆡ(明行節槪)을 민멸키 앗가올 ᄉᆡ, 맛당이 졍문포장(旌門褒奬)ᄒᆞ리니 너ᄂᆞᆫ 짐의(朕意)을 지실(知悉)ᄒᆞ라."

소져 불감황공ᄒᆞ오믈 주ᄒᆞ고 열은 복이 손ᄒᆞᆯ ᄇᆞ을 알외니, 언어 슌연뎡ᄃᆡ(純然正大)ᄒᆞ여 겸공쳥건(謙恭淸虔)ᄒᆞᆫ 뜻지 군ᄌᆞ지풍(君子之風)이오, 무ᄒᆞᆫᄒᆞᆫ 틱되 봉젼(鳳殿)의 어르씨니, 휘 이윽히 관경(觀景)ᄒᆞᄉᆞ 긔이ᄒᆞ믈 결울치 못ᄒᆞᄂᆞᆫ지라. 소져 ᄒᆞ직을 맛고 물너ᄂᆞ니, 상이 이의 ᄃᆡ신이하로 의논ᄒᆞᄉᆞ 졍문포장(旌門褒奬)을 니르시니, 졔신이 맛당ᄒᆞ믈 주칭[청]ᄒᆞ더라.

명듀보월빙 권디십ᄉᆞ

어시의 뎡부의셔 녀ᄋᆞ를 입궐ᄒᆞ연디 일망(一望)의 나오ᄂᆞᆫ 일이 업ᄉᆞ니, 금휘 경녀ᄒᆞ믈 마디 아냐 셩샹긔 듀코져 ᄒᆞᆫ 즉, 말ᄉᆞᆷ이 입의 나디 아냐, 오딕 녀ᄋᆞ의 위인을 미더 필경이 무ᄉᆞᄒᆞᆯ 줄 짐작ᄒᆞ나, 슌태부인이 과려ᄒᆞ여 일일 타루ᄒᆞ여 시일을 보ᄂᆡ더니, 양부인이 십삭이 ᄎᆞ 슌산 ᄉᆡᆼ녀ᄒᆞ니, 옥으로 삭이고 곳ᄎᆞ로 무은 ᄃᆞᆺ 찬난 긔려ᄒᆞ니, 금후 부부와 태부인이 극딘 구호ᄒᆞ며, ᄉᆡᆼᄋᆞ ᄉᆞ랑이 남ᄋᆞ의 나리디 아냐 두굿기믈 니긔디 못ᄒᆞᄃᆡ, 녀ᄋᆞ【1】로 큰 우환이 되엿더니, 일일은 샹궁 ᄇᆡᆨ시 녀ᄋᆞ를 호숑ᄒᆞ여 도라오ᄂᆞᆫ 션문(先聞)을 보ᄒᆞ니, 태부인 고식(姑媳)의 반기며 깃거홈과 금휘 영ᄒᆡᆼᄒᆞ믈 니긔디 못ᄒᆞ여, 밧비 녀ᄋᆞ의 손을 잡고 무ᄉᆞ히 환가ᄒᆞᆫ 소유를 무르니, ᄇᆡᆨ시 쇼져의 졀의 셩ᄒᆡᆼ을 감동ᄒᆞ샤 ᄂᆡ여보ᄂᆡ시믈 젼ᄒᆞ니, 금후 부뷔 셩은을 일ᄏᆞ라 황공 감은ᄒᆞ고 쥬찬으로 상궁을 관ᄃᆡᄒᆞ여 보ᄂᆡᆯᄉᆡ, 궁인이 쇼져를 ᄃᆡᄒᆞ여 셔로 만나기 쉽디 못ᄒᆞ믈 닐너 연연ᄒᆞ니, 쇼졔 후의를 샤례ᄒᆞ여 일ᄉᆡᆨ이 느ᄌᆞᄆᆡ 도라가니, 평휘 녀ᄋᆞ를 어로만져 그 ᄒᆡᆼᄉᆞ를 두굿기고, 쇼졔 또ᄒᆞᆫ 존당의【2】 안강ᄒᆞ심과 양시의 슌산ᄒᆞ믈 희ᄒᆡᆼ(喜幸)ᄒᆞ고, 평ᄉᆡᆼ 쳐음으로 슈슌을 니측ᄒᆞ여 영모ᄒᆞ던 하졍(下情)을 고ᄒᆞ며, 하쇼져로 손을 니어 피ᄎᆞ의 반가오믈 형상치 못ᄒᆞ더라.

명일 상이 됴회를 님ᄒᆞ샤 뎡시의 소댱(疏狀)을 나리와 만됴를 도라보아 ᄀᆞᆯ오샤ᄃᆡ,

뎡부의셔 녀아 입궐ᄒᆞ연지 일망(一望)이 남도록 나오지 아니니, 금평휘 가장 념여ᄒᆞ여 셩상게 주코져 ᄒᆞ나, 말ᄉᆞᆷ이 혐의에 구의ᄒᆞ니 오직 녀아의 위인을 보고, 필경의 무사ᄒᆞ궐(無事下闕)ᄒᆞ기을 등ᄃᆡᄒᆞ나, 슌ᄐᆡ부인과 진부인이 과려ᄒᆞ야 시시로 뉴체을 마지 아니니 금평휘 모친을 위로ᄒᆞ며 부인의 과도ᄒᆞ믈 일너 시일을 보ᄂᆡ더니, 양부인이 십삭이 ᄎᆞ ᄒᆡ만(解娩)ᄒᆞᄆᆡ, 옥으로 무으고 곳ᄎᆞ로 삭여 ᄇᆡᆨᄐᆡ긔묘ᄒᆞᆫ 졀셰 녀ᄋᆞ을 ᄉᆡᆼᄒᆞ니, 슌ᄐᆡ부인이며 금평후 부뷔 산모을 지극 구호ᄒᆞ며 ᄉᆡᆼᄋᆞ을 ᄉᆞ랑ᄒᆞᄆᆡ 남ᄌᆞ의 나리지 아냐, 귀듕ᄒᆞ기을 윤부인 아ᄌᆞ와 갓치 ᄒᆞ여 두굿기믈 마지 아니ᄒᆞ나, 녀ᄋᆞ로 화긔 손【83】상ᄒᆞ더니, 혜쥬 소져 안거ᄎᆡ교(安車彩轎)의 무ᄉᆞ히 도라오니, ᄐᆡ부인이 깃부고 반가오믈 이긔지 못ᄒᆞ며, 금평휘 희열ᄒᆞ믄 더욱 측냥치 못ᄒᆞ여, 부뷔 ᄒᆞᆫ가지로 녀ᄋᆞ의 옥수을 잡아 무ᄉᆞ이 도라오믈 무르니, ᄇᆡᆨ상궁이 소져의 열의졀ᄒᆡᆼ(烈義節行)을 일카라 졔휘 감동ᄒᆞᄉᆞ 하궐ᄒᆞ믈 허ᄒᆞ시다 ᄒᆞ니, ᄐᆡ부인과 금평후 부뷔 황공감은ᄒᆞ여 상궁을 ᄃᆡᄒᆞ여 셩은이 망극ᄒᆞ시믈 일카르며, 주찬을 풍비(豐備)히 출혀 관ᄃᆡ(款待)ᄒᆞ여 도라보ᄂᆡᆯ ᄉᆡ, 상궁이 눈물을 나리와 후일 다시 보지 못ᄒᆞ믈 결연(缺然)ᄒᆞ니, 소져 후의을 ᄉᆞ례ᄒᆞ고 날이 느지ᄆᆡ 상궁이 도라가니, 금평휘 녀ᄋᆞ을 어로만져 그 ᄒᆡᆼᄉᆞ을 두굿기고, ᄐᆡ부인과 진부인이 일망을 써낫던 ᄒᆡ아(孩兒)을 보ᄆᆡ, 쳔ᄉᆞ만녀(千思萬慮)을 허비ᄒᆞ다가 무ᄉᆞ히 도라오니 무한ᄒᆞᆫ 반기믈 니르며, 소져 또ᄒᆞᆫ 존당부모의 안강ᄒᆞ심과 양소져 분만ᄒᆞ여 옥녀을 ᄉᆡᆼᄒᆞ믈 깃거, 평ᄉᆡᆼ 쳐음으로 일망을 니측ᄒᆞ여 ᄉᆞ모ᄒᆞ든 하졍을 고ᄒᆞ고, 하소져의 손을 잡고 반기믈 이긔지 못ᄒᆞ여 피ᄎᆞ 깃부믈 형상치 못ᄒᆞ더라.

명일 상이 조회을 임ᄒᆞᄉᆞ 뎡시의 소표(疏表)을 나리와 ᄃᆡ신 이ᄒᆞ로 보라 ᄒᆞ시고, 일

"셰한(歲寒) 연후(然後)의 송빅(松柏)의 구든 졀을 안다 ᄒᆞ니, 뎡녀를 니르미라. 딤이 그 셩힝을 ᄉᆞ랑ᄒᆞ여 태ᄌᆞ의 후비를 뎡ᄒᆞ러 ᄒᆞ엿더니 죽기로ᄡᅧ 닷토아 혈셔 소봉으로 님군의 실덕을 간ᄒᆞ니, ᄎᆞᄂᆞᆫ 만고의 희한ᄒᆞᆫ 슉녀 뎔뷔라. 딤이 특별이 졍문포댱(旌門褒獎)ᄒᆞ여 셰쇽의 졀효를 권댱코져 ᄒᆞᄂᆞ니, 만됴 졔【3】신은 디실ᄒᆞ라."

샹교로 좃ᄎᆞ 삼공이히 일시의 ᄃᆡ듀(對奏)ᄒᆞᄃᆡ,

"폐하의 셩덕이 뎡시의 졀힝을 온젼케 ᄒᆞ시니 됴얘 열복(悅服)ᄒᆞ리로소이다. 뎡녀의 놉흔 졀힝은 금셕의 박아 후셰의 젼ᄒᆞ염 즉ᄒᆞ오니 셩의 맛당토소이다."

샹이 이에 뎡문을 결단ᄒᆞ샤 친히 금ᄌᆞ어필노 졔익(題額)ᄒᆞ여 '명셩슉녈뎡시디문(明聖淑烈鄭氏之門))이라 ᄒᆞ시고, 금평후 뎡연을 명패(命牌)ᄒᆞ샤 ᄌᆞ녀의 긔특이 싱ᄒᆞ믈 칭복ᄒᆞ시고 셩혼ᄒᆞᆫ 곳을 므르시니 평휘 윤가의 셩혼 납빙ᄒᆞ여시믈 듀ᄒᆞ니, 샹이 경동ᄒᆞ샤 탄왈,

"윤현은 나라흘 위ᄒᆞ여 죽어시니 그 ᄌᆞ녀ᄂᆞᆫ 예ᄉᆞ 됴신의 ᄌᆞ식과 달【4】나 휴쳑(休戚)을 ᄒᆞᆫ가지로 ᄒᆞ미 맛당하니 경의 녜(女) 윤현○[의] 《지∥ᄌᆞ(子)》와 셩혼ᄒᆞ여시믈 드러실딘ᄃᆡ 아이의[1490] 입궐치[케] 아녀시리라. 원ᄂᆡ 윤현의 ᄌᆞ네 삼인이라 ᄒᆞ더니 다 셩취ᄒᆞ엿ᄂᆞ냐?"

금휘 ᄃᆡ듀 왈,

"현의 녀ᄂᆞᆫ 뎐홍의 쳐실{실}이오 동틱빵싱은 신녀(臣女)와 셩혼ᄒᆞ고 ᄎᆞᄌᆞᄂᆞᆫ 셔쵹 뎍거 죄인 하딘의 녀와 셩혼ᄒᆞ엿ᄂᆞ이다."

샹이 젼디ᄒᆞ샤 뎡시로 그 혼녜를 일우ᄂᆞᆫ 날 윤가의 졍문(旌門)[1491]ᄒᆞ라 ᄒᆞ시니, 뎡공

1490)아이의 : 아예. 일시적이거나 부분적이 아니라 처음부터, 또는 전적으로, 순전하게.

카라ᄉᆞ 왈,

"졔 화촉지녜을 힝치 아니ᄒᆞ엿시니 당당ᄒᆞᆫ 공물이라 ᄒᆞ여 틱ᄌᆞ 후비을 뎡코져 ᄒᆞ더니, 뎡녀의 놉흔 졀힝이 초녀의 《쳐∥졀》을 ᄯᅳ라, 죽기로ᄡᅧ 혈셩소표(血誠疏表)을 올녀 짐의 실덕을 간ᄒᆞ여,【84】 뎡인군ᄌᆞ(正人君子)의 ᄉᆞ군직간(事君直諫)ᄒᆞ미라도 이러치 못ᄒᆞᆯ지라. 당셰의 희한ᄒᆞ고 졀부열녀니 짐이 특별이 그 문녀(門閭)의 졍표(旌表)ᄒᆞ여 시속녀ᄌᆞ로 ᄒᆞ어금 졀의 듕ᄒᆞ믈 알게코져 ᄒᆞ노라."

승공이히 뎡시의 소표을 다 보고 칭찬ᄒᆞ믈 이긔지 못ᄒᆞ여, 일시의 주ᄒᆞ되,

"폐하의 셩덕이 뎡시의 졀의을 완젼케 ᄒᆞ시니 열복(悅服)지 아니리 업ᄉᆞ리로소이다. 뎡녀의 문장 소ᄉᆞ와 졀열이 금셕의 박아 쳥ᄉᆞ의 드리움즉 ᄒᆞ오니, 문ᄂᆡ의 표장ᄒᆞ시미 맛당ᄒᆞ여이다."

상이 이의 금ᄌᆞ어필노 '명셩숙녈뎡시지문(明聖淑烈鄭氏之門)'이라 ᄒᆞ시고 금평후을 명초(命招)ᄒᆞᄉᆞ ᄌᆞ녀의 긔이ᄒᆞ믈 칭찬ᄒᆞ시고 뎡시의 졍혼ᄒᆞᆫ 곳을 무르시니, 윤가의 빙치(聘采)ᄒᆞ믈 주ᄒᆞ온ᄃᆡ, 쳔안이 경동(驚動)ᄒᆞᄉᆞ 왈,

"윤현은 나라흘 위ᄒᆞ여 죽으니 그 ᄌᆞ식은 녀ᄉᆞ인(例事人)과 다른지라, 휴쳑(休戚)을 ᄒᆞᆫ가지로 ᄒᆞ미 맛당ᄒᆞ니, 경녜 윤현의 아들과 졍혼ᄒᆞ여시믈 들어실진ᄃᆡ, 아이의[1426] 간틱지 아냐시리라. 원ᄂᆡ 현의 ᄌᆞ녀 승인라 홈을 드러더니, 셩취ᄒᆞ엿ᄂᆞ냐?"

금휘 ᄃᆡ왈,

"현의 녀ᄂᆞᆫ 쳔홍의 쳐실이옵고 동틱쌍싱(同胎雙生)은 신의 녀와 졍혼ᄒᆞ고 ᄎᆞᄌᆞᄂᆞᆫ 젹거죄인 하진○○[의 녀]과[와] 졍혼밍약ᄒᆞᆫ지 년심셰구(年甚歲久) ᄒᆞ니이다."

상이 평후의 주ᄉᆞ을 세셰이 쳥(聽)ᄒᆞ시고 이의 젼지ᄒᆞᄉᆞ 뎡시로 혼녜을 일우ᄂᆞᆫ 날 윤

1426)아이의 : 아예. 일시적이거나 부분적이 아니라 처음부터, 또는 전적으로, 순전하게.

이 블감황공ᄒᆞ여 은명(恩命)을 환슈ᄒᆞ시믈 청ᄒᆞᆫᄃᆡ, 샹이 블윤ᄒᆞ시니, 금휘 빅빅샤은ᄒᆞ여 어온(御醞)을 거후로고 퇴됴ᄒᆞ여 도라올 ᄉᆡ, 길히셔 츄밀사 윤공을 만【5】나 슈일 보디 못ᄒᆞ믈 니르니, 윤츄밀이 뎡쇼져의 졀의를 만구칭션(萬口稱善)ᄒᆞ니, 뎡공이 탄왈,

"어린 녀식이 졀의를 듕히 넉여 혈심간징(血心諫爭)ᄒᆞ미 이시나 셩듀의 은혜 졍문ᄒᆞ시기의 니르니 엇디 황공외람치 아니리오."

윤공이 쇼왈,

"남녀의 힝신이 다르나 녕녀의 문댱 소ᄉᆞᄂᆞᆫ 식니댱뷔(識理丈夫)라도 당키 어려오니 셩샹의 졍문ᄒᆞ샤미 엇지 괴이ᄒᆞ리오. 형은 너모 샤양치 말나."

언파의 손을 난화 운산의 도라와 연듕ᄉᆞ(筵中事)1492)를 고ᄒᆞ여 외람 불가ᄒᆞ믈 마디 아니니, 쇼졔 깃거 아냐 일흥(一興)이 소삭(蕭索)ᄒᆞ니, 공이 탄왈,

"너희 남ᄆᆡ 텬은을 과히 밧ᄌᆞ오니 비록 외람 블안ᄒᆞ나 만【6】ᄉᆡ 텬애라 인력으로 밋촐 ᄇᆡ 아니니 너ᄂᆞᆫ 물녀(勿慮)ᄒᆞ라."

쇼졔 나죽이 고왈,

"녀ᄌᆞ의 졀힝이 놉고 힝덕이 고요ᄒᆞ믈 쇼네 흠션ᄒᆞᄂᆞᆫ ᄇᆡ러니, 이졔 미셰ᄒᆞᆫ 몸의 졀의 두ᄌᆞ를 인ᄒᆞ여 졍문 포댱ᄒᆞ시니 외람 황

1491)졍문(旌門) : 충신, 효자, 열녀 들을 표창하기 위하여 그 집 앞에 세우던 붉은 문.

1492)연듕ᄉᆞ(筵中事) : 경연(經筵)에서 있었던 일. 경연은 고려·조선 시대에, 임금이 학문이나 기술을 강론·연마하고 더불어 신하들과 국정을 협의하던 일. 또는 그런 자리를 말함.

가의 졍문(旌門)1427)ᄒᆞ라 ᄒᆞ시니, 뎡공이 불감황공ᄒᆞ여 옥계의 부복ᄒᆞ여 은명(恩命) 환슈【85】ᄒᆞ시믈 간졀이 쳥ᄒᆞᆫᄃᆡ, 상이 맛ᄎᆞᆷ니 불윤ᄒᆞ시고 지삼 위로ᄒᆞ시니, 금휘 빅빅ᄉᆞ은ᄒᆞ여 퇴조ᄒᆞ여 도라올 ᄉᆡ, 길히셔 윤츄밀을 만나 ᄆᆡ, 츄밀○[이] 뎡소져 졀의을 만구칭선(萬口稱善)ᄒᆞᆫᄃᆡ, 뎡공이 탄왈,

"어린 ᄌᆞ식이 졀의로써 혈심간징(血心諫爭)ᄒᆞ미 잇시나 성주의 졍문표장ᄒᆞ시ᄂᆞᆫ 은권이 너무 과도ᄒᆞ시니 외람ᄒᆞ고 불감ᄒᆞ믈 이긔지 못ᄒᆞ리로다."

윤공 왈,

"남녀 힝신이 다르나 영녀의 문장 소ᄉᆞᄂᆞᆫ 식니장부(識理丈夫)라도 당키 어려오니 성상의 포장ᄒᆞ시미 과도ᄒᆞ리오. 형은 브졀업시 겸양치 말나."

인ᄒᆞ여 분수ᄒᆞ고 뎡공이 집의 도라와 모친긔 뵈옵고 셩은의 융셩ᄒᆞ믈 고ᄒᆞ고 외람ᄒᆞ믈 고ᄒᆞ니, ᄐᆡ부인이 혜주을 무ᄋᆡ 왈,

"네 셩힝열졀이 금ᄌᆞ어필노 포장ᄒᆞ시미 계신지라. 엇지 아름답지 아니리오."

소져 본ᄃᆡ 이런 일을 블힝ᄒᆞ여 ᄒᆞ거ᄂᆞᆯ 이 말슴을 듯고 일흥(一興)이 소삭ᄒᆞ니, 금휘 탄 왈,

"너희 남ᄆᆡ 다 용속기을 면ᄒᆞ여시나 청[쳔]흥이 십ᄉᆞ의 문무과을 마쳐 이졔 원융상장이 되어 만니의 츌젼ᄒᆞᄆᆡ, 과도ᄒᆞ신 은젼이 츅단ᄇᆡ장(祝壇配將)ᄒᆞ시며 문외의 젼별ᄒᆞ시고, ᄯᅩ 십ᄉᆞᆷ 소녀ᄌᆡ 졍문포장ᄒᆞ니 녀ᄌᆞ의 과ᄒᆞᆫ 복이라, 아비 가장 시름ᄒᆞ[ᄒᆞ]나 ᄎᆞ역명(此亦命)이라, 화복간(禍福間)의 인녁으로 홀ᄇᆡ 아니니 너ᄂᆞᆫ 근심치 말나."

소져 나작이 ᄃᆡ 왈,

"녀ᄌᆞ의 힝젹이 고요ᄒᆞ믈 일ᄉᆞᆷ더니, 이졔 미셰ᄒᆞᆫ 몸의 졀의 두ᄌᆞ을 일카라【86】 졍문포장ᄒᆞ미 외람불감ᄒᆞ와 손복홀가 두리ᄂᆞ이다."

1427)졍문(旌門) : 충신, 효자, 열녀 들을 표창하기 위하여 그 집 앞에 세우던 붉은 문.

감ᄒᆞ와 열운 복이 손흘가 두리ᄂᆞ이다."

금휘 연ᄋᆡᄒᆞ믈 형상치 못ᄒᆞ여 만금 귀듕ᄒᆞ미 아ᄌᆞ의 우히라.

ᄎᆞ시 뎡이랑 닌흥의 벼술이 졈졈 놉하 니부시랑 홍문샤인의 니르니 물망이 날로 듕ᄒᆞᆫ디라 평휘 셩만ᄒᆞ믈 진졍으로 깃거 아니터라.

이ᄶᅢ 금문직ᄉᆞ 인흥이 졈졈 벼술이 쳥현ᄒᆞ여 니부시랑{의} 겸 홍문○[관]ᄉᆞ인이라. 물망과 직예 조야의 나타나니 금후 더욱 셩만ᄒᆞ믈 즐겨 아니터라.

뉴시 광텬 등의 혼ᄉᆞ를 희짓고져 ᄒᆞ므로 뎡시의 입궐을 ᄀᆞ쟝 깃거ᄒᆞ엿더니, 슈슌(數旬) 후 믄득 뎡시 나오고, 명졀(名節)이 금슈(錦繡) 우희 곳 ᄀᆞᆺ트여 윤부의 혼녜를 일우고 도라가ᄂᆞᆫ 날 금ᄌᆞ어필(金字御筆)1493)노 슉녈문(淑烈門)을【7】 놉히라 ᄒᆞ시고, 만되 모로리 업시 졀힝을 칭복ᄒᆞᆫ다 ᄒᆞ니, 놀나온 ᄆᆞ음과 ᄋᆡ돌온 비분(悲憤)이 층가(層加)ᄒᆞ여 손으로 셔안을 쳐 탄왈,

뉴악이 광쳔공ᄌᆞ의 혼ᄉᆞ을 작희ᄒᆞ여 뎡소져 입궐ᄒᆞ니 깃부믈 이긔지 못ᄒᆞ더니, 일망후(一望後) 뎡소져 ᄒᆞ궐(下闕)ᄒᆞ고 명졀쳥힝(名節淸行)이 금상쳠화(錦上添花)ᄒᆞ여 윤가의 혼ᄉᆞ을 일워 도라오ᄂᆞᆫ 날 금ᄌᆞ어필(金字御筆)1428)노 슉녈문(淑烈門)을 놉히라 ᄒᆞ신 말을 드르니, 놀납고 ᄋᆡ달온 분이 금창(金瘡)이 터져 손으로 셔안을 쳐 갈오ᄃᆡ,

"계교를 묘히 ᄉᆡᆼ각ᄒᆞ나 일이 ᄆᆞ음과 ᄀᆞᆺ디 아니ᄒᆞ여, 뎡녀를 황후긔 쳔거ᄒᆞ미 도로혀 뎡시로 ᄒᆞ여곰 아름다온 일홈을 빗나게 ᄒᆞ니, 곳곳이 이런 블힝이 어ᄃᆡ 이시리오."

"계교을 묘히 ᄉᆡᆼ각ᄒᆞ나 일이 마음을 좃지 못ᄒᆞ니 도로혀 뎡시로 ᄒᆞ여금 아름다온 일옴을 빗나게 ᄒᆞ니, 촉쳐불힝(觸處不幸)이라 엇지ᄒᆞ리오."

경ᄋᆡ 역시 분ᄒᆞ고 ᄋᆡ돌오믈 니긔지 못ᄒᆞ여, 묘랑을 블너 혼ᄉᆞ를 희짓고져 ᄒᆞ더니, 뉴시 외조모 박상셔 부인이 년급구십(年及九十)의 병이 위듕ᄒᆞ여, 본ᄃᆡ 뉴시를 ᄉᆞ랑ᄒᆞ므로 병심의 보고져 쳥ᄒᆞ니, 뉴시 경ᄋᆞ를 다리고 박부의 나아갓더니 슈슌이 못ᄒᆞ여 노태부인이 기셰【8】ᄒᆞ니, 뉴시 외조모 바라미 친모ᄀᆞᆺ트여 ᄌᆞ기 모친은 됴ᄉᆞ(早死)ᄒᆞ고 조손의 졍이 모녀ᄀᆞᆺ치 ᄒᆞ더니, 일됴의 여희ᄆᆡ 망극ᄒᆞᆫ 셜우미 가히업셔 혼졀ᄒᆞ믈 마디 아니니, 셩복(成服) 후 경ᄋᆞᄂᆞᆫ 도라보ᄂᆡ고 ᄌᆞ기ᄂᆞᆫ 박부의 머므니, 광텬공ᄌᆞ의 혼ᄉᆞ를 희지을 겨를이 업셔 홀홀ᄒᆞᆫ 일월을 보ᄂᆡ니라.

경ᄋᆡ 역시 분ᄒᆞ믈 참지 못ᄒᆞ여 신묘랑을 불너 혼ᄉᆞ을 져희코져 ᄒᆞ더니, 뉴시의 외조모 박상셔 ᄐᆡ부인이 년만구슌(年晩九旬)의 병이 위듕ᄒᆞ여 뉴시을 보고져 ᄒᆞᄂᆞᆫ지라. 뉴시 경아을 다리고 박부의 나아가 수슌(數旬)이 못ᄒᆞ여 ᄐᆡ부인이 기셰ᄒᆞ니, 뉴시 외조모 바라기을 친모 갓치 ᄒᆞ여 ᄌᆞ긔 모친이 조ᄉᆞ(早死)ᄒᆞ고 조손이 졍이 모녀 갓더니, 일조의 영결ᄒᆞ니 망극통졀ᄒᆞ여, 셩복(成服) 후 경ᄋᆞᄂᆞᆫ 도라보ᄂᆡ고 ᄌᆞ긔ᄂᆞᆫ 장젼(葬前)가지 머무르니, 공ᄌᆞ의 혼ᄉᆞ을 희지을 결을이 업셔 홀홀이 일월을 보ᄂᆡ미 되엿더라.

ᄎᆞ년 츈의 텬ᄌᆡ 셩묘(聖廟)의 비알ᄒᆞ시고 셜장(設場)ᄒᆞ여 인ᄌᆡ를 ᄲᅢ실ᄉᆡ, 광텬공ᄌᆡ 셜과ᄒᆞ믈 듯고 계부긔 고왈,

ᄎᆞ년 츄의 쳔ᄌᆡ 성묘(聖廟)의 빅【87】알ᄒᆞ시고 인ᄌᆡ을 ᄲᅢ실 식, 광쳔이 셜과(設科)ᄒᆞ믈 듯고 숙부긔 고ᄒᆞ여 왈,

"유ᄌᆡ(猶子) 나히 어리고 ᄒᆞᆨ문이 슉달치 못ᄒᆞ오나, ᄉᆡᆼ셰지후(生世之後)의 과댱(科場)

"소ᄌᆡ 나히 어리옵고 ᄒᆞᆨ문이 이지 못ᄒᆞ엿ᄉᆞ오나, ᄉᆡᆼ셰후(生世後) 지금ᄭᅥᆺ 과장을 관광

1493)금ᄌᆞ어필(金字御筆) : 금빛이 나는 글자로 쓴 임금의 친필 글씨.

1428)금ᄌᆞ어필(金字御筆) : 금빛이 나는 글자로 쓴 임금의 친필 글씨.

을 관광치 못ᄒᆞ엿솝ᄂᆞ니, 이번 과옥(科屋)은 구경코져 ᄒᆞᄂᆞ이다.”

공이 ᄀᆞᆯ오ᄃᆡ,

“됴달(早達)이 【9】 깃브지 아니코 계오 이뉵(二六)이 넘엇ᄂᆞᆫ디라, 과갑이 밧브지 아니ᄃᆡ, 네 임의 과옥의 ᄯᅳᆺ을 동ᄒᆞ여시니 내 ᄯᅩᄒᆞᆫ 말니지 아니ᄒᆞᄂᆞ니, 졔구(諸具)를 출혀 드러가라.”

공ᄌᆡ ᄇᆡ샤ᄒᆞ고, ᄎᆞ공ᄌᆡ 부젼의 고왈,

“쇼ᄌᆞᄂᆞᆫ 혹문이 형을 바라지 못ᄒᆞ오니 나히 ᄎᆞ거든 과쟝 츌입을 ᄒᆞ고져 ᄒᆞᄂᆞ이다.”

공이 잠쇼 왈,

“너희 형뎨 ᄌᆡ죄 상하ᄒᆞᆯ 거시 업ᄉᆞᄃᆡ 형뎨 일방의 고등ᄒᆞᆯ딘ᄃᆡ 경ᄉᆞ 너모 듕텹ᄒᆞ니 오ᄋᆞᄂᆞᆫ 명츈(明春) 과갑(科甲)1494)을 응ᄒᆞ라.”

공ᄌᆡ 슈명이퇴ᄒᆞ니 일공ᄌᆡ 우어 왈,

“댱뷔 굿타여 ᄌᆡ조를 픔고 님하의 울젹ᄒᆞᆫ 셔ᄉᆡᆼ이 되여든 므어시 쾌활ᄒᆞ랴? 네 브ᄃᆡ 계부긔 고ᄒᆞ여 드러 【10】 가디 말고져 ᄒᆞ니 겸퇴지심(謙退之心)이 과ᄒᆞ나, ᄌᆞ상(仔詳)되미 심ᄒᆞ도다.”

ᄎᆞ공ᄌᆡ 미쇼 ᄃᆡ왈,

“형댱과 쇼뎨 ᄯᅳᆺ이 다 각각이니, 굿ᄐᆡ여 ᄒᆞ고져 아닛ᄂᆞᆫ ᄇᆡ오나, 형댱 신긔(神技)로 과장의 드르시ᄂᆞᆫ 날은 참방(參榜)이 필득(必得)이라. 너모 됴달ᄒᆞ기도 블가ᄒᆞ이다.”

댱공ᄌᆡ 쇼왈,

“시쇽의 등과ᄒᆞᄂᆞᆫ 뉘 년긔 십삼ᄉᆞ(十三四)의 ᄌᆡ긔 가득ᄒᆞ니, 우형이 참방ᄒᆞᆯ 줄은 아디 못ᄒᆞ거니와, 나 혼ᄌᆞ 아니라 므어시 니르리오.”

ᄎᆞ공ᄌᆡ 함쇼무언(含笑無言)이러라. 댱공ᄌᆡ 장옥졔구를 출혀 쟝듕의 나아가ᄆᆡ, 이윽ᄒᆞ여 글 졔 나리니, 슈만(數萬) 다ᄉᆡ(多士) 붓ᄃᆡ를 들고 글 초(草)를 일우며, 혹 의ᄉᆡ 낙막ᄒᆞ여 【11】 눈섭을 찡기고 근심ᄒᆞᄂᆞᆫ ᄌᆞ도 무슈ᄒᆞᆫ디라. 광텬공ᄌᆡ 두로 도라 남의

1494)과갑(科甲) : 과거(科擧)를 달리 이르는 말.

치 못ᄒᆞ엿ᄉᆞ오니, 이번의 잠간 구경코져 ᄒᆞᄂᆞ이다.”

추밀이 왈,

“조달(早達)ᄒᆞ미 깃분 ᄇᆡ 아니로ᄃᆡ, 네 임의 ᄯᅳᆺ지 잇시니 ᄂᆡ 막지 아니리라.”

장공ᄌᆡ ᄇᆡᄉᆞᄒᆞ고 ᄎᆞ공ᄌᆞ 추밀긔 고왈,

“소ᄌᆞᄂᆞᆫ 긔운이 장셩ᄒᆞ미 형과 갓지 못ᄒᆞ오니 아직 나히 ᄎᆞ거든 과갑의 나아가고져 ᄒᆞᄂᆞ이다.”

추밀이 소왈,

“학문이 형뎨 상ᄒᆞ(上下)할 거시 업술 거시오, 너의 ᄌᆡ조로 등과ᄒᆞ미 반듯ᄒᆞ되, 형뎨 일방의 고등ᄒᆞᆯ진ᄃᆡ 경ᄉᆡ 너무 듕쳡ᄒᆞ니, 너ᄂᆞᆫ 명년 과가[거]의 참녀ᄒᆞ라.”

공ᄌᆡ 수명이퇴ᄒᆞᄆᆡ 장공ᄌᆡ 소왈,

“장뷔 ᄌᆡ조을 품어 굿ᄒᆞ여 님하의 울적ᄒᆞᆫ 셔ᄉᆡᆼ이 되어든 무어시 쾌ᄒᆞ뇨? ᄂᆡ 부ᄃᆡ 숙부긔 고ᄒᆞ여 함긔 보기을 바라리니 긍상되미 심ᄒᆞ도다”

ᄎᆞ공ᄌᆡ 미소 왈,

“형장과 소졔 ᄯᅳᆺ지 각각이니, 마음ᄃᆡ로 ᄒᆞ고 강작ᄒᆞ여 갓치 ᄒᆞ고져 원치 ○○[아니] ᄒᆞ오니, 형장 신ᄌᆡ(神才)로ᄡᅧ 과장의 드르시ᄂᆞᆫ 날 참방(參榜)은 긔여1429) 필득(必得)이라. 너무 조달인가 ᄒᆞ나이다.”

장공ᄌᆡ 소 왈,

“시속의 등과ᄒᆞᄂᆞᆫ 뉴 십이숨셰ᄌᆡ(十二三歲者) 만흐니, 우형이 춤방키ᄂᆞᆫ 기필치 못ᄒᆞ거니와, 나 혼ᄌᆞ 아니니 이르다 ᄒᆞᄂᆞ뇨?”

공ᄌᆡ 함소무언(含笑無言)이러니, ᄎᆞ일 장공ᄌᆡ 장듕졔구을 ᄃᆞᄉᆞ려 입장ᄒᆞ니, 이윽ᄒᆞ여 글졔 나고 수만 유ᄉᆡᆼ의 읍주어려 심장젹구(尋章摘句)1430)ᄒᆞ믈 구경ᄒᆞ더니, 시각이

1429)긔여 : 기여. 기어이.
1430)심장적구(尋章摘句) : 다른 사람의 글귀를 따서 글을 지음.

거동을 보고 심니의 실쇼ᄒᆞ여 혜오ᄃᆡ, 져런 것들이 유건(儒巾)[1495]을 쓰고 셔어(齟齬)히 과장의 드러오미 엇지 우읍디 아니며, 비록 참방ᄒᆞ미 이신들 므어시 쾌ᄒᆞ리오 ᄒᆞ며, 두로 단니다가 시ᄀᆡᆨ이 느ᄌᆞᄆᆞᆯ 보고 쟝듕의 드러가 명디(名紙)[1496]를 펴고 평ᄉᆡᆼ ᄌᆡ조를 다ᄒᆞ여 ᄎᆡ필(彩筆)을 두루치ᄆᆡ[1497], 만지(滿紙)의 창뇽(蒼龍)이 셔리고 단봉(丹鳳)이 춤추ᄂᆞᆫ ᄃᆞᆺ, 쳡쳡ᄒᆞᆫ 문장이 것칠 거시 업ᄉᆞ니, 풍운이 비등ᄒᆞ고 귀신을 울닐디라. 쓰기를 맛ᄎᆞᄆᆡ 시동으로 밧치라 ᄒᆞ고, 셔칙을 비겨 잠을 깁히 드니, 모든 과유(科儒) 등이 【12】 그 ᄌᆡ조의 신쇽ᄒᆞᄆᆞᆯ 흠탄ᄒᆞ더라.

ᄎᆞ일 텬ᄌᆡ 졔 시관으로 더브러 여러 시튝(詩軸)을 상고ᄒᆞ시ᄃᆡ 셩의(聖意) 블합ᄒᆞ시더니, 최후 일장 시권을 어람ᄒᆞ시ᄆᆡ, 몬져 그 필획이 찬난ᄒᆞ여 일월이 빗췬 ᄃᆞᆺ, 시ᄉᆡ(詩思) 굉원(宏遠)ᄒᆞ여 텬디의 너르기로 흡ᄉᆞ(恰似)ᄒᆞ니, 태ᄇᆡᆨ(太白)의 쳥평ᄉᆞ(淸平詞)와 ᄉᆞ마쳔(司馬遷)을 압두ᄒᆞᆯ 문댱이라. 텬안이 대열ᄒᆞ샤 두어번 음영ᄒᆞ시고 친히 쟝원을 뎡ᄒᆞ시고, 여러 쟝 시권을 ᄭᅡ노아 슈를 치오신 후, 시ᄀᆡᆨ이 느ᄌᆞᄆᆡ 밋 방울 써혀 댱원을 호명ᄒᆞᄆᆡ, 항쥐인 윤광텬의 년이 십이오, 부ᄂᆞᆫ 고(故) 니부상셔 홍문관 태ᄒᆨᄉᆞ 시(謚) 안국공 현이라 브르ᄂᆞᆫ 소ᄅᆡ 셰번 【13】 의, 일위 쇼년이 만인 듕을 헷치고 몸을 ᄲᅢ혀 옥계하의 추진ᄒᆞ니, 놉흔 긔상이 구츄상텬(九秋霜天)[1498] ᄀᆞᆺ고, 늠늠ᄒᆞᆫ 풍ᄎᆡ 일만 버들이 츈풍을 씌여심 ᄀᆞᆺ고, 면뫼 두렷ᄒᆞ여 일뉸명월(一輪明月)[1499]이 한가ᄒᆞᆫ ᄃᆞᆺ, 놉흔 텬졍(天庭)은 옥을 무으고, 졍화(精華)ᄂᆞᆫ 강산졍긔를 타 나시니, 단슌호치(丹脣皓齒)와 원비일외(猿臂逸腰)[1500]라. 신쟝이 팔쳑이

1495)유건(儒巾) : ≒민짜건. 조선 시대 유생들이 쓰던 실내용 두건의 하나.
1496)명디(名紙) : ≒시지(試紙). 과거 시험에서 쓰던 시험지.
1497)두루치다 : 휘두르다. 휘필(揮筆)하다.
1498)구츄상텬(九秋霜天) : 9월의 서리가 내리는 맑고 높은 밤하늘.
1499)일뉸명월(一輪明月) : 매우 둥글고 밝은 달.
1500)원비일외(猿臂逸腰) : 긴 팔과 늘씬한 허리.

느즐【88】가 ᄒᆞ여 졉(接)[1431] 듕의 도라와 시지(試紙)을 펴고 ᄎᆡ필(彩筆)을 두루쳐[1432] 평ᄉᆡᆼᄌᆡ조을 이의 시험ᄒᆞ야 종ᄌᆞ로 ᄒᆞ여곰 밧치라 ᄒᆞ고, 셔칙을 비겨 조으르미 몽농ᄒᆞ니, 모든 션ᄇᆡ 그 신속ᄒᆞᄆᆞᆯ 칙칙칭션ᄒᆞ더라.

이날 황상이 졔신으로 더부러 시권(詩券)을 열남ᄒᆞ시나 셩의(聖意)에 합당치 아니ᄉᆞ 불열ᄒᆞ시더니 최후의 ᄒᆞᆫ 장 시문을 어람ᄒᆞ시니 몬져 그 필획이 찬난ᄒᆞ더니, 용봉(龍鳳)을 그리고 일월이 비친 듯 조용ᄒᆞ며 시ᄉᆡ(詩思) 웅위ᄒᆞ고 굉원ᄒᆞ여 은하의 근원과 쳔지의 너르기을 당ᄒᆞ여시니, 엇지 쥬옥금수(珠玉錦繡)의 져근 ᄌᆡ조라 이르리오. 이의 호방(呼榜)ᄒᆞ야 윤광쳔으로 집현젼ᄐᆡᄒᆨᄉᆞ(集賢殿太學士)을 ᄒᆞ이ᄉᆞ ᄉᆞᆷ일유가(三日遊街) 후 ᄒᆡᆼ공찰직(行公察職)ᄒᆞ라 ᄒᆞ시니, 장원이 엄부의 면목 모르미 종신지통이 되엿다가, 오날날 상교을 듯ᄌᆞᆸ고 쳔안이 지쳑(咫尺)이라, ᄎᆞᆷ으나 눈물이 연낙(連落)ᄒᆞ여 젼의 나려 체읍ᄇᆡᄉᆞ(涕泣拜謝) 왈,

1431)졉(接) : ①글방 학생이나 과거에 응시하는 유생의 동아리. ②보부상의 동아리. ③동학의 교구 또는 집회소.
1432)두루치다 : 휘두르다. 휘필(揮筆)하다.

요, 복듕(腹中)의 졔셰안민(濟世安民)ᄒᆞᆯ 지조와 벌뎍능토(伐敵凌土)[1501]ᄒᆞᆯ 지혜 쳔고영쥰(千古英俊)이오, 셰ᄃᆡ무뎍(世代無敵)이라. 뎐샹뎐히(殿上殿下) 윤댱원의 풍ᄎᆡ 신광을 보ᄆᆡ 놀나지 아니리 업고, 텬안이 ᄒᆞᆫ번 술피시ᄆᆡ 인ᄌᆡ 어드믈 ᄃᆡ열ᄒᆞ샤, 즉시 뎐의 올녀 그 머리의 계화(桂花)를 ᄭᅩᄌᆞ시고, 쳥삼(青衫)을 【14】○[입]히시며, 댱원의 손을 ᄌᆞᆸ으시고 츄연함쳑(惆然含慼)ᄒᆞ샤 ᄀᆞᆯ오샤ᄃᆡ,

"산고옥츌(山高玉出)이오 ᄒᆡ심츌쥬(海深出珠)[1502]라, 윤현의 션풍옥골(仙風玉骨)과 젹심단튱(赤心丹忠)으로, ᄌᆞ식을 두ᄆᆡ 범연치 아니니려니와, 이ᄃᆡ도록 긔특ᄒᆞ믄 오히려 아디 못ᄒᆞ엿노라. 군신은 부ᄌᆞ 일쳬라 딤은 금일 경으로ᄡᅧ 국가의 고굉(股肱)을 삼으나, 경뷔 산 얼골노 영화를 보디 못ᄒᆞ니 엇지 츄연치 아니리오."

만되 일시의 만셰를 블너 하례ᄒᆞ고, 샹이 ᄯᅩ 댱원ᄃᆞ려 닐너 ᄀᆞᆯ오샤ᄃᆡ,

"경부(卿父)ᄂᆞᆫ 국가를 위ᄒᆞ여 명을 맛ᄎᆞ니 딤이 셰월이 오랄ᄉᆞ록 냥신(良臣)을 앗가이 맛ᄎᆞ믈 슬허ᄒᆞᄂᆞ니, 경은 딤으로ᄡᅧ 군신의 엄ᄒᆞᆫ 거술 바리【15】고 부ᄌᆞ의 친을 다ᄒᆞ여, 딤을 아비와 조곰도 달니 아디 말나."

이에 듕셔샤인집현뎐태ᄒᆞᆨᄉᆞ(中書舍人集賢殿太學士)를 겸ᄒᆞ여 삼일유과(三日遊街) 후 ᄒᆡᆼ공찰딕ᄒᆞ라 ᄒᆞ시나, 댱원이 엄부의 면목을 모로미 평ᄉᆡᆼ디통(平生之痛)이라. 오날ᄂᆞᆯ 샹교(上教)를 듯ᄌᆞᆸ고, 디쳑(咫尺) 텬안의 십분 츰으나 ᄇᆡᆨ옥용화(白玉容華)의 ᄆᆞᆰ은 누쉬 삼삼ᄒᆞ여 쳬읍 ᄇᆡ샤 왈,

"신은 텬디간 죄인이라 아비 얼골을 아지 못ᄒᆞᄋᆞᆸ고, 슬픈 인ᄉᆡᆼ으로 아ᄌᆞ비를 의디ᄒᆞ와 댱셩ᄒᆞ오니, 감히 쳥운을 더위 잡아 어

1501)벌뎍능토(伐敵凌土) : 적을 치고 땅을 짓밟음.

1502)산고옥츌(山高玉出)이오 ᄒᆡ심츌쥬(海深出珠) : 높은 산에서 옥이나고, 깊은 바다에서 진주가 난다는 뜻으로 훌륭한 인물은 덕이 높고 전통이 깊은 명문가에서 난다는 말을 비유적으로 표현한 말.

"소신이 부ᄌᆞ쳔뉸을 모르고 쳔지간 죄인으로 혈혈이 슬푼 인ᄉᆡᆼ이 숙부을 의앙ᄒᆞ여 장셩ᄒᆞ기을 엇ᄉᆞ와, 오날날 감히 쳥운의 올나 어향(御香)[1433]을 쏘이믄 바라지 못ᄒᆞ온 ᄇᆡ라. 금일 과도ᄒᆞ신 셩은을 입ᄉᆞ와 불승황

1433)어향(御香) : 임금의 향기 또는 어전의 향기를 뜻하는 말로, 임금의 은혜를 비유적으로 표현한 말.

향(御香)[1503]을 뽀일 줄은 ᄉᆡᆼ각디 아니ᄒᆞ온 ᄇᆡ라. 셩은이 여텬(如天)ᄒᆞ샤 쇄신분골ᄒᆞ오나 다 갑ᄉᆞᆸ디 못ᄒᆞ리로소이다."

어음(語音)【16】이 웅건쳥월(雄建淸越)ᄒᆞ믄 명쳔공과 잠간 다르나 화열 쟝쾌ᄒᆞ믄 완연이 ᄀᆞᆺ튼디라. 샹이 그 슬허ᄒᆞ믈 보시고 더옥 쳐연ᄒᆞ시니 좌우 졔신이 윤공을 ᄉᆡᆼ각고 슬허ᄒᆞᄂᆞᆫ 지 만터라.

샹이 츄밀ᄉᆞ 윤공을 뎐폐(殿陛)의 브르샤 특별이 위유ᄒᆞ샤 왈,

"경이 광텬으로ᄡᅧ 아ᄌᆞ비 경과 아비 소임을 다ᄒᆞ여, 금일 등양ᄒᆞᄆᆡ 국가의 동냥을 삼고 경형(卿兄)의 신후(身後)를 빗ᄂᆡ니 엇디 아름답디 아니리오."

ᄒᆞ시고 향온(香醞)을 반샤(頒賜)ᄒᆞ시니, 윤공이 ᄡᅣᆼ슈로 어쥬를 밧ᄌᆞ와 거후르고 샤은ᄒᆞ여 황공블감ᄒᆞ니, 샹이 다시금 ᄀᆞᆯ오샤ᄃᆡ,

"경 형【17】이 ᄡᅣᆼᄐᆡ를 두엇다 ᄒᆞ더니 광텬의 아이 잇ᄂᆞ냐?"

츄밀이 ᄇᆡ복 왈,

"광텬의 아이 잇ᄉᆞ와 신이 계후(繼後)ᄒᆞ엿ᄂᆞ이다."

샹 왈,

"광텬지뎨(之弟) 과갑(科甲)[1504]의 참예ᄒᆞ미 잇ᄂᆞ냐?"

공이 ᄃᆡ왈,

"신ᄌᆞᄂᆞᆫ 졔 형과 상실(相實)치 못ᄒᆞ므로 참방치 못ᄒᆞ엿ᄂᆞ이다."

샹이 여러 신ᄂᆡ(新來)를 ᄎᆞ례로 브르시니, 화ᄃᆡ(花帶)를 주실ᄉᆡ 댱원을 툥ᄋᆡᄒᆞ시미 극ᄒᆞ샤 은권이 만됴의 드레니, 이ᄂᆞᆫ 부형이 튱졀노 죽으믈 슬허ᄒᆞ시미오, 댱원의 위인

1503)어향(御香) : 임금의 향기 또는 어전의 향기를 뜻하는 말로, 임금의 은혜를 비유적으로 표현한 말.

1504)과갑(科甲) : 과거(科擧)를 달리 이르는 말.

공ᄒᆞ오니 쇄신분골ᄒᆞ와도 다 갑습지 못ᄒᆞ리로소이다."

어음(語音)이 웅위(雄威)ᄒᆞ여 상활(爽闊)ᄒᆞ믄 명쳔공과 잠간 다르나 화려청월(華麗淸越)ᄒᆞ믄 완연이 갓튼지라. 상이 그 슬허ᄒᆞ믈 보시고 옥ᄉᆡᆨ이 츄연ᄒᆞ시며 좌우 문무 거경이 윤상셔을 ᄉᆡᆼ각ᄒᆞ고 져갓튼【89】아들의 영화을 보지 못ᄒᆞ믈 위ᄒᆞ여 슬허 아니리 업더라.

상이 추밀을 브르ᄉᆞ 각별이 일카라ᄉᆞ 왈,

"경의 형이 유복(遺腹)을 끼치고 죽으ᄆᆡ 경이 그 숙부의 소임을 다ᄒᆞ여 광천으 ᄀᆡ특이 가라쳐 금일 등양ᄒᆞᄆᆡ, 국가의 동냥을 숨고 경형(卿兄)의 신후을 빗ᄂᆡ니 엇지 아름답지 아니리오. 반다시 하주(賀酒) 업지 못ᄒᆞ리라."

ᄒᆞ시며, 어온(御醞)을 반ᄉᆞ(頒賜)ᄒᆞ시니 추밀이 쌍수로 밧ᄌᆞ와 황공ᄉᆞ은ᄒᆞ니, 상이 다시 무ᄉᆞᄃᆡ,

"경형이 쌍ᄌᆞ을 두다ᄒᆞ니 광천만 등(登)ᄒᆞ뇨?"

추밀이 ᄇᆡ복 왈,

"연ᄒᆞ이다. 손시{소신]이 무○[후](無後)ᄒᆞ므로 계후ᄒᆞ엿ᄂᆞ이다."

상 왈,

"광천의 아오ᄂᆞᆫ 과갑(科甲)[1434]의 ᄎᆞᆷ녜ᄒᆞ엿더냐?"

츄밀 왈,

"신의 계ᄌᆞᄂᆞᆫ ᄀᆡ품이 ○○○[제 형과] 상실치 못ᄒᆞ기로 ᄎᆞᆷ녜치 못ᄒᆞ엿ᄂᆞ이다."

상이 여러 신ᄂᆡ(新來)을 어젼의셔 ᄇᆡᆨ반(百般) 유희ᄒᆞ실ᄉᆡ, 장원을 총ᄋᆡᄒᆞᄉᆞ 은권이 듕ᄒᆞ시고 그 부친이 츙의을 셰워 도라가믈 슬피 녁이시고, 장원의 위인이 셰ᄃᆡ무쌍(世代無雙)ᄒᆞ믈 ᄉᆞ랑ᄒᆞ시미러라. 장원이 ᄯᅩᄒᆞᆫ 군상을 바라보오미 부형의 감치 아니무로 굿하여 작질(爵秩)을 ᄉᆞ양치 아니코 종일토

1434)과갑(科甲) : 과거(科擧)를 달리 이르는 말.

이 셰고(歲古)의 무빵ᄒᆞ믈 ᄉᆞ랑ᄒᆞ시미라. 당원이 ᄯᅩᄒᆞᆫ 작딕(爵職)을 샤양치 아니코 죵일토록 어젼의셔 진퇴ᄒᆞ샤, 슈려ᄒᆞᆫ 풍광 용쇄 동탕【18】ᄒᆞ여 니빅(李白)이 침향뎐(沈香殿)1505) 샹(上)의 취ᄒᆞᆫ 풍신이라도 이에 바라지 못ᄒᆞᆯ디라. 날이 져믈ᄆᆡ 당원이 방하(榜下)를 거ᄂᆞ려 궐문(闕門) 밧글 나ᄆᆡ 아악(雅樂)이 젼ᄎᆞ후옹(前遮後擁)1506)ᄒᆞ여, 청동빵개ᄂᆞᆫ 압○[흘] 인도ᄒᆞ며 금의ᄌᆡ인(錦衣才人)은 ᄌᆡ조를 비양(飛揚)ᄒᆞ고, 만됴 문무ᄂᆞᆫ 일시의 후빈(後陪)ᄒᆞ여, 옥누항의 니르러 츄밀긔 하례ᄒᆞᆯᄉᆡ, 츄밀이 당원을 압셰오고 두굿기믈 니긔지 못ᄒᆞ나, 션형(先兄)을 ᄉᆡᆼ각고 ᄉᆡ로이 비통ᄒᆞ믈 니긔지 못ᄒᆞ더라.

인ᄒᆞ여 당원을 다리고 경희뎐의 드러와 태부인긔 뵈올ᄉᆡ, 당원이 존당 부모긔 ᄎᆞ례로 빈알ᄒᆞ고 슬젼의 뫼시니, 졀인ᄒᆞᆫ ᄌᆡ풍이 이날【19】 더옥 ᄉᆡ로와 두샹(頭上) 어화(御花)ᄂᆞᆫ 츈풍의 휘영ᄒᆞ고1507) 금슈쳥삼(錦繡靑衫)은 봉익(鳳翼)의 빗겨시며, 팔쳑댱신(八尺長身)의 풍치 졀인(絶人)ᄒᆞ여 비ᄒᆞᆯ 곳이 업더라. 옥빈 어온이 빅년 용화의 잠간 츄긔를 ᄯᅴ여시니, 봉안이 몽농ᄒᆞ여 더옥 긔특ᄒᆞ더라. 조부인이 이ᄯᅢ를 당ᄒᆞ여 셕ᄉᆞ를 ᄉᆡᆼ각고 ᄋᆞᄌᆞ의 영화를 션군(先君)이 보디 못ᄒᆞ믈 슬허, 당원의 손을 잡고 누쉬방방(淚水滂滂)ᄒᆞ여 금치 못ᄒᆞ니, 구파와 츄밀이 ᄯᅩᄒᆞᆫ 슬프믈 니긔디 못ᄒᆞ니, 뉴시ᄂᆞᆫ 외조모의 상ᄉᆞ(喪事)를 갓 디니고 도라왓고, 태부인은 광텬의 낙방ᄒᆞ믈 튝원ᄒᆞ다가 의의히 댱원낭이 되여 계화쳥삼(桂花靑衫)으로 도라【20】오니, 통완홈과 믜오미 ᄀᆞᆨ골(刻骨)ᄒᆞ여 부쇄 흔드니 경긱의 칼노 지를 둧ᄒᆞ나, 츄밀이 ᄃᆡ좌ᄒᆞ여시니 ᄒᆞᆫ 말도 못ᄒᆞ고, 흉ᄒᆞᆫ 셩을 ᄎᆞᆷ으ᄆᆡ 만신이 번열ᄒᆞ믈 니긔디

1505)침향뎐(沈香殿) : 중국 서안(西安)에 있는 당(唐) 현종(玄宗)의 별궁(別宮)인 화청궁(華淸宮) 내의 한 전각

1506)젼ᄎᆞ후옹(前遮後擁) : 여러 사람이 앞뒤에서 에워싸고 보호하여 나아감.

1507)휘영ᄒᆞ다 : 휘영청하다. ①달빛 따위가 몹시 밝다. ②시원스럽게 솟아 있는 상태이다

록 어젼의셔 유희ᄒᆞ다가, 방하(榜下)을 거ᄂᆞ려 궐문을 날ᄉᆡ, 집ᄉᆞ악[아]역(執事衙役)이 젼ᄎᆞ후옹(前遮後擁)1435)ᄒᆞ야 요량(嘹喨)ᄒᆞᆫ ᄉᆡᆼ소(笙簫)ᄂᆞᆫ 구소(九霄)을 ᄉᆞ못고, 쳥동화ᄀᆡ(靑童花個)ᄂᆞᆫ 압흘 인도ᄒᆞ여 금의ᄌᆡ인(錦衣才人)은 ᄌᆡ조을 비양(飛揚)ᄒᆞ니, 만조 문뮈 옥누항의 이르러 추밀게 ᄒᆞ례ᄒᆞᆯ ᄉᆡ, 추밀이 장원을 압셰위 부듕의 도라오니【90】, 두굿기ᄂᆞᆫ 얼골이 츈풍셰류을 화ᄒᆞᄂᆞᆫ 듯ᄒᆞᆫ 가온ᄃᆡ, 션형을 추모ᄒᆞᄂᆞᆫ 슬푸미 화긔을 감ᄒᆞ엿ᄂᆞᆫ지라.

장원을 다리고 경희당의 드러가 틱부인 조부인긔 뵈오니 당ᄎᆞ시(當此時)ᄒᆞ여 셕ᄉᆞ을 상상ᄒᆞᄆᆡ 아ᄌᆞ의 영화을 부뷔 ᄒᆞᆫ가지로 보지 못ᄒᆞ믈 슬허 장원의 손을 잡고 누쉬여우(淚水如雨)ᄒᆞ여 옷깃슬 젹시니, 뉴악은 외조모의 장ᄉᆞ을 갓지○[내]고 도라왓고, 위노(老)ᄂᆞᆫ 광쳔의 낙방ᄒᆞ기을 싀원코 등가족이 터지도록 죄오다가, 의의이 장원낭으로 계지쳥숨(桂枝靑衫)을 더ᄒᆞ여 도라오니, 통한ᄒᆞ고 뮈오미 각골ᄒᆞ고 부쇄1436) 흔드기니, 경각의 칼노 질을 듯ᄒᆞ되 추밀이 잇시니 ᄒᆞᆫ말을 못ᄒᆞ고 만신이 쓿는 듯 번열ᄒᆞ믈 이긔지 못ᄒᆞ니, 낫치 불고1437) 눈이 뒤룩여 장원을 븟들고 눈물이 쳔항(千行)이나 ᄒᆞ여 늣겨 왈,

1435)젼ᄎᆞ후옹(前遮後擁) : 여러 사람이 앞뒤에서 에워싸고 보호하여 나아감.

1436)부화 : 부아. 노엽거나 분한 마음.

1437)불고 : 붉고.

못ᄒᆞ여, 낫치 벌거ᄒᆞ여 눈믈이 쳔항(千行)이라. 이를 읇믈고 늣겨 왈,

“오날 이ᄀᆞᆺ튼 경ᄉᆞ를 네 아비 보디 못ᄒᆞ고 노뫼 혼ᄌᆞ 보니 므어시 쾌ᄒᆞ고 즐거오리오.”

뉴시 ᄯᅩᄒᆞᆫ 븟들고 쳬읍ᄒᆞ여 분ᄒᆞᆫ 눈믈이 낫치 가득ᄒᆞ니, 도로혀 셕ᄉᆞ를 슬허ᄒᆞᄂᆞᆫ 쳬ᄒᆞ니, 츄밀은 소활ᄒᆞᆫ 댱뷔라 모친의 악악ᄒᆞᆫ 흉심은 엇디 알니오. 심하의 셕ᄉᆞ를 ᄉᆡᆼ각고 슬허ᄒᆞ미 괴이치 아니타 ᄒᆞ여, 공이 역시 슬허ᄒᆞ고 댱원 【21】 이 읍읍뉴쳬(泣泣流涕)ᄒᆞ니 ᄉᆡ로온 디통을 니긔지 못ᄒᆞ더라.

즉시 샤묘의 올나 신위예 ᄇᆡ알ᄒᆞᆯᄉᆡ, 공이 어로만져 녜를 맛ᄎᆞᄆᆡ, 하ᄀᆡᆨ이 운집ᄒᆞ여 신ᄂᆡ를 브르ᄂᆞᆫ 소ᄅᆡ 딘쳔(振天)ᄒᆞ니 공이 댱원으로 더브러 ᄃᆡᄀᆡᆨᄒᆞᆯᄉᆡ, 모든 명공이 신ᄂᆡ를 ᄇᆡᆨ단으로 유희ᄒᆞ니, 어시의 댱원이 영호발양(英豪發揚)ᄒᆞᆫ 튱텬댱긔로ᄡᅧ 금일 엄뷔 ᄌᆡ당ᄒᆞ시면 즐거오미 엇더ᄒᆞ리오마ᄂᆞᆫ, 평ᄉᆡᆼ 디통이 구곡의 ᄆᆡ친 바로ᄡᅧ 흥황(興況)이 ᄉᆞ연ᄒᆞ나, 마디 못ᄒᆞ여 강인 화식ᄒᆞ더니, 졔ᄀᆡᆨ이 각산귀가(各散歸家)ᄒᆞ고 츄밀이 댱원으로 더브러 쵹을 니어 말ᄉᆞᆷᄒᆞᆯᄉᆡ, 태부인과 뉴시 흐르ᄂᆞᆫ 말ᄉᆞᆷ으로 두 【22】 굿기믈 한업시 ᄒᆞᄂᆞᆫ 쳬ᄒᆞ며, 구파의 깃거ᄒᆞ믄 혈심의 바라나니, 이ᄯᅢ 조부인은 쵹ᄉᆞ(觸事)1508)의 근심이 깁허 ᄋᆞᄌᆞ의 등과ᄒᆞ믈 조곰도 즐기미 업더라.

댱원이 명일 취운산의 나아가 ᄆᆡ져(妹姐)를 보고 금후 부부긔 ᄇᆡ현ᄒᆞ려 ᄒᆞᆯᄉᆡ, 길히셔 낙양후를 만나 신ᄂᆡ를 블너 ᄌᆞ긔 집의 가, 유희ᄒᆞ기를 날회고 죵용이 당의 올나 말ᄉᆞᆷᄒᆞᆯᄉᆡ, 댱원의 쥬슌호치 ᄉᆞ이로 쳡쳡ᄒᆞᆫ 언논이 산협쉬(山峽水)1509) 흐르ᄂᆞᆫ듯 슈려

1508)쵹ᄉᆞ(觸事) : 닿는 일마다. 일어나는 일마다.
1509)산협쉬(山峽水) : 산속의 큰 골짜기를 흐르는 물.

“오날 이갓튼 영화을 네 아비 보지 못ᄒᆞ여[고], 늘그니1438) 혼ᄌᆞ ᄉᆞ라 보기 무어시 쾌ᄒᆞ고 깃부미 이시리오.”

뉴악이 ᄯᅩᄒᆞᆫ 븟들고 ᄋᆡ답고 분ᄒᆞᆫ 눈물이 주줄ᄒᆞ니, 도로혀 셕ᄉᆞ을 일카라 셜워ᄒᆞ미 지극ᄒᆞᆫ 체ᄒᆞ니, 추밀은 ᄒᆞᆫ갓 인심의 예ᄉᆞ(例事)로 알아 역시 슬허ᄒᆞ며, 장원이 읍읍유체(泣泣流涕)ᄒᆞ니 ᄉᆡ로온 지통을 금억지 못ᄒᆞᆯ지라.

즉시 ᄉᆞ당의 올나 조션신위(祖先神位)의 ᄇᆡ알ᄒᆞᆯ ᄉᆡ, 부친 ᄉᆞ묘의 다다라ᄂᆞᆫ 탄셩체읍ᄒᆞ니, 츄밀이 어로만져 ᄇᆡᆨ단 위로ᄒᆞ고, ᄎᆞ공지 역읍비열(亦泣悲咽)이러니, 날호여 【91】 형을 붓드러 밧긔 나오니, 하ᄀᆡᆨ이 낙역운집(絡繹雲集)ᄒᆞ여 신ᄂᆡ 부르ᄂᆞᆫ 소ᄅᆡ 진동ᄒᆞᆫ지라. 공이 장원으로 더부러 좌수우응(左酬右應)ᄒᆞ여 모든 명공거경의 ᄇᆡᆨ단유희을 바들ᄉᆡ, 장원의 영호발월(英豪發越)ᄒᆞ고 충천장긔(衝天壯氣)로써 부뫼 당(堂)의 가ᄌᆞᆨ실진ᄃᆡ1439)영화로오미 엇더 ᄒᆞ리오마ᄂᆞᆫ, 평ᄉᆡᆼ 지통(至痛)이 뉵아(蓼莪)의 ᄆᆡᆺ쳣든 바의 경ᄉᆞ을 당ᄒᆞᄆᆡ 흥황(興況)이 삭연ᄒᆞ여 ᄉᆞ좌(四座)의 명을 슌ᄒᆞ나 호화의 념이 업셔, 밤이 되ᄆᆡ 졔ᄀᆡᆨ이 각산ᄒᆞ고 추밀이 장원 형데로 촉을 이어 말ᄉᆞᆷᄒᆞᆯ ᄉᆡ, ᄐᆡ노와 뉴악이 흐르ᄂᆞᆫ 듯 두굿기을 ᄒᆞᆫ 업시 ᄒᆞ고, 구파의 깃거ᄒᆞ미 혈심의 발ᄒᆞ나, 위・뉴의 간악ᄒᆞᆫ 거동을 가지록 ᄒᆞᆫ심이 넉이고, 조부인은 촉쳐(觸處)의 근심이 깁허 오히려 탄식ᄒᆞ더라.

○…결락 247자…○[댱원이 명일 취운산의 나아가 ᄆᆡ져(妹姐)를 보고 금후 부부긔 ᄇᆡ현ᄒᆞ려 ᄒᆞᆯᄉᆡ, 길히셔 낙양후를 만나 신ᄂᆡ를 블너 ᄌᆞ긔 집의 가, 유희ᄒᆞ기를 날회고 죵용이 당의 올나 말ᄉᆞᆷᄒᆞᆯᄉᆡ, 댱원의 쥬슌호치 ᄉᆞ이로 쳡쳡ᄒᆞᆫ 언논이 산협쉬(山峽水)1440) 흐르ᄂᆞᆫ듯 슈려상활(秀麗爽闊)ᄒᆞ미 얼프시 뎡텬흥과 방불ᄒᆞ더라.

1438)늘그니 : 늙은 이.
1439)가ᄌᆞᆨ하다; 가지런하다. 나란하다. 여기서는 俱存하다는 의미
1440)산협쉬(山峽水) : 산속의 큰 골짜기를 흐르는 물.

상활(秀麗爽闊)ᄒᆞ미 얼프시 뎡텬흥과 방불ᄒᆞᆫ디라. 딘공이 흠찬 경복ᄒᆞ고 반일을 문답ᄒᆞᄆᆡ 아름다오믈 니긔디 못ᄒᆞ더니, 믄득 금평휘 샤인으로 더브러【23】 니르러시믈 보ᄒᆞ니, 딘공이 니러 마ᄌᆞ 한훤필의 금휘 댱원을 보고 우어 왈,

"ᄉᆞ원이 녕ᄆᆡ와 날을 몬져 ᄎᆞᄌᆞ미 올커놀 쥰셔(俊壻)1510) 딘공을 몬져 보미 올흐냐."

댱원이 공경 ᄇᆡ샤 왈,

"쇼ᄉᆡᆼ이 바야흐로 존부의 나아가ᄋᆞᆸ더니 딘합해 브르시믈 만나 이곳의 몬져 왓ᄂᆞ이다."

금휘 딘공을 도라보아 ᄀᆞᆯ오ᄃᆡ,

"형이 ᄌᆞᆸ고 도라보ᄂᆡ디 아니믄 므ᄉᆞᆫ 쯧이뇨."

딘공이 답쇼 왈,

"우뎨 형의 ᄋᆡ셔로 더브러 반일 담화ᄒᆞᄆᆡ ᄉᆞ랑호오믈 니긔지 못ᄒᆞ여 ᄎᆞ마 노화보ᄂᆡ지 못ᄒᆞᄂᆞ니, 형의 틱셔 잘흠과 딜ᄋᆞ의 평ᄉᆡᆼ이 쾌ᄒᆞᆯ 바를 불워ᄒᆞ노라."

금휘 쇼 왈,

"형은 틱셔ᄒᆞ미 너모 비상ᄒᆞ므【24】로 녀ᄋᆞ의 혼ᄉᆞ를 결단치 못ᄒᆞᄂᆞᆫ 줄1511) 쇼졔ᄂᆞᆫ 괴이히 넉○[이]노라."

딘공이 탄왈,

"텬연이 뎡ᄒᆞᆫ 곳의 친ᄉᆡ 일녀니와, 쇼뎨 바라ᄂᆞᆫ 바ᄂᆞᆫ 텬흥과 윤ᄉᆞ원 ᄀᆞᆺ튼 ᄌᆞ를 원ᄒᆞ나, 셰샹의 ᄯᅩ 엇디 영웅쥰걸이 이시리오."

뎡공이 쇼 왈,

"텬흥은 호방ᄒᆞᆫ ᄋᆞ히라 ᄉᆞ원을 바라디 못ᄒᆞ려니와, 형의 틱셔ᄂᆞᆫ 너모 비범ᄒᆞ니 엇디 쉬오리오.

딘공이 미쇼 왈,

"이러므로 ᄀᆞ장 민민ᄒᆞᄂᆞᆫ ᄇᆡ라."

쥬ᄀᆡᆨ이 이러틋 한담ᄒᆞ다가 날이 느ᄌᆞᄆᆡ, 댱원이 하딕을 고ᄒᆞ고 금후코 더브러 뎡부의 나아가 ᄆᆡ져긔 뵈올ᄉᆡ, 윤부인이 뎨남(弟男)의 등과ᄒᆞ믈 영힝ᄒᆞ나, 야야의 보디

1510)쥰셔(俊壻) : 사위를 높여 이르는 말.
1511)줄 : 것을.

딘공이 흠찬 경복ᄒᆞ고 반일을 문답ᄒᆞᄆᆡ 아름다오믈 니긔디 못ᄒᆞ더니, 믄득 금평휘 샤인으로 더브러 니르러시믈 보ᄒᆞ니, 딘공이 니러 마ᄌᆞ 한훤필의 금휘 댱원을 보고 우어 왈,

"ᄉᆞ원이 녕ᄆᆡ와 날을 몬져 ᄎᆞᄌᆞ미 올커놀 쥰셔(俊壻)1441) 딘공을 몬져 보미 올흐냐."

댱원이 공경 ᄇᆡ샤 왈,

"쇼ᄉᆡᆼ이 바야흐로 존부의 나아가ᄋᆞᆸ더니 딘합해 브르시믈 만나 이곳의 몬져 왓ᄂᆞ이다."]

금휘 진공을 도라보아 왈,

"형이 잡고 보ᄂᆡ지 아니믄 무숨 쯧지뇨?"

진공이 답소왈,

"우뎨 형의 ᄋᆡ셔로 더부러 반일을 담화ᄒᆞᄆᆡ ᄉᆞ랑호오믈 이긔지 못ᄒᆞ여 ᄎᆞ마 노ᄒᆞ보닐 쯧지 업ᄂᆞ니, 형의 틱셔 잘 흠과 질아의 평ᄉᆡᆼ이 쾌ᄒᆞ믈 불워ᄒᆞ노라."

금휘 소 왈,

"형은 틱셔ᄒᆞ미 너무 비상ᄒᆞ므로 영ᄋᆞ의 혼ᄉᆞ을 결단치 못ᄒᆞ므로 소졔ᄂᆞᆫ 고이히 넉이노라."

진공이 탄왈,

"쳔연이 졍ᄒᆞᆫ 곳의 친ᄉᆡ 일녀니와 소졔 바라난 바ᄂᆞᆫ 쳔흥과 윤ᄉᆞ원 갓튼 ᄌᆞ로 원ᄒᆞ나 세상의 ᄯᅩ 엇지 영웅준걸이 이시리오."

뎡공이 소왈,

"청[천]흥은 호방ᄒᆞᆫ 아히라,【92】 ᄉᆞ원을 바라지 못ᄒᆞ려니와 형의 틱셔ᄂᆞᆫ 너무 과ᄒᆞ니 엇지 쉬우리오."

진공이 미소 왈,

"이러무로 가장 민민ᄒᆞᄂᆞᆫ ᄇᆡ라."

ᄒᆞ고 주긱이 이러틋 한담ᄒᆞ다가 날이 느ᄌᆞᄆᆡ 장원이 하직고 금후로 더부러 뎡부로 나아갈 ᄉᆡ, ᄎᆞ시 윤부인이 졔남(弟男)의 등과ᄒᆞ믈 영힝ᄒᆞ나, 야야의 보지 못ᄒᆞ시믈 슬허 남ᄆᆡ ᄃᆡᄒᆞ여 쳑연ᄒᆞ믈 마지 아니니, 슌

1441)쥰셔(俊壻) : 사위를 높여 이르는 말.

못ᄒᆞ시믈 슬허 남ᄆᆡ【25】셔로 ᄃᆡᄒᆞ여 쳑연 감상ᄒᆞ믈 마디 아니ᄒᆞ고, 슌태부인 고식(姑媳)이 댱원의 풍칙를 여어보고, 녀ᄋᆞ의 빵이 가ᄌᆨᄒᆞ믈 깃거ᄒᆞ나, 그 가졍의 블평ᄒᆞ믈 탄ᄒᆞ더라.”

댱원이 이윽이 머므러 져져를 보고 금후로 말숨ᄒᆞ다가 도라가니, 태부인이 금후다려 왈,

“노뫼 금일 윤댱원을 보니 진실노 텬샹낭(天上郎) ᄀᆞᄐᆞ여, 혜쥬의 빵이로ᄃᆡ 그 가변을 ᄉᆡᆼ각ᄒᆞ면 심신이 놀나오믈 니긔지 못ᄒᆞᄂᆞ니, 길ᄉᆡᆨ(吉事) 머디 아니니 손ᄋᆞ의 젼졍이 엇더ᄒᆞᆯ고 경경ᄒᆞᆫ 념네 가히 업도다.”

금휘 ᄃᆡ왈,

“만ᄉᆡᆨ 다 져의 팔ᄌᆞ의 달녓ᄉᆞ오니 근심ᄒᆞ여 밋디 못ᄒᆞ올디라. 다만 광텬의 위인이 셰ᄃᆡ【26】 영걸이오, 녀ᄋᆡ 복을 바드며 슈를 누릴 ᄋᆞ히라, 쇼ᄌᆞᄂᆞᆫ 져의 복녹디상(福祿之相)을 밋ᄂᆞ이다.”

딘부인이 말을 아니ᄒᆞ나 심녜(心慮) 비경(非輕)ᄒᆞ더라.

윤댱원이 삼일유과를 맛고 션산의 ᄇᆡ알코져 ᄒᆞ나, 길일이 ᄉᆞ오일이 격ᄒᆞ여시므로 츄밀공이 명ᄒᆞ여 길녜 후 소분(掃墳)ᄒᆞ라 ᄒᆞ니라.

이러구러 길일이 다ᄃᆞ르니 츄밀이 대연을 개장ᄒᆞ여, 신낭을 보ᄂᆡ며 신부를 마즐ᄉᆡ

ᄐᆡ부인과 진부인이 창외의셔 규시ᄒᆞ고 장원 보ᄆᆡ 진짓 혜쥬의 쌍이믈 깃거ᄒᆞ고 그 가졍의 불평ᄒᆞ믈 ᄋᆡ달와, 혼ᄉᆡᆨ 졈졈 갓가오니 념녀 더욱 무궁ᄒᆞ더라.

장원이 이윽고 말솜ᄒᆞ다가 도라가니, 슌ᄐᆡ부인이 금후다려 왈,

“장원의 풍신이 쳔상낭 갓트여 혜쥬의 쌍이로ᄃᆡ, 그 가화을 ᄉᆡᆼ각ᄒᆞ면 놀납기을 졍치 못ᄒᆞᄂᆞ니, 혜쥬의 젼졍이 엇더ᄒᆞᆯ고, 경경(耿耿)ᄒᆞᆫ 념여 가이 업도다.”

평휘 ᄃᆡ 왈,

“만ᄉᆡᆨ 져의 팔ᄌᆞ의 달녀ᄉᆞ오니 근심ᄒᆞ여 미출 길이 업ᄉᆞ올지라, 다만 광쳔의 위인이 셰ᄃᆡ의 희한ᄒᆞᆫ 영걸이오, 혀[혜]주 복을 바드며 수을 누릴 아히라 소ᄌᆞᄂᆞᆫ 져의 복녹이 완젼긔상을 맛ᄂᆞ이다.”

진부인은 말을 아니아 심녀(心慮) 비경(非輕)ᄒᆞ더라.

윤장원이 숨일유가을 맛고 화주 션산의 ᄇᆡ알코져 ᄒᆞ나, 길일이 ᄉᆞ오일이 격ᄒᆞ여시므로 츄밀이 명ᄒᆞ여 길녜 후 소분ᄒᆞ라 ᄒᆞ니, 마지 못하여 혼녜 후 소분ᄒᆞ려 ᄒᆞ고, 어[이]러구러 길일이 다다르니 추밀이 ᄃᆡ연을 기장ᄒᆞ여 신부을 마ᄌᆞ며 신낭을 보ᄂᆡ려 ᄒᆞ더라.【93】

이날 태부인과 뉴시 ᄉᆞ오나온 거술 ᄀᆞᆷ초고 인ᄌᆞᄒᆞᆫ 낫빗ᄎᆞ로 경ᄉᆞ를 두굿기고 셕ᄉᆞ를 늣겨, 빈ᄀᆡᆨ을 ᄃᆡ하여 흔연 졉화ᄒᆞᆯᄉᆡ, 흉인의 ᄂᆡ외 다르미 챵쥴의 보건ᄃᆡ, 타인은 위태부인을 ᄀᆞ【27】장 화슌ᄒᆞ고 유덕ᄒᆞᆫ 부인으로 알고, 뉴시ᄂᆞᆫ 인ᄌᆞ온공(仁慈溫恭)ᄒᆞᆫ 사ᄅᆞᆷ으로 아더라. 조부인은 비록 ᄋᆞᄌᆞ의 혼취나 연셕의 나디 아냐, 방듕의셔 빈ᄀᆡᆨ을 마ᄌᆞ 셕ᄉᆞ를 ᄉᆞᆯ허 비창ᄒᆞ믈 마디 아니ᄒᆞ니, 졔ᄀᆡᆨ이 ᄯᅩᄒᆞᆫ 츄연 위로ᄒᆞ더니, 날이 느ᄌᆞᄆᆡ 공이 신낭을 다리고 ᄂᆡ당의 드러와, 길복을 닙혀 뎐안(奠雁) ᄒᆡᆼ녜(行禮)ᄒᆞᄂᆞᆫ 습의(習儀)를 ᄒᆞ니, 샤인의 옥면호풍이 더옥 ᄉᆡ로와 텬일디표와 농봉ᄌᆞ질이 긔특ᄒᆞ니 빈ᄀᆡᆨ이 경찬ᄒᆞ더라.

샤인이 조모와 ᄌᆞ위긔 하딕ᄒᆞ고, 허다 위의를 거ᄂᆞ려 취운산의 나아갈ᄉᆡ, 뎡부의셔 대연을 진셜ᄒᆞ고 신낭을 마줄ᄉᆡ, ᄂᆡ외【28】 빈ᄀᆡᆨ이 운집ᄒᆞ여 금후와 태부인긔 치ᄒᆡ 분분ᄒᆞ고, 딘부인이 녀부를 거ᄂᆞ려 좌의 나니, 월광이 찬난ᄒᆞ여 청즁의 됴요(照耀)ᄒᆞ더라.

날이 느ᄌᆞᄆᆡ 쇼져를 단장ᄒᆞ여 청듕의셔 습녜ᄒᆞᆯᄉᆡ, 그 광휘염광(光輝艷光)이 동일(東日)이 쳐음으로 부상(扶桑)의 오로며, 팔ᄎᆡ미우(八彩眉宇)의 셩ᄌᆞ긔ᄆᆡᆨ(聖姿奇脈)을 니어 슉덕셩ᄒᆡᆼ(淑德性行)이 어ᄅᆡ여, 견ᄌᆞ(見者)로 ᄒᆞ여곰 혀를 두로고 춤이 마를 ᄃᆞᆺᄒᆞ여, 태부인의 한업시 두굿겨ᄒᆞᆷ과 금평후 부뷔 만면 츈풍이 흡연ᄒᆞ여 웃ᄂᆞᆫ 입을 쥬리지 못ᄒᆞ더라.

명쥬보월빙 권지뉵

ᄎᆞ시의 ᄐᆡ부인과 뉴시 ᄉᆞ오나온 거술 감초고 인ᄌᆞᄒᆞᆫ 낫빗ᄎᆞ로 경ᄉᆞ을 《두룻∥두굿》기고, 옛일을 늣겨 빈ᄀᆡᆨ을 ᄃᆡᄒᆞ여 흔연 졉○[화]헐 ᄉᆡ, 흉인의 ᄂᆡ외 다르미 창졸의 보건ᄃᆡ, 타인은 위ᄐᆡ부인을 가장 화슌ᄒᆞ고 유덕한 부인으로 ○…**결락14자**…○[알고, 뉴시ᄂᆞᆫ 인ᄌᆞ온공(仁慈溫恭)ᄒᆞᆫ 사ᄅᆞᆷ으로]아더라. 됴부인은 비록 아ᄌᆞ의 혼취ᄂᆞ 연셕의 나지 아야 방즁의셔 빈ᄀᆡᆨ을 마ᄌᆞ 셕ᄉᆞ을 슬허 비충ᄒᆞ믈 이기지 못ᄒᆞ니, 졔ᄀᆡᆨ이 츄연 위로ᄒᆞ더라. ᄂᆞᆯ리 느ᄌᆞᄆᆡ 공이 신낭을 ᄃᆞ리고 드르와 길복을 입히고 습녀[녜]ᄒᆞ니 ᄉᆞ인이 옥면 호풍이 금일 더욱 ᄉᆡ로와 쳔일지의(天日之儀)와 농봉긔질리 완젼ᄒᆞ니 빈ᄀᆡᆨ의 치ᄒᆞ 분분ᄒᆞ더라.

ᄉᆞ인이 조모와 슉당 ᄌᆞ위의 ᄒᆞ직ᄒᆞ고 허다 위의을 거ᄂᆞ려 취운산의 ᄂᆞ라갈 ᄉᆡ, 이날 졍부의셔 ᄯᅩᄒᆞᆫ ᄃᆡ연을 진셜ᄒᆞ고 ᄂᆡ외 빈ᄀᆡᆨ이 모다 슉녈문을 윤부의 놉힐 바을 칭ᄒᆞᄒᆞ며, ᄐᆡ부인 진부인이 빈빈ᄒᆞ례ᄒᆞ고 윤·양 이부인과 소니시의 부ᄐᆡ월광(富態月光)이 셔로 바ᄋᆡ여, 청즁이 조요ᄒᆞ고 원쉬의 ᄌᆞ녀 셰ᄉᆞᆼ의 난지 ᄒᆡ밧고이지 아니ᄒᆞ엿시ᄃᆡ 옥슈신월(玉樹新月) 갓트여 아ᄅᆞᆷ다옴이 부풍묘[모]습(父風母襲)ᄒᆞ여 ᄀᆡᄀᆡ 졀윤(絶倫)ᄒᆞ니 빈ᄀᆡᆨ이 칙칙칭션ᄒᆞ더라.

날리 느ᄌᆞᄆᆡ 소졔을 단ᄌᆞᆼᄒᆞ여 ᄃᆡ례을 습위(拾遺)ᄒᆞᆯ ᄉᆡ, 그 광휘 동일(東日)이 쳐음으로【1】 부상(扶桑)의 오르며, 말근 조화 쳔지의 비취ᄂᆞᆫ 듯, 팔ᄎᆡ미예[위](八彩眉宇)ᄂᆞᆫ 셩ᄌᆞ긔ᄆᆡᆨ(聖姿奇脈)을 니어 슈[슉]덕셩ᄒᆡᆼ(淑德性行)이 어ᄅᆡ고, 효셩쌍안(曉星雙眼)은 말근 영ᄎᆡ 츄슈(秋水)을 나모라며, 쵹나(蜀羅)을 묵근 듯ᄒᆞᆫ 셰요(細腰)와 비봉(飛鳳) 갓튼 엇개의 ᄇᆡᆨᄐᆡ만광이 쇄락ᄒᆞ고, 보옥(寶玉)으로 비기지 못ᄒᆞ고 화월(花月)노 의논치 못ᄒᆞᆯ지라. 이리 고은 ᄐᆡ도와 유화ᄒᆞᆫ 거동이 ᄉᆞᄅᆞᆷ으로 ᄒᆞ여금 정신을 황홀ᄒᆞ여 이읏고 신낭이 니르러 옥상의 홍한을 젼ᄒᆞ고 텬디긔 녜를 맛ᄎᆞᄆᆡ, 뎡샤인 닌홍이 읍양ᄒᆞ여 좌의 들식, 금평【29】휘 그 션풍옥골을 쳐음 보미 아니로ᄃᆡ, 금일 보ᄆᆡᄂᆞᆫ 더옥 아름다오믈 니긔디 못ᄒᆞ여, 손을 잡아 ᄉᆞ랑ᄒᆞ미 ᄋᆞ들의 감치 아니ᄒᆞ고, 홀연 셕ᄉᆞ를 ᄉᆡᆼ각ᄒᆞ여 명쳔공의 보디 못ᄒᆞ믈 탄ᄒᆞ여 ᄀᆞᆯ오ᄃᆡ,

"윤·뎡 냥문이 겹겹이 ᄌᆞ녀를 밧고아 ᄌᆞ별ᄒᆞᆫ 졍의ᄂᆞᆫ 가지록 더으ᄃᆡ, 나의 비쳑ᄒᆞ믄 명쳔 형이 경ᄉᆞ를 ᄒᆞᆫ가지 보디 못ᄒᆞ믈 ᄋᆡ돌아 ᄒᆞᄂᆞ니, 길셕을 님ᄒᆞ여 고ᄉᆞ를 ᄉᆡᆼ각ᄒᆞᄆᆡ 취감(追感)ᄒᆞ노라."

신낭이 옥면화풍의 슬프미 가득ᄒᆞ여 와잠농미(臥蠶龍眉)의 슈운(愁雲)이 명명ᄒᆞ고, 단봉냥안(丹鳳兩眼)의 쵞틔(惆態) 어ᄅᆡ니 좌위 다 감동ᄒᆞ여 윤공을 아던 ᄌᆞᄂᆞᆫ 다 낫빗출 곳치고 금평후의게 쾌셔 어드【30】믈 하례ᄒᆞ니, 금휘 흔연 ᄉᆞ샤 왈,

"셔랑은 복의게 외람ᄒᆞᆫ ᄉᆞ회라, 녈위(列位) 일ᄏᆞᄅᆞ시믈 샤양치 아니ᄒᆞᄂᆞ이다."

좌ᄀᆡᆨ이 듀인의 즐기믈 인ᄒᆞ여 ᄯᅩᄒᆞᆫ 연ᄎᆞ(宴遮)의 쾌ᄒᆞ믈 마디 아니ᄒᆞ고, 날이 늣고 도라갈 길히 먼디라, 신부의 샹교를 ᄌᆡ촉홀 식, 금휘 드러와 녀ᄋᆞ를 보ᄂᆡᄆᆡ 윤부인이 쇼고와 ᄒᆞᆫ가지로 가 모친을 보ᄋᆸ고져 ᄒᆞ나, 감히 지ᄎᆞ(至此)의 쳥치 못ᄒᆞ고, 금휘 ᄌᆞ부를 보아 니르ᄃᆡ,

"현뷔 녀ᄋᆞ로 더브러 옥누항의 가 녀ᄋᆞ의 힝네를 보고 즐기미 맛당ᄒᆞᄃᆡ, 오히려 츄풍이 삽삽(颯颯)ᄒᆞ여 상홀가 보ᄂᆡ디 못ᄒᆞᄂᆞ니, 현뷔 반ᄃᆞ시 결연ᄒᆞ여 ᄒᆞ리로다."

윤부인이【31】 오직 공슌ᄒᆞ여 듯ᄌᆞ올 ᄲᅮᆫ이오 말ᄉᆞᆷ이 업ᄉᆞ니, 딘부인이 녀ᄋᆞ를 경계ᄒᆞ여 보닐식, 금휘 어로만져 ᄀᆞᆯ오ᄃᆡ,

"녀ᄌᆞ유힝(女子有行)은 원부모형뎨(遠父母兄弟)라. ᄎᆞ별(此別)이 어ᄂᆞ 사ᄅᆞᆷ의게 업ᄉᆞ리오, 효봉구고(孝奉舅姑)ᄒᆞ고 승슌군ᄌᆞ(承順君子)ᄒᆞ여 맛ᄎᆞᆷᄂᆡ 어진 일홈을 어드

져마다 갈치(喝采) 칭션(稱善)ᄒᆞ더라.

이읏고 신낭이 이르러 옥상의 홍안을 젼ᄒᆞ고 쳔지의 ᄇᆡ례을 맛치ᄆᆡ ᄉᆞ인 인홍이 팔미러 좌의 들식, 평휘 그 션풍옥골을 쳐음 보미 아니로ᄃᆡ, 금일을 당ᄒᆞ여ᄂᆞᆫ 더옥 두굿기고 아름ᄃᆞ옴을 이기지 못ᄒᆞ여 집슈탄왈,

"윤·졍 양문이 겹겹이 ᄌᆞᄂᆡ[녀]을 밧고아 ᄌᆞ별ᄒᆞᆫ 졍이 갈ᄉᆞ록 더으ᄃᆡ, 나의 비쳑ᄒᆞᄂᆞᆫ 밧ᄌᆞ○[ᄂᆞᆫ] 경ᄉᆞ(慶事)을 윤형과 ᄒᆞᆫ가지로 두굿기지 못ᄆᆞ믈 ᄋᆡ달와 ᄒᆞᄂᆞ니, 길셕을 임ᄒᆞ여 ᄎᆞᄉᆞ을 독감(篤感)ᄒᆞ노라."

윤ᄉᆞ인이 옥면화협의 슬푼 빗치 가득ᄒᆞ여 난봉양안(鸞鳳兩眼)의 츄쇠[쉬]요동(秋水搖動)ᄒᆞ물 면치 못ᄒᆞ니, 좌위 다 감동ᄒᆞ여 윤공을 아던 ᄌᆞᄂᆞᆫ 낫비출 곳쳐 금평후의게 쾌셔(快壻) 어드물 치ᄒᆞ하니, 금휘 치ᄉᆞᄒᆞ물 마지 아니더라.

인ᄒᆞ여 신부의 상교을 ᄌᆡ촉ᄒᆞ니, 금휘 녀ᄋᆞ을 보닐 식 윤부인이 소고와 ᄒᆞᆫ가지로 가 모친을 뵈ᄋᆸ고져 ᄒᆞ나 감히 귀령을 쳥치 못ᄒᆞ더니,【2】 평휘 윤시을 도라보아 왈,

"현뵈[뷔] 녀ᄋᆞ로 더부러 옥누항의 가 그 힝녀[네]ᄒᆞ물 보고, ᄉᆞ좌의 친ᄒᆞ니 업ᄉᆞ니 ᄒᆞᆫ가지로 잇ᄃᆞ가 오는 거시 올흐ᄃᆡ, 츄풍이 오혀려 셔늘ᄒᆞ니 유ᄋᆡ 휴상(虧傷)홀가 못보ᄂᆡᄂᆞᆫ니 현뷔 반ᄃᆞ시 결연ᄒᆞ리로다."

윤부인이 오직 공슈(拱手)ᄒᆞ여 듯ᄌᆞ올 다름이오, 말을 못ᄒᆞ니, 진부인이 녀ᄋᆞ을 경계ᄒᆞ여 보닐 식, 평휘 어로만져 왈,

"녀ᄌᆞ유힝(女子有行)이 원부모형제(遠父母兄弟)라, ᄎᆞ별(此別)리 어ᄂᆡ ᄉᆞᄅᆞᆷ의게 업ᄉᆞ리요. 효봉구고(孝奉舅姑)ᄒᆞ고 승슌군ᄌᆞ(承順君子)ᄒᆞ여 마ᄎᆞᆷᄂᆡ 어진 일홈을 어드

라.”

태부인은 노인의 심ᄉᆡ 버히ᄂᆞᆫ ᄃᆞᆺᄒᆞ여, 디란(芝蘭) ᄀᆞᆺᄐᆞᆫ 숀녀로ᄡᅧ 위ᄐᆡᄒᆞᆫ 가듕의 보ᄂᆡᄂᆞᆫ 경이 챵연ᄒᆞ니, 눈믈을 금치 못ᄒᆞᄂᆞᆫ디라. 평휘 과도ᄒᆞ시믈 간ᄒᆞ고 쇼졔 존당 부모긔 하딕고, 화교(華轎)의 드니 샤인이 슌금쇄약(純金鎖鑰)을 가져 문을 ᄌᆞᆷ으고, 샹마ᄒᆞ여 본부로 도라오니, 허다 요ᄀᆡᆨ(繞客)이 대로의 덥혓고 ᄉᆡᆼ소고악(笙簫鼓樂)이 훤텬(喧天)ᄒᆞ여 ᄒᆡᆼᄒᆞ여 옥누【32】항의 다ᄃᆞ르니, 녜관(禮官)이 샹명을 밧드러 명셩슉녈문(明聖淑烈門)을 놉히고 연셕의 참예ᄒᆞ니, 영광이 셰ᄃᆡ의 무ᄡᅣᆼᄒᆞ더라

.

청듕(廳中)의 금년ᄎᆡ화셕(金蓮彩畫蓆)과 긔린쵹(麒麟燭)이 휘황ᄒᆞᆫᄃᆡ, 부부 냥 신인이 합증[근]교ᄇᆡ(合巹交拜)[1512]를 맛고 금슈션(錦繡扇)을 반개(半開)ᄒᆞ니, 신낭의 뇽봉긔딜(龍鳳氣質)과 신부의 일월염광(日月艶光)이 셔로 바ᄋᆡ여, 남풍녀뫼(男風女貌) 발월ᄒᆞ니 텬뎡일ᄃᆡ(天定一對)더라. 녜파의 신뷔 단장을 곳쳐 폐ᄇᆡᆨ을 밧드러 태부인긔 헌(獻)ᄒᆞᆯᄉᆡ, 조부인은 좌의 나디 아녀, 태부인긔 ᄇᆡ현ᄒᆞᆫ 후 바로 샤묘(祠廟)의 현알(見謁)ᄒᆞ라 ᄒᆞ고 방듕을 나지 아니니, 츄밀이 권ᄒᆞ여 모친과 ᄒᆞᆫ가지로 폐ᄇᆡᆨ을 바드쇼【33】셔 ᄒᆞ니, 조부인이 마디 못ᄒᆞ여 좌의 나니 비회 더옥 ᄉᆡ롭더라. 신뷔 조뉼을 밧드러 태부인긔 나올ᄉᆡ ᄎᆡ봉(彩鳳) ᄀᆞᆺᄐᆞᆫ 엇게의 홍금슈젹의(紅錦繡赤衣)를 닙고, 셤셤셰요(纖纖細腰)의 ᄌᆞ금슈라샹(紫錦繡羅裳)을 착ᄒᆞ여시니, 청텬의 반월이 빗겻ᄂᆞᆫ ᄃᆞᆺ, 쳔연ᄒᆞᆫ 셩덕이 미우의 현츌ᄒᆞ고, ᄉᆡᆨᄉᆡᆨᄒᆞ고 어리로온 ᄐᆡ되 텬고무ᄡᅣᆼ(千古無雙)이러라. ᄒᆡᆼ신 법

1512)합근교ᄇᆡ(合巹交拜) : 전통 혼례에서, 신랑 신부가 서로 잔을 주고받고, 절을 주고받고 하는 의례.

라.”

ᄐᆡ부인은 노닌[인](老人)의 심ᄉᆡ 버히ᄂᆞᆫ 듯ᄒᆞ여 위ᄐᆡᄒᆞᆫ 구가의 지란(芝蘭) 갓튼 손녀을 보ᄂᆡᄂᆞᆫ 졍이 쳑연ᄒᆞ니, 눈물을 금치 못ᄒᆞᄂᆞᆫ지라. 평휘 과도ᄒᆞ믈 간ᄒᆞ고 소졔 존당부모게 ᄒᆞ직ᄒᆞᄆᆡ 윤・양과 두 니시로 분슈ᄒᆞ여 상교ᄒᆞᄆᆡ, 사인이 슌금쇄약(純金鎖鑰)을 가져 문을 ᄌᆞᆷ으고, 상마ᄒᆞ여 본부로 도라올 ᄉᆡ, 허다 요ᄀᆡᆨ(繞客)이 남취녀가(男娶女嫁)의 {위의 되엿스니} 장ᄃᆡᄒᆞᆫ 위의 ᄃᆡ{르}로의 메엿고, ᄉᆡᆼ소고악(笙簫鼓樂)이 훤쳔(喧天)ᄒᆞᄂᆞᆫ 즁, 신낭의 ᄐᆡ산졔월지풍(泰山霽月之風)과 청쳔ᄇᆡᆨ일지상(靑天白日之相)이 일노(一路)의 ᄇᆡᄋᆡ니 관광ᄌᆡ 칙칙칭션(嘖嘖稱善)ᄒᆞ더라. ᄒᆡᆼᄒᆞ여 옥누항의 ᄃᆞᄃᆞ르니 ᄂᆡ관(內官)니 상명을 밧드러 명셩슉녈문(明聖淑烈門)을 놉히고 연셕의 ᄎᆞᆷ녀ᄒᆞ니, 영광이 셰ᄃᆡ의 히ᄒᆞᆫ(稀罕)ᄒᆞ고 명졀(名節)리 여상(如上)【3】ᄒᆞᆫ지라.

부즁(府中)의 임ᄒᆞ여 금연ᄎᆡ화셕(金蓮彩畫蓆)의 긔린쵹(麒麟燭)이 휘황ᄒᆞᆫ ᄃᆡ, 부부 양신인이 ᄒᆞᆸ증[근]교ᄇᆡ(合巹交拜)[1442]을 맛고 금쥬션(錦珠扇)을 반ᄀᆡ(半開)ᄒᆞ니, 신낭의 뇽봉긔질(龍鳳氣質)과 신부의 일월염광(日月艶光)이 셔로 바ᄋᆡ여 청즁의 ᄎᆞᆯᄂᆞᆫᄒᆞ니, 남풍녀뫼(男風女貌) 발월튜[특]이(發越特異)ᄒᆞ여 쳔졍일ᄃᆡ(天定一對)와[요] ᄇᆡᆨ년가위(百年佳偶)라. 녜파의 신낭이 밧그로 나가고 신부 단장을 곳쳐 폐ᄇᆡᆨ을 밧드러 위ᄐᆡ부인게 ᄇᆡ현ᄒᆞᆫ 후, 바로 ᄉᆞᄃᆞᆼ(祠堂)의 현알ᄒᆞ라 ᄒᆞ고, 됴시 죵시 나지 아니니 츄밀이 그 고집ᄒᆞ시믈 고ᄒᆞ여 모친과 ᄒᆞᆫ가지로 폐ᄇᆡᆨ을 바드쇼셔 ᄒᆞ니, 부인이 마지 못ᄒᆞ여 좌의 나ᄆᆡ ᄉᆡ로온 비회 층쳡ᄒᆞ고 만녹[목](萬目)이 일시의 관광ᄒᆞᆯ ᄉᆡ, 신부의 나ᄋᆞ오ᄂᆞᆫ 거동이 부상(扶桑)의 홍일(紅日)이 셔광(瑞光)○[을] 머금고 상운(祥雲)을 《엉의∥멍에》ᄒᆞ여 청운의 오르듯, 나상(羅裳)이 움ᄌᆞᆨ이지 아니ᄃᆡ 연ᄒᆞ여 나ᄂᆞᆫ 듯ᄒᆞ여, ᄎᆡ봉양익

1442)합근교ᄇᆡ(合巹交拜) : 전통 혼례에서, 신랑 신부가 서로 잔을 주고받고, 절을 주고받고 하는 의례.

되 관일 신듕ᄒᆞ여 규합(閨閤)의 공밍(孔孟)이오, 녀듕군왕(女中君王)이라. 듕빈(衆賓)이 칭션ᄒᆞ여 조부인긔 치하(致賀) 분분ᄒᆞ더라. 조부인은 신부를 보나 션군의 보디 못ᄒᆞ믈 슬허ᄒᆞ고, ᄋᆞᄌᆞ의 ᄇᆡ위 ᄀᆞᄌᆞᆨᄒᆞ믈 만심환희ᄒᆞ더라. ᄎᆞ시 위태부인과 뉴시는 신【34】부를 보ᄆᆡ 더옥 분한ᄒᆞ여 흉듕의 니검을 픔엇더라.

츄밀이 신부를 보ᄆᆡ 대희과망ᄒᆞ여 슈슈긔 하례ᄒᆞ니,

(彩鳳雨翼)의 홍금젹의(紅錦翟衣)을 입고, 쵹나셰요(蜀羅細腰)의 ᄌᆞ금슈라상(紫錦繡羅裳)을 착ᄒᆞ여 졈졈 나오ᄆᆡ, 옥으로 무으니마[1443]ᄂᆞᆫ 텬졍(天庭)의 반월(半月)리 빗겻셔[스]며, 원산아미(遠山蛾眉)ᄂᆞᆫ ᄎᆡ필(彩筆)의 공(功)을 더아[으]지 아냐 말고[1444] 빗ᄂᆞ며 효셩쌍안의 일월정긔을 거두어시니, 쳔연ᄒᆞᆫ 셩덕이 미목의 현츌ᄒᆞ고, 쌍ᄒᆞᆫ 옥빈(玉鬢)은 ᄎᆔ운을 됴롱ᄒᆞ며 단슌화협의 졀미히 고은 빗치 무로녹아, 향연(香蓮)이 ᄎᆔ우(翠雨)을 썰쳐시며, 국난(菊蘭)이 금분(金盆)의 빗겻시니 씩씩ᄒᆞ【4】고 《희익‖ᄒᆞ억》ᄒᆞ여 《기뮤‖기묘(奇妙)》ᄒᆞᆫ 텬졍(天庭) ᄉᆞ이의 팔ᄎᆡ셩ᄋᆡ(八彩盛靄) 염염(艶艶)ᄒᆞ고 만가지 고흔 빗과 쳔가지 어엿분 거동이 화옥(花玉)의 비치 못ᄒᆞ고, 금슈(錦繡)로 형상ᄒᆞᆯ 비 아니라. 호쳔명월(昊天明月)은 신보[부]의 명광(明光)이오 츄쳔앙일(秋天昻日)은 신부의 화긔니 이상ᄒᆞ고 긔이ᄒᆞ기 만고무쌍(萬古無雙)이라. ᄒᆞᆫ갓 외모의 이갓틀 분 아냐 쳔지 가튼 녁냥과 창ᄒᆡ 갓튼 깁히 ᄐᆡ도의 나타나, 진퇴주션(進退周旋)의 《ᄂᆡ뫼‖녜뫼》 빈빈(彬彬)ᄒᆞ고 법도ᄒᆡᆼ지(法度行止) 단일진즁(端壹鎭重)ᄒᆞ여 셩인(聖人)의 위풍을 가져 규홉(閨閤)의 공밍(孔孟)이요 녀즁군ᄌᆞ(女中君子)라. 즁ᄀᆡᆨ(衆客)이 바로[라]보ᄂᆞᆫ 눈이 부싀여 홀홀이 넉슬 일코, 사름이며 신션이믈 아지 못ᄒᆞ고, 됴부인이 폐ᄇᆡᆨ을 바드며 이가튼 셩녀쳘부(聖女哲婦)을 상셔(尙書) 보지 못ᄒᆞ믈 각골 스러[슬허]ᄒᆞ나, 아ᄌᆞ의 ᄇᆡ위(配位) ᄏᆐᄒᆞ믈 만심환열(滿心歡悅)ᄒᆞ되, 홀노 흉[흉]즁(胸中)의 니검(利劍)을 결워 뮈오미 고ᄃᆡ 삼길 듯ᄒᆞᆫ ᄌᆞᄂᆞᆫ 위·뉴 고식(姑媳)이라. 분ᄒᆞ고 ᄋᆡᄃᆞ롬을 이기지 못ᄒᆞ더라.

츄밀이 질부(姪婦)을 보ᄆᆡ ᄃᆡ열흔ᄒᆡᆼ(大悅欣幸)ᄒᆞ여 좌을 써나 부인게 칭ᄒᆞ 왈,

"신부은 시속의 졀셰염미ᄒᆞᆫ 《ᄂᆡ지‖녀지》 아니라, 명졀셩ᄒᆡᆼ이 우흐로 셩상이 표

1443)무으니마 : '무은 이마'의 연철표기 형태

1444)말고 : 맑고.

조부인이 쳬루 ᄃᆡ왈,

“쳡의 명완(命頑)ᄒᆞ미 텬붕디통(天崩之痛)의 셜우믈 능히 견ᄃᆡ여, 광ᄋᆞ의 닙신 셩취ᄒᆞᄂᆞᆫ 경ᄉᆞ를 당ᄒᆞ오니, 블혜박덕(不慧薄德)으로 디금가지 누리고 션군은 능히 ᄌᆞ녀의 혼취를 보디 못ᄒᆞ시니, 인ᄉᆞ의 괴이ᄒᆞ믈 슬허ᄒᆞ오나, 신부의 비상 특이ᄒᆞ오믄 소망의 과의라. 영힝ᄒᆞ믈 니긔디 못ᄒᆞᄂᆞ이다.”

공이 즉시 샤인을 블너 부뷔 뺭으로 샤묘의 현셩ᄒᆞ니, 샤인이 부공 샤묘의 다ᄃᆞ라ᄂᆞᆫ 실셩오읍(失性嗚泣)ᄒᆞ니, 신뷔 인심의 츄연ᄒᆞ믈 마지 【35】 아니ᄒᆞ고 공이 비뤼(悲淚) 쥬줄ᄒᆞ여1513) 감창(感愴)ᄒᆞ믈 마디 아니ᄒᆞ더라.

셕양의 파연ᄒᆞ여 졔빈(諸賓)이 각산기가(各散其家)ᄒᆞᄆᆡ, 신부 슉소를 취봉각의 뎡ᄒᆞ여 보ᄂᆡ고, 샤인을 경계ᄒᆞ여 신방을 뷔오디 말고 슉녀를 공경ᄒᆞ라 ᄒᆞ니, 샤인이 슈명ᄇᆡ샤ᄒᆞ고 야심ᄒᆞᄆᆡ 계부(季父)를 뫼셔 외헌의 나와 취침ᄒᆞ신 후, 날호여 신방의 니르니 쇼졔 니러 맛ᄌᆞ 좌뎡ᄒᆞᄆᆡ, 츄파셩모(秋波星眸)의 각별ᄒᆞᆫ ᄌᆡ덕이 졀승ᄒᆞ니 샤인이

1513)쥬줄ᄒᆞ다 : 줄줄 흐르다. 굵은 물줄기 따위가 잇따라 부드럽게 흘러내리다.

장졍문(表章旌門) ᄒᆞ시미 잇고, 외모긔질이 만고무쌍ᄒᆞ니, 《문효‖문호(門戶)》의 흥ᄒᆞ며 쇠ᄒᆞ미 종ᄌᆞ종부(宗子宗婦)의게 잇삽ᄂᆞ니, 이 며ᄂᆞ리 가되 창셩ᄒᆞ고 ᄌᆞ손이 번승ᄒᆞ믈 보지 아녀 알지라. 형장【5】의 젹심단튱(赤心丹忠)으로 향슈치 못ᄒᆞ시나, 쳔되 슬피 ᄂᆡᆨ[녁]이시고 슈슈의 인ᄌᆞ셩덕이 흘더[너] 이가튼 총부(冢婦)을 어드시니, 조션유경(祖先有慶)이오 문호의 ᄃᆡ힝이라. ᄌᆞ위와 존슈ᄂᆞᆫ 셕ᄉᆞ을 과훼(過毁)치 마르시고, 광아의 ᄇᆡ외[위] 상당ᄒᆞ믈 ○[두]굿기소셔.”

됴부인이 쳬류(涕流) ᄃᆡ왈,

“쳡의 명완(命頑)ᄒᆞ미 텬붕지통(天崩之痛)의 셜우믈 능히 건[견]ᄃᆡ여 여러 일월을 보ᄂᆡ여, 광아의 입신셩취ᄒᆞᄂᆞᆫ 경ᄉᆞ을 당ᄒᆞ오니, 불혀[혜]박덕(不慧薄德)으로도 지금가지 누리고, 《션존‖션군(先君)》은 능히 ᄌᆞᄂᆡ[녀]의 셩취을 《못ᄒᆞ‖못보》시니 인ᄉᆞ의 고히ᄒᆞ믈 슬러[허]ᄒᆞᄂᆞᆫ 즁, 신부의 비상특이ᄒᆞ믄 쇼망의 과의라. 영힝ᄒᆞ믈 이긔지 못ᄒᆞᄂᆞ이ᄃᆞ.”

만좌빈ᄀᆡᆨ이 신부의 《구비‖비상》ᄒᆞ믈 ᄒᆞ례ᄒᆞ고, 츄밀이 즉시 신부을 ᄉᆞ묘의 ᄇᆡ알ᄒᆞᆯ ᄉᆡ, ᄉᆞ인을 불어 부부 쌍으로 헌[현]셩ᄒᆞ니, ᄉᆞ인이 부친 ᄉᆞ묘의 오르ᄆᆡ 실셩으[오]읍(失性嗚泣)ᄒᆞ니, 신뷔 인심의 츄연ᄒᆞ믈 마지 아니ᄒᆞ고, 공이 비뤼(悲淚) 쥬츌ᄒᆞ여1445) 이윽고 ᄉᆞ묘의 나려 신부을 좌의 두고 사인을 우의 안쳐, 셕ᄉᆞ을 창감ᄒᆞ며 신부의 긔특ᄒᆞ믈 환희ᄒᆞ여 비회 교집(交集)ᄒᆞ더라.

종일 진환ᄒᆞ고 셕양의 파연ᄒᆞᄆᆡ 졔ᄀᆡᆨ(諸客)이 각ᄉᆞᆫ(各散)ᄒᆞ여 파ᄒᆞ니, 신부 슉슈[소]을 취봉각의 졍ᄒᆞ고 촉을 니어 공이 모친을 뫼쎠[셔] ᄌᆞ질노【6】 더부러 경희젼의셔 말숨ᄒᆞᆯ ᄉᆡ, 사인을 경계 왈,

“신방을 ᄇᆡ오지 말고 슉녀을 공경즁ᄃᆡᄒᆞ여 시속 경방[박]ᄌᆞ의 허ᄅᆞᆼ(虛浪)ᄒᆞᆫ 거쥬[죠](擧措)을 말나.”

ᄉᆞ인이 ᄇᆡᄉᆞ수명ᄒᆞ고 야심ᄒᆞᄆᆡ 슉부을 뫼

1445)쥬츌ᄒᆞ다 : 쥬츌ᄒᆞ다. 줄줄 흐르다.

심하의 환열ᄒᆞ여, 혀오ᄃᆡ 나 ᄉᆞ원이 부모의 싱휵지은(生慉之恩)으로 ᄌᆡᄀᆡ(才氣) 하등이 아니오, 평싱 슉녀를 오ᄆᆡᄉᆞ복(寤寐思服)ᄒᆞ더니, 이졔 뎡시의 ᄀᆡ특ᄒᆞ믄 나의 소원이라. 내【36】 엄안을 아디 못ᄒᆞ므로 평싱 슬프믈 ᄌᆞ쳐ᄒᆞ더니, 오늘날을 당ᄒᆞ니 엇디 통박지 아니리오. 이에 두어 됴(條) 말ᄉᆞᆷ을 여러 왈,

"싱은 ᄌᆡ박(才薄)ᄒᆞ고 용우박녈(庸愚薄劣)ᄒᆞ거ᄂᆞᆯ 악댱의 ᄉᆞ랑ᄒᆞ시ᄂᆞᆫ 은혜 강보의 동상을 뎡ᄒᆞ샤, 힝빙ᄒᆞᄆᆡ 냥개(兩家) 길월(吉月)만 등ᄃᆡ(等待)ᄒᆞ고, 그 ᄉᆞ이 ᄉᆞ괴(事故) 이실 줄은 아디 못ᄒᆞ엿더니, ᄌᆡ(子) 간션(揀選)의 참예ᄒᆞ여 여상명졀(如霜名節)[1514]이 텬의를 감동ᄒᆞ고 어필(御筆)노 뎡문포댱(旌門褒奬)ᄒᆞ시ᄂᆞᆫ 은영이 계시니, 녀ᄌᆞ의 엇기 어려온 영광이라. 금누옥궐(金樓玉闕)의 부귀를 폐ᄒᆞ고 싱을 위ᄒᆞ여 졀을 완젼ᄒᆞ니, 싱이 그으이 감샤ᄒᆞ거니와, 혹(或) 박복(薄福) 블민(不敏)ᄒᆞᄆᆡ 슉녀를 져바릴가 두【37】리노라."

쇼졔 슈용뎡금(修容整襟)ᄒᆞ여 믁연 브답ᄒᆞ니, 쳔연ᄒᆞᆫ 위의 츄텬명월(秋天明月)이 상풍(霜風)을 ᄯᅴ여심 ᄀᆞᆺᄐᆞ니, 샤인이 쳔고영걸(千古英傑)노 호쉭ᄒᆞᄂᆞᆫ ᄆᆞᄋᆞᆷ이 이시ᄃᆡ, 가ᄂᆡ의 변괴 층쳡ᄒᆞ니 홍황이 사연ᄒᆞ나, ᄯᅳᆺ인즉 슉녀 미쉭으로 집을 메오고져 ᄒᆞᄂᆞᆫ디라. 이에 쵹을 믈니고 슉녀를 븟드러 상요의 나아가니, 견권디졍(繾綣之情)이 하ᄒᆡ(河海)ᄀᆞᆺ

1514)여상명졀(如霜名節) : 서릿발 같이 엄격한 절의.

셔 외헌의 나와 취침ᄒᆞ신 후 날호여 신ᄇᆡᆼ의 일러니[1446], 소졔 니러 마ᄌᆞ 동셔로 좌졍ᄒᆞᄆᆡ, ᄉᆞ인이 눈을 드러 슬피니, 오ᄎᆡ 영광이 출난됴요(燦爛照耀)ᄒᆞ여 만고 졀쉭일 분 아냐, 팔ᄌᆞ 아미와 츄파 셩모의 각별ᄒᆞᆫ ᄌᆡ덕이 어ᄅᆡ여 진짓 요됴슉녀(窈窕淑女)라. 사인이 심이의 환열ᄒᆞ여 혀오되, 나 ᄉᆞ원니 부모의 싱휵ᄒᆞ신 ᄃᆡ은으로 ᄌᆡ품이 ᄒᆞ등이 아니요, 졀쉭슉ᄂᆡ[녀]을 오ᄆᆡᄉᆞ복ᄒᆞ여 덕이 잇시나 쉭이 업ᄉᆞ면 실즁의 무광ᄒᆞ기 심ᄒᆞ고, 쉭이 잇스[서]도 덕이 업ᄉᆞ면 일싱을 독[동]노(同老)ᄒᆞ기 어려올 쥴노 아라, 쉭덕의 가즌 ᄌᆞ을 바ᄅᆞ더니 이졔 뎡시 ᄀᆡ특ᄒᆞ믄 읏[ᄋᆞ]지소원{我之所願}이라. ᄂᆡ 엄안을 아지 못ᄒᆞ므로 ᄡᅧ 쳔ᄃᆡ(千代)의 경박ᄒᆞᆫ 슬푼 인싱으로 ᄌᆞ쳐ᄒᆞ더니, 의ᄉᆡ ○[이]의 미쳐ᄂᆞᆫ 흔연이 말ᄉᆞᆷ을 열러 왈,

"싱은 ᄌᆡ복불민(才薄不敏)의 ᄒᆞᆫ갓 용우지인(庸愚之人)이여ᄂᆞᆯ, 악장의 ᄉᆞᄅᆞᆼᄒᆞ시ᄂᆞᆫ 은혜로 강보의 《동싱 ‖ 동상(東床)》을 졍ᄒᆞᄉᆞ, 금츈의 힝빙(行聘)ᄒᆞᄆᆡ 양ᄀᆡ(兩家) 일월만 등ᄃᆡᄒᆞ고, 그 ᄉᆞ이 ᄉᆞ괴이시믈 ᄯᅳᆺᄒᆞ지 아니ᄒᆞ여든니, 소졔 간션의 츰ᄂᆡ[녀]ᄒᆞ여 여숭명졀(如霜名節[1447])리 쳔노(天怒)[1448]을 감동ᄒᆞ고, 금ᄌᆞ옥필의 졍문표장(旌門表章)ᄒᆞ시ᄂᆞᆫ 은명을 밧ᄌᆞ《와 ‖ 오니》, 녀ᄌᆞ의 엇지[기]【7】 어려온 영광이라. 금누옥당(金樓玉堂)의 부귀을 묘시(藐視)ᄒᆞ고, 싱을 위ᄒᆞ여 졀을 셰우니 소싱이 그으이 감극[격]ᄒᆞ거니와, 《후부 ‖ 박복(薄福)》 소활(疎豁)ᄒᆞ므로 슉ᄂᆡ[녀]의 평싱이 욕될가 ᄒᆞᄂᆞ이다."

신부 슈용졍금(修容整襟)ᄒᆞ여 믁연무답(默然無答)ᄒᆞ니 쳔연ᄒᆞᆫ 덕도와 놉헌 위의 츄쳔(秋天) 갓고, 빅운니 상풍(霜風)을 ᄯᅴ엿ᄂᆞᆫ 듯ᄒᆞ되, 또 ᄂᆡᆼ박(冷薄)ᄒᆞᄆᆡ 업셔, 츈양 갓튼 화ᄀᆡ ᄉᆞ룸의 마음을 평안케 ᄒᆞ며, 옥셜 갓튼 ᄀᆡ뷔(肌膚) 션원(仙苑)의 향긔을 겸

1446)일러니 : 이르니.
1447)여숭명졀(如霜名節 : 서릿발 같이 엄격한 절의.
1448)쳔노(天怒) : 황제의 노여움.

더라. 구패 신부의 텬향아딜(天香雅質)과 쇄락ᄒᆞᆫ 용모를 흠찬(欽讚)ᄒᆞ고 샤인의 빅우이ᄀᆞᆺ치 특이ᄒᆞ믈 블승흔열(不勝欣悅)ᄒᆞ여, 신방(新房)을 규시(窺視)ᄒᆞᄆᆡ, 부부의 은졍을 가히 알디라. 이에 조부인긔 ᄎᆞ언을 젼ᄒᆞ고 아름다오믈 니긔지 못ᄒᆞ니, 부인이【38】 ᄯᅩᄒᆞᆫ 두굿겨ᄒᆞ나 가듕ᄉᆞ(家中事)를 두려 근심이 방하(放下)치 못ᄒᆞ고, 녀ᄋᆞ를 그리ᄂᆞᆫ 회푀 간졀ᄒᆞ나, 딘부인긔 귀령을 청치 못ᄒᆞ고 모녀의 결연ᄒᆞᆫ ᄉᆞ정을 니긔지 못ᄒᆞ더라.

명됴의 신뷔 존당 구고긔 신셩(晨省)ᄒᆞ니 조부인은 볼ᄉᆞ록 두굿기믈 니긔디 못ᄒᆞ나, 태부인 고식은 볼ᄉᆞ록 가ᄉᆞᆷ이 벌덕이고 분이 ᄲᅱ노라, 평일 조부인 삼모ᄌᆞ와 뎡텬흥부인만 히코져 ᄒᆞ더니, 도금(到今)ᄒᆞ여ᄂᆞᆫ 뎡시를 죽이고져 ᄒᆞ미 착급ᄒᆞᄃᆡ 암히(暗害)코져 ᄒᆞ므로 오히려 빗출 낫토지 아니ᄒᆞ더라.

샤인이 혼녜 후 묘소의 쇼분(掃墳) 갈ᄉᆡ 슌십 여일의 항쥐 니르러, 션묘의 빈현【39】ᄒᆞ고 부친 묘소의 현셩(見成)ᄒᆞᄆᆡ, 탄셩

ᄒᆞ니, 팔공(八空)이 조요(照耀)ᄒᆞ고 오치 현난(絢爛)ᄒᆞᆫ ᄃᆡ 어엿분 긔동과 셩졀ᄒᆞᆫ ᄐᆡ도《셩녹‖셩목(星目)을 요동ᄒᆞ여 금불(金佛)리라도 좌을 곳칠지라. 사인이 쳔고열[영]걸(千古英傑)의 풍뉴장부(風流丈夫)로 기쥬호ᄉᆡᆨ(嗜酒好色)ᄒᆞᆯ 마음이 만흔ᄃᆡ, 가변니《연졉‖연쳡(連疊)》ᄒᆞ여 흥황이 업고, 엄안《으로‖을》 모로ᄆᆡ 시시로 슬품이 이러나니, 츙쳥[쳔]장긔(衝天壯氣)을 발치 못ᄒᆞ나, ᄯᅳᆺ인 즉 슉ᄂᆡ[녀]미ᄉᆡᆨ으로 집을 메으고져 ᄒᆞᄂᆞᆫ지라. 심이(心裏)의 흡연ᄒᆞᆫ 셩ᄂᆡ[녀]쳘부(聖女哲婦)을 만나ᄆᆡ 은졍이 나[아]련ᄒᆞ여 텬지무궁ᄒᆞ미 이시니, 촉을 물니고 쇼졔을 븟드러 상요의 나아가ᄆᆡ, 응지(凝脂)가튼 셜부의 이향이 간[만]신(滿身)ᄒᆞ니, 풍뉴랑의 산비히박(山卑海薄)ᄒᆞᆫ 은ᄋᆡ 블가형언이라. 침상의 쌍옥이 완연ᄒᆞ여 천졍연분(天定緣分)이오 ᄇᆡᆨ셰긔봉(百世奇逢)이니, 이갓흔 은졍이 ᄒᆞᆫ날이라도 엄기기[1449] 어려오니, 위·뉴 ᄇᆡᆨ가지로 금슬을 ᄌᆞᆨ희흔들 엇지 ᄒᆞ리요. 구픠 신부의【8】 긔이ᄒᆞ미 사인의게 쾌ᄒᆞᆫ ᄇᆡᆨ필이을[믈] 불승흔열(不勝欣悅)ᄒᆞ여 신방을 규시ᄒᆞᄆᆡ, 부부의 은졍이 즁ᄒᆞ믈 알고, ○…**결락 28자**…○[이에 조부인긔 ᄎᆞ언을 젼ᄒᆞ고 아름다오믈 니긔지 못ᄒᆞ니 부인이 ᄯᅩᄒᆞᆫ] 두굿겨 셕ᄉᆞ을 슬허ᄒᆞ고 가즁사계[셰](家中事勢)론 건[근]심이 만단이라. 겸ᄒᆞ여 녀아을 그리ᄂᆞᆫ 졍이 간졀ᄒᆞᆫᄃᆡ, 진부인긔 ᄃᆡ[귀]령을 청치 못ᄒᆞ고 친당이 만실ᄒᆞᆫᄃᆡ 홀노 ᄂᆡ[녀]아의 그림ᄌᆡ ᄯᅥ러지믈 결연ᄒᆞ더라.

계명(鷄鳴)의 신뷔 존고존당의 신셩(晨省)ᄒᆞ여 됴부인이 볼ᄉᆞ록 두굿겨 ᄉᆞ랑ᄒᆞ믈 결을치 못ᄒᆞ나, 위·뉴 《극젹‖극악(極惡)》은 가지록 가ᄉᆞᆷ이 벌덕여 그 만고무쌍흠과 졀의을 셰워 표장졍문ᄒᆞ시믈 더옥 통한ᄒᆞ여, 득긱(卽刻)의 ᄉᆞᆷ키고져 하ᄃᆡ 이목이 두려 흉악ᄒᆞᆫ 마음을 감초더라.

사인이 혼ᄂᆡ[녜] 후 항쥐 묘소의 소분하려 발힝ᄒᆞᆯ ᄉᆡ, 슌여(旬餘)의 항쥐 이르긔

1449)엄기기 : 옮기기

읍혈(歎聲泣血)ᄒᆞ여 광슈(廣袖)를 젹시니 좌우 시지 위ᄒᆞ여 감창ᄒᆞ더라. 여러 날이 되믹 환가ᄒᆞ여 도라오니 ᄉᆡ로온 비회 듕쳡ᄒᆞ더라.

뎡쇼졔 인ᄒᆞ여 구가의 머므러 효봉구고ᄒᆞ니 츌뉴(出類)ᄒᆞᆫ 셩힝과 ᄉᆞ덕이 규각의 슉녀라, 청현 검소ᄒᆞᆫ 말슴과 비약(卑弱) 겸공(謙恭)ᄒᆞᆫ 힝ᄉᆡ 진션진미(盡善盡美)ᄒᆞ여 빵안을 낫초고 잉슌을 다다, 무ᄉᆞ무려ᄒᆞᆫ 둧 스ᄉᆞ로 직덕을 낫토디 아니나, 현심슉덕이 ᄀᆞ족ᄒᆞ고 웃고 말슴ᄒᆞ믹 일만 화신(花神)이 닷토아 츈양(春陽)의 웃는 둧, 오치 녕농ᄒᆞ니 조부인의 만심 귀듕ᄒᆞ미 샤인의게 지지 아니ᄒᆞ고, 공이 ᄌᆞ의 각별ᄒᆞ【40】여 구슉지의(舅叔之義) 엄구(嚴舅)의 지지 야냐, 어로만져 무ᄋᆡᄒᆞ고 웃는 입을 주리지 못ᄒᆞ더라. 구패 또ᄒᆞᆫ 황홀ᄒᆞᆫ ᄉᆞ랑이 비홀 곳이 업ᄉᆞ나, 위·뉴의 흉심은 쳐음은 ᄉᆞ랑ᄒᆞ는 쳬ᄒᆞ더니 졈졈 슈삭(數朔)이 되믹 작심이 엇디 오릭리오. ᄉᆡ호지심(豺虎之心)으로뼈 니르딕,

"뎡시 구가(舅家)를 능멸(凌蔑)ᄒᆞ고 블인ᄒᆞᆫ 고모(姑母)와 동심ᄒᆞ여 조모를 원망ᄒᆞᆫ다."

[러] 션묘의 빅현ᄒᆞ고, 부친 묘젼의 탄셩읍혈ᄒᆞ여 반일을 묘ᄒᆞ의 업딕여 청뉘(淸淚) 의슈(衣袖)을 잠가 광비(廣臂)을 젹시니 허드ᄒᆞ리 추종이 또ᄒᆞᆫ 쳑쳑치 아니{리} ᄒᆞ미 업더라.

ᄉᆞ인이 겨유 심ᄉᆞ을 강즉ᄒᆞ여 묘막의 나려올 ᄉᆡ, 수숨일 머무러 시시로 {빅}묘젼의 빅ᄉᆞ홀 ᄉᆡ, ᄉᆡ로온 비통과 《화희∥회푀》 《츙쳡∥즁쳡(重疊)》ᄒᆞᆫ지라, 읍읍통도(泣泣痛悼)ᄒᆞ여 날 져물기을[에] ○○○[미치니], 강잉ᄒᆞ여 션영을 써ᄂᆞ 셸니 발힝ᄒᆞ나, 그 ᄉᆞ이 일ᄉᆨ이 거이라. 됴부인과 투[추]밀부지 {반기} 반기믈 이기지 못ᄒᆞᆫ딕 위·뉴의 악심은 시일노 층가ᄒᆞ더라.【9】

뎍[뎡]슉열(鄭淑烈)니 인ᄒᆞ여 구가의 이셔 《종둥∥존둥(尊堂)》과 슉당을 밧들믹 셩효 동촉ᄒᆞ고 군ᄌᆞ을 승슌ᄒᆞ믹 녜뫼 빈빈홀 분 아냐 츌뉴ᄒᆞᆫ 셩힝과 긔이ᄒᆞᆫ ᄉᆞ덕이 규방의 둘니 업ᄉᆞᆫ 슉녀라. 기인(其人)니 여쳔(如天)하고 기지(其智) 여신(如神)니며 망지여온[운](望之如雲)이요 취지여일(趣之如日)이라. 쳥현검소(淸賢儉素)ᄒᆞ고 비약겸공(卑弱謙恭)ᄒᆞᆫ 힝ᄉᆡ로 《졔솜∥ᄌᆡ솜(再三)》 《충의∥충의(忠義)》 모ᄌᆞ(母子)을 부젼(扶全)ᄒᆞ던 풍(風)이 이시니, 쌍안(雙眼)을 ᄂᆞ쵸고 잉슌[1450]을 다다 무ᄉᆞ무례[려](無思無慮)ᄒᆞᆫ 듯, 스ᄉᆞ로 덕을 나쵸지[1451] 아니ᄂᆞ 남다른 긔특ᄒᆞ미 이시니, 됴부인의 만금 귀듕ᄒᆞ미 아ᄌᆞ의 ᄂᆞ리지 아니코, 추밀의 ᄉᆞ랑ᄒᆞ기 슉질지의와 《어유∥엄구(嚴舅)》 지졍(之情)을 다ᄒᆞ여 두굿기을 이긔지 못ᄒᆞ며, 구파의 황홀ᄒᆞᆫ ᄉᆞ룸[랑]이 또ᄒᆞᆫ 비홀 딕 업ᄉᆞᄂᆞ, 위·뉴의 믜워ᄒᆞ믄 시시로 심ᄒᆞ여 쳐음은 작위(作爲)ᄒᆞ여 ᄉᆞ랑ᄒᆞ더니, 슈삭의 미쳐는 즉심(作心)이 엇지 오릭리요. ᄉᆞᄉᆡᆨ(辭色)을 ᄉᆡ호갓치 ᄒᆞ고 말을 흉험히 ᄒᆞ여 ᄌᆞ로 슈죄ᄒᆞ며 질칙ᄒᆞ더니, 일일은 니로딕,

"네 불인ᄒᆞᆫ 고모(姑母)[1452]을 동심ᄒᆞ여

1450)잉슌 : 앵두처럼 붉은 입술.
1451)나쵸다 : =나토다. 나타내다. 드러내다. 자랑하다.

ᄒᆞ여 블측ᄒᆞᆫ 거죄 층츌(層出)ᄒᆞ고 됴셕 식반을 업시ᄒᆞ여 괴이ᄒᆞᆫ 직강[1515]과 측ᄒᆞᆫ ᄆᆡᆨ듁(麥粥)을 주니, 뎡쇼졔 ᄉᆡᆼ어부귀(生於富貴)ᄒᆞ고 댱어호치(長於豪侈)ᄒᆞ여, 존당 부뫼 만금 무ᄋᆡᄒᆞ여 사ᄅᆞᆷ이 ᄌᆞ긔를 향ᄒᆞ여 블평ᄒᆞᆫ 소ᄅᆡᄒᆞ믈 듯지 못ᄒᆞ고, 상【41】시(常時) 옥식진찬(玉食珍饌)을 념(厭)ᄒᆞ던 바로, 직강 ᄆᆡᆨ듁을 ᄉᆞᆱ의나 보아시리오마ᄂᆞᆫ, 셩혼 슈삭의 간고 험난이 이ᄀᆞᆺᄐᆞ여, 무고한 호령과 무죄ᄒᆞᆫ 즐칙(叱責)이 년면(連綿)ᄒᆞ니, 두리온 ᄆᆞ음이 여림박빙(如臨薄氷)ᄒᆞᄃᆡ 사ᄅᆞᆷ되오미 텬디(天地)로 방블(彷彿)ᄒᆞ여 하ᄒᆡ지량(河海之量)이라. 츈풍 화긔로 존당 즐칙을 당ᄒᆞ나 온슌 화열이 샤죄ᄒᆞ고 쳔연 나즉ᄒᆞ미 젼후 ᄒᆞᆫ가지오, 직강 ᄆᆡᆨ듁을 블식ᄒᆞ미 업셔 비위 거ᄉᆞ리나 강인ᄒᆞ여 먹기를 일삼으ᄃᆡ, 유모 시ᄋᆞ 등이 원망ᄒᆞ믈 마디 아니니, 쇼졔 유랑을 엄칙ᄒᆞ여 감히 원언(怨言)을 발치 못ᄒᆞ게 ᄒᆞ니 그 덕힝의 엄쥰ᄒᆞ미 이ᄀᆞᆺ더라. 조부인이【42】당시(當時)ᄒᆞ여ᄂᆞᆫ ᄌᆞ긔 신셰의 괴로오믄 닛치이고, 식부의 블평ᄒᆞ고 간초ᄒᆞᆫ 졍경을 년ᄋᆡᄒᆞ여 고식의 졍이 모녀의 감치 아냐, 구파로 ᄒᆞ여곰 궁극히 진찬화미(珍饌華味)를 간신이 장만ᄒᆞ여 틈을 타 쇼져를 ᄌᆞ긔 침소로 블너 어로만져 무ᄋᆡᄒᆞ며 진미를 권ᄒᆞ여 댱위(腸胃)를 눅이며, 가듕 형셰를 혜아리ᄆᆡ 슬픈 ᄒᆞᆫ을 니긔지 못ᄒᆞ니 뎡쇼졔 죠고의 무ᄋᆡ지졍을 황공 감사ᄒᆞ고, 가듕 참참ᄒᆞᆫ 곡경이 무궁ᄒᆞ믈 보ᄆᆡ 디극ᄒᆞᆫ 효심의 졀인(絶人)ᄒᆞᆫ 근심이 가득ᄒᆞ여, ᄌᆞ긔 괴로오믈 ᄭᆡ닷지 못ᄒᆞ더니 이졔 도로혀 존괴 ᄌᆞ긔를 유렴ᄒᆞ여, 이ᄃᆡ도록 ᄒᆞ시믈 블승【43】감은ᄒᆞ여, 이의 브복 쥬왈,

1515)직강 : 느술비지・술찌끼. 술을 거르고 남은 찌끼.

조고(祖姑)[1453]을 능욕ᄒᆞ고 구가을 업수이 녁여 앙두능경(昂頭凌輕)[1454]ᄒᆞᆫᄃᆞ"

ᄒᆞ여, 불평ᄒᆞᆫ 거죄 층츌ᄒᆞᄃᆡ, 추밀 보ᄂᆞᆫ ᄃᆡᄂᆞᆫ 겨유[우] 긋치고, 《가셔 ‖ 가사(家事)》조[소]조(蕭條)]ᄒᆞ믈 일카라 죠셕신[식]반(朝夕食飯)을 업시ᄒᆞ고 ᄆᆡᆨ쥭을 쥬니, 쇼져 ᄉᆡᆼ어부귀(生於富貴)ᄒᆞ고 장어호치(長於豪侈)ᄒᆞ여 존당부그[모]의 만금소교아(萬金小嬌兒)로 일즉 ᄉᆞᄅᆞᆷ의 《불효 ‖ 불호(不好)》ᄒᆞᆫ ᄉᆞᄉᆡᆨ도 보지 못ᄒᆞ엿고, ᄉᆞ미진찬(奢味珍饌)을 염어(厭飫)ᄒᆞ【10】던 바로 직강ᄆᆡᆨ쥭을 몽이(夢裏)의ᄂᆞ 보아시리오마ᄂᆞᆫ, 셩혼 수삭의 간고험ᄂᆞᆫ니 이갓ᄒᆞ여 구구(區區)이 호령ᄒᆞ며 무죄ᄒᆞᆫ 질칙이 시시로 이러나니, 쇼졔 크게 경황ᄒᆞ여 두리온 마음이 여좌침상(如坐針上)이로ᄃᆡ, 츈양(春陽) 갓튼 화긔로 온순화열이 ᄃᆡ졔[죄](待罪)ᄒᆞ고, ᄂᆡ심(內心)의 일분 원의 업ᄉᆞ며 직강ᄆᆡᆨ쥭(麥粥)도 염어불식(厭飫不食)ᄒᆞ미 업셔, 비위 거ᄉᆞ[슬]이나 강잉ᄒᆞ기을 공부ᄒᆞ니, 유랑과 시녀을 엄금ᄒᆞ여 원언을 발치 못ᄒᆞ게 ᄒᆞ고, 본부의 견절[셜]치 말ᄂᆞ ᄒᆞ여 당부ᄒᆞᄃᆡ, 만일 운산의 고홀진ᄃᆡ ᄌᆞ긔 면젼의 잇지 말고 도라가라 ᄒᆞ여 비ᄌᆡ 감히 원억ᄒᆞ믈 ᄌᆞ[ᄉᆞ]ᄉᆡᆨ지 못ᄒᆞ게 ᄒᆞ니, 됴부인이 이의 당ᄒᆞ여ᄂᆞᆫ ᄌᆞ긔 몸의 괴롭고 슬푼 거ᄉᆞᆫ 잇치이고 ᄌᆞ부의 잔잉ᄒᆞᆫ 곡경을 잇지 못ᄒᆞ니, 고식의 졍이 모녀의 감치 아냐 구ᄑᆞ로 상의ᄒᆞ여, 진찬화미을 간신니 장만ᄒᆞ여 틈을 어더 ᄒᆡ월누로 식부을 불어온 후, 무ᄋᆡᄒᆞ여 진미을 권ᄒᆞ여 불의에 어린 장위을 말니여 아ᄉᆞ을 막ᄌᆞ르고, 가즁ᄉᆞ셰을 혀아리ᄆᆡ 슬품을 이기지 못ᄒᆞ니, 소져 존고의 경ᄉᆡ 참참ᄒᆞ고 곡경이 무궁ᄒᆞ믈 보ᄆᆡ 지극ᄒᆞᆫ 셩효의 졀민ᄒᆞᆫ 근심이 가득ᄒᆞ여 ᄌᆞ긔 괴로옴을 ᄉᆡᆼ각지 못ᄒᆞ던니, ᄌᆞ긔을 무휼ᄒᆞ미 진찬을 가만니 권ᄒᆞ여 쥬리믈[1455] 염예(念慮) ᄒᆞ시ᄆᆡ 당ᄒᆞ여ᄂᆞᆫ 불승

1452)고모(姑母) : 시어머니. 고모(아버지의 누이).
1453)조고(祖姑) : 시할머니. 고모할머니(아버지의 고모).
1454)앙두능경(昂頭凌輕) : 머리를 쳐들고 상대를 깔보고 업신여긴다.

"ᄋᆞ히 비박지질(卑薄之質)노 만ᄉᆡ 블초ᄒᆞᄋᆞᆸ거ᄂᆞᆯ, 존문 용되 군핍ᄒᆞ여 핍졀(乏絶)ᄒᆞ미 잇ᄉᆞᆸᄂᆞᆫ디라, 쇼년ᄇᆡ ᄌᆡ강 ᄆᆡ듁이 족ᄒᆞ온디라, 아히 엇지 아ᄉᆞᄒᆞᆯ ᄇᆡ 잇ᄉᆞ리잇고? 복망 존고ᄂᆞᆫ 물녀(勿慮)ᄒᆞ쇼셔."

부인이,

"현뷔 귀골의 조강(糟糠)[1516]의 간고험난(艱苦險難)을 결단코 못견ᄃᆡ리니 모로미 ᄌᆞ보디도(自保之道)를 각별이 ᄒᆞ여 날노 하여곰 참통ᄒᆞᄂᆞᆫ 념녀를 덜게 ᄒᆞ라."

쇼졔 ᄌᆡᄇᆡ ᄉᆞ샤ᄒᆞ고 주시ᄂᆞᆫ 바 화미진찬을 슬흔 ᄯᅢ라도 슌슌이 감식(甘食)ᄒᆞᄂᆞᆫ디라. 조부인이 구파로 더브러 비복 등의게 구구히 부탁ᄒᆞ나, 위·뉴 모로게 진찬을 장만ᄒᆞ여 식부를【44】 보호ᄒᆞ여 아ᄉᆞᄒᆞᆯ가 두리니 기졍이 쳐의(悽矣)러라.

윤샤인이 ᄃᆡ임의 나아가ᄆᆡ 튱졀명ᄒᆡᆼ이 됴야의 드레고 표치풍광은 만됴의 소ᄉᆞ나니, 인인이 공경ᄒᆞ여 져마다 션ᄉᆡᆼ이라 칭ᄒᆞ고, 텬통이 늉늉ᄒᆞ샤 태ᄌᆞ 졔왕과 일반이라. 샤인이 더옥 셩은을 감튝ᄒᆞ여 딘튱갈녁ᄒᆞ니, 닙됴(入朝) 삼삭(三朔)의 청현아망(淸賢雅望)이 ᄉᆞ류의 츄앙ᄒᆞᄂᆞᆫ ᄇᆡ 되어, 별호를 청문션ᄉᆡᆼ이라 ᄒᆞ더라.

1516)조강(糟糠) : 지게미와 쌀겨라는 뜻으로, 가난한 사람이 먹는 변변치 못한 음식을 이르는 말.

감은(不勝感恩)ᄒᆞ고, ᄯᅩᄒᆞᆫ 민박【11】ᄒᆞ여 ᄂᆞ즉이 고왈,

"ᄋᆡ[ᄋᆞ]히 비박누질(卑薄陋質)노 만ᄉᆡ 불쵸ᄒᆞ오나 화복이 관수(關數)[1456]ᄒᆞ오믈 아ᄋᆞᆸᄂᆞ니, 존당 가되(家道) 핍졀(乏絶)ᄒᆞ시ᄆᆡ 소년ᄇᆡ ᄌᆡ강ᄆᆡ쥭이 여ᄉᆡ읍거ᄂᆞᆯ, 존고ᄂᆞᆫ 셩녀을 일릇틋 허비ᄒᆞ시ᄂᆞᆫ잇고?"

부인니 탄 왈,

"현부은 귀히 ᄉᆡᆼᄌᆡᆼᄒᆞᆫ 아히라. 모로미 ᄌᆞ보(自保)ᄒᆞ기을 일삼ᄋᆞ 날노 ᄒᆞ여금 경경(耿耿)ᄒᆞᆫ 염녜을 덜게 ᄒᆞ라."

쇼졔 ᄌᆡᄇᆡ 손ᄉᆞ(遜辭)ᄒᆞ여 죤고의 지극ᄒᆞ신 뜻슬 밧ᄌᆞ오ᄆᆡ, 궁극히 화미(華味)을 쥬시면 슬흔 ᄯᆡᄅᆞ도 감식ᄒᆞ기을 슌슌이 ᄒᆞᄂᆞᆫ지라. 됴부인이 구파로 더부러 간신니 보믈(寶物)을 ᄆᆡᄆᆡᄒᆞ여 거[건]어와 미시로ᄡᅧ 식부의 긔장(飢腸)을 누겨 아사(餓死)ᄒᆞ기을 구(救)ᄒᆞ니 기졍(其情)이 쳐의(悽矣)더라.

ᄉᆞ인니 ᄉᆞ군찰직(事君察職)ᄒᆞᄆᆡ 긔ᄉᆞ신환(奇事神換)니 셰ᄉᆞᆼ을 놀ᄂᆡ고 표치풍광이 만죠의 소ᄉᆞ이[니], ᄒᆞ믈며 긔절명논(氣節明論)니 쥰엄굉위(峻嚴宏偉)ᄒᆞ여 늠늠ᄒᆞᆫ 용녁이 당시(唐時) 위증(魏徵)[1457]을 낫게 역이고고, 울연ᄒᆞ[ᄒᆞᆫ] 졍츙이 명쳔공을 습(襲)ᄒᆞ여 치셰경뉸지ᄌᆡ(治世經綸之才)와 안민보국(安民保國)ᄒᆞᆯ 덕홰 가득ᄒᆞ니, 인인이 공경ᄒᆞ여 그 나히 어리믈 ᄉᆡᆼ각지 못ᄒᆞ고, 져마ᄃᆞ 션ᄉᆡᆼ이라 칭ᄒᆞ며, 쳔춍이 늉늉ᄒᆞᄉᆞ 사랑ᄒᆞ시미 ᄐᆡᄌᆞ졔왕(太子帝王)과 일반니라. 사인니 셩은을 감츅(感祝)ᄒᆞ여 진츙갈역ᄒᆞ여 갑ᄒᆞᆯ 바을 모로더라. 입죠 ᄉᆞᆷᄉᆞᆨ의 청현아망과 ᄌᆡ여덕홰(才與德化) ᄉᆞ류의 츄앙ᄒᆞ미 되어 별호을 청운션ᄉᆡᆼ이라 ᄒᆞ더라.

1455)쥴리다 : 주리다. 굶주리다.

1456)관수(關數) : 운수에 관계됨. 운수소관(運數所關)임.

1457)위증(魏徵) : 580-643. 중국 당나라 초기의 공신·학자. 자는 현성(玄成). 현무문의 변(變) 이후, 태종을 모시고 간의대부가 되었다. ≪양서≫, ≪진서≫, ≪북제서≫, ≪주서≫, ≪수서≫의 편찬에 관여하였다

익셜. 뎡남대원슈(征南大元帥) 삼도도춍병마대도독(三道都總兵馬大都督) 뎡텬흥이 삼만 정병과 십원명댱을 거느려 텬ᄌ의 튝단빈댱(祝壇配將)ᄒ는 툥(寵)을 닙으며, ᄌ원츌경ᄒ여 호호탕탕(浩浩蕩蕩)이【45】 힝ᄒ니, 빅모황월(白旄黃鉞)과 도창검극(刀槍劍戟)이 날빗출 귀오고1517), 원슈의 쇄락ᄒᆫ 풍뉴신광(風流身光)이 일노(一路)의 휘황ᄒ니, 졔댱이 흔흔 열복ᄒ여 원슈를 바라미 젹ᄌ(赤子)1518) ᄌ모(慈母) 바람 ᄀᆺ고, ᄒᆫ번 녕(令)이 나면 못밋출 ᄃᆺᄒ여 두리미 군신ᄀᆺᄐ니, 진듕의 살육이 업고 형벌을 쓰디 아니ᄒ나, 부원슈로브터 말좌 군졸의 니르히 위엄을 두리고 덕화를 감격ᄒ니, 힝군긔눌이 뎡졔 엄슉ᄒ여 쇼과(所過) 군현의 츄호를 블범ᄒ니 계견(鷄犬)이 놀나지 아니ᄒ고, 초목이 상치 아니ᄒ니 빅셩 부뢰(父老) 숑덕ᄒ는 소릐 먼니 들니니, 쥬현 ᄌ식 황황 디영(祗迎)ᄒ되, 원슈 녕【46】ᄒ여 각읍의 영숑(迎送)을 금ᄒ고, 청검졀ᄎ(淸儉切磋)ᄒᆫ 덕이 가족ᄒ니, 쳐쳐(處處) 쥬현으로브터 빅셩이 흔흔 심복ᄒ여 칭찬ᄒ믈 마지 아니터라.

운남되원슈(雲南大元帥)【12】 숨노도춍병마○○○[대도독](三路都總兵馬大都督) 뎡텬흥이 숨만 정병과 십원명장을 거느려 쳔ᄌ의 빈장츅단(配將祝壇)ᄒ시는 후은을 입ᄉ와 ᄌ원츌젼ᄒ여 되군이 호호(浩浩)히 남으로 나아갈 식, 빅그[모]황월(白旄黃鉞)1458)과 도창검극(刀創劍戟)이 일식을 가리오고, 원슈의 쇄락ᄒᆫ 풍뉴 월광이 일노의 휘황ᄒ여 ᄉ졸을 무휼ᄒ미, 덕홰병힝ᄒ고 호령이 엄슉ᄒ니, ᄉ졸이 흔흔낙낙(欣欣樂樂)ᄒ여 원슈 바라기을 젹ᄌ(赤子) 자모(慈母) 바름 가트여, ᄒᆫ변[번] 영이 나미, 못밋칠 듯 응슌ᄒ여 두러[려]○[ᄒ]기을 군신지간 갓튼니, 군즁의 술육(殺戮)이 업고 형별(刑罰)을 쓰지 아냐 부원수로 붓터 미말 군졸의 이르이, 위엄을 두리고 덕화을 감동ᄒ여 힝군긔율리 정졔엄슉ᄒ니, 쇼과의 빅셩이 져ᄌ1459)을 것지 아니ᄒ고, 계견(鷄犬)니 놀닉지 아니며, 일표[쵸]일목(一草一木)도 상ᄒ미 업ᄉ니, 거민(居民)니 숑독[도](頌禱)ᄒ는 소릐 먼니 들니는지라. 각읍 지현(知縣)니 망풍귀슌ᄒ여 황황이 지영(祗迎)ᄒᆯ 식, 원슈 호령ᄒ여 각읍의 풍악영숑(風樂迎送)을 금ᄒ고 청급[검]졀ᄎ(淸儉切磋)ᄒᆫ 덕이 가득ᄒ고 쳐쳐 두[주]현(州縣)으로부터 빅셩이 흔흔심복ᄒ여 경찬ᄒ믈 마지 아니ᄒ더라.

힝ᄒ여 젼당의 님ᄒ여는 풍셰(風勢) 블슌ᄒ여 대군이 빅로 건너기 어려오니 졀도ᄉ 오슌이 고왈,

"젼당강을 건너는 씨는 우마(牛馬)를 죽여 졔ᄒ여 월강ᄒᄂ니, 블연 즉 건너지 못ᄒ리이다."

ᄒ니, 원슈ㅣ 뎡식 왈,

"슈신이 간되로 사름을 히ᄒᆯ 비 아니오, 사름이 왕닉ᄒᆯ 젹마다 죽여 졔ᄒ는 버르시 ᄀ장 블가ᄒ니, 셰인은 무지ᄒ여 츅졔(祝祭)

힝ᄒ여 젼당의 임ᄒ여는 풍셰(風勢) 불일ᄒ여 되군이 빅을 건너기 어려오니 졀도ᄉ 오슌니 고왈,

"젼당강을 건더[너]는 씨는 우마【13】을 쥭여 졔ᄒ여 월강ᄒᄂ니, 불연 즉 건더[너]지 못ᄒ리라."

ᄒ거놀, 원수 정식 왈,

"슈신니 간되로 사름을 히ᄒᆯ 빅 아니요, ᄉ람이 왕닉ᄒᆯ 젹마ᄃ 졔ᄒ는 버로시1460) 가장 불가ᄒ니, 셰인은 《구지‖무지》 ᄒ

1517)긔오다 : 긔이다. 속이다. 가리다.
1518)젹ᄌ(赤子) : ①갓난아이. ②임금이 갓난아이처럼 여겨 사랑한다는 뜻으로, 그 나라의 '백성'을 이르던 말.

1458)빅모황월(白旄黃鉞) : 털이 긴 쇠꼬리를 매단 기(旗)와 황금으로 장식한 도끼.
1459)져ᄌ : 저자. 시장.
1460)버로시 : 버릇이.

를 청ᄒᆞ나 졀도ᄉᆞ의 댱긔로 젼당 조고만 슈신을 두리미 가쇼로와 ᄒᆞ노라."

언【47】파의 션인을 호령ᄒᆞ여 대군이 여러 척 빅를 잡아 일시의 승션ᄒᆞ여 믈을 건너라 홀ᄉᆡ, 믄득 광풍이 대작(大作)ᄒᆞ고 운무 ᄉᆞ싁(四塞)ᄒᆞ여 빅일이 ᄀᆞᆷ초이고 경긱의 칠야(漆夜) ᄀᆞᄐᆞ여 지쳑을 분변치 못ᄒᆞ고, 벽녁과 번개 여러 션듕이 대란ᄒᆞ여 쥬즙(舟楫)이 거의 업칠 ᄃᆞᆺ ᄒᆞᄂᆞᆫ 바의, ᄉᆞ졸이 저마다 경황ᄒᆞ여 슬기를 튝원ᄒᆞ며, 바룸이 급ᄒᆞ여 믈결이 빅 우희 치닷기를 ᄌᆞ로ᄒᆞ니, 션듕 만군 댱졸이 다 쇽수ᄒᆞ여 경구(驚懼)치 아니리 업ᄉᆞᄃᆡ 뎡원슈 침연위좌(沈然危坐)[1519]ᄒᆞ여 ᄉᆞ싁(辭色)을 블변ᄒᆞ더니, 이윽고 흉흔 야치(夜叉)[1520] 두어시 몸을 반은 슈듕의 두고 반은 션창의 걸쳐 벽【48】녁 ᄀᆞᆺ치 소리를 지르니 경긱의 업칠 ᄃᆞᆺ흔디라. 졔인이 일시의 ᄉᆞ러 무죄ᄒᆞ믈 일ᄏᆞ라 슬기를 빌며, 허겁흔 뉴ᄂᆞᆫ 다 긔졀ᄒᆞ여 것구러지ᄂᆞᆫ디라. 원슈 부원슈와 좌우 션봉을 다 겻ᄐᆡ 안치고 경동(驚動)치 말나 ᄒᆞ며 야치를 향ᄒᆞ여 쇼ᄅᆡ를 엄히 ᄒᆞ여

,

"흉흔 쇼튝(小畜)이 사룸을 ᄃᆡᄒᆞ여 젼당강을 왕ᄂᆡᄒᆞᄂᆞᆫ 힝인의 우마를 죽여 졔를 바드미 규례로 알거니와, 대군이 월강ᄒᆞᄆᆡ 므숨 튝졔ᄒᆞ여 업튝(業畜)[1521]을 두리리오. 슈듕 웃듬 뇽신을 줏쳐 상시 왕ᄂᆡ인(往來人) ᄒᆡᄒᆞ믈 업게 ᄒᆞ리라."

언필의 쥬필(朱筆)을 드러 부작(符籍)[1522]

여 졔을 청ᄒᆞᄂᆞ, 졀도ᄉᆞ의 장긔(壯氣)로 젼당강 조고만 슈신을 두려ᄒᆞ믈 가소로리[이]녁이노라."

언파의 션인을 호령ᄒᆞ여 ᄃᆡ군니 여러 쳑 빅을 즙아 일시의 승션ᄒᆞ여 물을 건더[너]려 홀ᄉᆡ, 문득 광풍이 ᄃᆡ즉ᄒᆞ고 운뮈 ᄉᆞ싁(四塞)ᄒᆞ여 빅일이 감초이고 경각의 칠야 갓트여 지쳑을 분별치 못ᄒᆞ고, 《병역 ‖ 벽역(霹靂)》과 번ᄀᆡ의 여러 《션풍 ‖ 션즁(船中)》이 ᄃᆡ른ᄒᆞ여 쥬졉[즙](舟楫)의 거의 업칠 듯 ᄒᆞ니, 빅의 ᄉᆞ졸이 져마다 경황ᄒᆞ여 슬기을 츅원ᄒᆞ며 황황이 분쥬ᄒᆞ믈 마지아니허니, 바룸 더옥 급ᄒᆞ여 물결리 션풍[즁]을 드리치ᄂᆞᆫ지라. 션풍[즁] 졔인니 ᄃᆞ수[속]슈수[무]칙(束手無策)이라. 익슈지화(溺水之禍)을 ᄃᆡ령(待令)ᄒᆞ고 면여토싀(面如土色)[1461]이로ᄃᆡ 원슈 홀노 침완[연]위좌(沈然危坐)[1462]ᄒᆞ여 ᄉᆞ싁(辭色)을 《분별 ‖ 불변(不變)》ᄒᆞ던니, 이윽고 흉흔 야치 슈즁의 몸을 반은 감초고 반은 빅의 걸쳐 벽역(霹靂) 갓튼 소ᄅᆡ을 질더[너] 빅을 흔드러 션즁인을 히코져 ᄒᆞ니, 경긱의 업칠 듯 흔지라. 인인이 슬기을 비러 허겁ᄒᆞ[흔] ○[뉴]ᄂᆞᆫ 긔절ᄒᆞ여 것구러지ᄂᆞᆫ지라. 원슈 졔장을 좨우(左右)로 안쳐 겁ᄂᆡ지 말나 ᄒᆞ고, 야치을【14】 향ᄒᆞ여 쇼ᄅᆡ을 질너 ᄯᅮ지져 왈,

"흉흔 쇼츅(小畜)이 ᄉᆞ룸을 히(害)ᄒᆞ여 이 강을 지나ᄂᆞᆫ ᄉᆞ룸을 져혀 우마을 쥭여 졔밧기을 규례로 알건니와 ᄃᆡ군이 월강ᄒᆞᄆᆡ 무산 《흉졔 ‖ 츅졔(祝祭)》ᄒᆞ여 업츅(業畜)[1463]을 쥬리요. 웃듬 용신을 줏즐러 ᄎᆞ후 힝인 히ᄒᆞ미 업게 ᄒᆞ리다."

언파의 쥬필(朱筆)[1464] 두어 즐을 써 소

1519)침연위좌(沈然危坐) : 묵묵히 엄숙하고 바른 자세로 앉아 있음.
1520)야치(夜叉) : =두억시니. 모질고 사나운 귀신의 하나.
1521)업튝(業畜) : 전생에 지은 죄로 인하여 이승에 태어난 짐승.
1522)부작(符籍) : 잡귀를 쫓고 재앙을 물리치기 위하여 붉은색으로 글씨를 쓰거나 그림을 그려 몸에 지니거나 집에 붙이는 종이.

1461)면여토싀(面如土色) : 몹시 놀라거나 겁에 질려 안색이 흙빛과 같음.
1462)침연위좌(沈然危坐) : 묵묵히 엄숙하고 바른 자세로 앉아 있음.
1463)업츅(業畜) : 전생에 지은 죄로 인하여 이승에 태어난 짐승.
1464)쥬필(朱筆) : 붉은 먹이나 붉은 잉크를 묻혀 쓰는 붓. 또는 그것으로 쓴 글. 대개 귀신을 쫓기 위해 만드는 부적(符籍) 따위에 이를 쓴다.

을 뼈 소화(消火)ᄒᆞ니, 야치 바야흐로 사룸을 히코져 ᄒᆞ다가 원슈【49】의 소릭를 듯고 경황ᄒᆞ여 ᄌᆞ시 살피믹, 과연 텬신이 하강(下降)ᄒᆞ엿ᄂᆞᆫ디라. 좌우로 셩신(星辰)이 호위ᄒᆞ고 뇽신이 셔려시니, 텬상 셩신이믈 엇디 몰나보리오. 야치 죽은 ᄃᆞ시 션창(船艙)의 걸쳣더니, 이윽고 뇌졍이 텬디 진동ᄒᆞ니 듕인이 낫촐 ᄀᆞ리와 황황홀ᄉᆡ, 일진 벽녁이 일시의 야치를 분쇄ᄒᆞ고 불덩이 강슈로 드리닷더니, 괴이ᄒᆞᆫ 소릭 텬디를 움ᄌᆞᆨ이니, 강슈 뒤이져 슈신이 만히 죽으믈 알디라. 이윽고 운뮈 거드며 빅일이 듕텬의 한가ᄒᆞ여 바룸이 슌ᄒᆞ며 션듕이 안온ᄒᆞ니, 여러 빅 사룸이 ᄒᆞ나토 상ᄒᆞ니 업셔 일힝 션듕인(船中人)이 다 원슈긔 고두샤은(叩頭謝恩)ᄒᆞ고 무ᄉᆞ히 월강(越江)【50】ᄒᆞ믈 치하ᄒᆞ니, 원슈 왈,

"이 굿ᄐᆞ여 나의 직죄 아니어니와 원닉 조고만 슈신을 두릴 빅 아니어늘, 댱졸이 이ᄀᆞᆺ치 겁ᄒᆞ니 흉봉을 당키 어렵도다."

ᄒᆞ더라.

임의 젼당강을 무ᄉᆞ히 건너 대군이 물미듯 운남(雲南)의 나아가, 월후《간∥관(關)》의 치칙(寨柵)1523)을 뎡ᄒᆞ고 몬져 격셔(檄書)를 날니니, ᄎᆞ시 운남왕 목딘평이 슈하(手下)의 댱ᄉᆡ 구름 ᄀᆞᆺ고, 대댱 뉵비달과 션봉 농무긔 풍우를 브르며 귀신을 졔어ᄒᆞ고, 만인뎍(萬人敵)1524)이 이시니, 목왕이 통익(寵愛)ᄒᆞ여 남만지셰(南蠻地勢)를 탈취코져 ᄒᆞ여, 댱ᄉᆞ를 거ᄂᆞ려 호호탕탕이 황셩을 엿볼 ᄠᅳᆺ이 급ᄒᆞ더니, 믄득 텬됴의셔 발병ᄒᆞ여 대원슈 군ᄉᆞ를 모라오믈 듯고, 쳬【51】탐(諦探)1525)ᄒᆞ여 원슈 이하의 힝군

1523)치칙(寨柵) : 통나무 따위를 이어 박아 세운 목책(木柵). 또는 목책을 세워 구축한 진지(陣地).

1524)만인뎍(萬人敵) : ①군사를 쓰는 전술이 뛰어난 사람. ②혼자서 많은 적과 대항할 만한 지혜와 용기를 갖춘 사람.

1525)쳬탐(諦探) : 적의 형편이나 지형 따위를 정찰하고 탐색함.

화(燒火)ᄒᆞ니, 야치 바야흐로 ᄉᆞ룸을 히ᄒᆞ려 ᄒᆞᄃᆞ가 원슈의 ᄒᆞᆫ 마ᄃᆡ 호령의 경겁ᄒᆞ여 ᄌᆞ시 살피믹, 과연 텬신이 ᄒᆞ강ᄒᆞ엿ᄂᆞᆫ지라. 좌우의 신장이 호위ᄒᆞ고 용신이 뫼셔시니 텬궁상션(天宮上仙)을 엇지 몰ᄂᆞ 보리요. 흉쟝(凶壯)을 질러[르]ᄂᆞᆫ 쇼릭 스러지고, 쥭은 드시 션장[창]의 걸녀시니, 홀연 뇌셩벽역과 풍우딕작ᄒᆞ며 션즁의 큰 불리 들러오거늘, 즁인이 낫칠 쓰고 황○[황]홀 ᄎᆞ, 두 아[야]치을 분쇄ᄒᆞ고 불덩이 강슈로 드러가더니, 왼갓 고이ᄒᆞᆫ 쇼릭 요란ᄒᆞ며 강수 불거지니 슈신(水神)을 어육(魚肉)ᄒᆞᆫ 쥴 알지라. 이윽고 만강운무(滿江雲霧)1465)○[를] 것고 빅일(白日)리[이] 즁쳔의 ᄒᆞᆫ가ᄒᆞ니, 바룸이 슌ᄒᆞ여 일린[인](一人)도 ᄉᆞᇰ홈이 업시 다믄 야치을 쇄진(碎盡)ᄒᆞᆫ 지라. 일힝 죵됼(將卒)이 원슈의게 고두 ᄉᆞ례ᄒᆞ고 무ᄉᆞ 도강홀 바을 즐겨ᄒᆞ니, 원슈 왈,

"닉의 직됴 아니어니와 죠고만ᄒᆞᆫ 슈신을 보고 경겹[겁]ᄒᆞ미 져러ᄒᆞ고 흉봉(凶鋒)을 당키 어렵도ᄃᆞ."

장쥴이 초쥴[죠]ᄒᆞ믈 블거리[보더니] 절도ᄒᆡ 신기이 녁이더라.【15】

임의 월강(越江)ᄒᆞ여 딕군니 물미듯 운남의 ᄂᆞᄋᆞ가 월호관니 이르러 치칙(寨柵)1466)을 졍돈ᄒᆞ고 먼져 격셔(檄書)을 놀니니, ᄎᆞ시 운남왕 녹[목]지평이 수ᄒᆞ(手下)의 용병즁ᄉᆡ 구름 모듯ᄒᆞ고 딕즁 뉵비돌과 젼부션봉 능무긔 풍우을 불리며 귀신을 졔어ᄒᆞ여 만일[인]○○[을 대]젹홀 용이 잇시니 목왕이 춍우ᄒᆞ믈 비ᄉᆞᇰ이 ᄒᆞ니, 즁ᄉᆞ을 거ᄂᆞ려 남만지셰(南蠻地勢)을 탈취ᄒᆞ고 호호탕탕이 황셩을 엿볼 ᄠᅳᆺ지 급ᄒᆞ더니, 문득 텬됴딕병이 모ᄅᆞ오믈 듯고, 원수 이ᄒᆞ 졔장 셩명이며 힝구[군]긔율(行軍紀律)을 몬져 올ᄂᆞ ᄒᆞ니, 탐군니 딕원슈 풍치와 젼당강 사어을 젼홀 ᄉᆡ, 년긔 십칠이ᄅᆞ ᄒᆞ니, 목왕이 소왈,

1465)만강운무(滿江雲霧) : 강 가운데 가득 차 있는 구름과 안개.

1466)치칙(寨柵) : 통나무 따위를 이어 박아 세운 목책(木柵). 또는 목책을 세워 구축한 진지(陣地).

긔뉼(紀律)을 알나 ᄒᆞ니, 탐군(探軍)이 쳥녕(聽令)ᄒᆞ여 젼당강의 니르려 디셰를 슬피고 도라와 소유를 고ᄒᆞᆯᄉᆡ, 젼당강의 님ᄒᆞ여 슈신을 죽이고, 톡졔ᄒᆞ미 업시 무ᄉᆞ히 월강ᄒᆞ믈 니르고, 그 년긔 십칠셰믈 일일히 드러 본딘의 고ᄒᆞ니, 목왕이 쇼왈,

"숑(宋)이 사름 업ᄉᆞ믈 알니라. 십칠셰 황구쇼ᄋᆡ(黃口小兒)[1526] 쳔병을 거ᄂᆞ려 만니 ᄉᆡ외(塞外)의 보ᄂᆡ리오. 그 얼골이 고으믄 미약ᄒᆞᆫ 쇼년의 녜ᄉᆡ오, 젼당강 슈신이 죽으믄 맛츰 텬벌(天罰)을 닙으미니, 굿ᄐᆞ여 뎡텬흥의 ᄌᆡ죄리오."

뎡언간(停言間)의 숑딘(宋陣) 격셰 니르니, 왕의 군신이 모다 볼ᄉᆡ 몬져 필획(筆劃)이 뇽ᄉᆞ(龍蛇) 찬난ᄒᆞ여【52】 단봉(丹鳳)이 춤추ᄂᆞᆫ 둧ᄒᆞᆫ디라. 격셔의 ᄀᆞᆯ와시ᄃᆡ,

"대숑 병부상셔 대ᄉᆞ마 뇽두각 태혹ᄉᆞ 남뎡대원슈 삼노도춍병 뎡모ᄂᆞᆫ 셔ᄒᆞ노라. 희라 유텬디(有天地) 연후(然後)의 군신유의 부ᄌᆞ유친이○…결락24자…○[만고강상(萬古綱常)의 즁의(衆意)니, 금의 셩텬ᄌᆞ 교체 ᄃᆡ힝ᄒᆞᆯ ᄉᆡ, 사이 번국이] 귀슌(歸順)치 아니리 업고, 셩덕이 둣터오샤 텬하 만방이 머리를 두ᄃᆞ려 덕화를 감열(感悅)ᄒᆞ고 남풍(南風)의 시를 읆흐니, 국태민안(國泰民安)ᄒᆞ여 오ᄅᆡ 병혁을 바렷더니, 이졔 운남이 역텬무도ᄒᆞ여 대국 셤기믈 폐ᄒᆞ고, 감히 텬위를 범ᄒᆞ니 텬ᄌᆞ 딘노ᄒᆞ샤 삼만 졍병과 십원 대댱으로ᄡᅧ, 남국을 문죄ᄒᆞ라 ᄒᆞ시니, 오슈브ᄌᆡ(吾雖不才)나 남국군ᄉᆞ를 두릴 비 아니로ᄃᆡ, 보텬지히 막비왕토(普天之下莫非王土)오 솔토【53】지빈(率土之濱)이 막비왕신(莫非王臣)[1527]이라, 어나 ᄊᆞ히 대국토디(大國土地)

1526)황구쇼ᄋᆡ(黃口小兒) : ≒황구유아(黃口幼兒). 젖내 나는 어린아이라는 뜻으로, 철없이 미숙한 사람을 낮잡아 이르는 말.

1527)보텬지히 막비왕토(普天之下莫非王土), 솔토지빈(率土之濱) 막비왕신(莫非王臣) : 온 하늘 밑이 왕의 땅 아닌 데가 없고, 온 영토 안에 사는 사람들이 다 왕의 신하 아닌 사람이 없음. 『맹자』 <만장장구 상(萬章章句 上)>에 있는 글.

"송(宋)의 ᄉᆞ롬 업ᄉᆞ믈 가히 알니로ᄃᆞ. 십칠 쇼ᄋᆡ로 쳔병만마을 거ᄂᆞ려 만니 ᄉᆡ외(塞外)의 보ᄂᆡ리요. 그 얼골리 고으믄 미약ᄒᆞᆫ 아ᄒᆡ 여[예]ᄉᆡ라. 젼ᄃᆼ강 슈신 쥭으믄 《말솜‖맛츰》 《쳥병‖쳔벌(天罰)》을 ᄇᆞ드미니, 엇지 뎡텬흥의 ᄌᆡ됴리오."

믄득 송진 격셔 숨고(三鈷)[1467] 쏫틔 ᄆᆡ여 와 젼ᄒᆞ거늘, 목왕이 신요(臣僚)을 모효[흐]고 볼ᄉᆡ, 먼져 필획이 촐난ᄒᆞ여 용ᄂᆡ[ᄉᆡ](龍蛇) 비둥(飛騰)ᄒᆞ고 난봉이 츔츄ᄂᆞᆫ 듯ᄒᆞ더ᄅᆞ. 격셔의 왈,

"텽[텬]됴 병부숭셔 뇽두강[각] ᄐᆡ혹ᄉᆞ 남졍ᄃᆡ원슈 숨노도춍병 뎡모ᄂᆞᆫ 운남 왕의게 글을 부치ᄂᆞ니, 희라, 유쳔지(有天地) 연후(然後)의 군신유의(君臣有義)와 부ᄌᆞ유친(父子有親)이 만고강상(萬古綱常)의 즁【16】의(衆意)니, 금의 셩텬ᄌᆞ 교쳬 ᄃᆡ힝ᄒᆞᆯ ᄉᆡ, 사이 번국이 돈즁치 아니리 업고, 셩덕이 돗ᄂᆞᆫ ᄒᆡ 갓흐ᄉᆞ 쳔하만방이 ᄃᆞ 머리을 두ᄃᆞ려 덕화을 감복ᄒᆞ고, 강구(康衢)의 표[포]복(飽腹)ᄒᆞ여 남풍시(南風詩)[1468]을 읇흐니, 국ᄐᆡ민안(國泰民安)ᄒᆞ여 오ᄅᆡ 병혁을 바렷드니, 이졔 그ᄃᆡ 역쳔무도ᄒᆞ여 ᄃᆡ국 셤기기을 폐ᄒᆞ고 감히 쳔위을 《향형‖항형(抗衡)》코져 ᄒᆞ니, 텬ᄌᆞ 진노ᄒᆞᄉᆞ 삼만졍병과 십원ᄃᆡ장을 쥬ᄉᆞ 늘노ᄡᅧ 남국을 문죄ᄒᆞᄅᆞ ᄒᆞ시니, 의[오]수부ᄌᆡ(吾雖不才)ᄂᆞ 남국의 소소군졸을 두릴 ᄇᆡ 아니로ᄃᆡ, 보쳔지히막비왕토(普天之下莫非王土)요 솔토지민(率土之民)이 막비왕신(莫非王臣)[1469]이라, 어ᄂᆡ

1467)숨고(三鈷) : =삼고저(三鈷杵). 승려들이 불도를 닦을 때 쓰는 법구(法具)의 하나로, 양끝이 세 갈래로 된 쇠방망이.

1468)남풍시(南風詩) : 중국 상고시대 순(舜)임금이 남훈전(南薰殿)에서 오현금을 타며 백성의 편안함과 풍부한 살림을 읊은 시.

아니며, 어나 ᄇᆡᆨ셩이 우리 숑됴신민(宋朝臣民)이 아니리오. 왕을 위ᄒᆞ미 아니라 우리 셩샹(聖上)의 억만 ᄉᆡᆼ녕(生靈)이 ᄒᆞᆫ낫 블인의 왕을 위ᄒᆞ여 옥셕(玉石)이 구분ᄒᆞ고 어육이 될 바를 참연ᄒᆞ여 몬져 격셰을 젼ᄒᆞ나니, 곳치미 귀다 ᄒᆞ믄 셩교의 허ᄒᆞ신 ᄇᆡ라. 남왕이 일즉 그르미 이시나 개과쳔션ᄒᆞ여 다시 텬됴를 섬겨 군신 대의를 상히오디 아니ᄒᆞ고, 셩문을 여러 대군을 마ᄌᆞ면, 남국 ᄉᆡᆼ민을 일인도 상히오디 아니려니와, 블인디심(不仁之心)으로 항거코져 ᄒᆞᆫ 즉, ᄒᆞᆫ ᄡᆞ홈의 셩을 함몰ᄒᆞ리니, ᄇᆡᆨ년왕낙(百年王樂)을 쇽절업시 일【54】허 종묘를 소화ᄒᆞ고, 슈족과 머리 전장의 바리일 거시니, 그 니히득실(利害得失)이 엇더ᄒᆞ뇨? ᄡᆞ호며 아니 ᄡᆞ호믄 왕의 뜻의 이시니 타일 뉘웃디 말나."

ᄒᆞ엿더라.

목왕이 간필의 대로ᄒᆞ여 글을 믯쳐 왈,

"황구쇼ᄋᆡ 감히 날을 업슈히 넉여 이ᄃᆡ도록 무례ᄒᆞ리오. 뉘 능히 나를 위ᄒᆞ여 뎡텬흥을 잡아 진듕의 호령ᄒᆞᆯ고?"

대댱 뉵비달이 츌반 듀왈,

"신이 대왕의 툥우(寵遇)ᄒᆞ신 대은을 《갑숩디 못ᄒᆞ오니 ‖ 갑ᄉᆞ올 바을 아지 못ᄒᆞᆸᄂᆞ니》 일디병을 빌니시면, 숑댱을 버히고 숑국을 멸ᄒᆞ여, 뎐하로 ᄒᆞ여곰 만니 강산을 두시게 ᄒᆞ리이다."

왕이 깃거 그 튱의를 일ᄏᆞᆺ고 군을 니르혀 우명일 졉젼ᄒᆞ믈 통【55】ᄒᆞ니, 승상 목녹은 왕의 딜ᄌᆡ(姪子)라. 나아와 듀왈,

"뎐하ᄂᆞᆫ 뎡텬흥의 년쇼ᄒᆞ믈 경(輕)이히 넉이디 마르시고, 대진ᄒᆞ여 그 군법 긔셰를 보시고, 당키 어렵거든 슌히 항ᄒᆞ여, 왕위를 안낙ᄒᆞ시고 종묘를 보젼ᄒᆞ시미 올흐니이다."

ᄯᆞ히 ᄃᆡ국 《허 ‖ 터》히 아니며, 어ᄂᆡ ᄇᆡᆨ셩이 우리 쥬상의 신히 ᄋᆞ니○[리]오. 왕을 위ᄒᆞ미 아니라, 우리 셩상의 억만 ᄉᆡᆼ녕(生靈)의[이] ᄒᆞᆫ낫 불인ᄒᆞᆫ 왕을 인ᄒᆞ여, 옥셕이 구분ᄒᆞ고 어육이 될 ᄇᆞ을 ᄎᆞᆷ연ᄒᆞ여, 먼져 격셔로쎠 통ᄒᆞᄂᆞ니, 곳치미 귀타ᄒᆞ믄 셩교의 허ᄒᆞ신 ᄇᆡ라. 왕이 쳐음은 그르미 잇스나 ᄀᆡ과쳔션ᄒᆞ여 ᄃᆞ시 텬죠을 셤겨 군신 ᄃᆡ의을 상히오지 말고, 셩문을 여러 텬병을 영졉하면 ᄂᆡ 또ᄒᆞᆫ 남국ᄉᆡᆼ민을 ᄒᆞ나도 상히오지 아니리니, 말[만]일 그러치 아냐 텬병을 능멸ᄒᆞᆫ 즉, ᄒᆞᆫ ᄊᆞᆷ홈의 남만이 쥬륙ᄒᆞ고 ᄇᆡᆨ년왕낙을 속졀업시 일허, 종묘 파ᄒᆞ고 슈족이 이쳬ᄒᆞ며 거리 젼장의 ᄇᆞ릴 거시니, 그 이ᄒᆡ(利害) 어ᄃᆡ 잇ᄂᆞᆫ요? 싸호키 아니키ᄂᆞᆫ【17】 그ᄃᆡ 뜻의 잇ᄂᆞ니 후회치 말고 ᄃᆞ만 소회을 알게 ᄒᆞᄅᆞ."

하였더라.

목왕이 간필(看畢)의 ᄃᆡ로ᄒᆞ여 뎡텬흥의 글을 밀치고 왈,

"황구소ᄋᆡ 감히 날을 업수이 녁여 《ᄉᆞ여 : 사의(辭意)》 ᄑᆡᆨ만무려[례](悖慢無禮)ᄒᆞ니 뉘 ᄂᆞᆯ을 위ᄒᆞ여 뎡텬흥을 ○○[잡아] 머리 ○[을] 진즁의 호령ᄒᆞ리요?"

ᄃᆡ즁 뉵비ᄃᆞᆯ이 츌반쥬왈,

"신이 젼ᄒᆞ의 용[툥]우(寵遇)ᄒᆞ시믈 닙ᄉᆞ와 ᄃᆡ은을 갑ᄉᆞ올 바을 아지 못ᄒᆞᆸᄂᆞ니, ᄃᆡ병을 거ᄂᆞ려 송진을 ᄒᆞᆷ몰ᄒᆞ고 송즁을 ᄌᆞᆸ아 젼ᄒᆞ로 ᄒᆞ여금 만니 강산을 임ᄌᆞ되시게 ᄒᆞ리이다."

왕이 ᄃᆡ히(大喜) ᄒᆞ여 그 츙셩을 일캇고 ᄂᆡ명일(來明日) 졉젼ᄒᆞ기로 송진의 통ᄒᆞ니{ᄅᆞ}, 승상 목녹은 왕의 질ᄌᆡ라. 간ᄒᆞ여 왈,

"젼ᄒᆞᄂᆞᆫ 뎡텬흥의 년소ᄒᆞ믈 경히 여기지 ᄆᆞ르소셔. ᄃᆡ진ᄒᆞ여 그 ○[군]법 긔셰을 보아 실노 당키 어렵거든 항ᄒᆞ여 왕위을 누리고 죵묘을 보죤ᄒᆞ쇼셔."

1469)보천지하 막비왕토(普天之下莫非王土), 솔토지민(率土之民) 막비왕신(莫非王臣) : 온 하늘 밑이 왕의 땅 아닌 데가 없고, 온 영토 안에 사는 사람들이 다 왕의 신하 아닌 사람이 없음. 『맹자』 <만장장구 상(萬章章句 上)>에 있는 글.

왕이 변ᄉᆡᆨ 왈,

"경은 나의 친딜이오, 국듕대ᄉᆞ를 뎡ᄒᆞ며 괴이ᄒᆞᆫ 말을 ᄒᆞ여 삼군의 예긔(銳氣)를 최찰케 ᄒᆞ고 뎍군의 위풍을 돕ᄂᆞᆫ다? 뉵비달 ᄀᆞᄐᆞᆫ 션봉을 두어시니 다른 댱ᄉᆞᄂᆞᆫ 니르디 말고, 풍우를 임의로 브르며 귀신을 브리ᄂᆞᆫ ᄌᆡ죄 뎍군을 파ᄒᆞ미 여반댱(如反掌) ᄀᆞᄐᆞᆫ디라. 경은 뎡텬홍을 보도 아니코 즈레 두리지 말나."

목녹이 ᄃᆡ간(對諫) 왈,【56】

"신이 뎡텬홍을 두리고 아군의 예긔(銳氣)를 최찰케 ᄒᆞ미 아니라, 대국의 웅병ᄆᆡᆼ댱(雄兵猛將)이 젹디 아닐 거시로ᄃᆡ, ᄀᆞᆺᄐᆞ여 년쇼ᄒᆞᆫ 뎡텬홍으로 원융을 삼아 십원 명댱과 삼만 정병을 통솔케 ᄒᆞᆫ ᄇᆡ, 반ᄃᆞ시 ᄌᆡ덕이 잇ᄂᆞᆫ가 ᄒᆞᄋᆞᆸᄂᆞ니, 탐군의 말을 듯ᄌᆞ오ᄆᆡ 뎡텬홍이 십ᄉᆞ의 문무 쟝원이 되고 디략이 과인ᄒᆞ다 ᄒᆞ오니, 혹ᄌᆞ ᄡᅡ호ᄆᆡ 블니ᄒᆞᆯ가 ᄒᆞᄂᆞ이다."

왕이 분노ᄒᆞ여 목녹을 즐퇴(叱退)ᄒᆞ고 댱ᄉᆞ를 거ᄂᆞ려 친히 츌뎡ᄒᆞ여 뎍진을 바라보니 개갑(介甲)이 션명하고 대외(隊伍) 뎡졔ᄒᆞ여 진듕의 경운이 둘너시니, 청풍이 니러나며 긔이(奇異)ᄒᆞᆫ 광ᄎᆡ ᄌᆞ연ᄒᆞᆫ디라. 뉵비달【57】은 텬문디라[리](天文地理)와 병법이 슉달ᄒᆞ고 그 댱ᄉᆞ의 긔이ᄒᆞ믈 디긔(知機)ᄒᆞᄃᆡ, 져의 ᄌᆡ조를 미더 조곰도 구겁ᄒᆞ미 업더라.

목왕이 도창검극의 위의를 뎡히 ᄒᆞ여 농무긔로 압ᄒᆞᆯ 당ᄒᆞ라 ᄒᆞ고, 뉵비달노 대군을 거나려 좌우로 이시라 ᄒᆞ고, ᄉᆞ졸노 웨여 승부를 결ᄒᆞ쟈 ᄒᆞ니, 숑진 문긔(門旗) 열니ᄂᆞᆫ 곳의 대긔(大旗) 늉동(隆動)ᄒᆞ며 허다 군졸이 ᄉᆞ륜거(四輪車)를 미러 나오니 좌우의 션봉이 갑쥬를 ᄀᆞ초아 위의를 잡앗ᄂᆞᆫᄃᆡ, 뎡원슈 몸의 홍금슈젼포(紅錦繡戰袍)[1528]의 황금쇄ᄌᆞ갑(黃錦鎖子甲)을 ᄡᅧ 닙고 머리의 봉시(鳳翅)투고를 ᄡᅳ고 요하(腰下)의 냥ᄃᆡᄇᆡᆨ

1528)홍금슈젼포(紅錦繡戰袍) : 붉은 비단에 화려하게 수를 놓아 지은 전포(戰袍). 전포는 장수가 입던 긴 웃옷.

왕이 정ᄉᆡᆨ 왈,

"경은 나의 친질노 국즁ᄃᆡᄉᆞ을 녕(令)ᄒᆞ여 ○○○○○○○○[괴이ᄒᆞᆫ 말을 ᄒᆞ여], 삼군의 《영 ‖ 예긔(銳氣)》을 최찰ᄒᆞᄂᆞᆫ요?. 뉵장군과 능션봉을 두어시니 ᄃᆞ른 ᄌᆞᆼᄉᆞᄂᆞᆫ 이르지 말고, 풍운을 임의로 부리고 귀신을 졔어ᄒᆞᄂᆞᆫ ᄌᆡ죄 잇셔 젹군을 두리리오. 경은 너무 겁ᄂᆡ지 말나."

목녹이 ᄃᆡ간왈(對諫曰),

"신니 젹을 두리고 ᄌᆞᄉᆞ(自士)의 여[예]기(銳氣)을 최출케 ᄒᆞ미 아니라, ᄃᆡ국의 웅병ᄆᆡᆼᄌᆞᆼ이 젹지 알[아]닐 거시로ᄃᆡ, ᄀᆞᆺᄒᆞ여 연쇼ᄒᆞᆫ 뎡텬홍으로 원융(元戎)을 ᄉᆞᆷ어 십【18】원 명장과 ᄉᆞᆷ만 경병을 통솔ᄒᆞᆫ 바, 필연 ᄌᆡ덕이 잇ᄂᆞᆫ가 ᄒᆞᄋᆞᆸᄂᆞ니, 탐군(探軍)의 말을 듯ᄌᆞ오니, 뎡텬홍이 십ᄉᆞ의 문무장원니 되고 지략이 과인ᄒᆞᄃᆞ ᄒᆞ오니, 혹 싸화 불니ᄒᆞᆯ가 ᄒᆞᄂᆞ이ᄃᆞ."

왕이 분노ᄒᆞ여 목녹을 즐퇴(叱退)ᄒᆞ고, ᄌᆞᆼᄉᆞ을 거ᄂᆞ려 친히 츌정ᄒᆞ여 젹진을 ᄇᆞᄅᆞ보니, ᄃᆡ갑(隊甲)이 션명ᄒᆞ고, ᄃᆡ의[외](隊伍) 정슉ᄒᆞ여 진즁의 셔긔 은은ᄒᆞ고 경운니 둘너스니, 능무긔 뉵비ᄃᆞᆯ은 쳔문지리와 병법이 슉달ᄒᆞᆫ 고로, 송진의 긔이(奇異)ᄒᆞ믈 지긔(知機)ᄒᆞ되, ᄃᆞ만 져의 ᄌᆡ조 잇스믈 미더 죠금도 두려ᄒᆞ미 업더라.

목왕이 도창금[검]극(刀創劍戟)과 위의을 경히 버려 능무긔로 압흘 당ᄒᆞ라 ᄒᆞ고, 뉵비달노 ᄃᆡ군을 거ᄂᆞ려 좌우의 잇시라 ᄒᆞ고, 군ᄉᆞ로 ᄒᆞ여금 말ᄒᆞᄌᆞ 웨니, 송진 문긔(門旗) 열니ᄂᆞᆫ 곳의 ᄃᆡ긔(大旗) 요동ᄒᆞ며 허ᄃᆞ 군졸이 사륜거(四輪車)을 모라 나오니, 좌우 션봉이 갑두(甲胄)을 가쵸고 위의을 잡아ᄂᆞᆫᄃᆡ, 뎡원슈 몸의 듀젼표[포](朱戰袍)의 ᄌᆞ금쇄ᄌᆞ갑(紫錦鎖子甲)을 닙고 허리에 양지ᄇᆡᆨ[ᄇᆡᆨ]옥ᄃᆡ(兩枝白玉帶)을 둘너스며, 머리의 봉시(鳳翅)투고을 쓰고 《거장 ‖ 거즁(車中)》의 단좌ᄒᆞ엿스니, 명광이 출난ᄒᆞ여 부상홍일(扶桑紅日) 갓고, 냥미정화(兩眉精華)

옥ᄃᆡ(兩枝白玉帶)를 둘너 거듕(車中)의 단좌ᄒᆞ여시니, 영광이 찬난ᄒᆞ여 부상홍일(扶桑紅日)이【58】오, 냥미정화(兩眉精華)ᄂᆞᆫ 산쳔영긔(山川靈氣)를 거두어시며, 봉안영ᄎᆡ(鳳眼靈彩) 삼군의 빗최니, 바라보ᄆᆡ 숑연치경(悚然致敬)ᄒᆞᄂᆞᆫ 의ᄉᆡ 니러나ᄂᆞᆫ디라. 남왕의 군신이 ᄒᆞᆫ번 바라보ᄆᆡ 흠복ᄒᆞᄂᆞᆫ 마음이 비길 곳 업셔, 운남이 본ᄃᆡ 인물이 녕한(零罕)ᄒᆞ여 녀ᄌᆞ도 미ᄉᆡᆨ이 드므니 엇디 뎡원슈의 옥모 영풍을 몽니(夢裏)의나 보아시리오. 목왕이 외람ᄒᆞᆫ 의ᄉᆡ 원슈를 다ᄅᆡ여 운남의 두고져 ᄯᅳᆺ이 잇셔, 마샹의셔 흔연이 읍ᄒᆞ고 소ᄅᆡ를 가다둠아 ᄀᆞᆯ오ᄃᆡ,

"쇼방이 굿ᄐᆞ여 대국을 항거ᄒᆞ미 업거ᄂᆞᆯ 원쉬 엇디 만니 ᄉᆡᆨ외(塞外)의 ᄉᆞ졸을 거ᄂᆞ려 젼진의 슈고로오믈 닐위시ᄂᆞ뇨?"

원쉬 기리 답읍 왈,

"운남이【58】 반상(叛狀)이 업ᄉᆞ면 대국이 엇디 문죄ᄒᆞ미 이시리오마ᄂᆞᆫ, 남녁흘 범ᄒᆞ여 황셩을 엿보고, 일분도 번신(藩臣)의 ᄃᆡᆨ분(職分)이 업ᄉᆞ니, 셩텬ᄌᆡ(聖天子) 아둥으로 운남을 뎡벌ᄒᆞ라 ᄒᆞ시니 나의 ᄯᅳᆺ을 통ᄒᆞ여시ᄃᆡ, 왕이 ᄯᅳᆺ을 곳치ᄂᆞᆫ 일이 업ᄉᆞ니 승부와 ᄌᆞ웅을 결ᄒᆞ리라."

남왕이 희희(喜喜) 쇼왈,

"원쉬 년쇼ᄒᆞ여 텬운의 길흉을 오히려 ᄭᆡᄃᆞᆺ디 못ᄒᆞᄂᆞᆫ디라. 교병(交兵)ᄒᆞ여 패ᄒᆞᆯ가 근심은 업거니와, 원슈의 표치 풍광을 보ᄆᆡ 그림의 신션이라. 안ᄌᆞ셔 고금을 통ᄒᆞ미 맛당ᄒᆞ니, 쳔병○[만]마듕(千兵萬馬中) 원슈(元帥) 샹댱(上將)은 가치 아니니, 나의 슈하명댱(手下名將)과 뎍쉬(敵手) 되디 못ᄒᆞᆯ디라. 만니 ᄉᆡᆨ외의 앗가이 셩명을【60】 보젼치 못ᄒᆞ면 엇디 참절치 아니리오. ᄌᆞ고로 텬하ᄂᆞᆫ 일인의 텬히 아니라, 덕잇ᄂᆞᆫ ᄃᆡ 도라가ᄂᆞ니, 이졔 과인이 응텬슌인(應天順人)ᄒᆞ여 만니 강산을 두고져 ᄒᆞᄂᆞ니, 원쉬 과인과 ᄒᆞᆫ가지로 ᄯᅳᆺ을 결ᄒᆞ여 대ᄉᆞ를 일울진ᄃᆡ, 강산을 반을 버혀 원슈의 토디를 삼고 부귀를 누리리니, 원슈의 ᄯᅳᆺ이 엇더ᄒᆞ뇨?"

ᄂᆞᆫ 산쳔정ᄀᆡ을 거두어 셩안영ᄎᆡ(星眼靈彩) ᄉᆞᆷ군의 흐르니, 늠연ᄒᆞᆫ ᄀᆡ상이 추슈상쳔(秋水霜天)의 놉기와 《두허 ‖ 쒸어》ᄂᆞᆫ 위풍을 겸ᄒᆞ여, 낫 우희 찬연미례[려]ᄒᆞ믄 츈풍냥ᄀᆡ의 일만화풍치라. 흉즁의 졔셰안민ᄒᆞ고[ᄂᆞᆫ] 지죠와 경쳔위지지슐(經天緯地之術)을 가져스니, 남왕이 일견의 흠복경안[앙](欽服敬仰)ᄒᆞᄂᆞᆫ 마음이 ᄌᆞ연 비ᄒᆞᆯ 곳지 업ᄉᆞ【19】니, 운남은 본ᄃᆡ 《녕ᄒᆞᆫᄒᆞᆫ 인물이라 ‖ 인물이 녕ᄒᆞᆫᄒᆞ여》 ᄂᆡ[녀]ᄌᆞ(女子)도 미ᄉᆡᆨ이 므물거든 원슈 갓튼 픔치을 몽이(夢裏)의ᄂᆞ 구경ᄒᆞ여스리요. 목왕이 외람ᄒᆞᆫ 의ᄉᆡ 송원슈을 달ᄂᆡ여 운남의 두고져 ᄯᅳᆺ시 잇셔 흔연니 읍왈,

"소국이 굿ᄒᆞ여 항형(抗衡)ᄒᆞᆯ[ᄒᆞᆫ] ᄇᆡ 업거ᄂᆞᆯ 원슈 엇지 만니ᄉᆡᆨ외의 젼진즁(戰陣中) 슈고로오믈 일위시뇨?"

원슈 기리 읍왈,

"운남의 반상이 업ᄉᆞ면 ᄃᆡ국이 엇지 문죄ᄒᆞ리요. 남도을 범ᄒᆞ여 황셩을 엿보고 일분도 《ᄌᆞ신 ‖ 신ᄌᆞ》지의(臣者之義)을 ᄉᆞᆷ가이[미] 업ᄉᆞ니 시러금 격셔의 ᄯᅳᆺ즐 통ᄒᆞ여시ᄃᆡ ᄃᆡ왕이 회심ᄒᆞᄂᆞᆫ 일이 업ᄉᆞ○[니] 닐진승부(一陣勝負)을 결코져 ᄒᆞ미냐?"

남왕이 희희소왈,

"원슈 연소ᄒᆞ여 오혀려 텬문도슈(天文度數)와 병법의 길흉을 아지 못ᄒᆞᄂᆞ도다. ᄂᆡ 교병(交兵)ᄒᆞ여 ᄑᆡᄒᆞᆯ가 근심이 업ᄉᆞᄂᆞ 원슈이 표치풍《ᄃᆞᆼ ‖ 광》(標致風光)《으로써 ‖ 을 보ᄆᆡ》 그림의 신션니라. 옥당금마(玉堂金馬)의 ᄉᆞᄀᆡ(史記)을 《초ᄎᆞ며 ‖ 초ᄒᆞ며》 치졍을 의논코, 안ᄌᆞ셔 고금을 통ᄒᆞᆫ 법은 잇거니와 청[쳔]병만마즁(千兵萬馬中) 원임상장(元任上將)은 아니요, 나○[의] 슈ᄒᆞ명장(手下名將)과 젹슈(敵手) 되지 못ᄒᆞᆯ지라. 만니ᄉᆡᆨ외의 앗가이 마ᄎᆞ 셩명을 보존치 못ᄒᆞᆫ 즉, 엇지 츰절치 아니리요. ᄌᆞ고(自古)로 쳔ᄒᆞ(天下)ᄂᆞᆫ 비일인지쳔ᄒᆞ(非一人之天下)라, 더[덕]인ᄂᆞᆫ ᄌᆡ[ᄃᆡ] 도라 가리니, 송이 본ᄃᆡ 고아와 과부을 속여[1470] 온젼ᄒᆞᆫ 덕홰

원쉬 쳥파의 봉안이 두렷ᄒᆞ여 와좀미를 거ᄉᆞ려 기리 남왕을 대ᄆᆡ(大罵) 왈,

"반국뎍신(叛國敵臣)이 감히 텬됴대댱(天朝大將)을 ᄃᆡᄒᆞ여 무상ᄒᆞᆫ 말을 ᄒᆞ니, 기죄블용쥬(其罪不容誅)1529)라 무익ᄒᆞᆫ 구셜(口舌)노 너의 용밍을 ᄌᆞ랑치 말고 ᄲᆞᆯ니 승부를 결ᄒᆞ라."

남왕이 말노ᄡᅧ 다ᄅᆡ디 못ᄒᆞᆯ 줄【61】 알고 브ᄃᆡ 싱금ᄒᆞ여 항복밧고져 ᄒᆞ므로 ᄃᆡ왈,

"냥국 교병의 ᄉᆞᄌᆡ(射才)를 몬져 시험코져 ᄒᆞᄂᆞ니, 과인의 댱ᄉᆞ 뉵비달과 원슈의 댱ᄉᆞ와 ᄉᆞ법(射法) 진법(陣法)을 결워 다 니긔면 과인이 갑을 벗고 항복ᄒᆞ리니, 내 ᄒᆞᆫ 진을 쳐든1530) 원쉬 보고 또 일진을 쳐 고하(高下)를 뎡ᄒᆞ리다."

원쉬 미쇼 왈,

"긔 므어시 어려오리오. 왕이 몬져 진을 치라."

남왕이 뉵비달노 더브러 북을 울녀 일진을 일우니 오문(五門)이 두렷ᄒᆞ고 오힝(五行)을 응ᄒᆞ엿ᄂᆞᆫ디라. 왕이 진을 가ᄅᆞ쳐 왈,

"원쉬 또ᄒᆞᆫ 진을 치라."

원쉬 즉시 손의 긔를 둘너 댱ᄉᆞ를 녕(令)ᄒᆞ여 진셰(陣勢)를 일울ᄉᆡ 경긱의 팔문(八門)이 두렷ᄒᆞ고 진듕의【62】 치운이 둘너시니, 댱졸 다쇼를 아디 못ᄒᆞ나 밧기 허ᄒᆞᆫ ᄃᆞᆺᄒᆞ여 ᄒᆞᄃᆡ, 안히 구더 비됴(飛鳥)도 들기

1529)기죄블용쥬(其罪不容誅) : 그 죄가 죽음을 용납지 않는다는 뜻으로, 죄가 너무 커서 목을 베어도 오히려 부족하다는 말.

1530)쳐든 : 치거든.

업ᄉᆞ니 뎡쥬(正主) 아니오, 니졔 과인니 응쳔슌인(應天順人)ᄒᆞ여 간[만]니강ᄉᆞᆫ(萬里江山)을 두고져 ᄒᆞᄂᆞ니, 원슈 과인과 ᄒᆞᆫ가지로 ᄠᅳᆺ즐 결ᄒᆞ여 ᄃᆡᄉᆞ을 일룰진ᄃᆡ, 쳔ᄒᆞ을 반분ᄒᆞ여 원슈의 토지을 ᄉᆞᆷ고 부【20】귀을 ᄒᆞᆫ가지로 누리ᄂᆞ[리]니, 그ᄃᆡ ᄠᅳᆺ지 엇더ᄒᆞᆫ요?"

원슈 봉ᄒᆞᆫ[안]을 놉히고 잠이[미](蠶眉)을 거슬려 남왕을 향ᄒᆞ여 ᄎᆞᆷ밧고 ᄃᆡᄆᆡ 왈,

"반국역신(叛國逆臣)니 감히 텬됴ᄃᆡ장(天朝大將)을 ᄃᆡᄒᆞ여 여ᄎᆞ 무ᄉᆞᆼᄒᆞᆫ 말을 ᄒᆞ니 기죄불용쥬(其罪不容誅)1471)라, 무익ᄒᆞᆫ 구셜(口舌)노 너의 용밍을 자랑말고 ᄲᆞᆯ니 승부을 결ᄒᆞ라."

남왕이 말노ᄡᅧ 달닉지 못ᄒᆞᆯ 쥴을 알고 부ᄃᆡ 싱금ᄒᆞ여 향[항]복을 밧고져 《ᄒᆞ노라‖ᄒᆞ므로》 이의 가로ᄃᆡ,

"《낙국‖냥국》이 《상두‖상ᄃᆡ》ᄒᆞᄆᆡ, ᄉᆞᄌᆡ(射才)을 믄져 시험코져 ᄒᆞ노니, 과인의 즁ᄉᆞ 뉵비달과 원슈와[의] 장ᄉᆞ와 ᄉᆞ법(射法)과 진법(陳法)을 결워 ᄃᆞ{시} 이기면 갑(甲)을 볏[벗]고 향[항]복ᄒᆞ리니, ᄂᆡ ᄒᆞᆫ 진을 쳐든 원슈 보고 일진을 쳐 고ᄒᆞ(高下)을 졍ᄒᆞ미 엇더ᄒᆞ뇨?"

원슈 미소왈,

"무어시 어려오리요, 그ᄃᆡ 믄져 진을 치라."

남왕이 비돌노 더부러 북을 울니며 진을 일우니 오문(五門)니 두렷ᄒᆞ고 오힝(五行)을 응ᄒᆞ엿ᄂᆞᆫ지라. 남왕이 진을 다 {진을} 치고 원슈을 가려쳐 갈오ᄃᆡ,

"그ᄃᆡ 또ᄒᆞᆫ 진을 치라."

원슈 즉시 손의 기을 들너 장ᄉᆞ을 《닝‖녕》ᄒᆞ여 《지셰‖진셰》을 일울ᄉᆡ, 경긱의

1470)고아와 과부을 속여 : 송 태조 조광윤이 후주(後周)의 절도사로서 반란을 일으켜, 7살의 어린 임금 공제(恭帝)와 섭정을 하던 황태후로부터 황위(皇位)를 선양 받아 송나라를 건국한 일을 두고 이르는 말.

1471)기죄블용쥬(其罪不容誅) : 그 죄가 죽음을 용납지 않는다는 뜻으로, 죄가 너무 커서 목을 베어도 오히려 부족하다는 말.

어려오니, 그듕 됴홰 무궁ᄒᆞ여, 뉵졍팔과(六丁八卦)1531) 둔갑됴홰(遁甲造化) 블측ᄒᆞ더라. 원쉬 남왕ᄃᆞ려 문왈,

"왕이 내 진을 능히 알소냐."

왕과 뉵비달이 셔로 보아 ᄌᆞ셔히 ᄉᆞᆯ피ᄃᆡ 진 일홈을 능히 아디 못ᄒᆞ여, 군듕의 ᄀᆞ마니 젼령ᄒᆞ여 ᄀᆞᆯ오ᄃᆡ,

"대송 진 일홈을 아ᄂᆞᆫ 쟈 이시면 쳔금 상(賞)의 대댱군을 봉ᄒᆞ리라."

ᄒᆞ니, 일인도 응셩(應聲)ᄒᆞ리 업고 농무긔 좌우로 돌며 ᄌᆞ셔히 보아 왕긔 고왈,

"신이 젼일 드르니 텬디ᄉᆞ방팔문오힝진(天地四方八門五行陣)인가 ᄒᆞᄃᆡ 친 바를 아디 못ᄒᆞ니, 이 진이 텬【63】디(天地) 셔광(瑞光)을 ᄢᅴ고 팔문(八門)이 두렷ᄒᆞ고 됴홰 무궁ᄒᆞ니 뎐해(殿下) 여ᄎᆞ여ᄎᆞᄒᆞ쇼셔."

왕이 깃거 비로소 원슈를 향ᄒᆞ여 ᄀᆞᆯ오ᄃᆡ,

"원슈의 진이 팔문오힝진(八門五行陣)이어니와 우리 남방은 이런 진을 슝상치 아니므로 긔특ᄒᆞ믈 아디 못ᄒᆞ노라."

원쉬 미쇼 왈,

"슝상을 아니ᄒᆞ나 알기좃ᄎᆞ 못ᄒᆞ리오. 왕의 병법이 숙달치 못ᄒᆞ미로다."

왕이 웃고 셔로 결ᄒᆞ여, 냥진 ᄉᆞ이의 빅보식 ᄀᆞᆺ치 난화 승부를 볼ᄉᆡ, 남왕이 몬져 송진 졔댱으로 좌편을 ᄡᅩ라 ᄒᆞ니, ᄉᆞᄉᆞ로 암튝ᄒᆞ여 귀신을 브려 살이 비록 나려질 듯ᄒᆞ여도 븟드러 굼그1532)로 나가게 ᄒᆞ니 십댱이 ᄡᅩ아 구술 ᄢᅦ드시 맛쳐 ᄒᆞᆫ【64】살도 낙누(落漏)ᄒᆞ미 업ᄉᆞ니 송진샹의셔 북을 울

1531)뉵졍팔과(六丁八卦) : 둔갑법(遁甲法)의 육정육갑(六丁六甲)과 주역(周易)의 팔괘(八卦)를 조합한 말.

1532)굼그 : 구멍.

일루니 팔문(八門)니 두렷ᄒᆞ고 진즁의 칙운니 둘너시니 ᄌᆞ쵸 다쇼(多少)을 ᄋᆞ지 못ᄒᆞᄂᆞ 밧기 허ᄒᆞᆫ 듯ᄒᆞ고, 안히 구더 비죠도 들기 어려오니, 그 가온ᄃᆡ 귀신도 충양치 못ᄒᆞᆯ 조화무궁ᄒᆞ여, 육경육갑(六經六甲)1472)과 풍우ᄒᆞᆫ셔(風雨寒暑)을 임의로 부리ᄂᆞᆫ 지죠니, 원슈 진셰을 맛고 목왕을 향ᄒᆞ여 왈,

"이 진을 아는냐?"

목【21】왕1473)이 뉵비달과 셔로 보아 ᄌᆞ시 ᄉᆞᆯ펴 ᄃᆡ진 일홈을 ᄭᆡ닷지 못ᄒᆞ여 군즁의 가 마니 녕ᄒᆞ여 송진 일홈 아ᄂᆞᆫ ᄌᆞᄂᆞᆫ 쳔금(千金) ᄉᆞᆼ(賞)의 ᄃᆡ장을 ᄉᆞᆷ으리라 ᄒᆞᆫᄃᆡ, 일인도 응ᄒᆞ리 읍던니 능무긔 좌우을 도라 ᄌᆞᄉᆞᆼ(仔詳)이 보고 왕긔 고왈,

"신이 젼일 듯ᄌᆞ오니 쳔지상ᄒᆞ팔문오힝○[진](天地上下八門五行陣)○…결락12자…○[인가 ᄒᆞᄃᆡ 친 바를 아디 못ᄒᆞ니], 팔문니 두렷ᄒᆞ미 됴화무궁ᄒᆞ니 젼ᄒᆞ 여ᄎᆞ여ᄎᆞ ᄃᆡ답ᄒᆞ쇼셔."

왕이 깃거 비러[로]쇼 뎡원슈을 향ᄒᆞ여 왈,

"원슈의 진이 쳔지상ᄒᆞ팔문오힝진이연잇가? 우리 남만 ᄉᆞ람은 이 진을 슈[슝]상치 아니ᄂᆞᆫ 고로 긔특히 녁이지 아니노라."

원슈 미쇼왈,

"알기[지]도 {아지} 못ᄒᆞ여 반일 만의 이르ᄂᆞᆫ○[냐], 《명법이 비록 슝상치 아니들‖비록 슝상치 아닌들 병법이》 숙달치 못ᄒᆞᆫ가 ᄒᆞ노라."

왕이 웃고 셔로 《졀‖결》ᄒᆞ여 양진 ᄉᆞ이 셔로 ᄉᆞᆷ빅보식 각각 난화 가온ᄃᆡ ᄉᆞᆷ지층을 놉히 셰우고 군ᄉᆞ의 갑옷 조각을 걸고, ᄒᆞᆫ갈갓치 맛쳐 갑옷 궁글1474) ᄂᆡ여 보ᄂᆡ기을 졍ᄒᆞ고, 양진니 각각 십장(十將) 식 ᄲᅢ 쏘게 ᄒᆞᆯᄉᆞ[ᄉᆡ], 믄져 송진으로 좌편을 쏘라 ᄒᆞ니, 원슈 십장을 명ᄒᆞ여 쏘라 ᄒᆞ고 암축

1472)육경육갑(六經六甲) : 무속(巫俗)이나 도교(道敎)의 신장(神將)들.

1473) 영인본의 22쪽과 23쪽의 순서가 바뀌었다.

1474)궁그 : 구멍

녀 즐기니, 남진당 뉵비달 농무긔 두 댱쉬 계오 우편으로 뽀아 맛치고 기여 팔댱은 맛치지 못ᄒᆞ니, 남왕이 크게 실망ᄒᆞ여 블열ᄒᆞᄃᆡ 짐즛 원슈를 향ᄒᆞ여 왈,

"ᄉᆞᄌᆡᄂᆞᆫ 결윗거니와 챵법(槍法)과 법술(法術)을 보리라."

원쉬 ᄂᆡᆼ쇼 왈,

"우리 졔댱이 ᄒᆞ나토 낙누ᄒᆞ미 업시 맛쳐시ᄃᆡ 왕의 졔댱은 계오 둘히 맛쳐시니 ᄉᆞᄌᆡ의 대패ᄒᆞ엿거니와, 창검으로 승부를 결ᄒᆞ고[면] 인명이 상(傷)ᄒᆞ리니, 다만 투고를 벗기고 ᄆᆞᆯ을 죽이며 패쥬(敗走)ᄒᆞᄂᆞ니로 승부를 결ᄒᆞ고, 몸을 상케 말미 가ᄒᆞ니라."

ᄒᆞ니 왕이 ᄀᆞᆯ오ᄃᆡ,

"역시 됴타."【65】

ᄒᆞ고, 즉시 십댱이 칼ᄒᆞᆯ 들고 오ᄇᆡᆨ군을 거ᄂᆞ려 송병과 결우ᄌᆞ ᄒᆞ니, 원쉬 {슈}십원(十員) 졔댱을 블너 창검 쓰ᄂᆞᆫ 법을 디휘ᄒᆞ여 일일히 가ᄅᆞ치고, 오ᄇᆡᆨ군을 거ᄂᆞ려 남댱(南將)으로 졉젼ᄒᆞᆯᄉᆡ, 졔댱이 일시의 고함ᄒᆞ고 승부를 결울ᄉᆡ, 징븍 소ᄅᆡ 딘텬ᄒᆞ고 검극이 날빗출 ᄀᆞ리오니, 원쉬 먼니 바라보니 육비달 농무긔의 강용(剛勇)이 비상ᄒᆞ여 졔어키 어려오믈 보고, ᄀᆞ마니 부작을 ᄲᅧ 북으로 향ᄒᆞ여 소화(消火)ᄒᆞ고 됴화(造化)를 디으니, 숑댱(宋將)의 몸이 날ᄂᆡ고 졍신이 ᄇᆡᆨᄇᆡᆨᄒᆞ여 뉵비달 농무긔를 디르며 투고를 아ᄉᆞ니, 남댱이 ᄃᆡ덕디 못ᄒᆞᄂᆞᆫ디라. 숑진 졔댱이【66】 승승ᄒᆞ여 ᄆᆞᆯ을 죽이며 활을 받아 춤추어 요[용]무양위(勇武揚威)ᄒᆞ여 도라가니, 왕이 분연 대로ᄒᆞ여 뎡창츌마(挺槍出馬)ᄒᆞ여 왈,

[츅](暗祝)ᄒᆞ여 귀신을 부려 술이 나려질지라도 잡아 궁그로 ᄂᆡ여 보ᄂᆡ{ᄒᆞ}니, 구슬 쒜ᄃᆞ시 마쳐 ᄒᆞᄂᆞ도 《ᄌᆞ오‖ᄎᆞ오(差誤)》ᄒᆞ미[1475] 업ᄉᆞ니, 송진의셔 《등북‖큰북》을 연ᄒᆞ여 울녀 즐기기을 마지 아니니, 뉵비ᄃᆞᆯ·능무긔 우편을 쏘와 게유 마치고 기여ᄂᆞᆫ 맛치리 업더라. 남왕이 크게 불열ᄒᆞ되 즘짓 원슈을 향ᄒᆞ여 왈,

"ᄉᆞᄌᆡ런 거슨 가ᄌᆞᆼ 불관ᄒᆞᆫ 거시니 창법과 금슐(劍術)을 보리라."

원슈 소왈,

"우리 장슈ᄂᆞᆫ ᄒᆞᄂᆞ도 낙【22】누(落漏)ᄒᆞ니 업ᄉᆞᄃᆡ, 왕의 장슈ᄂᆞᆫ 겨유 둘이 마져시니, ᄉᆞᄌᆡ의 ᄃᆡᄑᆡᄒᆞ엿건니와, ᄎᆞᆼ볍[법](槍法)을 결우ᄂᆞᆫ 지경은 인명이 만니 상ᄒᆞ리니, 다만 투고을 벗기고 말만 쥭여 승부을 결ᄒᆞ고 몸을 상히오지 마라."

왕이 응낙ᄒᆞ고, 슈십장으로 창을 들고 오ᄇᆡᆨ군을 거ᄂᆞ려 각각 댱쳐(長處)로 창금(槍劍)을 들러 결우러[려] ᄒᆞᆯ ᄉᆡ, 원슈 또ᄒᆞᆫ 십장을 ᄉᆡᆨ 겨{계}교을 일일이 일너 졉젼ᄒᆞᆯᄉᆡ, 일시의 ᄃᆞᆯ려들러 고ᄒᆞᆷᄒᆞ며 검슐과 창법을 결울ᄉᆡ, 금리[괴]진쳔(金鼓振天)ᄒᆞ고 ᄒᆞᆷ셩이 동지(動地)ᄒᆞ여 졔장의 용ᄆᆡᆼ이 ᄐᆡᄉᆞᆫ비호(泰山飛虎) 갓흔지라. 원슈 멀니 셔셔 ᄇᆞᄅᆞ보니 뉵비달·능무긔 강용이 비상ᄒᆞ여 ᄌᆞ긔 ᄌᆞᆼ슈 당키 으[어]려오믈 보고, 가만니 부즉을 써 부원슈 겹[김]셔와 젼 부션봉 양의을 향ᄒᆞ여 소화ᄒᆞᄆᆡ 김원슈와 양션봉이 쳐음은 능·뉵 양장을 당키 어렵든니, 홀연 몸이 날ᄂᆡ고 팔이 가ᄇᆡ야와 김원슈ᄂᆞᆫ 무구[긔]의 투구을 벗기고 양션봉은 뉵비달의 탄 말랄[을] 질너 업질러[르]니, 기여 ᄌᆞᆼ슈 혹 토[투]고도 벗기며 갑옷도 믜치고 말도 쥭여 임의 승젼고을 울니고 본진으로 도ᄅᆞ오니, 남진의셔ᄂᆞᆫ 능·뉴[뉵] 《의장의‖이장(二將)이》 먼져 ᄑᆡᄒᆞᄆᆡ 졔장이 더옥 실혼(失魂)ᄒᆞ여 여[예]긔(銳氣) 최출ᄒᆞ미 심ᄒᆞ니, 왕이 분연ᄃᆡ로(忿然大怒)ᄒᆞ여 졍ᄎᆞᆼ츌마(挺槍出馬) 왈,

---

1475)ᄎᆞ오(差誤)ᄒᆞ다 : 틀리거나 잘못되다. 실패하다.

"숑원쉬 딘실노 ᄌᆡ죄 잇거든 날과 ᄌᆞ웅을 결ᄒᆞᄌᆞ."

ᄒᆞ니 원쉬 쇼왈,

"왕이 날과 교젼ᄒᆞ려 ᄒᆞ면 ᄉᆡᆼ명이 남디 못ᄒᆞ리니, 스ᄉᆞ로 죽기를 ᄌᆞ취ᄒᆞᄂᆞᆫ디라. 내 엇디 졉젼치 아니리오마ᄂᆞᆫ, 금일 양진이 쳐음으로 교병ᄒᆞ여 인ᄆᆡ(人馬) 곤핍(困乏)ᄒᆞ고, 날이 져므럿ᄂᆞᆫ디라, 명일 졉젼ᄒᆞ리니 왕은 디실(知悉)ᄒᆞ라."

왕이 블청ᄒᆞ고 ᄡᆞ홈을 ᄌᆡ쵹ᄒᆞ니 원쉬 ᄇᆡᆨ옥(白玉)[1533]의 단ᄉᆡ(丹砂)[1534] 녕농ᄒᆞ여 ᄀᆞᆯ오ᄃᆡ,

"왕으로 더브러 《창법을 몰나 반일 후 계오 알고 기여ᄂᆞᆫ ‖ 쳐음 언약이 진법과 창법과 ᄉᆞ진을 결워 ᄑᆡᄒᆞᄂᆞᆫ 이로 항복ᄒᆞ자 ᄒᆞ더니, ᄂᆡ 진명을 몰ᄂᆞ 반일의 셔로 가ᄅᆞ치믈 어더 지기(知機)ᄒᆞ야 일럿고, 기여 창법·사법을 ᄃᆡᄑᆡᄒᆞ니》 다 나의 댱ᄉᆞ의게 당ᄒᆞᆯ ᄌᆡ죄【67】 업ᄉᆞ니, 딘실○[로] 개연ᄒᆞ거ᄂᆞᆯ, ᄯᅩ 븟그러오믈 므릅ᄡᅥ 날과 결우고져 ᄒᆞ니 엇디 우읍디 아니리오. 내 비록 무용(無勇)ᄒᆞ나 두리지 아닛ᄂᆞ니, ᄲᆞᆯ리 나와 ᄌᆞ웅을 결ᄒᆞ라."

왕이 분연ᄒᆞ여 왈,

"승부ᄂᆞᆫ 병가(兵家)의 상ᄉᆡ(常事)니, 과인의 말이 비록 그러ᄒᆞ나 엇지 조고만 ᄌᆡ조를[의] 항복ᄒᆞ리오."

언필의 농·뉵 냥댱이 왕을 호위ᄒᆞ여 원슈을 취ᄒᆞ니, 원쉬 졔댱을 디휘ᄒᆞ여 손의 상방검(尙方劍)을 ᄌᆞᆸ고 ᄃᆡ진ᄒᆞᆯᄉᆡ, 날이 어두오ᄆᆡ 냥진이 일시의 블을 혀며 냥ᄆᆡ 교젼ᄒᆞᆯᄉᆡ, 고각(鼓角)[1535]이 년텬(連天)ᄒᆞ고 함셩이 ᄃᆡ진ᄒᆞ니, 원슈의 개셰ᄒᆞᆫ 용녁이 쳔고무ᄡᅡᆼᄒᆞᆫ디라. 동을 치며 셔ᄒᆞᆯ ᄃᆡ덕【68】ᄒᆞ고 남으로 다르며 북을 튱돌ᄒᆞ니, 왕과 녹[농]·뉵 이댱(二將)이 졍신이 어즐ᄒᆞ여 당

1533)빅옥(白玉) : 하얀 얼굴을 달리 표현한 말.
1534)단ᄉᆡ(丹砂) : 붉은 입술을 달리 표현한 말.
1535)고각(鼓角) : 군중(軍中)에서 호령할 때 쓰던 북과 나발.

"송원슈 진실노 용ᄆᆡᆼ이 잇거든 날과 승부을 결ᄒᆞ라."

원슈 쇼왈,

"왕이 날과 교젼ᄒᆞᆫ【23】 즉 ᄉᆡᆼ명을 보존치 못ᄒᆞ리니 도ᄅᆞ가 쇠고[1476], ᄒᆞ 분ᄒᆞ여 말ᄂᆞ. 명일 ᄊᆞ호리라"

왕이 더옥 분ᄒᆞ여 ᄊᆞ호기을 ᄌᆡ톡ᄒᆞ니, 원슈 단ᄉᆞ의 ᄇᆡᆨ옥이 ᄎᆞᆫ연ᄒᆞ여 왈,

"왕을 ᄉᆞ름으로 칙ᄒᆞᆯ 건 아니로ᄃᆡ, 쳐음 언약이 창법과 진법과 ᄉᆞ직을 결워 ᄑᆡᄒᆞᄂᆞᆫ 이로 항복ᄒᆞ자 ᄒᆞ던니, ᄂᆡ 진명으 몰ᄂᆞ 반일의 셔로 가ᄅᆞ쳐믈 어던[더] 《지흐을 일러고 ‖ 지기(知機)ᄒᆞ야 일럿고》, 기여 창법·《시법 ‖ 사법》을 ᄃᆡᄑᆡᄒᆞ니, 맛ᄃᆞᆼ이 항복ᄒᆞ미 올커ᄂᆞᆯ, 오히려 날과 승부을 결우ᄌᆞ ᄒᆞ니 엇지 우엽지 아니리요. ᄂᆡ 비록 무용ᄒᆞᄂᆞ 왕 갓튼 ᄌᆞᄂᆞᆫ 일비의 ᄉᆞᆷᄉᆞ인을 당ᄒᆞᆯ 거셔[시]니 왕은 이른 ᄇᆡ, ᄂᆞᆼ·뉵 양장을 다리고 오라."

왕이 《분환 ‖ 분한(憤恨)》ᄒᆞ믈 이기지 못ᄒᆞ여 답왈,

"승ᄑᆡᄂᆞᆫ 병가의 상ᄉᆞ라, 과인이 말이 비록 그러나 엇지 죠고만ᄒᆞᆫ ᄌᆡ조로 《향복 ‖ 항복》ᄒᆞ리요."

언필의 ᄂᆞᆼ·뉵 양증이 왕을 《효위 ‖ 호위》ᄒᆞ여 뎡원슈을 《득쇠 ‖ 득취》ᄒᆞ니 원슈 숀의 상ᄇᆡᆼ용천금(尙方龍泉劍)을 잡고 왕을 졉젼ᄒᆞᆯ ᄉᆡ, 날리[이] 오[어]두오ᄃᆡ 양진 화광이 연슉[쇽](連續)ᄒᆞ고 ᄉᆞᆯ긔 연쵹(連觸)ᄒᆞ여 금괴(金鼓)[1477]ᄃᆡ진(大振)ᄒᆞ며, 원슈의 용역이 텬텬[하]무쌍(天下無雙)ᄒᆞ니 왕과 비ᄃᆞᆯ이 좌우로 막고 무긔 압ᄒᆞᆯ 당ᄒᆞ여 졉젼ᄒᆞ되, 칼ᄊᆞ미 신기롭고 몸이 ᄂᆞᄂᆞᆫ 듯ᄒᆞ여 비달이 ᄃᆞᆼ치 못ᄒᆞᆯ 쥴 알고, 급ᄒᆞᆫ ᄇᆞ름과

1476)쇠다 : 쉬다
1477)금괴(金鼓) : 고려·조선 시대에, 군중(軍中)에서 호령하는 데 사용하던 징과 북.

치 못홀줄 알고, 급히 바람과 안개를 지어 신병(神兵)을 청ᄒᆞ니, 원쉬 긔를 드러 ᄉᆞ면으로 두로며 안개를 헷치니, 바람과 신병이 감히 ᄌᆞ최를 뵈지 못ᄒᆞ니, 농무긔 착급ᄒᆞ여 ○…**결락자**…○[져의 직죠을 발ᄒᆞ니, ᄎᆞᄂᆞᆫ 비돌의 술과 돌ᄂᆞ 입과 코흐로 모진 긔운을 토ᄒᆞ고 요믜지긔을 쏘이니], 입과 코흐로 거ᄉᆞ리ᄂᆞᆫ디라. 사롬이 경신이 아득ᄒᆞ고 긔운이 엄엄ᄒᆞ여 정신이 황홀ᄒᆞ니, 숑진 댱졸이 낫츨 싸고 아모리홀 줄 모로더니, 원쉬 입으로 '청명' 두ᄌᆞ를 브르며 금션(錦扇)으로 쓰리쳐 바리니, 경긱의 독긔 거드며 ᄉᆞ졸이 정신이 싀싀ᄒᆞ여 뎍댱(敵將)을 ᄃᆡ뎍홀시, 농·뉵 냥댱이 원슈의 신긔ᄒᆞᆫ 직조를 보ᄆᆡ, 【69】 계괴 궁진ᄒᆞ여 비달이 다시 운무를 곰초고 비검을 드러 원슈를 ᄃᆡ뎍ᄒᆞ니, 원쉬 원비를 느리혀 비달의 투고를 벗기고 머리를 잡아 나리와 ᄌᆞ긔 ᄆᆞᆯ 우희 눌너ᄐᆞ고, 칼흘 두로며 남왕의게 다라드러 ᄆᆞᆯ을 질너 업지르니, 왕이 마하(馬下)의 써러지ᄂᆞᆫ디라. 칼흘 드러 대즐 왈,

"맛당히 버힐[1536] 거시로ᄃᆡ, 개과(改過)ᄒᆞᄆᆞᆯ 기다리고 아딕 도라보ᄂᆡ노라."

ᄒᆞ고 긔를 둘너 본진으로 도라오니, 당당ᄒᆞᆫ 예긔 고금의 무뎍이라. 농무긔 계오 왕을 구ᄒᆞ여 본진으로 도라가니, 원쉬 군을 거두ᄆᆡ 댱졸이 고왈,

"금일 목딘평을 잡아 죽이려 ᄒᆞ거ᄂᆞᆯ 군을 거두시믄 엇지니잇【70】고?"

원쉬 쇼왈,

"궁구(窮寇)를 막츄(莫追)라."[1537]

ᄒᆞ고 비달을 잡아 댱하의 ᄭᅮᆯ니고 왈,

1536) 버히다 : 베다.

1537)"궁구(窮寇)를 막츄(莫追)라." : 궁지에 몰린 도적을 추격하지 말라.

《모안기로 황의휴션을 ‖ 안기를 지어》 신병(神兵)을 청ᄒᆞ니, 원슈 악풍(惡風)을 본즉 손의 져근 긔(旗)으로 【24】 물니치고, 안기을 당ᄒᆞᆫ 즉 금션(錦扇)을 들러[어] 졔어ᄒᆞ고, 신병을 본 즉 무어(無語)로 경셰[계](警戒)ᄒᆞᆫ 즉 ᄃᆞ 스러지며, 간곳이 업ᄉᆞ니, 능무긔 급ᄒᆞ여 져의 직죠을 발ᄒᆞ니, ᄎᆞᄂᆞᆫ 비돌의 술과 돌ᄂᆞ, 입과 《조 ‖ 코》흐로 모진 긔우[운]을 토(吐)ᄒᆞ고 요믜지긔(妖魅之氣)을 쏘이면 긔운이 엄엄ᄒᆞ여 쥭을 듯ᄒᆞ[ᄒᆞᆫ]지라. 송진 즁졸(將卒)이 코을 ᄊᆞ고 아모리 홀 쥴을 모르더니, 원슈 입으로 진언(眞言)을 염ᄒᆞ며 금션을 ᄒᆞᆫ변[번] 붓치니, 경각의 고이ᄒᆞᆫ ᄂᆡ와 휴긔(朽氣) 스러지고 ᄉᆞ쥴의 경신니 씽씽ᄒᆞ니, 능·뉵 양장이 져의 신긔ᄒᆞ믈 보ᄆᆡ 계교 《무진 ‖ 궁진(窮盡)》ᄒᆞ여 ᄃᆞ시 운무(雲霧)을 모화[1478] 몸의 두로고 비슈을 품어 원슈을 히코져 ᄒᆞ던니, 원슈 몸을 소소와 돌의 투고을 쎡치고 원비을 늘니여 달의 상토을 ᄭᅳ어ᄂᆞ려 ᄌᆞ긔 말머리의 달고, 비슈을 ᄎᆞᆷ츄며 왕의게 들려들러(어) 왕의 탄 말을 질너 업치니, 왕이 마ᄒᆞ(馬下)의 써러지ᄂᆞᆫ지라. 원슈 칼노 머리을 견우어 왈,

"즉긱의 비흘[1479] 거시로ᄃᆡ, 도라보ᄂᆡᄂᆞᆫ니 기과쳔션(改過遷善)ᄒᆞ라."

ᄒᆞ고, ᄃᆞ시 무긔 토[투]고을 쎡치고 좌[좌]우로 무인지경 갓치 횡힝ᄒᆞᄆᆡ 남진 즁쥴의 머리 표풍쇠우 갓치 써러지니 둥둥ᄒᆞᆫ 용밍이 쳔고무쌍이라. 일진을 ᄃᆡ살ᄒᆞ고 비돌을 활착ᄒᆞ여 본진으로 도라오니, 즁쥴이 즐기ᄂᆞᆫ 소ᄅᆡ 등쳔ᄒᆞ더라.

졔장이 원슈게 문 왈,

"오날날 목진평과 능무【25】긔을 엇지 쥭이지 아니 ᄒᆞ시잇가?"

원슈 쇼왈,

"궁진(窮盡)ᄒᆞᆫ 도젹을 잡지 말 거시라."

ᄒᆞ고 비돌을 잡아드려 장ᄒᆞ의 ᄭᅮᆯ니고 즐

1478)모호다 : 모으다.

1479)비히다 : 버히다. 베다. 날이 있는 연장 따위로 무엇을 끊거나 자르거나 가르다

"네 항치 아니랴?"
비달이 앙텬 탄왈,
"나의 직조로 오날놀 즙힐 줄 어이 아라시리오. 아쥐 만일 항복홀진딕 훈가지로 항ᄒᆞ고 슐기를 구ᄒᆞ려니와, 님군의 뜻을 모로고 즈레 항홀진딕, 이는 역신(逆臣)이라. 오딕 죽기를 바랄 ᄯᆞ룸이로소이다."

원쉬 탄왈,
"비달이 번신(藩臣)이나 튱심이 여ᄎᆞᄒᆞ니 내 엇디 죽이리오. 드르니 네 남왕을 ᄎᆞᆨᄒᆞ여 텬됴를 범○○[ᄒᆞ다] ᄒᆞ미 올흐냐?"
비달이 딕왈,
"쇼댱이 ᄌᆞ부ᄒᆞ여 금텬하뎨일(今天下第一)노 아라, 님군의 뜻을 응ᄒᆞ여 대국을 항거홈도 업디 아니니이다."

원쉬 왈,
"너의 죄【71】 당당이 쥬륙ᄒᆞ염 즉 ᄒᆞ딕 왕이 블인(不仁)ᄒᆞ여 네 말을 곳이 드러시니, 홀노 네 죄로 아니ᄒᆞᄂᆞ니, 이졔 너를 방숑(放送)ᄒᆞᄂᆞ니, 다시 님군을 블인으로 돕디 말나."
ᄒᆞ고 노하보닉니, 졔댱이 말니딕 원쉬 블쳥ᄒᆞ니, 비달이 고두사은ᄒᆞ고 도라가거늘, 남왕이 농무긔의 구ᄒᆞ믈 닙어 본진의 도라오나, 블승분한(不勝憤恨)ᄒᆞ여 비달이 혹 죽은가 ᄒᆞ여 념녀ᄒᆞ더니, 이윽고 달이 도라오니 왕이 경문기고(驚問其故)[1538]ᄒᆞᆫ딕, 달이 원슈의 말을 젼ᄒᆞ고 눈믈을 흘녀 왈,

1538)경문기고(驚問其故) : 놀라 그 까닭을 물음.

왈,
"네 이졔도 《향보 ‖ 항복》 지 아닐손냐?"
비ᄃᆞᆯ이 앙쳔 왈,
"나의 직죠로 엇지 오날날 잡힐 쥴 알이요. 만일 ○○[아쥐] 압히 항홀진딕 훈가지로 향[항]ᄒᆞ여 슐기을 구ᄒᆞ련니와 님군의 뜻을 모로고 《져졔[1480] ‖ 즈레》 향[항]ᄒᆞ면 이는 난신이라. 오직 쥭기을 원ᄒᆞᄂᆞ이ᄃᆞ."
원슈 탄월[왈],
"비달은 번국인신니라. 츙심이 긔특ᄒᆞ니 닉 엇지 쥭이리요. 아지못게라 네 놈왕을 ᄎᆞᆨᄒᆞ여 텬됴을 항형케 ᄒᆞ미 올허냐?"
달이 딕왈,
"《소달 ‖ 소댱》이 ᄌᆞ부ᄒᆞ여 금쳔하졔일(今天下第一)노 알아 님군의 ᄯᅳᆯ[뜻]즐 응ᄒᆞ여 딕국을 항거ᄒᆞ여[염]도 업지 아니니이ᄃᆞ."
원슈 왈,
"네 죄 당당이 쥬륙을 바들 거시로딕 왕을[이] 불인ᄒᆞ여 ○[네] 말을 고지드러시니, 홀노 네 죄{라} 아니라. 이졔 네 말을 듯고 노화 보닉는니 ᄃᆞ시 님군을 불의로 돕지 말ᄂᆞ."
ᄒᆞ고 달을 노아 보닉니, 졔즁이 비달 노흐믈 말인딕, 완[원]슈 불쳥(不聽)ᄒᆞ고 도라보닉니, 달리[이] 고두ᄉᆞ은(叩頭謝恩)ᄒᆞ고 도ᄅᆞ 가거늘, 원슈 부장 김경셔로 오틱군을 거ᄂᆞ려 남듕(南中)의 믹복ᄒᆞ여 남왕의 픽쥬홀 길을 슛치ᄅᆞ ᄒᆞ고, 션봉 양의로 여ᄎᆞ여ᄎᆞ ᄒᆞ라 ᄒᆞ고, 군즁의 《졀영 ‖ 젼영(傳令)》ᄒᆞ여 주식을 빅불니 먹고 잠을 ᄌᆞ지 말고 도젹을 방비ᄒᆞ라 ᄒᆞ고, 원슈 홀노 장즁의 칼을 집고 고요이 안ᄌᆞ더라.
일[이]시의 남왕이 무의 구ᄒᆞ【26】믈 입어 본진의 도라오ᄂᆞ 분ᄒᆞ믈 이기지 못ᄒᆞ고 비달리 쥭은 가 역어[여]드니, 이윽고 비ᄃᆞᆯ이 도ᄅᆞ오거늘 왕○[이] 딕경ᄒᆞ여 노흔 연고을 무러[르]니 달이 원슈의 말을 고ᄒᆞ고 눈물을 흘여 왈,

1480) 져졔 : 저제. 지나간 때.

"신이 초의 그릇 싱각ᄒᆞ와 뎡텬홍을 경적(輕敵)ᄒᆞ엿더니, 그 직조ᄂᆞᆫ 고금의 무빵ᄒᆞᆫ디라 만일 항치 아니면 남국이 보젼키 어려올가 ᄒᆞᄂᆞ이다."

왕【72】이 블열(不悅) 왈,

"승패(勝敗)ᄂᆞᆫ 병가(兵家)의 상ᄉᆡ(常事)라 ᄒᆞᆫ번 패ᄒᆞ므로뼈 숑의 항ᄒᆞ미 ᄀᆞ장 블가ᄒᆞ도다."

비달이 니ᄒᆡ(利害)로뼈 여러번 간ᄒᆞ니 왕이 드ᄃᆞ여 군신 댱졸노 더브러 귀슌ᄒᆞ니라.

원쉬 초츈(初春)1539)의 황셩을 ᄯᅥ나 계츈(季春)1540)의 남왕과 졉젼ᄒᆞ여 하ᄉᆞ월(夏四月)의 항복밧고 츄칠월(秋七月)가지 운남의 머므러 인심을 딘뎡ᄒᆞ고, 국도를 편히 ᄒᆞ니, 삼ᄉᆞ삭(三四朔)의 교홰 대힝ᄒᆞ니, 도덕이 화ᄒᆞ여 냥민이 되고 인심이 슌후ᄒᆞ며 야블폐문(夜不閉門)1541)ᄒᆞ여 남녀 길흘 샤양ᄒᆞ니, 운남왕으로 더브러 빅셩가지 원슈 ᄇᆞ라미 젹ᄌᆞ(赤子) ᄌᆞ모(慈母)를 바람ᄀᆞᆺ고, 우럿ᄂᆞᆫ 정셩이 간졀ᄒᆞᄃᆡ 감히 ᄌᆡ보(財寶)로뼈 표졍(表情)치 못ᄒᆞ고 왕이 졔신과 의논【73】ᄒᆞ여 셩(城) 남문외(南門外)의 일좌고루(一座高樓)를 짓고 원슈의 화상을 ᄆᆡᆫᄃᆞ라 봉안ᄒᆞ고 ᄉᆞ시향화(四時香火)를 긋지 아니려 ᄒᆞ더라. 원쉬 만니 타국의 와 츈하(春夏)를 보ᄂᆡ고 초츄(初秋)를 당ᄒᆞ여 군친을 ᄉᆞ모ᄒᆞᄂᆞᆫ 회포를 니긔디 못ᄒᆞ여, ᄆᆡ양 뎨향(帝鄉)을 바라고 군친긔 등비(登拜)ᄒᆞᆯ ᄯᅳᆺ이 바라나ᄂᆞᆫ디라1542). 비로소 긔치(旗幟)를 두로혀 경ᄉᆞ로 향ᄒᆞᆯᄉᆡ, 남왕이 텬됴의 샤죄ᄒᆞᄂᆞᆫ 표문과 됴공을 밧드러 대연(大宴)으로 숑별ᄒᆞᆯᄉᆡ, 십니(十里) 쟝졍(長亭)1543)의 나와 연연(戀戀) 함누(含淚) 왈,

1539)초츈(初春) : 음력 1월.
1540)계츈(季春) : 음력 3월.
1541)야블폐문(夜不閉門) : 밤에도 문을 닫지 않음.
1542)바라나다 : 간절하다.
1543)쟝졍(長亭) : 예전에, 먼 길을 떠나는 사람을 전송하던 곳.

"신니[이] 쵸의 글럿 싱각ᄒᆞ와 뎡텬홍을 경젹(輕敵)ᄒᆞ엿든니, 그 직죠ᄂᆞᆫ 고금의 ᄶᆞᆨ이 업ᄂᆞᆫ지라. 만일 향[항]치 아니면 남국이 보젼ᄒᆞ기 어려울가 ᄒᆞᄂᆞ이ᄃᆞ."

왕이 불열(不悅) 왈,

"셩픽(成敗)ᄂᆞᆫ 병가(兵家)의 상ᄉᆡ(常事)라, ᄒᆞᆫ변[번] 픽ᄒᆞ므로쎠 송의 《황복 ‖ 항복》기 가ᄌᆞᆼ 불안ᄒᆞᆫ가 ᄒᆞ노라."

달이 이히로 여러 번 간ᄒᆞ니 왕이 드ᄃᆡ여 군신ᄌᆞᆼ죨을 거ᄂᆞ려 귀슌ᄒᆞ니라.

뎡원슈 츈뎡월(春正月)의 황셩을 ᄯᅥ나 ᄒᆞᄉᆞ월(夏四月)의 남왕을 항복밧고, 인ᄒᆞ여 운남의 머무러 엄신[인심]을 진정ᄒᆞ고 국도을 정(靜)히ᄒᆞ니, 숨ᄉᆞᄉᆨ(三四朔)의 교홰[화] ᄃᆡ힝ᄒᆞ여 도젹이 화ᄒᆞ여 양민이 되고 인심이 슌후ᄒᆞ여 젼ᄌᆞ와 ᄂᆡ도ᄒᆞ니, 밤의 문을 닷지 아니ᄒᆞ니 남녀 길을 ᄉᆞ양ᄒᆞ고 부ᄌᆞᄌᆞ효(父慈子孝)ᄒᆞ며 부화부슌(夫和婦順)ᄒᆞ고 형우져[제]공(兄友弟恭)ᄒᆞ며 목○[족]이인(睦族愛人)ᄒᆞ여, 지후ᄒᆞ쳔(至于下賤)니라도 뎡원슈의 교화을 젹ᄌᆡ(赤子) ᄌᆞ그[모](慈母) 바람 가치ᄒᆞ고, 군졍(軍政)을 두리지 알[아]닐 지 업ᄂᆞᆫ지라. 우럿ᄂᆞᆫ 졍이 간졀ᄒᆞᄃᆡ 감히 ᄌᆡ보을 ᄊᆡ 표치 못ᄒᆞ고, 왕이 군신으로 의논ᄒᆞ여 셩남외의 일좌가류(一座佳樓)을 짓고 젼[진]셜(陳設)을 버려 원슈의 ᄉᆞ이[시] 향화을 긋지 아니ᄒᆞᆫᄃᆡ, 원슈 ᄋᆞ직 도ᄅᆞ가지 아니ᄒᆞ미 ᄉᆞ쇠지 못ᄒᆞ【27】던니, 원슈 만니타국의 와셔 츈ᄒᆞ(春夏)을 ᄃᆞ 보ᄂᆡ고 쵸츄(初秋)을 당ᄒᆞ여 군친을 《영노 ‖ 영모(永慕)》ᄒᆞ고 《회곳 ‖ 회포(懷抱)》을 이기지 못ᄒᆞ여, ᄆᆡ양 졔향(帝鄉)을 울러러 북으로 가ᄂᆞᆫ 구름을 ᄇᆞᄅᆞ보아 군젼의 봉비ᄒᆞᆯ ᄯᅳᆺ지 급ᄒᆞ고 훤위(萱位)의 《ᄇᆡ텬 ‖ ᄇᆡ현(拜見)》ᄒᆞᆯ ᄯᅳᆺ지 간졀ᄒᆞᆫ지라. 비로쇼 긔티(旗幟)을 두러혀 경ᄉᆞ로 향ᄒᆞᆯ ᄉᆡ, 남왕이 텬됴의 《ᄉᆞ좌 ‖ ᄉᆞ죄(謝罪)》ᄒᆞᄂᆞᆫ 푀문과 죠공을 밧드러 《ᄃᆡ넌 ‖ ᄃᆡ연(大宴)》으로 《숑병 ‖ 숑별》ᄒᆞᆯ ᄉᆡ, 심니(十里) 장졍(長亭)1481)의 ᄂᆞ와 연연(戀戀)ᄒᆞ믈 마지 아냐,

1481)장졍(長亭) : 예전에, 먼 길을 떠나는 사람을 전

"과인이 무식블인(無識不仁)ᄒᆞ여 망국지화(亡國之禍)를 ᄌᆞ취ᄒᆞ엿거ᄂᆞᆯ, 텬디ᄀᆞᆺᄐᆞᆫ 대덕과 산고히활지은(山高海闊之恩)1544)으로 ᄡᅧ 죄를 샤ᄒᆞ고 왕위를 누리게 ᄒᆞ시니, 감은ᄀᆞᆨ골(感恩刻骨)ᄒᆞᄃᆡ 졍표(情表)ᄒᆞᆯ【74】거시 업ᄉᆞ니 오딕 함호결초(銜環結草)1545)ᄒᆞ리로소이다."

원슈 흔연 ᄉᆞ샤ᄒᆞ여 블감당(不堪當)이라 ᄒᆞ고, 치국 안민의 쳔승지위를 기리 누리믈 니르고, 셔로 ᄇᆡ작(杯酌)을 날녀 니졍(離情)을 펴고, 일식이 느ᄌᆞᄆᆡ 분슈ᄒᆞ니 왕이 거젼(車前)을 우러러 ᄀᆞᆯ오ᄃᆡ,

"우리 원슈 오날ᄂᆞᆯ 도라가시니 하일하시(何日何時)의 다시 이곳의 니르리오. 국듕이 대란(大亂)ᄒᆞ여 싱민이 보젼ᄒᆞᆯ 길히 업거ᄂᆞᆯ, 원슈의 대은으로 남은 ᄇᆡᆨ셩을 진졍ᄒᆞ고 녜의를 슈련ᄒᆞ니, 도라가신 후 원슈를 일시도 닛기 어렵도소이다."

ᄒᆞ고 모육(毛肉)1546)과 각쥬(殼酒)1547)를 가져 졍을 표ᄒᆞ니, 원쉬 흔연이 바다 맛보고 면면이 위유ᄒᆞ여 됴히 이시믈 니르고, 호통(號筒) 삼ᄎᆞ이 대군이 믈미【75】ᄃᆞᆺ 나아가니, ᄇᆡᆨ셩이 길흘 막아 젹지 ᄌᆞ모를 원별(遠別)흠 ᄀᆞᆺ더라.

남왕이 원슈를 니별ᄒᆞ고 도라와 ᄌᆡ보(財寶)를 ᄂᆡ여 남문 외의 일좌대각(一座大閣)을 일우니라.【76】

1544)산고히활지은(山高海闊之恩) : 산처럼 높고 바다처럼 넓은 은혜.

1545)함호결초(銜環結草) : '남에게 입은 은혜를 꼭 갚는다' 의미를 가진 '함환이보(銜環以報)'와 '결초보은(結草報恩)'이라는 두 개의 보은담(報恩譚)을 아울러 이르는 말로, '남에게 받은 은혜를 살아서는 물론 죽어서까지도 꼭 갚겠다'는 보다 강조된 의미가 담긴 뜻으로 쓰인다. 그런데 이 작품에서는 '함환'을 '함호'로 표기하고 있어 이것이 '함환'의 단순한 오기(誤記)인지, 아니면 다른 뜻을 갖는 말인지를 판단하기가 쉽지 않다.

1546)모육(毛肉) : 소, 돼지 등 털 있는 짐승의 고기.

1547)각쥬(殼酒) : 껍질 있는 곡식으로 담근 술.

《ᄒᆞ류 ‖ ᄒᆞ루(下淚)》 왈,

"과인니 무식불의(無識不義)ᄒᆞ여 막[망]극지화(罔極之禍)을 ᄌᆞ최[취](自取)ᄒᆞ여거ᄂᆞᆯ, 텬지 갓흔 ᄃᆡ덕과 산고히활지은(山高海闊之恩)1482)으로 죄을 ᄉᆞᄒᆞ시고 왕위을 보젼케 ᄒᆞ시니, 감은각골(感恩刻骨)ᄒᆞ오ᄂᆞ 미ᄒᆞᆫ 졍셩을 펴ᄒᆞᆯ 길이 업ᄉᆞ오니, 오직 화산(華山)의 풀을 ᄆᆡᆺ고 수[구]호(口戶)의 구술을 머금어 ᄃᆡ덕을 보답ᄒᆞ오이ᄃᆞ."

원슈 흔연 ᄉᆞᄉᆞᄒᆞ여 치국안민의 쳔셩[승](千乘)을 믈[누]리믈 이르며, ᄇᆡ장[작](杯酌)을 날녀, 니졍(離情)을 닐러고, 일싀이 느즈므로 분슈ᄒᆞ여 힝거의 올러니, ᄇᆡᆨ셩이 부로휴유(扶老携幼)ᄒᆞ여 긔젼(旗前)○[의] 일르러 우러 왈,

"원슈 이졔 도라 가시ᄆᆡ ᄒᆞ일ᄒᆞᄉᆞ[시](何日何時)의 이곳의 ᄃᆞ시 오사, 우리 원슈의 ᄃᆡ은으로 남은 ᄇᆡᆨ셩이 《명막 ‖ 명ᄆᆡᆨ》을 니어 ᄇᆞᄅᆞ던 ᄇᆞ을 페이잇고1483)? 부모도 여히고 이즐 ᄊᆡ 의[잇]스런니와 원슈ᄂᆞᆫ ᄒᆞᆫ번 도라가신 후 일시도 잇기 어렵도소이다."

ᄒᆞ고 마육(馬肉)과 탁쥬로 졍을 표【28】ᄒᆞ니, 원슈 흔연이 바ᄃᆞ 마시고 면면무ᄋᆡ(面面撫愛)ᄒᆞ여 죠히 잇시ᄅᆞ ᄒᆞ고, 호통삼ᄎᆞ(號筒三次)의 ᄃᆡ군이 물미듯 도ᄅᆞ가니, ᄇᆡᆨ셩이 《쳐쳐 ‖ 쳑쳑(慽慽)》호읍(號泣)ᄒᆞ여 부모을 원별(遠別)흠 갓더라.

왕이 원슈을 이별ᄒᆞ고 남문 박기1484) 일좌ᄃᆡ각(一座大閣)을 이루고

송하던 곳.

1482)산고히활지은(山高海闊之恩) : 산처럼 높고 바다처럼 넓은 은혜.

1483)페이잇고 : 펴리까. <펴다>: 생각, 감정 따위를 얽매임 없이 자유롭게 표현하거나 주장하다

1484)박기 : 밖에.

명듀보월빙 권디십오

ᄌᆡ셜 뎡원슈 반ᄉᆞ(班師)ᄒᆞᆫ 후 남왕이 원슈를 니별ᄒᆞ고 도라와, ᄌᆡ보를 ᄂᆡ여 남문외의 일좌 대각을 일우고 원슈의 화상을 봉안ᄒᆞ고, 누(樓) 일홈을 뎡듁쳥영당(鄭竹靑影堂)이라 ᄒᆞ여 밧들믈 디극히 ᄒᆞ니, ᄇᆡᆨ셩이 오ᄅᆡ도록 그 덕화를 닛디 못ᄒᆞ여, 혹 디셩으로 튝원ᄒᆞᄂᆞᆫ 일이 이시면 녕험이 잇셔 그 쇼원을 일우ᄃᆡ, 다만 블인디ᄉᆞ(不仁之事)ᄂᆞᆫ 디셩으로 비러도 반ᄃᆞ시 벌(罰)이 잇셔 화를 만나니, 인인(人人)이 비록 화상이나 원슈 우럼 ᄀᆞᆺ더라.

왕의게 일녜 이시니 명은 운영이라 뎡원슈의【1】 표치 풍광을 흠모ᄒᆞ니, 왕과 세ᄌᆡ 녀ᄒᆡᆼ의 한심ᄒᆞ믈 칙ᄒᆞᄃᆡ 운영이 뜻을 조곰도 곳치미 업셔 밧그로 샤죄ᄒᆞ나 ᄂᆡ심의 뎡원슈 위ᄒᆞᆫ 졍이 금셕ᄀᆞᆺᄐᆞ여 쥬야 탈신디계(脫身之計)를 도모ᄒᆞ여 심복 궁녀 경향을 다리고 가마니 남의(男衣)를 개착(改着)ᄒᆞ며 금은딘보(金銀珍寶)를 도적ᄒᆞ여 월야를 타 탈신ᄒᆞᆯ싀, 월셩도쥬(越城逃走)ᄒᆞ여 노쥐 천니마를 사 ᄐᆞ고 원슈의 뒤흘 좃ᄎᆞ 황셩으로 향ᄒᆞᆯ싀, 원슈ᄂᆞᆫ 슈십일 젼 몬져 발ᄒᆡᆼᄒᆞ여 아모ᄃᆡ로 간 줄 아디 못ᄒᆞ고, 녀ᄌᆡ 노변ᄒᆡᆼ역(路邊行役)이 실노 어려올 ᄲᆞᆫ 아니라 본국디계(本國地界)의셔ᄂᆞᆫ 밤으로 ᄒᆡᆼᄒᆞ며 낫은 심산 궁곡의【2】 숨ᄂᆞᆫ디라. 긔년(朞年)만의 황셩의 득달ᄒᆞ니, 공쥐 노샹의셔 쳔신만고를 격고 작용이 ᄯᅩᄒᆞᆫ 엇더ᄒᆞᆫ고? 분셕ᄒᆞ회ᄒᆞ라.

이ᄯᅴ 뎡원슈 쳡보(捷報)를 쥬(奏)ᄒᆞ고, 개가(凱歌)로 승젼곡을 울녀 도라올싀, 젼당강을 건너 ᄒᆡᆼ션(行船)을 무ᄉᆞ히 ᄒᆞ니, 군친을 영모ᄒᆞᄂᆞᆫ 졍이 급ᄒᆞ여, ᄲᆞᆯ니 ᄒᆡᆼᄒᆞ여 절강의

원슈의 화상을 봉안ᄒᆞ고 뉴[누]명(樓名)을 ‘뎡듁쳥화ᄉᆞᆼ○[각](鄭竹靑畵像閣)’이라 ᄒᆞ여, 밧들○[기]을 지극히 ᄒᆞ니, ᄇᆡᆨ셩이 오ᄅᆡ도록 그 덕화을 잇지 못ᄒᆞ여 혹(或) 시졀을 비ᄂᆞᆫ 일이 잇슨 즉 화ᄉᆞᆼ각(畵像閣)의 와 고두ᄇᆡ츅(叩頭拜祝)ᄒᆞᆫ 즉, 영(靈)ᄒᆞ미 잇셔 원을 《일로러‖일우ᄃᆡ》, ᄃᆞ만 불연[인]지ᄉᆞ(不仁之事)을 지셩으로 빌미 이신 즉, 반ᄃᆞ시 화을 만나니, 비록 화상이ᄂᆞ 인인이 원슈 ᄎᆡ상(寨上)을[의] 이심 갓치 ᄒᆞ더라.

○…결락 26자…○[왕의게 일녜 이시니 명은 운영이라. 뎡원슈의 표치풍광을 흠모ᄒᆞ]○○○○○○[여 각에 들어 섬기기를 비니][1485], 왕과 세ᄌᆡ 이의 운영을 《심국문의‖ᄉᆞᆼ각(像閣) 문을》 여러 ᄂᆡ여 녀ᄒᆡᆼ의 ᄒᆞᆫ심ᄒᆞ믈 칙ᄒᆞᆫᄃᆡ, 운영이 죠금도 뜻지[즐] 곳치미 업셔, 것ᄎᆞ로 ᄉᆞ좌[죄]ᄒᆞᄂᆞ ᄂᆡ심은 뎡원슈 위ᄒᆞᆫ 졍이 금셕 갓트여, 쥬야 탈신지계을 ᄉᆡᆼ각ᄒᆞ여 심복 경ᄂᆡ·경황을 ᄃᆞ리고 가마니 남의을 ᄀᆡ착(改着)ᄒᆞ고 금은진보을 도적ᄒᆞ여, 월야을 ᄐᆞ 월셩(越城) 도쥬(逃走)ᄒᆞ여 쳔니마을 ᄉᆞ 타고, 월[원]슈(元帥)의 위의(威儀)을 죠ᄎᆞ 경ᄉᆞ로 향ᄒᆞᆯ 싀, 원슈ᄂᆞᆫ 수십일 젼 발ᄒᆡᆼᄒᆞ여 어ᄃᆡ로 간 쥴 모르고, 녀ᄌᆞ 노ᄉᆞᆼᄒᆡᆼ역(路上行役)이 실노 으[어]려올 분 아니라, 본국지경은 밤으로 ᄒᆡᆼᄒᆞ여 낫즌 심산궁곡(深山窮谷)의 슘어 긔년(幾年)만의 황셩의 득달ᄒᆞ니, 쳔신만고을 격고 작용이 엇덜고?

각셜 남왕이 녀ᄋᆞ【29】을 일코 ᄉᆞᄇᆞᆼ(四方)으로 ᄎᆞᄌᆞ니 마ᄎᆞᆷᄂᆡ 거쳐을 모르니 반ᄃᆞ시 뎡원슈을 ᄯᆞ라간 쥴 알고 불승ᄎᆞ악(不勝嗟愕)ᄒᆞ며 쥬야 슬허ᄒᆞ더라.

잇ᄯᅴ 뎡원슈 쳡보을 주(奏)ᄒᆞ고 ᄀᆡ가(凱歌)로 승젼곡을 울니며 도라올 싀, 젼당곡을 건어 ᄒᆡᆼ션을 무ᄉᆞ히 ᄒᆞ니, 군친을 영노

1485)[]안의 내용은 교주자가 임의로 보충한 것임.

니르러ᄂᆞᆫ, 계츄(季秋)를 당ᄒᆞ여 풍국(楓菊)이 보암즉ᄒᆞᄃᆡ, 유람의 경(景)이 업셔 밧비 ᄒᆡᆼᄒᆞ려 ᄒᆞ다가, 부원슈 등이 유람을 쳥ᄒᆞ니, 원슈【3】의 친우 경츈긔 부상(父喪)을 만나 졀강의 나려온 후, 그 슉부 참졍공은 금평후 친위라. 갈 제ᄂᆞᆫ ᄃᆡᆨ노로 가고 올 제ᄂᆞᆫ 경ᄒᆞᆨᄉᆞ 보기를 위ᄒᆞ여 졀강으로 ᄒᆡᆼᄒᆞ여 부원슈 등다려 유람ᄒᆞ라 ᄒᆞ고, ᄌᆞ긔ᄂᆞᆫ ᄇᆡᆨ포유건(白袍儒巾)으로 위의를 썰쳐 셔동으로 경참졍 부듕을 ᄀᆞᄅᆞ치라 ᄒᆞ니, 졀강 소흥부의 일좌 고루화각(高樓花閣)이 ᄋᆡ시니 경샤왕공후문(王公侯門)이라 다르디 아닌 곳을 ᄀᆞᄅᆞ쳐 경뷔라 ᄒᆞ는디라. 원쉬 문외의셔 와시믈 통ᄒᆞ니 경ᄒᆞᆨᄉᆞ 츈긔 반기믈 니긔디 못ᄒᆞ여 밧비 문외의 마ᄌᆞ니, 피ᄎᆡ(彼此) 집슈쳑연ᄒᆞ여 삼긔(三忌) 덧업ᄉᆞ믈 치위ᄒᆞ고 눈물을 흘녀, 명완【4】블ᄉᆞ(命頑不死)ᄒᆞ여 삼긔를 훌훌이 디나믈 슬허ᄒᆞ니 원쉬 위로ᄒᆞ고 ᄀᆞᆯ오ᄃᆡ,

"형이 참졍 합하의 계휘(繼後)되엿다 ᄒᆞ니 녕대인이 이곳의 계시냐."

ᄒᆞᆨ식 대인의 계시믈 ᄃᆡᄒᆞ니, 원쉬 왈,

"내 녕ᄃᆡ인긔 ᄇᆡ현(拜見)ᄒᆞ기를 위ᄒᆞ여[고], 형을 보려 작노를 이리로 ᄒᆞ엿ᄂᆞ니 녕존긔 뵈오믈 쳥ᄒᆞ노라."

경ᄒᆞᆨ식 그 ᄉᆞᄆᆡ를 닛그러.

"가엄이 듕헌의 계시니 형이 날과 ᄒᆞᆫ가지로 드러갈 거시라."

원쉬 좃ᄎᆞ 드러가니, ᄎᆞ일 참졍이 쇼녀 슉혜쇼져를 듕헌의 나오라 ᄒᆞ여 좌우로 쟝을 놉히 것고 디게를 쾌히 여러 산샹국화(山上菊花)와 계변단풍(溪邊丹楓)을 구경ᄒᆞ며 녀ᄋᆞ를 년ᄋᆡ【5】ᄒᆞ여 니르ᄃᆡ,

"국화와 단풍을 응ᄒᆞ여 일슈 시를 지으라."

ᄒᆞ니, 쇼졔 응명코져 ᄒᆞᆯ 즈음의 그 거게(哥哥) 일위 댱부를 닛그러 오는디라. 년망이 후창으로 피ᄒᆞ니, 원슈의 뉴셩디안(流星之眼)으로 얼프시 보아도 그 사ᄅᆞᆷ의 이목구비(耳目口鼻)와 셩ᄒᆡᆼ(性行) 현불초(賢不肖)를 ᄉᆞ못는디라. 경쇼져를 ᄒᆞᆫ번 보ᄆᆡ 옥면셩

[모](永慕)ᄒᆞᄂᆞᆫ 경이 급ᄒᆞ여 쌜니 ᄒᆡᆼᄒᆞ여 졀강의 이르러ᄂᆞᆫ 계츅[츄](季秋)을 당ᄒᆞ여 풍국(楓菊)이 보암즉ᄒᆞ되, 유람의 경이 업셔 밧비 ᄒᆡᆼᄒᆞ려 ᄒᆞᄃᆞ가 부원슈 등이 유람을 쳥ᄒᆞ니, 원슈의 친우 경츈게[긔] 부ᄉᆞᆼ(父喪)을 만나 졀강의 ᄂᆞ려왓스니, 그 슉부 ᄎᆞᆷ졍공은 금평휘 《쳥우‖친우》라. 갈제ᄂᆞᆫ 직노로 가고 올제ᄂᆞᆫ 경ᄒᆞᆨᄉᆞ 보기을 위ᄒᆞ여 졀강으로 ᄒᆡᆼᄒᆞ여, 부원슈 등ᄃᆞ려 유람ᄒᆞᄅᆞ ᄒᆞ고, ᄌᆞ긔ᄂᆞᆫ ᄇᆡᆨ표[포]유건(白袍儒巾)으로 위의를 썰쳐 셔동으로 졍ᄎᆞᆷ졍 부중을 가ᄅᆞ치ᄅᆞ ᄒᆞ니, 졀강 소흥부의 일좌 화각(花閣)이 잇셔[스]니 경ᄉᆞ 왕공후문(王公侯門)이ᄂᆞ ᄃᆞ르지 아닌 곳을 가르쳐 경뷔라 ᄒᆞ는지라. 원슈 문외의셔 왓슴믈 통ᄒᆞ니, 경ᄒᆞᆨᄉᆞ 츈긔 반기믈 이기지 못ᄒᆞ여 밧비 문외의 마ᄌᆞ니, 피ᄎᆞ 집슈쳑연ᄒᆞ여 ᄉᆞᆷ긔(三忌) 덧업ᄉᆞ믈 치위ᄒᆞ고, 눈물을 흘여 명완불ᄉᆞ(命頑不死)ᄒᆞ여 삼긔 훌훌ᄒᆞ믈 이르며,

"형이 ᄎᆞᆷ졍ᄒᆞᆸᄒᆞ긔 계후 되얏ᄃᆞ ᄒᆞ니 영ᄃᆡ인(令大人)이 이곳의 게시냐?"

ᄒᆞᆨ식 ᄃᆡ인의 게시믈 ᄃᆡᄒᆞ니, 원슈 왈,

"ᄂᆡ 영ᄃᆡ인긔 ᄇᆡ현ᄒᆞ기을 위ᄒᆞ고 형을【30】 보려 《직노‖작노(作路)》을 이리로 ᄒᆞ여노니, 영존긔 뵈오믈 쳥ᄒᆞ노라."

경ᄒᆞᆨᄉᆞ ᄉᆞᄆᆡ을 ᄋᆡᆨ거려[1486] 왈,

"가엄이 듕현[헌]의 겨시니 형이 ᄂᆞᆯ과 ᄒᆞᆫ가지고 들러갈 거시라."

ᄒᆞᆫᄃᆡ, 원슈 죠ᄎᆞ 드러가니, ᄎᆞ일 ○[참]졍이 쇼녀 슉혀[혜] 쇼졔을 즁헌의 ᄂᆞ오라 ᄒᆞ여 좌우로 장을 놉히 걸고, 계변단풍(溪邊丹楓)을 구경ᄒᆞ며 여아을 연ᄋᆡᄒᆞ여 이르ᄃᆡ,

"국화와 단픙(丹楓)을 응ᄒᆞ여 《일무‖일수(一首)》 시을 지으라"

ᄒᆞ니, 쇼졔 응명코져 ᄒᆞᆯ 즈음의 거거(哥哥) 일위 장부을 ᄋᆡᆨ그러 오는지라. 연망이 후ᄎᆞᆼ으로 피ᄒᆞ니, 원슈의 뉴셩지안(流星之眼)으로 얼푸시 보아도 ᄉᆞᄅᆞᆷ의 이목구비와 셩ᄒᆡᆼ(性行) 현불쵸(賢不肖)을 ᄉᆞ못는지라.

1486)ᄋᆡᆨ거려 : 잇그러. 이끌어.

안(玉面星眼)과 뉴미화험[협](柳眉花頰)의 단슌호치(丹脣皓齒) 흔갓 경국지식(傾國之色) 쁜 아니라 미우(眉宇) 텬졍(天庭) 스이의 복녹이 완젼ᄒᆞ고, 명모(明眸) 셩덕(聖德)이 어릐여 현셩덕질(賢性德質)이 진짓 슉녀 텰뷔라. 복식이 규쉬니 흠복ᄒᆞ믈 마디 아니ᄒᆞᄃᆡ 즉시 번신(翻身)ᄒᆞ여 퇴ᄒᆞ니, 경혹시 또ᄒᆞᆫ 쇼ᄆᆡ 셔실의 나와 이시믈 모로고 원슈 【6】를 다려 니르믈 놀나더니, 경공이 뎡원슈를 보고 크게 반겨 혹ᄉᆞ를 명ᄒᆞ여 챵빅을 다려 어셔 승당ᄒᆞ라 ᄒᆞ니, 혹ᄉᆞ 원슈를 쳥왈,

"쇼ᄆᆡ 드러가시니 형은 놀나디 말고 대인긔 현알(見謁)ᄒᆞ라."

원쉬 비로소 승당 빅현홀ᄉᆡ 공이 밧비 집슈 관비(款備) 왈,

"샤뎨 기셰ᄒᆞ므로브터 고틱을 볼 뜻이 업셔 이곳의셔 여러 츈츄를 뒤이즈니, 피ᄎᆞ 소식을 통홀 길이 업순디라 거츈의 됴보(朝報)[1548]로 좃ᄎᆞ 챵빅의 츌ᄉᆞ(出師)ᄒᆞ믈 드럿더니, 이졔 블모디디(不毛之地)의 남방을 평뎡ᄒᆞ고 개가로 환경(還京)ᄒᆞ니, 우흐로 국가의 큰 근심을 덜고 아릐로 챵빅의 ᄌᆡ덕과 신긔위뮈(神氣威武) ᄉᆞ힋의 드레니, 힝【7】열ᄒᆞ믈 하례ᄒᆞ노라."

원쉬 흠신 ᄃᆡ왈,

"합해(閤下) 환향(還鄕)ᄒᆞ션 디 여러 츈취 밧고이니 가엄이 ᄉᆞ상(思想)ᄒᆞ시는 회포를 니긔디 못ᄒᆞ시나, 봉친시하의 일시 집을 써나샤 친히 나려와 상봉치 못ᄒᆞ시니, 년딜빅(緣姪輩) 또ᄒᆞᆫ 하회를 베플 곳이 업ᄉᆞ온디라. 금츈의 츌뎡ᄒᆞ와 국가 홍복으로 남방을

1548)됴보(朝報) : 조선 시대에, 승정원에서 재결 사항을 기록하고 서사(書寫)하여 반포하던 관보. 조칙, 장주(章奏), 조정의 결정 사항, 관리 임면, 지방관의 장계(狀啓)를 비롯하여 사회의 돌발 사건까지 실었다.

경쇼져을 ᄒᆞᆫ번 보ᄆᆡ 믄득 요지(瑤池)의 셔왕뫼(西王母)라. 옥면셩안(玉面星眼)과 뉴비[미]화협(柳眉花頰)의 단슌효[호]치(丹脣皓齒) ᄒᆞᆫ갓 경국지식(傾國之色)일 분 아니라, 미우(眉宇) 쳔졍(天庭) ᄉᆞ이의 온슌미약(溫順微弱)ᄒᆞ미 쳔연(天然)ᄒᆞ고, 복녹이 ᄌᆞ련[연](自然)ᄒᆞ여 셩현덕질(聖賢德質)리 진실노 셩녀쳘뷔(聖女哲婦)라. 복식이 분명 규쉬니 혹ᄋᆡ(惑愛) 경찬(慶讚)ᄒᆞ여 긔질을 그윽이 탄복ᄒᆞ믈 마지 아니나, 즉시 번신퇴닙(翻身退立)ᄒᆞ니, 경싱이 또ᄒᆞᆫ 쇼ᄆᆡ 셔실(書室)리[의] ᄂᆞ와시물 모로고 원슈을 인도ᄒᆞ엿더라. 경공이 뎡원슈을 크게 반겨 혹ᄉᆞ을 명ᄒᆞ여 밧비 승당ᄒᆞ라 ᄒᆞ니, 경혹ᄉᆞ 원슈을 쳥ᄒᆞ여 왈,

"쇼ᄆᆡ 안으로 드러가시니 형은 놀ᄂᆞ지 말고 드러와 ᄃᆡ인긔 뵈라."

원슈【31】 비로쇼 승당ᄒᆞ여 경공긔 빅현홀 ᄉᆡ, 공이 밧비 그 손을 잡아 기리 탄왈,

"ᄉᆞ제 기셰ᄒᆞ므로부터 경ᄉᆞ의 ᄂᆞᄋᆞ가 고틱을 볼 뜻지 업셔 여러 츈츄을 지ᄂᆡ니, 피ᄎᆞ 소식을 통홀 길이 업ᄂᆞᆫ지라. 거년의 죠보(朝報)[1487]로 죠ᄎᆞ 챵빅이 남국의 츌젼ᄒᆞ믈 드른니, 이졔 불모지지(不毛之地)의 흉봉(凶鋒)을 쇼탕ᄒᆞ고 《긔마니 몰녀‖긔가을 울려》 도라오는가 시부니, 우흐로 국가의 근심과 아릐로 챵빅의 ᄌᆡ덕과 신긔위무(神氣威武) 《ᄉᆞ리‖ᄉᆞ힋(四海)》을 들녤지라, 힝열ᄒᆞ믈 이기지 못ᄒᆞ리로다."

원슈 흠신 ᄃᆡ왈,

"합히(閤下) 《한향‖환향(還鄕)》ᄒᆞ션지 여러 《츈츈‖츈츄(春秋)》 박고이니, 가음[엄](家嚴)이 ᄉᆞ상ᄒᆞ시는 회표[포](懷抱)을 이기지 못ᄒᆞ시ᄂᆞ, 봉친지ᄒᆞ(奉親之下)의 일시을 ᄒᆞᆫ유(閒遊)치 못ᄒᆞ샤 상봉치 못ᄒᆞ시고, 《영질뷔‖연질비》 또ᄒᆞᆫ 결울ᄒᆞᆫ 하회을 비

1487)죠보(朝報) : 조선 시대에, 승정원에서 재결 사항을 기록하고 서사(書寫)하여 반포하던 관보. 조칙, 장주(章奏), 조정의 결정 사항, 관리 임면, 지방관의 장계(狀啓)를 비롯하여 사회의 돌발 사건까지 실었다.

평뎡ᄒᆞ고 합하긔 빅현ᄒᆞ기를 위ᄒᆞ여 작노(作路)ᄒᆞ여 존젼의 현알ᄒᆞ오니, 미경(微情)을 위로ᄒᆞ오ᄃᆡ, 광음이 훌훌ᄒᆞ여 계합하(季閤下) 삼긔(三忌)를 맛ᄌᆞ오니, 감쳑(感慽)ᄒᆞᆫ 심ᄉᆞ를 니긔디 못ᄒᆞ리로소이다.”

경공이 츄연 탄식ᄒᆞ고 인ᄒᆞ여 경ᄉᆞ 소식과 남방을 평뎡ᄒᆞ던 바를 므러 반기믈【8】마디 아니ᄒᆞ니, 원쉬 ᄯᅩᄒᆞᆫ 죵용이 담화ᄒᆞ여 이윽ᄒᆞᄆᆡ 셔동으로 부원슈를 ᄎᆞᄌᆞ가 ᄌᆞ긔 경부의 머무ᄂᆞᆫ 바를 젼ᄒᆞ고, 바로 관아로 드러가쇼셔 젼ᄒᆞ라 ᄒᆞ고, 경공부ᄌᆞ로 죵일 한담ᄒᆞ다가 므러 ᄀᆞᆯ오ᄃᆡ,

“합히 본ᄃᆡ 무ᄌᆞ(無子)ᄒᆞ시믄 아ᄋᆞᆸ거니와 슬하의 녀ᄌᆞ를 두신 일이 업더니잇가?”

경공이 탄왈,

“내 젹악이 듕ᄒᆞ여 ᄒᆞᆫ낫 ᄋᆞ돌이 업ᄉᆞ나 망뎨 츈긔 형뎨를 두어시니 굳ᄐᆡ여 ᄋᆞ돌이 업ᄉᆞ믈 슬허ᄒᆞᆯ ᄇᆡ 아니라. 츈긔로 명녕(螟蛉)[1549]을 뎡ᄒᆞ여 조션 봉ᄉᆞ와 신후를 의탁ᄒᆞ고, 왕긔로 망뎨의 후ᄉᆞ를 밧들게 ᄒᆞ엿ᄂᆞ니, 비록 명녕이나 타인의 십ᄌᆞ를 불워 아【9】니ᄒᆞᄂᆞᆫ ᄇᆡ오, 만ᄂᆡ의 일녀를 어더 금년이 십이(十二)라, 힝혀 용우키를 면ᄒᆞ여시나, 틱셔ᄒᆞ미 어려오니 그윽이 민울(悶鬱)ᄒᆞ도다.”

원쉬 짐즛 규슈의 근본을 알고져 ᄒᆞ다가 경공 녀ᄋᆡ믈 알고, 그윽이 유의ᄒᆞᄃᆡ 경공의 위인이 명현ᄒᆞᄃᆡ 그 ᄯᅳᆺ이 고산(高山) ᄀᆞᄐᆞ여 쳔금 일녀로ᄡᅧ ᄌᆞ긔 ᄉᆞ부실(四副室)을 삼디 아닐가 뎡히 발구치 못ᄒᆞ더니, 날이 어두오ᄆᆡ 경공은 ᄂᆡ헌의셔 슉침ᄒᆞ고, 혹ᄉᆞ와 ᄒᆞᆫ가 지로 밤을 디ᄂᆡ라 ᄒᆞ니, 원쉬 힝희ᄒᆞ여 혹ᄉᆞ와 년침ᄒᆞ여 오ᄅᆡ 상모(相慕)ᄒᆞ던 졍을 닐너 한담ᄒᆞᆯᄉᆡ, 원쉬 믄득 쇼왈,

---

1549)명녕(螟蛉) : 나비와 나방의 ‘애벌레’. ‘나나니’(‘구멍벌’과에 속한 곤충)가 ‘명령(螟蛉)’을 업어 기른다는 데서 온 말로, 타성(他姓)에서 맞아들인 양자(養子)를 이르는 말.

길 고지 업난지라. 금츈의 츌졍ᄒᆞ와 국가 홍복이 남만을 평졍ᄒᆞ고, 합ᄒᆞ긔 빅현기을 위ᄒᆞ와[와] 이곳으로 장노(作路)ᄒᆞ여 죤젼의 봉빅ᄒᆞ오니, 이졍(離情)을 위로ᄒᆞ오ᄃᆡ, 광음이 훌훌ᄒᆞ와 계합○[하](季閤下) 삼기을 맛ᄌᆞ오니 《감쳥∥감챵(感愴)》ᄒᆞᆫ 심회을 이긔지 못ᄒᆞ《시니다∥니이다》.”

경공이 츄연 탄식ᄒᆞ고 인ᄒᆞ야 경사 쇼식과 남만 평졍ᄒᆞ든 바을 무러 반기믈 마지 안니니, 원슈 ᄯᅩᄒᆞᆫ 조용니 담화ᄒᆞ다가, 쇼동으로 뷰원슈 유람ᄒᆞᆫ 곳을 차자가 자긔ᄂᆞᆫ 경부의 며[머]물 거신니, 부원슈 《뎡ᄂᆞᆫ∥등은》 ᄇᆡ로 관【32】이[아]로 가ᄅᆞ ᄒᆞ다. 원슈 경공 부ᄌᆞ로 죵일 담화ᄒᆞ다 문왈,

“쳔유을 겨후(繼後)ᄒᆞᄃᆞ ᄒᆞ오니, 본ᄃᆡ 무ᄌᆞᄒᆞ신 쥴 아ᄋᆞᆸ건니와 슬ᄒᆞ의 녀ᄌᆞ을 두신 일이 업ᄂᆞᆫ잇가?”

공이 우연 왈,

“ᄂᆡ 젹앙이 즁ᄒᆞ여 ᄒᆞᆫ낫 아달리 업ᄉᆞ나 망졔(亡弟) 츈긔 형뎨을 두어시니, 굿ᄒᆞ여 ᄂᆞ의 ᄋᆞ돌 업ᄉᆞ믈 슬러 아니ᄒᆞᆫ ᄇᆡ라. 츈긔로 명영(螟蛉)[1488]을 졍ᄒᆞ여 죠션봉ᄉᆞ와 일신 의탁을 졍ᄒᆞ고, 환긔로 망졔 후ᄉᆞ을 밧들게 ᄒᆞ엿ᄂᆞᆫ니, 명녕이나 효슌히 타인의 십ᄌᆞ을 불워 아닐 ᄇᆡ오, 말ᄂᆡ(晩來)[1489]의 일녀을 어더 금츈이 십숨의 《힝ᄒᆞ여∥힝혀》 용우키을 면ᄒᆞ여셔[스]ᄂᆞ 틱셔ᄒᆞ미 어려오니 극히 민울(悶鬱)ᄒᆞ여라.”

원슈 짐짓 그 규슈의 근본을 ᄉᆞᆺ쳐 알여ᄒᆞᄃᆞ가 경공의 녀ᄋᆞ믈 알고 그윽이 유의ᄒᆞ여 취코져 ᄒᆞ더라. 경공의 위인이 명현ᄒᆞ여 그 ᄯᅳᆺ시 고순(高山) ᄀᆞᆺ흐며 쳔금일녀로ᄡᅧ ᄌᆞ긔 졔ᄉᆞ부인을 숨지 아닐가 졍히 발구치 못ᄒᆞ더니, 날이 즈믈ᄆᆡ 경공이 안으로 드러가고 혹ᄉᆞ로 원슈ᄃᆞ려 밤을 지ᄂᆡ라 ᄒᆞ니, 원슈 심이(心裏)의 암희ᄒᆞ여 혹ᄉᆞ로 더부러 연침ᄒᆞ여 피ᄎᆞ 셔로 상이(相離)ᄒᆞ던 회표[포]

1488)명영(螟蛉) : 나비와 나방의 ‘애벌레’. ‘나나니’(‘구멍벌’과에 속한 곤충)가 ‘명령(螟蛉)’을 업어 기른다는 데서 온 말로, 타성(他姓)에서 맞아들인 양자(養子)를 이르는 말.

1489)말ᄂᆡ(晩來) : 늙은 뒤.

"녕죤이 틱셔를 근심ᄒᆞ시니 출하리 용우ᄒᆞ나 날ᄀᆞᆺ튼 뉴를 글히 【10】 샤 문난(門欄)의 광치를 돗치미1550) 엇더ᄒᆞ뇨?"

혹ᄉᆡ ᄀᆞ장 반겨 듯고 골오ᄃᆡ,

"신낭이 엇더ᄒᆞ뇨?"

원쉬 왈,

"녕ᄆᆡ(令妹) 쇼졔(小姐) 합하 면젼의 계시던 규쉬냐?"

답왈,

"연ᄒᆞ다."

원쉬 우쇼 왈,

"신낭의 풍뉴 긔상과 문벌이며 ᄌᆡ화 덕망이 날ᄀᆞᆺᄐᆞ면 엇더ᄒᆞᆯ가시브냐?"

혹ᄉᆡ 왈,

"어ᄃᆡ 신낭이 믈망 ᄌᆡ덕이 ᄯᅩ 창빅 ᄀᆞᆺ더뇨? 우리 비록 챵빅ᄀᆞᆺ치 긔특디 못ᄒᆞᆯ디라도 가엄의 소망이 명문벌열(名門閥閱)노 옥인현ᄉᆡ ᄌᆡ홰 유명ᄒᆞ니를 구ᄒᆞ시나, ᄯᅳᆺ ᄀᆞᆺ디 못ᄒᆞ여 뎡히 민울ᄒᆞᆫ디라. 만일 신낭이 만ᄉᆡ 챵빅 ᄀᆞᆺ틀딘ᄃᆡ 블감쳥(不敢請)이언졍 고소원(固所願)이라."

ᄒᆞ니 원쉬 크게 우어 왈,

"쇼뎨 빅ᄉᆞ의 취ᄒᆞᆯ 곳이 젹 【11】 으ᄃᆡ 쳔위 본ᄃᆡ ᄆᆞ음을 기우리고 졍을 허ᄒᆞ여 ᄃᆡ졉ᄒᆞ던 ᄇᆡ라. 형이 날ᄀᆞᆺ튼 ᄆᆡ부(妹夫)를 블감쳥이언졍 고소원이라 ᄒᆞ니, 형이 쇼뎨를 디긔(知己)로 ᄃᆡ졉ᄒᆞ미 감격ᄒᆞᆫ 고로, 출하리 날로ᄡᅧ ᄆᆡ부를 삼과져 바라노라."

경혹ᄉᆞ는 뎡원슈를 금텬하뎨일(今天下第一)노 아는디라. 비록 쇼ᄆᆡ 여럿ᄌᆡ 부실이 되나 허혼코져 ᄒᆞᄃᆡ, 부뫼 낙(諾)ᄒᆞ실 줄 몰나 니르ᄃᆡ,

"나는 네 말을 몰나 듯고 어ᄃᆡ 챵빅ᄀᆞᆺ튼 쵸취신낭(初娶新郞)이나 잇는가 녁엿더니 챵빅이 ᄌᆞ쳥ᄒᆞ니 엇디 우읍디 아니리오. 부뫼 텬션이 하강ᄒᆞ엿다 ᄒᆞ여도 쇼ᄆᆡ로ᄡᅧ ᄌᆡ실도 의논치 못ᄒᆞ시거늘, 챵빅이 비록 긔특ᄒᆞᆫ들 실듕 【12】 의 여러 부인이 계시거늘,

1550)돗치다 : <돗다 : 돋다>. 돋우다. 돋보이게 하다.

(懷抱)을 닐어 ᄒᆞᆫ담ᄒᆞᆯᄉᆡ, 원슈 문득 쇼왈,

"녕존 ᄃᆡ인이 틱셔을 근심ᄒᆞ시니 출알리 용우ᄒᆞᄂᆞᆫ 늘 갓튼 ᄉᆞ희을 어더 문난의 ᄉᆡᆼ광을 도어[으]면 엇더ᄒᆞ뇨?"

혹ᄉᆡ 가ᄌᆞᆼ 깃거 왈,

"어ᄃᆡ 창빅 갓튼 신낭이 잇더 【33】 뇨?"

원슈 왈,

"영아 쇼져 금일 흡ᄒᆞ 면젼의 겨시던 규슈시냐?"

혹ᄉᆡ 답왈,

"연ᄒᆞ다.'

원슈 우소왈,

"신낭의 풍유 긔상과 문벌리며 ᄌᆡ화 덕망이 날 갓트면 엇덜가 시부냐?"

혹ᄉᆡ 왈,

"어ᄃᆡ 형 갓튼 신낭이 잇시며, 물망ᄌᆡ덕이 ᄯᅩ 창빅 갓더뇨? 우리ᄂᆞᆫ 창빅 갓치 긔특지 못ᄒᆞᆯ지라도 《간음∥가엄》의 소원니 명문변[벌]열(名門閥閱)과 육[옥]인현ᄉᆡ(玉人賢士) ᄌᆡ화로 뉴명ᄒᆞ니을 구ᄒᆞ시ᄂᆞ, ᄯᅳᆺ 가지[치] 못ᄒᆞ여 《인물∥민울》ᄒᆞ시{지음}니, 만일 실낭(新郞)이 ᄎᆡᆼ빅 갓ᄒᆞᆯ진ᄃᆡ, 불감쳔[쳥](不敢請)니연졍 고소원(固所願)이라."

원슈 ᄃᆡ소왈,

"소졔 빅ᄉᆞ의 취ᄒᆞᆯ{지} 고지 업ᄉᆞᄃᆡ, 형이 심허ᄒᆞ여 ᄃᆡ졉ᄒᆞ던 ᄇᆡ로, 날 갓튼 ᄆᆡ부을 불곰쳥이언졍 고소원이라 ᄒᆞ니, 형이 쇼졔을 허심ᄒᆞ미 감격ᄒᆞᆫ지라. 연즉 출아리 날노ᄡᅧ ᄆᆡ부을 숨어라."

ᄒᆞ니, 혹ᄉᆞᄂᆞᆫ 뎡원슈을 금쳔ᄒᆞ졔일(今天下第一)노 아ᄂᆞᆫ지라. 비록 소ᄆᆡ 져의 여럿ᄌᆡ 부인이ᄂᆞ 허코져 ᄒᆞᆫᄃᆡ, 부친의 ᄯᅳ졀 몰ᄂᆞ 웃고 왈,

"ᄂᆞᄂᆞᆫ 네 말을 몰나 듯고 어ᄃᆡ ᄎᆡᆼ빅 갓튼 쵸취신랑(初娶新郞)이 인난가 역여든니, 창빅이 ᄌᆞ쳥ᄒᆞ니 엇지 우업지 아니리요. 부모 쳔신(天神) 갓튼 신낭이라도 ᄌᆡ실은 감히 발구치 못ᄒᆞ거늘, ᄎᆡᆼ빅은 아모리 긔특ᄒᆞᆫ들 실즁의 여러 부인이 겨신 쥴 《알며∥거늘》, 약[약]ᄆᆡ(弱妹)로ᄡᅧ 탐[탕]긱(蕩客)의

디란(芝蘭) ᄀᆞᆺᄐᆞᆫ 누이로ᄡᅧ 탕ᄀᆡᆨ의 여럿ᄌᆡ 쳐실을 삼으리오. 하 방ᄌᆞᄒᆞᆫ 말 말나."

원슈 호호(晧晧)이 우어 왈,

"너의 집 버르손 남ᄌᆡ 취실ᄒᆞ믈 ᄀᆞ장 방ᄌᆞᄒᆞᆫ 줄노 아라 감히 그다히 말을 못ᄒᆞᆯ 줄노 ᄒᆞ나, 내 원간 실듕의 삼쳬(三妻) 잇셔 번ᄉᆞ(繁事)를 다시 구ᄒᆞᆯ ᄇᆡ 아니로ᄃᆡ, 댱뷔 쳐셰의 슉녀 미희를 샤양ᄒᆞᆯ ᄇᆡ 아니라. ᄆᆞ음의 ᄎᆞᆫ 슉녀와 미희를 거두어 실듕의 몌오지 못ᄒᆞ랴?"

흑시 쇼왈,

"챵ᄇᆡᆨ이 타문(他門)의는 임의ᄃᆡ로 구ᄒᆞ려니와 오가(吾家)의는 챵ᄇᆡᆨ을 ᄉᆞ회 삼디 아니리니 무익ᄒᆞᆫ 말 말나."

원슈 쇼왈,

"형은 날을 나모라 허혼(許婚)치 아니 ᄒᆞ거니와 녕존긔 청혼ᄒᆞ【13】여 허락을 어드리라."

흑시 쇼왈,

"네 비록 소댱(蘇張)1551)의 구변(口辯)이 잇셔도 가엄이 결단코 너를 ᄉᆞ회 삼디 아니시리니 어린 뜻을 두디 말나."

원슈 쇼왈,

"형은 날노ᄡᅧ 셔랑이 되디 못ᄒᆞᆯ가 넉이니 형은 ᄉᆡᆼ각ᄒᆞ여 보라. 쇼뎨의 졔악댱(諸岳丈)이 뉘 녕존만 못ᄒᆞ리오. 윤상셔는 ᄋᆞ시의 날을 보ᄃᆡ 비상ᄒᆞ믈 아라 뎡혼 힝빙ᄒᆞ엿고, 니혹ᄉᆞ는 기녀로ᄡᅧ 나의 삼실 주기를 못밋출 ᄃᆞ시 셔드라 급급히 동상을 마ᄌᆞ시니, 일노 볼진ᄃᆡ 나 뎡챵ᄇᆡᆨ이 경참졍 동상(東床) 되미 외람ᄒᆞ랴?"

흑시 ᄌᆞ긔 뜻으로 ᄒᆞᆯ딘ᄃᆡ 일언의 쾌허ᄒᆞᆯ 거시로ᄃᆡ 부모의 뜻을 모로므로 우쇼 왈,

"네 아모리 취쳐 잘ᄒᆞ믈 ᄌᆞ랑ᄒᆞ【14】여도, 내집은 본ᄃᆡ 녀ᄌᆞ로 남의 부실(副室) 주는 일이 업ᄉᆞ니 괴이ᄒᆞᆫ 말을 니르디 말나."

원슈 다시 구혼ᄒᆞ믈 긋치지 아니ᄒᆞ니, 흑

1551)소댱(蘇張): 중국 전국 시대의 세객(說客)인 소진(蘇秦)과 장의(張儀)를 아울러 이르는 말.

여러ᄌᆡ 부인을 ᄉᆞᆷ으리요. {오} 방ᄌᆞᄒᆞᆫ 말 말나."

원수 호【34】호(晧晧)이 우어 왈,

"너의 집 법은 남ᄌᆡ 취실ᄒᆞ물 ᄒᆞ 방ᄌᆞᄒᆞᆫ 쥴노 알라 그ᄃᆞ히1490) 말을 못ᄒᆞ는냐? ᄂᆡ {원슈} 원간 실즁의 ᄉᆞᆷ쳐 이셔 번ᄉᆞ을 더 구ᄒᆞᆯ 거시 아니로ᄃᆡ, 장뷔 츌셰ᄒᆞᄆᆡ 슉녀미희을 ᄉᆞ량ᄒᆞᆯ 바 아니나 마음의 ᄎᆞᆫ 슉녀와 눈의 드는 미히(美姬)을 거두어 실즁을 메우고져 ᄒᆞ미라."

흑시 쇼왈,

"충ᄇᆡᆨ이 ᄃᆞ른 곳은 마음ᄃᆡ로 구혼ᄒᆞ려니와 오가의는 굿ᄒᆞ여 너을 ᄉᆞ회 ᄉᆞᆷ지 아니리니, 무익 슌셜(脣舌)을 허비치 말지어ᄃᆞ."

원슈 ᄒᆞᆷ쇼왈,

"형은 날을 나오[모]라고 허혼치 아니커니와 녕죤긔 청ᄒᆞ여 허록을 《어더니라∥어드리라》."

흑시 ᄂᆡᆼ쇼왈,

"네 비록 쇼장(蘇張)1491)의 날ᄂᆡᆫ 구변(口辯)이 잇시ᄂᆞ 가음[엄]이 결단코 쇼ᄆᆡ로ᄡᅧ 너의 ᄉᆞ부인을 ᄉᆞᆷ지 아니리니 얼[어]린 뜻슬 두지 말나."

원슈 왈,

"텬유는 ᄂᆞᆯ노ᄡᅧ 녕죤의 녀셔 되지 못ᄒᆞᆯ가 녁이니 ᄉᆡᆼ각ᄒᆞ여 보ᄅᆞ. 쇼졔의 악장되ᄂᆞ니 뉘 영죤만 못ᄒᆞ니 잇ᄂᆞᆫ뇨? 윤상셔는 나을 아시의 보되 비상ᄒᆞᆷ을 알아 졍혼(定婚) 납빙(納聘)ᄒᆞ고, 양평장 이혹ᄉᆞ는 기녀로ᄡᅧ ᄂᆞ의 직실과 ᄉᆞᆷ실을 ᄉᆞᆷ으니 못미쳐 구ᄒᆞ고[ᄂᆞᆫ] ᄃᆞ시 급급히 셔도라 동ᄉᆞᆼ의 마ᄌᆞᆺ난니, 일노 볼진ᄃᆡ 이 뎡창ᄇᆡᆨ이 경ᄎᆞᆷ졍 동상(東床)되미 외ᄅᆞᆷᄒᆞ랴?"

흑시 ᄌᆞ긔 뜻 갓틀진ᄃᆡ 일언의 쾌허ᄒᆞᆯ 거시로ᄃᆡ 부모의 뜻슬 모로는 고로 요두 왈,

"네 아모리 쵀[취]쳐 잘ᄒᆞ믈 자랑ᄒᆞ【35】여도 오가는 본ᄃᆡ 녀ᄌᆞ로 남의 부실 ᄉᆞᆷ는 일이 업ᄉᆞ니 고이ᄒᆞᆫ 말 이르지 말ᄂᆞ."

1490)ᄃᆞ히: 다히. 「조사」처럼, 같이

1491)쇼장(蘇張): 중국 전국 시대의 세객(說客)인 소진(蘇秦)과 장의(張儀)를 아울러 이르는 말.

ᄉᆡ 딘경으로 ᄀᆞᆯ오ᄃᆡ,

"만일 아심 ᄀᆞᆺ틀진ᄃᆡ 쾌허ᄒᆞᆯ 거시로ᄃᆡ 부뫼 허치 아니시리니 엇디ᄒᆞ리오."

원쉬○[왈],

"은경이 듕ᄒᆞᆫ 바의 원비 부실노 가지 아니ᄒᆞᄂᆞ니, 쇼데 삼체(三妻) 이시나 시쇽 질투를 면ᄒᆞ여 츄악ᄒᆞᆫ 뉴 아니니 녕ᄆᆡ 나의 ᄉᆞ부실이 되여도 일ᄉᆡᆼ 괴로오미 업ᄉᆞ리라."

혹ᄉᆡ 쇼왈,

"챵빅의 면쳥이 여ᄎᆞ 간절ᄒᆞ니 부모긔 고ᄒᆞ여 보려니와, 허혼ᄒᆞ실 줄 아디 못ᄒᆞ노라."

이러틋 한화ᄒᆞ여 야심 후 취침ᄒᆞ니라.

경참정 부인이 만ᄂᆡ(晩來)의 일녀를【15】 ᄉᆡᆼᄒᆞ니 용화긔질(容華氣質)이 긔려승졀(奇麗勝絶)ᄒᆞ여 셩ᄒᆡᆼ ᄉᆞ덕이 온유졍뎡(溫柔貞靜)ᄒᆞ니 공의 부뷔 과ᄋᆡᄒᆞ여 틱셔ᄒᆞᄂᆞᆫ 념녜 일시로 방하(放下)치 못ᄒᆞ나 눈의 ᄎᆞᆫ 가랑이 업ᄉᆞ믈 민울ᄒᆞ더라.

슉혜 문학(文學)이 츌인(出人)ᄒᆞᆫ 고로 공이 츄경(秋景)을 응ᄒᆞ여 일슈 시를 디으라 ᄒᆞ다가, 뎡원슈를 본 빈 되니 쇼제 경황ᄒᆞ여 급히 드러와 댱신(藏身) 못ᄒᆞ믈 붓그리더니 ᄎᆞ야의 공이 녀ᄋᆞ를 어로만져 왈,

"오ᄋᆡ 맛참 밧긔 나왔다가 뎡텬흥을 만나니 반ᄃᆞ시 붓그려 뉘웃ᄎᆞ리라."

화부인이 양평 댱부인으로 형뎨라. 뎡원슈의 와시믈 듯고 반겨 경샤 소식을 몰나

원슈 ᄃᆞ시 흐르ᄂᆞᆫ 구변으로 간졀리 구혼ᄒᆞ여 긋치지 아니ᄒᆞ니, 혹ᄉᆡ 진졍으로 이르되,

"아심 갓트면 흠히치1492) 아니ᄒᆞᆯ 거시로ᄃᆡ 부뫼 결ᄒᆞᆫ 부빈(副嬪)ᄂᆞᆫ 허치 아니시리니 ᄎᆞᆼ빅은 허물치 말나."

원슈 왈,

"은졍이 즁ᄒᆞᆫ 바의 원비(元妃) 부실(副室)노 가지 아니ᄒᆞ고 쇼졔 ᄉᆞᆷ쳐 ᄃᆞ 《시수∥시속(時俗)》《특기∥투기(妬忌)》을 면ᄒᆞ여 표[포]악(暴惡)ᄒᆞᆫ 뉴 아니니, 영ᄆᆡ ᄂᆞ히[의] 졔ᄉᆞ부인이 되야도 일ᄉᆡᆼ이 괴롭지 아니리니, 녕존이 비록 불허ᄒᆞ시ᄂᆞ 형이 간ᄒᆞ여 ᄎᆞ혼이 되도록 ᄒᆞ라."

혹ᄉᆡ 쇼왈,

"너의 《명형∥면쳥(面請)》이 여ᄎᆞ 간졀ᄒᆞ니 부모게 고ᄒᆞ여 보련니와 허혼ᄒᆞ슬[실] 쥴 아지 못ᄒᆞ노라."

이러틋 ᄒᆞᆫ화ᄒᆞ여 아[야]심 후 취침ᄒᆞ니라.

원ᄂᆡ 경참졍이 만ᄂᆡ의 일여(一女)을 ᄉᆡᆼᄒᆞ니 용화긔질(容華氣質)리 긔려졀승ᄒᆞ여 옥틱화안(玉態花顔)이 찬연쇄락(燦然灑落)ᄒᆞ고 셩ᄒᆡᆼᄉᆞ덕이 온유졍졍(溫柔貞靜)ᄒᆞ니 공의 부뷔 과ᄋᆡᄒᆞ여 《금연∥경연(經筵)》 시붕(詩朋)의 틱셔ᄒᆞᄂᆞᆫ 염녜 방ᄒᆞ치 못ᄒᆞᄃᆡ, 공의 눈의 참[찬] 신낭을 보지 못ᄒᆞ여 민울ᄒᆞᆫ 빅라.

슉혀[혜] 문장이 츌뉴ᄒᆞ여 고ᄉᆞ슉위(高士宿儒) ᄌᆞ리을 피ᄒᆞᆯ지라. 고로 경공이 츄셩[경](秋景)을 표ᄒᆞ여 임[일]슈 시을 지러[으]라 ᄒᆞ도[다]가 뎡원슈을 본 빈 되니, 경쇼져 놀ᄂᆞ고 황황ᄒᆞ여 급히 《들르∥드러》와 장신(藏身) 못ᄒᆞ믈 붓그러[리]더니, ᄎᆞ야의 공이 여ᄋᆞ을 어로만져 왈,

"오ᄋᆡ【36】 맛참 밧긔 ᄂᆞ왓ᄃᆞ가 뎡쳔흥을 보고 만나시니 반ᄃᆞ시 놀ᄂᆞ고 붓그려 ᄎᆞ후ᄂᆞᆫ ᄃᆞ시 셔현[헌]의 ᄂᆞ오지 안닐난[낫]다?"

화부인이 양평장 부인과 형졔라. 뎡원슈

1492)흠(欠)히치 : 흠(欠)으로 여기지.

우민(憂悶)ᄒᆞ더니 공의【16】 젼ᄒᆞ므로 좃ᄎᆞ 운남 파뎍(破敵)ᄒᆞ던 셜화를 듯고, 부인이 그 쇼년 대ᄌᆡ를 칭복ᄒᆞ믈 마디 아니니, 공이 ᄀᆞᆯ오ᄃᆡ,

“뎡텬흥의 위인은 텬하의 영걸이라 청망이 ᄒᆡᄂᆡ의 들녜니, 국가의 쥬셕지신(柱石之臣)이라 부인의 딜녜 유복ᄒᆞ여 져의 ᄌᆡ실이 되엿ᄂᆞ니라.”

부인이 탄왈,

“우리도 언졔나 져 ᄀᆞᆺᄐᆞᆫ 신낭을 마ᄌᆞ 문난의 광ᄎᆡ를 닐위리오.”

공이 탄왈,

“셰ᄃᆡ(世代)의 뎡텬흥 일인 이심도 국가의 홍복이어늘 ᄯᅩ 엇지 바라리오.”

이러ᄐᆞᆺ 담화ᄒᆞ다가 상요의 나아갓더니 일몽을 어드니 슉혜쇼져 침소 ᄎᆡ화당의 경운이 어ᄅᆡ고 셔광이 ᄋᆡᄋᆡ(藹藹)ᄒᆞᆫ 듕 일만댱(一萬丈)이나 ᄒᆞᆫ 황뇽이 듕셩(衆星)을【17】 거ᄂᆞ려 ᄎᆡ화당을 둘너시니 공의 부뷔 놀나 ᄭᆡ다라 가보니, 슉혜 황뇽 압헤 셧더니 이윽고 뇽이 변ᄒᆞ여 ᄌᆞ포 금관의 언연ᄒᆞᆫ 대댱뷔 되여 풍광이 동탕ᄒᆞ고 긔상이 발호ᄒᆞ여 쳥텬ᄇᆡᆨ일 ᄀᆞᆺᄐᆞ니, 공의 부뷔 셔로 도라보고 놀나 말을 못ᄒᆞ더니, 동녁 상요의 일위 션관이 ᄎᆡᄉᆡᆨ 실을 손의 들고, 뉴리ᄇᆡ(琉璃杯)를 가져 뎡원슈와 슉혜의게 홍ᄉᆞ(紅絲)를 느리며 ᄇᆡ작(杯酌)을 날녀 왈,

왓스믈 듯고 반셔[겨], 경ᄉᆞ소식을 혹ᄉᆞᄃᆞ려 물러라 ᄒᆞ니, 공이 소왈,

“거츄의 경ᄉᆞ을 ᄯᅥᄂᆞ ᄉᆡ로온 쇼식을 들을 슈 업ᄂᆞᆫ지라, 남 파젹지ᄉᆞ 밧 무를 ○[ᄇᆡ] 업다”

ᄒᆞ니, 부이이 그 쇼연ᄃᆡᄌᆡ을 칭찬ᄒᆞ니, 공 왈,

“뎡텬흥은 금쳔ᄒᆞ희한녕무ᄃᆡᄌᆞ[ᄌᆡ](今天下稀罕英武大才)[1493]라. 쇼쇼히 일럴ᄇᆡ 아니요, 문ᄒᆞᆫ긔절(文翰氣節)이며 덕화듕망(德化衆望)이 ᄒᆡᄂᆡ(海內)을 드려 국가쥬셕괴공[고굉]지신(國家柱石股肱之臣)[1494]이라. 부인 질여 유복ᄒᆞ여 그 ᄌᆡ실리라도 되얏ᄂᆞᆫ니다.”

부인이 탄왈,

“○○○[우리도] {셰ᄃᆡ 졍흔[텬]흥} 어ᄂᆡ[ᄃᆡ]셔 져 갓흔 셔랑을 마ᄌᆞ 문난의 광ᄎᆡ을 일우리요.”

공이 ᄃᆞᆸ왈,

“셰ᄃᆡ(世代)의 뎡흔[쳔]흥 일인 이심도 국가홍복이 젹지 아니커늘 엇지 ᄯᅩ ᄎᆞ인 갓튼니 잇기을 ᄇᆞᄅᆞ리요.”

부뷔 일럿틋 ᄃᆞᆷ화ᄒᆞᄃᆞ가 상요의 ᄂᆞᄋᆞ갓드니, 일몽을 어드니 슉혀[혜] 쇼져 침쇼 ᄎᆡ화당의 들엇거늘 공과 부인이 경운(慶雲)이 어ᄅᆡ고 셔ᄋᆡ몽몽(瑞靄濛濛)ᄒᆞᆫ 즁, 일만장(一萬丈) 황용이 즁셩(衆星)을 거ᄂᆞ려 ᄎᆡ화당○[을] 둘러거늘, 공과 부인이 놀ᄂᆞ 나아가 보니, 슉려[혜] 황용 압히 셧더니 이윽고 용이 변ᄒᆞ여 ᄌᆞ표[포](紫袍) 금관(金冠)ᄒᆞᆯ[ᄒᆞᆫ] ᄌᆡ숭(宰相)이 되야 풍관[광](風光)이 《쳘량‖찬란(燦爛)》ᄒᆞ고 긔상○[이] 발호ᄒᆞ여 ᄃᆡ증부의 힝신니 쳔[쳥]쳔ᄇᆡᆨ일(青天白日) 갓튼니 이곳 뎡츤[쳔]흥이라. 공의 부뷔【37】 셔로 ᄃᆡ경ᄒᆞ여 도라보고 말을 못ᄒᆞ여셔, 동역 상문의 일위 션관이 손의 치

1493)금쳔ᄒᆞ희한녕무ᄃᆡᄌᆡ(今天下稀罕英武大才) : 오늘날 세상에서 매우 보기 드문 영민하고 용맹스런 큰 인물.

1494)국가쥬셕고굉지신(國家柱石股肱之臣) : 나라의 기둥과 주춧돌, 팔, 다리처럼 중요한 신하라는 뜻으로, 임금이 가장 신임하는 신하를 이르는 말.

"월하의 븕은 실을 민ᄌᆞ믹, 동쥬(同住)ᄒᆞ여 ᄌᆞ손이 만당ᄒᆞ고 부귀 극ᄒᆞ리니, 됴히 친ᄉᆞ를 일우고 뎨사부빈(第四副嬪)을 혐의치 말나."

경공이 변식 왈,

"우리 ᄌᆞ녜 여러히 아니라 엇디 만【18】금농쥬(萬金弄珠)로 뎡가 뎨ᄉᆞ부빈을 주리오. 텬관은 원컨ᄃᆡ 이런 괴이ᄒᆞᆫ 거조를 마르쇼셔."

션관이 호호히 우으며 왈,

"그ᄃᆡ를 현명ᄒᆞᆫ 댱뷔라 ᄒᆞ엿더니, 블통ᄒᆞ미 이 ᄀᆞᆺᄐᆞ냐? 녕녜(令女) 셰샹의 나기를 뎡텬홍의 가실(家室)이 되게 뎡ᄒᆞ여시니 텬명을 슌슈ᄒᆞ라."

싁실과 유리빅을 가지고 드르와 뎡원슈와 슉혀의게 실을 드리고 빅즉(杯酌)을 날여 ○[왈],

"월ᄒᆞ의 불근 실을 믹ᄌᆞ믹, 만면 길운을 일워, 싱즉동쥬(生則同住)의 ᄉᆞ즉동혈(死則同穴)[1495]○○[ᄒᆞ여] ᄌᆞ숀이 만당(滿堂)ᄒᆞ고 부귀 극ᄒᆞ리니, 쳔졍연분(天定緣分)이 즁ᄒᆞ믹 비록 물니고ᄌᆞ ᄒᆞ여도 버셔ᄂᆞ지 못ᄒᆞ리니, 됴히 친ᄉᆞ을 일우고 졔ᄉᆞ부인을 《혐히‖혐의(嫌疑)》 치 말나."

경공이 경식 왈,

"우리 ᄌᆞ여 여러히 아니라. 오직 계ᄌᆞ(繼子)와 아여(我女) 분이라. 만금쇼즁(萬金所重)이어늘 엇지 졍가의 졔ᄉᆞ부인을 주리요? 원컨ᄃᆡ 션관은 괴히ᄒᆞᆫ 말을 말르쇼셔"

션관이 호호히 우어 왈,

"그ᄃᆡ을 현명ᄒᆞᆫ 장ᄌᆞ(長者)로 알라더니 《불충‖불통(不通)》ᄒᆞ미 여ᄎᆞᄒᆞᆫ뇨? 영ᄋᆡ 츌셰ᄒᆞ기을 현[쳔]홍의 가실(家室)이 되게 졍ᄒᆞ여 빅연업(百年業)을 일루어[려] ᄒᆞᄂᆞ니, 슌쳔ᄌᆞ(順天者)ᄂᆞᆫ ᄎᆞᆼ(昌)ᄒᆞ고 역쳔ᄌᆞ(逆天者)ᄂᆞᆫ 망(亡)이라. 쳔졍ᄒᆞᆫ 슈을 임의로 ᄒᆞ랴? ᄂᆞᄂᆞᆫ 월ᄒᆞ노인(月下老人)[1496]이러니 상졔의 명으로 호ᄉᆞ(好事)을 믹즐 분이라. 공은 굿ᄒᆞ여 놀ᄃᆞ려 친ᄉᆞᄃᆞ이을 뭇지 말ᄂᆞ."

언필의 몸을 소○[소]와 운간의 감쵸고 뎡원슈ᄂᆞᆫ ᄃᆞ시 황용이 되고 슉허[혜]ᄂᆞᆫ 변ᄒᆞ여 ᄂᆞᆫ봉(鸞鳳)이 되어 셔로 어루져 구름 ᄉᆞ의셔 유희ᄒᆞ니 광치ᄂᆞᆫ 현난ᄒᆞ고 졍쇄 《잉잉‖ᄋᆡᄋᆡ(靄靄)》ᄒᆞ여 ᄌᆞᄉᆞ[세]이 보지 못ᄒᆞᆯ너라. 참졍과 화【38】부인이 셔로 여아을 부르ᄃᆞ 씻치니 침상일몽이라. 션관의 말이 귀의 역역ᄒᆞ고 뎡원슈와 《영‖여ᄋᆞ》의 거동이 눈의 삼삼ᄒᆞ여 즁심의 긔이코 범상ᄒᆞᄃᆡ, 경공이 불열 왈,

---

1495)싱즉동쥬(生則同住) ᄉᆞ즉동혈(死則同穴) : 살아서는 한 집에서 같이 살고 죽어서는 한 무덤에 같이 묻힘.

1496)월ᄒᆞ노인(月下老人) : 부부의 인연을 맺어 준다는 전설상의 늙은이. 중국 당나라의 위고(韋固)가 달밤에 어떤 노인을 만나 장래의 아내에 대한 예언을 들었다는 데서 유래한다.

공이 번신(翻身)ᄒᆞ여 ᄭᆡ다르니 침샹 일몽이라. 심듕의 경아ᄒᆞ여 명됴의 ᄌᆞ녜 신셩ᄒᆞᆯ ᄉᆡ, 혹ᄉᆡ 부젼의 ᄭᅮ러 야ᄅᆡ 뎡원슈의 문답ᄉᆞ를 일일히 고ᄒᆞ니, 공이 침ᄉᆞ냥구(沈思良久)의 왈,

"오가(吾家) 문디(門地) 벌열(閥閱)노ᄡᅧ 일녀를 남의 ᄉᆞ취(四娶)를 주지 아니려든, 텬홍이 스ᄉᆞ로 구ᄒᆞ여 우리 뜻을 모로고 위력으로 동상이 되고져 ᄒᆞ나 그 긔운이 튱텬(衝天)ᄒᆞ여 디【19】란(芝蘭)ᄀᆞᆺ튼 약녀(弱女)를 딘압(鎮壓)ᄒᆞᆯ 길히 업ᄉᆞ니 허치 못ᄒᆞ리로다."

부인이 작야(昨夜) 몽ᄉᆞ를 니르고 ᄢᅦ치지[1552] 말나 ᄒᆞ니 공이 쇼왈,

"허탄ᄒᆞᆫ 몽ᄉᆞ를 취신ᄒᆞ리오. 몽ᄉᆞ란 거ᄉᆞᆫ 우읍거니와 내 평ᄉᆡᆼ의 창ᄇᆡᆨ으로ᄡᅧ 만고일인(萬古一人)만 넉이니, 역시 ᄎᆞ혼을 허코져ᄒᆞ나, 내 경샤의 올나가 뎡형을 보고 의논ᄒᆞ여 ᄒᆞ리라."

혹ᄉᆡ 고왈,

1552) ᄢᅦ치다 : 떼치다. 요구나 부탁 따위를 딱 잘라 거절하다.

"우리 만ᄂᆡ의 일여을 어더 부ᄃᆡ 죠와[요]로은 셔랑을 어더 봉황의 쌍유ᄒᆞᄂᆞᆫ ᄌᆞ미을 보고져 ᄒᆞ거늘, 몽ᄉᆡ 괴이ᄒᆞ여 녀ᄋᆞ을 인연이 뎡가의 ᄆᆡ이니 엇지 블힝치 아니리요. 위인을 이을[를]진ᄃᆡ 뎡츤[쳔]홍의 오르리 업ᄉᆞᄃᆡ, 졔 임의 ᄌᆡ쵀[취] ᄉᆞᆷ쵀[취] ᄒᆞ여시니 오ᄋᆞ을 제ᄉᆞ분[부]인을 ᄎᆞ마 못ᄒᆞᆯ ᄇᆡ라."

부인 왈,

"비록 쇼원이 아니나 몽ᄉᆡ 가장 신긔ᄒᆞ니 ᄉᆞ셰 보ᄋᆞ가며 친ᄉᆞ을 일루게 ᄒᆞ쇼셔."

공이 또ᄒᆞᆫ 그러이 역여 다시 말을 아니ᄒᆞ더니, 날리 발그ᄆᆡ 혹ᄉᆡ 신셩ᄒᆞ거늘 공이 문왈,

"창ᄇᆡᆨ이 ᄭᅵ여더냐?"

혹ᄉᆡ ᄃᆡ 왈,

"아직 ᄌᆞ더이ᄃᆞ."

ᄒᆞ고 가ᄌᆞᆼ 주졔[져](躊躇)ᄒᆞᄃᆞ가 좌을 ᄡᅥᄂᆞᆫ 뎡쳔홍의 ᄒᆞ던 말을 구[주]ᄒᆞ니, 공이 어희 업셔 쇼왈,

"ᄉᆞᆷ쳐을 주[두]고 또 구ᄒᆞ미 남ᄃᆞ러미요[1497], ᄂᆡ 아직 향이(鄕里)의 굴ᄒᆞ여셔ᄂᆞ 오가(吾家) 《문질번열 ‖ 문지벌열(門地閥閱)》노ᄡᅧ 일여을 ᄉᆞ취(四娶)을 쥬지 안니려든, 쳔형[홍]이 스ᄉᆞ로 구ᄒᆞ여 우리 뜻졀 모로고 위력으로 동상이 되고져 ᄒᆞ니, 그 긔운이 츙쳔ᄒᆞ여 지ᄅᆞᆫ(芝蘭) 갓튼 약여(弱女)을 진압ᄒᆞᆯ 길이 업ᄉᆞ니 아마도 혼ᄉᆞ을 허치 못ᄒᆞ리로ᄃᆞ."

부인이 ᄌᆞᆨ야 몽ᄉᆞ을 이루[르]【39】고 혼ᄉᆞ을 《ᄡᅥ지 : ᄢᅦ치지[1498]》 말ᄂᆞ ᄒᆞ니, 공이 쇼왈,

"부인은 허ᄐᆞᆫᄒᆞᆫ 몽ᄉᆞ을 취신ᄒᆞᄂᆞ 네[내] 평ᄉᆡᆼ 뎡현[쳔]홍을 만고일인(萬古一人)으로 아ᄂᆞᆫ지라. 역시 ᄎᆞ혼을 ᄒᆞ고져 ᄒᆞ{리}니, ᄂᆡ 경ᄉᆞ의 올ᄂᆞ가 뎡윤보로 면의(面議)ᄒᆞ고 혼ᄉᆞ을 지ᄂᆡ리라."

혹ᄉᆡ 고왈,

1497) 남ᄃᆞ러다 : 남다르다. 유별나다.

1498) ᄢᅦ치다 : 떼치다. 요구나 부탁 따위를 딱 잘라 거절하다.

"금평후ᄂᆞᆫ 본ᄃᆡ 단뎡ᄒᆞᆫ 셩경으로 챵ᄇᆡᆨ의 호신(豪身)을 엄금ᄒᆞ니, 혼ᄉᆞ를 상의ᄒᆞ실진ᄃᆡ, 이곳의셔 혼ᄉᆞ를 지ᄂᆡ고 챵ᄇᆡᆨ으로 ᄉᆞᆺ출 여므러 됴토록 ᄒᆞ라 ᄒᆞ쇼셔."

경공이 웃고 ᄀᆞᆯ오ᄃᆡ,

"가히 뎡텬흥이 남활(濫闊)ᄒᆞᆫ 놈이로다."【20】ᄒᆞ고, ᄒᆞᆨᄉᆞ를 다리고 외루(外樓)의 나오니, 원쉬 바야흐로 ᄭᆡ여 옷ᄉᆞᆯ 닙다가 공을 보고 허튼 머리의 관을 집어 언ᄌᆞ며, 일희 허리의 ᄯᅴ를 둘너 마ᄌᆞ니, 쇄락ᄒᆞᆫ 옥면이 소셰(梳洗)를 아냐시나 찬연슈려(燦然秀麗)ᄒᆞ여, ᄇᆡᆨ년(白蓮)이 츄ᄐᆡᆨ의 셩ᄀᆡᄒᆞᆫ ᄃᆞᆺ 명월이 듕텬의 한가(閑暇)ᄒᆞᆫ ᄃᆞᆺ, 녹빈방쳔(綠鬢方天)[1553]의 두발이 허틀ᄆᆡ, 깃[1554] 거ᄉᆞ린[1555] 봉(鳳)이오, 날개 버린 학(鶴)이라. 팔쳑 신댱의 가득ᄒᆞᆫ 풍뉴(風流)[1556] 늠연(凜然) 쳑탕(滌蕩)ᄒᆞ여, 앙앙(昻昻)ᄒᆞᆫ 격됴(格調) 대귀인 긔상을 가져시니, 쳔승(千乘)을 긔필ᄒᆞᆯ디라. 경공이 흠ᄋᆡ(欽愛)ᄒᆞ믈 니긔디 못ᄒᆞ여 안ᄌᆞ믈 니졋더니, 이윽고 좌를 뎡ᄒᆞᄆᆡ 죵용이 담화ᄒᆞᆯᄉᆡ, 원쉬 짐즛 경ᄒᆞᆨᄉᆞ를 도라보【21】며 미미히 우어 왈,

"형이 작야 쇼뎨의 말노뼈 합하긔 고ᄒᆞ얏ᄂᆞ냐?"

ᄒᆞᆨᄉᆡ 함쇼 답왈,

"쇼뎨 정신이 브족ᄒᆞ여 니져시니 형이 이졔 고ᄒᆞ라."

원쉬 단ᄉᆞ의 ᄇᆡᆨ옥이 찬연ᄒᆞ여 ᄀᆞᆯ오ᄃᆡ,

"금평후ᄂᆞᆫ 본ᄃᆡ ᄃᆞᆫ즁ᄒᆞᆫ 셩경이라, 기ᄌᆞ의 ᄉᆞ취을 허치 아닐 거시니, ᄃᆡ인이 허혼코져 ᄒᆞ실진ᄃᆡ 이곳의 왓실 ᄯᅵ 혼ᄉᆞ을 지ᄂᆡ고 창ᄇᆡᆨ이 ᄯᅳᆺ즐 일워 마ᄎᆞᆷᄂᆡ 좃도록 ᄒᆞ라 ᄒᆞ쇼셔"

공이 웃고 날호여 ᄒᆞᆨᄉᆡ을 ᄃᆞ리고 외현[헌]으로 나오니, 원슈 바야흐로 ᄭᆡ여 의ᄃᆡ(衣帶)을 수습(收拾)ᄒᆞᄃᆞ가, 공을 보고 허튼 머리을[의] 관을 언ᄌᆞ며 일회[희] 허리의 ᄯᅴ을 두루며, 밧비 마ᄌᆞ이[니] 쇄락ᄒᆞᆫ 옥면이 쇼셰을 아냐스나 찬련슈려(燦然秀麗)ᄒᆞ여, ᄇᆡᆨ연화(白蓮花) 츄ᄐᆡᆨ(秋澤)의 셩ᄀᆡ(盛開)ᄒᆞᆫ 듯, 명월이 동쳔의 ᄒᆞᆫ가ᄒᆞᆫ 듯, 녹빈방쳔(綠鬢方天)[1499]의 운발(雲髮)이 허틀ᄆᆡ, 긔이ᄒᆞᆫ 거동이 깃[1500] 거ᄉᆞ린[1501] 봉(鳳)이오, ᄂᆞᄅᆡ 벌린 ᄒᆞᆨ이라. 팔쳑 《경윤‖신댱(身長)》의 가득ᄒᆞᆫ 풍유(風流)[1502], 쳥쳔(青天)○[ᄀᆞᆺ]ᄒᆞ여 앙앙(昻昻)ᄒᆞᆫ 격됴(格調) ᄃᆡ괴지상(大魁之相)으로 《텬셩으로‖쳔승(千乘)을》 긔필ᄒᆞᆯ지라. 경공이 어린 ᄃᆞ시 그 낫출 울어러 흠ᄋᆡᄒᆞ믈 이기지 못ᄒᆞ여, 안ᄌᆞ밀[믈] 이져셔니 ᄒᆞᆨᄉᆡ 좌셕을 정제ᄒᆞ여 부친니 좌ᄒᆞ신 후, 뎡원슈의 안기을 이르고 됴용이 담화ᄒᆞᆯ ᄉᆡ, 원슈 진짓 경ᄒᆞᆨᄉᆡ을 도ᄅᆞ보ᄋᆞ 미미히 우어 왈,

"형이 작야【40】쇼제 ᄒᆞ던 말을 합ᄒᆞ긔 고ᄒᆞ냐?"

ᄒᆞᆨᄉᆡ 죰소왈,

"《이졔‖소제(小弟)》 정신이 혼모(昏暮)ᄒᆞ여 이져시니 이졔 형이 고ᄒᆞ라."

원슈 단ᄉᆞ의 비[ᄇᆡᆨ]옥(白玉)이 영농(玲瓏)ᄒᆞ여 왈,

1553)녹빈방쳔(綠鬢方天) : 푸른빛이 도는 귀밑머리와 이마의 양 옆 가장자리에 난 머리털을 함께 이르는 말. 녹빈(綠鬢); 푸른 빛이 도는 고운 귀밑머리. 방천(方天); 방천극(方天戟) 중앙 날 양 옆에 붙여 놓은 두 개의 초승달 모양의 날[이것을 월아(月牙)라 함]을 말하는 것으로, 여기서는 이마의 양 옆 가장자리의 머리를 뜻한다.
1554)깃 : 새의 날개. 깃털.
1555)거ᄉᆞ리다 : 거스르다. 새 따위가 날거나 위험에 대처하기 위해, 날개를 접은 상태에서 활짝 펴다.
1556) 풍뉴(風流) : 멋. 또는 멋스러운 모습.

1499)녹빈방쳔(綠鬢方天) : 푸른빛이 도는 귀밑머리와 이마의 양 옆 가장자리에 난 머리털을 함께 이르는 말. 녹빈(綠鬢); 푸른 빛이 도는 고운 귀밑머리. 방천(方天); 방천극(方天戟) 중앙 날 양 옆에 붙여 놓은 두 개의 초승달 모양의 날[이것을 월아(月牙)라 함]을 말하는 것으로, 여기서는 이마의 양 옆 가장자리의 머리를 뜻한다.
1500)깃 : 새의 날개. 깃털.
1501)거ᄉᆞ리다 : 거스르다. 새 따위가 날거나 위험에 대처하기 위해, 날개를 접은 상태에서 활짝 펴다.
1502)풍유(風流) : 멋. 또는 멋스러운 모습.

“그 ᄉᆞ이 니ᄌᆞᆯ 니 업ᄉᆞ니 허언을 말나.”

ᄒᆞᆨᄉᆡᆨ 웃고 말을 아니니, 공이 혼ᄉᆞ 말이믈 지긔ᄒᆞ고 굿ᄐᆞ여 뭇지 아녀 다른 말을 슈작ᄒᆞ더니, 원쉬 믄득 무릅흘 ᄲᆞᆯ며 경공을 향ᄒᆞ여 궤고(跪告) 왈,

“쇼ᄉᆡᆼ이 외람이 소회(所懷) 이실ᄉᆡ 은닉지 못ᄒᆞ고 합하(閤下)긔 고ᄒᆞ오믄, 평일 과ᄋᆡᄒᆞ시ᄂᆞᆫ 은혜를 닙ᄉᆞ와, 우러옵ᄂᆞᆫ 의ᄉᆡ 범연ᄒᆞᆫ 곳의 비치 못ᄒᆞ올 ᄇᆡ오니 고ᄒᆞᄂᆞ이다. 이제 합하의 슬ᄒᆞ 젹막ᄒᆞ와 쳔유로 계【22】후를 뎡ᄒᆞ시고, 일개 규와(閨瓦)를 두샤 ᄐᆡᆨ셔를 근심ᄒᆞ시니, 쇼ᄉᆡᆼ의 용우박녈(庸愚薄劣)ᄒᆞ미 가취지ᄉᆡ(可取之事) 업ᄉᆞ오나 피ᄎᆞ 문미 가셰 상당ᄒᆞ므로ᄡᅧ, 쥬진(朱陳)의 호연(好緣)1557)을 ᄆᆡᄌᆞᆯ진ᄃᆡ 쇼ᄉᆡᆼ의 어린 졍셩이 반ᄌᆞ(半子)1558)의 녜(禮)를 다ᄒᆞ고, 텬유로 더브러 디극ᄒᆞᆫ 졍분의 다시 일가의 의를 ᄆᆡᆺ고져 하오미라. 합히 쳔금 옥녀로ᄡᅧ 쇼ᄉᆡᆼ의 여럿ᄌᆡ 부실을 욕되게 넉이샤 허치 아니시려니와, 쇼ᄉᆡᆼ이 본ᄃᆡ 소회를 ᄀᆞᆷ쵸지 못ᄒᆞ므로 고ᄒᆞᄂᆞ이다.”

언파의 긔운이 튱텬ᄒᆞ여 일분 어려이 넉이ᄂᆞᆫ ᄇᆡ 업ᄉᆞ니, 공이 면모의 은은ᄒᆞᆫ 우음을 ᄯᅴ여 이윽이 말을 아니ᄒᆞ더니, 날호여 답왈,

“미약ᄒᆞᆫ 녀【23】식을 챵ᄇᆡᆨ이 이러틋 구혼ᄒᆞ니 ᄀᆞ장 감샤ᄒᆞ거니와, 군의 실듕의 삼부인이 ᄂᆡᄉᆞ를 님찰ᄒᆞᆫ다 ᄒᆞ니, 쇼녀의 블민 용우ᄒᆞ미 군ᄌᆞ 건긔(巾器)1559)를 소임치 못ᄒᆞ며, 삼부인으로 됴히 화목지 못ᄒᆞᆯ가 능히 허치 못ᄒᆞᄂᆞ니, 챵ᄇᆡᆨ이 브ᄃᆡ 취ᄒᆞ려 ᄒᆞ거든 미혼 젼 결단을 두어, 쇼녀로 ᄒᆞ여곰 우리 ᄉᆡᆼ젼의 슬하(膝下)를 블니(不離)케 ᄒᆞ여, 존문의 다려가지 아니려 ᄒᆞ면 오히려 허(許)

1557)쥬진(朱陳)의 호연(好緣) : 주진(朱陳)은 중국 당(唐)나라 때에 주씨와 진씨 두 성씨가 함께 살아오던 마을 이름인데, 한 마을에 오직 주씨와 진씨만 대대로 살아오면서 서로 혼인을 하였다고 하여, 두 성씨간의 혼인을 일컬어 ‘주진(朱陳)의 호연(好緣)’이라 한다.

1558)반ᄌᆞ(半子) : 사위를 달리 이르는 말.

1559)건긔(巾器) : 수건그릇. ‘건즐(巾櫛)’과 같은 말.

“그 ᄉᆞ이 이를 이 업ᄉᆞ니 허언을 말나.”

ᄒᆞᆨᄉᆡᆨ ᄒᆞᆷ쇼무언(含笑無言)이니, 경공이 혼ᄉᆞ의 말이멀[믈] 지기ᄒᆞ고, 굿ᄒᆞ여 뭇지 아니코 오직 ᄃᆞ런 말노 슈ᄌᆞᆨᄒᆞ던니, 원슈 문득 무릅흘 쓸고 경공을 향ᄒᆞ여 왈,

“소회 이셔 감히 죤젼의 은익지 못ᄒᆞ고 ᄒᆞᆸᄒᆞ기 로[고]ᄒᆞ믄, 평일 과ᄋᆡᄒᆞ신 은의을 입ᄉᆞ왓ᄂᆞᆫ 고로 ᄆᆡ양 경양[앙]ᄒᆞ든 졍이 범연ᄒᆞᆫ 곳의 비치 못ᄒᆞᆯ ᄇᆡ오니, 이졔 ᄒᆞᆸ히 슬히 젹막ᄒᆞ여 텬유로 계후을 졍ᄒᆞ시고 일ᄃᆡ 규ᄋᆡ(一代閨兒)을 두ᄉᆞ ᄐᆡᆨ셔ᄒᆞ시기을 금[근]심ᄒᆞ시니, 소ᄉᆡᆼ의 용우박열(庸愚薄劣)ᄒᆞ미 가ᄎᆔ[취]지ᄉᆡ(可取之事) 업ᄉᆞ오ᄂᆞ 피ᄎᆞ 문미 가셰 상ᄃᆞᆼᄒᆞ므로 주진(朱陳)의 호연(好緣)1503)을 일룬[룰]진ᄃᆡ, 쇼ᄌᆞ의 어린 졍셩이 반ᄌᆞ지의(半子之義)1504)을 ᄃᆞᄒᆞ고 텬유로 ᄃᆞ시 일가지의(一家之義)을 ᄆᆡᆺ고ᄌᆞ ᄒᆞ미라. 쳔금옥여(千金玉女)로ᄡᅧ 쇼ᄉᆡᆼ의 여러ᄌᆡ 분[부]인 되물 욕되니 녁이ᄉᆞ 허치 아니시련○[이]와, 쇼ᄉᆡᆼ이 본ᄃᆡ 심즁의 품은 ᄇᆡ을 감쵸지 못ᄒᆞ여 시러곰 고ᄒᆞᄂᆞ이ᄃᆞ.”

언ᄑᆞ의 긔운니 츙쳔ᄒᆞ여 일분 어려온 ᄇᆡ 업ᄉᆞ니, 경공이 면모의 은은ᄒᆞᆫ 우음을 ᄯᅴ여 날호여 ᄃᆡ왈,

“미약ᄒᆞᆫ 여식을 ᄎᆞᆼᄇᆡᆨ이 일럿틋 구○[혼]ᄒᆞ니 가장 감ᄉᆞᄒᆞ거니【41】와 군의 실즁의 ᄉᆞᆷ부인이 ᄂᆡᄉᆞ을 님ᄎᆞ[ᄎᆞᆯ](臨察)ᄒᆞᆫᄃᆞ ᄒᆞ니, 쇼녀의 불민용우ᄒᆞ미 군ᄌᆞ의 건질(巾櫛)을 쇼임치 못ᄒᆞ며, 원군(元君)을 공경치 못ᄒᆞ고 동녈을 화우치 못ᄒᆞᆯ가 허치 못ᄒᆞᄂᆞ니, ᄎᆞᆼᄇᆡᆨ이 본ᄃᆡ 취코져 ᄒᆞ거든 미혼젼 《결‖결단》ᄒᆞ여 쇼여로 ᄒᆞ여금 ᄉᆡᆼ젼의 슬ᄒᆞ을 불니(不離)ᄒᆞ여 죤문의 ᄃᆞ려가지 아니ᄒᆞ면

1503)주진(朱陳)의 호연(好緣) : 주진(朱陳)은 중국 당(唐)나라 때에 주씨와 진씨 두 성씨가 함께 살아오던 마을 이름인데, 한 마을에 오직 주씨와 진씨만 대대로 살아오면서 서로 혼인을 하였다고 하여, 두 성씨간의 혼인을 일컬어 ‘주진(朱陳)의 호연(好緣)’이라 한다.

1504)반ᄌᆞ지의(半子之義) : 사위로서의 도리. ‘반자(半子)’는 사위를 달리 이르는 말.

하리라.”

원쉬 화이 웃고 골오ᄃᆡ,

“녀ᄌᆞ유ᄒᆡᆼ(女子有行)이 원부모형뎨(遠父母兄弟)니 합히 비록 일녀 이시나 엇지 ᄆᆡ양 슬하의 두리잇가? 쇼ᄉᆡᆼ의 삼쉬 다 질투ᄂᆞᆫ 버셔낫ᄂᆞᆫ디라 영녜(令女) 비록 여럿지 부인이나 일ᄉᆡᆼ인【24】 즉 안연평셕(晏然平席)ᄒᆞ오리니 합하ᄂᆞᆫ 쇼쇼호의(小小狐疑)를 두지 마르시고 텬연(天緣)이 뎡ᄒᆞ시믈 ᄉᆡᆼ각ᄒᆞ쇼셔.”

경공이 져의 당면ᄒᆞ여 이ᄀᆞᆺ치 보ᄎᆡ믈 듯고 몽ᄉᆞ를 ᄉᆡᆼ각ᄒᆞᄆᆡ ᄎᆞ마 박졀치 못ᄒᆞ여,

“나의 허락을 어드면 엇디 취ᄒᆞ려 ᄒᆞᄂᆞ뇨?”

원쉬 쇼이ᄃᆡ왈(笑而對曰),

“만일 허ᄒᆞ실진ᄃᆡ 긔부형지죄(欺父兄之罪)1560)ᄂᆞᆫ 쇼ᄉᆡᆼ이 몸 우히 시르려니와, 이곳의셔 급히 취(娶)ᄒᆞ고 합해 경샤의 오신 후, 녕녀(令女)를 다시 혼녜를 일워 친젼의 블고이취(不告而娶)1561)ᄒᆞ믈 은닉ᄒᆞ리이다.”

경공이 도로혀 쇼왈,

“군의 계괴 긔특ᄒᆞ거니와 호ᄉᆡ다ᄆᆡ(好事多魔)라, 그 ᄉᆞ이 연고 잇셔【25】 ᄒᆡᆼ계(行計)를 못ᄒᆞ고 영엄(令嚴)이 몬져 알면 엇디려 ᄒᆞᄂᆞ뇨?”

원쉬 쇼왈,

“가엄이 쇼ᄉᆡᆼ의 호신을 금ᄒᆞ시나, 발셔 취ᄒᆞᆫ 후ᄂᆞᆫ 일시 슈칙(數責)이 엄ᄒᆞ시나 이만 일의 죽이든 아니시리이다.”

공이 그 호긔를 흠ᄋᆡ(欽愛)ᄒᆞ여 ᄎᆞ마 퇴혼(退婚)치 못ᄒᆞ고, 비록 ᄉᆞ취나 인믈이 디극히 긔려ᄒᆞᆫ 고로 소원이 아니로ᄃᆡ 웃고 골오ᄃᆡ,

“창ᄇᆡᆨ이 단졍으로 구혼ᄒᆞ니 내 심약(心弱)ᄒᆞ여 구지 퇴(退)치 못ᄒᆞ고 허ᄒᆞᄂᆞ니 ᄆᆞ음ᄃᆡ로 슈히 취ᄒᆞ라.”

원쉬 대열ᄒᆞ여 샤례ᄒᆞ고 골오ᄃᆡ,

오히려 허혼ᄒᆞ리라.”

원슈 화히 ᄃᆡ왈,

“녀ᄌᆞ유ᄒᆡᆼ(女子有行)이 원부노[모]형제(遠父母兄弟)라, 엇지 ᄆᆡ양 슬ᄒᆞ의 두리잇고? ᄉᆡᆼ의 숩쳐 다 질투의 버셔ᄂᆞᆫ 지라. 영녀 비록 여러지 부인이ᄂᆞ 일ᄉᆡᆼ이 안여본셕ᄒᆞ오리니 흡ᄒᆞᄂᆞᆫ 쇼쇼 혐의을 두지 마르시고 텬의 졍ᄒᆞ엿시믈 ᄉᆡᆨ[ᄉᆡᆼ]각하쇼셔.”

경공이 져의 당면ᄒᆞ여 급히 구ᄒᆞ믈 보고 이의 흐[허]ᄒᆞ니, 원슈 왈,

1560)긔부형지죄(欺父兄之罪) : 아버지와 형을 속인 죄.

1561)블고이취(不告而娶) : 부모의 허락을 얻지 않고 장가를 듦.

"쇼ᄉᆡᆼ의 ᄒᆡᆼ되 ᄀᆞ장 긴급ᄒᆞ오니 녕녀의 ᄉᆡᆼ월 일시를 니르샤 길일을 쇽ᄐᆡᆨ(速擇)ᄒᆞ샤이다."

공이 쇼왈,

"신낭으【26】로셔ᄂᆞᆫ 완만ᄒᆞ고 너모 잠붓그러오미 업도다."

인ᄒᆞ여 ᄉᆡᆼ년월일시를 니르니 원쉬 ᄐᆡᆨ일ᄒᆞᄆᆡ 쵹박ᄒᆞ여 슈삼일이 격ᄒᆞᄆᆡ 공이 쇼왈,

"비록 ᄇᆡ현구고지녜를 아니ᄒᆞ나 길긔 너모 착급ᄒᆞ여 셩녜지졀(成禮之節)도 출히기 어렵도다."

원쉬 대왈,

"쇼ᄉᆡᆼ의 ᄒᆡᆼ게(行車) 급ᄒᆞ오니 브졀업시 번화(繁華)로 날을 물니치지 마르쇼셔."

공이 즉시 ᄂᆡ당의 뎡혼ᄒᆞᆷ을 젼ᄒᆞ여 혼슈를 출히라 ᄒᆞ고, 원슈ᄃᆞ려 빙믈을 몬져 ᄂᆡ라 ᄒᆞ니 원쉬 쇼왈,

"빙믈ᄒᆞᆯ 거시 업ᄉᆞ니 쇼ᄉᆡᆼ의 건줌(巾簪)이 녀ᄌᆞ의 장염(粧奩)[1562]이 아니나 권도(權道)로 빙물을 삼아디이다."

언파의 두상(頭上)의 ᄇᆡᆨ옥줌(白玉簪)【27】을 ᄲᅢ히고 혼셔(婚書)를 ᄡᅧ ᄒᆞᆫ가지로 공의 압헤 노흐니, 그 청검(淸儉)ᄒᆞ미 남만을 평뎡ᄒᆞ고 도라오ᄃᆡ, ᄒᆞᆫ낫 보믈이 몸가의 머므디 아냐시믈 더옥 항복《ᄒᆞ고 ‖ ᄒᆞ더라》. 원쉬 왈,

"길일이 님박ᄒᆞᆫᄃᆡ 존부의 이시미 블가ᄒᆞ니 길녜 젼 햐쳐(下處)의 이시려 ᄒᆞᄂᆞ이다."

뎡언간의 본읍 태쉬 현알을 쳥ᄒᆞ니 원쉬 의관을 슈렴ᄒᆞ고 날호여 쳥ᄒᆞ여 셔로 볼ᄉᆡ, 태쉬 드러와 청말(廳末)의셔 ᄌᆡᄇᆡ(再拜)ᄒᆞ니 원쉬 댱읍블ᄇᆡ(長揖不拜)[1563]ᄒᆞ니, 태쉬 공슈궤좌(拱手跪坐)ᄒᆞ여 작일 션문(先聞)이 업

1562)장염(粧奩) : ①경대(鏡臺) ②몸을 치장하는 데 쓰는 갖가지 물건.

1563)댱읍블ᄇᆡ(長揖不拜) : 길게 읍만 하고 절은 하지 않음. 상관이 하관의 절을 받고 답배(答拜)를 하지 않고 읍(揖)으로 대신함.

"쇼ᄉᆡᆼ이 ᄒᆡᆼ긔(行期) 급ᄒᆞ오니 부졀업시 번화(繁華)을 취ᄒᆞ여 날을 물니지 마로쇼셔."

공이 혹ᄉᆡ을 명ᄒᆞ여 ᄂᆡ류[루](內樓)의 젼[졍]혼ᄉᆞ(定婚事)을 젼ᄒᆞ여 혼구(婚具)을 셩비(盛備)ᄒᆞ라 ᄒᆞ고 원슈ᄃᆞ려 왈,

"○○○[빙물을] 곳 젼ᄒᆞ여 졍케ᄒᆞ라."

원슈 왈,

"빙불[물]ᄒᆞᆯ 거시 업ᄉᆞ니 소상[ᄉᆡᆼ]의 건줌이 비록 여ᄌᆞ의 장식이 아니ᄂᆞ 권도(權道)로 빙물을 ᄉᆞᆷ으《리라 ‖ 리이다》."

언파의 두상의 ᄇᆡᆨ옥ᄉᆞᆷ[줌](白玉簪)을 ᄲᅢ여 혼셔(婚書)을 ᄡᅧ ᄒᆞᆫ가지로 경공 압히 노허[흐]니, 그 청녕[념](淸廉)ᄒᆞ미 남만을 평졍ᄒᆞ고 도ᄅᆞ오ᄃᆡ, ᄒᆞᆫ낫 보물이 몸가의 머무지 아니믈 더옥 항복ᄒᆞ더라. 원슈 왈,

"길일【42】이 임박ᄒᆞᆫᄃᆡ, 존부의 이시미 불가ᄒᆞ오니 길네 젼 ᄒᆞ쳐(下處)의 이시려 ᄒᆞᄂᆞ이ᄃᆞ."

정언간의 본읍 ᄐᆡ슈 현알ᄒᆞᆷ을 청ᄒᆞ니, 원슈 의관을 슈습ᄒᆞ여 날호여 청ᄒᆞ여 볼 ᄉᆡ, ᄐᆡ슈 청말(廳末)의셔 ᄌᆡᄇᆡ(再拜)ᄒᆞ니 원슈 장읍불ᄇᆡ(長揖不拜)[1505]라. ᄐᆡ슈 공슈(拱手)《졔좌 ‖ 궤좌(跪坐)》ᄒᆞ여 작일 션문(先聞)이 업시ᄆᆡ 《ᄒᆡᆼ니 ‖ 행노(行路)》의 영졉지

1505)댱읍블ᄇᆡ(長揖不拜) : 길게 읍만 하고 절은 하지 않음. 상관이 하관의 절을 받고 답배(答拜)를 하지 않고 읍(揖)으로 대신함.

ᄉᆞ므로 ᄒᆡᆼ노(行路)의 지영(祗迎)치 못ᄒᆞ믈 청죄ᄒᆞᆫᄃᆡ, 원쉬 흔연 답왈,

"이곳의 잠간 단녀갈 ᄉᆞ괴 잇셔 ᄉᆞᄒᆡᆼ(私行)으로 작노ᄒᆞ【28】니, 굿ᄐᆞ여 태슈 관읍의 션문ᄒᆞᆯ ᄇᆡ 아니니, 엇디 태슈를 허믈ᄒᆞᆯ ᄇᆡ리오."

태쉬 ᄉᆞ샤ᄒᆞ고 관아로 가믈 청ᄒᆞ니, 원쉬 ○○[답왈],,

"햐채(下-)[1564]를 잡아 머믈 일이 이시니 관아로 가디 못ᄒᆞᄂᆞ니, 태슈ᄂᆞᆫ 슈고로이 나오디 말고 풍악으로 영졉ᄒᆞᆯ 의ᄉᆞ를 말나."

태쉬 ᄌᆡ청치 못ᄒᆞ여 퇴ᄒᆞ고, 부원슈 이ᄒᆡ 일시의 니르러 야간 존후를 므르니, 쳔병만ᄆᆡ 만산편야(滿山遍野)ᄒᆞ여 경부를 드레니, 원쉬 군듕의 하령ᄒᆞ여 제댱군졸(諸將軍卒)이 각각 햐쳐(下處)를 잡아 머믈나 ᄒᆞ니, ᄉᆞ졸(士卒)이 곡졀을 모로고 청녕(聽令)ᄒᆞ여 믈너나고, 부원쉬 죵용이 므러 왈,

"원쉬 ᄒᆡᆼ노(行路)를 밧바ᄒᆞ시더니, 이졔 이곳의셔 여러날 묵으시믄【29】 엇지오?"

원쉬 잠쇼 왈,

"우연이 경공 녀ᄋᆞ와 뎡혼ᄒᆞ여 길긔 슈일이 격ᄒᆞ여시니 혼ᄉᆞ를 디ᄂᆡ고 청뉴ᄒᆞ믈 인ᄒᆞ여 ᄉᆞ오일 머므러 갈 거시ᄆᆡ ᄌᆞ연 십여일이 되리로다."

부원쉬 잠쇼 무언이러라.

이러구러 길긔 다ᄃᆞ르니 경부의셔 대연을 베퍼 신낭 맛ᄂᆞᆫ 녜를 풍비히 출히니, 원ᄂᆡ 경부 가계 부요ᄒᆞ니 일녀의 혼슈를 미리 조비ᄒᆞ여 범ᄉᆞ의 군핍ᄒᆞ미 업더라.

날이 반오(半午)의 신부를 단장ᄒᆞ여 청듕(廳中)의 셰우니 텬향아딜(天香雅質)이 ᄒᆡ샹(海上)의 명월쥬(明月珠)오 동니(東籬)[1565]의 금(金)봉오리[1566]라. 옥ᄐᆡ화염(玉態花艶)

1564)햐채(下-) : ≒햐처(下處). 사사로이 묵는 집. '채'는 집을 세는 단위.

1565)동니(東籬) : 동쪽 울타리라는 뜻으로, 국화를 심은 곳을 이르는 말. 도연명의 시 <음주(飮酒)>에 '동쪽 울타리에서 국화를 따며 유연히 남산을 바라보네.'라는 구에서 유래하였다.

1566)금(金)봉오리 : 노란 국화꽃 봉오리.

못ᄒᆞ믈 청죄ᄒᆞ니, 원슈 흔연답왈,

"이곳의 ᄌᆞᆷ간 단여갈 ᄉᆞ괴이셔 ᄉᆞᄒᆡᆼ(私行)으로 작노ᄒᆞ니 ᄐᆡ슈관읍의 셔[션]문ᄒᆞᆯ ᄇᆡ 아니라, 엇지 ᄐᆡ슈을 혐의(嫌疑)ᄒᆞ리요."

ᄐᆡ슈 ᄉᆞᄉᆞᄒᆞ고 관아로 가기을 청ᄒᆞᆫᄃᆡ, 원슈 답왈,

"ᄒᆞ쳐의 므[머]물 일리 잇시니 관ᄋᆞ로 가지 못ᄒᆞᆯ지라, ᄐᆡ슈ᄂᆞᆫ 슈고로이 ᄂᆞ오지 말고 풍악으로 영졉ᄒᆞᆯ 의ᄉᆞ을 말ᄂᆞ."

ᄐᆡ슈 ᄌᆡ청치 못ᄒᆞ여 퇴ᄒᆞ고 부원슈 이ᄒᆡ 일시의 일르러 야간 죤후을 무르니 쳔병만ᄆᆡ 만산편야(滿山遍野)ᄒᆞ여 경부을 들네ᄂᆞᆫ지라. 원슈 ᄒᆞ영(下令)ᄒᆞ여 졔ᄌᆞᆼ군죨(諸將軍卒)리 각각 ᄒᆞ쳐을 ᄌᆞᆸ아 머물ᄂᆞ ᄒᆞ니, ᄉᆞ죨(士卒)리 막지기괴(莫知其故)[1506]러라. 부원슈 죠용이 무러 왈,

"원슈 ᄒᆡᆼ노(行路)을 밧ᄇᆞᄒᆞ시더니 이르틋 지쳬(遲滯)ᄒᆞ시믄 엇지뇨?"

원슈 ᄌᆞᆷ쇼 왈,

"우연이 경공의 여ᄋᆞ와 졍혼ᄒᆞ여 길긔 슈일이 격ᄒᆞ여시니 혼ᄉᆞ을 지ᄂᆡᆫ 후 가려 ᄒᆞ노라."

부원슈 등이 ᄯᅩᄒᆞᆫ 웃고 말을 아니ᄒᆞ더라.

이러구러 길긔 ᄃᆞᄃᆞ르니 경부의셔 ᄃᆡ연을 페[베]【43】퍼 향즁인이(鄕中隣里)을 ᄃᆞ 청ᄒᆞ며 신난[낭] 만ᄂᆞᆫ 예을 풍비히 ᄎᆞ이[리]니, 원ᄂᆡ 경부 가ᄌᆞᆼ 부요ᄒᆞ니 범ᄉᆞ의 군핍ᄒᆞ미 업더라.

날이 반오ᄆᆡ[의](半午) 신부을 단졍[장]ᄒᆞ여 청즁(廳中)의 셰오니 《현영∥천향(天香)》ᄋᆞ질(雅質)○[이] ᄒᆡᄉᆞᆼ(海上)의 명월쥐(明月珠)오, 도[동]니(東籬)[1507]의 금(金)봉오리[1508]라. 좌ᄀᆡᆨ이 ᄎᆡᆨᄎᆡᆨ칭ᄎᆞᆫ(嘖嘖稱讚)ᄒᆞ여

1506)막지기괴(莫知其故) : 그 까닭을 알지 못함.

1507)동니(東籬) : 동쪽 울타리라는 뜻으로, 국화를 심은 곳을 이르는 말. 도연명의 시 <음주(飮酒)>에 '동쪽 울타리에서 국화를 따며 유연히 남산을 바라보네.'라는 구에서 유래하였다.

1508)금(金)봉오리 : 노란 국화꽃 봉오리.

이 당셰의 독보 졀염이니 하킥이 칭션블이(稱善不已) ᄒᆞ【30】더라.

원쉬 위의를 거나려 경부로 향홀ᄉᆡ, 부원슈 이해 다 관면을 ᄀᆞ초고 좌우로 옹호ᄒᆞ여 힝ᄒᆞ니, 뇨량(嘹喨)ᄒᆞᆫ ᄉᆡᆼ가(笙歌)ᄂᆞᆫ 구소(九霄)1567)의 들네고, 졀월긔둑(節鉞旗纛)1568)이 십니의 {십니의} 버러시니, 본읍 태슈로브터 쥬현 ᄌᆞᄉᆡ 아니 모ᄃᆞ니 《업ᄂᆞᆫ디라‖업더라》.

경부의 니르러 옥상의 홍안을 젼ᄒᆞ고, 텬디긔 ᄇᆡ례를 맛ᄎᆞᄆᆡ, 경혹ᄉᆞ 등이 팔 미러 ᄂᆡ당 듕헌의 다ᄃᆞ라, ᄎᆡ셕(彩席)이 뎡뎨(整齊)ᄒᆞ고 화쵹이 녕농ᄒᆞᆫᄃᆡ 허다 ᄎᆞ환(叉鬟)이 쇼져를 븟드러 교ᄇᆡ셕(交拜席)의 님ᄒᆞ니, 원쉬 교ᄇᆡ를 파ᄒᆞ고 공작션(孔雀扇)을 반개ᄒᆞ니, 쇼져의 놉흔 긔질과 됴흔 격되 곤산미옥(崑山美玉)이오 쳔튁(川澤)의 향년(香蓮)이 취우(翠雨)를 ᄯᅥᆯ【31】쳣ᄂᆞᆫ 듯, 효셩ᄲᅣᆼ안의 영긔 발월ᄒᆞ니 ᄇᆡᆨ틱졔미(百態齊美)ᄒᆞ고 만광이 찬○[란](燦爛)ᄒᆞ여 무ᄲᅣᆼᄒᆞᆫ ᄉᆡᆨ틱라. 원슈의 농봉 긔질과 ᄇᆡ우의 샹젹(相敵)ᄒᆞ미 겸금냥옥(兼金良玉)ᄀᆞᄐᆞ니, 경공 부부의 두굿김과 혹ᄉᆞ의 깃브미 무비(無比)ᄒᆞ여 희긔 녕농ᄒᆞ더라.

1567)구소(九霄) : 늑층소(層霄). 높은 하늘.

1568)졀월긔둑(節鉞旗纛) : 군대의 행진에 따르는 절월(節鉞)과 여러 깃발들.

흠ᄋᆡ(欽愛)ᄒᆞ믈 마지 아니ᄒᆞ더라.

원슈 관복을 갓쵸고 젼후좌우로 옹위ᄒᆞ여 힝ᄒᆞ니, 요량(嘹喨)ᄒᆞᆫ ᄉᆡᆼ가(笙歌)ᄂᆞᆫ ᄒᆞᄂᆞᆯ을 들네고, 졀월좌[긔]독(節鉞旗纛)1509)이 옹위ᄒᆞ여 쳔병만ᄆᆡ ᄯᅳᆯ을 덥허 힝ᄒᆞ니, 장ᄒᆞᆫ 위의 십니의 이어시니 본업[읍] 틱슈로부터 인읍관원(隣邑官員)과 아역(衙役)이 운집ᄒᆞ여 위의을 구경코져 ᄒᆞ여 아니 모더[드]니 업ᄂᆞᆫ지라. 이 가온ᄃᆡ 원슈의 쳔일지표와 농봉ᄌᆞ질이 도로의 휘황츌ᄂᆞᆫᄒᆞᄆᆡ, 일읍 촌민니 남녀노슈[쇼](男女老少) 업시 원슈의 옥모용[영]풍(玉貌英風)을 완상ᄒᆞᄆᆡ 친[칭]찬소ᄅᆡ 도로의 긋지 아니더라.

원슈 경부의 이르러 옥상의 기려기을 젼ᄒᆞ고 쳔지긔 ᄇᆡ려[례]ᄒᆞᄆᆡ, 경혹ᄉᆡ 등이 팔 미러 인도ᄒᆞ여 ᄂᆡ당 즁헌의 ᄃᆞᄃᆞ르니, 금연(金蓮) ᄎᆡ셕(彩席)이 졔졔(齊齊)ᄒᆞ고 두 쥴 화쵹(華燭)이 영농ᄒᆞᆫᄃᆡ, 허ᄃᆞ 양낭 ᄎᆞ환이 쇼져을 붓드러 고[교]ᄇᆡ셕(交拜席)의 임ᄒᆞ니, 원슈 독좌(獨坐)의 ᄂᆞᄋᆞ가 합환셕(合歡席)의 교ᄇᆡ을 파ᄒᆞ고 공쟉션(孔雀扇)을 반기ᄒᆞ니, 신부의 놉헌 풍치와 됴흔 격죄 곤순미옥(崑山美玉)이 틔 업ᄉᆞ며, 쳔틱(川澤)의 어롬이 말가시며 고은 얼골리 향연(香蓮)의【44】취우(翠雨)을 ᄯᅥᆯ쳐시며 월게(月桂) 초로(初露)의 져젼1510) 듯, 일썽안치(一雙眼彩)ᄂᆞᆫ 츄슈호[효]셩(秋水曉星)의 비쇠고 냥미아황(兩眉蛾黃)은 원산(遠山)의 희미ᄒᆞᆫ 듯, 단슌호치(丹脣皓齒)와 월익무빈(月額霧鬢)이 쳔연긔려(天然奇麗)ᄒᆞ여 ᄇᆡᆨ틱졔미(百態齊美)ᄒᆞ고, 쳥란(靑襴)이 ᄋᆡᄋᆡ(靄靄)ᄒᆞ니 뉵쳑황[향]신(六尺香身)의 일쳑셰요(一尺細腰)와 ᄎᆡ봉약[양]익(彩鳳兩翼)이 알프1511) 션(鮮)ᄒᆞ여1512) 고왕금ᄂᆡ(古往今來)의 희ᄒᆞᆫ(稀罕)ᄒᆞᆫ ᄉᆡᆨ모(色貌)라. 원슈의 틱순졔월지용(泰山霽月之風)과 옥골영치(玉骨英

1509)졀월긔둑(節鉞旗纛) : 군대의 행진에 따르는 절월(節鉞)과 여러 깃발들.

1510) 졋다 : 젖다. 물이 배어 축축하게 되다.

1511) 앒 : 앞.

1512)션(鮮)ᄒᆞ다 : 선명(鮮明)하다. 또렷하다.

네파의 원쉬 경공 부ᄌᆞ로 밧긔 나와 좌를 일우니, 태슈 등과 향듕ᄉᆞ유(鄕中師友) 등이 년셩칭찬(連聲稱讚)ᄒᆞ여 경공긔 쾌셔 어드믈 치하ᄒᆞ니, 공이 치하를 사양치 아냐 화열ᄒᆞ믈 니긔지 못ᄒᆞ니, 빈쥐(賓主) 낙극딘환(樂極盡歡)ᄒᆞ여 일ᄉᆡᆨ이 셔산의 기우니 빈ᄀᆡᆨ이 각산(各散)ᄒᆞ고, 쵹을 니어 경공 부ᄌᆞ로 담화ᄒᆞ더니, 공이 혹ᄉᆞ를 명ᄒᆞ여 원슈를 신방으로 인도ᄒᆞ라 ᄒᆞ니,【32】 혹ᄉᆡ 원슈의 ᄉᆞᄆᆡ를 닛그러 신방의 니르니, 쇼졔 긴 단장을 벗고 단의홍군(丹衣紅裙)으로 니러 맛ᄂᆞᆫ디라.

혹ᄉᆞ는 즉시 츌외ᄒᆞ고 원쉬 팔 미러 좌뎡ᄒᆞᆫ 후 다시 ᄉᆞᆯ피건ᄃᆡ, 쇼져의 ᄉᆡᆨ모염광(色貌艶光)이 암실의 됴요(照耀)ᄒᆞ니 슉염(淑艶)의 슉녜라. 비록 윤부인의 대현군ᄌᆞ ᄀᆞᆺᄐᆞᆫ 풍도와 어위ᄎᆞᆫ 격됴의 불급ᄒᆞ나, 양부인의 인ᄌᆞ 온공ᄒᆞᆫ 셩딜노 비컨ᄃᆡ 일분 나린 곳이 업셔, 쳔연여일(天然如一)ᄒᆞ믄 오히려 신뷔 더은디라. 원쉬 심니의 흡연ᄒᆞᆫ 은졍이 유츌(流出)ᄒᆞ여, 이에 말ᄉᆞᆷ을 펴 ᄀᆞᆯ오ᄃᆡ,

“ᄉᆡᆼ은 경ᄉᆞ인으로 이곳의 올 니 업ᄉᆞᄃᆡ 맛춤 남만을 평뎡ᄒᆞ고 환경ᄒᆞᄂᆞᆫ 길히, 녕존긔 ᄇᆡ현ᄒᆞᄆᆡ, 인연이 괴이ᄒᆞ여 악【33】댱 동상(東床)의 참예ᄒᆞ니, 그윽이 다ᄒᆡᆼᄒᆞ나, ᄉᆡᆼ의 용우ᄒᆞ미 숙녀의 평ᄉᆡᆼ을 욕ᄒᆞᆯ가 ᄒᆞᄂᆞ이다.”

쇼졔 념용단좌(斂容端坐)ᄒᆞ여 잠간 공경ᄒᆞᆯ ᄯᆞ름이라. 원쉬 흔연이 웃고 쵹을 믈닌 후 신부를 븟드러 상요의 나아가니, 취듕 견권ᄒᆞᆫ 은ᄋᆡ 여산약히(如山若海)ᄒᆞ니, 비록 ᄇᆡᆨ 미인을 모화도 이 은졍은 변치 아닐너라.

彩)을 ᄃᆡᄒᆞᄆᆡ ᄇᆡ우의 ᄉᆞᆼ젹(相敵)ᄒᆞ미 경[겸]금냥옥(兼金良玉) 갓흐니, 경공부뷔 가득이 두굿기미 만명[면]츈풍(滿面春風)을 일윗고, 혹ᄉᆡ 등의 깃부미 비길 곳지 업셔 희긔 일실의 영농ᄒᆞ더라.

예필의 원슈 경공부ᄌᆞ로 박긔 나와 좌을 일우니 ᄐᆡ슈 등과 향ᄃᆞᆼᄉᆞ유(鄕黨士類) 등이 연셩치ᄒᆞ(連聲致賀)ᄒᆞ여 경공의 쾌셔 어드믈 만구치ᄒᆞ(萬口致賀)ᄒᆞ니, 공이 《좌슈위 : 좌슈우응(左酬右應)》의 일위[호](一毫) ᄉᆞ양치 아냐 화열ᄒᆞ믈 이긔지 못ᄒᆞ니, 《번친 ‖ 빈쥐(賓主)》 낙극달난(樂極團欒)ᄒᆞ여 일낙ᄒᆞ진[서산](日落西山)ᄒᆞ고 월쾌[괘]동영(月掛東嶺)ᄒᆞᄆᆡ 졔ᄀᆡᆨ이 각산ᄒᆞ고,○…결락52자…○[쵹을 니어 경공 부ᄌᆞ로 담화ᄒᆞ더니, 공이 혹ᄉᆞ를 명ᄒᆞ여 원슈를 신방으로 인도ᄒᆞ라 ᄒᆞ니, 혹ᄉᆡ 원슈의 ᄉᆞᄆᆡ를 닛그러 신방의 니르니], 신뷔 긴 단장을 벗고 단의홍군(丹衣紅裙)이라. 혹ᄉᆡ 원슈의 ᄉᆞᄆᆡ을 익글려 드러가니 신뷔 일러 만ᄂᆞᆫ지라.

혹ᄉᆡ 즉시 ᄂᆞ가니 원슈 월[왈],

“숀을 방의 두고 ᄒᆞᆫ마ᄃᆡ 졉화(接話)을 아니코 즉시 나가믄 엇지미요?”

학ᄉᆡ 답왈,

“창ᄇᆡᆨ이 힘을 ᄃᆞᄒᆞ여 금일 동방화촉을 ᄃᆡᄒᆞᄆᆡ 타인을 괴로워 ᄒᆞᄂᆞᆫ 거시 버겹히[히][1513] 나ᄀᆞ노라.”

원슈 웃고 좌정ᄒᆞ여 신부을 ᄃᆞ시 보ᄂᆡ ᄉᆡᆨ모염광(色貌艶光)이 암실의【45】 죠요(照耀)ᄒᆞ니 위[유]ᄒᆞᆫ졍졍(幽閑貞靜)ᄒᆞ미 외고[모](外貌)의 현츌ᄒᆞ여 진짓 ᄒᆞ쥐(河洲)의 슉여(淑女)[1514]라. 비록 윤부인의 ᄒᆞᆫ업시 《들러며 ‖ 빗나며》 무궁이 깁허 ᄃᆡ현군ᄌᆞ(大賢君子)의 풍도며 어위찬 거동이 구

1513)버겹다 : 물건이나 세력 따위가 다루기에 힘에 겹거나 거북하다

1514)ᄒᆞ쥐(河洲) 슉여(淑女) : 강물 모래톱 가운데 있는 숙녀라는 뜻으로 주(周)나라 문왕(文王)의 비(妃)인 태사(太姒)를 말한다. 문왕과 태사 부부의 사랑을 노래한 『시경』<관저(關雎)>장의 “관관저구 재하지주 요조숙녀 군자호구(關關雎鳩 在河.之洲 窈窕淑女 君子好逑)”의 ‘하주(河洲)’ ‘숙녀(淑女)’서 온말.

계명(鷄鳴)의 쇼져ᄂᆞᆫ 니러 뎡당으로 드러가고, 평명(平明)1569)의 원슈 니러 소셰ᄒᆞ니, ᄒᆞᆨᄉᆡ 드러와 원슈의 손을 닛그러 ᄂᆡ당의 현알ᄒᆞ니, 화부인이 셔랑을 ᄉᆞᆯ피ᄆᆡ ᄒᆡ월텬졍(海月天庭)1570)의 금관을 ᄉᆞᆨ이고, ᄇᆡᆨ년빈샹(白蓮鬢上)1571)의 지샹의 관ᄌᆞ(貫子) 두렷ᄒᆞ니 은은ᄒᆞᆫ 귀격과 동탕ᄒᆞᆫ 풍뉴 특이ᄒᆞ여, 만고의【34】 둘 업ᄉᆞᆫ 영웅 쥰걸이라. 부인이 셔랑을 보ᄆᆡ 그 ᄉᆞ취(四娶)를 혐의치 아냐 흔연이 말ᄉᆞᆷ을 펴 셩공ᄒᆞ믈 치하ᄒᆞ고, 녀ᄋᆞ의 미약ᄒᆞ미 군ᄌᆞ의 ᄇᆡ위 블가ᄒᆞᄃᆡ, 오히려 딜ᄋᆡ 이시니 타일 황영(皇英)1572)의 ᄌᆞᄆᆡ ᄀᆞᆺ틀 바를 니르고, 녀ᄋᆞ의 용우(庸愚)ᄒᆞ믈 관샤(寬赦)ᄒᆞ여 일ᄉᆡᆼ을 기리 평안케 ᄒᆞ믈 부탁ᄒᆞ니, 원슈 잠간 보ᄆᆡ 현슉ᄒᆞ미 그 안모의 낫타나 양평댱 부인으로 방블ᄒᆞ니 동긔 ᄀᆞᆺ트믈 ᄭᆡᄃᆞ라 흠신 ᄉᆞ샤ᄒᆞᆯ 쁜이라.

경공 부뷔 두굿기믈 마디 아니ᄒᆞ나 슈히 도라갈 바를 ᄉᆡᆼ각ᄒᆞᄆᆡ 훌연ᄒᆞ믈 니긔디 못ᄒᆞ더라.

원슈 십여일 머믈ᄉᆡ 쥬찬【35】을 셩비ᄒᆞ고 쇼작(小酌)을 여러 즐기니, 원슈의 식냥(食量)이 만만 진슈(珍羞)를 그릇시 뷔도록 먹으며, 쥬쥰(酒樽)을 나리 거홀너 한업

1569)평명(平明) : 해가 뜨는 시각. 또는 해가 돋아 밝아질 때.

1570)히월텬졍(海月天庭) : 바다위에 떠 있는 달처럼 둥근 이마.

1571)빅년빈샹(白蓮鬢上) : 백련 같이 하얀 귀밑머리.

1572)황영(皇英) : 중국 순(舜)임금의 두 왕비이자 요(堯)임금의 두 딸인 아황(娥皇)과 여영(女英)을 함께 이르는 말.

셕1515)○[과] 가1516)을 아지 못ᄒᆞᄂᆞᆫ 바의 블급(不及)ᄒᆞ나, 양부인의 인ᄌᆞ온공(仁慈溫恭)ᄒᆞᆫ ○○○○○○[셩딜노 비컨ᄃᆡ], 셩(性)이 츙쳔(充天)하나 늠연(凜然)이 경근ᄒᆞᄂᆞᆫ 여[예]모(禮貌)을 가져시니, ᄃᆡ군ᄌᆞ의 틀을 가져 겸ᄒᆞ여 인즁쳔션(人中天仙)이오, ᄒᆡ승의 노ᄂᆞᆫ 용이라.

흡연쾌락고, 명죠의 부인게 현알ᄒᆞ니 부인이 일견의 그 《지취∥ᄉᆞ취(四娶)》ᄒᆞ믈 혐히[혐의]치 아냐 흔연이 말을 펴 가로ᄃᆡ,

"원슈의 츌뉴ᄒᆞ시기 소망의 과의로ᄃᆡ 녀ᄋᆞ의 미약ᄒᆞ미 군ᄌᆞ의 욕되믈 허물치 말르시고 김[길]이 일ᄉᆡᆼ이 ᄋᆞᆫ온케 ᄒᆞ믈 ᄇᆞ라노라."

원슈 지인(知人)ᄒᆞᄂᆞᆫ 안광의 그 약[악]모을 잠간 보ᄆᆡ 현슉안졍ᄒᆞ기 양평장 부인과 만니 흡ᄉᆞᄒᆞ니 골육동긔 셔로 담ᄂᆞᆫ 쥴 ᄭᆡᄃᆞᄅᆞ 오직 듯기을 ᄃᆞᄒᆞᄆᆡ 몸을 굴[굽]혀 ᄉᆞᄉᆞᄒᆞᆯ 분이라.

경공이 두굿기미 극ᄒᆞᄃᆡ 혼여[예](婚禮) 후 즉시 도ᄅᆞ갈 ᄇᆡ을 아연ᄒᆞ여 늑칠일 더 머물기을 청ᄒᆞᆫᄃᆡ, 원슈 길리 븟부므로 슈일 더 므[머]물러 블힝(發行)코져 ᄒᆞ니, 공의 부뷔 훌연ᄒᆞ믈 이긔지 못ᄒᆞ더라.

원슈 머무ᄂᆞᆫ ᄉᆞ이 열[연]일 주비을 날녀 즐길ᄉᆡ 원슈 본ᄃᆡ 일두주(一斗酒)와 일죄션(一俎膳)1517)을 사양치 아닛ᄂᆞᆫ지라. 경공이 부ᄌᆞ슉질노 더부러 ᄇᆡ즉을 날【46】니며 원슈의 《신냥∥식냥(食量)》은 만반지슈을 금늣[놋]1518)시 뷔도록 먹고, 주쥼[준](酒樽)을 나리 거홀너 ᄉᆞ롬을 견ᄃᆡ지 못ᄒᆞ게

1515)구셕 : 모퉁이의 안쪽

1516)가 : 경계에 가까운 바깥쪽 부분

1517)일죄션(一俎膳) : 한 그릇의 음식, 조(俎)는 제기(祭器), 도마.

1518) 금놋 : 빛이 나도록 잘 닦은 놋그릇

시 취ᄒᆞ니, 혹시 희롱ᄒᆞ여 음식의 쥬린 귓거시라 ᄒᆞᆫ 즉, 원쉬 욕ᄒᆞ기를 낭ᄌᆞ히 ᄒᆞ여 희쇼 긋칠ᄉᆞ이 업시 즐기더니, 경공이 일일은 풍악을 개장ᄒᆞ고 졀ᄉᆡᆨ미인 슈십인을 ᄃᆡ후ᄒᆞ니 공이 명ᄒᆞ여 각각 ᄌᆡ조를 나호라 ᄒᆞ고, 원쉬 기녀로 더브러 즐기믈 마디 아니ᄒᆞ니, 졔챵이 홍슈를 썰치고 청가(淸歌)를 브르니 개개히 미창이라. 향당닌니(鄕黨隣里)의 풍뉴랑 등이 모다 황홀히 경을 머므러 집슈 희락ᄒᆞᄃᆡ, 졔챵이 다 원슈의 풍신용화를【36】 우러러 ᄒᆞᆫ번 도라보기를 원ᄒᆞ니, 원쉬 평ᄉᆡᆼ 호신이 어ᄃᆡ 가고 업ᄉᆞ리오. 졔창 중 ᄉᆞ창(四娼)을 ᄲᆡᆫ 일홈과 년치를 므르니 골온 부용·옥잉·셰요·미홰라. 다 년이 십이삼(十二三)이오, 일즉 사름을 좃지 아냐 비샹잉혈(臂上鸚血)이 완연ᄒᆞ니, 원쉬 뜻을 기우려 통희를 삼고져 ᄒᆞᆯᄉᆡ, ᄉᆞ녀의 외뫼 요악(妖惡)디 아니믈 깃거 ᄉᆞ창의 손을 잡고, 경공을 향ᄒᆞ여 고왈,

“악댱이 브졀업시 창악(唱樂)으로 연셕을 베프신 고로, 쇼셰(小壻) ᄉᆞ창(四娼)을 가튝(家畜)게 되여시니 녕녀의 뎍인(敵人)을 모화 주시미로소이다.”

공이 흔연이 쇼왈,

“ᄇᆡᆨ미인을 모화도 졔가(齊家)를 공평히 ᄒᆞ면 근심이 업【37】ᄂᆞ니, 내 이미 창빅으로 동상을 삼고 이런 일을 개렴하랴?”

먹ᄂᆞᆫ지라. 경혹ᄉᆡ ᄆᆡ양 긔롬[롱](譏弄)ᄒᆞ여 엄[음]식의 쥬린 귓것시라 ᄒᆞᆫ즉, 원슈 욕ᄒᆞ기을 ᄂᆞᆼᄌᆞ히 ᄒᆞ여 희혹이 긋칠 ᄉᆞ이 업ᄉᆞ니, 낫시면 이러틋 소일ᄒᆞ고 밤이면 ᄎᆡ화ᄃᆼ 가온ᄃᆡ 슉여미인을 ᄃᆡᄒᆞ여 은졍이 여산ᄒᆞ니, 오뉵일 ᄉᆞ이에 즐길미 극진ᄒᆞ더라. 일일은 경공이 풍악을 ᄀᆡ즁ᄒᆞ고 졀ᄉᆡᆨ 기여(妓女) 수십인을 당ᄒᆞ의 모호고 명ᄒᆞ여 각각 ᄌᆡ죠을 다ᄒᆞ여 원슈의 즐기믈 도어[으]ᄅᆞ《ᄒᆞᄃᆞ‖ᄒᆞᆫᄃᆡ》, 원슈 모든 기여로 더부러 즐기믈 마지 아니니, 아리ᄯᆞ온 졔충(諸娼)이 홍슈(紅袖)을 썰치고 가골[곡](歌曲)을 《알니ᄒᆞ니‖알외오니[1519]》 무비졀셰(無比絶世) 미충(美娼)이라. 향당인이(鄕黨隣里) 풍유랑들이 모ᄃᆞ 화[황]홀리 경을 머물러 집수희락(執手喜樂)ᄒᆞᆫᄃᆡ, 《제장‖졔창(諸娼)이 ᄃᆞ 뎡원슈의 쳘[쳔]일지표(天日之表)와 농봉지ᄌᆡ(龍鳳之才)의 녁[넉]시 취ᄒᆞ여 ᄒᆞᆫ번 도ᄅᆞ보기을 ᄇᆞᄅᆞᄂᆞᆫ지라. 원슈 각읍의 지령공궤(祇迎供饋)ᄒᆞᄂᆞᆫ 예졀과 풍악연희을 거졀ᄒᆞᄂᆞ, 평ᄉᆡᆼ 허신(許身)ᄒᆞᄂᆞᆫ 미희 어ᄃᆡ가고 업ᄉᆞ리요. 졔충 즁 일등미여(一等美女) ᄉᆞ인을 ᄲᆞ, 연치(年齒) 고ᄒᆞ(高下)의[와] 일홈을 무르니 {명월}[1520]·유잉·계은·미화·부용이라. 나히 ᄃᆞ 십이숨셰요, 일즉 ᄉᆞᄅᆞᆷ을 죠치 아냐 비상잉혈이 완연ᄒᆞ니, 원슈 ᄌᆞ긔 졀[젼]일 유정ᄒᆞᆫ 바 형ᄋᆞ 등 갓트믈 보고 뜻즐 기【47】우려 총희을 숨고져 ᄒᆞ여, 잉 등의 외모 양션ᄒᆞ미 ᄂᆞᄅᆞ[ᄐᆞ]ᄂᆞ니, 창물이ᄂᆞ 요악지 아닌 거슬 취ᄒᆞ므로 ᄉᆞ충의 손을 줍고 경공게 고왈,

“악즁이 부질업시 충악(唱樂)을 모으셔 영녀(令女)의 젼[젹]인(敵人)을 어더두미로소이ᄃᆞ.”

경공이 흔연 미소왈,

“ᄇᆡᆨ미인을 모화도 졔가(齊家)을 편이ᄒᆞ면 금[근]심이 업ᄂᆞᆫ니, ᄂᆡ 충빅으로 동식[숭]

1519) 아뢰다

1520) 연문(衍文)임. 4인을 뽑았다고 했는데 5인이다.

원쉬 호호히 웃고 스창의 근본을 므르니 읍져(邑底)[1573] 창네 아니오, 촌듕 듕대랑이란 과뫼(寡母) 스창을 길너 무슈(舞袖) 현가(絃歌)를 가르쳐시되, 일즉 사름을 뵌 일이 업스니 금일은 경가 노치 위력으로 아스 왓다 ᄒᆞ거늘, 원쉬 우 문왈,

"《우네∥과뫼》 여등(汝等)을 쳔금으로 밧고미 이시랴?"

스창이 되왈,

"쳔쳡 등이 ○[무]부모(無父母)ᄒᆞ므로 져의 양휵을 바다 피ᄎᆞ 졍의 모녀로 다르지 아냐, 일싱 써나지 말고져 ᄒᆞᄂᆞ이다."

원쉬 군관 뉴겸으로 쳔금 쥰마(駿馬)의 스녀를 시러 바로 경샤의 가 월누(月樓)의 머므르라 ᄒᆞ고, 대랑을 블너,【38】

"스창을 ○…결락11자…○[팔여ᄒᆞ면 쳔금을 쥴 거시오], 써나기 슬커든 유군관을 좃ᄎᆞ 스녀를 다리고 샹경ᄒᆞ라."

ᄒᆞ니, 대랑이 원슈의 호풍을 먼니셔 구경ᄒᆞ여시나, 이 ᄀᆞᆺ튼 은명을 몽니의나 싱각ᄒᆞ여시리오. 깃브미 흔득이니 도로혀 두립고 황황경구(惶惶驚懼)ᄒᆞ여 슌슌(順順) 응명이퇴(應命而退)ᄒᆞ니, 원쉬 야심후 바야흐로 근시를 믈니고 스녀로 동슉(同宿)ᄒᆞ니 그 용모 아담을 스랑ᄒᆞ여 ᄌᆞ못 견권ᄒᆞ더라.

명됴의 유경[겸]을 분부ᄒᆞ여 고대랑과 스녀를 거느려 몬져 발힝ᄒᆞ라 ᄒᆞ니, 유경[겸]이 슈명ᄒᆞ미, 은ᄌᆞ 빅냥을 쥬어 보니니라. 원쉬 ᄂᆡ당의 드러와 악부모긔 뵈오니, 공의 부뷔 본 젹마다 인경ᄒᆞ믈 마디아니ᄒᆞ【39】니, 흑ᄉᆞ 등이 웃고 듀왈,

"챵빅이 ᄀᆞ장 방ᄌᆞ 완만ᄒᆞ여 엇그졔 신낭으로 아모리 긔신(氣神)이 됴흔들 쳐가의셔 창녀를 영졉ᄒᆞ니, 넘는 힝ᄉᆡ 밉고 괘심ᄒᆞ기 측냥 업습거늘, 대인과 ᄌᆞ위 므어시 어엿부고 두굿거워 우ᄉᆞ시니잇고?"

공이 쇼왈,

1573)읍져(邑底) : 읍내(邑內).

을 숩고 이런 일을 엇지 긔령[기렴]ᄒᆞ랴?"

원슈 호호이 웃고 스충의 근본을 무르니 읍졔(邑底)[1521] ᄎᆞ[충]기 아니오 촌즁 고되랑이란 과뫼 스충을 길러 구[무]슈(舞袖)을 갈르쳐○[시]ᄂᆞ, ᄉᆞ롬○[을] 일즉 뵈지 아냐 고요히 두엇든니 경부 노지 금일 위역(威力)으로 잡아왓ᄃᆞ ᄒᆞ거늘, 우문왈,

"과○[뫼](寡母) 녀등(汝等)을 쳔금으로 밧고닉[미] 잇시랴?"

스충이 되왈,

"쳔쳡 등이 구[무]부모(無父母) ᄒᆞ므로 져의 양휵을 바ᄃᆞ 피ᄎᆞ 졍의 모여 갓트여 일식을 써ᄂᆞ지 말고져 ᄒᆞᄂᆞ이다."

원슈 군관 유셩을 명ᄒᆞ여 고되랑을 불너 분부 왈,

"네 스충을 팔여ᄒᆞ면 쳔금을 쥴 거시오, 써ᄂᆞ기 슬커든 《뉵군∥유군관》을 죠ᄎᆞ ᄉᆞ여(士女)을 ᄃᆞ리고 ᄉᆞᆼ명[경]ᄒᆞ라."

ᄒᆞ니, 되랑이 먼니셔 원슈의 호풍을 구경ᄒᆞ여셔ᄂᆞ, 이ᄀᆞᆺ튼 옥골션풍은 몽이(夢裏)의도 본ᄇᆡ 쳐음이라. 도로혀 경구츅쳑(驚懼蹙蹐)ᄒᆞ여 슌순응명이퇴(順順應命而退)ᄒᆞ다.

원슈 스충으로 종일 가욕[요]을 즐기ᄃᆞ 밤이면 ᄎᆡ화당의 슉쇼을 옴기지 아냐 경소져【48】와 화락ᄒᆞ미 관관ᄒᆞ여 국풍(國風)[1522]의 시을 이을 듯ᄒᆞ니, 경공 부부의 탐혹과익ᄒᆞ미 비길ᄃᆡ 업더라.

1521)읍졔(邑底) : 읍내(邑內).

1522) 중국에서, 가장 오래된 시집인 ≪시경≫ 중에서 민요 부분을 통틀어 이르는 말. 정풍과 변풍이 있으며 모두 135편이다.

"이 신낭이 쳐쳡이 변화ᄒᆞ고 긔운이 셰ᄎᆞ 죵요로온 셔랑이 되디 못ᄒᆞᆯ 줄은 아이의 알고 어더시니, ᄉᆡ로이 념녀ᄒᆞᆯ ᄇᆡ 아니로다."

한님 등이 무언(無言) 대소(大笑)ᄒᆞ고 화부인이 미쇼ᄒᆞ니 원쉬 역(亦) 쇼왈,

"형등이 악부모의 날 ᄉᆞ랑ᄒᆞ시믈 싀긔ᄒᆞ여 이런 말을 ᄒᆞ니, 진실노 댱부의 도량이 아니로다."

ᄒᆞᆨᄉᆞ 등이 웃더라.【40】

일ᄌᆡ 춍춍ᄒᆞ여 슈일이 젹은덧 디나니, 이의 상별(相別)ᄒᆞᆯᄉᆡ 경공이 ᄀᆞᆯ오ᄃᆡ,

"명년이면 샹경ᄒᆞ리니, 모드미 언마 오ᄅᆡ리오."

부인이 결연ᄒᆞ믈 니긔디 못ᄒᆞ여 ᄌᆡ삼 후회 갓ᄀᆞ오믈 일ᄏᆞ라, 쥬ᄇᆡ ᄀᆞ온ᄃᆡ 댱홰(長話) 쳔셔만단(千緖萬端)[1574]이니 원쉬 ᄯᅩᄒᆞᆫ 간졀이 쳥ᄒᆞ여, 명츈(明春)으로 샹경ᄒᆞ시믈 언약ᄒᆞ고, 그 ᄉᆞ이 셩톄 안강ᄒᆞ시믈 쳥ᄒᆞ여 피ᄎᆡ 졍의 상득ᄒᆞ더라.

ᄒᆞᆨᄉᆞ 형뎨 결연ᄒᆞ믈 니긔디 못ᄒᆞ며, 공이 시ᄋᆞ로 쇼져를 블너 겻ᄐᆡ 안치고 니별ᄒᆞᆯᄉᆡ, 공의 부뷔 녀셔(女壻)[1575]를 좌우로 안치고 ᄉᆡ로이 두긋기나, 원슈의 도라가믈 년년ᄒᆞ여 날이 느ᄌᆞᄆᆡ, 원쉬 공의 부부긔 녜ᄒᆞ니, 쇼져【41】ᄂᆞᆫ 먼니 셔시니 어리온 ᄐᆡ도와 긔려ᄒᆞᆫ 용안이 더옥 ᄉᆡ로오니, 년년ᄒᆞ믈 ᄯᅴ여 미미히 웃고 ᄀᆞᆯ오ᄃᆡ,

"ᄉᆡᆼ이 부인을 향ᄒᆞ여 녜를 다ᄒᆞ니 ᄌᆡ 능히 셔시랴?"

ᄒᆞᆨᄉᆡ ○○[소왈],

"불고이취(不告而娶)ᄒᆞᄂᆞᆫ ᄒᆡᆼᄉᆡ 안히게 졀

1574)쳔셔만단(千緖萬端) : 천 가지 만 가지 일의 실마리라는 뜻으로, 수없이 많은 일의 갈피를 이르는 말

1575)녀셔(女壻) : 딸과 사위.

이러구러 《외임이 슈슌‖임의 슈일(數日)[1523]》이 지나ᄆᆡ, 원슈 몸외의 즁쟉(重爵)이 잇고 슈만ᄃᆡ군의 귀심이 ᄉᆞᆯ 갓트여 능히 이러○[틋] 《긔록지‖지류(遲留)치》 못ᄒᆞᄂᆞᆫ지라. 경공부뷔 결연ᄒᆞ믈 이긔지 못ᄒᆞ여 가즁의 쇼작을 여러 위[이]별ᄒᆞ여 여셔(女壻)을 보닐 ᄉᆡ, 부인은 불승쵸챵ᄒᆞ여 셩안의 쳥누을 먹음어시며, 경공이 ᄯᅩᄒᆞᆫ 츄연ᄒᆞ여 원슈의 숀을 즙고 ᄌᆡ숨 후회을 일커러 수이 못기을 이러[르]고, 원노의 《ᄌᆞᄉᆞ이‖무ᄉᆞ이》 ᄒᆡᆼᄒᆞ물 ᄃᆞᆼ부ᄒᆞ고 약여(弱女)의 평ᄉᆡᆼ○[을] 의탈[탁](依託)ᄒᆞᄂᆞᆫ 말숨이 간졀ᄒᆞ고 위곡ᄒᆞᆫ지라. 원슈 ᄯᅩᄒᆞᆫ 간졀이 쳥ᄒᆞ여 ᄆᆡᆼ[명]츈으로 상경ᄒᆞ믈 언약ᄒᆞ고 기간 셩쳬 안강ᄒᆞ시믈 쳥ᄒᆞ여 피ᄎᆞ 졍의 ᄉᆞᆼ득ᄒᆞ더라.

ᄒᆞᆨᄉᆡ 형졔결연ᄒᆞ믈 이긔지 못ᄒᆞ며 공이 시아로 쇼졔을 불너 겻히 안치고 니별ᄒᆞᆯᄉᆡ, 공의 부뷔 여셔(女壻)[1524]을 좌우의 안치고 ᄉᆡ로이 두긋기ᄂᆞ, 원슈의 도ᄅᆞ가믈 연연ᄒᆞ여 날이 느ᄌᆞᄆᆡ 원슈 이러ᄂᆞ 공의 부부게 예ᄒᆞᆫᄃᆡ, 소졔 멀니 셧ᄂᆞᆫ지라. 원슈 미미 쇼왈,

"ᄉᆡᆼ이 그ᄃᆡ을 향ᄒᆞ여 예을 ᄃᆞᄒᆞ거늘, ᄌᆡ 능히 셔스냐[시랴]?"

ᄒᆞᆨᄉᆡ 소왈,

"불고이취(不告而娶)ᄒᆞᄂᆞᆫ ᄒᆡᆼᄉᆡ 안히가 졀밧기 쉽지 아니ᄒᆞ니, 소ᄆᆡᄂᆞᆫ 셧도말고 안ᄌᆞ ᄎᆞᆼᄇᆡᆨ의【49】 ᄒᆞ직ᄇᆡ례(下直拜禮)을 ᄇᆞ드

1523) 본래 수일(數日)을 더 머물기로 한 것임.

1524) 녀셔(女壻) : 딸과 사위.

밧기 쉽디 아니ᄒᆞ니, 쇼ᄆᆡᄂᆞᆫ 셧도 말고 안ᄌᆞ 언연이 챵ᄇᆡᆨ의 하셕ᄇᆡ례(下席拜禮)를 바드라.”

쇼졔 슈식이 은영(隱映)ᄒᆞ여 원슈를 향ᄒᆞ여 네(禮)ᄒᆞ니, 원쉬 답네 작별ᄒᆞᆫ 후 혹ᄉᆞ를 도라보아 쇼왈,

“형의 문풍은 안ᄒᆡ를 놉히고 공슌히 ᄇᆡ례ᄒᆞᄂᆞᆫ가 시브거니와, 나는 그런 규구(規矩)를 아디 못ᄒᆞᄂᆞ니 무식블법(無識不法)의 말노 녕ᄆᆡ를 ᄀᆞᄅᆞ치지 말나.”

언파의 ᄇᆡ별ᄒᆞ고 밧그로 나가니, 부인은 별누를【42】 금치 못ᄒᆞ고, 공의 부ᄌᆞᄂᆞᆫ 문외의 나와 작별ᄒᆞ니, 댱졸을 거ᄂᆞ려 호호탕탕이 믈미ᄃᆺ 나아가니, 동십월(冬十月)의 샹경ᄒᆞᄂᆞᆫ 션셩(先聲)이 황셩의 니르니, 텬ᄌᆡ 쳡보를 드르시고 크게 깃그샤 금후를 ᄌᆞ로 명ᄒᆞ샤 텬흥의 ᄌᆡ조를 칭찬ᄒᆞ시고, 상방(尙方)[1576] 어쥬(御酒)를 상샤ᄒᆞ시고 은영이 날노 더ᄒᆞ시니, 금휘 황공 감은ᄒᆞ믈 니긔디 못ᄒᆞ더니, 원슈의 환경ᄒᆞᄂᆞᆫ 날, 샹이 만됴 문무를 거ᄂᆞ려 남교(南郊) 십니외(十里外)의 마ᄌᆞ실ᄉᆡ, 취막(聚幕)은 구름을 년ᄒᆞ고, 균텬광악(鈞天廣樂)[1577]은 하날을 흔들며, 금슈포진(錦繡布陳)이 뎡졔ᄒᆞ여 옥좌를 놉히 ᄇᆡ셜ᄒᆞ고, 문무 졔신이 좌우의 시위ᄒᆞ여시니, 일【43】단 풍화(風化)ᄒᆞ여 태평긔상(太平氣象)을 알니러라.

날이 반오의 승젼곡과 개가 소ᄅᆡ 은은ᄒᆞ며 긔치 졀월이 빗최더니, 군졍 댱졸이 일시의 산호 만셰ᄒᆞ여 국가대경을 딘하(進賀)ᄒᆞ니, 샹이 환열ᄒᆞ샤 옥ᄇᆡ의 향온을 브어 취토록 권ᄒᆞ시고 금평후를 갓가이 명초ᄒᆞ샤 우어 ᄀᆞᆯ오샤ᄃᆡ,

1576)상방(尙方) : ≒상의원(尙衣院). 조선 시대에, 임금의 의복과 궁내의 일용품, 보물 따위의 관리를 맡아보던 관아.

1577)균텬광악(鈞天廣樂) : 하늘에 닿을 정도로 큰 음악소리.

라.”

쇼졔 수식이 은영(隱映)ᄒᆞ여 원슈을 《힝‖향(向)》ᄒᆞ여 예ᄒᆞ니, 원슈 답여[예](答禮) 작별ᄒᆞᆫ 후, 혹식을 도ᄅᆞ보ᄋᆞ 쇼왈,

“형의 문풍은 안ᄒᆡ을 놉히고 공슌이 ᄇᆡ례ᄒᆞᄂᆞᆫ가 시부건니와 나ᄂᆞᆫ 《걸런‖그런》 규구을 아지 못ᄒᆞᄂᆞ니 무식불볍[법]의 말노 영ᄆᆡ을 가르치지 말나.”

언파의 ᄇᆡ별ᄒᆞ고 밧그로 가니, 부인은 별누을 금치 못ᄒᆞ고 공의 부ᄌᆞᄂᆞᆫ 문외의 나와 작별ᄒᆞ니, 원슈의 상경ᄒᆞᄂᆞᆫ 션셩(先聲)이 황셩의 이르니 상이 쳡보(捷報)을 들러시고 ᄃᆡ희ᄒᆞᄉᆞ 금후을 ᄌᆞ로 명쵸ᄒᆞᄉᆞ 국가 셩ᄉᆞ와 텬흥의 신긔ᄃᆡᄌᆡ(神技大才)을 칭춘ᄒᆞᄉᆞ, 상방어션과 황봉어쥬을 ᄉᆞᆼᄉᆞᄒᆞ시ᄂᆞᆫ 은명이 날노 더ᄒᆞ니, 금평휘 황공감은ᄒᆞ믈 만만슉ᄉᆞ러니, 원슈의 도ᄅᆞ오ᄂᆞᆫ 날, ᄉᆞᆼ이 만조문무을 거ᄂᆞ리시고 심이(十里) 교외의 나○[가] 마ᄌᆞ실 ᄉᆡ, 푸른장막은 구름을 연ᄒᆞ엿고 훤쳔고악(喧天鼓樂)은 산쳔의 둘너시며, 금슈표[포]진(錦繡布陳)이 졍졔ᄒᆞ여 옥탑을 놉히 ᄇᆡ셜ᄒᆞ고 만됴문뮈 좌우로 시위ᄒᆞ엿시니, 홍운은 옥좌을 두로고 셔긔은 ᄋᆡᄋᆡᄒᆞ여 의막이 출난ᄒᆞ니, 일(日)안[은] 쳥명ᄒᆞ여 ᄐᆡ평ᄒᆞᆫ 긔상을 ᄃᆞ시 볼지라.

날이 반오의 승젼곡과 ᄀᆡᄀᆞ(凱歌)소ᄅᆡ 은은이 들니더니 졈졈 긔치졀월이 비쵀【50】여 원슈의 ᄉᆞ졸이 일시의 ᄂᆞ오ᄃᆞ가 어막을 ᄇᆡ셜ᄒᆞ고 뇽봉일월긔 ᄇᆞ름의 부치이믈 보ᄆᆡ 어ᄀᆡ 친임(親臨)ᄒᆞ신 쥴 알고, ᄃᆡ원슈긔을 둘너 결진ᄒᆞ고, 즉시 ᄒᆞ마ᄒᆞ여 제장으로 더부러 뇽탑ᄒᆞ의 ᄂᆞᄋᆞ가 산호ᄇᆡ무ᄒᆞ온ᄃᆡ, 텬안이 뇽미ᄑᆞᆯᄎᆡ(龍眉八彩) 희긔(喜氣)동(動)ᄒᆞᄉᆞ 어쉬 밧비 원슈의 숀을 ᄌᆞᆸ고 옥엄[음](玉音)이 화열ᄒᆞᄉᆞ,

“남적의 작난불인(作亂不仁)ᄒᆞ여 경이 ᄌᆞ원츌젼ᄒᆞ니 신츌귀몰ᄒᆞ규[긔]로 ᄒᆞᆫ 북의 흉젹을 황[항]복 밧고 남ᄇᆡᆼ(南方)을 진졍ᄒᆞ니 공업이 ᄒᆡᄂᆡ의 드레고 영명이 만ᄃᆡ의 젼ᄒᆞ

“군신은 부ᄌ일쳬라. 이제 텬흥의 쇼년 영지 이러틋 긔이ᄒ니. ᄎᄂ 만셰블멸디공(萬歲不滅之功)이라 딤의 튱냥 둠과 경의 영ᄌ 두미 군신의 큰 복이라.”

ᄒ시고 어온(御醞)을 반샤(班師)ᄒ시니 금휘 브복ᄒ여 밧줍고, 황공 블감ᄒ믈 마디 아니니, 샹이 군졍ᄉ(軍政事)를 올니라 ᄒ신듸, 원쉬 참【44】군ᄉ 원봉으로 군졍을 샹달ᄒ고, 부ᄌ 형뎨 셔로 되ᄒ나 ᄉ졍을 니르디 못ᄒ여, 다만 그 ᄉ이 부모의 안강ᄒ시믈 짐즉ᄒ여 츈풍 화긔 미우를 움즉이니, 동탕ᄒ 신치 더옥 긔이ᄒ여 만니 젼진의 분쥬ᄒ미 반ᄃ시 슈패(瘦敗)홀가 ᄒ엿더니, 풍완언건(豊完偃蹇)ᄒ미 젼의셔 더ᄒ더라.

리니, 경의 등과일노븟터 쥬셕고광[굉]지신(柱石股肱之臣)으로 아라, 만분힝열ᄒ여 ᄉ직의 큰 복으로 아ᄅ더니, 이제 벌젹능토(伐敵能討)ᄒ여 회음(淮陰)・제갈(諸葛)[1525]의 저덕이 잇시니 엇지 기특지 아니리요.”

원슈 부복ᄒ여 듯즙기을 마ᄎᄆ 니러 지ᄇ ᄉᄉ왈,

“남만을 평졍ᄒ믄 펴[폐]ᄒ의 홍복이오 신의 적죠 아니어늘 셩교 여ᄎᄒ시니 블승 황공ᄒ와 알욀 바을 아지 못ᄒ리로소이다.”

만죄 일시의 만셰을 불너 원슈의 승젼ᄒ여 도라오믈 ᄒ례ᄒ니, 텬안이 환열ᄒ믈 이긔지 못ᄒᄉ 옥비의 향온을 부어 친히 원슈을 취토록 권ᄒ시고 금후을 갓가이 명ᄒᄉ 왈,

“군신은 부ᄌ일체라, 이제 텬【51】흥이 십삼 삭만의 되공을 일워 도ᄅ오니 짐심이 반갑기을 이기지 못ᄒᄂ이[니] 허물며 경의 마음이야 ○○○○[오죽하랴]. 헌[텬]흥의 신긔묘산과 치셰경윤지지 국가동양이오, 경의 집을 흥긔ᄒ리니, 짐의 충신 둠과 경의 영ᄌ 두미 우리 군신의 큰 복이라. 경ᄒ을 당ᄒ여 일비주로 아들 줄 나흐믈 표치 아니리오.”

니어 어(御酒)주을 반ᄉ(頒賜)ᄒ시니 금평후 연강[망]이 밧ᄌ와 거후르고, 셩의 과도ᄒ시믈 일카라 《곰심‖공경》졀ᄎᄒ며 죠심 불감ᄒ미 금[근]심을 당홈 갓트니, 상이 그 겸퇴ᄒ물 더욱 아름ᄃ이 역이시고 군졍ᄉ의 치부표(置簿表)을 올니라 ᄒ시니, 원슈 츰모ᄉ 원봉으로 ᄒ여금 군졍ᄉ을 상달ᄒ고, 부ᄌ형제 각가이[1526] 되ᄒ여 지쳑쳔안의 ᄉ졍을 펴지 못ᄒ고, 오직 븐기ᄂ 졍을 눈으로 보ᄂ고, 그 ᄉ이 부모의 안강ᄒ시믈 짐즉ᄒ여 츈풍화긔 미우의 동ᄒ니, 일연지ᄂ(一年之內)의 원슈의 동탁[탕]쇄락(動蕩灑落)ᄒ며 풍완윤튁(豊完潤澤)ᄒ미 젼ᄌ의 더으니 반드시 남황장여(南荒瘴癘)[1527]의

1525)회음(淮陰)・제갈(諸葛) : 회음후(淮陰侯) 한신(韓信)과 무후(武侯) 제갈량(諸葛亮)
1526)각가이 : 가까이.

샹이 군졍녹을 올녀 어람ᄒᆞ실ᄉᆡ 원슈의 큰 공은 스ᄉᆞ로 낫타ᄂᆡ믈 깃거 아냐 군졍ᄉᆞ의 분부ᄒᆞ여 ᄡᅢ히니, 부원슈 이하로 뎡원슈의 덕을 우러러 ᄎᆞ마 져의 디모를 ᄀᆞᆷ초믈 앗겨, 듕군 대댱군이 ᄉᆞᄉᆞ로이 원슈의 공을 치부ᄒᆞ여 올니니, 샹이 괴이히 넉이샤 문왈,

“ᄃᆡ원【45】슈 뎡텬흥의 디모 대ᄎᆡ를 군졍ᄉᆞ의 올니지 아니ᄒᆞ고 듕군의셔 각각 ᄒᆞ뇨?”

졔댱이 듀왈,

“뎡텬흥의 디모 ᄃᆡ지ᄂᆞᆫ 진유ᄌᆞ(陳孺子)1578)와 무후(武侯)1579)의 남만(南蠻)을 항복 밧던 디혜 만ᄉᆞ오ᄃᆡ, 스ᄉᆞ로 직조를 낫타ᄂᆡ믈 깃거 아냐 일흠을 군졍녹의 올니리 아니ᄒᆞ오니, 듕군 댱졸이 ᄉᆞᄉᆞ로이 긔록ᄒᆞ와 영웅의 ᄌᆡ조를 민멸ᄒᆞ미 앗가와 텬감(天監)을 바라ᄂᆞ이다.”

1578)진유ᄌᆞ(陳孺子) : 진평(陳平). ? - BC178. 중국 한(漢)나라 때 정치가. 한 고조 유방(劉邦)를 도와 여섯 번이나 기발한 꾀를 내, 천하를 평정케 함.

1579)무후(武侯) : 제갈량(諸葛亮). 181-234. 중국 삼국시대 촉한(蜀漢)의 정치가. 자 공명(孔明). 시호 충무(忠武). 뛰어난 군사 전략가로, 유비를 도와 오(吳)나라와 연합하여 조조(曹操)의 위(魏)나라를 대파하고 파촉(巴蜀)을 얻어 촉한을 세웠다

수쳑ᄒᆞᆯ가 여겨던니 풍완윤틱ᄒᆞ여 언언[건]추앙(偃蹇推仰)ᄒᆞ미 일층 더으고 탁탁(卓卓)ᄒᆞᆫ 긔상은 추쳔(秋天)을 통두(統頭)1528)ᄒᆞ고, 윤틱ᄒᆞᆫ 얼골은 ‘남젼(藍田)의 미옥(美玉)’1529)이오 광풍졔월(光風霽月)이라. 봉안영치(鳳眼靈彩)ᄂᆞᆫ 좌우의 두 쥴기 셔긔방광(放光)ᄒᆞᆫ 듯, 양미쳥화(兩眉青華)1530)ᄂᆞᆫ 천긔[지]【52】졍긔(天地精氣)와 일월명광(日月明光)을 오로지 거두어시니, 팔쳑경윤(八尺經綸)의 융복을 졍졔ᄒᆞ니 만니장쳔의 ᄃᆡ봉이 ᄂᆞᄂᆞᆫ 듯ᄒᆞ고, 벽공의 노ᄂᆞᆫ 용이 운에(雲霓)을 쓰러치고 장ᄒᆞᆫ 긔셰을 발ᄒᆞᆫ 듯, 썩썩ᄒᆞ고 웅즁ᄒᆞᆫ 가온ᄃᆡ 신신ᄒᆞᆫ 긔상이 더옥 동탕ᄒᆞ여 우흐로 쳔안니 ᄉᆡ로이 경듕ᄒᆞ시고, 아ᄅᆡ로 만됴졔신니 칙칙ᄒᆞ여 눈이 황홀ᄒᆞ고 졍신이 어린 듯ᄒᆞ더라.

ᄉᆞᆼ이 군졍ᄉᆞ을 일일이 상고ᄒᆞ시ᄆᆡ 뎡원슈의 젼필승공필취(戰必勝功必取)1531)ᄒᆞ던 《지묘직략‖지모재략(智謀才略)》은 원슈 스ᄉᆞ로 긍과(矜誇)ᄒᆞ여 ᄡᅢ히미 만흐ᄃᆡ 임진ᄃᆡ젹(臨陣對敵)의 허ᄃᆞ신긔묘ᄉᆞᆫ(許多神技妙算)은 이로 ᄡᅢ히지 못ᄒᆞ엿스니, 상이 일견의 짐족ᄒᆞ시고 부원슈 이ᄒᆞ로 졔장이 ᄃᆡ공《이우‖이루미》 업ᄉᆞ므로 올녓거늘, 쳔안이 이의 ᄃᆡ열ᄒᆞᄉᆞ ᄉᆡ로이 원슈을 칭여[예](稱譽)ᄒᆞ시니, 졔장군졸이 쏘ᄒᆞᆫ 원슈의 위덕을 감탄ᄒᆞ여 어ᄌᆞ러니 공뇌로 ᄃᆞ토미 업고, 져마ᄃᆞ 옥게의 고두ᄒᆞ야 셩덕을 츅슈ᄒᆞ고, 부원슈 김경이[서] 쥬왈,

“부즁 등은 오혀려 상즁 지휘로 쵼공을 《이워ᄂᆞᆫ지라‖이뤗ᄂᆞᆫ이다》.”

1527)남황장여(南荒瘴癘) : 남쪽지방의 기후가 덥고 습한 곳에서 생기는 유행성 열병이나 학질.

1528)통두(統頭) : 압두(壓頭)함.

1529)남젼(藍田)의 미옥(美玉) : 남전산(藍田山)에서 난 아름다운 옥. 남전은 중국(中國) 섬서성(陝西省)에 있는 산 이름으로 옥의 명산지.

1530)양미쳥화(兩眉青華) : 속된 데가 없이 맑고 화려한 두 눈썹.

1531)젼필승공필취(戰必勝功必取) : 싸우면 반드시 이기고 공을 반드시 세움.

샹이 우으시고 이의 뎡원슈를 ᄇᆡᄒᆞ샤 병부샹셔농두각태ᄒᆞᆨᄉᆞ병마졀제ᄉᆞ졔로도춍병좌댱군평남후(兵部尙書龍頭閣太學士兵馬節制使諸路都總兵左將軍平南侯)를 봉ᄒᆞ시니 원쉬 대경ᄒᆞ여 평남후를 환슈ᄒᆞ시믈 진정으로 듀ᄒᆞ오ᄃᆡ, 샹이 죵블윤(終不允)ᄒᆞ시고 부원슈 이하로 봉【46】작을 더ᄒᆞ시니, 원쉬 ᄒᆞᆯ일업셔 샤은ᄒᆞᄆᆡ 샹이 환궁ᄒᆞ실ᄉᆡ, 원슈를 명ᄒᆞ샤 대군을 거ᄂᆞ려 압히셔라 ᄒᆞ시고, 황샹은 만됴를 거나려 뒤히 힝ᄒᆞ시며 금평후로 난여(鸞輿) 겻ᄐᆡ 시위ᄒᆞ여 원슈의 힝군ᄒᆞ믈 보라 ᄒᆞ시니, 금휘 황감ᄒᆞ여 갑ᄉᆞ올 바를 아디 못ᄒᆞ더라.

원쉬 댱졸을 거ᄂᆞ려 셩ᄂᆡ로 드러올ᄉᆡ 도창검극(刀創劍戟)이 상셜 ᄀᆞᆺ고 긔치졀월(旗幟節鉞)이 히빗출 ᄀᆞ리와 대로샹의 쯧글이 닐며 쳔병만ᄆᆡ 원슈를 호위ᄒᆞ여 대오를 분ᄒᆞ니, 호통(號筒) 삼ᄎᆞ의 위풍이 삼녈(森列)ᄒᆞ여 일노의 휘황ᄒᆞ고, 힝군 긔률은 한신(韓信)·듀아부(周亞夫)의 셰번 더은디라. 샹이 바라보시고 대열 칭찬ᄒᆞ【47】시며 도셩 만민이 닷토아 구경ᄒᆞ며 원슈의 신위(信委)를 흠복 갈치ᄒᆞ고, 인인이 금평후의 유복ᄒᆞ믈 일ᄏᆞ라 ᄋᆞ돌을 두ᄆᆡ 뎡원슈 ᄀᆞᆺ기를 원ᄒᆞ더라.

힝ᄒᆞ여 궐문의 다ᄃᆞ라 ᄉᆞ졸이 결진ᄒᆞ고 셩개(聖駕) 문화뎐의 드르시니, 원슈와 문무냥관(文武兩官)이 시위ᄒᆞ여 됴회를 파ᄒᆞ신 후 퇴ᄒᆞ여 나아갈ᄉᆡ, ᄉᆞ졸을 녕ᄒᆞ여 각각 도라가 부모 쳐ᄌᆞ를 반기라 ᄒᆞ니, 삼만 졍병과 십원 댱ᄉᆡ 다 원슈의 덕이라 슈무죡두[도](手舞足蹈)[1580]ᄒᆞ여 환셩이 여류ᄒᆞ여 ᄎᆞ례로 작상(爵賞)을 밧ᄌᆞ오ᄆᆡ, 흔흔심복ᄒᆞ여 ᄉᆞ듕(士衆)의 말ᄒᆞᆷ과 격조(隔朝)의 짓궤미[1581] 【48】 업더라

1580)슈무죡도(手舞足蹈) : 몹시 좋아서 날뜀.
1581)짓궤다 : 지껄이다. 떠들다.

상이 우으시고 이의 뎡원슈로 병부상셔용두각ᄐᆡᄒᆞᆨᄉᆞ 텬ᄒᆞ병마졔로도춍병좌ᄌᆞᆼ군 남평후(兵部尙書龍頭閣太學士 天下兵馬諸路都總兵左將軍南平侯)을 봉ᄒᆞ시니, 원슈 졍ᄉᆡᆨ(正色)고 혈심으로 고ᄉᆞᄒᆞ여 나히 졈고 쟉녹이 과ᄒᆞ믈 일카라【53】 고ᄉᆞᄒᆞ온ᄃᆡ, 상이 종불윤ᄒᆞ시니, 원슈 마지 못ᄒᆞ여 후ᄌᆞᆨ을 밧ᄌᆞ와 ᄉᆞ은ᄒᆞᄆᆡ 부원슈 이ᄒᆞ로 상이 군졍ᄉᆞ을 보시며 ᄎᆞ례로 《복ᄌᆞᆨ ‖ 봉ᄌᆞᆨ(封爵)》ᄒᆞ시고 군신이 낙극달ᄂᆞᆫ(樂極團欒)ᄒᆞ여 놀리 느ᄌᆞᄆᆡ ○[어]ᄀᆡ 환궁ᄒᆞ실 ᄉᆡ, 원슈로 명ᄒᆞᄉᆞ ᄃᆡ군을 거ᄂᆞ려 압셰고 상이 만됴문무을 거ᄂᆞ려 후군이 되어 힝ᄒᆞ시며, 금후을 난예(鸞輿) 겻히 시위ᄒᆞ여 원슈의 힝ᄒᆞ믈 바라시니, 평회[휘] 일마다 셩은이 황감ᄒᆞ여 갑흘 ᄇᆞ을 아지 못ᄒᆞ더라.

원슈 졔ᄌᆞᆼ군졸을 거ᄂᆞ려 도셩으로 향ᄒᆞᆯ ᄉᆡ, 도충금[검]극(刀創劍戟)이 상셜 갓고 긔치졀월(旗幟節鉞)이 일ᄉᆡᆨ을 가리와 ᄃᆡ로상의 틧글리 일며 쳔병만ᄆᆡ 원슈 호위ᄒᆞ여 ᄃᆡ로을 분분ᄒᆞ니, 호령이 엄슉ᄒᆞ고 위풍이 ᄉᆞᆷ열ᄒᆞ여 안광이 ᄉᆞᆷ군을 비최고 풍치 일노의 희황ᄒᆞ며 힝군긔율은 한신(韓信)·쥬아보[부](周亞夫)의 셰보다 더ᄒᆞᆫ지라. 상이 뒤히셔 ᄇᆞᄅᆞ보시고 ᄃᆡ열ᄒᆞ시며 도셩만민이 닷토와 완셩[상](玩賞)ᄒᆞ여 원슈의 신위(神威)을 심복갈치(心腹喝采)ᄒᆞ고 인인이 금평후의 유복을 일ᄋᆞ라 아들을 두ᄆᆡ 뎡원슈 갓기을 ᄇᆞ라더라.

힝ᄒᆞ여 궐문의 ᄃᆞᄃᆞᄅᆞ 어ᄀᆡ 문화젼의 드르시고 일반문무와 원슈 등이 궐젼의 드러가 날이 져물기로써 퇴조ᄒᆞᆯ ᄉᆡ, 원슈 ᄉᆞ졸을 명ᄒᆞᄉᆞ 밧비 도라가【53】 치[친]안(親顔)을 반기라 ᄒᆞ니, ᄉᆞᆷ만졍병과 십원ᄌᆞᆼᄉᆡ ᄒᆞᄂᆞ토 상ᄒᆞ니 업시 도라오ᄆᆡ 가로(街路)의 원슈의 ᄌᆡ덕을 뉘 아니 송덕ᄒᆞ리요. 군졍ᄉᆞ졸이 원슈을 ᄇᆞᄅᆞ미 젹지 ᄌᆞ모을 우럼갓치 ᄒᆞ고, 닙공환귀(立功還歸)ᄒᆞ여 쳥[쳔]문(天門)의 공졀(公切)[1532]ᄒᆞ신 후상(厚賞)을 밧

1532)공절(公切) : 어떤 처결이 공평(公平)하고 절당(切當)함.

ᄎᆞ일 황후 낭낭이 뉵원 비빙[1582]과 황친 국쳑과 태ᄌᆞ비 공쥬 등을 거ᄂᆞ리샤, 고루의 올나 뎡원슈의 승젼 환됴ᄒᆞᄂᆞᆫ 위의를 보시니, 황후 낭낭으로브터 만궁인(滿宮人)이 그 쇼년 영풍이 비상ᄒᆞᆷ을 탄복ᄒᆞ더라. 기듕 문양공쥬ᄂᆞᆫ 김귀비 소ᄉᆡᆼ이라. ᄉᆡᆼ졍이 춍민ᄒᆞ고 ᄋᆡ용(愛容)이 졀셰ᄒᆞᄃᆡ ᄂᆡ직(內在) ᄀᆞ즉디 못ᄒᆞ여 교ᄉᆞ간음(驕肆奸淫)ᄒᆞ미 극ᄒᆞ더니, 이날 고루의셔 뎡원슈를 ᄒᆞᆫ번 보ᄆᆡ 삼혼칠ᄇᆡᆨ(三魂七魄)[1583]이 뉴뉴표탕(悠悠飄蕩)ᄒᆞ여, 긔이코 아름다오믈 니긔디 못ᄒᆞ여 원슈를 칭찬ᄒᆞ미 사ᄅᆞᆷ의 븟그리믈 모로니, 황휘 침뎐의 도라오샤 문양을 ᄎᆡᆨᄒᆞ【49】샤 왈,

"딤이 본ᄃᆡ 외뎐(外殿)을 규시(窺視)ᄒᆞ미 업더니, 금일 뎡ᄌᆡ 닙공ᄒᆞ여 도라오ᄆᆡ 딤이 한가ᄒᆞᆷ믈 타 그 위의를 관광ᄒᆞ미러니, 네 규녀의 도리로ᄡᅧ 외됴 신뇨를 기리미 블가(不可) 한심(寒心)ᄒᆞᆫ디라, 모로미 ᄒᆡᆼ실을 닥고 스ᄉᆞ로 허믈이 업게 ᄒᆞ라."

ᄒᆞ시니, 뉴휘 춍명 신긔ᄒᆞ시고 현슉 명털ᄒᆞ시고 위의 단엄ᄒᆞ신디라, 공쥬 두리고 조심ᄒᆞ여 일언을 못ᄒᆞ고 침소의 도라와 셕식을 폐ᄒᆞ고 상요의 몸져 누어시니, 김귀비 크게 심녀ᄒᆞ더라.

원쉬 부공을 뫼시고 샤인으로 더브러 취운산 본부로 나아오니, 발셔 밤이 깁헛ᄂᆞᆫ디라. 문의 님ᄒᆞ여 부공을【50】 븟드러 거륜의 나리시게 ᄒᆞᆯᄉᆡ, ᄯᅳᆯ히셔 졀ᄒᆞ여 존후를

ᄌᆞ오{시}ᄆᆡ ᄒᆞᆫᄒᆞᆫ열복ᄒᆞ여 ᄒᆞ더라.

이날 황휘 뉵원 비빙[1533]과 황친국젹[쳑](皇親國戚)의 부인을 부르시고 ᄐᆡᄌᆞ비와 공주 등을 거ᄂᆞ려 고루의 올나 원슈의 승젼환됴ᄒᆞᄂᆞᆫ 위의을 보시니, 황후낭낭으로부터 만궁귀쳔(滿宮貴賤)이라도 그 직덕과 쇼연영풍(少年英風)을 깁히 탄복ᄒᆞᄂᆞᆫ 즁, 문양공주ᄂᆞᆫ 김귀비 소ᄉᆡᆼ이라, ᄯᅩᄒᆞᆫ 쳔셩이 춍오민달(聰悟敏達)ᄒᆞ고 ᄋᆡ용이 졀셰ᄒᆞ여 만ᄉᆡ 영오(穎悟)ᄒᆞᆫᄃᆡ, ᄂᆡ외(內外) 축지[1534] 못ᄒᆞ여 《논ᄉᆞ∥교ᄉᆞ(驕肆)》간음(奸淫)ᄒᆞ미 흠ᄉᆡ(欠事)러니, 뎡원슈○[를] 보ᄆᆡ 황홀ᄒᆞᆫ 마음이 아득ᄒᆞ여 삼혼칠ᄇᆡᆨ(三魂七魄)[1535]이 표표탕탕(飄飄蕩蕩)ᄒᆞ여 졍원슈 신상을 ᄊᆞ를 듯, 긔이ᄒᆞ며 아름ᄃᆞ옴믈 이긔지못ᄒᆞ여 인ᄉᆞ을 일코 원슈을 칭찬ᄒᆞᄂᆞᆫ 입을 주리혀지 못ᄒᆞ니, 황휘 칙[침]젼(寢殿)의 도라오ᄉᆞ 모[문]양을 ᄎᆡᆨ왈,

"딤이 본ᄃᆡ 위월작ᄉᆞ(違越作事)ᄒᆞ미 업더니, 금일 뎡원슈의 승젼ᄒᆞ미 국가의 ᄃᆡ경이라. 황상이 교외의 마ᄌᆞ시니 딤이 고요ᄒᆞᆷ믈 좃ᄎᆞ 그 위의을 관광ᄒᆞ미러니, 네 뎡텬흥 촌양ᄒᆞ미 일분 규여(閨女)의 도리 업ᄉᆞ니 엇지 ᄒᆞᆫ심치【55】 아니리요. 모로미 ᄒᆡᆼ실을 닥고 ᄯᅳᆺ즙기을 졍이 ᄒᆞ여 허물을 곳칠지어ᄃᆞ."

뉴휘 춍명이 신긔ᄒᆞ시고 인ᄌᆞ현슉ᄒᆞ시ᄂᆞ 위의 《관음∥단엄》침졍ᄒᆞ신지라. 공쥬 가ᄌᆞᆼ 두리고 됴심ᄒᆞᄂᆞᆫ 고로 감히 실ᄉᆞ을 고치못ᄒᆞ고 퇴ᄒᆞ여 침실의 도ᄅᆞ와 식불감히[미](食不甘味) 침불안셕(寢不安席)ᄒᆞ여 몸져 상요의 누어시니, 김귀비 크게 근심ᄒᆞ더라.

이의 뎡원슈 부친을 뫼시고 사인으로 ᄂᆞᄋᆞ오니 발셔 밤이 깁현[흔]지라. 부문의 이르러 야야 슐위을 븟드러 ᄂᆞᆯ[ᄂᆞ]리시게 ᄒᆞᆯᄉᆡ, 셰홍 등이 ᄂᆞ와 빈현ᄒᆞ고 ᄐᆡ모의 측급

1582)비빙 : 궁중에서, '비빈(妃嬪)'을 이르던 말
1583)삼혼칠ᄇᆡᆨ(三魂七魄) : 삼혼(三魂 : 業相・轉相・現想)과 칠백(七魄 : 두 눈, 두 귀, 두 콧구멍, 입)을 아울러 이르는 말

1533)비빙 : 궁중에서, '비빈(妃嬪)'을 이르던 말
1534)축ᄒᆞ다 : 착하다.
1535)삼혼칠ᄇᆡᆨ(三魂七魄) : 삼혼(三魂 : 業相・轉相・現想)과 칠백(七魄 : 두 눈, 두 귀, 두 콧구멍, 입)을 아울러 이르는 말

뭇줍더니, 셰흥이 1584)태모(太母)의 착급히 기다리시는 연유를 고ᄒᆞ니, 평휘 원슈를 [로] 밧비 닉루(內樓)의 니르미 태부인이 난두(欄頭)의 나와 기ᄃᆞ리더라. 금휘 붓드러 침뎐의 드르시믈 청ᄒᆞ고, 원쉬 태모와 ᄌᆞ젼의 밧비 절ᄒᆞ미, 태부인이 년망이 손을 잡고 황홀이 반가오미 아모 곳으로 나믈 씨닷디 못ᄒᆞ여, 눈을 드러 보미, 늠연ᄒᆞᆫ 긔상이 조곰도 슈패(瘦敗)치 아냐시니 더옥 깃브믈 니긔디 못히니, 원쉬 오릭 니측ᄒᆞᆫ 하회(下懷)를 고ᄒᆞ며 존당 부뫼 안강ᄒᆞ시믈 희힝(喜幸)ᄒᆞ니, 태부인이 손을 잡고 등을 두다려【51】 두굿기믈 마디 아니ᄒᆞ고, 뎐부인이 역시 집슈 익듕ᄒᆞ여 반기믈 마디 못ᄒᆞ니, 원쉬 이셩화기(怡聲和氣)로 영모ᄒᆞ던 하회(下懷)를 고ᄒᆞᆯ식, 태부인이 윤・양 이부인의 슌산ᄒᆞ믈 닐너 윤시의 ᄋᆞᄌᆞ는 긔픔이 완연ᄒᆞ고 말을 음겨 비범ᄒᆞ믈 니르며, 양시 녀ᄋᆞ는 긔묘 절셰ᄒᆞ여 히샹명쥬(海上明珠)와 금분모란(金盆牡丹) ᄀᆞᆺᄐᆞ믈 젼ᄒᆞ여 웃는 입을 주리디 못ᄒᆞ니, 원쉬 영힝ᄒᆞ믈 니긔디 못ᄒᆞ여 비로소 눈을 드러 좌우를 솔피니, 윤・양・니 삼부인과 샤인 부인 니시 먼니 시립ᄒᆞ여시니, 니시를 향ᄒᆞ여 녜ᄒᆞ고 삼부인으로 더브러 녜ᄒᆞ미, 금휘 샤인의 안기를 명ᄒᆞ고 원슈다려 파뎍ᄒᆞ던【52】 셜화를 므려 그윽이 두굿기나, 능녀(凌厲) 활발(活潑)ᄒᆞ미 타인과 달나, 만여리 왕반의 므슨 남식 잇는가 그윽이 념녀ᄒᆞ나, 블고이취(不告而娶)와 ᄉᆞ창(四娼) 시러온 곡졀이야 엇디 알니오. 다만 문왈,

히 기ᄃᆞ리시는 ᄇᆞᆯ을 고ᄒᆞ니, 평휘 원슈을 ᄃᆞ리고 밧비 틱원젼의 드러오미, 틱부인이 난간 밧기 ᄂᆞ온지라. 금평휘 붓드러 침젼의 들르시믈 쳥ᄒᆞ고 원슈 죠모와 ᄌᆞ모게 밧비 졀ᄒᆞ미, 틱부인이 연망이 숀을 잡고 황홀이 반가옴과 무궁이 깃분 졍이 심곡으로 조ᄎᆞ 나믈 씨ᄃᆞᆺ지 못ᄒᆞ여, 즉시 침젼의 드러와 급히 쵹을 들ᄂᆞ ᄒᆞ고 원슈의 얼골을 볼 식, 풍완(豊完)이 수려ᄒᆞ며 늠늠쇄락(凜凜灑落)ᄒᆞ여 죠금도 슈쳑(瘦瘠)지 아냐, 언건(偃蹇)ᄒᆞᆫ 체모와 긔이ᄒᆞᆫ 격조는 일연지닉(一年之內)의 더ᄒᆞ엿는지라, 구모지여(久慕之餘)의 뉴공(有功)ᄒᆞ며, 죤둥부뫼 안강ᄒᆞ심과 흡문의 무ᄉᆞᄒᆞ믈 주야앙모ᄒᆞ든 쇼원이라. 미우의 화긔인[애]연(和氣藹然)ᄒᆞ여【56】 부수궤고(俯首跪股) 왈,

"불쵸 소직 친츄[측]을 써ᄂᆞ오미 발셔 십숨삭이러니, ᄌᆞᄌᆞ(孜孜)ᄒᆞ온 ᄒᆞ졍(下情)이 주야 ᄉᆞᆼ고(想考)ᄒᆞ믈 참지 못ᄒᆞ올더니, 국지딕경(國之大慶)과 가지ᄉᆞ행(家之射倖)으로 만이젼진(萬里戰陣)의 무ᄉᆞ히 도ᄅᆞ와 슬ᄒᆞ의 봉빅(奉拜)ᄒᆞ옵고 죤당부뫼 죤회[휘](尊候) 안강ᄒᆞ시며 일기○○[평안]ᄒᆞ오니, 힝열쾌심ᄒᆞ믈 이기지 못ᄒᆞ리로소이ᄃᆞ."

틱부인이 그 등을 두ᄃᆞ리며 숀을 어루만져 칭이 왈,

"오ᄋᆞ는 국가의 츙신이요 오문의 효ᄌᆞ라. 언[어]린 아희 어닉 ᄉᆞ이 츌졍ᄒᆞ여 남만을 평졍ᄒᆞ고 닙공승젼(立功勝戰)ᄒᆞ니 깃부믈 어이 ᄃᆞ 이르이요, 남이 입신양명(立身揚名)ᄒᆞ여 니현부모(以顯父母)1536)ᄒᆞ미 너을 두고 일르미라. 상이 남국쳡보(南國捷報)을 드르시고 셩은이 융융ᄒᆞᄉᆞ 여부(汝父)로 《상방어쥬(尙房御酒)와 황봉어션(黃封御膳)‖상방어션(尙方御膳)1537)과 황봉어주(黃封御

1584)태모(太母) : 대모(大母 : 할머니)를 달리 이르는 말.

1536)입신양명(立身揚名) 니현부모(以顯父母) : 몸을 세우고 도를 행하여 후세에 이름을 떨침으로써 부모를 드러냄.

1537)상방어션(尙方御膳) : 상방(尙方)에서 만들어 임금에게 올리는 음식. 상방은 조선 시대에, 임금의 의복과 궁내의 일용품, 보물 따위의 관리를 맡아 보던 상의원(尙衣院)의 다른 이름.

"운남셔 쇼항가지는 신쇽히 왓시딕 절강셔 샹경ᄒᆞ기는 어이 더딕뇨."

원쉬 작죄ᄒᆞ미 이시믹 야야(爺爺)의 므러시믈 경동ᄒᆞ딕, ᄉᆞ식을 곳치미 업셔 피셕 브복 딕왈,

"운남셔 소항가지는 쌀니 힝ᄒᆞ엿습더니, 절강의 니르러는 미양(微恙)으로 신음ᄒᆞ여 완완(緩緩)이 힝ᄒᆞ믹 ᄌᆞ연 더딕엿ᄂᆞ이다."

금후의 의심이 절강셔 남식 이셔 호취[쥐]셩식(好酒聲色)ᄒᆞ여 음쥬달난(飮酒團欒)이 낭ᄌᆞ(狼藉)턴가 녁이던 바의 엇【53】디 닉도치 아니리오. 태부인이 평후와 원슈의 셕반을 나오라 ᄒᆞ니 평휘 딕왈,

酒)1538)》을 ᄉᆞ급ᄒᆞᄉᆞ 긔ᄌᆞ 두믈 칭춘ᄒᆞ시니 문호의 빗ᄂᆞ미 이 밧긔 쏘 어딕 잇시리요."

진부인이 역시 만면화식으로 ᄋᆡ쥭[즁](愛重)ᄒᆞ믈 이긔지 못하여[니], 원슈 이셩화긔로 쥬야 영모ᄒᆞ던 하졍을 고ᄒᆞ고, 틱부인이 윤·양 등 슌산ᄒᆞ믈 일어[너] 윤시의 아ᄌᆞ는 발셔 말을 젼ᄒᆞ고 거름을 음겨 그 비범코 긔이ᄒᆞ믈 두굿기며, 양시의 녀ᄋᆞ는 긔묘절셰ᄒᆞ여 힉상진주와 금분오[모]란(金盆牡丹) 캇[갓]틈을 젼ᄒᆞ여 웃는 입을 주리지 못ᄒᆞ니, 원슈 듯는 말마ᄃᆞ 여[영]힝(榮幸)《을‖ᄒᆞ믈》 이긔지 못ᄒᆞ여 비로쇼 눈을 들러 좌즁을 술피니, 윤·양·이 숨부인과 ᄉᆞ인 부인이 {십립}시립ᄒᆞ엿스니,【57】 몬져 니시을 향ᄒᆞ여 예ᄒᆞ고, 숨부인으로 더부러 예을 맛츠믹, 금평휘 윤·양·이 ᄉᆞ인의 안기을 명ᄒᆞ고, 원슈을 딕ᄒᆞ여 파젹ᄒᆞ든 셜화을 무러며 그 신긔묘ᄉᆞ[ᄉᆞᆫ]을 두깃○[기]나, 능여활발(淩厲活潑)ᄒᆞ미 남달ᄂᆞ 만여리 왕반의 무ᄉᆞᆫ 남식 잇는가, 혹(或)이 염녜ᄒᆞ여 흔연이 두굿기을 나타ᄂᆞ지 아냐, 이의 문왈,

"운남셔 항쥐가기[지]는 신속히 와시되 절강셔 상경ᄒᆞ○[기]는 어[더]딕니 그 엇진 일이요[뇨]? 쳐음 《쇼제‖소서(所書)》로 셔[션]문(先聞)이 이르러 계일(計日)ᄒᆞ여 십여일 젼 올ᄂᆞ올가 ᄒᆞ엿든니, 하고로 길히 무여[어]슬 만나더냐? 어이 글이 더딕뇨?"

원슈 작죄이시믈 야야(爺爺)의 갓초 무르시믈 심니의(心裏) 경동(驚動)ᄒᆞ믹 ᄉᆞ식을 고치지 아니코 피셕 부복 왈,

"운남셔 소항가지는 쌀니 힝ᄒᆞ엿든니 절강의 이르○[러]는 쇼직 미양으로 신음ᄒᆞ여 길을 완완이 힝ᄒᆞ오니 ᄌᆞ연이 더딕미 되얏는○○[이다.]"

○[ᄒᆞᆫ]딕, 평후 심니의 남만 왕반의 호쥬취식(好酒取色)이 낭ᄌᆞ(狼藉)ᄒᆞᆫ가 역이니 엇

1538)황봉어주(黃封御酒) : 임금 하사하는 술. 황봉(黃封)은 임금이 하사한 술을 단지에 담고 황색 천으로 봉(封) 것으로 임금이 하사한 술을 뜻한다.

“쇼ᄌᆞᄂᆞᆫ 어던의셔 술과 팔진경찬(八珍瓊饌)을 과식ᄒᆞ엿ᄉᆞ오니 밥 먹기 블가ᄒᆞ이다.”

ᄒᆞ고, 좌우로 원슈 형뎨 식반을 나오라 ᄒᆞ고 ᄌᆞᄀᆡᄂᆞᆫ 두어잔 술을 마실 ᄲᅮᆫ이라. 원슈 형뎨 셕반을 파ᄒᆞ미 뫼셔 말솜ᄒᆞᆯᄉᆡ, 남휘 쾌활ᄒᆞ믈 니긔디 못ᄒᆞ고, 심듕의 경시를 ᄉᆡᆼ각ᄒᆞ여 브ᄃᆡ 묘ᄒᆞᆫ 계교로 야야를 속이고 다시 취ᄒᆞ여 일틱의 즐기믈 긔약ᄒᆞ고, ᄉᆞ창을 한가디로 《번희 ‖ 빈희(嬪姬)1585)》의 슈를 ᄎᆞ오고져 ᄯᅳᆺ이 급ᄒᆞᄃᆡ, 엄훈을 두려 감히 ᄉᆡᆼ의치 못ᄒᆞ더라.

태부인이 남휘 부뷔 좌우의 버러시믈 보고 두굿기【54】믈 니긔지 못ᄒᆞ여, 남후의 손을 잡고 등을 어로만져 만심 탄복ᄒᆞ믈 마디 아냐, 언언이 오문(吾門)의 쳔니귀(千里駒)1586)라 일ᄏᆞ라,

“노뫼 금셕슈ᄉᆡ(今夕雖死)나 므솜 한이 이시리오. 연이나 윤현뷔 홍안이 너모 슈려ᄒᆞ니 조물이 극ᄒᆞᆫ 바를 두리거ᄂᆞᆯ, 윤가 가듕이 죵용치 못ᄒᆞ니 미구의 혜쥬의 계활(契活)1587)이 엇더ᄒᆞᆯ고? 타인은 무심ᄒᆞ나 노모 지심은 근심이 일시도 방하치 못ᄒᆞ노라.”

남휘 호언으로 위로ᄒᆞ더니, 외당의 하ᄀᆡᆨ이 분분ᄒᆞ니 금후 부지 나와 ᄃᆡᄀᆡᆨᄒᆞ여 도라보ᄂᆡ고, 다시 드러와 죵용이 뫼셔 말솜ᄒᆞᆯᄉᆡ 그 ᄉᆞ이 혜쥬의 셩혼ᄒᆞᆷ과 궐졍의 드러가 졀의를 완젼ᄒᆞ여 졍문포댱ᄒᆞ시【55】믈 태부인과 평휘 젼ᄒᆞ고, 딘부인이 번국 인믈과 풍속을 므르니, 남휘 일일히 고ᄒᆞᄃᆡ, 남왕지녀(南王之女)의 말을 아니니, 비록 번국지녜

1585)빈희(嬪姬) : 희첩(姬妾). 정식 아내 외에 데리고 사는 여자.

1586)쳔니귀(千里駒) : =천리마(千里馬). 뛰어나게 잘난 자손을 칭찬하여 이르는 말.

1587)계활(契活) : ①삶을 위하여 애쓰고 고생함. ② 멀리 떨어져 있어 서로 소식이 끊어짐.

지 ᄂᆡ도치 아니리요. ᄐᆡ부인이 평후와 원슈 형제 셕반을 ᄂᆞ오라 ᄒᆞ니, 평휘 ᄃᆡ왈,

“쇼ᄌᆞᄂᆞᆫ 어젼의셔 슐을 멋[먹]엇고 팔진미션(八珍味饍)을 만니 먹ᄉᆞ와 밥먹기 불길[가]ᄒᆞ여이다.”

부인 왈,

“텬아 형제ᄂᆞ 먹어라.”

평휘 좌우로 원슈와 ᄉᆞ인의 식ᄉᆞᆼ을 ᄂᆞ오라 ᄒᆞ고 ᄌᆞᄀᆡᄂᆞᆫ 두어 ᄌᆞᆫ 슐을 더 마실 분이라. 부인이 원슈의 반쥬을 ○[권]ᄒᆞ니, 평휘 고왈,

“우리집 아히들이 본ᄃᆡ 반쥬ᄒᆞᄂᆞᆫ 일【58】이 업고 텬ᄋᆡ 어쥬을 진양(盡量)토록 먹어ᄉᆞ오니 더 먹어 유히ᄒᆞᆯ가 ᄒᆞᄂᆞ이ᄃᆞ.”

부인이 쇼왈,

“텬ᄋᆡ 듀양(酒量)은 본ᄃᆡ 젹지 아니니 약간 먹어든 유히ᄒᆞ리요.”

친히 준[주]쥰(酒樽)을 나와 그르ᄉᆡ 가득 부어 쥬니, 원슈 쌍슈로 밧ᄌᆞ와 엄젼(嚴前)의 쾌음(快飮)을 못ᄒᆞ고, 어쥐 오히려 ᄭᆡ지 못ᄒᆞ믈 고ᄒᆞ니, {요} ᄐᆡ부인이 지솜 권ᄒᆞ고 평휘 왈,

“ᄌᆞ위 부ᄃᆡ 《며과ᄌᆞ ‖ 머기과ᄌᆞ》 ᄒᆞ시니, 굿ᄒᆞ여 ᄉᆞ양ᄒᆞ리요.”

원슈 비로소 마시니 식반을 ᄂᆞ와 그르시 뵈[븨]도록 셔르즈ᄆᆡ, 날호여 상을 물니고 죵야토록 뫼셔 말솜ᄒᆞᆯ ᄉᆡ, 그 ᄉᆞ이 혜쥬의 봉변ᄒᆞᆷ과 《란즁 ‖ 궐즁》의 드로가 졀의을 완젼ᄒᆞ여 졍문표장ᄒᆞ시믈 ᄐᆡ부인과 평휘 젼ᄒᆞ고, 진부인이 번국 인물과 풍속을 물러[어] 야심토록 담화ᄒᆞᄆᆡ, 평휘 ᄉᆞ[ᄌᆞ]졍(慈庭)이[의] 취침ᄒᆞ시믈 쳥ᄒᆞ고, 원슈 ᄉᆞ인으로 더부러 야야을 뫼셔 외현[헌]의 나와 부친 침금을 표[포]설(鋪設)ᄒᆞ고, 원슈 형제 광금장침(廣衾長枕)의 ᄂᆞᄋᆞ가 집슈연비(執手聯臂)ᄒᆞ여 니졍(離情)을 이루[르]며, 평휘 원슈을 겻히 《뉴ᄒᆞ ‖ 누이》ᄆᆡ, ᄐᆡᄉᆞᆫ이 압히 잇ᄂᆞᆫ 듯 부자쳔윤ᄌᆞᄋᆡ(父子天倫慈愛)로쎠 그 신긔위무(神技威武)을 더옥 두굿기고, ᄒᆡ외젼진(海外戰陣)의 흥젹을 파ᄒᆞ며 말이

(藩國之女)나 규슈의 음악 무례ᄒᆞ믈 니르디 아니미라.

이러틋 담화ᄒᆞ여 효신(曉晨)의 니르니, 평휘 모친의 침슈(寢睡)ᄒᆞ시믈 청ᄒᆞ니, 태부인이 쇼왈,

"텬ᄋᆞ를 보니 반가온 졍이 황홀ᄒᆞ여 즘이 업ᄉᆞ니 너희 닛브거든 나가고 노모는 념녀 말나."

평휘 모부인 긔운이 상ᄒᆞ실가 두려 직삼 청ᄒᆞ여 상요의 나가신 후, 남후 형뎨 야야를 뫼셔 외헌의 나와 공의 침금을 포셜ᄒᆞ여 취침ᄒᆞ신 후, 광금댱침(廣衾長枕)의 형뎨 집슈년비(執手聯臂)ᄒᆞ여 니졍(離情)을 니르며, 평휘 원슈를 겻틔【56】 누이ᄆᆡ 태산이 알패 잇는 둧, 부ᄌᆞ(父子) 텬눈ᄌᆞᄋᆡ(天倫慈愛)로뼈 그 신긔위무(神技威武)를 두굿기고 히외 젼진의 흉봉을 ᄃᆡ뎍ᄒᆞᄆᆡ 만니힝역(萬里行役)의 조곰도 슈패(瘦敗)치 아냐시믈 힝희하여 귀듕ᄒᆞ미 비길 ᄃᆡ 업ᄉᆞ나, ㅁ슴 남ᄉᆞ를 져즐고 왓는고 념녀ᄒᆞ여, 희연(喜然)이 무ᄋᆡᄒᆞ믄 업더라.

명됴의 부ᄌᆞ형뎨 존당의 문안ᄒᆞᄆᆡ 원슈의 ᄌᆞ녀 태부인 슬샹의 잇는디라. 평휘 웃고 원슈를 ᄀᆞᄅᆞ쳐 왈,

"져거시 네 아비니 가보라."

녀ᄋᆞ는 아모른 줄 모로ᄃᆡ, ᄋᆞᄌᆞ는 능히 아라듯고 원슈의 압히 나아가 안는디라. 남휘 눈을 드러 술피니 싱셰 계오 구삭이로ᄃᆡ, 영형셕대(英形碩大)ᄒᆞ미 범ᄋᆞ의 삼ᄉᆞ셰나 ᄒᆞ고, 용뫼 두렷ᄒᆞ여 일월【57】ᄀᆞᄐᆞᆫ 텬챵이 옥으로 놉히 무어시며, 봉안이 뉴셩(流星) ᄀᆞᆺ고, 명광(明光)이 찬난ᄒᆞ여 윤부인 텬싱 염모(艶貌)를 습ᄒᆞ여시니, ᄌᆞᄐᆡ 긔려ᄒᆞ믄 오히려 ᄌᆞ긔 우히라. 호치단슌(皓齒丹脣)과 년협셜빈(蓮頰雪鬢)이 복녹을 응ᄒᆞ며, 셩ᄌᆞ긔ᄆᆡᆨ(聖者氣脈)을 타 낫시니 진짓 봉취(鳳雛)라. 귀듕ᄒᆞ미 뉴츌ᄒᆞ고 깃브미 무궁ᄒᆞ니, 만면의 희긔 동ᄒᆞ여 쇼용(笑容)을 가견(可見)이러니, 태부인이 녀ᄋᆞ를 안아주어 왈,

[만리]힝역(萬里行役)의 일긔상[서]흔(日氣暑寒)을 당ᄒᆞ되 죠곰도 슈쳑ᄒᆞ미 업시 무ᄉᆞ히 도ᄅᆞ와시믈 힝열만심(幸悅滿心)ᄒᆞᄂᆞ 무순 반[남]ᄉᆞ(濫事)을 즈질고[1539] 왓는고, 염예(念慮) 업지 아냐 흐[흔]연이 어로만져 ᄌᆞᄋᆡᄒᆞ미 업더라.

명죠의 부ᄌᆞ형제 죤【59】당의 문안ᄒᆞᄆᆡ, 원슈의 ᄌᆞ여(子女) ᄐᆡ분[부]인 셜[슬]상의 잇는지라. 평휘 웃고 남후을 가르쳐 왈,

"져 셔시○[니] 네 아빈○[니] 가보라."

여ᄋᆞ는 아모란 쥴 모론ᄃᆡ, 아ᄌᆞ는 능히 아라 듯고 원슈 무릅히[히] ᄂᆞᄋᆞ가는지라. 남휘 눈을 드러 술피ᄆᆡ 싱셰 구식(九朔)이로ᄃᆡ, 영형셕ᄃᆡ(英形碩大)ᄒᆞ미 범아의 슈숨셰(數三歲) 된 아히 갓고, 용모(容貌) 두렷ᄒᆞ여 일월 갓고 찬난염비[미](燦爛艶美)ᄒᆞ여 윤부인 쳔싱영모(天生英貌)와 갓트니, ᄌᆞᄐᆡ긔려(姿態奇麗)ᄒᆞ미 오히려 ᄌᆞ긔 우희라. 호비단슌(虎鼻丹脣)과 연협셜빈(蓮頰雪鬢)이 갓쵸 ○○○○[아름답고], 상격(相格)의 말근 복녹의 졔미ᄒᆞ미 진짓 긔린긔[지]지(騏驎之子)[1540]요 봉황지취(鳳凰之雛)[1541]라.

1539)즈지르다 : 저지르다

1540)긔린지직(騏驎之子) : 기린처럼 뛰어난 재능을 가진 사람의 아들. 기린은 천리마(千里馬)를 달리 일컫는 말.

1541)봉황지취(鳳凰之雛) : 봉황의 새끼.

"ᄋᆞ돌은 뇽닌(龍麟) ᄀᆞᆺ고 녀ᄋᆞᄂᆞᆫ 쥬화(珠花) ᄀᆞᆺᄐᆞ니 너희 ᄌᆞ녀 잘 나흐미, 아비를 계젹(繼蹟)ᄒᆞ도다."

남휘 ᄲᅡᆼ슈로 바다 겻ᄐᆡ 노흐니, 냥ᄋᆡ 다 젼ᄌᆞ 보더니 ᄀᆞᆺᄐᆞ여 반기미 극ᄒᆞᆫ디라. 녀ᄋᆞ의 긔려ᄒᆞᆫ ᄋᆡ용이 모퓽을 젼쥬ᄒᆞ여 긔긔졀묘ᄒᆞ니 ᄋᆡ련ᄒᆞ믈 형상【58】치 못ᄒᆞ고, 윤·양·니 삼부인이 ᄌᆡ좌ᄒᆞ믈 보니 경시를 그윽이 ᄉᆡᆼ각ᄒᆞ여, 묘계로 야야를 속이고 다시 츄ᄒᆞ여 일ᄐᆡᆨ의 즐기믈 긔약ᄒᆞ며, 형ᄋᆞ등 졔창을 모화 번[빈]희의 슈를 ᄎᆡ오고져 ᄯᅳᆺ이 츰기 어려오나, 부친이 모로시ᄂᆞᆫ ᄇᆡ니 일념의 방하치 못ᄒᆞ더라.

평휘 남후다려 왈,

"혜ᄋᆞ의 혼ᄉᆞ를 임의 일워시니 하ᄋᆞ도 희텬과 셩혼코져 ᄒᆞ나, 윤명강이 젼일 하ᄋᆞ 어더온 곡졀을 몰나시려니와, 져집이 긔이던 줄 긔이히 넉일가 ᄒᆞ노라."

남휘 ᄃᆡ왈,

"윤가의 결친코져 ᄯᅳᆺ이 업ᄉᆞ오나 임의 힝빙ᄒᆞᆫ 혼ᄉᆡ오니, 셰월을 쳔연ᄒᆞ미 무익ᄒᆞ고 각각 져의 팔ᄌᆞ의 화복길흉이【59】 달녓ᄉᆞ오며 인력으로 버셔날 ᄇᆡ 아니오니, 쇼ᄌᆡ 금일이라도 윤ᄉᆞ원을 보아 의논ᄒᆞ여 슈히 셩혼케 ᄒᆞ샤이다."

슌태부인이 탄왈,

"혜쥬를 셩혼 삼삭(三朔)의 디금 다려오디 못ᄒᆞ고 호혈(虎穴)의 두어시니, 경경지녜(耿耿之禮) 일일 심ᄒᆞᆫ디라. 하ᄋᆞ를 마ᄌᆞ 셩인(成姻)ᄒᆞ여 보ᄂᆡ고 이 ᄆᆞᄋᆞᆷ을 형상키 어렵도다."

남휘 웃고 위로 왈,

"위태부인과 뉴부인의 쳔흉 만악이 무비(無比)ᄒᆞ오나, ᄆᆡ뎨를 간ᄃᆡ로 죽이디 못ᄒᆞᆯ 거시오. 하ᄆᆡᄂᆞᆫ 비록 위란을 당ᄒᆞᆯ디라도 윤

부ᄌᆞ쳔윤으로ᄡᅥ 이러튼[틋] 비ᄉᆞᆼ츌슈[뉴](非常出類)ᄒᆞ니, 귀즁ᄒᆞ미 비ᄒᆞᆯ ᄃᆡ 업셔 미우(眉宇)의 츈풍화긔 온ᄌᆞᄒᆞ고 면모의 희긔 가득ᄒᆞ여 입이 열이믈 ᄭᆡ닷지 못ᄒᆞ니, ᄐᆡ부인이 여ᄋᆞ을 마ᄌᆞ 남후을 쥬어 왈,

"아들은 용인(龍麟) 갓고 ᄯᆞᆯ은 명주(明珠) 가트니 너희 ᄌᆞ여(子女) 졀 ᄂᆞ희[흐]미 아비로 계젹(繼蹟)ᄒᆞ엿도다."

남희[휘] ᄊᆞᆼ슈로 밧ᄌᆞ와 겻히 노히[흐]니, 냥ᄋᆡ 다 {부친} 겻히 안ᄌᆞ시ᄆᆡ, 남휘 스ᄉᆞ로 한[환]희ᄒᆞ믈 이긔지 못ᄒᆞ여, 숨부인이 ᄌᆡ좌ᄒᆞ엿시믈 보ᄆᆡ, 경쇼져을 ᄉᆡᆼ각ᄒᆞ여 부ᄃᆡ 묘ᄒᆞᆫ ᄭᅬ로 부친을 속이고 다시 취ᄒᆞ여 일ᄐᆡᆨ지상의 두기을 긔약ᄒᆞ나, 부친의 모로시믈 황공경구ᄒᆞ미 일념의 방ᄒᆞ(放下)치 못ᄒᆞ더라.

금평후 남후다려 왈,

"혀[혜]ᄋᆞ의 혼ᄉᆞ을 임의 일외[워]시니 영주ᄂᆞᆫ 《도헌‖ᄯᅩ한》 희텬과 셩혼코【60】져 ᄒᆞᄂᆞ 윤문강이 젼일의 영주 어든 곡졀을 모르니, 져집의 긔이던 바을 고이히 역일가 ᄒᆞ노라."

남휘 ᄃᆡ왈,

"윤문의 《졀친‖결친》코ᄌᆞ ᄯᅳᆺ지 업ᄉᆞᄃᆡ 임의 힝빙ᄒᆞ온 혼ᄉᆞ오ᄆᆡ, 인역(人力)으로 못ᄒᆞᆯ ᄇᆡ오니, 소ᄌᆡ 금일 윤ᄉᆞ원을 보아 의논ᄒᆞ여 슈이 셩혼ᄒᆞᄉᆞ이ᄃᆞ."

슌ᄐᆡ부인이 탄왈,

"혜쥬로 셩혼ᄒᆞᆫ지 숨삭(三朔)의 지금 다려오지 못ᄒᆞ고 호혈의 두니 날노 염예 간졀ᄒᆞᄃᆞ가, 영주을 마ᄌᆞ 셩예ᄒᆞ여 보ᄂᆡ고 이 ᄆᆞᄋᆞᆷ을 졍키 어렵ᄯᅩ다."

남휘 웃고 위로 왈,

"위ᄐᆡ부인이 뉴분[부]인과 쳔흉만악을 가져스나 ᄆᆡ졔을 간ᄃᆡ로 쥭이지 못ᄒᆞᆯ 거시오, 하ᄆᆡᄂᆞᆫ 비록 화을 당ᄒᆞᆯ지라도 안연이 안ᄌᆞ

시ᄀᆞᆽ치 손을 ᄆᆡᆺ고 안연이 됴ᄒᆞᆫ 일ᄀᆞᆽ치 ᄉᆞ화(死禍)를 취치 아니리니 태모ᄂᆞᆫ 과려치 마르쇼셔."

부인이 탄왈,

"어나 사ᄅᆞᆷ이 사화를 즐겨ᄒᆞ리오【60】마ᄂᆞᆫ, 윤현부ᄂᆞᆫ 기시 형셰 반ᄃᆞ시 변통을 못ᄒᆞᆯ 디경으로 힘힘히 ᄉᆞ경을 당ᄒᆞ엿ᄂᆞ니, 혜쥐 비록 ᄎᆞᆼ명ᄒᆞ고 영오ᄒᆞ나 모진 슈단을 면ᄒᆞ리오. 내 진실노 ᄉᆡᆼᄂᆡ 괴로오믈 아디 못ᄒᆞ더니, 혜ᄋᆞ를 셩인ᄒᆞ므로브터 쥬쥬야야(晝晝夜夜)의 졀박ᄒᆞᆫ 근심이 일시 방하치 못ᄒᆞ노라."

남휘 호언으로 위로ᄒᆞ더니 밧긔 하ᄀᆡᆨ이 모히믈 고ᄒᆞ니, 외당의 나와 빈ᄀᆡᆨ을 마ᄌᆞᆯᄉᆡ, 왕공녈후(王公列侯)와 청현명뉴(淸賢名流) 벌 뭉긔듯[1588] 니르러 남후의 공덕이 청ᄉᆞ의 빗나믈 하례ᄒᆞ며 남후를 ᄃᆡᄒᆞ여 만니 젼진의 닙공(立功) 승젼(勝戰)ᄒᆞ여 개가로 회군ᄒᆞ믈 치하ᄒᆞ니, 평휘 오ᄃᆡᆨ 좌슈우응(左酬右應)의 블감(不堪) ᄉᆞ샤(謝辭)ᄒᆞ고, 남휘 부젼의 념슬단좌(斂膝端坐)【61】ᄒᆞ여 날호여 흠신(欠身) ᄉᆞ샤 왈,

"우흐로 국가 홍복(洪福)을 힘닙고 아ᄅᆡ로 댱졸(將卒)의 도으믈 인ᄒᆞ여 남만을 평뎡ᄒᆞ니, 쇼ᄉᆡᆼ의 ᄌᆡ덕이 아니어늘, 셩은(聖恩)이 과도ᄒᆞ샤 어개(御駕) 교외의 친님ᄒᆞ시며, 외람ᄒᆞᆫ 작위를 밧ᄌᆞ와 만ᄉᆡ 여른[1589] 복의 과ᄒᆞ믈 숑뉼(悚慄)ᄒᆞ더니, 녈위 명공이 폐샤의 굴님(屈臨)ᄒᆞ샤 광취를 닐위시고, 쇼ᄉᆡᆼ의 브ᄌᆡ 박덕을 과댱ᄒᆞ시니 블승 황감ᄒᆞ도소이다."

뎡언간의 하리 윤츄밀과 윤혹ᄉᆞ의 ᄂᆡ림(來臨)ᄒᆞ믈 고ᄒᆞ니, 남후 등이 하당영디(下堂迎之)ᄒᆞᆯᄉᆡ 샤인을 보고 쇼왈,

"작일 어젼의셔 태혹ᄉᆞ 반녈의 ᄉᆞ원이 이시믈 보ᄆᆡ 그 ᄉᆞ이 ᄃᆞᆼ양ᄒᆞ여 금달(禁闥)[1590]의 츌입ᄒᆞ믈 다힝ᄒᆞᄃᆡ, 텬위 디쳑의

1588)뭉긔다 : 뭉기다. 뭉치다. 엉겨서 무더기를 이루다. 한데 합쳐서 한 덩어리가 되다.

1589)여르다 : 엷다. 얇다.

1590)금달(禁闥) : 궐내에서 임금이 평소에 거처하는 궁전의 앞문.

화(禍)을 당치 아니ᄒᆞ오리니, ᄐᆡ모ᄂᆞᆫ 과도히 염예(念慮)치 마르쇼셔."

진부인이 탄왈,

"ᄉᆞ화을 엇지 ᄀᆞᆺᄒᆞ여 당코져 ᄒᆞ리요마ᄂᆞᆫ 윤현부ᄂᆞᆫ 기시(其時)의 반ᄃᆞ시 형셰 변통을 못ᄒᆞᆯ 지경의 당ᄒᆞ엿ᄂᆞ니, 혀[혜]쥐 비록 ᄎᆞᆨ[ᄎᆞᆼ]명(聰明)ᄒᆞ고 하ᄋᆡ(河兒) 영오ᄒᆞᄂᆞ 모진 수단의 버셔ᄂᆞ믈 엇지 어드리요. ᄂᆡ 진실노 ᄉᆡᆼᄂᆡ 괴로오믈 아지 못ᄒᆞ더니, 여ᄋᆞ을 셩혼ᄒᆞ므로부터 쥬야 졀박ᄒᆞᆯ[ᄒᆞᆫ] 금[근]심이 일시을 방ᄒᆞ치 못ᄒᆞ리로다."

남휘 호언으로 위로ᄒᆞ더니 박긔 ᄒᆞᄀᆡᆨ이 모히믈 고ᄒᆞᄆᆡ 외당의 ᄂᆞ와 빈ᄀᆡᆨ을 마ᄌᆞᆯᄉᆡ, 왕공열후(王公列侯)와 청현명뉴(淸賢名流) 일시의 이르러 남후의 공젹【61】이 청ᄉᆞ의 빗ᄂᆞ믈 ᄒᆞ례ᄒᆞ며, 남후을 ᄃᆡᄒᆞ여 만니 젼진의 입공(立功) 승젼(勝戰)ᄒᆞ여 ᄀᆡ가로 회군ᄒᆞ믈 치ᄒᆞᄒᆞ니, 평휘 오ᄌᆞ[즉] 좌슈우응(左酬右應)의 불감(不堪) ᄉᆞ사(謝辭)ᄒᆞ고, 남후 부젼의 염슬단좌(斂膝端坐)ᄒᆞ여 날호여 흠신(欠身) ᄉᆞ사왈,

"우흐로 국가 홍복을 힘입고 아ᄅᆡ로 장ᄌᆞᆯ리 도음을 인ᄒᆞ여 남만을 평졍ᄒᆞ니, 쇼ᄉᆡᆼ의 ᄌᆡ덕이 아니어늘, 셩은이 과도ᄒᆞᄉᆞ 어이[ᄀᆡ]()御駕) 교외의 친님ᄒᆞ시며 외람ᄒᆞᆫ 즉의[위]을 밧ᄌᆞ와 여른 복의 과ᄒᆞ믈 송율ᄒᆞ더니, 열위명공(列位名公)이 펴[폐]ᄉᆞ(弊舍)의 굴님(屈臨)ᄒᆞᄉᆞ 광취을 일위시고, 쇼ᄉᆡᆼ의 무ᄌᆡ박덕(無才薄德)을 과장ᄒᆞ시니 불승과도(不勝過度)ᄒᆞ여이다."

정언간의 ᄒᆞ리 윤츄밀과 윤혹ᄉᆞ의 이르믈 고ᄒᆞ니, 남후 등이 ᄒᆞ당영지(下堂迎之)ᄒᆞᆯᄉᆡ, ᄉᆞ인을 보고 소왈,

"ᄌᆞᆨ일 어젼의셔 ᄐᆡ혹ᄉᆞ ○[반]열(班列)의 ᄉᆞ원이 잇시믈 보ᄆᆡ 그 ᄉᆞ이 ᄃᆞᆼ양ᄒᆞ여 금달(禁闥)[1542]의의 츌입ᄒᆞ믈 ᄃᆞ힝ᄒᆞᄃᆡ, 텬위지쳑의 ᄉᆞ졍을 펴지 못ᄒᆞ고, 심히 굼거워 견ᄃᆡ기 어려오나 ᄒᆞᆯ 일 업더니, 임의 죠회(朝

1542)금달(禁闥) : 궐내에서 임금이 평소에 거처하는 궁전의 앞문.

ᄉᆞ졍을 펴지 못【62】ᄒᆞ고, 파됴시(罷朝時)의 다리고 오랴 ᄒᆞ다가 혼야(昏夜)의 아모ᄃᆡ로 간 줄 아디 못ᄒᆞ여, 그져 나오ᄆᆡ 결연터니 이졔 니르니 피ᄎᆞ 니졍을 위로ᄒᆞ리로다."

샤인이 웃고 계부(季父)를 뫼셔 승당ᄒᆞᄆᆡ, 츄밀이 남후의 손을 잡고 벌뎍(伐敵) 셩공(成功)ᄒᆞ믈 칭하ᄒᆞ며 평후를 향ᄒᆞ여 함쇼왈,

"챵빅의 승젼 환됴ᄒᆞᄂᆞᆫ 위의 셩개(聖駕) 문외의 친히 마ᄌᆞ시니 영광의 당ᄒᆞ믄 니르도 말고, 남만을 평뎡ᄒᆞ니 국가 대경이오 뎡문의 대복이라. 우연ᄒᆞᆫ 남이라도 챵빅의 긔특ᄒᆞ믈 아니 일ᄏᆞᄅᆞ 리 업ᄉᆞ니, 형의 ᄆᆞ옴을 니르랴."

평휘 미쇼 왈,

"년쇼 ᄒᆡᄋᆡ(孩兒) 블ᄉᆞ(不似)ᄒᆞᆫ 지덕으로 외람ᄒᆞᆫ 은권이 여ᄎᆞᄒᆞ【63】시니 열운 복의 과의라, 부ᄌᆡ 깃브믈 아디 못ᄒᆞ고 황황젼뉼(惶惶戰慄)ᄒᆞ여 　여좌침샹(如坐針上)이라, 일분 쾌활ᄒᆞ미 업도다."

츄밀이 너모 과겸(過謙)ᄒᆞ믈 니르고, 남후로 파뎍 셜화를 므러 담화ᄒᆞ더니, 빈ᄀᆡᆨ이 년쇽브졀ᄒᆞ여 안마 거륜이 구름 못ᄃᆞᆺᄒᆞ며, 벽데 빵곡과 하리 츄죵이 운산 만슈동의 몌여시니, 동구를 드레ᄂᆞᆫ디라. 윤츄밀이 뎡히 말솜ᄒᆞᄃᆞ가 ᄂᆡ당이 분요홀 ᄃᆞᆺᄒᆞᆫ 고로, 딜녀를 보디 못ᄒᆞ고 도라가려 ᄒᆞ거놀, 금평휘 ᄀᆞᆯ오ᄃᆡ,

"형이 엇디 식부를 아니 보고 가려ᄒᆞᄂᆞ뇨?"

츄밀이 답왈,'

"딜ᄋᆞ를 보고져 ᄒᆞ나 ᄂᆡ당이 분답(紛沓)홀디라. 일후의 다시 오기를 긔【64】약ᄒᆞ노라."

금휘 이의 남후를 명ᄒᆞ여 츄밀과 샤인을 인도ᄒᆞ여 식부를 보게 ᄒᆞ라 ᄒᆞ고, 샤인을 도라보아 ᄀᆞᆯ오ᄃᆡ,

"네 비록 외싱(外甥)1591)이나 ᄌᆞ당이 너

1591)외싱(外甥) : 편지글에서, 사위가 장인·장모에게 자기를 이르는 일인칭 대명사.

會)을 파홀 ᄯᅢ의 ᄒᆞᆫ가지로 오고져 ᄒᆞᄃᆞ가, 혼야(昏夜)의 아모ᄃᆡ로 간 쥴 아지 못ᄒᆞ여 그져 ᄂᆞ오ᄆᆡ 결연(缺然)ᄒᆞ더니, 이졔 이르니 피ᄎᆞ 졍회(情懷)을 위로ᄒᆞ리로다."

ᄉᆞ인이 스ᄉᆞ로 승ᄃᆞᆼᄒᆞᄆᆡ 추밀이 남후의 숀을 잡고 벌젹(伐敵) 셩공(成功)ᄒᆞ믈 치ᄒᆞᄒᆞ며 금평후을 향ᄒᆞ여 쇼왈,

"창빅의 환죠ᄒᆞᄂᆞᆫ 위의로 셩기 친임ᄒᆞᄉᆞ 마ᄌᆞ셔[시]니 영광의 장【62】ᄒᆞ믄 니르도 말고 남만을 평졍ᄒᆞ니 국가의 ᄃᆡ경이요 영문(令門)1543)의 ᄃᆡ복이라. 우연ᄒᆞᆫ 남이라도 긔특ᄒᆞ믈 이긔지 못ᄒᆞ려든 항○[ᄎᆞ] 부형의 ᄆᆞ옴을 이르랴."

평휘 미쇼왈,

"연쇼 ᄒᆡᄋᆡ 불ᄉᆞ(不似)ᄒᆞᆫ 지덕으로 외람ᄒᆞᆫ 은권이 여ᄎᆞᄒᆞ시니 여른 복의 과ᄒᆞᆫ지라. 부ᄌᆡ 깃부믈 도로혀 아지 못ᄒᆞ여 황황젼뉼ᄒᆞ노라."

추밀이 과렴(過念)ᄒᆞ믈 일캇고 남후을 ᄃᆡᄒᆞ여 파젹ᄒᆞ믈 뭇고 이윽히 담화ᄒᆞ더니, 평휘 남후을 향ᄒᆞ여 추밀과 ᄉᆞ인을 인도ᄒᆞ여 식부을 보게 ᄒᆞ라 ᄒᆞ고, ᄉᆞ인ᄃᆞ려 이로ᄃᆡ,

"네 비록 외인(外人)이ᄂᆞ 죤ᄃᆞᆼ이 ᄉᆞ랑ᄒᆞ시미 실노 텬흥 등과 갓치 아시ᄂᆞ니, 여긔

1543)영문(令門) : 남의 가문을 높여 이르는 말.

ᄉᆞ랑ᄒᆞ시미 텬흥 등과 다르지 아니ᄒᆞ시니, 네 이에 온 ᄯᅢ의 ᄇᆡ현치 아니미 실노 경의 박ᄒᆞᆫ지라, 여ᄆᆡ를 본 후의 드러가 ᄌᆞ당긔 뵈오라."

윤샤인이 원ᄂᆡ 셩졍이 발호ᄒᆞ여 빙가(聘家)의 죵죵 왕ᄂᆡᄒᆞ여 죵요롭디 못ᄒᆞᆫ디라, 우음을 ᄯᅴ여 ᄃᆡ왈,

"쇼셰 이곳의 온 젹마다 ᄂᆡ당의 ᄇᆡ현ᄒᆞ믈 구실삼아 ᄒᆞ옵ᄂᆞᆫ니 금일이라타 그져 가리잇가? 듁쳥형이 도라오니 ᄂᆡ헌(內軒)이 분요ᄒᆞᆯ디라. 외인의 ᄌᆞ최 피폐ᄒᆞᆯ가 ᄒᆞ【65】ᄂᆞ이다."

금휘 웃고 분요치 아니믈 니르더라.

남휘 윤공 슉딜노 더브러 션월졍의 니르니 윤부인이 계부긔 ᄇᆡ알ᄒᆞ고, 샤인으로 더브러 반기믈 니긔디 못ᄒᆞ니, 슈려ᄒᆞᆫ 용안과 찬난ᄒᆞᆫ 광영이 실듕의 됴요ᄒᆞ여 ᄇᆡᆨ틔 쳔광이 볼ᄉᆞ록 ᄉᆡ로오니, 이팔쳥츈(二八靑春)의 공후(公侯)의 원비(元妃) 되여 쳬쳬ᄒᆞᆫ[1592] 위의와 존듕ᄒᆞᆫ 거동이 비록 겸약손슌(謙弱遜順)키를 위쥬(爲主)ᄒᆞ나, ᄌᆞ연ᄒᆞᆫ 귀격이 범뉴와 ᄂᆡ도ᄒᆞ니, 츄밀이 ᄋᆡ듕ᄒᆞ여 남후의 승젼반샤(勝戰班師)ᄒᆞ믈 닐너 깃브믈 니긔디 못ᄒᆞ고, 유ᄋᆞ를 ᄎᆞᄌᆞ 슬샹의 안쳐 어로만져 왈,

"슈쉬(嫂嫂) ᄎᆞᄋᆞ의 얼골을 아디 못ᄒᆞ시고, 딜ᄋᆡ 옥누항의 왕ᄂᆡ치 아년지【66】 삼년이라. 녀ᄌᆞ유ᄒᆡᆼ(女子有行)이 원부모형뎨(遠父母兄弟)라 ᄒᆞᆫ들 딜ᄋᆞ깃치 본부의 왕ᄂᆡ치 못ᄒᆞᄂᆞᆫ ᄂᆡ 이시리오. 모로미 근간의 귀령ᄒᆞ여 유ᄋᆞ를 다려오게 ᄒᆞ라."

쇼졔 밋쳐 ᄃᆡ치 못ᄒᆞ여셔 남휘 ᄇᆡᆨ안으로 츄밀을 보며 미미히 웃고, 슉연이 므릅흘 ᄡᅳ러 ᄀᆞᆯ오ᄃᆡ,

"남녀 ᄒᆡᆼ신이 다르오나 위친ᄉᆞ졍(爲親私情)이야 엇디 다르리잇고? 존부 슬히 젹막ᄒᆞ시니 형인이 잠간 귀령ᄒᆞ여 존당 악부모

1592)쳬쳬ᄒᆞ다 : 행동이나 몸가짐이 너절하지 아니하고 깨끗하며 트인 맛이 있다.

올 ᄯᅢ 드러가 ᄇᆡ현치 아니미 박졀ᄒᆞᆫ지라. 영ᄆᆡ(令妹)을 보고, 드러가 ᄇᆡ현ᄒᆞ라."

ᄉᆞ이[인](舍人)이 원○[ᄂᆡ] 셩졍이 죠요롭지 못ᄒᆞ고, 빙가의 구구히 경잇ᄂᆞᆫ 쳬 ᄒᆞᄂᆞᆫ 니을 병통으로 아ᄂᆞᆫ지라, 우음을 ᄯᅴ여 왈,

"소져[셔](小壻) 이의 온 젹 마다 ᄂᆡ당의 ᄇᆡ알ᄒᆞ믈 구실 ᄉᆞᆷ아 ᄒᆞ옵ᄂᆞ니, 금일이라 그져 가리잇가? 쥭쳥 형이 도라오니 ᄂᆡ현[헌](內軒)이 분요ᄒᆞ올지라 외인의 ᄌᆞ쵀 비편ᄒᆞᆯ가 ᄒᆞᄂᆞ이다."

금휘 웃고 분요치 아니을[믈] 일캇더라.

남회[휘] 윤공 슉질노 더부러 션월졍의 이르니 윤부인이 겨부(季父)긔 ᄇᆡ알ᄒᆞ고, 사인으로 더부러 깃부믈 이긔지 못ᄒᆞ니, 슈려ᄒᆞᆫ 용광과 찬난ᄒᆞᆫ 광염이 실즁의 죠요ᄒᆞ여【63】 ᄇᆡᆨ틔쳔망[광](百態千光)이 볼ᄉᆞ록 ᄉᆞ[ᄉᆡ]로오니, 니팔쳥츈(二八靑春)의 공후의 원비 되여 쳬쳬ᄒᆞᆫ[1544] 위의와 죤즁ᄒᆞᆫ 거동이 비록 《검양근슌‖겸양손순(謙讓遜順)》키을 위주(爲主)ᄒᆞᄂᆞ ᄌᆞ연ᄒᆞᆫ 귀격(貴格)이 범뉴와 ᄂᆡ도ᄒᆞ니, 추밀이 ᄋᆡ중ᄒᆞ여 남후의 승젼반ᄉᆞ(勝戰班師)ᄒᆞ믈 일너 깃부믈 이긔지 못ᄒᆞ고 유아을 ᄎᆞᄌᆞ 슬상의 안치고 어루만져 왈,

"슈쉬(嫂嫂) 얼골을 아지 못ᄒᆞ시고 질아 옥누항의 왕ᄂᆡ치 안닌지 ᄉᆞᆷ연이라, 여ᄌᆞ유ᄒᆡᆼ(女子有行)이 원부모형졔(遠父母兄弟)라 ᄒᆞᆫ들 질아 갓치 본부의 왕ᄂᆡ치 못ᄒᆞᄂᆞᆫ 니 잇스리요. 모로미 귀령ᄒᆞ여 유아을 다리고 오게 ᄒᆞ라."

쇼졔 미쳐 ᄃᆡ치 못ᄒᆞ여셔 남후 ᄇᆡᆨ안으로 추밀을 보며 미미히 웃고 왈,

"남여 ᄒᆡᆼ신이 다르오ᄂᆞ 위친ᄉᆞ졍(爲親私情)이야 엇지 다르리잇고? 죠[죤]부의 슬히 젹막ᄒᆞ시니 잠간 귀령ᄒᆞ여 죤당과 악모게

1544)쳬쳬ᄒᆞ다 : 행동이나 몸가짐이 너절하지 아니하고 깨끗하며 트인 맛이 있다.

그 뵈오미 졍니 당연ᄒᆞ오ᄃᆡ, 형인(荊人)[1593]이 미혼 젼도 실산지화를 만나 구ᄎᆞ히 남장으로 음양을 변쳬ᄒᆞ고 산ᄉᆞ의 오유(奧留)ᄒᆞ다가, 쇼ᄉᆡᆼ이 공교히 만나 비로소 근본을 아라 셩녜ᄒᆞᆫ ᄇᆡ 되오니, 부인ᄂᆡ 약ᄒᆞ신 심장이 네로【67】브터 댱부의 호의 업기와 ᄀᆞᆺ지 못ᄒᆞ여, 대뫼 ᄆᆡ양 형인을 위ᄒᆞ여 무복(巫卜)의 운슈를 츄졈ᄒᆞ시면 존부의ᄂᆞᆫ ᄌᆞᆷ시라도 귀령ᄒᆞᆫ 즉 ᄉᆞ화를 만나리라 ᄒᆞ고, 조뫼 경동ᄒᆞ샤 일졀이 귀령을 막으시니 가친이 엇지 그러치 아닌 줄을 모르시리잇가마ᄂᆞᆫ, 노친의 뜻을 욱이지 못ᄒᆞ시고, 쇼ᄉᆡᆼ이 평소 무복을 허망이 넉여 일즉 갓가이 본 일이 업고, 조모의 근심을 플고져 금년 신졍의 쥬역팔괘(周易八卦)를 버려 녕딜의 운슈를 츄졈ᄒᆞ니, 과연 귀령ᄒᆞᆫ 즉 그 몸이 필유ᄉᆞ화(必有死禍)ᄒᆞᆯ ᄃᆞᆺᄒᆞ니, 도로혀 가쇼롭고 졈ᄉᆡᆨ 무복과 ᄀᆞᆺᄐᆞ믈 기괴히 넉이오나, 일노 드ᄃᆡ여 실인의 옥누항 왕ᄂᆡᄂᆞᆫ 가장 어려온【68】지라. 쇼ᄉᆡᆼ의 집의 안졍ᄒᆞᆫ 별당이 ᄡᆞᆫ집 ᄀᆞᆺᄐᆞ니 악뫼 보고져 ᄒᆞ실딘ᄃᆡ 간간이 별당의 와 형인 모ᄌᆞ를 보시미 무방ᄒᆞ시니이다."

츄밀의 소활ᄒᆞᆫ 셩졍이 남다른 고로 남후의 말츼[1594]를 모로고 쇼왈,

"챵ᄇᆡᆨ이 명달ᄒᆞᆫ 당뷘가 ᄒᆞ엿더니 금일디언(今日之言)이 호의만단(狐疑萬端)ᄒᆞ니 엇지 괴이치 아니리오. 딜녀를 귀근(歸覲)치 못ᄒᆞ게 한 즉 녕ᄆᆡ 또 귀근치 못ᄒᆞ리라."

남휘 ᄌᆞ약히 우셔 왈,

"녀필죵뷔(女必從夫)라, ○○[ᄉᆞᄆᆡ(舍妹)[1595]] 존부 사ᄅᆞᆷ이 되ᄆᆡ 화복고락(禍福苦樂)이 ᄉᆞ원의게 달녀시니, ᄉᆞ졍의 졀박ᄒᆞᆫ

1593)형인(荊人) : ≒형처(荊妻). 형실(荊室). 가시나무로 만든 비녀를 꽂고 있는 사람이란 뜻으로, 자기 아내를 남에게 낮추어 이르는 말. 후한 때에 양홍(梁鴻)의 아내 맹광(孟光)이 가시나무 비녀를 꽂고 무명으로 만든 치마를 입었다는 데서 유래한다.

1594)말츼 : 남의 말 속에 담긴 속 뜻.

1595)ᄉᆞᄆᆡ(舍妹) : 남에게 자기의 여동생을 겸손하게 이르는 말.

뵈오미 졍이 당연ᄒᆞ오ᄃᆡ, 형인(荊人)[1545]이 미혼 젼의ᄂᆞᆫ 고이ᄒᆞᆫ 화란으로 산ᄉᆞ의 오유(奧留)ᄒᆞ여 쇼ᄉᆡᆼ의 구ᄒᆞᆫ ᄇᆡ여늘, 이졔 다시 화란이 이실가 아지 못ᄒᆞ여 그 운슈을 무복(巫卜)의 《주졈‖추졈(推占)》ᄒᆞᆫ 즉, 만일 귀근ᄒᆞᆫ 즉 ᄉᆞ화(死禍)을 면치 못ᄒᆞ○[리]라 ᄒᆞ오ᄆᆡ, ᄃᆡ뫼(大母) 경동ᄒᆞᄉᆞ 일젼[졀] 귀령을 막으시니, 가음[엄](家嚴)이 엇지 그런 쥴 모르시리잇고마ᄂᆞᆫ, 모친 말솜을 우기지 못ᄒᆞ무로, 쇼ᄉᆡᆼ이 역시 무복지셜(巫卜之說)을 밋치[지] 아니ᄒᆞᄂᆞᆫ 고로, 주역의 팔괘을 응【64】ᄒᆞ여 영질의 운수을 산(算)두ᄆᆡ, 과연 무복지셜과 갓ᄒᆞ여 귀령ᄒᆞ온 즉, 영질의 몸이 ᄉᆞ화을 면치 못ᄒᆞᆯ 듯ᄒᆞ오니, 졈ᄉᆡᆨ 부러ᄒᆞ미 아니로ᄃᆡ, 무복지셜과 갓트니 가소롭고 긔괴ᄒᆞ오ᄃᆡ, 일ᄌᆡᆨ 졈졈 더ᄃᆡ여 실인의 귀근이 망연ᄒᆞ오니, 악뫼 만일 보고ᄌᆞ ᄒᆞ실진ᄃᆡ, 쇼ᄉᆡᆼ의 집 후원의 별당이 잇시니 죵죵 오셔 형인 모ᄌᆞ을 보고 가시미 무방ᄒᆞ시니ᄃᆞ."

추밀 왈,

"각갑지[1546] 아닌ᄃᆡ 엇지 ᄌᆞ로 통셥(通涉)[1547]ᄒᆞ리요. ᄂᆡ 형[현]셔(賢壻)을 명달ᄒᆞᆫ 장뷔라 ᄒᆞ엿더니, 금일지언(今日之言)은 호의(狐疑) ᄯᅩᄒᆞᆫ 과도ᄒᆞ도다. 질여 귀령치 못ᄒᆞ면 영ᄋᆡ[ᄆᆡ](令妹) ᄯᅩ 귀령치 못ᄒᆞ리라"

남휘 우어 갈오ᄃᆡ,

"녀필죵부(女必從夫)라, ᄉᆞᄆᆡ(舍妹)[1548]임의 죤부 ᄉᆞᄅᆞᆷ이니 화복이 ᄉᆞ원의게 달여시니, ᄉᆞ졍이 비록 졀민ᄒᆞᄂᆞ ᄆᆡ양 엇지 다

1545)형인(荊人) : ≒형처(荊妻). 형실(荊室). 가시나무로 만든 비녀를 꽂고 있는 사람이란 뜻으로, 자기 아내를 남에게 낮추어 이르는 말. 후한 때에 양홍(梁鴻)의 아내 맹광(孟光)이 가시나무 비녀를 꽂고 무명으로 만든 치마를 입었다는 데서 유래한다.

1546)각갑다 : 가깝다.

1547)통셥(通涉) : 서로 사귀어 오감.

1548)ᄉᆞᄆᆡ(舍妹) : 남에게 자기의 여동생을 겸손하게 이르는 말.

일이 이신들 ᄆᆡ양 엇디 다리고 잇고져 ᄒᆞ리 잇가? 귀근을 일ᄉᆡᆼ 허치 아니시나 그 몸이 무ᄉᆞᄒᆞᆫ 즉 영ᄒᆡᆼ이라. 녕【69】딜 아니 보ᄂᆡ믈 년좌(緣坐)ᄒᆞ샤 쇼ᄆᆡ의 귀령을 막으시미 괴이튼 아니시나, 피ᄎᆞ 형셰를 탁냥(度量)치 못ᄒᆞ시믈 그윽이 실쇼ᄒᆞ옵ᄂᆞ니, 녕딜은 셩혼 ᄉᆞ년의 ᄌᆞ식을 두고 ᄉᆡᆼ의 집이 젹막지 아니ᄒᆞᄃᆡ, 대모와 이친(二親)이 녕딜의 잔미ᄒᆞ믈 혐의치 아니시고 ᄉᆞ랑ᄒᆞ샤미 쇼ᄉᆡᆼ이 바랄 ᄇᆡ 아니오나, 쇼ᄆᆡᄂᆞᆫ 년긔 유튱ᄒᆞᆫ ᄋᆞ히 존부의 쇽현ᄒᆞ미 악당이 아니 계시고 합히 비록 극진이 무ᄋᆡᄒᆞ시나, 졔 ᄆᆞ음이 집의 이실 젹ᄀᆞᆺ지 못ᄒᆞ오미 만ᄉᆞ오리니, 졀쟝보단(切長補短)ᄒᆞ여도 쇼ᄆᆡ 위인인즉 녕딜의 우히 이실 거시로ᄃᆡ, 구가의 나아가ᄆᆡ 아모 근심이 업셔 즐겁기ᄂᆞᆫ 녕딜【70】만 못ᄒᆞ리이다."

츄밀이 ᄎᆞ언의 당ᄒᆞ여ᄂᆞᆫ, 모친의 브ᄌᆞᄒᆞ시므로 남휘 알고 이리 니르민가[1596] 넉이더라.【71】

리고 이스리요. 귀령은 허치 아니시나 몸이나 무ᄉᆞᆫᄒᆞᆫ 즉 영ᄒᆡᆼ(榮幸)이라. 녕질을 아니 보ᄂᆡ믈 연좌(緣坐)ᄒᆞ여 쇼ᄆᆡ의 귀령을 막으시미 고이튼 아니ᄒᆞ나, 피ᄎᆞ 형셰을 보아 ᄒᆡᆼᄒᆞ시미 가ᄌᆞᆼ 올삽거니와, ᄉᆞ름의 심쳔(深淺)을 《탕냥‖탁량(度量)》치 아니시미오, ○○○○○○[소ᄆᆡ 위인인 즉] 녕질의 우희 ○○○○[이실 거시]로○[ᄃᆡ] 구가의 ᄂᆞᄋᆞ가 즐겁기ᄂᆞᆫ 영질의 구가만 ᄒᆞ지 못ᄒᆞ리이ᄃᆞ."

윤공이 ᄎᆞ언의 ᄃᆞᄌᆞ[ᄃᆞ]라ᄂᆞᆫ 모친의 불인ᄒᆞ믈 남휘 알고 일[이]름인가[1549] 여기ᄂᆞ

1596)니르다 : 이르다. 무엇이라고 말하다.

1549)이르다 : 니르다. 무엇이라고 말하다.

명듀보월빙 권디십뉵

셜표 윤츄밀이 남후의 말을 드르믹, 모친의 부ᄌᆞᄒᆞ시므로 남휘 알고 이리 니르민가 넉이나, 모친이 뎡시를 ᄌᆞ긔 보ᄂᆞᆫ 듸ᄂᆞᆫ 예ᄉᆞ로이 듸졉ᄒᆞ니, 각별 블평ᄒᆞᆫ ᄉᆞ단을 아디 못ᄒᆞ듸, 대개 딜녀의 편(便)키만 못ᄒᆞᆫ 줄 아라 호호히 웃고 왈,

"챵빅이 격언(激言)을 ᄒᆞ거니와, 녕믹의 긔특ᄒᆞ미 범연이 보ᄂᆞᆫ 직라도 그 아름답고 ᄉᆞ랑호오믈 니긔디 못ᄒᆞᆯ 빅니, 오개 비록 발젹(發摘)ᄒᆞ나 녕믹 대단이 블평ᄒᆞᆯ 니 업ᄉᆞ니 챵빅은 믈념(勿念)ᄒᆞ라."

남휘 윤공의 춍명으로뻐 그 가ᄉᆞ를 모르기의 다【1】다라ᄂᆞᆫ 일공(一空)1597)이 막혀 칠야ᄀᆞᆺ치 어두오믈 그윽이 우어, 화ᄒᆞᆫ 얼골의 호치(皓齒) 현츌ᄒᆞ여 간간이 명목(明目)으로 윤공을 보며, 블명 소활이 남다르믈 괴이히 넉이니, 샤인은 젼후 말의 간예ᄒᆞ미 업셔 오딕 딜ᄋᆞ를 어로만져 ᄉᆞ랑ᄒᆞᆯ 쌘이라. 윤부인이 쇼고(小姑)1598)의 친ᄉᆞ 일우므로브터 더옥 우렴(憂念)ᄒᆞ미 일시 방심치 못ᄒᆞ더니, 남후의 말을 듯고 그윽이 블평ᄒᆞ여 말을 아니ᄒᆞ니, 남휘 그 남믹의 회픠 남다르믈 위ᄒᆞ여 츄연ᄒᆞ듸 ᄉᆞ쉭지 아니코, 우(又) 쇼왈,

"쇼싱이 합ᄒᆞ긔ᄂᆞᆫ 가장 유공(有功)ᄒᆞᆫ 일이 이시나 아디 못ᄒᆞ시고, 진실노 싱의 집과 결오샤 쇼믹의 귀근을【2】 허치 아니시니, 쇼싱이 입이 이시나 말을 아니ᄒᆞᄋᆞᆸᄂᆞ니 타일 ᄌᆞ연 고ᄒᆞ리이다."

공이 웃고 유공지ᄉᆞ를 뭇거ᄂᆞᆯ, 휘 부인구ᄒᆞᆫ 말을 일ᄏᆞᆺ디 아니코 ᄂᆡ도히 두로쳐1599), 듸왈,

"합히 휘[희]텬의 혼ᄉᆞ를 하부의 뎡ᄒᆞ시

1597)일공(一空) : 온 하늘. 하늘 전체.
1598)쇼고(小姑) : 시누이.
1599)두로치다 : 두루치다. 꼭 집어 말할 수 없이 여럿이 해당되게 에둘러 말하다

모친이 《뎡싱을‖뎡시를》 ᄌᆞ긔 보ᄂᆞᆫ 듸ᄂᆞᆫ 예ᄉᆞ로이 듸졉ᄒᆞ니, 각별 불평ᄒᆞ[ᄒᆞᆫ] ᄉᆞ단은 아지 못ᄒᆞ듸, 듸가[개]【65】 질여의 평(平)키만 못ᄒᆞᆫ 쥴은 ᄋᆞᄂᆞᆫ 고로 쇼왈,

"창빅의 직언(直言)을 ᄒᆞ거니와, ᄯᅩᄒᆞᆫ 아질이 영비[믹] 긔특ᄒᆞᆫ 듸 볌염[범연]치 아니나, 아질도 ᄒᆞ등이 아니니라. 비유컨듸 영믹 현격ᄒᆞ미 업술 거시니, 창빅은 물여(勿慮)ᄒᆞ라."

남휘 윤공의 춍명으로 그 가모의 불인을 모로기의 다ᄃᆞ라ᄂᆞᆫ 일공(一空)1550)이 막혀 시믈 그익[윽]이 우어 빅안셩녹[목](白眼星目)이 ᄌᆞ로 공의 신상의 빗쵀여, 그 심폐(心肺) 밧고이믈 고이히 역이더니, ᄉᆞ인은 젼후 말의 간여ᄒᆞ기[미] 업셔 질ᄋᆞ을 어루만져 오쥭 ᄉᆞᄅᆞᆼᄒᆞᆯ 분이요, 윤부인은 쇼고의 친ᄉᆞ을 일운 후로부터 더욱 우례(憂慮)ᄒᆞ미 실노 ᄒᆞᆫ층이 더으더니, 남후의 말을 듯고 그윽이 불평ᄒᆞ여 말을 아니ᄒᆞᄂᆞᆫ지라. 남휘 그 남믹 피ᄎᆞ 남과 다르믈 츄연ᄒᆞ듸, ᄉᆞ쉭지 아니ᄒᆞ고 우쇼왈(又笑曰),

"쇼싱이 흡ᄒᆞ긔ᄂᆞᆫ 가ᄌᆞᆼ 유공(有功)ᄒᆞ오나, 아지 못ᄒᆞ시고 실노 쇼싱의 집과 셜[결]○[우]고져 ᄒᆞᄉᆞ, 소믹 귀령을 허치 아니시니, 소싱이 입이 잇ᄉᆞ오나 말을 아니 ᄒᆞ옵고, 타일 ᄌᆞ셔이 고ᄒᆞ리이다."

윤공이 미쇼 문왈,

"유공지식 ᄒᆞᄉᆞ오?"

남휘 부인 《군‖구》ᄒᆞᆫ 말은 일컷지 아니코 두루듸여1551) 왈,

"합히 희쳔의 혼ᄉᆞ을 ᄒᆞ부의 졍ᄒᆞ시고, 임의 납빙ᄒᆞᄉᆞ 셰월이 흘너 냥가 ᄌᆞ여 장셩ᄒᆞ거늘, 일이 공교ᄒᆞ여 ᄒᆞ연슉(河緣叔)의 여

1550)일공(一空) : 온 하늘. 하늘 전체.
1551)두루듸다 : 둘러대다. 그럴듯한 말로 꾸며대다.

고 임의 납빙을 ᄒᆞ여 셰월이 흘너 냥가 ᄌᆞ네 등ᄃᆡ(等待)ᄒᆞ거놀, 일이 공교ᄒᆞ여 하년슉이 녀ᄌᆞ를 실산ᄒᆞ시니, ᄉᆞ빈의 혼ᄉᆡ 명쥬 님ᄌᆞ를 모로니 하시를 위ᄒᆞ여 환거(鰥居)튼 못ᄒᆞ려니와, 구약을 셩젼치 못홀딘ᄃᆡ 블힝이 그 엇더ᄒᆞ리잇고마는, 쇼ᄉᆡᆼ이 구ᄒᆞ여 결약남ᄆᆡ(結約男妹)ᄒᆞ여 부모 슬하의 두언 지하마 삼지라. 이 도시(都是)[1600] 하ᄆᆡ의 복이 댱원(長遠)ᄒᆞᆫ 【3】 연괴어니와, 또ᄒᆞᆫ 쇼ᄉᆡᆼ을 인ᄒᆞ여 합히 슉녀 현부를 일치 아니시미니, ᄎᆞᄉᆞ의 다ᄃᆞ라는 유공이 넉이셤즉ᄒᆞ고, 오가를 범연이 아르셤즉지 아닌 일이 만흐니, 녕딜이 산ᄉᆞ의 유우(留寓)ᄒᆞ여실젹도 쇼ᄉᆡᆼ이 ᄎᆞᄌᆞᄂᆡ디 아냐시면 머리 희도록 남복으로 춰월암을 써나디 못ᄒᆞ고, 합히 친히 ᄎᆞᄌᆞ셔도 쇼ᄉᆡᆼ쳐로 근본을 잘 아라ᄂᆡ디 못ᄒᆞ실 거시니, 귀령은 허ᄒᆞ나 아니시나 십뉵 청츈의 옥동을 ᄉᆡᆼᄒᆞ고, 공후의 원비로져 부귀 쇼ᄉᆡᆼ 곳 아니면 어ᄃᆡ로셔 나리잇고? 합해 녕딜을 ᄉᆞ랑ᄒᆞ시거든 몬져 쇼ᄉᆡᆼ을 귀듕히 넉이샤, 거쳐 ᄎᆞᄌᆞᄂᆡ믈 감덕ᄒᆞ시【4】미 올흐시니이다.”

츄밀이 쳥미필(聽未畢)의 하시 이곳의 이시믈 드르니 만심 환열ᄒᆞ여 급히 문왈,

“챵ᄇᆡᆨ의 말이 다 올흐니 일ᄉᆡᆼ 감격히 넉이려니와, 하시를 어ᄃᆡ 가 구ᄒᆞ여 결의남ᄆᆡ(結義男妹)ᄒᆞ여 삼년을 이곳의 두고, 디금 니르지 아냐 이졔야 토셜(吐說)ᄒᆞᄂᆞᆫ 엇진 연괴오?”

남휘 쇼이대왈,

“하ᄆᆡ는 모년모일의 님산강슈의셔 여ᄎᆞ여ᄎᆞ 만나 즉시 결약남ᄆᆡᄒᆞ고, 다려와 부뫼 양녀(養女)로 뎡ᄒᆞ여 존당과 이친(二親)의 년ᄋᆡᄒᆞ시미 친ᄉᆡᆼ의 나리지 아니하고, 하년슉긔 ᄎᆞᄉᆞ를 발셔 통ᄒᆞ여 하ᄆᆡ를 쵹디로 보ᄂᆡ○[지] 아니코, ᄉᆡᆼ의 집의셔 셩혼ᄒᆞ여 존부로{존부로} 보ᄂᆡ기를 뎡ᄒᆞ여시ᄃᆡ, ᄎᆞ언을 【5】 합하긔 고치 못ᄒᆞᄂᆞᆫ 기간 ᄉᆞ괴 허다ᄒᆞ미라. 초의 하ᄆᆡ 쵹디의셔 ᄉᆞ화를 만나 실산ᄒᆞ미, 구몽슉의 불미ᄒᆞᆫ 힝ᄉᆡ 괴이ᄒᆞ여

1600)도시(都是) : 모두.

ᄌᆞ 실산ᄒᆞ시니 희텬의 혼ᄉᆡ 명쥬 임ᄌᆞ의 거췌[취](去就)을 모르니, 하시【66】을 위ᄒᆞ여 환거(鰥居)튼 못ᄒᆞ거니와, 구약을 셩젼치 못홀진ᄃᆡ, 그 불힝이 엇더ᄒᆞ리잇고마는, 소ᄉᆡᆼ이 하시을 구ᄒᆞ여 결약남ᄆᆡ(結約男妹)ᄒᆞ여 부모의 슬ᄒᆞ의 두언지 ᄒᆞ마 숨지라. 이 도시(都是)[1552] 하ᄆᆡ의 슈복이 장원ᄒᆞᆫ 연괴 안[어]니와, 소ᄉᆡᆼ으로 인ᄒᆞ여 합히 슉여쳘부(淑女哲婦)을 일치 아니 ᄒᆞ셧시니, 이졔 일르러 쇼ᄉᆡᆼ이 엇지 유공치 아니리잇가? 여ᄂᆡ 인친간(姻親間)으로 아르《ᄎᆞᄌᆞᄂᆡ‖셤즉》지 아닌 일이 만흐니, 영질도 산ᄉᆞ의 오유(奧留)ᄒᆞ여 은신ᄒᆞ온 거슬 쇼ᄉᆡᆼ이 ᄎᆞᄌᆞᄂᆡ지 아냣시면, 머리 희도록 남복으로 취월암을 써ᄂᆞ지 못ᄒᆞ엿ᄉᆞ오리니, 합히 친히 ᄎᆞ즈셔도 쇼ᄉᆡᆼ 갓치 근본을 알아ᄂᆡ지 못홀 거시오, 귀령을 허ᄒᆞᄂᆞ 아니나 십뉵청츈(十六青春)의 옥동을 ᄉᆡᆼᄒᆞ고, 공후 상원(上元)으로 부귀 쇼ᄉᆡᆼ 곳 아니면 어ᄃᆡ로 좃ᄎᆞ 이러ᄒᆞ리잇고? 합히 영질을 ᄉᆞᄛᆞᄒᆞ시거든 몬져 쇼ᄉᆡᆼ을 귀즁이 역이ᄉᆞ ᄃᆡ졉을 후히 홀 거시이다.”

츄밀이 청파의 ᄒᆞ시{니} 이곳의 이시믈 드르니 만심환열(滿心歡悅)ᄒᆞ여 급문왈,

“ᄎᆡᆼᄇᆡᆨ의 말이 다 오러니[1553] ᄂᆡ 일ᄉᆡᆼ 감격히 역이련니와, ᄒᆞ시을 어ᄃᆡ 가 구ᄒᆞ여 결의남ᄆᆡ(結義男妹)ᄒᆞ여 숨연을 이 고ᄃᆡ 두고, 그 ᄉᆞ이 이르지 아냐 이졔 이르믄 엇지미요?”

남휘 소이ᄃᆡ왈,

“ᄒᆞᄆᆡ는 모연월일의 님산강슈의셔 만나 즉시 결약남ᄆᆡᄒᆞ고, 다려와 부뫼 냥여(養女)로 졍ᄒᆞᄉᆞ 죤당과 이친히[이] 연히[ᄋᆡ]【67】 ᄒᆞ시미 그 친상[ᄉᆡᆼ]의 감치 아니시고, ᄒᆞ연슉게 ᄎᆞᄉᆞ을 발셔 통ᄒᆞ여 ᄒᆞᄆᆡ을 촉지로 보ᄂᆡ지 아니코, 쇼ᄉᆡᆼ의 집의셔 셩혼ᄒᆞᆫ 후 죤부로 보ᄂᆡ{지 아니}키[기]로 졍ᄒᆞ여시니, ᄎᆞ언을 합ᄒᆞ긔 즉시 고치 못ᄒᆞᄂᆞᆫ 기간 ᄉᆞ과[괴](事故) ᄒᆞ[허]다(許多) ᄒᆞ미

1552)도시(都是) : 모두.
1553)오로니 : 옳으니

하ᄆᆡ ᄉᆞᄉᆞ로 ᄂᆡᆨ슈지변(溺水之變)을 취ᄒᆞᄃᆡ, 텬신의 보○[호](保護)ᄒᆞ믈 힘닙어, 냥일쥬야(兩日晝夜)를 널조각의셔, 노쥐 살 ᄡᅩᆺ듯 슈샹(水上)으로 ᄒᆡᆼᄒᆞ여 ᄂᆡᆷ산강의 다ᄃᆞ르니, 쇼ᄉᆡᆼ이 쳐음은 하ᄆᆡ의 근본을 모로고 목젼 인ᄉᆡᆼ의 급ᄒᆞ믈 참연ᄒᆞ여 ᄉᆞ디의 구ᄒᆞ오ᄆᆡ, 피ᄎᆞ 혐의를 업시코져 결의ᄒᆞ니, 그 위인의 초츌ᄒᆞ믄 니르도 말고, 여러 일월의 친동긔로 다르미 업ᄉᆞ오니이다. 합ᄒᆡ 분ᄒᆞᆫ 일을 ᄎᆞᆷ디 못ᄒᆞ시ᄂᆞᆫ 셩픔이시니, 구몽슉의 일을 아른쳬ᄒᆞ샤 사ᄅᆞᆷ의 젼졍을 맛【6】ᄎᆞ실가 념녀ᄒᆞ미니, 이졔 셰월이 ᄎᆡ1601)이졋고1602), 이졔ᄂᆞᆫ 몽슉이 젼일과 달나, 옥당금마(玉堂金馬)의 쳥현(淸賢)을 ᄌᆞ임ᄒᆞ니, 이 말이 난 즉, 져의 신명의 젹지 아닌 죄라. 바라건ᄃᆡ 합ᄒᆞᄂᆞᆫ ᄎᆞᄉᆞ를 모로ᄂᆞᆫ 쳬ᄒᆞ쇼셔."

츄밀이 쳥파의 크게 놀나, 몽슉의 작변곡졀(作變曲折)을 ᄌᆞ시 뭇고, 쵹ᄒᆡᆼ(蜀行)의 동ᄒᆡᆼᄒᆞᆫ 줄 쳔만 후회ᄒᆞ여, 댱탄 왈,

"인심(人心)은 블가측(不可測)이라, 내 몽슉을 알오미 ᄌᆡ긔과인(才氣過人)ᄒᆞ고 위인이 춍오ᄒᆞ여 ᄒᆞᆫ낫 인ᄌᆡ로 아랏더니, 그ᄃᆡ도록 블인ᄒᆞ믈 뜻ᄒᆞ여시리오. 챵ᄇᆡᆨ이 ᄎᆞᄉᆞ를

1601)ᄎᆡ : 채. 거의, 어떤 상태나 동작이 다 되거나 이루어졌다고 할 만한 정도에 아직 이르지 못한 상태를 이르는 말.

1602)이져지다 : 잊히다. 한번 알았던 것을 기억해 내지 못하게 되다.

라. 당쵸의 쵹지의셔 하ᄆᆡ ᄉᆞᄉᆞ로 몽슉의 ᄒᆡᆼᄉᆞ 불민ᄒᆞᆫ 변으로 익수ᄉᆞ졀(溺水死節)을 취ᄒᆞᄆᆡ 쳔신이 도으믈 힘입어, 양일쥬야(兩日晝夜)로 널죠각이[의]셔 살쏘듯 수상(水上)으로 ᄒᆡᆼᄒᆞ여 ᄂᆡᆷ산강슈의 ᄃᆞᄃᆞ라셔[ᄉᆞ]니, 쳐음은 근본을 모로고 목젼의 급ᄒᆞ믈 참연ᄒᆞ여 즉시 구ᄒᆞᄆᆡ, 피ᄎᆞ 혐의을 업시코ᄌᆞ 결의남ᄆᆡᄒᆞ니, 그 위인의 쵸츌ᄒᆞ믈[믄] 아롬답거니와, 여러 {ᄂᆞᆯ} 일월의 이르ᄆᆡ 친동긔와 다름미 업ᄂᆞᆫ이다. 합ᄒᆡ 본ᄃᆡ 셩졍의 분완지셰[사](憤惋之事)을 ᄎᆞᆷ지 못ᄒᆞ시ᄆᆡ, 구몽슉의 일을 알른쳬 ᄒᆞᄉᆞ, ᄉᆞᄅᆞᆷ의 젼졍을 마츠실가 염예ᄒᆞ와, 세월이 되이져1554) 몽슉도 ᄯᅩᄒᆞᆫ 젼일과 다르와 옥당금달의 쳥현을 ᄌᆞ임ᄒᆞ니, 이 말이 ᄂᆞᆫ 즉 졔 신명의 ᄒᆡ 젹지 아니 ᄒᆞ온지라. 바ᄅᆞ건ᄃᆡ 합ᄒᆞᄂᆞᆫ 마ᄎᆞᆷ ᄂᆡ 모로듯 위주ᄒᆞ여 ᄎᆞᆷ으시고, 몽슉의 간악ᄒᆞᆫ 형젹을 아른 쳬 말쇼셔. 악인이 아즉 감회ᄒᆞᆯ 날은 머럿고, 져의 음ᄉᆞᄒᆞᆫ 경희[ᄐᆡ]을 타인이 알가 ᄒᆞ여 더옥 현인을 ᄒᆡᄒᆞᆯ 마음이 급ᄒᆞᆯ가 져허ᄒᆞᄂᆞ이ᄃᆞ."

윤공은 호의 업고 소탈ᄒᆞᆫ 장뷔라. 비록 노부인의【68】 불현ᄒᆞᆫ 심ᄉᆞ와 부인의 측지 못ᄒᆞ믈 ᄃᆡ각[강] 짐즉ᄒᆞᄂᆞ 엇지 자질의 화익이 ᄌᆞ긔 가즁으로 상ᄉᆡᆼᄒᆞᆫ 쥴 알니요. 불승통ᄒᆞᆫ 왈,

"구몽슉 젹ᄌᆞ의 용심이 흉ᄑᆡᆨᄒᆞ여 엇지 셔쵹가지 갓던 쥴 알니요."

남휘 윤공의 무심무려ᄒᆞ믈 심니의 실쇼ᄒᆞ여 이의 몽슉의 작ᄂᆞᆫ이 극심ᄒᆞ여 셔쵹ᄒᆡᆼ도의 ᄶᅡ라가 변을 지은 쥴노 고ᄒᆞᄆᆡ, 추밀이 남후의 말을 세셰히 듯고 쵹ᄒᆡᆼ의 동ᄒᆡᆼᄒᆞ믈 쳔만후회ᄒᆞ여 장탄 왈,

"인심(人心)은 불가측(不可測)이라. ᄂᆡ 목[몽]슉 알미 ᄌᆡ긔츌뉴(才氣出類)ᄒᆞ고 위인이 춍명ᄒᆞ여 ᄒᆞᆫ갓 인ᄌᆡ로 ᄋᆞ더니 그ᄃᆡ도록 불인지ᄉᆡ 이시믈 엇지 뜻ᄒᆞ여시리요."

츙ᄇᆡᆨ이 ᄎᆞᄉᆞ을 무더두기을 ○○[당부]ᄒᆞᆫᄃᆡ, 츄밀이 탄왈,

1554)되이져지다 : 도로 잊혀지다. '되-'는 도로, 다시의 뜻을 더하는 접두사.

무더두믈 당부ᄒᆞ니, 내 ᄯᅩ 사ᄅᆞᆷ의 신명(身命)을 맛디 아니려 ᄒᆞ거니와, 여ᄎᆞ(如此) 음악쇼인(淫惡小人)을 됴항간(朝行間)1603)의 옥ᄃᆡ 【7】 아홀(玉帶牙笏)로 경악(經幄)의 근시케 ᄒᆞ며 엇디 통한치 아니랴."

남휘 웃고 ᄒᆡ위(解慰) 왈,

"말ᄉᆞᆷ이 올흐시나 몽슉이 영오 춍명ᄒᆞ니 나히 ᄎᆞ면 곳칠 거시오, 혹ᄌᆞ 블인을 곳치지 못ᄒᆞ나 '곳비 길미 드ᄃᆡ이ᄂᆞᆫ1604)'1605) 환을 당ᄒᆞᆯ지언졍 우리 집으로좃ᄎᆞ 그 허믈을 드러ᄂᆡ면, 사ᄅᆞᆷ을 ᄉᆞ디의 너흐미니, 합ᄒᆞᄂᆞᆫ 함분(含憤)ᄒᆞ샤 언두의 올니지 마르시고, 하ᄆᆡ의 셩녜를 쇽쇽히 ᄒᆞ실지니, 인심을 측냥치 못ᄒᆞ니, 하ᄆᆡ ᄉᆞ라 쇼싱의 집이 이시믈 아딕 아모다려도 니르디 마르쇼셔."

츄밀이 그러히 녁이고 어진 ᄯᅳᆺ을 항복ᄒᆞ여 몽슉의 말을 아른 체 아니려 ᄒᆞ더라.

공은 외헌으로 나가고 샤인이 남후와 ᄂᆡ당의 【8】 드러가 태부인과 딘부인긔 뵈현ᄒᆞ고, 남후의 닙공반샤(立功班師)ᄒᆞ믈 하례ᄒᆞ니, 동탕 쇄락ᄒᆞ미 남후와 방블ᄒᆞᆫ디라. 이 부인이 볼 적마다 ᄋᆡ경ᄒᆞ여 흔연 담화ᄒᆞ며, 녀ᄋᆞ의 귀령을 청ᄒᆞᆫᄃᆡ, 샤인이 ᄃᆡ왈,

"실인의 귀근을 악당이 샤슉(舍叔)긔 청ᄒᆞ샤 허락ᄒᆞ시면 쇼싱이 막디 아니리이다."

남휘 쇼왈,

1603)됴항간(朝行間) : 조정의 벼슬아치들의 품계에 따른 위계 관계. 또는 그 사이.

1604)드ᄃᆡ다 : 디디다. 밟다. 발을 올려놓고 서거나 발로 내리누르다.

1605)곳비 길면 드ᄃᆡ인다 : 고삐가 길면 밟힌다. 나쁜 일을 아무리 남모르게 한다고 해도 오래 두고 여러 번 계속하면 결국에는 들키고 만다는 것을 비유적으로 이르는 말. ≒꼬리가 길면 밟힌다.

"ᄂᆡ ᄉᆞ롬의 신명(身命)을 간ᄃᆡ로 맛지 아니련니와 여ᄎᆞ(如此) 음악소인(淫惡小人)을 엇지 쳔정(天廷)1555)의 금관옥ᄃᆡ(金冠玉帶)로 근시케 ᄒᆞ미 통환[완]치 아니냐[랴]."

남회[휘] 쇼왈,

"합ᄒᆞ의 말ᄉᆞᆷ이 올허시나 몽슉이 나히 ᄎᆞ면 허물을 곳칠 거시오, 혹ᄌᆞ 기과쳔션치 못ᄒᆞ면, '곳비 길어 드ᄃᆡ이ᄂᆞᆫ1556)'1557) 환을 당ᄒᆞᆯ지언졍, 우리 집으로죳ᄎᆞ 그 허물을 드러ᄂᆡ면 ᄉᆞ롬을 ᄉᆞ지의 모라 너ᄒᆞ[흐]미라. 함분잉[인]통(含憤忍痛)ᄒᆞᄉᆞ 언두의 이러[르]시지 마르시ᄂᆞᆫ[고], ᄒᆞᄆᆡ 셩혼을 속속히 지ᄂᆡ시되, 셰ᄉᆞ[ᄉᆡᆼ] 인심을 층양치 못ᄒᆞ오니, 하ᄆᆡ ᄉᆞ라 쇼싱의 집의 잇스믈 아모ᄃᆡ도 이르지 마르쇼셔."

특별[츄밀]이 죵기언(從其言)ᄒᆞ고 남후의 【69】 어진 ᄯᅳᆺ지 낫나나믈 항복ᄒᆞ여 몽슉의 불미음ᄒᆞᆫ(不美淫悍)ᄒᆞ믈 아른 체 아니냐[랴] ᄒᆞ더라.

셔로 죠용ᄒᆞᆫ 말ᄉᆞᆷ을 마ᄎᆞᄆᆡ 공은 외헌으로 나가고, 사인은 남후로 더부러 ᄂᆡ헌의 드러가 ᄐᆡ부인과 진부인긔 뵈현ᄒᆞ고, 남후의 입공반ᄉᆞ(立功班師)ᄒᆞ믈 ᄒᆞ례ᄒᆞ니, 팔ᄌᆞ츈산(八字春山)의 수례(秀麗)ᄒᆞᆫ 용광과 엄슉ᄒᆞᆫ 위의 동탕ᄒᆞ여 츄월명광(秋月明光)과 신유(新柳) 갓튼 풍치 헌앙(軒昂)ᄒᆞ여 영걸쇄락(英傑灑落)ᄒᆞ미 남후와 방불ᄒᆞ니, 냥부인이 볼젹마다 아름다오믈 이긔지 못ᄒᆞ여 흔연이 담화ᄒᆞ며 여ᄋᆞ의 귀령을 청ᄒᆞᆫᄃᆡ, 사인이 유유(儒儒)1558)ᄃᆡ왈,

"실인의 귀령은 악장이 ᄉᆞ슉(舍叔)의게 청ᄒᆞᄉᆞ 허락ᄒᆞ시면 쇼싱은 막지 아니리다."

남휘 쇼왈,

1555)쳔정(天廷) : 천자국(天子國)의 조정(朝廷).

1556)드ᄃᆡ다 : 디디다. 밟다. 발을 올려놓고 서거나 발로 내리누르다.

1557)곳비 길면 드ᄃᆡ인다 : 고삐가 길면 밟힌다. 나쁜 일을 아무리 남모르게 한다고 해도 오래 두고 여러 번 계속하면 결국에는 들키고 만다는 것을 비유적으로 이르는 말. ≒꼬리가 길면 밟힌다.

1558)유유(儒儒) : 모든 일에 딱 잘라 결정을 내리지 못하고 어물어물한 데가 있음.

"츄밀공이 가ᄂᆡᄉᆞ(家內事)를 바히 모로시고 녕ᄆᆡ의 귀근을 허치 아니므로, 아ᄆᆡ의 귀근을 또 허치 아니리라 ᄒᆞ시니, 그런 답답ᄒᆞᆫ 일이 어ᄃᆡ 이시리오. 아ᄆᆡᄂᆞᆫ 내 집의 이셔도 화ᄂᆞᆫ 업ᄉᆞ려니와, 녕ᄆᆡ를 잠간 옥누항의 보ᄂᆡ엿다가 농의 든 시신을 믿ᄃᆞ니, 귀령을 허치 못ᄒᆞ노라."

샤인이 굿ᄐᆞ여 답지【9】 아니ᄒᆞ고, 날이 느ᄌᆞ믈 고ᄒᆞ고 도라가니, 남휘 ᄯᆞ라나와 윤공을 송별ᄒᆞ고 부젼(父前)의 하ᄆᆡ의 셩혼ᄒᆞᆯ 길일을 튁ᄒᆞ믈 고ᄒᆞ니, 평휘 즉시 튁일ᄒᆞᄆᆡ 슌일이 격ᄒᆞᆫ지라 남휘 고왈,

"명일 파됴 후 옥누항의 나아가 윤공긔 뵈온 후, 쇼ᄆᆡ의 귀령을 청ᄒᆞ여 다리고 오리이다."

금휘 점두ᄒᆞ더라.

명일 파됴 후 남휘 옥누항의 나아가 윤공긔 비알ᄒᆞ고,

"튁일ᄒᆞ여 범구를 미비ᄒᆞ미 업게 ᄒᆞ쇼셔."

ᄒᆞ니 공이 희왈,

"작일 분요ᄒᆞ여 니회(離懷)를 펴지 못ᄒᆞ고 심히 챵연ᄒᆞ더니 현계(賢契)의 후의를 다샤 ᄒᆞ노라."

남휘 ᄉᆞ샤ᄒᆞ고 샤인이 고왈,

"가듕의 ᄉᆞ쇡지 마르시고 혼구(婚具)ᄂᆞᆫ 블과 일습(一襲) 의복【10】이라. ᄆᆡ져(妹姐)긔 길복을 일워 보ᄂᆡ라 ᄒᆞ시고, 연셕 긔구는 밧그로셔 쥰비ᄒᆞ고, 빈긱은 님시(臨時)ᄒᆞ여 쳥ᄒᆞ오미 가ᄒᆞ온디라. 구몽슉이 슉모긔 ᄌᆞ로 빅현ᄒᆞ오니, 혹 비복의 젼셜ᄒᆞ믈 듯고 혼인젼 다시 작희(作戲)ᄒᆞ온즉 큰 블힝이니이다."

츄밀이 블열 왈,

"일개 요인을 두려 대ᄉᆞ를 은밀이 ᄒᆞ며, 비복이 뉘 굿ᄐᆞ여 몽슉다려 니르리오. 내 아모리 잉분(忍憤)ᄒᆞ나, 인눈대ᄉᆞ(人倫大事)를 암밀(暗密)이 디닐 빅 아니라. 몽슉을 쾌히 다ᄉᆞ려 셜한ᄒᆞ고 시브ᄃᆡ, 챵빅이 하 당

"츄밀공이 가ᄂᆡᄉᆞ(家內事)을 바히 모르시고 영ᄆᆡ 귀령을 허치 아니므로, 아ᄆᆡ로쎠 귀령치 아니리라 ᄒᆞ시니, 그런 답답ᄒᆞᆫ 일이 어ᄃᆡ 잇스리요. 아ᄆᆡᄂᆞᆫ 일시 ᄂᆡ집의 와 잇셔도 ᄒᆡ 업ᄉᆞ련니와, 영ᄆᆡ을 즘간 옥누항의 보ᄂᆡ엿다가 농의 든 시신을 믿드니 귀령을 허치 못ᄒᆞ노라."

ᄉᆞ인이 굿ᄒᆞ여 답지 아니ᄒᆞ고 날이 느즈믈 고ᄒᆞ고 도라가니, 남휘 ᄯᅡ라나와 윤공을 숑지ᄒᆞ고 ᄎᆞ야의 부젼(父前)의 하소져 셩혼ᄒᆞᆯ 길일을 튁ᄒᆞ{ᄆᆡ}을[믈] 고ᄒᆞ니, 평휘 즉시 튁일ᄒᆞᄆᆡ 슌일이 격ᄒᆞᆫ지라. 남휘 고왈,

"명일 파죠 후 옥누항의 나ᄋᆞ가 윤공긔 뵈온 후 쇼ᄆᆡ의 귀령을 쳥ᄒᆞ여 다려 오리【70】이다."

금휘 졈두ᄒᆞ더라.

명일 파죠 후 남휘 옥누항의 나ᄋᆞ가 윤공긔 비알ᄒᆞ고 닐오ᄃᆡ,

"튁일ᄒᆞ여 범구을 미비ᄒᆞ미 업게 ᄒᆞ쇼셔."

공이 희왈,

"작일 분요ᄒᆞᄆᆡ 니회을 펴지 못ᄒᆞ여 창연ᄒᆞ더니, 《헌써‖현서(賢壻)》의 후의 다ᄉᆞᄒᆞ도다."

남휘 ᄉᆞᄉᆞᄒᆞ고 사인이 고왈,

"가즁의 ᄉᆞ쇡지 마르시고, 힝여 익[임]시ᄒᆞ여 혼ᄌᆞ[ᄉᆞ]ᄂᆞᆫ 불과 일습 의복이라, ᄆᆡ져긔 길복을 일워 보ᄂᆡ라 ᄒᆞ시고, 연셕긔구을 밧그로 쥰비ᄒᆞ고 굿ᄒᆞ여 번화히 ᄒᆞᆯ 허[일]이 긋[못]되오니, 모로미 당일의 빈긱 무[수]숌인을 쳥ᄒᆞ여 힝여[예](行禮)ᄒᆞ미 맛당ᄒᆞ니, 하시 싱존을 가ᄂᆡ의도 ᄉᆞ쇡지 마르쇼셔. 구몽슉이 슉모긔 빅견[현]ᄒᆞ러 ᄌᆞ로 오ᄂᆞᆫ지라, 혹 듯고 미혼 젼 다시 ᄌᆞᆨ희(作戲)ᄒᆞᆫ 즉 큰 불힝이니다."

공이 분연 왈,

"몽슉은[이] 무어시 두려워 ᄃᆡᄉᆞ을 은밀이 ᄒᆞ여 비복을 엄금ᄒᆞ여 젼셜치 말ᄂᆞ ᄒᆞᄂᆞᆫ뇨?"

부ᄒᆞ므로 분ᄒᆞᆫ 거ᄉᆞᆯ 참노라."

ᄒᆞ니 샤인이 피셕 ᄃᆡ쥬 왈,

"명괴 맛당ᄒᆞ시나 언비쳔니(言飛千里)[1606]라 ᄒᆞ오니, 혼슈를 출힐 즈음의 가ᄂᆡ 요란ᄒᆞ여【11】 아니 알니 업습고, 비복이 셜ᄉᆞ 몽슉다려 니르디 아니ᄒᆞ오나 뉴부시ᄋᆡ 됴왕모ᄅᆡ(朝往暮來)[1607]ᄒᆞ오니, 뉴부의셔 아온 즉 몽슉이 아올디라, 몽슉이 알면 다시 작희ᄒᆞ여 ᄉᆡᆼ각 밧 거죄 잇ᄉᆞ오리니, 인륜대ᄉᆞ를 은밀히 디ᄂᆡ오미 심히 구ᄎᆞ하오나, 하쇼져 신상의 유익ᄒᆞ고 샤데 ᄇᆡ우를 슌히 마ᄌᆞ미니, 몽슉을 두려ᄒᆞ미 아니오라 악인을 거워[1608] 신상의 욕되미 만ᄉᆞ올 거시오, 일가의 미리 혼ᄉᆞ를 알뇌면[1609] 뉘집과 결혼ᄒᆞ믈 ᄌᆞ연 말이 나오리니, 당일의 졔우족친(諸友族親)을 청ᄒᆞ시고 대ᄉᆞ를 디ᄂᆡᆫ 후, 몽슉이 아라도 스ᄉᆞ로 ᄉᆡᆼ각ᄒᆞ여 이곳의 ᄌᆞ로 왕ᄂᆡ치 못ᄒᆞ오리니, 하쇼져 용ᄉᆡᆨ을 흠【12】모ᄒᆞ나 발셔 셩혼ᄒᆞᆫ 후ᄂᆞᆫ ᄒᆞᆯ○[일] 업셔 작희치 못ᄒᆞ리이다."

남휘 또ᄒᆞᆫ 말ᄉᆞᆷ을 니어 고ᄒᆞᄃᆡ, 미리 쇼문을 펴디오미 만만 ᄒᆡ롭ᄉᆞ오리니, ᄉᆞ원의 말ᄃᆡ로 ᄒᆞ시믈 ᄌᆡ삼 청ᄒᆞᆫᄃᆡ, 공이 ᄀᆞᆯ오ᄃᆡ,

"내 통히ᄒᆞ미 극ᄒᆞ나, 챵ᄇᆡᆨ과 딜아의 ᄠᅳᆺ이 원녜(遠慮) 만흐니 그ᄃᆡ로 ᄒᆞ려니와, 몽슉 요인을 죵시 함믁(含黙)기 어렵도다."

남휘 인분(忍憤)ᄒᆞ시믈 ᄌᆡ삼 청ᄒᆞ고 죵용이 담화ᄒᆞᆯ식, 츄밀이 남후다려 딜부를 보고 가라 ᄒᆞᆫᄃᆡ, 남휘 ᄃᆡ왈,

"쇼ᄆᆡᄂᆞᆫ 이에셔 보디 아니나 다려가 ᄒᆞᆫ가지로 혼구를 출히고 니졍을 펴고져 ᄒᆞᄂᆞ이다."

공이【13】 쇼왈,

"녕ᄆᆡ와 딜녀를 밧고아 가게 ᄒᆞ엿더니, 혼식 박두ᄒᆞ니 길일의 녕ᄆᆡ와 딜녀를 흠긔 보ᄂᆡ라."

1606)언비쳔니(言飛千里) : 말이 천리를 날아간다는 뜻으로 말의 전파속도가 매우 빠름을 이르는 말.
1607)됴왕모ᄅᆡ(朝往暮來) : 왕래가 빈번하여 아침저녁으로 오고가고 함.
1608) 거우다 : 집적거려 성나게 하다.
1609)알뇌다 : 알리다. 아뢰다.

ᄉᆞ인이 피셕 왈,

"명교 맛ᄃᆞᆼᄒᆞ시ᄂᆞ, 언비쳔이(言飛千里)[1559]라, 혼구을 셩비ᄒᆞᄂᆞᆫ[게] {허이}○[되]면 가ᄂᆡ 분요ᄒᆞ여 알니 만코 셜ᄉᆞ 비복이 몽슉다려 이르지 아니ᄒᆞ나 뉴가 시비 죠왕모ᄅᆡ(朝往暮來)[1560]ᄒᆞ니 엇지 모로리잇고. 뉴가의셔 안 즉 몽슉이 알미 되어 반ᄃᆞ시 다시 즉희ᄒᆞ미 잇스면, 하쇼져 신ᄉᆞᆼ이 므익ᄒᆞ고, 혼ᄉᆞ을 은밀이 지ᄂᆡ미 구ᄎᆞᄒᆞ온 듯ᄒᆞ오나 하시의게 ᄒᆡ로오미 업고, 사졔 ᄇᆡ우을 수이 만ᄂᆞᆫ 즉시오니, 몽슉이 모로ᄂᆞᆫ 즁 ᄎᆞ【71】혼을 지ᄂᆡ여 후일이라도 목[몽]슉이 스ᄉᆞ로 붓그리고, 의[이]곳의 ᄌᆞ로 왕ᄂᆡ치 못ᄒᆞ고 셜ᄉᆞ ᄒᆞ쇼져 용ᄉᆡᆨ을 흠복ᄒᆞᆫ들 발셔 희텬과 셩혼ᄒᆞᆫ 후ᄂᆞᆫ 할 일 업셔 작희치 못ᄒᆞ리이다."

남휘 ᄉᆞ인의 말이 올러믈[1561] ᄌᆡ삼 일카르니, 공이 심니의 분완ᄒᆞᄂᆞ ᄉᆞ인의 말이 유리ᄒᆞ믈 졈두ᄒᆞ더라.

이릇틋 죠용이 담화ᄒᆞᆯ 식, 공이 남후다려 영ᄆᆡ을 보고 가라 ᄒᆞ니, 남휘 ᄃᆡ왈,

"누의ᄂᆞᆫ 이곳의셔 아니 보ᄋᆞ도 다려가 은[혼]구을 ᄒᆞᆫ가지로 ᄎᆞ리고 니졍을 위로코져 ᄒᆞᄂᆞ이ᄃᆞ."

공이 쇼왈,

"영ᄆᆡ와 질여을 박고와 귀령ᄒᆞ게 ᄒᆞ엿[렷]더니 ᄉᆡᆼ각 밧 혼ᄉᆞ로 보ᄂᆡ게 되엿시니 길일의 질여와 흠긔 보ᄂᆡ라."

1559)언비쳔이(言飛千里) : 말이 천리를 날아간다는 뜻으로 말의 전파속도가 매우 빠름을 이르는 말.
1560)죠왕모ᄅᆡ(朝往暮來) : 왕래가 빈번하여 아침저녁으로 오고가고 함.
1561)올러믈 : 옳음을. 올ᄒᆞ다; 옳다.

남휘 왈,

"다려가오나 형포(荊布)1610)는 못보ᄂᆡ올 줄 작일의 고ᄒᆞᆫ ᄇᆡ라. 악뫼 보고져 ᄒᆞ시면 별원의 와 보실 거시오, 합히 보고져 ᄒᆞ시거든 날마다 와 보시나 괴로와 아니ᄒᆞ리이다."

공이 쇼왈,

"이 가작(假作)이라 딜네 귀령ᄒᆞ다 므어시 히로오리오."

휘 슌슌이 미쇼ᄒᆞ여 귀령치 못ᄒᆞ믈 ᄃᆡᄒᆞ고 ᄂᆡ당의 ᄇᆡ알코져 ᄆᆞ음이 업ᄉᆞᄃᆡ, 악모긔 뵈옵기를 쳥ᄒᆞ여 ᄂᆡ당의 현알ᄒᆞ니, 츄밀이 ᄒᆞᆷ긔 드러가 위·조·뉴 삼부인긔 현알ᄒᆞ니 위·뉴 냥부【14】인이 만니 젼진의 닙공ᄒᆞ믈 하례ᄒᆞ니, 휘 피셕 샤례ᄒᆞᆫᄃᆡ, 조부인이 ᄯᅩᄒᆞᆫ 닙공반샤(立功班師)ᄒᆞ믈 치하ᄒᆞ고, 녀ᄋᆞ와 양·니 등이 다 슌산ᄒᆞ여 ᄌᆞ녜 션션(詵詵)ᄒᆞ믈 하례ᄒᆞ고, ᄉᆡᆨ부의 긔질이 망외(望外)믈 닐너 셕ᄉᆞ를 상감ᄒᆞ니, 휘 본ᄃᆡ 악모의 명현ᄒᆞ믈 탄복ᄒᆞ고 그 졍ᄉᆡ 남달니 괴롭고 슬프믈 츄연ᄒᆞᄂᆞᆫ 고로, 화평히 말ᄉᆞᆷᄒᆞ여 반ᄌᆞ디도를 다ᄒᆞ니, 화풍 경운의 희긔 녕농ᄒᆞᆫ지라. 조부인의 두굿김과 위·뉴 냥인의 ᄆᆡ워ᄒᆞ미 만복ᄒᆞ더라.

뎡쇼졔 거거(哥哥)를 보고 팔ᄌᆞ아황(八字蛾黃)의 희ᄉᆡᆨ이 녕농ᄒᆞ여 승젼 귀가ᄒᆞ믈 하례ᄒᆞ니, 봉관화리(鳳冠花履) 듕 풍되【15】승졀ᄒᆞ여 좌듕의 빗난더라. 남휘 반기고 깃거 ᄀᆞᆯ오ᄃᆡ,

"우형이 츌졍ᄒᆞ연 지 십삭만의 도라오니 현ᄆᆡ 집의 업ᄉᆞᄆᆡ 결연ᄒᆞᆫ 심회를 니긔디 못ᄒᆞ여, 금일 합하긔 귀령을 쳥ᄒᆞ여 허ᄒᆞ시믈 어더시니, 현ᄆᆡᄂᆞᆫ 도라가게 ᄒᆞ라."

쇼졔 유유ᄒᆞ여 말ᄉᆞᆷ이 업거ᄂᆞᆯ, 츄밀이 ᄀᆞᆯ오ᄃᆡ,

1610)형포(荊布) : 형차포군(荊釵布裙)의 줄임말. 가시나무비녀를 꽂고 베로 지은 치마를 입고 있는 사람이란 뜻으로, 자기 아내를 남에게 낮추어 이르는 말. 후한 때에 양홍(梁鴻)의 아내 맹광(孟光)이 가시나무 비녀를 꽂고 무명으로 만든 치마를 입었다는 데서 유래한다.

남휘 소이ᄃᆡ왈,

"쇼ᄆᆡᄂᆞᆫ 비록 다려가오나 영질은 못 보닐 연유을 작일의 셰셰히 고ᄒᆞ엿시니[ᄂᆞᆫ데] 엇지 쳥ᄒᆞ엿ᄂᆞᆫ[시니]잇고?"

공이 쇼왈,

"군언이 다 가ᄌᆞᆨ(假作)이라. 다 ᄂᆞᆷ을 쇽이미니 엇지 고이치 아니리요. 질ᄋᆡ 귀근ᄒᆞ여든 무어시 유히ᄒᆞ리라 ᄒᆞᄂᆞᆫ요?"

남휘 {왈} 가ᄌᆞᆨ이 아니믈 일카라 추밀의 의심을 업시 ᄒᆞ고 ᄂᆡ현[헌]의 ᄇᆡ현ᄒᆞ기을 쳥ᄒᆞ니, 공이 친히 다리고 드러가 위ᄐᆡ분[부]인과 죠·뉴 양부인게 ᄇᆡ알ᄒᆞ니, ᄐᆡ부인이 말을 펴 왈, '만니 젼진의 입공반ᄉᆞ(立功班師)ᄒᆞ여 작ᄉᆞᆼ(爵賞)을 바[밧]잡고 지덕즁망이 셰ᄃᆡ의 씌[쒸]여나믈' 일카라, 깃분 ᄉᆡᆨ으로 어진 쳬ᄒᆞᄂᆞᆫ 거동이 ᄉᆡ로이 흉완ᄒᆞ여 보기 통완ᄒᆞᄃᆡ, 불감ᄉᆞ사(不堪謝辭)【72】ᄒᆞ고, ᄉᆞ인 부인이 ᄂᆞ와 《기기∥거거(哥哥)》을 보고 반기믈 이긔지 못ᄒᆞ니, 팔ᄌᆞ아황(八字蛾黃)의 희긔을 씌여 ᄇᆡᆨ연용안(白蓮容顏)의 츈풍화긔 온ᄌᆞᄒᆞ니, 팔광(八光)1562)이 ᄋᆡᄋᆡ(藹藹)ᄒᆞ고 오ᄉᆡᆨ(五色)1563)이 현효[요](顯曜)ᄒᆞ니 봉관지ᄒᆞ(鳳冠之下)의 승졀ᄒᆞᆫ 염ᄐᆡ(艷態)와 찰난ᄒᆞ[ᄒᆞᆫ] 긔질이 더옥 ᄉᆡ로온지라. 남휘 븐기고 깃거 갈오ᄃᆡ,

"우형이 츌졍ᄒᆞ연[연]지 십숨삭만의 도ᄅᆞ오니 현ᄆᆡ 집의 업ᄉᆞᄆᆡ 결연ᄒᆞᆫ 심회을 이긔지 못ᄒᆞ여, 금일 합ᄒᆞ긔 귀령을 쳥ᄒᆞᄆᆡ 허ᄒᆞ시믈 어더시니 현ᄆᆡᄂᆞᆫ 도ᄅᆞ가게 ᄒᆞ라."

쇼졔 유유부답이어ᄂᆞᆯ, 츄밀이 갈오ᄃᆡ,

1562)팔광(八光) : 눈썹의 광채. 팔(八)은 눈썹의 모양을 나타냄. 여기서는 '눈빛'을 대신 나타낸 말.

1563)오색(五色) : 여자의 화장한 얼굴에 나타나는 황(黃)·적(赤)·흑(黑)·백(白)·청(靑)의 다섯 가지 색깔. 눈의 검고 흰빛, 연지곤지와 입술의 붉은빛, 눈썹의 푸른빛, 머리칼의 검은빛, 피부의 누런빛과 하얀빛 따위.

"챵ᄇᆡᆨ이 딜부를 다려가려 ᄒᆞ니 능히 그 졍을 막지 못ᄒᆞ여 허ᄒᆞᄂᆞ니, 십여일 머므러 도라오라."

쇼졔 비로소 ᄇᆡ샤 슈명ᄒᆞ니, 위흉이 남후를 향ᄒᆞ여, 손부의 션연아질(嬋姸雅質)과 난심혜ᄒᆡᆼ(蘭心蕙行)이 셩문의 ᄉᆡᆼ당ᄒᆞ여 ᄀᆞᆽ초 비상현텰(非常賢哲)ᄒᆞ미 특이ᄒᆞ믈 일ᄏᆞ라, 것ᄎᆞ로 귀듕ᄒᆞᄂᆞᆫ 졍이【16】 과도ᄒᆞ니, 남휘 그 쳔흉만악과 ᄂᆡ외 현격ᄒᆞ믈 더옥 흉히 넉이고, 뉴시 빗난 말ᄉᆞᆷ으로 딜부의 비상ᄒᆞ미 광딜의 쳐궁이 유복ᄒᆞ믈 일ᄏᆞ라, 찬양ᄒᆞ믈 마지 아니니, 남휘 심니의 ᄆᆡ이 넉여 다만 샤례ᄒᆞᆯ ᄯᆞᆫ이오, 묵연뎡좌(默然正坐)러니 날호여 하딕을 고ᄒᆞ니. 위부인이 손녀의 귀령을 감히 쳥치 못ᄒᆞ고, 심듕의 '츈월은 엇디 되어시며, 명ᄋᆞᄂᆞᆫ 엇디ᄒᆞ여 ᄉᆞ라 져ᄀᆞᆺ튼 부귀를 누리ᄂᆞᆫ고?', 심니(心裏)의 분한ᄒᆞ믈 니긔지 못ᄒᆞ더라.

남휘 밧긔 나와,

"샤인을 쇼ᄆᆡ와 ᄒᆞᆫ가지로 보ᄂᆡ여 봉황의 뺭유ᄒᆞ믈 보ᄋᆸ게 ᄒᆞ쇼셔."

ᄒᆞᆫᄃᆡ, 츄밀이 흔연 답왈,

"군은 오가의【17】 일야를 머므ᄂᆞᆫ ᄇᆡ 업고, 딜ᄋᆞ의 귀령도 괴이ᄒᆞᆫ 핑계로 막으믈 ᄉᆡᆼ각ᄒᆞᆫ 즉, 뎐ᄋᆞ 부부를 엇지 보ᄂᆡ리오마ᄂᆞᆫ 군과 결우지 아니려 ᄒᆞ고, 군의 쇼쳥을 다 좃ᄂᆞ니 그ᄃᆡ 날ᄀᆞᆺ치 ᄒᆞ라."

휘 함쇼 ᄃᆡ왈,

"비록 형인(荊人)의 귀근을 허치 아닐지라도 존뷔 쇼ᄉᆡᆼ의 집 풍쇽을 ᄇᆡ호시면 ᄀᆞ장 됴흐시리니, 합히 실인(室人)으로ᄡᅧ 범ᄉᆞ의 누의와 ᄀᆞᆺ치 ᄒᆞ랴 ᄒᆞ시니, 녕딜과 ᄉᆞᄆᆡ로 비컨ᄃᆡ 텬디 현격ᄒᆞᆫ디라. 존뷔 ᄉᆞ셕(沙石)을 보ᄂᆡ시고 명쥬(明珠)를 밧고시며, 진토(塵土)로 미옥(美玉)을 밧곰과 ᄀᆞᆺᄐᆞ믈 ᄉᆡᆼ각ᄒᆞ시면, 녕딜을 샤ᄆᆡ와 달니 아르셤즉 ᄒᆞ니이다."

공이 박쇼 왈,

"딜뷔 비록 긔특ᄒᆞ나【18】 딜ᄋᆡ ᄯᅩ 하

"챵ᄇᆡᆨ이 질부을 다려가려 ᄒᆞ니 능히 그 졍을 막지 못ᄒᆞ여 허ᄒᆞᄂᆞᆫ니 십여일을 므물러 도라오라."

쇼졔 비로소 ᄇᆡᄉᆞ슈명ᄒᆞ니, 위흉이 남후을 향ᄒᆞ여, 숀부의 션연아질(嬋姸雅質)과 난심혀[혜]ᄒᆡᆼ(蘭心蕙行)이 셩문의 ᄉᆡᆼ장ᄒᆞ여 갓쵸 비ᄉᆞᆼ(非常) 현쳘(賢哲)ᄒᆞ미 특이ᄒᆞ믈 일카라, 것ᄎᆞ로 귀즁ᄒᆞᄂᆞᆫ 졍이 과도ᄒᆞ니, 남휘 그 쳔흉만악과 ᄂᆡ외 현격ᄒᆞ믈 더옥 흉히 역이고, 뉴시 빗ᄂᆞᆫ 말ᄉᆞᆷ으로 질부의 비ᄉᆞᆼᄒᆞ미 광텬의 쳐궁이 유복ᄒᆞ믈 일카라 찬양ᄒᆞ믈 마지 아니니, 남휘 심니의 더옥 흉이 역이[여]{더라}, 다만 ᄉᆞ례ᄒᆞᆯ 분이요, 말ᄉᆞᆷ의 찬도(贊助)ᄒᆞ미 업셔 묵연졍좌(默然正坐)르니, 날호여 ᄒᆞ직을 고ᄒᆞ니, 위ᄐᆡ부인이 숀여의 귀령을 감히 쳥치 못ᄒᆞ고, 심즁의 '츄[츈]월은 엇지 되엿시【73】며, 명ᄋᆞᄂᆞᆫ 엇지ᄒᆞ여 ᄉᆞᄅᆞ 져가튼 부귀을 누리ᄂᆞᆫ고?', 심이(心裏)의 분히ᄒᆞ믈 이긔지 못ᄒᆞ더라.

남휘 밧긔 ᄂᆞ와,

"ᄉᆞ인을 쇼ᄆᆡ와 ᄒᆞᆫ가지로 보ᄂᆡ여 봉황의 쌍유ᄒᆞ믈 뵈ᄋᆸ게 ᄒᆞ쇼셔"

ᄒᆞᆫᄃᆡ, 츄밀이 흔연 답왈,

"그ᄃᆡᄂᆞᆫ 일야을 오가의 므[머]무ᄂᆞᆫ ᄇᆡ 업고, 질아의 귀근도 가[괴]이ᄒᆞᆫ 핑계로 막ᄂᆞᆫ 일을 ᄉᆡᆼ각ᄒᆞ면, 광ᄋᆞ부부을 엇지 보ᄂᆡ리요마ᄂᆞᆫ 그ᄃᆡ와 결우지 아니려 ᄒᆞ고 뎡가 풍쇽을 ᄇᆡ호지 아니려 ᄒᆞ여 그ᄃᆡ 쇼쳥을 다 듯ᄂᆞᆫ니 그ᄃᆡ 날갓치 ᄒᆞ라."

휘 함쇼ᄃᆡ왈,

"비록 실인(室人)의 귀근을 허치 아니{코} ᄒᆞᆯ지라도, 죤뷔 쇼ᄉᆡᆼ의 집 풍쇽을 ᄇᆡ호시면 가즁 다ᄒᆡᆼᄒᆞ오리니, 영질과 ᄉᆞᄆᆡ로 비컨ᄃᆡ 쳔지현격ᄒᆞᆫ지라. 죤뷔 ᄉᆞ셕(沙石)을 보ᄂᆡ시고 명쥬(明珠)을 밧고셔[시]○[고], 진토(塵土)을 쥬고 미옥(美玉)을 밧고심 갓트믈 ᄉᆡᆼ각ᄒᆞ면, 녕질을 ᄉᆞᄆᆡ와 달니 아르셤작 ᄒᆞ니이다."

공이 박소왈,

"녕ᄆᆡ 비록 긔특ᄒᆞ나 질아ᄂᆞᆫ ᄯᅩ한 하등이

등이 아니라, 엇디 그디도록 현격ᄒᆞ리오. 챵빅은 안히라 ᄒᆞ여 나모라지 말나. 오개 남달니 긔특ᄒᆞᆫ 일은 업ᄉᆞ나 군가 풍쇽을 달마든 므어시 더 아름다오리오."

남휘 역쇼ᄒᆞ더라.

쇼졔 존당의 하직고 ᄉᆞ실의 도라와 시ᄋᆞ로 샤인긔 고ᄒᆞ니 샤인이 막지 아냐 거교(車轎)를 츌혀 호숑ᄒᆞ니, 쇼졔 승교ᄒᆞᆷ이 남휘 호힝홀ᄉᆡ, 샤인을 쳥ᄒᆞ니 샤인이 명일노 가믈 ᄃᆡ답ᄒᆞ더라.

뎡쇼졔 도라와 존당부모긔 빅현ᄒᆞ니 태부인과 형뎨 남미 깃븐 졍이 비길 ᄃᆡ 업ᄂᆞᆫ디라, 태부인이 집슈 왈,

"너를 위틱ᄒᆞᆫ 곳의 보ᄂᆡ고 일야 졀위(絶憂) 깁더니 삼삭지ᄂᆡ(三朔之內)의 몸이 무【19】ᄉᆞᄒᆞ여 도라오니 영힝ᄒᆞ도다."

남휘 쇼왈,

"현ᄆᆡᄂᆞᆫ 위태부인이 아딕 즛두다려 농의 너키를 아니려 ᄒᆞ더냐? 혹ᄌᆞ 그런 변이 이실지라도 윤시ᄀᆞᆺ치 손을 뭇거 흉화(凶禍)를 당치 말고 각별 탈신지계(脫身之計)를 ᄉᆡᆼ각ᄒᆞ여 몸을 상히오지 말나."

쇼졔 믁연이 부모 동긔로 반길 ᄲᅳᆫ이라.

삼공ᄌᆞ 셰흥이 쇼왈,

"쇼뎨ᄂᆞᆫ 녀ᄌᆞ ᄀᆞᆺᄐᆞ면 그런 구가의 범ᄉᆞ를 내 임의로 ᄒᆞ고, 일분이나 괴로오미 잇거든 위태부인 눈의 ᄌᆡ를 쥐여너코 낫치 춤을 밧고 일장을 슈욕(數辱)ᄒᆞ고 내 집으로 도라오리니, 엇디 그것ᄉᆡ 슬해 되여 공슌ᄒᆞ리잇가."

금휘 대칙ᄒᆞ여 ᄀᆞᆯ오ᄃᆡ,

"네 십셰 지나 거의 인ᄉᆞ를 알【20】녀든 무식ᄒᆞᆫ 말노 년인가(連姻家) 노태부인을 능욕ᄒᆞ미 이 ᄀᆞᆺᄐᆞ니, 후일 다시 이런 말을 홀딘ᄃᆡ 샤(赦)치 아니리라."

공지 블승 황공ᄒᆞ여 피셕 샤죄ᄒᆞ니, 태부인이 쇼왈,

"셰이 비록 말을 삼가디 못ᄒᆞ나 원간 오ᄋᆡ 다ᄉᆞᆺ ᄋᆞ돌 듕 셰ᄋᆞ를 각별 증염ᄒᆞ니, 그 엇진 일이뇨."

아니라 그ᄃᆡ도록 현격ᄒᆞ리오. 창빅은 안히라 ᄒᆞ여 나모라지 말나. 오ᄀᆡ 남달이 긔특한 일은 업ᄉᆞ나 군가 풍속을 달마든 무어시 더 아름다오리오."

남휘 녁소ᄒᆞ더라.

소져 존당 슉당의 ᄒᆞ직ᄒᆞ고 ᄉᆞ실의 도라와 시아로 ᄉᆞ인기[긔] 귀령ᄒᆞ믈 고ᄒᆞ니, ᄉᆞ인이 막지 못ᄒᆞ여 거교을 츌려 호송ᄒᆞ니, 소져 승교ᄒᆞᄆᆡ 남휘 호힝ᄒᆞ여 도라갈 식, 다시 ᄉᆞ인을 쳥ᄒᆞ니 ᄉᆞ인【74】이 명일 가믈 ᄃᆡᄒᆞ더라.

뎡쇼져 도ᄅᆞ와 존당 부모게 빅현ᄒᆞ니, ᄐᆡ부인 진부인의 황홀이 반김과 형졔 남ᄆᆡ 깃분 졍이 비길ᄃᆡ 업ᄂᆞᆫ지라. ᄐᆡ부인이 집슈왈,

"너을 위틱ᄒᆞᆫ 구가의 보ᄂᆡ고 쥬야의 졀위(絶憂) 깁더니, 그 ᄉᆞ이 몸니 무ᄉᆞᄒᆞ여 도라오니 영힝ᄒᆞ믈 이긔지 못ᄒᆞ리로다."

남휘 쇼왈,

"현ᄆᆡᄂᆞᆫ 아직 위ᄐᆡ부인이 즛두다려 농쇽의 너기을 아니려 ᄒᆞ더냐? 혹ᄌᆞ 윤시 가치 변을 만나도 쇽슈(束手)되○[지] 말고 탈신지계(脫身之計)로 방신을 보즁ᄒᆞ라."

쇼졔 묵연ᄒᆞ고 형졔로 반길 분이라.

ᄉᆞᆷ공ᄌᆞ 셰흥이 쇼왈,

"쇼졔 여ᄌᆞ되여 그런 구마[가]의셔 슬진ᄃᆡ, ᄆᆡᄉᆞ을 ᄌᆞ힝(自行)ᄒᆞᄃᆞ가 일분이나 괴로이 굴면, 그 부인 눈의 ᄌᆡ을 쥐여 넉코 낫치 츔밧타 슈욕(數辱)ᄒᆞ고, ᄂᆡ집으로 도ᄅᆞ오리라."

ᄒᆞ니, 평휘 즐왈,

"네 십셰을 지ᄂᆞ 인ᄉᆞ을 알거늘 무식지언《을∥으로》 타문 부인을 욕ᄒᆞ니 후일 다시 이런 말을 홀진ᄃᆡ 용ᄉᆞ[서](容恕)치 아니ᄒᆞ리라."

공지 황공ᄉᆞ죄ᄒᆞ고 감이 말을 못ᄒᆞ니, ᄐᆡ부인이 쇼왈,

"셰아 비록 언ᄉᆞ을 ᄉᆞᆷ가치 못ᄒᆞᄂᆞ 원만[간] 호ᄆᆡ[오ᄋᆡ] 다셧 ᄋᆞ들 즁 셰ᄋᆞ을 증염ᄒᆞ니 긔 어인 일코?"

금휘 ᄇᆞ복 ᄃᆡ왈,

"셰ᄋᆡ 제ᄋᆞ 듕의 문호를 욕먹이고 박힝(薄行)ᄒᆞ미 심ᄒᆞ오리니, 실노 셰ᄋᆞ를 볼 적마다 심홰 깁습거ᄂᆞᆯ, 쇼ᄌᆞ의 훈ᄌᆞᄒᆞ오미 블엄ᄒᆞ오니 ᄌᆞ칙ᄒᆞ옵ᄂᆞᆫ ᄇᆡ오, ᄌᆞ위 닉ᄋᆡᄒᆞ시니 더옥 방약무인(傍若無人)ᄒᆞ와 부모를 능경압두(凌輕壓頭)ᄒᆞ여 힝ᄉᆡ 날노 패려 무식ᄒᆞ고, 셩졍이 븟ᄂᆞᆫ 블 ᄀᆞᆺᄐᆞ여 압히셔 ᄉᆞ【21】후ᄒᆞᄂᆞᆫ 셔동이라도 제 ᄆᆞᄋᆞᆷ의 블합ᄒᆞ면, 죄의 경듕을 뭇지 아니ᄒᆞ고 피 나기를 그음ᄒᆞ여 다ᄉᆞ리고, 유학을 힘ᄡᅳ디 아냐 잡된 희학(戱謔)만 즐기오니, 쇼ᄌᆡ 블승통ᄒᆡ ᄒᆞᄂᆞᆫ ᄇᆡ로쇼이다."

태부인은 본ᄃᆡ 셰흥을 ᄉᆞ랑ᄒᆞᄂᆞᆫ디라. 부공의 단엄ᄒᆞ미 셰흥의 호방ᄒᆞ믈 미흡ᄒᆞ여, 눈을 바로 ᄡᅥ 보지 아니므로, 민망히 녁여, 셰흥의 영오 쥰ᄆᆡᄒᆞ믈 스ᄉᆞ로 ᄉᆞ랑ᄒᆞ더라.

남휘 윤공긔 길일 뎡ᄒᆞ여시믈 고ᄒᆞ여시므로, 혼슈를 출히쇼셔 ᄒᆞᆫᄃᆡ, 딘부인이 답왈,

"혼구(婚具)ᄂᆞᆫ ᄌᆞ연 되려니와 친영ᄒᆞ여 보ᄂᆡᆫ 후, 근심이 졀박ᄒᆞᆫ 일이로다."

남휘 쇼이쥬(笑而奏) 왈,

"명일 ᄉᆞ원이 올 거시니 신방을 ᄇᆡ셜ᄒᆞ【22】여 쇼ᄆᆡ 이실 동안 빵유(雙遊)ᄒᆞ게 ᄒᆞ쇼셔."

태부인이 두굿겨 시녀를 명ᄒᆞ여 션화졍을 쇄소ᄒᆞ고 별장(別莊)을 ᄀᆞᆺ초아, 샤인의 오기를 기다리며, 쇼져를 좃ᄎᆞ갓던 시녀를 블너 위·뉴 냥인의 쇼져 ᄃᆡ졉던 바를 므르니, 시녀ᄇᆡ 쇼져의 당부를 드럿ᄂᆞᆫ디라 ᄃᆡ고치 못ᄒᆞ여,

"블평ᄒᆞᆫ ᄉᆞ단도 업고 굿ᄐᆞ여 황홀이 ᄉᆞ랑ᄒᆞ심도 업ᄉᆞ오ᄃᆡ, 조부인과 구파랑의 쇼져를 ᄉᆞ랑ᄒᆞ시미 디극ᄒᆞ시고, 츄밀 노야ᄂᆞᆫ 더옥 친녀ᄀᆞᆺ치 ᄒᆞ시더이다."

진부인은 굿ᄐᆞ여 뭇지 아니터라.

ᄎᆞ야의 쇼졔 모친 침뎐의셔 영쥬로 더브러 니졍(離情)을 펼ᄉᆡ 부인이 믄득 눈믈을 나리와 ᄀᆞᆯ오ᄃᆡ,

"너를 위ᄐᆡᄒᆞᆫ 구가의 보ᄂᆡ미【23】 근심이 방하치 못ᄒᆞ더니, 또 하ᄋᆞ를 마ᄌᆞ 힝네

평휘 북무[부복] ᄃᆡ왈,

"제ᄋᆞ 즁 ᄎᆞᄋᆡ 문호을 욕ᄒᆞ고 부모게 불효와 쳐ᄌᆞ의게 박힝지인이 되리니, 볼ᄃᆡ마다 심홰 나읍거ᄂᆞᆯ, 져ᄂᆞᆫ 아뷔 뜻을 모르고 ᄌᆞ당의 교ᄋᆡ을 밧ᄌᆞ와 아비을 능경(凌輕)ᄒᆞ고 어미을 압두(壓頭)ᄒᆞ여 ᄑᆡ악무【75】상ᄒᆞ니, 소ᄌᆞ의 ᄉᆞ후(伺候)ᄒᆞᄂᆞᆫ 셔동이라도 제 뜻의 불흡ᄒᆞ면 쥐[죄]의 유모[무]ᄂᆞᆫ 뭇지 아니코 ᄡᅡ려 피을 ᄂᆡ고, 학(學)을 아니코 희학만 질기니 쇼ᄌᆡ 통ᄒᆡ(痛駭)ᄒᆞᄂᆞᆫ이다."

부인이 본ᄃᆡ 세흥을 ᄉᆞᄅᆞᆼᄒᆞᄂᆞᆫ지라. 부공의 단엄ᄒᆞ미 셰흥의 호방ᄒᆞ믈 미흡ᄒᆞ여 눈을 바로 ᄡᅥ 보지 아니믈 민망이 역여 셰흥의 영오쥰ᄆᆡᄒᆞ믈 스ᄉᆞ로 ᄉᆞ랑ᄒᆞ더라.

남휘 윤공게 길일 졍ᄒᆞ믈 고ᄒᆞ여시므로 혼슈을 ᄎᆞ리쇼셔 ᄒᆞᆫᄃᆡ, 진부인이 답왈,

"혼슈ᄂᆞᆫ ᄌᆞ연 되려니와 칭[친]영(親迎)ᄒᆞ여 보ᄂᆡᆫ 후 근심이 졀박ᄒᆞᆫ 일이로다."

남휘 쇼이쥬(笑而奏)왈,

"명일 ᄉᆞ원이 올 거시니 신방을 ᄇᆡ셜ᄒᆞ여 쇼ᄆᆡ이실 동안 쌍뉴(雙遊)ᄒᆞ게 ᄒᆞ쇼셔."

ᄐᆡ부인이 두굿겨 시여(侍女)을 명ᄒᆞ여 션화졍을 쇄소ᄒᆞ고 별ᄃᆞᆼ(別堂)을 갓쵸와, 사인의 오기를 기다리며 쇼졔 죠ᄎᆞ 가[갓]던 시여을 불너 위·뉴 양인의 쇼졔 ᄃᆡ졉던 바을 구[무]르니, 시여 쇼졔의 당부을 드럿ᄂᆞᆫ지라, 직고치 못ᄒᆞ여 불평ᄒᆞᆫ ᄉᆞ단도 황홀이 ᄉᆞ랑ᄒᆞ심도 업고, 됴부인과 구파랑의 쇼졔 ᄉᆞ랑ᄒᆞ시미 지극ᄒᆞ고 츄밀노야ᄂᆞᆫ 더욱 친여갓치 ᄒᆞ시더이다 ○○[ᄒᆞ니], 진부인은 구ᄒᆞ[ᄐᆞ]여 뭇지 아니터라.

ᄎᆞ야의 쇼졔 모친 침젼의셔 영쥬로 더부러 ᄡᅥ{ᄂᆞ든}낫든 졍회을 펼ᄉᆡ, 부인이 믄득 눈물을 나리와 와[왈],

"너로 위현흠[위ᄐᆡᄒᆞᆫ] 구가의 보ᄂᆡ미 나의 근심이 방ᄒᆞ치 못ᄒᆞ더니, 또 하야[ᄋᆞ]을

ᄒᆞ여 보ᄂᆡ게 되니, 쳡쳡ᄒᆞᆫ 심녀를 엇지 견ᄃᆡ리오. 쳔ᄉᆞ만상(千思萬想)ᄒᆞ여도 나의 두 녀ᄋᆡ 무ᄉᆞ히 디ᄂᆡ리라 말이 나디 아니니 시름이 젹으리오."

쇼제 모친 간졀ᄒᆞ신 념녀를 졀민ᄒᆞ여 안식을 화히 ᄒᆞ고 안셔히 ᄃᆡ왈,

"윤형이 맛춤 ᄉᆞ화를 지ᄂᆡ엿기로 존당 부뫼 쇼녀를 위ᄒᆞ여 근심과 념녀를 노치 못ᄒᆞ시나, 사ᄅᆞᆷ마다 그러ᄒᆞ리잇가? 원간 사ᄅᆞᆷ의 ᄋᆡᆨ슈(厄數)ᄂᆞᆫ 인력으로 ᄒᆞᆯ ᄇᆡ 아니오니, 혹ᄌᆞ 쇼녀 등이 타일의 궂기ᄂᆞᆫ 일이 잇셔도, ᄉᆞ망의 잇든 아니ᄒᆞ오리니, ᄌᆞ위ᄂᆞᆫ 오디 아닌 ᄋᆡᆨ을 미리 과려치 마르샤, 졀념 소려ᄒᆞ쇼셔. 만식 명애니이【24】다."

부인이 쳑연 함한ᄒᆞ더라.

명일 윤샤인이 니르니{니} 금휘 본 젹마다 반기고 ᄉᆞ랑ᄒᆞ미 쳬쳬ᄒᆞ여 여러날 머믈기를 니르니 샤인이 답샤 왈,

"쇼셰 여러 형뎨 업고 집의 샤데 일인 밧 시봉ᄒᆞ리 업ᄉᆞ오니 가ᄂᆡ 젹뇨ᄒᆞ온디라 엇지 오ᄅᆡ 이시리잇고? 슈일간 갈소이다."

금휘 쇼왈,

"네 집은 ᄆᆡ양 잇고 오가ᄂᆞᆫ 모쳐로[1611] 와시니 엇디 슈히 가리오. 녕슉이 날[달]포[1612] 묵으라 ᄒᆞ여시니 네 비록 가고져 ᄒᆞ나 임의로 못가리라."

샤인이 미쇼 무언이러라. 진혹ᄉᆞ 등이 니르러 샤인을 보고 크게 반겨 셔로 손을 닛그러 딘부의 가 담화ᄒᆞᆷ믈 쳥ᄒᆞ니 남휘 샤인과 딘ᄉᆡᆼ을 다리고 가니, 한【25】님 경연이 일복 깁을 펴고 ᄎᆡ식을 녕농이 가라 미인도(美人圖)를 일워 스ᄉᆞ로 ᄌᆡ조를 칭찬ᄒᆞ여 혼ᄌᆞ말노 기리기를 마디 아니니, 원ᄂᆡ 딘한님 화법이 긔특ᄒᆞᆫ 고로 쇼ᄆᆡ(小妹) 셩염의 빅티 쳔광이 긔려ᄒᆞᆷ믈 흠ᄋᆡ(欽愛)ᄒᆞ여, 맛춤 고요ᄒᆞᆷ믈 타 화상을 일우더니, 남후 오ᄂᆞᆫ 양을 보나 윤샤인의 오ᄂᆞᆫ 줄 아디 못ᄒᆞᄂᆞᆫ 고로, 굿ᄐᆞ여 ᄀᆞᆷ초지 아닌지라. 샤인은 그림을 몬져 보고 그림 ᄀᆞ온ᄃᆡ 규슈의 옥모 셕

1611)모처로 : 모처럼.
1612)달포 : 한 달이 조금 넘는 기간.

마ᄌᆞ 셩여[녜](成禮)ᄒᆞ여 보ᄂᆡ고【76】쳡쳡ᄒᆞᆫ 심여(心慮)을 엇지 견ᄃᆡ리요. 쳔ᄉᆞ만ᄉᆞᆼ(千思萬想)ᄒᆞ여도 냥ᄋᆡ 무ᄉᆞ히 지ᄂᆡ리라 말이 ᄂᆞ지 아니ᄒᆞ노라."

쇼제 부모의 간졀ᄒᆞᆫ 졀여(切慮)을 졀민ᄒᆞ여 왈,

"윤형이 마춤 ᄉᆞ화을 지ᄂᆡ기로 죤당부뫼 소여 등을 위ᄒᆞ여 미리 근심ᄒᆞ시ᄂᆞ 원간 역셩은 일역(人力)으로 ᄒᆞᆯ ᄇᆡ 아니니, 혹ᄌᆞ 쇼여 등이 타일 비록 골몰ᄒᆞ오나 쥭든 아니리니, 만일 보죤ᄒᆞ올진ᄃᆡ ᄌᆞ위ᄂᆞᆫ 물우졀여(勿憂絶慮)ᄒᆞ쇼셔."

부인이 쳑연 ᄒᆞᆫ탄ᄒᆞ더라.

명일 윤ᄉᆞ인이 니르니 금휘 본 젹마다 반기고 ᄉᆞᄅᆞᆼᄒᆞ미 더ᄒᆞ여 여러ᄂᆞᆯ 잇시을[믈] 니르니, ᄉᆞ인이 ᄃᆡ왈,

"쇼졔[셰](小壻) 집의 ᄉᆞ졔 일인 밧 시봉ᄒᆞ리 업ᄉᆞ니 가ᄂᆡ 젹요ᄒᆞᆫ지라. 엇지 오ᄅᆡ 잇스리잇고. 수일 후 가리로소이다."

금휘 쇼왈,

"네 집은 ᄆᆡ양이오 이곳든 모쳐로[1564] 왓스니 엇지 수히 가게 ᄒᆞ리요. 영슉이 달표[포][1565] 머무라 ᄒᆞ엿시니 네 비록 가고져 ᄒᆞᄂᆞ 위력으로 잡아 두리라."

ᄉᆞ인이 미쇼무언이오, 진혹ᄉᆡ 등이 윤ᄉᆞ인으로 반겨 셔로 연슈담화(延手談話)[1566] ᄒᆞ고, 협문으로 진부의 나아가 셔로 모다 슈ᄌᆞᆨ(酬酌)ᄒᆞᆯ ᄉᆡ, 남휘 ᄉᆞ인과 진혹ᄉᆞ로 더부러 낙양후 부즁의 이르니, 후ᄂᆞᆫ ᄂᆞ가고 한님 연경이 일폭 깁○[흘] 펴고 ᄎᆡ화을 영농이 갈아 바야흐로 미인도(美人圖)을 일워, 스ᄉᆞ로 칭션ᄒᆞ고 다른ᄃᆡ 뜻지 업ᄉᆞ니, 원여[ᄂᆡ] 진혹[ᄒᆞᆫ]님이 화볍[법](畵法)이 긔묘ᄒᆞᆫ지라. 쇼ᄆᆡ 졍[셩]염의 만티쳔광이 찰난【77】ᄒᆞᆷ믈 ᄉᆞᄅᆞᆼᄒᆞ여 ᄎᆞ일 마춤 고요ᄒᆞ니

1564)모처로 : 모처럼
1565)달포 : 한 달이 조금 넘는 기간.
1566)연슈담화(聯手談話) : 서로 손을 이끌어 한 자리에 모여 이야기 함.

풍의 긔묘 절승ᄒᆞᆷ과 의복이 시절을 좇ᄎᆞᆫ ᄇᆡ니 급히 드리다라, 그림을 거두어 ᄌᆞ시 보려 ᄒᆞᆫᄃᆡ 딘ᄉᆡᆼ 등이 모다 아ᄉᆞ려 ᄒᆞ니, 샤인이 쇼왈,

“친우간 ᄒᆞᆫ댱 셔화를 아조 가져가도【26】 이ᄃᆡ도록 아니ᄒᆞᆯᄃᆡ 잠간 보려 ᄒᆞᄆᆡ 이ᄃᆡ도록 ᄒᆞ믄 엇지오? 원ᄂᆡ ᄎᆞ홰(此畵) 녯 거시 아냐 금셰 사ᄅᆞᆷ이니, 근본을 듯고져 ᄒᆞ노라.”

ᄒᆞ고 딘ᄉᆡᆼ 등을 밀치고 그림을 놉히 드러 냥구 슉시ᄒᆞ니, 딘한님이 착급ᄒᆞ여 왈,

“슈일 젼 모양이 이러 ᄒᆞᆫ 화도를 파ᄂᆞ니 잇거ᄂᆞᆯ 우연이 보고 화법을 시험코져 그린 ᄇᆡ니 근본을 모르노라, 도로 주면 화도 근본을 아라 니르리라.”

샤인 왈,

“십년이라도 근본을 아니 니르면 아니 주리라.”

ᄒᆞ고, ᄉᆞᄆᆡ의 너코 쁘러져 눕거ᄂᆞᆯ, 졔ᄉᆡᆼ이 딘력ᄒᆞ여 아ᄉᆞ나 샤인이 오ᄂᆞᆫ 족족 ᄎᆞ 더지고 근본을 므르니, 남휘 쇼왈,

“ᄉᆞ원이 화도 근본을 아라 므엇ᄒᆞ려 ᄒᆞᄂᆞ뇨.”

샤인 왈,

“딘형 등이 하 긔이【27】니 슈상ᄒᆞ여 알녀 ᄒᆞᄂᆞ이다.”

휘 왈,

“이 그림은 우리 외슉의 무혈(無血)[1613] ᄒᆞᆫ 녀ᄌᆞ를 표슉이 거두어 기르시니, 그 외귀 혼ᄉᆞ를 뎡ᄒᆞ여 향일(向日) 다려가ᄆᆡ, 슉뫼 친녀ᄀᆞᆺ치 무ᄋᆡᄒᆞ시다가 그 용모를 닛디 못ᄒᆞ샤 결연ᄒᆞ여 ᄒᆞ시니, 표뎨 화도를 일워 슉모긔 드리려 ᄒᆞ던가 시브거니와, 규슈의 화상을 외간○○[남ᄌᆡ] 가지미 블가ᄒᆞ도다.”

샤인이 번연(翻然) 동신(動身)ᄒᆞ여 화도를

1613)무혈(無血) : 같은 조상의 피를 나눈 혈족이 다 죽거나 하여 없음.

화ᄉᆞᆼ을 일우다가, 남후의 오ᄂᆞᆫ 쥴을 알고 윤ᄉᆞ인의 오믄 아지 못ᄒᆞ여 감쵸지 아니ᄒᆞ니, 윤ᄉᆞ인이 며[미]인도을 몬져 보고 그림 가온ᄃᆡ 규슈의 모양의 찬난ᄒᆞ여 쳔고의 경국지ᄉᆡᆨ이오, 의복이 ᄯᅩᄒᆞᆫ 시졀 거시라. 밧비 ᄂᆞᄋᆞ가 화도을 급히 드르[러] 냥구(良久)히 슉시(熟視)ᄒᆞ니, 진ᄒᆞᆫ님이 ᄎᆞᆨ급 왈,

“슈일젼 우연이 모양이 이러ᄒᆞᆫ 화도을 파ᄂᆞᆫ니 잇거ᄂᆞᆯ 보고 눈익여다가 화법을 시험코져 그린 ᄇᆡ니, 우리 역시 근본을 모로노라. 오히려 뭇지 못ᄒᆞ엿시니 도로 쥬면 화도 근본을 이르리라.”

ᄉᆞ인 왈,

“십연을 ᄒᆞᆫᄒᆞ여도 근본을 이르지 아니면 쥬지 아니리라.”

언흘의, ᄉᆞᄆᆡ의 넉코 쓰러져 눕거ᄂᆞᆯ, 졔ᄉᆡᆼ이 진역(盡力)ᄒᆞ여 아ᄉᆞ려 ᄒᆞᄂᆞ, ᄉᆞ인이 오는 족족 ᄎᆞ더지고 화도 근본을 무르니, 남휘 쇼왈,

“군이 화도 근본을 알아 무엇ᄒᆞ려 ᄒᆞᄂᆞᆫ뇨?”

ᄉᆞ인 왈,

“진형 등이 ᄒᆞᆫ 긔이려 ᄒᆞ니 무상ᄒᆞ여 알여 ᄒᆞ미니이다.”

휘 왈,

“이 그림은 우리 외슉의 무혈(無血)[1567] ᄒᆞᆫ 여ᄌᆞ로 표슉이 거두어 기르시니 그 외귀 혼ᄉᆞ을 정ᄒᆞ려 향일 다려가ᄆᆡ 슉뫼 친여(親女)가치 무ᄋᆡᄒᆞ시다가 그 용모을 일워[닛지] 못ᄒᆞ여 결연ᄒᆞ시니, 연경이 화도을 일워 슉모게 되리여[드리려] ᄒᆞ든가 시부거니와 아지 못게라, ᄉᆞ문 규슈의 화ᄉᆞᆼ을 외간 남ᄌᆡ ○○○[가지미] 불가《로다‖ᄒᆞ도다》.”

ᄉᆞ인이 남후의 말을 듯고 번연(翻然) 동

1567)무혈(無血) : 같은 조상의 피를 나눈 혈족이 다 죽거나 하여 없음.

한님 압ᄒᆡ 더지고 남후를 향ᄒᆞ여 왈,

"형이 쇼뎨를 ᄂᆡ외ᄒᆞ여 바로 니르지 아니코 ᄉᆞ족 부녀면 신상의 두미 블가ᄒᆞ여 도로 ᄂᆡ여주엇ᄂᆞ니, 형의 외숙이면 뉘집 녀ᄌᆡ뇨?"

남휘 미쇼 무언이러니, 딘태우의 ᄋᆞᄌᆞ 영이 나히【28】 오셰라. ᄀᆞ장 영오ᄒᆞᄃᆡ 언어를 ᄎᆡ 모로ᄂᆞᆫ디라 우어 왈,

"이 그림은 우리 슉모 화상이니 엇디 무의(無依)ᄒᆞᆫ 사ᄅᆞᆷ이리오."

샤인이 흠션(欽羨)ᄒᆞ여 그윽이 ᄌᆡ취를 도모코져 ᄒᆞᄃᆡ, 낙양후의 부귀로뻐 쳔금 쇼교를 ᄌᆡ취ᄂᆞᆫ 아니 줄디라. 심ᄉᆡ 여러가지로 산난ᄒᆞᄃᆡ ᄉᆞᄉᆡᆨ지 아니코 오ᄅᆡ 담쇼ᄒᆞ다가 날이 져믄 후, 평남후로 더브러 뎡부의 도라와 셔ᄌᆡ의 누어 죵용이 회포를 니ᄅᆞᆯᄉᆡ, 남후의 소견이 슉녀 미희를 빵빵이 모화 규각 몌오고져 ᄒᆞᄂᆞᆫ디라. 피ᄎᆞ 심담(心膽)이 상됴(相照)ᄒᆞ니 엇지 은닉ᄒᆞ리오. ○○○○○[ᄉᆞ인이 소왈],

"쇼뎨 금일 미인도를 보ᄆᆡ 실노 ᄌᆡ취(再娶)코져 뜻이 이시ᄃᆡ, 영의 말을 드르니 딘합ᄒᆞ 녀ᄌᆡ【29】라 ᄒᆞ니, 결(決)ᄒᆞ여 쇼뎨의 용우(庸愚)ᄒᆞ믈 나모라 ᄌᆡ취를 블허ᄒᆞ리니 형은 월노를 ᄌᆞ임ᄒᆞ여 딘공긔 됴토록 고ᄒᆞ여 허락을 어드면 쇼뎨 블승감격ᄒᆞ리라."

남휘 쇼이즐왈(笑而叱曰),

"네 십삼 쇼ᄋᆞ로 아ᄆᆡ를 쥐ᄒᆞ여 ᄒᆡ도 밧고이도 아냐 어ᄂᆞ ᄉᆞ이 ᄌᆡ취ᄒᆞᆯ 뜻이 잇ᄂᆞ뇨? 표슉(表叔)의 ᄐᆡᆨ셰(擇壻) 비상ᄒᆞ시고 ᄌᆡ실은 아이의 발구(發口)치 못ᄒᆞ리니, 내 비록 ᄃᆡ셩으로 구ᄒᆞ나 되지 못ᄒᆞ리라."

샤인이 웃고 비러 왈,

"쇼졔 비록 용우ᄒᆞ나 딘공의 셔랑되미 과람치 아니리니 악댱이나 딘공이나 가셰 문벌과 쳥망ᄌᆡ덕(淸望才德)이야 엇디 고ᄒᆡ(高

신(動身)ᄒᆞ여 화도을 한님【78】게 더지고 남후을 향ᄒᆞ여 왈,

"형이 또 쇼졔을 ᄂᆡ외ᄒᆞ여 바로 이로지 아니커니와, 원간 ᄉᆞ족 규쉬면 ᄉᆞᄆᆡ의 너허 두미 ○[미]안ᄒᆞ여 도로 주잇[엇]ᄂᆞ니, 형의 외족(外族) 뉘 집이런뇨?"

미급 답의 진ᄐᆡ우의 ᄌᆞ(子) 영이 오셰라. 위인이 총명ᄒᆞ나 인ᄉᆞ을 ᄎᆡ 아지 못ᄒᆞ더니, 웃고 왈,

"그림은 우리 슉모 화ᄉᆞᆼ○…결락9자…○[이니 엇디 무의(無依)ᄒᆞᆫ 사ᄅᆞᆷ]이리요."

ᄉᆞ인이 쳥파의 흠복(欽服)ᄒᆞ믈 이긔지 못ᄒᆞ여, 그윽이 ᄌᆡ취을 도모코져 ᄒᆞᄂᆞ, 진후의 부귀로 일여을 남의 ᄌᆡ실을 쥬지 아닐가 마음이 난안(難安)ᄒᆞ되, ᄉᆞᄉᆡᆨ지 아니코 담화ᄒᆞᄃᆞ가 날이 느즌 후 졍부로 도라와 셔ᄌᆡ의셔 종용이 회포을 펼ᄉᆡ, 남휘의 소원이 슉여미희을 쌍쌍이 모화 규가[각](閨閣)의 버리고져 ᄒᆞ난지라. ᄉᆞ인이 소왈,

"형님이 소져[제]○○○[와 뜻이] ᄀᆞ튼지라. 피ᄎᆞ 심담이 ᄉᆞᆼ조(相照)ᄒᆞ니 엇지 은익ᄒᆞ리오. 소져[제] 금일 미인도을 보ᄆᆡ 실로 ᄌᆡ취ᄒᆞᆯ 뜻지 이시ᄃᆡ, 영의 갈[말]을 드르니 진공 합ᄒᆞ의 녀ᄌᆡ라 ᄒᆞ니, 결단코 소져[제]의 용우ᄒᆞ믈 나모라 ᄌᆡ취을 허치 아니시리니, 바라건ᄃᆡ 형은 원[월]노(月老)의 소임을 ᄌᆞ부ᄒᆞ여 조도[토]록 합ᄒᆞᆫ ᄃᆡ인긔 품고ᄒᆞ여 허락을 어드면 불승감격ᄒᆞ리로소이다."

남휘 소이질왈(笑而叱曰),

"네 십ᄉᆞᆷ 소ᄋᆡ로 아마[ᄆᆡ]을 취ᄒᆞ여 ᄒᆡ도 밧고이지 아냐 어ᄂᆡ ᄉᆞ니 {어ᄂᆡ ᄉᆞ니} ᄌᆡ취ᄒᆞᆯ 뜻지 잇ᄂᆞᆫ뇨? 표슉이 ᄐᆡᆨ셔을 비ᄉᆞᆼ이 ᄒᆞ시고 겸ᄒᆞ여 남의 ᄌᆡ실은 의논 밧긔니, 아어[이]의 ᄂᆡ 지셩으로 도모ᄒᆞ나【79】 되지 못ᄒᆞ리라."

ᄉᆞ인이 웃고 비러 왈,

"소져[제] 비록 용열ᄒᆞ나, 진공의 셔랑되미 과렴[람](過濫)치 아니리니, 악ᄌᆞᆼ이시나 진공이시나 가셰문별[벌]과 쳥망ᄌᆡ덕이야

下) 이시며, 녕ᄆᆡ와 딘쇼져 다 아름다오미야 엇디 다르리오마ᄂᆞᆫ, 녕ᄆᆡ 임의 【30】 쇼뎨의 가실(家室)이 되여시니 딘쇼져를 닐위여 ᄂᆡᄉᆞ(內事)를 빗ᄂᆡ고, 녕ᄆᆡ로 ᄒᆞ여곰 쥬람(周南)[1614]의 셩ᄉᆞ(盛事)를 효측(效則)ᄒᆞ여 황영(皇英)의 ᄌᆞᄆᆡ(姉妹)ᄀᆞᆺ치 ᄒᆞ리니, 뎍인(敵人)으로 ᄒᆞ리오. 형은 딘공긔 각별이 고ᄒᆞ여 친ᄉᆞ(親事)를 일우게 ᄒᆞ쇼셔."

남휘 브답ᄒᆞ나, 남ᄋᆞ의 풍뉴 호신과 슉녀 미희를 모호고져 ᄒᆞ미 괴이치 아닌 줄노 아라, ᄌᆞ긔 경혹ᄉᆞ를 보치여 블고이취(不告而娶)ᄒᆞᆫ 바를 ᄉᆡᆼ각고, 브ᄃᆡ 표슉을 권ᄒᆞ여 ᄎᆞ혼이 되도록 ᄒᆞᆯ 뜻이 이시니, 샤인이 남후의 긔ᄉᆡᆨ을 보고 더옥 보치니, 남휘 쇼왈,

"내 ᄆᆡ부의 호신(豪身)을 도아 누의 뎍인(敵人)을 모흐미 블가(不可)커니와, 네 쳥이 여ᄎᆞᄒᆞ니 죵용ᄒᆞᆫ ᄯᆡ를 타 【31】 슉부긔 고ᄒᆞ여 보리라."

샤인이 샤례ᄒᆞᆫ 후 안히 드러가기를 니졋더니, 셰흥이 부명을 젼ᄒᆞ여 션화당으로 가자 ᄒᆞ니, 샤인이 셰흥으로 더브러 션화당의 니르ᄆᆡ 쇼졔 니러 마ᄌᆞ니, 샤인이 쇼져의 좌를 쳥ᄒᆞ고 셰흥으로 더브러 담쇼ᄒᆞ다가 공직 나가거ᄂᆞᆯ, 시녀로 침금(寢衾)을 포셜(鋪設)ᄒᆞ라 ᄒᆞ고, 쇼져다려 문왈,

"ᄌᆞ(子)의 표죵(表從) 딘쇼졔 년긔 언마나 ᄒᆞ고 위인이 용쇽지 아니니잇가."

쇼졔 여신ᄒᆞᆫ 춍명의 유의ᄒᆞ민 줄 디긔ᄒᆞ고 ᄃᆡ왈,

"표죵의 년긔 쳡으로 동년이오 그 위인은 쳡의 바랄 ᄇᆡ 아니니이다."

샤인이 쇼왈,

1614)쥬람(周南) : 『시경』의 편명. 주로 주(周)나라 문왕과 문왕의 비(妃) 태사(太姒)의 덕을 칭송하는 노래들로 이루어져 있다.

고히(高下) 이시며, 엇지 녕ᄆᆡ나 진소져나 ᄉᆞᆼ문(相門) 여ᄌᆞ로 아름다온 ᄌᆡ덕이야 ᄯᅩ 엇지 다르리오ᄆᆞᆫᄂᆞᆫ, 녕ᄆᆡ 임의 쇼졔(小弟)의 가실이 되엿스니, 진쇼졔(小姐)을 일우어 ᄂᆡᄉᆞ을 빗ᄂᆡ고, 녕ᄆᆡ로 ᄒᆞ여금 주람(周南)[1568]의 《졍ᄉᆞ ‖ 성사(盛事)》을 효칙ᄒᆞ여 황영(皇英)의 ᄌᆞᄆᆡ(姉妹) 갓치 ᄒᆞ리니, 엇지 젹인(敵人)을 구ᄋᆡᄒᆞ리요. 《텬은으로 ‖ 형은》 진공의[긔] 조흔 말노ᄡᅧ 고ᄒᆞ여 치[친]ᄉᆞ(親事)을 일우게 ᄒᆞ쇼셔"

남휘 부답ᄒᆞᄂᆞ, 남아의 ᄑᆞᆼ뉴효[호]신(風流豪身)과, 슉여미희을 모호고져 ᄒᆞ미 고이치 아닌 쥴노 아라, ᄌᆞ긔 경공과 경혹ᄉᆞ을 보치여 불고이취ᄒᆞᆫ 바을 ᄉᆡᆼ각고, 부ᄃᆡ 표슉을 권ᄒᆞ여 ᄎᆞ혼 되도록 ᄒᆞᆯ 뜻이 이시니, ᄉᆞ인이 남후의 긔ᄉᆡᆨ을 보고 더옥 봇치을[믈] 심희ᄒᆞ니, 남휘 쇼왈,

"ᄂᆡ ᄆᆡ부의 혼인(婚姻)을 도와 누의 젹인(敵人)을 모호미 불가ᄒᆞ거니와 네 쳥이 간졀ᄒᆞ니 죠용ᄒᆞᆫ ᄯᆡ을 타 슉부게 의논ᄒᆞ리라."

ᄉᆞ인이 ᄉᆞ례ᄒᆞ고 안의 드러가기을 이져더니, 셰흥이 부명을 젼ᄒᆞ여 션화당을 가ᄌᆞᄒᆞ니, ᄉᆞ인이 날호여 이러나 셰흥으로 더부러 션화졍의 이러[르]니, 쇼졔 ᄎᆞᆨᄒᆞ의셔 수침(繡針)을 즘심타가 이러 마ᄌᆞ니, ᄉᆞ인이 쇼졔의 좌을 쳥ᄒᆞ고 셰흥으로 더부러 담쇼ᄒᆞ더니, 공직 야심ᄒᆞ물 일타라 나가거ᄂᆞᆯ, ᄉᆞ【80】인이 시여로 금침(衾枕)을 포셜(鋪設)ᄒᆞ라 ᄒᆞ고, 쇼졔다려 문왈,

"ᄌᆞ(子)의 표죵(表從) 진쇼졔 연긔 얼마나 ᄒᆞ고 위인이 용쇽지 아니니잇가?"

쇼졔 여신ᄒᆞᆫ 춍명의 진쇼졔 위인(爲人) 현부(賢否)을 므르믈 유의ᄒᆞ민 쥴 지긔ᄒᆞ고, 오직 ᄃᆡ왈,

"표죵의 연긔 쳡으로 동연이연이와 그 위인인 즉 쳡의 바를 ᄇᆡ 아니니다."

ᄉᆞ인이 쇼왈,

1568)주람(周南) : 『시경』의 편명. 주로 주(周)나라 문왕과 문왕의 비(妃) 태사(太姒)의 덕을 칭송하는 노래들로 이루어져 있다.

"지 만일 슉녀의 명풍이 이실진딘 녕형으로 더브러【32】 녕슉긔 청ᄒᆞ여 딘쇼져를 닐위여 ᄇᆡᆨ년 안항(雁行)으로 삼아 표죵의 경으로ᄡᅧ 동녈(同列)을 ᄆᆡᄌᆞ미 엇더ᄒᆞ뇨?"

쇼제 그윽이 구가 형셰를 ᄉᆞᆯ피건ᄃᆡ, ᄌᆞ긔도 보젼키 어려온디라. 디란(芝蘭) ᄀᆞᆺ튼 약질을 춤혹히 보치일 곳의 속현(續絃)ᄒᆞ여, 일신이 보젼치 못ᄒᆞ면 앗가이 맛출디라. 뎡금(整襟) 대왈,

"표죵 딘쇼져는 우리 외귀 ᄋᆞ둘이 만흐나 여러 슉부의 녀ᄋᆡ 딘쇼져 일인이라, 그 귀ᄒᆞ미 슈십(數十) 군둉형뎨(群從兄弟) 듕(中) 웃듬이라. 외귀(外舅) 지실 줄 니도 업거니와, 쳡의 우용(愚庸)ᄒᆞᆫ ᄆᆞ음의는 군ᄌᆞ와 쳡의 당ᄒᆞᆫ ᄇᆡ 아딕은 호화의 뜻이 업ᄉᆞᆯ 듯ᄒᆞ오나, 만일 군【33】지ᄒᆞ고져 ᄒᆞ실딘ᄃᆡ 가형이 본ᄃᆡ 긔운이 셰ᄎᆞ고 언변이 유여ᄒᆞ시니, 가형 곳 아니면 감히 입 여러 말ᄒᆞᆯ 지 업ᄉᆞ오리니, 쳡으로셔는 소딘(蘇秦)의 구변이라도 무가ᄂᆡ하(無可奈何)[1615]오니 군ᄌᆞ의 의향 ᄃᆡ로 ᄒᆞ쇼셔."

샤인이 웃고 쇼져로 더브러 나위(羅幃)예 나아가ᄆᆡ ᄉᆡ로온 은졍이 여텬디무궁(如天地無窮)[1616]ᄒᆞ여 ᄇᆡᆨ미인(百美人)을 취ᄒᆞ나 뎡쇼져 향ᄒᆞᆫ 은졍은 변치 아닐디라. 슌태부인이 영니ᄒᆞᆫ ᄎᆞ환으로 션화당을 규시ᄒᆞ여, 부부 은졍이 듕ᄒᆞ믈 크게 두굿기고, 평휘 샤인의 가기를 막아 여러날 머믈기를 디셩 간청ᄒᆞ더라.

어시의 낙양후 딘공의 일녀 셩염쇼져의 방년(芳年)이 십삼이【34】라. 슉ᄌᆞ아ᄐᆡ(淑姿雅態)와 옥모화풍(玉貌和風)이 빙졍슈려(氷晶秀麗)ᄒᆞ여 벽공신월(碧空新月)과 ᄒᆡ샹진쥬(海上珍珠)라. 셜부옥골(雪膚玉骨)과 취미셩안(翠眉星眼)이며 월액화싀(月額花顋)의 호치단슌(皓齒丹脣)이라. 뇨됴단일(窈窕端壹)ᄒᆞᆫ 셩ᄒᆡᆼ덕되(性行德度) 청빙(淸氷)을 ᄢᅵ

1615)무가ᄂᆡ하(無可奈何) : 어찌할 도리가 없음.
1616)여텬디무궁(如天地無窮) : 천지와 같이 끝이 없음.

"지 만일 슉여의 풍이 이실진ᄃᆡ 쥭청으로 더부러 영슉게 청ᄒᆞ여 진쇼제로 ᄇᆡᆨ연(百年) 안황[항](雁行)을 숨아 표즁[죵](表從)의 정(情)으로ᄡᅧ 동열(同列)의 의(義)을 ᄆᆡᄌᆞ미 엇더ᄒᆞ뇨?"

쇼제 그윽이 구가형셰을 ᄉᆞᆯ피건ᄃᆡ ᄌᆞ긔도 보죤키 어려온지라. 지란(芝蘭) 갓튼 약질을 참혹히 보칠 곳의 쇽현(續絃)ᄒᆞ여 ᄉᆞ지 못ᄒᆞᆯ진ᄃᆡ 표슉게 뵐 낫치 업ᄉᆞᆯ지라. 오직 나즉이 ᄃᆡ왈,

"외구 일여(一女)을 두시고 ᄐᆡᆨ셔을 이ᄉᆡᆼ이 ᄒᆞ시니, 쳡의 셔어ᄒᆞᆫ 말ᄉᆞᆷ을 신쳥치 아니실지라. 군지 달은 길노 구혼ᄒᆞ쇼셔."

ᄉᆞ인이 웃고 쇼제로 더부러 나위(羅幃)의 나ᄋᆞ가ᄆᆡ, ᄉᆡ로온 은졍이 여천지무궁(如天地無窮)[1569]ᄒᆞ여 ᄇᆡᆨ미인(百美人)이 이시나 뎡쇼제 향ᄒᆞᆫ 은ᄋᆡ은 변치 아닐지라. 슌ᄐᆡ부인이 영오ᄒᆞᆫ 시아로 션화졍을 규시ᄒᆞ여 그 부부의 은졍이 즁[즁]ᄒᆞ믈 두굿기고, 금휘 사인을 날표[달포] 쳥유(請留)ᄒᆞ여 옹셔지의 ᄌᆞ별ᄒᆞ더라.

어시의 낙양후 진공의 일여 셩님[념] 쇼제의 연이 십숨셰라. 슉ᄌᆞ아질(淑姿雅質)과 옥안화ᄐᆡ(玉顔花態) 빙졍쇄락(氷晶灑落)ᄒᆞ여 벽공신월(碧空新月)과 ᄒᆡᄉᆞᆼ명쥬(海上明珠)【81】 광휘을 머음[금]은 듯, 셜부옥골(雪膚玉骨)과 뉴미셩안(柳眉星眼)이며 단슌호쥐[치](丹脣皓齒) 요됴(窈窕)ᄒᆞᆫ 셩ᄒᆡᆼ이며 안혀[여](晏如)ᄒᆞᆫ 덕되 일동일졍(一動一靜)의 녜의(禮意)을 심ᄉᆞ(深思)ᄒᆞ여 규각(閨閣)의

1569)여천지무궁(如天地無窮) : 천지와 같이 끝이 없음.

ᄉᆞᆫ 둧, 일동일졍(一動一靜)의 녜의를 심ᄉᆞ(深思)ᄒᆞ여, 규각(閨閣)의 도ᄒᆞᆨ군ᄌᆞ라. 딘공부부의 만금 교와(嬌瓦)로 부귀호치(富貴豪侈) 금달공쥐(禁闥公主)1617)를 블워 아닐디라. 금슈나릉(錦繡羅綾)이 무거오믈 념(厭)ᄒᆞ고, 팔진경장(八珍瓊漿)은 무미(無味)ᄒᆞ믈 의심ᄒᆞ니, ᄒᆞᆫ번 우음을 연ᄌᆞᆨ 긔화(奇花)로 알고, ᄒᆞᆫ번 블평ᄒᆞ믈 큰 우환으로 아ᄂᆞᆫ디라. 우ᄒᆞ로 태우 등 ᄉᆞ형과 아ᄅᆡ로 녕쥐 등 뎨남이 셔로 우ᄋᆡᄒᆞᄂᆞᆫ 졍이 고인의 나롯 그슬니믈 본밧고, 슉부 【35】 딘각노 태상이 다 여러 ᄋᆞ돌을 두어시ᄃᆡ, 녀ᄋᆡ 업ᄂᆞᆫ 고로 셰간의 쇼져 ᄀᆞᄐᆞᆫ 셩녀슉완(聖女淑婉)이 업ᄉᆞᆯ가 넉이니 금평후 부인이 ᄆᆡ양 우어 왈,

“셩염이 아름다오나 쇼ᄆᆡ의 혜쥬와 양ᄋᆞ(養兒) 영쥐 오히려 셩염의셔 나흔가 ᄒᆞᄂᆞ이다.”

딘휘 쇼왈,

“현ᄆᆡ ᄉᆞ졍의 ᄀᆞ리여 그러ᄒᆞ미라. 셩염의 외모 긔질이 엇디 남의 아ᄅᆡ 되리오.”

딘부인이 짐즛 셩염을 나모라 ᄒᆞ고, 셔로 ᄯᆞᆯ을 ᄌᆞ랑ᄒᆞ여 남ᄆᆡ 형뎨 즐기미 무궁ᄒᆞᆫ 듕, ᄐᆡᆨ셔의 너모 과히 바라기로, 녀ᄋᆞ의 동상을 뎡치 못ᄒᆞ니 민민블낙(憫憫不諾)ᄒᆞ더니, 일일은 딘부인이 녀ᄋᆞ로 더브러 협문으로 니르러 말솜ᄒᆞ【36】니, 진후 삼곤계와 쥬부인 졔식 모다 ᄌᆞ딜 슈십인이 좌우로 셩녈(盛列)ᄒᆞ여시니, 뎡쇼졔 두로 ᄇᆡ현(拜見)ᄒᆞ고 인ᄒᆞ여 한화(閑話)ᄒᆞᆯ식, 원ᄂᆡ 딘태상이 오ᄌᆞ오 각노ᄂᆞᆫ 구ᄌᆞ나 닙신ᄌᆞ 십삼인이오, 낙양후ᄂᆞᆫ 뉵ᄌᆞ 듕 우ᄒᆞ로 ᄉᆞᄌᆞ 옥당한원(玉堂翰苑)의 명환(名宦)을 ᄌᆞ임ᄒᆞᄂᆞᆫ 문ᄉᆡ(文士)라. 문호의 셩번(盛繁)ᄒᆞᆷ과 ᄌᆞ궁(子宮)의 유복ᄒᆞ미 슌시팔농(荀氏八龍)1618)을 블워 아닐디라. 진휘 혜쥬를 ᄃᆡᄒᆞ여 쇼왈,

1617)금달공쥐(禁闥公主) : 궁궐에서 사는 공주.

1618)슌시팔농(荀氏八龍) : 중국 후한(後漢) 때 사람 순숙(純淑)이 아들 여덟을 두었는데, 모두 재명(才名)이 높아 당시 세상 사람들이 이들 형제를 순씨 팔룡이라 부른 데서 나온 말.

도ᄒᆞᆨ군ᄌᆞ라. 진공부뷔 쳔만익ᄋᆡ(千萬溺愛) 견죠아 비ᄒᆞᆯ ᄃᆡ 업ᄉᆞ니, 부귀호치(富貴豪侈) 금달공쥬(禁闥公主)1570)을 불워 아닐지라. 우ᄒᆞ로 ᄐᆡ우 진형수 등 ᄉᆞ형과 아ᄅᆡ로 영쥬 등 냥 졔남이 셔로 우ᄋᆡ지졍(友愛之精)이 고인의 수염 ᄐᆡ우믈 본밧고, 슉부 진각노 ᄐᆡᆨ승이 ᄃᆞ 여러 아들을 두어시되, 여ᄋᆞ 업ᄂᆞᆫ 고로 쇼졔을 즁ᄋᆡᄒᆞ미 일신의 온젼ᄒᆞ여, 셰간의 셩임[념]을 당ᄒᆞᆯ 졀염슉완(絶艶淑婉)이 업ᄂᆞᆫ가 역이니, 금후 부인이 ᄆᆡ양 우어 왈,

“셩임이 아름다온[오]나 무쌍ᄒᆞᆫ 슉여ᄂᆞᆫ 아니라. 《ᄒᆞᄆᆡ∥쇼ᄆᆡ의》 혜쥬의[와] 양ᄋᆞ{와} 영쥬 오히려 셩임의 나은가 ᄒᆞᄂᆞ이ᄃᆞ.”

진휘 소왈,

“현ᄆᆡ ᄉᆞ졍의 가리여 질아 등을 오아도곳[곤] 낫다ᄒᆞ나, 셩임의 외모게[긔]질이 엇지 남의 아ᄅᆡ 되리요.”

진부인이 셩임을 나오[모]라고, ᄯᆞᆯ을 셔로 ᄌᆞ랑ᄒᆞ며 남ᄆᆡ 형뎨 즐기미 무궁ᄒᆞᆫ 즁, 금휘 윤광텽[텬] ᄀᆞᄐᆞᆫ 쾌셔(快壻)을 어더 혀[혜]주의 평싱을 쾌히 ᄒᆞᄃᆡ, 진후ᄂᆞᆫ ᄐᆡᆨ셔을 너머 과히 ᄇᆞ르기로 동ᄉᆞᆼ(東床)을 졍치 못ᄒᆞ니, 민민불낙(憫憫不樂)ᄒᆞ더니, 일일은 진부인이 여ᄋᆞ 혀[혜]쥬로 더부러 협문으로 일르러, 뎡소졔 좌즁의 ᄇᆡ현(拜見)ᄒᆞ고 인ᄒᆞ여 말솜ᄒᆞᆯ 식, 원ᄂᆡ 진ᄐᆡᆨ승이 오ᄌᆞ오, 각노ᄂᆞᆫ 구ᄌᆞ나 기【82】즁 입신ᄒᆞᆫ ᄌᆞ 십ᄉᆞᆷ인이라. 낙양후ᄂᆞᆫ 뉵ᄌᆞ 즁 우ᄒᆞ로 ᄉᆞᄌᆞ 옥당한원(玉堂翰苑)의 명환(名宦)을 ᄌᆞ임ᄒᆞᄂᆞᆫ 문ᄉᆡ(文士)라. 문호의 셩만함과 ᄌᆞ궁의 유복ᄒᆞ미 슌시팔용(荀氏八龍)1571)을 불워 아닐지라. 진휘 혀[혜]쥬을 ᄃᆡᄒᆞ여 쇼왈,

1570)금달공쥬(禁闥公主) : 궁궐에서 사는 공주.

1571)슌시팔용(荀氏八龍) : 중국 후한(後漢) 때 사람 순숙(純淑)이 아들 여덟을 두었는데, 모두 재명(才名)이 높아 당시 세상 사람들이 이들 형제를 순씨 팔룡이라 부른 데서 나온 말.

"딜의 비록 셩념의게 달노 맛이나 동년(同年)이로ᄃᆡ, 발셔 봉관화리의 명뷔(命婦) 되여 텬하 영쥰을 ᄇᆡᄒᆞ니, 엇디 일ᄉᆡᆼ이 쾌치 아니리오."

뎡언간의 평남휘 드러와 좌의 드러 함쇼 왈,

"슉부긔 뵈오려 왓【37】숩더니 ᄌᆞ위 ᄯᅩ 이의 와 계시도소이다."

부인이 웃고 낙양후의 ᄐᆡᆨ셔 못ᄒᆞ여 근심ᄒᆞ믈 니르니, 남휘 쇼이 쥬왈,

"구시(舅氏)의 고의(高意) 텬샹낭(天上郎)을 골회심 ᄀᆞᄐᆞ여 범쇽ᄌᆞ의 의논치 못ᄒᆞ려니와, 낭ᄌᆡ(郎材)1619) 윤광텬 ᄀᆞᄐᆞ면 엇더ᄒᆞ리잇고?"

진휘 쇼왈,

"ᄉᆞ원은 나의 혹ᄋᆡᄒᆞᄂᆞᆫ ᄇᆡ라. 너와 일빵군ᄌᆞ 쥰걸이니 그런 신낭은 어들진ᄃᆡ 엇지 만힝이 아니리오."

남휘 쇼안이 미미ᄒᆞ여 화셩유어로 나즉이 고왈,

"슉뷔 ᄐᆡᆨ셔를 근심ᄒᆞ시고 ᄉᆞ원을 과히 아르시니 쇼딜의 우견의ᄂᆞᆫ 출하리 ᄉᆞ원으로 동상을 삼으시미 히롭지 아닐가 ᄒᆞᄂᆞ이다."

진휘 쳥필의 불열 왈,

"현딜이 날을 업슈히 넉여 희롱으로【38】 니름가? 취듕쥬담(醉中酒談)이냐? ᄉᆞ원은 네 집 셔랑이오, 혜딜의 ᄇᆡ위(配偶)라. 아녀로 딜아의 뎍인을 삼으며 지실을 의논ᄒᆞ믄 쳔만 ᄉᆡᆼ각 밧기라."

병뷔 년망(連忙)이 피셕 ᄇᆡ샤 왈,

"쇼딜이 만일 취ᄒᆞ여신 즉, 감히 존젼의 뵈지 못ᄒᆞ오리니 엇지 쥬담을 ᄒᆞ오며, ᄯᅩ 엇디 감히 슉부를 능경ᄒᆞ와 희언을 ᄒᆞ리잇고? 다만 어린 ᄯᅳᆺ의 윤ᄉᆞ원은 발호ᄒᆞᆫ 영걸이니, 일쳐로 늙을 ᄌᆡ 아니오. 여러 쳐쳡을 모화 실듕을 메오고, 몸이 ᄒᆞᆫ갓 금달의 츌입ᄒᆞ여 경악의 근시(近侍)ᄒᆞᆯ ᄌᆡ 아니라, 치셰경눈지ᄌᆡ(治世經綸之才)와 안방뎡국(安邦定國)ᄒᆞᆯ 덕홰 가ᄌᆞ니, 타일 츌댱입상(出將入

1619)낭ᄌᆡ(郎材) : 신랑감.

"질이 비록셩임의게 달노 맛지ᄂᆞ 동년(同年)이로ᄃᆡ, 발셔 봉관화리(鳳冠花履)의 명부(命婦) 되여 텬ᄒᆞ 영쥰을 ᄇᆡᄒᆞ니 엇지 일ᄉᆡᆼ이 쾌치 아니리요."

졍언간의 평남휘 드르와 모친 ᄌᆡ좌ᄒᆞ고 졔슉군죵(諸叔群從)이 셩열(盛列)ᄒᆞ여시믈 보고 좌의 들러 함쇼(含笑) 왈,

"슉부게 뵈오려 왓드니 ᄌᆞ위 ᄯᅩ 이의 겨시도소이다."

부인이 웃고 낙양후의 근심이 ᄐᆡᆨ셔 못ᄒᆞ미 이시믈 이러[르]니, 남휘 쇼이쥬왈,

"《규시∥구시(舅氏)》의 고의(高意) 쳔ᄉᆞᆼ낭(天上郎)을 갈리심1572) 갓트여, 범뉴ᄂᆞᆫ 가히 의논치 못ᄒᆞ려니와, 윤광텬 갓트면 엇더ᄒᆞ니잇고?"

진휘 쇼왈,

"광텬은 나의 혹ᄆᆡ[ᄋᆡ](惑愛)ᄒᆞᄂᆞᆫ ᄇᆡ라. 너의[와] ᄒᆞᆫ쌍 쥰걸이니 그런 신낭을 어들진ᄃᆡ 엇지 만힝이 아니리요."

남휘 쇼안이 미미ᄒᆞ여 왈,

"슉뵈[뷔] ᄐᆡᆨ셔로 근심ᄒᆞ시고 광텬을 과히 ᄉᆞ랑ᄒᆞ시니 쇼질의 우견은 광쳔으로 동승을 숨어시미 히롭지 아닐가 홈이니다."

진휘 쳥파의 불열 왈,

"현질이 나을 업슈이 역여 희롱ᄒᆞ미냐?○○○○○○[취듕쥬담(醉中酒談)이냐?] 광텬은 네집 셔랑이요, 혀[혜]질의 ᄇᆡ우(配偶)리[라], 아여(我女)로 질의 젹인을 숨어[으]며 지실을 의논ᄒᆞ믄 쳔만 ᄉᆡᆼ각 박기라."

남휘 연망(連忙)이 피셕 ᄇᆡᄉᆞ 왈,

"쇼질 만일 취ᄒᆞ엿신 즉, 죤젼의 뵈지 못ᄒᆞ리니 엇지 주담을 ᄒᆞ오며, ᄯᅩ 감히 슉부을 능경ᄒᆞ여 희언을 발ᄒᆞ리【83】잇가? 다만 어린 ᄯᅳᆺ즤 윤ᄌᆞᄂᆞᆫ 발호ᄒᆞᆫ 열[영]걸이니 일쳐로 늘걸1573) ᄌᆡ 아니오, 여러 쳐쳡을 모화 실즁을 메오고 몸이 ᄒᆞᆫ갓 금달의 츌입ᄒᆞ여 경악의 근심[시](近侍)홈만 아니라, 치

1572)갈리다 : 기리다. 여럿 가운데서 하나를 구별하여 고르다.

1573)늘걸 : 늙을.

相)ᄒᆞ여 명슈【39】듁ᄇᆡᆨ(名垂竹帛)ᄒᆞ고 화형닌각(畵形麟閣)ᄒᆞ여 텬승(千乘)을 모림(冒臨)ᄒᆞᆯ 듯ᄒᆞ고, 쇼ᄆᆡ와 표ᄆᆡ 상모를 의논ᄒᆞᆫ즉 쵸년ᄌᆡ익(初年災厄)은 이시나, 맛ᄎᆞᆷᄂᆡ 휘젹(后籍)의 존귀ᄒᆞ미 이실 듯ᄒᆞ온디라. ᄉᆞᄆᆡ 표ᄆᆡ로 더브러 디극ᄒᆞᆫ 졍이 동포ᄌᆞᄆᆡ(同胞姊妹) ᄀᆞᆺᄐᆞ니 엇디 ᄀᆞᆺᄐᆞ여 원비와 ᄌᆡ실을 의논ᄒᆞ리잇가? 슉뷔 ᄉᆞ원을 동상을 삼으실진ᄃᆡ 양ᄆᆡ(養妹)와 윤가의 쇽현ᄒᆞ여 군ᄌᆞ의 ᄂᆡᄉᆞ를 임찰ᄒᆞ여, 황영(皇英)의 고ᄉᆞ(古事)를 효측ᄒᆞ고 뺭개 슉네 형뎨의 졍과 동녈(同列)의 의(義)를 겸ᄒᆞ여, 풍뉴 군ᄌᆞ의 일ᄉᆡᆼ이 쾌활ᄒᆞᆯ디라. ᄉᆞ원과 냥ᄆᆡ 다 십삼이오, 비록 윤명텬이 업ᄉᆞ나 슉부 친옹(親翁)이 상당ᄒᆞ고, 겸손(兼損)ᄒᆞ미 업ᄉᆞ니,【40】 쇼딜이 이 일을 ᄉᆡᆼ각ᄒᆞᆫ 지 오라오ᄃᆡ, 슉뷔 ᄌᆡ실을 혐의ᄒᆞ시니 발구치 못ᄒᆞ옵더니, 금일은 쇼ᄆᆡ 이에 잇고 슉뷔 ᄐᆡᆨ셔를 근심ᄒᆞ시니, 심곡의 픔은 바를 엇디 은닉ᄒᆞ리잇가? 쇼딜은 신낭을 보올 ᄲᆞᆫ이오, 기여 쇼쇼 곡졀은 의논치 아니ᄒᆞ옵ᄂᆞ니, 슉부ᄂᆞᆫ ᄌᆡ삼 ᄉᆞ량ᄒᆞ쇼셔."

진후ᄂᆞᆫ 믁연침ᄉᆞ(黙然沈思)ᄒᆞ고, 태상과 각뇌 윤부 가졍을 모로ᄂᆞᆫ 고로, 일시의 권유 왈,

"딜ᄋᆞ의 말이 가장 유리ᄒᆞ오니, 형당은 ᄌᆡ실을 혐의치 마르시고 셩친ᄒᆞ시미 가ᄒᆞᆯ가 ᄒᆞᄂᆞ이다. 딜ᄋᆡ 혜딜의 동녈이 되미 ᄒᆡ롭지 아니코, 윤ᄉᆞ원의 ᄌᆡ실이 쇽ᄌᆞ의 원비의셔 쾌ᄒᆞ리【41】니, 일언의 쾌허ᄒᆞ샤 가긔를 일우쇼셔."

휘 날호여 답왈,

"챵ᄇᆡᆨ의 말이 대쳬(大體)를 슝(崇)ᄒᆞ미어니와 원ᄂᆡ 윤시 가졍이 하여오?"

남휘 쇼이 ᄃᆡ왈,

"쇼딜이 윤가의 동상(東床)이 되연 지 ᄉᆞ년이오나, 셩졍이 소활ᄒᆞ여 ᄌᆞ시 아디 못ᄒᆞ오ᄃᆡ, 대개 윤츄밀이 딜ᄌᆞ ᄉᆞ랑이 과듕ᄒᆞ고, 쇼딜의 취뫼[1620] 가장 어진 부인이라 대단

1620)취모 : 처모(妻母).

셰경윤지ᄌᆡ(治世經綸之才)와 안방졍국(安邦定國)ᄒᆞᆯ 덕홰 가ᄌᆞ니, 타일 츌장입ᄉᆞᆼ(出將入相)ᄒᆞ여 명슈쥭ᄇᆡᆨ(名垂竹帛)ᄒᆞ고 화형인각(畵形麟閣)ᄒᆞ여 쳔승(千乘)을 노[모]쳠(冒添)ᄒᆞᆯ ᄇᆡ오, ᄉᆞᄆᆡ(舍妹)와 표ᄆᆡ(表妹)을 의논ᄒᆞᆫ 즉 쵸연ᄌᆡ익(初年災厄)은 이시ᄂᆞ 마ᄎᆞᆷᄂᆡ 휘젹(后籍)의 존귀을 누릴지라. ᄉᆞᄆᆡ 표ᄆᆡ로 더부러 지극ᄒᆞᆫ 졍이 동표[포]ᄌᆞᄆᆡ(同胞姊妹) 갓트니, 엇지 굿ᄒᆞ여 원비와 ᄌᆡ실을 의논ᄒᆞ리잇고? 슉뷔 광텬을 동ᄉᆞᆼ(東床) ᄉᆞᆷ어실진ᄃᆡ 남[양]ᄆᆡ(兩妹) 다 윤가의 쇽현ᄒᆞ여 군자의 ᄂᆡᄉᆞ을 임츌(臨察)ᄒᆞ미 황영(皇英)의 고ᄉᆞ(古事)을 효측ᄒᆞ고, 쌍ᄀᆡ 슉여 ○○[형제]의 졍과 동열(同列)의 의(義)을 겸ᄒᆞ여 풍뉴군ᄌᆞ의 일ᄉᆡᆼ이 쾌ᄒᆞᆯ지라. 남[양]ᄆᆡ 다 십ᄉᆞᆷ이오, 비록 윤명쳔이 업ᄉᆞ나 쇼질이 ᄉᆡᆼ각ᄒᆞᆫ 즉 그 슉뷔 친옹이 상당ᄒᆞ고 겸숀(兼損)ᄒᆞ미 업ᄉᆞᄂᆞ[니], ○○○○[소질이 이] 일을 ᄉᆡᆼ각ᄒᆞᆫ지 오ᄅᆡ되, 오직 슉뷔 ᄐᆡᆨ셔을 근심ᄒᆞ시니, 심곡을 엇지 은익ᄒᆞ리요, 지ᄉᆞᆷ ᄉᆞᆼ냥ᄒᆞ소셔. 소질은 ᄒᆞᆫ갓 신낭을 볼 분이요 ᄉᆞ쇼 곡졀은 의논치 아니 ᄒᆞᄂᆞ이다."

진후ᄂᆞᆫ 묵연무언(黙然無言)ᄒᆞ고 진ᄐᆡᄉᆞᆼ과 각뇌 윤부 가졍을 모로ᄂᆞᆫ 고로 일시의 ○○○[권유 왈],

"텬홍의 말이 가ᄌᆞᆼ 유리ᄒᆞ니, 형장은 ᄌᆡ실을 혐의치 말러시고 셩친ᄒᆞ미 올흘가 ᄒᆞᄂᆞ이ᄃᆞ. 질ᄋᆡ 혀[혜]주의 동열○○○[이 되미] ᄒᆡ{외}롭지 아니코, 광텬의 ᄌᆡ실 되미 쇽ᄌᆞ【84】의 원비의셔 쾌ᄒᆞ리니, 일언의 쾌허ᄒᆞᄉᆞ 가기을 일치 마르쇼서."

진휘 날호여 답왈,

"텬홍의 말이 ᄃᆡ쳬(大體)을 슝ᄉᆞᆼᄒᆞ여니와, 원ᄂᆡ 윤시 가졍이 ᄒᆞ여오?"

남휘 쇼이ᄃᆡ왈,

"쇼질이 윤가 동ᄉᆞᆼ되기[된지] ᄉᆞ연이나, 셩졍이 쇼활ᄒᆞ여 ᄌᆞ시 아지 못ᄒᆞ오나, ᄃᆡᄀᆡ 윤추밀이 질ᄌᆞ ᄉᆞᄅᆞᆼ이 과도ᄒᆞ고, 소질의 취뫼[1574] 가ᄌᆞᆼ 어진 부인이라[나], 윤츄밀의

1574)취모 : 처모(妻母).

ᄒᆞᆫ 흠시 엇디 이시리잇고? 다만 윤츄밀의 ᄌᆞ당과 부인이 냥션(良善)키의 버셔난가 시브더이다."

진후와 쥬부인이 더옥 셔운ᄒᆞ여 왈,

"태부인과 츄밀부인이 블현(不賢) 즉 더옥 큰 블힝이라. 그런 집과 엇지 결혼ᄒᆞ리오."

원ᄂᆡ 진부인이 단듕침졍(端重沈靜)ᄒᆞ여 윤부 가【42】졍의 망측ᄒᆞ믈 동긔지간(同氣之間)의도 일졀 발셜치 아니ᄒᆞ고, 뎡부 법녕이 엄슉ᄒᆞ여 부인의 당부ᄒᆞᆫ 바를 즈레 발구(發口)ᄒᆞᆫ 즉 ᄉᆞ죄로 아ᄂᆞᆫ 고로, 진뷔 격장(隔墻)이나 아득히 변괴를 모로ᄂᆞᆫ디라. 이ᄯᅢ 부인이 ᄋᆞᄌᆞ의 말을 드를 ᄲᅳᆫ이오 혼인을 권치 아니며, 쇼져ᄂᆞᆫ 단좌믁연(端坐默然)이라. 딘후와 쥬부인이 쇼져다려 문왈,

"현딜은 윤가 셰밀지식라○[도] 다 알지라. ᄂᆡ외 말고 니르라."

쇼져 구개 예식로오면 구시(舅氏)긔 청ᄒᆞ여 표뎨(表弟)[1621]로 동녈을 삼아 쥬람(周南)의 셩ᄉᆞ(盛事)를 효측ᄒᆞᆯ ᄇᆡ로ᄃᆡ, 태부인과 뉴시 모녀의 심술을 ᄉᆡᆼ각건ᄃᆡ 진시 보젼키 어려온디라 나죽이 ᄃᆡ왈,

"쇼딜이 구가의【43】 쇽현ᄒᆞᆫ 지 삼삭이니 셰밀지ᄉᆞ를 엇지 알니잇고? 다만 존고의 현심 슉덕이 셰ᄃᆡ의 희한ᄒᆞ시고, 계구대인(季舅大人)[1622]의 별뉸ᄌᆞᄋᆡ(別倫慈愛) 긔ᄌᆞ의 감치 아니샤, 아딕 블평ᄒᆞᆫ ᄉᆞ단을 지ᄂᆡ지 아냐시니, 타일을 예탁지 못ᄒᆞᆯ디라. 슉뷔 ᄉᆞ량(思量)ᄒᆞ여 결단ᄒᆞ시고, 쇼딜의 안면으로 강인(强引)ᄒᆞᆯ ᄇᆡ 아니니이다. 쇼딜이 표뎨로 ᄇᆡᆨ년을 동거ᄒᆞ오ᄆᆡ, 엇지 젹인(敵人)이라 일ᄏᆞ르며, 표뎨의 쇼딜 알오미 동포(同胞)의 다르지 아니ᄒᆞ오니, 형댱이 이를 ᄉᆡᆼ각ᄒᆞ여 권혼ᄒᆞ미로소이다."

1621)표뎨(表弟) : 외종제(外從弟). 외종사촌 아우를 이르는 말.

1622)계구대인(季舅大人) : 작은 시아버님.

ᄌᆞ당과 그 부인이 양션(良善)치 못ᄒᆞᆫ가 시부더이다."

진후와 주부인이 더옥 셔운ᄒᆞ여 ○[왈],

"츄밀○○○[부인과] ᄐᆡ부인이 불연[현]ᄒᆞᆫ즉 큰 불힝이라, 그런 집과 엇지 결혼ᄒᆞ리요."

원ᄂᆡ 진부인이 단즁침졍(端重沈靜)ᄒᆞ여 윤부 가졍이 《망츅‖망측》ᄒᆞ믈 동긔간(同氣間)도 발셜치 아니코, 뎡부 법영(法令)이 엄슉ᄒᆞ여 진부 격장(隔墻)의 ᄉᆞᆼ호인(相互人)이 됴모(朝暮)로 왕ᄂᆡ(往來)ᄒᆞᄃᆡ 윤부 변고을 아득히 모로ᄂᆞᆫ지라. 이 ᄯᅢ 부인이 아ᄌᆞ의 말을 들 ᄲᅮᆫ이요, 혼인을 권치 아니며, 쇼졔ᄂᆞᆫ 단좌무언(端坐無言)이라. 진후와 주부인이 쇼졔다려 문왈,

"현질은 구가 셰미지ᄉᆞ(細微之事)을 모로지 아니리니, 원간 ᄉᆞ름이 쳐음으로 드러가 ᄃᆡ단이 불평ᄒᆞᆫ ᄉᆞ단이 업ᄉᆞ냐? ᄂᆡ외치 말고 올흔ᄃᆡ로 이르라."

뎡쇼졔 구ᄀᆡ 여[예]ᄉᆞ로오면 구시(舅氏)게 청ᄒᆞ여 표졔(表弟)[1575]로 동녈을 ᄉᆞᆷ아 쥬람(周南)의 ○○○[셩ᄉᆞ(盛事)를] 효측ᄒᆞᆯ ᄇᆡ로ᄃᆡ, ᄐᆡ부인과 뉴시 모여(母女)의 심슐을 ᄉᆡᆼ각건ᄃᆡ 진시 보젼키 어려올지라, 나즉이 ᄃᆡ왈,

"쇼질이 구가의 속현ᄒᆞ미 오ᄅᆡ지 아니니 셰미지ᄉᆞ을 어이 알니잇고? 단[다]만 죤고의 현심슉덕이 셰【85】ᄃᆡ의 희ᄒᆞᆫᄒᆞ시고, 슉당 츄밀공의 ᄌᆞᄋᆡ 긔ᄌᆞ의 감치 아니ᄉᆞ 소질도 친여 갓치 ᄒᆞ시니, 아직 불평ᄒᆞᆫ ᄉᆞ름[단]을 지ᄂᆡ지 아냐시니 타일을 여학[예탁(豫度)]지 못ᄒᆞᆯ지라. 슉뷔 ᄉᆞ량○○[ᄒᆞ여] 결단ᄒᆞ시고 쇼질의 안면을 강잉(强仍)ᄒᆞ실 ᄇᆡ 아니로소이다. 소질이 표졔로 ᄇᆡᆨ연동거ᄒᆞᄆᆡ 엇지 젹인을 일카라며, 표졔의 쇼질 알오미 동긔의 다러[르]지 아니니, ○○○[형댱이] 귈의[길이] ᄉᆡᆼ각ᄒᆞ여 권혼(勸婚)ᄒᆞ미니이다."

1575)표졔(表弟) : 외종제(外從弟). 외종사촌 아우를 이르는 말.

진태우 등 군죵이 일시의 허혼ᄒᆞ시믈 쥬청ᄒᆞ니 휘왈,

"혼인은 인뉸대관(人倫大觀)이라 다시 상냥ᄒᆞ리라."

남휘 쇼이 고왈,

"일은 신쇽ᄒᆞ【44】미 귀ᄒᆞ고 ᄉᆞ원의 직취 구ᄒᆞ리 만타 ᄒᆞ오니, 슉부의 의향이 계실진ᄃᆡ 져 집의 통혼ᄒᆞ여 슈히 셩친ᄒᆞ시미 올ᄒᆞ니이다.

"

뎡언간의 금휘 샤인을 다리고 니르러 한담ᄒᆞᆯᄉᆡ, 진공이 샤인의 시귀를 보고져 ᄒᆞ여 이의 시ᄉᆞ를 창화ᄒᆞᄆᆡ 냥공으로브터 모든 쇼년이 다 글을 디으ᄆᆡ, 그 듕의 병부와 윤샤인의 ᄌᆡ죄 쒸여나니, 진공이 더옥 ᄆᆞ옴이 기우러, 쇼왈,

"윤보의 글은 ᄉᆞ원의게 들ᄆᆡ1623) 봉황(鳳凰)이 오작(烏鵲)을 겻디으며1624), 금옥(金玉)이 ᄉᆞ셕(沙石)의 셧김 ᄀᆞᆺ거ᄂᆞᆯ, ᄉᆞ원과 챵화ᄒᆞᆯ 뜻을 두니 외람토다."

금휘 대쇼 왈,

1623)들다 : ①설명하거나 증명하기 위하여 사실을 가져다 대다. ②서로 견주어 비교하다

1624)겻디으다 : 곁에 나란히 두다. 짝짓다.

진ᄐᆡ우 등 ○[군]죵(群從)이 윤ᄉᆞ인의 군ᄌᆡ영쥰이믈 긔특히 역여 정분이 ᄌᆞ별ᄒᆞᆫ 고로 일시의 허혼ᄒᆞ시믈 청ᄒᆞ니, ᄃᆡ왈,

"혼인은 인윤ᄃᆡᄉᆡ(人倫大事)라, 경히치 못ᄒᆞ리니 다시 ᄉᆞᆼ양ᄉᆞ리라."

남휘 쇼이고왈,

"이ᄂᆞᆫ 타식 아니니 ᄉᆞ원의 직취ᄂᆞᆫ 구ᄒᆞ리 만흐니, 이졔 수히 셩혼ᄒᆞ미 가ᄒᆞ리이다."

ᄐᆡᄉᆞᆼ이 또 권ᄒᆞ니, 휘왈,

"막비쳔의(莫非天意)1576)라. 젼후 여러 곳의 구친을 물니쳐 여ᄋᆞ 어리므로 칭탁ᄒᆞ더니, 금일 우연이 뎐홍의 말노 인ᄒᆞ여 ᄉᆞ원의 직취을 허ᄒᆞᆯ 뜻지 이시니, 윤보와 상의ᄒᆞ여 보리라."

ᄒᆞ고 협문으로 죠ᄎᆞ 뎡부의 일르니, 윤ᄉᆞ인이 금후의 명으로 인ᄒᆞ여 본부의 가지 못ᄒᆞ고 뎡부의 그져 잇ᄂᆞᆫ지라. 옹셔 ᄒᆞᆫ유ᄒᆞᄆᆡ 시ᄉᆞ로 졍히 창화ᄒᆞ더니, 진휘 ᄀᆡ호입실(開戶入室)ᄒᆞ니, ᄉᆞ인이 일러 마ᄌᆞ며, 금휘 쇼왈,

"금일 숀이 업고 고요ᄒᆞ기로 옹셔(翁壻) 시ᄉᆞ을 ᄎᆞᆼ화ᄒᆞ더니, 형이 오니 우리 쇼ᄌᆞᆨ(所作)을 보아 고ᄒᆞ을 졍ᄒᆞ라."

낙양후 웃고【86】 두장 시권을 보니 평후의 문ᄌᆞᆼ이 금수(錦繡)의 빗ᄂᆞ미 잇스나, ᄉᆞ인의 웅문긔벽(雄文器壁)은 은ᄒᆞ만니(銀河萬里)의 근원을 가져 심원굉활(深遠宏闊)ᄒᆞ니, 휘 쇼왈,

"ᄉᆞ원의 문ᄌᆞᆼ이 표의(表意) 쇼ᄉᆞᄂᆞ니 다시 이을[를] 것시 업ᄂᆞᆫ지라. 오날날 용렬ᄒᆞᆫ 빙악의 둔ᄌᆡ을 ᄎᆞᆼ화ᄒᆞ니, 문필이 쇼셰ᄒᆞᄆᆡ 두장 시권을 보니 오ᄌᆞᆨ(烏鵲)의 겻지음1577) 갓트니, ᄉᆞ원의 ᄌᆡ죠ᄂᆞᆫ 윤보의 글노 ᄒᆞ여 더옥 빈ᄂᆞ고, 윤보의 ᄌᆡ죠로 ᄉᆞ원의 글노 ᄒᆞ여 더옥 나즈니, 셔오[어](齟齬)ᄒᆞᆫ 글노 ᄉᆞ원과 ᄎᆞᆼ화ᄒᆞ미 외람치 아니냐?"

금휘 ᄃᆡ소왈,

1576)막비쳔의(莫非天意) : (세상 모든 일이) 하늘의 뜻 아닌 것이 없다.

1577)겻짓다 : 곁에 나란히 두다. 짝짓다.

"나의 셔랑【45】의 글이 태ᄉᆞ천(太史遷)1625)을 압두ᄒᆞ려니와 내 글인들 그ᄃᆡ도록 용널ᄒᆞ리오."

진휘 웃고 샤인을 ᄉᆞᆯ피니 흑관(黑冠)아ᄅᆡ 두렷ᄒᆞᆫ 풍뫼 츄월이 ᄇᆰ아시며, 봉안의 영치 발월ᄒᆞ고, 낫 우희 일만 화ᄉᆡᆨ은 츈양의 ᄇᆡᆨ홰 닷토아 웃ᄂᆞᆫ ᄃᆞᆺ, 당당ᄒᆞᆫ 골격이 쳔승(千乘)을 긔필(期必)ᄒᆞᆯ디라. ᄉᆞ랑ᄒᆞ온 졍을 금치 못ᄒᆞ여 샤인의 손을 ᄌᆞᆸ고, 금후를 ᄃᆡᄒᆞ여 왈,

"금일 병부 딜ᄋᆡ 혼인을 권ᄒᆞ니 윤보의 의견은 엇더ᄒᆞ뇨."

금휘 진공의 ᄯᆞᆯ ᄉᆞ랑이 병되믈 아ᄂᆞᆫ디라 ᄌᆞ긔ᄂᆞᆫ 형셰 브득이 셩혼ᄒᆞ여시나 ᄎᆞ혼을 ᄯᅩ 권ᄒᆞ여 져의 ᄋᆡ녀를 ᄯᅩ 마ᄌᆞ 호혈의 녀키ᄂᆞᆫ 참연ᄒᆞᆫ 일이라【46】 침ᄉᆞ냥구(沈思良久)의 왈,

"피ᄎᆞ 겸손ᄒᆞᆯ ᄇᆡ 업셔 비록 ᄌᆡ실이나 엇지 맛당치 아니리오마ᄂᆞᆫ, 형의 ᄐᆡᆨ셔ᄒᆞ미 범연치 아니ᄒᆞᄆᆡ 능히 권치 못ᄒᆞᄂᆞ니, ᄉᆞᄉᆞ로 ᄉᆡᆼ각ᄒᆞ여 결ᄒᆞ고 굿ᄐᆞ여 뎐ᄋᆞ의 말을 좃ᄎᆞ ᄆᆞ음의 블합ᄒᆞᆫ 바를 강위(强爲)치 말나."

진휘 쇼왈,

"윤보의 말이 딜녀의 말 ᄀᆞᆺᄐᆞ여, 듕ᄆᆡ(中媒) 되엿다가 혹ᄌᆞ 원망 드를 일이 이실가 념녀ᄒᆞ미어니와, 막비텬연(莫非天緣)1626)이라 내 ᄆᆞ음의 ᄉᆞ원 ᄀᆞᆺᄐᆞᆫ 신낭ᄌᆡ(新郎材) 업ᄉᆞ니, ᄌᆡ취를 혐의치 아녀 셩혼코져 ᄒᆞ노라."

금휘 쇼왈,

"나ᄂᆞᆫ 듕ᄆᆡ 되여 타일 원언을 드를가 념녀ᄒᆞ미 아냐, 나의 셔랑을 형의 동상의 옴

1625)태사천(太史遷) : 사마천(司馬遷). BC.145-86. 중국 전한(前漢)의 역사가. 태사(太史)는 태사령(太史令)을 지낸 그의 관직명. 자는 자장(子長). 기원전 104년에 공손경(公孫卿)과 함께 태초력(太初曆)을 제정하여 후세 역법의 기초를 세웠으며, 역사책 ≪사기≫를 완성하였다.

1626)막비텬연(莫非天緣) : (모든 혼인이) 천연(天緣)이 아님이 없다.

"셔랑의 문ᄌᆞᆼ은 ᄐᆡᄉᆞ천(太史遷)1578)을 뫼시(藐視)ᄒᆞ거니와 ᄂᆡ ᄯᅩ 그ᄃᆡ도록 용열ᄒᆞ리요."

진휘 웃고 ᄉᆞ인을 보니 흑관(黑冠) 아ᄅᆡ 옥안이 두렷ᄒᆞ여 츄천졔월(秋天霽月)이오, 뉴셩봉안과 와즘쌍미 완연이 《쳔손‖쳔승(千乘)》을 긔약ᄒᆞ니, 진휘 ᄉᆞᄅᆞᆼᄒᆞ믈 금치 못ᄒᆞ여 왈,

"금일 뎐흥의 혼인 《졍‖권》ᄒᆞᄂᆞᆫ 말리 여ᄎᆞ여ᄎᆞᄒᆞ여 피ᄎᆞ 죠흔 인연을 일러[르]니, 윤보의 쥬의 ᄒᆞ여오?"

휘 진공의 여ᄋᆞ ᄉᆞ랑ᄒᆞ미 뉴명ᄒᆞᆫ 쥴 아ᄂᆞᆫ지라. ᄌᆞ긔ᄂᆞᆫ 형셰 부득히 졍혼ᄒᆞᆫ 고로 셩여[예}ᄒᆞ엿거니와 ᄎᆞ혼을 권ᄒᆞ여 쳔금 귀여로 효[호]혈(虎穴)의 더지믄 ᄎᆞᆷ연ᄒᆞ니, 아ᄌᆞ의 즁ᄆᆡᄒᆞ믈 고이히 역여, 침음양구의 왈,

"피ᄎᆞ 겸숀(兼損)ᄒᆞ믄 업셔 비록 ᄌᆡ실이ᄂᆞ 엇지 맛당치 아니리요마ᄂᆞᆫ, 형의 ᄐᆡᆨ셔ᄒᆞ미 범연치 아니니 ᄯᅩᄒᆞᆫ ᄂᆡ 권치 못ᄒᆞ리니, 스ᄉᆞ로 ᄉᆡᆼ각ᄒᆞ여 결ᄒᆞ고 오ᄋᆞ의 말노써 ○○○[마음의] 불ᄒᆞᆸ《ᄒᆞ믈 ‖ ᄒᆞᆫ 바를》 작위(作爲)치 말나."

진휘 쇼왈,

"윤보의 말이【87】 그르다. 지친 간 형셰을 ᄉᆞᆯ피믄 뎐흥 갓트니 업ᄉᆞ리니, 엇지 뎐ᄋᆞ의 발[말]을 듯지 아니리요."

1578)태사천(太史遷) : 사마천(司馬遷). BC.145-86. 중국 전한(前漢)의 역사가. 태사(太史)는 태사령(太史令)을 지낸 그의 관직명. 자는 자장(子長). 기원전 104년에 공손경(公孫卿)과 함께 태초력(太初曆)을 제정하여 후세 역법의 기초를 세웠으며, 역사책 ≪사기≫를 완성하였다.

기믈 아쳐ᄒᆞ【47】ᄂᆞᆫ ᄇᆡ라.”
진휘 대쇼 왈,
“윤뵈 이ᄃᆡ도록 궁극ᄒᆞᆫ 넘녀로 ᄎᆞ혼을 막으믄 ᄉᆡᆼ각지 못ᄒᆞᆫ ᄇᆡ니, 다만 ᄉᆞ원다려 므러 어나 빙악의게 졍이 더ᄒᆞᆯ고 그 소견을 알니라.”
금휘 쇼왈,
“뭇지 아녀도 ᄉᆞ원이 날노ᄡᅧ 범연ᄒᆞᆫ 빙악으로 아디 못ᄒᆞ리니 위인으로 니른들 형과 ᄀᆞᆺ치 ᄃᆡ졉ᄒᆞ랴?”
진휘 크게 웃고 샤인다려 문왈,
“내 이졔 ᄯᅳᆺ을 결ᄒᆞ여 미약ᄒᆞᆫ 녀ᄋᆞ로ᄡᅧ 딜ᄋᆞ와 ᄒᆞᆫ가지로 군의 건즐(巾櫛)을 소임케 ᄒᆞ리니, 군의 날 ᄃᆡ졉이 윤보와 엇덜가 시브뇨?”
샤인이 긔이샤(起而謝) 왈,
“합해 쇼ᄉᆡᆼ의 용우ᄒᆞᆷ으로ᄡᅧ 옥녀로 직실을 혐의치 아니시니, 블승감격(不勝感激)ᄒᆞ와 고ᄒᆞᆯ 바를 아지【48】 못ᄒᆞᄋᆞᆸᄂᆞ니, 타일 앙셩(仰誠)이 엇지 굿ᄐᆞ여 뎡대인과 다르미 이시리잇고마ᄂᆞᆫ, 뎡합하ᄂᆞᆫ 션인(先人)과 골육ᄀᆞᆺᄐᆞᆫ 친위시니 쇼ᄉᆡᆼ이 우러오믈 슉당과 달니 아지 아닛ᄂᆞᆫ ᄇᆡ로소이다.”
진휘 쇼왈,
“군언이 올커니와 다만 인믈을 니를진ᄃᆡ 뉘 나흐뇨.”
샤인이 함쇼(含笑) 무언(無言)이라.
진휘 ᄯᅳᆺ을 결ᄒᆞ여 윤츄밀긔 쳥혼코져 ᄒᆞ더니, 맛초아 윤공이 금후를 보려 운산의 니르니, 샤인이 년망이 마ᄌᆞ 드러오ᄆᆡ 뎡진 냥공이 크게 반겨 녜필좌뎡ᄒᆞ고, 츄밀이 ᄋᆞᄌᆞ의 길긔 님박ᄒᆞ믈 두굿기나, 셕ᄉᆞ를 쳑감ᄒᆞ여 츄연 탄식ᄒᆞ니, 샤인이 비도(悲悼)ᄒᆞ믈 니긔지 못ᄒᆞᄂᆞᆫ지라. 금휘 탄왈,
“셕ᄉᆞ【49】를 ᄉᆡᆼ각ᄒᆞᄆᆡ 놀나오나 이졔 ᄉᆞ원이 져 ᄀᆞᆺ고 녕낭이 대현 긔상이 가ᄌᆞᆨᄒᆞ니 명천형이 ᄉᆞ원 형뎨를 두ᄆᆡ ᄉᆞ이블ᄉᆡ(死而不死)[1627]라 후ᄉᆡ(後嗣) 빗나며 문회(門戶) 챵셩ᄒᆞ미 보디 아녀 알지라. 쇼뎨 근일

1627)ᄉᆞ이블ᄉᆡ(死而不死) : (몸은 비록) 죽었으나 (뒤를 이을 자식이 있어) 죽지 않음과 같음.

도라 ᄉᆞ인을 보고 왈,
“아여(我女) 용우ᄒᆞᄂᆞ 군ᄌᆞ의 실즁의 욕지 아닐만 ᄒᆞ고 군의 영걸ᄌᆡ풍(英傑才風)이 일쳐로 느건[늘그]지 아니리니, 영슉과 상의ᄒᆞ여 가연을 졍ᄒᆞ미 엇더ᄒᆞ뇨?”
ᄉᆞ인이 피셕 ᄃᆡ왈,
“쇼ᄉᆡᆼ의 용둔ᄒᆞ믈 바리지 아니ᄉᆞ 동ᄉᆞᆼ을 허ᄒᆞ시니 불승감격이라, 엇지 타의 잇시리잇고?”

낙양휘 결ᄒᆞ여 윤공게 쳥혼ᄒᆞ려 ᄒᆞ더니, 윤추밀이 금후을 보러 이르니, ᄉᆞ인이 츌문영졉ᄒᆞ여 드러오ᄆᆡ, 뎡・진 냥공이 반겨 여[예]필좌졍(禮畢坐定)의 윤공이 아ᄌᆞ의 길긔 님ᄒᆞ믈 두굿게[겨] ᄒᆞᄂᆞ, 셕ᄉᆞ을 감충ᄒᆞ여 추연비도(惆然悲悼)ᄒᆞ니, ᄉᆞ인이 쳬절ᄒᆞ믈 금치 못ᄒᆞᄂᆞᆫ지라. 금휘 ○[추]연탄왈,
“ᄉᆞ원 형졔 위인이 ᄃᆡ현의 유풍이라, 명쳔의 죠ᄉᆞ(早死)ᄒᆞ미 셜지 아니니, 후ᄉᆞ의 빗남과 문호의 창셩ᄒᆞ믄 보지 아여 알지라. 금일 ᄉᆞ원을 다리고 ᄉᆡ로이 ᄉᆞ량ᄒᆞ고 흠션ᄒᆞ믄 그 긔질덕셩이라, 엇지 셔랑의 지목 분이리오.”

스원을 다리고 잇셔 식로이 아름다오미 엇지 셔랑이라 흐여 스졍의 フ리오미 되리오."

츄밀이 답왈,

"뎔이 비록 용우키를 면흐나 힝신 쳐식 뎡대슉연(正大肅然)키는 오히려 졔 으1628)를 밋지 못흐니, 이런 곳의 슈일을 머므러도 므슨 남식(濫事) 잇는가 방심치 못흐노라."

금휘 쇼왈,

"녕뎔이 비록 호방(豪放)흐나 날 ス튼 졍인(正人)으로 오릭 동거흐면, 힝식 더옥 슉연흐리니 형은 괴이흔 념녀를 말나."

츄밀이 잠쇼【50】 왈,

"형언 ス틀진딕 챵빅 형뎨는 일싱 형의 압히 이시니 흐나도 호방흔 직 업술노다."

금휘 쇼왈,

"즈식이 다 아비 담기 어렵고 안젼의 이시므로 힝신 쳐스를 빅흘 거슨 아니로딕, 스원 ス튼 긔특흔 위인으로 우리 ス튼 졍인군직 으시브터 다리고 이시면, 공밍 ス튼 셩직 될 거시로딕, 형 ス튼 허랑지인이 즈뎔 교훈을 그릇하여 스원이 아직 호방흔 둧흐나, 타일은 대군즈 영쥰이 되여 만식 무흠흐리니, 우용(愚庸)흔 아즈비 대현의 즈뎔을 하즈치 말나. 쇼뎨의 으들이 스원 ス트면 쳔만스를 믈녀(勿慮)흐렷마는 광망흔 으히라, 나히 추가딕 군즈 뎡되 머럿고, 삼으 셰흥이 쏘 광망흐니【51】 실노 념네 비상흐도다."

윤·진 냥공이 쇼왈,

"챵빅의 긔이흠과 셰흥의 걸호흐믈 엇지 나모라 흐리오."

인흐여 죵용이 한담홀식 진휘 윤공다려 혼스를 간구흐니, 츄밀이 괴이히 넉여 침음냥구(沈吟良久)의 왈,

"진형의 옥와(玉瓦)로뼈 광뎐의 직실을 구흠도 블가흐고, 뎔이 블과 십삼 쇼이라 고인의 유취지년이 머럿거늘 만식 분의 넘

1628)으 : 아우.

윤공이 소왈,

"오질이 비록 용우키을 면흐여시나 무어시 식로이 아름다오리요. 싱[힝]신(行身)의 온즁흐믄 졔 으1579)을 밋지 못흐니, 차쳐(此處)의 잇셔 무슴 남식 잇는가 방흐치 못흐노라."

금후 소왈,

"영질이 비록 호신(豪身)흐느 날 가튼 졍인군직 오릭 동거흐면, 힝식 더옥 슉연홀 거시오, 염녜로오미 업스리니, 형은 고이흔 염예 말나."

공이 즘쇼 왈,

"형언 갓틀진딕 충빅형졔는 형의 압희 잇시니 호신흐미 업술낫다?"

금휘 쇼왈,

"즈식이 아비 담기 어렵고 안젼의 잇슴으로 힝신 빅흘 거시 아니로딕, 스원 갓치 쵸셰흔 위인으로 일런[럴]진딕, 결단코 닉 압히 잇시면 공밍 갓튼 셩즈을 일위게 흐리라."

흐더라.

진휘 날호여 윤공게 쳥혼흐니 윤공이 침스양구(沈思良久)의 딕왈,

"질이 연긔 어리고 벼슬이 불과 흔원(翰苑)의 잇거늘, 엇지 지쳬(再妻)을 의논흐며, 겸흐여 긔운이 호탕흐여 군즈영풍이 젹은지

1579)으 : 아우.

어 청운의 고등ᄒᆞ고, 뎔부의 ᄇᆡᆨ힝 ᄉᆞ덕이 져의 바랄 ᄇᆡ 아니니, 다시 번ᄉᆞ를 구ᄒᆞ미 블가ᄒᆞᆫ지라 후의를 밧드지 못ᄒᆞ리로다."

샤인이 혼ᄉᆡ 못될가 근심ᄒᆞ나 듯ᄌᆞ올 ᄲᅳᆫ이오, 감히 ᄉᆞᄉᆡᆨ지 못ᄒᆞ고, 진공이 쇼왈,

"쇼뎨 늒ᄌᆞ의 다만 일녀라 ᄐᆡᆨ【52】셔ᄒᆞᄂᆞᆫ ᄆᆞᄋᆞᆷ이 츌뉴(出類)ᄒᆞ니를 구ᄒᆞ더니 텬홍이 여ᄎᆞ여ᄎᆞ 니르니, 그 말이 유리ᄒᆞᆫ지라. 뎔녀의 유한ᄒᆞ미 아황(娥皇)의 덕을 니을 ᄇᆡ오 아녜 녀영(女英)의 정졀ᄒᆞ믈 거의 ᄯᆞ를 거시니, 져희 지친지졍으로 다시 동녈지의(同列之義)를 ᄆᆡᄌᆞ ᄉᆞ원의 ᄂᆡᄉᆞ를 빗ᄂᆡ미 쳔고미ᄉᆡ(千古美事)라 형은 고집디 말나."

츄밀이 ᄯᅩ 샤인의 위인이 일쳐로 늙지 아닐 줄 알고 진공의 ᄉᆡᆼ츌이 반ᄃᆞ시 아ᄅᆞᆷ다올 줄 디긔ᄒᆞ여 날호여 미쇼 왈,

"뎔ᄋᆡ 가취지ᄉᆡ(加取之事) 업거ᄂᆞᆯ 진형의 구ᄒᆞᄆᆞᆫ 괴이ᄒᆞ고, 뎡형은 뎔부의 젹인올 모호고져 ᄒᆞ니 인졍 밧기로ᄃᆡ, 냥형의 말이 이 ᄀᆞᆺᄐᆞ니 쇼뎨 막지 못ᄒᆞ나 내 집을 한치 말나."

진휘 쇼왈,

"녕뎔의【53】 풍치 문장을 흠모ᄒᆞ여 셔랑을 삼고져 ᄒᆞ미니, 형은 녕뎔을 계칙(戒飭)ᄒᆞ고 가ᄉᆞ를 온젼이 ᄒᆞ여 드러가ᄂᆞᆫ 녀ᄌᆞ를 편케 ᄒᆞ라."

츄밀이 쇼왈,

"광텬의 과격ᄒᆞ미 군ᄌᆞ지덕이 브족ᄒᆞ니 그 밧근 대단ᄒᆞᆫ 어려오미 업술가 ᄒᆞ노라."

진휘 깃거 혼인을 뇌뎡(牢定)ᄒᆞ고 이윽이 말ᄉᆞᆷᄒᆞ다가 진후ᄂᆞᆫ 협문(夾門)으로 도라가고, 남휘 진부로셔 도라와 츄밀긔 ᄇᆡ현ᄒᆞ고 존후를 뭇ᄌᆞ오니 츄밀이 반겨 쇼왈,

"챵ᄇᆡᆨ이 됴회 후 옥누항을 지나ᄃᆡ 과문블입(過門不入)ᄒᆞ니 결울ᄒᆞ믈 니긔지 못ᄒᆞ여 니르괘라."

남휘 샤례ᄒᆞ고 ᄎᆞ공ᄌᆞ의 길긔 갓가오믈 일ᄏᆞ라 깃거ᄒᆞ니, 츄밀이 탄왈,

"션ᄇᆡᆨ(先伯)이 쳔ᄃᆡ하(泉臺下)의 유【54】명(幽明)[1629]을 즈음쳐[1630] 알오미 업ᄉᆞ

라. 졔가을 ᄌᆞᆯ 못ᄒᆞ면 형의 ᄐᆡᆨ셔ᄒᆞ미 지극ᄒᆞ던 바로써 가셕지 아니리요. 그러ᄂᆞ 진형의 구ᄒᆞᆷ도 고이커니와 허물며 뎡형은 질부의 젹인을 모호고져 ᄒᆞ니 인졍 밧비[기]로ᄃᆡ, 양형의 말이 여ᄎᆞᄒᆞ니, 쇼졔 막지 못ᄒᆞᄂᆞ ᄂᆡ집을 ᄒᆞᆫ치 말나."

진휘 쇼왈,

"영질의 풍치문댱을 흠모ᄒᆞ여 셔랑을 삼고져 ᄒᆞ미니 형은 영질을 세[계]칙(戒責)ᄒᆞ고 가ᄉᆞ을 온젼이 ᄒᆞ여 드러가ᄂᆞᆫ 여ᄌᆞ을 편케ᄒᆞ라."

츄밀이 쇼왈,

"광형[텬]의 과격ᄒᆞ미 군ᄌᆞ지덕이 부족ᄒᆞ니 그 밧근 ᄃᆡ단ᄒᆞᆫ 어려오미 업술가 ᄒᆞ노라."

진휘 깃거 혼인을 뇌졍(牢定)ᄒᆞ고, 이윽이 말ᄒᆞᆷᄒᆞ다가 진후ᄂᆞᆫ 협문으로 몬져 도라가고, 남휘 진부로셔 도ᄅᆞ와 츄밀게 ᄇᆡ현ᄒᆞ고 죤후을 뭇ᄌᆞ오니, 츄밀이 반겨 쇼왈,

"ᄎᆞᆼᄇᆡᆨ이 됴회 후 옥누항을 지ᄂᆞᄃᆡ 과문불입(過門不入)ᄒᆞ니,【89】 결울ᄒᆞ믈 이긔지 못ᄒᆞ여 이르괘라."

남휘 ᄉᆞ례ᄒᆞ고 ᄎᆞ공ᄌᆞ의 길거[긔] 갓가오믈 일카라 깃거ᄒᆞ니, 츄밀이 탄왈,

"션ᄇᆡᆨ(先伯)이 쳔ᄃᆡᄒᆞ(泉臺下)의 유명(幽明)[1580]을 즈음쳐[1581] 아르시미 업ᄉᆞ믈 감

시믈 감챵ᄒᆞ고, 둘직ᄂᆞᆫ 하퇴지의 부직 셔촉의 슈졸이 되여 원억을 신셜ᄒᆞᆯ 조각이 업ᄉᆞ니 참연ᄒᆞ믈 니긔디 못ᄒᆞ노라."

남휘 위로 왈,

"셕ᄉᆞᄂᆞᆫ 슬허ᄒᆞ샤 무익ᄒᆞ고, 하년슉 졍튱대졀은 일월이 붓그럽지 아니ᄒᆞ오니, 엇지 ᄆᆡ양 곤궁ᄒᆞ시리잇가? 슈삼년지ᄂᆡ의 결단코 됴흔 일이 잇ᄉᆞ오리이다."

뎡·윤 이공이 츄연ᄒᆞ고 텬되 명찰ᄒᆞ시믈 바랄 ᄯᆞ름이로ᄃᆡ, 평남후ᄂᆞᆫ 김후의 손가락을 깁히 간ᄉᆞᄒᆞ여 하공 신셜ᄒᆞᆯ ᄯᅥᆨ를 졈복(占卜)ᄒᆞ니, 오히려 슈년이 지나야 신원이 명경(明鏡) ᄀᆞᆺ틀디라. 텬슈를 혜아리고 즈레[1631] 일을 ᄂᆡ지 아니려 ᄒᆞ더라.

추밀이 도라가려【55】 ᄒᆞ니 샤인이 뫼셔 가려 ᄒᆞᆫᄃᆡ, 금휘 청뉴(請留)ᄒᆞ고 츄밀이 더 이시믈 니르니, 금휘 남후다려 왈,

"네 구시(舅氏) 틱셔ᄒᆞ미 남다르거ᄂᆞᆯ 엇지 월노를 ᄌᆞ임ᄒᆞ여 두 집의 듕ᄆᆡ 되엿ᄂᆞ뇨?"

남휘 복슈(伏首) ᄃᆡ왈,

"쇼직 굿ᄐᆞ여 듕ᄆᆡ 되고져 ᄒᆞ미 아니라 우연이 소견을 고ᄒᆞ엿ᄉᆞᆸ더니, 슉뷔 향의ᄒᆞ여 완뎡ᄒᆞ온가 시브오니, ᄯᅩᄒᆞᆫ 텬연인가 ᄒᆞᄂᆞ이다."

금휘 미쇼 왈,

"듕ᄆᆡ 하쥬를 바드면 됴ᄒᆞᄃᆡ 블평ᄒᆞ미 이신즉 무안ᄒᆞ리니 엇지 브졀업지 아니리오."

1629)유명(幽明) : 저승과 이승을 아울러 이르는 말.
1630)즈음치다 : 가로막히다. 격(隔)하다.
1631)즈레 : 지레. 어떤 일이 일어나기 전 또는 어떤 기회나 때가 무르익기 전에 미리.

충ᄒᆞ○…**결락 39자**…○[고, 둘직ᄂᆞᆫ 하퇴지의 부직 셔촉의 슈졸이 되여 원억을 신셜ᄒᆞᆯ 조각이 업ᄉᆞ니 참연ᄒᆞ믈 니긔디 못ᄒᆞ]노라."

남휘 위로왈,

"셕ᄉᆞᄂᆞᆫ 슬허ᄒᆞ여 무익ᄒᆞ고 ᄒᆞ연슉 셩[졍]츙ᄃᆡ졀은 일월이 붓그럽지 아니ᄒᆞ오니 엇지 ᄆᆡ양 군[곤]궁(困窮)ᄒᆞ시리잇고? 그윽이 혀[혜]ᄋᆞ리건ᄃᆡ 《무숨‖수숨년》 지ᄂᆡ(數三年之內)의 죠흔 일이 잇시리이다."

뎡·윤 이공이 ᄎᆞ언을 듯고 츄연ᄒᆞ여 신원ᄒᆞᆯ 긔약을 못 어더 오직 ᄒᆞᄂᆞᆯ의 지공무ᄉᆞ(至公無私)ᄒᆞ시믈 바ᄅᆞᆯ ᄲᅮᆫ이요, 남후ᄂᆞᆫ 김후의 숀가락을 심ᄌᆞᆼ(深藏)ᄒᆞ고 길흉을 젹[졈]복(占卜)ᄒᆞ여, ᄒᆞ시[문](河門) 신원을 혀[혜]아린 즉 이졔도 수년을 지ᄂᆡ여○[야] 셩춍(聖寵)이 현연(顯然)ᄒᆞ사 명경(明鏡)을 닥근 드시 셜(雪)ᄒᆞᆯ지라. 먼니 쳔수을 허[헤]아리고 즐의[1582] 일을 ᄂᆡ지 아니려 ᄒᆞ더라.

추밀이 도ᄅᆞ갈 ᄉᆡ, ᄂᆡ당이 분요타ᄒᆞ여 윤·졍 냥쇼졔을 보지 아니코 도ᄅᆞ가니, ᄉᆞ인이 뫼셔 가려 ᄒᆞ거ᄂᆞᆯ, 금휘 청유(請留)ᄒᆞ니, 추밀이 아직 머물나 ᄒᆞᆫᄃᆡ, ᄉᆞ인이 무[수]명(受命) 젼숑ᄒᆞ니라. 금휘 남후을 도라보ᄋᆞ 왈,

"네 표슉의 틱셔ᄒᆞ미 남달러고 그 형셰을 술피거ᄂᆞᆯ, 네 엇지 윤·영[뎡] 냥가 인연을 ○○[가져] 진후의 원[월]뇌(月老) 되려 ᄒᆞ《미요‖ᄂᆞ뇨?》"

남휘 부복 ᄃᆡ왈,

"소직 굿하여 월뇌 되려 ᄒᆞ미 아냐, 우연니 쇼션[견]을 고ᄒᆞ엿ᄉᆞᆸ더니, 슉뷔 향의(向意)ᄒᆞᄉᆞ 완졍ᄒᆞ시니 ᄯᅩᄒᆞᆫ 쳔연(天緣)인가 ᄒᆞᄂᆞ이ᄃᆞ."

금휘 미소 왈,

"즁ᄆᆡ ᄒᆞᄌᆞᆨ(賀酌)을 바드면 죠흐ᄃᆡ, 불평ᄒᆞᆫ 즉, 만【90】이 무안ᄒᆞ리니 부졀 업도

1580)유명(幽明) : 저승과 이승을 아울러 이르는 말.
1581)즈음치다 : 가로막히다. 격(隔)하다
1582)즐의 : 즐에. 즈레. 지레. 어떤 일이 일어나기 전 또는 어떤 기회나 때가 무르익기 전에 미리.

남휘 궤좌 무언이오, 샤인이 드러와 언단을 잠간 드르ᄆᆡ, ᄌᆞ긔 집 변괴를 금휘 이리 니르민 줄 알고, 말을 아니ᄒᆞ더라

.

남휘 부명【56】을 인ᄒᆞ여 션월졍의 드러갈ᄉᆡ 션화졍을 지나더니, 샤인의 어셩이 들니거ᄂᆞᆯ 박긔셔 소ᄅᆡᄒᆞ고 문을 여니 쇼제 니러 맛고, 샤인이 쇼왈,

“형이 어ᄃᆡ 갓다가 야심 후 드러오ᄂᆞ뇨?”

휘 왈,

“대인이 취침ᄒᆞ신 후 퇴ᄒᆞᄆᆡ, 밤드럿거니와[1632] 너의 쇼원이 나의 표ᄆᆡ로 뎡혼ᄒᆞ니 나의 덕인 줄 아ᄂᆞ냐?”

샤인이 쇼왈,

“형이 감언미어로 ᄎᆞ혼이 되도록 ᄒᆞ믈 어이 모로리오. 쇼뎨 감샤ᄒᆞ노라.”

휘 쇼왈,

“너의 호신이 믜워 듕ᄆᆡ를 아니려 ᄒᆞ엿더니 너의 소쳥이 셕목을 녹이ᄂᆞᆫ 고로, 브득이 월노(月老)를 ᄌᆞ임ᄒᆞ엿거니와, 타일 일분이나 블평ᄒᆞ미 이시면, 내 실노 위양(渭陽)[1633]긔 뵈올 낫치 업술【57】노다.”

샤인은 함쇼 무언이오, 쇼져ᄂᆞᆫ 말솜의 참예ᄒᆞ미 업ᄉᆞ니, 휘 쇼이 문왈,

“금일 부뫼 현ᄆᆡ다려 므르시니, 현ᄆᆡ 쓰리쳐 ᄃᆡ답ᄒᆞ고 타일 블평지ᄉᆞ 곳 이시면 엇지려 ᄒᆞᄂᆞ뇨.”

1632)밤들다 : 밤이 깊어지다. 야심(夜深)하다.

1633)위양(渭陽) : 외삼촌을 달리 이르는 말. 『시경』 <진풍(秦風)> 위양이장(渭陽二章)의, ‘외삼촌을 위양(渭陽)에 보낸다’는 구절에서 유래한 말.

다.”

남후 《북무‖부복(仆伏)》 무언이요, ᄉᆞ인이 즈[저] 믄답을 듯고, 금휘 ᄌᆞ긔의 집 변고을 이러[리] ○○[니르]ᄂᆞᆫ 쥴 알고 굿ᄒᆞ여 말이 업더라.

남후 졍벌환됴 후 칠팔일 부친을 뫼셔 슉직ᄒᆞ고 ᄉᆞ침을 ᄎᆞᆺ지 아니니, 금후 명ᄒᆞ여 ᄉᆞ침으로 ᄀᆞ라 ᄒᆞ니, 남후 슈명ᄒᆞ여 션월졍을 향ᄒᆞᆯ ᄉᆡ, 길이 션화졍을 지ᄂᆡ난지라. 소ᄆᆡ와 ᄉᆞ인의 어셩이 들니거날, 난두의셔 소ᄅᆡᄒᆞ니 소져은 니러 맛고 ᄉᆞ인이 우어 왈,

“형이 어ᄃᆡ ᄀᆞ다가 야심후 드러오난뇨?”

남후 왈,

“야야 취침ᄒᆞ신 후 퇴ᄒᆞ니, 야심ᄒᆞ여건니와 너난 엇지ᄌᆞ지 아닛난뇨?”

ᄉᆞ인이 왈,

“쇼제 즘이 젹거니와 영ᄆᆡ 궁상(窮狀)되여[1583] 아역(兒役)[1584]을 심히 ᄒᆞ니 ᄊᆞ라 안즌ᄂᆞᆫ이다.”

남휘 우쇼왈,

“ᄉᆞ원이 우리 표ᄆᆡ와 졍혼ᄒᆞ미 나의 덕이믈 《아니야‖아ᄂᆞ냐》?”

ᄉᆞ인이 쇼왈,

“형이 진후의 감언미[미]어로 권ᄒᆞ여 졍혼ᄒᆞ믈 엇지 못로리요. 그윽이 감ᄉᆞᄒᆞ노라.”

휘 왈,

“○○[너의] 호신을 믜워 ○○○[즁ᄆᆡ를 아니랴 ᄒᆞ엿더니, 네 간졀이 쳥ᄒᆞᄆᆡ 월노을 ᄌᆞ임ᄒᆞ엿거니와, 타일 일분이ᄂᆞ 불평지ᄉᆡ 이시면 ᄂᆡ 감이 폭[표]슉게 뵈올 낫시 《업습ᄂᆞ이다‖업술노다》.”

ᄉᆞ인이 잠쇼묵연이요, 쇼제ᄂᆞᆫ 말솜의 뜻이 업ᄉᆞ니, 휘 쇼이문왈,

“금일 슉당 ᄂᆡ외 현ᄆᆡ다려 윤부 셰밀ᄉᆞ을 무러시니 현ᄆᆡ 쳔연이 쓰르쳐 ᄃᆡ답ᄒᆞ고 타일 불평지ᄌᆡ 잇시면 엇지○[코]ᄌᆞ ᄒᆞᄂᆞ뇨?”

1583)궁상(窮狀)되다 : 궁상(窮狀)맞다. 꾀죄죄하고 초라하다.

1584)아역(兒役) : 어린아이의 놀이나 행동.

쇼졔 유유 냥구의 ᄃᆡ왈,

“쇼ᄆᆡ는 오딕 슉당의 임의로 ᄒᆞ쇼셔 ᄒᆞ고 형당 ᄀᆞᆺ치 권ᄒᆞᆫ 바는 업ᄉᆞ니, 원간 화복 길흉이 텬쉬라 ᄆᆡ작(媒妁)의 탓시 아니언마는 혹ᄌᆞ 블평ᄒᆞᆫ 일이 이시면 슉당(叔堂)이 거거를 미안이 아르실 듯ᄒᆞ고, 쇼ᄆᆡ는 그릇 넉이실 ᄇᆡ 업슬 듯ᄒᆞ니이다.”

휘 대쇼 왈,

“현ᄆᆡ지언이 내 타슬 삼아 발을 ᄲᆡ히려 ᄒᆞ니, 나의 듕ᄆᆡ ᄀᆞ장 어린가 ᄒᆞ노라.”

ᄒᆞ고, 이윽이 말슴ᄒᆞᆯᄉᆡ 샤인을 당부 왈,

“가듕이 다 날노 듕ᄆᆡᄒᆞ믈【58】 우이 넉이고, 쇼ᄆᆡ ᄯᅩ 간예치 말녓노라 ᄒᆞ니, ᄉᆞ원은 진ᄆᆡ를 취ᄒᆞᆫ 후, 일편 괴로오미 업게 ᄒᆞ라.”

샤인이 쇼이 대왈,

“형이 니르지 아니시나 엇디 사ᄅᆞᆷ을 괴롭게 ᄒᆞ리오. 화복이 유슈(有數)ᄒᆞ니 인력으로 못ᄒᆞᆯ가 ᄒᆞᄂᆞ이다.”

휘 쇼왈,

“사ᄅᆞᆷ의 상뫼 아ᄆᆡ와 표ᄆᆡ ᄀᆞᆺᄐᆞ면 슈화의 드리쳐도 념네 업ᄉᆞ니, 나도 다만 복덕 완젼지상을 밋노라.”

샤인이 진시 취ᄒᆞᆯ 바를 힝열ᄒᆞ나, 쇼져는 위태부인과 뉴시 모녀의 심술을 혜아려 근심이 깁더라. 남휘 니러 윤부인 침소로 가고, 샤인○[은] 본부의셔는 부부지졍이 화락지 못ᄒᆞ다가, 이에 머믈ᄆᆡ 금슬지낙(琴瑟之樂)이 흡연ᄒᆞ니, 금후 부부와【59】 슌태부인의 두굿기미 극ᄒᆞ더라.

이러구러 하쇼져의 길긔 님ᄒᆞ니, 샤인이 하딕고 도라가ᄆᆡ, 금휘 훌연ᄒᆞ믈 니긔지 못ᄒᆞ더라.

쇼졔 봉관을 슉여 냥구【91】의 ᄃᆡ왈,

“쇼ᄆᆡ는 오직 슉당이 임의로 ᄒᆞ쇼셔 ᄒᆞ엿고, 거거(哥哥)쳐로 권치 아냐시니, 원간 화복 ᄌᆞᆼ달[단](長短)이 텬수의 졍ᄒᆞᆫ ᄇᆡ니, ᄆᆡᄌᆞᆨ(媒妁)의 탓ᄉᆞᆯ ᄇᆡ 아니로ᄃᆡ, 혹 ᄯᅳᆺ 갓치 못ᄒᆞᆫ 즉, 슉부뫼 거거와 쇼ᄆᆡ로ᄡᅧ 칙ᄒᆞ시리니, 쇼ᄆᆡ 간셕[셥]지 아니니이다.”

휘 ᄃᆡ소 왈,

“현ᄆᆡ 우형의 탓ᄉᆞᆯ ᄉᆞᆷ아 후일 발을 ᄲᅢ히려 ᄒᆞ니, 가ᄌᆞ[ᄌᆞᆼ] 어려운 노릇시로다.”

쇼졔 미미ᄒᆞᆫ 우엄이 화협을 동ᄒᆞ여 왈,

“쇼ᄆᆡ ᄀᆞᆺᄒᆞ여 거거의 탓슬 ᄉᆞᆷ지 아니려니와 거거쳐로 셔돈 바는 업ᄂᆞ이ᄃᆞ.”

남휘 쇼ᄆᆡ 부부을 일셕의 두어 남풍여ᄎᆡ 쇄락찰난ᄒᆞ물 아름답고 우ᄋᆡᄒᆞ는 졍이 비길 ᄃᆡ 업셔 ᄉᆞ인○[을] 당부 왈,

“가즁의 다 나의 즁ᄆᆡᄒᆞ믈 웃고 쇼ᄆᆡ ᄯᅩ ᄎᆞ혼의 간셥지 아니려 ᄒᆞ니 ᄉᆞ원은 진ᄆᆡ을 취ᄒᆞᆫ 후 일졀 괴로오미 업게 ᄒᆞ라.”

ᄉᆞ인이 쇼왈,

“형이 비록 이르지 아니나 쇼제 엇지 ᄉᆞᄅᆞᆷ을 괴롭게 ᄒᆞ리요.”

휘 쇼왈,

“ᄉᆞᄅᆞᆷ의 상뫼 ᄒᆞᄆᆡ와 표ᄆᆡ 갓틋[튼] 후는 《수ᄒᆞ‖수화(水火)》의 드러도 염예(念慮) 업ᄉᆞ리니, 오쟉 복덕지상을 《밋ᄂᆞ니‖밋노라.》”

ᄉᆞ인은 진○○○[시와의] 혼○[인]을 힝희(幸喜)ᄒᆞᄂᆞ, 쇼제는 위ᄐᆡ부인과 뉴시 모여(母女)의 심용을 혀[혜]아려 근심이 만터라. 남휘 윤부인 침쇼을 ᄎᆞᆺ고, ᄉᆞ인은 본부의셔는 죠모와 슉모을 두려 부부은졍을 ᄌᆞ젼치 못ᄒᆞ여 화락ᄒᆞ미 업더니, 뎡부의 날마다 유쳬(留滯)ᄒᆞ니 금슬지낙(琴瑟之樂)이 흡연ᄒᆞ여 여텬지무궁(如天地無窮)ᄒᆞ니, 금평후 부부지졍의 지ᄂᆞ○[믈] 탐탐ᄒᆞ더【92】라.

이러구러 하소졔 길긔 임ᄒᆞ니 ᄉᆞ인이 빙가의 오ᄅᆡ 유ᄒᆞ미 어렵고, 아의 길긔 날이 격ᄒᆞ엿는지라. ᄒᆞ직고 본부로 도라가니 뎡

윤공이 ᄋᆞᄌᆞ의 길일이 슈일이 격ᄒᆞᆫ 후 모젼(母前)의 고왈,

“희ᄋᆡ 신댱(身長) 거지(擧止) 졔 형의게 못ᄒᆞ미 업ᄉᆞᄃᆡ, 디금 혼인을 못ᄒᆞ미 졀박ᄒᆞ와 금평후 양녀(養女)와 뎡혼ᄒᆞ여 길신(吉辰)이 우명일(又明日)이로소이다.”

부인이 경왈,

“임의 뎡혼ᄒᆞ여시면 엇디 이제야 니르며, 원간 뉘 집이뇨?”

ᄃᆡ왈,

“작일이야 비로소 완뎡ᄒᆞ여 길긔 쵹박ᄒᆞ니 믈니고져 ᄒᆞ온 즉, 금휘 ᄋᆞᄌᆞ의 길복가지 운산의셔 출혀 보ᄂᆡ마 ᄒᆞ고, 뎡일(定日)노 디ᄂᆡ믈 니르오니, 브득이 믈니지 못ᄒᆞ고 규슈ᄂᆞᆫ 하【60】시라 ᄒᆞ더이다.”

태부인이 미급답(未及答)의, 뉴시 ᄀᆞᆯ오ᄃᆡ,

“희텬의 젼일 뎡혼ᄒᆞ엿던 하시 실산ᄒᆞ엿다 ᄒᆞ더니, 뎡부의셔 ᄎᆞᄌᆞ미 되니잇가.”

공이 모호히 답왈,

“쵹디 하시ᄂᆞᆫ 호환을 만나시니 ᄉᆡᆼ환이 어렵거니와 금평후 양녀도 하시라 ᄒᆞ니, 원ᄂᆡ 오ᄋᆡ 하시긔 연분이 잇던가 ᄒᆞᄂᆞ이다.”

뉴시 착급ᄒᆞ여 심니의 분분(紛紛)ᄒᆞ나, 슈일 격ᄒᆞᆫ 혼인을 능히 작희(作戲)ᄒᆞᆯ 도리 업셔, 신묘랑이나 청ᄒᆞ여 의논코져 보슈 암의 사ᄅᆞᆷ을 보ᄂᆡ니 맛ᄎᆞᆷ 나간 ᄯᅢ라, ᄉᆞᄉᆞ의 ᄯᅳᆺ ᄀᆞᆺ지 아니믈 한ᄒᆞ여 의형이 환탈ᄒᆞ며, 희텬의 디셩대효(至誠大孝)를 더옥 ᄆᆡ이 넉이더라.

길신이 님ᄒᆞᄆᆡ 대연을 ᄇᆡ셜ᄒᆞ여 넌니

후 부부의 결연ᄒᆞ미 여실쥴[즁]보(如失重寶)ᄒᆞ더라.

윤공이 아ᄌᆞ 길일을 격ᄒᆞ여 비로쇼 모친게 고왈,

“희ᄋᆡ 풍뉴신ᄌᆞᆼ(風流身長)ᄒᆞ미 광텬만 못ᄒᆞ미 업ᄉᆞᄃᆡ, 지금 가기(佳期)을 《일우지‖경ᄒᆞ지》 못ᄒᆞ미 졀박ᄒᆞ여, 금후의 양여(養女)와 결[뎡]혼ᄒᆞ여 길일이 우명일(又明日)이로소이다.”

ᄐᆡ부인이 경왈,

“임의 정혼ᄒᆞ엿시니 깃부거니와 엇지 이졔야 이르ᄂᆞᆫ뇨?”

추밀 왈,

“비로소 즉일야 완정ᄒᆞ여 길일을 ᄐᆡᆨᄒᆞ니 여ᄎᆞ 수히 되엿ᄂᆞ이다. 물니러 ᄒᆞᆫ즉 금평휘 희아의 길복가지 ᄎᆡ려 미비ᄒᆞᆫ 거시 업고, 직쵹ᄒᆞ믈 물니지 못ᄒᆞ고, 규슈ᄂᆞᆫ 셩이 ᄒᆞ시라 ᄒᆞ더이다.”

ᄐᆡ뫼[뇌](太老) 미급답(未及答)의 뉴악(柳惡) 왈,

“희텬의 혼ᄉᆞ을 젼일 졍혼ᄒᆞᆫ 히[하]시 실산ᄒᆞ미 잇다 ᄒᆞ더니 뎡부의셔 ᄎᆞᄌᆞ 거두미 잇ᄂᆞᆫ잇가?”

공이 몽농이 답왈,

“쵹지 ᄒᆞ시ᄂᆞᆫ 범의게 물녀 갓시니 ᄉᆡᆼ죤ᄒᆞ미 어렵고, 금후의 냥여(養女)로 셩이 ᄒᆞ시ᄒᆞ ᄒᆞ니 원간 희아ᄂᆞᆫ ᄒᆞ시의 인연이 잇던가 ᄒᆞ노라.”

뉴《약‖악》이 그 ᄌᆞ셔이 이르지 아니믈 ᄎᆞᆨ급ᄒᆞ여 심홰 분분ᄒᆞᄂᆞ 능히 슈일 격ᄒᆞᆫ 혼ᄉᆞ을 즉희치 못ᄒᆞ고, 신묘랑을 청ᄒᆞ여 의논코져 보유암의 젼인(傳人)ᄒᆞ니, 묘랑이 맛ᄎᆞᆷ ᄂᆞ가고 업ᄂᆞᆫ지라. ᄉᆞᄉᆞ의 ᄯᅳᆺ갓지 못ᄒᆞ믈 ᄋᆡ달고 심ᄌᆞᆼ이 녹ᄂᆞᆫ 듯 의형이 환탈ᄒᆞᆯ【93】지라.

희텬 공ᄌᆞᄂᆞᆫ 지효라, 양모의 슈ᄑᆡ(瘦敗)ᄒᆞ믈 졀박초우(切迫焦憂)ᄒᆞ니, 뉴시ᄂᆞᆫ 됴부인 ᄉᆞᆷ모ᄌᆞ와 셕상셔 ᄌᆡ실 오시을 못 쥭여 각골분완ᄒᆞ니, 공ᄌᆞ의 지효지셩을 더이[욱] 뫼[ᄆᆡ]이 여기더라.

임의 길일이 ᄃᆞᄃᆞ르니 츄밀이 ᄃᆡ연을 ᄇᆡ

【61】 친쳑을 모홀시, 비로소 하시의 근본을 모친긔 고왈,

"쇼직 앗가야 드르니 신뷔 흑디 하공의 녀직라 ᄒᆞ오니, 블승힝열(不勝幸悅)ᄒᆞ여이다."

부인은 굿ᄐᆞ여 말이 업ᄉᆞᄃᆡ, 뉴시는 ᄌᆞ긔를 속여 샤인과 츄밀이 규규(糾糾)히 뎡혼ᄒᆞ여, 길일이 님ᄒᆞᆫ 후 소문을 ᄂᆡ여 니르믈 ᄇᆰ히 디긔ᄒᆞ고, 독ᄒᆞᆫ 분과 믜온 ᄆᆞ음이 칼 ᄀᆞᆺᄐᆞ나, ᄉᆡᆨ을 화히 ᄒᆞ여 흐르는 말ᄉᆞᆷ《을‖으로》 영졉ᄒᆞ니, 'ᄉᆞ광의(師曠) ᄎᆞᆼ명(聰明)'[1634] 밧근 그 심ᄉᆞ를 알니 업ᄉᆞ리러라.

날이 반오(半午)의 샤인이 공ᄌᆞ를 다리고 드러와 길복을 닙힐시, 뎡부의셔 윤부인이 일습 길복을 디여 보ᄂᆡ여시니, 뉴시 더옥 앙앙증통(怏怏憎痛)ᄒᆞ고, 조부인과 구패 뉴시의 심폐를 아라 깁흔 념네【62】 무궁ᄒᆞ고, 츄밀은 부인의 지악(至惡)을 몰나, ᄒᆞᆫ갓 션빅(先伯)을 츄모ᄒᆞ고 쳑감ᄒᆞ믈 마지 아니ᄒᆞ더라.

공직 훤연ᄒᆞᆫ[1635] 신당의 길복을 ᄀᆞᆺ초고 뎐안지녜(奠雁之禮)를 습녜ᄒᆞ니 션풍옥골이 표표히 진셰의 므드지 아냐, 춘원(春園)의 만홰방창(萬花方暢)ᄒᆞᆫ ᄃᆞᆺ, 니두(二杜)[1636]의 풍치를 묘시(藐視)ᄒᆞ고 진상국(晉相國)[1637]의 관옥지모(冠玉之貌)[1638]를 낫게 넉이니, 공이 그 손을 잡고 쳑연이 낫빗출 곳치며 조부인긔 고왈,

1634)ᄉᆞ광(師曠)의 ᄎᆞᆼ명(聰明) : 사광(師曠)은 춘추시대 진나라 음악가로, 소리를 들으면 이를 잘 분별하여 길흉을 점쳤다 한다. 따라서 사리(事理)를 잘 분별하는 것을 '사광의 총명'이라 한다.

1635)훤연ᄒᆞ다 : 훤츨하다. 훤칠하다. 길고 미끈하다.

1636)니두(二杜) : 중국 당나라 때 시인 두목지(杜牧). 당나라 만당(晩唐)때 시인. 미남자로, 두보(杜甫)에 상대하여 '소두(小杜)'라 칭하며, 두보와 함께 '이두(二杜)'로 일컬어지기도 한다.

1637)진상국(晉相國) : 중국 서진(西晉)의 미남자 반악(潘岳). 자는 안인(安仁). 승상을 지냈고 미남자의 대명사로 쓰인다..

1638)관옥지모(冠玉之貌) : 관옥처럼 아름다운 모습. 관옥은 관(冠)을 꾸미는 옥.

셜ᄒᆞ고 봉당을 다 쳥ᄒᆞ고 비로쇼 모젼의 고왈,

"쇼직 듯ᄉᆞ오니 금평후의 양여 흑지 ᄒᆞ공의 여ᄋᆞ라 ᄒᆞ오니, 구약이 셩젼ᄒᆞ믈 화[행]희ᄒᆞᄂᆞ이다."

위시는 고지 듯고 굿ᄒᆞ여 말이 업ᄉᆞ나, 뉴앙[악]은 ᄌᆞ긔을 속여 ᄉᆞ인과 추밀이 혼ᄉᆞ을 규규(糾糾)히 졍ᄒᆞ여 쇼문을 ᄂᆡ지 아니코 길일을 당ᄒᆞ여 일러는 쥴 지긔ᄒᆞ고, ᄒᆞᆫ원(恨怨)이 유츌(流出)ᄒᆞᄂᆞ, ᄉᆡᆨ을 회[화]히 ᄒᆞ고 흐르는 말슴으로 졉빈(接賓)ᄒᆞ니 ᄉᆞ광지ᄎᆞᆼ(師曠之聽)[1585]이나 속은 알지 못ᄒᆞᆯ너라.

일영(日影)이 ᄌᆞᆼ반(將半)의 ᄉᆞ인이 공ᄌᆞ을 다리고 드러와 길복을 입흘[힐]시, 뎡부의셔 윤쇼졔 일습 길복을 보ᄂᆡ엿시니, 뉴시 더옥 앙앙증풍[통](怏怏憎痛)ᄒᆞ고, 됴부인과 구픽 뉴시의 심폐을 알아 깁흔 염예 무궁ᄒᆞ고, 츄밀은 부인지악(夫人至惡)을 몰나, ᄒᆞᆫ갓 션빅(先伯)을 츄모ᄒᆞ고 쳑감ᄒᆞ믈 마지 아니 ᄒᆞ더라.

공직 《원연ᄒᆞ‖훤연ᄒᆞᆫ[1586]》 신즁의 길복을 갓쵸고 젼안지여[예](奠雁之禮)을 습의[녜](習禮)ᄒᆞ니 션풍옥골이 표표히 진셰의 무더지[1587] 아냐 츈원(春園)의 만홰방츙ᄒᆞᆫ 듯, 니두(二杜)[1588]의 신치을 묘시(藐視)ᄒᆞ고 진상국(晉相國)[1589]의 관옥지모(冠玉之貌)[1590]을 낫게 역이니, 공이 그 숀을 잡고 쳑연이 낫빗츨 곳치며 됴부인게 고왈,

1585)ᄉᆞ광지ᄎᆞᆼ(師曠之聽) : 사광(師曠)은 춘추시대 진나라 음악가로, 소리를 들으면 이를 잘 분별하여 길흉을 점쳤다 한다. 따라서 사리(事理)를 잘 분별하는 것을 '사광의 총명'이라 한다.

1586)훤연ᄒᆞ다 : 훤츨하다. 훤칠하다. 길고 미끈하다.

1587)무드다 : 물들다.

1588)니두(二杜) : 중국 당나라 때 시인 두목지(杜牧). 당나라 만당(晩唐)때 시인. 미남자로, 두보(杜甫)에 상대하여 '소두(小杜)'라 칭하며, 두보와 함께 '이두(二杜)'로 일컬어지기도 한다.

1589)진상국(晉相國) : 중국 서진(西晉)의 미남자 반악(潘岳). 자는 안인(安仁). 승상을 지냈고 미남자의 대명사로 쓰인다..

1590)관옥지모(冠玉之貌) : 관옥처럼 아름다운 모습. 관옥은 관(冠)을 꾸미는 옥.

"금일 희ᄋᆞ의 관복 가온ᄃᆡ 청고ᄒᆞᆫ 신ᄎᆡ 얼프시 형댱과 방블ᄒᆞᆫ 곳이 만ᄉᆞ오니 쇼데 감쳑ᄒᆞ믈 니긔지 못ᄒᆞ리로소이다."

조부인이 빵누(雙淚)를 드리워 오열ᄒᆞᆯ ᄯᆞ름이오, 구파의 두굿김과 슬허ᄒᆞ미 츄밀과 일양이니, 태부【63】인이 듕목(衆目)을 위ᄒᆞ여 눈믈을 흘니며, 입을 비젹여 셕ᄉᆞ를 늣기며 두굿기미 과ᄒᆞ니, 조부인과 구패 그 ᄂᆡ외 현격ᄒᆞ믈 탄ᄒᆞ더라.

공ᄌᆡ 존당 부모긔 하직ᄒᆞ고 이의 허다 위의를 거ᄂᆞ려 운산으로 향ᄒᆞ니, 뎡부의셔 이날 셜연ᄒᆞ여 빈ᄀᆡᆨ을 대회(大會)ᄒᆞ고 신부를 보ᄂᆡᆯᄉᆡ, 하쇼졔 양부모의 디극ᄒᆞᆫ ᄌᆞᄋᆡ를 감은ᄒᆞ고, 남후 등 졔거거(諸哥哥)의 돗ᄐᆞ온 우ᄋᆡ를 의지ᄒᆞ여 삼년 니친지회(離親之懷)를 위로ᄒᆞ여 안과(安過)ᄒᆞᄂᆞᆫ ᄇᆡ러니, 셩혼(成婚) 대례(大禮)를 당ᄒᆞᄆᆡ, ᄉᆡᆼ부뫼 아득히 보디 못ᄒᆞ시믈 슬허ᄒᆞ고, 양부모 슬하를 마ᄌᆞ 써나믈 악연 비상ᄒᆞ여, 식음【64】을 믈니치고 씩씩 홍뉘(紅淚) 뉴미(柳眉)를 적시니, 슌태부인과 진부인이 어로만져 위로(慰勞) 무양(撫養)ᄒᆞ미 강보유녀(襁褓幼女) ᄀᆞᆺ고 뎡쇼졔 식음을 ᄌᆞ로 권ᄒᆞ며 위로 왈,

"현ᄆᆡ의 심회 엇디 이러치 아니리오마ᄂᆞᆫ 비도(悲悼)ᄒᆞ미 무익ᄒᆞ고, 비록 구가의 가나 날노 더브러 안행(雁行)의 졍을 니으미 본부나 다르지 아니리니, 심ᄉᆞ를 널니ᄒᆞ여 질을 닐위지 말나."

하쇼졔 탄식 무언이러니, 길셕(吉席)을 당ᄒᆞ여 윤·양·니 등과 뎡쇼졔 신부를 단장ᄒᆞ여 습네ᄒᆞ니 ᄇᆡᆨ미쳔향(百美天香)이 딘션득듕(眞善得中)ᄒᆞ여 인뉴(人類)의 ᄡᆡ혀나니, 빈ᄀᆡᆨ이 칭찬 왈,

"남후 등 칠남ᄆᆡ 개개히 츌뉴ᄒᆞ믄【65】금후와 진부인 ᄉᆡᆼ츌이ᄆᆡ 츌어범뉴(出於凡類)ᄒᆞ미어니와, 지어양녀(至於養女)가지 여ᄎᆞ 비상ᄒᆞ시믄 존문의 북경이라. 쳡등이 졔쇼져를 구경ᄒᆞᄆᆡ 유광(有光)ᄒᆞ미 극ᄒᆞ도소이다."

금후 부뷔 두굿기믈 씌여 ᄃᆡ왈,

"쇼ᄉᆡᆼ이 조션의 묵우(默祐)ᄒᆞ시믈 닙ᄉᆞ와

"금일 희아의 관복 가온ᄃᆡ 청고ᄒᆞᆫ 신ᄎᆡ 얼【94】푸시 형장과 방불ᄒᆞᆫ 곳지 만ᄉᆞ오니 쇼졔 불승감쳥[쳑](不勝感慽)ᄒᆞᄂᆞ이다."

됴부인이 쌍뉴(雙淚)을 드리워 오열ᄒᆞᆯ 짜름이요, 구ᄑᆡ 두굿김과 슬허ᄒᆞ미 츄밀과 일양이니, ᄐᆡ부인이 듕목을 위ᄒᆞ여 눈물을 흘니며 입을 비젹여 셕ᄉᆞ을 늣기며 두굿기미 과ᄒᆞ니, 됴부인과 구ᄑᆡ 그 ᄂᆡ외 현격ᄒᆞ믈 탄ᄒᆞ더라.

공ᄌᆡ 죤당부모게 ᄒᆞ직ᄒᆞ고 허ᄃᆞ 위의을 거ᄂᆞ려 운순을 향ᄒᆞ니 뎡부의셔 이ᄂᆞᆯ 《션열∥셜연》ᄒᆞ여 빈ᄀᆡᆨ을 ᄃᆡ회ᄒᆞ고 신부을 보ᄂᆡᆯ ᄉᆡ, ᄒᆞ쇼졔 《남모∥양부모》의 지극ᄒᆞᆫ ᄌᆞᄋᆡ을 감은ᄒᆞ고, 남후 등 모든 거거의 우ᄋᆡ을 의지ᄒᆞ여 ᄉᆞᆷ연 이친지회(離親之懷)을 위로ᄒᆞ여 안과ᄒᆞᄂᆞᆫ ᄇᆡ르니, 셩혼(成婚) ᄃᆡ례(大禮)을 당ᄒᆞᄆᆡ ᄉᆡᆼ부뫼 아득히 보지 못ᄒᆞ믈 슬러[허]ᄒᆞᄂᆞᆫ 즁, 양부모의 슬ᄒᆞ을 마ᄌᆞ 써ᄂᆞ믈 악연비챵ᄒᆞ여 식음을 물니치고, 씩씩 홍뉘 뉴미을 젹시니, 슌ᄐᆡ부인과 진부인이 어로만져 위로 《봉양∥무양(撫養)》ᄒᆞ미 강보유녜(襁褓幼女) 갓고, 뎡쇼졔 식음을 ᄌᆞ로 권ᄒᆞ며 위로 왈,

"현ᄆᆡ의 심회 엇지 이러치 아니리요마ᄂᆞᆫ 비도(悲悼)ᄒᆞ미 무익ᄒᆞ고, 비록 구가의 가ᄂᆞ ᄂᆞᆯ노 더부러 안항(雁行)의 졍을 이르미 본부나 다르지 아니리니, 심ᄉᆞ을 널니ᄒᆞ여 질(疾)얼 일우지 말ᄂᆞ."

ᄒᆞ쇼졔 탄식무언이러니, 길셕을 당ᄒᆞ여 윤·양·이 등과 뎡쇼졔 신부을 단즁ᄒᆞ여 습위[녜](習禮)ᄒᆞ니, ᄇᆡᆨ미쳔향(百美天香)이 진션득즁(眞善得中)ᄒᆞ여 인유(人類)의 쌔히[혀]ᄂᆞ니 빈ᄀᆡᆨ이 칭츈 왈,

"남후 칠남ᄆᆡ ᄀᆡᄀᆡ【95】히 츌뉴ᄒᆞ믄, 금후와 진부인 ᄉᆡᆼ츌이ᄆᆡ 츌어범뉴(出於凡類)ᄒᆞ미여니와, 양여(養女)의 비ᄉᆞᆼᄒᆞ미 쏘ᄒᆞᆫ 여ᄎᆞᄒᆞ믄 죤문의 복셩[경](福慶)이라. 쳡 등이 졔쇼졔을 구경ᄒᆞᄆᆡ 유광(有光)ᄒᆞ도쇼이다."

금휘 두굿기믈 씌여 ᄃᆡ왈,

"쇼ᄉᆡᆼ이 죠션의 묵우(默祐)ᄒᆞ시믈 입ᄉᆞ와

여러 ᄌᆞ녜 무용키를 면ᄒᆞ고, 식부 등은 각각 지아뷔 외람ᄒᆞᆫ 안히라. 지어양녀(至於養女)ᄂᆞᆫ 져의 졍식 호화치 못ᄒᆞ니, 년ᄋᆡᄒᆞ미 친ᄉᆡᆼ의 우히러니, 이졔 셩혼ᄒᆞᄆᆡ 져의 용모 위인이 구개 나모라지 아닐디니, 두굿겁고 힝심ᄒᆞ미 극ᄒᆞ이다."

ᄒᆞ더라. 이윽고 신낭이 니르러 뎐안ᄒᆞ니 태부인과【66】 진부인이 일시의 규시(窺視)ᄒᆞᄆᆡ 영풍옥골이 슈려쇄락ᄒᆞ여 샤인과 ᄒᆞᆫ 판의 박은ᄃᆞᆺ, 단엄 침듕ᄒᆞᆫ 거동이 잠간 다르니, 농호 ᄀᆞᄐᆞᆫ 위풍이 하일(夏日)의 두리오믈 가져 호걸의 긔샹은 샤인이 낫고, 셩현군ᄌᆞ지풍(聖賢君子之風)은 신낭이 나으나, 풍뉴용쇄ᄂᆞᆫ 막샹막히(莫上莫下)라.

태부인과 진부인이 영힝ᄒᆞ믈 니긔지 못ᄒᆞ고, 졔빈이 만구 하녜ᄒᆞ여, 하쇼졔 일ᄉᆡᆼ이 쾌ᄒᆞᆯ 바를 일캇더라.

공지 뎐안지녜를 파ᄒᆞᄆᆡ, 남후 등이 팔미라 좌의 드니 금휘 흔연 집슈 왈,

"우리 냥가 경분으로 ᄌᆞ녀를 밧고와 후의를 ᄆᆡ지ᄆᆡ, 인연이 긔구ᄒᆞ여 ᄉᆞ빈이 ᄯᅩ 내집【67】 문난의 광치를 도으니 엇지 힝열치 아니리오. 녀ᄋᆡ ᄉᆡᆼ친(生親)을 누쳔니의 니별ᄒᆞ고, 외로온 몸이 ᄉᆞ빈의 건긔(巾器)를 쇼임ᄒᆞ니, 미셰ᄒᆞᆫ 허믈이 이시나 군은 인ᄌᆞ관홍(仁慈寬弘)ᄒᆞᆫ 군지라. 녀ᄌᆞ 일신이 안한케 ᄒᆞ믈 바라노라."

ᄉᆡᆼ이 흠신 ᄉᆞ샤ᄒᆞ고 날이 느ᄌᆞ니 신부 샹교(上轎)를 ᄌᆡ쵹ᄒᆞ여, 샤인이 뎡쇼져의 몬져 도라가믈 바야니, 쇼졔 위험ᄒᆞᆫ 구가의 나아갈 바를 ᄉᆡᆼ각ᄒᆞ고, 옥장(玉腸)1639)이 놀나오ᄃᆡ 강인ᄒᆞ여 존당 부모긔 하직ᄒᆞᆯᄉᆡ, 금휘 좌우의 친쳑이 셩녈(盛列)ᄒᆞᄆᆡ 긴 셜화를 펴지 아녀, 오직 하ᄋᆞ로 더브러 됴히 디ᄂᆡ믈 당부ᄒᆞᆯ ᄯᆞᄅᆞᆷ이라. 태부인과 진부인이 누슈 를 금치 못ᄒᆞ니,【68】 쇼졔 심ᄉᆡ 블평ᄒᆞ나 화셩유어로 친젼의 ᄇᆡ샤ᄒᆞ고, 동긔로 분슈 ᄒᆞ여 샹교ᄒᆞᆯᄉᆡ, 윤부인이 난간의 나와 쳑연 슈루 왈,

1639)옥장(玉腸) : 옥처럼 굳은 마음.

여러 ᄌᆞ여 무용키을 면ᄒᆞ고, 식부 등은 각각 지아뷔의게 외람ᄒᆞᆫ 쳐라. 지어 양여ᄂᆞᆫ 졔 경식 호화치 못ᄒᆞ니, 연ᄋᆡᄒᆞ미 친ᄉᆡᆼ의 우히르니, 이졔 셩혼ᄒᆞᄆᆡ 져의 ○○○○○[용모 위인을] 구지[기] 나오[모]라지 아닐지라, 두굿겁고 힝심ᄒᆞ미 극ᄒᆞ이다."

이윽고 신낭이 이르러 젼안ᄒᆞ니, ᄐᆡ부인과 {다}진부인이 일시의 규시ᄒᆞᄆᆡ, 영풍옥골이 슈려쇄락ᄒᆞ여 ᄉᆞ인과 ᄒᆞᆫ파[판]의 밧[박]은 듯, 단음[엄]침즁(端嚴沈重)ᄒᆞᆫ 거동이 잠간 다르니, 농호 갓틋[튼] 긔질이 하일의 두리오믈 가져 호결[걸]의 긔ᄉᆞᆼ은 ᄉᆞ인이 낫고, 셩흔[현]지풍은 신낭이 ᄂᆞ흐나 퓽유용쇄 막ᄉᆞᆼ막히(莫上莫下)라.

ᄐᆡ부인과 진부인이 영힝ᄒᆞ믈 이긔지 못ᄒᆞ고 좌빈(座賓)이 일시의 ᄒᆞ례ᄒᆞ여 ᄒᆞ쇼졔 일ᄉᆡᆼ이 쾌ᄒᆞᆯ 바을 일컷더라.

윤ᄉᆡᆼ이 젼안지여[례]을 파ᄒᆞᄆᆡ 남후 등이 팔미러 좌의 드니, 금휘 흔연 집슈 왈,

"우리 양가 경분으로 ᄌᆞ여을 밧고와 후의을 ᄆᆡᄌᆞᄆᆡ 인연이 긔구ᄒᆞ여 ᄉᆞ빈이 ᄯᅩ ᄂᆡ집 문안의 광치을 도으니 이ᄂᆞᆫ 쳔고희ᄉᆡ(千古喜事)라 엇지 희힝치 아니 ᄒᆞ리요. ᄒᆞᄋᆡ ᄉᆡᆼ부모을 슈쳘니(數千里)의 원별ᄒᆞ고 외로○[온] 몸이 ᄉᆞ빈의【96】 건즐을 쇼임ᄒᆞᄆᆡ, 타일 미셰ᄒᆞᆫ 허물이 잇실지라도 인ᄌᆞ관홍으로써 져의 일ᄉᆡᆼ을 안ᄒᆞᆫ키을 바ᄅᆞ노라."

윤ᄉᆡᆼ이 몸을 굽허[혀] ᄉᆞᄉᆞᄒᆞᄆᆡ 온화ᄒᆞ고 침졍ᄒᆞ여 곰[공]ᄆᆡᆼ(孔孟)이 ᄃᆡ좌시나 무불ᄒᆞᄌᆞ(無不賀者)리니, 좌위 금후의 쾌셔 어드믈 치ᄒᆞ하며 빈죄[쥬](賓主) 환낙ᄒᆞ더니, 일모ᄒᆞᄆᆡ 신부 ᄉᆞᆼ교(上轎)을 ᄌᆡ쵹ᄒᆞ고, ᄉᆞ인이 부인의 어셔 도라오기을 바야니 뎡쇼졔 ᄆᆡ양 잇슬 거시 아니로ᄃᆡ, 험한 규[구]문(舅門)의 나ᄋᆞ가믈 ᄉᆡᆨ로이 놀나오되, 강잉ᄒᆞ여 죤당부모게 ᄒᆞ직을 고ᄒᆞ니, ᄐᆡ분[부]인이 연연ᄒᆞ고 오직 ᄒᆞᄋᆡ로 죠히 이시믈 당부ᄒᆞ고, 진부인이 누슈을 ᄲᅳ려 양여와 친여을 어루만져 슬러ᄒᆞ니, 쇼졔 ᄉᆞᄉᆡᆨ을 유열이 ᄒᆞ고 모부인을 위로ᄒᆞ여 ᄇᆡᄉᆞᄒᆞ고, 졔 거거을 분수ᄒᆞᄆᆡ, 윤쇼졔 쳑연이 쌍누을 ᄲᅳ려 왈,

"연셕의도 참예치 못ᄒᆞ니 원컨ᄃᆡ 현ᄆᆡ는 하쇼져로 더브러 기리 무양ᄒᆞ쇼셔."

뎡쇼졔 탄왈,

"져져는 심회를 편히 ᄒᆞ샤 쇼ᄆᆡ를 믈념ᄒᆞ실지니 ᄯᅢ를 타 귀령ᄒᆞ면 셔로 반기리이다."

언필의 샹교ᄒᆞᄆᆡ 홍션 등이 ᄉᆞ디의 나아 감ᄀᆞᆺ티 슬허ᄒᆞ더라.

신뷔 샹교홀ᄉᆡ, 셩안의 쥬뤼(珠淚) 삼삼ᄒᆞ여 존당의 ᄇᆡ샤ᄒᆞ니 금휘 어로만져 왈,

"범ᄉᆞ를 형뎨 상의ᄒᆞ여 지ᄂᆡ고 져근 니별을 슬허 말나."

태부인과 진부인은 함누(含淚)ᄒᆞ고 효봉구고와 승슌군ᄌᆞ를 경계ᄒᆞ며, 신【69】낭의 금쇄로 봉교(封轎)ᄒᆞ여 도라올ᄉᆡ, 명공 거경과 공후직렬이 요ᄀᆡᆨ(繞客)으로 당ᄒᆞᆫ 위의 일노의 휘영ᄒᆞ고, 관광직 칙칙 칭션ᄒᆞ여 텬샹낭(天上郎)이라 ᄒᆞ더라. 부듕의 다ᄃᆞ라 냥신인이 쳥듕(廳中)의셔 독좌(獨坐)[1640]홀ᄉᆡ, 남풍녀뫼 일ᄡᅣᆼ호귀(一雙好逑)라. 교ᄇᆡ(交拜)를 맛고 신뷔 단장을 곳쳐 존당구고긔 조뉼(棗栗)을 헌ᄒᆞ고 팔ᄇᆡ 대례를 ᄒᆡᆼ홀ᄉᆡ, 홍일이 오운(五雲)을 멍에ᄒᆞ여 부상의 오로는 듯, 남젼미옥(藍田美玉)을 다듬아 긔화(奇花)를 ᄎᆡ식ᄒᆞ며, 미우팔ᄎᆡ(眉宇八彩) 셩ᄌᆞ긔ᄆᆡᆨ(聖姿氣脈)이라. ᄉᆞ일안ᄎᆡ(斜日眼彩)의 현셩ᄒᆞᆫ 덕긔 낫타나 긔상이 님하ᄉᆞ군ᄌᆞ(林下士君子)의 풍을 겸ᄒᆞ여시니, 엇지 ᄒᆞᆫ갓 규즁녀ᄌᆡ리오. 츄밀이 대희과망(大喜過望)ᄒᆞ고 조부인이 이ᄀᆞᆺ튼 슉녀를 보ᄆᆡ 흔ᄒᆡᆼ(欣幸)【70】ᄒᆞ나 ᄌᆞ녀 혼취의 다ᄃᆞ라 심장이 더옥 최졀ᄒᆞ니 누슈를 능히 금치 못ᄒᆞ고, 태

1640)독좌(獨坐) : 독좌례(獨坐禮) : 혼인례에서 대례(大禮)를 달리 이른 말. 즉 신랑과 신부가 대례를 행할 때 각각의 앞에 음식을 차려 놓은 독좌상(獨坐床)을 놓고 교배(交拜)·합근(合巹) 등의 의례를 행하는 것을 비유하여 쓴 말이다.

"엿ᄎᆞ지시(如此之時)의도 쳡이 ᄎᆞᆷ연(參宴)치 못ᄒᆞ니 원컨ᄃᆡ 부인은 ᄒᆞ쇼졔로 금옥즁신을 보젼ᄒᆞ여 길이 안강ᄒᆞ쇼셔."

뎡쇼졔 츄연탄왈,

"져져는 무렴(無念)ᄒᆞ시고 심ᄉᆞ을 편이 ᄒᆞᄉᆞ 죤고의 바ᄅᆞ시는 바을 져바리지 마르ᄉᆞ 반셕 갓튼[트]신 즉 다시 ᄯᅢ을 타 귀근ᄒᆞ리니 엇지 셔로 반기미 업ᄉᆞ오리요."

언파의 ᄉᆞᆼ교ᄒᆞ니 홍션 등이 ᄉᆞ지의 감 갓치 슬러 ᄒᆞ니, 진부인이 ᄎᆞ경을 보고 ᄎᆞᆷ연ᄒᆞ고, 신부 ᄯᅩᄒᆞᆫ 양부모와 죤당의 ᄒᆞ직홀ᄉᆡ, 쌍셩봉안(雙星鳳眼)의 진쥬 《일실이 ‖ 이슬이》 쌍쌍ᄒᆞ니, 금휘 어로만져 위로ᄒᆞ고 ○[왈],

"범ᄉᆞ【97】을 여형과 상의ᄒᆞ여 양질(養姪)을 보젼ᄒᆞ여 ᄎᆞᆨ지 ᄒᆞ형과 죤수의 바라시는 바을 《지발리지 ‖ 져바리지》 말ᄂᆞ."

ᄐᆡ부인과 진부인이 누쉬비비(淚水霏霏)ᄒᆞ여 효봉구고와 승슌군ᄌᆞ의 무위죵ᄉᆞ(務爲宗祀)ᄒᆞᆷ믈 경계ᄒᆞ니, 하쇼졔 ᄇᆡᄉᆞ슈명ᄒᆞ고 ᄎᆡ교의 오르니, 윤ᄉᆡᆼ이 금쇄을 가져 봉교(封轎)ᄒᆞ고 상마ᄒᆞ여 옥누향[항]으로 도라오니, 남풍(男風)이 쇄락ᄒᆞ고 여ᄎᆡ(女彩) 휘황ᄒᆞ여 일월을 ᄌᆡᆼ광ᄒᆞ니, 일쌍호구요 천졍양필(天定良匹)이라. 만당빈ᄀᆡᆨ이 눈이 현ᄂᆞᆫᄒᆞ고 졍신이 쇄열[연](灑然)ᄒᆞ여 스ᄉᆞ로 몸을 수렴ᄒᆞ더라. 교ᄇᆡ(交拜)을 파ᄒᆞ고 신낭을[은] 츌위[외](出外)ᄒᆞ고, 신부는 단ᄌᆞᆼ을 곤쳐 죠뉼(棗栗)을 밧드러 죤당구고게 현알(見謁)ᄒᆞ고 팔ᄇᆡᄃᆡ례을 ᄒᆡᆼ홀 ᄉᆡ, 먼니 바ᄅᆞ보면 ᄐᆡᄉᆞᆼ(太上)[1591]이 오운(五雲)을 멍예ᄒᆞ여 동영(東嶺)의 오른 듯 ᄎᆞᆫᄂᆞᆫ현요(燦爛顯曜)ᄒᆞ더니, 갓가이 ᄂᆞᄋᆞ오ᄆᆡ 남젼미옥(藍田美玉)을 공교히 다듬어 ᄎᆡ식을 메온 듯, 반월(半月) 이마는 ᄇᆡᆨ셜이 엄[엉]기고, 미우팔ᄎᆡ는 긔ᄆᆡᆨ이 온젼ᄒᆞ고, 송젼운빈(松田雲鬢)[1592]은 텬지경홰라. 뉵쳔[쳑]향신(六尺香身)이 표연이 운소(雲宵)의 독입(獨立)ᄒᆞ여

1591)ᄐᆡᄉᆞᆼ(太上) : 가장 뛰어난 것. 여기서는 태양.
1592)송젼운빈(松田雲鬢) : 여자의 어여머리 밑에 드리워진 귀밑머리. 송전은 '솔밭' 곧 '머리'를 뜻함.

부인과 뉴시모녀ᄂᆞᆫ 놀납고 분ᄒᆞ믈 니긔지 못ᄒᆞ여 도로혀 셕ᄉᆞ를 츄감ᄒᆞᄂᆞᆫ ᄃᆞ시 분ᄒᆞᆫ 눈믈을 흘녀 상셔의 보지 못ᄒᆞ믈 슬허ᄒᆞ니, 츄밀이 모친과 슈시를 관위ᄒᆞ고 신부를 나호여 무ᄋᆡ 왈,

"현부ᄂᆞᆫ 돈ᄋᆞ의 ᄋᆞ시 졍밍이라. ᄉᆞ괴 괴이ᄒᆞ여 실산지화를 보니, 뉘 도로혀 뎡형과 부녀의 친을 ᄆᆡᄌᆞ ○…**결락 15자**…○[여러 츈취 지ᄂᆡ믈 뜻ᄒᆞ여시리요. 이졔] 오문의 도라와 슬하를 빗ᄂᆡ니 희ᄒᆡᆼ(喜幸)ᄒᆞ믈 니긔지 못ᄒᆞ나, 하형이 경ᄉᆞ를 ᄒᆞᆫ가지로 못보믈 슬허ᄒᆞ노라."

ᄒᆞ고, 그 긔질을 ᄉᆞ랑ᄒᆞ니 만좌 빈ᄀᆡᆨ이 만구칭하(萬口稱賀)ᄒᆞᆫᄃᆡ 츄밀이 좌슈우응(左酬右應)ᄒᆞ여 ᄉᆞ양치 아니ᄒᆞ더라.【71】

장단니 맛가지니, 츄밀이 셕ᄉᆞ을 츄감ᄒᆞ고, 됴부인이 여ᄎᆞ 현부을 션공(先公)이 보지 못ᄒᆞ믈 슬러 누싊 쌍쌍ᄒᆞ고, 위·뉴 양악(兩惡)과 셕싱 쳐ᄂᆞᆫ 놀납고 분ᄒᆞ여 안ᄉᆡᆨ이 변ᄒᆞ니, 거즛 셕ᄉᆞ을 츄감ᄒᆞ난 쳬ᄒᆞ고 눈물을 ᄶᆞ 뉴슈언변(流水言辯)으로 두굿기고 ᄉᆞ랑ᄒᆞᄂᆞᆫ 쳬ᄒᆞ니, 츄밀○[이] ᄒᆞ[호]언(好言)으로 위로ᄒᆞ고 신부을 날ᄒᆞ[나호]여【98】왈,

"현보[부]ᄂᆞᆫ 돈ᄋᆞ의 아시 졍빙(定聘)이라, 존부의 환난으로 실산ᄒᆞ니 혹ᄌᆞ 구약을 일우지 못ᄒᆞᆯ가 슉야우례ᄒᆞ더니, 뉘 도로혀 뎡형의 결의부여(結義父女)로 여러 츈취 지ᄂᆡ믈 뜻ᄒᆞ여시리요. 이졔 오문의 드러와 여ᄎᆞ 셩덕이 츌범ᄒᆞ믈 보니 엇지 깃부지 아니리요. 다만 ᄒᆞ형이 ᄎᆞᆨ지의 잇셔 경ᄉᆞ을 보지 못ᄒᆞ니 ᄎᆞᆷ연토다."

인ᄒᆞ여 그 용화덕질을 환희과망(歡喜過望)ᄒᆞ니 좌위 졔셩칭ᄒᆞ(齊聲稱賀)ᄒᆞ여 호흥이 도도ᄒᆞ니, 윤공과 됴부인이 좌슈웅위[우응](左酬右應)ᄒᆞ여 ᄉᆞ양치 아니터라.

명듀보월빙 권디십칠

어시의 윤츄밀이 신부의 긔딜을 ᄉ랑ᄒ니, 만좌 빈긱이 만구 칭ᄒ흔딕 공이 좌슈우응ᄒ여 샤양치 아니코, 태부인과 뉴시의 두굿기며 깃븐 말이 하슈(河水)를 드리온 둧, 구패 디셩으로 과망대열ᄒᄂ 듕, 위・뉴의 ᄂ외 현격ᄒ믈 ᄋ돌나 ᄒ더라.

공이 ᄋᄌ를 명ᄒ여 부뷔 쌍으로 사묘의 현셩(見成)홀ᄉ, 조션 신위의 빅알ᄒ고 대야(大爺) 사묘(祠廟)의 다ᄃ라ᄂ 탄셩 오읍ᄒ여 누쉬 텸의(沾衣)ᄒ니, 신뷔 본딕 슬프믈 픔은 바로 감쳑ᄒ미 더ᄒ더라. 사묘의 나려 다시 좌뎡ᄒ믹【1】 만목이 다 뎡・하 냥쇼져 신상의 이셔, 만심 갈칙ᄒ여 왈,

"ᄒ가지 혈육지신(血肉之身)이 엇지 져디도록 긔이ᄒ고."

ᄒ더라. 츄밀이 좌우로 고면(顧眄)ᄒ여 냥부(養婦)의 화옥 ᄀᄐ 면광(面光)을 두굿겨 만심 환열ᄒ니, 졔빈이 치히 분분ᄒ여 죵일 달난ᄒ다가 셕양의 각산귀가(各散歸嫁)ᄒ고, 신부 슉소를 치련각의 뎡ᄒ여 보ᄂ믹, 공ᄌ를 명ᄒ여 신방으로 가라 ᄒ니 공ᄌ 빅샤ᄒ고 야야를 뫼셔 상요를 바로 ᄒ 후 믈너 신방의 니르니, 신뷔 긔이영디(起而迎之)ᄒ믹 팔흘 드러 좌를 쳥ᄒ고 거안시디(擧眼視之)ᄒ니, 옥모염광(玉貌艶光)이 ᄌ약긔려(自若奇麗)ᄒ여 미우팔치(眉宇八彩)와 냥안졍긔(兩眼精氣) 복덕이 어릭여시니, 싱이 그 현슉【2】ᄒ믈 더옥 깃거, 말숨을 펴ᄀ오딕,

"우리 냥인이 강보의 뎡약ᄒ 바로 블힝ᄒ여 존뷔 참화를 만나샤 쵹디의 뉴찬ᄒ시니, 위ᄒ여 통원(痛寃)ᄒ던 바오, ᄌ 또 실산지화를 만나, 뎡형의 구ᄒ 바로 구약을 셩젼ᄒ니 힝열(幸悅)ᄒ 듕, 싱의 슬프미 어쎠의 더ᄒ고 ᄌ의 졍ᄉ 비졀ᄒ니, 셕ᄌ(昔者) 뎡혼지시와 인ᄉ 변역ᄒ믈 탄ᄒᄂ이다."

쇼제 관잠(冠簪)1641)을 슈렴ᄒ여 공경 문구파 흔흔히 즐기고 깃거하ᄂ 즁, 위・뉴의 ᄂ외 다러[르]물 흔ᄒ여 근심ᄒ더라.

공이 명ᄒ여 아ᄌ 부부을 ᄉ묘(祠廟)의 현알(見謁)홀 ᄉ, 부부 쌍으로 ᄉ묘의 빅알ᄒ고, 부공 신위의 미쳐ᄂ 오열뉴체ᄒ여 옥면의 누쉬여우(淚水如雨)ᄒ니 좌위 기용뉴체(改容流涕)더라. 현묘지여[예](見廟之禮)을 파ᄒ니, 일모셔산(日暮西山)이라. 졔긱이 각산ᄒ고 신부 슉ᄉ을 졍ᄒ여 보ᄂ고, 쵹을 이어 담화ᄒᄃ가 아[야]심(夜深) 후 혼졍을 파ᄒ믹, 싱이 물어[러] 신방의 도ᄅ오니, 신부의 요죠유ᄒ[ᄒ](窈窕幽閑)ᄒ 덕셩이 ᄌᄀ의 바름 밧기라. 희열ᄒ미 무궁ᄒ나 그 연유ᄒ여 고인의 혼취지연(婚娶之年)이 아니요, 겸ᄒ여 심ᄉ 비황(悲況)ᄒ니 묵연단좌라. 야심ᄒ믈 아쳐ᄒ여 신부을 편이 쉬게 ᄒ고, ᄌ긔 또ᄒ 죠용이 금이(衾裏)의 나ᄋ가 줌드니, 군ᄌ의 슉엄졍딕ᄒ미 여ᄎᄒ더라.

1641)관잠(冠簪) : 부녀자들이 예복을 입을 때에 머리에 얹던 족두리 따위의 관(冠)과 쪽 찐 머리가 풀

파(閩罷)의 아황(蛾黃)[1642]이 슈싀(愁色)ᄒᆞ여 감쳑(感慽)ᄒᆞᄂᆞᆫ 틱되 더옥 긔이ᄒᆞ니 싱이 쳔고졀염슉녀(千古絶艶淑女)를 딕ᄒᆞ여 은ᄋᆡ(恩愛) 취동(醉動)ᄒᆞ믈 엇디 참으리오마ᄂᆞᆫ, 피ᄎᆞ 년유ᄒᆞᆫ 고로 오딕 쇼져를 편히 쉬게 ᄒᆞ고, ᄌᆞ긔 ᄯᅩᄒᆞᆫ 금니의 나아가 일침지하(一枕之下)의 ᄲᅣᆼ옥이 완젼【3】ᄒᆞ니 빅셰긔봉(百世奇逢)이오 텬싱긔연(天生奇緣)이라.

구패 규시(窺視)ᄒᆞ고 도라올 길히 츼봉각을 잠간 보미, 샤인이 취침ᄒᆞ딕 호호ᄒᆞᆫ 언담이 끗지 아냐 딘시 취홀 바를 ᄀᆞ장 즐기딕, 쇼졔 일언을 블응이라. 구패 해월누의 도라와 공ᄌᆞ의 온듕홈과 샤인의 화려ᄒᆞ믈 일일히 젼ᄒᆞ니, 조부인이 ᄋᆞᄌᆞ의 슉셩ᄒᆞ믈 두굿기고 빅ᄋᆞ의 호방ᄒᆞ믈 민망ᄒᆞ여 왈,

"혬 업ᄉᆞᆫ ᄋᆞ희 가듕 ᄉᆞ셰를 싱각지 아니ᄒᆞ고, 오직 슉녀미희를 슈업시 모호고져 ᄆᆞ옴 ᄡᅳᆫ이니, 엇디 근심되지 아니리오."

구패 쇼왈,

"샤인은 가듕ᄉᆞ(家中事)를 ᄉᆞᆯ피디 아니미 ᄌᆞ긔의 ᄀᆞ장 유익ᄒᆞ여 등과 후ᄂᆞᆫ 더옥 긔운이 튱텬ᄒᆞ니, 괴로온 근심을 아니【4】미 쾌활터이다."

부인이 탄왈,

"이러므로 광ᄋᆞᄂᆞᆫ 오히려 념녜 젹으딕 참연 잔잉ᄒᆞ미 희ᄋᆞ와 뎡쇼뷔러니, 신뷔 ᄯᅩ 드러오니 어이 견졸 곳이 이시리오. 하일하시(何日何時)의 가닉 화평ᄒᆞ믈 보리오."

구패 위로ᄒᆞ고 부인을 쥬야 ᄯᅥ나디 아니터라.

명신의 하쇼졔 존당구고긔 신셩(晨省)ᄒᆞ니 조부인과 츄밀의 ᄉᆞ랑이 친녀의 감치 아니딕, 위・뉴 조손고식모녀(祖孫姑媳母女)ᄂᆞᆫ 조부인 삼모ᄌᆞ를 믜워ᄒᆞ미 날노 더ᄒᆞ니, 태부인이 조부인으로브터 뎡・하 냥쇼졔를 조로고 보취미 졈졈 극악ᄒᆞ여, ᄎᆞ마 듯디못홀

명혼[신](明晨)의 부뷔 신셩【99】지여[예](晨省之禮)을 일위니, 윤공과 됴부인 ᄌᆞᄋᆡᄂᆞᆫ 이을[를] 곳지 업ᄉᆞ나, 위・뉴의 만복싀험ᄒᆞᆷ은 슴이 맛킬 듯ᄒᆞᄂᆞ, 츄밀 보ᄂᆞᆫ딕ᄂᆞᆫ 쥭기로ᄡᅧ 강즉(强作)ᄒᆞ니 됴부인은 그 거동을 슷치고 양 현부을 보젼치 못홀가 옥장(玉腸)을 녹이더라.

어지지 않도록 꽂는 비녀를 함께 이르는 말.

1642)아황(蛾黃) : 여자의 분바른 얼굴. 아황(蛾黃)은 예전에, 여자들이 얼굴에 발랐던 누런빛이 나는 분을 말함.

말과 견ᄃᆡ지 못홀 거죄 ᄉᆡ로 더ᄒᆞ니, 조부인이 냥부를 보젼치 못홀가 쥬야 방심치 못ᄒᆞ는 듕, 진부의 【5】셔 ᄐᆡᆨ일을 보ᄒᆞ여 길긔 슈슌이 격ᄒᆞ니, 조부인이 샤인을 ᄃᆡᄒᆞ여 돌ᄎᆞ(咄嗟)1643) 왈,

"가듕 ᄉᆞ셰 여등의 일쳐도 보젼키 어렵거늘 ᄯᅩ 신취ᄒᆞ여 무죄ᄒᆞᆫ 녀ᄌᆞ로 참화를 보게 ᄒᆞ니 호신도 곡졀이 잇ᄂᆞ니 엇디 혬 업기 이ᄃᆡ도록 ᄒᆞ뇨."

샤인이 잠쇼 ᄃᆡ왈,

"ᄌᆞ위(慈闈)ᄂᆞᆫ 물우(勿憂)ᄒᆞ쇼셔. 고진감ᄂᆡ(苦盡甘來)라, 쇼ᄌᆞ 등이 ᄆᆡ양 이럴 ᄇᆡ 아니오, 조모와 슉뫼 필경은 감동ᄒᆞ샤 가ᄂᆡ 여화츈풍(如和春風)ᄒᆞ오리니, 쥬야 근심ᄒᆞ시미 므어시 유익ᄒᆞ시리잇고? 쇼ᄌᆡ 호신으로 딘시를 ᄌᆞ구(自求)ᄒᆞ미 아니오, 져 집이 계부(季父)긔 쳥ᄒᆞ여 쾌허ᄒᆞ시니, 쇼ᄌᆡ 가듕 형셰 이러타 ᄒᆞ고 바로 닐너 샤양홀가 시브니잇가?"

부인이 미쇼 왈,

"말이 쾌ᄒᆞ나 네 근심이 젹지 【6】 아니니라."

샤인이 함쇼 ᄃᆡ왈,

"금일 술이 이시ᄆᆡ 취ᄒᆞ고 명일 일이 이시ᄆᆡ 당ᄒᆞ라 ᄒᆞ니, ᄒᆡᄋᆡ 슈용우(雖庸愚)나 팔쳑 댱부로 일야(日夜) 우우쳑쳑(憂憂慽慽)ᄒᆞ미 궁상을 취올 쁜이오, 유익지 아니니이다."

부인이 ᄋᆞᄌᆞ의 츈풍화긔와 쾌ᄒᆞᆫ 말 곳 드르면 ᄯᅩᄒᆞᆫ 잠쇼ᄒᆞ여 심니의 두굿더라.

뉴시 모녜 의논이 밀밀ᄒᆞ여, 구파를 두어셔는 그 입을 막지 못ᄒᆞ고 블미지셜(不美之說)이 챵누(唱漏)ᄒᆞ며, 조시 이시면 냥ᄋᆞ와 뎡·하를 업시키 어려오니, 구·조 냥인을 몬져 업시 ᄒᆞ고 ᄎᆞ례로 도모ᄒᆞ리라. 위시

1643)돌ᄎᆞ(咄嗟) : ①혀를 차며 애석하게 여김. ②꾸짖음.

이ᄣᅵ 진부의셔 ᄐᆡᆨ일을 보ᄒᆞ니 수슌이 격ᄒᆞᆫ지라. 됴부인이 ᄋᆞᄌᆞ을 보고 혀ᄎᆞ 왈,

"가즁 ᄉᆞ셰 너의 일쳐도 보젼키 어렵거든 ᄯᅩ ᄌᆡ취ᄒᆞ여 무쥐[죄]ᄒᆞᆫ 여ᄌᆞ의 츔화을 보게ᄒᆞ니, 호신도 곡졀이 잇는니 엇지 셈업시 젹불션(積不善)을 ᄒᆞᄂᆞᆫ다?"

ᄉᆞ인이 ᄃᆡ왈,

"ᄌᆞ위(慈闈)ᄂᆞᆫ 물우(勿憂)ᄒᆞ쇼셔. 고진감ᄂᆡ라, 쇼ᄌᆞ 등이 ᄆᆡ양 이러ᄒᆞ고 죠모와 슉모 감동치 아니시리잇고? 가ᄂᆡ 츈풍 갓ᄉᆞ오리니, ᄒᆡᄋᆡ 호방ᄒᆞ여 진시 취ᄒᆞ미 아니오라, 져집이 ᄌᆡ취을 혐히[의]치 아냐 슉부게 간쳥ᄒᆞ여 셩혼ᄒᆞ미니, 쇼ᄌᆡ 가즁ᄉᆞ을 바른ᄃᆡ로 일너 ᄉᆞ양홀 ᄇᆡ 아니오니 엇○[지]ᄒᆞ리잇고?"

부인이 미소 왈,

"여언(汝言)이 쾌ᄒᆞ나 네 근심도 젹지 아니니 모로미 어리게 즐기지 말나."

ᄉᆞ인이 소왈,

"고인이 운ᄒᆞ되 '오날 술이 잇시면 취ᄒᆞ고 ᄂᆡ일 일이 잇시면 당ᄒᆞᆫ다' ᄒᆞ엿시니, ᄒᆡᄋᆡ 팔쳑장부로 잔 호의을 궁산[상](窮狀)저이1593) 알고, 좀 걱졍은 거리ᄭᅵ지 아니려 ᄒᆞᄂᆞ이ᄃᆞ."

부인이 쳔ᄉᆞ만쳡(千思萬疊)ᄒᆞᄂᆞ 장ᄋᆞ의 말 곳 드르면 두굿겨 근심을 푸더라.

ᄒᆞ쇼졔 인유구가ᄒᆞ여 효봉교[구]고 ᄒᆞ고 승슌군ᄌᆞᄒᆞ여 예도의 수신(修身)ᄒᆞ니 요죠유ᄒᆞᆫ(窈窕幽閑)ᄒᆞᆫ[ᄒᆞ] 【100】여 게ᄎᆞ군ᄌᆡ(笄叉君子)1594)라.

뉴악(柳惡) 모여(母女)는 더옥 죽이믈 겨[계]교ᄒᆞ고, 몬져 교[구]파을 두어셔는 입을 봉치 못ᄒᆞ여 불미지ᄉᆞ을 충셜(唱說)홀 거시오, 됴시 잇시[신] 즉, 광텬형졔 부부을

1593)궁상(窮狀)저이 : 궁상맞게.
1594)게ᄎᆞ군ᄌᆡ(笄叉君子) : 비녀 꽂은 군자라는 뜻으로 여중군자(女中君子)와 같은 말.

왈,

“현부의 말이 올흐나 조시 총명여신(聰明如神)ᄒᆞ고 견고츌인(堅固出人)ᄒᆞ니 죽일 길히 업고, 구파ᄂᆞᆫ 비록 쳔인이나 션군의 통【7】희로 오ᄋᆡ 셤기믈 노모 버금으로 ᄒᆞ니, 광텬 등이 ᄯᅩᄒᆞᆫ 디셩이라. 슈히 히티 못ᄒᆞᆯ가 ᄒᆞ노라.”

뉴시 왈,

“신묘랑을 쳥ᄒᆞ여 상의ᄒᆞ샤이다.”

뉴시 셰월노 묘랑을 쳥ᄒᆞ니, 이윽고 니르럿거ᄂᆞᆯ, 뉴시 몬져 하시 드러오믈 니르고, 이졔 졈졈 셩당(成黨)ᄒᆞ여 히ᄒᆞ기 ○○○○[어려오믈]니르고 초조착급(焦燥着急)ᄒᆞᆫᄃᆡ, 묘랑이 하시 금ᄉᆞ강의 ᄲᅢ진 줄 아ᄂᆞᆫ디라 ᄀᆞ장 놀나 왈,

“하쇼져 쵹도(蜀都) 닉슈지환(溺水之患)이 발셔 삼년이어ᄂᆞᆯ 엇디 ᄉᆞ랏다 ᄒᆞ시나뇨?”

뉴시 왈,

“ᄉᆞ부 밋디 아니커든 ○○○○○○[이졔 불너오리니] 보라.”

묘랑 왈,

“블너 므엇ᄒᆞ리잇가 빈되 가보리라.”

ᄒᆞ고 몸을 흔드러 비되(飛鳥) 되여 하쇼져 침소의 나아가 ᄌᆞ시 보니, 삼년 ᄂᆡ의 방신이 더 ᄌᆞ라 부인의 위의 엄연ᄒᆞᆯ지언졍, 옥모【8】 화용이 졍녕이 하시라. 심니(心裏)의 경겁(驚怯)ᄒᆞ여 왈,

“사ᄅᆞᆷ의 상뫼 길복이 완젼ᄒᆞᆫ 후ᄂᆞᆫ 슈화듕(水火中)의 드리쳐도 보젼ᄒᆞᄂᆞᆫ 일이로다. 이졔 위·뉴 등의 히ᄒᆞ랴 ᄒᆞᄂᆞᆫ 사ᄅᆞᆷ들이 ᄒᆞ나토 범인이 아니라 대귀인이라. 나의 도술이 발뵈기 어려오리니 엇디 졀민치 아니리오.”

의ᄉᆡ 이의 밋쳐ᄂᆞᆫ 뉴시의 금을 과히 가지믈 후회ᄒᆞ나, 욕심이 무량ᄒᆞᆫ 고로 뉴시를 졀교ᄒᆞᆯ ᄠᅳᆺ이 업셔 이에 도라와 요두(搖頭) 왈,

업시치 못ᄒᆞᆯ 거시니, 몬져 구파와 됴부인을 업시ᄒᆞ고 ᄎᆞ례로 도모ᄒᆞ리라 ᄒᆞ니, ᄐᆡ뇌(太老) 왈,

“현부지언이 올허[흐]ᄂᆞ 됴시ᄂᆞᆫ 통명ᄒᆞ고 지식이 츌인ᄒᆞ니 경치 아니코, 구여(女)ᄂᆞᆫ 비록 쳔ᄒᆞᄂᆞ 《셩근‖선군(先君)》 쳥[총]희(寵姬)요, 아히 셤기믈 노모의 버금으로 ᄒᆞ고, 광텬 등이 지극히 밧드니, 간ᄃᆡ로 업시치 못ᄒᆞ리라.”

뉴아[악] 왈,

“구파와 됴시ᄂᆞᆫ 경히 히치 못ᄒᆞ오리이니 묘랑을 모랑을 쳥ᄒᆞ여 ᄉᆞᆼ의ᄒᆞᄉᆞ이ᄃᆞ”

ᄒᆞ고, 즉시 게[계]월노 묘랑을 부르니, 묘랑이 즉시 이러거ᄂᆞᆯ, 뉴시 ᄒᆞ쇼졔의 구약셩젼ᄒᆞ여 다려오믈 이러[르]고, 졈졈 ○○○○[셩당(成黨)ᄒᆞ여] 히키 어려오믈 ○○○[이르고] 측급쵸죠ᄒᆞ니, 묘랑이 ᄒᆞ시 주[금]ᄉᆞ강의 ᄲᅡ져시믈 아ᄂᆞᆫ지라, 경문왈,

“하시ᄂᆞᆫ 쵹지의셔 익슈ᄉᆞ화(溺水死禍)을 보안 지 임의 슴연이라, 그 엇진 말슴이닛고?”

뉴악 왈,

“ᄉᆞ뷔 만일 의심ᄒᆞ면 이졔 불너오리라.”

묘랑이 쇼왈,

“불너와 무엇 ᄒᆞ리요. 빈되 가 보ᄅᆞ[리]이ᄃᆞ.”

ᄒᆞ고, ᄌᆞᆺ시 변취[체](變體)ᄒᆞ여 비금(飛禽)이 되어 ᄒᆞ시 침뉴[쇼]의 가 보니, 슴연젼 신장쳐[체]지 슉셩ᄒᆞ여 엄연ᄒᆞᆫ 부인이라. 옥모화용이 완연ᄒᆞᆫ 금ᄉᆞ강 수○[사]ᄒᆞᆫ ᄒᆞ시라. 경겁 왈,

“길ᄉᆞᆼ[흉]화복이 완젼ᄒᆞᆫ 후ᄂᆞᆫ 슈화즁(水火中)도 보젼ᄒᆞ니, 이졔 뉴시 등의【101】 히코져 ᄒᆞᄂᆞᆫ ᄌᆡ, 일인도 범연ᄒᆞᆫ ᄉᆞ람이 아니니 나의 도법(道法)이 발뵈기 어려오니 엇지 졀박지 아니리요.”

의ᄉᆡ 이의 미쳐ᄂᆞᆫ 도로혀 뉴시의 금은을 과히 취ᄒᆞ믈 후회ᄒᆞᄂᆞ, 욕심이 ᄯᅥᆨ 업ᄂᆞᆫ 요뫼[되]라. 그만ᄒᆞ여 졀교치 못ᄒᆞ여 도라와 머리을 흔들러 왈,

"하시 금ᄉᆞ강 어복을 치온 줄 아랏더니 완연이 ᄉᆡᆼ존ᄒᆞ여시믈 경혹(驚惑)ᄒᆞᄂᆞ이다."

뉴시 구파를 몬져 죽이믈 청ᄒᆞᆫᄃᆡ 묘랑이 ᄃᆡ왈,

"블연(不然)ᄒᆞ이다. 귀부 형셰를 ᄉᆞᆺ치건ᄃᆡ 노애 ᄌᆞ딜 ᄉᆞ랑이 병 되시고, 조부인은 【9】 태부인 버금으로 셤기시니, 힝ᄉᆞᄒᆞᆫ 후는 노애 발분ᄒᆞ여 간졍을 획실ᄒᆞ시면 부인이 용납기 어려오리니, 빈되 노야로 ᄒᆞ여곰 ᄌᆞ딜 ᄉᆞ랑ᄒᆞ는 ᄆᆞ음을 쓴케 ᄒᆞ면[고], 조부인 셤기는 졍셩이 업게 ᄒᆞᆫ 후, 대계를 운동ᄒᆞ여 도모ᄒᆞ리니, 빈되 부인을 ᄉᆞ괴미 삼년의 ᄒᆞᆫ 일도 셩공치 못ᄒᆞ니 스ᄉᆞ로 참괴ᄒᆞ여, 노야의 변심(變心)ᄒᆞ실 약을 어더오고져 ᄒᆞᄂᆞ이다."

뉴시 츈몽이 쳐음으로 ᄭᆡᆫ 듯ᄒᆞ여 대열 왈,

"가군이 만일 ᄆᆞ음이 변ᄒᆞᆯ 약이 이시면 므슨 근심이 이시리오. ᄉᆞ뷔 어ᄃᆡ 가 어더오고져 ᄒᆞᄂᆞ뇨?"

묘랑 왈,

"시쇽의 도봉잠[1644] 일뉴(一類) 이셔 인심을 밧고나, 빈도의 약은 각별ᄒᆞᆫ ᄌᆡ류(材類)니, 명왈 익봉잠[1645]이라. 도봉잠은 일년 슈(一年壽)를 감ᄒᆞ【10】ᄂᆞ니, ᄎᆞ시 졀박ᄒᆞ나 부인이 ᄉᆞᄉᆞ원을 일운 후 산쳔긔도(山川祈禱)ᄒᆞ여 노야(老爺)의 슈를 못니으리잇가?"

뉴시 공의 감슈(減壽)홈도 놀나지 아니ᄒᆞ고, '어셔 익봉잠을 가져와 시험ᄒᆞ라' ᄒᆞ니, 묘랑 왈,

"심산 도ᄉᆞ의 범연이 파는 약뉴의 쥰ᄌᆡ(準材)[1646] 드디 아녀시니, 빈되 ᄉᆞ월(四月)을 그음ᄒᆞ여 ᄌᆡ류를 친히 간검(看檢)ᄒᆞ여

1644)도봉잠 : 한국 고소설에서 악류들이 특정인의 마음을 변심시켜 자신들의 뜻대로 조종하기 위해 흔히 쓰는 소설적 도구.

1645)익봉잠 : 이 작품에서 요도 신묘랑이 제조해서 악류들에게 유통시키고 있는 도봉잠류의 요약.

1646)쥰ᄌᆡ(準材) : 어떤 것의 판단준거가 되는 중요한 재료.

"ᄒᆞ시 《금광‖금ᄉᆞ깅》의 어심[복]이 된 쥴 아라더니, 완연 ᄉᆡᆼ죤ᄒᆞ엿시니 경혹혹ᄂᆞ이ᄃᆞ."

뉴악이 조·구 양인을 믄져 쥭이믈 청ᄒᆞ니 묘랑이 쇼왈,

"부인지언이 그러[르]다. 빈되 부인지언을 듯고 귀ᄐᆡᆨ 졍셰을 술피니, 노야 ᄌᆞ질 ᄉᆞ랑이 병되고 됴부인을 ᄐᆡ부인 비[버]금으로 셤기는지라. 됴부인 업시키는 어렵지 아니나 노야 간졍을 아르시면 부인이 용납지 못ᄒᆞ리니, 빈되 ᄉᆡᆼ각건ᄃᆡ 노야로 ᄒᆞ여금 ᄌᆞ질 ᄉᆞ랑을 ᄭᅳᆺᄎᆞ시고 됴부인 셤기는 졍셩도 업시 ᄒᆞᆫ 후, ᄃᆡ게(大計)을 도모ᄒᆞ리니, 빈되 부인을 ᄉᆞ권지 ᄉᆞᆷ연의 ᄒᆞᆫ 일도 합지 못ᄒᆞ니 ᄎᆞ셕ᄒᆞ여 ᄒᆞᄂᆞ니, 변신[심]ᄒᆞ는 약을 엇고져 ᄒᆞᄂᆞ이다."

뉴악이 ᄃᆡ희 왈,

"이런 약으로쎠 가군을 변심케 ᄒᆞ면 ᄃᆡᄉᆞ을 도모키 쉬오리니 ᄉᆞ뷔 어ᄃᆡ가 약을 어더오랴 ᄒᆞ는뇨?"

묘랑 ○[왈],

"이 약은 도봉즘 일뇌[뉘](一類)니 명(名)은 익봉즘이라. 도봉즘[1595]은 일연(一年) 수을 감ᄒᆞ고 익봉즘[1596]은 ᄉᆞᆷ연 슈을 감ᄒᆞ고 계봉즘은 이연 슈을 감ᄒᆞᄂᆞ니, ᄎᆞᄉᆞ 졀박ᄒᆞ나 부인의 쇼원을 일룬 후, 졍셩으로 ᄉᆞᆫ쳔의 긔도ᄒᆞ여 노야의 슈을【102】 츅ᄒᆞ고 빈되 ᄯᅩᄒᆞᆫ ᄌᆡ죠로 향슈(享壽)케 ᄒᆞ리이다."

뉴악이 가부을 감슈(減壽)홈도 놀나지 아니코 어셔 익봉즘을 어더 오라 ᄒᆞ니, 묘랑 왈,

"심산 도식의게 《양유‖약류(藥類)》을 다 구하○[려]면 ᄉᆞ오월이나 되리니, 부인은 그 ᄉᆞ이 죠흔 ᄉᆞ식으로 됴부인 고식(姑媳)을 즐 ᄃᆡ졉ᄒᆞ쇼셔."

1595)도봉즘 : 한국 고소설에서 악류들이 특정인의 마음을 변심시켜 자신들의 뜻대로 조종하기 위해 흔히 쓰는 소설적 도구.

1596)익봉즘 : 이 작품에서 요도 신묘랑이 제조해서 악류들에게 유통시키고 있는 도봉잠류의 요약.

디어오리니 부인은 그 ᄉᆞ이 됴흔 ᄉᆞ식으로 조부인 고식을 잘 ᄃᆡ졉ᄒᆞ쇼셔."
뉴시 왈,
"ᄉᆞ뷔 약을 디어가지고 어나 ᄲᅴ 오랴 ᄒᆞᄂᆞ뇨?"
묘랑 왈,
"쥰ᄌᆡ를 모화 익봉잠 ᄲᅮᆫ 아니라 부인의 ᄡᅳ고져 ᄒᆞᄂᆞᆫ 약뉴를 만히 모화 오리니, 셕혹ᄉᆞ 지【11】실 오시ᄂᆞᆫ 명년 즈음 업시 ᄒᆞ리이다."
경ᄋᆡ 더옥 깃거 셕싱의 변심홀 약을 어더 오라 ᄒᆞ니 묘랑이 쇼왈,

"익봉잠은 ᄡᅳᄂᆞᆫ 바의 변심치 아니리 업ᄉᆞ리니 쇼져ᄂᆞᆫ 물우ᄒᆞ라."
뉴시 모녜 ᄇᆡᆨ은(白銀) 일천냥을 주어 약갑술 ᄒᆞ고 슈히 오기를 당부ᄒᆞ니, 묘랑이 언언 응낙ᄒᆞ고 쳔금을 가져 암ᄌᆞ로 도라오니, 원ᄂᆡ 묘랑의게 온갓 약이 가득ᄒᆞ여시니 식로이 디을 ᄇᆡ 아니로ᄃᆡ, 거ᄌᆺ 약 짓ᄂᆞᆫ 쳬ᄒᆞ여 쳔연셰월ᄒᆞ여,

뉴시 모여(母女) 묘랑을 ᄎᆞᆽ나 셕혹ᄉᆞ 지실을 업시ᄒᆞ리[라] ○○[ᄒᆞ니], ○○○[묘랑 왈],
"쇼져ᄂᆞᆫ ᄋᆡ 쓴치 말나."

뉴악 모여 ᄇᆡᆨᄇᆡᆨ ᄉᆞ은ᄒᆞ고 ᄇᆡᆨ은 일쳔양을 쥬니, 묘랑이 ᄉᆞ례ᄒᆞ고 암실(庵室)노 도라와 거짓 쳔연셰월ᄒᆞ더라.

이 글시 형용은 '갈지(之)' 자 '가마귀오(烏)' ᄌᆞ가 되엿ᄂᆞᆫᄃᆡ, 글시 쥴 비틀러지기ᄂᆞᆫ '갈지' 자가 되고, ᄯᅩ 검기ᄂᆞᆫ '가마귀오' 자가 되야시니 우셤을 면ᄒᆞ고 말 되ᄂᆞᆫ ᄃᆡ로 보옵쇼셔.
대ᄒᆞᆫ제국(大韓帝國)은 일통쳔지(一統天地)로 만만쳔쳔(萬萬千千)ᄒᆞ옵쇼셔.
이 ᄎᆡᆨ은 밧비 등셔ᄒᆞ기로 오셔(誤書) 낙ᄌᆞ(落字) 만니 ᄒᆞ엿시니 말 되ᄂᆞᆫ 대로 눌너 보옵쇼셔.【103】

두로 단니며, 요악ᄒᆞᆫ 녀ᄌᆞ와 딜투ᄒᆞᆫ 부인을 두로 ᄉᆞ괴여 악ᄉᆞ를 날노 힝ᄒᆞᄃᆡ, ᄒᆡ인(害人)ᄒᆞ미 조부인 모ᄌᆞ(母子) 고식(姑媳)ᄀᆞᆺ치 어렵디 아냐, 범범(凡凡)ᄒᆞᆫ ᄌᆞ의 긴명을 ᄭᅳᆺᄎᆞ며 져른 명을 닛노라 ᄒᆞ여 요술【12】이 비상ᄒᆞ니 허박(虛薄)ᄒᆞᆫ 뉴ᄂᆞᆫ 신명(神明)ᄀᆞᆺ치 ᄃᆡ졉ᄒᆞ더라.

뉴시 약을 디으라 보ᄂᆡ고, 스ᄉᆞ로 ᄆᆞ음을 위로ᄒᆞ여 샤인의 ᄌᆡ취 길일이 다ᄃᆞ르ᄆᆡ, 묘량을 미더 조시 모녀 ᄌᆞ부를 ᄒᆞᆷᄭᅴ 셔르ᄌᆞ려 ᄒᆞ므로 져기 방심ᄒᆞ더라. 경ᄋᆞᄂᆞᆫ ᄉᆞ오삭이 밧비 디나면 뎍인을 업시ᄒᆞᆯ가 흔흔열디(欣欣悅之)ᄒᆞ니, 아지 못게라, ᄎᆞ냥녀와 위흉의 소원을 일운가 하회를 셕남(釋覽)ᄒᆞ라.

ᄌᆡ셜. 문양공쥐 고루(高樓)의셔 뎡병부의 닙공 승젼ᄒᆞ여 도라오ᄂᆞᆫ 위의를 구경ᄒᆞ며 긔이ᄒᆞᆫ 풍모 용화를 흠복ᄒᆞ여, 음졍(淫情)이 불니ᄃᆞᆺ 능히 ᄎᆞᆷ지 못ᄒᆞ니, 황후의 칙교를 듯ᄌᆞ오나 임의로 ᄎᆞᆷ아 두로혈 길히 업ᄂᆞᆫ디라. 음식을 ᄃᆡᄒᆞᄆᆡ 후셜을 넘길【13】 의ᄉᆡ 업고 밤을 당ᄒᆞ나 다만 쵹영(燭影)을 늣기ᄂᆞᆫ 한이 ᄒᆞᆫ졈 조으름이 업셔, 쥬쥬야야(晝晝夜夜)의 뎡병부 ᄉᆞ상ᄒᆞᄂᆞᆫ ᄆᆞ음이 망부셕(望夫石)[1647]이 되고져 ᄒᆞ니, 그 쇄락ᄒᆞᆫ 용쇄 안져의 ᄉᆞᆷᄉᆞᆷᄒᆞᄂᆞᆫ디라. 만ᄉᆡ 부운ᄀᆞᆺ트여 옥모 초췌ᄒᆞ고 화용이 슈쳑(瘦瘠)ᄒᆞ여 쵹뇌(髑腦)[1648] 되어, 스ᄉᆞ로 방신을 바리여 ᄉᆔᆨ식을 젼폐ᄒᆞ고 져른 한숨과 긴 탄식이 스ᄉᆞ로 강인치 못ᄒᆞ미 되어, 만일 뎡병부와 동방ᄡᅣᆼ유(洞房雙遊)를 일우디 못ᄒᆞ면, 훌훌이 셰상을 바리기의 《밋쳐ᄂᆞᆫ‖밋출지라》, 쳔ᄉᆞ만녜(千思萬慮) ᄇᆡᆨ츌(百出)ᄒᆞ니, ○○○

1647)망부셕(望夫石) : 정조를 굳게 지키던 아내가 멀리 떠난 남편을 기다리다 그대로 죽어 화석이 되었다는 전설적인 돌. 또는 아내가 그 위에 서서 남편을 기다렸다는 돌.

1648)쵹뇌(髑腦) : ≒촉루(髑髏). 해골(骸骨). 살이 다 썩어 뼈만 남은 죽은 사람의 머리뼈.

명쥬보월빙 권지칠

션시의 묘랑이 ᄉᆞ례ᄒᆞ고 암실노 도라와 거즛 쳔연셰월ᄒᆞ여 두로 요악지녀와 질투ᄒᆞᄂᆞᆫ 부녀을 ᄉᆞ괴여 악ᄉᆞ을 날노 힝ᄒᆞ되,○○○○[해인(害人)ᄒᆞ미] 됴부인 모ᄌᆞ 갓지 ○○○[어렵디] 아녀, 범용(凡庸)ᄒᆞᆫ ᄌᆞ의 긴명을 ᄭᅳᆺᄎᆞ며 져른 명을 잇ᄂᆞᆫ다 ᄒᆞ여, ○…**결락12자**…○[요술이 비상ᄒᆞ니 허박(虛薄)ᄒᆞᆫ 뉴ᄂᆞᆫ] ᄉᆡᆼ불(生佛) 갓치 ᄃᆡ졉ᄒᆞ더라.

뉴시 약을 구ᄒᆞ러 보ᄂᆡ고 져기 방심ᄒᆞ여 ᄉᆞ인의 ᄌᆡ취 길일이 다ᄃᆞ르ᄆᆡ, 묘랑을 미디[더] 조시 모녀자부을 함긔 셔르즈려 ᄒᆞ므로 그윽이 깃거 ᄒᆞ고, 경ᄋᆞᄂᆞᆫ ᄉᆞ오삭을 밧ᄇᆡ 지ᄂᆡ며 젹인을 업시 ᄒᆞᆯ가 흔흔열지(欣欣悅之)ᄒᆞ니, 아지못게라, ᄎᆞ 양녀와 위흉이 소원을 일운가 하회을 셕남(釋覽)ᄒᆞ라.

ᄌᆡ셜 문양공쥬 고루(高樓)의셔 뎡병부의 닙공승젼ᄒᆞ야 도라오ᄂᆞᆫ 위의을 구경ᄒᆞ며 긔이ᄒᆞᆫ 풍모용화을 흠복ᄒᆞ여, 음졍(淫情)이 불니듯 능히 ᄎᆞᆷ지 못ᄒᆞ니, 황휘 칙교을 드르나 임의로 두루혈 길이 업는지라. 음식을 ᄃᆡᄒᆞᄆᆡ 후셜을 넘길 의ᄉᆡ 업고, 밤을 당ᄒᆞ나 다만 촉영(燭影)을 늣기ᄂᆞᆫ ᄒᆞᆫ이 ᄒᆞᆫ졈 조으름이 업셔 주주야야(晝晝夜夜)의 뎡병부 사상ᄒᆞᄂᆞᆫ ᄆᆞ음이 망부석(望夫石)[1597]이 되고져 ᄒᆞ니, 그 쇄락ᄒᆞᆫ 용홰 안져의 삼삼ᄒᆞᆫ지라. 만ᄉᆡ 부운 갓트여 옥뫼 초췌ᄒᆞ고 화용이 수쳑(瘦瘠)ᄒᆞ여, 스ᄉᆞ로 ᄆᆞ음을 강잉(强仍)치 못ᄒᆞ여 만일 병부와 동방 쌍뉴을 일우지 못ᄒᆞ면 훌훌이 세상【1】을 바릴지라. 쳔ᄉᆞ만녀(千思萬慮) ᄇᆡᆨ츌(百出)ᄒᆞ여 혀오ᄃᆡ,

1597)망부석(望夫石) : 정조를 굳게 지키던 아내가 멀리 떠난 남편을 기다리다 그대로 죽어 화석이 되었다는 전설적인 돌. 또는 아내가 그 위에 서서 남편을 기다렸다는 돌.

[혜오딕],

"내 셩샹의 골육으로 혼낫 신하를 두려 뜻을 일우디 못ᄒᆞ고 십삼청츈의 인셰를 하딕ᄒᆞ면, 명목(瞑目)1649)ᄒᆞᆫ 귀신이 되디 못ᄒᆞ리니, 인병치ᄉᆞ(因病致死)1650)ᄒᆞ기의 밋쳐거든, 셩샹【15】의 뜻을 보리라."

ᄒᆞ고, 인ᄒᆞ여 녁술 바려 증셰 시일노 층가ᄒᆞ니, 김귀비 소싱이 문양쁜이라. 귀비 녀ᄋᆞ를 어로만져 쌍뉘환난(雙淚汍亂)ᄒᆞ여 왈,

"나의 골육이 너 ᄒᆞ나 쁜이라 므ᄉᆞᆫ 괴이ᄒᆞᆫ 병이 졸연이 황양(黃壤1651))길흘 바야니, 만일 네 죽으면 내 ᄡᅡ라 셰샹을 바리리라."

공쥬 모비의 슬허ᄒᆞ믈 본즉 진진이 늣기딕, 모녀간이나 ᄎᆞ마 외인을 상ᄉᆞ(相思)ᄒᆞ믈 니르지 못ᄒᆞ고 졈졈 위악(危惡)ᄒᆞ니, 샹이 경녀ᄒᆞ샤 일등 녀의로 간병ᄒᆞ시니, 녀의(女醫) 양미랑은 당금 무쌍ᄒᆞᆫ 의슐이라, 믹후를 이윽이 보고 발셔 상ᄉᆞ병(相思病)이믈 알고 대경ᄒᆞ여 감히 딕고치 못ᄒᆞ고, 텬문의 듀홀 바를 믈나 황민(惶悶)홀 ᄎᆞ, 공쥬 보모 최상궁【15】은 간능다모(奸能多謀)ᄒᆞᆫ디라 녀의의 긔식을 슷치고 므러 왈,

"옥쥬 환휘 회츈치 못ᄒᆞ랴?"

미랑이 딕왈,

"옥쥐 쇼원을 일우시면, 즉ᄎᆞ(卽差)ᄒᆞ시려니와, 블연즉(不然則) 어려오니, 상궁이 뭇ᄌᆞ와 므ᄉᆞᆫ 싱각이 계신고 아라보쇼셔."

최시 응낙고 귀비긔 고왈,

"옥쥐 간간이 긴 한숨과 져른 탄식이 소회 계신 돗ᄒᆞ고, 쩌쩌 슬허ᄒᆞ시니 비록 환휘 계시나 무단이 그리ᄒᆞ실 니 업ᄂᆞ니, 녀의의 말이 여ᄎᆞ여ᄎᆞᄒᆞ오니 낭낭이 간졀이 므러보쇼셔."

귀비 최시를 다리고 병소의 와 손을 잡고 함누(含淚) 문왈,

"네 병이 날노 위듕ᄒᆞ니 살기를 바라디

1649)명목(瞑目) : 눈을 감음.
1650)인병치ᄉᆞ(因病致死) : 병으로 인하여 죽기에 이르름.
1651)황양(黃壤) : 황천(黃泉). 저승.

"닉 성상의 골육으로 혼낫 신하을 두려 뜻즐 일우지 못ᄒᆞ고 십솜청츈의 인셰을 하즉ᄒᆞ면 명목(瞑目)1598)ᄒᆞᆫ 귀신이 되지 못ᄒᆞ리니, 인병치ᄉᆞ(因病致死)1599)ᄒᆞ기의 잇거든 성상의 뜻을 보리라."

ᄒᆞ고, 인ᄒᆞ여 넉술 바려 증셰 시일노 층가ᄒᆞ니, 김귀비 소싱이 문양 쁜이라, 무솜 고이ᄒᆞᆫ 병이 졸연이 황양길을 바야니 만일 네 죽으면 닉 ᄯᆞ라 셰상을 바리리라. 공쥐 기모의 슬허ᄒᆞ믈 본 즉 《질이 ‖ 진진이》 늣기기딕, 모녀지간이나 ᄎᆞ마 외인을 상ᄉᆞ(相思)ᄒᆞ믈 이르니 못ᄒᆞ고 졈졈 위악(危惡)ᄒᆞ니, 상이 경녀ᄒᆞᄉᆞ 일등 녀의을[로] 간방[병](看病)ᄒᆞ시니, 녀의(女醫) 양미랑은 당금 무쌍ᄒᆞᆫ 의술이라. 믹후을 이윽히 보고 발셔 상ᄉᆞ 빌미을 짐작ᄒᆞ고, 감히 직고치 못ᄒᆞ여 텬문의 주홀 바을 몰나 황민(惶悶)홀 ᄎᆞ, 공주의 보모 최상궁은 간능다모(奸能多謀)ᄒᆞᆫ지라, 미랑의 긔식을 셔치고 가마니 무러 왈,

"녀의 거동을 보니 가장 수상ᄒᆞᆫ지라. 옥주의 환휘 회츈이 어려오시냐?"

미랑 왈,

"옥쥐 소회을 일으시면 환휘 즉ᄎᆞᄒᆞ시려니와, 불연즉 가장 어려오니 상궁이 진정으로 뭇ᄌᆞ와 심듕의 무솜 소회 계신가 알나."

최시 ○○○[응낙고] 귀비긔 고왈,

"옥쥐 간간이 긴 ᄒᆞᆫ숨과 져른 탄식이 소회 잇ᄂᆞᆫ 듯ᄒᆞ고, 쩌쩌 누쉬 산산ᄒᆞ니 환휘 비록【2】 듕ᄒᆞ나 무고히 그딕도록 부허치 아니리니, 녀의 말이 ᄯᅩᄒᆞᆫ 여ᄎᆞᄒᆞ오니 낭낭이 간졀이 무러 보소셔."

귀비 츈몽이 기[씨]듯, 최시을 다리고 병소의 이르러 녀아의 손을 잡고 낫슬 졉ᄒᆞ여, 함누(含淚) 문왈,

"여뫼 네병을 딕신코져 ᄒᆞ나 밋지 못ᄒᆞ고

1598)명목(瞑目) : 눈을 감음.
1599)인병치ᄉᆞ(因病致死) : 병으로 인하여 죽기에 이르름.

못홀디라. 녀의 ᄆᆡᆨ을 보고 심듕의 ᄉᆡᆼ각ᄂᆞᆫ 거시 이셔 병이 되엿다 ᄒᆞ니, 텬하의 친ᄒᆞ고【15】 죵요로오미 모녀 밧 업ᄂᆞ니, 아모 어려온 일이라도 되게 ᄒᆞ리니, 셩샹 툥우를 밧ᄌᆞᆸ고, 뎡궁이 탄ᄉᆡᆼ 공쥬나 다르디 아니케 ᄌᆞᄋᆡ(慈愛)ᄒᆞ시니 오ᄋᆞᆫ 소회를 실진무은(實陳無隱)ᄒᆞ라.”

공쥐 낫치 븕어 소회 만단이라. 귀비 더옥 간졀이 므르니 공쥐 날호여 기리 늣겨 왈,

“비록 죽으나 쇼녀의 탓시라, 누를 ᄃᆡᄒᆞ여 이 말을 ᄒᆞ리잇고? 과연 모년모일의 평남대원슈 뎡텬흥의 반샤(班師)ᄒᆞᄂᆞᆫ 위의를 고루의셔 보ᄆᆡ, 믄득 병셰 ᄉᆞ디 못ᄒᆞ게 되니, ᄉᆞᄉᆞ로 명박(命薄)ᄒᆞ여 만승디녀(萬乘之女)로 외됴 신ᄌᆞ를 ᄉᆞ상(思想)ᄒᆞ여 딜(疾)을 닐위미 망측 한심ᄒᆞ니, ᄉᆞᄉᆞ로 참괴ᄒᆞ여 ᄆᆞᄋᆞᆷ을 널니고 텬흥 닛기를 공부ᄒᆞ나, 그 영풍이 안젼의【17】 박혀 혼ᄇᆡᆨ이 뎡가를 ᄯᆞ로ᄂᆞᆫ ᄃᆞᆺᄒᆞ니 엇디 능히 ᄉᆞᆯ니잇가?”

귀비 쳥파의 대경ᄒᆞ나 ᄯᅩᄒᆞᆫ 깃거 왈,

“소회 이럴진ᄃᆡ 발셔 니르지 아녓ᄂᆞᆫ뇨? 뎡ᄌᆡᆨ 쇼년이나 위예 조ᄎᆞᆫ 쳐쳡이 여러힐지라, 연이나 셩샹이 ᄉᆞ경으로ᄡᅧ 대의를 굽히지 아니실지니, 너의 안젼(眼前)의 뎍인(敵人)이 이실가 두리노라.”

공쥐 ᄋᆡ고(哀告) 왈,

위즁이 이러틋 쳡츌ᄒᆞ니 살기을 바라리오. 너의 ᄆᆡᆨ을 보고 심듕의 ᄉᆡᆼ각ᄒᆞᄂᆞᆫ 거시 병이 되엿다 ᄒᆞ니, 쳔ᄒᆞ의 친ᄒᆞ미 모녀의 더으미 업ᄉᆞ니, 아모리 어려운 일이라도 ᄒᆞᆫ번 이르면 비록 뎡궁낭낭의 바라지 못ᄒᆞ나, 성상춍우을 밧ᄌᆞᆸ고, 널노 뎡궁 탄ᄉᆡᆼᄒᆞᆫ 공쥬나 다르지 아니케 ᄌᆞᄋᆡ ᄒᆞ시ᄂᆞ니, 만금 허비와 ᄇᆡᆨ인을 ᄃᆡ명ᄒᆞ나 임의로 ᄒᆞ미 ○[여]반장(如反掌) 갓트니 모로미 소회을 실진무은(實陳無隱)ᄒᆞ라.”

공쥐 믄득 쳑연탄식고 말을 ᄒᆞ고져 ᄒᆞ다가, 낫치 불거 소회을 고코ᄌᆞ ᄒᆞ미 만단이라. 귀비 더욱 ᄋᆡ련ᄒᆞ여 어로만져 간졀이 무르니, 공쥐 기리 늣겨 왈,

“비록 죽으나 소녀의 탓시니, 눌다려 이 말을 ᄒᆞ리잇고? 과연 모년 모월의 평남원슈《텽쳥훙‖뎡쳔흥》의 승젼반ᄉᆞᄒᆞ는 위의을 구경ᄒᆞ고 문득 병이 되어 ᄉᆞᄉᆞ로 {병이 되어} 명박하여 금지옥엽의 존귀와 만승의 녀ᄌᆞ로 외죠신ᄌᆞ을 상ᄉᆞ(相思)ᄒᆞ여 셩병ᄒᆞ미 망측 ᄒᆞᆫ심ᄒᆞ고 ᄉᆞᄉᆞ로 참괴ᄒᆞ여 마음을 널리고 ᄯᅳᆺ슬 크게 ᄒᆞ여 뎡텬흥 잇기을 공부ᄒᆞ나,【3】 그 영풍준골이 안젼의 박혀 일야 슴혼칠ᄇᆡᆨ(三魂七魄)1600)이 영[뎡]가로 ᄯᆞ로ᄂᆞᆫ 듯ᄒᆞ고, ᄂᆡ 몸의ᄂᆞᆫ 머무지 아니ᄒᆞᆷ 갓트니 엇지 능히 ᄉᆞᆯ 도리 잇시리오?”

귀비 쳥파의 ᄃᆡ경ᄒᆞ나 ᄯᅩᄒᆞᆫ 깃거 왈,

“너의 소회 이럴진ᄃᆡ 발셔 니르지 아냐 엇지 셩병ᄒᆞ기의 이르뇨? 다만 뎡ᄌᆡᆨ 소년이나 츌장입후ᄒᆞ고 겸ᄒᆞ여 위인이 걸츌ᄒᆞ다 ᄒᆞ니, 위의 조ᄎᆞᆫ 쳐쳡이 여러힐지라, 여염하쳔ᄒᆞᆫ 녀ᄌᆞ니 만승의 위엄이 니이(離異)을 못ᄒᆞ리오마는, 셩상이 ᄉᆞ경으로ᄡᅧ ᄃᆡ의을 굽히지 아니리니 너의 안젼의 젹인이 잇슬가 두리미로다.”

공쥐 ᄋᆡ읍 왈,

“목숨미 이[잇]은 후의 만ᄉᆞ의 밋삽ᄂᆞ

1600)슴혼칠ᄇᆡᆨ(三魂七魄) : 삼혼과 칠백을 아울러 이르는 말. 대체로 삼혼은 업상(業相), 전상(轉相), 현상(現相)을, 칠백은 사람의 얼굴에 있는 일곱 개의 구멍 곧 귀, 눈, 코의 각각 두 구멍과 입을 가리킨다.

"뎡ᄌᆞ의 여럿ᄌᆡ 부실이라도 져의 긔물(器物) 되기를 바라 뎍인의 다쇼를 ᄉᆡᆼ각디 아닛ᄂᆞ이다."

뎡언간의 샹이 친님ᄒᆞ시니 귀비 좌를 ᄯᅥ나 눈믈을 흘녀 왈,

"문양의 일명은 폐하긔 잇ᄉᆞᆸᄂᆞ니, 져의 소원과 질양의 빌ᄆᆡ 십분 블미(不美)ᄒᆞ나, 텬연(天緣)이 괴이ᄒᆞ여 졔 ᄆᆞ음이나 임의치 못ᄒᆞᄋᆞᆸᄂᆞ니, 셩샹【18】이 구치 아니시면 신이 ᄒᆞᆫ가지로 죽어 보디 말고져 ᄒᆞᄂᆞ이다."

샹이 ᄀᆞ장 통ᄋᆡᆨᄒᆞ시ᄂᆞᆫ 고로 문왈,

"문양의 병을 인력으로 구ᄒᆞᆯ딘ᄃᆡ 딤이 부ᄌᆞ텬뉸(父子天倫)으로 골육(骨肉)의 죽으믈 안연ᄒᆞ랴?"

귀비 브복 쥬왈,

"문양이 모일의 뎡궁낭낭을 뫼셔 평남원슈의 환됴ᄒᆞᄂᆞᆫ 위의를 구경ᄒᆞ고 ᄉᆞ상(思想) 침질(寢疾)ᄒᆞ여 댱야블ᄆᆡ(長夜不寐)ᄒᆞ니 죽으미 반ᄃᆞᆺᄒᆞᆯ디라. 오ᄃᆡᆨ 그 목숨 구ᄒᆞ시미 뎡ᄌᆞ의게 하가ᄒᆞ시ᄂᆞᆫ 셩디(聖旨)를 나리오신 즉, 십ᄉᆞᆷ 쳥츈의 참ᄉᆞ(慘死)ᄒᆞᄂᆞᆫ 일이 업고, 신이 ᄯᅩ ᄯᆞᆯ을 맛디 아니면 ○○○○○○[보젼ᄒᆞ오리니], 두 목숨이 ᄉᆞᄂᆞᆫ 작시라. 한갓 ᄌᆞᄋᆡ로 의논치 말고 호ᄉᆡᆼ디덕(好生之德)이 되리로소이다."

샹이 문파의 옥ᄉᆡᆨ(玉色)이 블예(不豫)ᄒᆞ샤 왈,

"딤이 발【19】셔 문양도위(都尉)를 간션(揀選)코져 ᄒᆞᄃᆡ 뎡궁 뎨공쥬를 하가ᄒᆞᆫ 후 죵용이 간ᄐᆡᆨ고져 ᄒᆞ더니, 엇디 이러ᄐᆞᆺ 블ᄒᆡᆼᄒᆞᆯ 줄 알니오. 녀ᄌᆡ 되어 만승디녀(萬乘之女)로 외됴 신ᄌᆞ를 ᄉᆞ상ᄒᆞ미 한심ᄒᆞᆫ디라. 뎡ᄌᆡ 쳐쳡이 여러힐디라, 국법의 유쳐디신(有妻之臣)을 부마 삼ᄂᆞᆫ 일이 업고, 텬흥의 위인이 뇌락(磊落) 쥰녈(峻烈)ᄒᆞ여 군명이나 일이 뎡되 아닌 즉, 죽기로ᄡᅧ 닷토리니 난쳐ᄒᆞ거니와, 문양의 죽으믈 ᄎᆞ마 보지 못ᄒᆞᆯ

니1601) 오직 소원이 비록 여럿ᄌᆡ 부실이라도 뎡ᄌᆞ의 긔물(器物) 되기을 바라고 젹인의 다소을 ᄉᆡᆼ각지 아닛ᄂᆞ이다."

졍언간의 상이 친림ᄒᆞ실 ᄉᆡ, 귀비 좌을 ᄯᅥᄂᆞ 눈물을 ᄲᅮ려 왈,

"문양의 일명은 다만 폐하게 잇ᄉᆞ오니, 져의 소원과 질양 빌미 십분 불니ᄒᆞ오나 발셔 쳔연(天緣)이 괴이ᄒᆞ와 졔 ᄆᆞ음을 임의치 못ᄒᆞ옵ᄂᆞ니, 성상이 져의 병을 구치 아니시면 신쳡이 ᄒᆞᆫ가지로 죽어 참통을 보지 말고져 ᄒᆞᄂᆞ이다."

목이 메고 츄파의 누쉬 쌍쌍ᄒᆞ니, 상이 모녀을 가장 총ᄋᆡ ᄒᆞ시ᄂᆞᆫ지라. 밧비 문왈,

"져의 병을 인녁으로 구ᄒᆞᆯ진ᄃᆡ, 경이 비록 이리 이르지 아니나 부ᄌᆞ쳔윤으로 골육의 죽으【4】믈 엇지 안연ᄒᆞ리오."

귀비 부복 주왈,

"문양이 모일의 황후낭낭을 뫼셔 졔공주 비빙을 더불고 고루의셔 평남ᄃᆡ원슈 뎡쳔흥의 승젼환조ᄒᆞᄂᆞᆫ 위의을 구경ᄒᆞ고 인ᄒᆞ여 쳔흥을 사상(思想)ᄒᆞ여 침질(寢疾)ᄒᆞ미, 그 ᄂᆞᆯ노 조ᄎᆞ 지금 수슌(數旬)이 되엿시나, ᄒᆞᆫ 술 죽음(粥飮)을 나오지 아니코 쟝야불ᄆᆡ(長夜不寐)ᄒᆞ야 죽기의 밋쳣ᄉᆞ오니, 그 목숨 구ᄒᆞ미 오직 뎡가의 하가(下嫁)ᄒᆞ시ᄂᆞᆫ 성지(聖旨)을 나리오ᄉᆞ 쳔흥의 ᄇᆡ우을 ᄉᆞᆷ으신즉, 십ᄉᆞᆷ츈광(十三春光)이 ᄎᆞᆷᄉᆞ(慘死)을 면ᄒᆞ고 신이 ᄯᅩᄒᆞᆫ 보젼ᄒᆞ오리니, 한갓 쳔뉸ᄌᆞᄋᆡ ᄲᅮᆫ 아니라 호ᄉᆡᆼ지덕이 되리로소이다."

상이 문파의 옥ᄉᆡᆨ이 블열(不悅)ᄒᆞᄉᆞ 팔ᄎᆡ을 빈축(嚬蹙) 왈,

"만승(萬乘) 공주로셔 신ᄌᆞ의 풍신을 ᄉᆞ상ᄒᆞ미 ᄒᆞᆫ심 ᄎᆞ악ᄒᆞᆫ지라, 문양을 이러치 아닌 줄노 아라더니 평일 밋든 ᄇᆡ 아니로다. 뎡쳔흥이 풍뉴호신(風流豪身)이 남다르다 ᄒᆞ니, 반드시 쳐쳡이 여러힐지라. 국법이 유쳐ᄒᆞᆫ 조신(朝臣)을 부마 ᄉᆞᆷᄂᆞᆫ 도리 업고, 쳔흥의 위인이 뇌락(磊落) 쥰열(峻烈)ᄒᆞ여, 군명이나 뎡되 아니면 죽기로 닷토리니, 일노

1601)밋다 : 미치다. 공간적 거리나 수준 따위가 일정한 선에 닿다.

디라. 경은 위로ᄒᆞ여 그 병이 하리게 ᄒᆞ라.”

귀비 ᄇᆡ샤 왈,

“문양의 일명을 구ᄒᆞ시니 텬은이 황감ᄒᆞ도소이다.”

샹이 블열ᄒᆞ시나 문양도위를 뎡병부로 뎡ᄒᆞ랴 ᄒᆞ시니, 십뎐(十殿)1652) ᄌᆡ 【20】 렬명뉴(宰列名流)를 다 문화뎐(文華殿)1653)의 모드라 ᄒᆞ시니, 뎡병뷔 작픔(爵品)이 웃듬으로 졔혹ᄉᆞ를 거ᄂᆞ려 응됴(應朝)ᄒᆞᄆᆡ, 샹이 친히 글제를 ᄂᆡ시고 디으라 ᄒᆞ시니 듕인이 일시의 휘필ᄒᆞᆯᄉᆡ, 병부 형뎨와 윤샤인은 일ᄀᆡᆨ의 디을 거시로ᄃᆡ 남의 우히 되믈 괴로워 완완이 지어 밧치니, 샹이 임의 ᄂᆡ시로 병부의 글을 아라보기 쉽게 가져오라 ᄒᆞ여계신디라. 졔인의 글을 어람(御覽)ᄒᆞ샤 이듕의 윤광텬의 글과 뎡닌홍의 글이 니두(李杜)를 압두ᄒᆞᆯ디라. 샹이 뇽연(龍硯)과 봉필(鳳筆)을 상샤(賞賜)ᄒᆞ시고, 남후의 글을 최후의 보시ᄆᆡ 윤광텬의 글과 고하를 뎡치 못ᄒᆞᆯ디라. 샹이 칭 【21】 찬ᄒᆞ시고 삼공(三公) 이하를 패명(牌命)ᄒᆞ샤 뎡병부의 글을 뵈샤 왈,

“딤이 금츄의 뎡궁 탄ᄉᆡᆼᄒᆞᆫ 공쥬를 하가ᄒᆞᆯ디라. 부마를 간션코져 ᄒᆞᄃᆡ 결을치 못ᄒᆞᆯ ᄊᆞᆫ 아니라, 후궁 김귀비 소ᄉᆡᆼ 문양공쥬ᄂᆞᆫ 긔특ᄒᆞ미 화옥 ᄀᆞᆺ튼디라. 범연ᄒᆞᆫ 유ᄉᆡᆼ을 간ᄐᆡᆨᄒᆞ미 블가ᄒᆞ여 금일의 십뎐(十殿) 명뉴(名流)를 모화 글을 디이니, 풍치 문댱이 딤

1652)십뎐(十殿) : 궁중에 있는, 조정(朝廷) 각 부서의 관료들이 집무하던 전각(殿閣)

1653)문화뎐(文華殿) : 중국 명나라 때 황제들이 강관(講官)의 경사(經史) 강의를 듣던 궁전으로 옛 자금성 안에 있었다.

써 무죄ᄒᆞᆫ 신ᄒᆞ을 위력으로 죄주지 못ᄒᆞᆯ 거시니 가장 난쳐ᄒᆞ거니와, 문양의 죽으믈 ᄎᆞ마 보지 못ᄒᆞ리니, 경은 위로ᄒᆞ여 그 병이 슈이 낫게 ᄒᆞ라.”

귀비 ᄇᆡᄉᆞ왈,

“셩은이 연[여]쳔(如天)ᄒᆞᄉᆞ 문양의 잔명을 구ᄒᆞ시고 신쳡의 ᄉᆞ 【5】 정을 술피시니 이제ᄂᆞᆫ ᄉᆞ병을 면ᄒᆞ고 문양이 ᄉᆡᆼ도을 어든지라. 희열ᄒᆞ믈 알외지 못ᄒᆞ리로 소이다.”

상이 가장 불열ᄒᆞ시ᄂᆞ 쳔뉸ᄌᆞᄋᆡ을 버히지 못ᄒᆞ여 병부을 문양도위(都尉)을 숨으려 ᄒᆞ시니 귀비 모녀 즐기믈 형용치 못ᄒᆞ더라. 상이 문양의 상ᄉᆞ질을 발셜치 아니시고 다만 조정의 하교ᄒᆞᄉᆞ 이십젼(二十殿)1602) 명뉴을 다 문하셩(門下省)1603)의 다 모드라 ᄒᆞ시니, 이 듕 뎡병뷔 작품(爵品)이 웃듬으로 졔유을 거ᄂᆞ려 응조(應朝)ᄒᆞ니, 상이 친히 글졔을 ᄂᆡ시고 시각을 정ᄒᆞ여 지으라 ᄒᆞ시니, 듕인이 글졔을 ᄒᆞᆫ번 보ᄆᆡ 의ᄉᆡ 구름 못듯 졔졔히 휘필(揮筆)ᄒᆞᆯ ᄉᆡ, 병부 형뎨와 윤ᄉᆞ인은 일각의 지을 거시로ᄃᆡ, 스ᄉᆞ로 남의 우히 되믈 조하 아냐 즘즛 제인과 갓치 완완이 지어 바치니, 상이 임의 ᄂᆡ시로 병부의 글을 알기 쉽게 가져오라 ᄒᆞ신 ᄇᆡ라. 졔인의 글을 어람(御覽)ᄒᆞᄉᆞ, 이 가온ᄃᆡ 윤광쳔의 글과 뎡인홍의 글이 잇시니, 상이 짐짓 모로ᄂᆞᆫ 쳬 ᄒᆞ시고, 최후의 남후의 글을 보시ᄆᆡ, 광쳔의 글과 고하을 정치 못ᄒᆞᆯ지라. 상이 칭찬ᄒᆞ믈 마지 아니시고 숨공○[이]하을 ᄑᆡ명(牌命)ᄒᆞᄉᆞ 뎡병부의 글을 뵈ᄉᆞ 왈,

“짐이 금츄의 정궁 탄ᄉᆡᆼᄒᆞᆫ 공주을 하가ᄒᆞᆯ지라. 부마을 간션코ᄌᆞ ᄒᆞᄃᆡ, 결을치 못ᄒᆞᆯ ᄊᆞᆫ 아니라, 후궁 김시 소ᄉᆡᆼ 문양공주ᄂᆞᆫ 긔

1602)이십젼(二十殿) : 궁중에 있는, 조정(朝廷) 각 부서의 관료들이 집무하던 전각(殿閣)

1603)문하셩(門下省) : ①고려 시대에, 중앙 의정 기관의 하나인 내사문하성을 이르던 말. 왕명의 출납과 중신(重臣)의 탄핵을 맡아보았으며 으뜸 벼슬은 시중이었다. ②중국에서, 왕명의 출납과 조칙(詔勅)의 심의를 맡아보던 관서(官署). 진(晉)나라 때 설치하였다가 원나라 때 없앴다.

심의 합ᄒᆞᆫ ᄌᆡ 뎡텬홍이라. 뜻을 결ᄒᆞ여 뎡ᄒᆞᄂᆞ니 됴뎡은 디실ᄒᆞ고 흠텬감(欽天監)[1654]은 ᄐᆡᆨ일ᄒᆞ라."

삼공이 쥬왈,

"뎡텬홍을 부마를 삼고져 ᄒᆞ시나, 임의 여러 쳐실을 두엇ᄉᆞ오니, 유쳐(有妻)ᄒᆞᆫ 신ᄌᆡ 부마 삼ᄂᆞᆫ 규귀(規矩) 업ᄂᆞ이다."

샹 왈,

"텬홍이 위ᄎᆡ 슝고ᄒᆞ【22】니 ᄌᆞ연 쳐쳡이 이시려니와 규구를 달니ᄒᆞ여 임의 어든 쳐쳡은 허ᄒᆞ여 텬홍의 부실(副室)노 두게 ᄒᆞ리라."

병뷔 경ᄒᆡ(傾駭)ᄒᆞ여 브복 쥬왈,

"셩교를 듯ᄌᆞ오ᄆᆡ 황공 숑뉼ᄒᆞ와 쥬ᄒᆞᆯ 바를 아지 못ᄒᆞᄂᆞ이다. 신이 미취공물(未娶公物)이라도 용우ᄒᆞ미 감히 금년(金蓮)[1655]을 맛치지[1656] 못ᄒᆞ오려든 ᄒᆞ믈며 쳐실이 삼ᄉᆞ인이오, ᄌᆞ식이 둘히 이시니, 고어(古語)의 '조강지쳐(糟糠之妻)ᄂᆞᆫ 블하당(不下堂)'[1657]이오, 유ᄌᆞ블게(有子不去)[1658]라, 인뉸을 산난ᄒᆞ여 공쥬를 그른 곳의 맛고져 ᄒᆞ시ᄂᆞ니잇고? 신의 ᄉᆡᆼ살(生殺)은 셩샹긔 잇ᄉᆞᆸ거니와 ᄆᆞ음은 곳치지 못ᄒᆞ오리니, 신이 만ᄉᆡ 외람ᄒᆞ와 이칠(二七)의 뇽누(龍樓)의 어향을 ᄲᆡ이ᄋᆞᆸ고, 십칠이 넘지 못ᄒᆞ【23】와 츌댱닙공(出將立功)ᄒᆞ오ᄆᆡ 셩은을 황튝(惶蹙)[1659]ᄒᆞ와 여른 복이 손ᄒᆞᆯ가 ᄒᆞᄋᆞᆸ더니,

1654)흠텬감(欽天監) : 중국 명나라·청나라 때에, 천문·역수(曆數)·점후(占候) 따위를 맡아보던 관아.

1655)금련(金蓮) : 금으로 만든 연꽃이라는 뜻으로, 미인의 예쁜 걸음걸이를 비유적으로 이르는 말. 여기서는 아름다운 공주를 일컬은 말.

1656)맛치다 : 맞이하게 하다. 맞아들이게 하다.

1657)조강지쳐(糟糠之妻) 블하당(不下堂) : 어려운 때 함께 고생을 하며 살아온 아내는 마루 아래로 내려가게 해서는 안 된다는 뜻으로, 이러한 아내를 항상 잘 위해주어야 한다는 말.

1658)유ᄌᆞ블게(有子不去) : 혼인해서 자식을 둔 여자는 출거(黜去) 해서는 안 된다는 뜻.

특ᄒᆞ미 화옥(花玉)이라, 범연ᄒᆞᆫ 유ᄉᆡᆼ을 간ᄐᆡᆨᄒᆞ미 불가ᄒᆞ여, 짐이 특별이 금【6】일 소년 명뉴을 모화 글을 지으니, 풍ᄎᆡ문장이 짐의 뜻의 합ᄒᆞᆫᄌᆡ 다만 뎡쳔홍이라. 이의 뜻즐 결ᄒᆞ여 졍ᄒᆞᄂᆞ니 졔신은 지실ᄒᆞ고 흠젼[쳔]감(欽天監)[1604]의 ᄐᆡᆨ일ᄒᆞ라."

ᄉᆞᆷ공이 부복 주왈,

"폐ᄒᆡ 쳔홍을 부마을 ᄉᆞᆷ고져 ᄒᆞ시나, 쳔홍이 임의 여러 쳐실을 두엇ᄉᆞ오니 유쳐(有妻)ᄒᆞᆫ 신ᄌᆡ 엇지 부마되리잇가?"

상 왈,

"쳔홍의 위ᄎᆡ 슝고ᄒᆞ니 ᄌᆞ연 쳐쳡이 이시려니와, 공주을 하가ᄒᆞᄆᆡ 여염녀ᄌᆞᄂᆞᆫ 공주 버금이 될 거시니, 국법의 부ᄆᆡ 다른 쳐실이 업거니와, 짐이 발셔 결의ᄒᆞ여시니 임의 어든 쳐실은 부실노 두게 ᄒᆞ리라."

병뷔 멀니셔 부복 주왈,

"신이 금일 셩교을 듯ᄌᆞ오니 불승경황송뉼(不勝驚惶悚慄)ᄒᆞ와 주ᄒᆞᆯ 바을 아지 못ᄒᆞ올지라. 셜ᄉᆞ 신이 미취공물(未娶公物)이라도 박녈누질(薄劣陋質)노 감히 금년(金蓮)[1605]을 참녜치 못ᄒᆞ오려든, ᄒᆞ믈며 인연의 ᄆᆡ인 쳐실이 ᄉᆞᆷᄉᆞ인이오, 두 ᄌᆞ식을 나하시니, 고어의 '조강지쳐(糟糠之妻)ᄂᆞᆫ 불하당(不下堂)'[1606]이오, 유ᄌᆞ식 불계[거](有子息不去)[1607]라 ᄒᆞ엿시니, 성상이 엇지 ᄎᆞᆷ아 신ᄌᆞ의 인뉸을 산난ᄒᆞᄉᆞ 공주의 일ᄉᆡᆼ을 그러[르]게 ᄒᆞ시ᄂᆞᆫ잇고? 신의 ᄉᆡᆼ살지권(生殺之權)은 성상긔 잇ᄉᆞ오니 목숨은 두[드]리려니와, ᄆᆞ음은 간ᄃᆡ로 곤치지 못ᄒᆞ오리니, 금달공쥐(禁闥公主) 비록 귀죤(貴尊)ᄒᆞ시나,

1604)흠쳔감(欽天監) : 중국 명나라·청나라 때에, 천문·역수(曆數)·점후(占候) 따위를 맡아보던 관아.

1605)금련(金蓮) : 금으로 만든 연꽃이라는 뜻으로, 미인의 예쁜 걸음걸이를 비유적으로 이르는 말. 여기서는 '공주의 걸음'을 일컬은 말.

1606)조강지쳐(糟糠之妻) 불하당(不下堂) : 어려운 때 함께 고생을 하며 살아온 아내는 마루 아래로 내려가게 해서는 안 된다는 뜻으로, 이러한 아내를 항상 잘 위해주어야 한다는 말.

1607)유ᄌᆞ식 불거(有子息不去) : 혼인해서 자식을 둔 여자는 출거(黜去) 해서는 안 된다는 뜻.

이졔 공쥬를 하가코져 ᄒᆞ시니 큰 ᄌᆡ앙이 니러나 급히 죽을소이다."

샹이 엇디 법규의 블가ᄒᆞ믈 모르시리오마ᄂᆞᆫ, 이러치 아닌죽 문양을 구치 못ᄒᆞᆯ디라, 옥ᄉᆡᆨ(玉色)이 참엄(斬嚴)ᄒᆞ샤 왈,

"인신(人臣)이 군명(君命)은 ᄉᆞ디(死地)라도 블감역명(不敢逆命)이라. 딤이 경을 ᄉᆞ랑ᄒᆞ여 군신(君臣)의 의(義)로ᄡᅧ 다시 옹셔(翁壻)의 친(親)을 ᄆᆡᄌᆞ 휴쳑(休戚)[1660]을 ᄒᆞᆫ가지로 ᄒᆞ랴 ᄒᆞ거ᄂᆞᆯ 이ᄃᆡ도록 샤양ᄒᆞ여 조강블하당(糟糠不下堂)과 유ᄌᆞ블거(有子不去)를 칭ᄒᆞ여, 딤은 고ᄉᆞ를 모로ᄂᆞᆫ가 ᄒᆞ여, 경의 조강이 비록 듕ᄒᆞ나 이 블과 인신의 녀ᄌᆡ라, 엇디 귀쳔이 황녀와 ᄀᆞᆺᄐᆞ리오마ᄂᆞᆫ, 원언(怨言)【24】을 업시코져 쳐실(妻室)을 다쳐ᄒᆞ여, 공쥬와 동녈(同列)ᄒᆞ고 화락ᄒᆞ믈 젼과 달니 아니ᄒᆞ려니와, 공쥬ᄂᆞᆫ 만승디녜(萬乘之女)라 녀염 녀ᄌᆞ와 ᄂᆡ도ᄒᆞ니, 경의 샹원위(上元位)를 엇디 누리지 못ᄒᆞ리오. 다시 샤양ᄒᆞᆫ 즉 죄칙이 경부(卿父)의게 밋고 부마ᄂᆞᆫ 면치 못ᄒᆞ리라."

병뷔 뎡식 쥬왈,

"셩샹이 위엄으로 신ᄌᆞ를 구쇽(拘束)ᄒᆞ시며 녜법의 블가ᄒᆞ믈 됴흔 일 권ᄒᆞ듯 ᄒᆞ시니, 경황(驚惶)ᄒᆞᆫ 가온ᄃᆡ 셩샹 실덕ᄒᆞ시믈

1659)황튝(惶蹙) : 지위나 위엄 따위에 눌리어 어찌할 바를 모르고 몸을 움츠림.

1660)휴쳑(休戚) : 편안함과 근심.

엇지 션(先)으로 후(後)을 ᄉᆞᆷ으며, 후(後)으로 션(先)을 밧고리오. 신이 만ᄉᆡ 외람과분ᄒᆞ나, 이칠(二七)의 농누봉궐의 《이향‖어향(御香)》을 쏘이고 십칠이 넘지 못ᄒᆞ여 츌장입후(出將立侯)【7】ᄒᆞᄆᆡ, ᄆᆡ양 성은을 황츅(惶蹙)[1608]ᄒᆞ와 여른 복을 두리는 뜻지 심연박빙(深淵薄氷) 갓삽더니, 이졔 공주을 하가코져 ᄒᆞ시니 소신이 결(缺)ᄒᆞ여 조물의 뮈이 녁이믈 바다, 큰 ᄌᆡ앙이 이러나 급히 죽을 소이다."

주파의 ᄉᆞᄀᆡ 슉연늠엄(肅然凜嚴)ᄒᆞ여 구츄상월(九秋霜月) 갓트여 비록 만승의 위엄이○[나] 그 원치 아닌 바을 핍박기 어려오니, 상이 엇지 법규의 불가ᄒᆞ믈 모로시리오마는, 이러치 아닌 즉 문양을 구치 못ᄒᆞᆯ지라. 텬눈ᄌᆞᄋᆡ 참연ᄒᆞᄉᆞ 부득이 문양을 하가ᄒᆞ려 위녁으로 옥ᄉᆡᆨ이 침엄ᄒᆞᄉᆞ 왈,

"인신(人臣)의 도리 군명(君命)을 사지(死地)라도 불감역명(不敢逆命)이라, 짐이 경을 ᄉᆞ랑ᄒᆞ여 군신(君臣)의○○[의(義)로]써 다시 옹셔(翁壻)의 친(親)을 지어 흔[휴]쳑(休戚)을 ᄒᆞᆫ가○[지]로 ᄒᆞ고져 ᄒᆞ거ᄂᆞᆯ, 이ᄃᆡ도록 ᄉᆞ양ᄒᆞ야 조강불하당(糟糠不下堂)과 유ᄌᆞ불게[거](有子不去)을 칭ᄒᆞ여 짐으로 고사 모로ᄂᆞᆫ 혼군(昏君)을 ᄉᆞᆷ으니, 경의 조강이 비록 듕ᄒᆞ나 불과 인신의 녀ᄌᆡ○[라]. 귀쳔이 엇지 짐의 ᄯᆞᆯ과 갓트리오마는 원망을 업시코져 ᄒᆞ여, 쳐실을 니이(離異)치 아니코 공주로 동녈ᄒᆞ고, 경이 화락하물 젼일과 갓치 ᄒᆞᄃᆡ, 공주는 만승지녀(萬乘之女)라, 여염 녀와 ᄂᆡ도ᄒᆞ니 경의 상원위(上元位)을 엇지 누리지 못ᄒᆞ리오. 만일 다시 ᄉᆞ양ᄒᆞᆫ 즉 죄벌이 경부(卿父)의 밋고 부마ᄂᆞᆫ 면치 못ᄒᆞ리라."

병뷔 뎡ᄉᆡᆨ 주왈,

"성상이 위엄으로 신ᄌᆞ을 구속ᄒᆞ시며 네법의 불【8】가ᄒᆞᆫ 일을 조흔 것 ᄒᆞ듯 ᄒᆞ신이 경황민츅[츅](驚惶悶蹙)ᄒᆞᆫ 가온ᄃᆡ 셩상의 실덕ᄒᆞ시믈 더욱 경악ᄒᆞᆫ심ᄒᆞ옵ᄂᆞ니, 초

1608)황츅(惶蹙) : 지위나 위엄 따위에 눌리어 어찌할 바를 모르고 몸을 움츠림.

한심 경악ᄒᆞᄋᆞᆸᄂᆞ니, 텬하의 미취셔ᄉᆡᆼ(未娶書生)의 옥인현ᄉᆡ(玉人賢士) ᄒᆞ나 둘히 아니라, 고문 명가의 아ᄅᆞᆷ다온 부마를 ᄐᆡᆨᄒᆞ여 공쥬의 일ᄉᆡᆼ을 쾌히 ᄒᆞ시미 올ᄉᆞᆸ거ᄂᆞᆯ, ᄇᆞᄃᆡ 미신의 비루 용녈을 ᄀᆞᆯ희【25】샤, 금뎐(禁殿)[1661] ᄋᆡ셔(愛壻)를 니르디 말고, 한미ᄒᆞᆫ 집이라도 뎨ᄉᆞ부빈(第四副嬪)을 구ᄒᆞᆯ 니 업술 거시오, 금병슈막(錦屛繡幕)의 금지옥엽(金枝玉葉)을 ᄧᆞᆨᄒᆞ여 금년(金蓮)의 아ᄅᆞᆷ다온 손 되기ᄂᆞᆫ 쳔블가만브당(千不可萬不當))일 ᄲᅳᆫ 아니라, 셩샹이 비록 원위(元位)를 아ᄉᆞ시나 신의 머리를 버히디 못ᄒᆞ신 후ᄂᆞᆫ 신의 쳐쳡 향ᄒᆞᆫ ᄆᆞᄋᆞᆷ을 버히지 못ᄒᆞ시리니, 엇디 공쥬의 존귀를 흠앙ᄒᆞ여 유ᄌᆞᄒᆞᆫ 조강의 듕경을 ᄉᆞᆺ쳐, 션(先)으로ᄡᅧ 후(後)를 삼으리잇고? 비록 신의 부ᄌᆞ를 죄주려 ᄒᆞ시나, 셩군은 이효(以孝)로 치텬하(治天下) ᄒᆞ시니, 신의 블쵸(不肖) 아븨 죄 아니어ᄂᆞᆯ, 공쥬 하가지ᄉᆞ(下嫁之事)로 무죄ᄒᆞᆫ 아비를 벌ᄒᆞ실딘ᄃᆡ 감히 셩샹 치졍은 한치【26】 못ᄒᆞ오나, 공쥬로 더브러 유혐지간(有嫌之間)이 되리로소이다."

주파(奏罷)의 ᄀᆡ운이 튱텬ᄒᆞ고 언ᄉᆡ 격앙ᄒᆞ여 일호 구겁ᄒᆞ미 업ᄉᆞ니, 샹이 양노(佯怒) 엄칙 왈,

"딤이 비록 경을 ᄉᆞ랑ᄒᆞ나 군신지분(君臣之分)이 텬디 ᄀᆞᆺ거ᄂᆞᆯ, 방ᄌᆞ무긔(放恣無忌)ᄒᆞ미 일호 신ᄌᆞ디되 업ᄉᆞ니 엇디 한심치 아니리오. 문양을 념피(厭避)ᄒᆞ믄 뎡궁 탄ᄉᆡᆼ이 아니믈 만멸(慢蔑)ᄒᆞ미니, ᄀᆞ장 외람ᄒᆞᆫ디라. 딤의 ᄯᆞᆯ이 엇디 염녀(閻女)[1662]만 못ᄒᆞ여 경의 뎨오부빈(第五副嬪)을 삼으리오. 망녕된 말을 죄ᄉᆞᆷ지 아니커니와, 이런 말을 다

1661)금뎐(禁殿 : 궁궐. 임금이 거처하는 집
1662)염녀(閻女) : 여염(閭閻)의 여자. 일반 백성의 여자.

방승쳑(椒房[1609]承戚)[1610]은 인신의 구ᄒᆞ여 엇지 못ᄒᆞᆯ 영홰오니, 쳔하의 미취셔ᄉᆡᆼ(未娶書生)의 옥인현ᄌᆡ ᄒᆞ나 둘이 아니오니, 고문명가의 아름다온 부마을 ᄐᆡᆨᄒᆞᄉᆞ 공주 일ᄉᆡᆼ을 쾌히 ᄒᆞ시고, 안젼의 젹인을 뵈지 아니미 올ᄉᆞᆸ거날, 부ᄃᆡ 소신의 비루용질(鄙陋庸質)을 갈희ᄉᆞ, 쳐실이 ᄉᆞᆷᄉᆞ인이오, 두 ᄌᆞ식을 두어 금젼녀셔(禁殿[1611]女壻)는 이르도 말고, ᄒᆞᆫ미ᄒᆞᆫ 집이라도 제오부빈(第五副嬪)을 구ᄒᆞᆯ니 업술 거시오, 신이 발셔 신낭 소임의 종요롭기ᄂᆞᆫ 버셔ᄂᆞᆫ지 오ᄅᆡ오니, 금병수막(錦屛繡幕)의 옥엽금지(玉葉金枝)을 ᄶᆞᆨᄒᆞ여 금연(金蓮)의 아리ᄯᆞ온 손 되기는 천불가(千不可) 만불ᄉᆞ(萬不似)ᄒᆞ올 ᄲᅮᆫ 아니오라, 신이 손복요ᄉᆞ(損福夭死)ᄒᆞ올거시오, 성상이 비록 위력으로 원위(元位)을 아ᄉᆞ시나 신의 머리을 버히지 못ᄒᆞᆫ 후ᄂᆞᆫ, 신의 쳐쳡 향ᄒᆞᆫ 마음을 버히지 못ᄒᆞ시리니, 엇지 공주의 존귀을 흠앙ᄒᆞ여 유ᄌᆞᄒᆞᆫ 조강(糟糠)의 즁경(重情)을 ᄉᆞᆫ쳐 션(先)으로ᄡᅧ 후(後)을 ᄉᆞᆷ으리잇고? 비록 신의 아비를 죄쥬려 ᄒᆞ시나 성군은 이효(以孝)로 치쳔하(治天下) ᄒᆞ시니, 신의 불회 아뷔 죄 아니여날 공주 ᄒᆞ가ᄉᆞ(下嫁事)로 무죄ᄒᆞᆫ 아비을 벌ᄒᆞ실진ᄃᆡ, 감히 성상 치화(治化)ᄂᆞᆫ ᄒᆞᆫ치 못ᄒᆞ오나 공주로 더부러 유혐지간(有嫌之間)이 되리로 소이다."

주파(奏罷)의 ᄀᆡ운이 츙천ᄒᆞ고 언ᄉᆡ 격안[앙]ᄒᆞ여 일호도 구겁ᄒᆞ미 업ᄉᆞ니 상이 양노(佯怒) 엄칙 왈,【9】

"짐이 비록 경을 ᄉᆞ랑ᄒᆞ나 군신지의 쳔지 갓거ᄂᆞᆯ 방ᄌᆞ무거(放恣無據)ᄒᆞ미 일호 군신지되 업ᄉᆞ니 엇지 ᄒᆞᆫ심치 아니리오. 문양을 염피(厭避)ᄒᆞ믄 뎡궁 탄ᄉᆡᆼ이 아니믈 만멸

1609)초방(椒房) : 산초나무 열매의 가루를 바른 방이라는 뜻으로, 왕비가 거처하는 방이나 궁전 따위를 이르는 말. 후추나무는 온기가 있고 열매가 많은 식물로서, 자손이 많이 퍼지라는 뜻에서 왕비의 방 벽에 발랐다.
1610)초방승척(椒房承戚) : 왕가와 인척(姻戚)이 되는 은혜를 입는 일
1611)금젼(金殿) : 궁궐. 임금이 거처하는 집

시 ᄒᆞᆫ즉 엄치ᄒᆞ리니, 셔어(齟齬)ᄒᆞᆫ 샤양을 발치 말나."

ᄒᆞ고 흠텬감의 길일을 쇽ᄐᆡᆨ(速擇)ᄒᆞ고 문양궁을 급피 지으라 ᄒᆞ시며, 금평후를【27】 명초ᄒᆞ시고 병부를 믈너가라 ᄒᆞ샤, 다시 말을 못ᄒᆞ게 ᄒᆞ시니, 병뷔 분한이 튱격ᄒᆞ여 분긔를 씌어 믈너오ᄆᆡ, 모든 명뉘 뒤흘 좃ᄎᆞ 믈너나니, 병뷔 궐하의 막ᄎᆞ를 치고 일봉 소를 올니고져 ᄒᆞ니, 샤인이 말녀 왈,

"형이 식니댱부(識理丈夫)로 엇디 ᄉᆡᆼ각지 못ᄒᆞ시ᄂᆞ뇨? 쇼뎨 텬의를 ᄉᆞᆺ치오ᄆᆡ 형댱이 죽기로 닷토아도 면치 못ᄒᆞ시리니, 무익히 군신의 ᄉᆞ톄 손상ᄒᆞᆯ ᄯᆞ름이라. 부마를 간션치 아니시고 형댱 뜻을 브ᄃᆡ 앗고져 ᄒᆞ시미, 필유묘ᄆᆡᆨ(必有妙脈)1663)이라 헛된 소를 긋치쇼셔."

휘 분연 왈,

"내 근간 됴보(朝報)의 문양이 ᄉᆞ질(邪疾)을 어더 ᄀᆞ장 위듕ᄒᆞ믈 드럿더니, 샹이 그 병을 념녀치 아니시고【28】 블의예 이 명이 계시니, 반ᄃᆞ시 그 병이 아름답지 아닌 연괴라. 비록 군전의 득죄ᄒᆞ나 엇디 소견을 다ᄒᆞ지 아니리오."

ᄒᆞ고 소봉을 올니려 ᄒᆞ나, 샹명이 소장을 밧지 말나 ᄒᆞ시니 병뷔 더옥 분울ᄒᆞ더라. 금휘 급피 입궐ᄒᆞ다가 ᄋᆞᄌᆞ의 분분대로(忿憤大怒)ᄒᆞᄂᆞᆫ 거동을 보고 괴이히 넉여 하리로 젼어 왈,

"내 이졔 입됴ᄒᆞᆫ 즉 곡졀(曲折)을 알녀니와, 인신지되(人臣之道) 비록 ᄯᅳᆺᄀᆞᆺ디 못ᄒᆞᆫ ᄇᆡ 이시나, 져러틋 ᄒᆞᆯ ᄇᆡ 아니라. 괴이히 구지 말나."

1663)필유묘ᄆᆡᆨ(必有妙脈) : 반드시 묘한 까닭이 있음.

(慢蔑)ᄒᆞ미니 가장 와람ᄒᆞᆫ지라. 짐의 ᄯᆞᆯ이 엇지 여염녀(閭閻女)1612)만 못ᄒᆞ여 경의 졔오부빈(第五副嬪)을 ᄉᆞᆷ으리오. 망녕된 말을 죄주지 아니커니와, ᄎᆞ언을 다시 ᄒᆞᆫ 직 엄치ᄒᆞ리니 ᄉᆞ양치 말나."

ᄒᆞ시고 이의 흠천감의 ᄒᆞ교ᄒᆞᄉᆞ 길일을 속히 ᄐᆡᆨᄒᆞ라 ᄒᆞ시고, 문양궁을 급히 지으라 ᄒᆞ시며, 금평후을 명쵸ᄒᆞ시고 쳔홍을 물너가라 ᄒᆞᄉᆞ 다시 말을 못ᄒᆞ게 ᄒᆞ시니, 병뷔 ○○[분ᄒᆞᆫ]이 츙격(衝擊)ᄒᆞ나 인신 분의에 무가ᄂᆡ하(無可奈何)라. 분긔을 씌여 퇴조ᄒᆞᄆᆡ 믄득 명뉴 뒤을 조ᄎᆞ 물너나니, 병뷔 궐하의 막ᄎᆞ(幕次)ᄒᆞ여 일봉소(一封疏)을 올니고져 ᄒᆞ거ᄂᆞᆯ 윤ᄉᆞ인이 말녀 왈,

"형장이 식니장부(識理丈夫)로 엇지 ᄉᆡᆼ각지 못ᄒᆞ시ᄂᆞ뇨? 소졔 쳔의을 스치오ᄆᆡ 형이 죽기을 닷토아도 면치 못ᄒᆞ리니, 무익히 군신의 쳬모을 손상ᄒᆞᆯ ᄯᆞ름이라. 부마을 간션커[키]ᄂᆞᆫ 둘ᄌᆡ오, 형의 ᄯᅳᆺ슬 앗고져 ᄒᆞ시미 필유묘ᄆᆡᆨ(必有妙脈)1613)이니, 원컨ᄃᆡ 헛된 소을 긋치소셔."

병뷔 분연 왈,

"ᄂᆡ 근간 드르니 문양이 ᄉᆞ질(邪疾)을 어더 가장 듕ᄒᆞ다 ᄒᆞ더니, 상이 그 병을 념녀치 아니시고 불의에 이 명이 계시니, 반드시 그 병이 아름답지 아닌 연괴라. ᄂᆡ 비록 군젼의 득죄ᄒᆞ나 엇지 소견을 다ᄒᆞ지 아냐 ᄎᆞ사을 즐기ᄂᆞᆫ 드시 잠잠ᄒᆞ리오."【10】

언필의 소봉을 올니려 ᄒᆞ니, 임의 상명이 병부의 소장을 밧지 말나 ᄒᆞ여 계시니 뉘 감히 바드리오. 병뷔 더욱 분울ᄒᆞ더니, 금평휘 ᄑᆡ쵸로 드러오다가 궐문 박긔셔 병부을 보고 그 분분ᄃᆡ로(忿憤大怒)ᄒᆞᄂᆞᆫ 거동을 보고 고이히 넉여 ᄒᆞ리로 젼어 왈,

"ᄂᆡ 이제 입쵸ᄒᆞᆫ 즉 곡졀(曲折)을 알녀니와 인신(人臣)의 도리 비록 ᄯᅳᆺ갓지 못ᄒᆞᆫ ᄇᆡ 잇시나, 져러틋 ᄒᆞᆯ ᄇᆡ 아니니 모로미 고이히 구지 말고 잇스라."

1612)여염녀(閭閻女) : 여염(閭閻)의 여자. 일반 백성의 여자.

1613)필유묘ᄆᆡᆨ(必有妙脈) : 반드시 묘한 까닭이 있음.

병뷔 더옥 착급ᄒᆞ나 훌일업셔 나오시기를 기다리더라.

텬ᄌᆡ 금후를 인견ᄒᆞ샤 슈돈(繡墩)[1664]을 미러 샤좌(賜座)ᄒᆞ시고 옥음이 유열ᄒᆞ샤, 흔연【29】 왈,

“경으로 더브러 군신대의(君臣大義)와 인아(姻婭)의 후졍(厚情)을 겸ᄒᆞ게 되어시니 엇디 예ᄉᆞ 신ᄒᆞ와 ᄀᆞᆺᄐᆞ리오. 이제 문양공쥐 ᄌᆞ라ᄆᆡ 위인이 범ᄂᆔ 아니라, 비록 법ᄀᆔ 아니나 딤이 여러 명ᄂᆔ ᄌᆡ렬 듕 텬흥으로 문양도위를 뎡ᄒᆞᄂᆞ니, 경은 딤의를 알고 샤양치 말나. 텬흥이 언ᄉᆡ 무엄(無嚴)ᄒᆞ여 신ᄌᆞ의 도리 업ᄉᆞ니, 딤이 통히ᄒᆞ믈 니긔지 못ᄒᆞᄃᆡ, 길녜를 뎡ᄒᆞᄆᆡ 부마를 슈죄치 못ᄒᆞ여 십분 딤작(斟酌)[1665]ᄒᆞᄂᆞ니 경은 텬흥을 경계ᄒᆞ고 공쥬를 마ᄌᆞ ᄃᆡ졉ᄒᆞ믈 녀염여ᄌᆞ(閭閻女子)쳐로 말나.”

금휘 브복 쳥교의 돈슈 ᄌᆡᄇᆡ 왈,

“신은 일개 포의지신(布衣之臣)이어ᄂᆞᆯ 셩은을 과히 닙ᄉᆞ와 쟉【30】위 후ᄇᆡᆨ의 니르고, 텬흥이 년쇼 브ᄌᆡ로 외람이 츌댱입후(出將立侯)ᄒᆞ여 셩은이 인신의 과의(過矣)라. 슉야 우구ᄒᆞ여 갑ᄉᆞ올 바를 아지 못ᄒᆞ고, 믈의 셩쇠(盛衰)를 그윽이 념녀ᄒᆞᄋᆞᆸ더니, 의외 금달(禁闥) 옥쥬를 쳔가의 하가코져 ᄒᆞ시니 신의 부ᄌᆡ ᄆᆞᄉᆞᆫ ᄉᆞᄅᆞᆷ이라 부귀를 깃거 아니ᄒᆞ오며, 옥쥬를 념피ᄒᆞ리잇가마ᄂᆞᆫ, 텬흥이 셩경이 무식소활ᄒᆞ고 방일허랑ᄒᆞ여 금병슈막(錦屛繡幕)의 아리ᄯᆞ온 손이 못되오려든, ᄒᆞ믈며 여러 쳐실과 ᄌᆞ식을 두엇ᄉᆞ오니 부마의 냥쳐ᄂᆞᆫ ᄌᆞ고로 업ᄉᆞᆫ ᄇᆡ오, 문양옥쥬의 존귀ᄒᆞ므로ᄡᅧ 텬흥ᄀᆞᆺᄐᆞᆫ 필부를 비ᄒᆞ샤, 여러 뎍인(敵人)을 두시미 엇디 가ᄒᆞ리잇고? 신【31】이 ᄒᆞᆫ갓 샤양이 아니오라,

1664)슈돈(繡墩) : 수를 놓은 앉을 자리.
1665)딤작(斟酌) : 사정이나 형편 따위를 어림잡아 헤아림.

병뷔 엄명을 듯고 더욱 ᄎᆞᆸ[ᄎᆞᆨ]급ᄒᆞ나 ᄯᅩ ᄒᆞᆫ 헐일 업ᄂᆞᆫ지라. 다만 부공의 나오기만 ᄃᆡ후(待候)ᄒᆞ더라.

화셜 만셰 황야 금평후을 인견ᄒᆞᄉᆞ 슈돈(繡墩)[1614]을 미러 사좌(賜座)ᄒᆞ시고 농안이 화열ᄒᆞ시며 옥음이 유화ᄒᆞᄉᆞ 흔연 왈,

“짐이 경으로 더부러 군신지의와 인아(姻婭)의 후졍(厚情)을 겸ᄒᆞ게 되어시니 엇지 예ᄉᆞ 인신과 가트리오. 이졔 문양공쥐 위인이 범뉴 아니라, 미셰ᄒᆞᆫ 유ᄉᆡᆼ이 금년(金蓮)의 맛당ᄒᆞ믈 엇기 어려온 고로 짐이 여러 명뉴 듕 뎡쳥[쳔]흥으로 문양도위을 뎡ᄒᆞ엿ᄂᆞ니, 경은 짐의을 알고 무익ᄒᆞᆫ ᄉᆞ양을 말지어다. 쳥[쳔]흥의 고ᄉᆞᄒᆞᆫ 말이 불경무엄(不敬無嚴)ᄒᆞ여 인신지되 업ᄉᆞ니 짐이 ᄒᆞᆫ심통히ᄒᆞ믈 이긔지 못ᄒᆞ나, 혼인은 인뉸ᄃᆡ관이오, 양셩(兩姓)○[의] 조흐미라. 길녜을 졍ᄒᆞ고 부마을 논죄ᄒᆞ미 관홍지덕이 아닌 고로 짐작(斟酌)[1615]ᄒᆞᄂᆞ니, 경은 쳥[쳔]흥을 경계ᄒᆞ고 공주을 마ᄌᆞ ᄃᆡ졉ᄒᆞ믈【11】여염녀ᄌᆞ(閭閻女子) 갓치 말ᄂᆞ.”

금휘 부복 쳥필의 이러 ᄌᆡᄇᆡ 돈슈 왈,

“신은 ᄒᆞᆫ낫 불미ᄒᆞᆫ 포의한ᄉᆞ(布衣寒士)라. 셩은을 과히 입ᄉᆞ와 작위 후ᄇᆡᆨ의 이르고 쳔흥이 년소부ᄌᆡ(年少不才)로 외람이 출장입후ᄒᆞ와 셩은이 일신의 과의(過矣)라. 슉야 우구ᄒᆞ와 갑ᄉᆞ올 ᄇᆞ을 아지 못ᄒᆞᄋᆞᆸ더니, 쳔만 ᄯᅳᆺ밧 금달 옥주로ᄡᅧ 하가코져 ᄒᆞ시니, 엇지 부귀을 탐ᄒᆞ와 분의 넘ᄂᆞᆫ 바을 감수ᄒᆞ리잇고? 초방승ᄐᆡᆨ(椒房承擇)[1616]은 인인이 우러러 구ᄒᆞ여도 엇기 어려운 영광이라. 신의 부ᄌᆡ 무ᄉᆞᆷ ᄉᆞ롬이라 부귀을 깃거 아니며 옥주을 념피(厭避)ᄒᆞ리잇고마ᄂᆞᆫ 쳔흥이 취쳐젼 공물(公物)이라도 무식 소활ᄒᆞ고 방일허랑ᄒᆞᆫ 셩품으로 금병수막(錦屛繡幕)의 아리ᄯᆞ온 손이 되지 못ᄒᆞ오려든, ᄒᆞ믈며 여러 쳐실과 ᄌᆞ식을 두어시니, 부마의 양쳐(兩妻)

1614)슈돈(繡墩) : 수를 놓은 앉을 자리.
1615)딤작(斟酌) : 사정이나 형편 따위를 어림잡아 헤아림.
1616)초방승ᄐᆡᆨ(椒房承擇) : 왕가의 간택을 받음.

옥쥬의 죵신 대ᄉᆞ를 그릇 뎡ᄒᆞ시믈 ᄋᆡ돌나 ᄒᆞᆸᄂᆞ니, 이런 블사(不似)ᄒᆞᆫ 젼교를 환슈ᄒᆞ시미 힝심이라. 셕의 한(漢) 광뮈(光武)[1666] 공쥬의 결항(結項)ᄒᆞ믈 당ᄒᆞᄃᆡ 숑홍(宋弘)[1667]의 뜻을 앗디 못ᄒᆞ시니, 복원 폐ᄒᆞᄂᆞᆫ 텬홍의 블인을 ᄉᆡᆼ각ᄒᆞ시고 옥쥬의 일ᄉᆡᆼ을 무광(無光)케 마르쇼셔."

ᄂᆞᆫ ᄌᆞ고로 업ᄂᆞᆫ ᄇᆡ오니, 조강(糟糠) ᄲᆞᆫ 아니라, 문양공주의 존귀ᄒᆞ시므로써 쳔홍 갓튼 필부을 ᄇᆡᄒᆞᄉᆞ 여러 젹인(敵人)을 두시게 ᄒᆞ미 엇지 가ᄒᆞ리잇고? 신이 ᄒᆞᆫ갓 ᄉᆞ양ᄒᆞ오미 아니오라 옥주 죵신ᄃᆡᄉᆞ을 그릇 졍ᄒᆞ시믈 그윽이 ᄋᆡ달나 ᄒᆞ옵나니, 장안 ᄌᆞᄆᆡᆨ(紫陌)의 옥인 가랑을 ᄐᆡᆨᄒᆞ여 문양도위을 졍ᄒᆞ시고, 이런 불ᄉᆞ(不似)ᄒᆞᆫ 젼교을 환슈ᄒᆞ시미 힝심이로소이다. 셕의 한(漢) 광뮈(光武)[1617] 공쥬의 결항(結項)ᄒᆞ믈 당ᄒᆞ나 송홍(宋弘)[1618]의 뜻즐 앗지 못ᄒᆞ여시니, 복원 폐하ᄂᆞᆫ 쳔홍의【12】 불ᄉᆞᄒᆞ믈 ᄉᆡᆼ각ᄒᆞ시고 신의 지원(至願)을 조ᄎᆞᄉᆞ, 옥주의 일ᄉᆡᆼ을 무광(無光)케 마르소셔"

샹이 금후의 뜻이 병부와 ᄀᆞᆺᄐᆞ믈 보시고 옥식이 블예(不豫)ᄒᆞ샤 왈,

"텬홍의 거죄 블경무식ᄒᆞᄆᆡ 경을 블너 ᄋᆞᄃᆞᆯ을 가ᄅᆞ치과져 ᄒᆞ미어ᄂᆞᆯ, 딤의 결단ᄒᆞᆫ 혼녜를 ᄯᅩ 엇지 샤양ᄒᆞ여 텬홍의 방ᄌᆞᄒᆞ믈 돕ᄂᆞ뇨? 비록 만셩이 말나 ᄒᆞ여도 딤심이 요개ᄒᆞᆯ 뜻이 업ᄉᆞ니, 브졀업ᄉᆞᆫ 말을 말【32】고, 텬홍의 쳐쳡이 열히라도 딤의 녀ᄋᆡ 웃듬이니, 공쥬 하가 후 존경ᄒᆞ믈 범연이 못ᄒᆞ리라."

인ᄒᆞ여 그 말을 기다리디 아니시고 텬홍을 경계ᄒᆞ라 ᄒᆞ시고 ᄂᆡ뎐으로 드르시니, 금휘 ᄉᆞ양ᄒᆞ믈 엇디 못ᄒᆞ여 힘힘이 퇴ᄒᆞ여 궐문을 나니, 병뷔 오히려 소장(疏狀)을 올니려 셔들거ᄂᆞᆯ, 금휘 텬의를 도로혀지 못ᄒᆞᆯ 줄 니르고, 소댱을 아ᄉᆞ 사ᄆᆡ의 너코 날이어 두오므로 급급히 도라오니, 밤이 깁허시ᄃᆡ 태부인이 취침치 못ᄒᆞ고 촉을 ᄇᆞᆰ혀 기다리니, 윤·양·니 삼부인이 존고를 뫼셔 취

상이 금후 뜻지 병부와 갓트믈 보시고 옥식이 ᄌᆞ못 불예(不豫)ᄒᆞᄉᆞ, 갈ᄋᆞᄉᆞᄃᆡ,

"쳔홍의 거죄 불경무식ᄒᆞᄆᆡ 경을 불너 아들을 가르치고져 ᄒᆞ미여날, 짐의 결단ᄒᆞᆫ 혼네을 ᄯᅩ 엇지 ᄉᆞ양ᄒᆞ여 쳔홍의 방자ᄒᆞ믈 돕ᄂᆞ뇨? 비록 만셩이 말나ᄒᆞ여도 짐심이 요ᄀᆡᄒᆞᆯ 뜻지 업ᄉᆞ니, 부졀업산 말을 말고 쳔홍의 쳐쳡이 비록 열이라도 짐의 녀ᄋᆡ 웃듬될 거시오, ᄯᅩᄒᆞᆫ 공주 하가 후ᄂᆞᆫ 공주 존경ᄒᆞ믈 범연이 못ᄒᆞ게 ᄒᆞ라."

인ᄒᆞ여 말숨을 기다리지 아니시고 ᄂᆡ젼으로 드르시니, 금휘 엇지 다시 밋쳐 ᄉᆞ양ᄒᆞ믈 어드리오. 힘힘히 퇴ᄒᆞ여 궐문의 나오니 병뷔 오히려 소장을 올니려 셔돌거늘, 금휘 쳔의을 도로혀지 못ᄒᆞᆯ 쥴 일너 소장을 아ᄉᆞ 사ᄆᆡ의 너코 양ᄌᆞ을 다리고 ᄌᆡ촉ᄒᆞ여 운산으로 도라오니, 발셔 밤이 깁허시ᄃᆡ ᄐᆡ부인이 ᄌᆞ손의 나오지 아니ᄒᆞ믈 의아ᄒᆞ여 능히 취침치 못ᄒᆞ고 촉을 밝히고 기ᄃᆞ리더니, 윤

1666)광무제(光武帝) : B.C.6-A.D.57. 중국 후한(後漢)의 제1대 황제. 본명은 유수(劉秀). 왕망의 군대를 무찔러 한나라를 다시 일으키고 낙양에 도읍하였다. 재위 기간은 25~57년이다

1667)송홍(宋弘) : 중국 후한(後漢) 광무제(光武帝) 때 사람. 『후한서(後漢書)』 <송홍전>에 그가 광무제에게 한 말 곧, "가난할 때 친하였던 친구는 잊어서는 안 되고(貧賤之交不可忘), 지게미와 쌀겨를 먹으며 고생한 아내는 집에서 내보내서는 안 된다(糟糠之妻不下堂)"는 말이 널리 전해지고 있다.

1617)광무제(光武帝) : B.C.6-A.D.57. 중국 후한(後漢)의 제1대 황제. 본명은 유수(劉秀). 왕망의 군대를 무찔러 한나라를 다시 일으키고 낙양에 도읍하였다. 재위 기간은 25~57년이다

1618)송홍(宋弘) : 중국 후한(後漢) 광무제(光武帝) 때 사람. 『후한서(後漢書)』 <송홍전>에 그가 광무제에게 한 말 곧, "가난할 때 친하였던 친구는 잊어서는 안 되고(貧賤之交不可忘), 지게미와 쌀겨를 먹으며 고생한 아내는 집에서 내보내서는 안 된다(糟糠之妻不下堂)"는 말이 널리 전해지고 있다.

침ᄒᆞ시믈 청【33】ᄒᆞ더니, 금휘 이ᄌᆞ로 더브러 드러와 ᄌᆞ젼의 반일 존후를 뭇ᄌᆞ온ᄃᆡ, 부인이 야심 후 도라오믈 므르니, 금휘 미우(眉宇)를 찡긔고 대왈,

"금일 괴이ᄒᆞᆫ 우환(憂患)을 당ᄒᆞ오니 블힝ᄒᆞ믈 니긔디 못ᄒᆞ오나, 텬의 구드시니 사양ᄒᆞ여 밋디 못ᄒᆞ고 ᄒᆞᆫ갓 블힝토소이다."

부인이 경문기고(驚問其故)ᄒᆞᆫᄃᆡ 공이 일일이 고ᄒᆞ고,

"이 다 삼부(三婦)의 ᄋᆡᆨ회 비경ᄒᆞ미라. ᄒᆡᄋᆡ 텬흥의 쳐궁이 하등이 아니믈 깃거ᄒᆞ옵더니, 마얼(魔孼)이 니러나니 댱ᄂᆡ를 혜아리ᄆᆡ 심긔 블평ᄒᆞ여이다."

태부인과 딘부인이 대경ᄒᆞ여 면ᄉᆡᆨ이 찬ᄌᆡ ᄀᆞᆺᄐᆞ니, 밋쳐 말을 못ᄒᆞ【34】여셔 병뷔 분연 왈,

"셩샹이 위엄으로 신ᄌᆞ의 뜻을 아ᄉᆞ시고 블법을 권ᄒᆞ시니, 쇼ᄌᆞ의 가되 산난(散亂)ᄒᆞ믄 여ᄉᆡ(例事)오, 실덕을 한심ᄒᆞ고, 문양이 근간 딜양이 듕타 ᄒᆞ더니 샹이 그 병은 념녀치 아니시고, 쇼ᄌᆞ로 부마를 밧비 뎡ᄒᆞ시미 기듕 곡졀이 이시미나, 텬의 비록 엄ᄒᆞ시나 신ᄌᆞ의 부부간을 엇디 아ᄉᆞ리오. 져 문양이 하가ᄒᆞᆫ 후 심궁의 드리쳐 단장박명(斷腸薄命)이 곡딘(曲盡)케 ᄒᆞ려 ᄒᆞᄂᆞ이다."

공이 심니 블안ᄒᆞᆫ 듕 ᄋᆞᄌᆞ의 말을 듯고 타일 근심을 측냥치 못ᄒᆞ여 진목(瞋目) 즐왈,

"샹이 날은 죽이시고 너를 부마를 삼으셔도 인신의 되 감히 원망【35】치 못ᄒᆞ려든, 너희 안히를 다 허ᄒᆞ여 공쥬와 동녈(同列)케 ᄒᆞ시고 동낙ᄒᆞ믈 젼과 ᄀᆞᆺ치 ᄒᆞ라 ᄒᆞ시니, 황공 감은ᄒᆞ미 골슈의 ᄉᆞ못거ᄂᆞᆯ, 공쥬를 취(娶)토 아냐셔 긔 므ᄉᆞᆷ 말이뇨? 네 거동이 결단코 욕급문호(辱及門戶)ᄒᆞ고 화급션조(禍及先祖)ᄒᆞ여 어버의게 블효ᄒᆞ미 극ᄒᆞᆯ

·양·니 등이 존고을 뫼셔 ᄐᆡ부인 ᄌᆞ리을 바로 ᄒᆞ여 취침ᄒᆞ시물 청ᄒᆞ더니, 믄득 금휘 양ᄌᆞ로 더부러 드러와 존젼의 뵈고 반일 존후을 뭇ᄌᆞ온 후, 미우을 찡긔며 공주의 하가ᄉᆞ(下嫁事)을 일일이 고ᄒᆞ고 탄왈,

"이 다 ᄉᆞᆷ부의 ᄋᆡᆨ회 비경ᄒᆞ미【13】라. ᄒᆡᄋᆞ(孩兒) 쳐궁이 ᄒᆞ등이 아니물 그윽이 깃거ᄒᆞ옵더니, 고이ᄒᆞᆫ 마얼(魔孼)이 이러나니, 쳔위을 감히 항거치 못ᄒᆞ고 장ᄂᆡ을 혀아리니 심긔 불평ᄒᆞ믈 이긔지 못ᄒᆞ리로소이다."

ᄐᆡ부인과 진부인이 ᄃᆡ경ᄒᆞ여 면ᄉᆡᆨ이 찬ᄌᆡ와 갓트니 밋쳐 말을 못ᄒᆞ여셔 병뷔 분연 왈,

"성상이 위엄으로 신ᄌᆞ의 뜻슬 아ᄉᆞ시고 불법을 권ᄒᆞ시니 가되 산난(散亂)ᄒᆞ믄 오히려 예ᄉᆞ(例事)오, 성상 실덕이 ᄒᆞᆫ심ᄒᆞ고 문양이 질양이 듕ᄒᆞ다 ᄒᆞ더니, 황상이 그 병은 념녀치 아니시고 소ᄌᆞ로 부마을 밧비 졍ᄒᆞ미 ᄀᆡ[기]듕 곡졀이 잇시미라. 쳔위 비록 엄ᄒᆞ시나 신ᄌᆞ의 부부간을 아른 양ᄒᆞᄉᆞ[1619] 이러틋 ᄒᆞ시오니, 문양이 ᄒᆞ가ᄒᆞᆫ 후 일분이나 뜻 갓지 못ᄒᆞᆫ 즉, ᄒᆞᆫ 구셕의 드리쳐 《간장∥단장(斷腸)》박명(薄命)이 ᄌᆞ진케 ᄒᆞ려 ᄒᆞᄂᆞ이다."

공이 심긔 난울ᄒᆞᆫ 듕, 아ᄌᆞ의 말을 듯고 타일 근심이 측냥치 못ᄒᆞᆯ 쥴 혀아리ᄆᆡ, 진목(瞋目) 즐왈,

"성상이 날을 죽이시고 너을 부마을 삼으셔도 인신지되 감히 원치 못ᄒᆞ려든, 너의 안히을 다 허ᄒᆞ여 공주와 동녈케 ᄒᆞ시고, 널노쎠 화락ᄒᆞ믈 젼갓치 ᄒᆞ라 ᄒᆞ시니, 황공 감은ᄒᆞ미 골슈의 ᄉᆞ못거ᄂᆞᆯ, 이졔 공쥬을 취ᄒᆞ여 가ᄂᆡ을 산난케 ᄒᆞ랴거든, 찰하리【14】 거쳐 업시 도주ᄒᆞ면, 국기 너을 차ᄌᆞ

1619)아른 양하다 : 참견하다.

디라. 당금ᄒᆞ여ᄂᆞᆫ 너의 조달(早達)이 블힝이니, 공쥬를 취ᄒᆞ여 가ᄂᆡ를 산난코져 ᄒᆞ거든 출하리 무거쳐(無去處)○○[ᄒᆞ여] 망망이 도쥬ᄒᆞ면 국개 너를 ᄎᆞᄌᆞ드리라 ᄒᆞ여, 내게 죄 밋ᄎᆞ나 조션의 욕은 씻치디 아니리니, 내 눈의 뵈디 말나."

병뷔 분두의 무심코 발언ᄒᆞ여 엄칙을 듯ᄌᆞ오니, 황연(惶然) 경동(警動)ᄒᆞ【36】여 면관 청죄ᄒᆞ니 태부인이 탄왈,

"엇디 뜻밧긔 일이 이ᄀᆺ치 괴이홀 줄 알니오? 텬ᄋᆡ 분울ᄒᆞᆫ 듕 말을 삼가디 못ᄒᆞ나 긔 므ᄉᆞᆷ 대죄라 요란이 칙즐ᄒᆞᄂᆞ뇨? 부ᄌᆡ 화평ᄒᆞ여 괴이ᄒᆞᆫ 말을 말나."

ᄒᆞ고 병부의 평신을 명ᄒᆞ나 부명이 업ᄉᆞᆫ 고로 감히 낫출 드디 못ᄒᆞ니 금휘 뎡식 왈,

"존명이 계시거ᄂᆞᆯ 고집ᄒᆞ여 짐즛 역경ᄒᆞ미 올흐냐."

병뷔 황공ᄒᆞ여 즉시 의관을 슈렴ᄒᆞ고 승당 시좌ᄒᆞ나, 머리를 드러 말ᄉᆞᆷ의 참예치 못ᄒᆞ니, 태부인이 윤・양・니 삼인을 나호여 옥슈를 잡고 운환을 어로만져 탄왈,

"너의 삼인이 명위뎍인(名爲敵人)이나 실위동긔(實爲同氣)라. 황영(皇英)【37】의 고ᄉᆞ를 흡연이 ᄯᆞᆯ오ᄆᆡ, 노뫼 깃브믈 니긔디 못ᄒᆞ더니, 쉼의도 싱각디 아닌 공줘 하가케 되니, 현부 등의 젼졍은 보디 아녀 알디라..

드리라 ᄒᆞ여 ᄂᆡ게 죄 밋ᄎᆞ나 조션의 욕은 씨치지 아니리니, 모로미 눈의 뵈지 말나."

언흘의 안ᄉᆡᆨ이 엄장(嚴壯)ᄒᆞ여 묵묵ᄒᆞᆫ 미우의 찬 셔리 늠늠ᄒᆞ니, 병뷔 분두의 무심코 발언ᄒᆞ여 엄칙을 드르니 황연경동(惶然警動)ᄒᆞ여 면관청죄 ᄲᅮᆫ이오, 감히 말ᄉᆞᆷ을 ᄃᆡ치 못ᄒᆞ니, ᄐᆡ부인이 ᄐᆞᆫ왈,

"엇지 뜻밧긔 일이 이갓치 고이홀 줄 알아시리오. 텬ᄋᆡ 분울 즁 말을 ᄉᆞᆷ가지 못ᄒᆞ나 긔 무ᄉᆞᆷ ᄃᆡ죄라 요란이 칙ᄒᆞᄂᆞ뇨? 모로미 화평ᄒᆞ여 고이ᄒᆞᆫ 말을 말나."

휘 이셩화긔로 고왈,

"ᄌᆞ교 맛당ᄒᆞ시나 텬ᄋᆡ 무식방탕ᄒᆞ여 존젼의 말을 ᄉᆞᆷ가지 아냐 ᄉᆞ류의 틀이 업ᄉᆞ니 엇지 ᄒᆞᆫ심치 아니리잇고. 공주의 선악을 몰나 ᄉᆞᆷ식부의 젼졍을 념녀ᄒᆞ고, 졔 몸은 근심 될 일이 업거ᄂᆞᆯ, 셩상이 졔 ᄯᅳᆺ즐 아ᄉᆞ 불원ᄒᆞᄂᆞᆫ 공주을 위력으로 맛기시물 한ᄒᆞ니, 이 엇지 불츙무식지 아니리잇고."

ᄐᆡ부인이 병부을 관위ᄒᆞ고 평신ᄒᆞ믈 명ᄒᆞᆫᄃᆡ, 부명을 엇지 못ᄒᆞ므로 감히 낫츨 드지 못ᄒᆞ고 황황젼뉼(惶惶戰慄)ᄒᆞᄂᆞᆫ 모양이 신심(身心)을 감동케 ᄒᆞ니, ᄐᆡ부인이 연ᄋᆡᄒᆞ믈 이긔지 못ᄒᆞ여 ᄌᆡᄉᆞᆷ 평신ᄒᆞ라 이르니, 금휘 뎡식 왈,

"존명이 계시거ᄂᆞᆯ 고집이 짐짓 역경홈 가트미 올흐냐?"

병뷔 더옥 황황ᄒᆞ여 관을 바로 ᄒᆞ고 승당 시좌의 머리을 숙여 다시 말ᄉᆞᆷ의 ᄎᆞᆷ네치 아니코, ᄐᆡ부인이【15】윤・양・니 ᄉᆞᆷ 식부(息婦)을 날호여 옥슈을 잡고 운환을 어로만져 탄왈,

"너의 ᄉᆞᆷ인 명위젹인(名爲敵人)이나 실위동긔(實爲同氣)ᄒᆞ야 화우ᄒᆞᄂᆞᆫ 졍이 황영(皇英)의 고ᄉᆞ을 흡연이 ᄯᆞᆯ와, 손ᄋᆞ의 ᄂᆡᄉᆞ을 빗ᄂᆡ며 노모와 구고을 효봉ᄒᆞ여 갈 ᄉᆞ록 힝식 무흠ᄒᆞ니, 노뫼 기[깃]부믈 이긔지 못ᄒᆞ

경참ᄒᆞ믈 엇디 니긔리오."

금휘 니어 ᄀᆞᆯ오ᄃᆡ,

"공쥐 어진 ᄌᆞᆨ 현부 등의 평ᄉᆡᆼ이 안한ᄒᆞ고, 블연 ᄌᆞᆨ 화란이 젹디 아니리니 이런 블힝이 어ᄃᆡ 이시리오. 연이나 현부 등의 현심슉덕으로 복녹이 구젼ᄒᆞᆯ디라. 일이 되어가믈 보고 미리 과려치 말나."

삼인이 일시의 니러 ᄌᆡᄇᆡᆨᄒᆞ미 화열ᄒᆞᆫ ᄉᆞᄉᆡᆨ이 츈일이 다ᄉᆞᄒᆞᆫ ᄃᆞᆺ, 무ᄉᆞ무려ᄒᆞ여 일분 블평ᄒᆞ미 업ᄉᆞ니, 태부인이 큰 우환이 되어 과려ᄒᆞᄆᆡ, 금휘 도로혀 위로ᄒᆞ여 취침ᄒᆞ시믈 청ᄒᆞ니, 부인이 【38】 취침ᄒᆞ나 블힝ᄒᆞ믈 니긔디 못ᄒᆞ여 잠이 업고, 딘부인은 말을 아니나 근심이 가ᄃᆞᆨᄒᆞ더라.

흠텬관이 길일을 보ᄒᆞ니, 문양의 ᄯᅳᆺ을 맛쳐[1668] 계오 월여(月餘)를 격ᄒᆞᆫ다라. 뎡부 겻ᄐᆡ 문양궁을 크게 디을ᄉᆡ 금휘 블평ᄒᆞ여 궐하의 쳥ᄃᆡᄒᆞ니 샹이 인견ᄒᆞ시니 금휘 듀왈,

"텬흥의 부마 사양ᄒᆞ오믄 외람 과분ᄒᆞ여 손복ᄒᆞᆯ가 두리오며, 옥쥬의 죵신ᄃᆡᄉᆞ를 그른 곳의 뎡ᄒᆞ시믈 ᄎᆞ셕ᄒᆞ오ᄃᆡ, 셩심이 도로혀디 아니시니 신의 부ᄌᆡ 경황 젼뉼ᄒᆞ와 감히 다시 사양치 못ᄒᆞᄋᆞᆸᄂᆞ니, 복망 셩샹은 길녜의 검박ᄒᆞ믈 위쥬ᄒᆞ시고 범믈을 졔왕 공쥬의셔 반감ᄒᆞ시며, 문양궁을 샤치케 마르【39】시믈 바라ᄂᆞ이다. 텬흥이 예ᄉᆞ 부마와 다르와 외됴(外朝)로 닙신(立身) ᄉᆞ년이라. 굿ᄐᆞ여 도위 쟉직을 주디 마르샤 외됴와 ᄀᆞᆺ티 쳐신케 ᄒᆞ시면, 광망ᄒᆞᆫ 인믈이 견ᄃᆡ려니와, 초방가셔(椒房[1669]佳壻)[1670]라

1668)맛치다 : 맞히다. 맞게 하다. 틀리지 않게 하다.

1669)초방(椒房) : 산초나무 열매의 가루를 바른 방이라는 뜻으로, 왕비가 거처하는 방이나 궁전 따위를 이르는 말. 후추나무는 온기가 있고 열매가 많은 식물로서, 자손이 많이 퍼지라는 뜻에서 왕비

더니, 몽니의도 ᄉᆡᆼ각지 아니[닌] 공쥐 ᄒᆞ가게 되니, 현부 등의 젼졍을 뭇지 아냐 알지라. 경참ᄒᆞ믈 엇지 이긔리오."

금휘 이어 갈오ᄃᆡ,

"공쥐 《언진∥어진》 즉 현부 등의 일ᄉᆡᆼ이 안한ᄒᆞ고 불연 즉, 화란이 젹지 아니리니 이런 고이ᄒᆞᆫ 우환이 어ᄃᆡ 잇ᄉᆞ리오. 연이나 현부 등의 현심숙덕이 복녹이 구젼ᄒᆞᆯ지라. 모로미 안심ᄒᆞ여 되어가믈 보고 미리 과려ᄒᆞ여 신상을 불평케 말나."

윤·양·니 삼부인이 부복 청교ᄒᆞ고 일시의 이러 ᄌᆡᄇᆡᆨᄒᆞᄆᆡ, 온화ᄒᆞᆫ 말숨과 유열ᄒᆞᆫ ᄉᆞᄉᆡᆨ이 일호 불평ᄒᆞ미 업셔 무ᄉᆞ무려ᄒᆞ니, 존당구괴 ᄉᆡ로이 ᄋᆡ듕ᄒᆞ미 더으더라. ᄐᆡ부인이 큰 우환이 되어 과려ᄒᆞ믈 마지 아니니 금휘 위로ᄒᆞ여 ᄉᆞ이지ᄎᆞ(事已至此) 후ᄂᆞᆫ ○[불]평지무익(不平之無益)이라 ᄒᆞ며, 취침ᄒᆞ심을 청ᄒᆞ니, 부인이 상의 나아가 분ᄒᆞ믈 이긔지 못ᄒᆞ더라.

명일 쳔관(天官)이 길일을 ᄐᆡᆨᄒᆞ니 문양의 ᄯᅳ슬 맛ᄎᆞ 겨우 월여(月餘)을 격ᄒᆞᆫ지라. 뎡병부ᄂᆞᆫ 더욱 증염ᄒᆞ믈 마지 아니코, 뎡부 겻히 ᄯᅩ 문양궁을 크게 짓는지라. 금휘 심【16】니의 불쾌ᄒᆞ여 ᄉᆞᄉᆞ로 궐하의 청ᄃᆡᄒᆞᄆᆡ 상이 인견ᄒᆞ시니, 휘 주왈,

"쳔흥의 부마 ᄉᆞ양ᄒᆞ오믄 실노 혈심이오니 성의 두루혀지 아니시니, 신의 부ᄌᆡ 경황뎐뉼ᄒᆞ와 아모리 ᄒᆞᆯ 줄 모로와 감히 다시 ᄉᆞ양치 못ᄒᆞᄋᆞᆸᄂᆞ니, 복망 성상은 길녜의 검박ᄒᆞ시물 젼주ᄒᆞ시고 일긔 극한ᄒᆞ오니, 궁뎐 짓기을 인원이 만코 물ᄌᆡ의 허비 무궁ᄒᆞ오니, 성상은 인녁을 슬피ᄉᆞ 절검ᄒᆞ시물 주ᄒᆞ시고, 쳔흥이 예ᄉᆞ 부마와 달ᄉᆞ와 임의 외조(外朝)의 입신ᄒᆞ온지 ᄉᆞ년이라, ᄉᆡ로이 금병수막(錦屛繡幕)의 머리을 움쳐 잇지 아니ᄒᆞ오리니, 굿ᄒᆞ여 도위 즉을 주지 말으ᄉᆞ 외조와 ᄒᆞᆫ가지로 쳐신케 ᄒᆞ시면 광망ᄒᆞᆫ 인물이 능히 견ᄃᆡ려니와, 불의에 졔실지친(帝室至親)과 갓치 ᄒᆞ여 초방가셔(椒房佳壻)[1620]로 쳐신ᄒᆞ라 ᄒᆞ셔ᄂᆞᆫ 결코 실망도주

1620)초방가셔(椒房佳壻) : 왕가의 아름다운 사위.

쳐신ᄒᆞ라 ᄒᆞ시면, 결단코 실셩도쥬(失性逃走)ᄒᆞ오리니이다."

샹이 혼연 왈,

"경언이 개개이 금옥(金玉)[1671]이니 블응ᄒᆞ리오. 텬흥의 위인이 외됴(外朝)로 쳐신코져 ᄒᆞ믈 아ᄂᆞ니, 굿ᄐᆞ여 초방가셔로 ᄒᆞ리오. 텬흥을 위로ᄒᆞ여 블평케 말나."

휘 돈슈 샤은ᄒᆞ고 밋쳐 ᄃᆡ치 못ᄒᆞ여셔 뎡병뷔 궐문 밧긔셔 표를 올녀 표긔댱군 텬하병마졀졔ᄉᆞ 금인과 병부샹셔 인슈며 평남후 관면을 아오로 뎐폐의 올니니, 농안이 크게 블예ᄒᆞ【40】샤 닉시로 병부를 브르시니, 드러오디 아니코 회쥬 왈,

"신이 임의 초방승틱(初枋承擇)을 참여케 되어시니, 감히 문무 듕임을 겸ᄒᆞ여 부귀를 무한이 도젹디 못ᄒᆞ올디라. 외람이 셩쥬 후은을 닙ᄉᆞ와 작임이 늉듕ᄒᆞ오니, ᄉᆞᄉᆞ로 지앙이 이실 줄 아랏ᄉᆞᆸ더니, 졈졈 손복ᄒᆞᆯ 징되 가득ᄒᆞ와 금달 옥쥐 신의 여러 쳐쳡 듕 하가케 되오니, 황황숑구ᄒᆞ와 뎡히 향ᄒᆞᆯ 바를 아디 못ᄒᆞᄂᆞ이다."

샹이 병부의 됴알치 아님과 공쥬를 취ᄒᆞ나 조곰도 공경치 아닐 ᄯᅳᆺ을 두어, 여러 쳐실이 이시믈 슌슌이 일ㅋ라 공쥬로 화락디 못ᄒᆞᆯ ᄃᆞᆺ 시븐디라. 블힝ᄒᆞ믈 니긔디 못ᄒᆞ시나 위력으로 칙지 못ᄒᆞ【41】시고, 금후다려 니르샤ᄃᆡ,

"텬흥이 졔 ᄯᅳᆺ을 셰오지 못ᄒᆞ므로 딤을 원망ᄒᆞ고, 인슈를 다 글너 드리니 신ᄌᆞ지되(臣子之道) 아니라. 경은 환시(宦侍)와 ᄒᆞᆫ가지로 ○[가], 인슈(印綬) 관면(冠冕)을 도로 주ᄂᆞ니, 텬흥의 고격(固激)ᄒᆞ믈 개유ᄒᆞ고 젼과 ᄀᆞᆺ치 힝공케 ᄒᆞ라."

금휘 응됴(應朝)ᄒᆞ여 닉시와 ᄒᆞᆫ가지로 나

의 방 벽에 발랐다.

1670)초방가셔(椒房佳壻) : 왕가의 아름다운 사위.

1671)금옥(金玉) : 금과옥조(金科玉條). 금이나 옥처럼 귀중히 여겨 꼭 지켜야 할 법칙이나 규정.

(失望逃走)ᄒᆞ기을 수이 ᄒᆞ리이다."

상이 흔연 왈,

"경언이 기기히 금옥(金玉)[1621]이니 엇지 불응(不應)ᄒᆞ리오. 짐이 쳥[쳔]흥을 ᄉᆞ랑ᄒᆞ여 부마을 삼으나 져의 위인이 외조(外祖)로 쳐신코져 ᄒᆞ믈 발셔 아ᄂᆞ니 굿ᄒᆞ여 초방가셔로 예ᄉᆞ 부마와 갓치 아니리니, 경은 쳔흥을 위로ᄒᆞ여 불평ᄒᆞ믈 두게 말나."

휘 돈수사은ᄒᆞ고 밋쳐 퇴치 못ᄒᆞ여셔 병뷔 궐문 박긔 부복ᄒᆞ여 소장을 올니니, 표긔장군 텬하졀졔ᄉᆞ 금인과 병부상셔 인수며 농두각틱흑ᄉᆞ 평남후 관면을 아오로 젼젼의 올니니 농【17】안이 크게 불열ᄒᆞᄉᆞ, 닉시로 부르시니 병뷔 드러오지 아니코 환시로 회주 왈,

"신이 임의 초방승틱(椒房承擇)을 참녜케 되엿시니, 감히 문무 듕임을 겸ᄒᆞ여 부귀을 도적지 못ᄒᆞ올지라. 신이 본ᄃᆡ 부지박덕으로 셩주후은을 입ᄉᆞ와 직임이 늉듕ᄒᆞ오니 ᄉᆞᄉᆞ로 직앙이 이시[실] 줄 아라ᄉᆞᆸ더니, 졈졈 손복ᄒᆞᆯ 즈[징]죄(徵兆) 가득ᄒᆞ와 금달옥쥐 신의 여러 쳐쳡 즁 하가케 되오니, 황황송구ᄒᆞ믈 이긔지 못ᄒᆞ리로소이다."

상이 병부의 죠알치 아남[님]과 공주을 취ᄒᆞ나 조곰도 고렴(顧念) 안일 ᄯᅳᆺ즐 두어, 여러 쳐실 이시물 슌슌이 일커러 공주로 화락지 못ᄒᆞᆯ 듯 시분지라. 불힝ᄒᆞ믈 이긔지 못ᄒᆞ시나 위력으로 칙지 못ᄒᆞ시고, 금후다려 왈,

"쳔흥이 졔 ᄯᅳᆺ즐 셰우지 못ᄒᆞ므로 짐을 원망ᄒᆞ고, 인수을 다 글너 드리니 신ᄌᆞ지되(臣子之道) 아니라, 경은 환시와 ᄒᆞᆫ가지로 ○[가], 인수(印綬) 관면(冠冕)을 도로 주ᄂᆞ니, 쳔흥의 과격(過激)ᄒᆞ믈 기유ᄒᆞ고 쌜니 힝공케 ᄒᆞ라."

휘 응죠(應朝)ᄒᆞ여 닉시와 ᄒᆞᆫ가지로 나와 상교을 젼ᄒᆞ고 찰임힝공ᄒᆞ라 ᄒᆞ니, 병뷔 만일 부친긔 죄 연누치 아닐진ᄃᆡ 소회을 진달

1621)금옥(金玉) : 금과옥조(金科玉條). 금이나 옥처럼 귀중히 여겨 꼭 지켜야 할 법칙이나 규정.

와 샹교를 니르고 찰임힝공ᄒᆞ라 ᄒᆞ니, 병뷔 만일 부친긔 죄괘 년누치 아닐진ᄃᆡ 픔은 바를 딘달ᄒᆞ여 죽기로 공쥬를 취치 말고져 ᄒᆞ나, 야야를 하옥ᄒᆞ시ᄂᆞᆫ 거죄 이실가 두려 작임을 사양치 못ᄒᆞ고, 됴회의 참예ᄒᆞ믈 젼과 ᄀᆞᆺ치 ᄒᆞ더니, 샹이 일일은 머므러 죵용이 말ᄉᆞᆷᄒᆞ실ᄉᆡ, 흔연 문왈,

“경이 언언이 여러 쳐쳡 두믈 ᄌᆞ랑ᄒᆞ니 【42】 몇 사람이며 뉘 집 녀ᄌᆡ뇨?”

샹셰 브복 쥬왈,

“신이 엇디 감히 쳐쳡을 ᄌᆞ랑ᄒᆞ리잇고마ᄂᆞᆫ 딘졍을 고ᄒᆞ와 공쥐 하가ᄒᆞ시미 블가ᄒᆞ믈 쥬ᄒᆞ미로소이다. 신의 조강은 젼임 니부샹셔 안국공 윤현의 녀식으로 현이 ᄉᆡᆼ시의 기녀와 ᄆᆡᆼ약이 깁습더니, 현이 죽ᄉᆞ오ᄃᆡ 신뷔 구약을 ᄃᆡᆨ희여 윤시녀를 취ᄒᆞ오니, 다른 쳐쳡과 십분 다르옵고, ᄌᆡ실은 동평당ᄉᆞ 양필광의 녜오, 삼취ᄂᆞᆫ 태혹ᄉᆞ 니쥰의 녜니 양필광 니쥰이 다 신부(臣父)의 동긔 ᄀᆞᆺ튼 친우로 기녀를 가ᄒᆞ옵고, 참디졍ᄉᆞ 경필의 녀를 ᄉᆞ취(四娶)ᄒᆞ엿ᄉᆞ오나, 금번 평남ᄒᆞ고 도라오ᄂᆞᆫ 길ᄒᆡ 졀강 소흥부를 둘너 우연이 경침의 부【43】ᄌᆞ를 ᄎᆞᄌᆞ보온 거시 일이 괴ᄒᆞ와, 경침이 신의 박덕브ᄌᆡ를 허믈치 아니ᄒᆞ고 동상을 삼으니, 아비다려 밋쳐 니르디 못ᄒᆞ고 경가 녀를 취ᄒᆞ여, 아비ᄂᆞᆫ 지금 모르오니 신이 블고이취(不告而娶)ᄒᆞᆫ 죄 근심이 크옵더니, 쳔만녀외의 공쥐 하가ᄒᆞ실 줄 아라시리잇고?”

샹이 쳥필의 공쥬의 일ᄉᆡᆼ을 우려ᄒᆞ시ᄃᆡ, 그 풍ᄎᆡ 긔상을 ᄉᆡ로이 ᄉᆞ랑ᄒᆞ샤 우음을 ᄯᅴ이샤 왈,

“경이 경녀를 블고이취ᄒᆞ고 경부(卿父)다려 므어시라 ᄒᆞ랴 ᄒᆞ더뇨?”

병뷔 함쇼 쥬왈,

“신이 미셰ᄒᆞᆫ ᄉᆞ졍(私情)을 알외오미 황공ᄒᆞ오나, 폐해 하문ᄒᆞ시니 의ᄉᆞ를 다 고ᄒᆞ

ᄒᆞ여 죽기로 공주을 취치 말고져 ᄒᆞ나, 야야을 하옥ᄒᆞ실 거죄 이실가 두려 직임을 ᄉᆞ양치 못ᄒᆞ고 젼 갓치 죠회의 참예ᄒᆞ더니, 일일은 상이 머무러 죵용이 말ᄉᆞᆷᄒᆞ실 ᄉᆡ, 흔연 문왈,

“경의 쳐쳡이 여러히믈 ᄌᆞ랑ᄒᆞ니 몃 ᄉᆞᄅᆞᆷ이며 【18】 뉘집 녀ᄌᆡ뇨?”

병부 부복 주왈,

“신이 엇지 감히 쳐쳡을 ᄌᆞ랑ᄒᆞ리잇고? 신의 조강은 안국공 윤현의 녀식으로 혀[현]이 ᄉᆡᆼ시의 ᄆᆡᆼ약이 깁습더니, 현이 불ᄒᆡᆼ이 금국이[의] 가 죽ᄉᆞ오나 신뷔 구약을 직희여 윤시 녀을 취ᄒᆞ오니, 조강의 듕ᄒᆞᆫ 의와 아시 경약이 십분 다른 쳐쳡과 갓지 아니ᄒᆞ옵고, ᄌᆡ실은 동평장ᄉᆞ 양필광의 녀오, ᄉᆞᆷ취ᄂᆞᆫ ᄐᆡ혹ᄉᆞ 니슌의 녀오, 니·양 이인이 다 신부(臣父)와 동긔 갓튼 친우로 인연이 고이ᄒᆞ와 기녀을 신의게 가ᄒᆞ미오, ᄉᆞ실(四室)은 참지졍ᄉᆞ 경침의 녀오나, 신의 호신이 방ᄌᆞ무상ᄒᆞ와 금번 평남(平南)ᄒᆞ고 도라오ᄂᆞᆫ 길의, 졀강 소흥부을 드러 우연이 경침의 부ᄌᆞ을 ᄎᆞᄌᆞ 보온 거시, 일이 고이ᄒᆞ와 경침이 신의 부ᄌᆡ박덕을 허물치 아니코 동상을 ᄉᆞᆷ으니, 신이 미쳐 아비다려 이러[르]지 못ᄒᆞ고 취실ᄒᆞ여, 지금 아비ᄂᆞᆫ 모로오니 신이 ○[이] 일로 근심이 되엿습더니, 쳔만 의외에 공주로 ᄒᆞ가ᄒᆞ실 줄은 몽니의도 ᄉᆡᆼ각지 안인 ᄇᆡ○[로] 소이다. 지어 홍강[장](紅粧) 기녀로 유의ᄒᆞ믄 굿ᄒᆞ여 졍ᄒᆞᆯ ᄃᆡ 업ᄉᆞ오니 엇지 다 창졸의 ᄉᆡᆼ각ᄒᆞ리잇고?”

상이 쳥필의 공주의 일ᄉᆡᆼ을 우려ᄒᆞ시ᄃᆡ, ᄯᅩᄒᆞᆫ 그 풍ᄎᆡ긔상을 ᄉᆡ로이 ᄉᆞ랑ᄒᆞᄉᆞ 우음을 ᄯᅴ여 왈,

“경이 경녀을 불고이취ᄒᆞ고 장ᄎᆞᆺ 경부다려 무어시라 이르려 ᄒᆞᄂᆞ뇨?”

병뷔 ᄯᅩᄒᆞᆫ 이의 다다라ᄂᆞᆫ 함소 주왈,

“신이 미셰ᄒᆞᆫ ᄉᆞ졍(私情) 【19】 을 지죤지하(至尊之下)의 알외기 황공ᄒᆞ오나, 폐하 ᄒᆞ

리이다. 경녀를 블고이취ᄒᆞ고 도라와 신이 샤혼 은디를 어더 경녀를 의【44】법히 ᄉᆞ취ᄒᆞ여 아비게 죄를 면코져 ᄒᆞᄋᆞᆸ더니, 뜻밧긔 공쥬 하가디ᄉᆡ 이시니 경녀를 도모ᄒᆞ여 취코져 ᄒᆞ던 뜻이 그릇되엿ᄂᆞ이다."

샹이 쇼왈,

"경이 공쥬를 취ᄒᆞ여 존경ᄒᆞ고 쳐쳡을 편히 거나려 규ᄂᆡ의 ᄋᆡ증(愛憎)이 업ᄉᆞᆯ진ᄃᆡ 딤이 당당이 경녀를 뎨오부빈으로 샤혼ᄒᆞ여 경뷔 모로게 ᄒᆞ리라."

병뷔 ᄇᆡ샤 왈,

"셩은이 감튝ᄒᆞ오나 신이 이졔ᄂᆞᆫ 경녀 취ᄒᆞ오믈 죵용이 아비다려 니르려 ᄒᆞ오니, 엇디 다시 신취ᄒᆞᄂᆞᆫ 거조를 ᄒᆞ리잇고? 다만 셩의를 아디 못ᄒᆞᄋᆞᆸᄂᆞᆫ ᄇᆡ, ᄉᆞ쳐와 여러 희쳡을 두ᄋᆞᆸ고 남녀 ᄌᆞ식을 두어 가증(可憎)ᄒᆞᆫ 신으로뼈 부마를 삼으샤, 금달공쥐 뎍인 춍듕(叢中)의 하가ᄒᆞ시고,【45】 인심이 ᄌᆞ연 유ᄌᆞ식ᄒᆞᆫ 곳의 은졍이 더ᄒᆞ며, 텬위 비록 엄ᄒᆞ시나 부부간 ᄉᆞᄉᆞ 은졍을 엇디 다아른 쳬ᄒᆞ시리잇고? 이러므로뼈 공쥬ᄂᆞᆫ 왕희의 존과 쳔승의 부귀 신의게 다ᄃᆞ라ᄂᆞᆫ 녀염 녀ᄌᆞ와 ᄀᆞᆺ디 못ᄒᆞ니, 공쥬 일신이 무광ᄒᆞ믈 ᄋᆡ돌아 ᄒᆞᄂᆞᆫ ᄇᆡ로소이다."

샹이 병부의 혈심으로 부마되기를 피ᄒᆞᄃᆡ 실노 공쥬 살오ᄂᆞᆫ 약이 뎡가의 하가ᄒᆞᆯ ᄲᅮᆫ이오, 다른 방냑이 업ᄉᆞᆯ디라, 브득이 부마를 뎡ᄒᆞ나, 텬흥의 말을 드르실 젹마다 공쥬의 댱ᄂᆡ를 우려ᄒᆞ시더라. 병뷔 ᄌᆞ가로뼈 부마 삼으미 블가ᄒᆞᆫ 줄 여러 번 고ᄒᆞᄃᆡ, ᄎᆞ마 공쥬 ᄉᆞ상ᄒᆞ믈 바로 니르디 못ᄒᆞ시고, ᄆᆡ양 그 위인을 ᄉᆞ랑ᄒᆞ여 부【46】마를 삼노라 ᄒᆞ시니, 됴애 그 ᄉᆞ상지질(思想之疾)1672)인 줄 아디 못ᄒᆞ여도 병부는 짐작ᄒᆞ더라.

1672)ᄉᆞ상지질(思想之疾) : 상사병(相思病).

문ᄒᆞ시니 쳐음 의ᄉᆞ을 다 고ᄒᆞ리이다. 경녀을 취ᄒᆞ고 도라와 명츈이면 경친이 솔가ᄒᆞ여 상경ᄒᆞ오리니, 그 ᄊᆡ 신이 ᄉᆞ혼은지을 어더 경녀을 의법으로 취ᄒᆞ와 아비게 죄을 면코ᄌᆞ ᄒᆞᄋᆞᆸ더니, 뜻 밧긔 공주 하가지ᄉᆞ 잇ᄉᆞ오니, 경녀을 도모ᄒᆞ여 취코져 ᄒᆞ던 일이 다 그릇되엿ᄂᆞ이다."

상이 병부의 말마다 호방이 무심이 지ᄂᆡ볼 곳지 업ᄉᆞ믈 아르시고 우어 일으ᄉᆞᄃᆡ,

"공주을 취ᄒᆞ여 존경ᄒᆞ고 쳐쳡을 편히 거ᄂᆞ려 규ᄂᆡ ᄋᆡ증(愛憎)이 업ᄉᆞᆯ진ᄃᆡ, 짐이 당당이 경녀을 경의 제오부인으로 사혼ᄒᆞ여 경뷔 종시 불고이취ᄒᆞ믈 모로게 ᄒᆞ리라."

병뷔 ᄉᆞ왈,

"성은이 황공ᄒᆞ오나 신이 이졔ᄂᆞᆫ 경녀 취ᄒᆞ오믈 조용히 아비다려 이르려 ᄒᆞ오니 어[엇]지 다시 신취ᄒᆞᄂᆞᆫ 거조을 ᄒᆞ리잇고? 다만 신이 성의을 아지 못ᄒᆞᄋᆞᆸᄂᆞᆫ ᄇᆡ, 사쳐(四妻)와 여러 희쳡을 두고 남녀 ᄌᆞ식을 두어 가증ᄒᆞᆫ 신으로써 부마을 ᄉᆞᆷ으ᄉᆞ 금달공주로 젹인 총즁의 ᄒᆞ가ᄒᆞ시니, 부부후박(夫婦厚薄)은 ᄀᆞᆺᄒᆞ여 존비의 달니지 아냐ᄉᆞ오니, 인심이 ᄌᆞ연 유ᄌᆞ식(有子息)ᄒᆞᆫ 곳의 은졍이 더ᄒᆞ여 고인을 듕히 녁이니, 쳔위 비록 엄ᄒᆞ시나 부부간 ᄉᆞᄉᆞ은졍을 엇지 이[아]른 쳬ᄒᆞ시리잇고. 이러무로써 공주ᄂᆞᆫ 왕희의 존과 망[만]승의 부귀 신의게 다ᄃᆞ라ᄂᆞᆫ 여염 녀ᄌᆞ와 갓지 못ᄒᆞ니, 공주의 일싱이 무광ᄒᆞ믈 ᄋᆡ다라 ᄒᆞ는 ᄇᆡ오, 신이 ᄯᅩᄒᆞᆫ 손복ᄒᆞ【20】여 앙홰 이실가 ᄒᆞᄂᆞ이다."

상이 병부의 졀박히 ᄉᆞ양ᄒᆞ여 부ᄃᆡ 피코ᄌᆞ ᄒᆞ믈 아르시ᄃᆡ, 공주 ᄉᆞ로ᄂᆞᆫ1622) 약이 뎡가의 하가ᄒᆞᄂᆞᆫ 것 ᄲᅮᆫ이오, 다른 방약(方略)이 업ᄉᆞᆯ지라. 쳔만 브득이 졍ᄒᆞ나 쳔흥의 말을 드를 젹마다 공주의 장ᄂᆡ을 우려ᄒᆞ시며, 병부 ᄌᆞ가로써 부마 ᄉᆞᆷ으미 고이ᄒᆞᆫ 줄 젼후 여러번 고ᄒᆞᄃᆡ, ᄎᆞ마 공주의 ᄉᆞ상을 바로 이르지 못ᄒᆞ시고, ᄆᆡ양 그 위인을 ᄉᆞ랑ᄒᆞ여 부마을 ᄉᆞᆷ노라 ᄒᆞ시니, 죠야(朝野) 그 상ᄉᆞ지질(想思之疾)1623)인 줄 아지 못ᄒᆞ

1622)ᄉᆞ로다 : ᄉᆞᆯ오다. 살리다.

샹이 금후의 쥬ᄉᆞ를 좃ᄎᆞ샤 문양궁 사치를 금ᄒᆞ샤, 졔왕 공쥬궁의셔 반감ᄒᆞ라 ᄒᆞ시고, 혼구(婚具)를 졀검ᄒᆞ라 ᄒᆞ시니, 각식 ᄀᆞ장 깃거ᄒᆞ고 민녁(民力) 허비 대단치 아니터라.

ᄎᆞ시 낙양후 딘공이 녀ᄋᆞ의 길일이 님ᄒᆞ니 두굿기믈 니긔디 못ᄒᆞ여, 대연을 진셜ᄒᆞ고 빈ᄀᆡᆨ을 모호니, 닌니 친쳑이 닷토아 참여ᄒᆞᄆᆡ 광실이 터질 ᄃᆞᆺᄒᆞ더라. 쇼져의 단장을 직쵹ᄒᆞ여 대례를 습의ᄒᆞ니, 졔ᄀᆡᆨ이 다 구경ᄒᆞᆯᄉᆡ, 옥셜 향부와 ᄇᆡᆨ년 용안이 일월 광휘를 아ᄉᆞ 톄디 유법 단일ᄒᆞᄆᆡ 낫타나니 쳔고 졀염이라.【47】 졔ᄀᆡᆨ이 칙칙 칭션ᄒᆞ고 진후와 쥬부인의 두굿기므(믄) 니르도 말고, 태상 부부와 각노 부뷔 친녀ᄀᆞᆺ치 귀듕ᄒᆞ여 웃ᄂᆞᆫ 입을 쥬리지 못ᄒᆞ고, 졔군죵(諸群從)이 긔특ᄒᆞ믈 결을치 못ᄒᆞ니 실듕의 화긔 혜풍(蕙風)을 닛그ᄂᆞᆫ더라. 금후 부인 딘시 윤・양・니 숨부를 거나려 와, 딜ᄋᆞ의 아름다오믈 두굿기나, 윤부 가경을 아ᄂᆞᆫ 고로 타일을 념녀ᄒᆞ고, 공쥬 하가지식(下嫁之事) 큰 우환이 되어, 미우를 펼젹 이 업ᄂᆞᆫ지라. 진후 부인이 쇼왈,

"윤・양・니 삼인은 젹국지간(敵國之間)1673)이나 황영(皇英)의 의(義)를 효측ᄒᆞ여 경이 동긔ᄀᆞᆺ튼지라, 텬흥이 쳐궁이 유복ᄒᆞ믈 남다르니, 문양 공줴 금디옥엽으로 태ᄉᆞ의 풍화를 닐월【48】진ᄃᆡ 가ᄂᆡ 화ᄒᆞᆯ디라, 당치 아냐 미리 념녀치 마르쇼셔."

1673)젹국지간(敵國之間) : 한 남편과 혼인관계를 맺고 있는 처처(妻妻) 또는 처첩(妻妾) 사이를 이르는 말.

여도 병부는 짐작ᄒᆞ더라.

상이 금후의 주ᄉᆞ을 조ᄎᆞᄉᆞ 문양궁 사치을 금ᄒᆞᄉᆞ 졔공주 궁의셔 반감ᄒᆞ라 ᄒᆞ시고, 혼구(婚具)도 졀검(節儉)ᄒᆞ라 ᄒᆞ시니, 각 식 가장 흔연ᄒᆞ고 민녁(民力)의 허비ᄒᆞ미 ᄃᆡ단치 아니터라.

ᄎᆞ시 낙양후 진공이 녀ᄋᆞ의 길긔 임ᄒᆞ니 두굿기고 아름다오믈 이긔지 못ᄒᆞ여, ᄃᆡ연을 진셜ᄒᆞ고 ᄂᆡ외 빈ᄀᆡᆨ을 모흐니 광실이 터질 듯ᄒᆞ더라. 진후 숨형뎨 ᄌᆞ질을 거ᄂᆞ려 ᄂᆡ누(內樓)의 드러와, 셩임[염] 소져의 단장을 직쵹ᄒᆞ여 즁쳥(中廳)의 셰우고 ᄃᆡ례을 습의(習儀)ᄒᆞ니, 망[만]당(滿堂) 빈ᄀᆡᆨ이 모다 구경ᄒᆞᆯ 식, 옥셜화부(玉雪花膚)의 ᄇᆡᆨ년용안(白蓮容顔)이 일월광치을 아ᄉᆞ 안모(顔貌) 영광이 무루녹고 쳐지(體肢) 유법ᄒᆞ미 낫나나니 쳔고의 졀염슉원(絶艶淑媛)이믈 가히 알너라. 졔ᄀᆡᆨ이 칙칙 칭선ᄒᆞ고 진후와 쥬부인이 두굿기믈 이긔지 못ᄒᆞ고, ᄐᆡ상부부와 각노 부쳐 친녀 갓【21】치 귀듕ᄒᆞ여 웃ᄂᆞᆫ 입을 두[주]리지 못ᄒᆞ고, 졔군종이 긔특ᄒᆞ믈 결울치 못ᄒᆞ니, ᄐᆡ양의 놉흔 화긔 혜풍(蕙風)을 익그으ᄂᆞᆫ지라. 금후부인 진시 윤・양・니 숨부을 거ᄂᆞ려 참연ᄒᆞ여 질아의 아름다오믈 두굿기나, 윤부 가경을 아ᄂᆞᆫ 고로 타일을 념녀ᄒᆞ고, 공주 ᄒᆞ가지ᄉᆞ(下嫁之事)을 위ᄒᆞᆫ 금[근]심이 미우을 펼젹이 업ᄂᆞᆫ지라. 진후 부인이 미소 왈,

"속담의 아들의 안히ᄂᆞᆫ 만흘수록 두굿겁다 ᄒᆞ니, 부인이 ᄉᆞ부(四婦) ᄉᆞ랑 친녀 갓고 소니시ᄂᆞᆫ 젹인이 업거니와 윤・양・니 숨인은 젹인지간이나 완연이 황영(皇英)의 고ᄉᆞ을 효측ᄒᆞ여 화우ᄒᆞᄂᆞᆫ 졍이 골육 동긔의 감치 아닌지라, 쳔흥의 쳐궁의 유복ᄒᆞ믄 남다르니, 문양공주의 금지옥엽으로 ᄐᆡᄉᆞ의 풍화을 일울진ᄃᆡ, 가ᄂᆡ 화ᄒᆞ고 규각이 빗나믈 보지 아냐 알지라. 미리 당치 아닌 후려(後慮)을 곳[긋]치소셔."

1623)상ᄉᆞ지질(想思之疾) : 상사병(相思病). 남자나 여자가 마음에 둔 사람을 몹시 그리워하는 데서 생기는 마음의 병.

부인이 ᄃᆡ왈,

"쇼ᄆᆡ 미리 근심ᄒᆞ믈 괴이히 넉이시나 텬흥이 년쇼 브ᄌᆡ로 만ᄉᆡ 외람ᄒᆞ거ᄂᆞᆯ 공쥬를 또 취케 되니 부마의게 여러 쳐실이시믄 만고의 듯디 못ᄒᆞᆫ ᄇᆡ니 엇디 방심ᄒᆞ리오."

좌ᄀᆡᆨ이 쇼왈,

"금후 부인이 영광으로ᄡᅧ 우환을 삼으시니 도로혀 다ᄉᆞᄒᆞᆫ 연괴라 근심이 너모 업기로 이러ᄒᆞ시니이다."

딘부인이 탄식 무언이라.

ᄎᆞ일 윤부의셔 닌니 친쳑을 모화 듕당의 돗글 열ᄉᆡ, 졔ᄀᆡᆨ이 샤인의 ᄌᆡ취 너모 급ᄒᆞ믈 닐너, 뎡부인 ᄀᆞᆺᄐᆞᆫ 셩녀졀염을 두고 변화를 구ᄒᆞᄆᆡ【49】 탐ᄉᆡᆨ(貪色)ᄒᆞᄂᆞᆫ 연괴라 ᄒᆞ니, 츄밀이 쇼왈,

"딜ᄋᆞ의 ᄌᆡ취ᄂᆞᆫ ᄀᆞᆺᄐᆞ여 ᄌᆞ구(自求)ᄒᆞᄆᆡ 아니라, 져 진개 간구ᄒᆞ니 ᄎᆞᄂᆞᆫ 뎡딜부와 신뷔(新婦) 표죵간(表從間)이라. 피ᄎᆞ 허믈이 업ᄉᆞᆫ 고로 낙양휘 딜ᄋᆞ를 ᄉᆞ랑ᄒᆞ여 동상을 삼으려 ᄒᆞ니, 금휘 역시 권ᄒᆞ여시니, 정·진 냥뷔 상논ᄒᆞ미오, 우리 집 타시 아니라."

ᄒᆞᆫᄃᆡ, 졔ᄀᆡᆨ이 금후의 셔랑을 타쳐의 ᄌᆡ취케 ᄒᆞ믈 ᄀᆞ장 웃더니, 날이 반오의 샤인이 길복을 닙을ᄉᆡ, 츄밀이 슉녈을 명ᄒᆞ여 길복을 셤기라 ᄒᆞ니, 쇼졔 셔연(徐然)이 ᄌᆡᄇᆡ 응명ᄒᆞ고 길의를 들고 니러셔니, 샤인이 옷ᄉᆞᆯ 닙을ᄉᆡ 남풍녀ᄎᆡ(男風女彩) 갓○[가]이 ᄃᆡᄒᆞᄆᆡ 일월이 상【50】ᄃᆡᄒᆞᆷ ᄀᆞᆺᄐᆞ니, 만목이 어린 ᄃᆞ시 관경ᄒᆞ고 츄밀이 두굿기믈 측냥치 못ᄒᆞ나, 셕ᄉᆞ를 츄감ᄒᆞ여 ᄉᆡ로온 비회를 니긔디 못ᄒᆞᄂᆞᆫ디라. 위·뉴ᄂᆞᆫ 증한ᄒᆞ믈 셔리담아 것ᄎᆞ로 작위ᄒᆞ더라.

슉녈이 길복 셤기기를 맛고 좌의 드니 ᄉᆞ긔 여화츈풍(如和春風)이오, 거지 안상ᄒᆞ여 미우팔광(眉宇八光)이 요요(嫋嫋)ᄒᆞ여 경운이 화풍을 겸ᄒᆞ고, 안모의 오ᄉᆡᆨ이 녕녕ᄒᆞ여 삼츈양긔(三春陽氣)를 머므러 일동일졍의 쳔연이 셩ᄌᆞ긔ᄆᆡᆨ(聖姿奇脈)을 타나, 녜의 슉

부인이 ᄃᆡ왈,

"소졔 미리 근심ᄒᆞ믈 고이히 넉이시나, 쳥[쳔]흥이 년소브ᄌᆡ로 만ᄉᆡ 과람커날, 공주을 또 취케 되니 가ᄂᆡ 화평ᄒᆞ믈 기필치 못ᄒᆞ리니 엇지 방심ᄒᆞ리오."

좌ᄀᆡᆨ이 소왈,

"《진후‖금후》부인이 영광으로셔 우환을 숨으시니 도로혀 다ᄉᆞᄒᆞ신 연괴라. 근심이 너무 업기로 이러ᄒᆞᆫ가 ᄒᆞᄂᆞ이다."

진부인이 탄식무언이러라.

ᄎᆞ일 윤부의셔 또ᄒᆞᆫ 인리친쳑을 모화 듕당의 돗글 열고 주ᄇᆡᆨ을 날녀 담화ᄒᆞᆯ ᄉᆡ, 졔ᄀᆡᆨ이 ᄉᆞ인의 ᄌᆡ취 너무 급ᄒᆞ믈 일너 뎡부【22】인 갓튼 셩녀졀염을 두고 변화을 구ᄒᆞ미 탐심[ᄉᆡᆨ](貪色)ᄒᆞᄂᆞᆫ 연괴라 ᄒᆞ여 우ᄉᆞ니, 츄밀이 소왈,

"질ᄋᆞ의 ᄌᆡ취ᄂᆞᆫ ᄀᆞᆺᄒᆞ여 ᄌᆞ구(自求)ᄒᆞ미 아니라, 진ᄀᆡ 갈구ᄒᆞ니 ᄎᆞᄂᆞᆫ 뎡질부와 신뷔(新婦) 표죵간(表從間)이라, 피ᄎᆞ 형뎨간 허물 업ᄉᆞᆫ 고로 낙양휘 질아을 ᄉᆞ랑ᄒᆞ여 동상을 숨으려 ᄒᆞ니, 금휘 역시 ᄎᆞ혼을 지극히 권ᄒᆞ여시니, 이ᄂᆞᆫ 뎡·진 양뷔 상논(詳論)ᄒᆞ미오, 우리 집 타시 아니라."

ᄒᆞᆫᄃᆡ, 져[졔]ᄀᆡᆨ이 금후의 셔랑을 ᄉᆞ랑ᄒᆞ여 타쳐의 ᄌᆡ취ᄒᆞ믈 가장 웃더라. 날이 반오의 ᄉᆞ인이 길복을 입을 ᄉᆡ 뎡슉녈이 임의 길의을 ᄃᆡ후ᄒᆞ여 ᄎᆞᄂᆞᆫ 쎡을 응ᄒᆞ니, 침션수치(針線繡致)의 션능(善能) 명현(明賢)ᄒᆞ미 인셰간의 용이ᄒᆞᆫ ᄌᆡ죄 아니라, 만좌 부인들이 셔로 돌녀 수션(繡線)을 구경ᄒᆞ고 외모와 ᄌᆡ조 갓트믈 만구칭션(萬口稱善)ᄒᆞ니, 츄밀이 아름다오믈 이긔지 못ᄒᆞ아[야] 셕ᄉᆞ을 주[추]감ᄒᆞ여 ᄉᆡ로온 비회을 억졔치 못ᄒᆞᄂᆞᆫ지라. 위·뉴ᄂᆞᆫ 증한(憎恨)ᄒᆞ믈 셔리담아 것ᄎᆞ로 작위ᄒᆞ더라.

슉녈이 길복 셤기믈 맛고 좌의 드나, ᄉᆞ긔 여화츈풍(如和春風)이오, 거지(擧止) 안상ᄒᆞ여 미우팔광(眉宇八光)이 요요(嫋嫋)ᄒᆞ여 경운이 화풍을 겸ᄒᆞ고, 안모의 오ᄉᆡᆨ이 영영ᄒᆞ여 삼츈양긔(三春陽氣)을 머무러시니 일동일뎡을 쳔연이 셩ᄌᆞ긔ᄆᆡᆨ(聖姿奇脈)을

슉(肅肅)ᄒᆞ고 덕되 빈빈(彬彬)ᄒᆞ니, 니른 바 치마 ᄆᆡᆫ ᄉᆞ군ᄌᆡ(士君子)오, 빈혀 쇠존 명현(名賢)이라. 하쇼졔 ᄯᅩᄒᆞᆫ 단장을 잠간 닐워 뎡시로 년익(連翼)ᄒᆞ여 병좌(竝坐)ᄒᆞ니, 츄월 ᄀᆞᆺ튼 광치와 ᄇᆡᆨ【51】년긔ᄇᆡ(白蓮肌膚) 명쥬(明紬)를 ᄎᆡᄉᆡᆨ(彩色)ᄒᆞ며 향년(香蓮)이 됴로(朝露)를 ᄡᅥᆯ쳣ᄂᆞᆫ ᄃᆞᆺ, ᄇᆡᆨᄐᆡ아질(百態雅質)이 찬연긔려(燦然奇麗)ᄒᆞ여 션원(仙苑)의 ᄭᅩᆺᄀᆞᆺ튼 픔격이라. 듕ᄀᆡᆨ이 흠션 칭복ᄒᆞ여 갈ᄎᆡᄒᆞ믈 마디 아니ᄒᆞ더라.

샤인이 존당 ᄌᆞ위와 슉당의 ᄇᆡ샤ᄒᆞ고, 위의를 휘동ᄒᆞ여 운산으로 나아가, 진부의 다ᄃᆞ르니 진태우 등 군죵 형뎨 함쇼 왈,

"신낭이 실노 ᄇᆞᆯ이 ᄉᆡᆼ소ᄒᆞ고 면목이 셔어ᄒᆞ니 졔빈의 좌듕의 실녜ᄒᆞᆯ가 념녀ᄒᆞᄂᆞ니 모로미 조심ᄒᆞ라."

샤인이 미쇼ᄒᆞ고 옥상의 홍안을 뎐ᄒᆞ고 텬디긔 녜를 필ᄒᆞᄆᆡ, 진ᄉᆡᆼ 등이 팔 미러 좌의 드니 금휘 만면쇼안으로 샤인의 손을 잡고 낙양후를 향ᄒᆞ여 왈,

"나의【52】 셔랑이 금일 이곳의 홍안을 뎐ᄒᆞ믈 보니, 풍ᄎᆡ 용화ᄂᆞᆫ ᄉᆡ로이 빗나ᄃᆡ 일단 아쳐로온 의ᄉᆡ 업디 아니니, 형이 나의 ᄋᆡ셔를 앗ᄂᆞᆫ 줄이 ᄀᆞ장 분ᄒᆞ도다."

낙양휘 대쇼 왈,

"텬연이 듕ᄒᆞ거니와 원간 텬흥이 녁권ᄒᆞ여 셩혼ᄒᆞ니, 윤보ᄂᆞᆫ 날을 한치 말나."

금휘 크게 웃고 샤인 ᄉᆞ랑이 ᄉᆡ롭거ᄂᆞᆯ 낙양휘 ᄯᅩ 샤인의 손을 잡고 두 빙악의 귀듕ᄒᆞ미 친ᄌᆞ의 감치 아니ᄒᆞ더라. 샤인의 풍뉴신광이 이날 더옥 긔이ᄒᆞ여 완연이 쳔승을 긔필ᄒᆞᆯ디라. 졔ᄀᆡᆨ이 하례ᄒᆞ여 쾌셔 어드믈 일ᄏᆞᄅᆞ니, 낙양휘 일호 사양치 아니ᄒᆞ고 졔ᄀᆡᆨ이 ᄇᆡ작을 날녀 취안이 몽농ᄒᆞᄃᆡ, 오ᄃᆡᆨ병【53】부 형뎨 부젼의 념슬위좌(斂膝危坐)ᄒᆞ여 일ᄇᆡ(一杯)를 졉구(接口)치 아니니, 진휘 웃고 친히 잔을 드러 권ᄒᆞ여 왈,

"신낭의 긔특ᄒᆞ믈 보ᄆᆡ ᄆᆡ작(媒妁)의 공이 큰디라. ᄉᆡ로이 아름다오믈 니긔지 못ᄒᆞ

타나, 녜의 슉슉(肅肅)ᄒᆞ고 덕되 빈빈(彬彬)ᄒᆞ니 이른바 치마 ᄆᆡᆫ ᄉᆞ군ᄌᆞ(士君子)오, 빈혀 쇠존 명현(名賢)이라. 하소졔 ᄯᅩᄒᆞᆫ 단장을 잠간 일워 뎡시로ᄡᅧ 병익(竝翼)ᄒᆞ여 병좌(竝翼)ᄒᆞ니, 츄월 갓튼 광【23】ᄎᆡ와 ᄇᆡᆨ년긔뷔(白蓮肌膚) 명듀(明紬)을 ᄎᆡᄉᆡᆨ(彩色)ᄒᆞ여 향연(香蓮)이 죠로(朝露)을 ᄡᅥᆯ쳣ᄂᆞᆫ 듯, ᄇᆡᆨᄐᆡ아질(百態雅質)이 찬연긔려(燦然奇麗)ᄒᆞ여 션원(仙苑)의 ᄭᅩᆺ갓튼 품격이라. 듕ᄀᆡᆨ이 흠복ᄒᆞ여 갈ᄎᆡᄒᆞ믈 마지 아니ᄒᆞ더라.

ᄉᆞ인이 존당 ᄌᆞ위 슉당의 ᄇᆡᄉᆞᄒᆞ고, 위의을 휘동ᄒᆞ여 운산으로 나아갈 ᄉᆡ, 도로 관광ᄌᆡ 그 풍ᄎᆡ을 져마다 칭찬ᄒᆞ더라. 임의 진문의 다다르니 진ᄐᆡ우 등이 ᄒᆞᆷ소왈,

"신랑의 ᄇᆞᆯ이 ᄉᆡᆼ소ᄒᆞ고 면목이 셔어ᄒᆞ니, 졔빈 회좌 듕의 실녜ᄒᆞᆯ가 념녀ᄒᆞ나니, 모로미 ᄉᆞᆷ가 조심ᄒᆞ여 힝녜ᄒᆞ라."

ᄉᆞ인 미소ᄒᆞ고 옥상의 홍안을 젼ᄒᆞ고 쳔지긔 녜필ᄒᆞᄆᆡ, 진ᄉᆡᆼ 등이 팔미러 좌의 드니, 금휘 만면소안으로 ᄉᆞ인의 손을 잡고 낙양후을 향ᄒᆞ여 왈,

"나의 셔랑이 금이 이곳의 홍안을 젼ᄒᆞ믈 보니, 풍ᄎᆡ용화ᄂᆞᆫ ᄉᆡ로이 빗ᄂᆞ되 일단 아쳐로온 의ᄉᆡ 업지 아니니, 형이 나의 셔랑 아ᄉᆞᆫ 줄이 가장 분ᄒᆞ도다."

낙양휘 ᄃᆡ소왈,

"쳔연이 듕ᄒᆞ여 ᄎᆞ혼이 되엿거니와 원간 윤보의 셔랑을 아ᄉᆞ미 아냐 쳥혼ᄒᆞ여시니, 윤보ᄂᆞᆫ 날을 원치 말고 쳔흥을 ᄭᅮ지ᄌᆞ라."

금휘 크게 웃고 ᄉᆞ인의 손을 잡고 두 빙악이 셔로 귀듕ᄒᆞ미 ᄎᆞ[친]ᄌᆞ의 나리지 아닌지라. ᄉᆞ인이 풍뉴신광이 ᄎᆞ일 더욱 긔이ᄒᆞ여 쳔일지표와 농봉지ᄌᆞ 무쌍ᄒᆞ니, 진휘 질거오믈 {이긔오믈} 이긔지 못ᄒᆞ여 남후을 향ᄒᆞ여 왈,

ᄂᆞ니, 우슉이 하쥬 삼ᄇᆡ를 폐ᄒᆞ랴."

병뷔 우음을 씌여 ᄡᅡᆼ슈로 바다 마시고 ᄇᆡ샤 왈,

"쇼뎔이 ᄀᆞᆺᄐᆞ여 월노(月老)를 ᄌᆞ임하미 업습더니 슉뷔 듕ᄆᆡ라 칭ᄒᆞ시고 하쥬를 주시니 황공ᄒᆞ여이다."

졔명뉘 쇼왈,

"듀쳥형이 진합하긔ᄂᆞᆫ 하쥬를 밧ᄌᆞ오나, 녕존대인은 즁ᄆᆡᄒᆞᆫ 쥴 ᄀᆞ장 미안이 녁이시니, 면젼의 벌쥬 십ᄇᆡ를 사양치 말나."

병뷔 미쇼 무언이오, 진공 삼곤계 즐기ᄂᆞᆫ 빗치 므로녹앗ᄂᆞᆫ디【54】라. 날이 느ᄌᆞᄆᆡ 신부 샹교를 직촉ᄒᆞ니, 낙양후 삼곤계 ᄌᆞ딜을 거나려 드러와 쇼져를 보닐ᄉᆡ, 쇼졔 니친지회(離親之懷)를 ᄎᆞᆷ지 못ᄒᆞ여 미우의 쳑연ᄒᆞᆫ 빗출 금초지 못ᄒᆞ니, 낙양휘 어로만져 경계 왈,

"녀ᄌᆞ 되어 어ᄂᆞ 사람이 이 니별이 업ᄉᆞ리오. 오ᄋᆞᄂᆞᆫ 모로미 구가의 가 효봉구고(孝奉舅姑) 승슌군ᄌᆞ(承順君子)ᄒᆞ여 어진 일흠이 이실진ᄃᆡ 부모의게 효되라."

쥬부인이 ᄯᅩᄒᆞᆫ 경계ᄒᆞ고 뎡의 들ᄆᆡ, 봉교(封轎)ᄒᆞ고 샹마ᄒᆞ여 도라올ᄉᆡ, 위의 일노의 휘황ᄒᆞ고 샤인의 풍광은 태양이 빗출 아사 농닌의 쳬격이 만고의 독보ᄒᆞ니, 관광ᄌᆡ(觀光者) 칙칙 칭찬ᄒᆞ더라.

부듕의 니르러 냥신인의 합증[근](合巹) 교ᄇᆡ(交拜)【55】를 파ᄒᆞ고, 금쥬션(錦珠扇)을 반개ᄒᆞ니, 신부의 옥안 화ᄐᆡ 실듕의 바ᄋᆡ니, 샤인이 그림 가온ᄃᆡ 미인도 황홀ᄒᆞ엿거놀, ᄒᆞ믈며 화도 님ᄌᆞ를 만나니 그 듕경을 뭇디 아녀 알디라. 남취녀뫼(男彩女貌) 슈츌긔이(秀出奇異)ᄒᆞ미 황금ᄇᆡᆨ벽(黃金白璧) ᄀᆞᆺᄐᆞ여, 녜필의 샤인은 밧그로 나가고, 신뷔 조눌을 밧드러 존당 구고긔 현(見)ᄒᆞ고 팔ᄇᆡ 대례를 힝홀ᄉᆡ, 좌위 일시의 관광ᄒᆞᄆᆡ 긔딜이 연약ᄒᆞ여 난최(蘭草) 옥계(玉溪)의 ᄲᅳᆫ닐 ᄃᆞᆺᄒᆞ나, 단엄ᄒᆞᆫ 위의 먼니 셩비(聖妃)

"나ᄂᆞᆫ 깃부믈 바드나 영존ᄃᆡ인은 즁ᄆᆡᄒᆞᆫ 줄을 가장 미안【24】이 녁이니 면젼의 벌ᄇᆡ을 ᄉᆞ양치 말나."

병뷔 미소무언이오, 진공 솜형뎨 쥬벽의 좌를 일워 ᄌᆞ질의 ᄀᆡ기 츌뉴ᄒᆞ믈 두굿겨ᄒᆞ고, 신낭의 광결특이ᄒᆞ물 ᄃᆡ열ᄒᆞ여 즐기ᄂᆞᆫ 빗치 무루녹ᄂᆞᆫ지라. 날이 느즈ᄆᆡ 신부 상교을 직촉ᄒᆞ니 낙양후 솜곤계 ᄌᆞ질을 거ᄂᆞ려 드어와 소져을 보닐 싀, 소져 쳐음으로 이친ᄒᆞᄂᆞᆫ 졍을 결울ᄒᆞ여 팔ᄎᆡ츈산의 쳑연ᄒᆞᆫ 빗츨 감초지 못ᄒᆞ니 낙양후 어로만져 경계 왈,

"녀ᄌᆞ 되ᄆᆡ 원부모형뎨(遠父母兄弟)ᄒᆞᄂᆞ니, 모로미 구가의 고모와 존당을 효봉ᄒᆞ고 군ᄌᆞ을 승슌ᄒᆞ여 어진 일홈을 어들진ᄃᆡ, 부모의게 ᄃᆡ효되리라."

모부인이 ᄯᅩᄒᆞᆫ 녀힝과 부덕을 경계ᄒᆞᆫ 후 뎡의 오르ᄆᆡ 옥누항으로 올 싀, 장ᄒᆞᆫ 위의ᄂᆞᆫ 일노의 휘황ᄒᆞ고, 요량ᄒᆞᆫ ᄉᆡᆼ가ᄂᆞᆫ 하날을 드레니, ᄉᆞ인의 풍광은 ᄐᆡ양의 빗츨 아ᄉᆞ 용인쳐[쳬]격(龍鱗體格)이 만고의 독보ᄒᆞ니 관광지 칭션불이ᄒᆞ더라.

부듕의 도라오니 듕쳥의셔 양 신인이 합증[근]교ᄇᆡ(合巹交拜)을 파ᄒᆞ고 진주션(眞珠扇)을 반기ᄒᆞ니 신부의 옥ᄐᆡ월광(玉態月光)이 《셰연∥선연(鮮然)》이 실듕을 발히ᄂᆞᆫ지라. ᄉᆞ인이 그림 가온ᄃᆡ 미인도 황홀ᄒᆞ믈 면치 못ᄒᆞ엿거든, ᄒᆞ물며 화도(畵圖) 근본을 진짓 만나니, 흔흡ᄒᆞᆫ 듕졍이 무러 알니오. 미우의 츈풍이 화열ᄒᆞ니 남취녀뫼(男彩女貌) 슈츌긔이(秀出奇異)ᄒᆞ미 황금ᄇᆡᆨ벽(黃金白璧) 갓튼지라. 녜필의 ᄉᆞ인은 츌외ᄒᆞ고 신뷔 폐ᄇᆡᆨ을 밧드러 존당구고긔 헌ᄒᆞ고 팔ᄇᆡᄃᆡ례(八拜大禮)을 힝홀 싀, 만목이 다

의 풍ᄎᆡ를 겸ᄒᆞ여 《졀부‖칠보(七寶)1674)》 그림ᄌᆞ의 옥으로 므은 니마ᄂᆞᆫ 반월이 빗겨시며, 아황빵미(蛾黃雙眉)ᄂᆞᆫ 원산이 희미ᄒᆞ고 츄파 냥안은 효셩이 붉아시며, 봉익(鳳翼)의 긴 단장을【56】 붓치고 일쳑나요(一尺羅腰)의 슈라상(繡羅裳)을 ᄡᅳ어, 진퇴녜ᄇᆡ(進退禮拜)의 쥬션(周旋)이 영오(穎悟)ᄒᆞ고, 법되 뎡숙ᄒᆞ여 쳔ᄐᆡ만광(千態萬光)이 긔려승졀(奇麗勝絶)ᄒᆞ니, 조부인의 영ᄒᆡᆼᄒᆞᆷ과 츄밀의 깃브미 ᄎᆞᆨ냥치 못ᄒᆞ여, 모친과 슈슈긔 하례ᄒᆞ고 뎡시를 나호여 무ᄋᆡ 왈,

"신부ᄂᆞᆫ 진형의 만금 농쥬라. 인연이 긔특ᄒᆞ여 딜ᄋᆞ의 ᄇᆡ위 되니, 용화 긔질이 망외라. 엇디 ᄒᆡᆼ열치 아니리오. 신뷔 뎡현부로 더브러 표죵형뎨라, 평일 동긔ᄀᆞᆺ치 친졀ᄒᆞ려니와 금일 셔로 보ᄂᆞᆫ 녜를 폐치 말고, 피ᄎᆡ 화우ᄒᆞ믄 당부치 아닛ᄂᆞ니, 숙녈의 특이ᄒᆞᆷ과 신부의 츌인ᄒᆞ미 갈【57】담풍화(葛覃風化)1675)를 다시 보리니 오문의 대경이라."

신뷔 ᄌᆡᄇᆡ 샤은ᄒᆞ고 몸을 두로혀 뎡쇼져를 향ᄒᆞ여 ᄌᆡᄇᆡᄒᆞ니, 숙녈이 반가온 졍과 깃븐 뜻이 가득ᄒᆞᄃᆡ 투긔 업ᄉᆞ믈 ᄌᆞ랑치 아니려, 쳔연 뎡좨러니 그 졀ᄒᆞ기를 당ᄒᆞ여ᄂᆞᆫ ᄌᆞ연이 츈풍이 온ᄌᆞᄒᆞ여 팔ᄌᆞ아황의 어ᄅᆡ니, 규구(規矩)를 바리고 답ᄇᆡᄒᆞ니, 츄밀이 명ᄒᆞ여 뎡·진·하 삼인을 ᄎᆞ례로 안치고 좌듕(座中)의 ᄌᆞ랑 왈,

---

1674)칠보(七寶) : 일곱 가지 주요 보배. 대체로 금·은·유리·파리·마노·거거·산호를 말한다.

1675)갈담풍화(葛覃風化) : 갈담의 교화. 갈담은 『시경』 <주남(周南)> 갈담장(葛覃章)에 나오는 말로, 주나라 문왕비인 태사(太姒)의 덕을 기리는 말.

관광ᄒᆞ니 신부의 긔질이 연약ᄒᆞ여 난쵀(蘭草) 옥계(玉溪)의 쓸어지며 청빙(淸氷)을 어린 듯, 뉵쳑향신(六尺香身)의 금연(金蓮)을 옴기ᄆᆡ 경영(鶊鴒)1624)ᄒᆞᆫ 쳬지(體肢) 표연이 나ᄂᆞᆫ 듯, 단엄ᄒᆞᆫ 위의 멀니 셩비풍ᄎᆡ(聖妃風彩)을 겸ᄒᆞ여 칠보(七寶)1625) 그림ᄌᆞ의 옥으로 무은 니마ᄂᆞᆫ 쳥쳔반월(靑天半月)이 빗겻시니, 일쌍봉황미(一雙鳳凰眉)ᄂᆞᆫ 먼 뫼히 희미ᄒᆞᆫ 듯0, 츄파양목(秋波兩目)은 효셩이 동방의 발가시며, 도화홍협(桃花紅頰)은 일쳔ᄌᆞᄐᆡ을 머금고, 모란단순(牧丹丹脣)은 지홍(至紅)이 무례(無例)ᄒᆞ니, 셰셰[요]봉익(細腰鳳翼)의 긴 단장을 부치고, 일쳑나요(一尺羅腰)의 수라상(繡羅裳)을 ᄡᅳ어, 진ᄐᆡ[퇴]녜ᄇᆡ(進退禮拜)의 주션(周旋)이 영오(穎悟)ᄒᆞ고 법되 졍숙ᄒᆞ니, 조부인의 영ᄒᆡᆼᄒᆞᆷ과 츄밀의 깃부미 ᄎᆞᆨ냥치 못ᄒᆞ여 모친긔 하례ᄒᆞ고, 뎡시을 날호여 무ᄋᆡ 왈,

"신부ᄂᆞᆫ 낙양후의 만금농주라. 인연이 긔특ᄒᆞ여 질ᄋᆞ의 ᄇᆡ위되니, 화용긔질이 망외(望外)라, 엇지 영ᄒᆡᆼ치 아니리오. 신뷔 뎡시로 더부러 표종형뎨라. 젼일 동긔 갓치 친졀ᄒᆞ나 금일 셔로 보는 녜을 폐치 말고 피ᄎᆞ 화우ᄒᆞ믄 우숙이 당부치 아닛ᄂᆞ니 숙녈의 특이ᄒᆞᆷ과 신부의 츌셰ᄒᆞ미 갈담풍화(葛覃風化)1626)을 다시 보리니, 오문의 ᄃᆡ경이오 봉ᄉᆞ봉친(奉祀奉親)의 근심ᄒᆞᆯ ᄇᆡ 아니라로다."

신뷔 ᄌᆡᄇᆡ ᄉᆞ은ᄒᆞ고 몸을 두루혀 뎡시을 향ᄒᆞ야 ᄌᆡᄇᆡᄒᆞ니, 숙녈이 반가온 졍과 아【26】름다온 뜻지 가득ᄒᆞ되 투긔 업ᄉᆞ믈 ᄌᆞ랑치 아니려 쳔연 뎡좌러니, 그 졀ᄒᆞ믈 당ᄒᆞ여는 츈풍이 온화ᄒᆞ여 팔ᄎᆡ츈산(八彩春山)의 어ᄅᆡ여 규구(規矩)을 바리고 답ᄇᆡᄒᆞ니, 츄밀이 뎡·진·하 슴인을 ᄎᆞ례로 연ᄋᆡᄒᆞ여 병좌ᄒᆞ라 ᄒᆞ고, 좌듕의 ᄌᆞ랑 왈,

---

1624)경영(鶊鴒) : 꾀고리와 할미새.

1625)칠보(七寶) : 일곱 가지 주요 보배. 대체로 금·은·유리·파리·마노·거거·산호를 말한다.

1626)갈담풍화(葛覃風化) : 갈담의 교화. 갈담은 『시경』 <주남(周南)> 갈담장(葛覃章)에 나오는 말로, 주나라 문왕비인 태사(太姒)의 덕을 기리는 말.

"문호 흥망이 툥부(冢婦)의게 달녓거ᄂᆞᆯ, 딜ᄋᆡ 뎡·딘 ᄀᆞᆺ튼 명완슉녀(明婉淑女)를 취ᄒᆞ고, 희텬이 하시 ᄀᆞᆺ튼 절염슉녀(絶艶淑女)로 ᄇᆡ위 되니 가되 화ᄒᆞ믈 보디 아녀 알디라. 션인(先人)과 션ᄇᆡᆨ(先伯)의 젹덕여음(積德餘蔭)【58】과 존슈(尊嫂)의 셩심슉덕(聖心淑德)이 널니 흘너 이 ᄀᆞᆺ튼 ᄌᆞ부를 어드시니, 쇼ᄉᆡᆼ이 당ᄎᆞ디시(當此之時)ᄒᆞ여ᄂᆞᆫ ᄋᆞᄃᆞᆯ 아니 나ᄒᆞᆫ 줄이 다ᄒᆡᆼᄒᆞ여, 희텬으로뼈 계후(繼後)ᄒᆞᄆᆡ 타인의 십ᄌᆞ를 블워 아닛ᄂᆞ이다."

졔친(諸親)이 뎡·하 냥인의 ᄎᆞᆯ인ᄒᆞ믈 ᄉᆡ로이 칭찬ᄒᆞ고, 신부의 특이ᄒᆞ믈 일ᄏᆞ라 만구하례ᄒᆞ니, 태부인은 포장화심(包藏禍心)ᄒᆞ고 됴ᄒᆞᆫ ᄉᆞᄉᆡᆨ으로 깃브믈 니르고, 조부인은 셕ᄉᆞ를 ᄉᆡᆼ각ᄒᆞ여 쳑연 슈루ᄒᆞ더라.

신부를 사묘(祠廟)의 ᄇᆡ현ᄒᆞ고 죵일 진환ᄒᆞ여 쥬ᄀᆡᆨ이 쾌ᄒᆞ믈 니긔디 못ᄒᆞ니, 태부인과 뉴시 모녀ᄂᆞᆫ 칼ᄒᆞᆯ 겨러[1676] 니○[를] 가ᄂᆞᆫ ᄆᆞ음이 시시로 층가ᄒᆞ니, 츄밀의 ᄎᆞᆼ명이 홀노 악심을 아【59】지 못ᄒᆞ미 일공(一空)이 막힌 연괴라. 날이 져믈ᄆᆡ 졔ᄀᆡᆨ이 흐터지고 신부 숙소를 ᄎᆡ영각의 뎡ᄒᆞ여 보ᄂᆡ고, 쵹을 니어 담화ᄒᆞ다가 샤인을 신방으로 보ᄂᆡ니, 샤인이 블이 졀노 신쇽ᄒᆞ여 신방의 니르니, ᄎᆞ시 뎡쇼졔 신방의 니르러 신부의 긴 단장을 벗기고 손을 니어 반기ᄂᆞᆫ 졍을 니긔지 못ᄒᆞᄃᆡ, 샤인이 드러온 줄 알고 슉녈이 쵹을 잡히고 침소로 도라가고져 ᄒᆞ더니, 샤인이 문을 열고 드러와 뎡시의 도라가려 ᄒᆞ믈 보고, 미미히 우어 왈,

"녕표뎨(令表弟) 쳐음으로 니르러 ᄉᆞ좌(四座)의 친ᄒᆞ니 업셔 오ᄃᆡᆨ 부인과 하쉬니 엇디 이러ᄐᆞᆺ 슈히 도라가려 ᄒᆞ시ᄂᆞ뇨?"

뎡쇼졔 잠간 웃고 ᄀᆞᆯ오ᄃᆡ,

"쳡이 ᄉᆞ졍으로 이【60】의 와 반기미 이시나, 어나 사ᄅᆞᆷ이 구가의 쳐음 니르러 친ᄒᆞ니 이시리잇고?"

1676)겨루다 : 겨누다. 목표물을 향해 방향과 거리를 잡다

"문호흥망이 총부(冢婦)의게 만히 잇거날, 질ᄋᆡ 졍·진 갓튼 만고 셩여슉완(聖女淑婉)을 취ᄒᆞ고, 희ᄋᆞ 하시 갓튼 졀염슉녀로 ᄇᆡ위되니, 가되 화ᄒᆞ고 ᄌᆞ손이 챵하믈 보지아냐 알지라. 션인(先人)과 션형(先兄)의 젹덕여음(積德餘蔭)과 존수(尊嫂)의 셩ᄌᆞ슉덕(聖慈淑德)이 널니 흘너 뎡·진·하 ᄉᆞᆷ인으로 ᄌᆞ부을 ᄉᆞᆷ으니, ○○○[오문(吾門)이] 홍긔ᄒᆞᆯ 징죄라. 소ᄉᆡᆼ이 당ᄎᆞ지시ᄒᆞ여는 아들 못 나ᄒᆞᆫ 줄이 도로혀 다ᄒᆡᆼᄒᆞ여 희쳔으로 계후ᄒᆞᄆᆡ 탄[타]인의 십ᄌᆞ을 불워 아닛ᄂᆞ이다."

졔친(諸親)이 뎡·하 양인의 ᄎᆞᆯ인ᄒᆞ믈 ᄉᆡ로이 칭찬ᄒᆞ고, 신부의 특이ᄒᆞ믈 일카라 만구하례ᄒᆞ니, ᄐᆡ노는 포장화심(包藏禍心)ᄒᆞ고 조ᄒᆞᆫ ᄉᆞᄉᆡᆨ으로 깃부며 두굿기믈 니르고, 조부인은 셕ᄉᆞ을 ᄉᆡᆼ각ᄒᆞ여 쳑연비루ᄒᆞ더라.

신부을 사당의 ᄇᆡ현ᄒᆞ고 종일 진환ᄒᆞ여 주ᄀᆡᆨ이 음주단난ᄒᆞ다가, 날이 져물ᄆᆡ 제ᄀᆡᆨ이 각산ᄒᆞ고, 신부 슉소을 ᄎᆡ영각의 졍ᄒᆞ여 보ᄂᆡ고, 족을 이어 야심토록 담화타가 ᄐᆡ부인이 취침ᄒᆞᆫ 후, 추밀이 ᄉᆞ인을 명ᄒᆞ여 신방으로 가라 ᄒᆞ고 취침ᄒᆞ니라. ᄉᆞ인【27】이 졀노 발이 ᄎᆡ영각으로 신쇽히 ᄒᆡᆼᄒᆞᄂᆞᆫ지라. ᄎᆞ시 뎡소졔 신방의 이르러 신부의 긴 단장을 벗기고 손을 년ᄒᆞ여 반기ᄂᆞᆫ 졍을 이긔지 못ᄒᆞ더니, ᄉᆞ인이 올가 ᄒᆞ여 족을 잡히여 침소의 도라가고져 ᄒᆞ더니, ᄉᆞ인이 문을 열고 드러와 뎡시의 도라가려ᄒᆞ믈 보고 미소 왈,

"영표뎨(令表弟) 쳐음 이르러 ᄉᆞ고무친(四顧無親)ᄒᆞ고 오직 부인과 친ᄒᆞ미 잇거늘 엇지 이러틋 도라가려 ᄒᆞ시ᄂᆞ뇨?"

슉녈이 잠간 웃는 빗치 화협을 동ᄒᆞ여 왈,

"쳡이 마츰 가고져 ᄒᆞᆯ 지음의 군ᄌᆡ 입실ᄒᆞ시니 다시 머무지 못ᄒᆞ미로소이다."

언필의 도라가니 샤인이 우음을 씌여 슉녈을 보ᄂᆡ고 신부를 상ᄃᆡᄒᆞᄆᆡ. 션연○[ᄒᆞᆫ] 염광이 황홀ᄒᆞ여 부용 ᄀᆞᆺᄐᆞᆫ 용안과 신뉴 ᄀᆞᆺᄐᆞᆫ 허리 연연작뇨(娟娟婥嫋)ᄒᆞ여 현난ᄒᆞᆫ ᄌᆞᄐᆡ 암실의 됴요ᄒᆞ니, 이의 말을 펴 ᄀᆞᆯ오ᄃᆡ,

"ᄉᆡᆼ은 ᄒᆞᆫ낫 용우지인이어ᄂᆞᆯ 악당의 ᄉᆞ랑ᄒᆞ시ᄂᆞᆫ 은덕으로 봉비(葑菲)1677)의 노름을 어드니 이ᄂᆞᆫ 텬연이어니와, ᄉᆡᆼ의 브ᄌᆡ 박덕이 슉녀의 평ᄉᆡᆼ을 욕홀가 두리ᄂᆞ이다."

쇼졔 슈용 뎡금(整襟)ᄒᆞ여 믁연 블응하니 붓그리는 거동과 아릿ᄯᆞ온 ᄐᆡ되 셕목을 농쥰(濃蠢)ᄒᆞᄂᆞᆫ디라. 샤인이 일침의 나아가니 옥인의 셜부빙골(雪膚氷骨)이 이향【61】이 만실ᄒᆞ여 보ᄇᆡ로온 ᄀᆡ질과 아름다오미 슉녈과 ᄒᆞᆫ 사ᄅᆞᆷ이라. 샤인이 은ᄋᆡ 황홀ᄒᆞ여 산비히박(山卑海薄)ᄒᆞ니 이 진실노 텬뎡 ᄀᆡ연이오 ᄇᆡᆨ년 가위라. 샤인이 호신 발월ᄒᆞ미 뎡·진 ᄀᆞᆺᄐᆞᆫ 슉녀명염을 취ᄒᆞ여 금슬 은졍이 이러ᄐᆞᆺ 환흡ᄒᆞ나, 오히려 셩ᄉᆡᆨ(聲色) 연희(姸姬)를 무한히 모호고져 ᄒᆞ니, 가ᄃᆞᆼ 형셰를 모로미 아니로ᄃᆡ, 평ᄉᆡᆼ 호ᄀᆡ를 장튝(藏縮)지 못ᄒᆞ미라.

진쇼졔 구가의 머므러 존당 고모와 슉당을 효봉ᄒᆞ고 군ᄌᆞ를 승슌ᄒᆞ여 ᄇᆡᆨ힝 ᄉᆞ덕이 슉연ᄒᆞ니, ᄒᆞ믈며 슉녈노 더브러 디셩ᄋᆡᄃᆡ(至誠愛待)ᄒᆞ여 화우지졍이 골육ᄌᆞᄆᆡ(骨肉姉妹) ᄀᆞᆺ고, ᄒᆞᆫ가지로 샤인의 ᄂᆡᄉᆞ를 임찰ᄒᆞ여 규문이 징슈(澄水) ᄀᆞᆺ고 화ᄒᆞ【62】미 양츈ᄀᆞᆺᄐᆞ니, 태부인이 밉고 분ᄒᆞ믈 니긔디 못ᄒᆞ여, 계오 츄밀의 의심을 업시코져 고ᄅᆡ셩1678)을 ᄎᆞᆷ고 일희1679) 분을 견ᄃᆡ여, 뉴시 모녀로 더브러 쥬야 모계(謀計)ᄒᆞᄂᆞᆫ ᄇᆡ, 묘랑이 변심ᄒᆞ는 약을 어더와 츄밀을 먹여 뜻을 변ᄒᆞ고, 조부인 모ᄌᆞ 고식이며 구파를 아오로 죽여 흔젹을 업시코져 ᄒᆞᄂᆞᆫ디라.

1677)봉비(葑菲) : 무와 순무를 함께 이르는 말로 둘 다 채소인 무의 일종인데, 『시경』 <패풍(邶風)> 곡풍장(谷風章)에는 이것으로 부부의 변치 않는 사랑을 다짐하고 있다

1678)셩 : 노엽거나 언짢게 여겨 일어나는 불쾌한 감정.

1679)일희 : 이리. 늑대.

ᄉᆞ인이 미소부답ᄒᆞ니 뎡부인이 인ᄒᆞ여 도라가니라. ᄉᆞ인이 촉ᄒᆞ의 신부을 ᄃᆡᄒᆞ여[ᄆᆡ], 일만 ᄌᆞᄐᆡ 졀승ᄒᆞᆫ 듕 슉덕셩ᄒᆡᆼ이 겸비ᄒᆞ여시니, 은졍이 스ᄉᆞ로 유츌ᄒᆞ여 촉을 물니고 금침의 나아가니, 견권지졍(繾綣之情)이 비홀 ᄃᆡ 업더라.

ᄎᆞ시 위ᄐᆡ부인이 연셕의셔 불평ᄒᆞᆫ 셩을 겨유 ᄎᆞᆷ고 뉴시 모녀로 더부러 모계ᄒᆞᄂᆞᆫ ᄇᆡ, 묘랑이 변심ᄒᆞᄂᆞᆫ 약을 어더와 추밀을 먹여 뜻○[을] 변케ᄒᆞ고, 조부인 모ᄌᆞ고식이며 구파 《아으르∥아오로》 죽여 흔젹을 업시고져 ᄒᆞᄂᆞᆫ지라.

공이 나간 쌔는 니를 ᄀ라 조부인브터 삼쇼져를 경긱의 죽일 ᄃ시 믜워ᄒ니, 슉녈은 오히려 춤고 견ᄃ기를 잘ᄒ나 진·하 냥인을 ᄃᆡᄒ여 괴로온 ᄉ졍을 베프지 아니ᄒ니, 진·하 냥쇼졔 구가의 이션 지 달이 넘지 못ᄒ여 블평ᄒᆫ ᄉ단이 만흐니, 경황ᄒ믈 니긔지 못ᄒᆯ ᄲᅮᆫ 아니라, 진시는【63】 더옥 부귀 교ᄋᆡ 듕 싱댱ᄒ여 셰샹 괴로오믈 아지 못ᄒ고, 사름의 블호ᄒᆫ ᄉ식을 보디 못ᄒ엿다가 존당의 흉포ᄒᆫ 거동을 보면, 일신이 한튝(寒縮)ᄒ여 일야 ᄆᄋᆷ을 노치 못ᄒ니, 조부인이 긔식을 슷치고 잔잉ᄒ믈 니긔디 못ᄒ여, 삼부 ᄉ랑이 ᄒᆫ갈ᄀᆺ치 친녀 ᄀᆺ고 됴셕식ᄉ의 능히 보젼치 못ᄒᆯ 형셰를 촘연ᄒ여, 구파와 상의ᄒ고 삼부의 보젼ᄒᆯ 도리를 궁극히 ᄉᆡᆼ각ᄒ여, 진찬화미를 그ᄋᆨ이 쥰비ᄒ고 쌔를 타 삼부를 블너 죵용이 먹이니, 삼쇼졔 존고의 이ᄀᆺ치 근노ᄒ시믈 ᄀ장 졀민ᄒ여 그 혜틱을 감튝ᄒ며, 쏘ᄒᆫ 앙셩(仰誠)이 친ᄉᆡᆼ ᄌ모의 감치 아니ᄒ더라.

ᄎ시 뎡부의셔 냥쇼【64】져를 속현(續絃)ᄒ고 그 가졍을 우려ᄒ여 냥녀의 평ᄉᆡᆼ을 념녀ᄒᄆᆡ, 일시를 방하치 못ᄒ거늘, 공쥬 혼ᄉ 큰 근심이 되어 삼부 위ᄒᆫ 시름이 심두의 얽혓ᄂᆞᆫ디라. 임의 문양궁을 필역ᄒ고 길일이 슈삼일이 격ᄒ니 병뷔 통완ᄒ미 비길 ᄃᆡ 업ᄉᄃᆡ, 엄훈을 두리고 가ᄂᆡ 화평ᄒᆯ 도리를 ᄉᆡᆼ각ᄒ여 ᄉ식이 ᄌ약ᄒ고 우분ᄒᄂᆞᆫ 거동이 업더니, 믄득 됴명이 잇셔 니르샤ᄃᆡ,

"딤이 녀ᄌ의 함원(含怨)을 두리ᄂᆞᆫ 고로 텬흥의 여러 쳐실을 니이치 못ᄒ나, 공쥐 어린 나히 여러 뎍인을 보면 심ᄉ 편치 못ᄒᆯ 거시니, 텬흥의 쳐ᄌ 등을 각각 본가의 도라 보ᄂᆡ라."

ᄒ여 계시니, 금휘 대경ᄒ여 즉시 텬졍의 됴【65】현ᄒ고 쥬왈,

"텬흥의 여러 안히를 각각 졔 집으로 보ᄂᆡ라 ᄒ시나, 져의 도리도 안연이 옥쥬의 안젼의 용납기 어렵고, 신이 비록 《경칙∥梗塞》ᄒ오나, 셩교(聖敎)의 유ᄌ블게(有子

공이 나간 쌔는 니을 가라 조부인부터 숨소져을 편시의 죽일 드시 발발ᄒ니, 슉녈은 오히려 춤○[고] 견ᄃᆡ여 갈ᄉ록 효슌키을 주ᄒ고, 진·하 양인을 ᄃᆡᄒ나 괴로온 ᄉ졍을 볘【28】푸지 아니나, 하·진 양소져ᄂᆞᆫ 구가의 완지 달이 넘지 못ᄒ여 불평ᄒᆫ ᄉ단이 일일층가ᄒ니, 심신이 경황ᄒ물 마지 아닐 ᄲᅮᆫ 아니라, 진시ᄂᆞᆫ 더욱 부귀교ᄋᆡ 듕 싱장ᄒ여 셰상 괴로오물 아지 못ᄒ고, ᄉ룸의 불호ᄒᆫ ᄉ식을 보지 아냣다가, 조모의 흉ᄒᆫ 거동과 뉴시 포악ᄒ물 보면 일신이 ᄒᆫ츅ᄒ야 일야 마음을 놋치 못ᄒ니, 조부인이 긔식을 스치고 잔잉ᄒ믈 마지 못ᄒ여 숨부 ᄉ랑이 ᄒᆫ갈 갓치 친녀 갓고, 죠셕 식ᄉ의 능히 보젼치 못ᄒᆯ 형셰의[를] 츰연ᄒ여, 구파와 상의ᄒ고 숨부의 보젼ᄒᆯ 도리을 궁극히 ᄉᆡᆼ각ᄒ여 진찬화미을 그ᄋᆨ이 듄비ᄒ고, 쌔을 타 숨부을 불너 조용히 먹이니, 숨소졔 존고의 이갓치 근노ᄒ시믈 가장 졀민ᄒ여 그 후ᄂᆞᆫ 마음을 더욱 감격ᄒ며 쏘ᄒᆫ 《양졍∥앙셩(仰誠)》이 ᄌ모의 감치 아니터라.

ᄎ시 뎡부의셔 냥소져을 속현(續絃)ᄒ고 냥녀의 평ᄉᆡᆼ을 념여ᄒ여 일시을 방ᄒ지[치] 못ᄒ거늘, 공주 혼ᄉ 큰 근심이 되야 숨부의 일이 심두의 얼엿더라[1627]. 임의 문양궁을 필역ᄒ고 길일이 수숨일이 격ᄒ니, 병뷔 통한ᄒ미 비길 ᄇᆡ 업ᄉᄃᆡ, 엄훈을 두리고 가ᄂᆡ 화평ᄒᆯ 도리을 ᄉᆡᆼ각ᄒ여, ᄉ식이 ᄌ약ᄒ고 우분(憂憤)ᄒᄂᆞᆫ 거동이 업더니, 믄득 됴명(詔命)이 잇셔 이르ᄉᄃᆡ,

"짐이 녀ᄌ의 함원(含怨)을 두리ᄂᆞᆫ 고로 쳔【29】흥의 쳐실을 이이(離異)치 못ᄒ나, 공쥐 어린 나히 여러 젹인을 보면 심ᄉ 편치 못ᄒᆯ 거시니 쳔흥의 여러 쳐실 등을 각각 본가의 도로 보ᄂᆡ라."

금휘 ᄃᆡ경ᄒ여 즉시 쳔졍의 됴현ᄒ고 쥬왈,

"쳔흥의 여러 안히을 다 본가로 보ᄂᆡ라 ᄒ시오나, 져희 도리도 안연이 옥주 안젼의

1627)얼이다 : 얽히다. 근심 걱정이 이리저리 맺어져 있다.

不去)라 ᄒᆞ엿ᄉᆞ오니, 의(義)예 보ᄂᆡ든 못ᄒᆞ올디라, 신의 소견은 ᄌᆞ부를 별당의 옴겨 두고, 옥쥬 하가ᄒᆞ션 디 오란 후 현알케 ᄒᆞ고, 신이 일퇴의 다리고 잇고져 ᄒᆞᄂᆞ이다."

샹이 윤허ᄒᆞ시니, 금위 샤은ᄒᆞ고 도라와 삼부를 블너 안심ᄒᆞ라 ᄒᆞ고, 모젼의 샹교를 고ᄒᆞ여 삼부를 별원(別園)으로 옴기믈 고ᄒᆞ니 태부인이 참연 왈,

"삼손부를 안젼 긔화로 아라 일시 ᄯᅥ나믈 삼츄ᄀᆞᆺ치 녁이더니, 이졔 별원의 보ᄂᆡ고 니졍을 엇디 ᄎᆞᆷ으리오."

금휘 민망ᄒᆞ여 위로 왈,

"샹명【66】은 삼부를 본부로 보ᄂᆡ라 ᄒᆞ시ᄂᆞᆫ 거술, 쇼지 윤시를 위ᄒᆞ여 별원으로 옴기니, 비록 됴셕셩뎡(朝夕省定)을 폐ᄒᆞ오나 각각 블너 보셔도 무방ᄒᆞ고, 어미를 보ᄂᆡ나 냥손ᄋᆞ를 두샤 소일ᄒᆞ실디니, 엇디 결연ᄒᆞ시리잇고?"

부인이 츄연 왈,

"이ᄂᆞᆫ 공쥬의 빌미가 디긔(知機)ᄒᆞ엿거니와, 졍니(情理) 버히ᄂᆞᆫ ᄃᆞᆺᄒᆞ니, 셩샹이 비록 공쥬를 ᄉᆞ랑ᄒᆞ시나 텬ᄋᆞ의 부부 은졍은 다막디 못ᄒᆞ시리니, 삼부를 ᄒᆞᆫ 집의 용납디 아니시믄 므ᄉᆞᆫ ᄠᅳᆺ고?"

금휘 위로 왈,

"황샹이 공쥬 어린 나히 여러 뎍인을 보고 블평홀가 념녀ᄒᆞ샤, 아딕 친부(親府)의 보ᄂᆡ여 타일 다려오과져 ᄒᆞ시미니, 셩의 괴이치 아니시고, 윤현부의 졍ᄉᆡ 남과 다르므로 브득이 삼부를 다 별원의 두기【67】를 결단ᄒᆞ엿ᄉᆞ오니, 이 ᄯᅩ ᄒᆞᆫ 집이오, 긴 니별이 아니라 슈히 모들 거시니, 비쳑지 마르쇼셔."

태부인이 삼부를 블너 탄식고 운환을 어로만져 슬허ᄒᆞ믈 마디 아니ᄒᆞ고, 진부인은 믁연ᄒᆞ나 심신을 뎡치 못ᄒᆞ여 미우를 펴디 못ᄒᆞ니, 화긔 만히 소삭(蕭索)ᄒᆞᄂᆞᆫ디라. 금휘 심ᄉᆡ 블호ᄒᆞ여 탄왈,

용납이 어렵고, 신이 비록 《경칙 ‖ 경색(梗塞)》ᄒᆞ오나 셩교의 유ᄌᆞ불계[거](有子不去)라 ᄒᆞ엿ᄉᆞ오니, 《이 ‖ 의(義)》예 바리든 못ᄒᆞ올지라. 신의 소견은 ᄌᆞ부을 별당의 옴겨 두고 옥주 하가ᄒᆞ신지 오릿 후, 현알케 ᄒᆞ ᄒᆞ고, 신이 일퇴의 다리고 잇고져 ᄒᆞᄂᆞ이다."

상이 윤ᄒᆞ시니, 금휘 ᄉᆞ은ᄒᆞ고 도라와 ᄉᆞᆷ부을 불너 안심ᄒᆞ라 ᄒᆞ고, 모젼의 상교(上敎)을 고ᄒᆞ여 ᄉᆞᆷ부을 별원(別園)의 옴기믈 고ᄒᆞ니, 진부인이 ᄎᆞᆷ연 왈,

"ᄉᆞᆷ손부을 안젼긔화로 알아 일시 ᄯᅥ나믈 ᄉᆞᆷ츄 갓치 녁이드니, 이졔 별원의 보ᄂᆡ고 니졍을 엇지 ᄎᆞᆷ으리오."

휘 민망ᄒᆞ여 위로 왈,

"셩상은 ᄉᆞᆷ부을 본부로 보ᄂᆡ라 ᄒᆞ시ᄂᆞᆫ 거술, 소ᄌᆡ 윤시을 위ᄒᆞ여 별원으로 옴기니, 비록 조셕뎡셩(朝夕定省)을 폐ᄒᆞ나 각각 불너 보셔도 무방ᄒᆞ고, 어미를 보ᄂᆡ나 양손아를 두ᄉᆞ 소일ᄒᆞ실지니, 엇지 결연ᄒᆞ시리잇고?"

부인이 츄연 왈,

"이ᄂᆞᆫ 공주의 빌미라. 성상이 비록 공주을 ᄉᆞ랑ᄒᆞ시ᄂᆞ 쳔아의 부부 은졍은 막지 못ᄒᆞ리니 , ᄉᆞᆷ부을 ᄒᆞᆫ 집의 용【30】납지 아니시믄 무ᄉᆞᆷ ᄯᅳᆺ고?"

금휘 위로 왈,

"황상이 공주 어린 나희 적인을 불편홀가 념녀ᄒᆞᄉᆞ 아직 친부(親府)의 보ᄂᆡ여 타일 가려오과져 ᄒᆞ시미니, 셩의 고이치 아니시고 윤현부의 졍ᄉᆡ 남과 다른 고로 부득이 ᄉᆞᆷ부을 별당의 두기을 결○[단]ᄒᆞ엿ᄉᆞ오니, 이 ᄯᅩᄒᆞᆫ 집이오, 긴 니별이 아니라 수히 모들 거시니, 비쳑지 마르소셔."

틱부인이 ᄉᆞᆷ부을 불너 운환을 어로만져 손을 잡고 눈물을 ᄲᅳ려 슬허ᄒᆞ믈 마지 아니코, 진부인은 말이 업ᄉᆞ나 심신을 뎡치 못ᄒᆞ더라. 금후 역시 심ᄉᆡ 불호ᄒᆞ여 문득 탄왈,

"인신지되 안연이 현부를 다리고 잇디 못ᄒᆞ여 별원으로 보ᄂᆡᄂᆞ니, 비록 ᄉᆞ이 갓갑디 아니나 댱원(牆垣)을 년ᄒᆞ여 ᄒᆞᆫ 집이라. 밧근 닌홍 셰홍으로 ᄃᆡ희워시니, 현부 등이 셔로 의지ᄒᆞ여 아직 머믈나."

윤부인이 ᄇᆡ샤 왈,

"쇼쳡이 부릉누질(不能陋質)노 존문의 의탁ᄒᆞ와 존당 구고의 산은ᄒᆡ덕(山恩海德)이 일신의 져져 슉야의 어린 졍셩이 일시 니【68】측을 졀박히 넉이ᄋᆞᆸ더니, 이제 옥쥐하가ᄒᆞ시니 산계비질(山鷄卑質)이 봉황(鳳凰)과 동녈치 못ᄒᆞ오리니, 엇디 금지옥엽을 갈오리[1680]잇고? 뎡히 황황숑구ᄒᆞ와 딘퇴를 뎡치 못ᄒᆞᄋᆞᆸ더니, 별원의 머믈나 ᄒᆞ시니 비록 신혼셩졍(晨昏省定)을 폐ᄒᆞ오나, 이 ᄯᅩᄒᆞᆫ 존ᄐᆡᆨ이라. 명ᄃᆡ로 믈너가 양·니 등으로 더브러 상의ᄒᆞ와 무ᄉᆞ히 머므오리니, 엇지 굿ᄐᆡ여 무익히 신셰를 슬허ᄒᆞ리잇가? 복원 존당 구고ᄂᆞᆫ 블초를 과렴치 마르시고 셩톄 안강ᄒᆞ쇼셔."

양·니 등이 니어 하ᄃᆡᆨ을 고ᄒᆞ니 유법ᄒᆞᆫ 말ᄉᆞᆷ과 화열ᄒᆞᆫ ᄉᆞᄉᆡᆨ이 일호(一毫) 우슈쳑쳑(憂愁慽慽)ᄒᆞ미 업ᄉᆞ니, 태부인과 구괴 더옥 ᄋᆡ듕ᄒᆞ여 됴히 이시믈 ᄌᆡ【69】삼 당부ᄒᆞ고, 윤시 ᄋᆞᄌᆞ와 냥○[시] 녀ᄋᆞ를 다 유모를 맛져 부인 침뎐의 머므르고, 삼인이 일시의 니러 ᄇᆡ샤홀ᄉᆡ, 태부인과 진부인이 톄루를 금치 못ᄒᆞ고 금휘 역시 블열ᄒᆞ믈 씌여 울울ᄒᆞ믈 니긔디 못ᄒᆞ니, 삼인이 텰옥심장(鐵玉心腸)이나 쳐연ᄒᆞ고, ᄒᆡᄌᆞ(孩子)와 유녀(幼女)를 ᄯᅥ나ᄂᆞᆫ 심ᄉᆡ 더옥 참연ᄒᆞᄃᆡ, 윤

1680)갈오다 : (어깨를) 나란히 하다.

"셩교여ᄎᆞᄒᆞ시니 인신지되 안연이 현부 등을 다리고 잇지 못ᄒᆞ여 브득이 별원으로 보ᄂᆡ니, 비록 ᄉᆞ이 각각이나 인홍·셰홍으로 직희게 ᄒᆞ여 현부 등 ᄉᆞᆷ인을 셔로 의지ᄒᆞ여 아직 머물게 ᄒᆞ리니, 일이 불ᄒᆡᆼᄒᆞ여 이의 미쳐스나 우려ᄒᆞ여 무익ᄒᆞ니 여등의 쳔규[균]ᄃᆡ량(千鈞大量)과 하히지심(河海之心)으로 나의 당부을 져ᄇᆞ리지 말지어다."

○[ᄯᅩ] 각각 보신ᄒᆞ여 존당과 우리 슬푸물 일위지 말나 ᄒᆞ고, 가지록 심ᄉᆞ을쾌히 ᄒᆞ여 마춤ᄂᆡ 복녹영귀(福祿榮歸)을 기다리고 조금도 신셰을 슬허말나, ○○[ᄒᆞ니],

윤부인이 ᄇᆡᄉᆞ수명왈,

"소쳡이 불능누질(不能陋質)노 츙년의 존문의 입승ᄒᆞ와 존당구고의 산은ᄒᆡ덕(山恩海德)이 일신의 져져, 슉야감은ᄒᆞᆷ과 어린 셩졍이 일시 니측을 졀박히 넉이ᄋᆞᆸ더니, 이제 옥쥐 ᄒᆞ가 ᄒᆞ시【31】니 산계비질(山鷄卑質)이 본ᄃᆡ 난봉(鸞鳳)과 동녈치 못ᄒᆞ오니, 여염하천ᄒᆞᆫ 무리 엇지 옥엽금지을 겻ᄒᆞ리잇고? 뎡히 황황송구ᄒᆞ와 진ᄐᆡ[퇴]을 뎡치 못ᄒᆞᄋᆞᆸ더니, 별원의 머물나 ᄒᆞ시니 비록 신혼뎡셩(晨昏定省)을 폐ᄒᆞ오나 이 ᄯᅩᄒᆞᆫ 존ᄐᆡᆨ과 장원을 연하여 ᄒᆞᆫ집이ᄂᆞ 다르지 안인지라. 명ᄃᆡ로 물너가 양·니로 더부러 셔로 의지ᄒᆞ와 무ᄉᆞ히 머무오리니, 엇지 굿ᄒᆞ여 무익이 신셰을 슬허ᄒᆞ리잇고? 복원 존당구고ᄂᆞᆫ 불쵸 등을 과렴치 마르시고 존체안강ᄒᆞ옵소셔."

양·니 등이 말ᄉᆞᆷ을 이어 하직을 고ᄒᆞ니, 윤·양의 쳔향아ᄐᆡ와 셩ᄌᆞ광염이 ᄉᆡ로이 좌우을 휘동ᄒᆞ고, 니시의 험악흉모 듕 ᄌᆞ연 유법ᄒᆞᆫ 말ᄉᆞᆷ과 화려ᄒᆞᆫ ᄉᆞᄉᆡᆨ이 일호 쳑쳑ᄒᆞ미 업ᄉᆞ니, ᄐᆡ부인과 구괴 더욱 ᄋᆡ듕ᄒᆞ여 조히 이시믈 당부ᄒᆞ고, 윤시 아ᄌᆞ와 양시 녀ᄋᆞ을 다 유모을 막겨 ᄐᆡ부인 침젼의 머무르고, ᄉᆞᆷ인이 일시의 ᄇᆡᄉᆞ ᄒᆞ직홀 ᄉᆡ, ᄐᆡ부인과 진시 더욱 ᄋᆡ듕ᄒᆞ여 조히 잇시물 ᄌᆡᄉᆞᆷ 이르고, 금후ᄂᆞᆫ 미우의 불열ᄒᆞ믈 씌엿시니 ᄉᆞᆷ인이 비록 쳘옥심장(鐵玉心臟)이나 존당구고(尊堂舅姑)을 니측ᄒᆞ고, 별원심쳐(別園

시ᄂᆞᆫ 심ᄉᆞ를 널니ᄒᆞ고 존젼의 경근지네(敬謹之禮)를 잡아 비식을 낫토디 아니ᄒᆞ고, 니시 또ᄒᆞᆫ ᄉᆞ긔 화열ᄒᆞ나, 양시 이 가온ᄃᆡ 심장이 연약ᄒᆞᆫ 고로 셩안의 쥬뤼(珠淚) 어리니, 태부인과 진부인이 ᄎᆞ마 ᄯᅥ나지 못ᄒᆞ고, 금후의 필녀 아쥐 ᄉᆞ셰라, 상히 윤시 ᄯᅩᆯ오미 ᄌᆞ못 병되더니, 이날 별원으로 가ᄂᆞᆫ 줄 아【70】라 ᄒᆞᆫ가지로 가려ᄒᆞ니, 부뫼 삼부를 맛져 보ᄂᆡ여 고적ᄒᆞᆫ 심ᄉᆞ를 위로ᄒᆞ라 ᄒᆞ고, 분슈ᄒᆞᆯ식 결연ᄒᆞ믈 니긔지 못ᄒᆞᄂᆞᆫ디라. 금휘 시랑과 삼공ᄌᆞ를 일슈(日數)를 혜여 ᄎᆞ례로 돌녀 별원의 가 밤을 지ᄂᆡ게 ᄒᆞ더라.

삼인이 하딕ᄒᆞ고 쇼니시(小李氏)로 손을 난화 각각 《침장‖침당(寢堂)》의 ᄌᆞ장즙믈(資裝什物)을 별원으로 옴기고, 아쥬를 다려 후원 협노(狹路)로 좃ᄎᆞ 별원의 니르니, 문이 다르고 취운산을 등디여 동산(東山)[1681]이 쟝원(莊園)을 압흘 향ᄒᆞ여 그윽ᄒᆞ고 유벽ᄒᆞ여 외인이 왕ᄂᆡ치 아니며, 원각(園閣)이 이시믈 외인이 모로ᄂᆞᆫ디라. 각듕(閣中)을 졔시네 쇄소ᄒᆞ고 시랑이 삼슈(三嫂)의 거쳐를 뎡ᄒᆞ여 여러 시비로 삼부인을【71】 뫼시라 ᄒᆞ고, 외당의 나와 당샤를 쇄소ᄒᆞ더라.

삼부인이 각각 침당을○○○○○○○○[졍ᄒᆞ여 들고, 심ᄉᆞ을] 안뎡(安靜)ᄒᆞ고[여], 조바야이[1682] 상심ᄒᆞ미 업ᄉᆞ나, 니시 잉ᄐᆡᄒᆞ연 지 삼삭이라. 식음을 거ᄉᆞ리고 질양(疾恙)이 ᄯᅥ나지 아니니, 윤·양 이부인이 지극히 구호ᄒᆞ고 시랑 형뎨 의약을 다ᄉᆞ려 편토록 구호ᄒᆞ더라.

1681)동산(東山) : 큰 집의 정원에 만들어 놓은 작은 산이나 숲.
1682)조바야다 : 좁다. 조급하다. 마음 쓰는 것이 너그럽지 못하다.

深處)의 드ᄂᆞᆫ 회포을 금치 못ᄒᆞ고, ᄒᆡᄌᆞ(孩子)와 유녀(幼女)을 ᄯᅥ나ᄂᆞᆫ ᄉᆞ졍이 더욱 ᄎᆞᆷ연ᄒᆞᄃᆡ, 윤시ᄂᆞᆫ 심ᄉᆞ을 널니ᄒᆞ고 경근지네(敬謹之禮)을 잡아 비식을 나토지 아니ᄒᆞ고, 니시 또ᄒᆞᆫ【32】 ᄉᆞ긔 화열ᄒᆞᄂᆞ, 이 가온다[ᄃᆡ] 양시 심졍이 연약ᄒᆞᆫ 고로 셩안의 츄수 어릐믈 면치 못ᄒᆞᄂᆞᆫ지라. ᄐᆡ부인과 진부인이 차마 ᄯᅥ나지 못ᄒᆞ고, 금후의 필녀 아쥐 ᄉᆞ셰라. 상히 윤시 ᄯᆞ로기을 ᄌᆞ못 병되드니, 이날 별원으로 가ᄂᆞᆫ 줄 능히 알아 ᄒᆞᆫ가지로 가려 ᄒᆞ니, 부뫼 아녀의 뜻ᄃᆡ로 삼부을 맛겨 보ᄂᆡ여 고적ᄒᆞᆫ 심ᄉᆞ을 위로케 ᄒᆞ고, 날이 져물기로써 마지 못ᄒᆞ여 분수ᄒᆞᆯ 식, 소니시의 결울ᄒᆞ믄 니르도 말고, 졔공지 결연ᄒᆞ믈 이긔지 못ᄒᆞᄂᆞᆫ지라. 금휘 시랑과 ᄉᆞᆷ공ᄌᆞ을 셔로 날수을 혜어 ᄎᆞ례로 돌녀 별원의 가 밤을 지나라 ᄒᆞ니, 시랑과 공지 수명ᄒᆞ더라.

삼부인이 존당구고긔 하직ᄒᆞ고 소니시로 손을 난화 각각 침당의 ᄌᆞ장(資裝)을 별원으로 옴기고, 아쥬을 다려 후원 협문으로 좃ᄎᆞ 별원의 이르니, ᄉᆞ이 이윽ᄒᆞ며 비록 뎡부로 ᄒᆞᆫ 집이나, 문이 다르고 취운산을 등지고 동산(東山)[1628] 장원(莊園)이 압흘 향ᄒᆞ여 그윽ᄒᆞ고 유벽ᄒᆞ야, 외인이 왕ᄂᆡ치 아니코 원졍(園亭)의 유무을 외인이 몰을너라. 각 듕을 졔시네 소쇄ᄒᆞ고 시랑이 일으러 ᄉᆞᆷ수(三嫂)의 거쳐을 뎡ᄒᆞ고, 여러 시비로 뫼시라 ᄒᆞ고, 물너 외당의 나와 당ᄉᆞ을 쇄소ᄒᆞ여 ᄌᆞ긔 형뎨 이시려 ᄒᆞ더라.

ᄉᆞᆷ인이 각각 침쳐을 졍ᄒᆞ여 들고, 심ᄉᆞ을 안뎡(安靜)ᄒᆞ여 조비야이[1629] 상념ᄒᆞ미 업ᄉᆞ나, 니시 잉ᄐᆡ ᄉᆞᆷ삭이라. 식음을 거ᄉᆞ리고 질약[양](疾恙)이 ᄯᅥ나지 아니니, 윤양이 지극히 구호ᄒᆞ고 시랑형뎨 의약을 다ᄉᆞ려 그 몸이 편토록 ᄒᆞ며[니], 정당의 이실 졔나【33】 다르지 아니터라.

1628)동산(東山) : 큰 집의 정원에 만들어 놓은 작은 산이나 숲.
1629)조바야다 : 좁다. 조급하다. 마음 쓰는 것이 너그럽지 못하다.

병뷔 나갓다가 도라와 외당의 니르니, 오공ᄌᆞ 필흥이 즘긔[1683]를 드러 셔동을 주다가 실슈ᄒᆞ여 병부의게 씻치니, 병뷔 망녕되믈 ᄭᅮ짓고, 옷술 갈고 존당의 드러가려 ᄒᆞ여 션월졍의 니르니 문을 ᄌᆞᆷ으고 시녀 유랑 빅도 업ᄂᆞ더라. 의혹ᄒᆞ여 션미졍 션ᄌᆞ졍을 둘너보니 ᄒᆞᆫ갈ᄀᆞᆺ치 문을 ᄌᆞᆷ으고 비ᄌᆞ 등도 업ᄉᆞ【72】니, 도로 외당의 나와 시랑의 옷술 닙고 태원뎐의 드러가니, 존당 부뫼 삼부의 별원으로 가믈 《보고‖니르고》, 왕모와 모친은 누슈를 금치 못ᄒᆞ니, 병뷔 심니의 일흔 거시 잇ᄂᆞᆫ ᄃᆞᆺᄒᆞ더라.【73】

병뷔 마ᄎᆞᆷ 나갓다가 외당으로 드러오더니, 오공ᄌᆞ 필흥이 《금지‖즘긔》을 드러 셔동을 주다가 실슈ᄒᆞ여 병부의게 씻치니, 병뷔 망녕되믈 ᄭᅮ짓고 옷술 갈고 존당의 드러가랴 바로 션원[월]졍의 이르니, 방문을 ᄌᆞᆷ으고 시녀 유랑 빅도 업ᄂᆞᆫ지라. 심니의 의혹ᄒᆞ여 션미졍 션ᄌᆞ졍을 둘너보니 ᄒᆞᆫ갈갓치 문이 잠기고 비ᄌᆞ 등도 업ᄉᆞ니, 도로 외당의 나와 시랑의 옷시 벽상의 걸녀시믈 보고 져즌 옷술 가라 입고, 틱원젼의 드러가 뵈오니, 존당부뫼 ᄉᆞᆷ식○부의 별원으로 가믈 니르고 조모와 모친은 눈물을 금치 못ᄒᆞ니, 병뷔 심니의 일흔 거시 잇ᄂᆞᆫ 듯ᄒᆞ나

1683)즘긔 : 요강. 방에 두고 오줌을 누는 그릇. 놋쇠나 양은, 사기 따위로 작은 단지처럼 만든다.

어시의 병뷔 일흔 거시 잇는 듯ᄒᆞ나 흔연이 ᄉᆞ식디 아니ᄒᆞ고 위로 왈,

"져 삼인이 비록 별원의 가나 또 ᄒᆞᆫ 집이라. 결연ᄒᆞ실진ᄃᆡ ᄌᆞ로 블너 보시리니 엇디 비쳑ᄒᆞ시리잇고? 《안젼의 ‖ ᄒᆞ물며》 ○○○○○[공주 ᄒᆞ가 후] 삼ᄉᆞ삭지ᄂᆡ(三四朔之內)의 ○○○○[모드리니] 이ᄃᆡ도록 홀연ᄒᆞ여 ᄒᆞ시리잇가?"

태부인이 탄왈,

"공쥐 어질면 혹ᄌᆞ ᄒᆞᆫ가지로 모드려니와 블연 즉, 각각이 ᄉᆞᆯᄉᆞ록 깃거ᄒᆞᆯ가 ᄒᆞ노라."

병뷔 쇼이 ᄃᆡ왈,

"공쥐 어지지 못ᄒᆞᆯ진ᄃᆡ 윤·양 등을 더옥 밧비 모호고져 ᄒᆞ오리니, 별원 니측(離側)이 머지 아니리이다."

태부인이 탄식 무언이러라.

길일이 님ᄒᆞᄆᆡ【1】 금휘 모친을 뫼셔 문양궁의 나아가 ᄂᆡ외 빈ᄀᆡᆨ을 쳥ᄒᆞ고 공쥬를 마ᄌᆞᆯᄉᆡ, 졔ᄀᆡᆨ이 부마의 쳐궁이 유복ᄒᆞ여 삼부인을 두고 다시 금뎐녀셰(禁殿女壻)1684) 되믈 칭찬ᄒᆞ여 뎡문 복경을 치하ᄒᆞ나, 태부인과 진부인이 심심블낙(深深不樂)ᄒᆞ여 좌우로 살피고 삼뷔 업ᄉᆞ믈 쳑연ᄒᆞ더니, 윤부로 좃ᄎᆞ 정·진·하 삼쇼졔 니르러 존당 부모긔 빈현ᄒᆞ고 연셕의 참예ᄒᆞ니, 슉녈과 하시의 화월 ᄀᆞᄐᆞᆫ 풍용이 광실의 바ᄋᆡ여, 쇼니시와 진시로 더브러 염광(艷光)이 셔로 찬난ᄒᆞ니, 만좌 홍상분ᄃᆡ(紅裳粉黛)1685)뎡·진·니·하 ᄉᆞ인의 셧기ᄆᆡ, 네낫 명쥬 ᄉᆞ셕(沙石)의 셧겨 보광을 토ᄒᆞᄂᆞᆫ 듯, 만좌 즁빈이 홀홀히 넉ᄉᆞᆯ 일허, 바라【2】보ᄂᆞᆫ 눈이 ᄇᆡ이고 칭찬ᄒᆞᄂᆞᆫ 춤이 마르니, 태부인과 딘부인이 녀ᄋᆞ 등의 아름다오믈 보고 삼부를

1684)금뎐녀셰(禁殿女壻) : 금전(禁殿)은 대궐을 뜻하는 말로 왕가의 사위, 곧 부마를 일컫는 말.

1685)홍상분ᄃᆡ(紅裳粉黛) : 얼굴에 분을 바르고 먹으로 눈썹을 그려 화장을 하고 화려한 옷으로 치장한 여인을 이르는 말.

흔연ᄒᆞ여 일호 ᄉᆞ식지 아니코 위로 왈,

"져 ᄉᆞᆷ인이 비록 별원의 가나 또ᄒᆞᆫ 한집이라, 결연ᄒᆞ실진ᄃᆡ ᄌᆞ로 불너 보셔도 막으리 업ᄉᆞ리니 엇지 과도히 심녀ᄒᆞ시리잇고? ᄒᆞ물며 각각 ᄌᆞ녀을 두고 보시나 기모을 겻히 두나 다르지 아니ᄒᆞ니 공주 ᄒᆞ가(下嫁) 후 오ᄅᆡ지 아녀 모드리다."

ᄐᆡ부인이 탄 왈,

"공쥐 어질면 혹ᄌᆞ ᄒᆞᆫ가지로 못ᄌᆞ ᄒᆞ려니와 불연 즉, 각각《실니 ᄒᆞ도록 ‖이 ᄉᆞᆯᄉᆞ록》깃거ᄒᆞᆯ가 ᄒᆞ노라."

병뷔 웃고 ᄃᆡ왈,

"공쥐 어지지 못ᄒᆞᆯ진ᄃᆡ 윤·양 등을 더욱 ᄒᆞᆫᄃᆡ 모호려 ᄒᆞ오리니 별원 니측(離側)이 머지 아니리이다."

진부인은 탄식무언이라.

임의 길긔 임ᄒᆞ니 금휘 모친을 뫼셔 ᄂᆡ외 빈ᄀᆡᆨ을 쳥ᄒᆞ고 공주을 마잘ᄉᆡ, 만만 비소원이나 ᄌᆞ연 금달공주(禁闥公主) ᄒᆞ가(下嫁)ᄒᆞᄂᆞᆫ 위의 영광이 부려ᄒᆞ여 공【34】후상문(公侯相門)의 혼인과 만히 다른지라. 졔ᄀᆡᆨ이 눈이 밤븨여1630) 구경ᄒᆞᄆᆡ, 부마의 쳐궁이 긔특ᄒᆞ여 윤·양·니 ᄉᆞᆷ부○[인]을 두고 다시 금젼녀셔(禁殿女壻)1631) 되물 칭ᄉᆞᄒᆞ여 뎡문 호호ᄒᆞᆫ 복녹을 칭하ᄒᆞ니, ᄐᆡ부인과 진부인은 심심불낙ᄒᆞ여 좌우을 ᄉᆞᆯ피고 ᄉᆞᆷ뷔 업ᄉᆞ믈 쳑연ᄒᆞ더니, 윤부로 좃ᄎᆞ 뎡·진·하 ᄉᆞᆷ소져 이르러 존당부모긔 ᄇᆡ현ᄒᆞ고 연셕의 ᄎᆞᆷ녜ᄒᆞ니, 슉녈과 하시의 화월(花月) 갓튼 픔[풍]용(風容)이 광실의 ᄇᆡᄋᆡ여1632) 소니시와 진시로 더부러 염광이 셔로 찬난ᄒᆞ니, 만좌 홍상분ᄃᆡ(紅裳粉黛)1633) 뎡·진

1630)밤븨다 : (눈이) 부시다. 멍하다.

1631)금젼녀셰(禁殿女壻) : 금전(禁殿)은 대궐을 뜻하는 말로 왕가의 사위, 곧 부마를 일컫는 말.

1632)ᄇᆡᄋᆡ다 : ᄇᆡᄋᆡ다. 빛나다. 부시다.

1633)홍상분ᄃᆡ(紅裳粉黛) : 얼굴에 분을 바르고 먹으로 눈썹을 그려 화장을 하고 화려한 옷으로 치장

더옥 닛디 못ᄒᆞ여 ᄒᆞ더라.

외헌의 만됴 공경 황친 녈휘 일졔히 모닷ᄂᆞᆫ디라. 날이 늣도록 병뷔 졔빈으로 담화ᄒᆞᆯ ᄉᆡ 양평댱이 ᄌᆡ좌러니, 언언이 악댱이라 ᄒᆞ여 ᄃᆡ졉이 젼일과 ᄀᆞᆺ트니 양공이 집슈 탄왈,

"내 일즉 녕존의 디긔로 허ᄒᆞ믈 닙고 도위를 ᄉᆞ랑ᄒᆞ여 ᄐᆡ셔를 외람이 ᄒᆞᆫ 고로, 녀ᄋᆞ의 젼졍이 볼 거시 업ᄉᆞ니 ᄉᆞ졍이 엇지 참연치 아니리오."

병뷔 ᄃᆡ왈,

"악댱이 비록 녕녀를 위ᄒᆞ여 젼졍을 념녀ᄒᆞ시나, 셩샹이 쇼【3】셔의 여러 쳐실을 허ᄒᆞ샤 공쥬와 동녈케 ᄒᆞ시니, 녕녜 본ᄃᆡ 덕인이 업ᄉᆞᆫ 사ᄅᆞᆷ이 아니라, 공쥐 위 놉흘지언졍 ᄉᆡ로이 위ᄐᆡ로올 거시 아니오, 부부 ᄉᆞ졍은 텬위라도 버히디 못ᄒᆞ시리니, 무익ᄒᆞᆫ 념녀를 마르쇼셔."

양공이 미급답의 금휘 왈,

"돈ᄋᆡ 공쥬를 몬져 취ᄒᆞ고 법을 넘겨 여러 쳐실을 모화시면 ᄌᆞ부 등 젼졍을 념녀ᄒᆞ미 괴이치 아니ᄒᆞ거니와, 삼뷔 모든 후 공쥐 하가ᄒᆞ시니 비록 인신지녜 공쥬와 동녈이 외람ᄒᆞ나, 셩은이 호탕ᄒᆞ샤 니이(離異)ᄒᆞᄂᆞᆫ 일이 업고, 식부 등이 다 각각 골육을 깃쳐시니 돈ᄋᆡ 무식ᄒᆞ미 가졔를 편【4】히 ᄒᆞᆯ 줄 몰나 념녀ᄒᆞ나, 그 밧근 아ᄃᆡᆨ 당치 아닌 근심이라 미리 념녀ᄒᆞ미 블가ᄒᆞᆯ가 ᄒᆞ노라."

만쇄 맛당ᄒᆞ믈 일ᄏᆞᆺ고 모다 부마의 쳐궁이 유복하여 금뎐녀셔 되믈 칭찬ᄒᆞᄃᆡ, 금후 부ᄌᆡ 일호 깃거ᄒᆞ미 업고, 날이 느ᄌᆞᄆᆡ 금

·하·니 ᄉᆞ인의 셧기ᄆᆡ, 네낫 명쥐 ᄉᆞ셕() 沙石의 셧겨 보광(寶光)을 토ᄒᆞᄂᆞᆫ 듯, 난봉(鸞鳳)이 조[오]작(烏鵲)을 무리지음 갓튼지라. 만좌듕인이 넉슬 일어 바라보ᄂᆞᆫ 눈이 현황ᄒᆞ고 칭찬ᄒᆞᄂᆞᆫ ᄎᆞᆷ이 마르니, ᄐᆡ부인과 진부인이 녀ᄋᆞ 등의 아름다오믈 보ᄆᆡ, 삼식부의 향염ᄒᆞᆫ 긔질을 더욱 잇지 못ᄒᆞ여 무어ᄉᆞᆯ 일흔 듯ᄒᆞ더라.

외헌의 만조공경과 황친열휘 일졔히 모닷ᄂᆞᆫ지라, 날이 늣도록 병뷔 졔빈으로 더부러 담화ᄒᆞᆯ ᄉᆡ, 어언간의 양평장을 악장이라 ᄒᆞ여 ᄃᆡ졉이 젼일 갓트니 양공이 집수 탄왈,

"ᄂᆡ 일즉 녕존의 지긔 허심ᄒᆞ시믈 입어 도위을 ᄉᆞ랑ᄒᆞ여 ᄐᆡ셔을 외람이 ᄒᆞᆫ 연고로 녀아의 젼졍이 볼 거시 업ᄉᆞ니, ᄉᆞ졍이 엇지 ᄎᆞᆷ연치 아니리오."

병뷔 왈,

"악장【35】이 비록 영녀을 위ᄒᆞ여 젼졍을 념녀ᄒᆞ시나 셩상이 발셔 소셔의 여러 쳐실을 허ᄒᆞᄉᆞ 공주로 동녈케 ᄒᆞ시니, 녕녜 본ᄃᆡ 젹인 업ᄉᆞᆫ ᄉᆞᄅᆞᆷ이 아니라 공쥐 위 놉흘지언졍 ᄉᆡ로이 위ᄐᆡ로온 거시 아니오, 부부 ᄉᆞ졍을 쳔위라도 버히지 못ᄒᆞ시리니, 무의ᄒᆞᆫ 념녀을 마르소셔."

양공이 밋쳐 답지 못ᄒᆞ여셔 금휘 왈,

"돈ᄋᆡ 공주을 몬져 취ᄒᆞ고 법을 넘어 여려 쳐실을 모화시면 쳔노을 두려 ᄌᆞ부 등 젼졍을 념녀ᄒᆞ미 고이치 아니 ᄒᆞ거니와 윤·양·이 ᄉᆞᆷ부 모든 후, 공쥐 하가ᄒᆞ시니 비록 인신지녜 금달공주와 동녈이 외람ᄒᆞ나, 셩은이 호탕ᄒᆞᄉᆞ 니이(離異)ᄒᆞ시ᄂᆞᆫ 일이 업고, 식부 등이 각각 골육을 씨쳐시니 유ᄌᆞ식불계[거](有子息不去)라 ᄒᆞ오니, 돈ᄋᆡ 용널무식ᄒᆞ미 졔가(齊家)을 공평이 ᄒᆞᆯ 쥴 모를가 념녀ᄒᆞᆯ지언졍, 그 밧근 아직 당치 아닌 근심이라. 념녀 미리ᄒᆞ미 가장 불가ᄒᆞᆯ노다."

만쇄 일시의 맛당ᄒᆞ믈 일캇고 모다 부마의 쳐궁이 유복ᄒᆞ다 ᄒᆞ되, 강잉ᄒᆞ여 조흔

한 여인을 이르는 말.

휘 명ᄒᆞ여 부마의 관복(官服)을 닙으라 ᄒᆞ니, 병뷔 마디못ᄒᆞ여 관복을 닙을ᄉᆡ, 좌우를 도라보아 왈,

"쳔고(千古)의 부마되ᄂᆞᆫ 쟈 삼쳐냥ᄌᆞ(三妻兩子) 두니를 듯지 못ᄒᆞ엿거ᄂᆞᆯ, 쇼싱의 당ᄒᆞᆫ 바ᄂᆞᆫ 고금의 희한ᄒᆞ니, 복이 손ᄒᆞᆯ가 ᄒᆞᄂᆞ이다."

인ᄒᆞ여 ᄂᆡ당의 드러가 존당과 모친긔 하딕ᄒᆞ고 다시 외헌의 나와 부젼의 뫼시니, 모【5】다 텬의를 그윽이 탄ᄒᆞ여, ᄀᆞᆯ오ᄃᆡ 져ᄀᆞᆺ치 슬희여 ᄒᆞᄂᆞᆫ 바로ᄡᅧ 여러 쳐실 ᄀᆞ온ᄃᆡ 공쥬 하가ᄒᆞ시믈 괴이히 녁이더라.

낫ᄎᆞ로 회답ᄒᆞ고 병부ᄂᆞᆫ 미우 ᄶᅵᆼ긔여 유유불낙ᄒᆞ니, 츈풍화긔 돈연이 변ᄒᆞ여 삭풍이 늠늠ᄒᆞ고 상셜이 비비ᄒᆞ여 츄쳔긔상이 ᄉᆞ롬으로 ᄒᆞ여금 경동ᄒᆞᆯ너라. 모다 쳔의을 탄ᄒᆞ여, {갈오ᄃᆡ} 져갓치 슬히 녁이ᄂᆞᆫ 바로 쳐실 가온ᄃᆡ 공주 하가ᄒᆞ시물 고○[이]히 녁이더라.

이의 금궐노 향ᄒᆞᆯᄉᆡ 만죠거경이 다 요ᄀᆡᆨ이 되어 위의 대로의 덥혀시니, 궐졍의 다ᄃᆞ라 취별뎐 너른 뎐의 쳔디긔 녜ᄇᆡ를 맛ᄎᆞᄆᆡ, 공쥐 샹년후(上輦後) 봉쇄(封鎖)ᄒᆞ기를 파ᄒᆞ고 호숑ᄒᆞ여 궁의 도라와 교ᄇᆡᄒᆞᆯᄉᆡ, 금년(金蓮) ᄎᆡ셕(彩席)의 긔린 ᄎᆞᆨ이 휘황ᄒᆞᆫᄃᆡ, 부마의 영풍 쥰골이 텬일이 의의ᄒᆞ여 태산이 암암ᄒᆞᆫ 위풍이 뎡히 풍운을 졔긔ᄒᆞᄂᆞᆫ 뇽이며, 우마 듕 긔린 ᄀᆞᄐᆞ니, 좌위 흠탄ᄒᆞ고 공쥬의 션연(鮮姸) 염ᄐᆡ(艶態)·복ᄉᆡᆨ(服色)이 황【6】홀ᄒᆞ믈 겸ᄒᆞ여 더옥 찬난ᄒᆞ니, 듕ᄀᆡᆨ이 경복ᄒᆞ여 부마의 쳐궁이 유복ᄒᆞ믈 일ᄏᆞᆺ더라.

이의 병뷔 길복을【35】가초고 금궐(禁闕)을 향ᄒᆞᆯᄉᆡ, 만조거경이 요ᄀᆡᆨ이 되어 위의 장녀ᄒᆞ미 ᄃᆡ로(大路) 상의 덥혀시니, 허물며 부마의 션풍옥골이 일품관면으로 조ᄎᆞ 더욱 풍안ᄒᆞ고, 아름다운 체격이 찬난휘황ᄒᆞ여 일월이 비췬 듯ᄒᆞᆫ지라. 궐젼의 다ᄃᆞ라 취별젼 너른 청ᄉᆞ(廳舍)셔 쳔지긔 녜ᄇᆡ을 마ᄎᆞᄆᆡ, 공주의 상연(上輦)ᄒᆞ믈 조ᄎᆞ 봉쇄(封鎖)ᄒᆞ기을 파ᄒᆞ고, 호송ᄒᆞ여 궁의 도라와 합환셕(合歡席)의 교ᄇᆡᄒᆞᆯ ᄉᆡ, 금년(金蓮) ᄎᆡ셕(彩席)의 그[긔]린 ᄎᆞᆨ이 위[휘]황ᄒᆞᆫᄃᆡ, 부마의 영풍쥰골이 좌우의 비최여, 쳔일이 의의ᄒᆞ고 ᄐᆡ산이 암암ᄒᆞᆫ 위풍이 풍운을 제어ᄒᆞᄂᆞᆫ 농호오, 긔린이 우마 즁 임ᄒᆞᆷ 갓튼지라. 만목이 부마 신상의 어ᄅᆡ여 흠찬ᄒᆞ며 공주의 션연염ᄐᆡ 복ᄉᆡᆨ의 황홀ᄒᆞ믈 겸ᄒᆞ여 더욱 찬난ᄒᆞ니, 즁ᄀᆡᆨ이 경복ᄒᆞ여 부마의 유복ᄒᆞ믈 일캇더라.

녜파의 도위 나가고 공쥐 폐ᄇᆡᆨ을 밧드러 구고긔 ᄇᆡ헌(拜獻)ᄒᆞ니, 이 믄득 경셩경국지ᄉᆡᆨ(傾城傾國之色)이오, 만고 졀염이라. 작약요라(婥約姚娜)ᄒᆞ고 ᄌᆞᄐᆡ 홀난(惚爛)ᄒᆞ여 홍ᄆᆡ 납셜(臘雪)[1686]을 므릅ᄡᅧᆺᄂᆞᆫ ᄃᆞᆺ, 일ᄡᅣᆼ아미(一雙蛾眉)ᄂᆞᆫ 초월(初月)이 운듕의 엿보ᄂᆞᆫ ᄃᆞᆺ, 염광이 긔묘ᄒᆞ여 남젼미옥(藍田美玉)을 공교히 삭여 ᄎᆡ식을 메여시며, 월익화싀(月額花顋)와 단ᄉᆞ잉슌(丹砂櫻脣)이 찬난 미려

1686)납셜(臘雪) : 납일(臘日)에 내리는 눈. 납일은 동지 뒤 셋째 미일(未日).

녜파의 도위 츌외ᄒᆞ고 공쥐 조뉼을 밧드러 존당구고의 ᄇᆡ현(拜見)ᄒᆞ니 이 문득 경셩경국지ᄉᆡᆨ(傾城傾國之色)이라. 작약요라(婥約姚娜)ᄒᆞ고 ᄌᆞᄐᆡ 홀난(惚爛)ᄒᆞ여 홍ᄆᆡ(紅梅) 납셜(臘雪)[1634]을 무릅쓴 듯, 일쌍아미(一雙蛾眉)ᄂᆞᆫ 초(初月)월이 운듕의 엿보ᄂᆞᆫ 듯, 양안정ᄎᆡ(兩眼精彩)ᄂᆞᆫ ᄉᆡ[ᄉᆡᆺ]별이 츄수의 비친 듯, 긔긔묘묘ᄒᆞ여 남젼미옥(藍田美玉)을 공교이 다듬아 ᄎᆡ식을 메온 듯, 셜익

1634)납셜(臘雪) : 납일(臘日)에 내리는 눈. 납일은 동지 뒤 셋째 미일(未日).

ᄒᆞ니, 그 심졍을 모로ᄂᆞᆫ ᄌᆞᄂᆞᆫ 괴이ᄒᆞ믈 결을치 못ᄒᆞᆯ ᄇᆡ라. 만좌 졔빈이 일시의 칭하ᄒᆞ여 금지옥엽이 상녜(常例) 여름1687)이 아니라 ᄒᆞ고, 존당 구괴【7】 흔연ᄒᆞᆫ ᄉᆞᄉᆡᆨ을 작위ᄒᆞ여 듕빈의 치하를 슈응(酬應)ᄒᆞ며, 금휘 공쥬를 향ᄒᆞ여 왈,

"셩은여텬(聖恩如天)ᄒᆞ샤 옥쥬로ᄡᅧ 쳔가(賤家)의 하가ᄒᆞ여 여러 쳐실 둔 바 텬홍으로ᄡᅧ 부마를 삼으시니, 영광 부귀ᄂᆞᆫ 과의(過矣)로ᄃᆡ, 귀쥬의 평ᄉᆡᆼ이 욕되믈 ᄎᆞ셕ᄒᆞᄂᆞ니, ᄒᆞ믈며 ᄉᆡᆨ광 긔딜이 뇽풍옥골(龍風玉骨)을 품슈ᄒᆞ샤 녀염 녀ᄌᆞ와 ᄂᆡ도ᄒᆞ시니, 흠복(欽服)ᄒᆞ믈 니긔지 못ᄒᆞᄂᆞ이다."

공쥐 ᄌᆡ비 ᄉᆞ샤ᄒᆞ여 온슌ᄒᆞᆫ 안ᄉᆡᆨ과 나즉ᄒᆞᆫ 거동이 극히 아름다오나, 금후의 명감으로 공쥬의 고은 얼골이 공교ᄒᆞᆫ 거ᄉᆞᆯ 가졋고, ᄆᆞᆰ은 안치 《샤득 ‖ 샤특(邪慝)》ᄒᆞ믈 겸ᄒᆞ여시믈 엇디 모로리오. 블힝ᄒᆞ믈 니긔디 못ᄒᆞ고 태부인 진부【8】인이 안여고산(眼如高山)ᄒᆞ여 범연(ᄒᆞᆫ) ᄉᆡᆨ과 등한ᄒᆞᆫ 긔질을 우이 넉이ᄂᆞᆫ디라. 공쥐 비록 만승지녀(萬乘之女)나 윤·양 등의 괴이ᄒᆞ믈 ᄯᆞᆯ을 길 업ᄉᆞ니, 그윽이 ᄎᆞ셕ᄒᆞ여 병부의 가ᄉᆡ 허틀고 윤·양 등이 듕궤(中饋)를 님치 못ᄒᆞᆯ 줄을 한ᄒᆞ고, ᄋᆡ돌오믈 니긔지 못ᄒᆞ나 ᄉᆞᄉᆡᆨ(辭色)지 아니코, 궁인을 ᄃᆡᄒᆞ여 공쥬의 아름다오믈 일ᄏᆞ라 상급을 후히 ᄒᆞ니, 궁인 등이 ᄌᆞ득ᄒᆞ믈 마지아니ᄒᆞ고, 뎡슉녈의 션풍은 젼ᄌᆞ의 구경ᄒᆞᆫ 바어니와, 뎡·진·하 삼인의 ᄇᆡᆨᄐᆡ 만광이 공쥬 우히믈 블쾌ᄒᆞ여, 공쥬의 졀염 미뫼 뎡·진·하 등의 비기미 명월과 반ᄃᆡ1688) ᄀᆞᄐᆞ니, 뎡부의ᄂᆞᆫ 졀ᄉᆡᆨ이 다 모히

1687)여름 : 여름. 여기서는 자녀.

1688)반ᄃᆡ : 반딧불이. 반딧불잇과의 딱정벌레. 몸의 길이는 1.2~1.8cm이며, 검은색이고 배의 뒤쪽 제2~제3 마디는 연한 황색으로 발광기가 있다. 성충은 여름철 물가의 풀밭에서 사는데 밤에 반짝이며 날아다니고 수초에 알을 낳으며 애벌레는 맑은 물에서 산다. 한국, 일본 등지에 분포한다. ≒개똥벌레

화싀(雪額花顋)와 단ᄉᆞ잉슌(丹砂櫻脣)이 찬연미려ᄒᆞ고, 뉵쳑향신의 긴 단장을 ᄭᅳ을어 진틔[퇴]녜ᄇᆡ(進退禮拜)의 쥬션동지(周旋動止) 영오민쳡ᄒᆞ니, 좌듕제인이 일시의 칭○[하](稱賀) ᄒᆞ여, 금지옥엽(金枝玉葉)이 상녜(常例) ᄉᆞ롬과 갓지 아니타 일카르며, 존당구괴 흔연ᄒᆞᆫ ᄉᆞᄉᆡᆨ을 지어 듕빈의 치하을 졉응ᄒᆞ며, 금휘 공주을 향ᄒᆞ여 왈,

"성은이 여ᄎᆞᄒᆞᄉᆞ 옥주로ᄡᅧ 쳔가(賤家)의 ᄒᆞ가(下嫁)ᄒᆞᄉᆞ 여러 쳐실 둔 바 쳔홍으로 ᄡᅧ 부마을 ᄉᆞᆷ으시니, 영광이 과의(過矣)로ᄃᆡ, 귀주의 평ᄉᆡᆼ이 욕되믈 ᄎᆞ셕ᄒᆞᄂᆞ니, 하물며 귀듕ᄒᆞᆫ 긔질이 뇽죵옥골(龍種玉骨)이[을] 품수ᄒᆞᄉᆞ 여염녀ᄌᆞ와 ᄂᆡ도ᄒᆞ시니, 흠복ᄒᆞ믈 이긔지 못ᄒᆞᄂᆞ이다."

옥쥐 ᄌᆡ비 ᄉᆞᄉᆞᄒᆞᄂᆞᆫ 거동이 지극이 ○[아]람다오나, 금후의 명감으로 공주의 고은 얼골이 공교ᄒᆞᆫ 거ᄉᆞᆯ 가졋고, 말근 안치 ᄉᆞ특(邪慝)ᄒᆞ믈 겸ᄒᆞ여시믈 어이 모로리오. 불힝ᄒᆞ물 이긔지 못ᄒᆞ고, ᄐᆡ부인 진부인이 안여 ᄐᆡ악(眼如泰岳)ᄒᆞ여 범연ᄒᆞᆫ 미ᄉᆡᆨ과 등한ᄒᆞᆫ 긔질은 우이 넉이ᄂᆞᆫ지라. 공쥐 비록 만승(萬乘)의 녜나 윤·양 등을 ᄯᆞᆯ을 길이 업ᄉᆞ니, 《혹 ‖ 그윽》이 ᄎᆞ셕ᄒᆞ여 병부의 가ᄉᆡ 허틀고 윤·양 등이 즁궤(中饋)을 임치 못ᄒᆞᆯ 바을 그윽이 한ᄒᆞ나 ᄉᆞᄉᆡᆨ지 아니코, 궁인을 ᄃᆡᄒᆞ여 공주의 아름다오믈 일카라 상급을 후히 주니, 궁인 등이 ᄌᆞ득ᄒᆞ물 마지 아니ᄒᆞ고, 뎡슉녈 션풍은 젼ᄌᆞ의 구경ᄒᆞᆫ ᄇᆡ여니와, 뎡·진·하 ᄉᆞᆷ인의 ᄇᆡᆨᄐᆡ쳔광이 공주의 우히물 깃거아냐, 공주의 졀염미뫼 뎡·진·하 등의 비기미 명월의【38】 반ᄃᆡ1635) 갓트니, 뎡부의ᄂᆞᆫ 졀ᄉᆡᆨ이 다 모히물 고이히 넉이고, 공주 비록 눈을 나리ᄧᅧ시나 ᄉᆞ좌(四座)을 ᄉᆞᆯ펴 소고(小姑) 등이며

1635)반ᄃᆡ : 반딧불이. 반딧불잇과의 딱정벌레. 몸의 길이는 1.2~1.8cm이며, 검은색이고 배의 뒤쪽 제2~제3 마디는 연한 황색으로 발광기가 있다. 성충은 여름철 물가의 풀밭에서 사는데 밤에 반짝이며 날아다니고 수초에 알을 낳으며 애벌레는 맑은 물에서 산다. 한국, 일본 등지에 분포한다. ≒개똥벌레

믈 괴【9】이히 넉이고, 공쥐 비록 눈을 나리써시나 ᄉᆞ좌(四座)를 술펴 쇼고 등과 금장 니시의 아름다오믈 ᄀᆞ장 블열ᄒᆞ고, 부인이 년긔 ᄉᆞ슌이로ᄃᆡ 삼오(三五) 홍옥(紅玉)을 압두ᄒᆞᄂᆞᆫ 용홰(容華) 츄ᄐᆡᆨ(秋澤)의 부용(芙蓉)이라. 심니(心裏)의 혜오ᄃᆡ,

"진부인으로 금장(襟丈)[1689] 쇼괴(小姑) 이ᄀᆞᆺ치 긔특ᄒᆞ니, 병부의 쳐실이 쏘 엇더ᄒᆞᆫ 녀ᄌᆡ며 ᄉᆡᆨ용은 범연ᄒᆞᆫ가, 만일 뎡·하 등 ᄀᆞᆺ틀진ᄃᆡ, 무산(巫山)[1690]과 월궁(月宮)을 몬져 보아 날노ᄡᅧ 블관이 넉이면 엇지 분치 아니리오. 원간 ᄆᆞᄉᆞᆷ 연고로 좌듕의 업ᄂᆞᆫ고? ᄀᆞ장 괴이토다."

의ᄉᆡ 이의 밋쳐ᄂᆞᆫ 분분ᄒᆞ믈 마지 아냐 ᄉᆞᄉᆡᆨ을 ᄀᆞᆷ초지 못ᄒᆞ니, 원ᄂᆡ 샹이 문양의 상ᄉᆞ지질(相思之疾) 후로ᄂᆞᆫ 죵용이 ᄌᆞ익ᄒᆞ믈 뵈지 아니시【10】고, 병부의 쳐쳡 슈도 니르지 아니샤, 다만 길녜(吉禮)를 일워 뎡가의 보ᄂᆡ실 ᄡᅳᆫ이오, 공쥐 여러 뎍인을 보고 블안홀가 ᄒᆞ샤 아직 별쳐의 ᄎᆡᆨ오라 ᄒᆞ시니, 공쥬ᄂᆞᆫ 삼부인 업ᄉᆞᆫ 곡졀을 모로미러라.

죵일 진환(盡歡)ᄒᆞ고 졔ᄀᆡᆨ이 각산ᄒᆞᄆᆡ, 공쥬를 븟드러 침뎐의 드리고, 금후 부뷔 녀부(女婦)를 거ᄂᆞ려 태부인을 뫼셔 본부의 도라오니, 병부와 시랑 등이 혼정지녜(昏定之禮)를 일우ᄂᆞᆫ디라. 금휘 병부를 나호여 경계 왈,

"금일 공쥬를 보니 외모 긔질은 희한ᄒᆞᆫ지라. ᄂᆡᄌᆡ(內才) 외모(外貌) ᄀᆞᆺ틀진ᄃᆡ 뎡문의 큰 복이니, 너ᄂᆞᆫ 모로미 신방을 븨오지 말고 공경 듕ᄃᆡᄒᆞ여 군샹의 은덕을 갑ᄉᆞ【11】오며, 졔가(齊家)ᄂᆞᆫ 뎡히 ᄒᆞ미 올흐니, ᄒᆞ믈며 남ᄋᆞ의 슈신졔가(修身齊家)[1691]ᄂᆞᆫ 치국평텬하지본(治國平天下[1692]之本)이라.

1689)금장(襟丈) : 동서(同壻). 주로 남편 형제들의 아내들 이르는 말로 쓰인다.

1690)무산(巫山) : 중국 중경시(重慶市) 동쪽에 있는 현. 무산십이봉(巫山十二峯)이 솟아 있는데 기암과 절벽으로 이루어진 경치가 아름답기로 유명하다. 소설 등에서 신선이나 선녀가 사는 선계(仙界)로 설정되는 경우가 많다.

1691)슈신졔가(修身齊家) : 몸과 마음을 닦아 수양하고 집안을 다스림.

금장 니시의 아름다오물 가장 불열ᄒᆞ고, 부인이 연긔 ᄉᆞ슌(四旬)의 삼오(三五) 홍옥(紅玉)을 압두ᄒᆞ여 츄ᄐᆡᆨ(秋澤)의 부용(芙蓉)이라. 가마니 혀오ᄃᆡ,

"존고와 밋 금장(襟丈)[1636] 소고(小姑) 이 갓지 긔특ᄒᆞ니, 병부 쳐실이 쏘 엇더ᄒᆞᆫ 녀ᄌᆡ며, ᄉᆡᆨ용은 범연ᄒᆞ가, 만일 뎡·하 등 갓틀진ᄃᆡ, 무산(巫山)[1637]과 월궁(月宮)을 몬져 보아 날노ᄡᅧ 불관이 넉이면 엇지 분한치 아니리오. 원간 무슴 연고로 좌듕의 업ᄂᆞᆫ고 가장 고이토다."

의ᄉᆡ 이의 미쳐ᄂᆞᆫ 분분ᄒᆞ물 마지 아냐 ᄉᆞᄉᆡᆨ을 감초지 못ᄒᆞ니, 원○[ᄂᆡ] 주상이 문양이 상ᄉᆞ지딜(相思之疾) 후로ᄂᆞᆫ 조용히 ᄌᆞ익ᄒᆞ물 뵈지 아니시고, 병부 쳐쳡 수도 이르지 아니ᄉᆞ 다만, 길녜(吉禮)을 일워 뎡가의 보ᄂᆡ실 ᄲᅮᆫ이오, 공주 여러 젹인을 보고 불안홀 가 ᄒᆞᄉᆞ 아직 별쳐의 치우라 ᄒᆞ시니, 공주ᄂᆞᆫ ᄉᆞᆷ부인 잇ᄂᆞᆫ 곡졀을 모로미러라.

종일 진환(盡歡)ᄒᆞ고 졔ᄀᆡᆨ이 각산ᄒᆞᄆᆡ, 공주을 붓드러 침젼의 드리고 금후 부뷔 여부(女婦)을 거ᄂᆞ려 ᄐᆡ부인을 뫼시고 본부의 도라오니 병부와 시랑 등이 혼뎡지네(昏定之禮)을 일우ᄂᆞᆫ지라. 금휘 병부을 날호여 경계 왈,

"금일 공주을 보니 외모긔질은 희한ᄒᆞᆫ지라. ᄂᆡᄌᆞ[ᄌᆡ](內才) 외모(外貌)갓틀진ᄃᆡ 뎡문이 큰 복이니, 너ᄂᆞᆫ 모로미 신방을 븨오지 말고, 공경듕ᄃᆡᄒᆞ【39】여 군상의 은덕을 갑ᄉᆞ오며 가졔(家齊)을 편히 ᄒᆞ미 올흐니, 가히 면이ᄒᆡᆼ지(勉而行之)[1638]ᄒᆞ라."

1636)금장(襟丈) : 동서(同壻). 주로 남편 형제들의 아내들 이르는 말로 쓰인다.

1637)무산(巫山) : 중국 중경시(重慶市) 동쪽에 있는 현. 무산십이봉(巫山十二峯)이 솟아 있는데 기암과 절벽으로 이루어진 경치가 아름답기로 유명하다. 소설 등에서 신선이나 선녀가 사는 선계(仙界)로 설정되는 경우가 많다.

1638)면이ᄒᆡᆼ지(勉而行之) : 힘써 행함.

네 팔쳑 댱부로 쳐실을 잘 거ᄂᆞ리지 못ᄒᆞ고 ᄆᆞᄉᆞᆷ 낫ᄎᆞ로 ᄉᆞ군보국(事君報國)1693)ᄒᆞ리오."

병뷔 브복 쳥교의 니러 ᄌᆡᄇᆡ 샤왈,

"엄괴 디극ᄒᆞ시니 ᄋᆞ히 삼가 폐부의 삭이오려니와, 명되 괴이ᄒᆞ와 공쥬를 만나오니, 니른바 ○○[여이] 얼골이오, ᄂᆡ심(內心)이 니검(利劍)이라, 블힝ᄒᆞ믈 니긔지 못ᄒᆞ오ᄃᆡ, 만ᄉᆡ 텬야(天也)라, 인력으로 밋출 ᄇᆡ 아니오니 복원 대인은 물우(勿憂)ᄒᆞ쇼셔."

금휘 ᄋᆞᄌᆞ의 ᄇᆞᆰ히 알으믈 보고 공쥬를 어지리 니르지 못ᄒᆞ여 다만 닐오ᄃᆡ,

"ᄉᆞᄅᆞᆷ의 현우를 엇지 미리 예탁ᄒᆞ리오. 너모 아ᄂᆞᆫ체 말나."【12】

도위 부교를 밧ᄌᆞ와 슌슌 슈명ᄒᆞᄆᆡ 유열ᄒᆞᆫ 낫빗과 화려ᄒᆞᆫ 셩음이 평일노 다르미 업ᄉᆞ니, 부공이 그 너른 냥을 두굿기고 모비(母妃) 탄왈,

"남ᄋᆞᄂᆞᆫ 일마다 호화롭고 간 ᄃᆡ마다 즐겁거ᄂᆞᆯ, 삼부의 괴롭고 쳐창ᄒᆞᆫ 신셰 가련ᄒᆞᄃᆡ ᄋᆞᄌᆞᄂᆞᆫ 념(厭)ᄒᆞᆯ 거시 업도다."

뎡슉녈이 쇼왈,

"거거(哥哥)의 호화 부귀 공쥬를 취ᄒᆞᄆᆡ 일층이 더엇ᄂᆞᆫ디라, 인인이 부영쳐귀(夫榮妻貴)1694)라 ᄒᆞ나 거거의 호풍과 삼져져(三姐姐)의 고초ᄒᆞ미 텬디 현격ᄒᆞ니 엇지 ᄋᆡ돏지 아니리오."

도위 미쇼 왈,

"ᄌᆞ위 말숨이 이ᄀᆞᆺᄐᆞ시고 현ᄆᆡ 또 나의 호화를 웃거니와, 우형의 ᄆᆞ음의ᄂᆞᆫ 안한ᄒᆞᆫ 삼부인을 블워ᄒᆞ노라."

하쇼제 낭쇼 왈,【13】

"거거로뼈 별궁 심쳐의 고초를 겻그라 ᄒᆞᆯ딘ᄃᆡ 삼형을 본밧지 못ᄒᆞ시리이다."

도위 잠쇼 무언이러니, 금위 날호여 외헌

1692)치국평천하(治國平天下) : 나라를 잘 다스리고 온 세상을 평안하게 함.

1693)ᄉᆞ군보국(事君報國) : 임금을 섬겨 나라에 보답함.

1694)부영쳐귀(夫榮妻貴) : 남편이 영화로운 자리에 오르면 아내 또한 귀하게 됨.

병뷔 슌슌○○[슈명]ᄒᆞᄆᆡ 유예[열](愉悅)ᄒᆞᆫ 낫빗과 화려ᄒᆞᆫ 셩음이 젼일노 다름이 업ᄉᆞ니 부공이 그 너른 양을 두굿기고, 무[모]비(母妃) 탄왈,

"남ᄌᆞᄂᆞᆫ 일마다 호화롭고 간ᄃᆡ 마다 즐겁거ᄂᆞᆯ ᄉᆞᆷ부의 괴롭고 쳐량ᄒᆞᆫ 신셰ᄂᆞᆫ 가련ᄒᆞᄃᆡ 아ᄌᆞᄂᆞᆫ 염(厭)ᄒᆞᆯ 거시 업도다."

뎡슉녈이 소왈,

"거거(哥哥)의 호화부귀 공주을 취ᄒᆞᄆᆡ 일층이 더엇ᄂᆞᆫ지라. 인인이 부영쳐귀(夫榮妻貴)1639)ᄒᆞ나 거거의 호풍과 ᄉᆞᆷ형 등의 고초ᄒᆞ미 쳔지 현격ᄒᆞ니 엇지 ᄋᆡ달지 아니리오."

도위 미소왈,

"ᄌᆞ위 말숨이 여ᄎᆞᄒᆞ시고 현ᄆᆡ 또 나의 호화을 웃거니와 우형의 마음의ᄂᆞᆫ 도로혀 안한이 잇ᄂᆞᆫ ᄉᆞᆷ부인을 불워ᄒᆞ노라."

하부인이 낭낭소왈,

"거거로써 별원심쳐의 간고을 격그라 ᄒᆞᆯ진ᄃᆡ 일일을 능히 견ᄃᆡ지 못ᄒᆞ리니 엇지 말을 쉽게 ᄒᆞᄂᆞ뇨?"

도위 ᄒᆞᆷ소무언이러니, 금휘 날호여 외헌으로 나가ᄆᆡ, 평후 등이 뫼셔 나와 취침ᄒᆞ시물 본 후, 도위 신을 ᄭᅳᆯ어 협문으로 문양궁의 이르니, ᄎᆞ시 공쥐 야심토록 도위 불

1639)부영쳐귀(夫榮妻貴) : 남편이 영화로운 자리에 오르면 아내 또한 귀하게 됨.

으로 나아가니, 졔데를 거나려 뫼셔 나와 취침ᄒᆞ시믈 보은 후 도위 게얼니 신을 ᄭᅳ어 협문으로 문양궁의 니르니, 공쥐 야심ᄒᆞᄃᆡ 도위 블ᄂᆡ(不來)ᄒᆞ믈 착급ᄒᆞ여 기다리미 극ᄒᆞ여 ᄒᆞ더니, 도위 시ᄋᆞ로 쵹을 즙히고 드러와 좌훌식, 공쥐 니러 마ᄌᆞ믈 보고 팔 미러 좌ᄒᆞ믈 쳥ᄒᆞ고, 봉안을 흘녀 좌우를 슬피ᄆᆡ 됴심경(照心鏡) 안광(眼光)이 사ᄅᆞᆷ의 션악을 ᄉᆞ못는 고로, 져 《미뭉‖미목(眉目)》의 독ᄉᆞᄒᆞᆫ 긔운과 아릿다온 형상이 요악(妖惡)을 먹음어 심졍이 블인ᄒᆞ믈 어이 모로【14】리오. 교긔(驕氣) 가득ᄒᆞ여 ᄌᆞ듕ᄒᆞᆫ 거동이 은은ᄒᆞ니, 도위 일실지ᄂᆡ(一室之內)의 ᄃᆡᄒᆞ여 더옥 증분이 블니돗 ᄒᆞ나, 부명을 역지 못ᄒᆞ여 늠연 위좌ᄒᆞ여 냥구 믁연이러니, 공쥐 병부를 ᄉᆞ상ᄒᆞᆫ 듕졍으로 길녜를 뎡ᄒᆞᆫ 후, 스ᄉᆞ로 쾌훌ᄒᆞ여 부뷔 침셕 상ᄃᆡᄒᆞ기를 굴지계일(屈指計日)ᄒᆞ다가, 금야의 일방상ᄃᆡ(一房相對)ᄒᆞ니, 부마의 태산제월지풍(泰山霽月之風)이 동탕 긔이ᄒᆞ여 슈려ᄒᆞᆫ 용화는 남산빅벽(藍山白璧)[1695]이 ᄯᅳᆺ글을 ᄲᅵᄉᆞ며, 늠늠 쇄락ᄒᆞᆫ 풍치는 일만 버들이 츈풍을 ᄯᅴ여시며, 일월텬졍(日月天庭)의 와잠봉미(臥蠶鳳眉)오 단봉냥안(丹鳳兩眼)의 광치 징징발월(澄澄發越)ᄒᆞᆫᄃᆡ 홍협【15】쥬슌(紅頰朱脣)의 고은 빗치 므르녹으니 댱부의 풍신이오 미인의 안식이라. 빅년빈샹(白蓮鬢上)의 ᄌᆡ상의 관ᄌᆡ(貫子) 두렷ᄒᆞ고, 믁믁(默默)ᄒᆞ므로좃ᄎᆞ 긔상이 츄텬 ᄀᆞᆺᄐᆞ니 공쥐 월광의 보아도 ᄉᆞ상지질을 닐윈 빅어놀, 일방의 ᄃᆡᄒᆞ니 황홀ᄒᆞᆫ 은졍이 형상치 못ᄒᆞ여, 냥안을 나리ᄯᅳᆫ ᄀᆞ온ᄃᆡ나 바ᄅᆞ는 넉시 능히 촘기 어려올돗ᄒᆞ니, 도위 ᄎᆞ경을 보고 더옥 통힋(痛駭) 비루(鄙陋)히 넉이나, 마지못ᄒᆞ여 식을 화히 ᄒᆞ고 말을 펴 왈,

"싱은 포의지가(胞衣之家)의 미쳔지신(微賤之身)이라 외람이 셩쥬의 특은을 닙ᄉᆞ와

ᄂᆡ(不來)ᄒᆞ물 착급ᄒᆞ여 기다리미 극ᄒᆞ더니, 도위 시아로 촉을 잡히고 드러와 좌훌 식, 공쥐 이러마ᄌᆞ물 보고, 팔미러 좌ᄒᆞ물 청ᄒᆞ고, 봉안을 흘녀 슬피ᄆᆡ, 조심○[경](照心鏡) 안광(眼光)이 ᄉᆞᄅᆞᆷ의 션악을 ᄉᆞ못는 고로, 져의 미용(美容)의 독사ᄒᆞᆫ 긔운과 아리ᄯᆞ온 형상이【40】 요악을 먹음어 심졍이 불인ᄒᆞ믈 어이 모로리오. 교ᄐᆡ 극ᄒᆞ여 ᄌᆞ즁(自重)ᄒᆞᆫ 거동이 은은이 츌어외모(出於外貌)ᄒᆞ니, 도위 일시[실]지ᄂᆡ(一室之內)의 ○○○[ᄃᆡᄒᆞ여] 증분이 더욱 불니듯ᄒᆞ나, 부명을 역지 못ᄒᆞ여 늠연위좌ᄒᆞ여 양구무언이러니, 공쥐 병부을 ᄉᆞ상(思想)ᄒᆞ는 풍졍(豊情)으로 길녜을 졍ᄒᆞᆫ 후, 스ᄉᆞ로 ᄎᆞ병ᄒᆞ여 부뷔 침셕의 상ᄃᆡ키을 굴지계일(屈指計日)ᄒᆞ다가, 금야의 일방의 상ᄃᆡᄒᆞᄆᆡ 져의 ᄐᆡ산졔월지풍(泰山霽月之風)이 동탕긔이ᄒᆞ여 슈려ᄒᆞᆫ 용화는 남젼빅벽(藍田白璧)[1640]이 ᄯᅳᆺ글을 씨스며, 늠늠ᄒᆞᆫ 신치는 일만 버들이 츈풍을 ᄯᅴ여시니, ᄒᆡ 갓튼 쳔졍(天庭)의 와줌용미(臥蠶龍眉)는 문명(文明)이 녕녕(盈盈)ᄒᆞ고 단봉양안(丹鳳兩眼)은 광치 《등등‖징징(澄澄)》발월(發越)ᄒᆞ며, 홍협쥬슌(紅頰朱脣)의 고은 빗치 무로녹으니, 빅년빈상(白蓮鬢上)의 ᄌᆡ상의 관면(冠冕)이 두렷ᄒᆞ고, 금포(錦袍)는 옥산의 엄연ᄒᆞ여 침연 믁믁ᄒᆞᆫ 위의(威儀) 츄천의 놉ᄒᆞ는ᄃᆡ, 열일(烈日)이 상빙(霜氷)의 바인 듯 ᄒᆞ니, 공쥐 원[월]광(月光)으로 보아도 ᄉᆞ상지딜(思想之疾)을 일윗거든 허물며 일방의 상ᄃᆡᄒᆞᄆᆡ 황홀ᄒᆞᆫ 음졍을 엇지 형상ᄒᆞ리오. 양안을 가날게 ᄯᅳ고 넉시 능히 참고 견ᄃᆡ기 어려올《지라‖돗ᄒᆞ니》, 도위 ᄎᆞ경을 보고 더욱 통힋(痛駭) 비루(鄙陋)이 넉이나, 마지 못ᄒᆞ여 안식을 화히ᄒᆞ고 말숨ᄒᆞ여 갈오ᄃᆡ,

"싱은 초[포]의가(布衣家)의 미쳔지인(微賤之人)이라, 외람이 성주의 특은을 입ᄉᆞ와

1695)남산빅옥(藍山白璧) : 남전산(藍田山)에서 난 백옥(白玉)이란 뜻으로 명문가에서 난 뛰어난 인물을 이르는 말. 남전산은 중국(中國) 섬서성(陝西省)에 있는 산 이름으로 옥의 명산지.

1640)남젼빅벽(藍田白璧) : 남전산(藍田山)에서 난 백옥(白玉)이란 뜻으로 명문가에서 난 뛰어난 인물을 이르는 말. 남전산은 중국(中國) 섬서성(陝西省)에 있는 산 이름으로 옥의 명산지.

이칠(二七)의 쳥운의 오로믹, 경악의 츌입ᄒᆞ여 남뎍을 뎡벌ᄒᆞ고【16】 작상이 과분ᄒᆞ여 위치 공후의 니르니, 일야 공공췌췌(恐恐悴悴)ᄒᆞ니 셩은을 갑ᄉᆞ올 길히 업더니, 만만 긔약 밧긔 귀쥬를 하가ᄒᆞ시니, 초방승틱(椒房承擇)을 구ᄒᆞ여 엇지 못ᄒᆯ 영광이나, 싱은 여나 부마와 ᄀᆞᆺ지 아냐 여러 쳐실과 ᄌᆞ녀를 두어 조강(糟糠) 듕의(重義)와 유ᄌᆞ식(有子息) 후졍(厚情)을 텬위라도 버히지 못ᄒᆯ 빅요, 쏘ᄒᆞᆫ 공쥬를 마ᄌᆞ미 분의 과ᄒᆞ여 손복ᄒᆯ 증되라. 심노황튝(心勞惶蹙)1696) ᄒᆞ여 혈심 진졍으로 고샤ᄒᆞ오ᄃᆡ 셩의(聖意) 죵불윤(終不允)ᄒᆞ시고, 신ᄌᆞ의 ᄉᆞ졍을 술피샤 취ᄒᆞᆫ 바 쳐실을 공쥬로 동녈케 ᄒᆞ시니, 은틱이 늡늡ᄒᆞ시나, 공쥐 싱 ᄀᆞᆺ튼 박힝필부(薄行匹夫)를 만【17】나 뎍인(敵人) 춍듕(叢中)의 나죵 드러온 셔의[어](齟齬)ᄒᆞ미 이시리니, 쳔승 부귀의 왕희의 죤듕ᄒᆞ므로 뼈 만히 손상ᄒᆞ고, ᄌᆞ고로 쳐쳡과 ᄌᆞ녀를 둔 공후 됴신이 부마된 ᄌᆡ 업거놀, 공쥬긔 다ᄃᆞ라ᄂᆞᆫ 셩샹이 별네(別禮)를 쓰샤 공쥬 신셰 그릇되믈 싱각지 못ᄒᆞ시미니, 귀쥬의 일싱이 무광ᄒᆞ믈 위ᄒᆞ여 ᄎᆞ셕ᄒᆞᄂᆞ이다."

공쥐 본ᄃᆡ 영오 춍명ᄒᆞ니 도위 말이 몬져 취ᄒᆞ니를 듕ᄃᆡᄒᆞ고 ᄌᆞ긔를 블관이 아ᄂᆞᆫ 줄 엇디 모로리오마ᄂᆞᆫ, 그 은통을 영구(佁求)1697)ᄒᆞ여 범ᄉᆞ를 뜻을 맛치고 명예를 모화 구고의 ᄌᆞ익와 부마의 듕ᄃᆡ를 독당(獨當)코져 ᄒᆞ여 식을 온화히 ᄒᆞ고 소ᄅᆡ를 브드러이 ᄒᆞ여 뎡금(整襟) ᄃᆡ왈,

"쳡【18】이 심궁의 싱댱ᄒᆞ여 뎨후와 모비의 ᄌᆞ익를 밧줍고, 지분(脂粉)1698)의 홍빅(紅白)을 분변ᄒᆯ ᄯᅢᆫ이라. 외됴지ᄉᆞ와 도위 간션을 엇디 알니오? 명되 괴이ᄒᆞ여 여나 공쥬와 ᄀᆞᆺ디 못ᄒᆞ고 명공의 여럿ᄌᆡ 부실이

1696)심노황튝(心勞惶蹙) : 마음이 매우 근심스럽고 두려워 기운을 펴지 못함.
1697)영구(佁求) : 남의 비위를 맞추거나 아첨하여 어떤 것을 구함.
1698)지분(脂粉) : 연지(臙脂)와 백분(白粉)을 아울러 이르는 말.

이칠(二七)의 쳥운의 오르믹, 경악의 츌입ᄒᆞ여 남적을 졍벌ᄒᆞ고 작상을 과히 밧ᄌᆞ와 위【41】치 공후의 니르니, 일야 젼공[긍](戰兢)1641)ᄒᆞ미[며] 셩은을 만분지일이나 갑ᄉᆞ올가 ᄒᆞ옵더니, 만만 긔약지 아닌 귀주로써 하가ᄒᆞ시니 초방션틱(椒房選擇)은 구ᄒᆞ여 엇지 못ᄒᆯ 영광이라, 싱은 여러 쳐실과 ᄌᆞ녀을 두어 조강듕의(糟糠重義)와 유ᄌᆞ식(有子息)ᄒᆞᆫ 후졍(厚情)은 쳔의라도 능히 버히지 못ᄒᆯ 빅오, 과분 황츅(惶蹙)1642)ᄒᆞ여 공주 마ᄌᆞ미 손복ᄒᆯ 징죄므로 젼후의 ᄉᆞ양ᄒᆞ미 혈심진졍(血心眞情)이로ᄃᆡ, 셩의 종불윤(終不允)ᄒᆞ시고 오히려 신ᄌᆞ 사졍을 술피ᄉᆞ 몬져 취ᄒᆞᆫ ᄉᆞ름을 공주와 동녈케 ᄒᆞ시니 은틱이 늡늡ᄒᆞ나, 공쥐 싱 갓튼 필부(匹夫)을 만나 젹인총듕(敵人1643)叢中)의 후의 취ᄒᆞᆫ 셔어(齟齬)ᄒᆞ미 잇스니, 쳔승부귀(千乘富貴)의 왕희(王姬)시나 도로혀 존듕ᄒᆞ미 손상(損傷)ᄒᆞ시고, ᄌᆞ고로 쳐쳡과 ᄌᆞ녀을 둔 공후로 부마된 ᄌᆡ 업ᄉᆞ니, 공주긔 다ᄃᆞ르ᄂᆞᆫ 황상이 별녜(別禮)을 쓰ᄉᆞ 공주의 신셰 그릇되믈 싱각지 못하시니, 이[차]역쳔명(此亦天命)이라. 귀주의 일싱이 무광ᄒᆞ믈 위ᄒᆞ여 ᄎᆞ셕ᄒᆞᄂᆞ이다."

공주 본ᄃᆡ 영오ᄒᆞ니 도위 말이 몬져 취ᄒᆞᆫ 숨인을 듕히 녁이고, ᄌᆞ긔을 불관○[이] 아ᄂᆞᆫ 쥴을 엇지 모로리오마ᄂᆞᆫ, 그 은총을 영구(佁求)1644)ᄒᆞ니, ᄒᆞ여금 군ᄌᆞ의 뜻즐 마치고 명예을 넉고 구고의 ᄌᆞ익와 부마의 듕ᄃᆡ을 독당(獨當)코져 ᄒᆞ여 식을 화히 ᄒᆞ고 소ᄅᆡ을 부드러이 ᄒᆞ여 졍금(整襟) ᄃᆡ왈,

"쳡이 심궁의 싱즁ᄒᆞ여 졔후와 모비 자익을 밧ᄌᆞ와 지분(脂粉)1645)의 홍빅(紅白)을 분별【42】ᄒᆯ ᄯᅢᆫ이라. 외조지ᄉᆞ와 도위 간

1641)젼긍(戰兢) : 전전긍긍(戰戰兢兢). 몹시 두려워서 벌벌 떨며 조심함.
1642)황튝(心勞惶蹙) : 지위나 위엄 따위에 눌리어 어찌할 바를 모르고 몸을 움츠림.
1643)적인(敵人) : 남편의 다른 아내.
1644)영구(佁求) : 남의 비위를 맞추거나 아첨하여 어떤 것을 구함.
1645)지분(脂粉) : 연지(臙脂)와 백분(白粉)을 아울러 이르는 말.

되어 존문의 하가ᄒᆞ니, 이는 텬쉬라. 혹 ᄉᆡᆼ각건ᄃᆡ 문왕(文王)은 태ᄉᆞ(太姒) ᄀᆞᆺ튼 슉녀를 두시고 삼쳔궁녀(三千宮女)를 유졍(有情)ᄒᆞ시니, 댱부의 호신이 쾌ᄉᆡ오, 슉녀지덕(淑女之德)은 뎍인을 둘ᄉᆞ록 빗나니, 쳡이 임ᄉᆞ지덕(姙似之德)[1699]이 업ᄉᆞ나, 녀ᄌᆞ의 투긔는 칠거지악(七去之惡)이믈 더러이 넉이ᄂᆞ니, 비록 쳔승 부귀 이시나 구가의 ᄌᆞ랑홀 ᄇᆡ 아니오, 왕희(王姬)[1700]의 존ᄒᆞ미 이시나, 동널의 ᄌᆞ셰(藉勢)[1701]홀 ᄇᆡ 아니라. 오직 군【19】ᄌᆞ의 관인대쳬와 원비의 슉덕 혜화를 바라 쳡은 하풍시(下風視)[1702]를 감심ᄒᆞ리로소이다."

도위 미쇼 왈,

"귀쥐 시속 질투를 바려 슉녀 명풍을 흠모ᄒᆞ시니 ᄉᆡᆼ의 ᄒᆡᆼ이오, 공쥬 신샹의 유익ᄒᆞ미라. ᄉᆡᆼ의 취ᄒᆞᆫ 바 셰 부인은 명문 거족의 뇨됴슉녜(窈窕淑女)라, 귀쥬는 금디옥엽의 뎨왕가 녜법을 니으시고, ᄉᆡᆼ의 조강 등과 ᄒᆡᆼᄉᆞ를 ᄀᆞᆺ치 ᄒᆞ시면 가ᄂᆡ 여화츈풍(如和春風)이리이다."

공쥐 져의 말이 다 부인ᄂᆡ 아름다오믈 일ᄏᆞ라 ᄌᆞ긔로ᄡᅧ ᄒᆡᆼᄉᆞ를 ᄀᆞᆺ치ᄒᆞ라 ᄒᆞ믈 분노ᄒᆞ여 ᄉᆡᆨ심이 만복ᄒᆞ나, 도위 거동이 하일지위(夏日之威)와 튱텬지긔(衝天之氣)로 듕산의 므거오믈 겸ᄒᆞ여, 경이히 심쳔을 엿【20】보기 어렵고 ᄒᆡᆼ혀 말을 삼가지 못ᄒᆞ여 져의 뜻을 일흘가, 온슌히 ᄃᆡ왈,

"쳡은 궁금(宮禁)의셔 아는 ᄇᆡ 부귀오 녜의를 ᄇᆡ호지 못ᄒᆞ여시니, 군ᄌᆞ의 여러 부인네 화목ᄒᆞ믈 닐너 빗난 ᄒᆡᆼᄉᆞ로 가ᄅᆞ치면, 쳡이 우미ᄒᆞ나 뒤흘 조ᄎᆞ 큰 허믈을 면홀가

1699)임ᄉᆞ지덕(姙似之德) : 중국 주(周)나라 현모양처(賢母良妻)인 문왕의 어머니 태임(太姙)과 그의 비(妃) 태사(太姒)의 덕을 함께 일컫는 말.
1700)왕희(王姬) : 왕녀(王女).
1701)ᄌᆞ셰(藉勢) : 어떤 권력이나 세력 또는 특수한 조건을 믿고 세도를 부림.
1702)하풍시(下風視) : 사람이나 사물의 수준 또는 질을 일정 수준보다 낮게 여김.

션을 엇지 알니오? 명되 고이ᄒᆞ여 여ᄂᆡ 공주와 갓지 못ᄒᆞ고 명공의 여럿지 부실이 되야 존틱의 하가ᄒᆞ니, 이는 쳔쉬라, 혹 ᄉᆡᆼ각건ᄃᆡ 문왕(文王)은 ᄐᆡ사(太姒) 갓튼 슉녀을 두시고 삼쳔후비(三千后妃)을 유졍(有情)ᄒᆞ시니 장부는 호ᄉᆡᆨ이 쾌ᄉᆞ오, 슉녀는 젹인(敵人)을 둘ᄉᆞ록 덕이 비[빗]나ᄂᆞ니, 쳡이 임사지덕(姙似之德)[1646]은 업ᄉᆞ오나 녀ᄌᆞ의 투긔 칠거지악(七去之惡)을 더러니 넉이ᄂᆞ니, 비록 쳔승부귀 잇시나 구가의 ᄌᆞ랑홀 ᄇᆡ 아니오, 황희(皇姬)[1647]의 존ᄒᆞ미 잇시나 동녈의 자셰(藉勢)[1648]홀 ᄇᆡ 아니라. 오직 군ᄌᆞ의 관인ᄃᆡ쳬와 원비의 슉덕혜화을 바라 쳡은 ᄒᆞ군[풍]시(下風視)[1649]을 감심ᄒᆞ리로소이다."

도위 미소왈,

"귀쥐 시속질투을 바려 슉녀명풍을 흠모ᄒᆞ시니 ᄉᆡᆼ의 ᄒᆡᆼ이오, 공주 신상의 유익ᄒᆞ미라. ᄉᆡᆼ의 취ᄒᆞᆫ 바 셰 부인은 명문거족의 요조슉녀라. 귀주는 금지옥엽의 졔왕가(帝王家) 네법(禮法)을 이으시고 ᄉᆡᆼ의 조강 등과 ᄒᆡᆼᄉᆞ을 갓치 ᄒᆞ시면 가ᄂᆡ 여화츈풍(如和春風)이리다."

공쥐 져의 말이 다 부인ᄂᆡ 아름다오믈 일커러 ᄌᆞ긔로쎠 ᄒᆡᆼᄉᆞ을 갓치 ᄒᆞ라 ᄒᆞ믈 분ᄒᆞ여 ᄉᆡᆨ심이 만복ᄒᆞ나, 도위 거동이 하일지위(夏日之威)와 츙쳔지긔(衝天之氣)로 듕산의 무거오믈 겸ᄒᆞ여, 경히 심쳔을 엿보기 어렵고, ᄒᆡᆼ혀 말을 숨가지 못ᄒᆞ여 져의 뜻슬 일흘가, 온슌이 ᄃᆡ왈,

"쳡은 긍금(宮禁)의셔 아난 ᄇᆡ 부귀오, 녜의을 ᄇᆡ호지 못ᄒᆞ엿시니, 군ᄌᆞ의 여러 부인【43】ᄂᆡ 화목을 일너 빗는 ᄒᆡᆼᄉᆞ을 가르치면, 쳡이 우미ᄒᆞ나 뒤을 조ᄎᆞ 큰 허물을 면

1646)임사지덕(姙似之德) : 중국 주(周)나라 현모양처(賢母良妻)인 문왕의 어머니 태임(太姙)과 그의 비(妃) 태사(太姒)의 덕을 함께 일컫는 말.
1647)황희(皇姬) : 황녀. 황제의 딸.
1648)자셰(藉勢) : 어떤 권력이나 세력 또는 특수한 조건을 믿고 세도를 부림.
1649)ᄒᆞ풍시(下風視) : 사람이나 사물의 수준 또는 질을 일정 수준보다 낮게 여김.

바라ᄂᆞ이다. 다만 쳡이 ᄆᆡ희(妺喜)[1703] 아니어ᄂᆞᆯ 여러 부인ᄂᆡ 연셕의 셔로 보ᄂᆞᆫ 녜를 폐ᄒᆞ니, 아지 못게이다 므ᄉᆞᆫ 연괴니잇가?"

도위 그 당돌ᄒᆞ고 말 만흐믈 믜워 ᄉᆞᄆᆡ를 ᄯᅥᆯ쳐 나가고져 ᄒᆞ나 쳔만 강잉ᄒᆞ여 셔어(齟齬)히 우셔 왈,

"삼부인이 연셕을 블참ᄒᆞ믈 몰나 ᄒᆞ시니 슌셜(脣舌)이 슬흐나 마지못ᄒᆞ여 베플니이다. ᄎᆞ인 등이 공쥬긔 뵈ᄂᆞᆫ 녜를【21】 폐코져 ᄒᆞ미 아니라, 셩괴 계샤 공쥐 여러 뎍인을 보면 심긔 블안홀가 ᄒᆞ샤, ᄎᆞ인 등을 친가로 보ᄂᆡ엿다가 길녜 후 못게 ᄒᆞ라 ᄒᆞ시나, 가엄이 삼인을 다 먼니 보ᄂᆡ믈 결연ᄒᆞ샤 별원의 아딕 두어시니, 우흐로 셩의를 밧들고 아ᄅᆡ로 ᄉᆡᆼ의 가법이 착난치 아니케 ᄒᆞ미니, 귀쥐 비록 만승 공쥬의 존ᄒᆞ미 이시나, 법녜의 조강지쳐(糟糠之妻)ᄂᆞᆫ 블하당(不下堂)이라 ᄒᆞ며, 유ᄌᆞ식블거(有子息不去)를 니르미라. ᄉᆡᆼ의 조강은 치발이 치 ᄌᆞ라지 아녀셔 냥가 부뫼 면약 뎡혼ᄒᆞ샤 ᄌᆞ란 후 셩녜ᄒᆞ니, 범연ᄒᆞᆫ 쳐실과 다르고, 양·니ᄂᆞᆫ 부형 친우지녀로 ᄉᆡᆼ의 가듕의 모혀시니, 부부 ᄉᆞ졍은 빈쳔으로 가지 아닛ᄂᆞ니,【22】 샹괴 비록 샹원위(上元位)를 귀쥬긔 젼ᄒᆞ라 ᄒᆞ시나 유ᄌᆞ식ᄒᆞᆫ 조강을 엇지 하위예 굴케 ᄒᆞ리오. 삼인이 비록 공쥬 우히 거치 못ᄒᆞ나 ᄯᅩᄒᆞᆫ 조강으로ᄡᅧ ᄌᆡ실(再室)이라 못ᄒᆞ리니, 금일 공쥬를 만좌 듕 셔로 보미 녜모의 구익ᄒᆞ미 만하, 삼인을 몬져 최운 빅라. 공쥬긔 부빈(副嬪) 녜로 흠도 져의게 블안ᄒᆞ고 공쥬로ᄡᅧ 부실(副室) 녜로 흠도 블가ᄒᆞ여, 별원의 이시미어니와 타일은 공쥐 보기 괴로오나, ᄆᆡ양 각각 이실 빅 아니니 언마ᄒᆞ여 모드리잇고?"

공쥐 그 말마다 분ᄒᆞ고 싀익(猜礙)ᄒᆞ나

1703)ᄆᆡ희(妺喜) : 중국 하(夏)나라 마지막 황제 걸(桀)의 비(妃). 절세미녀로 걸을 농락하여 주지육림(酒池肉林)을 만들어 쾌락에 빠지게 하고 이를 간하는 현신(賢臣)을 참형에 처하게 하는 등 난행(亂行)을 일삼아 하나라를 멸망에 이르게 했다.

홀가 바라나이다. 다만 쳡이 《ᄆᆡᆼ희 ‖ ᄆᆡ희(妺喜)[1650]》 아니여날, 여러 부인이 연셕의 셔로 보ᄂᆞᆫ 녜을 폐ᄒᆞ시니, 아지못게라 무슴 연괴니잇고?"

도위 그 당돌ᄒᆞ고 말이 만흐믈 더욱 믜워 ᄉᆞᄆᆡ을 ᄯᅥᆯ쳐 나가고져 ᄒᆞ나 부명을 두려 쳔만 강인ᄒᆞ여 셔어(齟齬)히 우어 왈,

"삼부인이 연셕의 불참ᄒᆞ물 ○○[몰나] ᄒᆞ시니 수미(首尾)을 베풀니이다. ᄎᆞ인 등이 공주긔 뵈ᄂᆞᆫ 녜을 폐코져 ᄒᆞ미 아니라, 셩교 계ᄉᆞ 공쥐 여러 젹인을 보면 심긔 불안홀가 념녀ᄒᆞᄉᆞ, ᄎᆞ인 등을 다 친가로 보ᄂᆡ엿다가 길녜을 지ᄂᆡᆫ 후 못게 ᄒᆞ라 ᄒᆞ시나, 가엄이 ᄎᆞ인 등을 멀니 보ᄂᆡ믈 결연ᄒᆞᄉᆞ 아직 별원의 두어시나, 우흐로 셩의을 밧들고 아ᄅᆡ로 ᄉᆡᆼ의 가법이 착난케 아니 ᄒᆞ미니, 귀쥐 비록 공주의 존ᄒᆞ시미 이시나 법녜의 '조강지쳐(糟糠之妻)ᄂᆞᆫ 불하당(不下堂)'이라, 허물며 '유ᄌᆞ불계[거](有子不去)'을 이르랴. ᄉᆡᆼ의 조강은 치발이 나지 아냐 양가부뫼 면약졍혼ᄒᆞᄉᆞ 자란 후 셩녜ᄒᆞ니, 범연ᄒᆞᆫ 쳐실과 다르고, 냥·니 등이 부형의 친우녀ᄌᆞ로 인연을 ᄆᆡᄌᆞ ᄉᆡᆼ의게 모히니, 부부ᄉᆞ졍은 본ᄃᆡ 빈쳔으로 가지 아닛ᄂᆞ니, 상교 비록 상원위(上元位)을 귀주긔 젼ᄒᆞ라 ᄒᆞ여 겨시나, 유ᄌᆞ식ᄒᆞᆫ 조강을 엇지 하위의 굴ᄒᆞ게 ᄒᆞ리오. 삼인이 비록 공주 우희 거치 못ᄒᆞ나 ᄯᅩᄒᆞᆫ 조강으로ᄡᅧ ᄌᆡ실이라 못ᄒᆞ【44】오리니, 금일 공주을 만좌 듕 셔로 보미 녜모의 《구긔ᄂᆞᆫ ‖ 구익ᄒᆞᄂᆞᆫ》 일이 만ᄒᆞ니, 삼인을 몬져 취ᄒᆞᆫ 바로 부빈의 녜로 힝녜ᄒᆞ미 불가ᄒᆞ고, 금지옥엽의 존ᄒᆞ므로ᄡᅧ 부실지녜(副室之禮)을 힝흠도 져희○[게] 불안ᄒᆞᆫ지라. 시고로 별원의 두어시나 타일은 공주 셜ᄉᆞ 보기을 괴로이 녁이나, ᄆᆡ양 각각 이실빅 아니니 언마ᄒᆞ여 셔로 모드리잇가?"

공쥐 그 말마다 ᄌᆞ긔을 경멸ᄒᆞ고 윤·양

1650)ᄆᆡ희(妺喜) : 중국 하(夏)나라 마지막 황제 걸(桀)의 비(妃). 절세미녀로 걸을 농락하여 주지육림(酒池肉林)을 만들어 쾌락에 빠지게 하고 이를 간하는 현신(賢臣)을 참형에 처하게 하는 등 난행(亂行)을 일삼아 하나라를 멸망에 이르게 했다.

조곰도 く식지 아니코 낭연 쇼왈,

“연이나 삼부인이 깁히 드르시미 심히 블안훈디라 모로미 슈히 못게 ᄒ쇼셔.”

부【23】매 미쇼 답왈,

“옥쥬는 져를 보지 아냐 계시나 못기를 구ᄒ시니 ᄒ믈며 유ᄌ식(有子息)훈 부부듕졍(夫婦重情)이리잇고? 비록 평싱을 별원의 두라 ᄒ셔도 싱이 춤지 못ᄒ여 다려올 비오, 또훈 부뫼 슈히 못게 ᄒ시리니, 공쥬의 원(願)이 마ᄌ리이다.”

공즦 듯는 말마다 분완ᄒ나, 현명을 취코져 간악지심(奸惡之心)을 발뵈지 아니나, 도위의 く광지총(師曠之聰)으로 어이 모로리오, 블힝ᄒ나 싀을 화히 ᄒ여 왈,

“일긔 엄한ᄒᄃ 죵일 귀톄 쎄쳐 계시니 샹의 편히 쉬시고, 싱으로 쥬군녜(主君禮) 허소(虛疎)[1704]ᄒ믈 허믈치 마르쇼셔.”

언파의 촉을 믈니고 의ᄃ를 글너 ᄌ긔 ᄌ리의 나아 취침ᄒ니, 공즦 부마로 더브러 비취지락(翡翠之樂)[1705]을【24】 착급히 바라다가 크게 실망ᄒ여 댱야를 안ᄌ 싀오나 부매 다시 아른 체ᄒ미 업ᄉ니, 음욕을 니긔지 못ᄒ여 눈믈을 쓰려 슬허ᄒ는 거동이 망측ᄒ니, 도위 그 긔식을 ᄀ마니 슬피고 더옥 분히ᄒ니, 또훈 잠을 드지 아녓더니, 옥쳠의 금계 싀빅를 보ᄒ니, 도위 관소(盥梳)ᄒ고 나아가니, 공즦 믄득 악연ᄒ여 진진이 늣기믈 면치 못ᄒ는디라. 최상궁이 댱외의셔 죵야토록 규시ᄒ여 부마의 믹몰ᄒ믈 한ᄒ더니, 공쥬의 늣기믈 보고 손을 져어 말녀 왈,

1704)허소(虛疎) : 얼마쯤 비어서 허술하거나 허전함.
1705)비취지락(翡翠之樂) : 암수 물총새가 서로 화락함. 비(翡)는 수컷, 취(翠)는 암컷. 부부가 서로 화락하는 것을 비유적으로 표현한 말.

·니 등을 경듕ᄒ여, 고산(高山)○[ㅈ]훈 은졍이 숌인긔 온젼하믈 짐작ᄒ믹, 독훈 분과 싀의(猜礙)ᄒ는 마음이 비록 ᄃ단ᄒ나 조곰도 사식지 아니ᄒ고, 화셩낭음(和聲朗吟)으로 교틱을 먹음어 왈,

“쳡이 미록 황녀나 군ᄌ의 넷ᄌ 부실노 ᄌ연훈 인연이 일틱의 모히믹, 숌부인이 깁히 드르시미 심히 불안훈지라. 모로미 속히 훈가지로 못게 ᄒ소셔.”

도위 미소왈,

“공주는 져희로 보지 아냐셔도 못기을 구ᄒ시니, ᄒ물며 유ᄌ식(有子息)훈 부부지졍(夫婦之情)야 이르리잇가? 비록 평싱을 별원의 두고 잇스라 ᄒ시나, 싱은 참지 못ᄒ여 다려오리니, 공주의 원(願)이 마ᄌ리이다.”

공즦 부마의 말을 들을수록 ᄌ긔게는 일분 은졍이 업셔 힝노갓치 보물 분한ᄒ는 듕, 음욕을 이긔지 못ᄒ여 혹 눈물을 쓰려 슬허ᄒ는 거동이 가히 망측훈지라. 이쎄 뎡히 납월(臘月)[1651] 망간(望間)[1652]이라. 한월(寒月)이 교교ᄒ여 く창의 영(影)지니, 병장을 두룬 가온ᄃ나 공주의 거동이 비최여 뵈는지라, 도위 ᄌ는 쳬ᄒ나 분한이 가득ᄒ여 그 음악훈 거동을 분히【45】ᄒ여 《강인이‖강잉ᄒ여》 누어드니, 옥첨(屋簷)의 금계(金鷄) 식벽을 보ᄒ는지라. 이러 관셰ᄒ고 즉시 나가니, 공즦 믄득 악연실망(愕然失望)ᄒ여 소릭나믈 씨닷지 못ᄒ여 진진이 늣기니, 최상궁이 장외의셔 죵야토록 규시ᄒ여 부마의 비속[소](卑笑)ᄒ믈 훈ᄒ더니, 공주의 늣기는 소릭을 듯고 다릭여 손을 져어 왈,

1651)납월(臘月) : 음력 섣달을 달리 이르는 말.
1652)망간(望間) : 음력 보름께.

“ᄒᆞᆫ번 허믈을 뵌 즉 ᄡᅵ슬 날이 업ᄉᆞ니, 옥ᄌᆔ 이 엇진 거죄(擧措)니잇고? 모로미 밧비 단장을 일워 신셩(晨省)ᄒᆞ쇼서.”

공ᄌᆔ 눈믈【25】이 년낙ᄒᆞ여 왈,

“내 구ᄎᆞ히 져의 여럿ᄌᆡ 부실을 감심ᄒᆞ미 실노 그 풍ᄎᆡ를 흠모ᄒᆞ여 상ᄉᆞᄒᆞ미러니, 이졔 믄득 날 알오믈 ᄒᆡᆼ노ᄀᆞᆺ치 ᄒᆞ고, 몬져 ᄎᆔᄒᆞᆫ 바 삼인을 언언이 칭찬ᄒᆞ여 귀듕ᄒᆞ니, 장ᄎᆞᆺ 이 분한ᄒᆞ믈 어이 ᄎᆞᆷ으리오.”

최시 탄왈,

“옥ᄌᆔ 만승지녀로 뎡부 여럿ᄌᆡ 부인이 되시니 명되 귀구ᄒᆞ시미어ᄂᆞᆯ, ᄯᅩᄒᆞᆫ 경듕ᄒᆞᆷ도 엇지 못ᄒᆞ시니 원통ᄒᆞ믈 엇디 견ᄃᆡ리잇고마ᄂᆞᆫ, 옥쥬ᄂᆞᆫ 아직 언ᄒᆡᆼ을 삼가시고, 대계를 도모ᄒᆞ샤 삼부인을 ᄒᆡᆨᄒᆞ미 샹ᄎᆡᆨ이니이다.”

공ᄌᆔ 그 말을 을히 넉여 계오 누슈를 졔어ᄒᆞ고 소셰를 파ᄒᆞᆫ 후, 웅쟝셩식(雄粧盛飾)으로 샹부의 문안ᄒᆞ니, 존당 구괴 흔연【26】이 경ᄋᆡᄒᆞ고 합문이 츄존ᄒᆞ나, 일가 샹ᄒᆡ [1706]안고태악(眼高泰岳)ᄒᆞ여 공쥬의 교용묘질을 칭찬ᄒᆞᄂᆞ니 업고, 도위 ᄌᆞ녜 태부인 슬하의 잇셔 넘노니, 남ᄌᆞᄂᆞᆫ 교야(郊野) 긔린(騏驎)과 단혈(丹穴)[1707] 난봉(鸞鳳)이요, 녀ᄋᆞᄂᆞᆫ 옥슈경지(玉樹瓊枝) ᄀᆞᆺᄐᆞ니, 공ᄌᆔ 이를 보ᄆᆡ 더옥 간담이 쒸노라 강인 화ᄉᆡᆨᄒᆞ여 《낭졍‖양졍(佯情)[1708]》 인ᄌᆞᄒᆞᆫ 거동을 지으니, 그 ᄂᆡ외 다르믈 범연이 보ᄂᆞᆫ ᄌᆞᄂᆞᆫ 모로리 만터라.

뎡시 혜쥬와 하시 영쥬를 일슌을 머믈게 ᄒᆞ고, 윤샤인 형뎨를 쳥ᄒᆞ여 봉황의 ᄡᅡᆼ유ᄒᆞ믈 보고져 ᄒᆞ나, 샤인 등이 ᄌᆞ조 오지 아니니 금휘 친히 윤부의 가 츄밀을 보고 냥셔 보ᄂᆡ믈 간쳥ᄒᆞ니, 츄밀이 허락ᄒᆞ고 샤인 형

1706)안고태악(眼高泰岳) : 눈이 높기가 태산과 같음.
1707)단혈(丹穴) : 예전에, 중국에서 남쪽의 태양 바로 밑이라고 여기던 곳.
1708)양정(佯情) : 거짓으로 정 있는 체함.

“ᄒᆞᆫ번 허물을 뵌 즉 씨슬 날이 업ᄉᆞ니, 옥쥐 엇진 거죄신이잇고? 모로미 밧비 단장을 일워 신셩ᄒᆞ소셔.”

공쥐 눈물이 난[년]낙ᄒᆞ여 가마니 니로ᄃᆡ,

“ᄂᆡ 구ᄎᆞ히 뎡가의 여러ᄌᆡ 부실을 혐의치 아니믄 실노 그 풍ᄎᆡ을 황혹(惶惑)ᄒᆞ미러니, 졔 날을 불관이 넉이기 ᄒᆡᆼ노 갓고, 언언이 칭찬귀듕ᄒᆞ미 몬져 취ᄒᆞᆫ ᄉᆞ룸을 ᄉᆡᆼ각ᄒᆞᆯ ᄯᆞ름이니, 이 통ᄒᆞᆫᄒᆞ믈 엇지 견ᄃᆡ라 ᄒᆞᄂᆞ뇨?”

최시 탄왈,

“옥쥐 명되 고이되ᄉᆞ 불관이 넉이물 당ᄒᆞ니 가지록 언ᄒᆡᆼ을 삼가시고, 졔[ᄃᆡ]계을 도모ᄒᆞᄉᆞ ᄉᆞᆷ부인을 업시ᄒᆞ미 올흐니, ‘소불인즉난ᄃᆡ모(小不忍卽難大謀)’라, 옥쥐 혀아리시기을 엇지 원ᄃᆡ(遠大)로 못ᄒᆞ시ᄂᆞᆫ잇고?”

공주 황연이 ᄭᆡᄃᆞ라 답왈,

“보모의 가르침 곳 안니면 ᄒᆞ마 실수ᄒᆞᆯ 번ᄒᆞ괘라.”

최씨 ᄌᆡ숨 위로ᄒᆞ여 웅장셩식(雄粧盛飾)으로 상부의 문안ᄒᆞ니, 존당구괴 흔연이 경ᄋᆡᄒᆞ고 하인의 무리 추존ᄒᆞ나, 일가 상ᄒᆡ 안고(眼高)ᄒᆞ미 ᄐᆡ악(泰岳) 갓트여, 공주 긔질과 용화을 일인도 긔특이 넉이ᄂᆞᆫ ᄇᆡ 업고, 도위의 ᄌᆞ녜 ᄐᆡ부인 슬하의 잇셔 비상츌범ᄒᆞ미 교야(郊野) 긔린(騏驎)과 단혈(丹穴)[1653] 난봉(鸞鳳) 갓【46】트여, 아ᄌᆞᄂᆞᆫ 뇽호지습(龍虎之習이오, 너ᄌᆞᄂᆞᆫ 쥬화옥슈(珠花玉樹) 갓흐니, 공쥐 이을 보ᄆᆡ 더욱 간담이 ᄯᅥ러지ᄂᆞᆫ 듯, 강잉(强仍) 화ᄉᆡᆨ(和色)ᄒᆞ여 조흔 거동을 지으니, 그 ᄂᆡ외 다름을 범인이 모로리 만터라.

뎡시 혜주와 하시 영주을 일슌을 머므르고 윤ᄉᆞ인 형뎨을 쳥ᄒᆞ여 신방츌입ᄒᆞᄂᆞᆫ ᄌᆞ미을 보고져 ᄒᆞ나, ᄉᆞ인 등이 ᄌᆞ로 오지 아니ᄒᆞ고, 금후 친히 윤부의 가 츄밀을 보고 양셔(兩壻) 보ᄂᆡ믈 간쳥ᄒᆞ니, 츄밀이 그 졍니을 감ᄉᆞᄒᆞ여 ᄌᆞ질을 칠팔일 뎡부의 가 이시라 ᄒᆞ니, ᄉᆞ인이 수명ᄒᆞ되, 희쳔이 고왈,

1653)단혈(丹穴) : 예전에, 중국에서 남쪽의 태양 바로 밑이라고 여기던 곳.

뎨를 명ᄒᆞ여 칠팔일【27】 뎡부의 가 머믈나 ᄒᆞᆫᄃᆡ, 샤인은 슈명ᄒᆞ나 공ᄌᆞᄂᆞᆫ 궤고(跪告)ᄒᆞ여 왈,

"형이 운산의 가 날포1709) 머믈ᄆᆡ 야야를 뫼시리 쇼ᄌᆞ ᄲᆞᆫ이라 엇디 가리잇가."

츄밀 왈,

"여언(汝言)이 도리의 올커니와 뎡형의 후의를 엇지 밧드지 아니리오."

ᄉᆡᆼ이 ᄃᆡ왈,

"뎡합하의 후의ᄂᆞᆫ 감격ᄒᆞ오나 형이 단녀은 후 쇼ᄌᆡ 가리이다."

츄밀이 그리 ᄒᆞ라 ᄒᆞ고 금휘 ᄌᆡ삼 당부ᄒᆞ여 샤인이 단녀온 후 브ᄃᆡ 오라 ᄒᆞ고, 샤인을 다리고 오더니 길히셔 낙양후를 만나 뎡공이 쇼왈,

"쇼뎨ᄂᆞᆫ 셔랑을 청ᄒᆞ여 오거니와 형은 어ᄃᆡ 갓더뇨."

진공이 답왈,

"맛ᄎᆞᆷ 볼일이 잇셔 셩ᄂᆡ의 갓다가 명강을 보고 셔랑을 다려오려【28】 ᄒᆞ더니, 형이 몬져 다려갓다 ᄒᆞ고 날다려 다려다가 ᄉᆞ오일 묵히라 ᄒᆞ더라."

금휘 쇼왈,

"임의 내 몬져 다려와시니 내 집의 묵은 후 형이 다려가라."

ᄒᆞ며 이리 니르며 ᄒᆡᆼᄒᆞ여 뎡부의 밋ᄎᆞ니 진공도 ᄯᅩᄒᆞᆫ 한가지로 왓ᄂᆞᆫ디라.

이의 셔헌의 좌ᄒᆞ고 샤인을 집슈 왈,

"현셔의 ᄠᅳᆺ의ᄂᆞᆫ 어ᄂᆞ 곳의 몬져 머믈고져 ᄒᆞᄂᆞ뇨."

샤인이 공경 ᄃᆡ왈,

"쇼ᄉᆡᆼ은 다만 샤슉(舍叔) 명ᄃᆡ로 ᄒᆞ올디라. 므ᄉᆞᆫ 타의 이시리잇가?

1709)날포 : 하루가 조금 넘는 동안.

"형이 운산의 가ᄆᆡ 슬ᄒᆞ의 뫼시리 소ᄌᆞ ᄲᆞᆫ이라 엇지 가리잇고."

추밀 왈,

"여언(汝言)이 올흐나 뎡형의 후의을 어이 져ᄇᆞ리리오."

ᄉᆡᆼ이 ᄃᆡ왈,

"뎡합하의 후의ᄂᆞᆫ 감ᄉᆞᄒᆞ거니와 형이 단여온 후 소ᄌᆡ 가리이다."

츄밀이 그리ᄒᆞ나[라] ᄒᆞ고, 금후 ᄌᆡ슴당부ᄒᆞ고 ᄉᆞ인으로 더부러 오더니, 길희셔 악양후을 맛나 뎡공이 소왈,

"소제ᄂᆞᆫ 셔랑을 청ᄒᆞ여 오거니와 형은 어ᄃᆡ로 갓더뇨?"

진휘 답왈,

"나도 명강을 보고 셔랑을 청ᄒᆞ려 ᄒᆞ더니 명강이 이로ᄃᆡ, 윤보 몬져 다려가시니 ᄯᆞ라가 다려가 오륙일 머무러 윤보의게 보ᄂᆡ라 ᄒᆞ기로 슐에을 급히 모라 오노라."

금평휘 청파의 미소왈,

"ᄂᆡ 몬져 명강의게 청ᄒᆞ고 ᄉᆞ원을 ᄃᆞ려오니 형은 우은 말 말나."

ᄒᆞ고 거륜을 ᄲᆡ니 모라 부문의 이르러ᄂᆞᆫ 진휘 헐일 업【47】셔 이의 ᄉᆞ인을 보고 집수왈,

"영숙(令叔)이 ᄉᆞ원을 몬져 다려가라 ᄒᆞ엿시니 모로미 이제로 갈 거시라."

금휘 소왈,

"명강이 비록 그리 니르나 ᄂᆡ 몬져 다려와시니 엇지 아일니 이시리오."

진공이 ᄉᆞ인다려 문왈,

"ᄉᆞ원의 ᄠᅳᆺ은 어ᄂᆡ 곳의셔 몬져 머무르려 ᄒᆞᄂᆞ뇨?"

ᄒᆞᆨᄉᆞ 미소ᄃᆡ왈,

"소ᄉᆡᆼ은 다만 ᄉᆞ숙(舍叔) 명영(命令)을 밧드올 ᄲᅮᆫ이라. 다른 의견이 이시리요."

"영슉이 ᄂᆡ집의 칠팔일 머무러 도라오라 ᄒᆞ엿시니 그러면 진부로 가지 못ᄒᆞ리로다."

병뷔 빗난 미우의 츈풍이 화란ᄒᆞ여 왈,

"ᄉᆞ원이 이곳의 임의 몬져 와시니 금야ᄂᆞᆫ 예셔 ᄌᆞ고 명일야ᄂᆞᆫ 슉뷔 다려다가 ᄌᆞ이쇼셔."

진공이 년쇼 왈,

"우슉이 ᄇᆞᆯ이 ᄲᆞ르지 못ᄒᆞ여 ᄉᆞ【29】원을 아이니 이졔ᄂᆞᆫ 네 말을 좃출 밧 ᄒᆞᆯ 일 업도다."

언파의 좌위 다 웃더라. 이윽이 말ᄉᆞᆷᄒᆞ다가 진공이 도라가ᄆᆡ, 딘태우 등이 샤인의 와시믈 듯고 뎡부의 모혀 야화ᄒᆞ믈 쳥ᄒᆞ엿거ᄂᆞᆯ, 이ᄯᆡ 병뷔 공쥬 취ᄒᆞᆫ 후 슈삼일의 십ᄉᆡᆨ 요요울울(擾擾鬱鬱)ᄒᆞ나 부공을 두려 ᄉᆞᄉᆡᆨ지 못ᄒᆞ더니, 딘ᄉᆡᆼ 등의 쳥ᄒᆞ믈 좃ᄎᆞ 즉시 대월누의 졔챵을 모호라 ᄒᆞ고, 쥬찬을 뎡슉녈긔 쳥ᄒᆞ여 존당 부뫼 취침ᄒᆞ신 후 대월누의 나아갈ᄉᆡ, 병부 곤계 등이 풍뉴를 즐기ᄂᆞ ᄂᆡ도 잇고 ᄇᆡ쳑ᄒᆞᄂᆞ ᄂᆡ도 이시나, 기듕 쳣ᄌᆡ로 됴화ᄒᆞᄂᆞ니ᄂᆞᆫ 병뷔라. 이의 졔뎨를 거ᄂᆞ리고 졔진과 윤샤인으로【30】더브러 대월누의 취회(聚會)ᄒᆞ여, 좌우의 명쵹을 휘황히 ᄇᆞᆰ히고, 뇽문셕(龍紋席)[1710]과 ᄎᆡ화셕(彩畵席)[1711]을 널니 베펴 제창의 쳥가묘무(淸歌妙舞)를 드를ᄉᆡ, 병부의 유졍ᄒᆞᆫ 창기 슈를 보고 번화ᄒᆞ믈 우ᄉᆞ니, 병뷔 호흥이 방양ᄒᆞ여 왈, 형아 등 오창은 취쳐젼 유졍ᄒᆞ고 옥잉 등 ᄉᆞ창은 졀강셔 다려오믈 닐너, 십분 통ᄋᆡᄒᆞ니, 진태위 쇼왈,

"챵ᄇᆡᆨ의 구창을 슉뷔 아디 못ᄒᆞ시나 타일 아르시ᄂᆞᆫ 날은 너의 풍뉘 변ᄒᆞ여 큰 우환이 되리라."

병뷔 쇼왈,

"고인이 운(云)ᄒᆞᄃᆡ, '오ᄂᆞᆯ 술이 이시ᄆᆡ 취ᄒᆞ고 ᄂᆡ일 일이 이시ᄆᆡ 당ᄒᆞ라' ᄒᆞ엿ᄂᆞ니, 부형이 모로시ᄂᆞᆫ ᄇᆡ 졀민【31】커니와, 당뷔 미ᄉᆡᆨ을 지ᄂᆡ 보며 술 쥰(樽)을 사양ᄒᆞ리

1710)뇽문셕(龍紋席) : 용의 무늬를 놓아 짠 돗자리.

1711)ᄎᆡ화셕(彩畵席) : 여러 가지 색깔로 꽃무늬를 놓아서 짠 돗자리.

ᄉᆞ인이 미급답의 진휘 츄밀의 이라던 말을 다시 일카라 몬져 ᄃᆞ려가믈 닷토니 병뷔 우음을 ᄯᅴ여 진공게 고왈,

"ᄉᆞ원이 이곳의 몬져와시니 금야ᄂᆞᆫ 이의 머무라고 명일노 숙부 ᄐᆡᆨ상으로 가미 조흘소이다."

진공이 소왈,

"우숙이 발이 ᄲᆞ라지 못ᄒᆞ여 ᄉᆞ원을 아이니 마지 못ᄒᆞ여 네 말을 조ᄎᆞ리로다."

언파의 ᄃᆡ소ᄒᆞ고 지[진]공이 도라가니, 진ᄐᆡ우 등이 ᄉᆞ인 왓스믈 듯고 뎡부의 이르러 죠용이 야회(夜會)ᄒᆞ믈 쳥ᄒᆞ니, 병뷔 공주 취ᄒᆞᆫ ᄉᆞᆷᄉᆞ일의 심ᄉᆡᆨ 요요(擾擾)ᄒᆞ여 분의(憤意) 극ᄒᆞ나 부공을 두려 ᄉᆞᄉᆡᆨ지 못ᄒᆞ더니, 진ᄉᆡᆼ 등이 야회(夜會)코ᄌᆞ ᄒᆞ믈 십분 다힝ᄒᆞ여 즉시 ᄃᆡ왈[월]누의 졔창을 모호라 ᄒᆞ고 ○○○[주찬을] 뎡숙녈긔 쳥ᄒᆞ여, 존당부모 취침 후 ᄃᆡ월누의 나아갈 ᄉᆡ, 이에 졔졔을 거ᄂᆞ리고 졔진과 윤ᄉᆞ인으로 더부러 ᄃᆡ월누의 취회(聚會)ᄒᆞ여 좌우의 명촉을 휘【48】황이 밝히고 졔창의 청가묘무(淸歌妙舞)을 들을ᄉᆡ, 병부의 유졍ᄒᆞᆫ 창기 수을 ○○[보고] 《변화‖번화(繁華)》ᄒᆞ믈 우ᄉᆞ니, 병뷔 호흥이 발양ᄒᆞ여 왈, 현아 등 오창은 취쳐젼 유졍ᄒᆞ고 유잉 등 ᄉᆞ창은 졀강셔 다려 오믈 일너 십분 ᄎᆞᆼᄋᆡᄒᆞ니, 진ᄐᆡ후 소왈,

"창ᄇᆡᆨ의 구창을 숙뷔 아즉 모로시나 타일 아르시ᄂᆞᆫ 날은 너의 풍뉴(風流) 변ᄒᆞ여 큰 우환이 되리라."

병뷔 소왈,

"고인이 운(云)ᄒᆞ되, '오날 술이 이시ᄆᆡ 취ᄒᆞ고 ᄂᆡ일 일이 잇시ᄆᆡ 당ᄒᆞ다' ᄒᆞ엿ᄂᆞ니, 부형이 모로시ᄂᆞᆫ ᄇᆡ 졀민커니와 장뷔 미ᄉᆡᆨ을 지ᄂᆡ 보며 술 쥰(樽)을 ᄉᆞ양ᄒᆞ리오."

오."

졔진이 대쇼ᄒᆞ고 윤샤인이 창기 듕 비홍이 완젼ᄒᆞ여 사름을 지ᄂᆡ디 아닌 명기 십인을 ᄉᆡᆨ 올녀, 좌우로 안치고 집슈년슬(執手連膝)ᄒᆞ여 호긔 발양ᄒᆞ미 병부의 나리지 아니니, 진ᄉᆡᆼ 등이 그 방일 호탕ᄒᆞ믈 ᄭᅮ지ᄌᆞ며 희롱ᄒᆞ여 셔로 즐겨 진취ᄒᆞ니, 의관이 ᄒᆡᄐᆡᆨᄒᆞ고 《츄란‖취안(醉眼)》이 몽농ᄒᆞ여 져마다 옥모 영풍이 일셰 영웅 군ᄌᆡ라. 이 듕의 뎡병부와 윤샤인의 쳔고의 독등ᄒᆞᆫ 풍모와 호긔 졔창의 넉ᄉᆞᆯ 일케 ᄒᆞᄂᆞᆫ디라. ᄉᆡ로이 우러러 일ᄉᆡᆼ을 뫼시고져 ᄒᆞᆯᄉᆡ, 병부의 유졍ᄒᆞᆫ 구창은【32】 병뷔 유졍ᄒᆞ여 ᄌᆞ로 ᄎᆞᄌᆞ미 여러 ᄒᆡ 되니 평ᄉᆡᆼ을 뫼실 졍이오, 윤샤인의 ᄲᆡᆫ 졔녀 십인은 ᄯᅩᄒᆞᆫ 명위창기(名爲娼妓)나 본(本)이 ᄉᆞ족지녀(士族之女)라. ᄌᆡ용이 졀셰ᄒᆞ고 심지 냥션ᄒᆞ고 ᄯᅩᄒᆞᆫ 졀개 고인을 ᄯᆞ로ᄂᆞᆫ 고로, 샤인의 친근ᄒᆞ믈 좃ᄎᆞ 일ᄉᆡᆼ을 바라ᄂᆞᆫ디라. 샤인이 ᄀᆞ장 후ᄋᆡ(厚愛)ᄒᆞ여 호걸의 풍졍이 구비ᄒᆞ니, 딘한님 영경이 쇼왈,

"남후형이 브졀업시 ᄃᆡ월누의 와 야화ᄒᆞᄂᆞᆫ 연고로 ᄉᆞ원이 십창을 유졍ᄒᆞ니, 슉뷔 아르시면 형의게 죄 밋출 거시오, 원ᄂᆡ 병부형의 호쥬 탐ᄉᆡᆨ이 우리 형뎨 군죵이 기쥬 탐ᄉᆡᆨ을 ᄯᆞ라 ᄇᆡ호니,【33】 만일 ᄒᆞᆫ번 들쳐난 즉 형이 일가의 용납디 못ᄒᆞᆯ디라."

병뷔 박장대쇼 왈,

"원ᄂᆡ 술도 모로고 계집도 모로ᄂᆞᆫ 거ᄉᆞᆯ 내 먹여 뵈고 ᄀᆞᄅᆞ쳐, 음쥬호ᄉᆡᆨ을 비로소 너희 아랏고나. 긘들 내 덕이 아닌가? 댱뷔 닙어셰ᄒᆞ여 튱효로 위본ᄒᆞ고, 미녀 셩ᄉᆡᆨ을 당마다 메오며, 뇨됴슉녀를 만히 취ᄒᆞ여 옥동 화녀를 ᄡᅣᆼᄡᅣᆼ이 두며, 호쥬 셩찬을 압마다 버릴 ᄇᆡ라. ᄉᆞ원의 십창을 유졍ᄒᆞ나 ᄯᅩᄒᆞᆫ 내 간셥ᄒᆞᆫ ᄇᆡ 업거니와, 셜ᄉᆞ 대인이 아르신들 조금이나 글니 아르시리오. 너희 ᄀᆞᆺ

졔진이 ᄃᆡ소ᄒᆞ고 윤ᄉᆞ인이 창기 듕 비홍(臂紅)이 완젼ᄒᆞ여 ᄉᆞ람이 지ᄂᆡ지 아닌 명기라[를] ᄲᆡ 올녀, 좌우의 안치고 집수연슬(執手連膝)ᄒᆞ여 호긔 발양ᄒᆞ미 병부의 나리지 아니ᄒᆞ니, 진ᄉᆡᆼ 등이 그 방일호탕(放逸豪宕)ᄒᆞ믈 ᄭᅮ짓고 희롱ᄒᆞ며 진취(盡醉)ᄒᆞ니, 의관이 ᄒᆡᄐᆡᆨᄒᆞ나 옥모영풍이 일셰군ᄌᆡ라. 이 듕 병부와 ᄉᆞ인의 쳔고의 비ᄒᆞᆯ ᄃᆡ 업ᄂᆞᆫ 풍치 ᄉᆞ안(謝安)[1654]과 니ᄇᆡᆨ(李白)이 ᄌᆡᄉᆡᆼᄒᆞ나 앙불급(仰不及)ᄒᆞᆯ지라. 제창이 황홀이 넉ᄉᆞᆯ 일허 ᄉᆡ로이 그 풍도을 울어○[러] 일ᄉᆡᆼ을 뫼시고져 ᄒᆞ니, 병부의 춍희 형ᄆᆡ·ᄎᆡ란·옥빈·영월·향ᄆᆡ 오인은 부마을 유졍ᄒᆞ연지 오륙년이오, 옥잉·셰요·부용·미화ᄂᆞᆫ 졀강으로셔 온 후 금야 연락(宴樂)이 쳐음이라. ᄒᆞᆫ갈갓치 졀ᄀᆡ을 가져 종신토록 병부을 밧들 ᄯᅳᆺ이 간졀ᄒᆞ고, ᄉᆞ인의 갈힌 ᄇᆡ, 옥비·츄월·취교·침【49】향·셜ᄆᆡ·도화·월향·ᄎᆡ억·수빙·가월 등 십창이 다 ᄌᆡ용이 졀셰ᄒᆞ고 심히 빙현(氷賢)ᄒᆞ여 윤ᄒᆞᆨᄉᆞ을 종신토로[록] 우러러 셤길 ᄯᅳᆺ지 이시니, ᄒᆞᆨᄉᆞ 가장 혹ᄋᆡ(惑愛)ᄒᆞ여 호걸의 듕졍이 무르녹으니 진한님 영병이 소왈,

"남후 형이 부졀업시 ᄃᆡ월누의 즐기믈 인ᄒᆞ야 ᄉᆞ원이 십창을 유졍ᄒᆞ니, 슉뷔 아르시면 더욱 통한이 아르실지라. 원간 형의 호신ᄒᆞᄂᆞᆫ ᄒᆡ 우리 형뎨 군종(群從)의 미쳐, 기주탐ᄉᆡᆨ(嗜酒貪色)을 ᄯᆞ라 ᄇᆡ호나니 만흐니, 만일 ᄒᆞᆫ번 일이 들쳐ᄂᆞᆫ 즉 형이 용납지 못ᄒᆞ리로다."

병뷔 호호 소왈,

"장뷔 입어셰 ᄒᆞ여 츙효로 위본ᄒᆞ고, 슉여미희을 쌍쌍이 모화 규각을 메워 옥동화녀을 슬상의 유희ᄒᆞ미 소원이로ᄃᆡ, 의외에 공주을 취ᄒᆞ여 《증총‖증통(憎痛)》ᄒᆞ미 가득ᄒᆞ고, 가ᄂᆡ 화평ᄒᆞᆯ 줄을 ᄇᆞ라지 못ᄒᆞ니

1654) ᄉᆞ안(謝安) : 320-385. 중국 동진(東晋)의 재상(宰相). 자는 안석(安石). 행서(行書)를 잘 썼음. 효무제(孝武帝) 때에 전진(前秦)의 부견(符堅)이 쳐들어오자, 이를 비수(淝水)에서 쳐부숨.

ᄐᆞᆫ 졸ᄉᆞᄂᆞᆫ 우리 ᄀᆞᆺᄐᆞᆫ 호걸 군ᄌᆞ의 광풍졔월(光風霽月) ᄀᆞᆺᄐᆞᆫ ᄒᆡᆼ【34】ᄉᆞ를 감히 말 못ᄒᆞ리라."

진태위 션자로 병부의 엇게를 쳐 우셔 왈,

"네 호긔로이 말ᄒᆞ거니와, 내 맛당이 숙부긔 고ᄒᆞ여 네 멍셕ᄣᅨ1712)만 ᄒᆞᆫ 우환을 당ᄒᆞ여 져 댱긔(壯氣)도 다라나고 머리 긁젹어려 ᄋᆡ쓰ᄂᆞᆫ 양을 보고 말니라."

병뷔 박댱대쇼 왈,

"형이 고치 못ᄒᆞ면 큰 벌을 당ᄒᆞ리라."

ᄒᆞ여 셔로 희학(戱謔)이 낭ᄌᆞ(浪恣)의 ᄇᆡ반(杯盤)이 낭져(狼藉)러니, 계셩이 악악ᄒᆞ고 ᄉᆡᄇᆡᆨ 북이 ᄌᆞ로 울ᄆᆡ, 이에 관소ᄒᆞ고 각각 부듕으로 도라갈ᄉᆡ, 윤샤인이 십창을 집슈년년ᄒᆞ여 아직 형아 등과 이시라 ᄒᆞ고, 병부로 더브러 청듁헌의 드러가니, 금평휘 비록 총명ᄒᆞ나 병부의【35】 능녀ᄒᆞᆫ ᄒᆡᆼᄉᆞ를 다 못 아ᄂᆞᆫ 고로, 구창과 경시를 불고이 취ᄒᆞ믈 망연 브지ᄒᆞ더라.

샤인이 뎡부의 ᄉᆞ오일 머믈고 진부의 슈일을 머므러 그 각각 악부모의 간졀ᄒᆞᆫ 졍을 밧고, 정・진 냥공과 부인ᄂᆡ 이 ᄉᆞ회 ᄉᆞ랑은 ᄋᆞ들의 우히라, 일ᄉᆡᆼ이라도 다리고 잇고

1712)멍셕ᄣᅨ : 멍석자리. 멍석뭉치. *떼; 무리. 뭉치. 덩어리.

근심이 울울ᄒᆞ나, 이곳의 질기믄 그 ᄉᆞ이 틈을 엇지 못ᄒᆞ다가, 금야ᄂᆞᆫ ᄉᆞ원으로 더부러 풍악을 즐기나, 셩경이 주식을 ᄇᆡ쳑ᄒᆞᄂᆞᆫ 뉴ᄂᆞᆫ 스ᄉᆞ로 오지 아니리니, 엇지 ᄀᆞᆺᄒᆞ여 날을 ᄡᆞ라 ᄇᆡ호며 타일 ᄃᆡ인이 아르신들 남아의 호신이 무슴 ᄃᆡᄉᆞ라 큰 죄을 숨으시며, 일가의 엇지 용납지 못ᄒᆞᆯ 일이 이시리오. ᄉᆞ원이 십창을 유졍ᄒᆞ나 ᄂᆡ 타시 아니라. ᄃᆡ인이 엇지 이을 통ᄒᆞᆫᄒᆞ시리오."

진ᄐᆡ위 소왈,

"창ᄇᆡᆨ의 말이 쾌ᄒᆞ니 숙부 면젼의ᄂᆞᆫ 쾌언을 못ᄒᆞ리【50】니, ᄂᆡ 맛당이 너의 남ᄉᆞ을 고ᄒᆞ여 환난(患難) 나물 보리라."

병뷔 소왈,

"형이 나의 남ᄉᆞ을 부친의 고ᄒᆞᆯ진ᄃᆡ, 소졔ᄂᆞᆫ 삼촌 셜이 잇시니, 형의 불고이취ᄒᆞᆫ 허물을 숙부 젼의 고ᄒᆞ리라."

워ᄂᆡ 진ᄐᆡ우 호방ᄒᆞ여 졔창을 유졍ᄒᆞ고 조강 뎡시 아름다오나, ᄌᆡ실 화시을 스ᄉᆞ로 도모ᄒᆞ여 ᄉᆞ혼ᄒᆞ시ᄂᆞᆫ 셩지을 어더 취ᄒᆞ연지 오ᄅᆡ지 아인지라. ᄎᆞ언을 듯고 ᄃᆡ소왈,

"ᄂᆡ 허물을 엄젼의 고ᄒᆞ련노라 ᄒᆞ거니와 나의 ᄒᆡᆼᄉᆞᄂᆞᆫ 네게 비ᄒᆞᆯ진ᄃᆡ 가장 단듕ᄒᆞᆫ 군ᄌᆡ라, 엇지 너의 방ᄌᆞ무지ᄒᆞ물 모로ᄂᆞ뇨?"

병뷔 웃고, 셔로 창기 등으로 병좌ᄒᆞ여 장야(長夜)을 즐기고, 계명의 모다 관소ᄒᆞ고 각각 부듕의로 도라 갈 ᄉᆡ, 윤혹ᄉᆡ 옥비 등을 당부ᄒᆞ여 아즉 형ᄋᆞ 등과 ᄒᆞᆫ가지로 이시라 ᄒᆞ고, 병부로 더부러 쳥쥭헌의 드러가니, 금후 비록 총명ᄒᆞ나 병부의 능여ᄒᆞᆫ ᄒᆡᆼᄉᆞ을 아직 몰나 구창과 경시을 불고이취ᄒᆞ물 젹연 모로더라.

혹ᄉᆡ 뎡부의 ᄉᆞ오일 머물고 다시 진부의 수슴일 머무러, 졔진과 병부로 더부러 시ᄉᆞ을 창화ᄒᆞ며, 고금을 의논ᄒᆞ여 셔로 졍의 골육 갓흐고, 뎡・진 양공이 부뷔 녀셔을 취듕ᄃᆡ지(取重待之)1655)ᄒᆞ여 ᄉᆞ랑ᄒᆞ미 평ᄉᆡᆼ

1655)취듕ᄃᆡ지(取重待之) : 매우 소중하게 대접함

져 ᄒᆞ나, 샤인의 셩졍이 걸호 싁싁ᄒᆞ여 쳐가의 죵요로온 셔랑이 아니라, 다시 와 머믈믈 일캇고, 뎡·진 이쇼져ᄂᆞᆫ 슈히 나아오라 ᄒᆞ고 본부로 도라가니, 뎡·진 이부의셔 듕보를 일흔 ᄃᆞᆺ 훌연ᄒᆞ믈 니긔지 못ᄒᆞ고, 정·진 냥쇼졔 샤인의 ᄌᆡ촉ᄒᆞ믈 지완치 못ᄒᆞ여 윤부로 도라갈ᄉᆡ 하시ᄂᆞᆫ 아딕 두어 과셰(過歲)케 【36】 ᄒᆞ여 태부인과 금후 부뷔 손을 잡고 쳑연ᄒᆞ여 당부 왈,

“ᄉᆞᄉᆞ를 샹냥ᄒᆞ여 다만 무양(無恙)ᄒᆞ라.”

쇼졔 심회 요요번난(擾擾煩亂)ᄒᆞ나 화긔를 일치 아니코, 이의 별원으로 가 삼형으로 니별ᄒᆞᆯᄉᆡ, 윤시 본부 형셰를 ᄉᆡᆼ각고 옥뉘 니음ᄎᆞ 탄식 왈,

“쇼졔 디혜 가ᄌᆞ시니 쳡의 디ᄂᆞᆫ 바 변고ᄂᆞᆫ 당치 아니시려니와, 모로미 위ᄐᆡᄒᆞᆫ 긔미 잇거든 옥부 방신을 피ᄒᆞ쇼셔.”

슉녈이 역탄 왈,

“ᄇᆡᄉᆡ(百事) 다 인력으로 밋출 ᄇᆡ 아니니 너모 심ᄉᆞ를 상ᄒᆡ오지 마르쇼셔.”

윤시 쳑연 답왈,

“이졔ᄂᆞᆫ 쇼졔ᄂᆡ 본부 난안ᄒᆞᆫ 형셰를 알오미 날도곤 더 ᄇᆞᆰ으리니 장ᄎᆞᆺ 모비의 난쳐ᄒᆞ신 심ᄉᆞ와 쇼 【37】 졔ᄂᆡ 얼울ᄒᆞᆫ 터흘 어나 ᄯᆡ의 니ᄌᆞ리오.”

슉녈이 쳑연 위로ᄒᆞ고 날이 느ᄌᆞᄆᆡ 도라갈ᄉᆡ 윤시 쇼고의 가셕ᄒᆞᆫ 바를 ᄉᆡᆼ각고 다만 두 쇼져의 손을 잡고 보듕ᄒᆞ믈 당부ᄒᆞ더라. 두 쇼졔 윤부로 도라간 후 뎡공 부부의 경경ᄒᆞᆫ 심ᄉᆡ 측냥업ᄉᆞ나 진공 부부ᄂᆞᆫ 녀ᄋᆞ를

을 ᄃᆞ리고 잇고져 ᄒᆞᄃᆡ, 혹시 셩이 결[걸]호(傑豪) 씩씩ᄒᆞ여 빙가의 머무르믈 괴로히 녁여, ᄉᆡᄒᆡ 머지 아니물 일카라 뎡·진 양소져을 ᄃᆞ리고 본부로 도라가니, 뎡·진 양공이 결연울울 【51】 ᄒᆞ더라. 숙열이 본부의 잇셔 즐기다가 구가의 도라가ᄆᆡ, 약약(掠掠)히 보칠 일을 ᄉᆡᆼ각ᄒᆞᄆᆡ ᄒᆞᆫ심ᄒᆞ나, ᄆᆡ양 못이실 ᄇᆡ요, 혹ᄉᆞ의 말을 역지 못ᄒᆞ여 진시로 더부러 윤부로 갈 ᄉᆡ, 금휘 하시ᄂᆞᆫ 아직 두어 신셰(新歲)을 지ᄂᆡ고져 ᄒᆞᄂᆞᆫ 고로, 다만 영[여]아(女兒)을 당부ᄒᆞ여

“ᄉᆞᄉᆞ을 상냥ᄒᆞ여 기리 무양(無恙)ᄒᆞ라.”

니르고, ᄐᆡ부인은 눈물을 금치 못ᄒᆞ니, 소졔 더욱 심회 불호ᄒᆞ나, 화긔을 변치 아녀 나작이 ᄇᆡᄉᆞ 하직고, 임힝의 별원의 나아가 ᄉᆞᆷ형을 이별ᄒᆞᆯ ᄉᆡ, 양·니ᄂᆞᆫ 각별 슬푸미 업ᄉᆞ나, 윤시 친졍 형셰을 ᄉᆡᆼ각ᄒᆞ니 옥뉘방방ᄒᆞ여 갈오ᄃᆡ,

“소졔ᄂᆞᆫ 신츌귀몰ᄒᆞᆫ ᄌᆡ죄 잇셔 쳡의 지ᄂᆞᆫ 바 변고을 당치 아니려니와, 모로미 위ᄐᆡᄒᆞᆫ 긔미 잇거든 몸을 ᄲᆡ혀 화을 졔방ᄒᆞ소셔.”

뎡시 탄왈,

“만ᄉᆡ 쳔애라, 인녁으로 밋출 일 업ᄉᆞ니, 《거거∥져져》 ᄂᆞᆫ 우려치 말고 심ᄉᆞ을 안한이 졍ᄒᆞ여, 별원 고초을 격그시며 본부화변을 ᄉᆡᆼ각 마르소셔.”

윤소졔 슬허 왈,

“쳡이 죤젼의셔 감히 친졍ᄉᆞ셰을 이라지 못ᄒᆞ여시나, 소졔 본부 일을 쳡도곤 밝히 아르실지라, ᄂᆡ 몸이 별원고초는 영화오, 소졔ᄂᆡ 위ᄐᆡᄒᆞ심과 모비(母妃) 난안ᄒᆞ신 심ᄉᆞᄂᆞᆫ 날노 더ᄒᆞᆯ 거시니, 쥬ᄉᆞ야탁(晝思夜度)ᄒᆞ나 ᄉᆞ셰 평안ᄒᆞᆯ 길이 업고, 양뎨(兩弟)ᄂᆞᆫ 셩품이 과격ᄒᆞ고 모친 괴로오심도 ᄌᆞ셰 슬피지 못ᄒᆞᄂᆞ니, 하물며 소졔 등 심ᄉᆞ을 이 【52】 르랴.”

뎡소져 소고의 과려ᄒᆞ믈 보고 또ᄒᆞᆫ 옥누을 쁘려 왈,

“져져 이곳 고쵸 심ᄒᆞ니 또ᄒᆞᆫ 간장을 이울게 마르소셔.”

윤시 읍읍쳐열(泣泣悽咽)ᄒᆞ야 다만 쳔만

보ᄂᆡ미 홀연홀 ᄲᅳᆫ이오 못닛는 ᄯᅳᆺ이 업ᄉᆞ니 이ᄂᆞᆫ 그집 흉악ᄒᆞᆫ 형셰를 아득히 모로미러라.

이러구러 셰환(歲換)ᄒᆞ여 신졍(新正)을 당ᄒᆞ니, 슌태부인과 금후 부뷔 ○○○○○[윤・양・니 숨부] 면젼의 업ᄉᆞ므로 더옥 울울블낙ᄒᆞᄃᆡ, 공쥐 신혼셩졍을 ᄣᅦ예 맛초고 온화ᄒᆞᆫ ᄉᆡᆨ과 겸공ᄒᆞᆫ ᄒᆡᆼᄉᆞ로 은악양션(隱惡佯善)ᄒᆞ나, 금휘 공쥬의 위인이 죵시 쳔연ᄒᆞᆫ 【38】 슉녀 아니믈 지긔ᄒᆞ고, ᄆᆡ양 부마를 경계ᄒᆞ여 후ᄃᆡᆨᄒᆞ라 ᄒᆞ니, 병뷔 슈명ᄒᆞ여 문양궁 왕ᄂᆡ 빈빈ᄒᆞ여 공쥬로 문답ᄉᆞ에(問答私語) ᄀᆞ장 은근 경듕ᄒᆞᆫ 듯ᄒᆞ나, 밤을 당ᄒᆞ여ᄂᆞᆫ 침셕 ᄉᆞ이 약쉬(弱水)[1713] 즈음치니, 공쥐 흉음ᄒᆞᆫ ᄉᆞ졍을 ᄎᆞᆷ기 어려오나 ᄎᆞ마 이셩의 친을 ᄌᆞ청(自請)튼 못ᄒᆞ고, 그 션풍옥면(仙風玉面)의 희미ᄒᆞᆫ 우음을 ᄯᅴ여 흔연이 말ᄒᆞᆯ ᄣᅵᄂᆞᆫ 공쥬의 상ᄉᆞ원졍(相思願情)이 속졀업시 ᄋᆡ ᄉᆞᆯ허지니, 다만 그 얼골을 우럴고 ᄇᆡᆨ만 교틱ᄒᆞ여 은졍을 요구ᄒᆞᄂᆞᆫ 거동이 ᄎᆞ마 군ᄌᆞ의 뎡시ᄒᆞᆯ ᄇᆡ 아니라. 볼 젹마다 증한(憎恨)ᄒᆞ나 아ᄃᆡᆨ 가ᄂᆡ의 변고를 막으려, 부【39】명을 좃ᄎᆞ 왕ᄂᆡ 여일ᄒᆞ더니, 일야ᄂᆞᆫ 술을 진취ᄒᆞ고 공쥬와 좌를 갓가이 ᄒᆞ고 셔어(齟齬)ᄒᆞᆫ 우음을 ᄯᅴ여 집슈 왈,

"ᄉᆡᆼ이 혈긔 미뎡ᄒᆞᆫ ᄣᅵ로브터 녀ᄉᆡᆨ을 탐ᄒᆞ여 신샹의 괴로온 질을 닐위니, 당ᄎᆞ지시(當此之時)ᄒᆞ여ᄂᆞᆫ 후회 극ᄒᆞ여 십분 조심ᄒᆞ

1713)약쉬(弱水) : 신선이 살았다는 중국 서쪽의 전설 속의 강. 길이가 3,000리나 되며 부력이 매우 약하여 기러기의 털도 가라앉는다고 하여, 속인(俗人)은 건너지 못한다고 한다.

보듕ᄒᆞ믈 당부ᄒᆞ고 날이 ᄂᆞᄌᆞᄆᆡ 거듕의 올나 도라가니, 윤・양・니 등이 홀연ᄒᆞ믈 이긔지 못ᄒᆞ더라.

진공 부부의 경경ᄒᆞᆫ 심ᄉᆞ와 갓지 아니나 윤시의 ᄉᆞ화로[를] 뎡부의셔ᄂᆞᆫ 아ᄂᆞᆫ ᄇᆡ 되고, 진부의셔도 윤소져의 변고을 모로고, 진소져 ᄌᆞ긔 신세을 부모긔 ᄉᆞᆯ지 아니니, 아득히 모로더라.

임의 셰환(歲換)ᄒᆞ여 신뎡(新正)을 당ᄒᆞ니, 슌틱부인과 금후 부부 윤・양・니 숨부 면젼의 업ᄉᆞ믈 심히 결연ᄒᆞ여 가장 불낙ᄒᆞᄃᆡ, 공쥐 신혼셩졍을 ᄣᅵ의 맛초고 온화ᄒᆞᆫ ᄉᆞᄉᆡᆨ과 겸공ᄒᆞᆫ ᄒᆡᆼᄉᆞ로 명예을 모호고 부마의 은총을 요구ᄒᆞ나, 금휘 공주의 위인이 죵시 쳔연ᄒᆞᆫ 슉녀 아니믈 지긔ᄒᆞ고, ᄆᆡ양 부마을 경계ᄒᆞ여 후ᄃᆡᄒᆞ라 ᄒᆞ니, 병뷔 슌슌수명ᄒᆞ고 문양궁 왕ᄂᆡ 무상ᄒᆞ여 공주을 ᄃᆡᄒᆞᆫ 즉, 작위화긔(作爲和氣)로 언어 슈작이, 흔연이 상ᄋᆡᄒᆞᄂᆞᆫ 거동이 소년 부부의 환흡ᄒᆞ미 잇ᄂᆞᆫ 닷ᄒᆞ나, 밤을 당ᄒᆞᆫ 즉 침셕 ᄉᆞ이 멀미 약수(弱水)[1656]가 되어 ᄒᆡᆼ뇌(行路) 지남 갓타니 공쥐 막지기고(莫知其故)ᄒᆞ여 흉음ᄒᆞ나, 《ᄎᆞᆷ‖ᄎᆞ마》이셩지낙을 스ᄉᆞ로 《경‖청(請)》치 못ᄒᆞ고 그 셩품[션풍]옥면(仙風玉面)○[의] 희미ᄒᆞᆫ 우음을 ᄯᅴ여시믈 본 즉, 어린다시 우러러 ᄇᆡᆨ만교틱을 ᄯᅴ여 은총을 낫고려 셔도ᄂᆞᆫ 거동이 음악ᄒᆞ니, 【53】 부마 곳쳐 ᄃᆡ면치 말고져 ᄒᆞᄃᆡ, 쳔만강인[잉]ᄒᆞ여 아직 가ᄂᆡ의 변고을 닐우지 아니려 ᄒᆞ며, 부명을 져ᄇᆞ리지 아니랴 ᄒᆞᄂᆞᆫ지라. 일야ᄂᆞᆫ 술을 진취(盡醉)ᄒᆞ고 공주와 좌을 갓ᄀᆞ이 ᄒᆞ고, 취안으로 양구숙시(良久熟視)라가, 셔어ᄒᆞᆫ 우음을 먹음어 분ᄒᆞ믈 쥬리잡고 죠흔 ᄉᆡᆨ으로 집수 왈,

"ᄉᆡᆼ의 쳐쳡의 쉬(數) 열 붓기로[1657], 혈긔미정지시(未定之時)로부터 녀ᄉᆡᆨ을 탐ᄒᆞ여

1656)약수(弱水) : 신선이 살았다는 중국 서쪽의 전설 속의 강. 길이가 3,000리나 되며 부력이 매우 약하여 기러기의 털도 가라앉는다고 하여, 속인(俗人)은 건너지 못한다고 한다.

1657)열 붓기 : 열 넘게. 붓<밖. '밖'은 어떤 선을 넘어선 쪽을 뜻하여 '넘다'는 의미를 갖는다.

는 빅, 병이 나은 후 녀관(女關)을 상근(相近)ᄒᆞ려 ᄒᆞ거니와, 발셔 깁히 상ᄒᆞ여 슈히 낫디 못ᄒᆞᆯ디라. ᄆᆞ옴의 그ᄋᆞᆨ이 한ᄒᆞ미 공쥬로 더브러 디금 이셩(二姓)의 친(親)을 및디 못ᄒᆞ니 졍이 이시나 펴디 못ᄒᆞ믈 이ᄃᆞᆯ와 ᄒᆞ고, 십셰를 넘지 못ᄒᆞ여 미녀 셩식(聲色)을 지나쳐보디 못ᄒᆞᆫ 타시니, 존당 부모ᄂᆞᆫ 나의 병을 모로시ᄂᆞᆫ【40】 빅오, 남뎡ᄒᆞ고 도라온 후로 증셰 더ᄒᆞ여, 달포 니별ᄒᆞ엿던 쳐쳡으로도 구졍(舊情)을 닛디 못ᄒᆞ엿고, 의슐이 고명ᄒᆞᆫ 의ᄌᆞ를 보고 병근을 니르니, 의ᄌᆞ 왈 일즉 녀관의 상ᄒᆞᆫ 히오, 또ᄒᆞᆫ 단명ᄒᆞᆯ 증됴를 디어시니 조심치 아닌 즉 살기 어렵다 ᄒᆞ미, 내 또ᄒᆞᆫ 놀나오미 업디 아닌지라, 각별 조심코져 ᄒᆞᄃᆡ ᄆᆞ옴을 잡디 못ᄒᆞ여 공쥬를 ᄃᆡᄒᆞ면, 더옥 황홀ᄒᆞᆫ 졍을 ᄎᆞᆷ기 어려오니 일장 대ᄉᆡ로소이다."

신상의 괴질을 일워니, 당ᄎᆞ지시(當此之時)ᄒᆞ여ᄂᆞᆫ 후회막급(後悔莫及)이라. 십부[분] 조심ᄒᆞᄂᆞᆫ 빅, 병이 나은 후 녀ᄉᆡᆨ을 상근(相近)ᄒᆞ려 ᄒᆞ거니와, 발셔 깁히 상ᄒᆞ여 슈이 낫지 못ᄒᆞᆯ지라. 마음의 그ᄋᆞᆨ이 ○[ᄒᆞᆫ]ᄒᆞᄂᆞᆫ 빅, 공주로 더부러 지금 이셩지친(二姓之親)을 및지 못ᄒᆞ니, 졍이 이시나 펴지 못ᄒᆞᆫ다 ᄒᆞ미 이런 곳을 이르미라. 십셰을 넘지 못ᄒᆞ여 홍상기녀(紅裳妓女)를 지ᄂᆡ보지 못ᄒᆞᆫ 탓시니, 죤당부모ᄂᆞᆫ ᄂᆡ의 병을 모로시더니, 남졍ᄒᆞ고 도라온 후부터 증셰 고이ᄒᆞ여 날노 더ᄒᆞ니, 공주을 미쥐 젼, 만니 젼진의 십싱구ᄉᆞ(十生九死)ᄒᆞ여 도라와 이별ᄒᆞ엿던 쳐쳡을 ᄎᆞᄌᆞ 구졍(舊情)을 이으미 고이치 아니나, 이 병으로ᄒᆞ여 졈졈 긔동(起動)키 어려온지라, 심히 민막[박](憫迫)ᄒᆞ여 의슐이 고명ᄒᆞᆫ 도ᄉᆞ을 맛나 병근을 이르고 뮉을 뵌 즉, 도ᄉᆡ 일오ᄃᆡ, 혈긔 미졍ᄒᆞᆫ 쎠 녀관(女關)을 침익(沈溺)ᄒᆞ야 긔허단명(氣虛短命)ᄒᆞᆯ 징됴을 지어시니 만일 조심치 아니면 술기 어렵다 ᄒᆞ니, 마음의 경악ᄒᆞ여 숨ᄉᆞ년을 각별 죠심코져 ᄒᆞ되, 마음을 잡지 못ᄒᆞ여【54】 공주을 ᄃᆡᄒᆞ면 더욱 황홀ᄒᆞᆫ 졍을 ᄎᆞᆷ지 못ᄒᆞ니 일싱 ᄃᆡᄉᆞ로소이다."

언파의 위곡은근(委曲慇懃)ᄒᆞ여 산히듕졍(山害重情)이 잇ᄂᆞᆫ 듯ᄒᆞ니, 공쥬의 엿ᄐᆞᆫ 심졍이 져의 능휼ᄒᆞᆫ 의ᄉᆞ를 엇디 ᄉᆡᄃᆞ르리오. 셩혼 일삭의 부부지락을 일우지 못ᄒᆞ고, 상ᄉᆞᄒᆞ【41】ᄂᆞᆫ 간장이 거의 녹을 ᄃᆞᆺᄒᆞᆯ ᄌᆞ음의 이 말을 드르니, 놀납고 망단(望斷)[1714]ᄒᆞ여 낫빗촐 곳쳐 왈,

언파의 위곡은근(委曲慇懃)ᄒᆞ니, 공주의 엿튼 심졍이 져의 부부지낙을 일우지 못ᄒᆞ고 상ᄉᆞᄒᆞᄂᆞᆫ 간장이 거의 녹을 듯ᄒᆞᆯ 지음의 이말을 드르니, 놀납고 망단(望斷)[1658]ᄒᆞ여 낫빗촐 곳쳐 왈,

"군후의 신ᄉᆡᆨ이 여화(如花)ᄒᆞ고 혈긔 방강ᄒᆞ미 남과 다르시거늘, 신상의 괴이ᄒᆞᆫ 병이 계시믄 쳔만 념외(念外)라. 이 말ᄉᆞᆷ을 드르니 극히 놀나온디라, 엇디 의약으로ᄡᅥ 급히 곳치지 아니시니잇가?"

병뷔 짐즛 탄왈,

"연골(軟骨)의 상ᄒᆞᆫ 병이라 므ᄉᆞᆫ 약이 이시리오. ᄉᆞᄉᆞ로 조심ᄒᆞ여 녀ᄉᆡᆨ을 존졀(撙節)

"혈긔 방장ᄒᆞ미 남과 다르시고 신ᄉᆡᆨ이 연화(蓮花) 갓ᄐᆞ시니 신상의 괴질을 가지믄 쳔만의외(千萬意外)라. 이 말ᄉᆞᆷ을 드르니 경히ᄒᆞᄂᆞ니 엇지 의약을 착실이 ᄒᆞ여 병후롤 고치지 아니시ᄂᆞ뇨?"

부마 탄왈,

"혈기 미졍ᄒᆞᆫ 쎠의 어든 병을 낫기 어려온지라. 의ᄌᆞ 일오ᄃᆡ, ᄎᆞ병은 약셕(藥

1714)망단(望斷) : ①어떤 바라던 일이 실패함. ②이러지도 저러지도 못하여 처지가 딱함.

1658)망단(望斷) : ①어떤 바라던 일이 실패함. ②이러지도 저러지도 못하여 처지가 딱함.

ᄒᆞ미 약이언마ᄂᆞᆫ ᄆᆞᄋᆞᆷ이 굿디 못ᄒᆞ니, 오ᄅᆡ ᄎᆞᆷ디 못ᄒᆞᆯ가 ᄒᆞᄂᆞ이다.”

공쥐 망연코 ᄋᆡᄃᆞᆯ오믈 니긔디 못ᄒᆞ여 왈,

“쳡이 그 병근을 드르니 심담을 ᄯᅥ르치ᄂᆞᆫ디라. 쳔금을 흣터 군ᄌᆞ의 질환이【42】 슈히 가복ᄒᆞ여 완인이 되시게 ᄒᆞ리이다.”

병뷔 그 말을 드르니 더럽고 긔괴ᄒᆞ여 잠쇼 왈,

“쳔금으로 의약을 다ᄉᆞ려 나을 병이면 나의 집이 공후지개(公侯之家)라. ᄉᆡᆼ의 작위 ᄯᅩᄒᆞᆫ 녈후의 이시니 만ᄌᆡ(萬財)를 현마 드리디 못ᄒᆞ리오마ᄂᆞᆫ, 셰간의 범범ᄒᆞᆫ 의ᄌᆞᄂᆞᆫ 내 병을 아도 못ᄒᆞ고, ᄀᆞ장 고명ᄒᆞᆫ 의ᄌᆞᄂᆞᆫ 약셕(藥石)[1715]이 브졀업다 ᄒᆞ여, 다만 녀ᄉᆡᆨ만 먼니ᄒᆞ라 ᄒᆞ여 블연 즉, 이십을 넘디 못ᄒᆞ리라 ᄒᆞ니 졀민ᄒᆞ믈 니긔지 못ᄒᆞ나, 병을 임의치 못ᄒᆞ고 ᄆᆞᄋᆞᆷ을 뎡ᄒᆞ여 녀관을 먼니ᄒᆞ연 지 계오 슈삭이니, 근간은 몸져 눕기ᄂᆞᆫ 아닛ᄂᆞᆫ디라. 젼일 녀ᄉᆡᆨ을 폐치 아냐셔ᄂᆞᆫ 일삭의【43】 ᄒᆞᆫ날도 눕고시브디 아닌 ᄯᆡ 업셔이다.”

ᄒᆞ여, 공쥬의 ᄆᆞᄋᆞᆷ을 눅이고, 공쥬의 므릅흘 베고 손을 노치 아냐 졍의 간졀ᄒᆞᆫ 듯ᄒᆞ니, 공쥬ᄂᆞᆫ 그 뜻을 모르고 ᄌᆞ긔를 귀듕ᄒᆞ민가 ᄒᆞ여, 아협(雅頰)이 ᄌᆞ로 동ᄒᆞ고 ᄋᆡᆼ슌이 반개ᄒᆞ여 ᄌᆞᄐᆡ를 디으며, 은통을 영구(令求)ᄒᆞ니 요음쳠ᄉᆞ(妖淫諂邪)ᄒᆞ미 부마의 결증(潔症)으로 오ᄅᆡ 누어 볼ᄇᆡ 아니나, 위인이 본ᄃᆡ 하ᄒᆡ지량(河海之量)이라. 텬디의 너르믈 가져 소견을 밧긔 낫타ᄂᆡᄂᆞᆫ 셩픔이 아닌 고로, 일양 흔연ᄒᆞ여 듕인소시(衆人所視)의라도 긔ᄉᆡᆨ이 츈풍ᄀᆞᆺᄐᆞ니, 부뫼 쳐음은 ᄋᆞᄌᆞ의 고집 결증을 념녀ᄒᆞ여 공쥬를 박ᄃᆡ

1715)약셕(藥石) : 약과 침이라는 뜻으로, 여러 가지 약을 통틀어 이르는 말. 또는 그것으로 치료하는 일.

石)[1659]으로 곳치지 못ᄒᆞ리니 다만 녀ᄉᆡᆨ을 멀니 ᄒᆞ라 ᄒᆞ나, 심졍이 굿지 못ᄒᆞ여 능히 직희지 못ᄒᆞᆯ가 ᄒᆞᄂᆞ이다.”

공쥐 망연코 ᄋᆡ달오믈 이긔지 못ᄒᆞ여 우왈,

“의약을 일위여 극진이 구호ᄒᆞᆫ 즉 위악ᄒᆞᆫ 질병이 아니니 ᄌᆞ연 ᄎᆞ셩(差成)ᄒᆞᆯ지라. 엇지 스ᄉᆞ로 낫기을 등ᄃᆡ(等待)ᄒᆞ리오. 쳡이 군ᄌᆞ 질환을 드르ᄆᆡ 심장이 ᄯᅥᆯ니고 쳔금만보을 앗기지 아니리니, 의치(醫治)의 정셩을 다ᄒᆞ여 완인이 되시믈 원ᄒᆞᄂᆞ이다.”

병뷔 심니의 긔괴ᄒᆞ믈 ᄎᆞᆷ고 소왈,

“의약으로 곳칠 병이면 ᄂᆡ집이 공후지가(公侯之家)요, ᄉᆡᆼ의 작위 ᄯᅩᄒᆞᆫ 녈후의{의} 이시니 만ᄌᆡ(萬財)을 허비ᄒᆞᆫ들 약셕이 잇지 못ᄒᆞ리오마난, 셰간 범범ᄒᆞᆫ 의ᄌᆞᄂᆞᆫ 약이 부졀업ᄉᆞ니, 다만 신[녀]ᄉᆡᆨ(女色)을 각별이 ᄒᆞ라 ᄒᆞ여, 녀관을 삼가지 못ᄒᆞ면 이십이 넘지 못【55】○[ᄒᆞ]리라 ᄒᆞ니, 민졀ᄒᆞ믈 이긔지 못ᄒᆞ나, 병을 임의치 못ᄒᆞ고 마음을 뎡ᄒᆞ여 녀관을 멀니ᄒᆞ여[연]지 겨유 수삭이니, 근간은 몸져 눕지는 아니ᄒᆞ고 젼ᄌᆞᄂᆞᆫ 일삭의 슌망이나 알터니 지금은 ᄃᆡ셰(大勢)ᄂᆞᆫ 나은 듯ᄒᆞ여이다.”

ᄒᆞ고, 인ᄒᆞ여 공주 마음을 눅이고져 ᄒᆞ여 그 무릅흘 베고 손을 놋치 아냐 졍의 간졀ᄒᆞᆫ 듯ᄒᆞ니, 공주ᄂᆞᆫ 그 뜻들 모로고 ᄌᆞ긔 귀듕ᄒᆞᄂᆞᆫ 쥴노 알아 ᄋᆞ협(雅頰)○[이] ᄌᆞ○[로] 동ᄒᆞ고 ᄋᆡᆼ슌이 열녀 ᄌᆞᄐᆡ을 지으며 은총을 요구ᄒᆞ니, 요음쳠ᄉᆞ(妖淫諂邪)ᄒᆞ미 부마의 비위 결증을 도울 ᄲᅮᆫ 아니라, 위인의 비루ᄒᆞ미 ᄒᆞ쳔지뉴와 갓트나, 부마의 하ᄒᆡ지량으로 마음을 뎡히 ᄒᆞ고 심ᄉᆞ(心事)을 밧긔 ᄂᆡ지 아니니, 분한통히ᄒᆞ믈 견ᄃᆡ여 듕인소시(衆人所視)의 후ᄃᆡᄒᆞ여 박졍ᄒᆞᄂᆞᆫ 말을 취치 아니니, ᄉᆞ름이 그 심지을 능히 탁

1659)약셕(藥石) : 약과 침이라는 뜻으로, 여러 가지 약을 통틀어 이르는 말. 또는 그것으로 치료하는 일.

ᄒᆞᆯ가 ᄒᆞ더니, 문양궁 왕ᄂᆡ 빈빈ᄒᆞ고 ᄃᆡ졉【44】이 화평ᄒᆞ여 부부디락이 흡연ᄒᆞᆫ ᄃᆞᆺᄒᆞ니, 부뫼 그윽이 다ᄒᆡᆼ이 넉이더라.

하쇼졔 금후의 디극히 ᄉᆞ랑ᄒᆞᄆᆞ로 뎡부의 아ᄃᆡᆨ 머므ᄂᆞᆫ 고로, 윤ᄉᆡᆼ을 쳥ᄒᆞ여 동방(洞房)을 ᄇᆡ셜ᄒᆞ고, 금후 부뷔 ᄉᆞ랑ᄒᆞ미 샤인긔 디디 아니코, 더옥 윤ᄉᆡᆼ의 위인을 졔인이 개용치경(改容致敬)ᄒᆞ고 희히(戱諧)를 간ᄃᆡ로 못ᄒᆞ여, ᄃᆡᄒᆞᄆᆡ 댱ᄌᆞ(長者)를 ᄃᆡᄒᆞᆷ ᄀᆞᆺᄐᆞ니 이ᄂᆞᆫ 그 위인이 녜도와 일동일졍이 단아 침믁ᄒᆞ여 녈녈ᄒᆞᆫ 긔상을 긔탄 공경ᄒᆞ○[미]니, 금휘 ᄆᆡ양 칭찬 왈,

“셰원인망(世遠人亡)ᄒᆞ여 대현 군ᄌᆞ를 보디 못ᄒᆞᆯ너니, ᄉᆞ빈의 도덕 대현을 보ᄆᆡ 탁셰(濁世)의 ᄒᆞᆫ낫 셩ᄌᆡ(聖者)라. ᄉᆞ원의 츌인비【45】상ᄒᆞᄆᆞ로도 오히려 ᄉᆞ빈을 밋디 못ᄒᆞᆯ 곳이 만흐니, 명천 형이 됴셰(早世)ᄒᆞ

냥치 못ᄒᆞ더라. 금후 부뷔 아ᄌᆞ의 고집과 결증을 심히 념녀ᄒᆞ여 공주을 박ᄃᆡᄒᆞᆯ가 근심이 젹지 아니터니, 부마 문양궁 왕ᄂᆡ 빈빈ᄒᆞ고 ᄃᆡ졉이 화평ᄒᆞ여 부부의 관관지낙(關關之樂)1660)이 가작ᄒᆞᆷ 가트니, ᄒᆡᆼ열ᄒᆞ여 다시 금슬을 권치 아니터라.

하소져 뎡부의 머물며 윤ᄉᆡᆼ이 금후{의} 부부의 지극히 쳥ᄒᆞᄆᆞᆯ 조ᄎᆞ 마지 못ᄒᆞ여 이르러 와 머무니, 금후 부부 ᄉᆞ랑ᄒᆞᄆᆞᆯ 혹ᄉᆞ긔 나리미 업ᄉᆞ니, 그 위인을 긔ᄋᆡᄒᆞ여 ᄃᆡ현군ᄌᆞ로 비ᄒᆞ여 졔인이 다 깁히 긔ᄃᆡᄒᆞ고, ᄀᆡ【56】용치경(改容致敬)ᄒᆞ여 부잡(浮雜)ᄒᆞᆫ 언소와 무숭ᄒᆞᆫ 희히(戱諧)을 낭자이 못ᄒᆞ고, 그 년소ᄒᆞᄆᆞᆯ ᄭᆡ닷지 못ᄒᆞ여 그 눈의 허물이 뵈일가 숨가믄 윤ᄉᆞ인긔 지나니, 이ᄂᆞᆫ 비록 형뎨간이라도 그 품격이 ᄂᆡ도ᄒᆞ여, ○○○[ᄉᆞ인은] 희담소어을 즐겨 활발지긔(活潑之氣)을 《작츅‖장축(藏縮)》치 못ᄒᆞ고, 부ᄃᆡ ᄉᆞᄅᆞᆷ을 침노ᄒᆞ고 보ᄎᆡ고 긔롱ᄒᆞᄆᆞᆯ 심히 ᄒᆞ여 말이 나ᄂᆞᆫ ᄃᆡ로 ᄒᆞ고 ᄯᅳᆺ이 번화부려ᄒᆞᆫ 곳의 잇셔 요젹ᄒᆞᄆᆞᆯ 취치 아니니, 호긔 융융ᄒᆞ여 ᄉᆞᄅᆞᆷ이 ᄡᅳ라 그 담소을 아니 즐기리 업셔 소년ᄇᆡ 희히로 긔롱ᄒᆞ며 어려이 녁이고, 윤ᄉᆡᆼ은 긔운이 츄쳔(秋天) 갓트여 위의 슉엄뎡ᄃᆡᄒᆞ여 말ᄉᆞᆷ이 입의 나ᄆᆡ 공부ᄌᆞ(孔夫子)의 의논이오, ᄆᆡᆼᄌᆞ(孟子)의 언변이라. ᄒᆞᆫ 거름도 녜 밧긔 일이 업셔 문장이 빈빈ᄒᆞ고 도ᄒᆡᆼ이 숙숙(肅肅)ᄒᆞ여 흉듕의 큰 지긔 잇고, 심졍이 츄졍(秋情)을 어린 듯 안ᄉᆡᆨ이 화열ᄒᆞ여 동일지ᄋᆡ(冬日之愛)1661)와 경운화풍지상(慶雲和風之相)이니, 삼엄졍ᄃᆡᄒᆞᆫ 거동이 견ᄌᆞ(見者)로 ᄒᆞ여금 송연긔경(悚然起敬)케 ᄒᆞᄂᆞᆫ지라. 인인이 셔로 상ᄃᆡᄒᆞᆫ즉 ᄃᆡ셩(大聖)을 뫼신 듯, 그 말ᄉᆞᆷ을 드르면 공안(孔顔)1662)의 교회(敎誨)을 드름 갓트여, 금휘 ᄆᆡ양 칭찬 왈,

“《셰인덕소‖세원덕쇠(世遠德衰)》ᄒᆞ여

1660)관관지낙(關關之樂) : ≒관저지락(關雎之樂). 『시경』 <주남(周南)> ‘관저(關雎)’장의 군자 · 숙녀가 정답게 서로 사랑하는 즐거움을 말함.
1661)동일지ᄋᆡ(冬日之愛) : 겨울 햇살의 다사로움.
1662)공안(孔顔) : 공자(孔子)와 안자(顔子).

나 ᄉᆞ원 ᄀᆞᆺᄐᆞᆫ 영쥰호걸과 ᄉᆞ빈ᄀᆞᆺᄐᆞᆫ 셩현의 ᄋᆞ돌을 두어시니, 후ᄉᆞ의 빗남과 문호의 챵대ᄒᆞ믈 보디 아냐 알디니, 이ᄂᆞᆫ 명쳔 형의 뎡튱대졀과 쳥힝셩덕의 비로ᄉᆞ미라."

ᄒᆞ고 도위를 경계 왈,

"너ᄂᆞᆫ 나히 ᄉᆞ빈의 우히나 범ᄉᆡ ᄉᆞ빈을 밋디 못하리니, 댱긔를 도로혀 ᄉᆞ빈의 뎡대온듕ᄒᆞ믈 ᄡᆞ라 ᄇᆡ호라."

ᄒᆞ니 슌태부인이 우어 왈,

"나의 텬흥이 윤ᄉᆡᆼ긔 디디 아니리니 너ᄂᆞᆫ 무익히 경계ᄒᆞᄂᆞᆫ 체 말나."

금휘 ᄇᆡ왈,

"위인이 ᄉᆞ빈만 못ᄒᆞ미 아니나 도덕언힝은 앙망블급(仰望不及)이니이다."

ᄒᆞ더라.【46】

윤ᄉᆡᆼ이 슈일을 믁어 금후 부부와 제ᄉᆡᆼ을 하ᄃᆡᆨᄒᆞ고 도라가니, 이ᄣᆡ 윤부의셔 하쇼져 오기를 ᄌᆡ촉ᄒᆞ니, 쇼졔 구가의 나아가ᄆᆡ, 난안ᄒᆞᆫ 신셰를 늣기나 ᄉᆞᄉᆡᆨ디 아니코 양부모(養父母) 존당을 하ᄃᆡᆨ고 옥누항으로 도라가니, 태부인이 두 손녀를 위ᄒᆞᆫ 념네 일시도 방하치 못ᄒᆞ더라.

ᄎᆞ년 츈의 텬ᄌᆡ 셩묘의 ᄇᆡ알ᄒᆞ시고, 현냥방졍과(賢良方正科)를 여르샤 인ᄌᆡ를 ᄲᆡ시니, 윤츄밀이 ᄋᆞᄌᆞ를 응과케 ᄒᆞ니, ᄉᆡᆼ이 실노 과욕이 ᄉᆞ연ᄒᆞᄃᆡ 친의를 역디 못ᄒᆞ여 댱옥의 나아가니, 텬ᄉᆡᆼ 아ᄌᆡ(雅才)와 십년 공부로 엇디 범연ᄒᆞ리오. 복녹은 텬일을 응ᄒᆞ고 ᄌᆡ조ᄂᆞᆫ 의마(倚馬)[1716]의 빗나니,【47】

1716)의마(倚馬) : 말에 잠깐 기댄 사이라는 뜻으로 의마지재(倚馬之才)에서 온 말이다. 의마지재란,

ᄃᆡ셩군ᄌᆞ()大聖君子을 보지 못ᄒᆞᆯ너니, 이졔 ᄉᆞ빈의 도덕 ᄃᆡ현을 보ᄆᆡ 탁속(濁俗)의 ᄒᆞᆫ 낫 셩ᄌᆡ라. ᄉᆞ원의 츌인ᄒᆞ므로도 오히려 ᄉᆞ빈을 바라지 못ᄒᆞᆯ 곳지 만흐니, 명쳔 형이 일작 셰상을 바리나 ᄉᆞ원 갓튼 영ᄌᆞ을 두고, 다시 ᄉᆞ빈 갓튼【57】 셩현 아들을 두엇시니, 후ᄉᆞ의 빗남과 문호의 창ᄃᆡᄒᆞ믈 보지 아녀 알지라. 이 ᄯᅩ 명쳔 형의 젹심츙졀과 청힝셩덕으로 비로소미라."

ᄒᆞ고 도위 등 제ᄌᆞ을 경계 왈, .

"여등은 비록 ᄉᆞ빈의 맛시나[1663] 힝실이 명숙ᄒᆞ미 ᄉᆞ빈의게 바랄 길 업ᄉᆞ니, 부졀업시 공ᄆᆡᆼ셔(孔孟書)을 보지 말고 ᄉᆞ빈을 ᄡᆞ라 ᄇᆡ호라."

슌ᄐᆡ부인이 소왈,

"윤ᄉᆡᆼ이 비록 아름다오나 쳔흥 등이 ᄡᆞ라 ᄇᆡ호도록 ᄒᆞ리오."

휘 ᄃᆡ왈,

"쳔ᄋᆡ 외모풍신은 ᄀᆞᆺ하여 ᄉᆞ빈의 아ᄅᆡ 되지 아니나 힝실은 앙망불급(仰望不及)이라, ᄌᆞ위 오히려 쳔아의 허랑ᄒᆞ믈 모로시ᄂᆞ이다."

ᄐᆡ부인이 이의 웃고 손아의 긔특홈을 칭찬ᄒᆞ여 윤ᄉᆡᆼ의 아ᄅᆡ{아ᄅᆡ} 아니믈 이르니, 금휘 미소무언이러라.

윤부의셔 위시 하소져 도라오믈 ᄌᆡ촉ᄒᆞ니 하시 구가의 가ᄆᆡ, 그 마음을 지탁(支託)지 못ᄒᆞ나, 브득이 부모긔 하직ᄒᆞ고 옥누항으로 도라오니, 양부뫼 훌연 결울ᄒᆞ믈 비길 곳지 업셔 ᄒᆞ고, ᄐᆡ부인이 손녀 등 위ᄒᆞᆫ 념녀 일시을 방ᄒᆞ지 못ᄒᆞ더라.

ᄎᆞ년 츈의 쳔ᄌᆡ 성묘의 ᄇᆡ알ᄒᆞ시고 과갑(科甲)을 여러 인ᄌᆡ을 ᄲᆡ실 ᄉᆡ, 윤츄밀이 희쳔으로 응과○[케] ᄒᆞ니, ᄉᆡᆼ이 과욕이 붓브지 아니ᄒᆞ나 친의을 녁지 못ᄒᆞ여 장옥의 나아가ᄆᆡ, 평ᄉᆡᆼ 아ᄌᆡ(雅才)와 십년 공부을 이날 펼치니, 엇지 ᄎᆞ오(差誤)ᄒᆞ미 잇시리오. 금심수두[구](錦心繡口)[1664]와 의마지ᄌᆡ(倚

1663)맛시 : 맏이. ①여러 형제자매 가운데서 제일 손위인 사람. ②나이가 남보다 많음. 또는 그런 사람

삼당 시권의 풍운이 빗츨 변ᄒᆞ고 귀신을 울닐 ᄌᆡ죄이시니, 필법이 신능ᄒᆞ여 견ᄌᆡ 찬양탄복ᄒᆞ더라.

밋 방을 써혀 댱원을 호명ᄒᆞᄆᆡ, 항쥐인 윤희텬의 년이 십ᄉᆞ요 부ᄂᆞᆫ 광녹태우 츄밀ᄉᆞ 쉬라 브르ᄂᆞᆫ 소ᄅᆡ 셰번나ᄆᆡ, 일위 쇼년이 만인 총듕을 헤치고 옥계의 다ᄃᆞ르니, 우흐로 쳔ᄌᆞ와 버거 시위 졔신이 일시의 거안시지(擧眼視之)ᄒᆞ니, 댱원의 긔상이 텬디졍화와 일월 명광이 태양의 ᄲᅩ이여, 슉슉(肅肅)ᄒᆞᆫ 셩힝이 츌어안ᄎᆡ(出於眼彩)ᄒᆞ고, 흉듕의 공ᄆᆡᆼ의 도덕을 픔어시니, 안방뎡국(安邦定國)ᄒᆞᆯ 경뉸대ᄌᆡ(經綸大才)라. 겸ᄒᆞ여 언건(偃蹇)ᄒᆞᆫ 신댱의 냥비과슬(兩臂過膝)ᄒᆞ니 샹이 견파의 크게【48】 긔특이 넉이샤 블승흠ᄋᆡ(不勝欽愛)ᄒᆞ여 젼뎐의 댱원을 올니시고 계화(桂花)와 쳥삼(靑衫) 옥ᄃᆡ(玉帶)를 주시고, 칭찬ᄒᆞ샤 왈,

'글을 빨리 잘 짓는 재주'를 이르는 말인데, 말에 잠깐 기대어 있는 동안에 만언(萬言)의 글을 지었다는 중국 진(晉)나라 원호(袁虎)의 고사에서 유래하였다

馬之才)[1665]로 삼장 시권의 풍운이 빗츨 변ᄒᆞ【58】고 귀신을 울닌 ᄌᆡ죄 잇시니, 장강창하(長江滄河)의 근원이며 은하만니의 빗츠로 쳡쳡문장 셰ᄃᆡ무쌍ᄒᆞ여 니쳥연(李靑蓮)[1666]을 우으며 두우(杜佑)[1667]을 나모ᄅᆞᆯ지라.

밋 방이 나ᄆᆡ 장원을 호방ᄒᆞᆯ ᄉᆡ, 황주인 윤희쳔의 년이 십ᄉᆡ(十四)오, 부ᄂᆞᆫ 광녹ᄐᆡ우 츄밀ᄉᆞ 윤쉬라 부르ᄂᆞᆫ 소ᄅᆡ 셰번 나ᄆᆡ, 일위 소년이 만인 총듕을 헤치고 옥계ᄒᆞ의 다다르니, 쳔ᄌᆞ와 아ᄅᆡ로 시위졔신이 일시의 눈을 드러 보ᄆᆡ, 장원이 쳔지졍화을 품수ᄒᆞ야 문명(文明)이 명형(明炯)ᄒᆞ니 일월광명이 양안의 징쳥(澄淸)ᄒᆞᆫ 졍긔와 광ᄎᆡ 바로 ᄐᆡ양의 쏘이니, 빈빈졍ᄃᆡᄒᆞᆫ 덕화와 슉연ᄒᆞᆫ 셩힝이 츌어안ᄎᆡᄒᆞ여, 단엄ᄒᆞᆫ 긔운은 구츄산쳔(九秋山川) 갓고 화창ᄒᆞᆫ 긔운은 ᄉᆞᆷ츈양기(三春陽氣)라. 공ᄆᆡ[ᄆᆡᆼ]도덕(孔孟道德)을 본바다 안방뎡국ᄒᆞ며 제셰경뉸지ᄌᆡ는 광홍(光洪)ᄒᆞᆫ 도량이 잇고, 겸ᄒᆞ여 그 풍신이 미여관옥(美如冠玉)이오 편혀[여]양뉴(翩如楊柳)[1668]라. 신장이 언건ᄒᆞ고 체위 졍슉ᄒᆞ여 긴 팔이 무릅아ᄅᆡ 나리고, 봉익(鳳翼)이 아아(峨峨)ᄒᆞ여 풍뉴용화 옥산의 ᄭᅩᆺ수풀을 일워 좌우로 일월을 품고, 명셩을 버셔 청공의 소ᄉᆞ스미 쳔고의 셩현군ᄌᆡ오, 일셰의 독보ᄒᆞᆯ 풍신용홰(風神容華)라. 상이 크게 긔특이 녁이ᄉᆞ 깃분 빗시 팔ᄎᆡ용미(八彩龍眉)의 어리여 ᄉᆞ랑ᄒᆞ믈 마지 아니시고, 만조문무 불승흠ᄋᆡᄒᆞ여 상이 명ᄒᆞᄉᆞ 젼젼의 장원을

1664)금심수구(錦心繡口) : 비단같이 아름다운 생각과 수놓은 듯이 아름다운 말이라는 뜻으로, 글을 짓는 재주가 뛰어난 사람을 칭찬하여 이르는 말.

1665)의마지ᄌᆡ(倚馬之才) : 말에 의지하여 기다리는 동안에 긴 문장을 지어 내는 글재주라는 뜻으로, 글을 빨리 잘 짓는 재주를 이르는 말.

1666)니청연(李靑蓮) : 청련거사(靑蓮居士) 이백(李白)을 달리 이른 말.

1667)두우(杜佑) : 735~812. 중국 당나라의 정치가(735~812). 덕종 때 혼란한 국가 재정을 정리하였고, 사도(司徒) 동평장사에 올라 기국공에 봉해졌다. 저서에 ≪통전≫, ≪이도요결≫ 등이 있다.

1668)편여양뉴(翩如楊柳) : 움직이는 모습이 수양버들 같음.

"산고옥츌(山高玉出)이오 ᄒᆡ심츌쥐(海深出珠)라. 윤현의 긔이ᄒᆞᆫ 풍용과 츌뉴ᄒᆞᆫ 셩ᄒᆡᆼ 튱졀노 향슈치 못ᄒᆞ고, 만니타국의 가 튱의로 몸을 맛ᄎᆞ니, 텬의 그 뎡튱을 감동ᄒᆞ샤 긔린(騏驎)을 ᄂᆡ여 문호를 챵대ᄒᆞ고, 국가 동냥을 삼아 딤의 보필이 되니, 그 아비를 ᄉᆡᆼ각ᄒᆞᄆᆡ 츄연ᄒᆞᄆᆞᆯ 니긔지 못ᄒᆞ리로다."

ᄒᆞ시고, 인ᄒᆞ여 츄밀을 정젼의 브르샤 왈,

"경형(卿兄)이 조ᄉᆞ(早死)ᄒᆞ나 ᄎᆞ냥ᄌᆞ를 두ᄆᆡ ᄉᆞ이블ᄉᆞ(死而不死)오, 경이 무ᄌᆞᄒᆞ나 희텬을 계후ᄒᆞ니 용상ᄒᆞᆫ 십ᄌᆞ를 불워 아닐디라. ᄒᆞᆫ갓【49】 경의 집을 흥긔ᄒᆞᆯ 쁜 아니라 국가의 《괴공‖고굉(股肱)》이니 딤의 만ᄒᆡᆼ이로다."

츄밀이 년망이 고두 샤은ᄒᆞ나 망형을 츄모ᄒᆞ여 쳐연 감오ᄒᆞ니, 댱원이 부안을 모로ᄂᆞᆫ 죵텬극통(終天極痛)이 금일 뇽방의 고등ᄒᆞ나 즐거오믈 아디 못ᄒᆞ여, 봉안(鳳眼)의 징패(澄波) ᄌᆞ로 동ᄒᆞ믈 금치 못ᄒᆞ나, 디쳑텬안(咫尺天顔)의 비회를 발치 못ᄒᆞᆯ 고로, 관심(關心) ᄒᆡᆼ녜ᄒᆞᆯᄉᆡ, 팔ᄇᆡ(八拜) 산호(山呼)[1717]의 만셰를 브르니, 샹이 ᄋᆡ경ᄒᆞ샤 이에 금문딕ᄉᆞ(金文直士)를 ᄒᆞ이시니 댱원

1717)산호(山呼) : ≒산호만세(山呼萬歲). 나라의 중요 의식에서 신하들이 임금의 만수무강을 축원하여 두 손을 치켜들고 만세를 부르던 일. 중국 한나라 무제가 쑹산(嵩山) 산에서 제사 지낼 때 신민(臣民)들이 만세를 삼창한 데서 유래한다.

올녀 계화(桂花)을 슉이고 쳥슴과 옥ᄃᆡ을 가ᄒᆞᄆᆡ, 어수로 장원의 손을 잡아 칭찬 왈, 【59】

"《상산‖산고(山高)》옥츌(山高玉出)이오 ᄒᆡ듕츌쥐(海中出珠)라. 윤현의 긔이ᄒᆞᆫ 풍용과 츌뉴ᄒᆞᆫ 셩ᄒᆡᆼ츙녈노 향수치 못ᄒᆞ고 만니타국의 가 츙의로 몸을 맛ᄎᆞ니, 쳔의 그 츙심을 감동ᄒᆞᄉᆞ 쌍틔긔린(雙胎騏驎)을 ᄂᆡᄉᆞ 무ᄉᆞ장셩케 ᄒᆞ야, 문호을 창ᄒᆞ고 국가 동냥을 ᄉᆞᆷ아, 광쳔은 발셔 쳥운의 고등ᄒᆞ고, 희쳔의 비상ᄒᆞ미 형의게 나리지 아니믈 다ᄒᆡᆼᄒᆞᄂᆞ니, 의형미목이 마니 기부와 가틈을 더욱 츄연이 녁이노라."

만조문뮈 장원의 츌셰ᄒᆞ믈 크게 경복ᄒᆞ고 셩상이 득인ᄒᆞ시물 깃거 일시의 만셰을 불너 동냥지직 어드시믈 ᄒᆞ례ᄒᆞ니, 셩의 더욱 ᄃᆡ열ᄒᆞᄉᆞ 윤공을 어젼의 브르ᄉᆞ 옥ᄇᆡ을 반ᄉᆞᄒᆞ여 갈ᄋᆞᄉᆞᄃᆡ,

"광쳔 형뎨 긔특ᄒᆞ며 츌셰ᄒᆞᆫ 작인으로 ᄒᆡᆼ실 비상ᄒᆞ고, 겸ᄒᆞ여 경이 교훈을 잘ᄒᆞ여 ᄌᆡ질의 출뉴홈이 금셰의 독보ᄒᆞ니 엇지 아름답지 아니리오. 경의 형이 비록 조ᄉᆞ(早死)ᄒᆞ엿시나, ᄎᆞ 양ᄌᆞ을 두엇시니 ᄉᆞ이불ᄉᆞ(死而不死)오, 경이 무ᄌᆞᄒᆞ나 희쳔으로써 계후ᄒᆞ미 용상ᄒᆞᆫ 십ᄌᆞ을 블워 아닐지라. ᄒᆞᆫ갓 경가(卿家)을 흥기ᄒᆞᆯ 쁜 아니라 국가의 고굉지신(股肱之臣)이 되리니 공ᄉᆞ의 영ᄒᆡᆼᄒᆞ물 엇지 다 이르리오."

츄밀이 연망이 어주을 밧ᄌᆞ와 ᄌᆡᄇᆡᄉᆞ은ᄒᆞ여 황감ᄒᆞ물 이긔지 못ᄒᆞ나, 망형을 츄모ᄒᆞ여 쳑연감오ᄒᆞ니,【60】 장원이 부안을 모로ᄂᆞᆫ 극통으로 금일 비록 용문(龍門)의 고등ᄒᆞ나 즐거오믈 아지 못ᄒᆞ고, 젼의 나려 쳔은을 ᄇᆡᄉᆞᄒᆞ나 쌍안의 누쉬숨숨ᄒᆞ물 씌닷지 못ᄒᆞ더라.

ᄎᆞ셜 윤장원이 지쳑쳔안(咫尺天眼)의 비회을 발뵈지 못ᄒᆞᆯ고로 관심(關心) ᄒᆡᆼ녜ᄒᆞᆯᄉᆡ, 팔ᄇᆡ 산호(山呼)[1669]의 만셰을 부르니,

1669)산호(山呼) : ≒산호만세(山呼萬歲). 나라의 중요 의식에서 신하들이 임금의 만수무강을 축원하여 두 손을 치켜들고 만세를 부르던 일. 중국 한나라

이 년쇼둔ᄌᆡ로 작ᄃᆡᆨ이 과분ᄒᆞ오믈 고샤ᄒᆞ온ᄃᆡ, 샹이 블윤ᄒᆞ샤 삼일유과[가](三日遊街) 후 찰임(察任)케 ᄒᆞ시니, 브득이 샤은ᄒᆞᆯᄉᆡ, ᄎᆞᄎᆞ 방하를 계화 청삼을 주시고 각각 삼ᄇᆡ 어쥬를 상샤ᄒᆞ시니,【50】 임의 날이 져므럿ᄂᆞᆫ디라. 당원이 방하를 거ᄂᆞ려 퇴ᄒᆞᆯᄉᆡ 만되 일시의 뒤흘 좃ᄎᆞ 궐문을 나니, 당원이 금안 ᄇᆡᆨᄆᆞ의 계디청삼(桂枝青衫)으로 청동 ᄡᅣᆼ개를 압셰워 본부로 도라올ᄉᆡ, 창부 아역은 위의를 돕고 어원 풍뉴ᄂᆞᆫ 도로의 뇨량(嘹喨)ᄒᆞ니, 도로 관광ᄌᆡ 칙칙 찬양ᄒᆞ여 혜달흘 ᄃᆞᆺᄒᆞ더라.

임의 부듕(府中)의 니르러ᄂᆞᆫ 만되 니르러 경하ᄒᆞ니, 츄밀이 좌슈우응(左酬右應)의 사양치 아니터라. 제ᄀᆡᆨ이 날이 져믈믈 인ᄒᆞ여 다 도라간 후, 츄밀이 당원을 압셰워 ᄂᆡ당의 드러와 존당과 냥ᄌᆞ위(兩慈闈)긔 ᄌᆡᄇᆡ 궤고ᄒᆞ여 반일 ᄉᆞ이 존후를 뭇ᄌᆞ올ᄉᆡ, 두샹(頭上) 계화(桂花)ᄂᆞᆫ ᄇᆡ례로【51】좃ᄎᆞ 부인ᄂᆡ ᄆᆞ릅히 다잇고, 청삼옥ᄃᆡ(青衫玉帶)ᄂᆞᆫ 봉익(鳳翼) 뉴요(柳腰)의 더옥 빗나거ᄂᆞᆯ, 삼ᄇᆡ 어쥬의 냥협이 도화ᄀᆞᆺᄐᆞ니, 남듕일ᄉᆡᆨ(男中一色)이오 일셰군ᄌᆡ(一世君子)라. 그 긔특ᄒᆞ고 아름ᄃᆞ오미 셕목(石木)이라도 감동ᄒᆞᆯ 거시로ᄃᆡ, 위·뉴의 흉포디심(凶暴之心)은 이럴ᄉᆞ록 ᄆᆡᆸ고 분ᄒᆞ여 젼후 쇼원을 다 맛치디 못ᄒᆞ고, 형뎨 ᄒᆡ를 년ᄒᆞ여 뇽방의 비등(飛騰)ᄒᆞ니 청ᄉᆞ아망(淸士雅望)이 됴야의 드레ᄂᆞᆫ디라. 쥬야 죽이려 ᄒᆞ던ᄇᆡ 허ᄉᆡ 되믈 ᄋᆡᄃᆞᆲ고 분ᄒᆞ나, 묘랑이 약짓기를 청ᄒᆞ여 슈삭을 오디 아니ᄒᆞᄂᆞᆫ디라. 급히 간모를 의논ᄒᆞᆯ 거시 업ᄉᆞ니 심장이 초갈ᄒᆞ고, ᄉᆡ훤이 칼흘 드러 져 삼모ᄌᆞ를 경ᄀᆡᆨ의 죽이고져 시【52】브나, 츄밀이 ᄌᆡ좌ᄒᆞ여시니 감히 블호ᄒᆞᆫ ᄉᆞᄉᆡᆨ도 못ᄒᆞ고, 흉ᄒᆞᆫ 눈을 뒤룩이고 븕은 안졍의 흉ᄒᆞᆫ 눈물이 쥬줄 방방ᄒᆞ니, 이 등신 ᄀᆞᆺᄐᆞᆫ 츄밀은 모친이 셕ᄉᆞ(昔事)를 상회(傷懷)ᄒᆞ민가 ᄒᆞ여 위로ᄒᆞ니, 뉴시 독안의 모진 눈믈이 ᄯᅩᄒᆞᆫ 니음ᄎᆞ니 츄밀 왈,

상이 ᄋᆡ경ᄒᆞᄉᆞ 이의 금문직ᄉᆞ(金文直士)을 ᄒᆞ이시니 장원이 년소브ᄌᆡ로 작직이 과분ᄒᆞ오물 고사ᄒᆞ온ᄃᆡ, 상이 불윤ᄒᆞᄉᆞ ᄉᆞᆷ일유가(三日遊街) 후 찰임(察任)케 ᄒᆞ라 ᄒᆞ시니, 브득이 ᄉᆞ은ᄒᆞᆯ ᄉᆡ 《창방ᄒᆞᆯ ‖ ᄎᆞᄎᆞ 방ᄒᆞ를》 계화청ᄉᆞᆷ을 주시고 각각 ᄉᆞᆷᄇᆡ 어주을 션[샹]ᄉᆞ(賞賜)ᄒᆞ시니, 이뫼[믜]날이 져물ᄆᆡ 장원이 방ᄒᆞ을 거느려 ᄐᆡ[퇴]ᄒᆞᆯ ᄉᆡ, 만죄 일시의 뒤흘 조ᄎᆞ 궐문을 나니 장원이 금안ᄇᆡᆨ마(金鞍白馬)의 계지청ᄉᆞᆷ(桂枝青衫)으로 청동쌍ᄀᆡ을 압세워 본부로 도라올 ᄉᆡ, 창부 아역이 위의을 돕고 어원풍뉴ᄂᆞᆫ 도로의 요랑[량](嘹喨)ᄒᆞ니, 관광ᄌᆡ 칙칙찬양ᄒᆞ여 혀다를 듯ᄒᆞ더라.

임의 부듕(府中)의 이르러는 만죄 일시의 치하ᄒᆞ니, 츄밀이 좌수우응(左酬右應)이[의] ᄉᆞ양치 아니터라. 일모의 제ᄀᆡᆨ이 각산ᄒᆞᄆᆡ 츄밀이 장원을 압셰워 ᄂᆡ당의 존당과 양ᄌᆞ위(兩慈闈)게 ᄌᆡᄇᆡᄒᆞ고 ᄉᆞᆲ어 나작이 반일ᄉᆞ이의 긔후을 뭇ᄌᆞ오니, 고은 용화ᄂᆞᆫ ᄉᆞᆷᄇᆡ 어주에 도화훈ᄉᆡᆨ(桃花暈色)을 씌여 홍년(紅蓮)이 츄ᄐᆡᆨ(秋澤)의 ᄉᆡ롭고, 광ᄎᆡ 징징(澄澄)ᄒᆞ여 명월이 ᄉᆞ벽의 조요(照耀)ᄒᆞ니, 셕목심장이라도 아름다오물 일카를 ᄇᆡ로ᄃᆡ, 위·뉴의 갈호지심(蝎虎之心)과【61】 ᄂᆡ검을 품은 마음이, ᄎᆞ시을 당ᄒᆞ여 ᄆᆡᆸ고 분ᄒᆞᄆᆡ ᄀᆡᆼ가일층ᄒᆞ여, 젼후의 소원을 못 일우고 형뎨 ᄒᆡ을 연ᄒᆞ여 셤궁의 단계을 밧드러 용방의 비등ᄒᆞ니, 물망이 조야을 들네고 풍용(風容)은 츄공명월(秋空明月)과 남젼ᄇᆡᆨ벽(藍田白璧)의 지나니, 주야로 죽이려 ᄒᆞ믄 다 허ᄉᆞ되고, 묘랑이 약 짓기을 청ᄒᆞ야 오지 아니ᄒᆞᆫ지 ᄉᆞᆷ삭이 다가므로부터, 의논ᄒᆞ리도 업ᄉᆞ니 심장이 초갈ᄒᆞ여, 경각의 칼을 드러 ᄉᆞᆷ 모ᄌᆞ을 다 죽이고ᄌᆞ ᄒᆞ나, 츄밀이 ᄌᆡ좌하믈로 감히 쎠 ᄉᆞᄉᆡᆨ지 못ᄒᆞ고 분앙ᄒᆞᆫ 심ᄉᆞ을 참으ᄆᆡ, 눈물이 쥬츌ᄒᆞ고 부홰 넘노라 만명(萬明)[1670]이 동통(疼痛)ᄒᆞ야, 위시의

무제가 쑹산(嵩山) 산에서 제사 지낼 때 신민(臣民)들이 만세를 삼창한 데서 유래한다.

1670)만명(萬明) :『민속』무당이 모시는 신의 하나.

“ᄌᆞ위 과상ᄒᆞ시고 슉싊 감회ᄒᆞ시니 그ᄃᆡ 위로ᄒᆞ오미 가ᄒᆞ거ᄂᆞᆯ, 엇디 이러ᄐᆞᆺ 슬허ᄒᆞ여 모친 심회를 돕ᄉᆞᆸ나뇨.”

뉴시 요악히 함누 ᄃᆡ왈,

“션슉슉(先叔叔)을 ᄉᆡᆼ각ᄒᆞ니 인심의 비회를 ᄎᆞᆷ디 못ᄒᆞ리로소이다.”

ᄒᆞ여 분ᄒᆞᆫ 눈물이 마르지 아니ᄏᆞ, 위태부인은 댱원의 일신을 잡고 냥안을 뒤룩이며 ᄂᆞᆲᄯᅱᄂᆞᆫ 형상이 ᄀᆞ장 무섭고 송구ᄒᆞ니, 이ᄯᅢ 조부 【53】 인은 셕ᄉᆞ를 츄회ᄒᆞ여 심장이 녹ᄂᆞᆫ 듯ᄒᆞ거ᄂᆞᆯ, 위・뉴의 심경을 거울 빗최 듯ᄒᆞᄆᆡ 그 흉의 악심을 짐작ᄒᆞ여, 냥ᄌᆞ 부부의 곡경 익홰 어나 디경의 밋촐 줄 아디 못ᄒᆞ니, 도로혀 셕ᄉᆞᄂᆞᆫ 닛치이고 경ᄉᆞ도 깃브디 아냐, 만쳡 시름이 뉴미(柳眉)의 ᄆᆡᆺ쳣더라.

댱원이 사묘의 ᄇᆡ알ᄒᆞᆯᄉᆡ, 션부공(先父公) 사탑(祠榻)[1718]의 밋쳐는 실셩오읍ᄒᆞ여 죵텬지통(終天之痛)이 능히 견ᄃᆡ기 어려오니, 오ᄅᆡ도록 니디 못ᄒᆞ여 뉴쳬 통읍이 견직 막블ᄉᆡ비(莫不嘶悲)[1719]러라. 츄밀이 잔인 ᄋᆡ련ᄒᆞ여 이의 위로ᄒᆞ며 거나려, 사묘의 나려 외당으로 나오니, 밋쳐 아니왓던 왕공 후ᄇᆡᆨ이 일졔히 니르러 신ᄂᆡ(新來) 브르ᄂᆞᆫ 소ᄅᆡ 진동 【54】 ᄒᆞ고, 온가지로 유희ᄒᆞ나 댱원이 본ᄃᆡ 긔상이 온듕 단믁ᄒᆞᆫ ᄀᆞ온ᄃᆡ, 금일을 당ᄒᆞ여 츄모셕ᄉᆞ의 디통이 ᄉᆡ롭고, 시금(時今) 가ᄉᆞ의 비회 억만이라. 흥황(興況)이 돈무(頓無)[1720]ᄒᆞ니 더옥 므ᄉᆞᆫ 졀도(絶倒)ᄒᆞᄆᆞᆯ ᄒᆡᆼᄒᆞ리오. 다만 댱ᄌᆞ를 공경ᄒᆞ여 유의ᄒᆞᄂᆞᆫ 바를 약간 ᄒᆡᆼᄒᆞ여 그 무류(無聊)ᄒᆞ미 업게

1718)사탑(祠榻) : 죽은 사람의 신주를 모셔놓은 자리.

1719)막블ᄉᆡ비(莫不嘶悲) : 울며 슬퍼하지 않는 이가 없다.

1720)돈무(頓無) : 전혀 없음.

두룩이ᄂᆞᆫ 눈과 뉴시의 ᄉᆞ특ᄒᆞᆫ 거동이 현츌(顯出)ᄒᆞ나, 츄밀은 그 심ᄉᆞ을 젼혀 아지 못ᄒᆞ고 셕ᄉᆞ을 츄감《ᄒᆞ나∥ᄒᆞ민가 ᄒᆞ여》 모친을 위로ᄒᆞ며, 뉴시을 향ᄒᆞ여 왈,

“ᄌᆞ위 과상ᄒᆞ시니 심히 민박ᄒᆞ거날, 부인은 엇진 고로 ᄌᆞ위와 슈슈의 비회을 위로치 아니ᄏᆞ 도로혀 비식을 지어 심회을 돕ᄂᆞ뇨.”

뉴시 쳑연ᄃᆡ왈,

“금일 희아의 과경을 두굿겨 ᄒᆞ며 져희 등의 입장등과ᄒᆞᄆᆞᆯ 션슉슉(先叔叔)이 보지 못ᄒᆞ시ᄆᆞᆯ ᄉᆡᆼ각ᄒᆞ니 슬푸ᄆᆞᆯ 엇지 ᄎᆞᆷ으리오.”

츄밀이 ᄯᅩᄒᆞᆫ 홈누ᄒᆞ고, 위시 장원을 붓들고 셔도ᄂᆞᆫ 거동이 예ᄉᆞ롭지 아냐 흉험ᄒᆞ미 극하니, 조부인과 구파ᄂᆞᆫ 셕ᄉᆞ을 ᄉᆡᆼ각고 슬푸ᄆᆞᆯ 이긔지 못ᄒᆞᄂᆞᆫ 듕, 위・뉴의 ᄂᆡ외 다르미 가지록 심ᄒᆞᄆᆞᆯ 거 【62】 울 갓치 비최여 알지라. 근심ᄒᆞ미 즁ᄒᆞ여 가ᄂᆡ화평ᄒᆞᄆᆞᆯ 엇지 ᄉᆡᆼ각ᄒᆞ리오.

장원이 가묘의 ᄇᆡ알ᄒᆞ고 부친 ᄉᆞ우(祠宇)의 다다러ᄂᆞᆫ 실셩유쳬ᄒᆞ여 쳥누방방ᄒᆞ여 옷깃슬 적시니, 츄밀이 슬푸ᄆᆞᆯ 억졔ᄒᆞ고 아ᄌᆞ을 어로만져 탄왈,

“너의 지통이 엇지 인ᄌᆞ의 ᄎᆞᆷ을 ᄇᆡ리오마ᄂᆞᆫ 이 다 쳔싊라, ᄉᆡ로이 잇촐[1671] ᄇᆡ 업ᄉᆞ니 심사을 상회오지 말나.”

장원이 비로소 누수을 거두고 날호여 부친을 뫼셔 나오ᄆᆡ, 밧긔 신ᄂᆡ(新來) 브르ᄂᆞᆫ 소ᄅᆡ 진동ᄒᆞ니, 츄밀이 장원을 다리고 빈ᄀᆡᆨ을 졉ᄃᆡᄒᆞ라 나오니, ᄉᆞ관(使官)이 온가지로 보ᄎᆡ니, 장원이 단졍슉슉(端正肅肅)ᄒᆞ여 희롱을 즐기지 아니니, 브득이 사관이 시기ᄂᆞᆫ 바랄 ᄒᆡᆼᄒᆞ나 일ᄒᆡᆼ[향](一向) 공졍(公正)이 네뫼 가작ᄒᆞ여 ᄉᆞ롬으로 ᄒᆞ여곰 긔탄ᄒᆞᆯ ᄇᆡ오, 졀도 희혹지ᄉᆡ 업ᄉᆞ니, 좌간(座間)의 ᄃᆡᄉᆞ마 농두각 ᄐᆡ혹ᄉᆞ 장협은 위인이 ᄀᆡ세군

김유신의 어머니를 신격화한 것이다. ≒말명

1671)잇ᄎᆞ다 : 잇치다. 잊히다. ‘잊다’의 피동사.

ᄒᆞᆯ ᄯᆞ름이라. 졔ᄀᆡᆨ 듕 대ᄉᆞ마 뇽두각태ᄒᆞᆨᄉᆞ 댱협은 위인이 개졔[셰]군ᄌᆞ(蓋世君子)오 츄밀노 더브러 동년 디긔로 금난지괴(金蘭之交), '딘번(陳蕃)의 하탑(下榻)'[1721]을 웃ᄂᆞᆫ디라. 댱원의 츄텬 ᄀᆞᆺᄐᆞᆫ 긔상을 흠ᄋᆡ 경복ᄒᆞ여 즉시 쳥샹(廳上)의 올녀 그 손을 잡고 츄밀을 향ᄒᆞ여 왈,

"쇼뎨 외람이 형의 디긔로 허ᄒᆞ믈 닙어 관포(管鮑)【55】의 졍이 돗타온디라. 쇼뎨 ᄒᆞᆫ 일이 이시니 형이 힝혀 찰납(察納)ᄒᆞ랴? 녕낭의 도덕 현힝을 보니 쇼뎨 ᄌᆞ네 션쇼(鮮小)ᄒᆞ믄 형이 아ᄂᆞᆫ 빈어니와, 이졔 일녜 잇셔 빈혀 ᄭᅩᆺ기의 갓가와시니, 쳥컨ᄃᆡ 녕낭으로 호연을 ᄆᆡᆺ고져 ᄒᆞᄂᆞ니 형의하여(兄意何如)오?".

츄밀이 침음냥구의 왈,

"돈ᄋᆞ의 ᄌᆡ픔이 힝혀 용우키를 면ᄒᆞ나, 셩졍이 고요 단졍ᄒᆞ여 규ᄂᆡ(閨內) 번화를 취코져 아닐 ᄲᆞᆫ 아니라, 취쳐 ᄉᆞ오삭이오 년유미질(年幼微質)노 등과도 블승 외람커ᄂᆞᆯ ᄌᆡ취ᄒᆞᄂᆞᆫ 넘나미 이시며, ᄯᅩᄒᆞᆫ 녕녀를, 쇼뎨 아시의 슈ᄎᆞ(數次) 보니 비상ᄒᆞᆫ 위인으로ᄡᅧ, 돈ᄋᆞ의 ᄌᆡ실을 당ᄒᆞ리오. 블감외람(不堪猥濫)[1722]ᄒᆞ니 쇼뎨 허【56】치 못ᄒᆞ리로다."

댱공이 잠쇼 왈,

"낸들 일녀로ᄡᅧ 남의 ᄌᆡ실을 주고져 ᄒᆞ리오마ᄂᆞᆫ, 녕낭의 위인으로 취컨ᄃᆡ, 범범 속ᄌᆞ의 원비도곤 나으니, 형이 외람타 ᄒᆞ미 핑계 가언(假言)이라. 년유(年幼)ᄒᆞ므로 ᄯᅩᄒᆞᆫ 허치 아니니, 녕뎔 ᄉᆞ원은 년긔 녕윤으로 동년이어ᄂᆞᆯ 거년의 ᄌᆡ취ᄒᆞ니, 녕낭이 엇디 ᄒᆞᆯ노 년유타 ᄒᆞᄂᆞ뇨? 형이 쇼뎨의 디극히 바라ᄂᆞᆫ ᄯᅳᆺ을 믈니치고져 ᄒᆞ니, 실노 평일 밋던 바의 만히 다르도다."

츄밀이 본ᄃᆡ 댱공을 긔ᄃᆡ(企待)ᄒᆞᄂᆞᆫ 고로

1721)딘번하탑(陳蕃下榻) : 어진 사람을 특별히 예우하는 것을 일컫는 말. 중국 후한 때 남창태수 진번이 그 고을의 서치(徐穉)라는 현사가 오면 특별히 걸상을 내려 앉게 하고 그가 가면 즉시 거두어 걸어 두었다는 고사에서 유래한 말.

1722)블감외람(不堪猥濫) : 외람함을 이기지 못함.

ᄌᆞ(蓋世君子)요 츄밀노 더부러 동년지기로 ○○○[금린지]교(金蘭之交)의 '진번(陳蕃)의 하탑(下榻)'[1672]을 웃ᄂᆞᆫ지라. 장원의 침엄졍ᄃᆡᄒᆞ미 희롱된 일이 업ᄉᆞ믈 보고, 즉시 쳥상의 올녀 손을 잡고 ᄉᆞ랑ᄒᆞ미 각별ᄒᆞ여 만면 우음을 ᄯᅴ여 츄밀을 향ᄒᆞ여 왈,

"소졔 외름이 형의 지긔로 허ᄒᆞ믈 입어 발어ᄒᆞ미 이신 즉 좃지 아닛ᄂᆞᆫ 일이 업ᄂᆞᆫ지라. 이졔 영낭의 도덕셩힝을 보니 소졔 슬하의 자녀 션소(鮮小)ᄒᆞᆷ을 형의 아ᄂᆞᆫ ᄇᆡ라. 엇지 일녀로ᄡᅧ 남의 ᄌᆡ실을 삼고져 ᄒᆞ리오마ᄂᆞᆫ 영낭의 ᄌᆡ실되미【63】 속ᄌᆞ(俗子)의 원비(元妃)에셔 쾌ᄒᆞᆫ지라. 형의 허혼ᄒᆞ믈 가히 어드랴?"

츄밀이 침음양구의 왈,

"돈아의 ᄌᆡ품이 비록 용우ᄒᆞ물 면ᄒᆞ여시나 셩졍이 솔직ᄒᆞ여 규ᄂᆡ(閨內)의 번화을 구치 아니코, 취실 ᄉᆞ오삭의 어린 아희 등과ᄒᆞ여 외람키 심커ᄂᆞᆯ, ᄯᅩ 엇지 ᄌᆡ취을 ᄉᆡᆼ각ᄒᆞ며, 녕ᄋᆞ(令兒)의 비상ᄒᆞᆷ은 소졔 아시의 본ᄇᆡ니, 돈아의 ᄇᆡ필노 칭ᄒᆞ미 녕녀의게 욕되고, 동[돈]아의게 외람 과분ᄒᆞᆫ지라. 소졔 불감ᄒᆞ여 허혼치 못ᄒᆞᆯ가 ᄒᆞ노라."

장공이 웃고 간쳥ᄒᆞ니 츄밀이 장공을 긔ᄃᆡᄒᆞᄂᆞᆫ지라, 이갓치 간졀이 쳥ᄒᆞ물 믈니치

1672)진번하탑(陳蕃下榻) : 어진 사람을 특별히 예우하는 것을 일컫는 말. 중국 후한 때 남창태수 진번이 그 고을의 서치(徐穉)라는 현사가 오면 특별히 걸상을 내려 앉게 하고 그가 가면 즉시 거두어 걸어 두었다는 고사에서 유래한 말.

이ᄀᆞᆺ치 간쳥ᄒᆞ믈 믈니치지 못ᄒᆞ고, ᄯᅩᄒᆞᆫ 규슈의 현미ᄒᆞ믈 아는 고로 흔연 쇼왈,

"쇼뎨는 실노뼈 블감ᄒᆞ여 허혼【57】치 못ᄒᆞ미러니, 형언이 여ᄎᆞᄒᆞ고 돈ᄋᆞ의 오졸ᄒᆞ믈 혐의치 아냐 ᄇᆞ듸 ᄉᆞ회 ᄉᆞᆷ고져 ᄒᆞ니, 엇지 허치 아니리오. 죵용이 의논ᄒᆞ여 뉵녜(六禮)를 구힝ᄒᆞ리라."

댱공이 대희 과망ᄒᆞ여 만만 칭샤ᄒᆞ고 댱원의 손을 잡고 쾌셔(快壻)라 ᄒᆞ여, 졔ᄀᆡᆨ으로 쥬빈를 날녀 임의 황혼이 되ᄆᆡ, 졔ᄀᆡᆨ이 각각 도라가니, 츄밀이 ᄌᆞ딜을 거나려 촉을 니어 ᄂᆡ당의 드러와, 모젼의 댱가 혼ᄉᆞ를 고ᄒᆞ니, 위태 듯는 말마다 블열 통히ᄒᆞ나, 하시 뎍인을 보면 혹 산난(散亂)ᄒᆞ미 이실가 ᄒᆞ여 굿ᄐᆞ여 막든 아니터라.

쟝원이 삼일유과[가]를 맛고 항쥐 션산의 쇼분코져 ᄒᆞᆯᄉᆡ, 츄밀이 슈히 도라오믈【58】 니르니, 딕ᄉᆡ 슈명 ᄇᆡ샤ᄒᆞ고 발힝ᄒᆞ니라.

시시의 뉴시 희텬이 등과 이후로 심ᄉᆡ 더옥 분분초조(紛紛焦燥)ᄒᆞ여 숙○[식](宿食)을 ᄌᆞ로 폐ᄒᆞ니 의용이 슈쳑ᄒᆞ고, 심슐을 역시 참노라니 셰샹 흥미 ᄉᆞ연(捨然)ᄒᆞ여[고], 경ᄋᆡ 셩혼 칠ᄌᆡ(七載)나 가부의 박ᄃᆡ 갈ᄉᆞ록 심ᄒᆞ여 졈졈 힝노(行路)[1723]ᄀᆞᆺ고 구가 왕ᄂᆡ 드므러, 구괴 브르는 ᄯᅢ만 나아가고 셕혹ᄉᆡ 오시로 금슬이 진듕ᄒᆞ여 유ᄌᆞ싱녀ᄒᆞ여 부귀 무흠ᄒᆞ믈 보면, ᄎᆞᆯ하리 아니봄만 ᄀᆞᆺ디못ᄒᆞ여 악심이 블니듯ᄒᆞ여, 심장이 녹는 듯ᄒᆞᆯ ᄲᅮᆫ이오. 셕싱의 위인이 걸츌ᄒᆞ여 셩샹이 통우ᄒᆞ시고, 만되 츄앙ᄒᆞ며 벼슬이 놉하 호부상셔의 니르【59】러 위권 듕망이 일셰를 드레듸, 경ᄋᆞ는 문 바라는 니부(嫠婦)[1724]로 호화를 참예치 못ᄒᆞ니, 셕츄밀 부뷔 ᄆᆡ양 ᄋᆞᄌᆞ의 박힝을 칙ᄒᆞ고 윤시를 잔

1723)힝노(行路) : 행로지인(行路之人). 오다가다 길에서 만난 사람이라는 뜻으로, 아무 상관이 없는 사람을 이르는 말.

1724)니부(嫠婦) : 과부(寡婦).

지 못ᄒᆞ여 규수의 아름다오믈 아는 ᄇᆡ라. 흔연 소왈,

"소제 실노 불감ᄒᆞ여 허치 《못ᄒᆞ엿더니‖못ᄒᆞ미러니》, 형이 돈아○[의] 졸ᄒᆞᆫ 인물을 나모라○[지] 아니ᄒᆞ고 부듸 ᄉᆞ회 ᄉᆞᆷ고져 ᄒᆞ니, 형의 간졀ᄒᆞᆫ ᄯᅳᆺ슬 막지 못ᄒᆞᄂᆞ니, 조용히 의논ᄒᆞ여 힝녜ᄒᆞ리라."

장공이 연망이 칭ᄉᆞᄒᆞ고 이의 친ᄉᆞ을 뇌뎡ᄒᆞ고 장원을 셔랑이라 칭ᄒᆞ야 쾌셔 어드믈 하례ᄒᆞ더라. 일식이 셔산의 비최ᄆᆡ 빈ᄀᆡᆨ이 촉농을 잡혀 각산ᄒᆞ고, 추밀이 ᄌᆞ질을 거ᄂᆞ려 촉을 이어 말슴ᄒᆞᆯ ᄉᆡ, 장공의 구혼ᄒᆞ물 인ᄒᆞ여 마지 못ᄒᆞ여 허락ᄒᆞ물 모친게 고ᄒᆞ니, 위・뉴 듯고는 말마다 통히ᄒᆞ나, 하시 젹인을 {희로 모호믈} 보ᄆᆡ[면] 가ᄂᆡ 산(散)케ᄒᆞ여 뎡・진・하 등 탓슬 ᄉᆞᆷ고자, 장가 혼ᄉᆞ을 굿ᄒᆞ여 막지 아니터라.【64】

장원이 ᄉᆞᆷ일유가 후 항쥬선산의 소분ᄉᆞ(掃墳事)로 나려갈 ᄉᆡ, 츄밀이 가장 결연ᄒᆞ여 슈히 도라오물 이르니, 장원○[이] 수명ᄇᆡᄉᆞᄒᆞ고 항쥬로 향ᄒᆞ니라.

ᄎᆞ시 위・뉴 희쳔의 등과 후로 심ᄉᆡ 더욱 분ᄒᆞᆫ초조(憤恨焦燥)ᄒᆞ여 슉실[식](宿食)을 ᄌᆞ조 폐ᄒᆞ고[여] 의용이 수쳑ᄒᆞ여[고], 경ᄋᆡ 평시의 분ᄒᆞ믈 참노라니 셰상흥미 ᄉᆞ연(捨然)ᄒᆞ여, 셩혼 칠ᄌᆡ(七載)의 가부의 박ᄃᆡ 가지록 심ᄒᆞ여 졈졈 힝노(行路)[1673] 갓고, 구가 왕ᄂᆡ 드무러, 구괴 일년 수슌을 브르는 ᄯᅢ는 나아가고, 셕싱의 위인이 걸츌ᄒᆞ여 성상이 총ᄋᆡᄒᆞ시물 입ᄉᆞ오ᄆᆡ, 만죄 다 긔ᄃᆡ츄앙ᄒᆞ여 벼슬이 졈졈 놉ᄒᆞ 호부상셔의 이르러 위권듕망이 일셰을 드레ᄆᆡ, 경아는 분[문]바라는 니부(嫠婦)[1674]로 호화을 참네치 못ᄒᆞ니, 셕츄밀 부뷔 ᄆᆡ양 아들의 박ᄃᆡ을 칙ᄒᆞ고 윤시을 잔잉ᄒᆞ여 ᄒᆞ나, 셕싱의 ᄯᅳᆺ즌 오직 쳐실노 ᄃᆡ졉ᄒᆞᄂᆞᆫ ᄇᆡ 오시라. 셕공 부부 ᄯᅩᄒᆞᆫ ᄒᆞᆯ일 업셔 다만 ᄉᆞ랑ᄒᆞᆯ ᄯᆞ름

1673)힝노(行路) : 행로지인(行路之人). 오다가다 길에서 만난 사람이라는 뜻으로, 아무 상관이 없는 사람을 이르는 말.

1674)니부(嫠婦) : 과부(寡婦).

잉ᄒᆞ여ᄒᆞ나, 셕싱은 오ᄃᆡᆨ 쳐실노 아ᄂᆞᆫ ᄇᆡ 오시라. 부뫼 ᄒᆞᆯ일 업셔 오ᄃᆡᆨ 윤시를 블상히 넉여 상셔의 녹봉을 반식 난화 보ᄂᆡ여, 그 의식을 보ᄐᆡ게 ᄒᆞ나 경ᄋᆡ 쥬쥬야야의 단장 박명을 슬허 홍뷔 뉴미를 좀으니, 악악ᄒᆞᆫ 분ᄒᆞᆫ이 오시를 셔릇고 그 ᄌᆞ녀를 뼈흘고져 ᄒᆞ나 뜻ᄀᆞᆺ지 못ᄒᆞ고, 투현질능(妬賢嫉能)ᄒᆞᄂᆞᆫ 픔되 갈ᄉᆞ록 괴이ᄒᆞ여 샤인 형뎨를 원슈ᄀᆞᆺ치 업시코져 ᄒᆞ나, ᄒᆞᆫ 일도 원(願)과 ᄀᆞᆺ지 못ᄒᆞᆫ【60】디라.

뉴시 녀ᄋᆞ로 더브러 골돌 분완ᄒᆞ여 묘랑의 약 어더오믈 갈망ᄒᆞ더니, 이월 초슌의 묘랑이 오니 뉴시 모녜 황홀이 반겨 왈,

"텬의 나의 쇼원을 일우디 못ᄒᆞ게 ᄒᆞ여 희텬이 마ᄌᆞ 의의히 댱원낭이 되니, 졀졀이 통히ᄒᆞᆫ디라, ᄉᆞ부를 바라미 대ᄒᆞᆫ(大旱)의 운예(雲霓)ᄀᆞᆺ치 ᄒᆞᄂᆞ니 금년이나 뜻을 일우랴?"

묘랑이 조부인 모ᄌᆞ를 경이히 맛디 못ᄒᆞᆯ 줄 알오ᄃᆡ, 위로 왈,

"디셩(至誠)이 감텬(感天)이라. 부인이 불도의 졍셩을 드려 계시니, 엇디 필경 희식 업ᄉᆞ리잇고?"

인ᄒᆞ여, 픔 ᄉᆞ이로좃ᄎᆞ 약봉을 ᄂᆡ니 요약이 무슈ᄒᆞ여 변심ᄒᆞᄂᆞᆫ 익【61】봉줌과 변용ᄒᆞᄂᆞᆫ ᄀᆡ용단과 즉ᄉᆞᄒᆞᄂᆞᆫ 촉명단(促命丹)과 오ᄅᆡ 신음ᄒᆞ여 장뷔 스러지고 늑ᄆᆡᆨ이 ᄉᆡᆺ쳐져 슈월 후의 즉ᄂᆞᆫ 졀명단(絶命丹)과 말 못ᄒᆞᄂᆞᆫ 암약(瘖藥)과 인ᄉᆞ 흐리ᄂᆞᆫ 현혼단(眩昏丹)과 그밧 요약이 블가승슈(不可勝數)라. 뉴시 ᄃᆡ열 문왈,

"이거ᄉᆞᆯ 뉘게 몬져 시험ᄒᆞ리오?"

묘랑 왈,

"익봉잠은 노야긔 시험ᄒᆞ여 변심ᄒᆞ시믈 보고, 현혼단은 구파를 먹여 인ᄉᆞ를 흐리오고, 조부인 모ᄌᆞ 고식을 다 업시ᄒᆞ쇼셔."

뉴시 ᄎᆞ마 깃거 셕반 찬션의 익봉즘을 셧거 츄밀이 진식(盡食)게 ᄒᆞ며, 져희 모녜 귀듕 탐혹ᄒᆞ믈 바야고, 현혼단은 구파의 찬션의【62】 너허 각각 상을 드리니, ᄎᆞ일 츄밀이 모친을 뫼셔 셕반을 진식ᄒᆞ고, 구파ᄂᆞᆫ

이오, 상셔의 녹봉을 난화 보ᄂᆡ여 경ᄋᆞ의 의식을 보ᄐᆡ나, 경ᄋᆡ 주주야야 단장박명을 슬허 홍뷔 뉴미을 잠으니, 악악ᄒᆞᆫ 분긔 오시로[를] 쎠흘고 그 ᄌᆞ녀들을 셔릇고져 ᄒᆞ나, 뜻 갓지 못ᄒᆞ고 그 투현질능(妬賢嫉能)ᄒᆞᄂᆞᆫ 품되 갈ᄉᆞ록 고이ᄒᆞ【65】여 ᄉᆞ인 형뎨을 원슈 갓치 업시코져 ᄒᆞ나 ᄒᆞᆫ 일도 원(願)과 갓지 못ᄒᆞᆫ지라.

뉴시 녀ᄋᆞ로 더부러 골돌분ᄒᆞᆫᄒᆞ여 묘랑의 더듸물 갈망ᄒᆞ더니, 이월 초슌의 묘랑이 오ᄂᆞᆫ지라, 뉴시 모녀 황홀이 반겨 왈,

"쳔의 나의 소원을 일우지 못ᄒᆞ게 ᄒᆞ여 희쳔이 마ᄌᆞ 의의히 장원을 ᄒᆞ니 졀졀이 통히ᄒᆞᆫ지라, ᄉᆞ부을 바라미 ᄃᆡ한(大旱)의 운예(雲霓)갓치 ᄒᆞᄂᆞ니, 금년이나 뜻즐 일우랴?"

묘랑이 조시모ᄌᆞ을 경히 맛지 못ᄒᆞᆯ 줄 알ᄃᆡ 위로 왈,

"지셩(至誠)이면 감쳔(感天)이라, 부인이 불도의 졍셩을 드려계시니 엇지 필경 희식 업ᄉᆞ리잇고?"

ᄒᆞ고, 이의 픔 가온ᄃᆡ로셔 약을 ᄂᆡ니, 요약이 무수ᄒᆞ여, 변심ᄒᆞᄂᆞᆫ 익봉잠과 변용ᄒᆞᄂᆞᆫ ᄀᆡ용단과 즉사ᄒᆞᄂᆞᆫ 촉명단(促命丹)과 오ᄅᆡ 신음ᄒᆞ여 장뷔 슬허지고 늑ᄆᆡᆨ이 ᄭᆡᆫ쳐져 죽ᄂᆞᆫ 졀명단(絶命丹)과 말 못하ᄂᆞᆫ 암약(瘖藥)과 인ᄉᆞ 흐리ᄂᆞᆫ 현혼단(眩昏丹)과 그 박긔 요약이 불가승쉬(不可勝數)라. 뉴시 ᄃᆡ열 문왈,

"이거ᄉᆞᆯ 뉘 몬져 시험ᄒᆞ리오?"

묘랑 왈,

"몬져 현혼단을 구파을 먹여 인ᄉᆞ을 흐리오고 조부인 고식을 다 업시ᄒᆞ소셔."

뉴시 ᄎᆞ마 깃거 ᄎᆞ일 셕반 찬션의 익봉잠을 셕거 추밀이 진식(進食)게 ᄒᆞ고, 구파ᄂᆞᆫ 하셕의셔 식상을 바드니, 추밀의 소활ᄒᆞᆫ 셩경과 구파의 잔 호의 업ᄉᆞᆫ 바로써, 금일 요약을 셧거시물 뜻ᄒᆞ리오. 쾨히 진식ᄒᆞ엿더

하셕의셔 식상을 바드나, 츄밀의 소활ᄒᆞᆫ 셩경과 구파의 잔 호의 업ᄉᆞᆫ 바로, 금일 요약 셧거시믈 ᄯᅳᆺᄒᆞ여시리오. 쾌히 딘식ᄒᆞ엿더니 츄밀과 구패 오늑일 듕통(重痛)ᄒᆞ여 ᄉᆞ지일신(四肢一身)을 아니 알ᄂᆞᆫ ᄃᆡ 업ᄉᆞ니, 샤인이 쥬야 블탈의ᄃᆡᄒᆞ고 계부 환후를 구완ᄒᆞ나, 뉴시 듁음의 익봉잠을 화ᄒᆞ여 년쇽ᄒᆞ여 쓰며, 구파의 먹ᄂᆞᆫ 바의 현혼단을 느리[1725] 쓰니 독약이 쳐음 먹어셔ᄂᆞᆫ 오장이 칼노 겻ᄂᆞᆫ[1726] ᄃᆞ시 알프나, 여러 슌 먹기를 항상 【63】 ᄒᆞᆫ 후ᄂᆞᆫ, 비록 슈를 감ᄒᆞ고 셩경을 밧골지언졍 약이 복듕을 ᄉᆞ괴여 고통ᄒᆞ기를 긋치나, 츄밀이 안광의 총긔 감ᄒᆞ이고 거지 허박 괴이ᄒᆞ여, 홀연 뉴시를 탐혹 과ᄋᆡᄒᆞ고 경ᄋᆞ를 ᄌᆞ별이 ᄉᆞ랑ᄒᆞ며, 뉴시 후ᄃᆡᄒᆞ미 침닉ᄒᆞ기의 니르러, 모젼의 됴셕 문안 밧근 ᄌᆞ최 외헌의 님치 아냐, ᄒᆡ츈누의 머므르니, 붕ᄇᆡ로 상죵ᄒᆞ믈 긋치ᄂᆞᆫ디라.

뉴시 평ᄉᆡᆼ 원을 일우니 깃브믄 불가형언이오, 구파ᄂᆞᆫ 약ᄒᆞᆫ 간위예 요약을 먹으ᄆᆡ, 대통ᄒᆞ고 니러난 후 ᄒᆞᆫ낫 어림장이 되여 힝동거지 사롬의 모양이 업셔, ᄯᆡ업ᄉᆞᆫ 우숨 【64】 이 긋출 젹 업고, 식반을 ᄯᆡ예 먹지 아니나 허핍ᄒᆞ믈 모로고, 비록 만히 머그나 포복ᄒᆞ믈 모로며, 만신이 ᄌᆞ로 브어 일월이 가고 오ᄂᆞᆫ 줄 ᄭᆡ닷지 못ᄒᆞ여, 누으면 ᄌᆞᆷ이오 안ᄌᆞ면 우음이라. 젼일 조부인 모ᄌᆞ 고식을 디셩 보호ᄒᆞ던 ᄇᆡ 아조 힝노(行路) 보듯, 무ᄉᆞ무려(無思無慮)ᄒᆞ여 ᄇᆡᆨᄉᆡ(百事) 괴괴(怪怪)ᄒᆞ기의 밋ᄎᆞ니, 위·뉴의 깃브미 이 ᄯᆡ를 타 조부인 모ᄌᆞ 고식을 밧비 셔르져 업시ᄒᆞ랴 ᄒᆞ니, 슬프다 뉘 잇셔 조부인 등을 구ᄒᆞ리오. 츄밀이 점점 그릇되여 뉴시ᄂᆞᆫ 슉녀 졀부로 알고, 경ᄋᆡ 아니면 ᄌᆞ식이 업ᄂᆞᆫ 줄노 혜아려, 그 말이 ᄒᆞᆫ번 난 즉 아니 밋ᄎᆞ미 업고, 힝 【65】 ᄉᆞ를 ᄀᆞᆺ초 아ᄅᆞᆷ다이 녁여 평일 샤인 등 귀듕ᄒᆞ미 ᄌᆞ긔 몸 우흐로 아던 바로ᄡᅧ, 젼연이 쳔히 녁이미 돈견(豚犬) ᄀᆞᆺ고, 곡졀업시 믜오미 니러나 보면

1725)느리 : 내리. 잇따라. 계속하여
1726)겻다 : 긁다. 찌르다.

니, 츄밀과 구ᄑᆡ 문 【66】 득 늑일 듕통(重痛)ᄒᆞ여 ᄉᆞ지일신(四肢一身)을 흉복(胸腹)가지 아니 알ᄂᆞᆫ ᄃᆡ 업ᄉᆞ니, ᄉᆞ인이 주야 의ᄃᆡ를 불탈ᄒᆞ고 계부 환후을 구호ᄒᆞ나, 뉴시 죽음의 익봉잠을 화ᄒᆞ야 연속히 쓰며 구파의 먹ᄂᆞᆫ 바 현혼단을 느리[1675] 쓰니, 독약을 쳐음으로 먹으ᄆᆡ 장뷔 불평ᄒᆞ여 흉복이 칼노 지르며 ᄉᆞ지 녹ᄂᆞᆫ 듯 ᄒᆞ더니, 여러 슌 항상 먹으ᄆᆡ 비록 수를 감ᄒᆞ고 셩경을 밧골지언졍 약이 복듕을 ᄉᆞ괴여 일야 고통ᄒᆞᄂᆞᆫ 증졍은 ᄎᆞ경ᄒᆞ나, 공의 안광의 총긔 업ᄉᆞ니, 크게 허박ᄒᆞ고 마음의 변ᄒᆞ여, ᄌᆞ연 뉴시을 탐혹ᄒᆞ며 경ᄋᆞ을 ᄌᆞ별이 ᄉᆞ랑ᄒᆞ며 뉴시 후ᄃᆡᄒᆞ미 침익ᄒᆞ기의 이르러, 모젼의 조셕문안 밧근 ᄌᆞ최 외헌의 밋지 아냐 ᄒᆡ츈누의 머무르니, 붕우상종ᄒᆞ기도 이졋는지라.

뉴시 평ᄉᆡᆼ원을 일우미[ᄆᆡ] 깃부믄 불가형언이오, 구파ᄂᆞᆫ 약ᄒᆞᆫ 장위의 요약을 먹으ᄆᆡ ᄃᆡ통ᄒᆞ고 이러ᄂᆞᆫ 후로 ᄒᆞᆫ낫 어림장이 되야, 힝동거지 ᄉᆞ롬의 모양이 업셔 ᄯᆡ업ᄂᆞᆫ 우음이 ᄭᅳᆫ출 젹이 업고, 식반을 ᄯᆡ의 먹지 아니ᄂᆞ 허핍(虛乏)ᄒᆞ믈 모로고, 비록 만히 먹으나 포복(飽腹)ᄒᆞ믈 모로며, 만신이 자로 부어 일월이 가고 오ᄂᆞᆫ 줄 ᄭᆡ닷지 못ᄒᆞ여, 누으면 잠이오 안ᄌᆞ며 우음이라. 젼일 조부인 모ᄌᆞ 고식을 지셩 보호ᄒᆞ든 ᄇᆡ 아조 업셔, 힝노(行路)보듯 무ᄉᆞ무려(無思無慮)ᄒᆞ여 ᄇᆡᆨᄉᆡ(百事) 괴괴(怪怪)ᄒᆞ기의 밋ᄎᆞ니, 위·뉴의 깃부미 이 ᄯᆡ을 타 조부인 모ᄌᆞ 고식을 【67】 밧비 셔르져 업시ᄒᆞ려 ᄒᆞ니, 슬푸다 뉘 잇셔 조부인 등을 구ᄒᆞ리오. 츄밀이 졈졈 그릇되여 뉴시ᄂᆞᆫ 숙녀쳘부(淑女哲婦)로 알고, 경ᄋᆡ 아니면 ᄌᆞ식이 업는 줄노 알아, ᄀᆞ 말이 ᄒᆞᆫ번 난 즉 아니 조ᄎᆞ미 업고, 힝ᄉᆞ을 아름다이 녁여, 젼일 ᄉᆞ인 등 귀듕ᄒᆞ미 ᄌᆞ긔 몸두곤[1676] 더 아든 ᄇᆡ로ᄡᅧ, 도금(到今)ᄒᆞ여ᄂᆞᆫ 쳔히 넉기미 젼연이 돈견(豚

1675)느리 : 내리. 잇따라. 계속하여
1676)-두곤 : -도곤. -보다.

비록 즐칙지 아니나, 뉴시 거즛 샤인 등을 유렴ᄒᆞᄂᆞᆫ 쳬ᄒᆞ면 가장 브졀업시 넉여, 부인이 가ᄂᆡ 여러 사ᄅᆞᆷ을 거나려 ᄌᆞ연 심녁을 허비ᄒᆞᄂᆞᆫ 바를 그윽이 념녀ᄒᆞ여, 언언이 슈고로오믈 니르고 정·진·하 삼쇼져 유무를 아지 못ᄒᆞᄂᆞᆫ ᄃᆞᆺ, 압ᄒᆡ 뵈면 무심히 볼 ᄯᆞ름이오, 믈러간즉 니ᄌᆞ미 되고, 댱원이 항쥬로 갈 제ᄂᆞᆫ 크게 훌연이 넉이더니, 슈슌 ᄉᆞ이 ᄉᆡᆼ각이 몽ᄆᆡ의도 업ᄉᆞᆫ디라. 일일은 샤인【66】이 ᄒᆡ츈각의 나아가 ᄭᅮ러 고왈,

"근간 계부대인 신관[1727]이 환탈ᄒᆞ샤 병ᄉᆡᆨ이 현져ᄒᆞ시니 유ᄌᆡ(猶子) ○○[황민(惶憫)]ᄒᆞ오미 깁ᄉᆞ온디라. 병후를 보ᄋᆞᆸ고 의약을 착실히 ᄒᆞ고져 ᄒᆞᄂᆞ이다."

츄밀이 드르나 어린 ᄃᆞᆺᄒᆞ여 다만 손을 주어 ᄆᆡᆨ을 보라 ᄒᆞ고 말이 업ᄉᆞ니, 샤인이 옥면 셩안의 유열ᄒᆞᆫ 안ᄉᆡᆨ으로 나아가 ᄆᆡᆨ을 보고 그 병근이 깁흐시믈 념녀ᄒᆞ여, 약셕(藥石)으로 치료코져 ᄒᆞ니, 츄밀이 ᄌᆞ긔 ᄆᆞ음이나 측냥치 못ᄒᆞ여, 샤인을 냥구숙시 후 ᄉᆡᆼ각ᄒᆞᄃᆡ,

"내 젼일은 ᄌᆞ딜 ᄉᆞ랑ᄒᆞ믈 일시를 못보아도 여삼츄(如三秋)ᄒᆞ여 ᄎᆞ마 ᄯᅥ나디 못ᄒᆞ더니, 근간은 딜ᄋᆞ의 유【67】뮈(有無) 블관(不關)ᄒᆞ고, 희ᄋᆞᄂᆞᆫ 더옥 ᄉᆡᆼ각도 아니 나니 이 엇진 일인고? 져의 ᄆᆞ음도 날 ᄀᆞᆺ틀진ᄃᆡ, 나의 병을 이러ᄐᆞ시 근심ᄒᆞ여 디극히 념녀ᄒᆞ니 진졍이 아니면 이럴니 《업고∥업슬 ᄇᆡ로ᄃᆡ》, 홀연 내 ᄆᆞ음이 다르다."

ᄒᆞ여 의ᄉᆡ 이에 밋쳐ᄂᆞᆫ, 믄득 샤인을 집슈(執手) 년ᄋᆡ(憐愛)ᄒᆞᄂᆞᆫ 정을 요동(搖動)ᄒᆞ니, 뉴시 이 거동을 보고 분분이 ᄆᆡ오미 니러나고 통한ᄒᆞ나, 양쇼(佯笑) 왈,

1727)신관 : 얼굴의 높임말.

犬) 갓고, 곡졀 업시 뮈운 ᄯᅳᆺ이 이러나, 보면 비록 듕칙지 아니나 ᄌᆞ연 뮈워ᄒᆞ니, 뉴시 거즛 ᄉᆞ인 등을 {보면} 뉴렴ᄒᆞᄂᆞᆫ 쳬ᄒᆞ면, 마음의 부졀업시 넉여 왈,

"부인이 가ᄂᆡ 여러 ᄉᆞᄅᆞᆷ을 거ᄂᆞ려 ᄌᆞ연 심녁을 허비ᄒᆞ거든 부졀업ᄉᆞᆫ 념녀말나."

ᄒᆞ여, 언언이 슈고로이 니르고, 뎡·진·하 ᄉᆞᆷ소져의 잇심과 업ᄉᆞ믈 아지 못ᄒᆞ고, 압ᄒᆡ 뵌즉 무심이 볼 ᄯᆞ름이라. 물너간 즉 ᄯᅩᄒᆞᆫ 이즈미 되고, 장원이 항쥬로 갈 제ᄂᆞᆫ 크게 결연이 넉이더니, 수슌 ᄉᆞ이 ᄉᆡᆼ각이 몽니의도 업ᄂᆞᆫ지라, 일일은 ᄉᆞ인이 ᄒᆡ츈각의 와 슉부을 뫼셔 젼ᄌᆞ와 다르믈 념녀ᄒᆞ여 안광정긔 업고 외모의 병ᄉᆡᆨ이 은은ᄒᆞ믈 깁히 근심ᄒᆞ여 ᄭᅮ러 고왈,

"근간 계부 신관[1677]이 환탈ᄒᆞ여 계시미 유ᄌᆡ(猶子) 황민(惶憫)ᄒᆞ미 깁ᄉᆞ온지라, 병후을 보ᄋᆞᆸ고 의약을 측실이 ○○○[ᄒᆞ고져] ᄒᆞᄂᆞ이다."

츄밀이 어린다시 진ᄆᆡᆨᄒᆞ라 ᄒᆞ고 ᄀᆞᆺᄒᆞ여 말을 아니ᄂᆞ, ᄉᆞ인의 원명[옥면]션풍(玉面仙風)의 경슌ᄒᆞᄂᆞᆫ 녜을 잡으니, 츈양화긔을 겸ᄒᆞ여 셩음이 유열【68】ᄒᆞ여 동측ᄒᆞᆫ 효의 제순(帝舜)·증ᄌᆞ(曾子) 갓트여, 공경ᄒᆞ여 ᄆᆡᆨ후을 보고 병이 깁흐믈 념여ᄒᆞ여 약셕(藥石)으로 곳치고져 ᄒᆞ니, 츄밀이 ᄌᆞ긔 마음이나 측냥치 못ᄒᆞ여 ᄉᆞ인을 양구숙시의 ᄉᆡᆼ각ᄒᆞᄃᆡ,

"ᄂᆡ 젼ᄌᆞ의 귀듕ᄒᆞᆫ 마음이 일시 ᄯᅥ나물 ᄉᆞᆷ츄(三秋) 갓치 아더니 근간은 ᄌᆞ질의 유뮈불관(有無不關)ᄒᆞ니 어인 일인고? 져희 마음도 나갓틀진ᄃᆡ, 나희[의] 병을 이갓치 극진이 념여치 아닐 ᄇᆡ로ᄃᆡ, 가득이 밧드르ᄂᆞᆫ 효심이 부ᄌᆞ의 졍과 다르지 아니니, 홀노 ᄂᆡ마음이 홀연 변ᄒᆞ미 엇지 괴이치 아니리오."

의ᄉᆡ 이의 미ᄎᆞ미[ᄆᆡ], 믄득 ᄉᆞ인을 연ᄋᆡ(憐愛)ᄒᆞ니, 뉴시 이 거동을 보ᄆᆡ 분이 이러나 양소(佯笑) 왈,

1677)신관 : 얼굴의 높임말.

"샹공이 본딕 강밍치 못ᄒᆞ신 근력의 츈일(春日)이 브됴(不調)ᄒᆞ여 사름을 닛브게 ᄒᆞ는디라. 져젹의 ᄉᆞ오일 듕통ᄒᆞ신 후 신식이 여상치 못ᄒᆞ시나, 대단ᄒᆞᆫ 질환이 아니라. 엇디 의약ᄒᆞ도록 ᄒᆞ리오. 음식 됴보를 각별이 【68】 ᄒᆞᆯ가 ᄒᆞ노라."

샤인이 잠간 ○○○[미우를] 찡긔여 왈,

"하괴 맛당ᄒᆞ시나 뫽후를 보오니 근위(慬憂)1728)경치 아니시니, 의약을 극진히 ᄒᆞ여 나으시게 ᄒᆞ미 가ᄒᆞᄂᆞ이다."

ᄎᆞ시 츄밀은 사름이 못되엿는디라. 쳐음은 샤인의 말을 올히 넉이다가 요쳐(妖妻)의 말을 듯고 그러히 넉이더라.【69】

"상공이 본딕 강밍치 못ᄒᆞ신딕 츈일○[이] 브조(不調)ᄒᆞ여 ᄉᆞ름을 잇부게 ᄒᆞᄂᆞᆫ지라. 져젹 ᄉᆞ오일 듕통(重痛)ᄒᆞ신 환휘 쾌ᄎᆞ치 못ᄒᆞ여, 신식이 여상치 못ᄒᆞ시나 딕단ᄒᆞᆫ 질환이 아니시라, 엇지 의양[약]으로 치료ᄒᆞ도록 ᄒᆞ리오. 음식 조보을 착실이 ᄒᆞᆯ가 ᄒᆞ노라."

ᄉᆞ인이 《화우‖미우(眉宇)》을 젹이 찡긔여 왈,

"숙모 ᄒᆞ교 맛당ᄒᆞ시나 뫽후을 보오니 근위(慬憂)1678) 경치 아니시니 의약을 극진이 ᄒᆞ여 ᄎᆞᄎᆞ 덜가 ᄒᆞᄂᆞ이다."

공은 결단 업시 되어 쳐음은 ᄉᆞ인의 말을 올히 역기다가 요쳐의 말을 듯고 또 그러히 녁여 왈,

1728)근우(慬憂) : 근심. 걱정.

1678)근우(慬憂) : 근심. 걱정.

명듀보월빙 권디십구

ᄎᆞ셜 윤츄밀이 쳐음은 샤인의 말을 듯고 올히 넉이다가 요쳐(妖妻)의 말을 듯고 그러히 넉여 왈,

"내 원ᄂᆡ 약 먹기를 잘 못ᄒᆞ여 비위 거ᄉᆞ리니 대단치 아닌 병의 약 먹어 므엇ᄒᆞ리오. 너는 브졀업ᄉᆞᆫ 염녀 말나."

샤인이 계부의 말ᄉᆞᆷ마다 이러ᄒᆞ시믈 한심우황(憂惶)ᄒᆞ여 다시 말 아니ᄒᆞ고 날호여 믈너 오더니, 난간 밋ᄐᆡ셔 구패 허허 우ᄉᆞ며 잉무를 희롱ᄒᆞ나, 졍혼이 ᄲᅢ져 거동이 괴이ᄒᆞ니 샤인이 구파를 친히 븟드러 모부인 침소의 도라와 ᄀᆞᆯ오ᄃᆡ,

"쇼손이 년일【1】 계부의 환후를 구호ᄒᆞ다가 십여일 입번ᄒᆞ여 집의 도라오디 못ᄒᆞ엿더니, 작일이야 겨우 와 조모를 뵈오니 신ᄉᆡᆨ이 괴이ᄒᆞ고 거디 젼ᄌᆞ와 다르시니, 심시 엇더ᄒᆞ시며 ᄉᆞ식지념(事食之念)[1729]이 계시니잇가?"

구패 냥안이 멀거ᄒᆞ여 답디 못ᄒᆞ고 두로 ᄉᆞᆯ피며 실업ᄉᆞᆫ 우음 ○[ᄲᅮᆫ]이라. 조부인이 탄왈,

"셔뫼 이러틋 되시믄 쳔만 념외(念外)라. 져적 슉슉과 ᄀᆞᆺ치 알코난 후 실혼(失魂) 상셩(喪性)ᄒᆞ시니 네 모로미 의치를 착실히 ᄒᆞ여 여상(如常)케 ᄒᆞ라."

샤인이 탄식 ᄎᆞ악ᄒᆞ여, 진ᄆᆡᆨᄒᆞᆫ 즉 발셔 병이 깁허 장뷔 대허ᄒᆞ고 상시(常時) 셩경을 일허 발광(發狂)이 머디 아닐디라. 계【2】부와 구시의 병이 블의예 이 ᄀᆞᆺᄐᆞ믈 그윽이 념녀컨ᄃᆡ 요약의 상ᄒᆞᆷ 곳 아니면 이럴 니 업ᄉᆞᆯ디라. 가듕시 졈졈 망측ᄒᆞ여 이 ᄀᆞᆺᄐᆞ믈 경히ᄒᆞ여, 광미(廣眉)를 슈집(收集)ᄒᆞ고 말이 업더니 구패 도라가니, 조부인 왈,

"슉슉의 ᄒᆡᆼᄉᆡᆨ 괴이ᄒᆞ심과 셔모의 실혼이 필유묘ᄆᆡᆨ(必有妙脈)이라. 이는 장ᄎᆞᆺ 우리 대익이니 범ᄉᆞ를 상심(詳審)ᄒᆞ여 화(禍)의 ᄉᆡᆼ

1729)ᄉᆞ식지념(事食之念) : 음식을 먹고 싶은 마음.

"ᄂᆡ 원ᄂᆡ 약먹기을 잘 못ᄒᆞ여 비위 거ᄉᆞ리니 ᄃᆡ단치 아닌 병의 약먹어 무엇ᄒᆞ【69】리오. 너는 부졀업ᄉᆞᆫ 념여 말나."

사인이 계부의 말마다 이러ᄒᆞ물 흔심(寒心) 우황(憂惶)ᄒᆞ여 다시 말을 아니 ᄒᆞ고 물너오더니, 난간 밋히셔 구픠 허허 우ᄉᆞ며 잉무을 희롱ᄒᆞ나, 졍혼이 ᄲᅢ져 거동이 괴이ᄒᆞᆫ지라. ᄉᆞ인이 구파을 친히 붓드러 모친 침소의 도라와 갈오ᄃᆡ,

"소손이 연일 계부의 환후로 구호ᄒᆞ다가 ᄲᅦ여일 입번ᄒᆞ여 집의 도라오지 못ᄒᆞ엿더니, 작일이야 계부와 조모을 뵈오니 신ᄉᆡᆨ이 괴이ᄒᆞ고 거지 젼ᄌᆞ와 다르시니 심시 엇더ᄒᆞ시며 ᄉᆞ식지념(事食之念)[1679]이 계시니잇고?"

구픠 두눈이 멀거ᄒᆞ여 답지 못ᄒᆞ고 두로 ᄉᆞᆯ피며 다만 실업ᄉᆞᆫ 우음 ᄲᅮᆫ이라. 조부인이 탄왈,

"셔뫼 이르틋 그릇되시믄 쳔만 념외라. 네 모로미 의치(醫治)을 착실이 ᄒᆞ여 여상(如常)케 ᄒᆞ라."

ᄉᆞ인이 ᄎᆞ악ᄒᆞ여 진ᄆᆡᆨᄒᆞᆫ 즉, 발셔 병이 깁허 장뷔 ᄃᆡ허ᄒᆞ고 성경을 일허 발광(發狂)이 머지 아닐지라. 계부와 구시의 병이 불의에 이 갓ᄎᆞ믈 그윽이 념녀컨ᄃᆡ 요약의 상ᄒᆞᆷ 곳 아니면 이럴니 업ᄉᆞᆯ지라. 가듕시 졈졈 《망측ǁ망극》ᄒᆞ믈 경히ᄎᆞ악ᄒᆞ여 광미를 ᄶᆡᆼ그여 말이 업더니, 구픠 즉시 침소로 도라가니, 조부인 왈,

"슉슉의 ᄒᆡᆼᄉᆡᆨ 괴이ᄒᆞᆷ과 셔모의 실혼ᄒᆞ시미 필유묘ᄆᆡᆨ(必有妙脈)ᄒᆞ미라. 장ᄎᆞᆺ 우리 ᄃᆡ익이니 범ᄉᆞ을 상심(詳審)ᄒᆞ여 화(禍)의 ᄉᆡᆼ

1679)ᄉᆞ식지념(事食之念) : 음식을 먹고 싶은 마음.

지지 말나.”
샤인이 츄연 ᄃᆡ왈,
“만ᄉᆡ(萬事) 텬애(天也)니 인력으로 면ᄒᆞᆯ ᄇᆡ 아니오나, 계부 환휘 경치 아니시고 구조모의 병이 괴이ᄒᆞ오니, 쇼ᄌᆡ 낙담 초황ᄒᆞ여 엇디ᄒᆞᆯ 길히 업ᄂᆞ이다.”
부인이 기리 탄ᄒᆞ여 모ᄌᆞ의 근심이 듕쳡ᄒᆞ【3】더니, ᄉᆞ오일 후 댱원이 도라와 존당 부모긔 뵈ᄋᆞᆸ고 그 ᄉᆞ이 존후를 뭇ᄌᆞ오니, 츄밀이 젼일ᄀᆞᄐᆞ면 그 반가와ᄒᆞ미 엇더ᄒᆞ리오마ᄂᆞᆫ, 이ᄣᆡᄂᆞᆫ 익봉잠 효험이 뉴시의 원을 맛ᄎᆞ, 샤인 형뎨를 므단이 날노 증분ᄒᆞ여 ᄌᆞᄋᆡ 일호도 업ᄂᆞᆫ디라. 댱원의 긔운을 뭇ᄂᆞᆫ 말을 드르나 무ᄉᆞ무려ᄒᆞ여 보ᄂᆞᆫ지 마ᄂᆞᆫ디 ᄒᆞ니, 댱원이 그윽이 의아ᄒᆞ여 ᄌᆞ개 작죄ᄒᆞ미 이셔 부공이 미안ᄒᆞ시ᄂᆞᆫ가 ᄒᆞ여 그윽이 튝쳑 숑연ᄒᆞ니, 샤인이 계부의 환휘 경치 아니믈 젼ᄒᆞ여 ᄀᆞ장 근심ᄒᆞᆫᄃᆡ, 댱원이 놀나 급히 부안을 우러러 ᄉᆞᆯ피니 면모의 병ᄉᆡᆨ이 만흘 ᄲᅮᆫ 아니라, 안【4】졍(眼精)의 명광이 업고 허열(虛熱)1730)이 어른거려 냥안이 혼혼ᄒᆞ며 온젼치 못ᄒᆞᆫ 거동이라. 댱원이 됴심경(照心鏡) 안광(眼光)으로 깁히 상ᄒᆞ여시믈 디긔ᄒᆞᄆᆡ, 가듕ᄉᆡ 일삭지ᄂᆡ(一朔之內)의 대변ᄒᆞ여 야야의 환휘 이러ᄒᆞ시믈 한심ᄒᆞ여 낙심공구ᄒᆞ나, ᄉᆞᄉᆡᆨ디 아니코 뫼셔 안졋더니, ᄒᆡ 지ᄆᆡ 츄밀이 희츈누로 가고 외헌의 나오ᄂᆞᆫ 일이 업ᄂᆞᆫ디라. 혼졍을 파ᄒᆞ고 형뎨 ᄇᆡᆨ화헌의 나와 야야 환후 증셰를 일일히 므르니, 샤인이 탄왈,
“일망젼(一望前) 계부와 구조뫼 ᄉᆞ오일을 일시의 듕통(重痛)ᄒᆞᆫ ᄉᆞ연을 젼ᄒᆞ고, 조모ᄂᆞᆫ 실혼ᄒᆞ여 헛우숨1731)이 무상ᄒᆞᆷ과 계부ᄂᆞᆫ 외헌을 폐ᄒᆞ샤 ᄂᆡ【5】아(內衙)를 ᄯᅥ니디 못ᄒᆞ시니, 우형의 ᄯᅳᆺ의ᄂᆞᆫ 결단코 변심ᄒᆞᄂᆞᆫ 요약을 진(進)ᄒᆞ신가 ᄒᆞᄂᆞ니, 이런 블힝이 어ᄃᆡ 이시리오.”
댱원이 쳥파의 놀나고 슬허 야애 요약을

1730) 허열(虛熱) : 몸이 허약하여 나는 열.
1731)헛우숨 : 헛웃음. 마음에 없이 지어서 웃는 웃음. 또는 어이가 없어서 피식 웃는 웃음.≒선웃음.

지지 말나.”
ᄉᆞ인이 추연 왈,
“슉부 환후 경치 아니시고 구조모의 병이【70】괴이ᄒᆞ오니, 소ᄌᆡ 스ᄉᆞ로 졀민 우황ᄒᆞ와 ᄒᆞᆯ 바을 아지 못ᄒᆞ리로소이다.”

부인이 기리 탄왈,
“엇지 ᄒᆞᆯ고”
ᄒᆞ여, 모ᄌᆡ 근심을 이긔지 못ᄒᆞ더니, ᄉᆞ오일 후 장원이 도라와 존당부모긔 ᄇᆡ알ᄒᆞ고 일ᄉᆞᆨ지ᄂᆡ 존후을 뭇ᄌᆞ오니, 추밀이 본심이 잇시면 반다시 크게 반길 거시로ᄃᆡ, 익봉잠 효흠[험]이 뉴시의 ᄯᅳᆺ의 맛쳐 날노 ᄉᆞ인 형뎨을 증분ᄒᆞ여 ᄌᆞᄋᆡ 일분도 업ᄉᆞ니, 일언을 아니ᄒᆞ여 반기미 젼혀 업ᄉᆞ니, 장원이 가장 의아ᄒᆞ여 ᄌᆞ긔 《피ᄒᆞ미‖작죄ᄒᆞ미》 잇셔 미안ᄒᆞ시민가 황공젼뉼ᄒᆞ물 이긔지 못ᄒᆞ더니, ᄉᆞ인이 계부 환후 경치 아니시고, 구조모 병환이 고이ᄒᆞ믈 젼ᄒᆞ니, 장원이 경황ᄒᆞ여 조심경(照心鏡) 안총(眼聰)으로 부친을 우러러 ᄉᆞᆯ피니, 면모의 병ᄉᆡᆨ이 만흘 ᄲᅮᆫ 아니라, 안져의 명광이 업고, 깁히 상ᄒᆞ여시물 지긔ᄒᆞᄆᆡ, 가듕ᄉᆡ 일ᄉᆞᆨ지ᄂᆡ(一朔之內) ᄃᆡ변ᄒᆞ야 야야의 환후 이러ᄒᆞ시물 ᄒᆞᆫ심(寒心) 공구(恐懼)ᄒᆞ나 ᄉᆞᄉᆡᆨ지 아니코 뫼셔 안ᄌᆞ더니, 날이 져물ᄆᆡ 츄밀이 희츈누로 가고 외헌의 나오ᄂᆞᆫ 일이 업ᄂᆞᆫ지라. 혼뎡을 파ᄒᆞ고 형뎨 ᄇᆡᆨ화헌의 나와 야야 환후 증셰을 일일이 무르니, ᄉᆞ인이 탄왈,

“일망젼(一望前) 계부와 구조뫼 ᄉᆞ오일을 일시 듕통(重痛)ᄒᆞᄉᆞ 조모ᄂᆞᆫ 실혼ᄒᆞ여 션우슴1680)이 무상ᄒᆞ고, 계부ᄂᆞᆫ 외헌을 폐ᄒᆞᄉᆞ ᄂᆡ당을 ᄯᅥ나지 못ᄒᆞ시니, 우형의 ᄯᅳᆺ의 결단코 변심ᄒᆞᄂᆞᆫ 약을 진(進)ᄒᆞ신가 ᄒᆞᄂᆞ니, 이런 불힝이 어ᄃᆡ 이시리오.”

장【71】원이 쳥파의 놀납고 슬허 야야 요약을 삼켜 단수(短壽)ᄒᆞ실 증죄라. 심담이

1680)션우슴 : ≒헛우슴. 선웃음. 우습지도 않은데 꾸며서 또는 실없이 웃는 웃음

삼켜 단슈(短壽)ᄒᆞ실 징되라. 그윽이 심담이 ᄡᅥ러질 ᄲᅳᆫ 아니라, 양모의 허믈을 언두의 올니디 아니ᄒᆞᄆᆡ 답언이 업ᄉᆞᆫ디라. 관을 숙이고 쳥뉘(淸淚) ᄌᆞ로 니음ᄎᆞ니[1732] 샤인이 위로ᄒᆞ여 야심ᄒᆞ므로 취침ᄒᆞᆯᄉᆡ, 부공의 병근과 가ᄂᆡ의 변괴 충츌ᄒᆞ믈 상상츄회(想像追懷)ᄒᆞ니 죵야 졉목디 못ᄒᆞ고, 흐르ᄂᆞᆫ 안슈(眼水)ᄂᆞᆫ 침셕의 괴이니, 댱부의 신셰 괴롭고 효ᄌᆞ의 회픠 슬프기 가히 측냥치 못ᄒᆞᆯ디라. 샤인 【6】 이 년침(連枕) 졉면(接面)ᄒᆞ고. ○○[탄왈],

"인ᄉᆡᆼ이 ᄇᆡᆨ년이 아니어ᄂᆞᆯ 이ᄃᆡ도록 초ᄉᆞ(焦思)ᄒᆞ여 엇디 견ᄃᆡ리오. 만ᄉᆡ 텬애니, 일이 되여가믈 보고 과도히 슬허 말나."

당원이 탄식 왈,

"쇼뎨의 몸은 념녀ᄒᆞᆯ ᄇᆡ 아니오나, 야야의 환후와 신관이 환탈ᄒᆞ시믈 보오니, 실노 절박 초조ᄒᆞ여 즘이 아니오ᄂᆞ이다."

이의 셔로 위로ᄒᆞ여 밤을 디ᄂᆡ고 존당 부모긔 신셩ᄒᆞᆯᄉᆡ, 츄밀이 이 날은 더 블평ᄒᆞ여 모친긔 문안도 폐ᄒᆞ고 지게를 구지 다다, ᄌᆞ뎔이 창외의 와시믈 아ᄃᆡ 드러오라 아니ᄒᆞ고, 만ᄉᆡ 여몽(如夢)ᄒᆞ여 완연이 연무듕의 즘겻ᄂᆞᆫ 듯ᄒᆞ니, 냥인이 계명(鷄鳴)의 창외의 셔셔 날이 늣기의 니르니, 뉴시 【7】 괴로이 넉여 나와 ᄀᆞᆯ오ᄃᆡ,

"상공이 여러 사ᄅᆞᆷ의 분요ᄒᆞ믈 슬히 넉이니 여등(汝等)이 슈고로이 셧디 말고 믈너가라."

당원은 몸을 굽혀 드를 ᄯᆞ름이나 샤인이 낫빗ᄎᆞᆯ 뎡히 ᄒᆞ여 왈,

"계뷔 분요ᄒᆞ믈 괴로이 넉이실진ᄃᆡ 됴용ᄒᆞᆫ 외당을 ᄀᆞᆯ희여 됴호(調號)[1733]ᄒᆞ시미 맛당ᄒᆞ오니 유ᄌᆞ 이졔 드러가 ᄂᆡ당 분요ᄒᆞᆫ 곳을 ᄯᅥ나게 ᄒᆞ샤이다."

뉴시 더ᄋᆞᆨ 믜여 왈,

1732)니음ᄎᆞ다 : 이음차다. 줄줄이 이어지다.
1733)됴호(調號) : 환자를 잘 보양하여 병의 회복을 빠르게 함.

ᄡᅥ러질 ᄲᅳᆫ 아니라, 양모의 허물을 언두의 올니지 아니ᄒᆞᄆᆡ 답언이 업셔 관을 숙이고 쳥누(淸淚) ᄌᆞ로 이음ᄎᆞ니[1681], ᄉᆞ인이 위로ᄒᆞ여 야심ᄒᆞ므로 취침ᄒᆞᆯ ᄉᆡ, 부공의 병근과 가ᄂᆡ의 변괴 충츌ᄒᆞ믈 ᄉᆡᆼ각ᄒᆞᄆᆡ, ᄂᆡ두을 《금심‖근심》ᄒᆞᄂᆞᆫ 마음이[의] 죵야토록 ᄌᆞ지 못ᄒᆞ고, 다만 쌍뉘(雙淚) 장침(長枕)을 젹시니, 장부의 심ᄉᆞ 괴롭고 효ᄌᆞ의 회픠 슬푸미 이 갓기ᄂᆞᆫ 쳔고의 드문지라. ᄉᆞ인이 연침졉면(連寢接面)ᄒᆞ여 장탄왈,

"인ᄉᆡᆼᄇᆡᆨ년이 아니라 이ᄃᆡ도록 초ᄉᆞ(焦思)ᄒᆞ여 엇지 견ᄃᆡ리오. 일이 되어가믈 보고 과도히 슬허말나."

장원이 쳑연 ᄃᆡ왈,

"뎨의 몸의ᄂᆞᆫ 아모 변이 이시ᄂᆞ 불관ᄒᆞ거니와, ᄃᆡ인 질환이 근심이 깁고 신ᄉᆡᆨ이 환탈ᄒᆞ시물 보니, 이런 초민ᄒᆞᆫ 일이 업나이다."

형뎨 이갓치 밤을 ᄉᆡ오고 계명의 이러 관소ᄒᆞ고 조모 침젼의 문안ᄒᆞ고 ᄒᆡ월누 츈졍의 신셩(晨省)ᄒᆞ니, 추밀이 ᄎᆞ일은 더욱 불평ᄒᆞ여 모친긔 문안도 폐ᄒᆞ고 지게을 구지 다다, ᄌᆞ질이 창외의 와시믈 아되 드러오라 아니ᄒᆞ고, 만ᄉᆡ 여몽(如夢)ᄒᆞ여 완연이 연무듕의 ᄉᆡᆨ짐 갓트니, 양인이 계명(鷄鳴) 초 드러와 날이 늣기의 이르되 파치 못ᄒᆞ니, 뉴시 가장 괴로워 일오ᄃᆡ,

"상공이 여러 ᄉᆞᄅᆞᆷ의 분요ᄒᆞ물 슬히 넉이시니, 여등은 슈고로이 셧지 말고 물너가라."

장원은 몸을 굽혀 들을 ᄲᅮᆫ이오 ᄉᆞ인이 【72】 낫빗ᄎᆞᆯ 졍히ᄒᆞ고 ᄃᆡ왈,

"계부 분요ᄒᆞ믈 괴로워 ᄒᆞ실진ᄃᆡ 조용ᄒᆞᆫ 외헌을 갈ᄒᆡ여 조호(調號)[1682]ᄒᆞ시미 맛당ᄒᆞ오니, 소질이 이제 드러가 ᄂᆡ당 분요ᄒᆞ믈 ᄯᅥ나시게 ᄒᆞᄉᆞ이다."

뉴시 더욱 믜워 일오ᄃᆡ,

1681)이음ᄎᆞ다 : 이음차다. 줄줄이 이어지다.
1682)조호(調號) : 환자를 잘 보양하여 병의 회복을 빠르게 함.

“근간은 침쇠 ᄀᆞ장 고요ᄒᆞ여 시녀ᄇᆡ도 뭇ᄂᆞᆫ 일이 업고, 상공이 대허(大虛)ᄒᆞ여 밤이라도 듁음을 ᄌᆞ로 나오시니, 외당이 ᄉᆞ이 멀고 셔동 등이 ᄃᆡ슉ᄒᆞ나 듁음을 나의 친집ᄒᆞᆷ과 ᄀᆞᆺ디 못ᄒᆞᆯ가 ᄒᆞ노라.”

샤인이 미우를【8】 찡긔여 슉모의 만악이 구비ᄒᆞ믈 근심ᄒᆞ더니, 믄득 됴명이 계샤 샤인을 우부도어사의 옴기고, 댱원은 쇼분코 도라오믈 아르샤 힝공ᄒᆞ믈 ᄌᆡ촉ᄒᆞ시니, 뉴시 대계를 도모ᄒᆞ여 조부인 모ᄌᆞ 고식을 업시ᄒᆞ려 ᄒᆞᄂᆞᆫ 고로, 댱원이 입번을 ᄌᆞ로 ᄒᆞ고 집의 들미 젹기를 죄이ᄂᆞᆫ디라. 츄밀을 다ᄅᆡ여 찰딕케 ᄒᆞ라 ᄒᆞ니, 공이 ᄉᆞᄉᆞ 언청ᄒᆞᄂᆞᆫ 고로 비로소 문을 열고 ᄌᆞ딜을 블너 경계 왈,

“광텬은 벼ᄉᆞᆯ이 간관의 오로고, 희ᄋᆞᄂᆞᆫ 힝공ᄒᆞ믈 ᄌᆡ촉ᄒᆞ신다 ᄒᆞ니, 모로미 집을 유련치 말고 딘튱 갈녁ᄒᆞ여 군샹을 돕ᄉᆞᆸ고, 삼가 조심ᄒᆞ여 션ᄇᆡᆨ(先伯)의 뎍【9】심 튱의(赤心忠義)를 ᄡᅥ러바리지 말나.”

냥인이 일시의 ᄇᆡ샤슈명(拜謝受命)ᄒᆞ나 근심이 듕ᄒᆞ고, 샤인이 계부의 ᄯᅳᆺ을 보려 궤고(跪告) 왈,

“계부 환휘 고통ᄒᆞ시ᄂᆞᆫ 바ᄂᆞᆫ 아니로ᄃᆡ 신관이 날노 환탈ᄒᆞ시니, 비록 약셕을 괴로이 넉이시나 의치를 아녀셔ᄂᆞᆫ 증셰를 ᄇᆞᆰ히 알길히 업ᄉᆞ오니, ᄂᆡ루의 의ᄌᆞ를 모화 논증ᄒᆞ오미 블가ᄒᆞ오니, 외헌으로 올므시미 엇더ᄒᆞ리잇고.”

공이 뉴시 ᄠᅥ나미 일시 어려워 냥구 믁연이라가, 왈,

“내 병이 굿ᄐᆞ여 의ᄌᆞ로 논증ᄒᆞ여 입의 거ᄉᆞ리ᄂᆞᆫ 약을 괴로이 먹을 거시 아니라, 다만 ᄌᆞ로 허갈(虛喝)ᄒᆞ기 심ᄒᆞ니, 아딕 ᄂᆡ루의셔 음식 됴보(調保)를 각【10】별이 ᄒᆞ여 몸이 여상(如常)ᄒᆞᆫ 후의 외당을 ᄎᆞᄌᆞ리라.”

샤인이 크게 한심ᄒᆞ여 ᄌᆡ간(再諫)ᄒᆞᄃᆡ, 드를 니 업ᄉᆞᆯ 줄 디긔ᄒᆞ고 능히 말을 못ᄒᆞ고 각각 ᄃᆡᄉᆞ의 나아갈 ᄲᅳᆫ이라.

우부도어ᄉᆞᄂᆞᆫ 간관으로, 풍교를 ᄇᆞᆰ히며

“근간은 침소 젹요ᄒᆞ여 시녀ᄇᆡ도 모로ᄂᆞᆫ 듯시 뭇ᄂᆞᆫ 일이 업고, 상공이 ᄃᆡ허(大虛)ᄒᆞ여 밤이라도 죽음을 ᄌᆞ로 나오니 외당이 ᄉᆞ이 머러 비록 시아 등이 직숙ᄒᆞ나 쥭음을 나의 친집ᄒᆞᆷ과 갓지 못ᄒᆞᆯ가 ᄒᆞ노라.”

ᄉᆞ인이 미우을 찡긔여 슉모의 만악이 구비ᄒᆞ믈 근심ᄒᆞ더니, 문득 됴명으로 ᄉᆞ인은 우부도오ᄉᆞ로 옴고 장원은 소○[분]ᄒᆞ고 도라오물 알으시고 힝공ᄒᆞ물 ᄌᆡ촉ᄒᆞ시니, 뉴시 ᄃᆡ계을 도모ᄒᆞ여 조부인 모ᄌᆞ고식을 업시ᄒᆞ려 ᄒᆞᄂᆞᆫ 고로, 집의 들미 젹기을 죄오다가 츄밀을 다ᄅᆡ여 장원의 출직ᄒᆞ믈 ᄌᆡ촉게 ᄒᆞ니, 츄밀이 ᄉᆞᄉᆞ언청ᄒᆞᄂᆞᆫ 고로 비로소 문을 열어 ᄌᆞ질을 불너 경계 왈,

“광천은 벼ᄉᆞᆯ이 간관의 오르고 희아난 힝공ᄒᆞ믈 ᄌᆡ촉ᄒᆞ신ᄃᆡ, 집의 머물 의ᄉᆞ을 말나. 진츙갈녁ᄒᆞ여 군상을 돕고 젹심츙의(赤心忠義)을 ᄡᅥ러 바리지 말고 급히 힝공찰직ᄒᆞ라.”

양인이 일시의 ᄇᆡᄉᆞ수명(拜謝受命)ᄒᆞ나 근심이 듕훙여 ᄉᆞ인이 슉부 ᄯᅳᆺ즐 보고져 ᄒᆞ여 고왈,

“계부 환후 고통ᄒᆞ시ᄂᆞᆫ 바ᄂᆞᆫ 아니로ᄃᆡ 날노 환탈ᄒᆞ시니, 비록 약셕을 괴로이 넉이시나, 의치을 물니친 후ᄂᆞᆫ 증셰을 발히【73】○…**결락 32자**…○[알 길히 업ᄉᆞ오니, ᄂᆡ루의 의ᄌᆞ를 모화 논증ᄒᆞ오미 블가ᄒᆞ오니, 외헌으로 올므시]미 엇더ᄒᆞ니 잇고?”

공이 뉴시 ᄠᅥ나미 일시 어려워 양구묵묵다가 일오ᄃᆡ,

“ᄂᆡ 병이 굿ᄒᆞ여 의ᄌᆞ로 번요이 논병ᄒᆞ여 입의 거ᄉᆞ리ᄂᆞᆫ 약을 먹을 거시 아니라, 다만 ᄌᆞ로 허갈(虛喝)ᄒᆞ기 심ᄒᆞ니 아직 ᄂᆡ누(內樓)의셔 음식 조보(調保)을 각별이 ᄒᆞ여 몸이 여상ᄒᆞᆫ 후 외당의 거쳐ᄒᆞ《라라‖리라》.”

ᄉᆞ인이 크게 ᄒᆞᆫ심ᄒᆞ여 ᄌᆡ간(再諫)ᄒᆞ되 듯지 아닐지라, 다시 말을 못ᄒᆞ고 각각 직ᄉᆞ의 아아갈 ᄲᅳᆫ이라.

우부도어ᄉᆞ로[ᄂᆞᆫ] 간관《의‖으로》 《풍

남녀의 튱녈 효의를 굴희고, 셩샹을 보과습유(報果拾遺)ᄒᆞ여, 윤어ᄉᆞ의 면졀졍징(面折廷爭)1734)이 유연녈일(柔軟烈日)ᄒᆞ여 ᄒᆞᆫ갓 보과습유의 명신일 ᄲᅮᆫ 아니라, 이윤(伊尹)1735) 여상(呂尙)1736)의 튱과 한ᄃᆡ1737) 졔갈(諸葛)1738)의 신무(神武)를 겸ᄒᆞ여, 거관ᄃᆡᆨᄉᆞ(居官職事)와 ᄉᆞ군녜뫼(事君禮貌) 범뉴와 ᄂᆡ도ᄒᆞ고, 댱원은 ᄒᆡᆼ공찰ᄃᆡᆨᄒᆞ미 비록 년쇼ᄒᆞ고 나즌 벼술이나, 완연이 듀공(周公)1739)의 토포악발(吐哺握發)1740)ᄒᆞ시던 덕화를 가져 관인(寬仁) 뎡도(正道)로 군샹을 【11】 돕ᄉᆞ오며, 안ᄌᆞ셔 치경을 의논ᄒᆞ여 살벌(殺伐)을 먼니ᄒᆞ며, 요ᄉᆞ를 믈니치고 일동일졍이 네 아니미 업셔, 공안(孔顔)1741)의 도덕 션ᄒᆡᆼ을 가져시니 샹통이 늉셩ᄒᆞ샤 만되 츄앙ᄒᆞ여 쳥현아망(淸賢雅望)이 ᄉᆞ셔(士庶)1742)를 드레나, 츄밀은 능히 두굿기며 아름다오믈 모로고 쥬야 뉴시를 ᄃᆡᄒᆞ여 요약을 장복ᄒᆞ니, 졈졈 흐리고 프러져 농판이

1734)면졀졍징(面折廷爭) : 임금의 면전에서 허물을 기탄없이 직간하고 쟁론함.

1735)이윤(伊尹) : 중국 은나라의 전설상의 인물. 이름난 재상으로 탕왕을 도와 하나라의 걸왕을 멸망시키고 선정을 베풀었다.

1736)여상(呂尙) : 중국 주나라 무왕(武王) 때의 정치가 태공망(太公望). 여(呂)는 그에게 봉해진 영지(領地)이며, 상(尙)은 그의 이름이다. 강태공(姜太公). 여망(呂望), 태공망(太公望) 등의 다른 이름으로도 불린다.

1737)한ᄃᆡ : 한데. 함께

1738)졔갈(諸葛) : 제갈량(諸葛亮). 181-234. 중국 삼국시대 촉한(蜀漢)의 정치가. 자 공명(孔明). 시호 충무(忠武). 뛰어난 군사 전략가로, 유비를 도와 오(吳)나라와 연합하여 조조(曹操)의 위(魏)나라를 대파하고 파촉(巴蜀)을 얻어 촉한을 세웠다.

1739)듀공(周公) : 중국 주나라의 정치가. 문왕의 아들로 성은 희(姬). 이름은 단(旦). 형인 무왕을 도와 은나라를 멸하였고, 주나라의 기초를 튼튼히 하였다. 예악 제도(禮樂制度)를 정비하였으며, ≪주례(周禮)≫를 지었다고 알려져 있다.

1740)토포악발(吐哺握發) : 민심을 수렴하고 정무를 보살피기에 잠시도 편안함이 없음을 이르는 말. 중국의 주공이 식사 때나 목욕할 때 내객이 있으면 먹던 것을 뱉고, 감고 있던 머리를 거머쥐고 영접하였다는 데서 유래한다

1741)공안(孔顔) : 공자(孔子)와 안자(顔子)를 함께 이르는 말.

1742)ᄉᆞ셔(士庶) : ①사대부와 서민 ②일반 백성.

곤॥풍교》을 밝히며 남녀의 츙녈효의을 가다듬고, 셩상의 흘니시ᄂᆞᆫ 바을 주으며 니ᄌᆞ시ᄂᆞᆫ 바을 일ᄊᆡ와, 윤어ᄉᆞ의 《명쳘셩ᄒᆡᆼ॥면졀졍징(面折廷爭)1683)》이 늠연ᄒᆞ여, ᄒᆞᆫ갓 보과습유의 명신일 ᄲᅮᆫ 아니라, 이윤(伊尹)1684) 여상(呂尙)1685)의 츙과 《ᄒᆞᆫ॥삼국》젹 졔갈무후(諸葛武侯)1686)의 신무(神武)을 겸ᄒᆞ여, 거관지ᄉᆞ(居官之事)와 ᄉᆞ군지되(事君之道) 범뉴와 ᄂᆡ도ᄒᆞ고, 장원의 ᄒᆡᆼ공 출임ᄒᆞᄆᆡ 비록 연소ᄒᆞ고 벼슬이 나조ᄂᆞ, 완연이 쥬공(周公)1687)의 ○○일반솜토포(一飯三吐哺)와 일목솜악발(一沐三握髮)1688)ᄒᆞ던 덕화을 가져 관인졍도로 군상을 돕ᄉᆞ오며, 안ᄌᆞ셔 치경을 의논ᄒᆞ여 살벌(殺伐)을 멀니ᄒᆞ고, 요ᄉᆞ을 물니쳐, 입의 말이나ᄆᆡ 졍금미옥이오, 일ᄒᆡᆼ일동이 녜 아니며 법 아니미 업셔, 공안(孔顔)1689)의 도덕 셩ᄒᆡᆼ을 가져시니, 상총이 늉셩ᄒᆞᄉᆞ 크게 ᄋᆡ경ᄒᆞ시고, ᄇᆡᆨ뇌 츄앙ᄒᆞ여 쳥명아망(淸明雅望)이 ᄉᆞ셰

1683)면졀졍징(面折廷爭) : 임금의 면전에서 허물을 기탄없이 직간하고 쟁론함.

1684)이윤(伊尹) : 중국 은나라의 전설상의 인물. 이름난 재상으로 탕왕을 도와 하나라의 걸왕을 멸망시키고 선정을 베풀었다.

1685)여상(呂尙) : 중국 주나라 무왕(武王) 때의 정치가 태공망(太公望). 여(呂)는 그에게 봉해진 영지(領地)이며, 상(尙)은 그의 이름이다. 강태공(姜太公). 여망(呂望), 태공망(太公望) 등의 다른 이름으로도 불린다.

1686)졔갈(諸葛) : 제갈량(諸葛亮). 181-234. 중국 삼국시대 촉한(蜀漢)의 정치가. 자 공명(孔明). 시호 충무(忠武). 뛰어난 군사 전략가로, 유비를 도와 오(吳)나라와 연합하여 조조(曹操)의 위(魏)나라를 대파하고 파촉(巴蜀)을 얻어 촉한을 세웠다

1687)듀공(周公) : 중국 주나라의 정치가. 문왕의 아들로 성은 희(姬). 이름은 단(旦). 형인 무왕을 도와 은나라를 멸하였고, 주나라의 기초를 튼튼히 하였다. 예악 제도(禮樂制度)를 정비하였으며, ≪주례(周禮)≫를 지었다고 알려져 있다.

1688)일반솜토포(一飯三吐哺)일목솜악발(一沐三握髮) : 중국 주나라 주공이 민심을 수렴하고 정무를 보살피기에 잠시도 편안함이 없음을 이르는 말로, 한번 식사할 때에 세 차례나 먹던 것을 뱉고 손님을 영접하였고 또, 한번 목욕할 때에 세 차례나 감고 있던 머리를 거머쥐고 나와 손님을 맞았던 고사를 말함.

1689)공안(孔顔) : 공자(孔子)와 안자(顔子)를 함께 이르는 말.

되여, 젼일 싁싁 엄슉던 긔습이 일분도 업ᄉᆞ니 어ᄉᆞ 곤계일노ᄡᅧ 쥬야 졀민초조ᄒᆞ미 미우를 펼 젹이 드므더라.

ᄎᆞ시 댱협은 ᄃᆡᄃᆡ 갑뎨거족(甲第巨族)으로 ᄯᅩ 위인이 걸츌ᄒᆞᆫ디라, 실듕의 두 부인을 두어시니 원비 셜시 일남일녀를 ᄉᆡᆼᄒᆞ고 ᄎᆞ비 영시【12】 일ᄌᆞ를 두어시나, ᄋᆞ들은 다 십셰오, 녀ᄋᆞ 셜이 금년 십삼의 텬ᄉᆡᆼ 픔질이 비상 초츌ᄒᆞ여 ᄇᆡᆨ년용안(白蓮容顔)이 일월의 광휘를 습ᄒᆞ고, 온유ᄒᆞᆫ 셩ᄒᆡᆼ이 슉녀의 방향을 ᄉᆞ모ᄒᆞᄂᆞᆫ 듕이나, 슉엄 뎡대ᄒᆞ여 흡흡히 군ᄌᆞ의 풍을 겸ᄒᆞ엿ᄂᆞᆫ디라. 댱 ᄉᆞ매(司馬) 과ᄋᆡ 귀듕ᄒᆞ여 ᄋᆞ시로브터 압히 두어 혹문을 가ᄅᆞ치니, ᄎᆞᆼ명이 졀인ᄒᆞ고 ᄌᆡ픔이 긔이ᄒᆞ여 ᄉᆡᆼ이디디(生而知之)ᄒᆞᄂᆞᆫ ᄌᆡ죄 잇고, 셩졍이 샹쾌ᄒᆞ여 ᄋᆞ녀ᄌᆞ의 녹녹 용졸ᄒᆞ믈 웃ᄂᆞᆫ디라. 댱공이 가지록 ᄉᆞ랑ᄒᆞ여 넙이 가셔를 ᄐᆡᆨᄒᆞ다가, 윤ᄃᆡᆨᄉᆞ를 보고 흠모ᄒᆞ여 ᄌᆡ실을 혐의치 아니코 간구ᄒᆞ여, 결승(結繩)의 호연(好緣)을 일울ᄉᆡ, 윤ᄃᆡᆨ【13】ᄉᆡ 쇼분ᄒᆞ고 오믈 아라 즉시 ᄐᆡᆨ일ᄒᆞ여 윤부의 보ᄒᆞ니, 길긔 일삭이 가렷ᄂᆞᆫ디라. 댱공과 셜부인은 윤부 가ᄉᆞ를 모로나, ᄌᆡ실 영시ᄂᆞᆫ 뉴금오 부인 아인 고로 위·뉴의 악ᄒᆡᆼ을 ᄌᆞ시 드러시나, ᄯᅩᄒᆞᆫ 영시 용심이 궁흉 브뎡ᄒᆞ여 셜부인 ᄌᆞ녀를 업시치 못ᄒᆞ믈 골돌ᄒᆞᄆᆡ, 셜ᄋᆞ를 윤부의 쇽현ᄒᆞ믈 그윽이 깃거 뉴시긔 보ᄎᆡ여 ᄌᆞ진ᄒᆞᆯ가 죄오니, 포악ᄒᆞ미 뉴시 아ᄅᆡ 아니니, 이 ᄯᅩᄒᆞᆫ 댱쇼져의 ᄋᆡᆨ홰 괴이ᄒᆞ여 계모의 ᄉᆞ오나오미 응시(應時)ᄒᆞ미러라.

이ᄯᅴ 윤츄밀은 ᄃᆡᆨᄉᆞ의 ᄌᆡ취 길일이 님ᄒᆞ나 연셕을 개장ᄒᆞᆯ 의ᄉᆞ도 업고, 샤인 곤계를 므단이 미안ᄒᆞ여 ᄌᆞᄋᆡᄒᆞ미 조곰도【14】 업ᄉᆞ니, 더옥 삼부를 유렴ᄒᆞ리오. 위·뉴 승시ᄒᆞ여 어ᄉᆞ 부부 형뎨를 보ᄎᆡ미 날노 심ᄒᆞ고, 그 부부의 동실디락(同室之樂)을 ᄀᆞ장 ᄭᅥ려, 어ᄉᆡ ᄎᆡ봉각과 ᄎᆡ영각의 츌입ᄒᆞ고 ᄃᆡᆨᄉᆡ ᄎᆡ련각의 드러간 즉, 분노ᄒᆞ여 반ᄃᆞ시

(士庶)을 드레나, 츄밀은 뉴시만 ᄃᆡᄒᆞ여 요약으로 장복ᄒᆞ니 졈졈ᄒᆞ리고 푸러져 농판이 되어, 젼일 씍씍엄슉던【74】 긔습이 일분도 업ᄉᆞ니, 어ᄉᆞ곤계 쥬야 졀민초조ᄒᆞ여 미우을 펼젹이 드무더라.

ᄎᆞ시 장협은 ᄃᆡᄃᆡ 갑졔 거족으로 위인이 졀[걸]츌(傑出)ᄒᆞᆫ지라. 실듕의 두 부인이 잇스니, 원비 셜시ᄂᆞᆫ 일남일녀을 ᄉᆡᆼᄒᆞ고 ᄎᆞ비 영시ᄂᆞᆫ 일ᄌᆞ을 두어시나, 아들은 십셰오 녀아 셜의 금년이 십슴의 쳔ᄉᆡᆼ품질이 비상초츌ᄒᆞ여 ᄇᆡᆨ년용안(白蓮容顔)이 일월의 광ᄎᆡ을 습ᄒᆞ고, 온유ᄒᆞᆫ 성ᄒᆡᆼ이 슉녀의 방향을 ᄉᆞ모ᄒᆞᄂᆞᆫ 듕이나, 슉엄졍ᄃᆡ ᄒᆞ여 흠흠히 군ᄌᆞ의 풍을 겸ᄒᆞ엿ᄂᆞᆫ지라. 장 ᄉᆞᄆᆡ(司馬) 과ᄋᆡ귀듕ᄒᆞ여 아시로부터 압히 두어 혹문을 기르치니, 총명이 졀인ᄒᆞ고 ᄌᆡ품이 긔이ᄒᆞ여 ᄉᆡᆼ이지지ᄒᆞᄂᆞᆫ ᄌᆡ조 잇고 셩졍이 상쾌ᄒᆞ여 아녀ᄌᆞ의 녹녹용졸ᄒᆞ믈 웃ᄂᆞᆫ지라. 장공이 가지록 ᄉᆞ랑ᄒᆞ여 너비 가셔을 ᄐᆡᆨᄒᆞ다가 윤직ᄉᆞ을 보고 흠모ᄒᆞ여 ᄌᆡ실을 혐의치 아니ᄒᆞ고 갈구ᄒᆞ여 젹[결]승(結繩)의 호연(好緣)을 일울 ᄉᆡ, 윤직ᄉᆞ 소분ᄒᆞ○○[고 오]물 아러 즉시 ᄐᆡᆨ일ᄒᆞ여 윤부의 보ᄒᆞ니, 길긔 일삭이 가렷ᄂᆞᆫ지라. 장공과 셜부인은 윤부 가ᄉᆞ을 모로나, ᄌᆡ실 영시ᄂᆞᆫ 뉴금오 부인 아인 고로 위·뉴의 악ᄒᆡᆼ을 ᄌᆞ셰 드러시나, 영시 용심이 궁흉부졍ᄒᆞ야 셜부인 ᄌᆞ녀을 업시치 못ᄒᆞ믈 골돌ᄒᆞᄆᆡ, 셜아을 윤부의 속ᄒᆞ믈 그윽이 깃거, 뉴시의게 보ᄎᆡ여 ᄌᆞ【75】진ᄒᆞᆯ가 죄오니, 포악ᄒᆞ미 뉴시 아ᄅᆡ 아니니, 이 ᄯᅩ 장소져의 ᄋᆡᆨ회 괴이ᄒᆞ여 계모의{의} ᄉᆞ오나오미 응시(應時)ᄒᆞ여 나미러라.

윤공○[이] 직ᄉᆞ의 길일이 임ᄒᆞ나 연셕을 ᄀᆡ장ᄒᆞᆯ 의ᄉᆞ도 업고, ᄉᆞ인 곤계을 무고히 미안ᄒᆞ여 젼일 ᄌᆞᄋᆡ 몽니(夢裏)의도 업셔 슴부을 ᄯᅩᄒᆞᆫ 긔렴ᄒᆞ미 업ᄉᆞ니, 위·뉴 승시ᄒᆞ여 어ᄉᆞ 형뎨을 보ᄎᆡ며 슴부 등 조르기을 날노 심학(甚虐)히 ᄒᆞ여, 그 부부의 동실지낙(同室之樂)을 가장 ᄭᅳ려, 어ᄉᆡ ᄎᆡ봉각과 ᄎᆡ영각의 츌입ᄒᆞ고, 직ᄉᆡ ᄎᆡ현각의 드러간

부뷔 의논ᄒᆞ고 태부인과 츄밀 부부를 죽이려 ᄒᆞᆫ다 작언(作言)ᄒᆞ여, ᄎᆞ마 못드를 말노 보치믈 위쥬ᄒᆞ니, ᄃᆡᆨᄉᆞᄂᆞᆫ 놀나온 말노 인ᄒᆞ여 하시 침소의 일졀가지 아니ᄒᆞ고, 어ᄉᆞᄂᆞᆫ 흉참ᄒᆞᆫ 언ᄉᆞ를 못듯ᄂᆞᆫ 쳬ᄒᆞ여 냥인의 침소 왕ᄂᆡ를 빈번이 ᄒᆞ여 임의로 츌입ᄒᆞ니, 위태 정·진 냥인을 블너 쳔만 슈죄ᄒᆞ여, ᄎᆞ후 일시도 ᄉᆞ실을 가【15】보도 못ᄒᆞ게 ᄒᆞ니, 쥬야 압히 안치고 침션슈치(針線繡致)를 ᄌᆡ촉ᄒᆞ여 식이고 온가지로 보칠 ᄲᅮᆫ 아니라, ᄯᅩᄒᆞᆫ 됴셕 밥을 주ᄂᆞᆫ ᄇᆡ 업셔 일긔 ᄆᆡᆨ듁과 더러온 ᄌᆡᆨ강이라. 삼쇼졔 긔아를 견ᄃᆡ기 어려오나 조부인이 구차히 식반을 잇다감 장만ᄒᆞ여 그 긔갈을 늦추더니, 위흉이 그 눈치를 알고 ᄎᆞ후 측간 츌입이라도, 셰월 등을 쪄 보ᄂᆡ니 어ᄃᆡ가 고식(姑媳)이 만나 긔아를 면ᄒᆞ리오.

삼쇼져의 긔갈이 측냥업셔, 뎡쇼져ᄂᆞᆫ 오히려 ᄆᆡᆨ듁 ᄌᆡᆨ강이라도 강인ᄒᆞ여 먹으나, 진시ᄂᆞᆫ 약ᄒᆞᆫ 비위와 지란 ᄀᆞᆺ튼 긔질이 ᄎᆞ마 이런 거ᄉᆞᆯ 먹지 못ᄒᆞ니, 엇【16】지 잘 견ᄃᆡ리오. 날노 화용이 초췌ᄒᆞ고 옥골이 슈쳑ᄒᆞ며 미풍의도 븟치일 ᄃᆞᆺᄒᆞ니, 조부인이 잔잉 참연ᄒᆞ여 ᄌᆞ긔 몸은[의] 괴롭고 슬프믄 닛치이미 되고, ᄌᆞ부를 고렴ᄒᆞᄂᆞᆫ 심회 돌흘 ᄉᆞᆷ킨 ᄃᆞᆺᄒᆞ더니, 일일은 어ᄉᆞ를 ᄃᆡᄒᆞ여 낙누 왈,

"정·진 냥뷔 《너희‖너의》 ᄌᆞ로 츌입ᄒᆞᄂᆞᆫ ᄒᆡ(害)로 존고 침소를 일시를 못 쪄나고, 약질이 여러가지로 못견딀 형셰 만흐니, 출하리 각각 그 본부의셔 청ᄒᆞ여 다려가면 일시 보젼ᄒᆞᆯ 도리 될가 ᄒᆞ노라."

어ᄉᆡ 탄식 ᄃᆡ왈,

"저 냥인의 신셰도 가련타 ᄒᆞ오려니와, 쇼ᄌᆞ의 ᄆᆞ음이 이런 곳의 결을치 못ᄒᆞ와, 계부 환휘 비경ᄒᆞ심과【17】 ᄆᆞ음이 변ᄒᆞ시미 경히 ᄎᆞ악ᄒᆞ고, 구조모 실혼ᄒᆞᆫ 병이 곳칠 도리 업ᄉᆞ믈 졀민ᄒᆞᄂᆞᆫ ᄇᆡ오니, 진시의 형뎨의 곡경은 ᄆᆞ음의 머믈 ᄉᆞ이 업ᄂᆞ이

즉, 분노ᄒᆞ여 반다시 부부 의논ᄒᆞ여 ᄐᆡ부인과 츄밀 부부을 죽이련다 작언(作言)ᄒᆞ여 ᄎᆞ마 못들을 말노 조르고 보치믈 위주ᄒᆞ니, 직ᄉᆞᄂᆞᆫ 울[놀]나온 말노 인ᄒᆞ여 ᄉᆞ침을 ᄎᆞᆺ지 아니코, 어ᄉᆞᄂᆞᆫ 흉참지셜을 들은쳬 아니코 양인의 쳐소의 왕ᄂᆡ 빈빈ᄒᆞ여 임의로 츌입ᄒᆞ니, 위시 ᄃᆡ로ᄒᆞ여 뎡·진 양인을 불너 쳔만 수죄ᄒᆞ고, ᄎᆞ후 일시을 ᄉᆞ실의 못가게 ᄒᆞ여 ᄌᆞ긔 곳 의 잇셔 침션(針線)과 수치(繡致)을 시기고, 어ᄉᆞ을 타문 남ᄌᆞ 갓치 피ᄒᆞ라 ᄒᆞ니, 비록 낫지라도 협실의 것모라 넛코 부부 셔로 보지 못ᄒᆞ게 ᄒᆞ고, 조셕 식반을 주는 일이 업셔, 오직 일긔 ᄆᆡᆨ죽을 아니 주면 더러온 ᄌᆡᆨ강이라. ᄉᆞᆷ소졔 긔아을 견ᄃᆡ기 어려우나 조부인이 구ᄎᆞ히 잇다감 식반을 작만ᄒᆞ여 그 긔갈【76】을 늣츄더니, 위흉이 그 눈치을 알고 ᄎᆞ후 측간 츌입이라도 게월 등으로 쪄 보ᄂᆡ니 어ᄃᆡ가 고식이 만나 긔아을 면ᄒᆞ리오.

ᄎᆞ후 ᄉᆞᆷ소져의 긔갈이 측냥 업○[셔], 뎡소져ᄂᆞᆫ 오히려 《ᄆᆡ죽‖ᄆᆡᆨ죽》 ᄌᆡᆨ강이라도 강인ᄒᆞ여 머[먹]으나, 진시ᄂᆞᆫ 약ᄒᆞᆫ 비위라 ᄎᆞ마 이런 거ᄉᆞᆯ 먹지 못ᄒᆞ니 엇지 견ᄃᆡ리오. 날노 화용이 초췌ᄒᆞ고 옥골이 수쳑ᄒᆞ여 미풍의도 부치일 듯ᄒᆞ니, 조부인이 잔잉 ᄎᆞᆷ연ᄒᆞ여 ᄌᆞ긔 몸은 괴롭고 슬푸믄 이지미 되고, ᄌᆞ부을 고렴ᄒᆞᄂᆞᆫ 심회 돌을 ᄉᆞᆷ킨 듯ᄒᆞ더니, 일일은 어ᄉᆞ을 ᄃᆡᄒᆞ여 낙누 왈,

"뎡·진 양뷔 ○○[너의] ᄌᆞ로 츌입ᄒᆞᄂᆞᆫ ᄒᆡ(該)로 존고 침소을 일시 쪄나지 못ᄒᆞ고, 약질이 여러 가지로 견ᄃᆡ지 못ᄒᆞᆯ 형셰 만흐니, 출ᄒᆞ리 각각 졔집의셔 청ᄒᆞ여 다려가면 일시라도 보젼ᄒᆞᆯ 도리 될가 ᄒᆞ노라."

어ᄉᆡ 탄식 ᄃᆡ왈,

"져 양인의 신셰도 가련타 ᄒᆞ려니와 소ᄌᆞ의 마음의ᄂᆞᆫ 이런 곳의 결울치 못ᄒᆞ와, 계부 환후 비경ᄒᆞ심과 마음이 변ᄒᆞ심이 경히 ᄎᆞ악ᄒᆞ고, 버거[1690] 구조모 ᄉᆡᆼ병(生病)을 곳치지 못ᄒᆞ여 졀민ᄒᆞᆫ ᄇᆡ오니, 뎡·진 등 고

1690)버거 : 다음으로, 둘째로.

다.”

조부인이 뎡식 왈,

“네 아이의 져ᄀᆞᆺ치 ᄉᆡᆼ각ᄒᆞᆯ진ᄃᆡ ᄉᆞ실의 츌입을 ᄌᆞ로 아니턴들 냥뷔 남다른 경계를 당ᄒᆞ여시리오, 도시 네 타시라.”

어ᄉᆡ 도로혀 웃고 ᄃᆡ왈,

“ᄌᆞ경은 무익ᄒᆞᆫ 과려를 마르시고 일이 되여가믈 보쇼셔. 쇼ᄌᆞ의 부뷔 녹발이 쇠ᄒᆞᆯ ᄯᅥ 머러시니, 현마 ○○[ᄆᆡ양] 우슈(憂愁)ᄒᆞ리잇가? 호화ᄒᆞ올 시졀이 잇ᄉᆞ오리니 관심물우(寬心勿憂)ᄒᆞ쇼셔.”

부인 왈,

“너ᄂᆞᆫ ᄆᆡ양 됴흔 말 말나. 여모ᄂᆞᆫ 가듕ᄉᆞ를 슬피ᄆᆡ 평【18】안ᄒᆞᆫ 시졀이 업ᄉᆞᆯ가 ᄒᆞᄂᆞ니, ᄉᆞᆨᄉᆞᆨ이 마ᄌᆞ 변심ᄒᆞ시ᄆᆡ 누를 의앙ᄒᆞ리오.”

어ᄉᆡ 이셩화긔로 지삼 위로ᄒᆞ고 ᄎᆞ일 혼졍을 맛고 ᄌᆞ최를 ᄀᆞ마니 ᄒᆞ여 경희뎐 지게를 열ᄆᆡ, 정ㆍ진 양인이 밋쳐 피치 못ᄒᆞ여 셔연이 니러셔ᄂᆞᆫ디라. 어ᄉᆡ 협실 문을 막아 좌ᄒᆞ고 조모를 뫼셔 두어 말ᄉᆞᆷᄒᆞ고 거ᄌᆞᆺ 모로ᄂᆞᆫ 쳬ᄒᆞ여, 고왈,

“정ㆍ진 등이 근간 방소를 ᄡᅥ나 존당의셔 쇼손을 ᄂᆡ외(內外)ᄒᆞ여 듕회듕(衆會中) 보기도 피ᄒᆞ오니 일이 괴려ᄒᆞ도소이다. 쇼손이 의복을 ᄎᆞᄌᆞ 닙을 길 업고, 빈ᄀᆡᆨ이 오ᄂᆞᆫ ᄯᅥ도 쥬찬지졀(酒饌之節)을 념녀ᄒᆞ리 업셔, 환부(鰥夫) 형셰나 다르지 아니니, 녀ᄌᆞ의 도리 방ᄌᆞᄒᆞ【19】믈 정ㆍ진 냥공긔 젼ᄒᆞ고, 각각 본부로 츌거ᄒᆞ여 개과케 ᄒᆞ고, 일개 슉녀를 구ᄒᆞ여 ᄂᆡᄉᆞ를 찰임케 ᄒᆞ려 ᄒᆞᄂᆞ이다.”

위뇌 냥쇼져를 압히 두어 조로고 보치여 졔 소일거리를 숨고, ᄌᆞ딘ᄒᆞ여 죽기를 죄오ᄂᆞᆫ 바로ᄲᅧ, 어ᄉᆡ 믄득 쇼져 부모의게 이 소유를 젼ᄒᆞ고 도라보ᄂᆡ기를 니르니, 위시 영민치 못ᄒᆞ고 ᄒᆞᆫ갓 궁흉ᄒᆞᆯ ᄲᅮᆫ이니, 어ᄉᆞ의 셩졍이 잔 곡졀이 업ᄉᆞ며 과격ᄒᆞ믈 아ᄂᆞᆫ 고로, 이 말을 정ㆍ진 냥공다려 니를가 놀나

ᄉᆡᆼ은 마음의 머무지 아니 ᄒᆞᄂᆞ이다.”

조부인이 뎡식 왈,

“네 아이의 져갓치 ᄉᆡᆼ각ᄒᆞᆯ진ᄃᆡ ᄉᆞ실의 ᄌᆞ로 츌입을 아니던들 양식뷔 엇지 남다른 일을 당ᄒᆞ리오. 도시 네 타시라.”

어ᄉᆡ 도로혀 웃고 ᄃᆡ왈,【77】

“자경은 무익ᄒᆞᆫ 과려을 마르시고 일이 되어가물 보소셔. ᄌᆞ의 부뷔 녹발이 쇠ᄒᆞᆯ 늘이 머러시니 현마 엇더ᄒᆞ며, 난가듕(亂家中) ᄆᆡ양 우구(憂懼)ᄒᆞ리잇가?”

부인이 탄왈,

“너ᄂᆞᆫ ᄆᆡ양 조흔 말ᄒᆞ나, 여모ᄂᆞᆫ 가듕ᄉᆞ을 슬피ᄆᆡ 평안ᄒᆞᆫ 시졀이 잇지 못ᄒᆞᆯ가 ᄒᆞᄂᆞ니, ᄉᆞᆨᄉᆞᆨ이 마ᄌᆞ 변심ᄒᆞ시니 다시 누을 의앙ᄒᆞ리오.”

어ᄉᆡ 이셩화긔로 지ᄉᆞᆷ 위로 ᄒᆞ고, ᄎᆞ일 혼졍의 짐짓 ᄌᆞ최을 가마니 ᄒᆞ여 경희당 지게을 열ᄆᆡ, 뎡ㆍ진 양인이 미쳐 피치 못ᄒᆞ여 셔로 수션(繡線)을 다ᄉᆞ리다가 셔연이 이러 셔ᄂᆞᆫ지라. 어ᄉᆡ 협실 문을 막아 좌을 일우고 조모로 두어 말ᄉᆞᆷᄒᆞ고 거ᄌᆞᆺ 모로난 쳬ᄒᆞ여 고왈,

“뎡ㆍ진 등이 근간 방소을 ᄡᅥᄂᆞ 존당의셔 소손을 ᄂᆡ외(內外)ᄒᆞ여 즁회듕(衆會中) 보기도 피ᄒᆞ오니 일이 괴려ᄒᆞ도소이다. 소손이 의복을 ᄎᆞᄌᆞ 입을 길이 업고, 빈ᄀᆡᆨ이 오ᄂᆞᆫ ᄯᅥ도 주찬지졀(酒饌之節)을 념녀ᄒᆞ리 업셔 환부(鰥夫)ᄂᆞ 다르지 아니ᄒᆞ니, 녀ᄌᆞ의 도리 방ᄌᆞᄒᆞ물 뎡ㆍ진 양공긔 젼ᄒᆞ고 각각 본부로 츌거{ᄒᆞ게}ᄒᆞ여 ᄀᆡ과케 ᄒᆞ고, 일ᄀᆡ 슉녀을 구ᄒᆞ여 ᄂᆡᄉᆞ을 찰임케 ᄒᆞ려 ᄒᆞᄂᆞ이다.”

위흉이 양소져을 압히두어 조르고 보치여 졔 소일거리로 알고, ᄌᆞ진ᄒᆞ여 죽기을 죄오ᄂᆞᆫ 바로ᄡᅧ 어ᄉᆞ의 ᄉᆞ어을 듯고, 위시 본ᄃᆡ 명민치 못ᄒᆞ고 ᄒᆞᆫ갓 궁흉ᄒᆞᆯ ᄲᅮᆫ이라. 어ᄉᆞ의 성정【78】이 잔곡졀이 업고 과격ᄒᆞ믈 아ᄂᆞᆫ 고로, 이 말을 뎡ㆍ진 양공다려 이를가 놀나며, 양인을 보ᄂᆡ여 편히 머물가 불열ᄒᆞ

며 냥인을 보ᄂᆡ여 편히 머믈가 블열ᄒᆞ여, 노안(怒眼)으로 보기를 냥구히 ᄒᆞ다가 왈,

“냥쇼부ᄂᆞᆫ 맛춤 식일 일이 이셔 근간 내 침뎐의 잇【20】거니와, ᄎᆞᄉᆡ 므삼 ᄃᆡᄉᆡ라 뎡공다려 니르고 도라보ᄂᆡ도록 ᄒᆞ리오. 노모를 역정ᄒᆞᄂᆞᆫ 말이어니와 안ᄒᆡ 비록 귀ᄒᆞ나 듀야 ᄃᆡᄒᆞ여 이실 ᄇᆡ 아니라. 일시 못보믈 그ᄃᆡ도록 못견ᄃᆡ리오.”

어ᄉᆡ 왈,

“쇼손이 비록 블초ᄒᆞ오나 대뫼 뎡·딘을 블너 ᄉᆡ이시ᄂᆞᆫ 일을 감히 역정ᄒᆞ리잇가마ᄂᆞᆫ, 져의 ᄒᆡᆼᄉᆡ 괴려ᄒᆞ여 근간 쇼손을 ᄃᆡᄒᆞ오믈, 쟝신(藏身)ᄒᆞᄂᆞᆫ 규쉬 외간 남ᄌᆞ를 ᄃᆡ홈 ᄀᆞᆺᄉᆞ오니 쇼ᄒᆡᆼ이 통히ᄒᆞ옵고, 셜ᄉᆞ 태뫼 ᄉᆡ이시ᄂᆞᆫ ᄇᆡ 밧브오나 잠간 틈을 어더 냥인이 돌녀가며 믈너와 쇼손을 옷술 줄 ᄉᆞ이 업ᄉᆞ오리잇가마ᄂᆞᆫ, 일야 잠ᄀᆡᆨ(暫刻)도 ᄉᆞ실의 오ᄂᆞᆫ 일【21】 업고, 또ᄒᆞᆫ 모친긔 신혼셩뎡(晨昏省定)을 ᄒᆞᄂᆞᆫ ᄇᆡ 업ᄉᆞ오니, 셩효의 쳔박ᄒᆞ오미 분완ᄒᆞ옵고, ᄌᆞ뫼 대모긔ᄂᆞᆫ 슈히(手下)시나 쇼손 등의 밧드ᄂᆞᆫ 도리야 엇디 왕모와 다르미 이시리잇가. 져의 인ᄉᆡ ᄌᆞ모를 층등(層等)ᄒᆞ오니, ᄒᆡᆼ실이 《업ᄉᆞ오니‖업ᄉᆞᆸ기로》 도라보ᄂᆡ믈 니르미로소이다.”

위태 날호여 ᄀᆞᆯ오ᄃᆡ,

“시작ᄒᆞᆫ 일이라 금명간 필역ᄒᆞ거든 각각 ᄉᆞ실노 도라보ᄂᆡ리니 괴이ᄒᆞᆫ 말을 너의 악공(岳公)다려 니르지 말나.”

어ᄉᆞ ᄇᆡ샤 슈명ᄒᆞ고 퇴ᄒᆞ니 위태 ᄎᆞ언을 뉴시긔 밀통ᄒᆞᆫᄃᆡ 뉴시 분노 왈,

“이ᄂᆞᆫ 정·진 등이 존고를 격동ᄒᆞ니 엇지 무상 블측지 아니리오. ᄎᆞ언을 져희 빙공(聘公)다려 니르라【22】 ᄒᆞ시고, 냥인을 ᄉᆞ침의 보ᄂᆡ지 마르쇼셔. 정·진 냥공이 드른들 존당이 그 ᄯᆞᆯ을 압히 두샤 침션 ᄉᆡ이시미 므슴 허믈 되리잇가?”

위시 츈몽이 의연ᄒᆞ여 흉ᄒᆞᆫ 셩이 발ᄒᆞᄆᆡ, 어ᄉᆞ를 블믄곡딕(不問曲直)ᄒᆞ고 시노를 호령ᄒᆞ여 큰 ᄆᆡ로 결장ᄒᆞ라 ᄒᆞ니, 어ᄉᆡ 무죄

여 노안(怒眼)으로 보기을 양구이 ᄒᆞ다가 왈,

“양손부ᄂᆞᆫ 맛참 시길 일이 잇셔 근간 ᄂᆡ 침소의 잇거니와, ᄎᆞᄉᆡ 무ᄉᆞᆷ ᄃᆡᄉᆡ라 냥공ᄃᆞ려 니르고 도라 보ᄂᆡ도록 ᄒᆞ리오. 이ᄂᆞᆫ 노모을 역정ᄒᆞᄂᆞᆫ 말이여니와, 안ᄒᆡ 비록 귀ᄒᆞ나 쥬야 《ᄃᆡ고 일실‖ᄃᆡᄒᆞ여 이실》ᄇᆡ 아니라, 일시 못 보물 그ᄃᆡ도록 못견ᄃᆡ리오.”

어ᄉᆡ 왈,

“소손이 비록 불초ᄒᆞ오나 ᄃᆡ뫼 뎡·진을 불너 시기시ᄂᆞᆫ 일을 감히 역정ᄒᆞ리잇가 마ᄂᆞᆫ, 져의 ᄒᆡᆼᄉᆡ 괴려ᄒᆞ여 근간 소손을 ᄃᆡᄒᆞ오믈 장신ᄒᆞᄂᆞᆫ 규슈 외간 남ᄌᆞ을 ᄃᆡ홈 갓ᄉᆞ오니, 소ᄒᆡᆼ이 통히ᄒᆞ옵고, ᄃᆡ뫼 시기시ᄂᆞᆫ ᄇᆡ 밧부오나, 잠간 틈을 어더 양인이 돌녀가며 물너와 소손의 옷술 쥴 ᄉᆞ이 업ᄉᆞ리잇가 마ᄂᆞᆫ, 잠각(暫刻)도 사실의 오ᄂᆞᆫ 일 업고 또ᄒᆞᆫ 모친긔 신혼셩졀[정](晨昏省定)을 ᄒᆞᄂᆞᆫ ᄇᆡ 업ᄉᆞ오니, 셩효의 쳔박ᄒᆞ오미 분완ᄒᆞ옵고, ᄌᆞ뫼 ᄃᆡ모긔ᄂᆞᆫ 슈하(手下)시나 소손 등의 밧드ᄂᆞᆫ 도리야 엇지 왕고와 다르미 잇시리잇고? 져의 인ᄉᆡ ᄌᆞ모을 《칭등‖층등(層等)》 ᄒᆞ오니 ᄒᆡᆼ실이 업ᄉᆞᆸ기로 보ᄂᆡ믈 이르미로소이다.”

위시 날호여 왈,

“시작ᄒᆞᆫ 일이ᄂᆞ 금명간 필역ᄒᆞ거든 각각 ᄉᆞ실노 도라 보ᄂᆡ리니 고인ᄒᆞᆫ 말을 너의 악공(岳公)다려 이르지 말나.”

어ᄉᆡ ᄌᆡᄇᆡ이퇴(再拜而退)ᄒᆞ니, 위시 ᄎᆞ언을【79】 뉴시긔 밀통ᄒᆞᆫ ᄃᆡ, 뉴시 분노 왈,

“이ᄂᆞᆫ 뎡·진 등의 격동이니 엇지 통히치 아니리오. ᄎᆞ언을 져의 악공다려 이르라 ᄒᆞ시고 냥부을 일졀 ᄉᆞ침의 보ᄂᆡ지 마르소셔. 뎡·진 양공이 아른들 존당이 그 ᄯᆞᆯ을 압희 두ᄉᆞ 침션(針線)시기미 무ᄉᆞᆷ 허물이 되리잇고?”

위시 츈몽이 의연ᄒᆞ여 흉ᄒᆞᆫ 뇌 발ᄒᆞᄆᆡ 어ᄉᆞ을 불너 불문곡직(不問曲直)ᄒᆞ고 시노을 호령ᄒᆞ여 큰 ᄆᆡ로 결장ᄒᆞ라 ᄒᆞ니, 어ᄉᆡ 무

히 이런 거죄 죵죵ᄒᆞ여 모친긔 니우(貽憂)ᄒᆞ믈 더옥 한심ᄒᆞ여, 믄득 고왈,

"쇼손이 비록 블초ᄒᆞ오나 작죄ᄒᆞᆫ ᄉᆞ단을 ᄉᆡᆼ각지 못ᄒᆞᄋᆞᆸᄂᆞ니, 원컨ᄃᆡ 블초ᄒᆞᆫ 죄를 니르쇼셔."

위태 팔흘 ᄲᅩᆷᄂᆡ여 노즐 왈,

"너의 흉ᄒᆞ미 뎡연과 진광으로 더브러 모의코 노모를 ᄒᆡ커니와, 빙공의 셰엄이 듕ᄒᆞ나 날을【23】 무고히 ᄒᆡ치 못ᄒᆞ리니, 너ᄀᆞᆺ튼 블초손(不肖孫)을 다ᄉᆞ리지 못ᄒᆞ리오."

어ᄉᆡ 이런 말을 쳐음 드르미 아니나, ᄉᆡ로이 경악ᄒᆞ여 뎡식 ᄃᆡ왈,

"쇼손이 비록 블쵸ᄒᆞ오나 정·진 냥공으로 반ᄌᆞ지되(半子之道) 잇ᄉᆞ온들, 타문 사ᄅᆞᆷ이어늘, 엇디 대모의 실덕ᄒᆞ시믈 니르리잇고? 연이나 이런 하괴 이번 ᄲᅳᆫ이 아니시니, 쇼손의 의견의ᄂᆞᆫ, 뉘 이셔 대모긔 허언(虛言)을 쥬츌(做出)ᄒᆞᄋᆞᆸᄂᆞᆫ가 시브오니, ᄇᆞᆰ히 니르샤 가란을 평뎡케 ᄒᆞ쇼셔."

위태 익익 대로 왈,

"블초손이 므ᄉᆞᆷ 발명ᄒᆞᆯ 말이 이시리오. 정·진 등을 내 압히 두믈 원망ᄒᆞᄂᆞᆫ ᄯᅳᆺ이 쳐부(妻父)다려 니르고 냥쳐를 보ᄂᆡ렷노라 ᄒᆞ니, 다시 ᄉᆡᆼ【24】각ᄒᆞ미 노모를 모ᄒᆡᄒᆞᆯ ᄯᅳᆺ이라. 네 블인 극악ᄒᆞ미 ᄒᆞᆫ골ᄀᆞᆺ틀진ᄃᆡ[1743] ᄒᆞᆫ갓 냥 손부를 니르지 말고 여모가지 육장을 ᄆᆡᆫ돌니라."

언파의 노긔 등등ᄒᆞ여 시노(侍奴)를 호령ᄒᆞ여 어ᄉᆞ를 결박ᄒᆞ고 결장할ᄉᆡ, ᄆᆡ마다 고찰ᄒᆞ니 어ᄉᆡ 알프믄 여ᄉᆡ오, 모친이 아르시ᄂᆞᆫ 바의ᄂᆞᆫ 심장이 ᄶᅥ러지ᄂᆞᆫ ᄃᆞᆺ하니, 다만 죽은 ᄃᆞ시 슈장ᄒᆞ여 임의 오십장의 셩혈이 낭ᄌᆞᄒᆞ고 피육이 후란ᄒᆞᄃᆡ 긋칠 줄 모르고, 츄밀은 ᄒᆡ츈누의셔 아모란 줄 모로고 구파ᄂᆞᆫ 인ᄉᆞ블셩이 되여시니 뉘 이셔 구ᄒᆞ리오. 위시 ᄆᆞᄋᆞᆷ 노화 아조 쳐죽이려 ᄒᆞᄂᆞᆫ디라. 이ᄯᅢ ᄃᆡᄉᆡ 형이 오ᄅᆡ 나오지【25】 아니믈 의심ᄒᆞ여 드러가 보니 여ᄎᆞ 경상이라. 대경ᄎᆞ악ᄒᆞ여 계하의셔 고두 주왈,

1743)ᄒᆞᆫ골ᄀᆞᆺ다 : 한결같다. 처음부터 끝까지 변함없이 꼭 같다.

죄히 이런 거죄 종종ᄒᆞ여 모친긔 이우(貽憂)을 더으니, ᄒᆞᆫ심ᄒᆞ여 믄득 고왈,

"소손이 비록 불초ᄒᆞ오나 작죄ᄒᆞ온 ᄉᆞ단을 ᄉᆡᆼ각지 못ᄒᆞ오니 원컨ᄃᆡ 불초ᄒᆞᆫ 죄을 이르소셔."

위시 팔을 ᄲᅩᆸᄂᆞ여 즐 왈,

"너희 간흉ᄒᆞ미 졍연과 진광으로 더부러 모의ᄒᆞ고 노모을 언존케 ᄒᆞ려ᄒᆞ나, 너의 빙공(聘公) ᄌᆞ셰(藉勢)ᄒᆞ미 즁ᄒᆞ니[나], 나을 무고히 ᄒᆡ치 못ᄒᆞ리니, 엇지 불초손(不肖孫)의 악힝을 다ᄉᆞ리지 못ᄒᆞ리오."

언파의 그 말을 기다리지 아니코 ᄀᆡᄀᆡ 고찰(考察)ᄒᆞ니 피육(皮肉)이 후란(朽爛)ᄒᆞ여 그 경상이 참불인견(慘不忍見)이라. 희쳔 공직 황망이 죄을 난화지라 ᄒᆞ되 듯지 아니ᄒᆞ더니, 경의 겻히 셧다가 밤이 기푸니 그만 ᄉᆞᄒᆞ소셔 ᄒᆞ니 위흉이 그 말을 올히 역여 비로소 좌우로 어ᄉᆞ 형뎨을 ᄭᅳ어 ᄂᆡ치라 ᄒᆞ니, 시ᄋᆡ 일시의 글너 노흐니, 형뎨 계ᄒᆞ의 고두 ᄌᆡᄇᆡᄒᆞ고 물너 가니라. 위시 냥부을 ᄃᆡ칙 왈,

"복망 태모ᄂᆞᆫ 형을 샤ᄒᆞ시고 쇼손을 대신의 슈장ᄒᆞ쇼셔."

위시 드른 쳬도 아니코 다 함○[긔] 고찰ᄒᆞ여 치니, 경ᄋᆡ 말니ᄂᆞᆫ 쳬ᄒᆞ여 그만치쇼셔. ᄒᆞ니, 위태 비로소 어ᄉᆞ 형데를 ᄭᅳ어 ᄂᆡ치라 ᄒᆞ고 냥부를 엄칙, 왈,

"다시 가부를 쵹ᄒᆞ여 ᄉᆞ침의 갈 의ᄉᆞ를 둔 즉 결단코 죄를 샤치 못ᄒᆞ리라."

냥인이 쳔만 원억ᄒᆞ나, ᄒᆞᆫ 마ᄃᆡ 발명을 아니ᄒᆞ여 다만 ᄌᆡ비 슈명ᄒᆞ더라.

ᄃᆡᆨᄉᆡ 어ᄉᆞ를 븟드러 외당의 나와 쟝쳐의 약을 븟치며 왈,

"형댱이 엇지 말을 춤지 못ᄒᆞ샤 조【26】모의 분노를 도도시니잇가?"

어ᄉᆡ 탄왈,

"내 엇디 춤디 못ᄒᆞ미리오. 삼쵼셜이 병드지 아닌 연괴로다. 계뷔 졈졈 실혼ᄒᆞ샤 운무 듕 ᄀᆞᆺᄐᆞ시니 쟝ᄎᆞᆺ 우리 등이 엇디 보젼ᄒᆞ리오."

ᄃᆡᆨᄉᆡ 쳑연 탄식 무언이러라.

이러구러 댱부 길일이 다ᄃᆞ르니 츄밀은 졍혼이 아득ᄒᆞ여 므어ᄉᆞᆯ 알오미 이시리오. 뉴시 일가 친쳑을 쳥ᄒᆞ고 당듕의 돗글 여러 빈ᄀᆡᆨ을 졉ᄃᆡᄒᆞ며, 신낭을 보ᄂᆡ고 신부를 마ᄌᆞᆯᄉᆡ, 정·진·하 삼쇼졔 단장을 잠간 일워 존당과 조·뉴 이부인을 뫼셔 졉빈ᄃᆡᄀᆡᆨᄒᆞᆯᄉᆡ, 날이 반오의 ᄃᆡᆨᄉᆡ 드러오ᄆᆡ 하쇼졔 길복을 다ᄉᆞ려【27】 슉녀의 덕을 다ᄒᆞ니, 츄밀이 젼일 ᄆᆞᄋᆞᆷ이 일분이나 이시면, 오죽 두굿기고 아름다이 넉이리오마ᄂᆞᆫ, 이ᄯᅴ ᄒᆞᆫ 낫 굼벙이[1744] 되여 사ᄅᆞᆷ의 ᄆᆞᄋᆞᆷ이 아조 업ᄉᆞ니, 다만 귀듕이 아ᄂᆞᆫ ᄇᆡ 뉴시 모네니, 어린 ᄃᆞ시 좌ᄒᆞ여 냥안이 프러져 거의 ᄀᆞᆷ길 ᄃᆞᆺᄒᆞ니, 깃거ᄒᆞᆷ도 업고 블열(不悅)ᄒᆞᆷ도 업ᄉᆞ니, ᄌᆞ뎔이 그 거동을 볼 젹마다 낙심쳔만ᄒᆞ니, ᄃᆡᆨᄉᆡ ᄎᆞ혼의 므ᄉᆞᆫ 홍미 이시리오마ᄂᆞᆫ, 날이 임의 느ᄌᆞ니 마디못ᄒᆞ여 존당 부모의게 하직ᄒᆞ고, 위의를 휘동ᄒᆞ여 댱부의 니르

1744)굼벙이 : 굼벵이. 매미, 풍뎅이, 하늘소와 같은 딱정벌레목의 애벌레. 여기서는 동작이 굼뜨고 느린 사물이나 사람을 비유적으로 이르는 말.

"ᄎᆞ후 다시 어ᄉᆞ을 쵹ᄒᆞ여 ᄉᆞ침【80】의 갈 의ᄉᆞ을 둔 작, 결단코 ᄉᆞ치 아니리라."

냥소졔 쳔만 원억ᄒᆞ나 오직 ᄌᆡ빅수명ᄒᆞ고 원통ᄒᆞ믈 ᄉᆞᄉᆡᆨ지 아니터라.

직ᄉᆡ 형을 븟드러 나오ᄆᆡ, 장쳐 ᄃᆡ단ᄒᆞᆫ지라. 마음의 술을 어이고[1691] 소곰[1692]을 너흔 듯 ᄌᆞ긔 몸이 상ᄒᆞᆫ 것보다 십빅나 더ᄒᆞ더라. 약을 작만(作滿)ᄒᆞ여[1693] 장쳐(杖處)의 바르더니, 이윽고 어ᄉᆡ 졍신을 ᄎᆞ려 약음을 마시더라.

이러구러 장부 길일이 다다르니 뉴시 돗글 즁당의 열어 빈ᄀᆡᆨ을 졉ᄃᆡᄒᆞ여 신낭을 보ᄂᆡ고 신부을 마즐 ᄉᆡ, 직ᄉᆡ 마지 못ᄒᆞ여 길복을 ᄎᆞ려 장부로 향ᄒᆞ나 직ᄉᆞᄂᆞᆫ 일분도 깃부미 업더라. ᄎᆞ시 뎡·진·하 ᄉᆞᆷ소졔 단장을 일워 존당을 뫼셔 좌의 나ᄆᆡ, 션풍아질(仙風雅質)이 ᄎᆞᆫᄂᆞᆫ○[코] 바ᄋᆡ여 좌상의 표표히 ᄲᅱ여나니, 만목○[이] 어린드시 우러러고 긔이ᄒᆞ믈 결울치 못ᄒᆞ더라.

ᄎᆞ셜 직ᄉᆡ 드러와 길복을 입을 ᄉᆡ, 하시 길의(吉衣)을 다ᄉᆞ려 슉녀의 덕이 가작ᄒᆞ니, 츄밀이 젼일 마음이 일분이나 잇시면 반다시 두굿기고 아름다옴을 이긔지 못ᄒᆞᆯ ᄇᆡ나, ᄒᆞᆫ낫 굼벙이[1694] 되어 몸을 움작이나, ᄉᆞ람

1691)어이다 : 에다. 칼 따위로 도려내듯 베다.
1692)소곰 : 소금.
1693)작만(作滿)ᄒᆞ다 : 필요한 것을 사거나 만들거나 하여 갖추다. 작만(作滿)은 '장만'을 한자를 빌려서 쓴 말.
1694)굼벙이 : 굼벵이. 매미, 풍뎅이, 하늘소와 같은 딱정벌레목의 애벌레. 여기서는 동작이 굼뜨고 느린 사물이나 사람을 비유적으로 이르는 말.

러 옥상(玉床)의 홍안(鴻雁)을 뎐ᄒᆞ고, 텬디ᄀᆡ ᄇᆡ례를 맛ᄎᆞᄆᆡ 잠간 좌의 나아【28】갈ᄉᆡ, 옥면 영풍이 더옥 ᄀᆡ이 쇄락ᄒᆞ니, 댱공이 쳐음 보미 아니로ᄃᆡ ᄉᆡ로이 황홀 ᄀᆡ이ᄒᆞ여 집슈 년ᄋᆡᄒᆞ미 측냥업ᄉᆞ니, 졔ᄀᆡᆨ이 쾌셔어드믈 치하ᄒᆞᆫᄃᆡ, 댱공이 좌슈우응ᄒᆞ여 일호도 사양치 아니터라.

신뷔 샹교ᄒᆞᄆᆡ 친영우귀(親迎于歸)ᄒᆞᆯᄉᆡ, ᄆᆡᆺ 본부의 다ᄃᆞ라, 청듕의 금년(金蓮) ᄎᆡ셕(彩席)이 뎡졔ᄒᆞ고 화촉이 명낭ᄒᆞᆫᄃᆡ, 냥신인이 합증(合卺) 교비(交拜)ᄒᆞᆯᄉᆡ, 남풍 녀ᄎᆡ 발월 특이ᄒᆞ여, 단봉교학(丹鳳皎鶴)[1745]이 셔로 희롱ᄒᆞ며, 황금ᄇᆡᆨ벽(黃金白璧)이 셔로 닷토ᄂᆞᆫ ᄃᆞᆺᄒᆞ니, 듕ᄀᆡᆨ이 흠복 칭찬ᄒᆞ더라.

교ᄇᆡ를 맛ᄎᆞᄆᆡ ᄃᆡᆨᄉᆞᄂᆞᆫ 츌외ᄒᆞ고 신부는 현구고(見舅姑) ᄇᆡ사【29】당(拜祠堂)ᄒᆞᆯᄉᆡ, 신부의 풍완호질(豊婉好質)이 선연윤ᄐᆡᆨ(鮮姸潤澤)ᄒᆞ여 화왕(花王)[1746]이 둥풍의 우ᄉᆞ며, 향년(香蓮)이 초로를 쎨친 ᄃᆞᆺ, 아황 봉미ᄂᆞᆫ 덕ᄀᆡ 완젼ᄒᆞ고, ᄲᅣᆼ안 츄파ᄂᆞᆫ 효셩이 ᄇᆞᆰ앗ᄂᆞᆫ ᄃᆞᆺ, 운환무빈과 홍협 단슌이 녕농무비ᄒᆞ여, 셰샹 연분(鉛粉)[1747]을 더러이 녁이니, 쳔ᄐᆡ 만광이 광실의 바ᄋᆡ고, 딘퇴쥬션이 ᄌᆞ유법도(自有法度)ᄒᆞ고 ᄒᆡᆼ동거지 신듕단일ᄒᆞ여 학니군ᄌᆞ(學理君子)의 틀이 이셔, 니른바 치마 ᄆᆡᆫ 녈당부오, 빈혀 ᄭᅩᄌᆞᆫ 영걸이라. 범연ᄒᆞᆫ 시쇽 ᄋᆞ녀ᄌᆡ 아니라. 조부인이 녜를 바들ᄉᆡ ᄎᆞᆨ쳐(觸處) 유한지통이 니러나고 ᄉᆡ로 무거운 근심이 아미의 ᄆᆡᆺ쳐【30】

1745)단봉교학(丹鳳皎鶴) : 붉은 봉황과 흰 학.
1746)화왕(花王) : '모란꽃'을 달리 이르는 말.
1747)연분(鉛粉) : ≒연화(鉛華). 얼굴빛을 곱게 하기 위하여 얼굴에 바르는 화장품의 하나.

의 모양이 업셔 아는 ᄇᆡ 뉴시 모녀라. 어린 드시 좌ᄒᆞ여 굿ᄒᆞ여 즐김도 업고, 황당ᄒᆞᆫ 거동이 졍혼도 업고, 다 ᄉᆡᆨ진 안ᄎᆡ 조오ᄂᆞᆫ 듯ᄒᆞ니, ᄌᆞ질의 근심이 만복ᄒᆞ여 직ᄉᆡ 일분 흥이 업스나, 마지 못ᄒᆞ여 존당부모ᄀᆡ ᄒᆞ직ᄒᆞ고【81】위의를 거ᄂᆞ려 장부의 나아가 옥상(玉床)의 홍안(鴻雁)을 젼ᄒᆞ고 ᄇᆡ례을 마ᄎᆞᄆᆡ, 좌의 들어 신부 상교을 《기ᄃᆞ려‖기다릴 ᄉᆡ》, 직ᄉᆞ의 풍광이 이날 더욱 경운화풍지상(慶雲和風之相)이 고금의 독보ᄒᆞ니 장공이 쳐음 보미 아니로ᄃᆡ, ᄉᆡ로이 아름ᄃᆞ오믈 이ᄀᆡ지 못ᄒᆞ여 손을 잡아 ᄉᆞ랑ᄒᆞᄂᆞᆫ 졍이 황홀ᄒᆞ니, 듕ᄀᆡᆨ이 쾌셔 어드믈 ᄒᆞ례ᄒᆞ니, 장공이 좌슈우응ᄒᆞ여 츄호도 ᄉᆞ양치 아니터라.

신뷔 상교ᄒᆞᄆᆡ 직ᄉᆡ 봉교(封轎)ᄒᆞ고 상마ᄒᆞ여 부듕으로 ○[도]라 오ᄆᆡ, 허다 위의ᄂᆞᆫ 일노의 휘황ᄒᆞ고 신낭의 슈려ᄒᆞᆫ 긔질이 ᄉᆞᄅᆞᆷ을 경동ᄒᆞ니 관광ᄌᆡ 칭찬불이(稱讚不已)ᄒᆞ더라. 아이오 윤부의 이르러 청듕(廳中)의 금년(金蓮) ᄎᆡ셕(彩席)이 졔졔ᄒᆞ고 화촉이 명낭ᄒᆞᆫ ᄃᆡ, 양 신인이 합증교ᄇᆡ(合卺交拜)ᄒᆞᆯᄉᆡ, 남풍녀ᄎᆡ(男風女彩) 발월특이(發越特異)ᄒᆞ여 난봉션학(鸞鳳仙鶴)이 셔로 희롱ᄒᆞ며 황금ᄇᆡᆨ벽(黃金白璧)이 셔로 빗출 닷토ᄂᆞᆫ 듯ᄒᆞ니, 듕ᄀᆡᆨ이 칭찬ᄒᆞ더라. 녜파의 직ᄉᆞᄂᆞᆫ 밧그로 나가고 신뷔 ᄇᆡᄉᆞ당(拜祠堂) 현구고(見舅姑)ᄒᆞᆯ ᄉᆡ, 신부의 풍한호질(豊嫺好質)이 현현윤ᄐᆡᆨ(泫泫潤澤)ᄒᆞ여 모란이 동풍의 우ᄉᆞ며 향연(香蓮)이 이슬을 쎨친 ᄃᆞᆺ, 양시아환[황](兩顋蛾黃)은 원산의 희미ᄒᆞᆫ 듯, 홍협단슌(紅頰丹脣)은 빗치 무루녹아 쳔ᄐᆡ만광이 영농무비(玲瓏無比)ᄒᆞ여 셰인연분(世人鉛粉[1695]))을 웃ᄂᆞᆫ지라. 진퇴 쥬션이 ᄌᆞ유법도(自有法度) ᄒᆞ고 ᄒᆡᆼ동거지 신듕(愼重)단일(端壹)ᄒᆞ여, 학니군자(學理君子)의 틀이 잇셔 이른바 치마ᄆᆡᆫ 장부요【82】, 빈혀 ᄭᅩ잔 영걸이라. 조부인이 폐ᄇᆡᆨ을 밧고 ᄎᆞᆨ쳐의

1695)셰인연분(世人鉛粉) : 세상의 화장한 여인. 연분(鉛粉)은 얼굴빛을 곱게 하기 위하여 얼굴에 바르는 화장품의 하나.≒연화(鉛華).

시나, 신부의 특츌ᄒᆞᆫ 위인을 ᄉᆞ랑ᄒᆞ여 잠간 희ᄉᆡᆨ이 이시ᄃᆡ, 츄밀은 어린 ᄃᆞ시 녜를 바들 ᄯᆞ름이오, 쥬견이 업고, 위·뉴는 드러오ᄂᆞᆫ 녀ᄌᆞ마다 비상ᄒᆞ믈 통완ᄒᆞ여 깃븐 ᄉᆡᆨ이 업ᄉᆞ니, 젼일은 츄밀을 두려 ᄆᆡ양 듕목소시의ᄂᆞᆫ 어ᄉᆞ 부부 형뎨를 ᄉᆞ랑ᄒᆞᄂᆞᆫ 쳬ᄒᆞ더니, 《당시 : 당ᄎᆞ시‖》ᄒᆞ여ᄂᆞᆫ 츄밀이 변심ᄒᆞ고 구패 상셩ᄒᆞ여시니, 두리고 조심ᄒᆞᆯ 곳이 업○[셔] 작심(作心)을 잘 머므르지 못ᄒᆞ니, 듕ᄀᆡᆨ이 괴이히 넉이나 신부를 일ᄏᆞ라 ᄃᆡᆨᄉᆞ의 쳐궁이 유복ᄒᆞ믈 일ᄏᆞᄅᆞ니, 뉴시 강인ᄒᆞ여 깃브믈 ᄃᆡᄒᆞ고, 조부인이 ᄉᆞ샤ᄒᆞᆯ ᄲᆞᆫ이라. 츄밀이 젼【31】일 거동이 아쥬 업셔 신부를 보나 ᄒᆞᆫ 마ᄃᆡ 말이 업ᄉᆞ니, 비컨ᄃᆡ 의관(衣冠)ᄒᆞᆫ 신위(神位)라. 조부인이 그윽이 가히업셔 슬허 날호여 신부다려 왈,

“ᄋᆞᄌᆞ의 원비 ᄌᆡ좌ᄒᆞ여시니 신부로 더브러 ᄉᆞ문일ᄆᆡᆨ이라, 모로미 쳐음 보는 녜를 폐치 말나.”

신뷔 ᄇᆡ샤 슈명ᄒᆞ고 하시를 향ᄒᆞ여 ᄌᆡᄇᆡᄒᆞ니, 하시 규구를 바리고 쳔연이 답녜ᄒᆞ여 좌ᄎᆞ를 갓가이 뎡ᄒᆞ고 엇게를 갈와시니, 하쇼져의 승졀ᄒᆞᆫ ᄐᆡ되 블ᄉᆞ록 찬난ᄒᆞ여, 일분 믈욕이 업셔 어진 ᄠᅳᆺ ᄲᆞᆫ이라. 그 어엿브고 고으믄 신부의 우히오, 긔픔이 댱원ᄒᆞ여 위인이 샹쾌ᄒᆞ며 녀듕【32】호걸 ᄀᆞᆺ기ᄂᆞᆫ 신뷔 하시의 우히라.

조부인이 ᄉᆞ부(四婦)를 ᄒᆞᆫ가지로 두굿기○[미] 극ᄒᆞ나, 이런 현부 셩녀들을 샹셰 보디 못ᄒᆞ고, 유명이 격ᄒᆞ여 위란ᄒᆞᆫ 형셰를 알오미 업ᄉᆞ니, 쳡쳡 비한을 니긔지 못ᄒᆞ여 ᄲᅣᆼ뉘 니음ᄎᆞ니, 졔ᄀᆡᆨ이 그 ᄀᆞᆺ초 괴롭고 난쳐ᄒᆞᆫ 졍ᄉᆞ를 오히려 모르나, 셕ᄉᆞ를 츄회ᄒᆞ민 줄 아라 위ᄒᆞ여 슬퍼ᄒᆞ더라. 위시 졔ᄀᆡᆨ의 이목을 ᄀᆞ리와 거ᄌᆞᆺ 슬허ᄒᆞ는 쳬ᄒᆞ고, 뉴시 쳑연ᄒᆞᆫ 안ᄉᆡᆨ으로 듕ᄀᆡᆨ을 ᄃᆡᄒᆞ여 탄식, 왈,

“하날이 윤문을 보됴ᄒᆞ시ᄂᆞᆫ 덕음으로 광

비통하며, 가듕형셰을 졀민ᄒᆞ나 신부의 츌인비상ᄒᆞ믈 영힝ᄒᆞ나 깃부물 니을 곳지 업ᄉᆞ물 슬허ᄒᆞ고, 츄밀은 녜을 바드나 어린 드시 볼 분이오, 위·뉴ᄂᆞᆫ 드러오ᄂᆞᆫ ᄉᆞ롬마다 이러틋 비범ᄒᆞ믈 통ᄒᆞᆫᄒᆞ여 깃분 ᄉᆡᆨ이 업ᄉᆞ니, 젼일은 츄밀을 두려 ᄆᆡ양 듕목소시의ᄂᆞᆫ 어ᄉᆞ부부을 ᄉᆞ랑ᄒᆞᄂᆞᆫ 쳬ᄒᆞ더니, 당ᄎᆞ시ᄒᆞ여ᄂᆞᆫ 츄밀이 변심ᄒᆞ고 구파 상셩ᄒᆞ여시니, 두리고 조심ᄒᆞᆯ 곳지 업셔 작심(作心)을 ᄌᆞᆯ 짓지 못ᄒᆞ니 즁ᄀᆡᆨ이 고히 넉이나, 신부의 긔이ᄒᆞ물 칭찬ᄒᆞ여 ᄌᆡᆨᄉᆞ의 쳐궁이 유복ᄒᆞ믈 칭하ᄒᆞ니, 뉴시 강잉ᄒᆞ여 깃부물 ᄃᆡᄒᆞ고, 조부인은 ᄉᆞᄉᆞᄒᆞᆯ ᄲᆞᆫ이오, 츄밀의 젼일 힝ᄉᆞ을 젼연이 ᄭᆡ치지 못ᄒᆞ물 슬허, 날호여 신부을 향ᄒᆞ여 일오ᄃᆡ,

“아ᄌᆞ의 원비 ᄌᆡ좌ᄒᆞ여시니 신부로 더부러 ᄉᆞ문 일ᄆᆡᆨ이라, 모로미 쳐음보ᄂᆞᆫ 녜을 폐치 말나.”

신뷔 ᄇᆡᄉᆞ수명ᄒᆞ고 하시을 향ᄒᆞ여 ᄌᆡᄇᆡᄒᆞ니, 하시 규구을 바리고 쳔연이 답ᄇᆡᄒᆞ고 좌을 갓가이 졍ᄒᆞᄆᆡ, 하시 긔이ᄒᆞᆫ 용광이 졀승ᄒᆞᆫ ᄐᆡ도 볼ᄉᆞ록 찬연ᄒᆞ여 조흔 골격이 청아슈려(淸雅秀麗)ᄒᆞ고 진심의 어진 뜻 ᄲᆞᆫ이라. 셩졍이 유ᄒᆞᆫ졍뎡ᄒᆞ미 부공과 녀힝의 즁도을 어더 만ᄉᆞ ᄇᆡᆨ힝을 유의ᄒᆞ나, 허물 잡을 곳지【83】 업셔 《엇엿부기 우희 영작ᄒᆞ기ᄂᆞᆫ 신뷔오‖어엿부기ᄂᆞᆫ 신부의 우히오》, 긔품이 장원ᄒᆞ여 위인이 상쾌ᄒᆞ여 녀듕호걸 갓기ᄂᆞᆫ ○○[신뷔] 승어하시라.

조부인이 ᄉᆞ부(四婦)을 ᄒᆞᆫ가지로 안쳐 두굿기미 극ᄒᆞ나 이런 현부 셩녀 등을 상셔 보지 못ᄒᆞ고 유명(幽明)이 격ᄒᆞ여 위란ᄒᆞᆫ 셩[형]셰(形勢)을 알오미 업ᄉᆞ니, 쳡쳡ᄒᆞᆫ 한을 이긔지 못ᄒᆞ여 누쉬 면모의 종횡ᄒᆞ니, 듕ᄀᆡᆨ이 그 괴롭고 슬푸믈 오히려 아지 못ᄒᆞ고 그 과쳑ᄒᆞ믈 역시 감상(感傷)ᄒᆞ더라. 위시 빈ᄀᆡᆨ의 《눈의ᄂᆞᆫ‖눈을 ᄀᆞ리와》슬허ᄒᆞᄂᆞᆫ 쳬ᄒᆞ고, 뉴시 탄왈,

“《하셰ᄒᆞ믄‖하날이》 윤문을 보조ᄒᆞ므

딜 형뎨 져제(姐姐) ᄉᆡᆼᄒᆞ시니, 기시 슉슉이 만리 타국의가 별셰ᄒᆞ시니 가【33】듕ᄉᆡ 쵹쳐의 비황ᄒᆞᆫ디라. 봉노시하(奉老侍下)의 져져 관억부지(寬抑扶持)ᄒᆞ시고 존괴 희ᄋᆞ 형뎨를 보샤 참졀ᄒᆞᆫ 심ᄉᆞ를 관회(寬懷)ᄒᆞ시미 되여 셰월을 보ᄂᆡ시고, 당ᄎᆞ디시(當此之時)ᄒᆞ여ᄂᆞᆫ, 져희 형뎨 《득뇽‖등뇽(登龍)》ᄒᆞ여 옥당금마(玉堂金馬)의 츌입ᄒᆞ여 각각 형뎨 현쳐를 ᄡᅣᆼ득ᄒᆞ여 만ᄉᆡ 바란 밧기라. 젹뇨(寂寥)ᄒᆞ던 가듕이 번화롭고 비창ᄒᆞ던 심ᄉᆡ 영화로 오나, 셕ᄉᆞ를 츄회ᄒᆞ니 감챵ᄒᆞ믈 니긔지 못ᄒᆞ여, 슉슉이 쳔양지하(泉壤之下)의 알오미 업ᄉᆞ시니, 쳡심이 참연ᄒᆞ믈 니긔지 못ᄒᆞᄂᆞ이다. 뉘 슈슉지간 상변이 업ᄉᆞ리잇가마ᄂᆞᆫ, 슉슉의 디셩우ᄋᆡ와 셩덕이 져져 평ᄉᆡᆼ 앙망ᄒᆞ미 엄구와【34】 다르미 업거ᄂᆞᆯ, 츌셰ᄒᆞ신 튱효 덕화로ᄡᅧ 향슈치 못ᄒᆞ시믈 ᄉᆡᆼ각ᄒᆞ면, 됴ᄒᆞᆫ 일을 당ᄒᆞ나 능히 즐거오믈 아디 못ᄒᆞᄂᆞ이다.

듕ᄀᆡᆨ이 그 공교로온 말을 진짓말노 알고 제셩 답왈,

"션상셰 됴셰ᄒᆞ시믄 ᄒᆞᆫ갓 동긔 친쳑의 슬프믄 니르도 말고, 우흐로 텬ᄌᆞ와 아ᄅᆡ로 만됴(滿朝) ᄉᆞ셰(士庶) 다 ᄒᆞᆫ가지로 ᄎᆞ셕 비탄ᄒᆞᄂᆞᆫ ᄇᆡ니, 부인의 인쟈셩심으로ᄡᅧ 이러ᄒᆞ시미 엇디 괴이ᄒᆞ리잇고마ᄂᆞᆫ, 태부인과 조부인을 위ᄒᆞ샤 과도히 비쳑지 마르쇼셔."

뉴시 흐르ᄂᆞᆫ 말솜으로 인심을 취합ᄒᆞ여 어진 덕을 낫토아 죵일 담화ᄒᆞ다가, 셕양의 파연ᄒᆞ여 ᄂᆡ외【35】 빈ᄀᆡᆨ이 각귀기가(各歸其家)ᄒᆞ고 신부 슉소를 취슌각의 뎡ᄒᆞ여 보ᄂᆡ니, ᄃᆡᆨᄉᆡ 부모 존당의 혼뎡ᄒᆞ고 ᄇᆡᆨ화헌의 나와, 신방을 ᄎᆞ줄 의ᄉᆡ 업ᄉᆞ니, 어ᄉᆡ 권ᄒᆞ여 왈,

"아등 형뎨 ᄉᆞ셰 남달나 부뷔 화락ᄒᆞᆫ 뜻이 나디 아니나, 신슈(新嫂)의 쵸츌ᄒᆞ시미 댱부의 쾌ᄒᆞᆫ ᄇᆡ위오, 신혼 초야의 신방을 ᄇᆡ오믄 녜 아니라, 모로미 취슌각의 가 밤을 지ᄂᆡ라."

로 광질형뎨을 제제(姐姐) ᄉᆡᆼᄒᆞ시미니, 슉슉(叔叔)이 만니타국의셔 별셰ᄒᆞ시니, 가듕ᄉᆡ 쵹쳐의 비황치 아니미 《업ᄉᆞ믄‖업ᄂᆞᆫ지라》. 봉친지ᄒᆞ의 《존괴‖져져》 관회ᄒᆞᄉᆞ 여러 셰월을 지ᄂᆡ니, 당ᄎᆞ지시(當此之時)ᄒᆞ여ᄂᆞᆫ 져의 형뎨 등용(登龍)ᄒᆞ여 옥당금달(玉堂禁闥)의 츌입ᄒᆞ고 각각 셩녀현부을 쌍득ᄒᆞ여 만ᄉᆡ 바람 붓기라. 적요(寂寥)ᄒᆞ든 가듕이 번화ᄒᆞ고 비창ᄒᆞ든 심ᄉᆡ 영화로오나, 옛일을 ᄉᆡᆼ각ᄒᆞᄆᆡ 슉슉이 ᄌᆡ당ᄒᆞ여 이런 경ᄉᆞ을 보시면 깃거ᄒᆞ시며 두굿기시미 엇더ᄒᆞ리오마ᄂᆞᆫ 유명이 즈음쳐 져의 등과ᄒᆞ{ᄒᆞ}야 ᄉᆞ묘의 ᄇᆡ알ᄒᆞ나 아름이 업ᄉᆞ시니 쳡심이 《ᄎᆡᆨ연‖참연(慘然)》ᄒᆞ믈 이긔지 못ᄒᆞᄂᆞ니【84】, 셰상의 뉘 수숙지간(嫂叔之間)이 업ᄉᆞ리오마ᄂᆞᆫ 슉슉의 지셩우의셩덕(至誠友誼盛德)이 셰셰평ᄉᆡᆼ 앙망ᄒᆞ미 엄구와 다르미 업거ᄂᆞᆯ, 츌셰ᄒᆞ신 츙효덕화로써 향수치 못ᄒᆞ신 일을 ᄉᆡᆼ각ᄒᆞ면 조ᄒᆞᆫ 일이 당ᄒᆞ나, 능히 길거오믈 아지 못ᄒᆞᄂᆞ이다."

듕ᄀᆡᆨ이 그 공교로은 말을 진짓 말노 알고 제셩 답왈,

"션상셰 조셰ᄒᆞ시믄 ᄒᆞᆫ갓 동긔친쳑의 슬푸믄 이르도 말고, 우흐로 쳔ᄌᆞ와 아ᄅᆡ로 만조(滿朝) ᄉᆞ셰(士庶) 다 ᄒᆞᆫ가지로 ᄎᆞ셕비탄(嗟惜悲嘆)ᄒᆞᄂᆞᆫ ᄇᆡ니, 부인의 인ᄌᆞ션심으로써 이러ᄒᆞ시미 엇지 괴이ᄒᆞ리잇가마ᄂᆞᆫ, ᄐᆡ부인과 조부인을 위ᄒᆞᄉᆞ 과도히 비쳑치 마르소셔."

뉴시 흐르는 말노 인심을 취합ᄒᆞ여 어진 덕○[을] 낫토와 종일 담화ᄒᆞ다가, 셕양의 파연ᄒᆞ여 ᄂᆡ외 빈ᄀᆡᆨ이 귀가ᄒᆞ고, 신부 슉소을 취슌각의 졍ᄒᆞ여 보ᄂᆡ니, ᄌᆡᆨᄉᆡ 부모존당의 혼졍ᄒᆞ고, ᄇᆡᆨ화헌의 나와 신방을 ᄎᆞ즐 의ᄉᆡ 업ᄉᆞ니, 어ᄉᆡ 권왈,

"아등 형뎨 ○○[ᄉᆞ셰(事勢)] 남달나 부부화락ᄒᆞᆯ 뜻지 나지 아니ᄂᆞ, 신수(新嫂)의 쵸츌ᄒᆞ시미 장부의 쾌ᄒᆞᆫ ᄇᆡ우(配偶)오, 신혼ᄒᆞ여 신방을 뷔오믄 녜 아니라. 모로미 취슌각의 가 밤을 지ᄂᆡ라."

딕식 미우의 슈운이 모혀 왈,

"쇼뎨는 원ᄒᆞᄂᆞᆫ 빅 일쳐로 집을 직희여 건즐이나 소임케 ᄒᆞ려 ᄒᆞ거늘, 의외 댱시를 취ᄒᆞ니 위인의 션악은 아딕 모로나, ᄉᆞ셰 일쳐도 화락이 어렵거늘, 《번오∥번외(番外)》의 사름을 어【36】더 쥬체1748) 어렵도소이다."

어식 직삼 권ᄒᆞ여 신방으로 가라 ᄒᆞ니, 딕식 마지 못ᄒᆞ여 ᄎᆡ슌각의 니르니, 신뷔 니러 맛거늘 팔을 미러 좌ᄒᆞ고 날호여 눈을 드러 슬피니, 신뷔 ᄒᆞᆫ갓 화월지식 쑨 아니라, 훤츨ᄒᆞᆫ1749) 미우의 슈복이 완젼ᄒᆞ고 어위ᄎᆞᆫ 거동과 침듕ᄒᆞᆫ 위의 유풍(幼風)이 머므러시나, 또ᄒᆞᆫ 온슌 비약ᄒᆞ여 슉녀의 청고ᄒᆞ믈 겸ᄒᆞ여시니, 딕식 그윽이 아름다이 넉이나 만ᄉᆞ의 무흥ᄒᆞ여 냥구 믁연이러니, 날호여 야심ᄒᆞ믈 일ᄏᆞ라 편히 쉬믈 쳥ᄒᆞ고 이셩지친을 날회니, 이ᄂᆞᆫ ᄌᆞ개 이칠쇼년이오 하시로 합친(合親)치 아닌 고로, 각각 상요의 지ᄂᆡ니【37】라.

댱쇼졔 구가의 머므러 존당 구고 밧드ᄂᆞᆫ 효셩이 츌쳔ᄒᆞ고, 군ᄌᆞ로[를] 녜로 셤기며 금장을 화우ᄒᆞ며 하시로 더브러 디극ᄒᆞᆫ 졍이 골육 ᄀᆞᆺ트며, 뎡·딘 냥쇼져의 명풍을 쏠오니 조부인이 년ᄋᆡ귀듕(憐愛貴重)ᄒᆞ믈 뎡·딘 등과ᄀᆞᆺ치 ᄒᆞ니 위·뉴ᄂᆞᆫ 그 어질믈 믜이 넉여 보ᄎᆡᄂᆞᆫ 뜻이 삼쇼졔로 일양(一樣)이라.

츄밀은 두굿거옴도 아지 못ᄒᆞ고, 그 ᄉᆞ랑ᄒᆞ믈 니져 ᄒᆞᆫ낫 농괴(聾塊) 되어시니, 댱시 쳐음으로 드러와 셔의코 두리온 신셰 범인으로 니른 즉, 일시 머믈기 어려오나 상냥쾌활ᄒᆞ미 쇼쇼지ᄉᆞ(小小之事)를 거리씨미 업고, 금옥 심장이 듕산의 무거옴과 창히의 깁흔 거술 가져, 쳔【38】슈만한(千愁萬恨)이 이시나 헤치기를 위쥬ᄒᆞ여[고], ᄉᆡᆼ각지 아니키를 위본ᄒᆞ여 구구히 슈쳑ᄒᆞ미 업셔,

1748)주체 : 짐스럽거나 귀찮은 것을 능히 처리함.
1749)훤츨ᄒᆞ다 : 훤칠하다. 길고 미끈하다. 막힘없이 깨끗하고 시원스럽다.

직식 미우의 슈운이 어릐여 왈,

"소졔는 원ᄒᆞᄂᆞᆫ 빅 일쳐로 집을 직희여 건즐이나 소임케 ᄒᆞ려 ᄒᆞ거늘, 의외 장시을 취ᄒᆞ니 위인의 션악은 아즉 모로나, ᄉᆞ셰 일쳐도 화락이 어렵【85】거날, 《번오∥번외(番外)》의 ᄉᆞ룸을 어더 두미(頭尾)1696) 어렵도소이다."

어식 직숨 권ᄒᆞ여 신방으로 가라ᄒᆞ니, 직식 마지 못ᄒᆞ여 ᄎᆡ슌각의 이르니, 신뷔 이러 맛거날, ᄉᆡᆼ이 팔을 《들어∥미러》 좌ᄒᆞ고, 날호여 눈을 들어 슬피니, 신뷔 ᄒᆞᆫ갓 화월지식(花月之色) 쑨 아니라, 훤츌ᄒᆞᆫ1697) 미우의 수복이 완젼ᄒᆞ고 어위찬 거동과 침즁ᄒᆞᆫ 위의 유풍(幼風)이 머무러시나, 또ᄒᆞᆫ 온슌비약ᄒᆞ여 숙녀의 청고ᄒᆞ믈 겸ᄒᆞ여시니, 직식 그윽이 아름다이 넉이나, 만ᄉᆞ의 흥이 업셔 《약구묵연 ᄒᆞ더니∥냥구묵연이라가》 날호여 야심ᄒᆞ믈 일카라 편이 쉬믈 쳥ᄒᆞ고 나[이]셩지친(二姓之親)을 날희니, 이ᄂᆞᆫ ᄌᆞ가 년소이칠(年少二七)이오, 하시로 합친치 아닌 고로 각각 취침ᄒᆞ니라.

장시 구가의 머무러 존당구고을 밧드ᄂᆞᆫ 효셩이 츌쳔ᄒᆞ고, 군ᄌᆞ을 녜로 셤기며 금장을 화우ᄒᆞ고 하시로 더부러 지극ᄒᆞᆫ 졍이 골육 갓트며, 뎡·진 냥소져의 영힝(令行)1698)을 ᄯᆞ로니, 조부인○[이] 연ᄋᆡ귀즁(憐愛貴重)ᄒᆞ믈 뎡·진·하 등과 갓치 ᄒᆞ나, 위·뉴ᄂᆞᆫ 그 어질믈 뮈이 넉여 보ᄎᆡᄂᆞᆫ 뜻지 뎡·진·하와 일양(一樣)이라.

츄밀은 두굿기고 ᄉᆞ랑ᄒᆞ믈 아지 못ᄒᆞ고 ᄒᆞᆫ갓 농괴(聾塊)되엿시니, 장시 쳐음으로 드러와 셔어(齟齬)코 두리온 형셰 범인으로 이른 즉, 일시 머물기 어려오나 상냥쾌활ᄒᆞ미 소소지ᄉᆞ(小小之事)을 《어리미∥거리씨미》 업고 금옥심장이 침듕ᄒᆞ여 구구츅쳑ᄒᆞ미 업셔 옥경(玉磬)1699)이 《안안∥아아》이 쇄연ᄒᆞ여 차호(差毫)1700) 불법의 말숨의

1696)두미(頭尾) : 처음과 끝을 아울러 이르는 말.
1697)훤출ᄒᆞ다 : 훤칠ᄒᆞ다.길고 미끈하다. 막힘없이 깨끗하고 시원스럽다.
1698)영힝(令行) : 아름다운 행실
1699)옥경(玉磬) : 옥으로 만든 경쇠

옥 짜리는 담쇠 아아히 쇄연ᄒᆞ듸, ᄒᆞᆫ 마듸 블법의 말숨이 업ᄉᆞ며, 양츈화긔 만믈을 브싱ᄒᆞᄂᆞᆫ 됴화를 가져 녹녹히 ᄋᆞ녀ᄌᆞ의 오쇼ᄒᆞ믈1750) 직희디 아녀, 훤대녈일(喧大烈日))ᄒᆞ미 규각 듕 영걸이라. 강ᄒᆞ듸 모지지 아니ᄒᆞ고 명쾌ᄒᆞ듸 굿셰지 아냐, 딕시 심니의 탄복ᄒᆞ여 유정이 듕ᄒᆞ듸 ᄉᆞ실의 ᄌᆞ로 못ᄂᆞᆫ 일이 업고, 듕회 듕 듸ᄒᆞ나 눈을 드러 보미 업셔, 공검뎡대ᄒᆞ며 침듕은묵ᄒᆞ미 날노 ᄉᆡ로오니, 위·뉴 긔식을 예탁 못ᄒᆞ고 뜻이 녀관의 부운 ᄀᆞᆺᄐᆞ【39】므로 아라, ᄒᆞ·댱 냥인의 비홍을 ᄌᆞ로 상고ᄒᆞ며 딕ᄉᆞ를 원거ᄒᆞ믈 당부ᄒᆞ고, 동실지락을 원슈ᄀᆞᆺ치 말니려 ᄒᆞ니, 기심이 음흉 ᄒᆡ연ᄒᆞ더라.

묘랑이 옥누항의 ᄌᆞ로 왕닉ᄒᆞ여 삼인의 악ᄉᆞ를 도올ᄉᆡ, 뉴시 츄밀의 변심홈과 구파의 그릇되믈 닐너 약회 신긔ᄒᆞ믈 샤례ᄒᆞ고, 조부인 모ᄌᆞ 고식을 쌜니 히홀 쇠를 므르니, 묘랑 왈,

"조시를 히ᄒᆞᆫ 후 ᄎᆞ례로 업시ᄒᆞ리니, 빈도의 소견은 조부인이 아모듸 나아가신 ᄶᅥ를 타 도듕의셔 히코져 ᄒᆞ나, 조시 움즉일 념녀 업더이다."

뉴시 침음 왈,

"조시 동긔 금능의 퇴거ᄒᆞ엿더니, 셩샹이 ᄌᆞ로 도라오믈 지【40】촉ᄒᆞ실ᄉᆡ 됴셰 니엇다 ᄒᆞ니, 조닌이 경셩의 온 즉 조시 왕닉를 ᄒᆞ리니, 그ᄶᅥ ᄉᆞ뷔 히홀가 시브냐?"

묘랑 왈,

"ᄎᆞ계 맛당커니와, 빈도의 ᄆᆞᄋᆞᆷ의ᄂᆞᆫ 일시 급ᄒᆞ이다."

경ᄋᆡ 왈,

"뎐텬홍이 문양 취ᄒᆞᆫ 후 명ᄋᆡ 별원의 기인이 되엿다 ᄒᆞ니, 대뫼 광텬 등 입번ᄒᆞᆫ ᄶᅥ를 타 빅모로ᄲᅧ 명ᄋᆞ를 보고오라 ᄒᆞ샤, 비록 낙종치 아니나 위력으로 보ᄂᆡ시면 브득이 가리이다 ᄉᆞ뷔 ᄶᅥ를 타 히케 ᄒᆞ쇼셔."

위·뉴 박장대쇼 왈,

1750)오쇼ᄒᆞ다 : 도량이 좁고 작다.

업ᄉᆞ며,【86】 양츈화긔 만물을 부싱ᄒᆞᄂᆞᆫ 조화을 가져, 녹녹히 아녀ᄌᆞ의 오소ᄒᆞ물1701) 직희지 아냐 훤듸열일(喧大烈日)ᄒᆞ미 규각 듕 영걸이라. 직ᄉᆡ 심니의 탄복ᄒᆞ여 은졍이 듕ᄒᆞ듸, ᄉᆞ실의 ᄌᆞ로 못ᄂᆞᆫ 일이 업고, 듕회 즁 듸ᄒᆞ나, 눈드러 보미 업셔 공검경듸ᄒᆞ며 침듕유[은]묵(沈重隱默)ᄒᆞ미 날노 ᄉᆡ로오니, 위·뉴 양흉이 그 마음을 여[예]탁(豫度)지 못ᄒᆞ고, 뜻지 녀관(女關)의 부운 갓트믈 알아 하·장 양인의 비홍을 ᄌᆞ로 상고ᄒᆞ며 직ᄉᆞ을 원거ᄒᆞ물 당부ᄒᆞ고, 동실지낙을 원슈 갓치 말니니, 그 용심이 이갓더라.

묘랑이 옥누항의 ᄌᆞ로 왕닉ᄒᆞ여 숨인의 악ᄉᆞ을 도울 ᄉᆡ, 뉴시 츄밀의 변심홈과 구파의 그릇되물 닐너 약효 신긔ᄒᆞ물 ᄉᆞ례코 조부인 모ᄌᆞ고식을 밧비 히홀 쇠을 무르니, 묘랑이 답왈,

"조시을 히ᄒᆞᆫ 후 ᄎᆞ례로 업시 ᄒᆞ리니, 빈도의 소견은 조부인이 아모듸 나간 ᄶᅥ을 타 도듕의셔 히코ᄌᆞ ᄒᆞ니[나] 조시 움즉일 ○[일]이 업술가 ᄒᆞ노라."

뉴시 침음 왈,

"조시 동긔 금능의 퇴거ᄒᆞ여더니 셩상이 ᄌᆞ로 도라오믈 지촉ᄒᆞ신다 ᄒᆞ니, 상경ᄒᆞᆫ 즉 조시 왕닉ᄒᆞ리니, 기시 ᄉᆞ뷔 히ᄒᆞ미 맛당홀가 ᄒᆞ노라."

묘랑 왈,

"ᄎᆞ계 맛당컨니와, 빈도의 마음은 일시 급ᄒᆞ니다."

경ᄋᆡ 왈,

"천홍이 문양을 취ᄒᆞᆫ 후 별원의 기인이 되엿다 ᄒᆞ니, 듸뫼 관[광]쳔 등 형뎨 입【87】번ᄒᆞᆫ ᄶᅥ을 타 숙모로ᄡᅧ 명ᄋᆞ을 보고오라 ᄒᆞᄉᆞ 비록 낙종치 아니ᄂᆞ 위력으로 보ᄂᆡ시면 브득이 가리니, ᄉᆞ뷔 ᄶᅥ을 타 일을 힝케 ᄒᆞ라."

위·뉴 박장 왈,

1700)차호(差毫) : 털 끝 만큼도
1701)오소ᄒᆞ다 : 도량이 좁고 작다.

"묘코 묘ᄒᆞ니 그ᄃᆡ로 ᄒᆞ리라."

의논을 뎡ᄒᆞ고 묘량을 경ᄋᆞ 침소의 두어 어사 등의 입번을 기다리더니, ᄉᆞ오일 후 입번ᄒᆞ고, 츄밀은 희츈【41】누의셔 술을 취ᄒᆞᆫ듯 만ᄉᆡ 무렴ᄒᆞ니, 힝지 괴괴ᄒᆞ고 언에 ᄎᆞ셰 업셔, 가듕인이 눈의 뵌즉 이시믈 아나 다시ᄂᆞᆫ ᄭᆡ돗지 못ᄒᆞ니, 요약 먹은 후로 조부인을 엇지 긔렴ᄒᆞ리오[1751]. 위·뉴 이져ᄂᆞᆫ 두리고 ᄌᆞ져ᄒᆞ리 업ᄉᆞ니, 양미토긔(揚眉吐氣)ᄒᆞ더라. 위태 조부인을 ᄃᆡᄒᆞ여 ᄀᆞᆯ오ᄃᆡ,

"손녜 근친ᄒᆞ연 지 ᄉᆞ년이오, 뎡낭이 공쥬 길녜 후로 손녀를 별원의 ᄂᆡ쳐 아조 기인이 되엿다 ᄒᆞ니, 잔잉ᄒᆞᆫ지라 모로미 그ᄃᆡ 운산의 나아가 명ᄋᆞ를 보아 심회를 위로ᄒᆞ며 오ᄅᆡ 그리던 졍을 펴라."

조부인이 존고의 졸연ᄒᆞᆫ 말ᄉᆞᆷ이 인졍의 당연ᄒᆞᄃᆡ, 필유묘ᄆᆡᆨᄒᆞ믈 지【42】긔ᄒᆞ고 나죽이 ᄃᆡ왈,

"하괴 맛당ᄒᆞ시나, 양·니 등과 동거ᄒᆞ고 밧긔 뎡시랑이 머믄다 ᄒᆞ니, 능히 졍니를 펴지 못ᄒᆞᆯ 거시오, 녀ᄋᆡ 또ᄒᆞᆫ 깃거 아닐가 ᄒᆞᄂᆞ이다."

위흉이 노왈,

"그ᄃᆡᄂᆞᆫ 내 말인즉 듯지 아니ᄒᆞ니 블초ᄒᆞ미 이리 심ᄒᆞ뇨? 뎡시랑이 밧긔 이시나 양·니 등이 동거ᄒᆞ나 ᄌᆞ모의 졍으로 ᄲᅧ 잠간 가보미 므슨 허믈이 되며 비편ᄒᆞ리오. 내 비록 ᄉᆞ리를 모로나 그ᄃᆡ게 히로온 말은 니르지 아니리니, 두 번 니르지 말고 명일 가보고 오라."

조부인이 다시 욱이지 못ᄒᆞᆯ 줄 알고 다만 사례ᄒᆞ고 믈너나니, 뎡쇼졔 그윽이 긔ᄉᆡᆨ을 ᄉᆞᆺ쳐 존고의 화ᄋᆡᆨ이 급ᄒᆞ믈 경심【43】ᄒᆞ여, 냥계(良計)를 챵졸의 ᄉᆡᆼ각지 못ᄒᆞ고, ᄌᆞ긔 일시 ᄯᅥ나지 못ᄒᆞ니 착급ᄒᆞ여 안셔히 태흉긔 고왈,

"존괴 명일 운산의 가려 ᄒᆞ시니, 쳡이 금야ᄂᆞᆫ 존고 침실의 가 의상을 다ᄉᆞ려 넙고

1751)긔렴ᄒᆞ다 : 보살피다. 유념하다.

"묘코 묘ᄒᆞ니 그ᄃᆡ로 ᄒᆞ리라."

의논을 졍ᄒᆞ고 묘량을 경ᄋᆞ 침소의 두어, 어ᄉᆞ 등 입번을 기ᄃᆞ려 ᄒᆞ려 ᄒᆞ더니, 오일 후 어사 등이 입번ᄒᆞ고 추밀은 희츈누의셔 술을 취ᄒᆞ고 만ᄉᆞ무려ᄒᆞ여 졈졈 힝지 괴괴ᄒᆞ고 언어 ᄎᆞ례 업셔, 가듕인이 눈압희 이시물[면] 《아라∥아나》, 보지 아닌 즉 ᄭᆡ닷지 못ᄒᆞ니, 요약의 흐린 후로ᄂᆞᆫ 조부인을 일호(一毫) 긔렴[1702]치 아니니, 위·뉴 두리고 긔탄ᄒᆞ리 업ᄉᆞ니, 조시을 ᄃᆡᄒᆞ여 화ᄉᆡᆨ으로 이로ᄃᆡ,

"명일 명ᄋᆡ 별쳐의 기인(棄人)되나 ᄒᆞᆫ번 찻ᄂᆞᆫ 일 업다 ᄒᆞ니, 오ᄅᆡ 그리든 졍을 펴라."

조부인이 ○○○[존고의] 졸연ᄒᆞᆫ 화ᄉᆡᆨ으로 인졍의 당연ᄒᆞ믈 이로믈 보ᄆᆡ, 필유묘ᄆᆡᆨᄒᆞ믈 지긔ᄒᆞ고 나작이 ᄃᆡ왈,

"하교 맛당ᄒᆞ오나 쳡이 미망지인이라, 명ᄋᆡ 비록 별쳐의 잇시나 양·니 등과 ᄒᆞᆫ가지로 잇고, 박긔 졍시랑이 머문다 ᄒᆞ니, 피[비]편(非便)ᄒᆞ온지라. 능히 졍니을 펴지 못ᄒᆞ고 녀ᄋᆡ 또ᄒᆞᆫ 깃거 아닐가 ᄒᆞ나이다."

위시 노왈,

"그ᄃᆡ ᄂᆡ 말인 즉 좃지 아니니 불슌ᄒᆞ미 심토다. 뎡시랑이 비록 박긔 잇시나 ᄌᆞ모의 졍으로 잠간 보미 무ᄉᆞᆷ 허물이 되며 그ᄃᆡ도록 피[비]편ᄒᆞ리오. ᄂᆡ 비록 ᄉᆞ리을 모르나 그ᄃᆡ게 유히ᄒᆞ믈 이르지【88】 아니리니 고이히 구지 말고 명일 가 단여오라."

조부인이 다시 우기지 못ᄒᆞᆯ 쥴 알고 다만 ᄉᆞ례코 물너나니, 뎡시 그윽이 긔ᄉᆡᆨ을 ᄉᆞᆺ쳐 존고 화ᄋᆡᆨ이 급ᄒᆞ믈 놀나, 양ᄎᆡᆨ(良策)을 창졸의 ᄉᆡᆼ각지 못ᄒᆞ고 ᄌᆞ긔 일신도 압ᄒᆞᆯ ᄯᅥᄂᆞ지 못ᄒᆞ니 아모리 ᄒᆞᆯ 쥴 아지 못ᄒᆞ더니, 이의 ᄐᆡ부인긔 고왈,

"존괴 명일 운산의 가려ᄒᆞ시니, 쳡이 금야ᄂᆞᆫ 존고의 침실의 가 의상을 다ᄉᆞ려 입고

1702)긔렴ᄒᆞ다 : 보살피다. 유념하다.

가시게 ᄒᆞ여지이다."
위태 묘랑의 지조를 밋고 원ᄂᆡ 살갑기는[1752] 뉴시만 못ᄒᆞᆫ지라. 뎡시 그 고모의 의상을 일워 보ᄂᆡ려 ᄒᆞ민가 고지듯고 ᄉᆞ실노가라 ᄒᆞ니, 뎡시 ᄇᆡ샤 슈명ᄒᆞ고 ᄎᆞ일 밤든 후 히월누의 니르니, 부인이 촉을 ᄃᆡᄒᆞ여 슈운이 만쳡ᄒᆞ여 탄셩이 ᄌᆞ로 발ᄒᆞ더니, 뎡쇼져를 보고 반겨 문왈,
"내 바야흐로 대홰 당젼ᄒᆞᆫ가 ᄒᆞᄂᆞ니, 현부의 여신ᄒᆞᆫ 춍명【44】으로 구ᄒᆞ믈 어드랴?"
쇼제 대왈,
"ᄋᆞ히 존고의 힝거를 그윽이 념녀ᄒᆞ오나 불민ᄒᆞ와 셩의를 져바리올가 ᄒᆞᄋᆸᄂᆞ니, 슉슉과 군지 입번ᄒᆞᆫ 씨니 비힝ᄒᆞ리 업ᄉᆞ니, 더옥 졀민ᄒᆞ오이다."
부인이 쳑연 탄식ᄒᆞ고 쥬루(珠淚)를 ᄲᅳ려 왈,
"위인식부(爲人息婦)ᄒᆞ여 고모(姑母)의 브덕을 언두의 일ᄏᆞ를 ᄇᆡ리오마ᄂᆞᆫ, 현뷔 가듕 한심ᄒᆞᆫ 경상을 임의 알오미 ᄇᆰ고, 고식지간의 경의 합ᄒᆞᆫ 바의 므ᄉᆞᆫ 은휘ᄒᆞᆯ ᄇᆡ 이시며, 내 구ᄎᆞ히 ᄉᆞ라시○[미] 우ᄒᆞ로 존괴 ᄌᆞ식 히ᄒᆞ시ᄂᆞᆫ 허믈을 《면치 못ᄒᆞ게 ᄒᆞ미오‖면케 ᄒᆞ미오》, 아ᄅᆡ로 여등의 잔잉ᄒᆞ믈 념녀ᄒᆞ미라. 젼젼곡경을 ᄉᆡᇰ각ᄒᆞ여【45】 무익ᄒᆞ거니와, 당ᄎᆞ지시ᄒᆞ여 현부 등의 보젼ᄒᆞᆯ 도리 쥬ᄉᆞ야탁ᄒᆞ나 계괴 업고, 존고의 오날늘 하괴 대홰 님ᄒᆞ엿ᄂᆞ니, 장ᄎᆞᆺ 엇지ᄒᆞ리오."
쇼제 이셩 화긔로 위로 왈,
"존고ᄂᆞᆫ 쳡등으로 념녀치 마르시고 셩톄를 보듕ᄒᆞ실지니, 명일 힝거의 초인(草人)으로 ᄃᆡ신ᄒᆞ고 존고ᄂᆞᆫ 잠간 피우(避寓)ᄒᆞ샤미 냥칙일가 ᄒᆞᄂᆞ이다."

1752)살갑다 : 슬겁다. 슬기롭다. 영리하다.

가시게 ᄒᆞ리이다."
위시 묘랑의 지조을 밋고 원ᄂᆡ 원녀(遠慮)ᄂᆞᆫ 뉴시만 못ᄒᆞᆫ 고로, 존고 의상을 일워 보ᄂᆡ려 ᄒᆞ민가 알아, ᄉᆞ실노 가라 ᄒᆞ니, 뎡시 ᄇᆡᄉᆞ수명ᄒᆞ고, ᄎᆞ일 어두운 후 히월누의 이르니, 조부인이 아미을 펴지 못ᄒᆞ고 탄셩이 ᄌᆞ로나더니, 뎡소져을 보고 반겨 문왈,
"ᄂᆡ 바야호로 ᄃᆡ화당젼ᄒᆞ엿ᄂᆞ니, 현부의 여신ᄒᆞᆫ 춍명으로 구ᄒᆞ믈 어드랴?"
소제 ᄃᆡ왈,
"히ᄋᆡ 죤고의 힝거을 그윽이 념녀ᄒᆞ오나, 불민ᄒᆞ와 셩은을 만분 져바릴가 ᄒᆞᄋᆸᄂᆞ니 슉슉과 군지 입번ᄒᆞ여 비힝ᄒᆞ리도 업ᄉᆞ미 졀민쵸죠ᄒᆞᄂᆞ이다."
부인이 쳑연 탄식의 쥬누(珠淚)을 ᄲᅳ려 왈,
"위인식부(爲人息婦)ᄒᆞ여 존고의 브덕을 언두의 일커를 ᄇᆡ리오마ᄂᆞᆫ, 현뷔 가듕 한심ᄒᆞᆫ 형상을 알오미 밝고, 고식지간 경의 합ᄒᆞᆫ 바의 무숨 은휘ᄒᆞ미 잇시며 또 뉘게 말ᄒᆞ리오. 구ᄎᆞ히 머물미 우ᄒᆞ로 존괴【89】 ᄌᆞ식 히ᄒᆞ신 허물을 면케ᄒᆞ미오, 아ᄅᆡ로 여등의 잔잉ᄒᆞ믈 념녀ᄒᆞ미라. 젼젼익상(前前厄狀)은 ᄉᆡᇰ각이 무익거니와 당ᄎᆞ시(當此時)ᄒᆞ여 현부 등의 보젼ᄒᆞᆯ 도리을 ᄉᆞ량ᄒᆞ나 무칙ᄒᆞ고, 존고의 금번 ᄒᆞ교 망망ᄒᆞᆫ ᄃᆡ 밋ᄎᆞ리니, 위구ᄒᆞ물 이긔지 못ᄒᆞᄂᆞ니, 장ᄎᆞᆺ 엇지리오."
인ᄒᆞ여 소져을 집수ᄒᆞ여 슬푸믈 금치 못ᄒᆞ니, 소제 죤고의 슬허ᄒᆞ시물 보고 또ᄒᆞᆫ 불승쳐졀ᄒᆞ여 이셩화긔로 위로 왈,
"히ᄋᆡ 불초ᄒᆞ와 존고의 혜틱을 일분 갑습지 못ᄒᆞᄋᆸ고, 도로혀 셩녀을 허비ᄒᆞ시게 ᄒᆞ오니 황공ᄒᆞ온 즁, 금일 존고의 힝거 실노 흉다(凶多)ᄒᆞ오니, 히아의 소견은 아직 운산으로 힝치 마르시고, 초인(草人)으로ᄡᅧ 거듕의 너허 보ᄂᆡ고 존고ᄂᆞᆫ 져기[1703] 피ᄒᆞᄉᆞ 사긔을 보미 무히ᄒᆞ리이다."

1703)져기 : 저으기. 적이, 조금, 약간, 잠깐

부인이 깃거 왈,

"현부의 신긔ᄒᆞᆫ 계교ᄂᆞᆫ 타인이 밋지 못ᄒᆞ리니, 일노ᄡᅧ 나의 급화를 졔방ᄒᆞᆯ가 ᄒᆞ나, 가변이 한심ᄒᆞ도다."

쇼제 평ᄉᆡᆼ ᄌᆡ조를 낫타ᄂᆡ지 아니코, 아ᄂᆞᆫ 바를 ᄀᆞᆷ초아 신츌귀몰ᄒᆞᄂᆞᆫ ᄌᆡ조를 친ᄉᆡᆼ 부【46】모도 모르게 ᄒᆞ더니, 츌텬 대효로ᄡᅧ 존고의 대화를 졔방ᄒᆞ기의 니르러ᄂᆞᆫ, ᄌᆡ조를 발ᄒᆞ여 초인을 작ᄒᆞ여, ᄇᆡᆨ옥안면이며 향신톄지를 완연이 조부인을 모습 ᄡᅥ, ᄇᆡᆨ의소상(白衣素裳)을 가ᄒᆞ니, 일호 다르미 업셔 미망인 명쳔공 부인이오, 어ᄉᆞ의 ᄌᆞ위라. 초인의 쇽으로 줄을 느러 셔며 안기를 줄을 안흐로 다ᄅᆡᄂᆞᆫᄃᆡ로 ᄒᆞ니, 완연이 사ᄅᆞᆷ의 톄지 움즉임과 ᄀᆞᆺᄐᆞ니, 밤이 반의 필역ᄒᆞ여 좌셕의 노코 존고긔 고왈,

"날이 ᄇᆞᆰ지 아냐셔 존당의 하직ᄒᆞ시고 침뎐의 믈너오사 ᄆᆡ영 등이 님시응변이 신【47】쇽ᄒᆞ오리니, 초인을 맛져 거듕의 너허 가라 ᄒᆞ시고, 존고ᄂᆞᆫ 후원 그윽ᄒᆞᆫᄃᆡ 피ᄒᆞ여 계시다가, 슉슉과 군ᄌᆡ 츌번 후 의논ᄒᆞ샤 안뎡ᄒᆞ신 곳을 어드시면, 쳡 등이 잇다감 승간ᄒᆞ와 나아가 뵈려 ᄒᆞᄂᆞ이다. 이번 도듕의 변이 이신 즉 초인으로 ᄃᆡ신ᄒᆞ나, 존당이 혹 방문ᄒᆞ셔도 피우ᄒᆞ시미 맛당ᄒᆞᆯ가 ᄒᆞᄂᆞ이다."

부인이 쇼져의 ᄌᆡ조를 신긔히 넉이고 피우ᄒᆞ라 말이 올흐나, ᄌᆞ부를 홀노 위지의 두고 ᄯᅥ나기 망극ᄒᆞ니, 다만 쇼져의 옥슈를 잡고 뺘누를 ᄲᅳ려 니르ᄃᆡ,

부인이 쳥파의 깃거 답 왈,

"현부의 신긔ᄒᆞᆫ ᄭᅬᄂᆞᆫ 타인의 밋출 ᄇᆡ 아니니 일노ᄡᅧ 나의 급화을 방비ᄒᆞᆯ가 ᄒᆞ나, ᄒᆞᆫ심토다."

소져 평ᄉᆡᆼ ᄌᆡ조을 친부모도 모로게 ᄒᆞ더니, 츌쳔지효로ᄡᅧ 지셩으로 존고의 ᄃᆡ화을 졔방키의 이르러ᄂᆞᆫ 신긔ᄒᆞᆫ ᄌᆡ조을 발ᄒᆞ여 초인을 작ᄒᆞ여 ᄇᆡᆨ옥안면이며 《힝신쳐긔‖향신쳬지(香身體肢)》을 완연이 조부인을 모습 ᄡᅥ ᄇᆡᆨ의소장(白衣素粧)을 가ᄒᆞ니 일호 다르미 업고, ᄉᆞᄅᆞᆷ으로 ᄒᆞ여금 분변치 못ᄒᆞᆯ너라. 초인의 속으로 줄을 느려 밧그로 소장(消長)[1704] ᄭᅵᆫ[1705]을 ᄒᆞ니, 쥴을【90】다ᄅᆡ면 이러셔고 노흐면 안ᄌᆞ며 줄을 죄혀 잡으면 뒤히셔 미ᄂᆞᆫ 듯 힝뵈 완연ᄒᆞᆫ지라. 밤의 필역ᄒᆞ여 좌셕의 놋코 존고의 고왈,

"날이 박지 아녀 존당의 하직ᄒᆞ시고 침소로 물너오ᄉᆞ, ᄆᆡ영 등이 임시응변이 신통ᄒᆞ오니 초인을 막겨 거듕의 너허가라 ᄒᆞ시고, 존고ᄂᆞᆫ 아직 후원 그윽ᄒᆞᆫ 곳의 피ᄒᆞ여 계시다가, 슉슉과 군자 츌번 후 의논ᄒᆞᄉᆞ 안졍ᄒᆞᆫ 곳을 졍ᄒᆞ시면, 쳡등이 잇다금 승간ᄒᆞ여 ᄂᆞ아가 뵈오려 ᄒᆞᄋᆞᆸᄂᆞ니, 이번 도즁의 변이 이신 즉 초인으로 ᄃᆡ신ᄒᆞ나, 혹ᄌᆞ 존당이 아르실지 모로와 다시 방문ᄒᆞ리니, 아희 소견은 스ᄉᆞ로 여[피]화 ᄒᆞ시미 맛당ᄒᆞᆯ가 ᄒᆞᄂᆞ이다."

부인이 소져의 신긔ᄒᆞᆫ ᄌᆡ조 이의 밋쳐 가듕ᄉᆞ을 지긔ᄒᆞ고 ᄌᆞ긔로 ᄌᆡ화(災禍)을 면ᄒᆞ고 ᄌᆞ최을 감초고ᄌᆞ ᄒᆞ여, ᄇᆡᆨ힝ᄉᆞ덕이 갓초 긔이ᄒᆞ믈 금일 더 ᄭᆡ치ᄆᆡ, 두굿기미 극ᄒᆞ나 평ᄉᆡᆼ 금옥지심으로ᄡᅧ 가듕ᄉᆡ 망측ᄒᆞ물 혀아리ᄆᆡ 두굿기ᄂᆞᆫ 마음이 밧고이고, ᄌᆞ긔 집을 ᄯᅥ나ᄆᆡ 두 아들과 너[네] 며ᄂᆞ리 지향ᄒᆞ여 의지ᄒᆞᆯ ᄃᆡ 업고, 여려오미 만흐믈 ᄉᆡᆼ각ᄒᆞᄆᆡ 슬푸믈 금치 못ᄒᆞ여, 주루을 ᄲᅮ려 왈,

"현부의 하히 갓튼 의ᄉᆞ로 노모을 도《우니‖와》 미망지인이 구ᄎᆞ히 투ᄉᆡᆼ《ᄒᆞᆯ바‖

1704)소장(消長) : 놓았다 당겼다 하여 끈을 줄였다 늘였다 함.

1705)ᄭᅵᆫ : 끈.

"현부ᄂᆞᆫ 진·하·댱 삼부와 셔로 의지ᄒᆞ여 쳔금지【48】신을 보듕ᄒᆞ라. 노뫼 잠간 피ᄒᆞ엿다가 도라오리니, 냥ᄌᆞ와 현부 등을 홀노 위디의 두고, 미망여ᄉᆡᆼ(未亡餘生)은 홀노 술기를 도모ᄒᆞ니, 샹텬이 외오 넉이실디라. 현부ᄂᆞᆫ 날을 념녀치 말나. 미망 인ᄉᆡᆼ이 괴롭고 구ᄎᆞ히 투ᄉᆡᆼ(偸生)ᄒᆞ믈 한ᄒᆞ나, 현부의 디셩 대효로 보신ᄒᆞᆯ 도리를 계교ᄒᆞ니 현부ᄂᆞᆫ 옥보[부]방신(玉膚芳身)을 조심ᄒᆞ라."

쇼제 ᄯᅩᄒᆞᆫ 누쉬 비오 ᄃᆞᆺᄒᆞ여 유ᄋᆡ(幼兒) ᄌᆞ모를 써남 ᄀᆞᆺᄐᆞ니, 오열(嗚咽) 블능어(不能語)ᄒᆞ여 취침ᄒᆞ시기를 쳥ᄒᆞ여, 이윽ᄒᆞ여 계셩이 악악ᄒᆞ니, 부인이 니러나 경희뎐의 신셩ᄒᆞ고 도라와, 뎡쇼져 부작(符作)을 초인의게【49】 너코, 맛치[1753] ᄃᆡ령ᄒᆞ엿더니, 위태 조부인을 블너 므르ᄃᆡ,

1753)맛치 : 마침.

ᄒᆞ니》 ○○[후(後)ᄂᆞᆫ] 금일지효을 바다 즐기미 극ᄒᆞᆯ 거시로ᄃᆡ, 오문의 화로 ᄂᆡ 심ᄉᆞ가히 업도다."

말을 맛【91】치ᄆᆡ, ᄯᅩ 탄왈,

"ᄂᆡ 홀노 편키를 원치 나닛나니 오직 ᄎᆞ힝의 환을 버셔나면 도로 드러와 ᄌᆞ부 뉵인으로써 ᄉᆞᄉᆡᆼ고락을 갓치 ᄒᆞ리니, 현부 등은 쳔만 보듕ᄒᆞ여 아모려나 몸이 평안ᄒᆞᆯ진ᄃᆡ 노뫼 ᄉᆞ무여한(死無餘恨)이라."

소제 ᄯᅩᄒᆞᆫ 존고을 이별키의 니르ᄆᆡ, 심ᄉᆡ 쳐황ᄒᆞ믈 참지 못ᄒᆞᆯ ᄇᆡ로ᄃᆡ, 안ᄉᆡᆨ을 화히 ᄀᆞ고 말ᄉᆞᆷ을 ᄌᆞ약히 ᄒᆞ여 ᄃᆡ왈,

"범ᄉᆡ 막비쳔쉬오니 원컨ᄃᆡ 셩녀을 허비치 마르소셔."

조부인 왈,

"진·하·장 ᄉᆞᆷ부 등을 현부의게 《밋‖맛기》ᄂᆞ니 ᄉᆞ인이 상의ᄒᆞ여 보듕ᄒᆞᆯ지어다."

소제 쳑연 왈,

"쳡이 불능누질노, 우흐로 츌쳔ᄃᆡ효을 본ᄒᆞ시고 ᄋᆞ릐로 ᄌᆞᄋᆡ지졍을 ᄌᆞ별이 ᄒᆞ시므로써, 가ᄂᆡ 화평치 아닐가 ᄒᆞ시ᄂᆞᆫ 셩심을 봉힝치 못ᄒᆞ오니, 쳡심이 ᄒᆞᆫ헐(閑歇)치 못ᄒᆞᆯ ᄇᆡ여ᄂᆞᆯ 허물며 이르시미잇가? 셩녀 이의 미ᄎᆞ시미 당연ᄒᆞ오나 션[셩]인도 오ᄂᆞᆫ ᄋᆡᆨ을 면치 못ᄒᆞ시니 현마 엇지리잇가? 쳔슈만할[한](千愁萬恨)을 물우(勿憂)ᄒᆞ시고 슉슉과 가군이 츌번ᄒᆞ시거든 묘ᄎᆡᆨ을 도모ᄒᆞᄉᆞ 안안ᄒᆞᆫ 쳐소을 정ᄒᆞᄉᆞ 셩쳬안강ᄒᆞ시믈 바라ᄋᆞᆸᄂᆞ니, 군ᄌᆡᆨ 자경 위ᄒᆞᆫ 념녀 이곳의 겨심보다{가}ᄂᆞᆫ 마음이 덜니오리니, 구버 ᄉᆡᆼ각ᄒᆞ시고 편히 취침ᄒᆞ소셔."

부인이 소져의 명쳘보신지계와 지셩ᄃᆡ효을 드르ᄆᆡ ᄌᆞ긔 ᄃᆡ효을 일위여 쓸 곳지 업고 ᄌᆞ부 뉵인【92】의 ᄃᆡ효을 밧지 못ᄒᆞ믈 ᄉᆡᆼ각ᄒᆞ니, 쳔수다쳡(千愁多疊)ᄒᆞ여 가ᄆᆡ(可寐)치 못ᄒᆞᄂᆞᆫ지라. 고식이 셔로 가듕ᄉᆞ을 모로미 아니오 말이 브족ᄒᆞ미 아니로ᄃᆡ, 존고실덕ᄒᆞ시믈 일컷지 못ᄒᆞ여 셔로 탄ᄒᆞᄂᆞᆫ 슬푸미 극ᄒᆞ여 밤드믈 ᄭᆡ닷지 못ᄒᆞ더니, 효계(曉鷄) 창효ᄒᆞᄆᆡ 부인이 부작을 써 초인

"그ᄃᆡ 금일 운산의 가라 ᄒᆞᄂᆞ냐? ᄉᆞ이 지근치 아니니 효명(曉明)의 가미 맛당ᄒᆞ니라."

조부인이 념임 ᄃᆡ왈,

"존명이 지ᄎᆞᄒᆞ시니 엇디 지쳬ᄒᆞ리잇고? 이졔 ᄡᅥ나려 ᄒᆞᄂᆞ이다."

위태 깃거 거륜을 밧비 ᄃᆡ령ᄒᆞ라 ᄒᆞ니, 부인이 하직고 믈너나ᄃᆡ 츄밀은 뉴시 침소의 잠겨시니, 뉴시 일즉 니러나기 괴로워 위태긔 신셩(晨省)도 폐ᄒᆞ미 되어 나오지 아녓더라.

경ᄋᆞᄂᆞᆫ 마지 못ᄒᆞ여 나와 당샹의셔 ᄇᆡᆨ숑ᄒᆞ니, 뎡시 그윽이 깃거ᄒᆞᄂᆞᆫ 바ᄂᆞᆫ 뉴시 모녜 하당 ᄇᆡᆨ숑치 아니믈 암희ᄒᆞ【50】여, 진·하·댱 삼쇼져로 존고를 숑별ᄒᆞᆯᄉᆡ, 부인이 쳔연이 거듕의 오로니, 좌위 의심ᄒᆞ리 업더라. ᄆᆡ영 등 비ᄌᆞ로 부인을 뫼셔 가게 ᄒᆞ고, 부인은 시녀 초운을 다리고 가듕인이 모로게 후정 심벽ᄒᆞᆫ ᄃᆡ 피ᄒᆞᆯᄉᆡ, 네 며나리 비읍ᄒᆞ여 ○[친]ᄌᆞ모를 ᄡᅥ남 ᄀᆞᆺ더라.

부인이 ᄡᅥ난 후 희월누를 ᄌᆞᆷ으고, 뎡쇼져 경희뎐의 드러오니, 위태 일분 타의 업시 조부인이 도듕의셔 묘랑의게 화를 닙을 줄노 아더라.

시시의 묘랑이 ᄌᆡ조를 밋고 조부인 힝거를 ᄯᆞ라 바룸이 되어 휘쟝을 들혀고 다라드니, 가(假) 조부인이【51】 완연이 거듕의 안ᄌᆞ시니, 집[1754] 동[1755]으로 ᄒᆞᆫ 초인이 범연이 ᄒᆞ여시면 엇디 속으리오마ᄂᆞᆫ, 슉녈의 비상ᄒᆞᆫ ᄌᆡ죄 ᄇᆡᆨ깁으로 얼골을 ᄡᆞ고 풀노 몸

1754)집 : 짚.

1755)동 : 굵게 묶어서 한 덩이로 만든 묶음..

의 속에 너코 쥬리(珠履)[1706]을 쳔쳔이 ᄭᅳ러 경희당의 신셩ᄒᆞ니, 진·하·장 숨뷔 ᄯᅩ ᄒᆞᆫ 신셩ᄒᆞ고 마ᄌᆞ 좌을 일우ᄆᆡ, 위시 왈,

"금일 그ᄃᆡ 운산의 가려ᄒᆞᄂᆞ뇨?"

조부인이 염임 ᄃᆡ왈,

"존명이 게시니 엇지 지쳬ᄒᆞ리잇고? 쳡이 신셩의 ᄒᆞ직흘 겸ᄒᆞ여 이르럿ᄂᆞ이다."

위시 가장 깃거 왈,

"운산이 ᄉᆞ이 지근(至近)치 아니니 일작이 가라."

부인이 슌슌수명ᄒᆞ고 위시 거륜과 교부을 ᄃᆡ령ᄒᆞ라 ᄒᆞ여 가기을 ᄌᆡ촉ᄒᆞ니, 부인이 하직고 물너와시ᄃᆡ, 뉴시ᄂᆞᆫ 츄밀이 ᄂᆡ실의 잇시므로부터 교긔양양(驕氣揚揚)ᄒᆞ야 일즉 일기[1707]을 괴로워 존고긔 신셩지녜을 폐ᄒᆞ고, 조부인 능멸ᄒᆞ미[믈] 쳔비갓치 ᄒᆞ므로 운산의 가나 송별치 아니코 묘랑을 당부ᄒᆞ여 밧비 ᄯᆞ로라 ᄒᆞᆯ ᄲᅮᆫ이라.

경ᄋᆞᄂᆞᆫ 인ᄉᆞ의 마지 못ᄒᆞ여 왓다가 당상의셔 ᄇᆡᆨ송ᄒᆞ니, 뎡시 그윽이 깃거 진·하·장 숨소져로 더부러 존고을 뫼시고 희월누의 도라와 초인을 거듕의 너허 ᄆᆡ영 등으로 교ᄌᆞ을 뫼셔 가라 ᄒᆞ고, 부인은 시아 초운【93】을 다리고 가듕의 이[잇]지 아냐 후정심벽ᄒᆞᆫ 곳의 피ᄒᆞᆯ ᄉᆡ, 네 며ᄂᆞ리 비읍비별ᄒᆞ여 친ᄌᆞ모을 ᄡᅥ나나 이밧 더ᄒᆞ리오.

부인이 피화ᄒᆞᆫ 후 ᄉᆞ소졔 희월누 문을 잠으고 경희당의 드러오니, 위시 일분 타의 업시 조부인이 노듕의셔 신묘랑의 화을 입을 즐노 아더라.

묘랑이 뉴시 지원을 일우려 부인 힝거을 ᄯᆞ로나 부인이 거듕의 들믈 목도ᄒᆞ엿ᄂᆞᆫ지라. 일단 공구지심이 잇시나 요슐을 밋어 담을 크게 ᄒᆞ고 몸을 화ᄒᆞ여 바람이 되어, 거장을 들치고 다라드니 조시 완연이 안잣시니, 풀입흐로 ᄆᆡᆫ든 초인이 범연ᄒᆞ면 엇지

1706) 구슬로 꾸민 신발

1707)일다 : 일어나다.

을 작ᄒᆞ여시나, ᄉᆡᆼ긔 유동ᄒᆞ고 ᄉᆡᆨ광이 슈려 침믁ᄒᆞ여, 조부인과 일호 다르지 아니ᄒᆞ고, ᄯᅩᄒᆞᆫ 부작을 ᄲᅧ 너허 묘랑의 졍신이 황홀케 ᄒᆞ엿ᄂᆞᆫ디라. 요괴 눈이 어리고 졍신이 현황ᄒᆞ니, 급히 몸을 변ᄒᆞ여 대회(大虎) 되어 초인을 업고 쥬렴(珠簾)을 거두치ᄂᆞᆫ 바의 급급히 공듕의 소ᄉᆞ 오로니, 윤부 교뷔 대경실ᄉᆡᆨᄒᆞ고 혼블부톄(魂不附體)ᄒᆞ여 ᄯᆞ라 잡고져 ᄒᆞ나 밋ᄎᆞ리오. 경긱 ᄉᆞ이의 운【52】무의 몸을 ᄀᆞᆷ초아 다르니, ᄲᆞ르미 시위 ᄡᅥ난 살ᄀᆞᆺ고, 급ᄒᆞ미 표풍취우(飄風驟雨) ᄀᆞᆺᄐᆞ니, 어ᄃᆡ로 향ᄒᆞ여 ᄯᆞ로며 그림ᄌᆞ나 어더보리오.

모든 교부와 시녜 가슴을 두다려 대셩통곡 왈,

"이런 변고ᄂᆞᆫ 듯도 보도 못ᄒᆞ엿ᄂᆞ니, 도라가 냥위 상공긔 므어시라 고ᄒᆞ며 므ᄉᆞᆫ ᄂᆞᆺᄎᆞ로 우리 등만 도라가리오. ᄯᅩᄒᆞᆫ 우리 다 노야긔 죽으리로다."

ᄆᆡ영이 통곡 돈족 왈,

"부인을 일코 ᄎᆞ마 엇지 그져 도라가며 냥위 상공의 츌텬 대효로 운졀ᄒᆞ시ᄂᆞᆫ 거동을 어이 보오리오. 내 샨쳔과 방방곡곡이 도라 호표의 ᄌᆞ최를 ᄯᆞ로리니, 이의셔 손을 난호노라."

듕복 등이 쳬읍【53】 왈,

"우리도 그ᄃᆡ와 ᄀᆞᆺ치 심산과 암혈을 심방코져 아니리오마ᄂᆞᆫ, 그 호푀 공듕의 소ᄉᆞ 가시니 어ᄂᆞ 산을 지향ᄒᆞ여 가려ᄒᆞᄂᆞ뇨?"

영 왈,

"ᄉᆞ방 텬하를 두로 도라 보리니 그ᄃᆡ 등은 도듕의셔 지톄 말고 도라가 상공긔 고ᄒᆞ라."

졔복이 울며 뷘 교ᄌᆞ를 메고 ᄆᆡ영으로 분슈ᄒᆞ니, 경ᄉᆡᆨ이 참담ᄒᆞ더라. 졔뇌 부듕의 도라와 위태긔 고ᄒᆞᄃᆡ,

속으리오마ᄂᆞᆫ, 슉녈의 비상ᄒᆞᆫ ᄌᆡ죄 비록 빙깁으로 얼골을 싸고 풀노 몸을 작(作)ᄒᆞ여시나, 졍졍ᄒᆞᆫ 긔운이 어린 바의 광ᄉᆡᆨ이 수려찬난ᄒᆞ미 진실노 조부인의 옥골이라. 쥬필부작이 드렷ᄂᆞᆫ ᄇᆡ 요졍을 졔어ᄒᆞ고 교ᄉᆞ(狡詐)을 발치 못ᄒᆞ게 ᄒᆞ여, 요졍을 어리고 졍신이 황홀ᄒᆞ여 아모란 상을 모로게 ᄒᆞ여시므로, 묘랑이 속아 도듕의셔 몸을 흔드러 변ᄒᆞ여 ᄃᆡ호(大虎)되여 초인을 업고 쥬렴을 거드치ᄂᆞᆫ 바의 급히 공듕의 소ᄉᆞ오르니, 윤부 교뷔 쳔만 긔약지 아닌 변을 당ᄒᆞᄆᆡ 황황망조ᄒᆞ여 ᄯᆞ라잡고져 ᄒᆞ나, 경각의 운무의 몸을 감초아 다르니, ᄲᆞ르기 표풍취우(飄風驟雨)갓트니, 어ᄃᆡ로 인연ᄒᆞ여 다시 그림【94】ᄌᆞ나 어더보리오.

교뷔 가슴을 허위고 머리을 부드이져 왈,

"아등이 젼후로 거교 메고 단이미 몃 번이로ᄃᆡ 이런 변을 당ᄒᆞ믄커니와 보도 못ᄒᆞ엿ᄂᆞ니, 쳔고의 희ᄒᆞᆫ○[ᄒᆞᆫ] 변고을 당ᄒᆞ여 도라가 양 상공긔 무슴 말슴으로ᄡᅧ 고ᄒᆞ리오."

ᄆᆡ영 등이 통곡 왈,

"우리 ᄎᆞ마 부인을 도즁의셔 실화ᄒᆞ고 상공의 ᄃᆡ효지졍으로 운졀ᄒᆞ시ᄂᆞᆫ 거동을 엇지 보리오. 쳔ᄒᆞ을 두루 도라 ᄌᆞ셰히 ᄎᆞ져 곡졀을 안 후 상공긔 고ᄒᆞ리니, 이제 손을 난호노라."

듕복(衆僕)이 쳬읍 왈,

"우리도 그ᄃᆡ와 갓치 두로 도라 주모의 거쳐○[을] 알녀 아니리오ᄆᆞᄂᆞᆫ, 호표 공듕으로 소ᄉᆞ스니 어ᄃᆡ로 향ᄒᆞ여 ᄎᆞᄌᆞ리오."

ᄆᆡ영이 호통 왈,

"호표 비록 운무간의 소ᄉᆞ스나 주류ᄉᆞ방ᄒᆞ면 혹ᄌᆞ 알미 잇실가 ᄒᆞᄂᆞ니, 그ᄃᆡ 등은 도라가 ᄂᆡ 말슴을 상공긔 고ᄒᆞ고 무익히 도듕의셔 더ᄃᆡ지 말나."

졔뇌 일시의 호통(號痛)[1708] ᄃᆡ곡(大哭)ᄒᆞ며 뷘 교ᄌᆞ을 메고 ᄆᆡ영으로 분수ᄒᆞ니, 경ᄉᆡᆨ이 슈참ᄒᆞᆫ지라. ᄆᆡ영 등이 거즛 노복 등

1708)호통(號痛) : 부르짖어 통곡함..

"쥬모를 뫼셔 오리를 힝치 못ᄒᆞ여셔 공듕으로셔 호피(虎豹) 부인을 업고 운무 ᄉᆞ이의 소ᄉᆞ 올나 간 바를 모르오니, 쇼복 등이 ᄯᆞ로고져 ᄒᆞᆫ들 경긱 간의 브지거쳐(不知去處)ᄒᆞ오니, 도듕의셔 실혼 통곡ᄒᆞᄋᆞᆸ다가 도라와 【54】 고ᄒᆞᄂᆞ이다."

의 의심을 막노라 통곡ᄒᆞᆯ지언졍 슉녈의 신긔을 깃거 ᄒᆞ더라.

졔뇌 본부의 도라와 위시게 고왈,

"주모을 뫼셔 오리을 힝치 못ᄒᆞ여 공듕의로셔 ᄃᆡ호(大虎) 부인을 업고 운무로 소ᄉᆞ니, 경각의 간 바을 모로고 망망창황ᄒᆞ물의[이]긔지 못ᄒᆞ오나, 도듕셔 분난ᄒᆞᆯ ᄲᅮᆫ이오 지향ᄒᆞᆯ 곳지 업기로, 죄을 무릅써 감히 고ᄒᆞᄂᆞ이다."

ᄎᆞ기 흉인이 엇지 ᄒᆞᄂᆞᆫ고 하회을 보라.

갑인 오월 일 군창[1709] ᄀᆡ듕 등셔. 【95】

1709)군창 : 전북 군산의 옛 이름.

삼ᄃᆡ흉인(三大凶人)이 이 소식을 고ᄃᆡᄒᆞ다가 이 말을 듯고, 묘랑의 신긔ᄒᆞᆫ ᄌᆡ조를 암탄ᄒᆞ고, 즐거오미 쳥텬의 비등ᄒᆞᆯ ᄃᆞᆺᄒᆞᄃᆡ 거ᄌᆞᆺ 놀나ᄂᆞᆫ 쳬ᄒᆞ여, 츄밀긔 급보ᄒᆞ니 츄밀이 일분 졍녁이 업셔거니 비록 놀나나, 노복을 헤쳐 ᄎᆞᄌᆞ나 보라 ᄒᆞᆯ 줄 알니오. 어린 ᄃᆞᆺ 믁믁 무언이오. 뉴시 듕인의 눈을 ᄀᆞ리오랴 경참ᄒᆞᆫ ᄉᆡᆨ으로 어ᄉᆞ 형뎨게 소찰(小札)노 통ᄒᆞ고, 노복을 분부ᄒᆞ여 ᄉᆞ방으로 도라 조부인 거쳐를 심방ᄒᆞ라 ᄒᆞ니, 졔뇌 양텬대쇼(仰天大笑) 왈,

"뉴부인 명이 이러ᄒᆞ시나, 나ᄂᆞᆫ ○○○[호표를] 어ᄃᆡ 가 잡아 부인의 거쳐를 알니오. 각각 어ᄃᆡ 가 피ᄒᆞ엿다가 오【55】리라."

하고 거ᄌᆞᆺ 가ᄂᆞᆫ 쳬ᄒᆞ고 숨으니라.

슉녈이 임의 짐작ᄒᆞᆫ ᄇᆡ나, ᄉᆡ로이 경악ᄒᆞ고 존고의 피우ᄒᆞ시믈 깃거ᄒᆞ며, 진·하·댱 삼인의 놀나믄 니르도 말고, 하시 심듕의 ᄉᆡᆼ각ᄒᆞᄃᆡ ᄌᆞ긔 쳑디의셔 요승이 호려 갓던 일을 ᄉᆡᆼ각ᄒᆞᄆᆡ, 이 반ᄃᆞ시 이런 무리라. 장ᄂᆡ를 념(念)ᄒᆞᄆᆡ, ᄉᆞ인(四人)이 각각 듕심이 황황ᄒᆞ여 여좌침상(如坐針上)이러라.

어ᄉᆞ 곤계 슉모의 소찰을 보고, ᄎᆡ 다 보디 못ᄒᆞ여셔 쳥텬의 벽녁이 일신을 분쇄ᄒᆞᄂᆞᆫ ᄃᆞᆺ 혼ᄇᆡᆨ이 비월ᄒᆞ니, 가변의 망극ᄒᆞᆷ과 모친의 참화 닙으시믈 오ᄂᆡ(五內) 뼈흐ᄂᆞᆫ ᄃᆞᆺᄒᆞᆫ지라. 동관(同官)의게 번(番)을 ᄃᆡ신ᄒᆞ고, ᄆᆞᆯ을 급히【56】 모라 도라오더니, 도듕의셔 ᄆᆡ영이 일봉셔(一封書)를 올니거ᄂᆞᆯ 어ᄉᆡ 마샹의셔 개간(開看)ᄒᆞ니, 이 곳 모부인 슈필이라 대강 ᄀᆞᆯ와시ᄃᆡ,

"존괴 날노뼈 운산의 가 여ᄆᆡ를 보고 오라 ᄒᆞ시거ᄂᆞᆯ 슈명ᄒᆞ여시나, 셰ᄉᆡ 난측이라 초인으로 ᄃᆡ신ᄒᆞ여 거듕의 너허 보ᄂᆡ고 여모ᄂᆞᆫ 후원의 숨엇ᄂᆞ니, 여등은 놀나지 말고 ᄯᅩᄒᆞᆫ ᄉᆞᄉᆡᆨ을 달니 마라, 나의 봉변을 진짓 일노 아ᄂᆞᆫ 쳬ᄒᆞ여 ᄉᆞ긔(事機)를 밀밀히 ᄒᆞ

ᄎᆞ셜 삼위 악인이 이 긔별을 등ᄃᆡᄒᆞ다가 묘랑의 신긔ᄒᆞ물 듯고 즐거오미 만복ᄒᆞᄃᆡ 즁인 이목이 번거ᄒᆞ여 화ᄉᆡᆨ을 낫초고 거즛 놀나ᄂᆞᆫ 쳬ᄒᆞ며 츄밀게 젼ᄒᆞ니 공이 일분 경신이 업는지라. 비록 놀나나 노복을 헤쳐 ᄎᆞᄌᆞ믈 ᄉᆡᆼ각ᄒᆞ리오. 어린 듯 묵묵무언이니 뉴시 듕인의 의심을 가리오랴 경악ᄒᆞᆫ 빗촐 작위ᄒᆞ며 어ᄉᆞ 등의게 소찰노 통ᄒᆞ고 노복을 분부ᄒᆞ여 ᄉᆞ방으로 도라 부인 거쳐을 심방ᄒᆞ라 ᄒᆞ니, 제뇌 앙쳔ᄃᆡ소(仰天大笑) 왈,

"부인 명이 이러ᄒᆞ시나, 나ᄂᆞᆫ 호표을 어ᄃᆡ가 잡아 부인 거쳐을 알니오. 각각 어ᄃᆡ 피ᄒᆞ엿다가 오리라."

ᄒᆞ고 숨으니라.

슉녈이 임의 짐작ᄒᆞᆫ ᄇᆡ나 ᄉᆡ로이 경악ᄒᆞ고 존고의 피우ᄒᆞ시물 깃거ᄒᆞ며, 진·하·장 ᄉᆞᆷ인의 놀나믄 이르도 말고, 하시 심듕의 ᄉᆡᆼ각ᄒᆞᄃᆡ, 자긔 쳑지의셔 요승이 호려갓든 일을 ᄉᆡᆼ각ᄒᆞᄆᆡ 반다시 이런 무리라. 장ᄂᆡ을 념녀ᄒᆞᄆᆡ ᄉᆞ인이 각각 듕심이 황황ᄒᆞ여 여좌침상(如坐針上)이러라.

어ᄉᆞ 곤계 슉모의 소찰을 보고 ᄎᆡ 다 보지 못ᄒᆞ여 청천의 벽녁이 일신을 분쇄ᄒᆞᄂᆞᆫ 듯 혼ᄇᆡᆨ이 비월(飛越)ᄒᆞ니, 가변의 망측ᄒᆞᆷ과 모친의 참화 입으시물 오ᄂᆡ(五內) 쎠흐ᄂᆞᆫ 듯ᄒᆞ여 동관(同官)의게 번을 ᄃᆡ신ᄒᆞ고 말을 급히 모라 도라오더니, 도듕의셔 ᄆᆡ영【1】이 일봉셔을 올니거ᄂᆞᆯ, 마ᄉᆞᆼ의셔 ᄀᆡ간ᄒᆞ니 이곳 모친수필이라. ᄃᆡ강 갈와시ᄃᆡ,

"초인을 ᄆᆡᆫ드러 거듕의 너허 보ᄂᆡ고 여모ᄂᆞᆫ 후졍(後庭)의 숨어ᄂᆞ니 여등은 놀나지 말고, ᄯᅩᄒᆞᆫ 긔ᄉᆡᆨ을 뵈지 말나. 나의 봉변을 진짓 일노 치위(致爲)ᄒᆞ고 ᄉᆞ긔을 비밀이 ᄒᆞ라."

ᄒᆞ엿더라.

라.”
ᄒᆞ엿더라.
어시 비로소 심혼을 뎡ᄒᆞ여 마혁(馬革)을 년ᄒᆞ여 ᄃᆡᄉᆞ를 뵈고, 모부인 픠화ᄒᆞ시믈 만심 환희ᄒᆞ나 가【57】변이 이러틋 층쵸ᄒᆞ고, ᄌᆞ긔 등이 거셰(居世)ᄒᆞ미 스ᄉᆞ로 븟그러온더라. 일영삼탄(一詠三嘆)의 늣기믈 마디 아니ᄒᆞ더라. 이에 ᄆᆡ영을 원문(園門)으로 드러가 모부인을 뫼시라 ᄒᆞ고, 부듕의 니르니 위태 손벽치고 마조 ᄂᆡᄃᆞ르며, 니르ᄃᆡ,

“여뫼 여ᄆᆡ를 발셔브터 가보렷노라 ᄒᆞ거늘 ᄆᆡ양 말니ᄃᆡ 듯지 아니코, 금일은 계명의 운산으로 가믈 하딕ᄒᆞ거늘, 여ᄆᆡ ᄯᅩᄒᆞᆫ 별원의 외로이 잇셔 고초ᄒᆞ미 블상ᄒᆞᆫ 고로, 모녜 상봉ᄒᆞ여 ᄉᆞ진니회(四載離懷)를 위로ᄒᆞ고 도라올가 ᄒᆞ엿더니, 도듕의 봉변ᄒᆞᆯ 줄 어이 아라시리오. ᄎᆞ하【58】인ᄌᆡ(此何人者)며 ᄎᆞ하변괴(此何變怪)뇨[1756]? 아심이 비여쳘셕(非如鐵石)이라. 노뫼 ᄎᆞ마 엇디 견ᄃᆡ며, 여모를 호표의게 믈녀 보ᄂᆡ여 시신도 ᄎᆞᆺ디 못ᄒᆞ니, 젼졍 만니를 맛ᄎᆞᆺᄂᆞᆫ디라. 노뫼 완명이 지금 투ᄉᆡᆼᄒᆞ여 이ᄀᆞᆺᄐᆞᆫ 참화를 볼 줄 아라시리오.”
어ᄉᆞ 형뎨 모친의 안강ᄒᆞ시믈 아나, 조모의 이ᄀᆞᆺᄐᆞ시믈 한심 망극ᄒᆞ여, 관옥(冠玉) 안모(眼眸)의 믈결이 홍치는[1757] 바의 팔ᄌᆞ를 슬허ᄒᆞ며 텬의를 탄ᄒᆞᄆᆡ 능히 말을 일우지 못ᄒᆞ니, 위·뉴 등은 어미를 일코 우는가 ᄒᆞ여 징그럽고 깃븐디라. 묘랑이 발셔 부인을 죽여시믈 짐작ᄒᆞ여 흔흔낙낙(欣欣諾諾)ᄒᆞ믈 니긔지 못【59】ᄒᆞᄃᆡ, 거ᄌᆞᆺ 진진이 늣기며 읍읍히 브르지져 셜워ᄒᆞ니, 어ᄉᆞ 형뎨 고왈,
“인ᄌᆞ지도의 ᄌᆞ모를 일코 안연이 고당의 안거치 못ᄒᆞ올디라. 쇼손 등이 금일노브터 텬하를 쥬류ᄒᆞ여 쇠신이 달토록 도라 ᄌᆞ모의 거쳐를 ᄎᆞᄌᆞ려 ᄒᆞᄂᆞ이다.”

1756)ᄎᆞ하변괴(此何變怪)뇨?이 무슨 변괴인가?
1757)홍치다 : 튀다. 솟아나다.

어시 비로소 심신을 졍ᄒᆞ여 말혁을 연ᄒᆞ여 직ᄉᆞ을 뵈고 니로ᄃᆡ.
“셔듕ᄉᆞ에 이갓트니 우리 이ᄃᆡ로 힝ᄒᆞ리라.”
직시 ○[모]부인 ᄉᆡᆼ존ᄒᆞ시믈 환희ᄒᆞ나 가변이 여ᄎᆞ 층쵸ᄒᆞ고 ᄌᆞ긔 등이 셰상의 힝신이 붓그러오믈 스ᄉᆞ로 ᄐᆞᆫ식ᄒᆞ고, ᄆᆡ영을 명ᄒᆞ여 후원문으로 가 모친을 뫼시라 ᄒᆞ고, 즉시 집의 도라오니 위시 손벽을 치고 마죠 ᄂᆡ다르며 니로ᄃᆡ,
“여뫼 발셔부터 여ᄆᆡ을 가 보련노라 ᄒᆞ거늘 ᄂᆡ ᄆᆡ양 말니ᄃᆡ 듯지 아니코, 금일은계명의 운산으로 가믈 고ᄒᆞ거날, 여ᄆᆡ ᄯᅩᄒᆞᆫ 별쳐고초을 격그미 잔잉ᄒᆞ여, 모녀 상봉ᄒᆞ여 그리ᄂᆞᆫ 회포을 위로ᄒᆞ고 도라올가 ᄒᆞ엿더니, ᄎᆞᄒᆞ언ᄌᆡ(此何言哉)아[1710]? 아심이 비쳑(悲慽)이여 노뫼 ᄎᆞ마 엇지 견ᄃᆡ리오, 노뫼 완명이 지금 투ᄉᆡᆼᄒᆞ여 이갓튼 참화을 볼 쥴 엇지 아라시리오.”

어ᄉᆞ 등이 모친의 안강ᄒᆞ시믈 아는 ᄇᆡ라. 조모의 실덕이 이갓트시믈 ᄒᆞᆫ심 망극ᄒᆞ여 관옥(冠玉) 면모(面貌)의 믈결이 흐르ᄂᆞᆫ 바의 팔ᄌᆞ을 슬허ᄒᆞ며, 쳔의을 탄ᄒᆞᄆᆡ 능히 말을 일【2】우지 못ᄒᆞ니, 위·뉴 등이 어미을 일코 우는가 ᄒᆞ여 징그럽고 깃분지라. 묘랑이 발셔 부인을 죽여시무로 짐작ᄒᆞ여 흔흔낙낙(欣欣諾諾)ᄒᆞ믈 이긔지 못ᄒᆞ여 거짓 진진(津津)이 늣기며 읍읍(泣泣)히 브르지져 셜워ᄒᆞ니, ᄉᆞ인 형뎨 고왈,
“인ᄌᆞ지도의 ᄌᆞ모을 일코 안연이 고당의 안거치 못ᄒᆞᆯ지라. 소손 등이 금일노부터 쳔ᄒᆞ을 쥬류ᄒᆞ여 쇠신[1711]이 달토록 도라 ᄌᆞ모의 거쳐을 ᄎᆞ지려 ᄒᆞᄂᆞ니다.”

1710)ᄎᆞᄒᆞ언ᄌᆡ(此何言哉)아 : 이 것이 무슨 말인가?
1711)쇠신 : 놋신. 옛 사람들이 신었던 신의 일종

위태 손을 져어 말녀 왈,

"블가블가ᄒᆞ다. 호표의 밥이 되어시니 어ᄃᆡ가 ᄎᆞᄌᆞ리오."

ᄒᆞ니, 이ᄂᆞᆫ 딕ᄉᆞ 등이 ᄃᆡ임의 나아가지 아니면 녹봉을 일흘가 념녀ᄒᆞ미라. 뉴네 닉ᄃᆞ라 니르ᄃᆡ,

"여등은 조션의 봉ᄉᆞᄒᆞᆯ 듕ᄒᆞᆫ 몸이어ᄂᆞᆯ, 산ᄉᆞ의 뉴락ᄒᆞ며 텬하의 쥬류ᄒᆞ여 몸이 상ᄒᆞ믈 념녀치 아【60】니리오. 존당을 시봉ᄒᆞᆯ 다른 형뎨 업ᄉᆞ니 너희 ᄒᆞᆫ 몸의 소임이 디듕ᄎᆞ대(至重且大)ᄒᆞ거ᄂᆞᆯ, 비록 ᄌᆞ모를 위ᄒᆞᆫ 졍이나, 쳔금지신(千金之身)을 ᄉᆞᄉᆞ로 념녀치 아니며, 쇠신이 달키를 그음ᄒᆞᆯ진ᄃᆡ 도라올 니측을 뎡치 못ᄒᆞ리니, 존당과 션셰 사우ᄂᆞᆫ 장ᄎᆞᆺ 어ᄂᆞ ᄯᅡᄒᆡ 두려 ᄒᆞᄂᆞ뇨?"

위태 우는 쳬ᄒᆞ여 입을 비젹비젹ᄒᆞ며 ᄀᆞᆯ오ᄃᆡ,

"너 어미를 위ᄒᆞ여 텬하를 돌녀 ᄒᆞᆯ진ᄃᆡ 노뫼 너희를 ᄯᆞ라 가리라. 너희를 보닉고 엇디 ᄒᆞᆯ노 이시리오."

ᄒᆞ니, 이ᄂᆞᆫ 어ᄉᆞ 형뎨 나가 오릭 드러오지 아닌 즉 급히 셔르져 죽이미 더ᄃᆡᆫ 고로 이리 막ᄌᆞ르미러【61】라. 어ᄉᆞ와 딕ᄉᆡ 타루 무언ᄒᆞ여 ᄆᆞᆰ은 눈물이 구름 빈상(鬢上)을 젹시고, 조모의 실덕이 졈졈 더으믈 통도(痛悼)ᄒᆞ여 어ᄉᆡ ᄃᆡ왈,

"쇼손이 비록 ᄌᆞ모를 차자러 가오나 조모와 누ᄃᆡ 사묘를 니져 아조 아니 도라오리잇가? 십년을 그음ᄒᆞ여 일년의 일ᄎᆞ라도 도라와 조모와 사묘의 빅현ᄒᆞ오리니, 인ᄌᆞ졍니의 ᄎᆞ마 그져 잇지 못ᄒᆞᆯ소이다. 아ᄋᆞᄂᆞᆫ 조모와 슉당의 시봉ᄒᆞ고, 쇼손만 가려 ᄒᆞ오니 막지 마르쇼셔."

위태 왈,

"노뫼 너를 ᄯᆞ라 동셔로 분쥬ᄒᆞ리라."

뉴시 믄득 닉ᄃᆞ라, 대언 왈,

"져져의 존망을 모르미 너희 등의 망극ᄒᆞ미야 언어로 다【62】 형언ᄒᆞᆯ 빅리오마ᄂᆞᆫ, 여등의 팔ᄌᆡ 괴이ᄒᆞ여 조고여싱(早孤餘生)[1758]으로 슬프믈 졀억ᄒᆞ여 임의 댱셩ᄒᆞ

1758)조고여싱(早孤餘生) : 일찍 고아가 되어 살아옴.

위시 손을 저어 말녀 왈,

"불가 불가ᄒᆞ다. 호표의 밥이 되엿시니 어ᄃᆡ가 ᄎᆞᄌᆞ리오."

ᄒᆞ니, 이ᄂᆞᆫ 직사 등이 직임의 나아가지 아니면 녹봉을 일을가 념녀ᄒᆞ미라. 뉴시 닉다라 니로ᄃᆡ,

"여등은 조션의 봉ᄉᆞᄒᆞᆯ 듕ᄒᆞᆫ 몸이여날, 산ᄉᆞ의 유락ᄒᆞ며 쳔하의 쥬류ᄒᆞ여 몸이 상ᄒᆞ믈 념여치 아니리오. 존당을 시봉ᄒᆞᆯ 다른 형뎨 업ᄉᆞ니 너희 ᄒᆞᆫ몸의 소임이 호ᄃᆡ(浩大)ᄒᆞ거날, 비록 ᄌᆞ모을 위ᄒᆞᆫ 졍이나 쳔금지신(千金之身)을 ᄉᆞᄉᆞ로 념여치 아니며, 쇠신이 달키을 그음ᄒᆞᆯ진ᄃᆡ, 도라올 지속을 졍치 못ᄒᆞ리니, 존당과 션셰 묘주ᄂᆞᆫ 장ᄎᆞᆺ 어나 ᄯᅡᄒᆡ 두려 ᄒᆞ나뇨?"

위시 우는 쳬ᄒᆞ여 입을 비젹비젹ᄒᆞ여 갈오ᄃᆡ,

"너희 어미을 위ᄒᆞ여 ᄒᆞᆯ진ᄃᆡ, 노뫼 여등을 ᄯᆞ라가리라. 너희을 보닉고 엇지 ᄒᆞᆯ노 잇스리오"

이ᄂᆞᆫ 형데 나가 오릭 드러오지 아닌 즉, 급히 셔르져 죽이미 더ᄃᆡᆫ 고로 이리 막ᄌᆞ르미러라. ᄉᆞ인과 직ᄉᆡ 타누무언(墮淚無言)ᄒᆞ여 누쉬 옷【3】깃슬 젹시고, 조모의 졈졈 실덕이 더으믈 통도(痛悼)ᄒᆞ여, 어ᄉᆡ ᄃᆡ왈,

"소손이 비록 ᄌᆞ모을 ᄎᆞᄌᆞ라 가오나 조모와 누ᄃᆡᄉᆞ묘을 잇고 아조 아니 도라오리잇가? 십년을 그음ᄒᆞ여 일년의 일ᄎᆞ라도 도라와 ᄉᆞ묘의 빅현ᄒᆞ리니 인ᄌᆞ졍니의 ᄎᆞ마 그져 잇지 못ᄒᆞᆯ소이다. 아오ᄂᆞᆫ 조모와 숙당의 시봉ᄒᆞ고 소손만 가려 ᄒᆞ오니 막지 마르소셔."

위시 왈,

"노뫼 너을 ᄯᆞ라 동셔로 분쥬ᄒᆞ리라."

뉴시 닉다라 ᄃᆡ언 왈,

"졔졔(姐姐)의 존망을 모르니 너의 망극ᄒᆞ미야 엇지 다 니르리오마ᄂᆞᆫ, 여등의 팔ᄌᆡ 고이ᄒᆞ여 조고여싱(早孤餘生)[1712]으로 슬푸믈 졀억ᄒᆞ여 임의 장셩ᄒᆞ엿거ᄂᆞᆯ, 져져의 거

1712)조고여싱(早孤餘生) : 일찍 고아가 되어 살아옴.

엿거늘, 져져의 거쳐를 ᄎᆞᄌᆞ미 쇠신이 달키를 그음ᄒᆞ니, 학발 존당이 젼젼이 너를 좃ᄎᆞ려 ᄒᆞ시니, 져져의 봉변(逢變)은 이의(已矣)라, 임의 홀일 업거니와, 심ᄉᆞ를 관억ᄒᆞ여 학발 조모의 셩녀를 찟치지 말미 효되어늘, 믄득 존당을 도라보지 아냐 셩녀를 허비ᄒᆞ시게 ᄒᆞ니, 네 과연 져져긔ᄂᆞᆫ 효ᄌᆡ어니와 존당의ᄂᆞᆫ 블효ᄒᆞ미 막심ᄒᆞ도다. 가히 무상(無狀)치 아니랴.”

어ᄉᆡ 뎡ᄉᆡᆨ ᄃᆡ왈,

“유ᄌᆞ(猶子) 등이 명되 긔박ᄒᆞ와 엄안을 아【63】지 못ᄒᆞ오미 죵텬디통(終天之痛)이오나, 시톄를 고토의 뫼셔 장(葬)ᄒᆞ오니, 디통을 일노ᄡᅧ 졀억ᄒᆞ옵ᄂᆞᆫ ᄇᆡ라. 하날이 혹벌(酷罰)ᄒᆞ샤, 청평셰계(淸平世界)의 도듕의셔 ᄌᆞ모를 실산ᄒᆞ와 ᄉᆞᄉᆡᆼ거쳐(死生去處)를 모르오니 유ᄌᆞ 등이 죄인이라. 엇디 닙어텬일지하(立於天日之下)ᄒᆞ리잇고? 태모 슬하의 계뷔 계시고 아이 이시니, 유ᄌᆡ 일시 나가기로 태뫼 ᄯᆞ르시도록 ᄒᆞ리잇가?”

츄밀과 구파ᄂᆞᆫ 이런 말을 다 참쳥ᄒᆞᄃᆡ ᄉᆞᆯ 먹은 벙어리ᄀᆞᆺ치 참예ᄒᆞ미 업더니, 츄밀이 뉴시의 말을 ᄀᆞ장 올히 넉여 ᄃᆡᆨᄉᆞ다려 니르ᄃᆡ,

“가듕의 여등이 업ᄉᆞ면 ᄉᆞ경이 그러치 아니랴. 【64】ᄉᆞ방으로 ᄎᆞ자보고 ᄌᆞ경의 우려ᄒᆞ시믈 돕습지 말나.”

어ᄉᆡ 계부의 날노 그릇되시미 더ᄒᆞ믈 한심 통졀ᄒᆞ니 관을 숙여 다시 말을 아니니, 위태 여러번 ᄎᆡᆨᄒᆞ여 가기를 금ᄒᆞ니, 어ᄉᆡ 진실노 모친 거쳐를 모를진ᄃᆡ 일시도 안ᄌᆞ시리오마ᄂᆞᆫ, 후정의 계시믈 영ᄒᆡᆼᄒᆞ나 위·뉴의 의심을 닐위디 아니려, 거즛 가기를 닷토다가 누누이 말니므로 듕디ᄒᆞ여, 날이 느ᄌᆞᄆᆡ 외당의 나와 형뎨 상의ᄒᆞ여 모부인 머므르실 곳을 ᄉᆡᆼ각ᄒᆞᆯᄉᆡ, 조승상 ᄐᆡᆨ듕이 남문 밧 옥화산의 이시니, 졔죄(諸曺) 다 금능의 잇고 집이 븨여 노복만 직희여시므로 【65】 그리 뫼셔가랴 ᄒᆞ니, ᄃᆡᄉᆡ 왈,

취을 ᄎᆞᄌᆞ미 쇠신이 달키을 그음ᄒᆞ니, 존당이 너을 조ᄎᆞ려 ᄒᆞ시ᄂᆞᆫ지라. 져져의 봉변(逢變)은 이의(已矣)라, 임의 홀일 업거니와 심ᄉᆞ을 관억ᄒᆞ여 학발조모의 셩녀을 씨치지 말미 올커늘, 이러틋 심녀을 허비케 ᄒᆞ니 졔졔게ᄂᆞᆫ 효ᄌᆞ요 조모게ᄂᆞᆫ 불초손(不肖孫)이라. 엇지 무상(無狀)치 아니랴?”

어ᄉᆡ 뎡ᄉᆡᆨᄃᆡ왈,

“유ᄌᆞ(猶子) 등이 명되 긔박ᄒᆞ여 엄안을 아지 못ᄒᆞ미 종천극통(終天極痛)ᄒᆞ오나 엄친○[은] 신위을 의지 ᄒᆞ여 경셩을 펴오ᄆᆡ, 젹이 심ᄉᆞ을 졀억ᄒᆞ옵ᄂᆞᆫ ᄇᆡ어니와, 청평셰계(淸平世界)의 ᄌᆞ모을 도즁의셔 실산ᄒᆞ와, ᄉᆞᄉᆡᆼ거쳐(死生去處)을 모로ᄂᆞᆫ 인ᄉᆡᆼ이 엇지 ᄒᆡᆼ어셰(行於世)ᄒᆞ리잇고? ᄐᆡ모 슬ᄒᆞ의 숙뷔 계시고 아이 잇ᄉᆞ오니, 소질이 쥬류ᄉᆞᄒᆡ(周流四海)[1713]ᄒᆞ여도 ᄌᆞ모의 존망을 알고ᄌᆞ ᄒᆞ옵ᄂᆞ니 무슴 불초ᄒᆞ미 【4】 되리잇고?”

츄밀과 구파ᄂᆞᆫ 어린 듯 취ᄒᆞᆫ 듯 ᄉᆞᆷ인의 말을 들을 ᄲᆞᆫ이오, 참녜ᄒᆞ미 업더니, 츄밀이 뉴시의 말을 가장 올히 넉여 직ᄉᆞ다려 일오ᄃᆡ,

“가듕 변고을 ○○[당ᄒᆡ] 여등의 ᄉᆞ경의 그러치 아니리오마ᄂᆞᆫ ᄌᆞ경이 우려ᄒᆞ시고[니] 이런 우황ᄒᆞᆫ 일노 경동치 말나. ᄉᆞ방으로 듯보고 조용히 ᄎᆞᄌᆞ보라.”

어ᄉᆡ 숙부의 그릇되미 날노 더ᄒᆞᄆᆡ 크게 ᄒᆞᆫ심ᄒᆞ여 관을 숙이고 다시 말을 아니니, 위시 여러번 즐ᄎᆡᆨᄒᆞ여 조부인 ᄎᆞ질 의ᄉᆞ을 말나 ᄒᆞ니, 어ᄉᆞ 등이 {어ᄉᆞ등이} 진실노 모친 거쳐을 모를진ᄃᆡ 엇지 마음을 졍ᄒᆞ리오마ᄂᆞᆫ, 임의 후정심쳐(後庭深處)의 은거ᄒᆞ믈 아ᄂᆞᆫ지라, 위·뉴의 의심을 일우지 아니려 거즛 ᄎᆞᆫ[촌]셜(寸說)을 일컷다가, 조모의 누누이 말니믈 인ᄒᆞ여 유유히 말이 업셔 날이 느즈ᄆᆡ 물너 외당의 나와, 형뎨 상의ᄒᆞ여 모친 머물 곳을 ᄉᆡᆼ각ᄒᆞᆯ ᄉᆡ, 조승상 ᄐᆡᆨ

1713)쥬류ᄉᆞᄒᆡ(周流四海) : 온 세상을 두루 돌아다님. 사해(四海)는 '온 세상'을 달리 이르는 말.

"구시(舅氏)와 졔종형이 황명을 ᄆᆡ양 거역디 못ᄒᆞ여, 작위를 밧ᄌᆞ와 샹경ᄒᆞᄂᆞᆫ 날은 이목이 번거ᄒᆞ여 ᄌᆞ위 은신ᄒᆞ시기 어려올가 ᄒᆞᄂᆞ이다. 삼위 표슉이 다 남다르신 우ᄋᆡ시고, 표형 등이 녜현군ᄌᆞ(禮賢君子)니 비록 슈다 가솔이나 념녜ᄒᆞᆯ ᄇᆡ 아니로ᄃᆡ, 오문(吾門) 참덕(慙德)이 녕인블ᄉᆡ(令人不伺)[1759]라. 조시 가듕이 알가 두리ᄂᆞ이다."

어ᄉᆡ 침음 왈,

"오문 참덕을 뉘 모로리오. ᄒᆞᆫ갓 조문 죠슉 등만 븟그러오랴. 그곳의 가 계셔야 덕뇨(寂寥)ᄒᆞ시기 덜ᄒᆞ고, 우리 시봉ᄒᆞᆯ길 업ᄉᆞ니 표슉이 샹경ᄒᆞ시면 ᄌᆞ연 위회ᄒᆞ시리니, 너ᄂᆞᆫ 슉모의 허믈이 드러날【66】가 념녀ᄒᆞ미나 오가 변고를 ᄌᆞ연 모를 사ᄅᆞᆷ이 업ᄉᆞ리라."

ᄃᆡᆨᄉᆡ 그러히 넉이나 냥항뉘(兩行淚) ᄌᆞ로 ᄡᅥ러져 양모의 실덕을 탄ᄒᆞ고, 모부인이 후졍의 오ᄅᆡ 머므러시미 두리온디라. 야심 후 형뎨 ᄀᆞ마니 후졍의 니르니, 이ᄯᆡ 조부인이 초인으로 ᄃᆡ신ᄒᆞ고 도샹(道上) 변고를 측냥치 못ᄒᆞ더니, ᄆᆡ영이 ᄲᆞᆯ니 몸을 ᄀᆞᆷ초와 원문으로 드러와 호표의 변고를 ᄌᆞ시 고ᄒᆞ니, 부인이 대경 ᄎᆞ악ᄒᆞ여 냥ᄌᆞ의 망극ᄒᆞ여 ᄒᆞᆯ 바를 념녀ᄒᆞ여 일봉셔를 일워 ᄆᆡ영을 보ᄂᆡ엿더니, 영이 셔간을 젼ᄒᆞ고 왓ᄂᆞᆫ디라. 고요히 심당의 안ᄌᆞ 쳔슈만한이 가슴의 ᄡᅡ【67】혀 뎡히 냥ᄌᆞ를 기다리더니, 반야의 냥ᄌᆡ 니르러 ᄌᆞ안을 반기고 옥슈를 밧드러 피화ᄒᆞ시믈 쳔만 힝심ᄒᆞ니, 부인이 탄식 왈,

"인ᄉᆡᆼ(人生)이 블여귀(不如歸)[1760]라, 구ᄎᆞ히 투ᄉᆡᆼᄒᆞ리오마ᄂᆞᆫ 여등의 졍경과 존당의

1759)녕인블ᄉᆡ(令人不伺) : '남이 엿보게 할 수 없다'는 뜻으로, 남이 알까 두렵다는 말.

1760)블여귀(不如歸) : (태어나기 전으로) 돌아감만 못함. 곧 죽음만 못함.

(宅)이 남문 밧 옥화산의 이시나, 졔ᄌᆡ 다 금능 고향의 물너가 아직 오지 못ᄒᆞ엿고, 집이 븨여 노복만 직희엇시므로 모친을 그리고 뫼셔 가려ᄒᆞ니, 직ᄉᆡ 왈,

"표슉과 졔종이 ᄆᆡ양 황명을 역지 못ᄒᆞ여 작위을 밧ᄌᆞ와 상경ᄒᆞᄂᆞᆫ 날은 이목이 번거ᄒᆞ여 ᄌᆞ위 편치{편치} 못ᄒᆞ실가 ᄒᆞᄂᆞ이다."

어ᄉᆡ 왈,

"표슉 ᄉᆞᆷ위 다 남다르신 우ᄋᆡ 계시고, 졔종(諸從)[1714]이 명현군ᄌᆞ(明賢君子)니 비록 ᄉᆞᄅᆞᆷ이 만흐나 요란ᄒᆞᆯ니 업고, ᄌᆞ졍을 극진이 안과케 ᄒᆞ리니, 외당(外黨)[1715]이 다 올【5】나 오시면, 아등이 비록 시봉치 못ᄒᆞ나 요적ᄒᆞ신 근심이 족히 《우회‖위회(慰懷)》 되시리라. 오가 변고을 ᄌᆞ연 모를 ᄉᆞᄅᆞᆷ이 업ᄉᆞ리니 외가을 은익ᄒᆞ리오."

직ᄉᆡ 그러히 넉이나 양모의 실덕을 모로리 업ᄉᆞ믈 븟그리고 슬허 양항누(兩行淚) 쳠금(沾襟)ᄒᆞ더라.

조부인이 후졍의 머무러 가듕이 혹 알니 잇슬가 념녀ᄒᆞ여, 야심 후 ᄌᆞ리을 의지ᄒᆞ여 쳔슈만ᄒᆞᆫ(千愁萬恨)이 측냥치 못ᄒᆞ더니, ᄆᆡ영이 몸을 감초아 원문(園門)으로 드러와 초인의 셜화을 가초[1716] 고ᄒᆞ고, 셔간을 어ᄉᆞ 등의게 젼ᄒᆞ믈 고ᄒᆞᄂᆞᆫ지라. 심ᄉᆡ 더욱 산난ᄒᆞ여 그윽이 양ᄌᆞ을 기다리더니, 반야 ᄉᆞᆷ경의 양ᄌᆡ 이르러 모부인 옥수을 잡아 피화ᄒᆞ시믈 깃거ᄒᆞ고, 초인으로ᄡᅧ 화을 졔방ᄒᆞ믈 탄복ᄒᆞᆫ ᄃᆡ, 부인이 탄 왈,

"인ᄉᆡᆼ이 불여ᄉᆡ(不如死)[1717]라. 일이 뜻과 갓지 못ᄒᆞ미 여모(汝母) 갓트니 어ᄃᆡ 잇시

1714)졔종(諸從) : 모든 사촌 형제들.

1715)외당(外黨) : 외가의 가족들

1716)가초 : 갖추어. 있어야 할 것을 빠트리지 않고 잘 챙겨서.

1717)불여ᄉᆡ(不如死) : 죽음만 같지 못함.

실덕을 실휘(悉諱)오지1761) 못ᄒᆞ여 뎡히 민박ᄒᆞ더니, 뎡현부의 쳔균대량(千鈞大量)과 디혜 공명(孔明) ᄀᆞᆺᄐᆞ여 초인을 스ᄉᆞ로 일워, 내 몸을 ᄃᆡ신ᄒᆞ고 이리 은신ᄒᆞ미 다 뎡현부의 지휘로 화를 면ᄒᆞ여시니, 광ᄋᆞᆫ 쳐지라도 네게 은인이라, 슈하쳐실(手下妻室)1762)노 아지 못ᄒᆞ리니, 뎡현뷔 아니면 여뫼 엇디 평안ᄒᆞᆷ믈 어더시리오."

인ᄒᆞ여 태부인이 운산의 가 녀ᄋᆞ를 보고 오라 급【68】촉ᄒᆞ던 셜화를 젼ᄒᆞ니, 덕ᄉᆞᄂᆞᆫ 슈슈의 디혜를 탄복ᄒᆞ고 은혜를 일ᄏᆞᆺ고, 어ᄉᆞᄂᆞᆫ 아름다이 넉이더라. 어ᄉᆡ ᄃᆡ왈,

"녀ᄌᆞ의 공교ᄒᆞᆫ 지죄 혹 다ᄒᆡᆼᄒᆞᆫ 곳의 밋ᄉᆞ오나, ᄌᆞ위 셩덕으로 ᄋᆡᆨ회(厄會)를 스ᄉᆞ로 면ᄒᆞ시미니, 텬의 도으시미라. ᄒᆞᆫ갓 뎡시의 공이리잇고? 다만 이 곳의 오ᄅᆡ 계시지 못ᄒᆞ오리니, 쇼ᄌᆞ 등이 이졔 옥화산으로 뫼시려 ᄒᆞᄂᆞ이다."

ᄒᆞ고, 노ᄌᆞ 계튱으로 교ᄌᆞ를 ᄃᆡ령ᄒᆞ엿ᄂᆞᆫ디라, 부인 왈,

"져적 거거의 셔간을 어더 보니, 샤명(詞命)1763)이 여러 번 니르ᄆᆡ 인신지되(人臣之道) 고샤치 못ᄒᆞ여 샹경ᄒᆞ기를 닐너시니, 비록 원이 아니나 합문이 다 올나올디라. 내 몬져 옥화산【69】의 가 남ᄆᆡ 모다 디ᄂᆡ면 깃브려니와, 여등 부부를 위험지디의 두고 나의 몸만 피키를 구치 아니ᄒᆞ노라."

ᄒᆞ더라.【70】

1761)실휘(悉諱)오다 : 다 감추어 주다.
1762)슈하쳐실(手下妻室) : 손아래에 있는 아내.
1763)샤명(詞命) : 임금의 말이나 명령.

리오. 존괴 홀연 여ᄆᆡ(汝妹)을 보고 오라 ᄒᆞ시니 필유묘ᄆᆡᆨ(必有妙脈)ᄒᆞᆷ믈 아나 무ᄉᆞᆷ 변통(變通)1718)이 이시리오. 다만 신셰을 탄홀 ᄲᅮᆫ이러니, 뎡현부 여ᄎᆞ여ᄎᆞ 이르고 스ᄉᆞ로 초인을 베퍼 여모의 화상을 그려 거듕의 너허 보ᄂᆡ고, 날을 이곳의 피케 ᄒᆞ고 여등을 기ᄃᆞ려 안졍ᄒᆞᆫ 곳을 어드라 ᄒᆞ니, 뎡현뷔 아니면 ᄂᆡ 어[엇]지 ᄉᆞ라시리오. 광아ᄂᆞᆫ 뎡현부을 ᄎᆞ후 은인으로 ᄃᆡ졉ᄒᆞ고 《쳐실수ᄒᆞ‖슈하쳐실(手下妻室)1719)》로 싱각지 말나."

직ᄉᆡ 그 지혜을 칭복ᄒᆞ고 어ᄉᆞᄂᆞᆫ 심니의 아름다이 넉이나 소이ᄃᆡ왈,

"녀ᄌᆞ의 공교ᄒᆞᆫ【6】의ᄉᆡ 혹 다ᄒᆡᆼᄒᆞᆫ 곳의 밋ᄉᆞ오나, ᄌᆞ위 셩덕이 필유향수(必有享壽)1720)ᄒᆞ시리니, 쳔의(天意) 도으미이다. ᄀᆞᆺᄒᆞ여 뎡시의 공이라 ᄒᆞ리잇고? 다만 후졍의 오ᄅᆡ 지쳬치 못ᄒᆞ시리니 소ᄌᆞ 등이 이졔 옥화산으로 뫼시려 ᄒᆞᄂᆞ이다."

언흘의 즉시 계츙을 불너 일승 교ᄌᆞ을 ᄃᆡ령ᄒᆞ라 ᄒᆞ고, ᄒᆞᆫ 쌍(雙) ᄒᆞᆫ지(漢子)1721) 부인 ᄒᆡᆼ거을 뫼셔 ᄃᆡ후ᄒᆞ니, 신이ᄒᆞ고 능ᄃᆡᄒᆞᆫ 도량으로 옥화산의 안온ᄒᆞᆫ가 ᄒᆞ회을 셕남ᄒᆞ라.

ᄎᆞ셜, 조부인이 장ᄎᆞᆺ 옥화산으로 ᄒᆡᆼ홀 ᄉᆡ 어ᄉᆞ 등 다려 왈,

"져적 거거의 셔찰을 보니, ᄉᆞ명(詞命)1722)이 여러번 이르ᄆᆡ 인신지되(人臣之道) 고ᄉᆞ치 못ᄒᆞ여, 비록 원치 아니나 합문이 다 올나오기을 졍ᄒᆞ엿노라 ᄒᆞ여시니, ᄂᆡ 몬져 옥화산의 가 남ᄆᆡ 모다 지ᄂᆡ면 깃부려니와, 여등 부부을 위ᄒᆞ여 근심ᄒᆞ고, ᄂᆡ 몸만 편키을 구치 아니 ᄒᆞ노라."

1718)변통(變通) : 형편과 경우에 따라서 일을 융통성 있게 잘 처리함.
1719)쳐실수ᄒᆞ(妻室手下) : 손아래에 있는 아내.
1720)필유향수(必有享壽) : 반드시 장수(長壽)를 누림이 있음.
1721)ᄒᆞᆫ지(漢子) : 남자를 낮잡아 이르는 말.
1722)ᄉᆞ명(詞命) : 임금의 말이나 명령.

명듀보월빙 권디이십

ᄎᆞ셜 조부인 왈,

"져적 거거의 셔간을 어더 보니, 샤명이 여러번 니르ᄆᆡ 인신디되 고샤치 못ᄒᆞ여 합문이 다 올나오기를 뎡ᄒᆞ엿노라 ᄒᆞ니, 내 몬져 옥화산의 가 이시미 됴커니와, 오ᄃᆡ 여등 부부를 위험지지의 두고 내 몸만 편키를 원치 아닛노라."

어ᄉᆞ 형뎨 년셩(連聲) ᄃᆡ왈,

"ᄒᆡᄋᆞ 등 부부를 우렴(憂念)ᄒᆞ시나 화복(禍福)이 관슈(關數)ᄒᆞ오니 인녁의 밋출 ᄇᆡ 아니오, 오ᄂᆞᆫ ᄋᆡᆨ은 셩인도 면치 못ᄒᆞ시니 ᄌᆞ위 이런 일의 셩녀(聖慮)를 마르시고 타일 길운을 기다리쇼셔."

부인이 탄식 무언이어ᄂᆞᆯ 어【1】ᄉᆞ 형뎨 ᄌᆡ삼 이셩화긔로 위로ᄒᆞ고 ᄆᆡ영 초옥으로 계튱 혜츈을 브르고, 어ᄉᆡ 친히 편ᄒᆞᆫ 교ᄌᆞ를 이더 거장(車帳)을 두로고 모친긔 드르시믈 쳥ᄒᆞ니 부인 왈,

"ᄡᅵ 오히려 닐너 문을 여지 아녀시면 엇디ᄒᆞ리오."

ᄃᆡ왈,

"문을 비록 여지 아녀시나 급히 부듕을 ᄯᅥ나시미 올흐니, 밧비 거듕의 드르쇼셔."

부인이 브득이 샹교ᄒᆞᄆᆡ 계튱 등을 ᄌᆡ촉ᄒᆞ여 교ᄌᆞ를 뫼시고 어ᄉᆞ 등은 좌우로 ᄯᆞ라 원문(園門)을 나, 문의 니르러ᄂᆞᆫ 개문ᄒᆞ기 머럿거ᄂᆞᆯ 어ᄉᆡ 교ᄌᆞ를 나리와 노코 모친긔 고왈,

"이 경ᄉᆡᆨ이 완연이 난듕이라 엇디 권되

어ᄉᆞ 형뎨 연셩(連聲) ᄃᆡ왈,

"ᄒᆡ아의 부부 등을 우려(憂慮)ᄒᆞ시나 화복(禍福)이 관슈(關數)ᄒᆞ오니, 인녁으로 《비겨‖벗어》날 ᄇᆡ 아니오, 오ᄂᆞᆫ ᄋᆡᆨ은 성인도 면치 못ᄒᆞ시니 각각 운쉬 정ᄒᆞᆯ ᄯᆞ름이라, ᄌᆞ위는 이런 일의 셩녀(聖慮)을 마르시고 가ᄂᆡ 화평키을 기ᄃᆞ리소셔."

부인이 쳑연 장탄의 쳔수만흔이 쳡쳡ᄒᆞ나 어ᄉᆞ 등이 이셩화긔로 위로ᄒᆞ고, ᄆᆡ영 소옥 등으로 박긔 가 시노 계츙을 부르라 ᄒᆞ니, 슈유의 양뇌 후정의 봉명ᄒᆞ니, 어ᄉᆡ 친히 교ᄌᆞ을 어더 거장(車帳)을 두루고 모친의 드르시믈 청ᄒᆞ니, 이 ᄯᅢ 오히려 밝기 머렷더라. 힝ᄒᆞ여 남문(南門)이【7】 열니지 아녀시물 부인이 ᄌᆞ져 ᄒᆞ거ᄂᆞᆯ, 어ᄉᆞ 등이 고왈,

"비록 문을 여지 아녀시나 부듕을 급히 ᄯᅥ나시미 맛당ᄒᆞ오니 밧비 거장의 드르소셔."

부인이 ᄯᅩᄒᆞᆫ 올히 넉여 상교ᄒᆞᄆᆡ, 어ᄉᆞ 형뎨 계츙 등을 ᄌᆡ촉ᄒᆞ여 교ᄌᆞ을 메오고 ᄌᆞ긔 등은 좌우로 ᄯᆞ라 원문(園門)을 ᄂᆡ다라 옥화산으로 향ᄒᆞᆯ ᄉᆡ, ᄉᆡ벽이 머러시므로 문을 여지 아녀시니 계츙 등이 고왈,

"ᄀᆡ문(開門)ᄒᆞ기을 기ᄃᆞ려 힝ᄒᆞ오면 상공이 환가ᄒᆞ시기 더딜 거시오, 그리 아니ᄒᆞ오면 소복 등이 교ᄌᆞ을 월셩(越城)ᄒᆞ기 어려오니 장ᄎᆞᆺ 엇지리잇고?"

어ᄉᆡ 교ᄌᆞ을 나리와 놋고 장을 들고 모친긔 고왈,

"이 경ᄉᆡᆨ이 완연이 난듕이라 엇지 권되

업ᄉᆞ리잇고? ᄌᆞ위는 즘간 쇼ᄌᆞ의게 업히시면 월셩(越城)ᄒᆞ리【2】이다."

부인 왈,

"월셩이 듕죄니 슌나(巡邏)의 들닌[1764)]즉 엇지ᄒᆞ리오."

어ᄉᆡ 쇼이 ᄃᆡ왈,

"히ᄋᆡ 비록 무릉ᄒᆞ나 엇디 슌나의 잡히리잇고?"

부인이 마지 못ᄒᆞ여 어ᄉᆞ의게 업히니, ᄃᆡᄉᆞ는 시노로 교ᄌᆞ를 들고 좃ᄎᆞ 월셩훌ᄉᆡ, 어ᄉᆡ 모친을 업고 험쥰ᄒᆞᆫ 셩곽을 평디ᄀᆞᆺ치 넘으ᄆᆡ, 부인이 다시 교듕의 드러 옥화산의 니르니, 조부 문을 다닷거늘 어ᄉᆡ ᄃᆡ휜 비복을 블너 ᄎᆞᄎᆞ 문을 열고, ᄂᆡ당의 드러가 안정ᄒᆞᆫ 당샤를 셔르져 모친을 머므시게 ᄒᆞ니, 조부 비복이 부인의 블의 야힝(夜行)을 경의(驚疑)ᄒᆞ나, 부인의 셩덕이 비복의게 덥【3】혀 앙망ᄒᆞ믈 가쥬(家主)와 다르지 아닌 고로, ᄐᆡ듕의 니르시믈 다 깃거ᄒᆞ는디라.

어ᄉᆞ 등이 비복 등을 당부ᄒᆞ여 부인의 오시믈 젼셜(傳說)치 말나 ᄒᆞ고, 모젼의 뫼셔 즉시 도라가디 아니커늘, 부인이 직쵹 왈,

"내 임의 편ᄒᆞᆫ 쳐소를 어더시니 여등의 ᄒᆞᆫ 근심을 더럿는디라. 모로미 ᄉᆞᄀᆡ를 비밀이 ᄒᆞ여 가ᄂᆡ의 의심을 닐위지 말고, 밧비 도라가 신셩(晨省) ᄯᆡ를 어긔게 말나."

냥ᄌᆡ 브득이 하딕고 셩톄 안강ᄒᆞ시믈 청ᄒᆞ고 승간ᄒᆞ여 ᄌᆞ로 오믈 고ᄒᆞ니, 부인 왈,

"여등이 오디 아닐지라도 몸이 므ᄉᆞᄒᆞᆫ 즉 영힝이니, ᄉᆞ졍을 츰지 못ᄒᆞ여 ᄌᆞ로 나아오다【4】가 방인의 알미 된 즉, 화란이 급ᄒᆞ리니 다만 조심 보호ᄒᆞ여 어믜 바라는 바를 긋지 말나."

1764)들니다 : 들키다. 발각(發覺)되다. 드러나다.

업ᄉᆞ리잇고. 소ᄌᆞ의게 업히시면 바로 월셩ᄒᆞ고져 ᄒᆞᄂᆞ이다."

부인 왈,

"월셩이 즁죄라. 만일 슌나(巡邏)ᄌᆞ의게 들인[1723)]즉 엇지 ᄒᆞ리오."

어ᄉᆡ 소이ᄃᆡ왈,

"히ᄋᆡ 비록 무용ᄒᆞ오나 현마 슌군(巡軍)의게 잡히리오. 물여ᄒᆞ시고 져기 업히소셔."

부인이 만히 난연(難然)ᄒᆞ나 양ᄌᆡ 지습 간쳥ᄒᆞ니, 마지 못ᄒᆞ여 어ᄉᆞ의게 업히니, 직ᄉᆞ는 양노로 더부러 교ᄌᆞ을 들고 뒤흘 조ᄎᆞ 원셩훌 ᄉᆡ, 어ᄉᆡ 모친을 업고 험쥰ᄒᆞᆫ 셩곽을 넘 쒸나 평탄ᄒᆞ기는 평안ᄒᆞᆫ 길노 힝ᄒᆞ는 듯 슈고을 모르고, 모친을 편케 ᄒᆞ미 교듕의셔 여러 가동이 뫼셔도 이럿치 못훌지라. 임의 셩을 넘으ᄆᆡ 부인을 교듕의 뫼셔 ᄲᆞᆯ니 옥화산의 이르니 아즉 문을 여지 아엿는지라. 어ᄉᆡ 문직휜 노복 등을 ○○[불너] 문을 ᄎᆞᄎᆞ 열고 바로 ᄂᆡ당【8】으로 드러가 안정ᄒᆞᆫ 방ᄉᆞ을 소쇄ᄒᆞ고 모친을 드르시게 훌 ᄉᆡ, 조부인이 불시의 야힝(夜行)ᄒᆞ물 경아(驚訝)ᄒᆞ나, 부인 셩덕이 본부 ᄒᆞᄇᆡ의 이르히 다 감격ᄒᆞ는 ᄇᆡ라. 앙망ᄒᆞ믈 가주(家主)와 다르지 아닌 고로, ᄐᆡ즁의 이르물 깃거ᄒᆞ미 상니ᄒᆞᆫ ᄌᆞ모을 만는 듯ᄒᆞᆫ지라. 어ᄉᆞ 등이 비복을 당부ᄒᆞ여 모친이 이곳의 오시물 젼셜(傳說)치 말나 ᄒᆞ고, 모친을 뫼셔 도라가지 아니커늘, 부인이 직촉 왈,

"ᄂᆡ 임의 편ᄒᆞᆫ 쳐소을 어더시니 여등의 ᄒᆞᆫ 근심을 더러는지라. 모로미 ᄉᆞᄀᆡ을 십분 비밀이 ᄒᆞ여 가ᄂᆡ의 의심을 일위지 말고 밧비 도라가 신셩(晨省) ᄯᆡ을 어기지 말나."

양ᄌᆡ 부득이 ᄒᆞ직ᄒᆞ고 셩체 안강ᄒᆞ시물 쳥ᄒᆞ며 승간ᄒᆞ여 ᄌᆞ로 오물 고ᄒᆞ니 부인 왈,

"여등이 오지 아닐지라도 몸이 무ᄉᆞᄒᆞᆫ 즉 영힝이니, ᄉᆞ졍을 참지 못ᄒᆞ여 ᄌᆞ로 나아오다가 만일 방인의 알미 된 즉, 화란이 급ᄒᆞ리니 다만 조심 보호ᄒᆞ여 어믜 바라믈 헛곳의 도라가게 말나."

1723)들이다 : 들니다. 들키다. 발각되다. 드러나다.

어ᄉᆞ 등이 슈명ᄒᆞ나 가변이 졈졉 ᄎᆞ악ᄒᆞ고, ᄌᆞ위 빈 집의 외로이 계샤 ᄌᆞ긔 등이 시봉치 못ᄒᆞ고 도라셔ᄆᆡ, 항뉘(行淚) 삼삼ᄒᆞᄂᆞᆫ디라. 이의 ᄆᆞ음을 구지ᄒᆞ여 밧비 부듕의 도라오ᄆᆡ, 비로소 효괴(曉鼓) 동ᄒᆞ고 계셩이 ᄌᆞᆺ거ᄂᆞᆯ, 즉시 관소(盥梳)ᄒᆞ고 경희뎐 ᄒᆡ츈누의 신셩ᄒᆞ니라.“

어시의 신묘랑이 초인을 조부인으로 아라 교듕의셔 업고 공듕의 치다라 문강(江)으로 나오니 ᄯᅢ 츈말하최(春末夏初)라. 강쉬 챵일ᄒᆞ여 사ᄅᆞᆷ이 ᄲᅢ지ᄆᆡ 살기 어렵고, 묘랑이 초인을 더져 닉슈ᄒᆞ믈 보ᄆᆡ, 암【5】ᄌᆞ로 도라와 쉬고, 뎡시의 부작이 신긔ᄒᆞ여 묘랑의 졍신이 어둡고 눈이 아득ᄒᆞ여 진가(眞假)를 블분ᄒᆞ고, 갓브기 심ᄒᆞ여 몸의 ᄯᆞᆷ을 흘니고 슘을 두로기 어려오니, 황겁ᄒᆞ여 혜오ᄃᆡ1765),

“슈한이 댱원ᄒᆞ고 팔ᄌᆞ 존귀ᄒᆞᆫ 부인을 죽이ᄆᆡ 이러ᄒᆞ니, 명일 윤부의 가 뉴시를 보고 공을 일ᄏᆞ라 금보를 다시 징ᄉᆡᆨᄒᆞ리라.”

ᄒᆞ고 명일 윤부의 이르니, 뉴시 모녜 반겨 힝ᄉᆞᄒᆞ믈 므르ᄃᆡ, 묘랑 왈,

“빈되 조부인을 거듕(車中)의셔 업고 ᄂᆡᄃᆞ르니, 므겁기 뫼히 지ᄌᆞ른1766) ᄃᆞᆺᄒᆞᄃᆡ, 계오 ᄎᆞᆷ고 암ᄌᆞ의 가 깁흔 방의 너코 칼 노 일신을 ᄲᅡ셔 형톄도 온젼【6】치 못ᄒᆞᆫ 후, 먼니 강슈의 ᄯᅴ오ᄃᆡ, 빈되 일신이 다 알른 듕 관음이 현셩 왈, ‘뉴시 비록 불공을 만히 ᄒᆞ여시나, 무죄ᄒᆞᆫ 사ᄅᆞᆷ을 죽이ᄆᆡ ᄌᆡ앙이 업디 아니리라’ ᄒᆞ시거ᄂᆞᆯ, 즉시 ᄂᆡ려 블뎐의 고두빈튝(叩頭頻祝)1767)ᄒᆞ여 부인의 슈복과 빈도의 무ᄉᆞ키를 비럿거니와, 조부인 원혼(冤魂)이 념나왕(閻羅王)긔 발괄1768)ᄒᆞ여 셜한(雪恨)코져 ᄒᆞᄂᆞᆫ가 시브니, 부인이 황금미곡을 드려 크게 슈륙(水陸)1769)ᄒᆞᆫ 즉, 복

1765)혜다 : 생각하다. (수를) 세다.
1766)지ᄌᆞ르다 : 지즐우다. 내리누르다. 짓누르다.
1767)고두빈튝(叩頭頻祝) : 수없이 머리를 조아려 빎.
1768)발괄 : 민속 신앙에서, 신령이나 부처에게 구원을 빎. 또는 그런 일.
1769)슈륙(水陸) : 수륙재(水陸齋). 물과 육지의 홀로 떠도는 귀신들과 아귀(餓鬼)에게 공양하는 재.

어ᄉᆞ 등이 수명ᄒᆞ나 가변이 졈졈 ᄎᆞ악ᄒᆞ고, ᄌᆞ위 외로이 빈 집의 계셔 ᄌᆞ긔 등이 시봉치 못ᄒᆞ고 도라셔니, 항뉘(行淚) ᄉᆞᆷᄉᆞᆷᄒᆞᄂᆞᆫ지라. 이의 ᄆᆞ음을 구지ᄒᆞ여 밧비 부듕의 도라오ᄆᆡ, 비로소 북이 동ᄒᆞ고 계셩(鷄聲)이 잣거ᄂᆞᆯ 관소(盥梳)ᄒᆞ고 경희젼 ᄒᆡ츈누의 신셩ᄒᆞ더라.

어시의 신묘랑이 초인을 조부인으로 아라 두루쳐 업고 공듕의 치다라 문강(江)으로 나오니, ᄯᅢ 츈말하쵸(春末夏初)라. 강수 창일ᄒᆞ여 ᄉᆞᄅᆞᆷ이 ᄲᅢ지ᄆᆡ 살기 어렵고, 묘랑이 초인을 더져 익수ᄒᆞ믈 보ᄆᆡ 암ᄌᆞ로 도라와 쉬ᄆᆡ, 뎡시의 부작이 신긔ᄒᆞ여 묘랑의 졍신이 어둡고 갓부기 심ᄒᆞ여 몸을 움작이지 못ᄒᆞᄂᆞᆫ지라. 황겁ᄒᆞ여 혜오ᄃᆡ,

“수복이 장원ᄒᆞᆫ 부인을 죽이ᄆᆡ 이러【9】ᄒᆞ니 명일 윤부의 가 뉴시을 보고 공을 일커러 금보을 징ᄉᆡᆨᄒᆞ리라.”

ᄒᆞ고 명일 윤부의 이르니, 뉴시 모녀 반겨 힝ᄉᆞᄒᆞ믈 무른ᄃᆡ, 묘랑 왈,

“빈되 조부인으 두루쳐 업어다가 강수의 ᄯᅴ엿더{더}니 빈되 일신이 다 압픈 듕, 관음(觀音)이 현셩ᄒᆞ여 갈오ᄃᆡ, ‘뉴시 비록 불공을 만히 ᄒᆞ엿시나 무죄ᄒᆞᆫ ᄉᆞᄅᆞᆷ을 죽이ᄆᆡ ᄌᆡ앙이 업지 아니리라’ ᄒᆞ시거ᄂᆞᆯ, 즉시 ᄂᆡ려 불젼의 고두빈츅(叩頭頻祝)1724)ᄒᆞ여 부인 수복과 빈도의 무ᄉᆞ키을 비러거니와, 조부인 원혼(冤魂)이 염왕(閻王)긔 발원(發願)1725)ᄒᆞ여 셜ᄒᆞᆫ코져 ᄒᆞᄂᆞᆫ가 시브니, 부인이 황금미곡을 허비ᄒᆞ여 크게 수륙(水陸)1726)ᄒᆞᆫ 즉, 복녹이 장원할가 ᄒᆞᄂᆞ이다.”

1724)고두빈츅(叩頭頻祝) : 수없이 머리를 조아려 빎.
1725)발원(發願) : 신이나 부처에게 소원을 빎. 또는 그 소원.
1726)수륙(水陸) : 수륙재(水陸齋). 물과 육지의 홀로 떠도는 귀신들과 아귀(餓鬼)에게 공양하는 재.

녹이 당원ᄒᆞᆯ가 ᄒᆞᄂᆞ이다."

뉴시 묘랑의 허언을 듯고 조시 참ᄉᆞ(慘死)를 깃거ᄒᆞ나, 관음(觀音)1770)의 현셩지셜(顯聖之說)은 대경ᄒᆞ여, 혜오ᄃᆡ,

"원ᄂᆡ 조시 셩심 슉덕이 남다르거【7】놀, 이제 원ᄉᆞ(寃死)ᄒᆞᄆᆡ 녕ᄇᆡᆨ(靈魄)이 뉴탕(遊蕩)ᄒᆞ여 셜한(雪恨)ᄒᆞᆯ진ᄃᆡ, 나의 큰 근심이니 밧비 슈륙ᄒᆞ여 조시 원혼을 위로ᄒᆞ고 관음긔 《슈죄∥ᄉᆞ죄(謝罪)》ᄒᆞ리라."

ᄒᆞ여 묘랑의 슈고ᄒᆞ믈 만만 샤례ᄒᆞ고, 즉시 ᄌᆞ장 재산을 젼젼이 팔며 협ᄉᆞ의 금은을 낫낫치 ᄯᅥ러 묘랑을 다 주어 슈륙ᄒᆞ라 ᄒᆞ니, 묘랑이 대희 왈,

"조시 원혼이 비록 함독(含毒)ᄒᆞ나, 부인이 금보를 앗기지 아냐 ᄂᆡ셰를 닥고져 ᄒᆞ시니, 부쳬 엇지 감동치 아니시리오. 빈되 명산대쳔의 슈륙치졔ᄒᆞ리니, 부인은 물우ᄒᆞ쇼셔."

뉴시 묘랑을 당부ᄒᆞ여 슈륙지시의 어ᄉᆞ곤【8】계 부부 뉵인을 다 죽기를 튝원ᄒᆞ라 ᄒᆞᆫᄃᆡ, 묘랑이 슌슌 응낙고 금보를 욕심의 ᄎᆞ도록 가지고 가니, 위·뉘 이후로 어ᄉᆞ 등 보ᄎᆡᆨ기를 위쥬ᄒᆞ여, 위노의 ᄉᆡ포ᄒᆞᆫ 호령과 흉험ᄒᆞᆫ 즐ᄎᆡᆨ이 날노 더ᄒᆞ여, 어ᄉᆞ 부부 형뎨를 ᄌᆡ강과 ᄆᆡᆨ듁도 씨를 츌혀주지 아니ᄒᆞ고, 의복을 다 거두어 ᄀᆞᆷ초고 ᄯᅴ의 닙디 못ᄒᆞ게 ᄒᆞ여, 어ᄉᆞ 등을 측간과 마구를 츼오고 ᄯᅳᆯ을 ᄲᅳᆯ니며 삿ᄒᆞᆯ ᄡᅩ이고 마소를 먹이게 ᄒᆞᄃᆡ, 몸이 옥당 한원 명신 고로 붕당이 만흔디라, ᄌᆞᄀᆡ 고식(姑媳)의 블인이 낫타날가 두리므로 쳔역을 식이ᄃᆡ, 일졀 남이 알게 아니며, ᄉᆞ쇼져【9】를 태부인 침젼의 일시도 ᄯᅥ나지 못ᄒᆞ게 ᄒᆞ고, 뉴시 하·댱

1770)관음(觀音) : 관세음보살(觀世音菩薩). 불교에서, 아미타불의 왼편에서 교화를 돕는 보살. 사보살의 하나이다. 세상의 소리를 들어 알 수 있는 보살이므로 중생이 고통 가운데 열심히 이 이름을 외면 도움을 받게 된다.

뉴시 묘랑의 허언을 듯고 조시 참ᄉᆞ(慘死)을 깃거ᄒᆞ나, 관음(觀音)1727)의 현성을 ᄃᆡ경ᄒᆞ여 ᄉᆡᆼ각ᄒᆞᄃᆡ,

"원간 조시의 혐[현]심슉덕(賢心淑德)이 남과 다르거놀, 젼후의 몃번 ᄒᆡ코져 ᄒᆞ여 이졔 원ᄉᆞ(寃死)ᄒᆞᄆᆡ 그 원혼이 유탕(遊蕩)ᄒᆞ여 분ᄒᆞᆫ을 셜원(雪冤)ᄒᆞᆯ진ᄃᆡ, ᄂᆡ의 젼졍이 유ᄒᆡᄒᆞ리니, 밧비 수륙지ᄌᆡ(水陸之齋)을 여러 조시 원혼을 위로ᄒᆞ고 관음긔 ᄉᆞ죄(謝罪)ᄒᆞ리라."

의ᄉᆡ 이의 밋쳐, 묘랑○[의] 슈고ᄒᆞ믈 쳔만 ᄉᆞ례ᄒᆞ고 즉시 ᄌᆞ장(資粧) ᄑᆡ산(貝珊)과 협ᄉᆞ(篋笥) 금은진보(金銀珍寶)을 낫낫치 어더 ᄂᆡ여, 조곰도 앗기미 업시 다 묘랑을 주어, 조부인을 위ᄒᆞ여 수륙ᄌᆡ을 ᄒᆞ라 ᄒᆞ니, 묘랑이 ᄃᆡ희 왈,

"조시의 원혼이 비록 독(毒)ᄒᆞ나, 부인이 ᄌᆡ물을 앗기지 아니코 ᄂᆡ셰을 닷가 그 ᄒᆞᆫ을 풀고 관음긔 ᄉᆞ죄ᄒᆞ시면, 무슴 죄(罪)되리잇고? 빈되 명산대쳔을 가리여 수륙치ᄌᆡ ᄒᆞ리니 부인은 물우ᄒᆞ소셔."

뉴시 묘랑을 당부ᄒᆞ여 수륙ᄒᆞᆯ 젹, 어ᄉᆞ부부 등 뉵【10】인을 다 죽게 츅원ᄒᆞ라 ᄒᆞ니, 묘랑이 슌슌응낙ᄒᆞ고 금보을 욕심의 ᄎᆞ도록 ○○○[가지고] 가니라. 조부인 거쳐을 심방ᄒᆞ러 갓든 노복 드리 도라와, 소식도 무를 고지 업ᄉᆞ므로ᄡᅥ 고ᄒᆞ니, 뉴시 흔흔ᄒᆞ여 어ᄉᆞ부부와 직ᄉᆞ 등을 조르고 보ᄎᆡᆨ기을 위주ᄒᆞ여, 쳔역을 시기ᄃᆡ, 타인 소시(所視)의ᄂᆞᆫ 미곡을 《지일∥지이고》, ᄉᆡ초을 시기지 아니믄, 소문이 파다ᄒᆞ여 ᄌᆞᄀᆡ 고식(姑媳)의 ᄉᆞ오나미 나타날가 두리ᄂᆞᆫ 고로, 쳔역을 시기ᄃᆡ 일졀 여러 비복이 보지 아니케 시기며, ᄉᆞ위 소져을 ᄉᆞ실의 두지 아냐 ᄐᆡ부인 침젼의 머무러, 합문 졔인의 《식치∥수치(繡致)》을 막겨 일시도 쉬지

1727)관음(觀音) : 관세음보살(觀世音菩薩). 불교에서, 아미타불의 왼편에서 교화를 돕는 보살. 사보살의 하나이다. 세상의 소리를 들어 알 수 있는 보살이므로 중생이 고통 가운데 열심히 이 이름을 외면 도움을 받게 된다.

이쇼져의 비홍(臂紅)을 날마다 상고ᄒᆞ여 딕ᄉᆞ를 원거ᄒᆞ라 당부ᄒᆞ고, 딕ᄉᆞ를 본 즉 하・댱 등을 동심ᄒᆞ여 져를 죽이믈 꾀ᄒᆞᆫ다 조로고 보ᄎᆡ니, 딕식 양모의 뜻을 디긔ᄒᆞᄆᆡ, 근노를 씻치지 아니려 ᄒᆞ여 악악ᄒᆞᆫ 즐칙을 면코져, 하・댱을 타문 녀ᄌᆞ 보ᄃᆞᆺᄒᆞ여, 듕회듕 눈도 들미 업ᄉᆞ니 뉴시 모녜 ᄀᆞ장 다ᄒᆡᆼᄒᆞ여, 브ᄃᆡ 그 금슬을 버혀 일졈 골육을 깃치디 못ᄒᆞ고, 쳥츈의 쇽졀업시 ᄌᆞ진케 ᄒᆞ려 뎡ᄒᆞ고, 뎡・진 냥인은 비홍이 업셔시니 위뇌 딕희기를 더옥 엄히 ᄒᆞ여, 부뷔 상ᄃᆡ키를 못【10】ᄒᆞ게 ᄒᆞ고, 조로고 보ᄎᆡ미 ᄀᆞᆺ칠 ᄉᆞ이 업ᄉᆞ니, 뎡・딘・하・댱 ᄉᆞ쇼져의 비고ᄒᆞᆫ 신셰 혈육지신(血肉之身)이 보젼치 못ᄒᆞᆯ 거시로ᄃᆡ, 텬신이 셩녀 텰부를 ᄀᆞ마니 보호ᄒᆞ여 슈복을 누리게 ᄒᆞ나, 하쇼져ᄂᆞᆫ 화란의 상ᄒᆞ고 남다른 약질이라, 뎡시의 쳘옥디심(鐵玉之心)과 댱시의 송ᄇᆡᆨ지긔(松柏之氣)를 바라지 못ᄒᆞ여, 옥골이 날노 슈경(瘦硬)[1771]ᄒᆞ여 보기 위ᄐᆡᄒᆞ나 뉘 잇셔 념녀ᄒᆞ리오. 어ᄉᆞ 등 부부 뉵인의 경ᄉᆡ 참졀ᄒᆞ미 가히 업더라.

어ᄉᆞ 곤계 상의ᄒᆞ여 ᄌᆞ모 실산을 쥬ᄒᆞ고 어미 거쳐 모로ᄂᆞᆫ 죄인으로 ᄌᆞ쳐ᄒᆞ여 기딕(棄職)고져 ᄒᆞ더니, 뎡병뷔 악모 실【11】산ᄒᆞ믈 듯고 놀나 옥누항의 와 어ᄉᆞ 등을 보고 허실을 므르니, 어ᄉᆞ 형뎨 몽농이 답

1771)슈경(瘦硬) : 몸이 몹시 야위고 말라 뼈만 앙상함.

못ᄒᆞ게 ᄒᆞᄃᆡ, 뉴시 하・장 이소져의 비홍(臂紅)을 날마다 상고ᄒᆞ여 갈오ᄃᆡ,

"희쳔이 {무상불초ᄒᆞ여 범ᄉᆞ의 요언을 불쳥ᄒᆞ고} 나힌 즉 십ᄉᆞ셰 ᄋᆞ희라. 냥뷔 십슘 츈광이니 고인의 유취년이 아니오, 겸ᄒᆞ여 희ᄋᆡ 쳥수ᄒᆞ여 녀ᄉᆡᆨ을 침익ᄒᆞᆫ 즉 단명이 쉬우리니 너희ᄂᆞᆫ 조심ᄒᆞ여 희아을 원거ᄒᆞ고 부부지낙을 바라지 말나."

이쳐로 ᄆᆡ일 당부ᄒᆞ고 직ᄉᆞ을 ᄃᆡᄒᆞᆫ 즉 하・장 등이 ᄌᆞ긔을 죽이려 꾀ᄒᆞ나니라 보ᄎᆡ니, 직식 양모의 ᄯᅳ즐 모로리오. ᄌᆞ긔 부부의 동실지낙을 ᄭᅳ리물 혜아리ᄆᆡ, 이런 일의 다 양모의 근고(勤苦)을 ᄶᅵ치지 아니려 ᄒᆞ여, 이후로 냥소져을 남보듯 ○○[ᄒᆞ여] ᄉᆞ실의 못기ᄂᆞᆫ ᄉᆡ로이 듕회 즁의도 눈 드러 보미 업ᄉᆞ니, 뉴시 가장 다ᄒᆡᆼᄒᆞ여 브ᄃᆡ 금슬을 희지어 골육을 ᄶᅵ치지 아니케 ᄒᆞ고, 쳥츈의 쇽졀업시 ᄌᆞ진케 ᄒᆞ미오, 뎡・진 냥소져ᄂᆞᆫ 비홍이 ᄌᆞ최업ᄉᆞ물 보고, 위ᄐᆡ부인이 직히기을 엄히 ᄒᆞ여 부부 상ᄃᆡ치 못ᄒᆞ게 ᄒᆞ고, 졸오며[1728] 즐【11】욕이 악악ᄒᆞ니 뎡・진・하・장 ᄉᆞ고져 비고(悲苦)ᄒᆞᆫ 원이 혈육지신이 능히 보젼치 못ᄒᆞᆯ 것로ᄃᆡ, 셩신이 셩여졀[쳘]부(聖女哲婦)을 가마니 보호ᄒᆞ여 장원ᄒᆞᆫ 수복(壽福)을 누리게 ᄒᆞ니, 악인의 흉모간계로 경히 맛찰 ᄇᆡ리오.

하시ᄂᆞᆫ 화란의 만히 상ᄒᆞ엿고, 진시ᄂᆞᆫ 남다른 약질이라, 뎡소져의 쳘옥(鐵玉) 갓치 견고홈과 장{장}소져의 송ᄇᆡᆨ(松柏) 갓치 굿은 긔운으로도 당치 못ᄒᆞ여, 옥골빙신(玉骨氷身)이 날노 수약(瘦弱)ᄒᆞ여 위ᄐᆡᄒᆞ나, 뉘 그 몸을 념녀ᄒᆞ리오. 어ᄉᆞ 형뎨 부부 뉵인의 참졀ᄒᆞᆫ 경ᄉᆡ, 보며 듯ᄂᆞᆫ ᄌᆞ로 ᄒᆞ여금 눈물을 나리올지라.

어ᄉᆞ 형뎨 상의ᄒᆞ고 모친 실산을 주(奏)ᄒᆞ야, 어믜 거쳐을 모르ᄂᆞᆫ 죄인으로 감히 조항(朝行)의 셔지 못ᄒᆞᆯ 바을 쳔졍의 주ᄒᆞ고 벼술을 바리고져 ᄒᆞ더니, 뎡병뷔 악모의 실산ᄒᆞ물 듯고 놀나 옥누항의 이러러, 어ᄉᆞ

1728)졸오다 : 조르다. 다른 사람에게 무엇을 자꾸 요구하여 괴롭히다.

ᄒᆞ고 기ᄃᆡ고져 ᄒᆞ거ᄂᆞᆯ, 병뷔 긔ᄉᆡᆨ을 ᄉᆞᆺ치고 이목이 번거치 아니믈 틈타, 어ᄉᆞ 등의 손을 ᄌᆞᆸ고 왈,

"ᄉᆞ원 ᄉᆞ빈이 타인은 긔어도[1772] 날은 ᄂᆡ외ᄒᆞᆯ ᄇᆡ 아니니, 악뫼 만일 실산ᄒᆞ여 계시면 ᄉᆞ원 등이 안연이 집의 잇디 아니리니, 필유묘ᄆᆡᆨ(必有苗脈)이라. 모로미 곡졀을 니르라."

ᄃᆡᄉᆞᄂᆞᆫ 져두 무언이오 어ᄉᆞᄂᆞᆫ 일셩삼탄(一聲三嘆) 왈,

"형이 오가ᄉᆞ(吾家事)ᄂᆞᆫ 듯지 아냐 ᄇᆞᆰ히 알디라. ᄌᆞ위 실산지화ᄂᆞᆫ 업셔 옥화산의 올므시나, 가변이 괴이ᄒᆞ여 두리온 의ᄉᆡᆨ 가득ᄒᆞ여, 아【12】모ᄃᆡ도 젼치 못ᄒᆞ엿더니, 형의 므르믈 쇼뎨 엇디 은닉ᄒᆞ리오마ᄂᆞᆫ, 형은 ᄎᆞᄉᆞ를 함구ᄒᆞ고 ᄌᆞ위 실산이 올흐므로 실히오쇼셔[1773]."

병뷔 역탄 왈,

"ᄉᆞ원 등의 남다른 심우와 가변의 괴ᄒᆞ믄 뭇지 아냐 알거니와, 다만 근간 츄밀합ᄒᆡ 신관이 환탈(換奪)ᄒᆞ고 냥안(兩眼)의 정명지긔(精明之氣) 업ᄉᆞ니 ᄉᆞ원 등의 근심이로다."

어ᄉᆡ{어ᄉᆡ} 쳑연 왈,

"계뷔 환휘 슈월이 지나고 ᄌᆞ위 실산을 실히오ᄂᆞᆫ 날은 쇼뎨 등이 안연이 옥ᄃᆡ 아홀노 됴항의 나지 못ᄒᆞ리니, 원간 환욕이 ᄉᆞ연ᄒᆞ니 뜻을 결ᄒᆞ여 긔ᄃᆡ고져 ᄒᆞᄂᆞ이다."

병뷔 왈,

"ᄉᆞ원 등의 하ᄒᆡ지량(河海之量)으로 엇디 일을 ᄉᆡᆼ각지【13】 못ᄒᆞ미 이ᄀᆞᆺᄐᆞ뇨? 악모 실산지ᄉᆡᆨ 진짓되면 텬졍의 ᄉᆞ졍을 쥬달ᄒᆞ고 ᄉᆞᄒᆡ구쥬(四海九州)를 다 도라 거쳐를 ᄎᆞᄌᆞ미 올커니와, 즉금 형셰ᄂᆞᆫ 그러치 아냐 악

1772)긔이다 : 기이다. 어떤 일을 숨기고 바른대로 말하지 않다.

1773)실히오다 : 실답게 하다. 참된 것으로 믿게 하다

등을 보고 허실을 무르니, 어ᄉᆞ 형뎨 몽농이 ᄃᆡ답ᄒᆞ고 기직(棄職)고져 ᄒᆞ거ᄂᆞᆯ, 병뷔 어ᄉᆞ 등 긔ᄉᆡᆨ을 스치고 이목이 번거치 아니믈 타, 어ᄉᆞ 등 손을 잡고 니로ᄃᆡ,

"ᄉᆞ원과 ᄉᆞ빈이 다른 ᄉᆞ름은 긔이려니[1729]와 날은 긔일 ᄇᆡ 업ᄉᆞ니, 악뫼 만일 실산ᄒᆞ여 계시면 ᄉᆞ원 등이 안연이 집의 잇지 아일[닐]지라. 그윽이 ᄉᆡᆼ각건ᄃᆡ 묘ᄆᆡᆨ(苗脈)이 잇시미니 곡졀을 ᄌᆞ셰 이르라."

직ᄉᆞᄂᆞᆫ 져두 무언이오, 어ᄉᆞᄂᆞᆫ 일념ᄉᆞᆷ탄(一念三歎)의 갈오ᄃᆡ,

"형이 무리집 가ᄉᆞᄂᆞᆫ 듯지 아냐 밝히 알지라. 과연 ᄌᆞ위 실산지화ᄂᆞᆫ 업셔 옥화산의 올무ᄉᆞ 편히 계시나, 가변이 괴이ᄒᆞ여 두리온 의ᄉᆡᆨ 가득ᄒᆞ여 아모ᄃᆡ도 발셜치 아니ᄒᆞ엿더니, 형의 무르믈 당ᄒᆞ여 엇지 은익ᄒᆞ리오마【12】ᄂᆞᆫ, 형은 박게 아ᄂᆞᆫ 바니 ᄎᆞᄉᆞ을 함구ᄒᆞ고 자위 실산(失散)이 올흔 줄노 젼셜ᄒᆞ소셔."

병뷔 역탄 왈,

"ᄉᆞ원 등의 심우와 가변의 괴이ᄒᆞ믄 불문가지라. 근간의 츄밀 합ᄒᆡ 신관이 크게 환탈(換奪)ᄒᆞ실 ᄲᅮᆫ 아냐, 정명지긔(精明之氣) ᄒᆡᆼ혀도 업ᄉᆞ시니, ᄉᆞ원 등의 큰 근심이라. ᄂᆡ 각가이[1730] ᄇᆡ오ᄆᆡ 위ᄒᆞᆫ 근심이 념녀로와 ᄒᆞ노라."

어ᄉᆡ 쳑연 왈,

"계부 환휘 수월이 남도록 낫지 못ᄒᆞ시고 ᄌᆞ위 실ᄉᆞᆫᄒᆞ미 실히, 오ᄂᆞᆫ 날은 소졔 등이 안연이 조항의 나지 못ᄒᆞ리니, 원간 환노의 ᄌᆡ조 브족ᄒᆞᆫ지라. 뜻즐 결ᄒᆞ여 벼술을 바리려 ᄒᆞᄂᆞ이다."

병뷔 말녀 왈,

"ᄉᆞ원 형뎨 ᄒᆞᄒᆡ지량(河海之量)으로 일이 엇지 조ᄇᆡ야오뇨? 악모 실산지변이 진젹ᄒᆞᆯ진ᄃᆡ ᄉᆞ졍을 주달ᄒᆞ고 ᄉᆞᄒᆡ구쥬(四海九州)로 두루도라 악모 거쳐을 안 후 ᄒᆡᆼ셰ᄒᆞ미 올커니와, 지금 형셰 그럿치 아냐 악뫼 무

1729)긔이다 : 기이다. 어떤 일을 숨기고 바른대로 말하지 않다.

1730)각가이 : 가까이.

뫼 무ᄉᆞᄒᆞ신ᄃᆡ ᄌᆞ모 거쳐 모로ᄂᆞᆫ 죄인으로 ᄌᆞ쳐ᄒᆞ여 기ᄃᆡᆨᄒᆞ엿다가, 녕존당(令尊堂) 부덕이 낫타나ᄂᆞᆫ 날의, ᄉᆞ원 등이 악모를 ᄀᆞᆷ초고, 거ᄌᆞᆺ 실산을 일ᄏᆞ라 텬문의 쥬달ᄒᆞ고 기ᄃᆡᆨᄒᆞ미, 인인이 녕존당을 너모 긔망(欺罔)ᄒᆞ믈 니를 거시니, 모로미 기ᄃᆡᆨᄒᆞᆯ 의ᄉᆞ를 ᄂᆡ지 말나."

어ᄉᆡ 왈,

"형언이 올흐나 오개 미셰ᄒᆞᆫ 문회 아니오, 일가 친쳑이 번셩ᄒᆞ니 젼셜ᄒᆞ여 ᄌᆞ위 실산을 모로리 업ᄉᆞᆯ 빅어ᄂᆞᆯ, 아등은 작ᄃᆡᆨ을 탐ᄒᆞ【14】여 ᄒᆡᆼ공을 ᄒᆞᆫ갈ᄀᆞᆺ치 ᄒᆞ면 인인의 ᄎᆞᄌᆞ미 될 거시오, ᄯᅩ 계부 환휘 비경ᄒᆞ시니 약지를 ᄒᆞ려 ᄒᆞᄃᆡ, 형뎨 다 공춍(倥傯)ᄒᆞ여 약셕을 정셩과 ᄀᆞᆺ치 못ᄒᆞ니, 졀민ᄒᆞ미 이 밧긔 ᄯᅩ 이시리오."

병뷔 쇼왈,

"ᄉᆞ원이 광풍졔월지상(光風霽月之相)으로 셰쇄지녀(細碎之慮)를 아니터니, 이제 엇디 인언을 두리며, 합하의 환후를 관심 공춍ᄒᆞ므로 의약을 못ᄒᆞᆫ다 핑계ᄒᆞᄂᆞ뇨? 텬만인이 ᄉᆞ원 등을 즐ᄆᆡᆨᄒᆞᆫ다 ᄒᆞ여도 압히 굽디 아닌 후ᄂᆞᆫ 븟그러온 일 업고, 만됴 ᄇᆡᆨ뇨와 일가 족당이 ᄉᆞ원 등은 아는 ᄌᆞᄂᆞᆫ ᄎᆞᄉᆞ로ᄡᅧ 묘ᄆᆡᆨ이 이시믈 짐작ᄒᆞᆯ 거시오, 합하 질환은 약치로 곳칠 ᄇᆡ 아니라【15】 ᄂᆡ당을 ᄡᅥ나 슈삼월만 독쳐ᄒᆞ시면 쾌복ᄒᆞ실지니, 엇디 일노ᄡᅧ 기ᄃᆡᆨᄒᆞ리오."

ᄉᆞᄒᆞ신ᄃᆡ, 짐즛 거즛말을 실ᄒᆞ와1731) ᄌᆞ모 거쳐을 모로ᄂᆞᆫ 죄인으로 기직고져 ᄒᆞ면, 가병[변](家變)을 펴지워 후일의 아름답지 아닌 소문이 들쳐나 영○[존]당(令尊堂) 부덕이 나타나ᄂᆞᆫ 날의ᄂᆞᆫ, ᄉᆞ원 형뎨로 ᄌᆞ모을 감초고 거즛 실산을 일커러 쳔졍의 주달ᄒᆞ고 기직코져 ᄒᆞ미 ᄉᆞ름마다 {ᄉᆞ원 등으로} 녕존당을 긔망(欺罔)ᄒᆞ므로 일을 거시니, 모로미 출직ᄒᆡᆼ공(察職行公)ᄒᆞ여 젼ᄌᆞ와 달니 말나."

어ᄉᆡ 왈,

"형언이 선의(善矣)나, 오기 미쳔ᄒᆞᆫ 문회 아니오, 일가친쳑이 번셩ᄒᆞ니 ᄌᆞ연 말이 젼ᄒᆞ여 ᄌᆞ위 실산을 모로리 업ᄉᆞ려든, 소졔 등이 작직을 탐ᄒᆞ고 국녹을 취ᄒᆞ기을 위주ᄒᆞ여 출직ᄒᆞ물 ᄒᆞᆫ갈 갓치 ᄒᆞᆯ진ᄃᆡ, 인인이 【13】 ᄎᆞ짓지 아니리 업ᄉᆞ리니, 비록 ᄌᆞ위 계신 곳을 아나 언언이 괴롭지 아니리오. 겸ᄒᆞ여 슉부의 질환이 심상치 아니코 의약을 착실이 ᄒᆞ여 쾌복ᄒᆞ시물 보려 ᄒᆞ나 형뎨 각각 직ᄉᆞ의 공춍(倥傯)ᄒᆞ여 집의 든 ᄯᅵ 젹은지라, 약셕을 졍셩과 갓치 못ᄒᆞ미 졀민토소이다."

병뷔 소왈,

"ᄉᆞ원이 긔상이 광풍졔월(光風霽月) 갓트여 평ᄉᆡᆼᄒᆡᆼᄉᆡ 소소곡졀과 셰쇄ᄒᆞᆫ 념녀을 아니터니, 도금ᄒᆞ여 엇지 인언을 두리며 합하 환휘 비경ᄒᆞ므로 관ᄉᆡ 공춍ᄒᆞ여 의약의 졍셩과 갓지 못ᄒᆞ물 핑계ᄒᆞ여 엇지 기직ᄒᆞ려 ᄒᆞᄂᆞ뇨? 쳔만인이 ᄉᆞ원 등을 시비ᄒᆞ나 압히 굽지 아니[닌] 후ᄂᆞᆫ 붓그럽지 아니코, ᄒᆞ물며 만조ᄇᆡᆨ뇨와 일가족당이 ᄉᆞ원 형뎨을 아ᄂᆞᆫ ᄌᆞ와 지효을 드른 ᄌᆞᄂᆞᆫ ᄎᆞᄉᆞ로ᄡᅧ 무망타 일을 ᄌᆡ 업셔, 필유묘ᄆᆡᆨᄒᆞ므로 알아 짐작ᄒᆞᆯ 것시오, 합하 질환은 일시의 약으로 곳칠 ᄇᆡ 아니라, ᄂᆡ당을 ᄡᅥ나시며 주ᄉᆡᆨ을 ᄯᅵ 업시 마르ᄉᆞ 수삼월만 독쳐 ᄒᆞ시면 쾌히 여상ᄒᆞ실 거시로ᄃᆡ, ᄂᆡ 이리온 ᄯᅵ라도 셔헌의 계시물 보지 못ᄒᆞ니, 혜건ᄃᆡ 집을 ᄡᅥᄂᆞ지

1731)실ᄒᆞ다 : 실답다. 꾸밈이나 거짓이 없이 참되고 미더운 데가 있다

어ᄉᆡ 샤왈,

“형언이 올흐니 아ᄃᆞᆼ이 엇지 밧드디 아니리오. 쇼쇼(小小) 인언(人言)을 믈외의 더지고 찰ᄃᆡᆨᄒᆞ려니와, 실노 쾌ᄒᆞᆫ ᄯᅳᆺ이 업ᄂᆞ이다.”

ᄃᆡᆨᄉᆞᄂᆞᆫ 오직 관을 ᄉᆞᆨ여 옥면이 참연ᄒᆞ여 ᄃᆡ인(對人)ᄒᆞ믈 붓그리니, 병뷔 호언으로 위로ᄒᆞ고 옥화산 조부를 므러 승간ᄒᆞ여 악모긔 ᄇᆡ현ᄒᆞ려 ᄒᆞ더라.

어시의 문양공쥬 하가 오삭의 부매 왕ᄂᆡ 무상ᄒᆞ며, 츈풍화긔(春風和氣)와 뉴슈지언(流水之言)이 졍의관관(情誼款款)ᄒᆞᆫ 부뷔나 일침지하(一枕之下)의 년니지낙(連理之樂)은 몽니의도 업셔, ᄆᆡ양 신병이 괴ᄒᆞ믈 일ᄏᆞ라《삼ᄉᆞ‖삼ᄀᆞ》【16】 조심ᄒᆞ여 신질이 ᄎᆞ경(差境)ᄒᆞ여 유ᄌᆞᄉᆡᆼ녀(有子生女)ᄒᆞ고 ᄇᆡᆨ슈ᄒᆡ로(白壽偕老)ᄒᆞᆯ 바를 니르니, 공쥐 기심을 측냥치 못ᄒᆞ여 다만 상ᄉᆞ디심(相思之心)이 분분(紛紛) 초ᄉᆞ(焦思)ᄒᆞ여 ᄋᆡ듧고 괴이ᄒᆞ믈 니긔지 못ᄒᆞ니, 최상궁이 공쥬를 권ᄒᆞ여 밧그로 덕을 일치 말나 ᄒᆞ고, 금은을 흣터 인심을 취합ᄒᆞ며, 부매 별원의 왕ᄂᆡᄒᆞᄂᆞᆫ가 동졍을 ᄉᆞᆯ피ᄃᆡ, 공쥬 하가(下嫁)○○[ᄒᆞᆫ 후(後)] ᄌᆞ최 별원의 가미 업ᄂᆞᆫ디라. 공쥐 왈{왈},

못ᄒᆞ시면 환휘 낫지 못ᄒᆞᆯ가 ᄒᆞ노라..”

어ᄉᆡ 평후의 말이 올흐믈 ᄭᆡ다라 기직ᄒᆞᆯ 의ᄉᆞ을 곳치고 직ᄉᆞᄂᆞᆫ 오직 관을 ᄉᆞᆨ이고 옥면이 참연ᄒᆞ여 스ᄉᆞ로 ᄃᆡ인ᄒᆞᆷ물 붓그리고 사군 출직ᄒᆞᆯ ᄯᅳᆺ지 무연ᄒᆞ니, 병뷔 ᄌᆡᄉᆞᆷ ᄒᆡ유ᄒᆞ여 기직ᄒᆞ미 가변을 실ᄒᆡᄒᆞ고 존당을 ᄒᆞᆫᄒᆞᄂᆞᆫ ᄯᅳᆺ지라 ᄒᆞ여, 찰임키을 지셩으로 권ᄒᆞ【14】니, 어ᄉᆡ 왈,

“형의 말ᄉᆞᆷ이 올흐니 아ᄃᆞᆼ이 엇지 밧드지 아니리오.”

ᄒᆞ고 인언을 물외의 더지고 찰직ᄒᆞ려 ᄒᆞ니, 병뷔 호언위로ᄒᆞ고 인ᄒᆞ여 옥화산 조부을 무러 승간ᄒᆞ여 악모을 ᄇᆡ견코져 ᄒᆞ더라.

어시의 문양공쥐 ᄒᆞ가 ᄉᆞ오삭의 임의 환셰(還世)ᄒᆞ고 병뷔 왕ᄂᆡ을 무상이 ᄒᆞ며 츈풍화긔(春風和氣)와 유수지변(流水之辯)으로 상의ᄒᆞ는 거동이 졍의관관(情誼款款)ᄒᆞᆫ 부부나 일침지ᄒᆞ(一枕之下)의 연리지낙(連理之樂)이 몽니의도 업셔, ᄆᆡ양 신병이 괴이ᄒᆞᆷ을 탄ᄒᆞ며, ᄉᆞᆷ년을 갈벽 조심ᄒᆞ여 신질이 ᄎᆞ션ᄒᆞᆫ 후, ᄌᆞ녀을 가초 두어 ᄇᆡᆨ수ᄒᆡ노(白首偕老)의 만수동낙(萬壽同樂)을 일너 공주의 여튼 ᄆᆞ음을 위로ᄒᆞ니, 공쥐 기심을 측냥치 못ᄒᆞ여 ᄃᆡᄒᆞᆫ 즉, 화긔 무르녹아 졍된 말이 긋치지 아니ᄒᆞ고, 은근ᄒᆞ여 소년 부부의 연산 듕졍이 잇ᄉᆞᆷ 갓트니, 능히 극진ᄒᆞ다 이르랴 ᄒᆞᆫ 즉, 셩혼 ᄉᆞ오삭의 비홍(臂紅)이 완연ᄒᆞ여 쳐녀와 다르미 업고, 병뷔 ᄇᆡᆨ년(白蓮) 얼골의 호협[비]쥬슌(虎鼻朱脣)이며, 혈긔방강ᄒᆞ여 《긔뷔‖긔위(氣威)》 송ᄇᆡᆨ(松柏) 갓거날, ᄆᆡ양 신상질양을 일너 밤을 당ᄒᆞᆫ 즉 각각 상요의 약수(弱水) 가린 듯ᄒᆞᆫ지라.

상ᄉᆞ지심(相思之心)이 분분초조(紛紛焦燥)ᄒᆞ여 ᄋᆡ답고 괴이ᄒᆞᆷ을 이긔지 못ᄒᆞ니, 보뫼 최상궁 등이 주야로 공주을 권ᄒᆞ여 밧그로 덕을 닥가 영여[예](令譽)을 일치말나 ᄒᆞ고, ○○○[ᄌᆡ보를] 두루 흣터 인심을 취합ᄒᆞ여

"부매 만일 윤・양・니 등의게 듕졍이 이신 즉, 반ᄃᆞ시 별원의 왕ᄂᆡᄒᆞᆯ 거시로ᄃᆡ, ᄒᆞᆫ번 가미 업다 ᄒᆞ니 일노 본 즉, 신병이 잇ᄂᆞᆫ 듯ᄒᆞᄃᆡ, 거동이 심침굉위(深沈宏偉)1774) ᄒᆞ여 변홰 만하 뵈니 밋븐 뜻【17】이 젹도다."

최녀ᄂᆞᆫ ᄒᆞᆫ낫 흉ᄒᆞᆫ 별믈이라 머리를 흔드러 왈,

"쳡이 쳐음은 쥬군 신병을 고디 드럿더니 오ᄅᆡ 힝디를 술피니 의심이 만흔디라. 쥬군의 냥긔(陽氣) 우쥬를 밧들 듯ᄒᆞ시니, 좀 질환이 업술 듯ᄒᆞ고, 쇼년 남ᄋᆡ ᄆᆞᄉᆞᆷ 조심이 그ᄃᆡ도록 ᄒᆞ여 옥쥬의 ᄌᆞ미운치(姿美韻致)를 ᄃᆡᄒᆞ여 은ᄋᆡ를 동치 아니리오? 거즛 신질을 일ᄏᆞ라 이셩지친(二姓之親)을 날회니, 이 반ᄃᆞ시 념박ᄒᆞ나 황녀의 존귀를 괴로워, 짐즛 후ᄒᆞᆫ 빗출 디으니 옥쥬ᄂᆞᆫ 밋디 마르시고, 범ᄉᆞ를 상심(詳審)ᄒᆞ여 허믈을 눈의 뵈지 마르시고, 셰셰히 긔모비계(奇謀秘計)로 젹인을 쇼졔ᄒᆞ고 통일텬하ᄒᆞᄂᆞᆫ 쾌ᄒᆞ【18】믈 가지쇼셔."

공쥐 칭지 왈,

"보모의 원네 무궁홈과 지감이 여ᄎᆞᄒᆞ니, 내 뎍인이 만ᄒᆞ나 보모를 두어시니 므ᄉᆞᆫ 근심이 이시리오. 다만 부마 신딜(身疾)이 올흔즉 근심이 업거니와 허언인즉 분완ᄒᆞ믈 엇지 ᄎᆞᆷ으리오."

최녜 왈,

1774)심침굉위(深沈宏偉) : 깊고 조용하며 넓고 큼.

부ᄃᆡ 별원(別園)의 왕ᄂᆡᄒᆞᄂᆞᆫ가 동졍을 술피ᄃᆡ, 공주 ᄒᆞ가(下嫁)ᄒᆞᆫ 후 별원의 ᄌᆞ최 가ᄂᆞᆫ 일이 업다 ᄒᆞᄂᆞᆫ지라. 공주와 상궁 등이 더욱 괴이ᄒᆞ믈 이긔지 못ᄒᆞ고, 공주 시아(侍兒)다려 왈,

"부ᄃᆡ[마] 만일 여러 부인의게 듕졍이 이실진【15】ᄃᆡ, 별원의 ᄌᆞ로 왕ᄂᆡᄒᆞᆯ 거시오, 《공주∥ᄂᆡ》 ᄒᆞ가ᄒᆞᆫ 후로 일졀 별원의 가ᄂᆞᆫ 일이 업다 ᄒᆞ니, 일노 볼진ᄃᆡ 인졍이 박ᄒᆞ고, 나의 ᄌᆞ미운치(姿美韻致)을 탐ᄒᆞ나 실노써 신병이 잇ᄂᆞᆫ가 시부되, 거동이 침심(沈深)ᄒᆞ고 굉위(宏偉)ᄒᆞ여 능ᄃᆡ능소(能大能小)ᄒᆞ며 변홰 무궁ᄒᆞ여 뵈니, 깃분 ᄆᆞ옴이 젹도다."

최녀ᄂᆞᆫ 궁흉ᄒᆞᆫ 별물이라. 부마의 힝지을 의심ᄒᆞ여 공주의 말을 듯고 머리을 흔드러 왈,

"쳡이 쳐음은 술피니 졈졈 의심이 동ᄒᆞᄂᆞᆫ지라. 주군이 옥주을 흔연 상ᄃᆡᄒᆞ미 관져지낙(關雎之樂)을 다ᄒᆞ고 긔운이 장ᄒᆞ미 ᄆᆡᆼ자(猛者) 갓고, 용뫼 갓핀 화왕(花王)1732) 갓트니, 신상의 질환이 발뵈지 못ᄒᆞᆯ지라. 셜ᄉᆞ 유질ᄒᆞᆯ지라도 소년지심의 옥주의 쳔고절염(千古絶艶)을 ᄃᆡᄒᆞ여 은ᄋᆡ을 요동치 아니리오마ᄂᆞᆫ, 거즛 신질을 일카라 옥주 비홍이 완연ᄒᆞ니, 반다시 염박ᄒᆞ미로ᄃᆡ, 황녀의 존ᄒᆞ믈 괴로이 녁여 짐즛 우ᄃᆡᄒᆞᄂᆞᆫ 빗출 지으미라. 귀주ᄂᆞᆫ 밋지 마르시고 셰셰히 긔묘븨계(奇謀秘計)로 젹인을 소졔ᄒᆞ고 일총[통](一統)을 과[쾌]히 《가져∥ᄒᆞ여》 주군의 총셰을 독당ᄒᆞ소셔."

공쥐 칭탄 왈,

"보모의 원녀 무궁홈과 진[지]인(知人)의 여신ᄒᆞᆫ 총명이 이갓트니, ᄂᆡ 비록 여러 젹인이 잇시나 보모 갓튼 츙의모ᄉᆞ(忠義謀士)을 두어시니 무숨 근심이 이시리오. 다만 부마 신질이 올흔 쥴 근심이 젹지 아니케니와, 만일 외친ᄂᆡ소(外親內疏)ᄒᆞᆫ 즉시면 이 분완ᄒᆞ믈 엇지 참으리오."

최녀 왈,

1732)화왕(花王) : 모란꽃'을 달리 이르는 말.

"쳡의 의심이 혹 탁질(託疾)인가 ᄒᆞᄃᆡ, 분명치 아니니 아딕 구가 합문 명예를 모호쇼셔."

공쥐 응낙ᄒᆞ고 은악양션(隱惡佯善)을 위주ᄒᆞ여 구고존당(舅姑尊堂) 신혼셩졍의 ᄯᆡ를 맛초고, 화ᄉᆡᆨ 이셩으로 구고를 밧들며 하쳔 비ᄇᆡ의게도 《교우 ‖ 교오(驕傲)》 ᄌᆞ듕(自重)》ᄒᆞ미. 업ᄉᆞ니, 범인은 공쥬의 ᄂᆡ외 다르믈 모로ᄃᆡ 오딕 금후 부ᄌᆞ의 일뺭 안광이【19】 그 교샤(狡邪)ᄒᆞ믈 지긔ᄒᆞ고 ᄆᆡ양 윤·양·니 등의 젼졍을 념녀ᄒᆞ더라.

병뷔 졀강 경소져를 닛지 못ᄒᆞ여 개츈 후 샹경ᄒᆞ믈 바라다가, 의외 원치 아닛ᄂᆞᆫ 공쥬를 취ᄒᆞ니, 경공이 셔간을 븟쳐 이졔ᄂᆞᆫ 녀ᄋᆞ의 젼졍이 볼 거시 업ᄉᆞ니, 다만 뎡시 셩명을 의디ᄒᆞ여 심규의 맛고 감히 공쥬와 동녈치 못ᄒᆞᆯ 바를 베펏ᄂᆞᆫ디라. 부매 답간을 닷가 쳔만 위로ᄒᆞ고 슈히 샹경ᄒᆞ믈 쳥ᄒᆞᄃᆡ, ᄌᆞ긔 셔간(書簡)이 효험이 업ᄉᆞᆯ 줄 알고, 일일은 텬졍의 죵용이 근시ᄒᆞᆫ ᄯᆡ를 타 쥬왈,

"참지졍ᄉᆞ 경침이 기딕 ᄉᆞ오년이오, 혹ᄉᆞ 츈긔와 한님 환긔 다 삼년을 맛ᄎᆞᆺ습거ᄂᆞᆯ, 셩샹이 엇디【20】 슈용(收用)치 아니시ᄂᆞ니잇고? 신이 ᄎᆞ언을 쥬ᄒᆞ미 빙개라 ᄉᆞ졍인 ᄃᆞᆺᄒᆞ오나, 경침의 ᄌᆡ덕과 츈긔 등의 아ᄅᆞᆷ다오므로뼈 향니의 오ᄅᆡ 바리미 가연ᄒᆞ와 국가의 현○[량](賢良)을 슈용ᄒᆞ시믈 원ᄒᆞ미오, 일ᄌᆞᄂᆞᆫ 경침의 합개 샹경ᄒᆞ온 즉 신의 쳬(妻) 올나옴도 ᄉᆞ졍이라. 경침이 신을 위셔(爲壻)치 아녓던들 금츈의 샹경ᄒᆞ올 거시로ᄃᆡ, 공쥬 하가ᄒᆞ시므로 결단ᄒᆞ여 기녀를 도장의 ᄂᆞᆰ히려 ᄒᆞ오니, 신이 공쥬를 취ᄒᆞ온 후 여러 쳐실을 모흠과 다르와, 공쥐 슈(雖) 존(尊)ᄒᆞ나 ᄎᆞ례온 즉 다ᄉᆞᆺᄌᆡ로 하가ᄒᆞ시니, 셩샹 위엄으로 공쥬를 원《하여 ‖ 위의》 두

"쳡이 그윽이 의심ᄒᆞᄂᆞᆫ 밧ᄌᆞᄂᆞᆫ 도위 상공이 혹 탁질(託疾)ᄒᆞ시민가 ᄒᆞ되, 이 ᄯᅩᄒᆞᆫ 분명치 아니니, 다만 옥주ᄂᆞᆫ 어진 덕을 낫토여 구가 합문의 명예을【16】 취ᄒᆞ소셔."

공쥐 졈두응낙(點頭應諾)ᄒᆞ고 ᄎᆞ후로 더욱 은약양션(隱惡佯善)ᄒᆞ기을 위주ᄒᆞ여 구고존당(舅姑尊堂)의 신혼셩졍(晨昏省定)을 ᄯᆡ의 어긔오미 업고, 화슌ᄒᆞᆫ 낫빗과 브드러온 소ᄅᆡ로 졍셩을 다ᄒᆞ여 구고을 밧들며, ᄒᆞ쳔 비ᄇᆡ의게도 《교우 ‖ 교오(驕傲)》ᄌᆞ듕(自重)ᄒᆞ미 업고, 다만 인ᄌᆞᄒᆞ믈 뵈니, 범인이야 엇지 공주의 ᄂᆡ외 갓지 아니ᄒᆞ물 알니오 마ᄂᆞᆫ, 오직 금후 부ᄌᆞ의 일쌍 안광이 그 교ᄉᆞ(狡邪)ᄒᆞ믈 지긔ᄒᆞ고 ᄆᆡ양 윤·양·니 등의 젼졍을 념여ᄒᆞ더라.

병뷔 졀강 경소져을 잇지 못ᄒᆞ여 ᄀᆡ츈 후 상경ᄒᆞ물 바라다가 의외 공주을 취ᄒᆞ니, 경공이 셔간을 부쳐 이졔ᄂᆞᆫ 녀ᄋᆞ의 젼졍이 볼 거시 업ᄉᆞ니, 오직 뎡시의 셩명을 의지ᄒᆞ여 심규의 안졍이 머물게 ᄒᆞ물 베퍼시ᄆᆡ, 일녀ᄋᆡ 평ᄉᆡᆼ이 호화치 못ᄒᆞ물 그윽이 비탄ᄒᆞ엿ᄂᆞᆫ지라. 부ᄆᆡ 답간을 베퍼 쳔만 위로ᄒᆞ고 슈히 상경ᄒᆞ믈 쳥ᄒᆞᄃᆡ, ᄉᆞᆷ츈이 다 지ᄂᆡ도록 소식이 업ᄉᆞ니, 부ᄆᆡ ᄌᆞ긔 셔간이 효험이 업ᄉᆞ물 알고, 일일은 쳔졍의 조용히 근시ᄒᆞ믈 타 주ᄒᆞ여 왈,

"참지졍ᄉᆞ 경침이 기직 ᄉᆞ오년의 혹ᄉᆞ 경츈긔와 한님 경○[환]긔 ᄌᆡ상(在喪)ᄒᆞ여 졀강의 가 ᄉᆞᆷ년을 맛ᄎᆞᆺ습거ᄂᆞᆯ, 셩상이 엇지 경가 부ᄌᆞ을 슈용(收用)치 아니시ᄂᆞ니잇고? 신이 ᄎᆞ언을 발ᄒᆞ오미 반드시 빙가라 ᄒᆞ여 ᄉᆞ졍을 두ᄂᆞᆫ가 아르시려니와, 경시[침]의 ᄌᆡ덕과 츈긔 등의 아름다오므로써 브르시미 국가의 현량을 조용(調用)ᄒᆞ시ᄂᆞᆫ 셩ᄉᆡᆨ요, 신으로써 이를지라도 경신[침]의 합ᄀᆡ 상경【17】ᄒᆞ온 즉 쳐실이 ᄒᆞᆫ가지로 옴도 ᄉᆞᄉᆞ로이 기다리미라. 경신[침]이 신을 ᄉᆞ회 ᄉᆞᆷ지 아녓던들 반드시 금츈의 상경ᄒᆞ엿실 거시로ᄃᆡ, 임의 신을 동상을 ᄆᆡ잔 후 공주 ᄒᆞ가(下嫁)ᄒᆞ시물 ᄃᆞᆺ고, 고이ᄒᆞᆫ 고집을 결단ᄒᆞ여 기녀을 도장의 ᄂᆞᆯ키기을 졍ᄒᆞ여, 신이

게 ᄒᆞ시나, 신【21】의 ᄆᆞᄋᆞᆷ은 ᄎᆞ례로 도라가ᄋᆞᆸᄂᆞ니 폐하ᄂᆞᆫ 신의 외람ᄒᆞ믈 용셔ᄒᆞ쇼셔.”

샹이 쳥파의 어히업시 넉이샤 도로혀 쇼왈,

“경침 등 슈용은 올커니와, 공쥬를 다ᄉᆞᆺ지 안히로 아노라 말은 ᄀᆞ장 방ᄌᆞ외람(放恣猥濫)ᄒᆞ니 ᄎᆞ후 이런 말을 다시 말나.”

부매 돈슈 왈,

“셩괴 맛당ᄒᆞ시나 신의 일단 뎡심이 셰엄(勢嚴)의 붓좃디 못ᄒᆞᄋᆞᆸᄂᆞ니, 오딕 군신대의ᄂᆞᆫ 부ᄌᆞ유친의 더ᄒᆞ므로 아라, 우튱(愚衷)이 몸을 죽여 나라흘 갑ᄉᆞᆸ고져 ᄒᆞ오나, 공쥐 하가ᄒᆞ시므로 일분 경셩이 더을 니ᄂᆞᆫ 업ᄉᆞᆸᄂᆞ니, 원간 쳔고(千古)의 ᄉᆞ쳐와 냥ᄌᆞ를 두고 작치 녈후의 잇ᄂᆞᆫ 신뇌 부매 되니 업ᄉᆞᆸᄂᆞᆫ디라.【22】 감히 공쥬를 경시ᄒᆞ미 아니오ᄃᆡ, 신의 형셰 여ᄂᆞ 부마와 다른디라, 굿ᄐᆞ여 방ᄌᆞᄒᆞ미 아니니이다.”

샹 왈,

“비록 십쳐와 ᄇᆡᆨᄌᆞ식이 잇다 ᄒᆞ여도 문양은 딤의 긔츌이니 가바야이 못ᄒᆞ리니 괴이ᄒᆞᆫ 말을 말나.”

부매 ᄇᆡ샤이퇴(拜謝而退)ᄒᆞ엿더니, 샹이 즉시 경침으로 참디졍ᄉᆞ로 ᄒᆞ이시고, ᄒᆞᆨᄉᆞ 츈긔로 니부시랑을 ᄒᆞ이시고, 한님 환긔로 츈방ᄒᆞᆨᄉᆞ를 ᄒᆞ이샤 밧비 샹경ᄒᆞ믈 지쵹ᄒᆞ시니, 부매 그ᄋᆞ이 깃거 졀강의 셔간을 붓쳐 미구의 샹경ᄒᆞ믈 베퍼 부쵹ᄒᆞ니, ᄒᆡᆼ식 능녀ᄒᆞ여 가듕이 알 니 업더라.

ᄎᆞ시 경공부뷔 뎡병【23】부의 부마 되믈 듯고 녀ᄋᆞ의 일ᄉᆡᆼ을 념녀ᄒᆞᄃᆡ 쇼졔 타[태]연ᄌᆞ약(泰然自若)ᄒᆞ여 ᄉᆞ긔 안샹ᄒᆞ니, 부뫼 어로만져 탄왈,

“우리 그릇 챵ᄇᆡᆨ으로 동상을 삼아 이제 젼졍이 글너시니, 우리 근심이 ᄉᆞᆨ식을 편히 못ᄒᆞ거ᄂᆞᆯ 너ᄂᆞᆫ 무ᄉᆞ무려(無思無慮)ᄒᆞ여 댱ᄂᆡ를 ᄉᆡᆼ각지 아닛ᄂᆞ뇨?”

공주 취ᄒᆞᆫ 후 여러 쳐실을 모흠과 다르와, 공주 비록 존(尊)ᄒᆞ나 ᄎᆞ례로 의논ᄒᆞ오면 다ᄉᆞᆺ지로 ᄒᆞ엿시니, 성상 위엄으로써 원위을 누리게 ᄒᆞ여 계시나, 신의 취실ᄒᆞᆫ ᄎᆞ례로 가ᄋᆞᆸᄂᆞ니, 폐ᄒᆞᄂᆞᆫ 신의 우직ᄒᆞ물 용ᄉᆞᄒᆞ셔 굿ᄒᆞ여 피치 마르소셔.”

상이 청필의 어히 업셔 소왈,

“경신[침] 부지 슉질을 슈용ᄒᆞ믄 가커니와 공주로 경의 다ᄉᆞᆫ지 안히라 ᄒᆞ문 가장 외람ᄒᆞ니 ᄎᆞ후 다시 이런 말 말나.”

병뷔 돈슈 주왈,

“셩교 맛당ᄒᆞ오나 신의 일단 정심이 본ᄃᆡ 셰엄(勢嚴)의 붓좃지 못ᄒᆞᄋᆞᆸᄂᆞ니, 오직 군신지의ᄂᆞᆫ 부ᄌᆞ유친의 더ᄒᆞ믈 우러라 몸이 죽어 나라흘 갑고져 ᄒᆞ오나, 공주 ᄒᆞ가ᄒᆞ시므로 일분 정셩이 더ᄒᆞᆫ 일이 업ᄉᆞᆷᄂᆞ니, 신이 원ᄂᆡ 외조(外朝)로써 쳐신ᄒᆞ와, 오히려 부마라 칭ᄒᆞᆫ 즉 스ᄉᆞ로 불열ᄒᆞᄋᆞᆸ나니, 천고의 ᄉᆞ쳐양ᄌᆞ(四妻兩子)을 두고 작치 열후의 잇ᄂᆞᆫ 외조신히 부마 되미 업ᄉᆞ온지라. 감히 공주을 경시ᄒᆞ미 아니로소이다.”

상이 그 위인을 ᄉᆞ랑ᄒᆞᄉᆞ 우어 왈,

“○○○[비록 열] 안히와 ᄇᆡᆨ ᄌᆞ식이 잇다 ᄒᆞ여도 문양공주ᄂᆞᆫ 짐의 긔츌이라, 가ᄇᆡ야이 ᄃᆡ졉지 못ᄒᆞ리라.”

병뷔 ᄇᆡᄉᆞ이퇴(拜謝而退) ᄒᆞ엿더니, 상이 즉시 경침으로 참지정ᄉᆞ을 ᄒᆞ이시고, 환긔로 츈방【18】ᄒᆞᆨᄉᆞ을 ᄒᆞ이ᄉᆞ, 사ᄌᆞ(使者)을 졀강의 보ᄂᆡ여 밧비 조현ᄒᆞ기을 지촉ᄒᆞ시니, 병뷔 그ᄋᆞ이 다ᄒᆡᆼᄒᆞ{ᄒᆡᆼᄒᆞ}여 심복 노ᄌᆞ로 졀강의 셔간을 부쳐 밧비 상경ᄒᆞ믈 부촉ᄒᆞ나, ᄒᆡᆼ식 능ᄃᆡᄒᆞ여 가듕이 알니 업더라.

ᄎᆞ시 경공부뷔 뎡병부의 부마 됨을 듯고 녀ᄋᆞ의 일ᄉᆡᆼ을 크게 위ᄐᆡᆨ이 넉여 비탄ᄒᆞᄃᆡ, 《오연‖오히려》소져 ᄐᆡ연ᄌᆞ약(泰然自若)ᄒᆞ니, 부뫼 어로만져 왈,

“우리 너을 위ᄒᆞ여 근심터니 창ᄇᆡᆨ이 공주의 ᄇᆡ위되니 우리ᄂᆞᆫ 슉식을 편치 못ᄒᆞ거ᄂᆞᆯ 너ᄂᆞᆫ 안연여상(晏然如常)ᄒᆞ뇨?”

쇼져 옥면 화긔로 ᄃᆡ왈,

“쇼녀의 년긔 아딕 삼외(三五) ᄎᆞ지 못ᄒᆞ여 젼졍이 만니라, 뎡군이 비록 부매(駙馬) 되나 쇼녀ᄂᆞᆫ 향니의셔 부모를 뫼시고 이시면, 공쥬의 위엄을 당치 아니ᄒᆞ오리니, 쇼녀의 몸이 편ᄒᆞ고 남ᄆᆡ 상의ᄒᆞ여 부○[모]감디(父母甘旨)를 봉양ᄒᆞ미 녀ᄌᆞ의 엇지 못ᄒᆞᆯ 영쾌라. 부모ᄂᆞᆫ 졀념 소려【24】ᄒᆞ쇼셔.”

공의 부뷔 녀ᄋᆡ 아직 나히 어려 부부 ᄉᆞ졍을 모로므로 아라, 더옥 ᄋᆡ련ᄒᆞ더니, 믄득 샤명(詞命)이 니르러 은디를 젼ᄒᆞ고 브르시미 ᄀᆞ장 급ᄒᆞ니, 경공이 환욕이 젹을 ᄲᅳᆫ 아냐, 쇼졔 부모긔 고왈,

“대인이 기딕ᄒᆞ션 지 오라고 샹경ᄒᆞᄆᆡ 쇼녀의 몸이 위틱키 쉬온디라. 대인이 냥거거만 다리시고 황셩의 가샤, 질환이 ᄌᆞᆺ고 샤환의 분쥬ᄒᆞᆯ 근력이 업ᄉᆞ믈 진졍 소달(疏達)ᄒᆞ샤, 샤딕(辭職)ᄒᆞ시고 냥거거(兩哥哥)만 두고 하향ᄒᆞ시미 됴흘가 ᄒᆞᄂᆞ이다.”

공이 부뷔 션지(善之)ᄒᆞ여, ᄂᆡᄒᆡᆼ(內行)[1775]은 가지 아니키로 뎡ᄒᆞ거ᄂᆞᆯ, 시랑이 고왈,

“이졔 챵빅이 쇼ᄆᆡ 샹경【25】ᄒᆞ믈 희망ᄒᆞᄂᆞᆫ 눈이 ᄯᅮ러질 ᄃᆞᆺᄒᆞ니, 엇지 져의 듕졍을 긋ᄎᆞ며, 공쥬의 셰엄이 듕ᄒᆞ나 금평후도 챵빅의 작용을 모로ᄂᆞᆫᄃᆡ, 공쥐 엇지 소ᄆᆡ 유무를 알니잇고? ᄇᆞ졀업시 당치 아닌 일을 미리 근심ᄒᆞ여 무익ᄒᆞᄋᆞᆸ고, 녀ᄌᆞ의 평ᄉᆡᆼ 고

1775)ᄂᆡᄒᆡᆼ(內行) : 부녀자가 여행길에 오름. 또는 그 부녀자.

소졔 만면화긔로 ᄃᆡ왈,

“소녀의 나히 아직 슴오(三五)의 ᄎᆞ지 못ᄒᆞ여 젼졍이 만니라. ᄉᆡᆼ셰지후(生世之後)의 부모을 뫼셔 슬하 교ᄋᆡ 듕, 괴로온 근심과 염녀을 앗[아]지 못ᄒᆞᄋᆞᆸᄂᆞ니, 뎡군이 비록 부ᄆᆡ 되ᄂᆞ 소녀ᄂᆞᆫ 향니의 잇셔 부모 슬ᄒᆞ을 써ᄂᆞ지 마오면, 공주의 위엄을 당치 아닐 거시오, 소녀의 평ᄉᆡᆼ이 안온ᄒᆞ여 젹인총듕(敵人叢中)의 어려운 일이 업ᄉᆞ리니, 남ᄆᆡ 상의ᄒᆞ여 부모의 감지을 봉양ᄒᆞ미 녀ᄌᆞ의 엇지 못ᄒᆞᆯ 영화라. 부모ᄂᆞᆫ 소녀을 위ᄒᆞᄉᆞ 물우ᄒᆞ소셔.”

공의 부뷔 {추연 탄왈} 녀ᄋᆡ 나히 어려 부부ᄉᆞ졍을 모로므로 그러타 ᄒᆞ여 더욱 ᄋᆡ련ᄒᆞ더니, 믄득 ᄉᆞ명(詞命)이 이르ᄆᆡ 은지을 젼ᄒᆞ고 브로시미 가장 급ᄒᆞ여, 각각 ᄒᆞ리 츄종이 관교(官轎)을 가져 힝ᄎᆞ을 바야이니, 경공이 환욕이 젹을 ᄲᅮᆫ 아녀, 소져 ᄯᅩ 상경ᄒᆞ믈 불낙ᄒᆞ여 부모긔 고왈,

“됴명이 비록 급ᄒᆞ나 ᄃᆡ인이 임의 기직ᄒᆞ션지 오ᄅᆡ요, 소녀의 몸이 상경ᄒᆞ면 위틱키 쉬울지라, 뎡【19】군이 비록 상경ᄒᆞ믈 간청ᄒᆞ여시나, 이 불과 우리 집 왕ᄂᆡ 빈빈ᄒᆞ여 공주의 의심을 일위여 소녀의 일ᄉᆡᆼ을 유히케 ᄒᆞ리니, ᄃᆡ인은 냥 거거(哥哥)만 다리시고 황셩의 나아가ᄉᆞ 수월만 머무어 질양으로 ᄉᆞ환ᄒᆞᆯ 긔력이 업ᄉᆞ믈 진졍으로 소달(疏達)ᄒᆞ여 ᄉᆞ직(辭職)ᄒᆞ시고 냥 거거만 머무르시고 도로 하향(下鄕)ᄒᆞ시미 맛당 ᄒᆞᆯ가 ᄒᆞᄂᆞ이다.”

공의 부뷔 션지(善之)ᄒᆞ여 ᄂᆡᄒᆡᆼ(內行)[1733]은 가지 아니키로 결ᄒᆞ거ᄂᆞᆯ, 시랑이 부모긔 고왈,

“ᄆᆡ졔(妹弟)의 말이 비록 올ᄉᆞ오나 창빅이 소ᄆᆡ의 상경ᄒᆞ믈 희망ᄒᆞᄂᆞᆫ 눈이 밋칠 듯ᄒᆞ리니, 부친이 엇지 그 졍을 막으시리오. 공주의 셰 엄듄(嚴峻)ᄒᆞ나 소ᄆᆡ 공주 ᄒᆞ가젼 몬져 셩친ᄒᆞᆫ 빅라. 후로써 션을 간ᄃᆡ로 졔어치 못ᄒᆞᆯ 빅라. 금평후 부뷔 아직 창빅

1733)ᄂᆡᄒᆡᆼ(內行) : 부녀자가 여행길에 오름. 또는 그 부녀자.

락이 가부의게 이시니, 쇼ᄆᆡ 도리 가부의 ᄯᅳᆺ을 승슌ᄒᆞ미 부덕이오, 공쥬를 두려 향니의 숨으미 블가ᄒᆞ오니, 원(願) 부모ᄂᆞᆫ 여러 곳의 갈니ᄂᆞᆫ1776) 일이 업게 ᄒᆞ쇼셔."

혹시 ᄯᅩ 합개 샹경ᄒᆞ믈 쳥ᄒᆞ니, 공이 녀ᄋᆞ다려 왈,

"너의 쇼원이 아니어니와 여형 등의 말이 올흔 ᄃᆞᆺᄒᆞ니 브득이 솔가(率家)코져 ᄒᆞ노라."

쇼졔【26】 ᄃᆡ왈,

"쇼뎐이 비록 듕ᄒᆞ나, 쇼녀ᄂᆞᆫ 형셰 남과 다르오니 엇디 구ᄐᆞ여 일도를 ᄃᆡ희여 화란을 ᄌᆞ취ᄒᆞ리오. 합개 샹경치 아닌 후ᄂᆞᆫ 뎡군이 위력으로 못ᄒᆞ오리니, 쇼녜 뎡군의 블고이취(不告而娶)ᄒᆞᄂᆞᆫ 거조를 한심ᄒᆞ여 ᄒᆞᄋᆞᆸᄂᆞ니, 쇼녜 샹경ᄒᆞᆫ 즉 져 ᄌᆞ연 왕ᄂᆡ ᄌᆞᄌᆞ, 공쥐 알면 누란지위(累卵之危) 급ᄒᆞ리니, 이형의 말ᄉᆞᆷ을 듣지 마르쇼셔."

시랑이 쇼왈,

"소ᄆᆡ 챵ᄇᆡᆨ을 원거ᄒᆞ여 피화코져 ᄒᆞ나 그릇 ᄉᆡᆼ각ᄒᆞ미라. 오ᄂᆞᆫ ᄋᆡᆨ은 셩현도 면치 못ᄒᆞ시니 김흉화복이 텬졍(天定)이라. 샹경치 아니므로 쇼ᄆᆡ 일ᄉᆡᆼ이 안ᄒᆞᆫ(安閒)ᄒᆞ고 샹경ᄒᆞ므로 몸이【27】 위ᄐᆡᄒᆞᆯ 줄 엇디 알니오? 오딕 운슈의 ᄆᆡ인 바를 ᄉᆡᆼ각고 무익지녀(無益之慮)를 두어 가부의 ᄯᅳᆺ을 어긔오지 말나."

1776)갈니다 : 갈리다. 나뉘다. 쪼개거나 나누어 따로따로 되다.

의 작용을 모로ᄂᆞᆫ ᄉᆞ이나 공주 엇지 소ᄆᆡ의 유무을 알니잇고? 창ᄇᆡᆨ의 비상ᄒᆞ미 맛참ᄂᆡ 공주만 직회고 여러 쳐실을 권거(眷去)1734) ᄒᆞᆯ 니 업ᄉᆞ며, 소ᄆᆡ 긔특ᄒᆞ미 복녹(福祿)이 완젼지상(完全之相)이라, 팔ᄌᆞ을 미드미 올코, 녀ᄌᆞ의 평ᄉᆡᆼ고락이 장부의게 이시니 부졀업시 당치 아닌 일의 기리 근심ᄒᆞ미 무익ᄒᆞ오니, ᄃᆡ인과 ᄌᆞ위 비록 소ᄆᆡ을 ᄌᆞᄋᆡᄒᆞ시나 거취 화복은 창ᄇᆡᆨ의게 잇시니, ᄆᆡ졔의 도리 가부의 ᄯᅳᆺ즐 승슌ᄒᆞ미 부덕이라. 맛당이 상경케 ᄒᆞ소셔."

혹시 말ᄉᆞᆷ을 이러 합기(闔家)1735) 상경ᄒᆞ믈 쳥ᄒᆞ니, 공의 부뷔 침음냥구의 녀ᄋᆞ을 도라보아 왈,

"여형의 ᄯᅳᆺ지 이러ᄒᆞ니, 너의 소원이 아니려니와 뎡군의 지극ᄒᆞᆫ 졍을 ᄉᆡᆼ각ᄒᆞ면 ᄯᅩᄒᆞᆫ 이러【20】ᄒᆞᆫ지라, 브득이 솔귀(率歸)코져 ᄒᆞ노라."

소졔 ᄃᆡ왈,

"부모 양형의 말ᄉᆞᆷ을 올히 넉이시나 뎡군이 소녀을 불고이취(不告而娶)ᄒᆞ며 구고도 소녀을 모르시ᄂᆞᆫ지라. 녀ᄌᆡ 비록 졀이 듕ᄒᆞ나 소녀ᄂᆞᆫ 형셰 타인과 갓지 아닌 곡졀이 만흔지라, 엇지 구타여 일도을 직희여 화란을 ᄌᆞ취ᄒᆞ리오. 합기 상경치 아닌 후ᄂᆞᆫ 뎡군이 위력으로 못ᄒᆞᆯ지라. 소녜 뎡군의 불고이취ᄒᆞᄂᆞᆫ 거조을 ᄒᆞᆫ심ᄒᆞ여 ᄒᆞᄋᆞᆸᄂᆞ니 소녜 상경ᄒᆞᆫ 즉 졔 ᄌᆞ연 왕ᄂᆡ ᄌᆞ져 공쥐 알진ᄃᆡ 누란지위(累卵之危) 급ᄒᆞᆯ이니, 이형의 말ᄉᆞᆷ을 듯지 마르소셔."

시랑이 소왈,

"소ᄆᆡ 창ᄇᆡᆨ을 워[원]거(遠居)ᄒᆞ여 피화코져 ᄒᆞ나 그릇 ᄉᆡᆼ각ᄒᆞ미라. 오ᄂᆞᆫ ᄋᆡᆨ은 성인도 면치 못ᄒᆞ시니 길흉화복이 쳔졍(天定)이라, 상경치 아니므로 소ᄆᆡ 일ᄉᆡᆼ이 안졍(安定)ᄒᆞ고 상경ᄒᆞ므로 위ᄐᆡᄒᆞᆯ 쥴 엇지 알니오? 오직 운수의 ᄆᆡ인 바을 ᄉᆡᆼ각ᄒᆞ고 무익지녀(無益之慮)을 두어 가부의 ᄯᅳᆺ즐 어긔오지 말나."

1734)권거(眷去) : ᄂᆞ출거(黜去). 집에서 내쫓음.
1735)합기(闔家) : 집안 전체.

ᄒᆞᆨᄉᆡ 니어 왈,

"죵ᄆᆡ(從妹) 공쥬를 두려 가부를 원거(遠居)코져 ᄒᆞ나, 화복길흉이 막비텬얘(莫非天也)라. 인력으로 면ᄒᆞᆯ ᄇᆡ 아니니 ᄇᆡᆨ부모ᄂᆞᆫ 쇼ᄆᆡ의 말을 듯지 마르쇼셔."

공의 부뷔 ᄌᆞ딜의 말이 그르지 아니믈 보고 다만 웃고 말이 업ᄉᆞ니, 시랑 등이 직삼간ᄒᆞ여 일개 샹경ᄒᆞ믈 결단ᄒᆞ니, 쇼졔 욱이디 못ᄒᆞ여 팔ᄌᆞ아황(八字蛾黃)이 젹젹(寂寂)ᄒᆞ여 탄왈,

"냥거거ᄂᆞᆫ 쾌활ᄒᆞᆫ 댱뷔라. 녀ᄌᆞ의 괴로온 심ᄉᆞ를 모로시ᄂᆞᆫ도다. 임의 샹경ᄒᆞ기로 결【28】ᄒᆞ시니 쇼ᄆᆡ 셰오지 못ᄒᆞ나, 깃븐의ᄉᆡ 몽니의도 업ᄉᆞ니, 쇼ᄆᆡᄂᆞᆫ 조·쥬 냥형으로 더브러 모친 ᄒᆡᆼᄎᆞ와 샹경ᄒᆞ고, 부모와 냥거거ᄂᆞᆫ 뎡군다려 조·쥬 냥형과 쇼녀ᄂᆞᆫ 향니의 두고 오시므로 닐너, 뎡군의 ᄌᆞ최 ᄌᆞ로 오디 아니케 ᄒᆞ쇼셔."

부뫼 왈,

"네 진졍으로 챵빅을 원거코져 ᄒᆞ나, 츈긔 등의 말이 올흐니 일개 가기로 뎡ᄒᆞ나 뎡군을 속여 니르기야 므어시 어려오리오."

시랑이 잠쇼 고왈,

"챵빅의 여신(如神)ᄒᆞᆫ 춍명으로 고지듯든 아니려니와, 쇼ᄆᆡ 졀박ᄒᆞ여 ᄒᆞ니 잠간 속이기야 관계ᄒᆞ리잇가?"

이에 ᄒᆡᆼ니(行李)를 슈습ᄒᆞ여 발ᄒᆡᆼᄒᆞᆯᄉᆡ, 공과 시랑 형뎨【29】ᄂᆞᆫ 화부인을 호ᄒᆡᆼᄒᆞ여 압셔 ᄒᆡᆼᄒᆞ고, 시랑 쳐 조시와 ᄒᆞᆨᄉᆞ 쳐 쥬시ᄂᆞᆫ 쇼져로 더브러 슈일을 써져 셔슉 경담이 비ᄒᆡᆼᄒᆞᆯᄉᆡ, 일{일}노의 영광이 도요ᄒᆞ여 관광지 흠앙ᄒᆞ더라.

공의 샹경 션셩(先聲)이 경샤의 니르니 부매 알고 문외의 마ᄌᆞ려 ᄒᆞᆯᄉᆡ, 부젼의 고왈,

"경참졍 부ᄌᆞ 슉딜이 명일 입셩ᄒᆞᆫ다 ᄒᆞ오니, ᄒᆡᄋᆡ 문외의 맛고져 ᄒᆞ나이다."

금휘 ᄋᆞᄌᆞ의 작용을 모로고, 경공이 부집(父執)[1777]이ᄆᆡ 마ᄌᆞ려 ᄒᆞ므로 아라 허ᄒᆞ니,

1777)부집(父執) : 부집존장(父執尊長). 아버지의 친구

ᄒᆞᆨᄉᆡ 시랑의 말을 이어 왈,

"소ᄆᆡ 공주을 두려 가부을 원거코져 ᄒᆞ나 화복길흉이 막비쳔야(莫非天也)라, 인녁으로 면ᄒᆞᆯ ᄇᆡ 아니라. ᄇᆡᆨ부모ᄂᆞᆫ 소ᄆᆡ의 말을 듯지 마르소셔."

공의 부뷔 ᄌᆞ질의 말이 그르지 아니믈 보고 다만 웃고 말이 업ᄉᆞ니, 시랑 등이 직ᄉᆞᆷ간ᄒᆞ여 일기 상경ᄒᆞ믈 결단ᄒᆞ니, 소졔 우기지 못ᄒᆞ여 팔ᄎᆡ이[아]황(八彩蛾黃)이 쳑연(慽然)ᄒᆞ여 탄왈,

"냥 거거ᄂᆞᆫ 녀ᄌᆞ의 괴로온 심ᄉᆞ을 모로시ᄂᆞᆫ도다. 상경키을 결ᄒᆞ시니 소ᄆᆡ 셰우지 못ᄒᆞ나 깃분 의ᄉᆡ 몽니의도 업ᄉᆞ니, 소ᄆᆡᄂᆞᆫ 조·주 양형으로 더부러 모친 ᄒᆡᆼᄎᆞ와 일이 일(一二日) 션【21】후(先後)ᄒᆞ여 상경하고, 부모와 냥 거거ᄂᆞᆫ 뎡군다려 조·주 양형과 소ᄆᆡᄂᆞᆫ 향니의 두고 오시므로 일너 뎡군의 ᄌᆞ최 ᄌᆞ로 임치 아니케 ᄒᆞ소셔."

부모 왈,

"너 진졍으로 창빅을 원거코져 ᄒᆞ나, 츈긔 등의 말이 올흐니 일기 가기로 졍ᄒᆞ나 뎡군을 소겨 이르기야 무어시 어려오리요."

시랑이 함소 고왈,

"창빅의 여산[신](如神)○[ᄒᆞᆫ] 총명으로 고지 듯든 아니려니와, 소ᄆᆡ ᄒᆞ[1736] 졀박ᄒᆞ여 ᄒᆞ니 잠간 속이기야 관겨ᄒᆞ리잇가?"

이의 의논을 졍ᄒᆞ고 ᄒᆡᆼ거(行車)을 슈습ᄒᆞ여 발ᄒᆡᆼᄒᆞᆯ ᄉᆡ, 공과 시랑 형뎨ᄂᆞᆫ 화부인을 호ᄒᆡᆼᄒᆞ여 압히셔 ᄒᆡᆼᄒᆞ고, 시랑 쳐 조시와 ᄒᆞᆨᄉᆞ 쳐 뉴[주]시ᄂᆞᆫ 소져로 더부러 슈일을 써져, 셔슉(庶叔) 경담이 비ᄒᆡᆼᄒᆞ여 갈 ᄉᆡ, 일노(一路)의 영광이 조요ᄒᆞ여 관광지 다 흠앙ᄒᆞ더라.

공의 상경 션셩(先聲)이 경ᄉᆞ의 이르니 부ᄆᆡ 알고 문외의 마ᄌᆞ려 ᄒᆞᆯ ᄉᆡ, 부젼의 고왈,

"경참졍 부ᄌᆞ슉질이 명일 입경ᄒᆞᆫ다 ᄒᆞ오니 ᄒᆡᄋᆡ 문외의 맛고져 ᄒᆞᄂᆞ이다."

금휘 아ᄌᆞ의 작용은 모로고 경공이 부집

1736)ᄒᆞ : 매우, 몹시. 아주. 정도가 매우 심하거나 큼을 강조하여 이르는 말.

부매 명일 됴참혼 후 문외로 나아오니, 경공 부ᄌ 슉딜이 일노의 무ᄉ 득달ᄒ여 경샤의 니르러 남문을 바라보니, 허다 ᄒ리(下吏)【30】 젼ᄎ후옹(前遮後擁)ᄒ여 일위 쇼년 직상을 쪄 나오니, 거샹의 ᄌ포 금관으로 늠연 단좌혼 ᄌ는 곳 뎡부매라. 경공 삼부ᄌ 크게 반겨 밧비 나오미 부매 하리로 댱막을 일우고 하거ᄒ여 공을 마ᄌ니, 공과 혹ᄉ 형데 댱막의 드러 좌뎡홀ᄉ, 부매 경공긔 녜필의 쳔니댱졍(千里長程)의 무ᄉ 득달홈과 쳥현대작(淸賢大爵)으로 샹경ᄒ믈 치하ᄒ고, 또 합문 평부를 므르며 닉힝을 슬피미 다만 혼낫 화교라. ᄀ장 의괴ᄒ나《ᄉ싱‖ᄉ식(辭色)》지 아니코, 왈,

"악댱이 개츈(改春) 후 즉시 샹경ᄒ실 줄노 아랏더니, 그ᄉ이 므솜 호의(狐疑)로 지지ᄒ샤 이졔야 오시ᄂ니잇고? 쇼싱이 젼후 여러번 샹경【31】ᄒ믈 쳥ᄒ딕 신쳥치 아니시니잇고?"

공이 부마의 션풍이질(仙風異質)을 딕ᄒ여 은근 위곡혼 경이 반ᄌ(半子)의 녜(禮)를 다ᄒ미 더옥 반갑고 ᄉ랑ᄒ믈 니긔지 못ᄒ나, 녀ᄋ의 지원이 병부를 거절코져 ᄒ는디라. 다만 집슈 탄왈,

"나의 튁셔(擇壻) 외람ᄒ여 그릇 일녀의 젼졍을 맛츳지라, 이졔 군이 젼일과 달나 금뎐녀셔(禁殿女壻)로 초방(椒房)의 승은(承恩)ᄒ니, 우리 무리로 칭악(稱岳)ᄒ미 ᄀ장 외람혼디라. 개츈 후 샹경ᄒ믈 긔약ᄒ엿더니 군이 임의 문양도위 되어, 비질(卑質)이 난봉(鸞鳳)의 동녈(同列)치 못홀디라. 인신의 비박혼 ᄌ식이 엇지 만승지녀(萬乘之女)와 동녈ᄒ리오. 감히 샹경홀【32】 ○[의]ᄉ(意思)를 못ᄒ여, 오딕 쇼녀로뼈 군의 셩명을 의지ᄒ여 도장[1778]의 늙을 ᄯ름이라. 군의 셔ᄉ를 보나 능히 그 말을 듯지 못ᄒ더니, 텬은이 횡가(橫柯)[1779]ᄒ샤, 초모(草

로 아버지와 나이가 비슷한 어른의 지위에 있음.

1778)도장 : 규방(閨房). 부녀자가 거처하는 방.

1779)횡가(橫柯) : 가로 벋어 나간 나뭇가지. 여기서

(父執)[1737]이믜 마ᄌ려 홈으로 알아 허ᄒ니, 부믜 빅ᄉᄒ고 명일 조참 후 문외의 나오니, 경공 부ᄌ슉질이 일노의 무ᄉ히 득달ᄒ여 경ᄉ의 이르러 남문을 바라보니, 허다 ᄒ리 젼ᄎ후옹(前遮後擁)ᄒ여 일위 소년직상○[을] 쪄 나오니, 거상의 자포금관으로 늠연단좌혼 ᄌ는 곳 뎡부마라. 경공 숨부ᄌ 크게 반겨 밧비 나아가믜 부믜 ᄒ리로 장막을 둘어 안즐 곳을 일우고 하거ᄒ여 공을 마ᄌ니, 공과 혹ᄉ 형데 장막의 들어 부마로 좌정홀 식, 부믜 경【22】공긔 녜필의 쳔니장졍(千里長征)의 무ᄉ득달홈과 쳥현딕작(淸賢大爵)으로 상경ᄒ믈 칭하ᄒ고, 또 합문 평부을 무르며 닉힝을 슬피믜 다만 혼낫 화교라. 가장 의괴ᄒ여 ᄉ식지 아니코 왈,

"악장이 기츈(改春) 후 즉시 상경ᄒ실 줄노 알아더니 그 ᄉ이 무숨 호의(狐疑)로 지지ᄒᄉ 이졔야 오시니잇고? 소싱이 젼후 여러번 상경ᄒ시물 쳥ᄒ되 신쳥치 아니시니잇고?"

공이 부마의 션풍이질(仙風異質)을 딕ᄒ여 은근 위곡ᄒ물 보믜, 크게 ᄉ랑ᄒ나 녀ᄋ의 지원으로 져을 거졀코져 ᄒ여 다만 손을 잡고 탄왈,

"이졔 창빅이 젼일과 달나 금달계젼(禁闥階前)의 초방(初枋)의 승은ᄒ니 악장 두ᄌ을 칭ᄒ미 가장 불가혼지라. 거츄 이별의 기츈 상경을 긔약ᄒ엿시나 군이 임의 문양도위 되믜 인신지녜(人臣之禮) 엇지 감히 황녀와 동녈ᄒ리오. ᄎ고로 상경을 아니ᄒ미오, 창빅의 셔ᄉ을 보나 그 말을 듯지 못ᄒ더니, 이졔 쳔은이 융성ᄒᄉ 초무(草蕪)의 침폐지(沈廢之臣)신을 ᄎ즈시니, 감히 위월치 못ᄒ여 형인(荊人)과 ᄌ질만 다리고 오딕, 닉 본딕 질양이 만흐믜 슈이 향니로 도라가려 ᄒ노라."

1737)부집(父執) : 부집존장(父執尊長). 아버지의 친구로 아버지와 나이가 비슷한 어른의 지위에 있음.

茅)의 무용지신(無用之臣)을 대쟉(大爵)으로 브르시니, 망극훈 은됴(恩詔)를 위월(違越)치 못호고 주딜을 다리고 오딕 일개 다 오든 못호고, 내 본딕 질양이 굿고 의슈대졀(衣袖帶節)1780)의 닉졍(內庭)1781)이 업시 어려온 고로, 부인만 올나오고 녀부(女婦)1782)를 고향의 두어시니, 경샤의 오릭 잇지 못호여 슈히 도라가려 호노라."

시랑 형뎨 년셩(連聲)호여 금평후 존후를 뭇고 반기미 늉흡(隆洽)호니 병뷔 또훈 반기오믈 니긔지 못호나, 주긔를 속이눈가 의심이 발호니 쇼【33】 왈,

"악댱이 쇼싱으로뼈 금뎐녀셰라 비쇼호시니, 쳔만고(千萬古) 이릭의 수쳐와 냥주를 두고 부마 되믈 듯지 못호엿누니, 쇼싱이 텬위를 비록 두리나 몬져 취훈 바를 바려 금슬을 긋추리오. 가엄이 디금 아지 못호시니 그밧 다른 념네 업숩누니, 악댱이 녕녀의 젼졍을 맛추믈 한호여 도장의 늙히려 호시나, 싱이 죽지 아닌 젼은 임의치 못홀지라. 악댱이 싱을 삼셰 쳑동으로 아라 속이시미 이굿트시니, 평일 밋던 비 아니라. 녕네 므슨 사룸이라 부뫼 다 올나오시눈딕 홀노 향니의 머믈며, 공쥬 아냐 황명이 계시나 녕녀의 앙망주는 쇼【33】싱이라. 엇지 공쥬를 두려 쇼텬을 원거호리잇고? 쇼싱이 녕녀를 이런 인믈노 아지 아녓숩누니, 온가지로 속이셔도 고지듯지 아닐소이다."

공이 져의 쾌활훈 말을 두긋기나 녀우의 졀민훈 바를 싱각고, 져의 주로 오지 아니

는 임금의 은혜가 지방에서 지내고 있는 전직 관료에게까지

1780)의슈대졀(衣袖帶節) : 옷을 입고 띠를 두르는 제반 절차.

1781) 닉졍(內庭) : 아낙네. 아내.

1782)녀부(女婦) : 딸과 며느리를 함께 이르는 말.

경시랑 형뎨 연셩(連聲)호여 금후 존후을 뭇고 반기눈 졍이 간졀호니, 부마 역시 반기나 경공의 말노조추 경시 오지 아니미 분명훈지라. 굴지계일(屈指計日) 호여 옥인 상봉을 긔약호다가 크게 실망호더니, 믄득 경공이 주긔을 속이눈가 의심이 밍동호여 쥬슌의 빅옥이 비최며 왈,

"악장이 소싱을 금젼녀셔(禁殿女壻)라 비소호시나 쳔고(千古)의 부마 된 지, 수쳐와 주녀 둔 주을 듯지 못【23】호엿누니, 소싱이 비록 쳔위을 두리나 몬져 취훈 바을 져바리리오. 녕녀 취훈 연유을 발셔 쳔졍의 ○[주]달호엿시되 다만 울울훈 붓지, 불고이취(不告而娶)라. 가엄이 지금 모르시니 인주의 방심치 못홀 비라. 그 밧근 념여 업숩누니 악장이 영녀 젼졍 맛추믈 훈호여 도장1738)의 늙히려 호시나, 악장이 싱의 쥭지 아닌 젼은 임의치 못홀지라. 싱을 숨셰 쳑동(尺童)으로 알아 속이미 이갓트시니 평일 밋눈 빅 아니라. 영네 무슴 수름이라 부뫼 다 올나오시눈 딕 홀노 향니의 머무러며, 공주아녀 황명이 계시나 영녀의 앙망주눈 소싱이라, 엇지 공주을 두려 소쳔을 원거호리잇고? 소싱이 영녀을 이런 인물노 아지 아녀숩더니 이졔 온가지로 속이시나 고지듯든 아닐소이다."

공이 져의 쾌훈 말을 두긋기나 녀아의 졀민훈 바을 싱각고 져의 주로 오지 아니케 호려 호여 웃고 왈,

"닉 굿호여 너을 속이려 호미 아니라, 실노 그러호니 졀강의 수름을 보닉여 소녀의 유무을 알아보라."

1738)도장 : 규방(閨房). 부녀자가 거처하는 방.

켸 ᄒᆞ려 ᄒᆞ여 웃고 왈,

"내 ᄀᆞᆺ트여 군을 속이미 아니라 실노 그러ᄒᆞ니 졀강의 사ᄅᆞᆷ을 보ᄂᆡ여 쇼녀의 유무를 아라보라."

부매 ᄌᆞ약히 우어 왈,

"악댱이 은닉ᄒᆞ시니 쇼싱이 구구히 알녀 아니ᄒᆞᄂᆞ이다."

시랑 형뎨 그 거동을 보고 쇼ᄆᆡ 두고 온 소유를 젼ᄒᆞᄃᆡ, 병뷔 미미히 웃고 ᄀᆞᆺ트여 욱이지 아니나, 일호 미드미 업ᄉᆞ니【34】삼인이 그 춍명을 긔ᄃᆡᄒᆞ더라.

날이 느ᄌᆞᄆᆡ 공이 냥ᄌᆞ로 더브러 바로 궐졍으로 가고, 병부는 거륜을 모라 경부의 니르러 악모긔 ᄇᆡ현을 쳥ᄒᆞ니, 화부인이 방ᄉᆞ를 계오 뎡ᄒᆞ엿더니 부마의 쳥알ᄒᆞ믈 듯고 반기미 넘쪄, 즉시 쳥ᄒᆞ여 볼ᄉᆡ, 부매 드러와 ᄇᆡ필(拜畢)의 쳔니원졍(千里遠程)의 무ᄉᆞ 득달ᄒᆞᆷ과 합문이 평안ᄒᆞ믈 치하ᄒᆞ고, 개츈 후 샹경ᄒᆞ시믈 기다리던 바를 고ᄒᆞ여, 경슌지녜(敬順之禮) 디극ᄒᆞ고, 츄텬지긔(秋天之氣)와 츄월(秋月) ○○[갓튼] 용홰(容華) 풍완슈려(豊婉秀麗)ᄒᆞ여 남뎐ᄇᆡᆨ벽(藍田白璧)이 ᄯᅳᆺ글을 ᄡᅵ슨듯, 일만 버들이 츈풍을 ᄡᅴ여시니, 동탕ᄒᆞᆫ 풍뉘 볼ᄉᆞ록 긔이ᄒᆞᆫ디라. 부인【35】이 두굿기나 졔 금뎐녀셰 되ᄆᆡ 녀ᄋᆞ의 신셰 그르믈 ᄋᆡ돌와, 다만 부운 ᄀᆞᆺ튼 공명으로 마지 못ᄒᆞ여 샹경ᄒᆞ며, 슌태부인 긔력을 뭇고 병부의 ᄌᆞ네 무ᄉᆞᄒᆞ믈 므르니, 병뷔 흠신 ᄃᆡ답ᄒᆞ고 부인긔 뭇ᄌᆞ와, ᄀᆞᆯ오ᄃᆡ,

"실인(室人)이 악○○[모ᄒᆡᆼ]ᄎᆞ(岳母行次)를 ᄯᆞᆯ오미 올커놀, 엇지 ᄉᆞ이를 츼지ᄒᆞ여[1783] ᄒᆡᆼᄒᆞ니잇고?"

부인의 쳥필의 ᄀᆞ장 슈상히 녁여, 츄후 오믈 닐넛ᄂᆞᆫ가 ᄒᆞᄃᆡ, 오히려 몽농히 답왈,

"샹공과 ᄋᆞᄌᆞ 등이 샤환의 ᄯᅳᆺ이 업고 젼야의 호ᄆᆡ 잡기를 닉여 경샤를 피ᄒᆞ니, 금번은 브득이 ᄒᆡᆼᄒᆞᄆᆡ 즘간 머므러 도로 하향코져 ᄒᆞ니 쳡만 올나오니이다."

1783)츼지ᄒᆞ다 : 치지(差池)하다. 모양이나 시세 따위가 들쭉날쭉하여 일정하지 아니하다

부ᄆᆡ ᄌᆞ약히 우어 왈,

"악장이 은익ᄒᆞ시니 소싱이 구구히 알녀 아닛ᄂᆞ이다."

시랑 형뎨 그 거동을 보고 소ᄆᆡ 두고 온 소유을 젼ᄒᆞᄆᆡ, 병뷔 미미히 웃고 ᄀᆞᆺ타여 우기지 아니나 일호 미드미 업ᄉᆞ니, 삼인이 그 총명을 긔ᄃᆡᄒᆞ더라.

날이 느지ᄆᆡ 공이 냥ᄌᆞ로 더부러 바로 궐졍으로 가고 병부는 거륜을 모라 경부의 이러러 악모긔 ᄇᆡ견(拜見)을 쳥ᄒᆞ니, 화부인이 방ᄉᆞ을 겨유 졍ᄒᆞ더니, 부마의 쳥알을 듯고 반기【24】미 넘쳐 즉시 쳥ᄒᆞ여 볼ᄉᆡ, 부ᄆᆡ 드러와 녜필의 염슬궤좌ᄒᆞ여 쳔니원ᄒᆡᆼ(千里遠行)의 무ᄉᆞ이 득달ᄒᆞᆷ과 합문이 평안ᄒᆞ물 치ᄒᆞ하고 ᄀᆡ츈 후 상경을 기다리든 바을 고ᄒᆞ여, 경슌지녜(敬順之禮) 극진ᄒᆞ고 츄쳔(秋天) 갓튼 긔운과 츄월 갓튼 용홰 풍완슈려(豊婉秀麗)ᄒᆞ여, 남젼ᄇᆡᆨ벽(藍田白璧)이 틋글을 쓰슨 듯 일만 버들이 츈풍을 ᄡᅴ엿시니, 동탕(動蕩)ᄒᆞᆫ 풍뉴 볼ᄉᆞ록 긔이ᄒᆞᆫ지라, 부인이 아름답고 두굿기나, 졔 금젼녀셔 되ᄆᆡ 녀ᄋᆞ의 신셰 그르믈 ᄋᆡ달와, 다만 부운 갓튼 공명으로 마지 못ᄒᆞ여 상경ᄒᆞ여, 슌ᄐᆡ부인 긔력을 뭇고 병부의 ᄌᆞ녀 무ᄉᆞᄒᆞ물 무르니, 병뷔 흠신 ᄃᆡ답고 함소 왈,

"형인(荊人)이 악모 ᄒᆡᆼᄎᆞ을 ᄯᆞ로미 올커놀 엇지 ᄉᆞ이을 ᄡᅥ워 ᄒᆡᆼᄒᆞ니잇고?"

부인이 쳥파의 고이 역여 뉘 일너ᄂᆞᆫ가 ᄒᆞᄃᆡ, 오히려 몽농이 답 왈,

"상공과 츈긔 형뎨 ᄉᆞ환의 ᄯᅳᆺ지 젹고 젼야의 호뮈 잡기을 익여 경ᄉᆞ을 피ᄒᆞ니 금번 브득이 ᄒᆡᆼᄒᆞᄆᆡ 잠간 머무러 도로 하향코져 ᄒᆞᄂᆞᆫ 고로 쳡만 몬져 오미라."

병뷔 미쇼 왈,

“형인의 오믈【37】 드럿삽거ᄂᆞᆯ 악뫼 이러ᄐᆞᆺ 은닉ᄒᆞ시ᄂᆞ니잇고?”

부인이 졔 임의 알고 뭇ᄂᆞᆫ 바를 ᄀᆡ이미 불가ᄒᆞ나, 셩되 단엄 뎡딕ᄒᆞᆫ디라. 이의 탄왈,

“거츄(去秋)의 군을 동상의 마ᄌᆞᄆᆡ 쇼망의 과의라. 스ᄉᆞ로 영ᄒᆡᆼ 희열ᄒᆞ더니, 조믈(造物)이 다ᄉᆡ(多猜)ᄒᆞ고 우리 명되 ᄀᆡ험ᄒᆞ여 문양옥쥐 하가ᄒᆞ시니, 뎡문 놉흔 복경과 도위 쳐궁이 남다르믈 치하ᄒᆞ거니와, 도라 쇼녀의 신셰를 ᄉᆡᆼ각ᄒᆞᆫ 즉 뎡시 셩명만 의지ᄒᆞ여 공규의 늙을 ᄲᆞᆫ이라. 일ᄉᆡᆼ이 무광ᄒᆞ믈 ᄎᆞᆷ지 못ᄒᆞᄂᆞ니, 경향(京鄕) 거ᄅᆡ(去來)의 므ᄉᆞᆷ 쾌ᄒᆞ미 이시리오.”

병뷔 흠신 ᄃᆡ왈,

“쇼ᄉᆡᆼ이 비록 원치 아닛ᄂᆞᆫ 공쥬를 취ᄒᆞ여시【38】나 실노ᄲᅧ 깃거 아니ᄒᆞᄋᆞᆸᄂᆞ니, ᄉᆡᆼ이 년쇼 호신으로 삼가지 못ᄒᆞ여 녕ᄋᆞ(令兒)를 불고이취ᄒᆞᄆᆡ 부뫼 지금 모로시니, 민박ᄒᆞᆯ지언졍 기여ᄂᆞᆫ 념녀 업ᄉᆞᆫ디라. 셩샹긔 ᄉᆞ취(四娶)ᄒᆞ믈 딘달(陳達)ᄒᆞ여시니, 공쥐 황녜나 쇼ᄉᆡᆼ의 쳐실 ᄎᆞ렌 즉 다ᄉᆞᆺ지라. 쇼ᄉᆡᆼ의 여러 쳐쳡을 다 졀혼니이(絶婚離異)ᄒᆞ신 명이 업고, 녕ᄋᆡ 이칠 쳥츈의 녹발이 쇠ᄒᆞᆯ ᄶᆡᆨ 머럿거ᄂᆞᆯ, 공후의 부인으로 즐거온 사ᄅᆞᆷ이라. 악부뫼 하고(何故)로 그 일ᄉᆡᆼ이 무광타 슬허ᄒᆞ시ᄂᆞ니잇고? 쇼ᄉᆡᆼ의 용우ᄒᆞ미 녕ᄋᆞ의 ᄇᆡ위 블ᄉᆞ(不似)ᄒᆞ믈 탄ᄒᆞ실진ᄃᆡ, ᄉᆡ로이 후회ᄒᆞ실 ᄇᆡ 아니오. 녕ᄋᆞ의 뎍인(適人) 만흐믈 근심ᄒᆞ【39】시나, 그 ᄉᆞ이 공쥬 일인 ᄲᆞᆫ이오, 윤・양・니와 여러 쳐쳡은 모로지 아니시리니, 이졔 우환(憂患)을 당ᄒᆞᆷ ᄀᆞᆺᄐᆞ니 쇼ᄉᆡᆼ이 우민ᄒᆞ와 능히 ᄭᆡᄃᆞᆺ지 못ᄒᆞᄂᆞ이다.”

부인이 쳥파의 공쥐 녀ᄋᆞ 금슬의 마장이 되믈 탄ᄒᆞ나, 병부의 위곡지심(委曲之心)은 조곰도 변치 아냐시믈 보ᄆᆡ, 만복 근심이 다 ᄉᆞ라져 잠쇼ᄒᆞ고 두굿기미 ᄀᆞ득ᄒᆞ니, 병뷔 여신ᄒᆞᆫ 춍명으로ᄲᅧ 악모의 거동을 보ᄆᆡ,

병뷔 미소 왈,

“소셰 형인의 오믈 드러삽거ᄂᆞᆯ 악뫼 엇지 이러틋 은익ᄒᆞ시ᄂᆞᆫ잇고?”

부인이 졔 임의 알고 뭇ᄂᆞᆫ 바의 ᄀᆡ이미 불가ᄒᆞ나 셩되 단엄침졍ᄒᆞ므로 날호여 탄왈,

“거츈[츄](去秋)의 군으로 동상을 ᄆᆡᄌᆞᄆᆡ 츌셰ᄒᆞ미 소망의 과의라. 스ᄉᆞ로 영ᄒᆡᆼ희열ᄒᆞ더니, 조물(造物)이 다ᄉᆡ(多猜)ᄒᆞ고 우리 명되 ᄀᆡ험ᄒᆞ여 문양옥주 ᄒᆞ가ᄒᆞ시니, 뎡문 놉흔 복경과 도위 쳐궁이 남다르믈 치【15】하ᄒᆞ거니와, 도라 소녀의 신셰을 ᄉᆡᆼ각ᄒᆞᆫ 즉 뎡시 성명을 의지ᄒᆞ여 공규의 늘글 ᄲᆞᆫ이라. 일ᄉᆡᆼ이 무광ᄒᆞ물 ᄎᆞᆷ지 못ᄒᆞᄂᆞ니 《경ᄒᆡᆼ ‖경향(京鄕)》 거ᄅᆡ(去來)의 무ᄉᆞᆷ 쾌ᄒᆞ미 이시리오.”

부ᄆᆡ 흠신 ᄃᆡ왈,

“소ᄉᆡᆼ이 비록 원치 아니 ᄒᆞ난 공주을 취ᄒᆞ엿시나 실노ᄡᅧ 깃거 아니 ᄒᆞᄋᆞᆸᄂᆞ니, 소ᄉᆡᆼ이 년소 호신으로 삼가지 못ᄒᆞ여 녕ᄋᆞ을 불고이취ᄒᆞᄆᆡ, 부뫼 지금 모르시니 민박ᄒᆞᆯ지언졍, 기여ᄂᆞᆫ 념녀 업ᄉᆞᆫ지라. 셩상긔 ᄉᆞ취(四娶)ᄒᆞ믈 진달(陳達)ᄒᆞ엿ᄂᆞ니, 공쥐 황녜나 소ᄉᆡᆼ의 쳐실 ᄎᆞ렌 즉 다셧지라. 소ᄉᆡᆼ의 여러 쳐쳡을 다 졀혼니이(絶婚離異)ᄒᆞ신 명이 업고, 영ᄋᆡ 이칠쳥츈(二七靑春)의 녹발이 쇠ᄒᆞᆯ ᄶᆡᆨ 머러거ᄂᆞᆯ, 악부모 하고로 그 일ᄉᆡᆼ이 무광타 ᄒᆞ시ᄂᆞᆫ잇고? 영ᄋᆞ의 젹인 만으믈 근심ᄒᆞ시나, 그 ᄉᆞ이 공주 일인 ᄲᆞᆫ이오, 윤・양・니 여러 희쳡은 모로지 아니시니, 이 엇지 우환을 당ᄒᆞ심 갓치 ᄒᆞ시ᄂᆞᆫ잇가? 소ᄉᆡᆼ이 우미ᄒᆞ여 능히 ᄭᆡ닷지 못ᄒᆞᄂᆞ이다.”

부인이 쳥파의 문양이 녀아 금슬의 마장이 되물 탄ᄒᆞ나, 병부의 위곡지심(委曲之心)은 조곰도 변치 아냐시물 보ᄆᆡ 만복 근심이 다 ᄉᆞ라져 역시 잠소ᄒᆞ고 두굿기ᄂᆞᆫ 졍이 가득ᄒᆞ니, 병뷔 여신 춍명으로ᄡᅧ 악모의 거동

쇼졔 분명이 오믈 짐작ᄒᆞ고 이윽이 말숨ᄒᆞ다가 니러 하딕고 도라갈ᄉᆡ, 부인이 져ᄀᆞᆺᄐᆞᆫ 셔랑으로 녀ᄋᆞ와 봉황의 쌍유(雙遊)ᄒᆞ믈 보지 못ᄒᆞ고, 도로혀 그 ᄌᆞ최를 거졀코져 ᄒᆞ미 인졍 밧기로ᄃᆡ, 쇼녀의【40】 몸이나 무ᄉᆞ키를 바라미러라.

병뷔 밧긔 나와 졀강셔 올나온 노복다려 므르ᄃᆡ,

“조·쥬 냥부인과 쇼져 힝게(行車) ᄉᆞ이 씌여 오ᄂᆞᆫᄃᆡ 뉘 ᄇᆡ힝ᄒᆞᄂᆞ뇨?”

노ᄌᆡ 져 병뷔 속 ᄡᅩᆸᄂᆞᆫ 줄 엇지 알니오. 다만 고왈,

“조·쥬 냥부인과 쇼져 힝ᄎᆞᄂᆞᆫ 쇼쥬(小主) 경상공이 호힝ᄒᆞ시ᄂᆞ이다.”

병뷔 비로소 쾌히 알고 우음을 씌여 본부로 도라오니라.

경공 부ᄌᆞ 슉딜이 궐하의 샤은 슉ᄇᆡᄒᆞ오니, 샹이 인견(引見) 샤쥬(賜酒)ᄒᆞ시고, 각별 은유(恩諭)ᄒᆞ샤 은영이 늉듕ᄒᆞ시니, 경공 등이 감은 각골ᄒᆞ여 ᄇᆡ샤이퇴(拜謝而退)ᄒᆞ여 환가ᄒᆞᄆᆡ, 부인이 병부의 말을 젼ᄒᆞ고

“녀부의 ᄉᆞ이 씌여 오ᄂᆞᆫ 말을 뉘 니른【41】고?”

공이 쇼왈,

“우리ᄂᆞᆫ 녀뷔 다 졀강 이시믈 니르ᄃᆡ 챵ᄇᆡᆨ이 고지 듯지 아냐, 져를 속이므로 츼오니 춍명이 남다른 후ᄂᆞᆫ, 좀 의ᄉᆞ로 긔일 길히 업고 우리 부ᄌᆡ 궐졍으로 간 후, 부인을 와 보아 녀ᄋᆞ의 거쳐를 ᄌᆞ시 알녀 ᄒᆞ미라. 부인이 몽농이 ᄃᆡ답ᄒᆞᄆᆡ 졔 더옥 의심ᄒᆞ리로다.”

시랑이 쇼이고왈(笑而告曰),

“쇼ᄌᆞᄂᆞᆫ 쳐음브터 챵ᄇᆡᆨ을 속이지 못ᄒᆞᆯ 줄노 아오ᄃᆡ, 쇼ᄆᆡ 하 졀박히 녁이오○[ᄆᆡ] 그 ᄯᅳᆺ을 욱이지 아녓ᄉᆞᆸ더니, 챵ᄇᆡᆨ의 짐작ᄒᆞ미 이ᄀᆞᆺᄐᆞ니 엇지 속이리잇고? ᄎᆞ후 진졍으로 니르샤 ᄌᆞ로 오지 말나 ᄒᆞ쇼셔.”

공의 부뷔 녀ᄋᆞ의 댱ᄂᆡ를 념녀ᄒᆞᄂᆞᆫ ᄇᆡ, 공쥐 어지지 못【42】ᄒᆞ여 지란 ᄀᆞᆺᄐᆞᆫ 약녀를 보치미 이실가 근심ᄒᆞᄆᆡ, 시랑형뎨 호언으로 위로ᄒᆞ더니, 슈일 후 삼위 쇼졔 무ᄉᆞ

을 보ᄆᆡ 소졔 분명이 오믈 딤ᄌᆞᆨ고 이윽히 말숨ᄒᆞ다 이러 ᄒᆞ직고 도라갈ᄉᆡ, 부인이 져갓튼 셔랑으로 녀ᄋᆞ와 봉황(鳳凰)의 쌍유을 보지 못ᄒᆞ고 도로혀 그 ᄌᆞ최을 거졀코져 ᄒᆞ미 인졍 밧기로ᄃᆡ, 소녀의 몸이나 무ᄉᆞ키을 바라미러라.

병뷔 박긔 나와 졀강셔 올나온 노복다려 무【26】르ᄃᆡ,

“조·주 양부인과 소져 힝거 ᄉᆞ이 씌여 오ᄂᆞᆫᄃᆡ 뉘 ᄇᆡ힝ᄒᆞᄂᆞ뇨?”

노ᄌᆡ 져 병부의 속 ᄡᅩᆸᄂᆞᆫ 쥴 엇지 알니오. 다만 고왈,

“조·쥬 양부인과 소져 힝ᄎᆞᄂᆞᆫ 조[소]쥬(小主) 경상공이 호힝ᄒᆞ시ᄂᆞ이다.”

병뷔 비로소 쾌히 알고 우음을 씌여 본부로 도라오니라.

경공 부ᄌᆞ 슉질이 궐ᄒᆞ의 ᄉᆞ은슉ᄇᆡᄒᆞ오니, 상이 인견(引見) ᄉᆞ주(賜酒)ᄒᆞ시고 각별 위유(慰諭)ᄒᆞᄉᆞ 은영이 듕ᄒᆞ시니, 경공 등이 감은 각골ᄒᆞ여 본부의 도라오ᄆᆡ 부인이 병부의 말을 젼ᄒᆞ고,

“녀부(女婦)의 ᄉᆞ이 씌워오믈 뉘 이른고?”

○○○○[공이 소왈],

“우리ᄂᆞᆫ 녀뷔 다 졀강의 잇스므로 이르되 창ᄇᆡᆨ이 곳지듣지 아냐 져을 속이므로 츼오니 총명이 남다른 후ᄂᆞᆫ, 좀 의ᄉᆞ로 속일 길이 업고, 우리 부ᄌᆡ 궐졍으로 간 후 부인을 와 보아 녀ᄋᆞ의 거취을 ᄌᆞ세 알녀 ᄒᆞ미라. 부인이 몽농이 ᄃᆡ답ᄒᆞᄆᆡ 졔 더욱 의심ᄒᆞ리로다.”

시랑이 소이고왈(笑而告曰),

“소ᄌᆞᄂᆞᆫ 쳐음부터 창ᄇᆡᆨ을 속이지 못ᄒᆞᆯ 줄노 아오ᄃᆡ, 소ᄆᆡ ᄒᆞ 졀박히 녁이오ᄆᆡ 그 ᄯᅳᆺ을 우기지 아야 ᄉᆞᆸ더니, 창ᄇᆡᆨ의 짐작ᄒᆞ미 이갓트니 엇지 속이리잇고? ᄎᆞ후 진정을 이르ᄉᆞ ᄌᆞ조 오지 말나 ᄒᆞ소셔”

공의 부뷔 녀ᄋᆞ 장ᄂᆡ을 염녀ᄒᆞᄂᆞᆫ ᄇᆡ, 공쥐 어지지 못ᄒᆞ여 지란 갓튼 녀ᄋᆞ을 보치미 이실가 근심ᄒᆞᄆᆡ, 시랑 형뎨 호언으로 위로ᄒᆞ더니, 수일 후 솜위 소졔 무ᄉᆞ히 드러오

히 드러오니, 공이 각각 방샤(房舍)를 뎡ᄒᆞ여 들게 ᄒᆞ고, ᄌᆞ딜 부뷔 ᄲᅣᆼ유ᄒᆞ믈 보ᄆᆡ 녀ᄋᆞ의 신셰를 더옥 슬허, 쥬야 부인 알패 두어 ᄋᆡ련ᄒᆞ미 디극ᄒᆞ니, 쇼졔 부모의 우려를 근심ᄒᆞ여 ᄆᆡ양 츈풍화긔로 담쇠ᄌᆞ약(談笑自若)[1784]ᄒᆞ니, 공의 부뷔 그 효의를 두굿기더니 쇼졔 샹경ᄒᆞᆫ 십여일 후 부매 니르러, ᄇᆡ현을 쳥ᄒᆞᆯᄉᆡ 공의 부ᄌᆡ ᄂᆡ당의 잇다가 나가보려ᄒᆞ니, 부인 왈,

"뎡낭이 임의 와시니 ᄂᆡ당의도 단녀갈디라. 상공이 나가【43】 보시면 쳡이 아니 보려ᄒᆞ므로 알 거시니, 일시 박졀치 못ᄒᆞᆯ디라. ᄂᆡ당으로 쳥ᄒᆞ쇼셔."

공이 응낙ᄒᆞᄆᆡ 시랑형뎨 나가 부마의 ᄉᆞᄆᆡ를 닛그러 드러가니, 쇼져ᄂᆞᆫ 조부인 침누의 잇ᄂᆞᆫ ᄯᅵ라, 부매 드러와 녜필한훤(禮畢寒暄)의 시랑 형뎨로 담화ᄒᆞ며, 악부모긔 반ᄌᆞ지녜 디극ᄒᆞ니, 공이 ᄋᆡ듕ᄒᆞ여 집슈 탄왈,

"인졍이 ᄯᆞᆯ의 부부 화락을 깃거 아닐 ᄌᆡ 업ᄉᆞ나, 챵ᄇᆡᆨ의 형셰와 나의 도리 언연이 옹셔로 칭ᄒᆞ미 외람ᄒᆞ고, 셩샹이 비록 여러 쳐쳡을 허ᄒᆞ시나 공쥬 하가시의 군의 쳐실을 다 친졍으로 보ᄂᆡ라 ᄒᆞ신 거ᄉᆞᆯ, 녕엄이 알외【44】여 별원의 옴기다 ᄒᆞ니, 이ᄂᆞᆫ 셩의 반ᄃᆞ시 군의 부뷔 화락지 말과져 ᄒᆞ시미니, 인신지되 군의 왕ᄂᆡ 빈빈ᄒᆞ여 됴히 화락ᄒᆞ믈 구ᄒᆞ미, 방ᄌᆞ 외람ᄒᆞ니 쳥컨ᄃᆡ 군은 ᄌᆞ로 왕ᄂᆡ치 말고, 녀ᄋᆞ의 유무를 ᄆᆞᄋᆞᆷ의 거리ᄭᅵ지 말나."

부매 쇼이 ᄃᆡ왈,

"쇼ᄉᆡᆼ이 형인(荊人)의 샹경ᄒᆞ믈 발셔 아라시ᄃᆡ, 그ᄉᆞ이 존부의 오지 아니ᄒᆞ오믄 어린 ᄠᅳᆺ의 악부뫼 신방을 ᄇᆡ셜ᄒᆞ고 쇼ᄉᆡᆼ을 쳥ᄒᆞ샤 작소(鵲巢)[1785]의 길드리ᄂᆞᆫ ᄌᆞ미를 보려ᄒᆞ실가 ᄒᆞ여, 소명을 등ᄃᆡᄒᆞᄃᆡ, 십여일이

1784)담쇠ᄌᆞ약(談笑自若) : 근심이나 놀라운 일을 당하였을 때도 보통 때와 같이 웃고 이야기함.

1785)작소(鵲巢) : 까치집. 신방(新房). 『시경』 <소남(召南)> 작소(鵲巢)편은 까치집에 비둘기가 들어가 사는 것처럼 여자가 시집가 남자의 집에서 가정을 이루고 사는 것을 노래하고 있다.

니, 공이 각각 방ᄉᆞ(房舍)을 들게 ᄒᆞ고 ᄌᆞ질 부뷔 쌍유ᄒᆞ믈 보ᄆᆡ, 녀ᄋᆞ의 신셰을 더욱 슬허 쥬야 부인 압희 두어 ᄋᆡ연ᄒᆞ미 지극ᄒᆞ니, 소졔 부모의 근심을 우려ᄒᆞ여 ᄆᆡ양 츈풍화긔로 담쇠 ᄌᆞ약ᄒᆞ【27】니, 공 부뷔 그 효의을 두굿기더라. 소졔 상경ᄒᆞᆫ 십여일 후, 부ᄆᆡ 이르러 ᄇᆡ현을 쳥ᄒᆞᆯᄉᆡ, 공의 부ᄌᆡ ᄂᆡ실의 잇다가 나가보려 ᄒᆞ니, 부인 왈,

"임의 왓시니 ᄂᆡ당의도 단여 갈지라. 상공이 나가 보시면 쳡이 아니 보려 ᄒᆞ므로 알 거시시니 ᄂᆡ당으로 쳥ᄒᆞ소셔."

공이 응낙ᄒᆞᄆᆡ 시랑 형뎨 나가 부마의 ᄉᆞᄆᆡ을 ᄋᆡᆨ그러 가니, 소져ᄂᆞᆫ 조부인 침소의 잇ᄂᆞᆫ ᄯᅵ라. 부ᄆᆡ 드러와 녜필한헌[훤](禮畢寒暄)의 시랑 형뎨로 담화ᄒᆞ며 악부모긔 반ᄌᆞ지녜 지극ᄒᆞ니, 공이 ᄋᆡ듕ᄒᆞ여 집수(執手) 탄왈,

"셩상이 비록 여러 쳐쳡을 허ᄒᆞ시나 공주 ᄒᆞ가시(下嫁時)의 너의 부뷔 화락지 말고ᄌᆞ ᄒᆞ시미어ᄂᆞᆯ, 인신지도의 군의 왕ᄂᆡ 빈빈ᄒᆞ여 조히 화락ᄒᆞ물 구하미 방ᄌᆞ외람(放恣猥濫)ᄒᆞᆫ지라. 쳥컨ᄃᆡ 군은 ᄌᆞ로 왕ᄂᆡ치 말고, 녀ᄋᆞ의 유무을 ᄆᆞ음의 거리ᄭᅵ지 말나."

부ᄆᆡ 소이ᄃᆡ왈,

"소ᄉᆡᆼ이 형인(荊人)의 상경ᄒᆞ믈 발셔 아라시ᄃᆡ 그 ᄉᆞ이 존부의 오지 아니ᄒᆞ믄, 어란[린] ᄠᅳᆺ의 악부뫼 신방을 ᄇᆡ셜ᄒᆞ고 소ᄉᆡᆼ을 쳥ᄒᆞ사 작(鵲巢)[1739]소의 깃드리ᄂᆞᆫ ᄌᆞ미을 보려ᄒᆞ실가 ᄒᆞ여 소명을 등ᄃᆡᄒᆞᄃᆡ 마ᄎᆞᆷᄂᆡ ᄆᆡ연[1740]ᄒᆞ시ᄆᆡ ᄎᆞᆷ지 못ᄒᆞ여, 스ᄉᆞ로 쳥

1739)작소(鵲巢) : 까치집. 신방(新房). 『시경』 <소남(召南)> 작소(鵲巢)편은 까치집에 비둘기가 들어가 사는 것처럼 여자가 시집가 남자의 집에서 가정을 이루고 사는 것을 노래하고 있다.

1740)ᄆᆡ연ᄒᆞ다 : 느매몰하다. 인정이나 싹싹한 맛이

되오나 미연ᄒᆞ시미[1786] 춤지 못ᄒᆞ여, ᄉᆞᄉᆞ로 쳥알ᄒᆞ고 부뷔 니회를 펴고져 ᄒᆞ더니, 뜻밧긔 깁히 거【45】절ᄒᆞ샤 비루ᄒᆞᆫ ᄌᆞ최 귀부의 오믈 블열ᄒᆞ시니, 쇼ᄉᆡᆼ이 비록 용우ᄒᆞ오나 팔쳑 댱뷔오, 쳐실이 녕ᄋᆡ 쁜 아니라 이ᄃᆡ도록 괴로이 넉이시ᄂᆞᆫ 바를 감심(甘心)ᄒᆞ여 왕닉ᄒᆞ리잇고마ᄂᆞᆫ, 부부ᄂᆞᆫ 오륜(五倫)○[의] 듕ᄉᆡ(重事)라. 녕녀의 일ᄉᆡᆼ 화복이 ᄉᆡᆼ의 쟝니(掌裏)의 잇ᄂᆞᆫ 고로, 사름을 취ᄒᆞ여 졍의 믹믹ᄒᆞ믄 인ᄌᆞ(仁者)의 되 아니오미 쳥치 아니시나, 잠간 니르러 원노ᄒᆡᆼ역(遠路行役)을 위로○[코]져 ᄒᆞ엿삽더니, 악댱이 거즛 공쥬 하가를 일ᄏᆞ라 쇼ᄉᆡᆼ을 막ᄌᆞ르려 ᄒᆞ시니, 양평댱과 니혹신들 텬뉸ᄌᆞᄋᆡ 악댱만 못ᄒᆞ여 념녀치 아니코 일이 되어가믈 보고○○○○[잇으리까?] 쇼쇼(小小) 호의와 셰쇄지졀(細瑣之節)을 《ᄉᆡᆼ각ᄒᆞ여‖ᄉᆡᆼ각지 아냐》 댱【46】부의 긔상을 녹녹게 아니미라. 공쥬 하가시(下嫁時)의 윤・양・니 등을 친졍으로 보닉라 ᄒᆞ시믄, 공쥐 유년(幼年)의 뎍인(敵人)을 만히 보면 블평ᄒᆞ미 이실가 념녀ᄒᆞ시미오, 쇼ᄉᆡᆼ의 화락을 막으시미 아니니, 악댱이 쇼ᄉᆡᆼ의 블민ᄒᆞ믈 나모라 바리려 ᄒᆞ시면, 금일 브터 영영 오지 아닐지니, 진실노 공쥬로뻐 쇼ᄉᆡᆼ의 왕닉를 졀박히 넉이시면 이ᄂᆞᆫ ᄋᆞ녀ᄌᆞ지심(兒女子之心)이니이다."

공이 부마의 댱셜(長說)을 듯고 어히업셔 왈,

"챵빅이 날노뻐 셰쇄코 호의 만하 ᄋᆞ녀ᄌᆞ의 녹녹홈 ᄀᆞᆺ다 ᄒᆞ거니와, 이 곳의 빈빈 왕닉ᄒᆞ여ᄂᆞᆫ 진실노 녀ᄋᆞ의 신셰편홀 줄 긔필치 못ᄒᆞᄂᆞ니, 나의 말을 괴이히 넉【47】이지 말나."

부매 쇼이 ᄃᆡ왈,

"거츄(去秋)의 악댱이 의혼지시(議婚之時)의 ᄯᅳᆯ을 일ᄉᆡᆼ 안젼(眼前)의 두려노라 ᄒᆞ시거놀, ᄉᆡᆼ이 ᄀᆞ장 괴이히 넉여 녀ᄌᆞ유ᄒᆡᆼ(女子有行)은 원부모형뎨(遠父母兄弟)믈 고ᄒᆞ

[1786] 미연ᄒᆞ다 : 늑매몰하다. 인정이나 싹싹한 맛이 없고 쌀쌀맞다.

알ᄒᆞ고 부뷔 니회[회]을 펴고져 ᄒᆞ더니, 뜻박긔 깁히 거졀ᄒᆞᄉᆞ 비루ᄒᆞᆫ ᄌᆞ최 귀부의 오믈 불열ᄒᆞ시니, 소ᄉᆡᆼ이 비록 용우ᄒᆞ나 팔쳑 장부요, 쳐실이 영ᄋᆡ 쁜 아니라, 이ᄃᆡ도록 괴로이 넉이ᄂᆞᆫ 바을 감심(甘心)ᄒᆞ여 왕닉ᄒᆞ리잇가 마ᄂᆞᆫ, 부부ᄂᆞᆫ 오륜(五倫)○[의] 즁ᄉᆡ(重事)라, 녕녀의 일ᄉᆡᆼ 화복이 ᄉᆡᆼ의 장니(掌裏)의 잇ᄂᆞᆫ 고로, ᄉᆞ름을 취ᄒᆞ여 졍【28】의 믹믹ᄒᆞ믄 인ᄌᆞ의 되 아니오미, 쳥치 아니시나, 잠간 이르러 원노ᄒᆡᆼᄎᆞ(遠路行次)을 위로코져 ᄒᆞ엿삽더니, 악장이 거즛 공주의 ᄒᆞ가을 일카러 소ᄉᆡᆼ을 막자로려 ᄒᆞ시니, 양평장과 니혹신들 쳔륜ᄌᆞᄋᆡ 악장만 못ᄒᆞ여, 기녀의 젼졍을 위ᄒᆞ여 공주ᄒᆞ가로써 이ᄃᆡ도록 념녀치 아니코, 일이 쐬[되]야가물 《보아‖보고 잇으리까?》 소소 혐의을 ᄉᆡᆼ각지 아냐 장부의 긔상을 녹녹게 아니미라. 공주ᄒᆞ가시(下嫁時)의 윤・양・니 등을 친졍으로 보닉라 ᄒᆞ시믄, 공주 유년(幼年)의 젹인을 만히 보면 불평ᄒᆞ미 이실가 념○[녀](念慮)ᄒᆞ시미오, 소ᄉᆡᆼ의 화락을 막으시미 아니니, 악장이 소ᄉᆡᆼ의 불민ᄒᆞ믈 나무라ᄉᆞ 바리려 ᄒᆞ시면 금일부터 영영 오지 아니리니, 진실노 공주로써 소ᄉᆡᆼ의 왕닉을 졀박히 녁이실진ᄃᆡ, 이ᄂᆞᆫ 아녀ᄌᆞ(兒女子)의 젹은 마음이니이다."

공이 부마의 장셜(長說)ᄒᆞ믈 듯고 어히업셔 왈,

"창빅이 날노써 셰쇄코 호의 만ᄒᆞᆫ 아녀ᄌᆞ의 녹녹홈 갓다 ᄒᆞ거니와 이곳의 빈빈왕닉ᄒᆞ여ᄂᆞᆫ 진실노 녀아의 신셰 편홀 줄을 긔필치 못ᄒᆞ리니, 나의 말을 고이히 넉이지 말나."

부ᄆᆡ 소이ᄃᆡ왈,

"거츄(去秋)의 약장이 의혼지시(議婚之時)의 ᄯᅳᆯ을 일ᄉᆡᆼ 안젼(眼前)의 두려노라 ᄒᆞ시거놀, ᄉᆡᆼ이 가장 고이 역여 녀ᄌᆞ유ᄒᆡᆼ(女子有行)은 원부모형뎨(遠父母兄弟)을 고ᄒᆞ엿삽더니, 이제로 보압건ᄃᆡ 존ᄐᆡᆨ 풍속이 ᄯᅳᆯ을

없고 쌀쌀맞다.

엿습더니, 이제로 보읍건ᄃᆡ 죤튁 풍쇽이 ᄯᆞᆯ을 셩가(成嫁)ᄒᆞᆫ 후, 셔랑을 거졀ᄒᆞᄂᆞᆫ가 시브거니와, 실노 그럴진ᄃᆡ 부화쳐슌(夫和妻順)1787)ᄒᆞ여 유ᄌᆞ싱녀(有子生女)ᄒᆞ며 빅슈히로(白首偕老)ᄒᆞ미 어ᄃᆡ 이시리잇고?"

언파의 대쇼ᄒᆞ니 시랑 등이 ᄭᅮ짓고, 공의 부부ᄂᆞᆫ 어린 ᄃᆞ시 그 용화를 바라보아 ᄉᆞ랑ᄒᆞ믈 춤지 못ᄒᆞ여, 부인이 날호여, 탄왈,

"쳡이 녀ᄋᆞ의 젼졍을 근심ᄒᆞ다가도 군ᄌᆞ의 쾌어(快語)를 드른 즉, 만념이 프러지ᄂᆞᆫ지라. 녀셔(女壻)【48】의 화락ᄒᆞᄂᆞᆫ 경ᄉᆞ를 보고져 아니ᄒᆞ고, 무고히 거졀ᄒᆞᄂᆞᆫ 풍쇽이 이시리오마ᄂᆞᆫ, 실노ᄲᅧ 공쥬의 위엄을 두리미라. 졸약ᄒᆞ믈 웃지 말고 금일은 임의 와시니 밤을 지ᄂᆡ고 가시나, 후일은 ᄌᆞ로 왕ᄂᆡ치 마라 아딕 쇼녀의 유무를 공쥐 모로시게 ᄒᆞ쇼셔."

부매 흠신 샤왈,

"악모의 디극ᄒᆞ신 말솜이 녕녀의 댱ᄂᆡ를 념녀ᄒᆞ시믈 모로리잇가? 싱이 봉친지하(奉親之下)의 관ᄉᆡ(官事) 다쳡(多疊)ᄒᆞ여 일시 한가ᄒᆞ믈 엇디 못ᄒᆞ거ᄂᆞᆯ, 엇지 ᄆᆡ양 이곳의 왕ᄂᆡᄒᆞᆯ 결을이 이시리잇가? 형인의 유무ᄂᆞᆫ 부모도 모로시니 공쥐 더옥 알 길 업ᄉᆞᆫ디라. 너모 근심 마르쇼셔."

공의 부뷔 그 풍치 긔【49】상을 ᄉᆡ로이 두긋겨, 죵일 담화ᄒᆞ다가, 셕반을 파ᄒᆞᆫ 후 시랑으로 병부를 인도ᄒᆞ여 쇼져 침소로 보ᄂᆡ니, 시랑이 부마를 다리고 쇼져 슉소로 가니 쇼졔 오히려 조시 방의셔 오지 아녓ᄂᆞᆫ디라. 시랑이 젼어 왈,

"뎡군이 현ᄆᆡ를 위ᄒᆞ여 누월 ᄉᆞ상ᄒᆞ던 심장이 거의 마르기의 밋쳐, 금일 니르러 상견코져 ᄒᆞᄂᆞᆫ 졍이, 대한(大旱)의 운예(雲霓)도곤 더은디라. 모로미 급히 와 그 ᄆᆞᄋᆞᆷ을 위로ᄒᆞ라."

쇼졔 문파의 단연(端然)이 블열ᄒᆞ나 마디 못ᄒᆞ여 침당의 니르니, 시랑이 쇼왈,

"챵빅이 오후의 와 뎡당의셔 말솜ᄒᆞ다가

1787)부화쳐슌(夫和妻順) : 남편은 너그럽고 아내는 따름.

셩가(成嫁)ᄒᆞᆫ 후, 셔랑을 거졀ᄒᆞ시ᄂᆞᆫ가 시부거니와, 실노 그럴진ᄃᆡ 부화쳐슌(夫和妻順)1741)ᄒᆞ여 유ᄌᆞ싱녀(有子生女)ᄒᆞ며 빅수히로(白首偕老)ᄒᆞ미 어ᄃᆡ 잇시리잇고?"

언파의 ᄃᆡ소ᄒᆞ니 시랑 등이 ᄭᅮ짓고 공의 부부ᄂᆞᆫ 어린드시 그 용화【29】을 바라 ᄉᆞ랑ᄒᆞ믈 참지 못ᄒᆞ여 부인이 날호여 탄왈,

"쳡이 녀아의 젼졍을 근심ᄒᆞ다가도 군의 쾌어(快語)을 드른 즉 만념이 ᄉᆞ라지ᄂᆞᆫ지라. 녀서(女壻)의 화락ᄒᆞᄂᆞᆫ 경ᄉᆞ을 보고져 아니ᄒᆞ고 무고히 거졀ᄒᆞᄂᆞᆫ 풍쇽이 잇시리오마ᄂᆞᆫ, 실노ᄡᅧ 공주의 위엄을 두리미라. 졸약ᄒᆞ물 웃지 말고 금일은 임의 왓시니 밤을 지ᄂᆡ고 가시나, 후일은 ᄌᆞ로 왕ᄂᆡ치 말아 아직 녀ᄋᆞ의 유무을 공쥬 모로시게 ᄒᆞ소셔."

부ᄆᆡ 흠신 ᄉᆞᄉᆞ 왈,

"악모의 지극ᄒᆞ신 말솜이 영녀의 장ᄂᆡ을 념녀ᄒᆞ시믈 모로시리잇고? 싱이 봉친지ᄒᆞ(奉親之下)의 관ᄉᆡ(官事) 다쳡(多疊)ᄒᆞ여 일시 ᄒᆞᆫ가ᄒᆞ믈 엇지 못ᄒᆞ거ᄂᆞᆯ 엇지 ᄆᆡ양 이곳의 왕ᄂᆡᄒᆞᆯ 결을이 잇시리잇가? 형인의 유무ᄂᆞᆫ 부모도 모로시니 공쥐 더욱 알길 업ᄂᆞᆫ지라, 너무 근심 마르소셔."

공의 부뷔 그 풍치 긔상을 ᄉᆡ로이 두긋겨 종일 담화ᄒᆞ다가 셕반을 파ᄒᆞᆫ 후, 시랑으로 병부을 인도ᄒᆞ여 소져 침소로 보ᄂᆡ니, 시랑이 부마을 다리고 소져 슉소로 가ᄆᆡ 소졔 오히려 조시 방의셔 오지 아닌지라. 시랑이 젼어 왈,

"뎡군이 현ᄆᆡ을 위ᄒᆞ여 누월 ᄉᆞ상ᄒᆞ든 심장이 거의 ○○○○[마르기의] 밋쳐 금일 이르러 상견코져 ᄒᆞᄂᆞᆫ 졍이 ᄃᆡᄒᆞᆫ(大旱)의 운예(雲霓)도곤 더은지라, 모로미 급히 와 그 마음을 위로ᄒᆞ라."

소졔 문파의 완연 블열ᄒᆞ나 마지 못ᄒᆞ여 이러 침소의 이르니, 시랑이 소왈,

"창빅이 오후의 와 졍당의셔 말솜ᄒᆞ다가

1741)부화쳐슌(夫和妻順) : 남편은 너그럽고 아내는 따름.

금야를 이에 머믈녀 ᄒᆞᄂᆞ니, 챵빅의 디극ᄒᆞᆫ 뜻을 샤례ᄒᆞ라.”

쇼졔 묵【50】연 블응ᄒᆞ고 슈ᄉᆡᆨ(羞色)을 띄여 부마긔 녜ᄒᆞ니, 부매 답녜ᄒᆞ고 좌뎡ᄒᆞᄆᆡ 시랑이 니러나며, 왈,

“챵빅이 쇼ᄆᆡ를 ᄃᆡᄒᆞᄆᆡ 타인을 튝(逐)고져 ᄒᆞ리니, 내 남의 고ᄀᆡᆨ(苦客) 되디 아니려 도라가거니와, 군은 오날밧긔 이곳의 머믈 의ᄉᆞ를 말나.”

부매 완쇼(莞笑) 왈,

“쳔위 대군ᄌᆞ 변슈(便水)를 맛보아시ᄃᆡ 오히려 젼습(前習)이 만하 츌가(出嫁)ᄒᆞᆫ 누의를 춍단(總斷)ᄒᆞ여 ᄆᆡ부의 거취를 형의 말ᄃᆡ로 ᄒᆞᆯ가 넉이니, 어리미 심ᄒᆞᆫ지라. 인ᄉᆡ(人士)[1788] 인졔도 느지 못ᄒᆞ여시니 군ᄌᆞ의 변슈를 년쇽브졀이 먹게 ᄒᆞ라.”

시랑이 ᄭᆞ짓○[고] 가거ᄂᆞᆯ 쇼졔 니러 거거를 보ᄂᆡ니, 부매【51】 안기를 쳥ᄒᆞ여 쵹하의 ᄃᆡᄒᆞᄆᆡ 쇼져의 빙ᄌᆞ아질이 ᄉᆡ로이 쇄락ᄒᆞ여 풍완윤틱ᄒᆞ믄 젼ᄌᆞ의 더은디라. 반갑고 아롬다오○[믈] 니긔지 못ᄒᆞ여 황홀ᄒᆞᆫ 은의 가득ᄒᆞᄃᆡ, 텬셩이 엄쥰 ᄉᆡᆨᄉᆡᆨᄒᆞᆫ 고로 과도ᄒᆞᆫ ᄉᆞ식을 낫토디 아니코, 다만 닐오ᄃᆡ,

“개츈 후 악댱이 솔가 샹경ᄒᆞ시믈 기다리더니 잔 호의 만흐시므로, {ᄌᆡ ᄆᆡ양} 샤명(詞命)이 난 후 비로소 오신디라. ᄉᆡᆼ이 ᄌᆞ를 취ᄒᆞ고 도라와 친젼의 고치 못ᄒᆞ여시므로, ᄌᆡ(子) ᄆᆡ양 부모 슬하의 이시니 녀ᄌᆞ의 엇기 어려온 복이라 ᄒᆞ리로다.

쇼졔 슈용(修容) 뎡금(整襟)ᄒᆞ여 드를 ᄲᆞᆫ이오, 말이 업【52】ᄉᆞ니, 병뷔 본ᄃᆡ 녀ᄌᆞ로 다셜(多說)ᄒᆞ기를 못ᄒᆞᄂᆞᆫ 고로, 오딕,

“약질이 원노(遠路) 구치(驅馳)의 넛블디라[1789], 편히 취침ᄒᆞ라.”

쇼졔 믁연 브답이러니, 날호여 존당 구고 존후를 뭇ᄌᆞ오ᄆᆡ, 옥셩이 낭낭ᄒᆞ여 옥반의 딘쥬를 구을니고, 봉음이 쇄연ᄒᆞ여 흉ᄎᆡ(胸次)를 ᄉᆡ훤케 ᄒᆞᄂᆞᆫ디라. 병뷔 더옥 ᄋᆡ듕ᄒᆞ

1788)인ᄉᆡ(人士) : ‘사람’을 낮잡아 이르는 말

1789)넛브다 : 잇브다. 고단하다.

금야을 이의셔 머물녀 ᄒᆞᄂᆞ니 창빅의 지극ᄒᆞᆫ 뜻즐 ᄉᆞ려[례]ᄒᆞ라.”【30】

소졔 묵연불응ᄒᆞ고 슈ᄉᆡᆨ(羞色)을 띄여 부마긔 녜ᄒᆞ니, 부ᄆᆡ 답녜ᄒᆞ고 좌졍ᄒᆞᄆᆡ 시랑이 이러나며 왈,

“창빅이 소ᄆᆡ을 ᄃᆡᆷᄒᆞᄆᆡ 타인을 츅(逐)고져 ᄒᆞ리니, ᄂᆡ당의 고ᄀᆡᆨ(苦客)이 되지 아니려 도라 가거니와 군은 오날 박긔 이곳의 머물 의ᄉᆞ을 말나.”

부ᄆᆡ 완이(莞爾) 소왈,

“형이 ᄃᆡ군ᄌᆞ 변수(便水)을 맛보아시ᄃᆡ 오히려 젼습(前習)이 만ᄒᆞ 츌가ᄒᆞᆫ 누의을 총단(總斷)ᄒᆞ여 ᄆᆡ부의 거취을 너의 명ᄃᆡ로 ᄒᆞᆯ가 넉이니 어리미 심ᄒᆞᆫ지○[라], 인ᄉᆡ(人士)[1742] 이제도 느지 못ᄒᆞ엿시니 군ᄌᆞ의 변수을 연속부졀 머[먹]게 ᄒᆞ라.”

시랑이 ᄭᆞ짓고 가거ᄂᆞᆯ 소졔 이러 거거을 보ᄂᆡ니, 부ᄆᆡ 안기을 쳥ᄒᆞ여 촉하의 좌을 비겨 ○○○[ᄃᆡᄒᆞᄆᆡ] 소져의 빙ᄌᆞ아질이 ᄉᆡ로이 쇄락ᄒᆞ여 풍완윤틱ᄒᆞ믄 젼ᄌᆞ의 더은지라. 반갑고 아름다오믈 이긔지 못ᄒᆞ여 황홀ᄒᆞᆫ 은의 가득ᄒᆞ여, 쳔셩이 엄쥰 씩씩ᄒᆞᆫ 고로 과도ᄒᆞᆫ ᄉᆞ식을 나토지 아니코, 다만 일오ᄃᆡ,

“기츈 후 악장이 솔가 상경ᄒᆞ시물 기ᄃᆞ리더니 잔 호의 만으시므로, ᄉᆞ명(詞命)이 나린 후 비로소 오신지라. ᄉᆡᆼ이 ᄌᆞ을 취ᄒᆞ고 도라와 친젼의 고치 못ᄒᆞ엿시무로 ᄌᆡ ᄆᆡ양 부모슬ᄒᆞ의 이시니 녀ᄌᆞ의 엇기 어려온 복이라 ᄒᆞ리로다.”

소졔 슈용졍금(修容整襟)ᄒᆞ여 들을 ᄲᆞᆫ이오 말이 업ᄉᆞ니, 병뷔 본ᄃᆡ 녀ᄌᆞ로 다셜(多說)ᄒᆞ기을 못ᄒᆞᄂᆞᆫ 고로, 오직 약질이 원노(遠路) 구치(驅馳)의 잇블지라[1743]. 편히 취침ᄒᆞ믈 니르니 소졔 묵연브답이러니, 날호여 존당구고 존후을 무르ᄆᆡ 옥셩이 낭낭ᄒᆞ여 옥반의 진쥬을 구을니고, 봉음이 션연(鮮然)ᄒᆞ여 흉ᄎᆞ(胸次)을 ᄉᆡ원케 ᄒᆞ【31】

1742)인ᄉᆡ(人士) : ‘사람’을 낮잡아 이르는 말

1743)잇브다 : 고단하다. 일이 몹시 피곤할 정도로 힘들다.

여 흔연이 존당 부모 셩톄 안강ᄒᆞ시믈 젼ᄒᆞ고, 시녀로 침금을 포셜ᄒᆞᄆᆡ 촉을 멸ᄒᆞ고 부뷔 금니(衾裏)의 나아가ᄆᆡ, 은ᄋᆡ 여산약ᄒᆡ(如山若海)ᄒᆞ더라.

명일 부매 관소ᄒᆞ고 즉시 도라갈ᄉᆡ, 악부모긔 하ᄃᆡᆨᄒᆞ니, 공의 부뷔 녀ᄋᆞ의 ᄡᅣᆼ유ᄒᆞ믈 두굿기나, 【53】{나} 다시 오믈 청치 못ᄒᆞ고 ᄋᆡᄃᆞᆲ기를 니긔디 못ᄒᆞ니, 병뷔 지삼 위로ᄒᆞ고 승간ᄒᆞ여 오기를 일ᄏᆞ라 하ᄃᆡᆨ고, 바로 됴참ᄒᆞ고 본부의 도라가 부모 존당의 뵈ᄋᆞᆸ고 야ᄅᆡ 존후를 뭇ᄌᆞ오니, 금휘 갓던 곳을 뭇거ᄂᆞᆯ, 부매 브복 ᄃᆡ 왈, 작일 도듕의셔 경츈긔를 만나 위력으로 다려가니, 브득이 경부의셔 경야ᄒᆞ고 오믈 고ᄒᆞ니, 금휘 그 쇼힝을 모로고, 다만 니르ᄃᆡ,

"남ᄋᆡ 벗을 ᄯᆞ라 밤 지ᄂᆡ미 괴이치 아니나 봉친지하의 엇디 무상히 나가리오. ᄎᆞ후 브졀업시 나가 밤을 디ᄂᆡ지 말나."

부매 ᄇᆡ샤 슈명ᄒᆞ나, 다시 경【54】부의 ᄌᆞ로 가지 못ᄒᆞᆯ 바를 그윽이 ᄋᆡᄃᆞᆯ와 ᄒᆞ더라.

ᄎᆞ시 뎡샤인 닌흥이 십오졔 되ᄆᆡ 니시로 이셩지친(二姓之親)을 일워 관져지락(關雎之樂)이 가ᄌᆞᆨᄒᆞ고 니시 잉ᄐᆡ 십삭의 슌산ᄉᆡᆼᄌᆞ(順産生子)ᄒᆞ니, 신ᄋᆡ 골격이 비상ᄒᆞ여 부풍모습(父風母襲)ᄒᆞ니 존당 구괴 ᄉᆞ랑ᄒᆞ미 병부의 ᄌᆞ녀와 일반이오, 니시 산후 병이 업ᄉᆞ니 뎡샤인이 더옥 깃거 유ᄋᆞ를 ᄉᆞ랑ᄒᆞ고 부인을 듕ᄃᆡᄒᆞ더라.

윤·양·니 삼부인이 별원의 올만 지 오뉵삭의 니시 잉ᄐᆡ 칠삭이라. 삼인이 셔로 의지ᄒᆞ여 졍의 황영(皇英)의 ᄌᆞᄆᆡ ᄀᆞᆺᄐᆞ니, 금휘 ᄆᆡ양 못니져 일삭(一朔)의 ᄉᆞ오 슌(巡)[1790]식 와 보고 태부인과 진부인이 시절 【55】 향긔로온 과○○[품(果品)과] 유미(有味)ᄒᆞᆫ 찬션(饌膳)이 이시면 슌슌(巡巡)[1791] 보ᄂᆡ여 시녀 등 왕ᄂᆡ 빈빈ᄒᆞ고, 아줘 일시도 삼부인을 ᄯᅥ나지 아니ᄆᆡ 별원이 고요 안졍 ᄒᆞ여 몸이 반셕 ᄀᆞᆺᄐᆞ니, 양·니

1790)순(巡) : 번. 차례.
1791)슌슌(巡巡) : 매번. 그 때마다.

{ᄒᆞ}ᄂᆞᆫ지라. 부ᄆᆡ 더욱 ᄋᆡ즁ᄒᆞ여 흔연이 부모 존당 셩쳬 안강ᄒᆞ시믈 젼ᄒᆞ고, 시녀로 침금을 포셜ᄒᆞᄆᆡ 촉을 물니고 부뷔 금니의 나아가니, 은ᄋᆡ 여산약ᄒᆡ(如山若海) ᄒᆞ더라.

명일 부ᄆᆡ 관소ᄒᆞ고 도라갈 ᄉᆡ, 악부모긔 ᄒᆞ직ᄒᆞ니 공의 부뷔 녀ᄋᆞ의 쌍뉴ᄒᆞ믈 두굿기나, 다시 오물 청치 못ᄒᆞ고 승간ᄒᆞ여 오기을 일카라 ᄒᆞ직고, 바로 조ᄎᆞᆷ(朝參)ᄒᆞ고 본부의 도라가 부모긔 뵈ᄋᆞᆸ고 야간 존후을 뭇ᄌᆞ오니, 금휘 갓던 곳을 뭇거ᄂᆞᆯ 부ᄆᆡ 부복 ᄃᆡ왈, 작일 도즁의셔 경츈긔을 맛나 위력으로 다려가니, 부득이 경부의셔 밤을 지ᄂᆡ고 오믈 고ᄒᆞ니, 금휘 그 소힝을 모르고 다만 일오ᄃᆡ,

"남ᄋᆡ 벗 ᄯᅡ러 밤 지ᄂᆡ미 고이치 아니나, 봉친시ᄒᆞ의 어{엇]지 무상이 나가리오. ᄎᆞ후 부졀업시 나가 밤을 지ᄂᆡ지 말나."

부ᄆᆡ ᄇᆡᄉᆞ수명ᄒᆞ나, 다시 경부의 ᄌᆞ로 가지 못ᄒᆞᆯ 바을 그윽이 ᄋᆡ달와 ᄒᆞ더라.

뎡ᄉᆞ인 인흥이 십오세 되ᄆᆡ 니시로 이셩지친(二姓之親)을 일워 관져지낙(關雎之樂)이 가작ᄒᆞ고 니시 잉ᄐᆡ 십슥의 슌산ᄉᆡᆼᄌᆞ(順産生子)ᄒᆞ니, 신아 골격이 비상ᄒᆞ여 부풍모습(父風母襲)ᄒᆞ니, 존당구괴 ᄉᆞ랑ᄒᆞ미 병부의 ᄌᆞ녀와 일반이오, ○[니]시 산후 무병ᄒᆞ니 뎡ᄉᆞ인이 더욱 깃거 유아을 ᄉᆞ랑ᄒᆞ고 부인을 즁ᄃᆡᄒᆞ더라.

윤·양·니 ᄉᆞᆷ부인이 별원의 올만지 오륙삭의 니시 잉ᄐᆡ칠삭이라. ᄉᆞᆷ인이 셔로 의지ᄒᆞ여 졍의 《황연이‖황영(皇英)의》 ᄌᆞᄆᆡ 갓트니 금휘 ᄆᆡ양 못이져 일삭의 ᄉᆞ오 슌(巡)[1744]식 와 보고 ᄐᆡ부인과 진부인이 시졀 향긔러운 과품(果品)과 유미(有味)ᄒᆞᆫ 찬션(饌膳)이 잇시면 슌슌(巡巡)[1745] 보ᄂᆡ여 시녀 왕ᄂᆡ 빈빈ᄒᆞ고 아줘 일시도 ᄉᆞᆷ부인을 ᄯᅥᄂᆞ지 아니ᄆᆡ, 별원【32】이 고요 안졍ᄒᆞ여 몸이 반셕 갓트니, 양·니ᄂᆞᆫ 각별ᄒᆞᆫ 근

1744)순(巡) : 번. 차례.
1745)슌슌(巡巡) : 매번. 그 때마다.

이부인은 각별흔 근심이 업스나, 윤부인은 쇼고 등의 블평흔 신세를 닛디 못흐여, 쥬야 근심흐더니 믄득 모친 시녀 미향이 옥화산으로좃ᄎ 와 모친 봉셔를 올니고, 부인(모친)이 여ᄎ여ᄎ 피화흐여 옥화산의 감초인 곡졀을 고흐니, 부인이 모친 슈셔를 반기며 피화흐시믈 영힝흐나, 정·진·하·댱 등이 모친을 마ᄌ 써나 쳔만 고경(苦境)을 고홀 곳이 업스믈 슬허흐며, 본부 변괴 졈졈 망극흐믈 더옥 쳐연흐니, 양【56】·니 등이 위로흐믈 마디 아니터라.

윤부인이 답간을 일워 미향을 보닉고 쎠를 터 옥화산의 가 모네 반기고져 흐나, 블감싱의(不敢生意)흐고, 잇다감 어ᄉ 등이 와 미져를 본 즉, 모친 존후를 뭇줍고 계뷔 일졀 아니와 보시믈 괴이히 넉이니, 어ᄉ 등이 계부의 변심흐시믈 ᄎ마 미져긔도 못흐고, 다만 환휘 미류(彌留)[1792]흐시믈 젼흐니, 부인이 ᄀ장 근심흐더니, 슉녈의 비ᄌ 홍션 등이 ᄌ로 별원의 왕닉흐므로, 가듕ᄉ고를 므러 츄밀의 변심흐믈 듯고, 대경ᄎ악 왈,

"가듕의 아모 변괴 이시나 계부를 젼혀 밋줍더니 이제 변심흐시니, 다시 바랄 곳이 업는디라, 피챵【57】ᄎ텬(彼蒼且天)[1793]이 엇디 오가를 이러틋 믜워흐시ᄂ뇨?"

언흘의 상연(傷然) 뉴체 흐니, 셜난 현잉 등이 좌우의 뫼셔 위로흐더라.

ᄎ시 뉴녜 조부인을 업시흐고 묘랑으로 더브러 쳔흉만악디ᄉ(千凶萬惡之事)를 싱각홀ᄉ, 위방이 쥬영을 윤쇼져만 넉여 즐기다가 영이 스ᄉ로 본ᄉ를 쾌셜(快說)흐고 도라간 후, 셰월이 오릭딕 미식(美色)을 ᄉ상흐여 간간이 위부인을 빅젼(拜見)흐고, 미인을 어더주면 만금을 앗기지 아니렷노라 흐니, 뉴시 그윽이 뎡·딘·하·댱 듕 흐나흘 후려 주고, 금을 취코져 흐여 ᄀ마니 묘랑과 의논 왈,

"존고의 셔딜 위방이 부요흐여 금은이 뫼

1792)미류(彌留) : 병이 오래 낫지 않음.
1793)피챵ᄎ텬(彼蒼且天) : 저 푸른 하늘.

심이 업ᄉ나, 윤부인은 소고 등의 불편흔 신셰을 잇지 못흐여 주야 근심터니, 믄득 모친 시녀 미향이 옥화산으로조ᄎ 와 모친 봉셔을 올니고, 부인이 여ᄎ여ᄎ 피화흐여 옥화산의 감초인 곡졀을 고흐니, 부인이 모친 수셔을 반기며 피화흐시믈 영힝흐나, 뎡·진·하·장 등이 모친을 마ᄌ 써나 쳔만 곡경을 고홀 고지 업ᄉ믈 슬허흐며, 본부 변괴 졈졈 망측흐믈 더욱 쳑연비졀흐니, 양·니 등이 위로흐더라.

윤시 답간흐여 미양[향]을 보닉고 써을 타 옥화산의 가 모녀 반기고져 흐나, 감히 싱의치 못흐고, 잇다감 어ᄉ 등이 와 미져을 본 즉, 모친 존후을 뭇고 슉뷔 일졀 아니오시믈 고이흐여 무르니, 어사 등이 공의 변심흐믈 ᄎ마 미졔게도 못흐고, 다만 환위 오릭 미류(彌留)[1746]흐시믈 젼흐니, 부인이 가장 근심터니, 슉녈의 비ᄌ 홍션 등이 ᄌ로 별원의 왕닉《흐믈오‖흐므로》, 가듕ᄉ고을 무러 츄밀의 변심흐믈 듯고, 딕경ᄎ악 왈,

"가듕의 아모 연괴 이시나 슉부을 젼혀 밋습더니, 이졔 변심흐시니 다시 바룰 곳지 업는지라. 피창쳔(彼蒼天)[1747]이 엇지 오가을 이러틋 뮈이시나뇨?"

언흘의 산연(潸然) 뉴쳬흐니 셜난·현잉 등이 좌우의 잇셔 직삼 위로흐더리.

ᄎ시 뉴시 조부인을 업시흐고 묘랑으로 더부러 쳔흉만악지ᄉ(千凶萬惡之事)을 싱각홀ᄉ, 위방이 쥬영을 윤소져만 넉여 즐기다가 영이 스ᄉ로 본셜(本說)을 쾌셜(快說)흐고 도라 간 후, 셰월이 오릭딕 미식(美色)을 사상흐여 간간 위부인을 빅견(拜見)흐고, 미인을 어더주면 만금을 앗【33】기지 아니렷노라 흐니, 뉴시 그윽이 뎡·진·하·장 듕 흐나흘 후려주고, 금을 취코져 흐야 가마니 묘랑과 의논 왈,

"존고의 셔질 위방이 부요흐여 금은이 뫼

1746)미류(彌留) : 병이 오래 낫지 않음.
1747)피창텬(彼蒼天) : 저 푸른 하늘.

곳【58】ᄐᆞ나, 상실(喪室) 후 일등 미인을 구ᄒᆞᄂᆞ니, 우리 ᄌᆞ딜부(子姪婦) ᄉᆞ인이 다 졀염 미ᄉᆡᆨ이라. 남ᄌᆞ ᄒᆞᆫ번 본즉 만금을 앗기디 아니리니, ᄉᆞ뷔 그듕 일인을 잡아 위방을 주면 금은을 만히 어드리라."

묘랑이 눈셥을 모호고 이윽이 ᄉᆡᆼ각다가 왈,

"뎡부인은 텬디슈츌지긔(天地秀出之氣)와 산천녕ᄎᆡ(山川靈彩)를 모도와실 ᄲᅮᆫ 아니라, 셩현 도덕과 신긔ᄒᆞᆫ ᄌᆡ죄 이시니, 빈도의 변화로도 간ᄃᆡ로 범치 못ᄒᆞ고, 그 밧근 다복완젼지상(多福完全之相)과 셩신졍ᄎᆡ(星辰精彩)라 하나토 범인이 아니오, 하시를 ᄎᆞᆨ의셔 구상공 청으로 금강가지 다려가나, 빈되 하마 죽을 번 ᄒᆞᆫ디라. 이졔ᄂᆞᆫ 더옥 나히 ᄎᆞ고 몸이 ᄌᆞ라시니 만금(萬金)을 득ᄒᆞ나 ᄀᆞ장 어렵도소이다."

뉴시 왈,

"ᄉᆞ뷔 조【59】시를 셔릇ᄂᆞᆫ ᄌᆡ조로 져 쇼녀 등 쳐치ᄒᆞ미 창승(蒼蠅)이나 다르며, 이ᄂᆞᆫ 죽임과 달나 위방의 집의 다려가다 둘디라. 져 ᄉᆞ인의 용ᄉᆡᆨ이 긔특하나 므ᄉᆞᆷ ᄌᆡ죄 그ᄃᆡ도록 ᄒᆞ며, 남다른 졍긔 이시리오?"

묘랑 왈,

"부인이 모로시ᄂᆞᆫ도다. 뎡쇼져ᄂᆞᆫ 고왕금ᄂᆡ(古往今來)의 둘 업ᄉᆞᆫ 쳘부셩네(哲婦聖女)오, 딘 하・댱 이 역(亦)[1794] 무ᄡᅣᆼ(無雙)ᄒᆞᆫ 슉녀라. 텬신이 복녹을 우(佑)ᄒᆞ시니, 인력으로 못ᄒᆞᆯ디라. 조부인은 요ᄒᆡᆼ 죽여시나 져 ᄉᆞ인은 죽이미 ᄀᆞ장 어려온디라. 원ᄂᆡ 부인이 어나 쇼져를 몬져 업시 코져 ᄒᆞ시ᄂᆞ뇨?"

뉴시 왈,

"희텬 등 뉵인을 다 ᄒᆞᆫ날 죽이고져 ᄒᆞ거니와, ᄉᆞ뷔 뎡시를 하 긔특다 ᄒᆞ니 어【60】려온 ᄌᆞ를 몬져 업시ᄒᆞ고, ᄎᆞ○[ᄎᆞ] 업시ᄒᆞ미 됴흘가 ᄒᆞ노라."

묘랑이 뎡시를 히치 못ᄒᆞᆯ가 두리나 ᄌᆡ보의 욕심이 흉ᄒᆞᆫ 고로 감히 하슈ᄒᆞᆯ ᄯᅳᆺ을 두

1794)역(亦) : 또한.

갓타나, 상실(喪室) 후 일등 미인을 구ᄒᆞ나니, 우리 ᄌᆞ질부(子姪婦) ᄉᆞ인 다 졀염미ᄉᆡᆨ이라. 남ᄌᆞ 한번 본 즉 만금을 앗기지 아니리니, ᄉᆞ뷔 그 듕 일인을 잡아 위방을 주면 그 듕 일인을 잡아 위방을 주면 금은을 만히 어드리라."

묘랑이 눈셥을 모흐고 익이 ᄉᆡᆼ각다가 왈,

"뎡부인은 쳔지슈츌지긔(天地秀出之氣)와 산쳔영ᄎᆡ(山川靈彩)을 모로[도]아실 ᄲᅮᆫ 아니라, 셩현도덕과 신긔ᄒᆞᆫ ᄌᆡ조 이시니 빈도의 변화로도 간ᄃᆡ로 범치 못ᄒᆞ고, 그 밧근 다 복녹완젼지상(福祿完全之相)과 셩신졍회[화](星辰精華)라. 하나도 범인이 아니오, 하시을 ᄎᆞᆨ의셔 구상공 청으로 금강가지 다려가나 빈되 하마 죽을 번 ᄒᆞᆫ지라. 이졔ᄂᆞᆫ 더욱 나히 ᄎᆞ고 몸이 ᄌᆞ라시니 만금을 득ᄒᆞ나 가장 어렵도소이다."

뉴시 왈,

"ᄉᆞ뷔 조시을 셜릇ᄂᆞᆫ[1748] ᄌᆡ조로 져 소년 등 쳐치ᄒᆞ미 파리나 다르며, 이ᄂᆞᆫ 《죽엄‖죽임》과 달나 위방의 집의 다려다가 둘지라, 져 ᄉᆞ인의 용ᄉᆡᆨ이 긔특ᄒᆞ나 무ᄉᆞᆷ ᄌᆡ조 그ᄃᆡ도록 ᄒᆞ며, 남다른 졍긔 이시리오."

묘랑 왈,

"부인이 모로시ᄂᆞᆫ도다. 뎡소져ᄂᆞᆫ 고왕금ᄂᆡ(古往今來)의 둘 업ᄂᆞᆫ 쳘부셩녀(哲婦聖女)오, 진・하・장도 숙녀라, 《현신‖텬신》이 복녹을 《위‖우(佑)》ᄒᆞ시니, 인녁으로 못ᄒᆞᆯ지라. 조부인은 요ᄒᆡᆼ 죽여시나 져 ᄉᆞ인은 가장 어려오니, 원ᄂᆡ 부인이 어ᄂᆡ 소져을 몬져 업시코져 ᄒᆞ시ᄂᆞ뇨?"

뉴시 왈,

"희쳔 뉵인을 다 ᄒᆞᆫ날 죽이고져 ᄒᆞ거니와 ᄉᆞ뷔 뎡시을 ᄒᆞ 긔특다 ᄒᆞ니, 어려온 ᄌᆞ을 몬져 업시【34】ᄒᆞ고 ᄎᆞᄎᆞ 업시 ᄒᆞ미 조흘가 ᄒᆞ노라."

묘랑이 뎡시을 히치 못ᄒᆞᆯ가 두리나 ᄌᆡ보의 욕심이 흉ᄒᆞᆫ 고로 감히 햐수ᄒᆞᆯ ᄯᅳᆺ즐 두

1748)셜릇다 : 셔릇다. 서릇다. 좋지 않거나 방해가 되는 것을 쓸어 치우다

어 왈,
"부인이 이리 밧바ᄒᆞ시니 빈되 슈고를 혜지 아니코 뎡시를 후려 위관인을 주리이다."
뉴시 희왈,
"ᄉᆞ뷔 만일 여ᄎᆞ(如此) 즉, 지보ᄂᆞᆫ 소원ᄃᆡ로 어들 거시오, 뎡시 관인의 말을 듯지 아냐 죽은 즉, 나의 원이라. 진・하・댱 삼인을 ᄯᅩ 죽이지 말고 텬하 호식ᄌᆞ의게 금보를 밧고 파ᄂᆞᆫ 거시 됴흘가 ᄒᆞ노라."
묘랑이 올흐믈 칭ᄒᆞ니, 뉴시 깃거 위태를 권ᄒᆞ여 위방을 블너 여ᄎᆞ여ᄎᆞ 니르라 ᄒᆞ니, 위태 오ᄃᆡ 뉴시의 디휘ᄃᆡ로【61】 방을 블너 그윽ᄒᆞᆫ 곳의셔 니르ᄃᆡ,
"젼일 너를 위ᄒᆞ여 숀녀를 취콰져 묘계를 가ᄅᆞ치ᄃᆡ, 네 잘못ᄒᆞ여 도로혀 져의 ᄭᅬ의 ᄲᆡ지니 분ᄒᆞᆫ ᄆᆞ음이 엇디 업ᄉᆞ리오. 손ᄋᆞ 광텬의 원비 뎡시ᄂᆞᆫ 금ᄌᆞ로 졍문포댱(旌門褒獎)ᄒᆞ신 바 슉녈비(淑烈妃)라. 식광 긔질이 손녀 우히니, 셩힝덕질(性行德質)이 쳔만고(千萬古)의 업ᄂᆞᆫ디라. 네 긔특ᄒᆞᆫ 이승(異僧)을 어더 뎡시를 후려다가 부부 화락을 일우ᄃᆡ, 혹 블슌ᄒᆞ거든 즉시 죽이고, 진・하・댱 삼뷔 다 졀염슉완이라. 다시 너를 주리니 너ᄂᆞᆫ 이승을 보고 녜폐(禮幣)를 후히 ᄒᆞ여 딘심 극녁게 ᄒᆞ라."
방이 쳥필의 그 법호를 므르며 ᄌᆡ조를 드르ᄆᆡ 어리고 망측ᄒᆞᆫ ᄆᆞ음의 뎡【62】시를 어들가 대희ᄒᆞ여 샤례 왈,
"○○○[쳔질을] 위ᄒᆞ샤 ᄆᆡ양 외람ᄒᆞᆫ 혼ᄉᆞ를 지교ᄒᆞ시ᄃᆡ, 셔딜(庶姪)이 박복ᄒᆞ여 ᄯᅳᆺ을 일우디 못ᄒᆞᄂᆞᆫ디라. 디셩(至誠)○○[이면] 감텬(感天)으로 이번의나 금션법ᄉᆞ 덕의 슉녀를 만나오면, 만금을 허비ᄒᆞ나 앗가오리잇가."
위시 희희 쇼왈,
"네 졍셩을 신명이 감동ᄒᆞᆯ ᄇᆡ라. 뎡시를 취ᄒᆞᆫ즉 너의 복녹이 하날 ᄀᆞᄐᆞ리니, 깃브고 즐거오미 그밧 므어시리오. 금션법ᄉᆞᄂᆞᆫ 귀신을 부리며 몸을 화ᄒᆞ여 공듕의 츌입ᄒᆞᄂᆞᆫ

어 왈,
"부인이 이리 밧버ᄒᆞ니 빈되 수고을 혜지 아니코 뎡시을 후려 위관인을 주리이다."
뉴시 희왈,
"ᄉᆞ뷔 만일 여ᄎᆞ(如此) 즉, 지보ᄂᆞᆫ 그 원ᄃᆡ로 어들 거시오, 뎡시 관인의 말을 듯지 아냐 죽은 즉, 나의 원이라. 진・하・장 삼인을 ᄯᅩ 죽이지 말고 쳔ᄒᆞ 호식ᄌᆞ의게 금보을 밧고 파ᄂᆞᆫ 거시 올흘가 ᄒᆞ노라."
묘랑이 올흐믈 칭ᄒᆞ니, 뉴녀 깃거 고모(姑母)[1749]을 권ᄒᆞ여 위방을 불너 여ᄎᆞ여ᄎᆞ 이르라 ᄒᆞ니, 위시 즉시 위방을 불너 그윽ᄒᆞᆫ 곳의셔 이르ᄃᆡ,
"젼일 너을 위ᄒᆞ여 손녀을 취콰져 묘계을 가르치ᄃᆡ, 네 즐못ᄒᆞ여 도로혀 져의 ᄭᅬ의 ᄲᆡ지니 분ᄒᆞᆫ ᄆᆞ음이 엇지 업ᄉᆞ리오. 손아 광천의 원비 뎡시ᄂᆞᆫ 금ᄌᆞ로 졍문표장(旌門表奬)ᄒᆞ신 바 슉녈바[비](淑烈妃)라. 식광긔질이 손녀 우히니 셩힝긔질(性行氣質)이 쳔만고의 업ᄂᆞᆫ지라. 네 긔특ᄒᆞᆫ 니승을 어더 뎡시을 후려다가 부부화락을 일우ᄃᆡ, 혹 불슌ᄒᆞ거든 즉시 죽이고, 진・하・장 숨뷔 다 졀염슉완이라, 다시 너을 주리니, 너ᄂᆞᆫ 니승(異僧)을 보고 녜폐(禮幣)을 후히 ᄒᆞ여 진심케 ᄒᆞ라."
방이 쳥파의 연망이 ᄉᆞ례ᄒᆞ고, 묘랑을 ᄃᆡᄒᆞ여 법호을 무르며, 그 ᄌᆡ조을 드르ᄆᆡ 어리고 망측ᄒᆞᆫ 마음의 뎡시을 어들가 ᄃᆡ희ᄒᆞ여, 다시금 사례 왈,
"쳔질을 위ᄒᆞ여 외롬ᄒᆞᆫ 혼ᄉᆞ을 지교ᄒᆞ시니 지셩(至誠)이○[면] 감쳔(感天)으로 이번이나 금션법ᄉᆞ 만난 덕으로 뎡부인을 취ᄒᆞ면 만금【35】인들 앗기리잇가?"
위녀 왈,
"네 졍셩을 신명이 감동ᄒᆞᄉᆞ 뎡시을 취ᄒᆞᆫ즉 거의 복녹이 이밧 업슬노다."

1749)고모(姑母) : 시어머니.

니, 뎡시를 다려가거든 됴히 화락ᄒᆞ라."

방이 슌슌 ᄇᆡ샤ᄒᆞ고 밧비 묘랑을 다리고 도라와, 황금 일졍과 치단 옥보를 가득이 주어 그 욕심을 치오고, 날【63】을 맛초와 뎡시 다려오기를 뎡ᄒᆞ니, 묘랑이 윤부의 와 뉴시와 금보를 난화, 밀밀이 힝계ᄒᆞᆯᄉᆡ, 묘랑 왈,

"슉녈이 ᄆᆡ양 태부인 침소의 이시니, 빈되 여러 이목 듕 번화ᄒᆞ여, ○…결락 16자…○[침소의 도라 보닌 후, 슘경반야의 드러가] 쳔만 무심 듕 공듕의 업고 가리이다."

뉴시 올히 넉여 태부인긔 고ᄒᆞ니 위시 긔약ᄒᆞ고 취침ᄒᆞ기를 당ᄒᆞ여, 뎡시다려 왈,

"ᄋᆞ뷔 달○[포] 이의 잇셔, 몸이 닛블 거시니 모로미 금야는 ᄉᆞ침의 가 쉬라."

ᄒᆞ고 또 진·하·댱을 각각 침소로 보ᄂᆡ니, 뎡시 금야의 므슴 ᄉᆞ괴 이시믈 짐즉ᄒᆞᄃᆡ 오딕 존명을 승슌ᄒᆞ여 쳔연 ᄉᆞ샤ᄒᆞ고 치봉각의 믈너오니, 슉딕 시녀 야심ᄒᆞᄆᆡ 발셔 문을 닷고 즘이 바야히라. 쇼져 뫼신 시ᄋᆡ【64】 ᄡᅵ와 촉을 ᄇᆞᆰ히고 침금을 포셜ᄒᆞ니, 쇼졔 의상을 그르지 아니코 촉을 믈니지 아냐 침변의 비겨시나, 여신ᄒᆞᆫ 총명으로 ᄐᆡ부인 슈상ᄒᆞᆫ 긔식을 슷치ᄆᆡ1795), 방심치 못ᄒᆞ여 반졈 조으롬이 업고, 가듕ᄉᆞ셰 ᄎᆞ악ᄒᆞ여 ᄒᆞᆫ ᄎᆞ례 대익을 면치 못ᄒᆞᆯ 바를 그윽이 탄ᄒᆞ나 ᄉᆡᆨ지 아니코, 시녀 등은 쟝외(帳外)의셔 다시 잠드ᄂᆞᆫ디라. 뉴시 모네며 묘랑이 합댱 뒤히셔 동졍을 술펴, 반야의 묘랑이 담올 크게 ᄒᆞ고 화(化)ᄒᆞ여, 오ᄉᆡᆨ 빗치 큰 호피 되니 보기의 무셔온디라. 뉴시 모네 암쇼(暗笑) 왈,

"뎡시 비록 대담이나 ᄎᆞ믈을 본 즉 아니 두릴 직 업ᄉᆞ리니 쇽졀업시 잡혀 갈노다."

ᄒᆞ고, 문틈으로 보【65】니 묘랑이 급급히 지게를 열치고 드리다라 뎡시를 범코져 ᄒᆞ다가, 믄득 뎡시의 당당ᄒᆞᆫ 졍광(精光)이 찬난ᄒᆞ여 요ᄉᆞ(妖邪)를 제어ᄒᆞ므로, 묘랑의 냥목(兩目)이 황홀ᄒᆞ고 졍신이 어득ᄒᆞ여 두

1795)슷치다 : 생각하다. 상상하다.

방이 슌슌 ᄇᆡᄉᆞᄒᆞ고 밧비 묘랑을 다리고 도라와 황금 일졍과 치단 옥보을 몬져 쥬어 그 욕심을 치우고, 날을 마초아 뎡시 다려옴을 이르니, 묘랑이 윤부의 와 뉴부인과 금보을 난호여[며] 의논ᄒᆞ여 힝계ᄒᆞᆯ ᄉᆡ, 묘랑 왈,

"뎡시 ᄆᆡ양 침젼의 잇시니 빈되 여러 이목 ○[즁]의 드러간 즉, 뎡시 두리지 아니리니, 여ᄎᆞ여ᄎᆞ 침소의 도라 보닌 후 슘경반야의 빈되 무심 듕 드러가 업고 공즁으로 치다르리이다."

뉴시 올히 녁여 ᄐᆡ부인긔 고ᄒᆞ니, 위뇌 긔약ᄒᆞ고 취침ᄒᆞ기을 당ᄒᆞ여, 뎡시다려 왈,

"아뷔 달포 이의 잇셔 몸이 잇블 거시니 모로미 금야는 ᄉᆞ침의 가 쉬라."

ᄒᆞ고 또 진·하·장을 각각 침소로 보ᄂᆡ니, 뎡시 금야의 무슴 ᄉᆞ괴 이심을 짐작ᄒᆞ되, 오즉 존명을 승슌ᄒᆞ여 쳔연 사ᄉᆞᄒᆞ고 치봉각의 물너오니, 슉직시녜 야심ᄒᆞᄆᆡ 발셔 문을 닷고 잠이 바야히라. 소져 뫼신 시아을[로] ᄡᅵ와 촉을 밝히고 침금을 포셜ᄒᆞ고[니], 소졔 의상을 그르지 아니코 촉을 물니지 아냐 침변의 비겨시ᄂᆞ, 여신ᄒᆞᆫ 총명으로 ᄐᆡ부인 슈상ᄒᆞᆫ 긔식을 슷치ᄆᆡ1750), 방심치 못ᄒᆞ여 반졈 조으르미 업고, 가듕ᄉᆞ셰 ᄎᆞ악ᄒᆞ여 ᄒᆞᆫ ᄎᆞ례 ᄃᆡ익을 면치 못ᄒᆞᆯ 바을 그윽이 탄ᄒᆞ나 ᄉᆡᆨ지 아니코, 시녀 등은 장외의셔 다시 잠드ᄂᆞᆫ지라. 뉴시 모녀며 묘랑이 합창 뒤희셔 동졍을 술펴 반야(半夜) 된 후, 묘랑이 담을 크게 ᄒᆞ고 화ᄒᆞ여 오ᄉᆡᆨ 빗체 큰【36】 호표 되니 보기의 무셔온지라. 뉴시 모녀 함소(含笑) 왈,

"뎡시 비록 ᄃᆡ담이나 ᄎᆞ물을 본 즉 아니 두릴 ᄇᆡ 업ᄉᆞ니 쇽졀업시 잡혀갈노다."

ᄒᆞ고, 문틈으로 보니 묘랑이 급급히 지게을 열고 드리다라 뎡시을 범코져 ᄒᆞ다가, 믄득 뎡시의 당당ᄒᆞᆫ 졍광이 찬난ᄒᆞ여 요ᄉᆞ을 제어ᄒᆞ거ᄂᆞᆯ, 묘랑의 양목(兩目)이 황홀ᄒᆞ고 졍신이 어득ᄒᆞ여 잠간 물너셔거날, 소져

1750)슷치다 : 생각하다. 상상하다.

골이 ᄯᅢ히ᄂᆞᆫ[1796] 듯ᄒᆞ니, 어ᄃᆡ 가 요ᄉᆞ를 발뵈리오. 양양ᄒᆞ던 ᄯᅳᆺ이 업셔 잠간 믈너셔거ᄂᆞᆯ, 쇼졔 만일 범인 ᄀᆞᆺᄐᆞ면 엇디 경겁지 아니리오마ᄂᆞᆫ, 유약ᄒᆞ미 신뉴(新柳) ᄀᆞᆺᄐᆞ나, 본ᄃᆡ 녀력(膂力)[1797]이 강ᄆᆡᆼᄒᆞ고 ᄌᆡ죄 만ᄉᆞ를 능통ᄒᆞᄂᆞᆫ디라. 조금도 요동ᄒᆞ미 업셔 벼개의 디혓다가, 몸을 니러 묘랑을 향ᄒᆞ여 팔ᄌᆞ아미(八字蛾眉)를 거ᄉᆞ리고 옥셩(玉聲)이 ᄆᆡᆼ녈ᄒᆞ여 왈,

"네 반ᄃᆞ시 각별ᄒᆞᆫ 요졍(妖精)으로 인형(人形)을 ᄡᅧ 셰샹 허박ᄒᆞᆫ 사ᄅᆞᆷ을 만히 쇽이고, 금야 내 침【66】실의 져 모양으로 드러오미 젹지 아닌 묘ᄆᆡᆨ이니, 내 비록 네 근본을 듯지 아니나 ᄇᆞᆰ히 디긔ᄒᆞᄂᆞ니, 젼젼 악ᄉᆞ를 일일 딕고ᄒᆞ라. 블연 즉 일긱의 맛ᄎᆞ리라."

언필의 후일 증험을 삼고 다시 ᄌᆞ가를 범치 못ᄒᆞ게 ᄒᆞ려 ᄒᆞ여, 골흠[1798]의 댱도(粧刀)를 ᄲᆡ혀 묘랑의 왼 귀를 버히니, 위풍이 늠늠ᄒᆞ여 츄텬(秋天)의 음ᄋᆡ(陰靄)를 지으며, 녈일(烈日)이 한빙(寒氷)의 바ᄋᆡ니, 일개 연약ᄒᆞᆫ 부인이 강ᄆᆡᆼᄒᆞᆫ 댱부를 압두ᄒᆞᄂᆞᆫ디라. 묘랑이 이상ᄒᆞᆫ 요졍이나 져의 당당ᄒᆞᆫ 졍명지긔(精明之氣)를 뽀히ᄆᆡ, 일신이 ᄯᅥᆯ녀 황황ᄒᆞᆯ ᄉᆞ이 귀를 버히니 알프고 분ᄒᆞ미 극ᄒᆞ나, ᄒᆞᆯ일업셔 뎡히 다라나려 ᄒᆞᄃᆡ, 뎡시 그 머리를 잡고 드러【67】온 곡졀을 딕고ᄒᆞ라 호령ᄒᆞ니, 도망ᄒᆞᆯ 길도 업셔 오딕 거즛 즘ᄉᆡᆼ인 쳬ᄒᆞ고 머리를 조으며 말을 아니니, 뎡시 혜오ᄃᆡ,

"이 요믈이 존당과 슉모를 도아 가변을 디으니, 살ᄉᆡᆼ(殺生)이 비록 녀ᄒᆡᆼ(女行)이 아

1796)ᄯᅢ히다 : 때리다. 치다.
1797)녀력(膂力) : 근력(筋力). 육체적으로 억누르는 힘.
1798)골흠 : 고름. 옷고름. 저고리나 두루마기의 깃 끝과 그 맞은편에 하나씩 달아 양편 옷깃을 여밀 수 있도록 한 헝겊 끈.

만일 범인 갓트면 업[엇]지 경겁지 아니리오마ᄂᆞᆫ, 조금도 요동ᄒᆞ미 업셔, 벼기의 지혀다가 몸을 일어 묘랑을 향ᄒᆞ여 팔ᄌᆞ아미(八字蛾眉)을 거ᄉᆞ리고 옥셩(玉聲)이 ᄆᆡᆼ열ᄒᆞ여 왈,

"네 요졍(妖精)은 감히 인형(人形)으로ᄡᅧ 셰상 허박ᄒᆞᆫ ᄉᆞᄅᆞᆷ을 만히 쥭이고, 금야 ᄂᆡ 침실의 져 모양으로 드러오미 젹지 아닌 묘ᄆᆡᆨ이니, ᄂᆡ 비록 네 근본을 듯지 아니나 ᄇᆞᆰ히 지긔ᄒᆞᄂᆞ니, 젼젼악ᄉᆞ(前前惡事)을 일일직고(一一直告)ᄒᆞ라. 블연 즉 경각(頃刻)의 마ᄎᆞ리라."

언필의 후일 증험을 ᄉᆞᆷ고 다시 ᄌᆞ가을 범치 못ᄒᆞ게 ᄒᆞ○○○○[게 ᄒᆞ려 ᄒᆞ]여 골음[1751]의 장도(粧刀)을 ᄲᅵ혀 묘랑의 왼 귀을 버히니, 위풍이 늠늠ᄒᆞ여 츄쳔(秋天)의 음ᄋᆡ(陰靄)을 지으며, 녈일(烈日)이 ᄒᆞᆫ빙(寒氷)의 바ᄋᆡ니, 일기 연약ᄒᆞᆫ 부인이 강ᄆᆡᆼᄒᆞᆫ 장부을 압두ᄒᆞᄂᆞᆫ지라. 묘랑이 이상ᄒᆞᆫ 요졍이나 소져의 졍명지긔(精明之氣)을 쏘이ᄆᆡ, 일신이 ᄯᅥᆯ여 황황ᄒᆞᆯ ᄉᆞ이의 귀을 버히ᄆᆡ 알푸고 분ᄒᆞ미 극ᄒᆞ나, ᄒᆞᆯ일 업셔 다라나려 ᄒᆞᄃᆡ, 뎡시 그 머리을 잡고 드러온 곡졀을 직고ᄒᆞ라 호령ᄒᆞ니, 그 엄슉ᄒᆞᆫ 긔상이 ᄒᆞᆫ빙 갓고, 찬 긔운이 ᄲᅧ의 ᄉᆞ못ᄂᆞᆫ지라. 원【37】ᄂᆡ 뎡시 약ᄒᆞᆷ이 ○○[신뉴(新柳)] 갓트나 여력(膂力)[1752]이 과인ᄒᆞᆫ지라. 요정이 엇지 움즉이리오. 감히 도망ᄒᆞᆯ 길도 업시ᄆᆡ, 다만 거즛 짐ᄉᆡᆼ인 쳬ᄒᆞ고 머리을 조으며 말을 아니니, 뎡시 혜오ᄃᆡ,

"이 요물이 존당슉모을 도와 가변을 지으니, ᄉᆞᆯᄉᆡᆼ(殺生)이 비록 녀ᄒᆡᆼ(女行)이 아니나, 아조 쥭여 업시ᄒᆞ여야 존당 슉모을 찬조ᄒᆞ

1751)골음 : 고름. 옷고름. 저고리나 두루마기의 깃 끝과 그 맞은편에 하나씩 달아 양편 옷깃을 여밀 수 있도록 한 헝겊 끈.
1752)여력(膂力) : 근력(筋力). 육체적으로 억누르는 힘.

니나, 아조 죽여 업시 ᄒᆞ여야 존당과 슉모를 찬조하리 업술노다.”

의ᄉᆡ 이의 밋ᄎᆞᄆᆡ 홍션 등으로 쳘삭을 가져 묘랑을 ᄆᆡ고, 즐왈,

“네 날을 속이려 거ᄌᆞᆺ 말 못ᄒᆞᄂᆞᆫ 즘ᄉᆡᆼ인쳬ᄒᆞ나 본ᄃᆡ 사ᄅᆞᆷ은 아니오 요졍이로ᄃᆡ, 소진(蘇秦)1799)의 구변을 가졋고, 져리코 내 당듕(堂中)의 오든 의ᄉᆡ 심상치 아닐 거시니, ᄲᆞᆯ니 간졍(奸情)을 고ᄒᆞ고 본형을 ᄂᆡ라.”

이리 니르며 ᄒᆞᆫ 먹음1800) 믈을 묘랑의게 ᄲᅮᆷ으며 졔요가(制妖歌)를 외오니 경ᄀᆡᆨ의 오ᄉᆡᆨ흉회(五色凶虎) 화【68】ᄒᆞ여 금빗 ᄀᆞᆺ튼 녀이 1801)되거ᄂᆞᆯ, 뎡시 ᄯᅩ ᄭᅮ지져, 왈,

“너의 본형이 녀이로소니 심산의 숨어시미 올커ᄂᆞᆯ 경사(京師)가지 오기ᄂᆞᆫ 인형을 ᄲᅧ시미라, 젼후 묘쉬(妙手) 이시리니 간졍을 밧비 고ᄒᆞ라.”

묘랑이 스ᄉᆞ로 본형을 ᄂᆡ미 아니로ᄃᆡ, 뎡시의 졔요(制妖)ᄒᆞᄂᆞᆫ 졍긔를 당ᄒᆞ여, 젼뉼ᄌᆞ툭(戰慄自縮)ᄒᆞ여 요슐이 주러지고 만신이 뒤틀녀, ᄒᆡ음업시1802) 본형을 ᄀᆞᆷ초지 못ᄒᆞ고, 져의 악ᄉᆞ를 본 ᄃᆞ시 슈죄(數罪)ᄒᆞ니 별믈 대담이나 망극 경황ᄒᆞ니, ᄎᆞ시 경ᄋᆞ 모녜 규시ᄒᆞ다가 대경낙황(大驚落黃)1803)ᄒᆞ여 셔로 니르ᄃᆡ,

“묘랑이 뎡시를 ᄒᆡᄒᆞ믄ᄏᆞ니와1804), 졔 도

1799)소진(蘇秦) : 중국 전국 시대의 유세가(遊說家). 산동 6국의 합종(合從)을 설득, 진(秦)에 대항했다.

1800)먹음 : 모금. 액체나 기체를 입 안에 한 번 머금는 분량을 세는 단위.

1801)녀이 : 여우. 『동물』 갯과의 포유류. 개와 비슷한데 몸의 길이는 70cm 정도이고 홀쭉하며, 대개 누런 갈색 또는 붉은 갈색이다.

1802)ᄒᆡ음업다 : 하염없다. 속절없다. 시름에 싸여 멍하니 이렇다 할 만한 아무 생각이 없다. 또는, 단념할 수밖에 달리 어찌할 도리가 없다

1803)대경낙황(大驚落黃) : 너무 크게 놀라 얼굴이 노랗게 변함.

1804)ᄏᆞ니와 : 커녕. 커니와. *커녕; 어떤 사실을 부정하는 것은 물론 그보다 덜하거나 못한 것까지 부정하는 뜻을 나타내는 보조사. '말할 것도 없거니와 도리어'의 뜻을 나타냄. *커니와; 하거니와'가 줄어든 말. 조건을 나타내는 어미 뒤에 쓰여 '모르거니와'라는 뜻을 나타낸다

리 업술노다.”

의ᄉᆡ 이의 밋ᄎᆞᄆᆡ 홍션 등으로 쳘삭(鐵索)을 가져 묘랑을 ᄆᆡ고 즐왈,

“네 날을 속이려 거즛 말 못ᄒᆞᄂᆞᆫ 즘ᄉᆡᆼ인체 ᄒᆞ나, 본ᄃᆡ ᄉᆞ름은 아니오 요졍이로ᄃᆡ, 소진(蘇秦)1753)의 구변을 가졋고, 져 모양으로 ᄂᆡ 당듕(堂中)의 오든 의ᄉᆡ 심상치 아닐 거시니 ᄲᆞᆯ니 간졍(奸情)을 고ᄒᆞ고 본형을 ᄂᆡ라.”

이리 이르며 한 목음1754) 물을 묘랑의게 ᄲᅮᆷ으며 졔요가(制妖歌)을 외오니 금빗 갓튼 여이1755) 되거날, 뎡시 ᄯᅩ ᄭᅮ지져 왈,

“너의 본형이 여이로소니, 심산(心山)의 숨어시미 올커ᄂᆞᆯ 경ᄉᆞ(京師)가지 오기ᄂᆞᆫ 인형을 ᄡᅧ시미라. 젼후 묘쉬(妙手) 이시리니 간졍을 밧비 고ᄒᆞ라.”

묘랑이 스ᄉᆞ로 본형을 ᄂᆡ미 아니로ᄃᆡ, 뎡시의 졔요(制妖)ᄒᆞᄂᆞᆫ 졍긔을 당ᄒᆞ여 젼률국츅(戰慄跼縮)ᄒᆞ여 요술이 줄어지고 만신이 뒤틀녀 ᄒᆡ음업시1756) 본형을 감초지 못ᄒᆞ고, 져의 악ᄉᆞ을 본 드시 수죄(數罪)ᄒᆞ니 별물 ᄃᆡ담이나 망극 경황ᄒᆞ니, 경ᄋᆞ 모녜 규시ᄒᆞ다가 ᄃᆡ경낙황(大驚落黃)1757)ᄒᆞ여 셔로 니로ᄃᆡ,

“묘랑이 뎡시을 ᄒᆡᄒᆞ믄컨니와, 졔 화을 만나 두 귀을 버히고, 경황(驚惶)ᄒᆞᆫ 거동이 우리 악ᄉᆞ을 직고ᄒᆞᆯ 듯ᄒᆞ니, 밧비 존당을 뫼셔와 묘랑을 구ᄒᆞ리라.”

1753)소진(蘇秦) : 중국 전국 시대의 유세가(遊說家). 산동 6국의 합종(合從)을 설득, 진(秦)에 대항했다.

1754)목음 : 모금. 액체나 기체를 입 안에 한 번 머금는 분량을 세는 단위.

1755)여이 : 여우. 『동물』 갯과의 포유류. 개와 비슷한데 몸의 길이는 70cm 정도이고 홀쭉하며, 대개 누런 갈색 또는 붉은 갈색이다.

1756)ᄒᆡ음업다 : 하염없다. 속절없다. 시름에 싸여 멍하니 이렇다 할 만한 아무 생각이 없다. 또는, 단념할 수밖에 달리 어찌할 도리가 없다

1757)대경낙황(大驚落黃) : 너무 크게 놀라 얼굴이 노랗게 변함.

로혀 화를 만나 왼 귀를 버히고, 경황(驚惶)ᄒᆞᆫ 거동이 우리 악ᄉᆞ를 ᄃᆡᆨ고ᄒᆞᆯ ᄃᆞᆺᄒᆞ니, 밧비 존【69】당을 뫼셔와 묘랑을 구ᄒᆞ리라."

ᄒᆞ고, 급히 경희뎐의 가 묘랑의 급ᄒᆞ믈 고ᄒᆞ고 구ᄒᆞ시믈 쳥ᄒᆞᆫᄃᆡ, 위뇌 대경ᄒᆞ고 뉴시 말인 즉 신쳥(信聽)ᄒᆞ니, 반야 삼경의 노인의 ᄌᆞ최 블ᄉᆞ(不似)ᄒᆞᆫ 줄 엇지 헤리오. 경ᄋᆞ 모녀와 젼경(戰驚)ᄒᆞ여 봉각의 니르니, 뎡쇼제 ᄯᆞ지져 간졍을 므를 즈음의 태부인과 슉모 모녜 드러오니, 발셔 그 ᄯᅳᆺ을 디긔ᄒᆞ고 안셔히 니러 마ᄌᆞᆫᄃᆡ, 위뇌 묘랑을 보고 양경(佯驚) 왈,

"ᄋᆞ뷔 금애나 ᄉᆞ침의 쉬고져 ᄒᆞ더니, 실듕의 변괴 이시믈 듯고 놀나 뉴현부 등을 다리고 니르럿ᄂᆞ니, 흉ᄒᆞᆫ 즘ᄉᆡᆼ이 방듕의 이시믈 보ᄆᆡ ᄀᆞ장 큰 변이라, 엇디 일시나 머므르리오, 셰월 비영 등으로 여을 뽓ᄎᆞ ᄂᆡ치라."

쇼제 그 용【70】심을 모르ᄂᆞᆫ ᄃᆞᆺ 나즉이 고왈,

"ᄎᆞ믈(此物)이 ᄒᆞᆫ갓 여일 ᄲᆞᆫ 아냐 요술이 블측ᄒᆞ여 쳐음 오ᄉᆡᆨ 흉회 되어 드러왓다가 ᄯᅩ 여이 되니, 각별ᄒᆞᆫ 요졍이라. 져젹 존괴 취운산 힝도의 봉변ᄒᆞ샤 지금 가신 곳을 모로니, 쳡 등의 망극 통졀ᄒᆞᆫ 심ᄉᆞᄂᆞᆫ 의논치 말고, 나ᄂᆞᆫ 범이 사ᄅᆞᆷ을 후려가믄 쳔고의 희한ᄒᆞᆫ 변괴라. 이 반다시 ᄎᆞ믈의 작용이니 ᄎᆞ요(此妖)를 잡아 다ᄉᆞ리면, 존고의 거쳐를 알가 ᄒᆞᄂᆞ이다."

위뇌 힝혀 묘랑을 져주어 조부인 죽이믈 아라닐가 대경ᄒᆞ여, 변ᄉᆡᆨ 왈,

"노뫼 힝년(行年) 늑슌의 사ᄅᆞᆷ의 침실의 이런 즘ᄉᆡᆼ이 드러오믈 듯지 못ᄒᆞ엿ᄂᆞ니, 【71】 보기의 심골이 경한ᄒᆞᆫ디라, 밧비 뽓ᄎᆞ ᄂᆡ치미 올커ᄂᆞᆯ 엇디 져주ᄌᆞ ᄒᆞᄂᆞ뇨?"

뉴시 졔 ᄯᅳᆺ을 일우지 못ᄒᆞ고 묘랑이 잡혀 악ᄉᆡᆨ 발각기 쉬오믈 보고, 통완ᄒᆞ여 존고를 눈개며 뎡시를 향ᄒᆞ여 ᄂᆡᆼ쇼 왈,

"우리 가듕의 이런 변긔 업셔 고요안뎡ᄒᆞ니, 져 즘ᄉᆡᆼ을 방듕의 일시 머믈미 ᄀᆞ장 흉ᄒᆞ거ᄂᆞᆯ, 그ᄃᆡᄂᆞᆫ 범범지ᄉᆞ(凡凡之事)로 아라

ᄒᆞ고, 급히 경희젼【38】의 가 묘랑의 급ᄒᆞ물 고ᄒᆞ고 구ᄒᆞ시물 쳥ᄒᆞᆫᄃᆡ, ○○○○○○[위뇌 대경ᄒᆞ고] 뉴시 말인 즉 신쳥(信聽)ᄒᆞ니, 즉시 경ᄋᆞ 모녀와 ᄒᆞᆫ 가지로 젼경(戰驚)ᄒᆞ여 봉각의 이로니, 뎡시 묘랑을 ᄯᆞ지져 간졍을 무롤 즈음의 ᄐᆡ부인과 슉모 모녜 드러오니, 발셔 그 ᄯᅳᆺ즐 지긔ᄒᆞ고 안셔히 이러 마ᄌᆞᆫ ᄃᆡ, 위뇌 묘랑의 모양을 보고 양경(佯驚) 왈,

"아뷔 금야나 ᄉᆞ침의 쉬고져 ᄒᆞ더니, 실듕의 변괴 이시믈 듯고 놀나 뉴현부 등을 다리고 이르럿ᄂᆞ니, 흉ᄒᆞᆫ 즘ᄉᆡᆼ이 방 듕의 이시물 보ᄆᆡ 이 ᄃᆡ변이라 엇지 일시나 머물니요. 밧비 《나예‖ᄂᆡ어》 ᄶᅩ츠라."

소졔 그 용심을 모로난 듯, 나즉이 고왈,

"ᄎᆞ물(此物)이 ᄒᆞᆫ 갓 여일 ᄲᅮᆫ 아니라, 요슐이 불측ᄒᆞ여 쳐음 오ᄉᆡᆨ 흉호 되어 드러왓다가, ᄯᅩ 여이 되니 각별ᄒᆞᆫ 요졍이라. 져젹 존고 취운산 힝도의 봉변ᄒᆞᄉᆞ 지금 가신 곳을 모로니, 쳡 등의 망극통졀ᄒᆞᆫ 심ᄉᆞᄂᆞᆫ 의논치 말고, 나는 범이 ᄉᆞᄅᆞᆷ을 후려가믄 쳔고의 희한ᄒᆞᆫ 변이라, ᄎᆞ요(此妖)을 잡어 다ᄉᆞ리면 존고 거쳐을 알가 ᄒᆞᄂᆞ이다."

위뇌 힝혀 묘랑을 져주어 조부인 죽이물 알아닐가 ᄃᆡ경ᄒᆞ여, 변ᄉᆡᆨ 왈,

"노뫼 힝년(行年) 칠십의 ᄉᆞᄅᆞᆷ의 침실의 이런 즘ᄉᆡᆼ 드러오믈 듯지 못ᄒᆞ엿ᄂᆞ니, 보기의 심골이 경황ᄒᆞᆫ지라. 밧비 쫏ᄎᆞ ᄂᆡ치미 올커ᄂᆞᆯ 엇지 져주ᄌᆞ ᄒᆞᄂᆞ뇨?"

뉴시 졔 ᄯᅳᆺ을 일우지 못ᄒᆞ고 묘랑이 잡히여 악ᄉᆞ 발각기 쉬오믈 보고, 통한ᄒᆞ여 존고을 눈ᄀᆡ며 뎡시을 향ᄒᆞ여 낭소 왈,

"우리 가듕의 이런 변괴 업셔 고요안졍ᄒᆞ니, 져 짐ᄉᆡᆼ을 방듕의【39】 일시 머물미 흉커ᄂᆞᆯ 그ᄃᆡᄂᆞᆫ 일호 경동ᄒᆞ미 업ᄉᆞ니, 아지

일호 경동ᄒᆞ미 업ᄉᆞ니, 아디 못게라 그ᄃᆡ 젼일 져런 요믈을 알오미 잇더냐?"

쇼졔 심니(心裏)의 통히ᄒᆞ여 묘랑의 슈단인 줄 알오ᄃᆡ, 당ᄎᆞ지시ᄒᆞ여 그 형적을 분명이 판단ᄒᆞᆯ 길히 업ᄡᆞ믹, 다만 웃고 왈,

"사름이 엇디 요졍과 ᄉᆞ괴리오.【72】 더러온 요믈을 일긱인ᄃᆞᆯ 갓가이 두오며 오릭 보고져 ᄒᆞ리잇고마ᄂᆞᆫ, 져 거ᄉᆞᆯ 져주어 젼후 악ᄉᆞ를 명힉(明覈)고져 ᄒᆞ오미어ᄂᆞᆯ, 오히려 쇼쳡다려 요믈을 결납(結納)ᄒᆞ다 ᄒᆞ시ᄂᆞ뇨? 쳡의 힝식 블민ᄒᆞ여 괴이ᄒᆞᆫ 요괴드오나, 사름이 엇디 ᄎᆞ마 요졍과 동심ᄒᆞ여 작변코져 ᄒᆞ리오. 존당이 엄히 다ᄉᆞ리시면 쳡의 무죄ᄒᆞᆷ믈 아르시려니와 요졍의 변화를 보오니 잘못ᄒᆞ면 일키 쉽ᄉᆞ오니 쳡이 그 몸의 부작(符作)을 븟치리이다."

위뇌 뎡시의 신긔ᄒᆞᆷ믈 어려이 녁여, 부작을 븟치면 묘랑이 다라나지 못ᄒᆞᆯ가 두려, 위력으로 ᄉᆞᆨ지져 요ᄉᆞ(妖邪)를 가ᄂᆡ의 드려 작난코져 ᄒᆞᄂᆞᆫ 바로【73】 츼위1805), 셰월 등으로 밧비 여을 ᄡᅥ어 가라 ᄒᆞ니, 묘랑이 ᄉᆔᆨ녈의 면젼을 나믹, 비로소 살 곳을 어더 다힝ᄒᆞ여 ᄒᆞᆫ번 소릭ᄒᆞ고, 아아히 공듕의 치다라 가니라.【74】

못게라 그ᄃᆡ 젼일 져런 요졍을 알오미 잇더냐?"

소졔 심니(心裏)의 통히ᄒᆞ여 ᄒᆞ나 다만 웃고 ᄃᆡ왈,

"ᄉᆞ름이 엇지 요졍과 ᄉᆞ괴리요. 져거ᄉᆞᆯ 져주어 젼후악ᄉᆞ을 발히미 올커ᄂᆞᆯ, 오히려 소쳡다려 요졍을 결납ᄒᆞᆫ다 ᄒᆞ시ᄂᆞ뇨? 쳡이 힝식 불민ᄒᆞ여 괴이ᄒᆞᆫ 요괴 드러오나, ᄉᆞ름이 엇지 ᄎᆞ마 요졍과 동심ᄒᆞ여 작변코져 ᄒᆞ리오. 존당이 엄히 다ᄉᆞ리시면 쳡이 그 몸의 부작을 부치리이다."

위・뉘 뎡시의 신긔ᄒᆞᆷ물 어려이 역여 부작을 부치면 묘랑이 다라나지 못ᄒᆞᆯ 가 두려, 위력으로 ᄉᆞᆨ지져 요ᄉᆞ을 가ᄂᆡ의 드려 작난코져 ᄒᆞᄂᆞᆫ 바로 츼위1758), 셰월 등으로 밧비 여을 ᄡᅥ러가라 ᄒᆞ니, 묘랑이 ᄉᆔᆨ녈의 면젼을 나믹 비로소 살곳을 어더 다힝ᄒᆞ여 ᄒᆞᆫ 번 소릭ᄒᆞ고 아아히 공듕의 치다라 가니,

1805)츼우다 : 치다. 치부하다 인정하다. 마음속으로 그러하다고 보거나 여기다.

1758)츼우다 : 치다. 치부하다 인정하다. 마음속으로 그러하다고 보거나 여기다.

최 길 용

문학박사
전북대학교 겸임교수
전북대학교 인문학연구소 전임연구원

● **논 문**

〈연작형고소설연구〉외 50여편

● **저 서**

『조선조연작소설연구』 등 12종

校勘本 **明珠寶月聘 ❶**

초판 인쇄 2014년 2월 03일
초판 발행 2014년 2월 10일

교　　주 | 최길용
펴 낸 이 | 하운근
펴 낸 곳 | 學古房

주　　소 | 서울시 은평구 대조동 213-5 우편번호 122-843
전　　화 | (02)353-9907 편집부(02)353-9908
팩　　스 | (02)386-8308
홈페이지 | http://hakgobang.co.kr/
전자우편 | hakgobang@naver.com, hakgobang@chol.com
등록번호 | 제311-1994-000001호

ISBN 978-89-6071-361-1 94810
978-89-6071-360-4 (세트)

값 : 350,000원

이 도서의 국립중앙도서관 출판시도서목록(CIP)은 서지정보유통지원시스템 홈페이지(http://seoji.nl.go.kr)와 국가자료공동목록시스템(http://www.nl.go.kr/kolisnet)에서 이용하실 수 있습니다.
(CIP제어번호: CIP2014003410)

■ 파본은 교환해 드립니다.